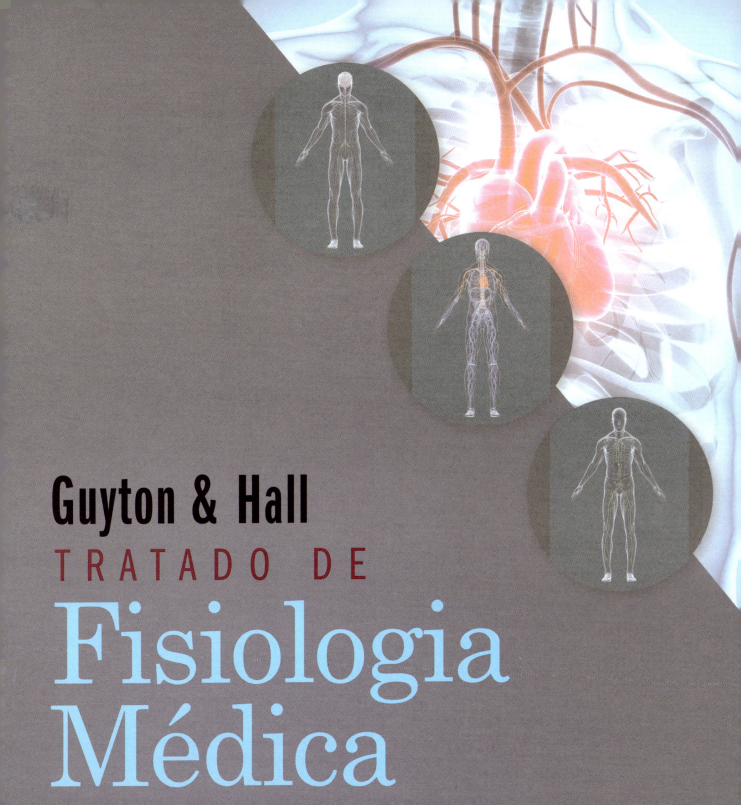

Guyton & Hall
TRATADO DE
Fisiologia Médica

O GEN | Grupo Editorial Nacional – maior plataforma editorial brasileira no segmento científico, técnico e profissional – publica conteúdos nas áreas de ciências da saúde, exatas, humanas, jurídicas e sociais aplicadas, além de prover serviços direcionados à educação continuada e à preparação para concursos.

As editoras que integram o GEN, das mais respeitadas no mercado editorial, construíram catálogos inigualáveis, com obras decisivas para a formação acadêmica e o aperfeiçoamento de várias gerações de profissionais e estudantes, tendo se tornado sinônimo de qualidade e seriedade.

A missão do GEN e dos núcleos de conteúdo que o compõem é prover a melhor informação científica e distribuí-la de maneira flexível e conveniente, a preços justos, gerando benefícios e servindo a autores, docentes, livreiros, funcionários, colaboradores e acionistas.

Nosso comportamento ético incondicional e nossa responsabilidade social e ambiental são reforçados pela natureza educacional de nossa atividade e dão sustentabilidade ao crescimento contínuo e à rentabilidade do grupo.

Guyton & Hall
TRATADO DE
Fisiologia Médica

John E. Hall, PhD
Arthur C. Guyton Professor and Chair, Department of Physiology and Biophysics. Director, Mississippi Center for Obesity Research, University of Mississippi Medical Center, Jackson, Mississippi.

Michael E. Hall, MD, MS
Associate Professor; Department of Medicine, Division of Cardiovascular Diseases. Associate Vice Chair for Research, Department of Physiology and Biophysics, University of Mississippi Medical Center, Jackson, Mississippi.

Revisão Científica
Carlos Alberto Mourão Júnior
Professor Titular de Biofísica e Fisiologia da Universidade Federal de Juiz de Fora (UFJF). Médico Endocrinologista e Clínico Geral. Mestre em Ciências Biológicas pela UFJF. Doutor em Ciências (Medicina) pela Escola Paulista de Medicina (Unifesp). Autor dos livros *Biofísica Conceitual* e *Fisiologia Humana*.

Tradução
Adriana Paulino do Nascimento
Aldacilene da Silva
Beatriz Perez Floriano
Renata Tucci

Décima quarta edição

- Os autores deste livro e a editora empenharam seus melhores esforços para assegurar que as informações e os procedimentos apresentados no texto estejam em acordo com os padrões aceitos à época da publicação. Entretanto, tendo em conta a evolução das ciências, as atualizações legislativas, as mudanças regulamentares governamentais e o constante fluxo de novas informações sobre os temas que constam do livro, recomendamos enfaticamente que os leitores consultem sempre outras fontes fidedignas, de modo a se certificarem de que as informações contidas no texto estão corretas e de que não houve alterações nas recomendações ou na legislação regulamentadora.
- Data do fechamento do livro: 15/07/2021
- Os autores e a editora se empenharam para citar adequadamente e dar o devido crédito a todos os detentores de direitos autorais de qualquer material utilizado neste livro, dispondo-se a possíveis acertos posteriores caso, inadvertida e involuntariamente, a identificação de algum deles tenha sido omitida.
- **Atendimento ao cliente: (11) 5080-0751 | faleconosco@grupogen.com.br**
- Traduzido de:
GUYTON AND HALL TEXTBOOK OF MEDICAL PHYSIOLOGY, FOURTEENTH EDITION
Copyright © 2021 by Elsevier, Inc. All rights reserved. All rights reserved, including those for text and data mining, AI training, and similar technologies.
Publisher's note: Elsevier takes a neutral position with respect to territorial disputes or jurisdictional claims in its published content, including in maps and institutional affiliations.
Previous editions copyrighted 2016, 2011, 2006, 2000, 1996, 1991, 1986, 1981, 1976, 1971, 1966, 1961, and 1956.
This edition of *Guyton and Hall Textbook of Medical Physiology*, 14th edition, by John E. Hall and Michael E. Hall, is published by arrangement with Elsevier Inc.
ISBN: 978-0-323-59712-8
Esta edição de *Guyton and Hall Textbook of Medical Physiology*, 14ª edição, de John E. Hall e Michael E. Hall, é publicada por acordo com a Elsevier Inc.
- Direitos exclusivos para a língua portuguesa
Copyright © 2021 by
GEN | Grupo Editorial Nacional S.A.
Publicado pelo selo Editora Guanabara Koogan Ltda.
Travessa do Ouvidor, 11
Rio de Janeiro – RJ – CEP 20040-040
www.grupogen.com.br
- Reservados todos os direitos. É proibida a duplicação ou reprodução deste volume, no todo ou em parte, em quaisquer formas ou por quaisquer meios (eletrônico, mecânico, gravação, fotocópia, distribuição pela Internet ou outros), sem permissão, por escrito, do GEN | Grupo Editorial Nacional Participações S/A.
- Adaptação da capa: Bruno Sales
- Editoração eletrônica: Anthares

Nota
Este livro foi produzido pelo GEN | Grupo Editorial Nacional, sob sua exclusiva responsabilidade. Profissionais da área da Saúde devem fundamentar-se em sua própria experiência e em seu conhecimento para avaliar quaisquer informações, métodos, substâncias ou experimentos descritos nesta publicação antes de empregá-los. O rápido avanço nas Ciências da Saúde requer que diagnósticos e posologias de fármacos, em especial, sejam confirmados em outras fontes confiáveis. Para todos os efeitos legais, a Elsevier, os autores, os editores ou colaboradores relacionados a esta obra não podem ser responsabilizados por qualquer dano ou prejuízo causado a pessoas físicas ou jurídicas em decorrência de produtos, recomendações, instruções ou aplicações de métodos, procedimentos ou ideias contidos neste livro.

- Ficha catalográfica

CIP-BRASIL. CATALOGAÇÃO NA PUBLICAÇÃO
SINDICATO NACIONAL DOS EDITORES DE LIVROS, RJ

H184g
14. ed.

Hall, John E.
  Guyton & Hall : tratado de fisiologia médica / John E. Hall, Michael E. Hall ; revisor científico Carlos Alberto Mourão Júnior ; tradução Adriana Paulino do Nascimento ... [et al.]. - 14. ed. - [Reimpr.] - Rio de Janeiro : GEN | Grupo Editorial Nacional S.A. Publicado pelo selo Editora Guanabara Koogan Ltda., 2025.
  : il. ; 28 cm.

  Tradução de: Guyton and Hall : textbook of medical physiology
  Inclui índice
  ISBN 978-85-9515-861-0

  1. Fisiologia humana - Manuais, guias, etc. 2. Fisiopatologia - Manuais, guias, etc. I. Hall, Michael E. II. Mourão Júnior, Carlos Alberto. III. Nascimento, Adriana Paulino do. IV. Título.

21-71327   CDD: 612
     CDU: 612

Leandra Felix da Cruz Candido - Bibliotecária - CRB-7/6135

Às
Nossas famílias
Por seu apoio generoso, sua paciência, compreensão e seu amor.

A
Arthur C. Guyton
Por sua pesquisa imaginativa e inovadora
Por sua dedicação à educação
Por nos mostrar o entusiasmo e a alegria pela fisiologia
E por servir como fonte de inspiração.

Às
Nossas famílias
Por seu apoio generoso, sua paciência, compreensão e seu amor.

A
Arthur C. Guyton
Por sua pesquisa imaginativa e inovadora
Por sua dedicação à educação
Por nos mostrar o entusiasmo e a alegria pela fisiologia
E por servir como fonte de inspiração.

Prefácio

A primeira edição do *Guyton & Hall Tratado de Fisiologia Médica* foi escrita por Arthur C. Guyton há quase 65 anos. Ao contrário da maioria dos grandes livros-textos de medicina, que geralmente têm 20 ou mais autores, as primeiras oito edições desta obra foram escritas inteiramente por Dr. Guyton. Ele tinha o dom de transmitir conceitos complexos de maneira clara e interessante, o que tornava o estudo da fisiologia divertido. Ele escreveu este livro para ajudar os alunos a aprender fisiologia, não para impressionar os seus colegas de profissão.

Dr. John Hall trabalhou em estreita colaboração com o Dr. Guyton por quase 30 anos e teve o privilégio de escrever partes da 9ª e 10ª edições e de assumir a responsabilidade exclusiva pela conclusão das edições subsequentes.

Dr. Michael Hall participou da preparação desta 14ª edição. Ele é médico, especialista em medicina interna, cardiologia e fisiologia e trouxe novos *insights*, que ajudaram muito a alcançar o mesmo objetivo das edições anteriores – explicar, em uma linguagem facilmente compreendida pelos alunos, como as diferentes células, tecidos e órgãos do corpo humano trabalham em conjunto para a manutenção da vida.

Essa tarefa tem sido desafiadora e prazerosa porque os pesquisadores continuam a desvendar novos mistérios das funções orgânicas. Os avanços na fisiologia molecular e celular tornaram possível explicar alguns princípios da fisiologia na terminologia das ciências físicas e moleculares, em vez de meramente em uma série de fenômenos biológicos separados e inexplicados. No entanto, os eventos moleculares que sustentam as funções das células do corpo fornecem apenas uma explicação parcial da fisiologia humana. O funcionamento do corpo humano requer sistemas de controle complexos que se comunicam entre si e coordenam as funções moleculares de células, tecidos e órgãos na saúde e na doença.

O *Guyton & Hall Tratado de Fisiologia Médica* não é um livro de referência que tenta fornecer um compêndio sobre os avanços mais recentes na fisiologia. É um livro que mantém tradição de ser escrito para estudantes. Ele se concentra nos princípios básicos da fisiologia necessários para o início de uma carreira nas profissões da área da saúde, como medicina, odontologia e enfermagem, bem como estudos de pós-graduação em ciências biológicas e da saúde. Também pode ser útil para médicos e profissionais da saúde que desejem revisar os princípios básicos necessários para a compreensão da fisiopatologia das doenças humanas. Tentamos manter a mesma organização unificada do texto que ajudou os alunos no passado e garantir que o livro seja abrangente o suficiente para que continuem a usá-lo ao longo de suas carreiras profissionais.

Nossa expectativa é que o *Guyton & Hall Tratado de Fisiologia Médica* transmita a majestosidade do corpo humano e suas muitas funções e estimule os alunos a estudar fisiologia ao longo de suas carreiras. A fisiologia vincula as ciências básicas à medicina. O grande encanto da fisiologia é que ela integra as funções individuais das diferentes células, tecidos e órgãos em um todo funcional: o corpo humano. Na verdade, o corpo humano é muito mais do que a soma de suas partes, e a vida depende desse funcionamento completo, não apenas da função de partes individuais isoladas do organismo.

Isso nos leva a uma questão importante: como órgãos e sistemas separados são coordenados para manter o funcionamento adequado de todo o corpo? Felizmente, nossos corpos são dotados de uma vasta rede de controles de *feedback* que alcançam os equilíbrios necessários, sem os quais não poderíamos viver. Os fisiologistas chamam de *homeostase* esse alto nível de controle interno do corpo. Em estados patológicos, a estabilidade funcional costuma ser seriamente perturbada e a homeostase é prejudicada. Quando um único distúrbio atinge um determinado limite, o corpo inteiro não consegue mais viver. Um dos objetivos desta obra é enfatizar a eficiência e a beleza dos mecanismos homeostáticos do corpo, bem como apresentar o seu funcionamento anormal na vigência de estados patológicos.

Outro objetivo é ser o mais preciso possível. Sugestões e críticas de muitos estudantes, fisiologistas e clínicos em todo o mundo verificaram a precisão dos fatos, bem como o equilíbrio no texto. Mesmo assim, em virtude da probabilidade de erro ao processar milhares de *bits* de informação, emitimos um pedido adicional para que todos os leitores nos enviem notificações de erro ou imprecisão. Os fisiologistas entendem a importância do *feedback* para o funcionamento adequado do corpo humano; o *feedback* também é importante para o aprimoramento progressivo de um livro didático de fisiologia. Às muitas pessoas que já ajudaram, expressamos sinceros agradecimentos. Seu *feedback* tem ajudado a melhorar esta obra.

É necessária uma breve explicação sobre várias características da 14ª edição. Embora muitos dos capítulos tenham sido revisados para incluir novos princípios de fisiologia e novas figuras para ilustrar esses princípios, a extensão do texto foi rigorosamente controlada para limitar o tamanho do livro, para que possa ser usado efetivamente em cursos de fisiologia por estudantes e profissionais de medicina e cuidados de saúde. Novas citações foram escolhidas principalmente por sua apresentação dos princípios fisiológicos, pela qualidade de suas próprias referências e por sua fácil acessibilidade. A bibliografia selecionada no fim dos capítulos reúne, principalmente, artigos de revisão de periódicos científicos publicados recentemente, que podem ser acessados (em inglês) gratuitamente no *site* do PubMed (https://www.ncbi.nlm.nih.gov/pubmed/). Essas referências, assim como as referências cruzadas, abrangem, de forma muito mais extensa, todo o campo da fisiologia.

O nosso esforço para tornar este livro o mais conciso possível infelizmente exigiu uma apresentação mais simplificada e dogmática, do que normalmente desejaríamos, de muitos princípios fisiológicos. No entanto, a bibliografia pode ser consultada para maior conhecimento das controvérsias e das questões que permanecem sem respostas sobre as funções complexas do corpo humano na saúde e na doença.

Outra característica do livro é a configuração do texto em dois tamanhos. O material em letras grandes é constituído por informações fisiológicas fundamentais que os alunos precisarão em praticamente todos os seus estudos médicos. Já os trechos em letras pequenas e destacado com um fundo lilás claro apresentam diferentes conteúdos: (1) informações anatômicas, químicas e outras que são necessárias para discussão imediata, mas que a maioria dos alunos aprenderá com mais detalhes em outros cursos; (2) informações fisiológicas de especial importância para campos específicos da medicina clínica; e (3) informações que serão valiosas para os alunos que desejam estudar mecanismos fisiológicos específicos mais profundamente. Esperamos que esse material ajude os leitores a testar sua compreensão acerca dos princípios básicos da fisiologia.

Expressamos nossos sinceros agradecimentos a muitas pessoas que ajudaram a preparar este livro, incluindo nossos colegas do departamento de fisiologia e biofísica do University of Mississippi Medical Center, que forneceram sugestões valiosas. Os membros do nosso corpo docente e uma breve descrição (em inglês) das atividades de pesquisa e educacionais do departamento podem ser encontrados em http://physiology.umc.edu/. Somos especialmente gratos a Stephanie Lucas, pela excelente assistência, e a James Perkins, pelas excelentes ilustrações. Agradecemos também a Elyse O'Grady, Jennifer Shreiner, Grace Onderlinde, Rebecca Gruliow e toda a equipe da Elsevier pela contínua excelência editorial e de produção.

Por fim, agradecemos aos muitos leitores que continuam nos ajudando a melhorar o *Guyton & Hall Tratado de Fisiologia Médica*. Esperamos que você goste da edição atual e a considere ainda mais útil que as edições anteriores.

John E. Hall
Michael E. Hall

Material suplementar

Este livro conta com o seguinte material suplementar:

- Vídeos de processos fisiológicos
- Sons cardíacos.

O acesso ao material suplementar é gratuito. Basta que o leitor se cadastre, faça seu *login* em nosso *site* (www.grupogen.com.br) e, após, clique em Ambiente de aprendizagem. Em seguida, insira no canto superior esquerdo o código PIN de acesso localizado na parte interna da capa deste livro.

O acesso ao material suplementar online fica disponível até seis meses após a edição do livro ser retirada do mercado.

Caso haja alguma mudança no sistema ou dificuldade de acesso, entre em contato conosco (gendigital@grupogen.com.br).

Sumário de Vídeos e Áudios

CAPÍTULO 2
A Célula e suas Funções
Vídeo 2.1: Endocitose

CAPÍTULO 5
Potencial de Membrana e Potencial de Ação
Vídeo 5.1: Potencial de ação

CAPÍTULO 6
Contração do Músculo Esquelético
Vídeo 6.1: O ciclo das pontes cruzadas

CAPÍTULO 9
Músculo Cardíaco: O Coração como Bomba e o Funcionamento das Valvas Cardíacas
Vídeo 9.1: O ciclo cardíaco

CAPÍTULO 23
Valvas e Bulhas Cardíacas. Doenças Cardíacas Valvares e Congênitas
Áudio 23.1: Bulhas cardíacas normais
Áudio 23.2: Estenose aórtica
Áudio 23.3: Regurgitação aórtica
Áudio 23.4: Regurgitação mitral
Áudio 23.5: Estenose mitral

CAPÍTULO 29
Concentração e Diluição da Urina; Regulação da Osmolaridade e Concentração de Sódio do Líquido Extracelular
Vídeo 29.1: O multiplicador de contracorrente

CAPÍTULO 34
Resistência do Corpo a Infecções: I. Leucócitos, Granulócitos, Sistema Mononuclear Fagocitário e Processo Inflamatório
Vídeo 34.1: Quimiotaxia

CAPÍTULO 38
Ventilação Pulmonar
Vídeo 38.1: Mecânica da ventilação pulmonar

CAPÍTULO 46
Organização do Sistema Nervoso, Funções Básicas das Sinapses e Neurotransmissores
Vídeo 46.1: Transmissão sináptica química
Vídeo 46.2: Neurotransmissão

CAPÍTULO 48
Sensações Somáticas: I. Organização Geral, Sentidos do Tato e de Posição
Vídeo 48.1: Tato epicrítico
Vídeo 48.2: Vias neurais da dor

CAPÍTULO 50
O Olho: I. Óptica da Visão
Vídeo 50.1: Reflexo de acomodação do cristalino

CAPÍTULO 55
Funções Motoras da Medula Espinhal e Reflexos Medulares
Vídeo 55.1: Fuso neuromuscular
Vídeo 55.2: Reflexo patelar

CAPÍTULO 63
Princípios Gerais da Função Digestiva: Motilidade, Controle Nervoso e Circulação Sanguínea
Vídeo 63.1: Peristaltismo

CAPÍTULO 82
Fisiologia Feminina Antes da Gravidez e Hormônios Femininos
Vídeo 82.1: O ciclo menstrual

Sumário

PARTE 1
Introdução à Fisiologia: Célula e Fisiologia Geral, 1

CAPÍTULO 1
Organização Funcional do Corpo Humano e Controle do "Meio Interno", 2
As células são as unidades vivas do corpo, 2
Líquido extracelular: o "meio interno", 3
Homeostase: manutenção de um meio interno quase constante, 3
Sistemas de controle do corpo, 6
Resumo: automaticidade do corpo, 9

CAPÍTULO 2
A Célula e suas Funções, 11
Organização da célula, 11
Estrutura celular, 12
Comparação da célula animal com formas pré-celulares de vida, 18
Sistemas funcionais da célula, 19
Movimento das células, 25

CAPÍTULO 3
Controle Genético da Síntese de Proteínas, da Função Celular e da Reprodução Celular, 28
Genes do núcleo celular controlam a síntese de proteínas, 28
Transcrição: transferência do código de DNA do núcleo celular para o código de RNA do citoplasma, 31
Tradução: formação de proteínas nos ribossomos, 34
Síntese de outras substâncias na célula, 36
Controle da função gênica e atividade bioquímica nas células, 36
O sistema genético do DNA controla a reprodução celular, 38
Diferenciação celular, 43
Apoptose: morte celular programada, 43
Câncer, 44

PARTE 2
Fisiologia da Membrana, do Nervo e do Músculo, 47

CAPÍTULO 4
Transporte de Substâncias Através das Membranas Celulares, 48
A membrana celular é composta por uma bicamada lipídica que contém proteínas de transporte, 48
Difusão, 49
Transporte ativo de substâncias através das membranas, 56

CAPÍTULO 5
Potencial de Membrana e Potencial de Ação, 61
Física básica dos potenciais de membrana, 61
Potencial de repouso na membrana dos neurônios, 64
Potencial de ação no neurônio, 65
Propagação do potencial de ação, 69
Restabelecimento dos gradientes iônicos de sódio e potássio após o término dos potenciais de ação: importância do metabolismo energético, 70
Platô em alguns potenciais de ação, 71
Ritmicidade de alguns tecidos excitáveis: descarga repetitiva, 71
Características especiais da transmissão de sinal em troncos nervosos, 72
Excitação: o processo de geração do potencial de ação, 74

CAPÍTULO 6
Contração do Músculo Esquelético, 76
Anatomia fisiológica do músculo esquelético, 76
Mecanismo geral da contração muscular, 78
Mecanismo molecular da contração muscular, 79
Energética da contração muscular, 83
Características da contração do músculo como um todo, 84

Guyton & Hall Tratado de Fisiologia Médica

CAPÍTULO 7
Excitação do Músculo Esquelético: Transmissão Neuromuscular e Acoplamento Excitação-Contração, 91
Junção neuromuscular e transmissão de impulsos das terminações nervosas para as fibras musculares esqueléticas, 91
Potencial de ação muscular, 95
Acoplamento excitação-contração, 95

CAPÍTULO 8
Excitação e Contração do Músculo Liso, 99
Contração do músculo liso, 99
Regulação da contração pelos íons cálcio, 101
Controles nervoso e hormonal da contração do músculo liso, 103

PARTE 3
O Coração, 109

CAPÍTULO 9
Músculo Cardíaco: O Coração como Bomba e o Funcionamento das Valvas Cardíacas, 110
Fisiologia do músculo cardíaco, 110
Ciclo cardíaco, 115
Regulação do bombeamento cardíaco, 120

CAPÍTULO 10
Excitação Rítmica do Coração, 125
Sistema excitatório e condutor especializado do coração, 125
Controle da excitação e da condução no coração, 128

CAPÍTULO 11
Fundamentos da Eletrocardiografia, 132
Formas de onda do eletrocardiograma normal, 132
Fluxo de corrente ao redor do coração durante o ciclo cardíaco, 134
Derivações eletrocardiográficas, 135

CAPÍTULO 12
Interpretação Eletrocardiográfica de Anormalidades no Músculo Cardíaco e no Fluxo Sanguíneo Coronariano: Análise Vetorial, 140
Análise vetorial do eletrocardiograma, 140
Análise vetorial do eletrocardiograma normal, 142
Eixo elétrico médio do QRS ventricular e seu significado, 145
Condições que causam voltagens anormais do complexo QRS, 148
Padrões prolongados e bizarros do complexo QRS, 149
Corrente de lesão, 149
Anormalidades na onda T, 153

CAPÍTULO 13
Arritmias Cardíacas e sua Interpretação Eletrocardiográfica, 155
Ritmos sinusais anormais, 155
Bloqueio cardíaco nas vias de condução intracardíaca, 156
Contrações prematuras, 158
Taquicardia paroxística, 160
Fibrilação ventricular, 161
Fibrilação atrial, 164
Flutter atrial, 165
Parada cardíaca, 166

PARTE 4
Circulação, 167

CAPÍTULO 14
Visão Geral da Circulação: Pressão, Fluxo e Resistência, 168
Características físicas da circulação, 168
Princípios básicos da função circulatória, 169
Inter-relações de pressão, fluxo e resistência, 170

CAPÍTULO 15
Distensibilidade Vascular e Funções dos Sistemas Arterial e Venoso, 179
Distensibilidade vascular, 179
Ondas de pulso da pressão arterial, 180
Veias e suas funções, 184

CAPÍTULO 16
A Microcirculação e o Sistema Linfático: Trocas Capilares, Líquido Intersticial e Fluxo de Linfa, 189
Estrutura da microcirculação e do sistema capilar, 189
Fluxo de sangue nos capilares: papel da vasomotricidade, 190
Trocas de água, nutrientes e outras substâncias entre o sangue e o líquido intersticial, 191
Interstício e líquido intersticial, 192
Filtração de líquidos pelos capilares, 193
Sistema linfático, 197

CAPÍTULO 17
Controle Local e Humoral do Fluxo Sanguíneo nos Tecidos, 202
Controle local do fluxo sanguíneo em resposta às necessidades teciduais, 202
Mecanismos de controle do fluxo sanguíneo, 203
Controle humoral da circulação, 211
Vasodilatadores, 212

CAPÍTULO 18
Regulação Nervosa da Circulação e Controle Rápido da Pressão Arterial, 215
Regulação nervosa da circulação, 215

Características especiais do controle nervoso da pressão arterial, 224

CAPÍTULO 19
O Papel dos Rins no Controle da Pressão Arterial em Longo Prazo e na Hipertensão, 227
Sistema rim-volume plasmático para o controle da pressão arterial, 227

Papel do sistema renina-angiotensina no controle da pressão arterial, 234

Resumo dos sistemas integrados para a regulação da pressão arterial, 241

CAPÍTULO 20
Débito Cardíaco, Retorno Venoso e suas Regulações, 244
Valores normais para o débito cardíaco em repouso e em movimento, 244

Controle do débito cardíaco pelo retorno venoso: mecanismo de Frank-Starling, 244

Métodos para medição do débito cardíaco, 255

CAPÍTULO 21
Fluxo Sanguíneo Muscular e Débito Cardíaco durante o Exercício; Circulação Coronariana e Cardiopatia Isquêmica, 258
Regulação do fluxo sanguíneo no músculo esquelético em repouso e durante o exercício, 258

Circulação coronariana, 261

CAPÍTULO 22
Insuficiência Cardíaca, 270
Dinâmica circulatória na insuficiência cardíaca, 270

Insuficiência cardíaca unilateral esquerda, 274

Insuficiência cardíaca de baixo débito – choque cardiogênico, 274

Edema em pacientes com insuficiência cardíaca, 275

Reserva cardíaca, 277

Análise gráfica quantitativa da insuficiência cardíaca, 277

Insuficiência cardíaca com disfunção diastólica e fração de ejeção normal, 279

Insuficiência cardíaca de alto débito, 280

CAPÍTULO 23
Valvas e Bulhas Cardíacas; Doenças Cardíacas Valvares e Congênitas, 282
Bulhas cardíacas, 282

Dinâmica anormal da circulação nas valvopatias, 286

Dinâmica circulatória anormal em cardiopatias congênitas, 288

Uso de circulação extracorpórea durante a cirurgia cardíaca, 290

Hipertrofia miocárdica nas cardiopatias valvares e congênitas, 290

CAPÍTULO 24
Choque Circulatório e seu Tratamento, 292
Causas fisiológicas do choque, 292

Choque causado por hipovolemia (choque hemorrágico), 293

Choque neurogênico: Aumento da capacitância vascular, 298

Choque anafilático ou choque histamínico, 299

Choque séptico, 299

Fisiologia do tratamento do choque, 300

Parada circulatória, 301

PARTE 5
Líquidos Corporais e Rins, 303

CAPÍTULO 25
Regulação dos Compartimentos de Líquidos Corporais: Líquidos Extracelulares e Intracelulares; Edema, 304
A entrada e saída de líquidos é equilibrada durante condições estáveis, 304

Compartimentos de líquidos corporais, 305

Constituintes dos líquidos extracelular e intracelular, 306

Mensuração dos volumes dos compartimentos de líquidos corporais: princípio indicador-diluição, 307

Trocas de líquidos e equilíbrio osmótico entre os líquidos intracelular e extracelular, 309

Volume e osmolalidade dos líquidos extracelular e intracelular em condições anormais, 311

Glicose e outras soluções administradas com propósitos nutritivos, 313

Anormalidades clínicas da regulação do volume de líquidos: hiponatremia e hipernatremia, 313

Edema: excesso de líquido nos tecidos, 315

Líquidos em espaços potenciais do organismo, 319

CAPÍTULO 26
Sistema Urinário: Anatomia Funcional e Formação da Urina pelos Rins, 320
Funções múltiplas dos rins, 320

Anatomia fisiológica dos rins, 321

Micção, 323

A formação da urina resulta de filtração glomerular, reabsorção tubular e secreção tubular, 328

CAPÍTULO 27

Filtração Glomerular, Fluxo Sanguíneo Renal e seus Respectivos Controles, 330

Filtração glomerular: o primeiro passo na formação da urina, 330

Determinantes da taxa de filtração glomerular, 332

Fluxo sanguíneo renal, 334

Controle fisiológico da filtração glomerular e fluxo sanguíneo renal, 336

Autorregulação da taxa de filtração glomerular e fluxo sanguíneo renal, 338

CAPÍTULO 28

Reabsorção e Secreção Tubulares Renais, 342

A reabsorção tubular é quantitativamente grande e altamente seletiva, 342

A reabsorção tubular inclui mecanismos passivos e ativos, 343

Reabsorção e secreção ao longo das diferentes partes do néfron, 348

Regulação da reabsorção tubular, 354

Utilização de métodos de *clearance* para quantificar a função renal, 359

CAPÍTULO 29

Concentração e Diluição da Urina; Regulação da Osmolaridade e Concentração de Sódio do Líquido Extracelular, 364

Os rins excretam o excesso de água por meio da formação de urina diluída, 364

Os rins conservam água corporal por meio da excreção de urina concentrada, 366

O mecanismo multiplicador de contracorrente produz um interstício medular renal hiperosmótico, 367

Características da alça de Henle que causam aprisionamento de solutos na medula renal, 367

Controle da osmolaridade e concentração de sódio do líquido extracelular, 374

Sistema de *feedback* osmorreceptor-ADH, 375

Importância da sede no controle da osmolaridade e concentração de sódio extracelular, 377

CAPÍTULO 30

Regulação Renal de Potássio, Cálcio, Fosfato e Magnésio; Integração de Mecanismos Renais para o Controle do Volume Sanguíneo e do Líquido Extracelular, 381

Regulação da concentração e excreção de potássio no líquido extracelular, 381

Regulação renal da excreção e concentração extracelular de cálcio, 388

Regulação da excreção renal de fosfato, 390

Regulação da excreção renal e da concentração extracelular de magnésio, 390

Integração de mecanismos renais para o controle do líquido extracelular, 391

Importância da natriurese sob pressão e da diurese sob pressão na manutenção do equilíbrio de sódio e líquidos do organismo, 392

Distribuição do líquido extracelular entre o espaço intersticial e o sistema vascular, 394

Fatores neurais e hormonais aumentam a eficácia do controle por *feedback* rins-líquidos corporais, 394

Respostas integradas a alterações da ingestão de sódio, 397

Condições que causam grande aumento da volemia e do volume de líquido extracelular, 398

Condições que causam grande aumento do volume de líquido extracelular com volemia normal ou diminuída, 398

CAPÍTULO 31

Equilíbrio Acidobásico, 400

A concentração do íon hidrogênio é regulada com precisão, 400

Ácidos e bases: definição e significado, 400

Defesa contra mudanças na concentração de H^+: tampões, pulmões e rins, 401

Tamponamento do íon hidrogênio (H^+) nos líquidos corporais, 401

Sistema tampão bicarbonato, 402

Sistema tampão fosfato, 404

Proteínas são importantes tampões intracelulares, 404

Regulação respiratória do equilíbrio acidobásico, 405

Controle renal do equilíbrio acidobásico, 406

Secreção de H^+ e reabsorção de HCO_3^- pelos túbulos renais, 407

A combinação do excesso de H^+ com os tampões fosfato e amônia no túbulo gera novos íons HCO_3^-, 409

Quantificação da excreção renal de ácidos e bases, 411

Regulação da secreção tubular renal de H^+, 411

Correção renal da acidose: aumento da excreção de H^+ e adição de HCO_3^- ao líquido extracelular, 412

Correção renal da alcalose: redução da secreção tubular de H^+ e aumento da excreção de HCO_3^-, 413

CAPÍTULO 32

Diuréticos e Doenças Renais, 418

Diuréticos e seus mecanismos de ação, 418

Doenças renais, 420

Lesão renal aguda, 420

A doença renal crônica é frequentemente associada à perda irreversível de néfrons funcionais, 423

PARTE 6
Células Sanguíneas, Imunidade e Coagulação Sanguínea, 433

CAPÍTULO 33
Hemácias, Anemia e Policitemia, 434
Hemácias (eritrócitos), 434
Anemias, 441
Policitemia, 442

CAPÍTULO 34
Resistência do Corpo a Infecções: I. Leucócitos, Granulócitos, Sistema Mononuclear Fagocitário e Processo Inflamatório, 444
Leucócitos, 444
Os neutrófilos e os macrófagos atacam os agentes infecciosos, 446
Sistema mononuclear fagocitário (sistema reticuloendotelial), 447
Processo inflamatório: papel dos neutrófilos e dos macrófagos, 449
Eosinófilos, 452
Basófilos, 452
Leucopenia, 452
Leucemias, 453

CAPÍTULO 35
Resistência do Corpo a Infecções: II. Imunidade e Alergia, 454
Imunidade adquirida, 454
Alergia e hipersensibilidade, 464

CAPÍTULO 36
Tipos Sanguíneos, Transfusão e Transplante de Tecidos e de Órgãos, 467
Antigenicidade causa reações imunológicas no sangue, 467
Tipos sanguíneos: sistema ABO, 467
Tipos sanguíneos do sistema Rh, 469
Reações transfusionais resultantes da incompatibilidade de tipos sanguíneos, 470
Transplante de tecidos e de órgãos, 471

CAPÍTULO 37
Hemostasia e Coagulação Sanguínea, 473
Eventos da hemostasia, 473
Mecanismo da coagulação sanguínea, 475
Condições causadoras de sangramento excessivo em humanos, 481
Condições tromboembólicas, 482
Anticoagulantes para uso clínico, 483
Testes de coagulação sanguínea, 484

PARTE 7
Respiração, 487

CAPÍTULO 38
Ventilação Pulmonar, 488
Mecânica da ventilação pulmonar, 488
Volumes e capacidades pulmonares, 492
Ventilação alveolar, 494

CAPÍTULO 39
Circulação Pulmonar, Edema Pulmonar e Líquido Pleural, 500
Anatomia fisiológica do sistema circulatório pulmonar, 500
Pressões no sistema pulmonar, 500
Volume sanguíneo dos pulmões, 501
Fluxo sanguíneo e sua distribuição através dos pulmões, 501
Efeito dos gradientes de pressão hidrostática nos pulmões sobre o fluxo sanguíneo pulmonar regional, 502
Dinâmica capilar pulmonar, 504
Líquido na cavidade pleural, 506

CAPÍTULO 40
Princípios da Troca Gasosa; Difusão de Oxigênio e Dióxido de Carbono pela Membrana Respiratória, 508
As composições do ar alveolar e do ar atmosférico são diferentes, 510
Difusão de gases pela membrana respiratória, 512

CAPÍTULO 41
Transporte de Oxigênio e Dióxido de Carbono no Sangue e Líquidos Teciduais, 518
Transporte de oxigênio dos pulmões até os tecidos do organismo, 518
Transporte de CO_2 pelo sangue, 525
Quociente de respiratório, 527

CAPÍTULO 42
Regulação da Respiração, 528
Centro respiratório, 528
Controle químico da respiração, 530
Sistema quimiorreceptor periférico: papel do oxigênio no controle da respiração, 531
Regulação da respiração durante o exercício, 534

CAPÍTULO 43
Insuficiência Respiratória: Fisiopatologia, Diagnóstico, Oxigenoterapia, 538
Métodos úteis para estudar as anormalidades respiratórias, 538

Mensuração do fluxo expiratório máximo, 539
Fisiopatologia de anormalidades pulmonares específicas, 540
Hipóxia e oxigenoterapia, 543
Hipercapnia: excesso de dióxido de carbono nos líquidos corporais, 545
Respiração artificial, 546

PARTE 8
Fisiologia da Aviação, do Voo Espacial e do Mergulho em Grandes Profundidades, 549

CAPÍTULO 44
Fisiologia da Aviação, das Grandes Altitudes e do Voo Espacial, 550
Efeitos da baixa pressão de oxigênio sobre o organismo, 550

CAPÍTULO 45
Fisiologia do Mergulho em Grandes Profundidades e Outras Condições Hiperbáricas, 558
Efeito de altas pressões parciais de gases individuais sobre o corpo, 558
Equipamento autônomo de respiração subaquática (scuba), 562

PARTE 9
Sistema Nervoso: A. Princípios Gerais e Fisiologia Sensorial, 565

CAPÍTULO 46
Organização do Sistema Nervoso, Funções Básicas das Sinapses e Neurotransmissores, 566
Estrutura geral do sistema nervoso, 566
Níveis principais de função do sistema nervoso central, 568
Comparação do sistema nervoso a um computador, 569
Sinapses do sistema nervoso central, 569
Características especiais da transmissão sináptica, 582

CAPÍTULO 47
Receptores Sensoriais e Circuitos Neuronais para o Processamento das Informações, 584
Tipos de receptores sensoriais e estímulos por eles detectados, 584
Transdução do estímulo sensorial em impulsos nervosos, 584
Intensidade da transmissão de sinais nos tratos nervosos: somação espacial e temporal, 589
Transmissão e processamento de sinais em grupos de neurônios, 589
Instabilidade e estabilidade dos circuitos neuronais, 594

CAPÍTULO 48
Sensações Somáticas: I. Organização Geral, Sentidos do Tato e de Posição, 596
Vias sensitivas de transmissão de sinais somáticos para o sistema nervoso central, 598
Transmissão pelo sistema coluna dorsal-lemnisco medial, 598
Transmissão de sinais sensoriais pela via anterolateral, 606

CAPÍTULO 49
Sensações Somáticas: II. Dor, Cefaleia e Sensações Térmicas, 609
Dor rápida, dor lenta e suas modalidades, 609
Receptores de dor e sua estimulação, 609
Vias duplas de transmissão de sinais de dor para o sistema nervoso central, 610
Sistema de supressão da dor (analgesia) no encéfalo e na medula espinhal, 612
Dor referida, 614
Dor visceral, 614
Sensações térmicas, 618

PARTE 10
Sistema Nervoso: B. Os Órgãos Especiais dos Sentidos, 621

CAPÍTULO 50
O Olho: I. Óptica da Visão, 622
Princípios físicos da óptica, 622
Óptica do olho, 625
Sistema de líquidos do olho: líquido intraocular, 631

CAPÍTULO 51
O Olho: II. Funções Receptora e Neural da Retina, 634
Anatomia e função dos elementos estruturais da retina, 634
Fotoquímica da visão, 636
Visão em cores, 641
Função neural da retina, 642

CAPÍTULO 52
O Olho: III. Neurofisiologia Central da Visão, 648
Vias visuais, 648
Organização e função do córtex visual, 649
Padrões neuronais de estimulação durante a análise das imagens visuais, 651
Movimentos oculares e seu controle, 652
Controle autônomo da acomodação e da abertura pupilar, 656

CAPÍTULO 53

O Sentido da Audição, 659
Membrana timpânica e sistema ossicular, 659
Cóclea, 660
Mecanismos auditivos centrais, 666

CAPÍTULO 54

Os Sentidos Químicos: Gustação e Olfação, 671
Sentido da gustação, 671
Sentido da olfação, 675

PARTE 11

Sistema Nervoso: C. Neurofisiologia Motora e Integrativa, 681

CAPÍTULO 55

Funções Motoras da Medula Espinhal e Reflexos Medulares, 682
Organização das funções motoras da medula espinhal, 682
Receptores sensoriais musculares – fusos neuro-musculares e órgãos tendinosos de Golgi – e suas funções no controle muscular, 684
Reflexo flexor e reflexos de retirada, 689
Reflexo extensor cruzado, 690
Inibição recíproca e inervação recíproca, 691
Reflexos posturais e de locomoção, 691

CAPÍTULO 56

Controle da Função Motora pelo Córtex Cerebral e pelo Tronco Encefálico, 694
Córtex motor e trato corticoespinhal, 694
Controle das funções motoras pelo tronco encefálico, 700
Sensações vestibulares e manutenção do equilíbrio, 701

CAPÍTULO 57

Contribuições do Cerebelo e dos Núcleos da Base para o Controle Motor, 707
Cerebelo e suas funções motoras, 707
Núcleos da base e suas funções motoras, 716
Integração das diferentes partes do sistema de controle global do movimento, 721

CAPÍTULO 58

Córtex Cerebral, Funções Intelectuais do Cérebro, Aprendizado e Memória, 723
Anatomia fisiológica do córtex cerebral, 723
Funções de áreas corticais específicas, 724

O corpo caloso e a comissura anterior comunicam pensamentos, memórias, experiências e outras informações entre os dois hemisférios cerebrais, 731
Pensamentos, consciência e memória, 731

CAPÍTULO 59

Sistema Límbico e Hipotálamo: Mecanismos Comportamentais e Motivacionais do Cérebro, 737
Sistemas de ativação: função de motivação no cérebro, 737
Sistema límbico, 740
Hipotálamo: uma importante sede de controle para o sistema límbico, 741
Funções específicas de outras partes do sistema límbico, 746

CAPÍTULO 60

Estados da Atividade Cerebral: Sono, Ondas Cerebrais, Epilepsia, Psicose e Demência, 749
Sono, 749

CAPÍTULO 61

Sistema Nervoso Autônomo e Medula Adrenal, 759
Organização geral do sistema nervoso autônomo, 759
Características básicas das funções simpática e parassimpática, 761
Estimulação seletiva de órgãos-alvo por sistemas simpáticos e parassimpáticos ou descarga em massa, 769

CAPÍTULO 62

Fluxo Sanguíneo Cerebral, Liquor e Metabolismo Cerebral, 773
Fluxo sanguíneo cerebral, 773
Liquor (líquido cefalorraquidiano), 776
Metabolismo cerebral, 780

PARTE 12

Fisiologia Digestiva, 783

CAPÍTULO 63

Princípios Gerais da Função Digestiva: Motilidade, Controle Nervoso e Circulação Sanguínea, 784
Princípios gerais de motilidade digestiva, 784
Controle neural da função gastrointestinal: o sistema nervoso entérico, 786
Controle hormonal da motilidade gastrointestinal, 789

Movimentos funcionais no trato digestivo, 790
Fluxo sanguíneo gastrointestinal: circulação esplâncnica, 791

CAPÍTULO 64
Propulsão e Mistura dos Alimentos no Trato Digestivo, 795
Ingestão de alimentos, 795
Funções motoras do estômago, 797
Movimentos do intestino delgado, 800
Movimentos do cólon, 802
Outros reflexos autonômicos que afetam a atividade intestinal, 804

CAPÍTULO 65
Funções Secretoras do Trato Digestivo, 805
Princípios gerais de secreção do trato digestivo, 805
Secreção da saliva, 807
Secreção gástrica, 809
Secreção pancreática, 813
Secreção biliar pelo fígado, 816
Secreções do intestino delgado, 819

CAPÍTULO 66
Digestão e Absorção no Trato Digestivo, 821
Digestão de vários alimentos por hidrólise, 821
Princípios básicos da absorção gastrointestinal, 825
Absorção no intestino delgado, 826
Absorção no intestino grosso: formação de fezes, 830

CAPÍTULO 67
Fisiologia dos Distúrbios do Trato Digestivo, 832

PARTE 13
Metabolismo e Regulação da Temperatura, 839

CAPÍTULO 68
Metabolismo dos Carboidratos e Formação do Trifosfato de Adenosina, 840

CAPÍTULO 69
Metabolismo Lipídico, 850
Estrutura química básica dos triglicerídios (gordura neutra), 850
Transporte de lipídios nos líquidos corporais, 850

CAPÍTULO 70
Metabolismo das Proteínas, 863

CAPÍTULO 71
Fígado, 869

CAPÍTULO 72
Equilíbrio Dietético; Regulação da Alimentação; Obesidade e Inanição; Vitaminas e Minerais, 875
Em condições estáveis, a ingestão e o gasto energético estão equilibrados, 875
Regulação da ingestão de alimentos e do armazenamento de energia, 877

CAPÍTULO 73
Energética Celular e Taxa Metabólica, 893

CAPÍTULO 74
Regulação da Temperatura Corporal e Febre, 901
Temperatura corporal normal, 901
A temperatura corporal é controlada pelo equilíbrio entre a produção e a perda de calor, 901
Regulação da temperatura corporal: o papel do hipotálamo, 905
Anormalidades na regulação da temperatura corporal, 910

PARTE 14
Endocrinologia e Reprodução, 913

CAPÍTULO 75
Introdução à Endocrinologia, 914
Coordenação das funções corporais por mensageiros químicos, 914
Estrutura química e síntese dos hormônios, 914
Secreção, transporte e *clearance* (depuração) de hormônios do sangue, 918
Mecanismo de ação dos hormônios, 919

CAPÍTULO 76
Hormônios Hipofisários e seu Controle pelo Hipotálamo, 927
Glândula hipófise e sua relação com o hipotálamo, 927
O hipotálamo controla a secreção hipofisária, 929
Funções fisiológicas do hormônio de crescimento, 930
Neuro-hipófise e sua relação com o hipotálamo, 937
Regulação da produção do hormônio antidiurético, 938

CAPÍTULO 77
Hormônios Metabólicos da Tireoide, 940
Síntese e secreção dos hormônios metabólicos da tireoide, 940
Funções fisiológicas dos hormônios tireoidianos, 943
Os hormônios tireoidianos aumentam a atividade metabólica celular, 945
Regulação da secreção do hormônio tireoidiano, 947

CAPÍTULO 78

Hormônios Adrenocorticais, 953

Corticosteroides: mineralocorticoides, glicocorticoides e androgênios, 953

Síntese e secreção dos hormônios adrenocorticais, 953

Funções dos mineralocorticoides: aldosterona, 956

Funções dos glicocorticoides, 960

CAPÍTULO 79

Insulina, Glucagon e Diabetes Melito, 972

Insulina e seus efeitos metabólicos, 972

Glucagon e suas funções, 981

Resumo da regulação da glicose sanguínea, 983

CAPÍTULO 80

Paratormônio, Calcitonina, Metabolismo do Cálcio e do Fósforo, Vitamina D, Ossos e Dentes, 990

Visão geral da regulação de cálcio e fósforo no líquido extracelular e no plasma, 990

Ossos e sua relação com o cálcio e o fósforo extracelulares, 992

Vitamina D, 996

Paratormônio, 998

Calcitonina, 1002

Resumo do controle da concentração de cálcio iônico, 1003

Fisiologia dos dentes, 1006

CAPÍTULO 81

Funções Reprodutoras e Hormonais Masculinas; Função da Glândula Pineal, 1009

Espermatogênese, 1009

Ato sexual masculino, 1014

Testosterona e outros hormônios sexuais masculinos, 1016

CAPÍTULO 82

Fisiologia Feminina Antes da Gravidez e Hormônios Femininos, 1024

Anatomia e fisiologia dos órgãos sexuais femininos, 1024

Ovulogênese e desenvolvimento folicular nos ovários, 1024

Sistema hormonal feminino, 1026

Ciclo ovariano mensal e função dos hormônios gonadotróficos, 1026

Funções dos hormônios ovarianos: estradiol e progesterona, 1029

Regulação do ciclo menstrual feminino: interação dos hormônios ovarianos com os hormônios hipotálamo-hipofisários, 1035

Ato sexual feminino, 1039

CAPÍTULO 83

Gravidez e Lactação, 1042

Maturação e fertilização do óvulo, 1042

Nutrição inicial do embrião, 1044

Anatomia e função da placenta, 1044

Fatores hormonais na gravidez, 1046

Parto, 1051

Lactação, 1054

CAPÍTULO 84

Fisiologia Fetal e Neonatal, 1058

PARTE 15
Fisiologia do Exercício, 1069

CAPÍTULO 85

Fisiologia do Exercício, 1070

ÍNDICE ALFABÉTICO, 1083

Introdução à Fisiologia: Célula e Fisiologia Geral

PARTE 1

RESUMO DA PARTE

1 Organização Funcional do Corpo Humano e Controle do "Meio Interno", *2*

2 A Célula e suas Funções, *11*

3 Controle Genético da Síntese de Proteínas, da Função Celular e da Reprodução Celular, *28*

PARTE 1

CAPÍTULO 1

Organização Funcional do Corpo Humano e Controle do "Meio Interno"

A fisiologia é a ciência que busca explicar os mecanismos físicos e químicos responsáveis pela origem, desenvolvimento e progressão da vida. Cada tipo de vida, seja o vírus mais simples, a maior árvore ou o complexo ser humano, tem suas próprias características funcionais. Portanto, o vasto campo da fisiologia pode ser dividido nas fisiologias: viral, bacteriana, celular, vegetal, dos invertebrados, dos vertebrados, dos mamíferos, humana e muitas outras.

Fisiologia humana. A ciência da fisiologia humana tenta explicar as características e mecanismos específicos do corpo humano que o tornam um ser vivo. O fato de permanecermos vivos é o resultado de sistemas de controle complexos. A fome nos faz buscar comida, e o medo nos faz buscar refúgio. As sensações de frio nos fazem procurar calor. Outras forças fazem com que busquemos companhia e nos reproduzir. O fato de sermos seres com percepção, sentimento e conhecimento faz parte dessa sequência automática de vida; esses atributos especiais nos permitem existir em condições amplamente variáveis que, de outra forma, tornariam a vida impossível.

A fisiologia humana vincula as ciências básicas à medicina e integra várias funções das células, tecidos e órgãos às funções do ser humano vivo. Essa integração requer comunicação e coordenação por uma vasta gama de sistemas de controle que operam em todos os níveis, desde os genes que programam a síntese de moléculas até os complexos sistemas nervoso e hormonal que coordenam as funções das células, tecidos e órgãos por todo o corpo. Assim, as funções coordenadas do corpo humano são muito mais do que a soma de suas partes, e a vida com saúde, bem como em estados de doença, depende dessa função total. Embora o foco principal deste livro seja a fisiologia humana normal, também discutiremos, até certo ponto, a *fisiopatologia*, que é o estudo dos distúrbios das funções corporais e a base para a medicina clínica.

AS CÉLULAS SÃO AS UNIDADES VIVAS DO CORPO

A unidade viva básica do corpo é a célula. Cada tecido ou órgão é um agregado de muitas células diferentes mantidas juntas por estruturas de suporte intercelulares.

Cada tipo de célula é especialmente adaptado para executar uma ou algumas funções específicas. Por exemplo, as hemácias, totalizando cerca de 25 trilhões em cada pessoa, transportam oxigênio dos pulmões para os tecidos. Embora as hemácias sejam as mais abundantes de qualquer tipo de célula do corpo, também há trilhões de células adicionais de outros tipos que desempenham funções diferentes das hemácias. O corpo inteiro, então, contém cerca de 35 a 40 trilhões de células.

As muitas células do organismo frequentemente diferem acentuadamente umas das outras, mas todas têm certas características básicas que são semelhantes. Por exemplo, o oxigênio reage com carboidratos, gorduras e proteínas para liberar a energia necessária para o funcionamento de todas as células. Além disso, os mecanismos químicos gerais para transformar nutrientes em energia são basicamente os mesmos em todas as células, e todas as células distribuem os produtos de suas reações químicas nos líquidos circundantes.

Quase todas as células também têm a capacidade de reproduzir células adicionais de seu próprio tipo. Felizmente, quando células de um tipo específico são destruídas, as células restantes desse tipo habitualmente geram novas células até que o suprimento seja reposto.

Os microrganismos que vivem no corpo superam numericamente as células humanas. Além das células humanas, trilhões de microrganismos habitam o corpo, vivendo na pele, na boca, no intestino e no nariz. O tubo gastrointestinal, por exemplo, normalmente contém uma população complexa e dinâmica de 400 a 1.000 espécies de microrganismos que ultrapassam o número de nossas células humanas. As comunidades de microrganismos que habitam o corpo, muitas vezes chamadas de *microbiota*, podem causar doenças, mas na maioria das vezes vivem em harmonia com seus hospedeiros humanos e fornecem funções vitais que são essenciais para a sobrevivência de seus hospedeiros. Embora a importância da microbiota intestinal na digestão de alimentos seja amplamente reconhecida, papéis adicionais para os micróbios do corpo na nutrição, na imunidade e em outras funções estão apenas começando a ser estimados e representam uma área intensiva de pesquisa biomédica.

CAPÍTULO 1 Organização Funcional do Corpo Humano e Controle do "Meio Interno"

LÍQUIDO EXTRACELULAR | O "MEIO INTERNO"

Cerca de 50 a 70% do corpo humano adulto é líquido, principalmente uma solução aquosa de íons e outras substâncias. Embora a maior parte desse líquido esteja dentro das células e seja chamado *líquido intracelular*, cerca de um terço está nos espaços fora das células e é chamado *líquido extracelular*. Esse líquido extracelular está em movimento constante por todo o corpo. Ele é transportado rapidamente no sangue circulante e, então, misturado entre o sangue e os líquidos teciduais por difusão através das paredes dos capilares.

No líquido extracelular estão os íons e nutrientes necessários às células para manter a vida. Assim, todas as células vivem essencialmente no mesmo ambiente – o líquido extracelular. Por esta razão, o líquido extracelular também é chamado *meio interno* do corpo, ou o *milieu intérieur*, um termo introduzido pelo grande fisiologista francês do século XIX, Claude Bernard (1813–1878).

As células são capazes de viver e desempenhar suas funções especiais, desde que as concentrações adequadas de oxigênio, glicose, íons diferentes, aminoácidos, substâncias gordurosas e outros constituintes estejam disponíveis nesse meio interno.

Diferenças entre os líquidos extracelular e intracelular.

O líquido extracelular contém grandes quantidades de íons sódio, cloro e bicarbonato, além de nutrientes para as células, como oxigênio, glicose, ácidos graxos e aminoácidos. Ele também contém dióxido de carbono que está sendo transportado das células para os pulmões para ser excretado, além de outros produtos residuais celulares que estão sendo transportados para os rins para excreção.

O líquido intracelular contém grandes quantidades de íons potássio, magnésio e fósforo, em vez dos íons sódio e cloreto encontrados no líquido extracelular. Os mecanismos especiais para transportar íons através das membranas celulares mantêm as diferenças de concentração de íons entre os líquidos extracelular e intracelular. Esses processos de transporte são discutidos no Capítulo 4.

HOMEOSTASE | MANUTENÇÃO DE UM MEIO INTERNO QUASE CONSTANTE

Em 1929, o fisiologista americano Walter Cannon (1871–1945) criou o termo *homeostase* para descrever a *manutenção de condições quase constantes no meio interno*. Essencialmente, todos os órgãos e tecidos do corpo desempenham funções que ajudam a manter essas condições relativamente constantes. Por exemplo, os pulmões fornecem oxigênio ao líquido extracelular para repor o oxigênio usado pelas células, os rins mantêm concentrações constantes de íons, e o sistema digestório fornece nutrientes enquanto elimina resíduos do corpo.

Os vários íons, nutrientes, produtos residuais e outros constituintes do corpo são normalmente regulados dentro de um intervalo de valores, em vez de valores fixos. Para alguns dos constituintes do corpo, esse intervalo é extremamente pequeno. As variações na concentração de íons hidrogênio no sangue, por exemplo, são normalmente menores que 5 nanomoles/ℓ (0,000000005 mol/ℓ). A concentração de sódio no sangue também é rigidamente regulada, normalmente variando apenas alguns *milimoles* por litro, mesmo com grandes mudanças na ingestão de sódio, mas essas variações de concentração de sódio são pelo menos 1 milhão de vezes maiores do que para os íons hidrogênio.

Existem sistemas de controle poderosos para manter as concentrações de íons sódio e hidrogênio, bem como da maioria dos outros íons, nutrientes e substâncias no corpo, em níveis que permitem que células, tecidos e órgãos desempenhem suas funções normais, apesar das grandes variações ambientais e dos desafios de lesões e doenças.

Grande parte deste texto se concentra na forma como cada órgão ou tecido contribui para a homeostase. As funções normais do corpo requerem ações integradas de células, tecidos, órgãos e vários sistemas de controle, nervoso, hormonal e local, que, juntos, contribuem para a homeostase e a boa saúde.

Compensações homeostáticas nas doenças.

A *doença* é frequentemente considerada um estado de ruptura da homeostase. No entanto, mesmo na presença de doença, os mecanismos homeostáticos continuam a operar e manter as funções vitais por meio de múltiplas compensações. Em alguns casos, essas compensações podem levar a grandes desvios das funções normais do corpo, tornando difícil distinguir a causa primária da doença das respostas compensatórias. Por exemplo, doenças que prejudicam a capacidade dos rins de excretar sal e água podem levar à hipertensão arterial, o que inicialmente ajuda a retornar a excreção ao normal para que um equilíbrio entre a ingestão e a excreção renal possa ser mantido. Esse equilíbrio é necessário para manter a vida, mas, durante longos períodos de tempo, a hipertensão arterial pode danificar vários órgãos, incluindo os rins, causando aumentos ainda maiores da pressão arterial e mais danos renais. Assim, as compensações homeostáticas que ocorrem após lesão, doença ou grandes desafios ambientais para o corpo podem representar trocas que são necessárias para manter as funções vitais do corpo, mas, a longo prazo, contribuem para outras anormalidades da função corporal. A disciplina de *fisiopatologia* procura explicar como os vários processos fisiológicos são alterados em doenças ou lesões.

Este capítulo descreverá os diferentes sistemas funcionais do corpo e suas contribuições para a homeostase. Em seguida, discutiremos brevemente a teoria básica dos sistemas de controle do corpo que permitem que os sistemas funcionais operem em apoio uns aos outros.

SISTEMA DE TRANSPORTE E DE TROCA DO LÍQUIDO EXTRACELULAR | O SISTEMA CIRCULATÓRIO DO SANGUE

O líquido extracelular é transportado pelo corpo em dois estágios. O primeiro estágio é o movimento do sangue através do corpo nos vasos sanguíneos. O segundo é o movimento do líquido entre os capilares sanguíneos e os *espaços intercelulares* entre as células do tecido.

A **Figura 1.1** mostra a circulação geral do sangue. Todo o sangue na circulação atravessa o circuito inteiro em média uma vez a cada minuto quando o corpo está em repouso e até seis vezes a cada minuto quando uma pessoa está extremamente ativa.

Conforme o sangue passa pelos capilares sanguíneos, a troca contínua de líquido extracelular ocorre entre a porção plasmática do sangue e o líquido intersticial que preenche os espaços intercelulares. Esse processo é mostrado na **Figura 1.2**. As paredes dos capilares são permeáveis à maioria das moléculas do plasma sanguíneo, com exceção das proteínas plasmáticas, que são muito grandes para passarem facilmente pelos capilares. Portanto, grandes quantidades de líquido e seus constituintes dissolvidos se *difundem* em movimento de vai e volta entre o sangue e os espaços teciduais, conforme mostrado pelas setas na **Figura 1.2**.

Esse processo de difusão é causado pelo movimento cinético das moléculas no plasma e no líquido intersticial. Ou seja, o líquido e as moléculas dissolvidas estão continuamente se movendo e saltando em todas as direções no plasma e no líquido nos espaços intercelulares, bem como através dos poros dos capilares. Poucas células estão localizadas a mais de 50 micrômetros de um capilar, o que garante a difusão de quase qualquer substância do capilar para a célula em poucos segundos. Assim, o líquido extracelular em todo o corpo – tanto o plasma quanto o líquido intersticial – está sendo continuamente misturado, mantendo, assim, a homogeneidade do líquido extracelular em todo o corpo.

ORIGEM DOS NUTRIENTES NO LÍQUIDO EXTRACELULAR

Sistema respiratório. A **Figura 1.1** mostra que, cada vez que o sangue passa pelo corpo, ele também flui pelos pulmões. O sangue capta *oxigênio* nos alvéolos, adquirindo, assim, o oxigênio necessário às células. A membrana entre os alvéolos e o lúmen dos capilares pulmonares, a *membrana alveolar*, tem apenas 0,4 a 2,0 micrômetros de espessura, e o oxigênio se difunde rapidamente pelo movimento molecular através dessa membrana para o sangue.

Tubo gastrointestinal. Uma grande parte do sangue bombeado pelo coração também passa pelas paredes do tubo gastrointestinal. Aqui, diferentes nutrientes dissolvidos, incluindo *carboidratos*, *ácidos graxos* e *aminoácidos*, são absorvidos dos alimentos ingeridos para o líquido extracelular do sangue.

Fígado e outros órgãos que desempenham principalmente funções metabólicas. Nem todas as substâncias absorvidas pelo tubo gastrointestinal podem ser

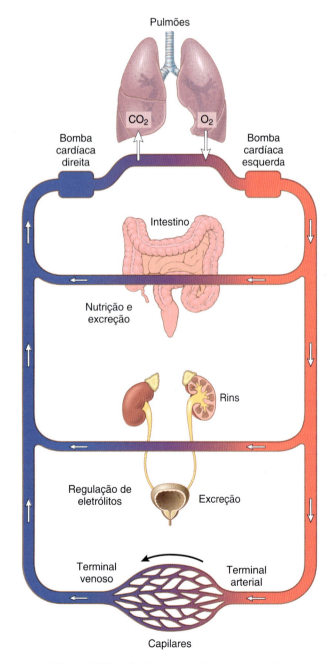

Figura 1.1 Organização geral do sistema circulatório.

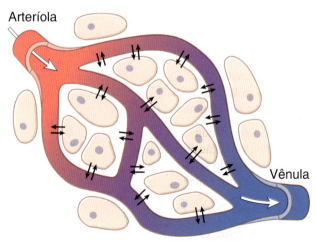

Figura 1.2 Difusão de líquido e constituintes dissolvidos através das paredes dos capilares e espaços intersticiais.

CAPÍTULO 1 Organização Funcional do Corpo Humano e Controle do "Meio Interno"

utilizadas em sua forma absorvida pelas células. O fígado muda as composições químicas de muitas dessas substâncias para formas mais utilizáveis, e outros tecidos do corpo – adipócitos, mucosa gastrointestinal, rins e glândulas endócrinas – ajudam a modificar as substâncias absorvidas ou a armazená-las até que sejam necessárias. O fígado também elimina certos produtos residuais originados no corpo e substâncias tóxicas que são ingeridas.

Sistema musculoesquelético. Como o sistema musculoesquelético contribui para a homeostase? A resposta é óbvia e simples. Se não fosse pelos músculos, o corpo não poderia se mover para obter os alimentos necessários à nutrição. O sistema musculoesquelético também fornece motilidade para proteção contra ambientes adversos, sem os quais todo o corpo, juntamente com seus mecanismos homeostáticos, poderia ser destruído.

REMOÇÃO DE PRODUTOS FINAIS DO METABOLISMO

Remoção de dióxido de carbono pelos pulmões. Ao mesmo tempo que o sangue capta oxigênio nos pulmões, o *dióxido de carbono* é liberado do sangue para os alvéolos pulmonares; o movimento respiratório do ar para dentro e para fora dos pulmões transporta o dióxido de carbono para a atmosfera. O dióxido de carbono é o mais abundante de todos os produtos do metabolismo.

Rins. A passagem do sangue pelos rins remove a maioria das outras substâncias do plasma, além do dióxido de carbono, que não são necessárias às células. Essas substâncias incluem diferentes produtos finais do metabolismo celular, como ureia e ácido úrico; também incluem excessos de íons e água dos alimentos que se acumulam no líquido extracelular.

Os rins desempenham sua função primeiro filtrando grandes quantidades de plasma através dos capilares glomerulares para os túbulos e, em seguida, reabsorvendo no sangue as substâncias necessárias ao corpo, como glicose, aminoácidos, quantidades adequadas de água e muitos dos íons. A maioria das outras substâncias que não são necessárias ao corpo, especialmente os produtos residuais do metabolismo como a ureia e a creatinina, são mal reabsorvidas e passam pelos túbulos renais para a urina.

Tubo gastrointestinal. O material não digerido que entra no tubo gastrointestinal e alguns produtos residuais do metabolismo são eliminados nas fezes.

Fígado. Entre as muitas funções do fígado está a destoxificação ou remoção de fármacos e produtos químicos ingeridos. O fígado secreta muitos desses resíduos na bile para serem eventualmente eliminados nas fezes.

REGULAÇÃO DAS FUNÇÕES DO CORPO

Sistema nervoso. O sistema nervoso é composto de três partes principais – a *porção de entrada sensorial*, o *sistema nervoso central* (ou *porção integrativa*) e a *porção de saída motora*. Os receptores sensoriais detectam o estado do corpo e seus arredores. Por exemplo, os receptores na pele nos alertam sempre que um objeto toca a pele. Os olhos são órgãos sensoriais que nos fornecem uma imagem visual da área circundante. Os ouvidos também são órgãos sensoriais. O sistema nervoso central é composto pelo encéfalo e pela medula espinhal. O encéfalo se relaciona ao armazenamento de informações, à geração pensamentos, à criação de ambições e determina as reações que o corpo realiza em resposta às sensações. Os sinais apropriados são então transmitidos através da porção de saída motora do sistema nervoso para realizar seus desejos.

Um segmento importante do sistema nervoso é denominado *sistema nervoso autônomo*. Ele opera em um nível subconsciente e controla muitas funções dos órgãos internos, incluindo o nível de atividade de bombeamento pelo coração, os movimentos do tubo gastrointestinal e a secreção por muitas das glândulas do corpo.

Sistema endócrino. Localizadas no corpo estão as *glândulas endócrinas*, órgãos e tecidos que secretam substâncias químicas chamadas *hormônios*. Os hormônios são transportados no sangue para outras partes do corpo para ajudar a regular a função celular. Por exemplo, o *hormônio tireoidiano* aumenta as taxas da maioria das reações químicas em todas as células, ajudando, assim, a definir o ritmo da atividade corporal. A *insulina* controla o metabolismo da glicose, os *hormônios adrenocorticais* controlam os íons sódio e potássio e o metabolismo de proteínas, e o *hormônio da paratireoide* controla o cálcio e o fosfato ósseo. Assim, os hormônios fornecem um sistema regulador que complementa o sistema nervoso. O sistema nervoso controla muitas atividades musculares e secretoras do corpo, enquanto o sistema endócrino regula muitas funções metabólicas. Os sistemas nervoso e endócrino normalmente trabalham juntos, de maneira coordenada, para controlar essencialmente todos os sistemas de órgãos do corpo.

PROTEÇÃO DO CORPO

Sistema imunológico. O sistema imunológico inclui leucócitos, células teciduais derivadas de leucócitos, timo, nódulos linfáticos e vasos linfáticos que protegem o corpo de patógenos, como bactérias, vírus, parasitos e fungos. O sistema imunológico fornece um mecanismo para o corpo: (1) distinguir suas próprias células de células e substâncias estranhas nocivas; e (2) destruir o invasor por *fagocitose* ou pela produção de *linfócitos sensibilizados* ou proteínas especializadas (p. ex., *anticorpos*) que destroem ou neutralizam o invasor.

Sistema tegumentar. A pele e seus vários apêndices (incluindo pelos, unhas, glândulas e outras estruturas) cobrem, amortecem e protegem os tecidos e órgãos mais profundos do corpo e geralmente fornecem um limite entre o meio interno do corpo e o mundo externo. O sistema tegumentar também é importante para a regulação da temperatura e excreção de resíduos e fornece uma interface sensorial entre o corpo e o ambiente externo. A pele geralmente compreende cerca de 12 a 15% do peso corporal.

REPRODUÇÃO

Embora a reprodução às vezes não seja considerada uma função homeostática, ela ajuda a manter a "homeostase da espécie" ao gerar novos seres para ocupar o lugar daqueles que estão morrendo. Isso pode soar como um uso permissivo do termo *homeostase*, mas ilustra que, em última análise, essencialmente todas as estruturas do corpo são organizadas para ajudar a manter a automaticidade e a continuidade da vida.

SISTEMAS DE CONTROLE DO CORPO

O corpo humano apresenta milhares de sistemas de controle. Alguns dos mais complexos são sistemas de controle genético que operam em todas as células para ajudar a regular as funções intracelulares e extracelulares. Esse assunto será discutido no Capítulo 3.

Muitos outros sistemas de controle operam *dentro dos órgãos* para regular as funções das partes individuais dos órgãos; outros operam por todo o corpo *para controlar as inter-relações dos órgãos*. Por exemplo, o sistema respiratório, operando em associação com o sistema nervoso, regula a concentração de dióxido de carbono no líquido extracelular. O fígado e o pâncreas controlam a concentração de glicose no líquido extracelular, e os rins regulam as concentrações de hidrogênio, sódio, potássio, fosfato e outros íons no líquido extracelular.

EXEMPLOS DE MECANISMOS DE CONTROLE

Regulação das concentrações de oxigênio e dióxido de carbono no líquido extracelular. Como o oxigênio é uma das principais substâncias necessárias para as reações químicas nas células, o corpo tem um mecanismo de controle especial para manter uma concentração de oxigênio quase exata e constante no líquido extracelular. Esse mecanismo depende principalmente das características químicas da *hemoglobina*, que está presente nas hemácias. A hemoglobina combina-se com o oxigênio à medida que o sangue passa pelos pulmões. Então, à medida que o sangue passa pelos capilares do tecido, a hemoglobina, por causa de sua forte afinidade química pelo oxigênio, não libera oxigênio no líquido tecidual se nele já houver muito oxigênio. No entanto, se a concentração de oxigênio no líquido tecidual for muito baixa, oxigênio suficiente é liberado para restabelecer uma concentração adequada. Assim, a regulação da concentração de oxigênio nos tecidos depende, em grande parte, das características químicas da hemoglobina. Essa regulação é chamada *função tampão de oxigênio da hemoglobina*.

A concentração de dióxido de carbono no líquido extracelular é regulada de maneira muito diferente. O dióxido de carbono é o principal produto final das reações oxidativas nas células. Se todo o dióxido de carbono formado nas células continuasse a se acumular nos líquidos teciduais, todas as reações energéticas das células cessariam. Felizmente, uma concentração de dióxido de carbono superior ao normal no sangue *excita o centro respiratório*, fazendo com que a pessoa respire rápida e profundamente. Essa respiração rápida e profunda aumenta a expiração do dióxido de carbono e, portanto, remove o excesso de dióxido de carbono do sangue e dos líquidos teciduais. Esse processo continua até que a concentração volte ao normal.

Regulação da pressão arterial. Vários sistemas contribuem para a regulação da pressão arterial. Um deles, o *sistema barorreceptor*, é um excelente exemplo de mecanismo de controle de ação rápida (ver **Figura 1.3**). Nas paredes da região de bifurcação das artérias carótidas no pescoço, e também no arco da aorta torácica, existem muitos receptores nervosos chamados *barorreceptores* que são estimulados pelo estiramento da parede arterial. Quando a pressão arterial sobe muito, os barorreceptores enviam disparos de impulsos nervosos para o bulbo. Aqui, esses impulsos inibem o *centro vasomotor* que, por sua vez, diminui o número de impulsos transmitidos do centro vasomotor por intermédio do sistema nervoso simpático para o coração e vasos sanguíneos. A falta desses impulsos causa diminuição da atividade de bombeamento pelo coração e dilatação dos vasos sanguíneos periféricos, permitindo maior fluxo sanguíneo através dos vasos. Ambos os efeitos diminuem a pressão arterial, movendo-a de volta ao normal.

Por outro lado, uma diminuição da pressão arterial abaixo do normal relaxa os receptores de estiramento, permitindo que o centro vasomotor se torne mais ativo do que o normal, causando vasoconstrição e aumento do bombeamento cardíaco. A diminuição inicial da pressão arterial, portanto, inicia os mecanismos de *feedback* negativo que elevam a pressão arterial de volta ao normal.

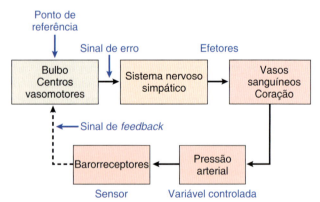

Figura 1.3 Controle de *feedback* negativo da pressão arterial pelos barorreceptores arteriais. Os sinais do sensor (barorreceptores) são enviados para o bulbo, onde são comparados com um ponto de referência. Quando a pressão arterial aumenta acima do normal, essa pressão anormal aumenta os impulsos nervosos dos barorreceptores para o bulbo, onde os sinais de entrada são comparados com o ponto de referência, gerando um sinal de erro que leva à diminuição da atividade do sistema nervoso simpático. A diminuição da atividade simpática causa dilatação dos vasos sanguíneos e redução da atividade de bombeamento do coração, o que retorna a pressão arterial ao normal.

CAPÍTULO 1 Organização Funcional do Corpo Humano e Controle do "Meio Interno"

Faixas normais e características físicas de importantes constituintes do líquido extracelular

A **Tabela 1.1** lista alguns constituintes importantes e características físicas do líquido extracelular, juntamente com seus valores normais, faixas normais e limites máximos sem causar morte. Observe a estreiteza da faixa normal para cada um. Os valores fora dessas faixas são frequentemente causados por doenças, lesões ou grandes desafios ambientais.

O mais importante são os limites além dos quais as anormalidades podem causar a morte. Por exemplo, um aumento na temperatura corporal de apenas 7°C acima do normal pode levar a um ciclo vicioso de aumento do metabolismo celular que destrói as células. Observe também a estreita faixa para o equilíbrio acidobásico no corpo, com um valor de pH normal de 7,4 e valores letais apenas cerca de 0,5 em cada lado do normal. Sempre que a concentração de íon potássio diminui para menos de um terço do normal, a paralisia pode resultar da incapacidade dos nervos de transportar sinais. Alternativamente, se a concentração de íon potássio aumentar para duas ou mais vezes o normal, o músculo cardíaco provavelmente estará gravemente deprimido. Além disso, quando a concentração de íon cálcio cai abaixo da metade do normal, é provável que uma pessoa sofra contração tetânica dos músculos de todo o corpo por causa da geração espontânea de impulsos nervosos em excesso nos nervos periféricos. Quando a concentração de glicose cai abaixo da metade do normal, a pessoa frequentemente apresenta extrema irritabilidade mental e às vezes até convulsões.

Esses exemplos devem dar uma noção da necessidade do vasto número de sistemas de controle que mantêm o corpo funcionando com saúde. A ausência de qualquer um desses controles pode resultar em mau funcionamento corporal grave ou morte.

CARACTERÍSTICAS DOS SISTEMAS DE CONTROLE

Os exemplos mencionados anteriormente de mecanismos de controle homeostático são apenas alguns dos muitos milhares no corpo, todos com algumas características comuns, conforme explicado nesta seção.

Natureza do *feedback* negativo da maioria dos sistemas de controle

A maioria dos sistemas de controle do corpo age por *feedback negativo*, o que pode ser explicado pela revisão de alguns dos sistemas de controle homeostático mencionados anteriormente. Na regulação da concentração de dióxido de carbono, uma alta concentração de dióxido de carbono no líquido extracelular aumenta a ventilação pulmonar. Isso, por sua vez, diminui a concentração de dióxido de carbono no líquido extracelular porque os pulmões expelem grandes quantidades de dióxido de carbono do corpo. Assim, a alta concentração de dióxido de carbono inicia eventos que diminuem a concentração até o normal, o que é *negativo* para o estímulo inicial. Por outro lado, uma concentração de dióxido de carbono que cai até níveis muito baixos resulta em *feedback* para aumentar a concentração. Essa resposta também é negativa para o estímulo inicial.

Nos mecanismos reguladores da pressão arterial, a pressão alta causa uma série de reações que promovem a redução da pressão, ou a pressão baixa causa uma série de reações que promovem o aumento da pressão. Em ambos os casos, esses efeitos são negativos em relação ao estímulo inicial.

Portanto, em geral, se algum fator se torna excessivo ou deficiente, um sistema de controle inicia o *feedback negativo*, que consiste em uma série de mudanças que retornam o fator para um determinado valor médio, mantendo, assim, a homeostase.

Ganho de um sistema de controle. O grau de eficácia com que um sistema de controle mantém as condições constantes é determinado pelo *ganho* de *feedback* negativo. Por exemplo, suponhamos que um grande volume de sangue seja transfundido em uma pessoa cujo sistema de controle da pressão dos barorreceptores não esteja funcionando e a pressão arterial suba do nível normal de 100 mmHg até 175 mmHg. Suponhamos agora que o mesmo volume de sangue seja injetado na mesma pessoa

Tabela 1.1 Constituintes importantes e características físicas do líquido extracelular.

Constituinte	Valor normal	Faixa normal	Limite aproximado não letal a curto prazo	Unidade
Oxigênio (venoso)	40	25 a 40	10 a 1.000	mmHg
Dióxido de carbono (venoso)	45	41 a 51	5 a 80	mmHg
Íon sódio	142	135 a 145	115 a 175	mEq/ℓ
Íon potássio	4,2	3,5 a 5,3	1,5 a 9,0	mEq/ℓ
Íon cálcio	1,2	1,0 a 1,4	0,5 a 2,0	mEq/ℓ
Íon cloro	106	98 a 108	70 a 130	mEq/ℓ
Íon bicarbonato	24	22 a 29	8 a 45	mEq/ℓ
Glicose	90	70 a 115	20 a 1.500	mg/dℓ
Temperatura corporal	37,0	37,0	18,3 a 43,3	°C
Equilíbrio acidobásico (venoso)	7,4	7,3 a 7,5	6,9 a 8,0	pH

quando o sistema barorreceptor está funcionando e, desta vez, a pressão aumenta em apenas 25 mmHg. Assim, o sistema de controle de *feedback* causou uma "correção" de –50 mmHg, de 175 mmHg para 125 mmHg. Permanece um aumento na pressão de +25 mmHg, denominado "erro", o que significa que o sistema de controle não é 100% eficaz na prevenção de mudanças. O ganho do sistema é, então, calculado usando a seguinte fórmula:

$$\text{Ganho} = \frac{\text{Correção}}{\text{Erro}}$$

Assim, no exemplo do sistema barorreceptor, a correção é –50 mmHg e o erro persistente é +25 mmHg. Portanto, o ganho do sistema barorreceptor da pessoa para controle da pressão arterial é –50 dividido por +25, ou –2. Ou seja, um distúrbio que aumente ou diminua a pressão arterial atinge apenas um terço do que ocorreria se esse sistema de controle não estivesse presente.

Os ganhos de alguns outros sistemas de controle fisiológico são muito maiores do que os do sistema barorreceptor. Por exemplo, o ganho do sistema que controla a temperatura corporal interna quando uma pessoa é exposta a condições moderadamente frias é de cerca de –33. Portanto, pode-se observar que o sistema de controle de temperatura é muito mais eficaz do que o sistema de controle de pressão dos barorreceptores.

O *feedback* positivo pode causar ciclos viciosos e morte

Por que a maioria dos sistemas de controle do corpo opera por *feedback* negativo em vez de *feedback* positivo? Se considerarmos a natureza do *feedback* positivo, é óbvio que o *feedback* positivo leva à instabilidade em vez da estabilidade e, em alguns casos, pode causar a morte.

A **Figura 1.4** mostra um exemplo em que um *feedback* positivo pode causar a morte. Essa figura demonstra a eficácia do bombeamento do coração, mostrando o coração de um ser humano saudável bombeando cerca de 5 litros de sangue por minuto. Se a pessoa sangra repentinamente um total de 2 litros, a quantidade de sangue no corpo diminui a um nível tão baixo que não há sangue suficiente disponível para o coração bombear com eficácia. Como resultado, a pressão arterial cai e o fluxo de sangue para o músculo cardíaco através dos vasos coronários diminui. Esse cenário resulta em enfraquecimento do coração, bombeamento ainda mais diminuído, redução ainda maior no fluxo sanguíneo coronariano e ainda mais fraqueza do coração; o ciclo repete-se continuamente até que ocorra a morte. Observe que cada ciclo no *feedback* resulta em um enfraquecimento ainda maior do coração. Em outras palavras, o estímulo inicial causa mais do mesmo, o que é um *feedback positivo*.

O *feedback* positivo às vezes é conhecido como um "ciclo vicioso", mas um grau moderado de *feedback* positivo pode ser superado pelos mecanismos de controle de *feedback* negativo do corpo, e o ciclo vicioso então deixa de se desenvolver. Por exemplo, se a pessoa do exemplo anterior sangra apenas 1 litro em vez de 2 litros, os mecanismos normais de *feedback* negativo para controlar o débito cardíaco e a pressão arterial podem contrabalançar o *feedback* positivo e a pessoa pode se recuperar, conforme mostrado pela curva tracejada da **Figura 1.4**.

O *feedback* positivo às vezes pode ser útil. O corpo às vezes utiliza o *feedback* positivo a seu favor. A coagulação do sangue é um exemplo de uso valioso de *feedback* positivo. Quando um vaso sanguíneo é rompido e um coágulo começa a se formar, várias enzimas chamadas *fatores de coagulação* são ativadas dentro do coágulo. Algumas dessas enzimas atuam sobre outras enzimas inativadas do sangue imediatamente adjacente, causando, assim, mais coagulação do sangue. Esse processo continua até que a abertura no vaso seja obstruída e o sangramento não ocorra mais. Ocasionalmente, esse mecanismo pode sair do controle e causar a formação de coágulos indesejados. Na verdade, é isso que inicia a maioria dos infartos agudos do miocárdio, que podem ser causados por um coágulo que começa na superfície interna de uma placa aterosclerótica em uma artéria coronária e depois cresce até que a artéria seja bloqueada.

O parto é outra situação em que o *feedback* positivo é valioso. Quando as contrações uterinas se tornam fortes o suficiente para que a cabeça do bebê comece a empurrar através do colo do útero, o alongamento do colo do útero envia sinais através do músculo uterino de volta ao corpo do útero, causando contrações ainda mais poderosas. Assim, as contrações uterinas alongam o colo do útero e esse alongamento causa contrações mais fortes. Quando esse processo se torna poderoso o suficiente, o bebê nasce. Quando não são fortes o suficiente, as contrações geralmente cessam e alguns dias se passam antes de começarem novamente.

Outro uso importante do *feedback* positivo é para a geração de sinais nervosos. A estimulação da membrana

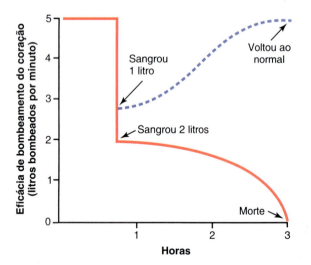

Figura 1.4 Recuperação do bombeamento cardíaco causado por *feedback* negativo após 1 litro de sangue ser removido da circulação. A morte é causada por um *feedback* positivo quando 2 litros ou mais de sangue são removidos.

CAPÍTULO 1 Organização Funcional do Corpo Humano e Controle do "Meio Interno"

de uma fibra nervosa causa um leve vazamento de íons sódio através dos canais de sódio na membrana da fibra nervosa para o interior da fibra. Os íons sódio que entram na fibra, então, alteram o potencial de membrana, o que, por sua vez, causa mais abertura de canais, mais alteração de potencial, ainda mais abertura de canais, e assim por diante. Assim, um leve vazamento torna-se uma explosão de sódio indo para o interior da fibra nervosa, o que cria o potencial de ação nervoso. Esse potencial de ação, por sua vez, faz com que a corrente elétrica flua ao longo do exterior e do interior da fibra e inicia potenciais de ação adicionais. Esse processo continua até que o sinal nervoso vá até o final da fibra.

Em cada caso em que o *feedback* positivo é útil, o *feedback* positivo faz parte de um processo geral de *feedback* negativo. Por exemplo, no caso da coagulação sanguínea, o processo de coagulação de *feedback* positivo é um processo de *feedback* negativo para a manutenção do volume normal de sangue. Além disso, o *feedback* positivo que causa os sinais nervosos permite que os nervos participem de milhares de sistemas de controle nervoso com *feedback* negativo.

Tipos mais complexos de sistemas de controle | Controle antecipatório e adaptativo

Posteriormente neste texto, quando estudarmos o sistema nervoso, veremos que esse sistema contém um grande número de mecanismos de controle interconectados. Alguns são sistemas de *feedback* simples semelhantes aos já discutidos. Muitos não são. Por exemplo, alguns movimentos do corpo ocorrem tão rapidamente que não há tempo suficiente para que os sinais nervosos viajem das partes periféricas do corpo até o encéfalo e, em seguida, de volta à periferia para controlar o movimento. Portanto, o encéfalo usa um mecanismo chamado *controle antecipatório* para causar as contrações musculares necessárias. Os sinais nervosos sensoriais das partes móveis informam o encéfalo se o movimento foi executado corretamente. Do contrário, o encéfalo corrige os sinais antecipatórios que envia aos músculos na *próxima* vez que o movimento for necessário. Então, se ainda mais correção for necessária, esse processo será executado novamente para movimentos subsequentes. Esse processo é denominado *controle adaptativo*. O controle adaptativo, de certo modo, é um *feedback* negativo atrasado.

Assim, pode-se observar o quão complexos podem ser os sistemas de controle de *feedback* do corpo. A vida de uma pessoa depende de todos eles. Portanto, muito deste texto é dedicado à discussão desses mecanismos doadores de vida.

VARIABILIDADE FISIOLÓGICA

Embora algumas variáveis fisiológicas, como as concentrações plasmáticas íons potássio, cálcio e hidrogênio, sejam rigidamente reguladas, outras, como peso corporal

e adiposidade, apresentam grande variação entre indivíduos diferentes e até no mesmo indivíduo em diferentes fases da vida. A pressão arterial, o bombeamento cardíaco, a taxa metabólica, a atividade do sistema nervoso, os hormônios e outras variáveis fisiológicas mudam ao longo do dia à medida que nos movemos e nos envolvemos nas atividades diárias normais. Portanto, quando discutimos valores "normais", entendemos que muitos dos sistemas de controle do corpo estão constantemente reagindo a perturbações, e que pode existir variabilidade entre indivíduos diferentes, dependendo de peso, altura corporal, dieta, idade, sexo, ambiente, genética e outros fatores.

Para simplificar, a discussão sobre as funções fisiológicas geralmente se concentra no homem magro e jovem que tem, em "média", 70 kg. Porém, um homem americano, por exemplo, não pesa mais em média 70 kg; ele agora pesa mais de 88 kg, e uma mulher americana pesa, em média, mais de 76 kg, mais do que a média do homem na década de 1960. O peso corporal também aumentou substancialmente na maioria dos outros países industrializados durante os últimos 40 a 50 anos.

Exceto pelas funções reprodutivas e hormonais, muitas outras funções fisiológicas e valores normais são frequentemente discutidos em termos da fisiologia masculina. No entanto, existem diferenças claras nas fisiologias masculina e feminina, além das diferenças óbvias que se referem à reprodução. Essas diferenças podem ter consequências importantes para a compreensão da fisiologia normal, bem como para o tratamento de doenças.

Na fisiologia, as diferenças relacionadas à idade e as diferenças étnicas ou raciais também têm influências importantes na composição corporal, nos sistemas de controle fisiológico e na fisiopatologia das doenças. Por exemplo, em um homem jovem e magro, a água corporal total é cerca de 60% do peso corporal. À medida que a pessoa ganha peso e envelhece, essa porcentagem diminui gradualmente, em parte porque o envelhecimento está geralmente associado ao declínio da massa muscular esquelética e ao aumento da massa adiposa. O envelhecimento também pode causar um declínio na função e na eficácia de alguns órgãos e sistemas de controle fisiológico.

Essas fontes de variabilidade fisiológica – diferenças de sexo, envelhecimento, étnica e racial – são considerações complexas, mas importantes ao discutir a fisiologia normal e a fisiopatologia das doenças.

RESUMO | AUTOMATICIDADE DO CORPO

O objetivo principal deste capítulo foi discutir brevemente a organização geral do corpo e os meios pelos quais as diferentes partes do corpo operam em harmonia. Para resumir, o corpo é, na verdade, uma *organização "social" de cerca de 35 a 40 trilhões de células* estruturadas em diferentes elementos funcionais, alguns das quais são chamados *órgãos*. Cada estrutura funcional contribui com sua parte para a manutenção da homeostase no líquido

PARTE 1 Introdução à Fisiologia: Célula e Fisiologia Geral

extracelular, que é denominado *meio interno*. Enquanto as condições normais são mantidas nesse meio interno, as células do corpo continuam a viver e funcionar adequadamente. Cada célula se beneficia da homeostase e, ao mesmo tempo, contribui para a sua manutenção. Essa interação recíproca fornece automaticidade contínua do corpo até que um ou mais sistemas funcionais percam sua capacidade de contribuir com sua parcela de função. Quando isso acontece, todas as células do corpo sofrem. A disfunção extrema leva à morte; a disfunção moderada leva à doença.

Bibliografia

Adolph EF: Physiological adaptations: hypertrophies and superfunctions. Am Sci 60:608, 1972.

Bentsen MA, Mirzadeh Z, Schwartz MW: Revisiting how the brain senses glucose-and why. Cell Metab 29:11, 2019.

Bernard C: Lectures on the Phenomena of Life Common to Animals and Plants. Springfield, IL: Charles C Thomas, 1974.

Cannon WB: Organization for physiological homeostasis. Physiol Rev 9:399, 1929.

Chien S: Mechanotransduction and endothelial cell homeostasis: the wisdom of the cell. Am J Physiol Heart Circ Physiol 292:H1209, 2007.

DiBona GF: Physiology in perspective: the wisdom of the body. Neural control of the kidney. Am J Physiol Regul Integr Comp Physiol 289:R633, 2005.

Dickinson MH, Farley CT, Full RJ, et al: How animals move: an integrative view. Science 288:100, 2000.

Eckel-Mahan K, Sassone-Corsi P: Metabolism and the circadian clock converge. Physiol Rev 93:107, 2013.

Guyton AC: Arterial Pressure and Hypertension. Philadelphia: WB Saunders, 1980.

Herman MA, Kahn BB: Glucose transport and sensing in the maintenance of glucose homeostasis and metabolic harmony. J Clin Invest 116:1767, 2006.

Kabashima K, Honda T, Ginhoux F, Egawa G: The immunological anatomy of the skin. Nat Rev Immunol 19:19, 2019.

Khramtsova EA, Davis LK, Stranger BE: The role of sex in the genomics of human complex traits. Nat Rev Genet 20: 173, 2019.

Kim KS, Seeley RJ, Sandoval DA: Signalling from the periphery to the brain that regulates energy homeostasis. Nat Rev Neurosci 19:185, 2018.

Nishida AH, Ochman H: A great-ape view of the gut microbiome. Nat Rev Genet 20:185, 2019.

Orgel LE: The origin of life on the earth. Sci Am 271:76,1994.

Reardon C, Murray K, Lomax AE: Neuroimmune communication in health and disease. Physiol Rev 98:2287-2316, 2018.

Sender R, Fuchs S, Milo R: Revised estimates for the number of human and bacteria cells in the body. PLoS Biol 14(8):e1002533, 2016.

Smith HW: From Fish to Philosopher. New York: Doubleday, 1961.

CAPÍTULO 2

A Célula e suas Funções

Cada um dos trilhões de células de um ser humano é uma estrutura viva que pode sobreviver por meses ou anos, desde que os líquidos circundantes contenham nutrientes apropriados. As células são os blocos de construção do corpo, fornecendo estrutura para seus tecidos e órgãos, ingerindo nutrientes e convertendo-os em energia e desempenhando funções especializadas. As células também contêm o código hereditário de todo o organismo, que controla as substâncias sintetizadas pelas células e permite que façam cópias de si mesmas.

ORGANIZAÇÃO DA CÉLULA

Um desenho esquemático de uma célula típica, vista pelo microscópio óptico, é mostrado na **Figura 2.1**. Suas duas partes principais são o *núcleo* e o *citoplasma*. O núcleo é separado do citoplasma por uma *membrana nuclear (carioteca)*, e o citoplasma é separado dos líquidos circundantes por uma *membrana celular*, também chamada *membrana plasmática*, ou *plasmalema*.

As diferentes substâncias que constituem a célula são coletivamente chamadas *protoplasma*. O protoplasma é composto principalmente de cinco substâncias básicas – água, eletrólitos, proteínas, lipídios e carboidratos.

Água. A maioria das células, exceto os adipócitos, é composta principalmente de água em uma concentração de 70 a 85%. Muitos produtos químicos celulares são dissolvidos na água. Outros estão suspensos na água como partículas sólidas. As reações químicas ocorrem entre os produtos químicos dissolvidos ou nas superfícies das partículas suspensas ou das membranas.

Íons. Os íons importantes na célula incluem *potássio, magnésio, fosfato, sulfato, bicarbonato* e quantidades menores de *sódio, cloreto e cálcio*. Esses íons serão todos discutidos no Capítulo 4, que considerará as inter-relações dos líquidos intracelular e extracelular.

Os íons fornecem produtos químicos inorgânicos para as reações celulares e são necessários para o funcionamento de alguns mecanismos de controle celular. Por exemplo, os íons que atuam na membrana celular são necessários para a transmissão de impulsos eletroquímicos nas fibras nervosas e musculares.

Proteínas. Depois da água, as substâncias mais abundantes na maioria das células são as proteínas, que normalmente constituem de 10 a 20% da massa celular. Essas proteínas podem ser divididas em dois tipos, *proteínas estruturais* e *proteínas funcionais*.

As proteínas estruturais estão presentes na célula principalmente na forma de longos filamentos que são polímeros de muitas moléculas de proteínas individuais. Tais filamentos intracelulares são usados principalmente para formar os *microtúbulos*, que fornecem os citoesqueletos de organelas celulares, como cílios, axônios dos neurônios, os fusos mitóticos de células em mitose e a massa emaranhada de túbulos filamentosos finos que mantêm as partes do citoplasma e do nucleoplasma juntos em seus respectivos compartimentos. As proteínas fibrilares são encontradas fora da célula, especialmente nas fibras de colágeno e elastina do tecido conjuntivo e em outros lugares, como nas paredes dos vasos sanguíneos, tendões e ligamentos.

As *proteínas funcionais* são geralmente compostas de combinações de algumas moléculas na forma tubuloglobular. Essas proteínas são principalmente as *enzimas* da célula e, ao contrário das proteínas fibrilares, costumam ser móveis no líquido celular. Além disso, muitas delas aderem a estruturas membranosas dentro da célula e catalisam reações químicas intracelulares específicas. Por exemplo, as reações químicas que dividem a glicose em suas partes componentes e as combinam com o oxigênio para formar dióxido de carbono e água, ao mesmo tempo que fornecem energia para a função celular, são todas catalisadas por uma série de enzimas proteicas.

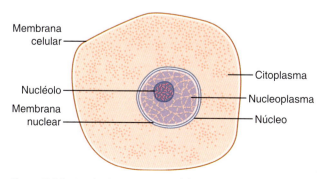

Figura 2.1 Ilustração das estruturas celulares visíveis com um microscópio óptico.

PARTE 1 Introdução à Fisiologia: Célula e Fisiologia Geral

Lipídios. Os lipídios são vários tipos de substâncias agrupadas devido à sua propriedade comum de serem solúveis em solventes gordurosos. Os lipídios especialmente importantes são os *fosfolipídios* e o *colesterol* que, juntos, constituem apenas cerca de 2% da massa celular total. Os fosfolipídios e o colesterol são principalmente insolúveis em água e, portanto, são usados para formar a membrana celular e as barreiras da membrana intracelular que separam os diferentes compartimentos celulares.

Além de fosfolipídios e colesterol, algumas células contêm grandes quantidades de *triglicerídeos*, também chamados *gorduras neutras*. Nas *células adiposas (adipócitos)*, os triglicerídeos costumam representar até 95% da massa celular. A gordura armazenada nessas células representa o principal depósito de nutrientes doadores de energia do corpo que podem mais tarde ser usados para fornecer energia onde quer que seja necessária no corpo.

Carboidratos. Os carboidratos desempenham um papel importante na nutrição celular e, como partes das moléculas de glicoproteína, têm funções estruturais. A maioria das células humanas não mantém grandes estoques de carboidratos; a quantidade geralmente é, em média, apenas cerca de 1% de sua massa total, mas aumenta para até 3% nas células musculares e, ocasionalmente, para 6% nas células do fígado. No entanto, o carboidrato na forma de glicose dissolvida está sempre presente no líquido extracelular circundante, de modo a estar prontamente disponível para a célula. Além disso, uma pequena quantidade de carboidrato é armazenada nas células como *glicogênio*, um polímero insolúvel de glicose que pode ser despolimerizado e usado rapidamente para suprir as necessidades energéticas da célula.

ESTRUTURA CELULAR

A célula contém estruturas físicas altamente organizadas chamadas *organelas intracelulares*, que são críticas para a função celular. Por exemplo, sem uma das organelas, a *mitocôndria*, mais de 95% da liberação de energia da célula a partir de nutrientes cessaria imediatamente. As organelas mais importantes e outras estruturas da célula são mostradas na **Figura 2.2**.

ESTRUTURAS MEMBRANOSAS DA CÉLULA

A maioria das organelas da célula é coberta por membranas compostas principalmente de lipídios e proteínas. Essas membranas incluem a *membrana celular*, a *membrana nuclear*, a *membrana do retículo endoplasmático* e as *membranas das mitocôndrias*, dos *lisossomos* e do *complexo de Golgi*.

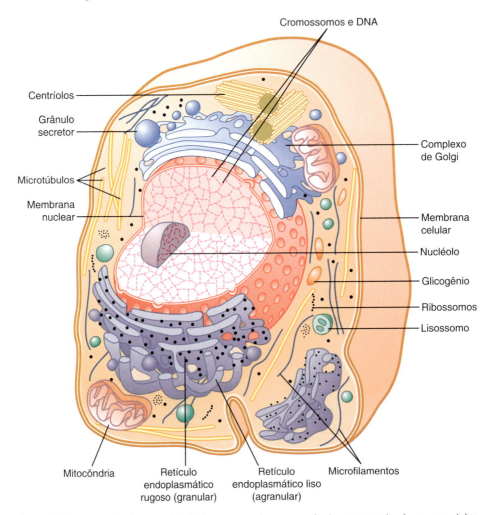

Figura 2.2 Reconstrução de uma célula típica, mostrando as organelas internas no citoplasma e o núcleo.

Os lipídios nas membranas fornecem uma barreira que impede o movimento de água e de substâncias solúveis em água de um compartimento celular para outro, porque a água não é solúvel em lipídios. No entanto, as moléculas de proteína frequentemente atravessam completamente as membranas, proporcionando, assim, vias especializadas, organizadas em *poros* reais, para a passagem de substâncias específicas pelas membranas. Além disso, muitas outras proteínas de membrana são *enzimas*, que catalisam uma infinidade de reações químicas diferentes, discutidas aqui e nos capítulos subsequentes.

Membrana celular

A membrana celular (também chamada *membrana plasmática*) envolve a célula e é uma estrutura fina, flexível e elástica com apenas 7,5 a 10 nanômetros de espessura. É composta quase inteiramente de proteínas e lipídios. A composição aproximada é de 55% de proteínas, 25% de fosfolipídios, 13% de colesterol, 4% de outros lipídios e 3% de carboidratos.

A barreira lipídica da membrana celular impede a penetração de substâncias solúveis em água. A **Figura 2.3** mostra a estrutura da membrana celular. Sua estrutura básica é uma *bicamada lipídica*, um filme fino de duas camadas de lipídios – cada camada com apenas uma molécula de espessura – que é contínua por toda a superfície celular. Intercaladas nesse filme lipídico estão grandes proteínas globulares.

A bicamada lipídica básica é composta por três tipos principais de lipídios – *fosfolipídios, esfingolipídios* e *colesterol*. Os fosfolipídios são os lipídios mais abundantes da membrana celular. Uma extremidade de cada molécula de fosfolipídio é *hidrofílica* e solúvel em água. A outra extremidade é *hidrofóbica* e solúvel apenas em gorduras. A extremidade fosfato do fosfolipídio é hidrofílica, e a porção de ácido graxo é hidrofóbica.

Como as porções hidrofóbicas das moléculas de fosfolipídios são repelidas pela água, mas são mutuamente atraídas uma pela outra, elas têm uma tendência natural de se ligarem uma à outra no meio da membrana, como mostrado na **Figura 2.3**. As porções de fosfato hidrofílico constituem, então, as duas superfícies da membrana celular completa, em contato com a água *intracelular* no interior da membrana e a água *extracelular* na superfície externa.

A camada lipídica no meio da membrana é impermeável às substâncias usuais solúveis em água, como íons, glicose e ureia. Por outro lado, as substâncias solúveis em gordura, como oxigênio, dióxido de carbono e álcool, podem penetrar essa parte da membrana com facilidade.

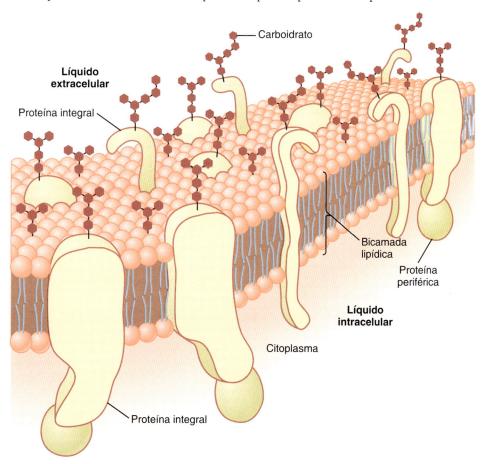

Figura 2.3 Estrutura da membrana celular mostrando que ela é composta, principalmente, por uma bicamada lipídica de moléculas de fosfolipídios, mas com um grande número de moléculas de proteína projetando-se através da camada. Além disso, porções de carboidratos são ligadas às moléculas de proteína do lado de fora da membrana e às moléculas de proteína adicionais do lado de dentro.

PARTE 1 Introdução à Fisiologia: Célula e Fisiologia Geral

Os esfingolipídios, derivados do aminoálcool *esfingosina*, também possuem grupos hidrofóbicos e hidrofílicos e estão presentes em pequenas quantidades nas membranas celulares, principalmente nas células nervosas. Acredita-se que os esfingolipídios complexos nas membranas celulares tenham várias funções, incluindo proteção contra fatores ambientais prejudiciais, transmissão de sinais e locais de adesão para proteínas extracelulares.

As moléculas de colesterol nas membranas também são lipídios porque seus núcleos de esteroides são altamente solúveis em gordura. Essas moléculas, de certo modo, estão dissolvidas na bicamada da membrana. Elas ajudam, principalmente, a determinar o grau de permeabilidade (ou impermeabilidade) da bicamada aos constituintes solúveis em água dos líquidos corporais. O colesterol também controla grande parte da fluidez da membrana.

Proteínas integrais e periféricas da membrana celular. A **Figura 2.3** também mostra massas globulares flutuando na bicamada lipídica. Essas proteínas de membrana são, principalmente, *glicoproteínas*. Existem dois tipos de proteínas da membrana celular, as *proteínas integrais*, que se projetam por todo o caminho através da membrana, e as *proteínas periféricas*, que estão fixadas somente em uma superfície da membrana e não penetram totalmente.

Muitas das proteínas integrais fornecem *canais* estruturais (ou *poros*) através dos quais moléculas de água e substâncias solúveis em água, especialmente íons, podem se difundir entre os líquidos extracelular e intracelular. Esses canais de proteínas também têm propriedades seletivas que permitem a difusão preferencial de algumas substâncias sobre outras.

Outras proteínas integrais atuam como *proteínas carreadoras* para o transporte de substâncias que, de outra forma, não poderiam penetrar a bicamada lipídica. Às vezes, essas proteínas carreadoras chegam a transportar substâncias na direção oposta a seus gradientes eletroquímicos para difusão, o que é chamado de *transporte ativo*. Outras ainda atuam como *enzimas*.

As proteínas integrais da membrana também podem servir como *receptores* para produtos químicos solúveis em água, como hormônios peptídicos, que não penetram facilmente a membrana celular. A interação dos receptores da membrana celular com *ligantes* específicos que se ligam ao receptor causa mudanças conformacionais na proteína receptora. Esse processo, por sua vez, ativa enzimaticamente a parte intracelular da proteína ou induz interações do receptor com as proteínas do citoplasma que atuam como *segundos mensageiros*, retransmitindo o sinal da parte extracelular do receptor para o interior da célula. Dessa forma, as proteínas integrais que se estendem pela membrana celular fornecem um meio de transmitir informações sobre o ambiente para o interior da célula.

As moléculas de proteínas periféricas são frequentemente ligadas às proteínas integrais. Essas proteínas periféricas funcionam quase inteiramente como enzimas ou como controladores do transporte de substâncias através dos *poros* da membrana celular.

Carboidratos da membrana | O glicocálix da célula. Os carboidratos da membrana ocorrem quase invariavelmente em combinação com proteínas ou lipídios na forma de *glicoproteínas* ou *glicolipídios*. Na verdade, a maioria das proteínas integrais é glicoproteína e cerca de um décimo das moléculas de lipídios da membrana é glicolipídio. As porções *glico* dessas moléculas quase invariavelmente se projetam para fora da célula, pendendo para o exterior da superfície celular. Muitos outros compostos de carboidratos, chamados *proteoglicanos* – que são principalmente carboidratos ligados a pequenos eixos proteicos – também estão frouxamente ligados à superfície externa da célula. Assim, toda a superfície externa da célula frequentemente tem uma camada frouxa de carboidrato chamada *glicocálix*.

As porções de carboidrato ligadas à superfície externa da célula têm várias funções importantes:

1. Muitos deles têm uma carga elétrica negativa, o que dá à maioria das células uma carga superficial negativa geral que repele outros objetos carregados negativamente.
2. O glicocálix de algumas células se liga ao glicocálix de outras células, ligando, assim, as células umas às outras.
3. Muitos dos carboidratos atuam como *receptores* para os hormônios de ligação, como a insulina. Quando ligados, essa combinação ativa proteínas internas anexadas que, por sua vez, ativam uma cascata de enzimas intracelulares.
4. Algumas frações de carboidratos entram em reações imunológicas, conforme discutido no Capítulo 35.

CITOPLASMA E SUAS ORGANELAS

O citoplasma é preenchido com partículas dispersas, minúsculas e grandes, e organelas. A porção líquida gelatinosa do citoplasma na qual as partículas são dispersas é chamada de *citosol* e contém, principalmente, proteínas dissolvidas, eletrólitos e glicose.

Dispersos no citoplasma estão glóbulos de gordura neutra, grânulos de glicogênio, ribossomos, vesículas secretoras e cinco organelas especialmente importantes – o *retículo endoplasmático*, o *complexo de Golgi, mitocôndrias, lisossomos* e *peroxissomos*.

Retículo endoplasmático

A **Figura 2.2** mostra o *retículo endoplasmático*, uma rede de estruturas tubulares, chamadas *cisternas*, e estruturas vesiculares achatadas no citoplasma. Essa organela ajuda a processar moléculas produzidas pela célula e as transporta para seus destinos específicos dentro ou fora da célula. Os túbulos e as vesículas se interconectam. Além disso, suas paredes são construídas com membranas de bicamada lipídica que contêm grandes quantidades de proteínas, semelhantes à membrana celular. A área de superfície total dessa estrutura em algumas células – as células do fígado, por exemplo – pode ser de 30 a 40 vezes a área da membrana celular.

A estrutura detalhada de uma pequena porção do retículo endoplasmático é mostrada na **Figura 2.4**. O espaço dentro dos túbulos e vesículas é preenchido com *matriz endoplasmática*, um meio aquoso que é diferente do

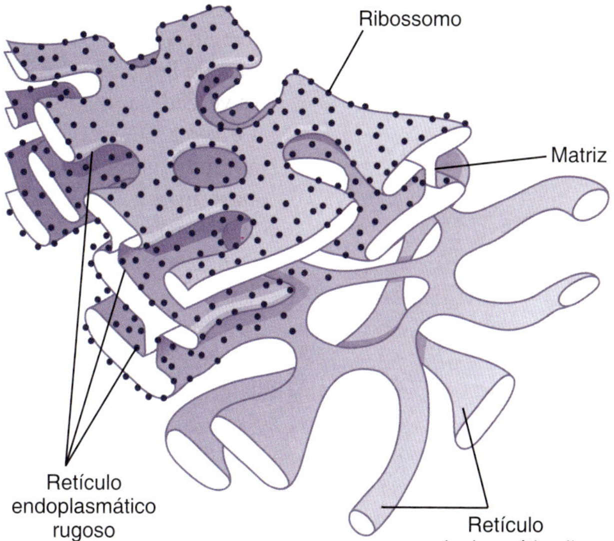

Figura 2.4 Estrutura do retículo endoplasmático.

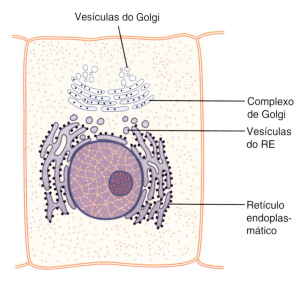

Figura 2.5 Complexo de Golgi típico e sua relação com o retículo endoplasmático (RE) e o núcleo.

líquido no citosol fora do retículo endoplasmático. Micrografias eletrônicas mostram que o espaço dentro do retículo endoplasmático está conectado com o espaço entre as duas superfícies da membrana nuclear.

As substâncias formadas em algumas partes da célula entram no espaço do retículo endoplasmático e são, então, direcionadas para outras partes da célula. Além disso, a vasta área de superfície deste retículo e os múltiplos sistemas enzimáticos ligados às suas membranas fornecem os mecanismos para uma parte importante das funções metabólicas da célula.

Ribossomos e retículo endoplasmático rugoso (granular). Ligado às superfícies externas de muitas partes do retículo endoplasmático está um grande número de partículas granulares diminutas chamadas *ribossomos*. Onde essas partículas estão presentes, o retículo é denominado *retículo endoplasmático rugoso (granular)*. Os ribossomos são compostos por uma mistura de RNA e proteínas; eles funcionam para sintetizar novas moléculas de proteína na célula, como discutido posteriormente neste capítulo e no Capítulo 3.

Retículo endoplasmático liso (agranular). Parte do retículo endoplasmático não tem ribossomos aderidos. Essa parte é chamada *retículo endoplasmático liso* ou *agranular*. O retículo endoplasmático liso funciona para a síntese de substâncias lipídicas e para outros processos das células promovidos por enzimas intrarreticulares.

Complexo de Golgi

O complexo de Golgi, mostrado na **Figura 2.5**, está intimamente relacionado ao retículo endoplasmático. Ele apresenta membranas semelhantes às do retículo endoplasmático liso. O complexo de Golgi é geralmente composto de quatro ou mais camadas empilhadas de vesículas finas, achatadas e fechadas, situadas próximo a um lado do núcleo. Esse aparelho é proeminente nas células secretoras, onde está localizado no lado da célula de onde as substâncias secretoras são expelidas.

O complexo de Golgi funciona em associação com o retículo endoplasmático. Conforme mostrado na **Figura 2.5**, pequenas *vesículas de transporte* (também chamadas *vesículas do retículo endoplasmático* [*vesículas do RE*]) continuamente se separam do retículo endoplasmático e logo depois se fundem com o complexo de Golgi. Deste modo, as substâncias aprisionadas nas vesículas do RE são transportadas do retículo endoplasmático para o complexo de Golgi. As substâncias transportadas são, então, processadas no complexo de Golgi para formar lisossomos, vesículas secretoras e outros componentes citoplasmáticos (discutidos posteriormente neste capítulo).

Lisossomos

Os lisossomos, mostrados na **Figura 2.2**, são organelas vesiculares que se formam ao se separar do complexo de Golgi; eles, então, se dispersam por todo o citoplasma. Os lisossomos funcionam como um "*sistema digestório*" *intracelular* que permite à célula digerir: (1) estruturas celulares danificadas; (2) partículas de alimentos que foram ingeridas pela célula; e (3) matéria indesejada, como bactérias. Os lisossomos são diferentes em vários tipos de células, mas geralmente têm 250 a 750 nanômetros de diâmetro. Eles são cercados por membranas de bicamada lipídica típicas e são preenchidos com um grande número de pequenos grânulos, de 5 a 8 nanômetros de diâmetro, que são agregados proteicos de até 40 diferentes *enzimas hidrolases (digestivas)*. Uma enzima hidrolítica é capaz de dividir um composto orgânico em duas ou mais partes combinando o hidrogênio de uma molécula de água com uma parte do composto e a porção hidroxila com a outra parte. Por exemplo, a proteína é hidrolisada para formar aminoácidos, o glicogênio é hidrolisado para formar glicose e os lipídios são hidrolisados para formar ácidos graxos e glicerol.

As enzimas hidrolíticas são altamente concentradas nos lisossomos. Normalmente, a membrana que envolve o lisossomo impede que as enzimas hidrolíticas incluídas entrem em contato com outras substâncias na célula e, portanto, impede suas ações digestivas. No entanto, algumas condições da célula rompem as membranas dos lisossomos, permitindo a liberação das enzimas digestivas. Essas enzimas, então, dividem as substâncias orgânicas com as quais entram em contato em pequenas substâncias altamente difusíveis, como aminoácidos e glicose. Algumas das funções específicas dos lisossomos serão discutidas posteriormente neste capítulo.

Peroxissomos

Os peroxissomos são fisicamente semelhantes aos lisossomos, mas são diferentes em dois aspectos importantes. Em primeiro lugar, acredita-se que sejam formados por autorreplicação (ou talvez por brotamento do retículo endoplasmático liso) em vez do complexo de Golgi. Em segundo lugar, eles contêm *oxidases* em vez de hidrolases. Várias das oxidases são capazes de combinar oxigênio com íons hidrogênio derivados de diferentes produtos químicos intracelulares para formar peróxido de hidrogênio (H_2O_2). O peróxido de hidrogênio é uma substância altamente oxidante e é usado em associação com a *catalase*, outra enzima oxidase presente em grandes quantidades nos peroxissomos, para oxidar muitas substâncias que poderiam ser tóxicas para a célula. Por exemplo, cerca de metade do álcool que uma pessoa bebe é destoxificado em acetaldeído pelos peroxissomos das células hepáticas dessa maneira. Uma das principais funções dos peroxissomos é catabolizar os ácidos graxos de cadeia longa.

Vesículas secretoras

Uma das funções importantes de muitas células é a secreção de substâncias químicas especiais. Quase todas essas substâncias secretoras são formadas pelo sistema retículo endoplasmático-complexo de Golgi e são, então, liberadas do complexo de Golgi para o citoplasma na forma de vesículas de armazenamento chamadas *vesículas secretoras* ou *grânulos secretores*. A **Figura 2.6** mostra vesículas secretoras típicas dentro das células acinares pancreáticas; essas vesículas armazenam proenzimas proteicas (enzimas que ainda não foram ativadas). As proenzimas são secretadas posteriormente através da membrana celular externa para o ducto pancreático e, em seguida, para o duodeno, onde são ativadas e desempenham funções digestivas nos alimentos no trato intestinal.

Mitocôndrias

As mitocôndrias, mostradas na **Figura 2.2** e na **Figura 2.7**, são chamadas *usinas de energia* da célula. Sem elas, as células seriam incapazes de extrair energia suficiente dos nutrientes e, essencialmente, todas as funções celulares cessariam.

As mitocôndrias estão presentes em todas as áreas do citoplasma de cada célula, mas o número total por célula varia de menos de 100 a vários milhares, dependendo das necessidades energéticas da célula. As células do músculo cardíaco (cardiomiócitos), por exemplo, usam grandes quantidades de energia e têm muito mais mitocôndrias do que as células de gordura (adipócitos), que são muito menos ativas e usam menos energia. Além disso, as mitocôndrias estão concentradas nas porções da célula responsáveis pela maior parte de seu metabolismo energético. Elas também variam em tamanho e forma. Algumas mitocôndrias têm apenas algumas centenas de nanômetros de diâmetro e são de formato globular, enquanto outras são alongadas e têm até 1 micrômetro de diâmetro e 7 micrômetros de comprimento. Outras ainda são ramificadas e filamentosas.

A estrutura básica da mitocôndria, mostrada na **Figura 2.7**, é composta principalmente de duas membranas de bicamada lipídica e proteína, uma *membrana externa* e uma *membrana interna*. Muitas dobras da membrana interna formam prateleiras ou túbulos chamados *cristas*, às quais as enzimas oxidativas estão fixadas. As cristas fornecem uma grande área de superfície para a ocorrência das reações químicas. Além disso, a cavidade interna da mitocôndria é preenchida com uma *matriz* que contém grandes quantidades de enzimas dissolvidas necessárias para extrair energia dos nutrientes. Essas enzimas operam em associação com enzimas oxidativas nas cristas para causar a oxidação dos nutrientes, formando, assim, dióxido de carbono e água e, ao mesmo tempo, liberando energia. A energia liberada é usada para sintetizar uma substância de

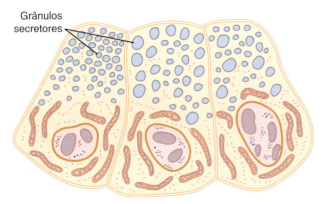

Figura 2.6 Grânulos secretores (vesículas secretoras) nas células acinares do pâncreas.

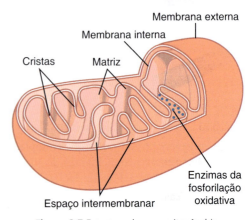

Figura 2.7 Estrutura de uma mitocôndria.

alta energia chamada *trifosfato de adenosina* (ATP). O ATP é, então, transportado para fora da mitocôndria e se difunde por toda a célula para liberar sua própria energia onde ela for necessária para a realização das funções celulares. Os detalhes químicos da formação do ATP pela mitocôndria serão fornecidos no Capítulo 68, mas algumas funções básicas do ATP na célula serão apresentadas posteriormente neste capítulo.

As mitocôndrias são autorreplicativas, o que significa que uma mitocôndria pode formar uma segunda, uma terceira, e assim por diante, sempre que a célula precisar de quantidades maiores de ATP. Na verdade, as mitocôndrias contêm DNA semelhante ao encontrado no núcleo celular No Capítulo 3, veremos que o DNA é o constituinte básico do núcleo que controla a replicação da célula. O DNA da mitocôndria desempenha um papel semelhante, controlando a replicação da mitocôndria. As células que enfrentam demandas crescentes de energia – por exemplo, nos músculos esqueléticos submetidos a treinamento físico crônico – podem aumentar a densidade das mitocôndrias para fornecer a energia adicional necessária.

Citoesqueleto celular | Estruturas filamentosas e tubulares

O citoesqueleto celular é uma rede de proteínas fibrilares organizadas em filamentos ou túbulos. Estas se originam como proteínas precursoras sintetizadas pelos ribossomos no citoplasma. As moléculas precursoras, então, polimerizam para formar *filamentos* (ver **Figura 2.8**). Como exemplo, um grande número de *microfilamentos* de actina frequentemente ocorre na zona externa do citoplasma, chamada *ectoplasma*, para formar um suporte elástico para a membrana celular. Além disso, nas células musculares, os filamentos de actina e miosina são organizados em uma máquina contrátil especial que é a base da contração muscular, conforme discutido no Capítulo 6.

Os *filamentos intermediários* geralmente são fortes filamentos semelhantes a cordas que geralmente trabalham junto com os microtúbulos, fornecendo força e suporte para as frágeis estruturas da tubulina. Eles são chamados *intermediários* porque seu diâmetro médio está entre aquele dos microfilamentos de actina mais estreitos e os filamentos de miosina mais largos encontrados nas células musculares. Suas funções são principalmente mecânicas, e eles são menos dinâmicos do que os microfilamentos de actina ou microtúbulos. Todas as células possuem filamentos intermediários, embora as subunidades proteicas dessas estruturas variem, dependendo do tipo de célula. Filamentos intermediários específicos encontrados em várias células incluem filamentos de desmina nas células musculares, neurofilamentos nos neurônios e queratinas nas células epiteliais.

Um tipo especial de filamento rígido composto de moléculas de *tubulina* polimerizadas é usado em todas as células para construir estruturas tubulares fortes, os *microtúbulos*. A **Figura 2.8** mostra microtúbulos típicos de uma célula.

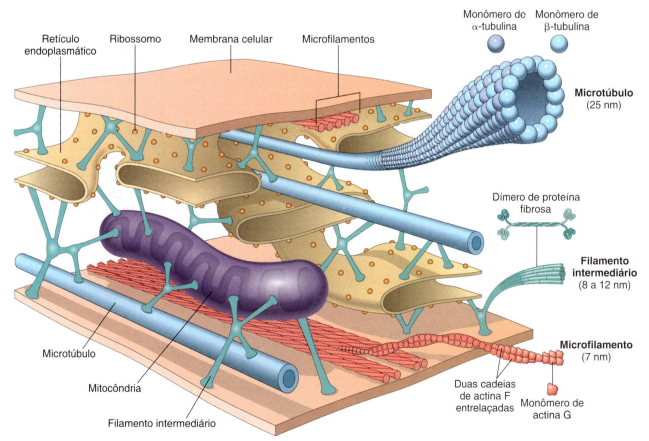

Figura 2.8 Citoesqueleto celular composto de fibras de proteína chamadas microfilamentos, filamentos intermediários e microtúbulos.

Outro exemplo de microtúbulos é a estrutura esquelética tubular no centro de cada cílio que se irradia para cima a partir do citoplasma da célula até a ponta do cílio. Essa estrutura será discutida posteriormente neste capítulo (ver **Figura 2.18**). Além disso, tanto os *centríolos* quanto os *fusos mitóticos* das células em mitose são compostos de microtúbulos rígidos.

A principal função dos microtúbulos é atuar como um *citoesqueleto*, fornecendo estruturas físicas rígidas para certas partes das células. O citoesqueleto celular não apenas determina o formato da célula, mas também participa da divisão celular, permite que as células se movam e fornece um sistema semelhante a uma trilha que direciona o movimento das organelas nas células. Os microtúbulos servem como correias transportadoras para o transporte intracelular de vesículas, grânulos e organelas, como as mitocôndrias.

Núcleo

O núcleo é o centro de controle da célula e envia mensagens para que ela cresça e amadureça, se replique ou morra. Resumidamente, o núcleo contém grandes quantidades de DNA, que constituem os *genes*. Os genes determinam as características das proteínas da célula, incluindo as proteínas estruturais, bem como as enzimas intracelulares que controlam as atividades citoplasmáticas e nucleares.

Os genes também controlam e promovem a reprodução celular. Os genes se reproduzem primeiro para criar dois conjuntos idênticos de genes; então, a célula se divide por um processo especial chamado *mitose* para formar duas células-filhas, cada uma das quais recebe um dos dois conjuntos de genes de DNA. Todas essas atividades do núcleo são discutidas no Capítulo 3.

Infelizmente, a aparência do núcleo sob o microscópio não fornece muitas pistas sobre os mecanismos pelos quais o núcleo realiza suas atividades de controle. A **Figura 2.9** mostra a aparência sob o microscópio óptico do núcleo em *interfase* (durante o período entre as mitoses), revelando *material da cromatina* com coloração escura em todo o nucleoplasma. Durante a mitose, o material da cromatina se organiza na forma de *cromossomos* altamente estruturados, que podem, então, ser facilmente identificados com o uso do microscópio óptico, conforme ilustrado no Capítulo 3.

Membrana nuclear. A *membrana nuclear*, também chamada *envelope nuclear* ou *carioteca*, é, na verdade, composta por duas membranas de bicamadas separadas, uma dentro da outra. A membrana externa é contínua com o retículo endoplasmático do citoplasma da célula, e o espaço entre as duas membranas nucleares também é contínuo com o espaço dentro do retículo endoplasmático, como mostrado na **Figura 2.9**.

A membrana nuclear é penetrada por vários milhares de *poros nucleares*. Grandes complexos de proteínas estão fixados nas bordas dos poros, de forma que a área central de cada poro tenha apenas cerca de 9 nanômetros de diâmetro. Mesmo esse tamanho é grande o suficiente para permitir que moléculas com peso molecular até 44.000 dáltons passem com razoável facilidade.

Nucléolos e formação de ribossomos. Os núcleos da maioria das células contêm uma ou mais estruturas altamente coradas chamadas *nucléolos*. O nucléolo, ao contrário da maioria das outras organelas discutidas aqui, não tem uma membrana limitante. Em vez disso, ele é simplesmente um acúmulo de grandes quantidades de RNA e proteínas dos tipos encontrados nos ribossomos. O nucléolo aumenta consideravelmente quando a célula está sintetizando ativamente proteínas.

A formação dos nucléolos (e dos ribossomos no citoplasma fora do núcleo) começa no núcleo. Primeiro, genes específicos de DNA nos cromossomos fazem com que o RNA seja sintetizado. Parte desse RNA sintetizado é armazenado nos nucléolos, mas a maior parte é transportada para fora através dos poros nucleares até o citoplasma. No citoplasma, ele é usado em conjunto com proteínas específicas para montar ribossomos "maduros" que desempenham um papel essencial na formação de proteínas citoplasmáticas, como discutido no Capítulo 3.

COMPARAÇÃO DA CÉLULA ANIMAL COM FORMAS PRÉ-CELULARES DE VIDA

A célula é um organismo complexo que precisou de muitas centenas de milhões de anos para se desenvolver após as primeiras formas de vida, microrganismos que podem ter sido semelhantes aos *vírus* atuais, surgirem pela primeira vez na Terra. A **Figura 2.10** mostra os tamanhos relativos: (1) do menor vírus conhecido; (2) de um grande vírus; (3) de uma *Rickettsia*; (4) de uma *bactéria*; e (5) de uma célula *nucleada*. Isso demonstra que a célula tem um diâmetro cerca de 1.000 vezes maior do que o menor vírus e, portanto, um volume cerca de 1 bilhão de vezes o do menor vírus. Correspondentemente, as funções e a organização anatômica da célula também são muito mais complexas do que as do vírus.

O componente vital do pequeno vírus é um *ácido nucleico* embutido em uma capa de proteína. Esse ácido nucleico é composto pelos mesmos constituintes básicos

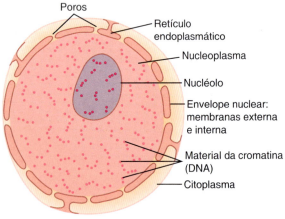

Figura 2.9 Estrutura do núcleo.

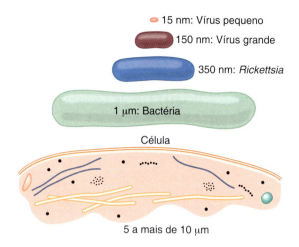

Figura 2.10 Comparação dos tamanhos dos organismos pré-celulares com os da célula média do corpo humano.

do ácido nucleico (DNA ou RNA) encontrados nas células de mamíferos e é capaz de se reproduzir em condições apropriadas dentro das células, propagando a sua linhagem de geração em geração.

À medida que a vida evoluiu, outras substâncias químicas, além do ácido nucleico e das proteínas simples, tornaram-se partes integrantes do organismo, e funções especializadas começaram a se desenvolver em diferentes partes do vírus. Uma membrana se formou ao redor do vírus e, dentro da membrana, apareceu uma matriz líquida. Produtos químicos especializados, então, se desenvolveram dentro do líquido para executar funções especiais; apareceram muitas enzimas proteicas que eram capazes de catalisar reações químicas, determinando, assim, as atividades do organismo.

Ainda em estágios mais avançados da vida, particularmente nos estágios rickettsiano e bacteriano, *organelas* se desenvolveram dentro do organismo. Essas organelas representam estruturas físicas de agregados químicos que desempenham funções de maneira mais eficiente do que pode ser alcançado por produtos químicos dispersos em toda a matriz líquida.

Por fim, na célula nucleada, desenvolveram-se organelas ainda mais complexas, das quais a mais importante é o *núcleo*. O núcleo distingue esse tipo de célula de todas as formas inferiores de vida; ele fornece um centro de controle para todas as atividades celulares e para a reprodução de novas células geração após geração, com cada nova célula tendo quase exatamente a mesma estrutura da sua progenitora.

SISTEMAS FUNCIONAIS DA CÉLULA

No restante deste capítulo, discutiremos alguns sistemas funcionais da célula que a tornam um organismo vivo.

ENDOCITOSE: INCORPORAÇÃO DE SUBSTÂNCIAS PELA CÉLULA

Para que uma célula viva, cresça e se reproduza, ela deve obter nutrientes e outras substâncias dos líquidos circundantes.

A maioria das substâncias passa pela membrana celular pelos processos de difusão e *transporte ativo*.

A difusão envolve um movimento simples através da membrana causado pelo movimento aleatório das moléculas da substância. As substâncias movem-se através dos poros da membrana celular ou, no caso de substâncias lipossolúveis, através da matriz lipídica da membrana.

O transporte ativo envolve, na verdade, o transporte de uma substância através da membrana por uma estrutura proteica física que penetra toda a membrana. Esses mecanismos de transporte ativo são tão importantes para a função celular que serão apresentados em detalhes no Capítulo 4.

Partículas grandes entram na célula por uma função especializada da membrana celular chamada *endocitose* (ver Vídeo 2.1). As principais formas de endocitose são *pinocitose* e *fagocitose*. Pinocitose significa a ingestão de partículas minúsculas que formam vesículas de líquido extracelular e constituintes particulados dentro do citoplasma da célula. Fagocitose significa a ingestão de partículas grandes, como bactérias, células inteiras ou porções de tecido em degeneração.

Pinocitose. A pinocitose ocorre continuamente nas membranas celulares da maioria das células, mas é especialmente rápida em algumas células. Por exemplo, ela ocorre tão rapidamente em macrófagos que cerca de 3% da membrana total do macrófago é engolfada na forma de vesículas a cada minuto. Mesmo assim, as vesículas pinocitárias são tão pequenas – normalmente apenas 100 a 200 nanômetros de diâmetro – que a maioria delas pode ser vista apenas com um microscópio eletrônico.

A pinocitose é o único meio pelo qual a maioria das macromoléculas grandes, como a maioria das proteínas, pode entrar nas células. Na verdade, a velocidade com que as vesículas pinocitárias se formam geralmente aumenta quando tais macromoléculas se fixam na membrana celular.

A **Figura 2.11** ilustra as etapas sucessivas da pinocitose *(A-D)*, mostrando três moléculas de proteína que se ligam à membrana. Essas moléculas geralmente se ligam

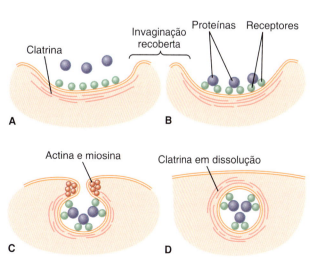

Figura 2.11 Mecanismo de pinocitose.

a *receptores* de proteínas especializados na superfície da membrana, que são específicos para o tipo de proteína a ser absorvida. Os receptores geralmente estão concentrados em pequenas cavidades na superfície externa da membrana celular, chamadas *invaginações recobertas*. No interior da membrana celular, abaixo dessas cavidades, há uma treliça constituída de proteína fibrilar chamada *clatrina*, bem como outras proteínas, talvez incluindo filamentos contráteis de *actina* e *miosina*. Uma vez que as moléculas de proteína se ligaram aos receptores, as propriedades da superfície da membrana local mudam de tal forma que toda a cavidade invagina para dentro da célula, e as proteínas fibrilares ao redor da cavidade invaginante fazem com que suas bordas se fechem sobre as proteínas aderidas, bem como sobre uma pequena quantidade de líquido extracelular. Imediatamente após, a porção invaginada da membrana se desprende da superfície da célula, formando uma *vesícula pinocitária* dentro do citoplasma da célula.

O que faz com que a membrana celular passe pelas contorções necessárias para formar as vesículas pinocitárias ainda não está claro. Esse processo requer energia de dentro da célula, que é fornecida pelo ATP, uma substância de alta energia discutida posteriormente neste capítulo. Esse processo também requer a presença de íons cálcio no líquido extracelular, que provavelmente reagem com os filamentos de proteínas contráteis sob as cavidades revestidas para fornecer a força necessária para afastar as vesículas da membrana celular.

Fagocitose. A fagocitose ocorre da mesma forma que a pinocitose, exceto que envolve partículas grandes em vez de moléculas. Apenas algumas células têm a capacidade de fagocitose – notadamente, macrófagos teciduais e alguns leucócitos.

A fagocitose é iniciada quando um microrganismo, célula morta ou restos de tecido, se liga a receptores na superfície do fagócito. No caso das bactérias, cada bactéria geralmente já está ligada a um anticorpo específico; é o anticorpo que se liga aos receptores do fagócito, arrastando a bactéria junto com ele. Essa intermediação de anticorpos é chamada *opsonização*, que será discutida nos Capítulos 34 e 35.

A fagocitose ocorre nas seguintes etapas:

1. Os receptores da membrana celular se ligam aos ligantes de superfície da partícula.
2. As bordas da membrana ao redor dos pontos de fixação se mobilizam para fora da célula em uma fração de segundo para envolver a partícula inteira; então, progressivamente mais e mais receptores da membrana se ligam aos ligantes das partículas. Tudo isso ocorre repentinamente em forma de zíper para formar uma *vesícula fagocitária* fechada.
3. A actina e outras fibrilas contráteis no citoplasma circundam a vesícula fagocitária e se contraem em torno de sua borda externa, empurrando a vesícula para o interior.
4. As proteínas contráteis, então, comprimem a haste da vesícula tão completamente que a vesícula se separa da membrana celular, deixando a vesícula no interior da célula da mesma forma que as vesículas pinocitárias são formadas.

OS LISOSSOMOS DIGEREM SUBSTÂNCIAS ESTRANHAS PINOCITADAS E FAGOCITADAS DENTRO DA CÉLULA

Quase imediatamente após o aparecimento de uma vesícula pinocitária ou fagocitária dentro de uma célula, um ou mais *lisossomos* se fixam à vesícula e esvaziam suas *hidrolases ácidas* para o interior da vesícula, conforme mostrado na **Figura 2.12**. Assim, uma *vesícula digestiva* é formada dentro do citoplasma da célula, na qual as hidrolases vesiculares começam a hidrolisar proteínas, carboidratos, lipídios e outras substâncias da vesícula. Os produtos da digestão são pequenas moléculas de substâncias como aminoácidos, glicose e fosfatos que podem se difundir através da membrana da vesícula para o citoplasma. O que resta da vesícula digestiva, denominado *corpo residual*, representa substâncias indigestíveis. Na maioria dos casos, o corpo residual é finalmente excretado através da membrana celular por um processo chamado *exocitose*, que é essencialmente o oposto da endocitose. Assim, as vesículas pinocitárias e fagocitárias contendo lisossomos podem ser chamadas de *órgãos digestivos* das células.

Lisossomos, regressão de tecidos e autólise de células danificadas. Os tecidos do corpo geralmente regridem para um tamanho menor. Por exemplo, essa regressão ocorre no útero após a gravidez, nos músculos durante longos períodos de inatividade e nas glândulas mamárias no final da lactação. Os lisossomos são responsáveis por grande parte dessa regressão.

Outro papel especial dos lisossomos é a remoção de células danificadas ou partes danificadas de células dos tecidos. Danos à célula – causados por calor, frio, traumatismo, produtos químicos ou qualquer outro fator – induzem os lisossomos à ruptura. As hidrolases liberadas começam

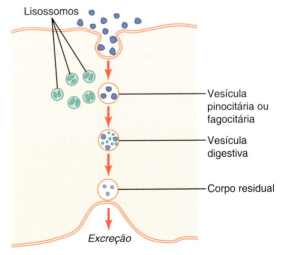

Figura 2.12 Digestão de substâncias em vesículas pinocitárias ou fagocitárias por enzimas derivadas de lisossomos.

imediatamente a digerir as substâncias orgânicas circundantes. Se o dano for leve, apenas uma parte da célula será removida e a célula será reparada. Se o dano for grave, toda a célula será digerida, um processo chamado *autólise*. Desse modo, a célula é completamente removida e uma nova célula do mesmo tipo é formada, normalmente por reprodução mitótica de uma célula adjacente para substituir a antiga.

Os lisossomos também contêm agentes bactericidas que podem matar bactérias fagocitadas antes que causem danos celulares. Esses agentes incluem: (1) a *lisozima*, que dissolve a parede celular bacteriana; (2) a *lisoferrina*, que liga o ferro e outras substâncias antes que possam promover o crescimento bacteriano; e (3) o ácido a um pH de cerca de 5,0, que ativa as hidrolases e inativa os sistemas metabólicos bacterianos.

Autofagia e reciclagem de organelas celulares. Os lisossomos desempenham um papel fundamental no processo de *autofagia*, que significa literalmente "digerir a si mesmo". A autofagia é um processo de manutenção pelo qual organelas obsoletas e grandes agregados de proteínas são degradados e reciclados (ver **Figura 2.13**). Organelas celulares gastas são transferidas para os lisossomos por estruturas de membrana dupla chamadas *autofagossomos*, que são formadas no citosol. A invaginação da membrana lisossomal e a formação de vesículas fornecem outra via para as estruturas citosólicas serem transportadas para o lúmen dos lisossomos. Uma vez dentro dos lisossomos, as organelas são digeridas e os nutrientes são reutilizados pela célula. A autofagia contribui para a renovação rotineira dos componentes citoplasmáticos; é um mecanismo-chave para desenvolvimento tecidual, sobrevivência celular quando os nutrientes são escassos e manutenção da homeostase. Nas células do fígado, por exemplo, a mitocôndria média normalmente tem uma vida útil de apenas cerca de 10 dias antes de ser destruída.

SÍNTESE DE ESTRUTURAS CELULARES PELO RETÍCULO ENDOPLASMÁTICO E PELO COMPLEXO DE GOLGI

Funções do retículo endoplasmático

A extensão do retículo endoplasmático e do complexo de Golgi nas células secretoras já foi enfatizada. Essas estruturas são formadas principalmente por membranas de bicamada lipídica, semelhantes à membrana celular, e suas paredes são carregadas com enzimas proteicas que catalisam a síntese de muitas substâncias exigidas pela célula.

A maior parte da síntese começa no retículo endoplasmático. Os produtos formados são, então, passados para o complexo de Golgi, onde são processados antes de serem liberados no citoplasma. Antes, entretanto, observemos os produtos específicos que são sintetizados em porções específicas do retículo endoplasmático e do complexo de Golgi.

Síntese de proteínas pelo retículo endoplasmático granular. O retículo endoplasmático granular é caracterizado por um grande número de ribossomos ligados às

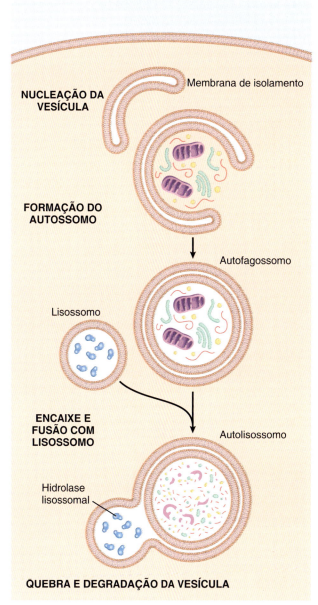

Figura 2.13 Diagrama esquemático das etapas da autofagia.

superfícies externas da membrana do retículo endoplasmático. Conforme discutido no Capítulo 3, as moléculas proteicas são sintetizadas dentro das estruturas dos ribossomos. Os ribossomos expelem algumas das moléculas proteicas sintetizadas diretamente para o citosol, mas também expelem muito mais através da parede do retículo endoplasmático para o interior das vesículas e túbulos endoplasmáticos na *matriz endoplasmática*.

Síntese de lipídios pelo retículo endoplasmático agranular. O retículo endoplasmático também sintetiza lipídios, especialmente fosfolipídios e colesterol. Esses lipídios são rapidamente incorporados à bicamada lipídica do retículo endoplasmático, fazendo com que o retículo endoplasmático cresça e fique mais extenso. Esse processo ocorre principalmente na porção agranular do retículo endoplasmático.

Para evitar que o retículo endoplasmático cresça além das necessidades da célula, pequenas vesículas, chamadas *vesículas do RE* ou *vesículas de transporte*, se separam continuamente do retículo agranular; a maioria dessas vesículas migra rapidamente para o complexo de Golgi.

Outras funções do retículo endoplasmático. Outras funções significativas do retículo endoplasmático, especialmente o retículo agranular, incluem o seguinte:

1. Fornece as enzimas que controlam a degradação do glicogênio quando o glicogênio é usado para energia.
2. Fornece um grande número de enzimas que são capazes de destoxificar substâncias, como fármacos, que podem danificar a célula. Ele atinge a destoxificação por processos como coagulação, oxidação, hidrólise e conjugação com ácido glicurônico.

Funções do complexo de Golgi

Funções sintéticas do complexo de Golgi. Embora uma função principal do complexo de Golgi seja fornecer processamento adicional de substâncias já formadas no retículo endoplasmático, ele também pode sintetizar certos carboidratos que não podem ser formados no retículo endoplasmático. Isso é especialmente verdadeiro para a formação de grandes polímeros de sacarídeos ligados a pequenas quantidades de proteína; exemplos importantes incluem o *ácido hialurônico* e o *sulfato de condroitina*.

Algumas das muitas funções do ácido hialurônico e do sulfato de condroitina no corpo são: (1) eles são os principais componentes dos proteoglicanos secretados no muco e em outras secreções glandulares; (2) eles são os principais componentes da *substância fundamental amorfa*, ou componentes não fibrosos da matriz extracelular, fora das células nos espaços intersticiais, que atuam como preenchedores entre as fibras de colágeno e as células; (3) eles são os principais componentes da matriz orgânica tanto na cartilagem quanto no osso; e (4) eles são importantes em muitas atividades celulares, incluindo a migração e a proliferação.

Processamento de secreções endoplasmáticas pelo complexo de Golgi | Formação de vesículas. A **Figura 2.14** resume as principais funções do retículo endoplasmático e do complexo de Golgi. À medida que as substâncias são formadas no retículo endoplasmático, especialmente as proteínas, elas são transportadas através dos túbulos em direção a porções do retículo endoplasmático agranular que ficam mais próximas ao complexo de Golgi. Nesse ponto, as *vesículas de transporte* compostas por pequenos invólucros de retículo endoplasmático agranular se rompem continuamente e se difundem para a *camada mais profunda* do complexo de Golgi. Dentro dessas vesículas estão as proteínas sintetizadas e outros produtos do retículo endoplasmático.

As vesículas de transporte fundem-se instantaneamente com o complexo de Golgi e esvaziam suas substâncias contidas nos espaços vesiculares do complexo de Golgi. Nesses

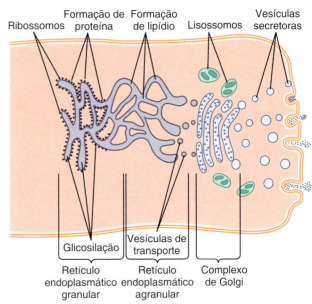

Figura 2.14 Formação de proteínas, lipídios e vesículas celulares pelo retículo endoplasmático e pelo complexo de Golgi.

espaços, porções de carboidratos adicionais são adicionadas às secreções. Além disso, uma função importante do complexo de Golgi é compactar as secreções reticulares endoplasmáticas em pacotes altamente concentrados. À medida que as secreções passam em direção às camadas mais externas do complexo de Golgi, a compactação e o processamento continuam. Por fim, as vesículas pequenas e grandes continuamente se desprendem do complexo de Golgi, carregando com elas as substâncias secretoras compactadas e se difundindo por toda a célula.

O exemplo a seguir fornece uma ideia do tempo desses processos. Quando uma célula glandular é banhada em aminoácidos, moléculas de proteína recém-formadas podem ser detectadas no retículo endoplasmático granular dentro de 3 a 5 minutos. Em 20 minutos, as proteínas recém-formadas já estão presentes no complexo de Golgi e, em 1 a 2 horas, as proteínas são secretadas da superfície da célula.

Tipos de vesículas formadas pelo complexo de Golgi | Vesículas secretoras e lisossomos. Em uma célula altamente secretora, as vesículas formadas pelo complexo de Golgi são principalmente *vesículas secretoras* contendo proteínas que são secretadas através da superfície da membrana celular. Essas vesículas secretoras primeiro se difundem para a membrana celular e, em seguida, se fundem com ela e esvaziam suas substâncias para o exterior pelo mecanismo denominado *exocitose*. A exocitose, na maioria dos casos, é estimulada pela entrada de íons cálcio na célula. Os íons cálcio interagem com a membrana vesicular e causam sua fusão com a membrana celular, seguida pela exocitose – abertura da superfície externa da membrana e extrusão de seu conteúdo para fora da célula. Algumas vesículas, entretanto, são destinadas ao uso intracelular.

Uso de vesículas intracelulares para restabelecer as membranas celulares. Algumas vesículas intracelulares formadas pelo complexo de Golgi se fundem com a membrana celular ou com as membranas de estruturas intracelulares, como a mitocôndria e até mesmo o retículo endoplasmático. Essa fusão aumenta a extensão dessas membranas e as restabelece à medida que são usadas. Por exemplo, a membrana celular perde muito de sua substância toda vez que forma uma vesícula fagocitária ou pinocitária, e as membranas vesiculares do complexo de Golgi continuamente restabelecem a membrana celular.

Em resumo, o sistema membranoso do retículo endoplasmático e o complexo de Golgi são altamente metabólicos e capazes de formar novas estruturas intracelulares e substâncias secretoras a serem expelidas da célula.

AS MITOCÔNDRIAS OBTÊM ENERGIA A PARTIR DOS NUTRIENTES

As principais substâncias das quais as células extraem energia são os alimentos que reagem quimicamente com o oxigênio: carboidratos, lipídios e proteínas. No corpo humano, essencialmente todos os carboidratos são convertidos em *glicose* pelo sistema digestório e pelo fígado antes de chegarem às outras células do corpo. Da mesma forma, as proteínas são convertidas em *aminoácidos* e os lipídios são convertidos em *ácidos graxos*. A **Figura 2.15** mostra o oxigênio e os alimentos – glicose, ácidos graxos e aminoácidos – todos entrando na célula. Dentro da célula, eles reagem quimicamente com o oxigênio sob a influência de enzimas que controlam as reações e canalizam a energia liberada na direção correta. Os detalhes de todas essas funções digestivas e metabólicas serão fornecidos nos Capítulos 63 a 73.

Resumidamente, quase todas essas reações oxidativas ocorrem dentro da mitocôndria, e a energia que é liberada é usada para formar o composto de alta energia, o ATP. Então, o ATP, não o alimento original, é usado em toda a célula para energizar quase todas as reações metabólicas intracelulares subsequentes.

Características funcionais do ATP (trifosfato de adenosina)

O ATP é um nucleotídio composto: (1) da base nitrogenada *adenina*; (2) do açúcar pentose *ribose*; e (3) de três *radicais fosfato*. Os dois últimos radicais fosfato estão conectados com o restante da molécula por *ligações fosfato de alta energia*, que são representadas na fórmula mostrada pelo símbolo ~. *Nas condições físicas e químicas do corpo*, cada uma dessas ligações de alta energia contém cerca de 12.000 calorias de energia por mol de ATP, o que é muitas vezes maior do que a energia armazenada na ligação química média, dando origem ao termo *ligação de alta energia*. Além disso, a ligação fosfato de alta energia é muito instável, de modo que pode ser quebrada instantaneamente quando necessário, sempre que houver necessidade de energia para promover outras reações intracelulares.

Quando o ATP libera sua energia, um radical de ácido fosfórico é separado e o *difosfato de adenosina* (ADP) é formado. Essa energia liberada é usada para energizar muitas das outras funções da célula, como a síntese de substâncias e a contração muscular.

Para reconstituir o ATP celular à medida que é consumido, a energia derivada dos nutrientes celulares faz com que o ADP e o ácido fosfórico se recombinem para formar um novo ATP, e todo o processo se repete continuamente. Por essas razões, o ATP tem sido chamado de *moeda de energia* da célula, porque pode ser gasto e reformado continuamente, tendo um tempo de renovação de apenas alguns minutos.

Processos químicos na formação do ATP | Papel da mitocôndria. Ao entrar nas células, a glicose é convertida por enzimas no *citoplasma* em *ácido pirúvico* (um processo denominado *glicólise*). Uma pequena quantidade de ADP é transformada em ATP pela energia liberada durante essa conversão, mas essa quantidade é responsável por menos de 5% do metabolismo energético total da célula.

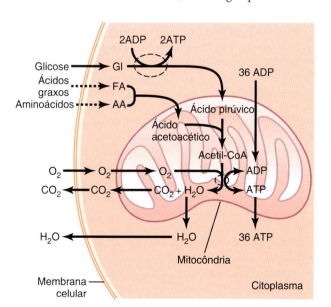

Figura 2.15 Formação de trifosfato de adenosina (ATP) na célula mostrando que a maior parte do ATP é formado na mitocôndria. ADP: difosfato de adenosina; CoA: coenzima A.

Cerca de 95% da formação de ATP da célula ocorrem na mitocôndria. O ácido pirúvico derivado dos carboidratos, ácidos graxos de lipídios e aminoácidos de proteínas é eventualmente convertido no composto *acetil-coenzima A* (acetil-CoA) na matriz da mitocôndria. Essa substância, por sua vez, é posteriormente dissolvida (para fins de extração de sua energia) por outra série de enzimas da matriz mitocondrial, sofrendo dissolução em uma sequência de reações químicas denominada *ciclo do ácido cítrico*, ou *ciclo de Krebs*. Essas reações químicas são tão importantes que serão explicadas em detalhes no Capítulo 68.

Nesse ciclo do ácido cítrico, acetil-CoA é dividida em seus componentes, *átomos de hidrogênio* e *dióxido de carbono*. O dióxido de carbono difunde-se para fora da mitocôndria e, eventualmente, para fora da célula; por fim, é excretado do corpo pelos pulmões.

Os átomos de hidrogênio, por outro lado, são altamente reativos; eles se combinam com o oxigênio que também se difundiu na mitocôndria. Essa combinação libera uma quantidade enorme de energia, que é usada pelas mitocôndrias para converter grandes quantias de ADP em ATP. Os processos dessas reações são complexos, exigindo a participação de muitas enzimas proteicas que são partes integrantes das *camadas membranosas* mitocondriais que se projetam na matriz mitocondrial. O evento inicial é a remoção de um elétron do átomo de hidrogênio, convertendo-o em um íon hidrogênio. Os eventos terminais são a combinação de íons hidrogênio com oxigênio para formar água e a liberação de grandes quantidades de energia para proteínas globulares que se projetam como botões das membranas das camadas mitocondriais; essas proteínas são chamadas de *ATP sintetase*. Finalmente, a enzima ATP sintetase usa a energia dos íons hidrogênio para converter ADP em ATP. O ATP recém-formado é transportado para fora da mitocôndria para todas as partes do citoplasma e do nucleoplasma da célula, onde energiza várias funções celulares.

Esse processo geral de formação de ATP é denominado *mecanismo quimiosmótico* de formação do ATP. Os detalhes químicos e físicos desse mecanismo serão apresentados no Capítulo 68, e muitas das funções metabólicas detalhadas do ATP no corpo serão discutidas nos Capítulos 68 a 72.

Usos de ATP para função celular. A energia do ATP é usada para promover três categorias principais de funções celulares: (1) *transporte* de substâncias através de múltiplas membranas celulares; (2) *síntese de compostos químicos* em toda a célula; e (3) *trabalho mecânico*. Esses usos de ATP são ilustrados pelos exemplos na **Figura 2.16**: (1) fornecer energia para o transporte de sódio através da membrana celular; (2) promover a síntese de proteínas pelos ribossomos; e (3) fornecer a energia necessária durante a contração muscular.

Além do transporte de sódio pela membrana, a energia do ATP é necessária para o transporte de potássio, cálcio, magnésio, fosfato, cloreto, urato e íons hidrogênio e

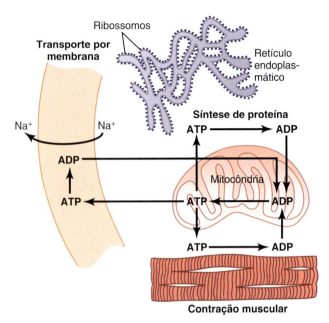

Figura 2.16 Uso de trifosfato de adenosina (ATP; formado na mitocôndria) para fornecer energia para três funções celulares principais: transporte por membrana, síntese de proteína e contração muscular. ADP: difosfato de adenosina.

muitos outros íons, bem como várias substâncias orgânicas. O transporte por membrana é tão importante para a função celular que algumas células, como as células tubulares renais, por exemplo, usam até 80% do ATP que formam apenas para esse propósito.

Além de sintetizar proteínas, as células produzem fosfolipídios, colesterol, purinas, pirimidinas e muitas outras substâncias. A síntese de quase qualquer composto químico requer energia. Por exemplo, uma única molécula de proteína pode ser composta de vários milhares de aminoácidos ligados uns aos outros por ligações peptídicas. A formação de cada uma dessas ligações requer energia derivada da quebra de quatro ligações de alta energia; assim, muitos milhares de moléculas de ATP devem liberar sua energia à medida que cada molécula de proteína é formada. Na verdade, algumas células usam até 75% de todo o ATP formado na célula simplesmente para sintetizar novos compostos químicos, especialmente moléculas de proteínas; isso é particularmente verdadeiro durante a fase de crescimento das células. Outro uso do ATP é fornecer energia para células especiais realizarem trabalho mecânico. Discutimos no Capítulo 6 que cada contração de uma fibra muscular requer o gasto de grandes quantidades de energia do ATP. Outras células realizam trabalho mecânico de outras maneiras, especialmente pelo *movimento ciliar* e *ameboide*, descrito posteriormente neste capítulo. A fonte de energia para todos esses tipos de trabalho mecânico é o ATP.

Em resumo, o ATP está prontamente disponível para liberar sua energia rapidamente onde quer que seja necessária na célula. Para substituir o ATP usado pela célula, reações químicas muito mais lentas quebram carboidratos, lipídios e proteínas e usam a energia derivada desses processos para formar novo ATP. Mais de 95% desse ATP é formado nas mitocôndrias, razão pela qual as mitocôndrias são chamadas de *usinas de energia* da célula.

MOVIMENTO DAS CÉLULAS

O tipo de movimento mais óbvio no corpo é aquele que ocorre nas células musculares esqueléticas, cardíacas e lisas, que constituem quase 50% de toda a massa corporal. As funções especializadas dessas células serão discutidas nos Capítulos 6 a 9. Dois outros tipos de movimento – *movimento ameboide* e *movimento ciliar* – ocorrem em outras células.

MOVIMENTO AMEBOIDE

O movimento ameboide é um movimento semelhante ao rastejar de uma célula inteira em relação ao seu entorno, como o movimento dos leucócitos através dos tecidos. Esse tipo de movimento recebe esse nome pelo fato de que as amebas se movem dessa maneira, e as amebas têm fornecido uma excelente ferramenta para estudar o fenômeno.

Normalmente, o movimento ameboide começa com a protrusão de um *pseudópode* de uma extremidade da célula. O pseudópode se projeta para longe do corpo celular e se fixa parcialmente em uma nova área de tecido; então, o restante da célula é puxado em direção ao pseudópode. A **Figura 2.17** demonstra esse processo, mostrando uma célula alongada, cuja extremidade direita é um pseudópode protuberante. A membrana dessa extremidade da célula está continuamente se movendo para a frente, e a membrana do lado esquerdo da célula está continuamente acompanhando o movimento da célula.

Mecanismo de movimento ameboide. A **Figura 2.17** mostra o princípio geral do movimento ameboide. Basicamente, ele resulta da formação contínua de uma nova membrana celular na borda dianteira do pseudópode e da absorção contínua da membrana nas porções média e posterior da célula. Dois outros efeitos também são essenciais para o movimento da célula para a frente. O primeiro é a fixação do pseudópode aos tecidos circundantes, de modo que se fixe em sua posição principal, enquanto o restante do corpo celular é puxado para a frente em direção ao ponto de fixação. Essa fixação é causada por *proteínas receptoras* que revestem o interior das vesículas exocíticas. Quando as vesículas se tornam parte da membrana do pseudópode, elas se abrem de forma que sua parte interna se volte para o lado de fora e os receptores agora se projetam para fora e se fixam aos ligantes nos tecidos circundantes.

Na extremidade oposta da célula, os receptores se afastam de seus ligantes e formam novas vesículas endocíticas. Então, dentro da célula, essas vesículas fluem em direção à extremidade do pseudópode da célula, onde são usadas para formar uma nova membrana para o pseudópode.

O segundo efeito essencial para o movimento é fornecer a energia necessária para puxar o corpo celular na direção do pseudópode. Há uma quantidade moderada a grande da proteína *actina* no citoplasma de todas as células. Grande parte da actina está na forma de moléculas únicas que não fornecem nenhuma força motriz; no entanto, essas moléculas polimerizam-se para formar uma rede filamentosa, e a rede se contrai quando se liga a uma proteína de ligação à actina, como a *miosina*. Todo o processo é energizado pelo composto de alta energia ATP. Isso é o que ocorre no pseudópode de uma célula em movimento, na qual essa rede de filamentos de actina se forma novamente dentro do pseudópode em expansão. A contração também ocorre no ectoplasma do corpo celular, onde uma rede de actina preexistente já está presente abaixo da membrana celular.

Tipos de células que exibem movimento ameboide. As células mais comuns a exibir movimento ameboide no corpo humano são os *leucócitos*, quando saem do sangue para os tecidos para formar *macrófagos teciduais*. Outros tipos de células também podem realizar movimento ameboide em certas circunstâncias. Por exemplo, os fibroblastos movem-se para uma área danificada para ajudar a reparar o dano, e até mesmo as células germinativas da pele, embora normalmente células completamente sésseis, movem-se em direção a uma área cortada para reparar a abertura. O movimento celular também é especialmente importante no desenvolvimento do embrião e do feto após a fertilização de um ovócito. Por exemplo, as células embrionárias frequentemente precisam migrar longas distâncias de seus locais de origem para novas áreas durante o desenvolvimento de estruturas especiais.

Alguns tipos de células cancerígenas, como os sarcomas, que surgem das células do tecido conjuntivo, são especialmente proficientes no movimento ameboide. Isso é parcialmente responsável por sua propagação relativamente rápida de uma parte do corpo para outra, conhecida como *metástase*.

Controle do movimento ameboide | Quimiotaxia. Um importante iniciador do movimento ameboide é o processo denominado *quimiotaxia*, que resulta do aparecimento de certas substâncias químicas nos tecidos. Qualquer substância química que cause a ocorrência da

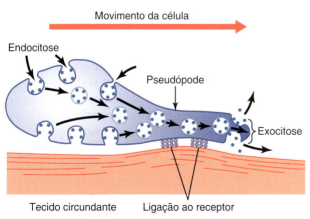

Figura 2.17 Movimento ameboide por uma célula.

quimiotaxia é chamada de *substância quimiotática*. A maioria das células que apresenta movimento ameboide se move em direção à fonte de uma substância quimiotática, isto é, de uma área de menor concentração em direção a uma área de maior concentração. Isso é chamado de *quimiotaxia positiva*. Algumas células se afastam da fonte, o que é chamado de *quimiotaxia negativa*.

Como a quimiotaxia controla a direção do movimento ameboide? Embora a resposta não seja certa, sabe-se que o lado da célula mais exposto à substância quimiotática desenvolve alterações de membrana que causam a protrusão do pseudópode.

CÍLIOS E MOVIMENTOS CILIARES

Existem dois tipos de cílios, cílios *móveis* e *não móveis*, ou *primários*. Os cílios móveis podem sofrer um movimento semelhante ao de um chicote na superfície das células. Esse movimento ocorre principalmente em dois locais do corpo humano: nas superfícies das vias respiratórias e nas superfícies internas das tubas uterinas do sistema reprodutor. Na cavidade nasal e nas vias respiratórias inferiores, o movimento em chicote dos cílios móveis faz com que uma camada de muco se mova a cerca de 1 cm/min em direção à faringe, dessa forma, limpando continuamente essas passagens de muco e partículas que ficaram presas no muco. Nas tubas uterinas, os cílios causam um movimento lento de líquido do óstio da tuba uterina em direção à cavidade do útero; esse movimento de líquido transporta o ovócito do ovário para o útero.

Conforme mostrado na **Figura 2.18**, um cílio tem a aparência de um pelo reto ou curvo pontiagudo que se projeta de 2 a 4 micrômetros da superfície da célula. Frequentemente, muitos cílios móveis se projetam de uma única célula, por exemplo, até 200 cílios na superfície de cada célula epitelial no interior das vias respiratórias. O cílio é coberto por um afloramento da membrana celular e é sustentado por 11 microtúbulos – nove túbulos duplos localizados ao redor da periferia do cílio e dois túbulos simples no centro, como demonstrado na secção transversal exibida na **Figura 2.18**. Cada cílio é um crescimento de uma estrutura que se encontra imediatamente abaixo da membrana celular, chamada de *corpo basal* do cílio.

O *flagelo de um espermatozoide* é semelhante a um cílio móvel; na verdade, tem praticamente o mesmo tipo de estrutura e o mesmo tipo de mecanismo contrátil. O flagelo, no entanto, é muito mais longo e se move em ondas quase sinusoidais em vez de movimentos em chicote.

Na inserção da **Figura 2.18** é mostrado o movimento do cílio móvel. O cílio se move para a frente com um golpe súbito e rápido em forma de chicote de 10 a 20 vezes por segundo, curvando-se acentuadamente onde se projeta da superfície da célula. Em seguida, move-se para trás lentamente para sua posição inicial. O movimento rápido, impulsivo para a frente, semelhante a um chicote, empurra o líquido adjacente à célula na direção em que

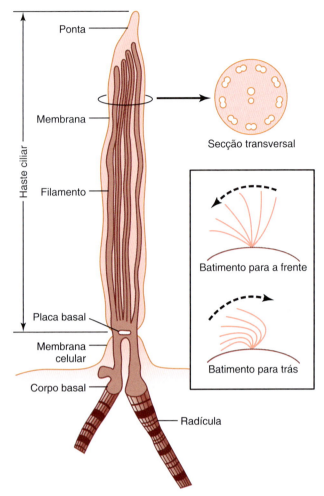

Figura 2.18 Estrutura e função do cílio. *(Modificada de Satir P: Cilia. Sci Am 204:108, 1961.)*

o cílio se move; o lento movimento de arrasto na direção contrária quase não tem efeito no movimento do líquido. Como resultado, o líquido é continuamente impulsionado na direção do golpe de avanço rápido. Como a maioria das células ciliadas móveis tem um grande número de cílios em suas superfícies e como todos os cílios estão orientados na mesma direção, esse é um meio eficaz para movimentar líquidos de uma parte da superfície para outra.

Mecanismo do movimento ciliar. Embora nem todos os aspectos do movimento ciliar sejam conhecidos, estamos cientes dos seguintes elementos. Primeiro, os nove túbulos duplos e os dois túbulos simples estão todos ligados um ao outro por um complexo de ligações cruzadas de proteínas; esse complexo total de túbulos e ligações cruzadas é denominado *axonema*. Segundo, mesmo após a remoção da membrana e a destruição de outros elementos do cílio além do axonema, o cílio ainda pode bater em condições adequadas. Terceiro, duas condições são necessárias para o batimento contínuo do axonema após a remoção das outras estruturas do cílio: (1) a disponibilidade de ATP; e (2) condições iônicas apropriadas, especialmente concentrações apropriadas de magnésio e

CAPÍTULO 2 A Célula e suas Funções

cálcio. Quarto, durante o movimento do cílio para a frente, os túbulos duplos na borda frontal do cílio deslizam para fora em direção à ponta do cílio, enquanto os da borda posterior permanecem no lugar. Quinto, múltiplos braços de proteína compostos pela proteína *dineína*, que tem atividade enzimática de adenosina trifosfatase (ATPase), projetam-se de cada túbulo duplo em direção a um túbulo duplo adjacente.

Dada essa informação básica, foi determinado que a liberação de energia do ATP em contato com os braços da dineína ATPase faz com que as cabeças desses braços deslizem rapidamente ao longo da superfície do túbulo duplo adjacente. Se os túbulos da frente deslizarem para fora enquanto os túbulos posteriores permanecem estacionários, ocorrerá a flexão.

A forma como a contração dos cílios é controlada não é bem compreendida. Os cílios de algumas células geneticamente anormais não têm os dois túbulos simples centrais, e esses cílios não batem. Portanto, presume-se que algum sinal, talvez um sinal eletroquímico, seja transmitido ao longo desses dois túbulos centrais para ativar os braços da dineína.

Cílios primários não móveis servem como "antenas sensoriais" da célula. Os *cílios primários* não são móveis e geralmente ocorrem apenas como um único cílio em cada célula. Embora as funções fisiológicas dos cílios primários não sejam totalmente compreendidas, as evidências atuais indicam que eles funcionem como "antenas sensoriais" da célula, que coordenam as vias de sinalização celular envolvidas em sensação química e mecânica, transdução de sinal e crescimento celular. Nos rins, por exemplo, os cílios primários são encontrados na maioria das células epiteliais dos túbulos, projetando-se no lúmen dos túbulos e atuando como um sensor de fluxo. Em resposta ao fluxo de líquido sobre as células epiteliais tubulares, os cílios primários se curvam e causam alterações induzidas pelo fluxo na sinalização do cálcio intracelular. Esses sinais, por sua vez, iniciam vários efeitos nas células. Acredita-se que os defeitos na sinalização pelos cílios primários nas células epiteliais tubulares renais contribuam para vários distúrbios, incluindo o desenvolvimento de grandes cistos cheios de líquido, uma condição chamada *doença renal policística*.

Bibliografia

Alberts B, Johnson A, Lewis J, et al: Molecular Biology of the Cell, 6th ed. New York: Garland Science, 2014.

Brandizzi F, Barlowe C: Organization of the ER-Golgi interface for membrane traffic control. Nat Rev Mol Cell Biol 14:382, 2013.

Dikic I, Elazar Z. Mechanism and medical implications of mammalian autophagy. Nat Rev Mol Cell Biol 19:349, 2018.

Eisner V, Picard M, Hajnóczky G. Mitochondrial dynamics in adaptive and maladaptive cellular stress responses. Nat Cell Biol 20:755, 2018.

Galluzzi L, Yamazaki T, Kroemer G. Linking cellular stress responses to systemic homeostasis. Nat Rev Mol Cell Biol 19:731, 2018.

Guerriero CJ, Brodsky JL: The delicate balance between secreted protein folding and endoplasmic reticulum-associated degradation in human physiology. Physiol Rev 92:537, 2012.

Harayama T, Riezman H. Understanding the diversity of membrane lipid composition. Nat Rev Mol Cell Biol 19:281, 2018.

Insall R: The interaction between pseudopods and extracellular signalling during chemotaxis and directed migration. Curr Opin Cell Biol 25:526, 2013.

Kaksonen M, Roux A. Mechanisms of clathrin-mediated endocytosis. Nat Rev Mol Cell Biol 19:313, 2018.

Lawrence RE, Zoncu R. The lysosome as a cellular centre for signalling, metabolism and quality control. Nat Cell Biol 21: 133, 2019.

Nakamura N, Wei JH, Seemann J: Modular organization of the mammalian Golgi apparatus. Curr Opin Cell Biol 24:467, 2012.

Palikaras K, Lionaki E, Tavernarakis N. Mechanisms of mitophagy in cellular homeostasis, physiology and pathology. Nat Cell Biol 20:1013, 2018.

Sezgin E, Levental I, Mayor S, Eggeling C. The mystery of membrane organization: composition, regulation and roles of lipid rafts. Nat Rev Mol Cell Biol 18:361, 2017.

Spinelli JB, Haigis MC. The multifaceted contributions of mitochondria to cellular metabolism. Nat Cell Biol. 20:745, 2018.

Walker CL, Pomatto LCD, Tripathi DN, Davies KJA. Redox regulation of homeostasis and proteostasis in peroxisomes. Physiol Rev 98:89, 2018.

Zhou K, Gaullier G, Luger K. Nucleosome structure and dynamics are coming of age. Nat Struct Mol Biol 26:3, 2019.

CAPÍTULO 3

Controle Genético da Síntese de Proteínas, da Função Celular e da Reprodução Celular

Os genes, que estão localizados nos núcleos de todas as células do corpo, controlam a hereditariedade de pais para filhos, bem como o funcionamento diário de todas as células do corpo. Os genes controlam a função celular determinando quais estruturas, enzimas e substâncias químicas são sintetizadas dentro da célula.

A **Figura 3.1** mostra o esquema geral do controle genético. Cada gene, que é composto de *ácido desoxirribonucleico* (DNA), controla a formação de outro ácido nucleico, o *ácido ribonucleico* (RNA); esse RNA, então, se espalha por toda a célula para controlar a formação de uma proteína específica. Todo o processo, desde a *transcrição* do código genético no núcleo até a *tradução* do código do RNA e a formação de proteínas no citoplasma da célula, é frequentemente denominado *expressão gênica*.

Como o corpo humano tem aproximadamente 20.000 a 25.000 genes diferentes capazes de codificar proteínas em cada célula, é possível formar um grande número de proteínas celulares diferentes. Na verdade, as moléculas de RNA transcritas do mesmo segmento de DNA – o mesmo gene – podem ser processadas de mais de uma maneira pela célula, dando origem a versões alternativas da proteína. O número total de proteínas diferentes produzidas pelos vários tipos de células em humanos é estimado em, pelo menos, 100.000.

Algumas das proteínas celulares são *proteínas estruturais* que, em associação com vários lipídios e carboidratos, formam as estruturas das várias organelas intracelulares discutidas no Capítulo 2. No entanto, a maioria das proteínas são *enzimas* que catalisam diferentes reações químicas nas células. Por exemplo, as enzimas promovem todas as reações oxidativas que fornecem energia para a célula, junto com a síntese de todos os produtos químicos da célula, como lipídios, glicogênio e trifosfato de adenosina (ATP).

GENES DO NÚCLEO CELULAR CONTROLAM A SÍNTESE DE PROTEÍNAS

No núcleo da célula, um grande número de genes está ligado ponta a ponta em moléculas helicoidais de fita dupla extremamente longas de DNA com pesos moleculares medidos na casa dos bilhões. Um segmento muito curto de tal molécula é mostrado na **Figura 3.2**. Essa molécula é constituída de vários compostos químicos simples unidos em um padrão regular, cujos detalhes são explicados nos próximos parágrafos.

Elementos de construção do DNA

A **Figura 3.3** mostra os compostos químicos básicos envolvidos na formação do DNA. Esses compostos incluem os seguintes: (1) *ácido fosfórico*; (2) um açúcar chamado *desoxirribose*; e (3) quatro *bases* nitrogenadas (duas purinas, *adenina* e *guanina*, e duas pirimidinas, *timina* e *citosina*). O ácido fosfórico e a desoxirribose formam as duas fitas helicoidais que são a espinha dorsal da molécula de DNA, e as bases nitrogenadas ficam entre as duas fitas e as conectam, conforme ilustrado na **Figura 3.2**.

Nucleotídios

O primeiro estágio da formação do DNA é combinar uma molécula de ácido fosfórico, uma molécula de desoxirribose e uma das quatro bases para formar um nucleotídio

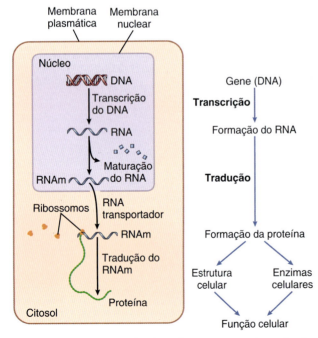

Figura 3.1 O esquema geral pelo qual os genes controlam a função celular. RNAm: RNA mensageiro.

CAPÍTULO 3 Controle Genético da Síntese de Proteínas, da Função Celular e da Reprodução Celular

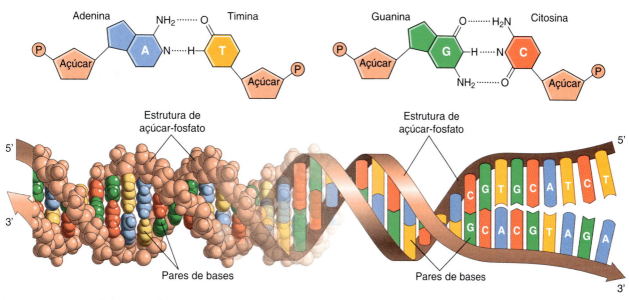

Figura 3.2 A estrutura helicoidal de fita dupla do gene. As fitas externas são compostas de ácido fosfórico e do açúcar desoxirribose. As moléculas internas que conectam as duas fitas da hélice são as bases purina e pirimidina, que determinam o "código" do gene.

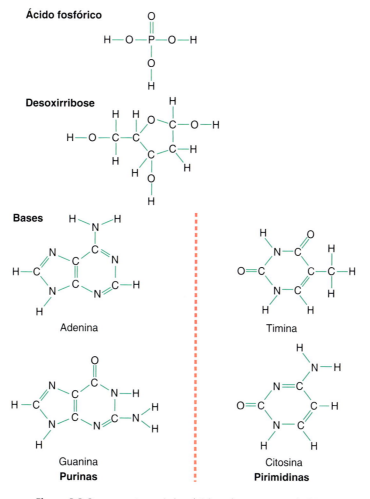

Figura 3.3 Os compostos químicos básicos de construção do DNA.

ácido. Quatro nucleotídios separados são então formados, um para cada uma das quatro bases: ácidos *desoxiadenílico*, *desoxitimidílico*, *desoxiguanílico* e *desoxicitidílico*. A **Figura 3.4** mostra a estrutura química do ácido desoxiadenílico, e a **Figura 3.5** mostra símbolos simples para os quatro nucleotídios que formam o DNA.

Os nucleotídios são organizados para formar duas fitas de DNA fracamente ligadas uma à outra

A **Figura 3.2** mostra a maneira pela qual vários nucleotídios são unidos para formar duas fitas de DNA. As duas fitas são, por sua vez, fracamente ligadas entre si por ligações cruzadas fracas, conforme ilustrado na **Figura 3.6** pelas linhas tracejadas centrais. Observe que a estrutura de cada fita de DNA é composta de ácido fosfórico e moléculas de desoxirribose alternadas. Por sua vez, as bases purina e pirimidina são ligadas às laterais das moléculas de desoxirribose. Então, por meio de *ligações de hidrogênio* fracas (linhas tracejadas) entre as bases purina e pirimidina, as duas fitas de DNA respectivas são mantidas juntas. No entanto, observe as seguintes ressalvas:

1. Cada base purina *adenina* de uma fita sempre se liga a uma base pirimidina *timina* da outra fita.
2. Cada base purina *guanina* sempre se liga a uma base pirimidina *citosina*.

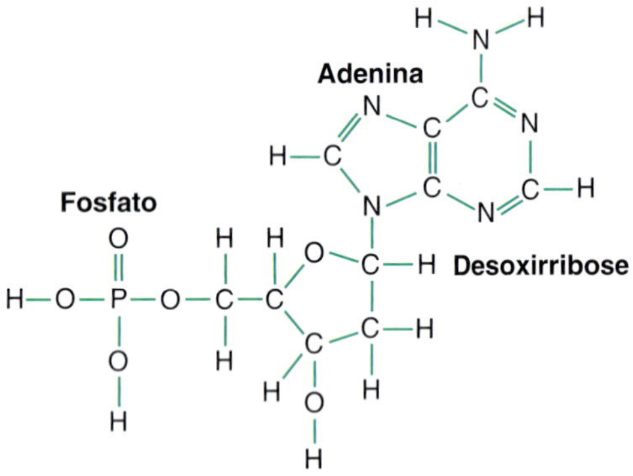

Assim, na **Figura 3.6**, a sequência de pares de bases complementares é CG, CG, GC, TA, CG, TA, GC, AT e AT. Como as ligações de hidrogênio são fracas, as duas fitas podem se separar com facilidade, e isso ocorre muitas vezes durante o curso de sua função na célula.

Para colocar o DNA da **Figura 3.6** em sua perspectiva física adequada, pode-se simplesmente pegar as duas pontas e torcê-las em uma hélice. Dez pares de nucleotídios estão presentes em cada volta completa da hélice na molécula de DNA.

CÓDIGO GENÉTICO

A importância do DNA está em sua capacidade de controlar a formação de proteínas na célula, o que ele consegue por meio de um *código genético*. Ou seja, quando as duas fitas de uma molécula de DNA são separadas, as bases purina e pirimidina que se projetam para o lado de cada fita de DNA são expostas, como mostrado pela fita superior na **Figura 3.7**. São essas bases projetadas que formam o código genético.

O código genético consiste em "trincas" sucessivas de bases – ou seja, cada três bases sucessivas constituem uma *palavra do código*. As trincas sucessivas eventualmente controlam a sequência de aminoácidos em uma molécula de proteína que deve ser sintetizada na célula. Observe na **Figura 3.6** que a fita superior do DNA, lida da esquerda para a direita, possui o código genético GGC, AGA, CTT, com as trincas sendo separadas umas das outras pelas setas. À medida que seguimos esse código genético da **Figura 3.7** à **Figura 3.8**, vemos que essas três trincas respectivas são responsáveis pela colocação sucessiva dos três aminoácidos, *prolina*, *serina* e *ácido glutâmico*, em uma molécula de proteína recém-formada.

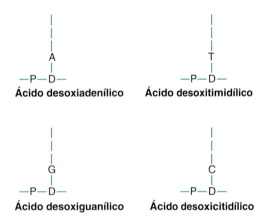

Figura 3.4 Ácido desoxiadenílico, um dos nucleotídios que compõem o DNA.

Figura 3.5 Símbolos para os quatro nucleotídios que se combinam para formar o DNA. Cada nucleotídio contém ácido fosfórico (P), desoxirribose (D) e uma das quatro bases de nucleotídio: adenina (A); timina (T); guanina (G); ou citosina (C).

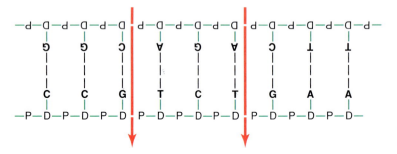

Figura 3.6 Arranjo de nucleotídios de desoxirribose em uma fita dupla de DNA.

CAPÍTULO 3 Controle Genético da Síntese de Proteínas, da Função Celular e da Reprodução Celular

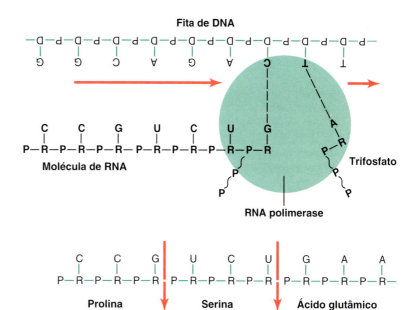

Figura 3.7 Combinação de nucleotídios de ribose com uma fita de DNA para formar uma molécula de RNA que carrega o código genético do gene para o citoplasma. A enzima *RNA polimerase* move-se ao longo da fita de DNA e constrói a molécula de RNA.

Figura 3.8 Uma porção de uma molécula de RNA mostrando três códons do RNA – CCG, UCU e GAA – que controlam a ligação dos três aminoácidos, prolina, serina e ácido glutâmico, respectivamente, à cadeia crescente de RNA.

TRANSCRIÇÃO | TRANSFERÊNCIA DO CÓDIGO DE DNA DO NÚCLEO CELULAR PARA O CÓDIGO DE RNA DO CITOPLASMA

Como o DNA está localizado no núcleo da célula, embora a maioria das funções celulares seja realizada no citoplasma, deve haver algum meio para que os genes do DNA do núcleo controlem as reações químicas do citoplasma. Esse controle é obtido por intermédio de outro tipo de ácido nucleico, o RNA, cuja formação é controlada pelo DNA do núcleo. Assim, como mostrado na **Figura 3.7**, o código é transferido para o RNA em um processo denominado *transcrição*. O RNA, por sua vez, se difunde do núcleo através dos poros nucleares para o compartimento citoplasmático, onde controla a síntese de proteínas.

O RNA É SINTETIZADO NO NÚCLEO A PARTIR DE UM MODELO DO DNA

Durante a síntese de RNA, as duas fitas de DNA separam-se temporariamente; uma dessas fitas é usada como molde para a síntese de uma molécula de RNA. As trincas de códigos no DNA resultam na formação de trincas de códigos *complementares* (chamados *códons*) no RNA. Esses códons, por sua vez, irão controlar a sequência de aminoácidos de uma proteína a ser sintetizada no citoplasma da célula.

Elementos de construção do RNA. Os elementos de construção básicos do RNA são quase iguais aos do DNA, exceto por duas diferenças. Primeiro, o açúcar desoxirribose não é usado na formação de RNA. Em seu lugar está outro açúcar de composição ligeiramente diferente, a *ribose*, que contém um íon hidroxila extra anexado à estrutura do anel da ribose. Segundo, a timina é substituída por outra pirimidina, a *uracila*.

Formação de nucleotídios de RNA. Os elementos de construção básicos do RNA formam os *nucleotídios do RNA*, exatamente como descrito anteriormente para a síntese de DNA. Aqui, novamente, quatro nucleotídios separados são usados para formar o RNA. Esses nucleotídios contêm as bases *adenina, guanina, citosina* e *uracila*. Observe que essas bases são as mesmas do DNA, exceto que a uracila no RNA substitui a timina no DNA.

"Ativação" de nucleotídios do RNA. A próxima etapa na síntese do RNA é a "ativação" dos nucleotídios do RNA por uma enzima, a *RNA polimerase*. Essa ativação ocorre pela adição de dois radicais fosfato extras a cada nucleotídio para formar trifosfatos (mostrado na **Figura 3.7** pelos dois nucleotídios de RNA na extremidade direita durante a formação da cadeia de RNA). Esses dois últimos fosfatos são combinados com o nucleotídio por *ligações fosfato de alta energia* derivadas do ATP na célula.

O resultado desse processo de ativação é que grandes quantidades de energia do ATP são disponibilizadas para cada um dos nucleotídios. Esta energia é usada para promover reações químicas que adicionam cada novo nucleotídio de RNA no final da cadeia de RNA em desenvolvimento.

MONTAGEM DE CADEIA DE RNA A PARTIR DE NUCLEOTÍDIOS ATIVADOS, USANDO A FITA DE DNA COMO MOLDE

Conforme mostrado na **Figura 3.7**, a montagem do RNA é realizada sob a influência de uma enzima, a *RNA polimerase*. Essa grande enzima proteica tem muitas propriedades funcionais necessárias para a formação de RNA, como segue:

1. Na fita de DNA imediatamente à frente do gene a ser transcrito está uma sequência de nucleotídios chamada *promotor*. A RNA polimerase tem uma estrutura complementar apropriada que reconhece esse promotor e se liga a ele, etapa essencial para iniciar a formação do RNA.

PARTE 1 Introdução à Fisiologia: Célula e Fisiologia Geral

2. Depois que a RNA polimerase se liga ao promotor, a polimerase causa o desenrolamento de cerca de duas voltas da hélice do DNA e a separação das porções desenroladas das duas fitas.

3. A polimerase, então, se move ao longo da fita de DNA, temporariamente desenrolando e separando as duas fitas de DNA em cada estágio de seu movimento. À medida que avança, em cada estágio ela adiciona um novo nucleotídio de RNA ativado ao final da cadeia de RNA recém-formada por meio das seguintes etapas:

   a. Primeiro, ela causa a formação de uma ligação de hidrogênio entre a base final da fita de DNA e a base de um nucleotídio de RNA no nucleoplasma.

   b. Então, um de cada vez, a RNA polimerase quebra dois dos três radicais fosfato de cada um desses nucleotídios do RNA, liberando grandes quantidades de energia das ligações rompidas do fosfato de alta energia. Essa energia é usada para causar a ligação covalente do fosfato remanescente no nucleotídio com a ribose no final da cadeia crescente de RNA.

   c. Quando a RNA polimerase chega ao final do gene do DNA, ela encontra uma nova sequência de nucleotídios do DNA chamada *sequência de terminação da cadeia*, que faz com que a polimerase e a cadeia de RNA recém-formada se separem da fita de DNA. A polimerase pode, então, ser usada repetidamente para formar mais novas cadeias de RNA.

   d. Conforme a nova fita de RNA é formada, suas ligações fracas de hidrogênio com o molde de DNA se rompem porque o DNA tem uma alta afinidade para se religar com sua própria fita de DNA complementar. Assim, a cadeia de RNA é forçada para longe do DNA e liberada no nucleoplasma.

Portanto, o código que está presente na fita de DNA é eventualmente transmitido de forma *complementar* à cadeia de RNA. As bases de nucleotídio ribose sempre se combinam com as bases de desoxirribose nos seguintes arranjos:

Base de DNA	Base de RNA
Guanina	Citosina
Citosina	Guanina
Adenina	Uracila
Timina	Adenina

Existem vários tipos diferentes de RNA. Com o avanço da pesquisa sobre o RNA, muitos tipos diferentes de RNA foram descobertos. Alguns tipos de RNA estão envolvidos na síntese de proteínas, enquanto outros tipos têm funções regulatórias de genes ou estão envolvidos na modificação pós-transcricional do RNA. As funções de alguns tipos de RNA, especialmente aqueles que não parecem codificar para proteínas, ainda são misteriosas. Os seguintes seis tipos de RNA desempenham papéis independentes e diferentes na síntese de proteínas:

1. O *RNA mensageiro precursor* (pré-RNAm) é uma fita de RNA única, grande e imatura que é processada no núcleo para formar o RNA mensageiro (RNAm) maduro. O pré-RNA inclui dois tipos diferentes de segmentos, chamados *íntrons*, que são removidos por um processo denominado *maturação* (*splicing*), e *éxons*, que são retidos no RNAm final.

2. O *pequeno RNA nuclear* (RNAsn) direciona o a maturação do pré-RNAm para formar o RNAm.

3. O *RNA mensageiro* (RNAm) carrega o código genético para o citoplasma para controlar o tipo de proteína formada.

4. O *RNA transportador* (RNAt) transporta aminoácidos ativados para os ribossomos para serem usados na montagem da molécula de proteína.

5. O *RNA ribossômico*, junto com cerca de 75 proteínas diferentes, forma os ribossomos, as estruturas físicas e químicas nas quais as moléculas de proteína são realmente montadas.

6. Os *microRNA* (RNAmi) são moléculas de RNA de fita simples de 21 a 23 nucleotídios que podem regular a transcrição e a tradução de genes.

RNA MENSAGEIRO | CÓDONS

As moléculas de *RNA mensageiro* são longas fitas simples de RNA que estão suspensas no citoplasma. Essas moléculas são compostas de várias centenas a vários milhares de nucleotídios de RNA em fitas desemparelhadas e contêm *códons* que são exatamente complementares às trincas de código dos genes do DNA. A **Figura 3.8** mostra um pequeno segmento de RNAm. Seus códons são CCG, UCU e GAA, que são os códons dos aminoácidos prolina, serina e ácido glutâmico. A transcrição desses códons da molécula de DNA para a molécula de RNA é mostrada na **Figura 3.7**.

Códons de RNA para os diferentes aminoácidos. A **Tabela 3.1** lista os códons de RNA para os 20 aminoácidos comuns encontrados nas moléculas de proteína. Observe que a maioria dos aminoácidos é representada por mais de um códon; além disso, um códon representa o sinal "comece a fabricar a molécula de proteína" e três códons representam "pare de fabricar a molécula de proteína". Na **Tabela 3.1**, esses dois tipos de códons são designados IC para códon de "iniciação de cadeia" ou "início" e TC para códon de "terminação de cadeia" ou "parada".

RNA TRANSPORTADOR | ANTICÓDONS

Outro tipo de RNA essencial para a síntese de proteínas é chamado de RNA transportador (RNAt), porque ele transporta os aminoácidos para as moléculas de proteína enquanto a proteína está sendo sintetizada. Cada tipo de RNAt combina-se especificamente com 1 dos 20 aminoácidos que devem ser incorporados às proteínas. O RNAt então atua como um *carreador* para transportar seu tipo específico de aminoácido para os ribossomos, onde as moléculas de proteína estão se formando. Nos ribossomos, cada tipo específico de RNAt reconhece um códon

Tabela 3.1 Códons de RNA para aminoácidos e para início e parada.

Aminoácido	Códons de RNA					
Ácido aspártico	GAU	GAC				
Ácido glutâmico	GAA	GAG				
Alanina	GCU	GCC	GCA	GCG		
Arginina	CGU	CGC	CGA	CGG	AGA	AGG
Asparagina	AAU	AAC				
Cisteína	UGU	UGC				
Fenilalanina	UUU	UUC				
Glicina	GGU	GGC	GGA	GGG		
Glutamina	CAA	CAG				
Histidina	CAU	CAC				
Isoleucina	AUU	AUC	AUA			
Leucina	CUU	CUC	CUA	CUG	UUA	UUG
Lisina	AAA	AAG				
Metionina	AUG					
Prolina	CCU	CCC	CCA	CCG		
Serina	UCU	UCC	UCA	UCG	AGC	AGU
Treonina	ACU	ACC	ACA	ACG		
Triptofano	UGG					
Tirosina	UAU	UAC				
Valina	GUU	GUC	GUA	GUG		
Início (IC)	AUG					
Parada (TC)	UAA	UAG	UGA			

IC: iniciação de cadeia; *TC*: terminação de cadeia.

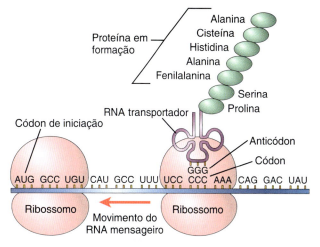

Figura 3.9 Uma fita de RNA mensageiro se move através de dois ribossomos. À medida que cada códon passa, um aminoácido é adicionado à cadeia crescente de proteína, que é mostrada no ribossomo à direita. A molécula de RNA transportador transporta cada aminoácido específico para a proteína recém-formada.

particular no RNAm (descrito mais adiante) e, assim, entrega o aminoácido apropriado ao local adequado na cadeia da molécula de proteína recém-formada.

O RNAt, que contém apenas cerca de 80 nucleotídios, é uma molécula relativamente pequena em comparação com o RNAm. É uma cadeia dobrada de nucleotídios com uma aparência de folha de trevo semelhante à mostrada na **Figura 3.9**. Em uma extremidade da molécula, há sempre um ácido adenílico ao qual o aminoácido transportado se liga, em um grupo hidroxila da ribose desse ácido.

Como a função do RNAt é causar a ligação de um aminoácido específico a uma cadeia proteica em formação, é essencial que cada tipo de RNAt também tenha especificidade para um códon particular no RNAm. O código específico no RNAt que permite reconhecer um códon específico é, novamente, uma trinca de bases de nucleotídios e é chamado de *anticódon*. Esse anticódon está localizado aproximadamente no meio da molécula de RNAt (na parte inferior da configuração em folha de trevo mostrada na **Figura 3.9**). Durante a formação da molécula de proteína, as bases do anticódon se combinam fracamente por ligações de hidrogênio com as bases do códon do RNAm. Desta forma, os respectivos aminoácidos são alinhados um após o outro ao longo da cadeia de RNAm, estabelecendo, assim, a sequência apropriada de aminoácidos na molécula de proteína recém-formada.

RNA RIBOSSÔMICO

O terceiro tipo de RNA na célula é o RNA ribossômico, que constitui cerca de 60% do *ribossomo*. O restante do ribossomo é proteína, incluindo cerca de 75 tipos de proteínas, que são tanto proteínas estruturais quanto enzimas necessárias para a produção de proteínas.

O ribossomo é a estrutura física no citoplasma na qual as proteínas são realmente sintetizadas. No entanto, sempre funciona em associação com os outros dois tipos de RNA; o *RNAt* transporta os aminoácidos para o ribossomo para incorporação na proteína em desenvolvimento, enquanto o *RNAm* fornece as informações necessárias para o sequenciamento dos aminoácidos na ordem adequada para cada tipo específico de proteína a ser fabricada. Assim, o ribossomo atua como uma fábrica na qual as moléculas de proteína são formadas.

Formação de ribossomos no nucléolo. Os genes de DNA para a formação do RNA ribossômico estão localizados em cinco pares de cromossomos no núcleo. Cada um desses cromossomos contém muitas duplicatas desses genes específicos por causa da grande quantidade de RNA ribossômico necessária para a função celular.

À medida que o RNA ribossômico se forma, ele se acumula no *nucléolo*, uma estrutura especializada adjacente aos cromossomos. Quando grandes quantidades de RNA ribossômico estão sendo sintetizadas, como ocorre em células que fabricam grandes quantidades de proteínas, o nucléolo é uma estrutura grande, enquanto em células que sintetizam pouca proteína, o nucléolo pode nem ser visto. O RNA ribossômico é especialmente processado no nucléolo, onde se liga às proteínas ribossômicas para formar os produtos de condensação granular que são as subunidades primordiais dos ribossomos. Essas subunidades são, então, liberadas do nucléolo e transportadas através dos grandes poros da membrana nuclear para quase todas as partes do citoplasma. Depois que as subunidades entram no citoplasma, elas são montadas para formar os ribossomos funcionais maduros. Portanto, as proteínas são formadas no citoplasma da célula, e não no núcleo da célula, porque o núcleo não contém ribossomos maduros.

MICRORNA E RNA INTERFERENTE PEQUENO

Um quarto tipo de RNA na célula é o *microRNA* (RNAmi); RNAmi são fragmentos de RNA de fita simples e curtos (21 a 23 nucleotídios) que regulam a expressão gênica (ver **Figura 3.10**). Os RNAmi são codificados a partir do DNA transcrito dos genes, mas não são traduzidos em proteínas e, portanto, são frequentemente chamados de *RNA não codificante*. Os RNAmi são processados pela célula em moléculas que são complementares ao RNAm e atuam para diminuir a expressão gênica. A geração de RNAmi envolve o processamento especial de RNA precursores primários mais longos, chamados de *pri-RNAmi*, que são os transcritos primários do gene. Os pri-RNAmi são então processados no núcleo da célula pelo *complexo microprocessador* em pré-RNAmi, que são estruturas com o formato semelhante a um grampo de cabelo (*stem loop*) de 70 nucleotídios. Esses pré-RNAmi são posteriormente clivados no citoplasma por uma "*enzima dicer*" (*dicer* é uma enzima nuclease que cliva moléculas de RNA dupla fita) específica que possibilita a montagem de um *complexo de silenciamento induzido por RNA* (RISC) e gera os RNAmi.

Os RNAmi regulam a expressão gênica ligando-se à região complementar do RNA e promovendo a repressão da tradução ou degradação do RNAm antes que ele possa ser traduzido pelo ribossomo. Acredita-se que os RNAmi desempenhem um papel importante na regulação normal da função celular, e alterações na função dos RNAmi têm sido associadas a doenças como câncer e doenças cardíacas.

Outro tipo de RNAmi é o *RNA interferente pequeno* (RNAsi), também chamado de *RNA silenciador* ou *RNA interferente curto*. Os RNAsi são moléculas curtas de RNA de fita dupla, compostas de 20 a 25 nucleotídios, que interferem na expressão de genes específicos. Os RNAsi geralmente se referem a RNAmi sintéticos e podem ser administrados para silenciar a expressão de genes específicos. Eles são projetados para evitar o processamento nuclear pelo complexo microprocessador e, após o RNAsi entrar no citoplasma, ele ativa o complexo de silenciamento RISC, bloqueando a tradução do RNAm. Como os RNAsi podem ser adaptados para qualquer sequência específica no gene, eles podem ser usados para bloquear a tradução de qualquer RNAm e, portanto, a expressão por qualquer gene para o qual a sequência de nucleotídios seja conhecida. Os pesquisadores propuseram que os RNAsi podem se tornar ferramentas terapêuticas úteis para silenciar genes que contribuem para a fisiopatologia de doenças.

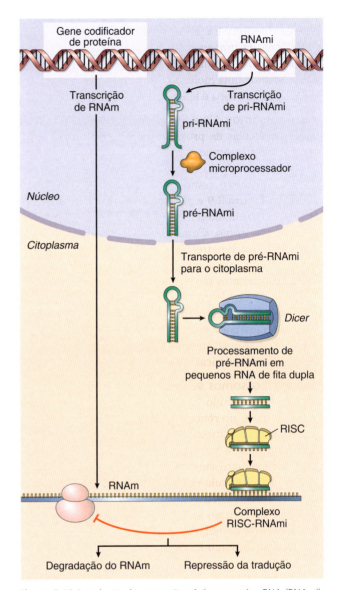

Figura 3.10 Regulação da expressão gênica por microRNA (RNAmi). O RNAmi primário (pri-RNAmi), os transcritos primários de um gene processado no núcleo da célula pelo complexo microprocessador, são convertidos em pré-RNAmi. Esses pré-RNAmi são então processados no citoplasma pela *dicer*, uma enzima que ajuda a montar um complexo de silenciamento induzido por RNA (RISC) e gera RNAmi. Os RNAmi regulam a expressão gênica ligando-se à região complementar do RNA e reprimindo a tradução ou promovendo a degradação do RNA mensageiro (RNAm) antes que ele possa ser traduzido pelo ribossomo.

TRADUÇÃO | FORMAÇÃO DE PROTEÍNAS NOS RIBOSSOMOS

Quando uma molécula de RNAm entra em contato com um ribossomo, ela se desloca através do ribossomo, começando em uma extremidade predeterminada da molécula de RNA especificada por uma sequência apropriada de bases de RNA chamada *códon de iniciação de cadeia*. Então, conforme mostrado na **Figura 3.9**, enquanto o RNAm se desloca pelo ribossomo, uma molécula de proteína é formada, um processo chamado *tradução*. Assim, o ribossomo lê os códons do RNAm quase da mesma maneira que uma fita é lida ao passar pelo cabeçote de reprodução de um gravador. Então, quando um códon de "parada" (ou "terminação de cadeia") passa pelo ribossomo, o fim de uma molécula de proteína é sinalizado, e a molécula de proteína é liberada no citoplasma.

Polirribossomos. Uma única molécula de RNAm pode formar moléculas de proteína em vários ribossomos ao mesmo tempo porque a extremidade inicial da fita de RNA pode passar para um ribossomo sucessivo à medida que sai do primeiro, como mostrado no canto inferior esquerdo na **Figura 3.9** e na **Figura 3.11**. As moléculas de proteína estão em diferentes estágios de desenvolvimento em cada ribossomo. Como resultado, agrupamentos de ribossomos ocorrem frequentemente, com 3 a 10 ribossomos estando ligados a um único RNAm ao mesmo tempo. Esses agrupamentos são chamados de *polirribossomos*.

Um RNAm pode causar a formação de uma molécula de proteína em qualquer ribossomo; não há especificidade de ribossomos para determinados tipos de proteína. O ribossomo é simplesmente a fábrica física na qual ocorrem as reações químicas.

Muitos ribossomos se ligam ao retículo endoplasmático. No Capítulo 2, observamos que muitos ribossomos se fixam no retículo endoplasmático. Essa ligação ocorre porque as extremidades iniciais de muitas moléculas de proteína em formação têm sequências de aminoácidos que imediatamente se ligam a locais de receptores específicos no retículo endoplasmático, fazendo com que essas moléculas penetrem na parede do retículo e entrem na matriz do retículo endoplasmático. Esse processo dá uma aparência granular às porções do retículo onde as proteínas estão sendo formadas e estão entrando na matriz do retículo.

A **Figura 3.11** mostra a relação funcional do RNAm com os ribossomos e a maneira como os ribossomos se ligam à membrana do retículo endoplasmático. Observe o processo de tradução ocorrendo em vários ribossomos ao mesmo tempo em resposta à mesma fita de RNAm. Observe também as cadeias polipeptídicas (proteínas) recém-formadas passando através da membrana do retículo endoplasmático para a matriz endoplasmática

Deve-se notar que, exceto nas células glandulares, nas quais grandes quantidades de vesículas secretoras contendo proteínas são formadas, a maioria das proteínas sintetizadas pelos ribossomos é liberada diretamente no citosol em vez de no retículo endoplasmático. Essas proteínas são enzimas e proteínas estruturais internas da célula.

Etapas químicas na síntese de proteínas. Alguns dos eventos químicos que ocorrem na síntese de uma molécula de proteína são mostrados na **Figura 3.12**. Essa figura mostra reações representativas para três aminoácidos separados, AA_1, AA_2 e AA_{20}. As etapas das reações são as seguintes:

1. Cada aminoácido é *ativado* por um processo químico no qual o ATP se combina com o aminoácido para constituir um *complexo de monofosfato de adenosina com o aminoácido*, formando duas ligações fosfato de alta energia no processo.
2. O aminoácido ativado, tendo um excesso de energia, então se *combina com seu RNAt específico para formar um complexo aminoácido-RNAt* e, ao mesmo tempo, libera o monofosfato de adenosina.
3. O RNAt que carrega o complexo de aminoácido, então, entra em contato com a molécula de RNAm no ribossomo, onde o anticódon do RNAt se liga temporariamente ao seu códon específico do RNAm, alinhando, assim, o aminoácido na sequência apropriada para formar uma molécula de proteína.

Em seguida, sob a influência da enzima *peptidil transferase* (uma das proteínas do ribossomo), *ligações peptídicas* são formadas entre os aminoácidos sucessivos, acrescentando-se progressivamente à cadeia proteica. Esses eventos químicos requerem energia de duas ligações fosfato de alta energia adicionais, perfazendo um total de quatro ligações de alta energia usadas para cada aminoácido adicionado à cadeia de proteína. Assim, a síntese de proteínas é um dos processos que mais consomem energia na célula.

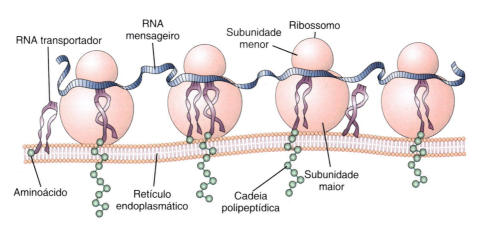

Figura 3.11 A estrutura física dos ribossomos, bem como sua relação funcional com o RNA mensageiro, o RNA transportador e o retículo endoplasmático durante a formação de moléculas de proteína.

PARTE 1 Introdução à Fisiologia: Célula e Fisiologia Geral

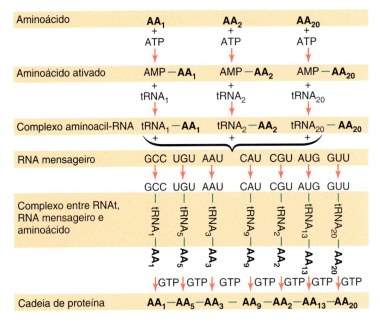

Figura 3.12 Eventos químicos na formação de uma molécula de proteína. AMP: monofosfato de adenosina; ATP: trifosfato de adenosina; GTP: trifosfato de guanosina; RNAt: RNA transportador.

Ligação peptídica | Combinação de aminoácidos. Os aminoácidos sucessivos na cadeia proteica combinam-se uns com os outros de acordo com a reação típica.

$$R-\overset{NH_2}{\underset{|}{C}}-\overset{O}{\underset{\|}{C}}-OH + H-\overset{H}{\underset{|}{N}}-\overset{R}{\underset{|}{C}}-COOH \longrightarrow$$

$$R-\overset{NH_2}{\underset{|}{C}}-\overset{O}{\underset{\|}{C}}-\overset{H}{\underset{|}{N}}-\overset{R}{\underset{|}{C}}-COOH + H_2O$$

Nessa reação química, um radical hidroxila (OH⁻) é removido da porção COOH do primeiro aminoácido e um hidrogênio (H⁺) da porção NH$_2$ do outro aminoácido é removido. Estes se combinam para formar água, e os dois locais reativos deixados nos dois aminoácidos sucessivos se ligam um ao outro, resultando em uma única molécula. Este processo é chamado de *ligação peptídica*. À medida que cada aminoácido adicional é inserido, uma ligação peptídica adicional é formada.

SÍNTESE DE OUTRAS SUBSTÂNCIAS NA CÉLULA

Milhares de enzimas proteicas formadas da maneira que acabamos de descrever controlam, essencialmente, todas as outras reações químicas que ocorrem nas células. Essas enzimas promovem a síntese de lipídios, glicogênio, purinas, pirimidinas e centenas de outras substâncias. Discutiremos muitos desses processos sintéticos em relação ao metabolismo de carboidratos, lipídios e proteínas nos Capítulos 68 a 70. Cada uma dessas substâncias contribui para as várias funções das células.

CONTROLE DA FUNÇÃO GÊNICA E ATIVIDADE BIOQUÍMICA NAS CÉLULAS

De nossa discussão até agora, está claro que os genes controlam as funções físicas e químicas das células. No entanto, o grau de ativação dos respectivos genes também deve ser controlado; caso contrário, algumas partes da célula podem crescer demais ou algumas reações químicas podem atuar exageradamente até matar a célula. Cada célula tem poderosos mecanismos de controle de *feedback* interno que mantêm as várias operações funcionais da célula em sintonia umas com as outras. Para cada gene (cerca de 20.000 a 25.000 genes ao todo), existe pelo menos um mecanismo de *feedback*.

Existem basicamente dois métodos pelos quais as atividades bioquímicas na célula são controladas: (1) *regulação genética*, em que o grau de ativação dos genes e a formação dos produtos gênicos são controlados, e (2) *regulação enzimática*, na qual os níveis de atividade das enzimas já formadas na célula são controlados.

REGULAÇÃO GENÉTICA

A regulação genética, ou regulação da *expressão gênica*, cobre todo o processo desde a transcrição do código genético no núcleo até a formação de proteínas no citoplasma. A regulação da expressão gênica fornece a todos os organismos vivos a capacidade de responder às mudanças em seu ambiente. Em animais que possuem muitos tipos diferentes de células, tecidos e órgãos, a regulação diferencial da expressão gênica também permite que os distintos tipos de células no corpo desempenhem suas funções especializadas. Embora um cardiomiócito contenha o mesmo código genético que uma célula epitelial tubular renal, muitos genes que são expressos em células cardíacas não são expressos em células tubulares renais. A medida final da "expressão" gênica é se (e quanto) os produtos gênicos (proteínas) são produzidos, porque as proteínas realizam funções celulares especificadas pelos genes. A regulação da expressão gênica pode ocorrer em qualquer ponto nas vias de transcrição, processamento de RNA e tradução.

O promotor controla a expressão gênica. A síntese de proteínas celulares é um processo complexo que começa com a transcrição do DNA em RNA. A transcrição do DNA é controlada por elementos reguladores encontrados no promotor de um gene (ver **Figura 3.13**). Em eucariotos, que incluem todos os mamíferos, o promotor é uma sequência de DNA que inicia a transcrição de um gene, ou seja, uma sequência de bases (TATAAA) chamada *TATA box*, o sítio de ligação para a *proteína de ligação ao TATA* e vários outros *fatores de transcrição* importantes que são coletivamente referidos como *complexo do fator de transcrição IID*. Além do complexo do fator de transcrição IID, é nessa região que o fator de transcrição IIB se liga ao DNA e à RNA polimerase 2 para facilitar a transcrição do DNA em RNA. Esse promotor é encontrado em todos os genes codificadores de proteínas, e a polimerase deve se ligar a ele antes de começar a se deslocar ao longo da fita de DNA para sintetizar o RNA. O *promotor a montante* (*upstream*) está localizado mais perto do local de início da transcrição e contém vários sítios de ligação para fatores de transcrição positivos ou negativos que podem afetar a transcrição por meio de interações com proteínas ligadas ao promotor basal. A estrutura e os sítios de ligação do fator de transcrição no promotor a montante variam de gene para gene para dar origem a distintos padrões de expressão gênica em diferentes tecidos.

A transcrição de genes em eucariotos também é influenciada por *potenciadores*, que são regiões do DNA que podem se ligar a fatores de transcrição. Os potenciadores podem estar localizados a uma grande distância do gene sobre o qual atuam ou até mesmo em um cromossomo diferente. Eles também podem estar localizados a montante ou a jusante do gene que regulam. Embora os potenciadores possam estar localizados longe de seu gene-alvo, eles podem estar relativamente próximos quando o DNA está enrolado no núcleo. Estima-se que existam mais de 100.000 sequências de potenciadores gênicos no genoma humano.

Na organização do cromossomo, é importante separar os genes ativos que estão sendo transcritos dos genes que estão reprimidos. Essa separação pode ser um desafio porque vários genes podem estar localizados próximos uns dos outros no cromossomo. A separação é realizada por *isoladores* cromossômicos. Esses isoladores são sequências de genes que fornecem uma barreira para que um gene específico seja isolado contra as influências transcricionais dos genes circundantes. Os isoladores podem variar muito em sua sequência de DNA e nas proteínas que se ligam a eles. Uma maneira pela qual a atividade do isolador pode ser modulada é pela *metilação do DNA*, que é o caso do gene do fator de crescimento semelhante à insulina 2 (IGF-2) de mamíferos. O alelo da mãe tem um isolador entre o potenciador e o promotor do gene que permite a ligação de um repressor transcricional. No entanto, a sequência de DNA paterna é metilada de tal forma que o repressor transcricional não pode se ligar ao isolador, e o gene do IGF-2 é expresso a partir da cópia paterna do gene.

Outros mecanismos de controle da transcrição pelo promotor. Variações no mecanismo básico de controle do promotor foram descobertas nas últimas três décadas. Sem dar detalhes, vamos listar algumas delas:

1. Um promotor é frequentemente controlado por fatores de transcrição localizados em outras partes do genoma. Ou seja, o gene regulador causa a formação de uma proteína reguladora que, por sua vez, atua como um ativador ou repressor da transcrição.

2. Ocasionalmente, muitos promotores diferentes são controlados ao mesmo tempo pela mesma proteína reguladora. Em alguns casos, a mesma proteína reguladora funciona como um ativador para um promotor e como um repressor para outro promotor.

3. Algumas proteínas são controladas não no ponto de início da transcrição na fita de DNA, mas mais adiante ao longo da fita. Às vezes, o controle não está nem na própria fita de DNA, mas ocorre durante o processamento das moléculas de RNA no núcleo antes de serem liberadas no citoplasma. O controle também pode ocorrer no nível da formação de proteínas no citoplasma durante a tradução do RNA pelos ribossomos.

4. Nas células nucleadas, o DNA nuclear é empacotado em unidades estruturais específicas, os *cromossomos*. Dentro de cada cromossomo, o DNA é enrolado em torno de pequenas proteínas chamadas *histonas* que, por sua vez, são mantidas juntas em um estado compactado por outras proteínas. Enquanto o DNA estiver neste estado compactado, ele não pode funcionar para formar o RNA. No entanto, estão sendo descobertos

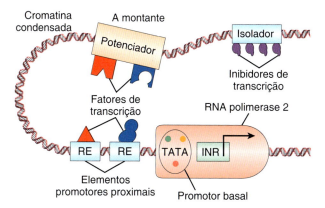

Figura 3.13 Transcrição gênica em células eucarióticas. Um arranjo complexo de múltiplos módulos potenciadores agrupados é intercalado com elementos isoladores, que podem estar localizados a montante ou a jusante de um promotor basal contendo *TATA box* (TATA), elementos promotores proximais (elementos de resposta, RE) e sequências iniciadoras (INR).

PARTE 1 Introdução à Fisiologia: Célula e Fisiologia Geral

vários mecanismos de controle que podem fazer com que áreas selecionadas dos cromossomos se tornem descompactadas, uma parte de cada vez, de modo que a transcrição parcial do RNA possa ocorrer. Mesmo assim, *fatores de transcrição* específicos controlam a taxa real de transcrição pelo promotor no cromossomo. Assim, ordens de controle ainda mais altas são usadas para estabelecer a função celular adequada. Além disso, sinais de fora da célula, como alguns dos hormônios do corpo, podem ativar áreas cromossômicas específicas e fatores de transcrição específicos, controlando, portanto, a maquinaria química para a função da célula.

Como existem muitos milhares de genes diferentes em cada célula humana, o grande número de maneiras pelas quais a atividade genética pode ser controlada não é surpreendente. Os sistemas de controle gênicos são especialmente importantes para controlar as concentrações intracelulares de aminoácidos, derivados de aminoácidos e substratos intermediários e produtos do metabolismo de carboidratos, lipídios e proteínas.

CONTROLE DA FUNÇÃO INTRACELULAR POR REGULAÇÃO ENZIMÁTICA

Além do controle da função celular pela regulação gênica, as atividades celulares também são controladas por inibidores ou ativadores intracelulares que atuam diretamente sobre enzimas intracelulares específicas. Assim, a regulação enzimática representa uma segunda categoria de mecanismos pelos quais as funções bioquímicas celulares podem ser controladas.

Inibição enzimática. Algumas substâncias químicas formadas na célula têm efeitos de *feedback* direto para inibir os sistemas enzimáticos específicos que as sintetizam. Quase sempre, o produto sintetizado atua sobre a primeira enzima em uma sequência, em vez das enzimas subsequentes, geralmente ligando-se diretamente à enzima e causando uma alteração conformacional alostérica que a inativa. Pode-se reconhecer prontamente a importância de inativar a primeira enzima porque isso evita o acúmulo de produtos intermediários que não são usados.

A inibição enzimática é outro exemplo de controle de *feedback* negativo. Ela é responsável por controlar as concentrações intracelulares de vários aminoácidos, purinas, pirimidinas, vitaminas e outras substâncias.

Ativação enzimática. As enzimas que normalmente são inativas podem ser ativadas quando necessário. Um exemplo desse fenômeno ocorre quando a maior parte do ATP foi esgotada em uma célula. Nesse caso, uma quantidade considerável de monofosfato cíclico de adenosina (cAMP) começa a ser formada como um produto da degradação do ATP. A presença desse cAMP, por sua vez, ativa imediatamente a enzima fosforilase que cliva o glicogênio, liberando moléculas de glicose que são rapidamente metabolizadas, sendo sua energia utilizada para a reposição das reservas de ATP. Assim, o cAMP atua como um ativador

enzimático para a enzima fosforilase e, assim, ajuda a controlar a concentração de ATP intracelular.

Outro exemplo interessante de inibição e ativação enzimática ocorre na formação das purinas e pirimidinas. Essas substâncias são necessárias à célula em quantidades aproximadamente iguais para a formação de DNA e RNA. Quando as purinas são formadas, elas *inibem* as enzimas necessárias para a formação de purinas adicionais. No entanto, elas *ativam* as enzimas para a formação de pirimidinas. Por outro lado, as pirimidinas inibem suas próprias enzimas, mas ativam as enzimas das purinas. Dessa forma, há uma interlocução contínua entre os sistemas de síntese dessas duas substâncias, resultando em quantidades quase exatamente iguais das duas substâncias nas células o tempo todo.

Resumo. Existem dois mecanismos principais pelos quais as células controlam as proporções e quantidades adequadas de diferentes constituintes celulares: (1) regulação genética; e (2) regulação enzimática. Os genes podem ser ativados ou inibidos e, da mesma forma, os sistemas enzimáticos podem ser ativados ou inibidos. Esses mecanismos reguladores geralmente funcionam como sistemas de controle de *feedback* que monitoram continuamente a composição bioquímica da célula e fazem as correções conforme necessário. No entanto, às vezes, substâncias de fora da célula (especialmente alguns dos hormônios discutidos neste texto) também controlam as reações bioquímicas intracelulares, ativando ou inibindo um ou mais dos sistemas de controle intracelular.

O SISTEMA GENÉTICO DO DNA CONTROLA A REPRODUÇÃO CELULAR

A reprodução celular é outro exemplo do papel onipresente que o sistema genético do DNA desempenha em todos os processos vitais. Os genes e seus mecanismos reguladores determinam as características do crescimento celular e, também, quando ou se as células se dividirão para formar novas células. Dessa forma, o importantíssimo sistema genético controla cada estágio do desenvolvimento do ser humano, desde o óvulo fertilizado, com uma única célula, até todo o corpo em funcionamento. Portanto, se há algum tema central para a vida, esse é o sistema genético do DNA.

Ciclo de vida da célula

O ciclo de vida de uma célula é o período desde a reprodução celular até a próxima reprodução celular. Quando as células de mamíferos *não são inibidas e se reproduzem tão rapidamente quanto podem*, esse ciclo de vida pode durar apenas de 10 a 30 horas. É encerrado por uma série de eventos físicos distintos chamados *mitose*, que causam a divisão da célula em duas novas células-filhas. Os eventos da mitose são mostrados na **Figura 3.14** e descritos posteriormente. O estágio real da mitose, no entanto, dura apenas cerca de 30 minutos e, portanto, mais de 95% do

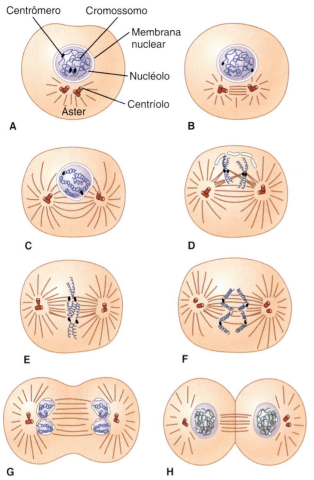

Figura 3.14 Estágios da reprodução celular. **A** a **C**. Prófase. **D**. Prometáfase. **E**. Metáfase. **F**. Anáfase. **G** e **H**. Telófase.

ciclo de vida de células que se reproduzem rapidamente são representados pelo intervalo entre as mitoses, chamado *interfase*.

Exceto em condiçoes especiais de rápida reprodução celular, os fatores inibitórios quase sempre diminuem ou interrompem o ciclo de vida desinibido da célula. Portanto, diferentes células do corpo, na verdade, têm períodos de ciclo de vida que variam de apenas 10 horas, para células da medula óssea altamente estimuladas, a uma vida inteira do corpo humano, para muitas células nervosas.

A reprodução celular começa com a replicação do DNA

A primeira etapa da reprodução celular é a *replicação (duplicação) de todo o DNA nos cromossomos*. Somente depois dessa replicação é que a mitose pode ocorrer.

O DNA começa a ser duplicado 5 a 10 horas antes da mitose, e a duplicação é concluída em 4 a 8 horas. O resultado líquido são duas *réplicas* exatas de todo o DNA. Essas réplicas tornam-se o DNA nas duas novas células-filhas que serão formadas na mitose. Após a replicação do DNA, há outro período de 1 a 2 horas antes que a mitose comece abruptamente. Ainda nesse período, começam a ocorrer mudanças preliminares que levarão ao processo mitótico.

Replicação do DNA. O DNA é replicado da mesma maneira que o RNA é transcrito do DNA, exceto por algumas diferenças importantes:

1. Ambas as fitas do DNA em cada cromossomo são replicadas, não apenas uma delas.
2. Ambas as fitas inteiras da hélice do DNA são replicadas de ponta a ponta, em vez de pequenas porções delas, como ocorre na transcrição do RNA.
3. Várias enzimas chamadas *DNA polimerase*, comparável à RNA polimerase, são essenciais para a replicação do DNA. A DNA polimerase se liga e se move ao longo da fita molde de DNA, adicionando nucleotídios na direção 5' para 3'. Outra enzima, a *DNA ligase*, causa a ligação de nucleotídios de DNA sucessivos uns aos outros, usando ligações fosfato de alta energia para energizar essas ligações.
4. *Formação da bifurcação de replicação.* Antes que o DNA possa ser replicado, a molécula de fita dupla deve ser "descompactada" em duas fitas simples (ver **Figura 3.15**). Como as hélices de DNA em cada cromossomo têm aproximadamente 6 centímetros de comprimento e milhões de voltas helicoidais, seria impossível que as duas hélices de DNA recém-formadas se desenrolassem uma da outra se não fosse por algum mecanismo especial. Esse desenrolamento é obtido pelas enzimas *DNA helicase* que quebram a ligação de hidrogênio entre os pares de bases do DNA, permitindo que as duas fitas se separem em uma forma de Y conhecida como *bifurcação de replicação*, a área que será o molde para o início da replicação. O DNA é direcional em ambas as fitas, representado por uma extremidade 5' e uma extremidade 3' (ver **Figura 3.15**). A replicação progride apenas na direção de 5' para 3'. Na bifurcação de replicação, uma fita, a *fita principal* (contínua), é orientada na direção de 3' para 5', em direção à bifurcação de replicação, enquanto a *fita lenta* (descontínua) é orientada de 5' para 3', longe da bifurcação de replicação. Por causa de suas orientações diferentes, as duas fitas são replicadas de formas distintas.
5. *Ligação do primer.* Depois que as fitas de DNA foram separadas, um pequeno pedaço de RNA chamado *primer de RNA* liga-se à extremidade 3' da fita principal. Os *primers* são gerados pela enzima *DNA primase*. Os *primers* sempre se ligam como o ponto de partida para a replicação do DNA.
6. *Alongamento.* As DNA polimerases são responsáveis pela criação da nova fita por um processo denominado *alongamento*. Como a replicação prossegue na direção de 5' para 3' na fita principal, a fita recém-formada é contínua. A fita lenta começa a replicação ligando-se a vários primers que estão separados por apenas algumas bases. A DNA polimerase adiciona, então, pedaços de DNA, chamados *fragmentos de Okazaki*, à fita entre os *primers*. Esse processo de replicação é descontínuo porque os fragmentos de Okazaki recém-criados ainda não estão conectados. Uma enzima, a *DNA ligase*,

PARTE 1 Introdução à Fisiologia: Célula e Fisiologia Geral

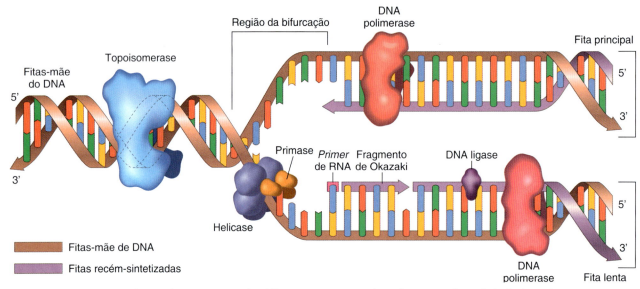

Figura 3.15 Replicação do DNA, mostrando a bifurcação no processo de replicação e as fitas principal e lenta do DNA.

junta-se aos fragmentos de Okazaki para formar uma só fita unificada.

7. *Terminação*. Depois que as fitas contínuas e descontínuas são formadas, a enzima *exonuclease* remove os *primers* de RNA das fitas originais, e os *primers* são substituídos por bases apropriadas. Outra exonuclease "revisa" o DNA recém-formado, verificando e removendo quaisquer resíduos incompatíveis ou não emparelhados.

Outra enzima, a *topoisomerase*, pode quebrar transitoriamente a ligação fosfodiéster na espinha dorsal da fita de DNA para evitar que o DNA na frente da bifurcação de replicação seja enrolado. Essa reação é reversível, e a ligação fosfodiéster se refaz conforme a topoisomerase sai.

Depois de concluída, a fita-mãe e sua fita de DNA complementar se enrolam na forma de dupla-hélice. O processo de replicação, portanto, produz duas moléculas de DNA, cada uma com uma fita do DNA-mãe e uma fita nova. Por esse motivo, a replicação do DNA é frequentemente descrita como *semiconservativa*; metade da cadeia é parte da molécula de DNA original e a outra metade é nova.

Reparo do DNA, "revisão" do DNA e "mutação". Durante a hora entre a replicação do DNA e o início da mitose, há um período de reparo ativo e "revisão" das fitas de DNA. Sempre que nucleotídios de DNA inadequados são combinados com os nucleotídios da fita molde original, enzimas especiais cortam as áreas defeituosas e as substituem por nucleotídios complementares apropriados. Esse processo de reparo, que é alcançado pelas mesmas DNA polimerases e DNA ligases que são usadas na replicação, é conhecido como *revisão do DNA*.

Por causa do reparo e da revisão, raramente são cometidos erros no processo de replicação do DNA. Quando um erro é cometido, é chamado de *mutação*. A mutação pode causar a formação de alguma proteína anormal na célula em vez de uma proteína necessária, o que pode levar à função celular anormal e, às vezes, até a morte celular. Como existem muitos milhares de genes no genoma humano, e o período de uma geração humana para outra é de cerca de 30 anos, poderiam ser esperadas até 10 ou muito mais mutações na passagem do genoma de pai para filho. Como uma proteção adicional, no entanto, cada genoma humano é representado por dois conjuntos separados de cromossomos, um derivado de cada progenitor, com genes quase idênticos. Portanto, um gene funcional de cada par está quase sempre disponível para a criança, apesar das mutações.

CROMOSSOMOS E SUA REPLICAÇÃO

As hélices de DNA do núcleo são empacotadas em cromossomos. A célula humana contém 46 cromossomos dispostos em 23 pares. A maioria dos genes nos dois cromossomos de cada par são idênticos ou quase idênticos um ao outro, de modo que geralmente se afirma que os diferentes genes também existem em pares, embora às vezes não seja o caso.

Além do DNA, há uma grande quantidade de proteínas no cromossomo, compostas principalmente por muitas pequenas moléculas de *histonas* com cargas elétricas positivas. As histonas são organizadas em um grande número de pequenas estruturas com a parte central semelhante a bobinas. Pequenos segmentos de cada hélice de DNA são enrolados sequencialmente em torno de uma estrutura após a outra.

As partes centrais das histonas desempenham um papel importante na regulação da atividade do DNA porque, enquanto o DNA estiver firmemente compactado, ele não pode funcionar como um molde para a formação de RNA ou para a replicação de um novo DNA. Além disso, algumas das proteínas regulatórias *descondensam* o empacotamento de histonas do DNA e permitem que pequenos segmentos de cada vez formem RNA.

CAPÍTULO 3 Controle Genético da Síntese de Proteínas, da Função Celular e da Reprodução Celular

Várias proteínas não histonas também são componentes principais dos cromossomos, funcionando como proteínas estruturais cromossômicas e, em conexão com a maquinaria de regulação gênica, como ativadores, inibidores e enzimas.

A replicação dos cromossomos em sua totalidade ocorre durante os próximos minutos após a conclusão da replicação das hélices de DNA; as novas hélices de DNA coletam novas moléculas de proteína conforme necessário. Os dois cromossomos recém-formados permanecem ligados um ao outro (até a hora da mitose) em um ponto denominado *centrômero*, localizado próximo ao centro. Esses cromossomos duplicados, mas ainda ligados, são chamados de *cromátides*.

MITOSE CELULAR

O processo real pelo qual a célula se divide em duas novas células é chamado de *mitose*. Depois que cada cromossomo foi replicado para formar as duas cromátides, a mitose ocorre automaticamente em 1 ou 2 horas em muitas células.

Aparelho mitótico | Função dos centríolos. Um dos primeiros eventos da mitose ocorre no citoplasma, dentro ou ao redor de pequenas estruturas chamadas *centríolos*, durante a última parte da interfase. Como mostrado na **Figura 3.14**, dois pares de centríolos ficam próximos um do outro, perto de um polo do núcleo. Esses centríolos, como o DNA e os cromossomos, também são replicados durante a interfase, geralmente pouco antes da replicação do DNA. Cada centríolo é um pequeno corpo cilíndrico com cerca de 0,4 micrômetro de comprimento e cerca de 0,15 micrômetro de diâmetro, consistindo principalmente em nove estruturas tubulares paralelas dispostas na forma de um cilindro. Os dois centríolos de cada par formam ângulos retos um com o outro. Cada par de centríolos, junto com o *material pericentriolar* associado, é chamado de *centrossomo*.

Pouco antes de ocorrer a mitose, os dois pares de centríolos começam a se afastar um do outro. Esse movimento é causado pela polimerização das proteínas dos microtúbulos que estão crescendo entre os respectivos pares de centríolos e, na verdade, afastando-os. Ao mesmo tempo, outros microtúbulos crescem radialmente a partir de cada um dos pares de centríolos, formando uma estrela espinhosa chamada *áster*, em cada extremidade da célula. Algumas das espinhas do áster penetram na membrana nuclear e ajudam a separar os dois conjuntos de cromátides durante a mitose. O complexo de microtúbulos que se estendem entre os dois novos pares de centríolos é denominado *fuso*, e todo o conjunto de microtúbulos mais os dois pares de centríolos é chamado de *aparelho mitótico*.

Prófase. O primeiro estágio da mitose, chamado *prófase*, é mostrado na **Figura 3.14 A a C**. Enquanto o fuso está se formando, os cromossomos do núcleo (que na interfase consistem em fitas fracamente enroladas) se condensam em cromossomos bem definidos.

Prometáfase. Durante o estágio de prometáfase (ver **Figura 3.14 D**), as espinhas microtubulares crescentes do áster fragmentam a membrana nuclear. Ao mesmo tempo, vários microtúbulos do áster se ligam às cromátides nos centrômeros, onde as cromátides emparelhadas ainda estão ligadas umas às outras. Os túbulos, então, puxam uma cromátide de cada par em direção a um polo celular e a outra em direção ao polo oposto.

Metáfase. Durante o estágio de metáfase (ver **Figura 3.14 E**), os dois ásteres do aparelho mitótico são empurrados para mais longe. Acredita-se que esse "empurrão" ocorra porque as espinhas microtubulares dos dois ásteres, onde elas se interdigitam para formar o fuso mitótico, se afastam. Minúsculas moléculas de proteína contrátil chamadas de *"motores moleculares"*, que podem ser compostas pela proteína muscular *actina*, se estendem entre as respectivas espinhas e, usando uma ação semelhante à de andar – como a que ocorre no músculo, deslizam ativamente nas espinhas no sentido inverso umas das outras. Simultaneamente, as cromátides são puxadas com força pelos microtúbulos aderidos a elas para o centro da célula, alinhando-se para formar a *placa equatorial* do fuso mitótico.

Anáfase. Durante o estágio de anáfase (ver **Figura 3.14 F**), as duas cromátides de cada cromossomo são separadas no centrômero. Todos os 46 pares de cromátides são separados, formando dois conjuntos distintos de 46 *cromossomos-filhos*. Um desses conjuntos é puxado em direção a um áster mitótico, e o outro é puxado em direção ao outro áster, à medida que os dois polos respectivos da célula em divisão são afastados ainda mais.

Telófase. No estágio de telófase (ver **Figura 3.14 G e H**), os dois conjuntos de cromossomos-filhos são separados completamente. Então, o aparelho mitótico se dissipa e uma nova membrana nuclear se desenvolve em torno de cada conjunto de cromossomos. Essa membrana é formada por porções do retículo endoplasmático que já estão presentes no citoplasma. Pouco depois, a célula se comprime em duas partes, no meio do caminho entre os dois núcleos. Essa compressão é causada pela formação de um anel contrátil de *microfilamentos* compostos de *actina* e, provavelmente, *miosina* (as duas proteínas contráteis do músculo), na junção das células em desenvolvimento, que as separa uma da outra.

CONTROLE DO CRESCIMENTO CELULAR E DA REPRODUÇÃO CELULAR

Algumas células crescem e se reproduzem o tempo todo, como as células da medula óssea que formam as células sanguíneas, as camadas germinativas da pele e o epitélio do intestino. Muitas outras células, no entanto, como as células do músculo liso, podem não se reproduzir por muitos anos. Algumas células, como os neurônios e a maioria das células musculares estriadas, não se reproduzem durante toda a vida de uma pessoa, exceto durante o período original da vida fetal.

Em certos tecidos, a insuficiência de alguns tipos de células faz com que elas cresçam e se reproduzam rapidamente até que um número apropriado dessas células esteja novamente disponível. Por exemplo, em alguns animais jovens, sete oitavos do fígado podem ser removidos cirurgicamente, e as células do um oitavo restante crescerão e se dividirão até que a massa do fígado volte ao normal. O mesmo fenômeno ocorre com muitas células glandulares e com a maioria das células da medula óssea, tecido subcutâneo, epitélio intestinal e quase qualquer outro tecido, exceto células altamente diferenciadas, como as células nervosas e musculares.

Os mecanismos que mantêm o número adequado dos diferentes tipos de células do corpo ainda são pouco conhecidos. No entanto, os experimentos mostraram pelo menos três maneiras de controlar o crescimento. Primeiro, o crescimento geralmente é controlado por *fatores de crescimento* que vêm de outras partes do corpo. Alguns desses fatores de crescimento circulam no sangue, mas outros se originam em tecidos adjacentes. Por exemplo, as células epiteliais de algumas glândulas, como o pâncreas, não crescem sem um fator de crescimento do tecido conjuntivo subjacente à glândula. Segundo, a maioria das células normais para de crescer quando fica sem espaço para o crescimento. Esse fenômeno ocorre quando as células são cultivadas em cultura de tecidos; as células crescem até entrarem em contato com um objeto sólido, e então o crescimento para. Terceiro, as células cultivadas em cultura de tecidos frequentemente param de crescer quando quantidades mínimas de suas próprias secreções são coletadas no meio de cultura. Esse mecanismo também pode fornecer um meio de controle do crescimento por *feedback* negativo.

Os telômeros evitam a degradação dos cromossomos. Um *telômero* é uma região de sequências repetitivas de nucleotídios localizadas em cada extremidade de uma cromátide (ver **Figura 3.16**). Os telômeros funcionam como capas protetoras que impedem a deterioração do cromossomo durante a divisão celular. Durante a divisão celular, um pequeno pedaço de *primer* de RNA se liga à fita de DNA para iniciar a replicação. No entanto, como o *primer* não se fixa no final da fita de DNA, a cópia está perdendo uma pequena seção do DNA. Com cada divisão celular, o DNA copiado perde nucleotídios adicionais da região do telômero. As sequências de nucleotídios fornecidas pelos telômeros evitam, portanto, a degradação dos genes próximos às extremidades dos cromossomos. Sem os telômeros, os genomas perderiam informações progressivamente e seriam cortados após cada divisão celular. Assim, os telômeros podem ser considerados para-choques cromossômicos descartáveis que ajudam a manter a estabilidade dos genes, mas são gradualmente consumidos durante as repetidas divisões celulares.

Cada vez que uma célula se divide, uma pessoa média perde de 30 a 200 pares de bases das extremidades dos telômeros dessa célula. Nas células sanguíneas humanas, o

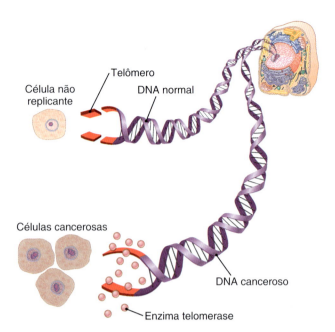

Figura 3.16 Controle da replicação celular por telômeros e pela telomerase. Os cromossomos das células são cobertos por telômeros, que, na ausência da atividade da telomerase, encurtam a cada divisão celular até que a célula pare de se replicar. Portanto, a maioria das células do corpo não pode se replicar indefinidamente. Nas células cancerosas, a telomerase é ativada e o comprimento dos telômeros é mantido para que as células continuem a se replicar de forma incontrolável.

comprimento dos telômeros varia de 8.000 pares de bases no nascimento até 1.500 em pessoas mais velhas. Eventualmente, quando os telômeros encurtam para um comprimento crítico, os cromossomos tornam-se instáveis e as células morrem. Acredita-se que esse processo de encurtamento dos telômeros seja uma razão importante para algumas das mudanças fisiológicas associadas ao envelhecimento. A erosão dos telômeros também pode ocorrer como resultado de doenças, especialmente aquelas associadas ao estresse oxidativo e à inflamação.

Em algumas células, como as células-tronco da medula óssea ou da pele, que devem ser reabastecidas ao longo da vida, ou as células germinativas nos ovários e nos testículos, a enzima *telomerase* adiciona bases às extremidades dos telômeros para que muitas outras gerações de células possam ser produzidas. No entanto, a atividade da telomerase é geralmente baixa na maioria das células do corpo e, após muitas gerações, as células descendentes herdam cromossomos defeituosos, tornam-se *senescentes* e param de se dividir. Esse processo de encurtamento dos telômeros é importante na regulação da proliferação celular e na manutenção da estabilidade gênica. Nas células cancerosas, a atividade da telomerase é ativada de forma anormal, de modo que o comprimento do telômero é mantido, tornando possível que as células se repliquem continuamente de maneira incontrolável (ver **Figura 3.16**). Alguns cientistas, portanto, propuseram que o encurtamento do telômero nos protege do câncer e de outras doenças proliferativas.

CAPÍTULO 3 Controle Genético da Síntese de Proteínas, da Função Celular e da Reprodução Celular

Regulação do tamanho da célula. O tamanho da célula é determinado quase inteiramente pela quantidade de DNA em funcionamento no núcleo. Se a replicação do DNA não ocorrer, a célula cresce até um certo tamanho e depois permanece com esse tamanho. Por outro lado, o uso da substância química *colchicina* permite prevenir a formação do fuso mitótico e, portanto, prevenir a mitose, ainda que a replicação do DNA continue. Nesse caso, o núcleo contém quantidades muito maiores de DNA do que normalmente, e a célula fica proporcionalmente maior. Supõe-se que esse crescimento celular resulte do aumento da produção de RNA e proteínas celulares, que, por sua vez, fazem com que a célula cresça.

DIFERENCIAÇÃO CELULAR

Uma característica especial do crescimento e da divisão celular é a *diferenciação celular*, que se refere a mudanças nas propriedades físicas e funcionais das células à medida que se proliferam no embrião para formar as diferentes estruturas e órgãos do corpo. A descrição a seguir de um experimento especialmente interessante ajuda a explicar esses processos.

Quando o núcleo de uma célula da mucosa intestinal de uma rã é implantado cirurgicamente em um óvulo de rã cujo núcleo original foi removido, o resultado geralmente é a formação de uma rã normal. Esse experimento demonstra que mesmo a célula da mucosa intestinal, que é uma célula bem diferenciada, carrega toda a informação genética necessária para o desenvolvimento de todas as estruturas exigidas no corpo da rã.

Portanto, tornou-se claro que a diferenciação resulta não da perda de genes, mas da repressão seletiva de diferentes promotores de genes. Na verdade, micrografias eletrônicas sugerem que alguns segmentos de hélices de DNA, enrolados em torno da parte central das histonas, ficam tão condensados que não se enrolam mais para formar moléculas de RNA. Uma explicação para isso é a seguinte. Supõe-se que o genoma celular comece, em um determinado estágio de diferenciação celular, a produzir uma *proteína* reguladora que para sempre reprima um grupo seleto de genes. Portanto, os genes reprimidos nunca mais funcionarão. Independentemente do mecanismo, as células humanas maduras produzem, cada uma, no máximo cerca de 8.000 a 10.000 proteínas, em vez do potencial de 20.000 a 25.000 ou mais que seria produzido se todos os genes estivessem ativos.

Experimentos embriológicos mostraram que certas células em um embrião controlam a diferenciação de células adjacentes. Por exemplo, o *cordomesoderma primordial* (notocorda) é chamado de *organizador primário* do embrião porque forma um foco em torno do qual o restante do embrião se desenvolve. Ele se diferencia em um *eixo mesodérmico* que contém os *somitos* organizados por segmentos e, como resultado de *induções* nos tecidos circundantes, causa a formação de essencialmente todos os órgãos do corpo.

Outro exemplo de indução ocorre quando as vesículas oculares em desenvolvimento entram em contato com o ectoderma da cabeça e fazem com que o ectoderma se espesse em uma placa do cristalino, que se dobra para dentro para formar o cristalino do olho. Portanto, uma grande parte do embrião se desenvolve como resultado de tais induções, com uma parte do corpo afetando outra parte e esta parte afetando ainda outras partes.

Assim, embora nossa compreensão da diferenciação celular ainda seja nebulosa, estamos cientes de muitos mecanismos de controle pelos quais a diferenciação *poderia* ocorrer.

APOPTOSE | MORTE CELULAR PROGRAMADA

Os muitos trilhões de células do corpo são membros de uma comunidade altamente organizada na qual o número total de células é regulado não apenas pelo controle da taxa de divisão celular, mas também pelo controle da taxa de morte celular. Quando as células não são mais necessárias ou se tornam uma ameaça ao organismo, elas sofrem suicídio, que é a *morte celular programada* ou *apoptose*. Esse processo envolve uma cascata proteolítica específica que faz com que a célula encolha e condense, desmonte seu citoesqueleto e altere sua superfície celular de modo que uma célula fagocítica vizinha, como um macrófago, possa se ligar à membrana celular e digerir a célula.

Em contraste com a morte programada, as células que morrem como resultado de uma lesão aguda geralmente incham e explodem devido à perda da integridade da membrana celular, um processo denominado *necrose* celular. As células necróticas podem extravasar seu conteúdo, causando inflamação e lesões nas células vizinhas. A apoptose, no entanto, é uma morte celular ordenada que resulta em desmontagem e fagocitose da célula antes que ocorra qualquer vazamento de seu conteúdo, e as células vizinhas geralmente permanecem saudáveis.

A apoptose é iniciada pela ativação de uma família de proteases chamadas *caspases*, que são enzimas sintetizadas e armazenadas na célula como *pró-caspases* inativas. Os mecanismos de ativação das caspases são complexos, mas, uma vez ativadas, as enzimas clivam e ativam outras pró-caspases, desencadeando uma cascata que decompõe rapidamente as proteínas dentro da célula. A célula, portanto, se desmonta e seus restos são rapidamente digeridos pelas células fagocíticas vizinhas.

Uma grande quantidade de apoptose ocorre em tecidos que estão sendo remodelados durante o desenvolvimento. Mesmo em humanos adultos, bilhões de células morrem a cada hora em tecidos como o intestino e a medula óssea e são substituídas por novas células. A morte celular programada, entretanto, é normalmente equilibrada pela formação de novas células em adultos saudáveis. Caso contrário, os tecidos do corpo encolheriam ou cresceriam excessivamente. As anormalidades da apoptose podem

PARTE 1 Introdução à Fisiologia: Célula e Fisiologia Geral

desempenhar um papel fundamental em doenças neurodegenerativas, como a doença de Alzheimer, bem como no câncer e em doenças autoimunes. Alguns medicamentos que têm sido usados com sucesso para quimioterapia parecem induzir a apoptose em células cancerosas.

CÂNCER

O câncer pode ser causado por *mutação* ou por alguma outra *ativação anormal* de genes celulares que controlam o crescimento celular e a mitose celular. Os *proto-oncogenes* são genes normais que codificam várias proteínas que controlam a adesão, o crescimento e a divisão celular. Se mutados ou excessivamente ativados, os proto-oncogenes podem se tornar *oncogenes* com funcionamento anormal, capazes de causar câncer. Até 100 oncogenes diferentes foram descobertos em cânceres humanos.

Também estão presentes em todas as células os *antioncogenes*, também chamados de *genes supressores de tumor*, que suprimem a ativação de oncogenes específicos. Portanto, a perda ou inativação de antioncogenes pode permitir a ativação de oncogenes que levam ao câncer.

Por várias razões, apenas uma pequena fração das células que sofrem mutação no corpo leva ao câncer:

- Primeiro, a maioria das células mutadas tem menos capacidade de sobrevivência do que as células normais e simplesmente morre
- Segundo, apenas algumas das células mutantes que sobrevivem se tornam cancerosas, porque a maioria das células mutadas ainda tem controles de *feedback* normais que impedem o crescimento excessivo
- Terceiro, células que são potencialmente cancerosas são frequentemente destruídas pelo sistema imunológico do corpo antes de se transformarem em câncer.

A maioria das células mutadas forma proteínas anormais dentro de seus corpos celulares por causa de seus genes alterados, e essas proteínas ativam o sistema imunológico do corpo, fazendo-o formar anticorpos ou linfócitos sensibilizados que reagem contra as células cancerosas, destruindo-as. Em pessoas cujo sistema imunológico foi suprimido, como os pacientes que tomam medicamentos imunossupressores após transplante renal ou cardíaco, a probabilidade de que um câncer se desenvolva é multiplicada por cinco.

- Quarto, a presença simultânea de vários oncogenes diferentes ativados geralmente é necessária para causar um câncer. Por exemplo, um desses genes pode promover a reprodução rápida de uma linhagem celular, mas não ocorre câncer porque outro gene mutante não está presente simultaneamente para formar os vasos sanguíneos necessários.

Mas o que causa a alteração dos genes? Considerando que muitos trilhões de novas células são formadas a cada ano em humanos, uma pergunta melhor seria: por que todos nós não desenvolvemos milhões ou bilhões de células cancerosas mutantes? A resposta é a incrível precisão com que as fitas cromossômicas de DNA são replicadas em cada célula antes que a mitose ocorra, junto com o processo de revisão que corta e repara qualquer fita anormal de DNA antes que o processo mitótico prossiga. No entanto, apesar dessas precauções celulares hereditárias, provavelmente uma célula recém-formada a cada poucos milhões ainda tem características mutantes significativas.

Assim, o acaso sozinho é tudo o que é necessário para que as mutações ocorram, de modo que podemos supor que um grande número de cânceres seja apenas o resultado de uma ocorrência infeliz. No entanto, a probabilidade de mutações pode aumentar muito quando uma pessoa é exposta a certos fatores químicos, físicos ou biológicos, incluindo os seguintes:

1. *Radiação ionizante*, como raios X, raios gama, radiação de partículas de substâncias radioativas e até mesmo a luz ultravioleta, pode predispor os indivíduos ao câncer. Os íons formados nas células do tecido sob a influência dessa radiação são altamente reativos e podem romper as fitas de DNA, causando muitas mutações.

2. *Substâncias químicas* de certos tipos também podem causar mutações. Foi descoberto há muito tempo que vários derivados do corante anilina podem causar câncer e, portanto, os trabalhadores em fábricas de produtos químicos que produzem tais substâncias, se desprotegidos, têm uma predisposição especial ao câncer. As substâncias químicas que podem causar mutação são chamadas de *carcinógenos*. Os carcinógenos que atualmente causam o maior número de mortes são os da fumaça do cigarro. Esses carcinógenos causam mais de 30% de todas as mortes por câncer e pelo menos 85% das mortes por câncer de pulmão.

3. *Irritantes físicos* também podem levar ao câncer, como a abrasão contínua do revestimento do trato intestinal por alguns tipos de alimentos. O dano aos tecidos leva à rápida substituição mitótica das células; quanto mais rápida a mitose, maior a chance de mutação.

4. *Tendência hereditária* ao câncer ocorre em algumas famílias. Essa tendência hereditária resulta do fato de que a maioria dos cânceres requer não uma mutação, mas duas ou mais mutações antes que o câncer ocorra. Em famílias que são particularmente predispostas ao câncer, presume-se que um ou mais genes cancerígenos já estejam mutados no genoma herdado. Portanto, muito menos mutações adicionais devem ocorrer nesses membros da família antes que o câncer comece a crescer.

5. *Certos tipos de oncovírus* podem causar vários tipos de câncer. Alguns exemplos de vírus associados a cânceres em humanos incluem *papilomavírus humano* (HPV), *vírus da hepatite B e da hepatite C*, vírus Epstein-Barr, vírus da imunodeficiência humana (HIV), vírus da leucemia de células T humanas, herpes-vírus associado ao sarcoma de Kaposi (KSHV) e poliomavírus de células de Merkel. Embora os mecanismos pelos quais os

CAPÍTULO 3 Controle Genético da Síntese de Proteínas, da Função Celular e da Reprodução Celular

oncovírus causem câncer não sejam totalmente compreendidos, existem pelo menos duas formas potenciais. No caso dos vírus de DNA, a fita de DNA do vírus pode se inserir diretamente em um dos cromossomos, causando uma mutação que leva ao câncer. No caso dos vírus de RNA, alguns desses vírus carregam consigo uma enzima chamada *transcriptase reversa*, que faz com que o DNA seja transcrito a partir do RNA. O DNA transcrito então se insere no genoma da célula animal, levando ao câncer.

Característica invasiva da célula cancerosa. As principais diferenças entre uma célula cancerosa e uma célula normal são as seguintes:

1. A célula cancerosa não respeita os limites normais de crescimento celular porque essas células presumivelmente não requerem todos os mesmos fatores de crescimento que são necessários para causar o crescimento de células normais.
2. As células cancerosas costumam ser muito menos adesivas umas às outras do que as células normais. Portanto, elas tendem a vagar pelos tecidos, entrar na corrente sanguínea e ser transportadas por todo o corpo, onde formam focos para numerosos novos crescimentos cancerígenos.
3. Alguns cânceres também produzem *fatores angiogênicos* que fazem com que muitos novos vasos sanguíneos cresçam no tumor, fornecendo, assim, os nutrientes necessários para o crescimento do câncer.

Por que as células cancerosas matam? O tecido canceroso compete com os tecidos normais por nutrientes. Como as células cancerosas continuam a proliferar indefinidamente, com seu número se multiplicando a cada dia, elas logo demandam essencialmente toda a nutrição disponível para o corpo ou para uma parte essencial do corpo. Como resultado, os tecidos normais sofrem gradualmente a morte nutritiva.

Alguns cânceres causam interrupção de funções de órgãos vitais. Por exemplo, um câncer de pulmão pode substituir o tecido saudável a ponto de os pulmões não conseguirem absorver oxigênio suficiente para manter os tecidos no resto do corpo.

Bibliografia

Alberts B, Johnson A, Lewis J, et al: Molecular Biology of the Cell, 6th ed. New York: Garland Science 2014.

Armanios M: Telomeres and age-related disease: how telomere biology informs clinical paradigms. J Clin Invest 123:996, 2013.

Bickmore WA, van Steensel B: Genome architecture: domain organization of interphase chromosomes. Cell 152:1270, 2013.

Calcinotto A, Kohli J, Zagato E, Pellegrini L, Demaria M, Alimonti A: Cellular senescence: aging, cancer, and injury. Physiol Rev 99:1047-1078, 2019.

Clift D, Schuh M: Restarting life: fertilization and the transition from meiosis to mitosis. Nat Rev Mol Cell Biol 14:549, 2013.

Coppola CJ, C Ramaker R, Mendenhall EM: Identification and function of enhancers in the human genome. Hum Mol Genet 25(R2):R190-R197, 2016.

Feinberg AP: The key role of epigenetics in human disease prevention and mitigation. N Engl J Med 378:1323-1334, 2018.

Fyodorov DV, Zhou BR, Skoultchi AI, Bai Y: Emerging roles of linker histones in regulating chromatin structure and function. Nat Rev Mol Cell Biol 19:192-206, 2018.

Haberle V, Stark A: Eukaryotic core promoters and the functional basis of transcription initiation. Nat Rev Mol Cell Biol 19:621-637, 2018.

Kaushik S, Cuervo AM: The coming of age of chaperone-mediated autophagy. Nat Rev Mol Cell Biol 19:365-381, 2018.

Krump NA, You J: Molecular mechanisms of viral oncogenesis in humans. Nat Rev Microbiol 16:684-698, 2018.

Leidal AM, Levine B, Debnath J: Autophagy and the cell biology of age-related disease. Nat Cell Biol 20:1338-1348, 2018.

Maciejowski J, de Lange T: Telomeres in cancer: tumour suppression and genome instability. Nat Rev Mol Cell Biol 18:175-186, 2017.

McKinley KL, Cheeseman IM: The molecular basis for centromere identity and function. Nat Rev Mol Cell Biol 17:16-29, 2016.

Monk D, Mackay DJG, Eggermann T, Maher ER, Riccio A: Genomic imprinting disorders: lessons on how genome, epigenome and environment interact. Nat Rev Genet 10:235, 2019.

Müller S, Almouzni G: Chromatin dynamics during the cell cycle at centromeres. Nat Rev Genet 18:192-208, 2017.

Nigg EA, Holland AJ: Once and only once: mechanisms of centriole duplication and their deregulation in disease. Nat Rev Mol Cell Biol 19:297-312, 2018.

Palozola KC, Lerner J, Zaret KS: A changing paradigm of transcriptional memory propagation through mitosis. Nat Rev Mol Cell Biol 20:55-64, 2019.

Perez MF, Lehner B: Intergenerational and transgenerational epigenetic inheritance in animals. Nat Cell Biol 21:143, 2019.

Prosser SL, Pelletier L: Mitotic spindle assembly in animal cells: a fine balancing act. Nat Rev Mol Cell Biol 18:187-201, 2017.

Schmid M, Jensen TH. Controlling nuclear RNA levels. Nat Rev Genet 19:518-529, 2018.

Treiber T, Treiber N, Meister G: Regulation of microRNA biogenesis and its crosstalk with other cellular pathways. Nat Rev Mol Cell Biol 20:5-20, 2019.

PARTE 2

Fisiologia da Membrana, do Nervo e do Músculo

RESUMO DA PARTE

4 Transporte de Substâncias Através das Membranas Celulares, *48*

5 Potencial de Membrana e Potencial de Ação, *61*

6 Contração do Músculo Esquelético, *76*

7 Excitação do Músculo Esquelético: Transmissão Neuromuscular e Acoplamento Excitação-Contração, *91*

8 Excitação e Contração do Músculo Liso, *99*

PARTE 2

CAPÍTULO 4

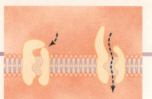

Transporte de Substâncias Através das Membranas Celulares

A **Figura 4.1** lista as concentrações aproximadas de eletrólitos importantes e outras substâncias no *líquido extracelular* e no *líquido intracelular*. Observe que o líquido extracelular contém uma grande quantidade de *sódio*, mas apenas uma pequena quantidade de *potássio*. O oposto é verdadeiro para o líquido intracelular. Além disso, o líquido extracelular contém uma grande quantidade de íons *cloreto*, enquanto o líquido intracelular contém muito pouco desses íons. No entanto, as concentrações de *fosfatos* e *proteínas* no líquido intracelular são consideravelmente maiores do que no líquido extracelular. Essas diferenças são extremamente importantes para a vida da célula. O objetivo deste capítulo é explicar como as diferenças são provocadas pelos mecanismos de transporte da membrana celular.

A MEMBRANA CELULAR É COMPOSTA POR UMA BICAMADA LIPÍDICA QUE CONTÉM PROTEÍNAS DE TRANSPORTE

A estrutura da membrana que reveste o exterior de cada célula do corpo é discutida no Capítulo 2 e ilustrada na **Figura 2.3** e na **Figura 4.2**. Essa membrana consiste quase inteiramente em uma *bicamada lipídica* com um grande número de moléculas de proteína no lipídio, muitas das quais atravessam completamente a membrana.

A bicamada lipídica não é miscível com os líquidos extracelular ou intracelular. Portanto, constitui uma barreira contra o movimento de moléculas de água e substâncias solúveis em água entre os compartimentos de líquido extracelular e intracelular. No entanto, como mostrado na **Figura 4.2** pela seta mais à esquerda, as substâncias lipossolúveis podem se difundir diretamente através da substância lipídica.

As moléculas de proteínas da membrana interrompem a continuidade da bicamada lipídica, constituindo uma via alternativa através da membrana celular. Muitas dessas proteínas penetrantes podem funcionar como *proteínas de transporte*. Algumas proteínas têm espaços aquosos por toda a molécula e permitem o movimento livre da água, bem como de íons ou moléculas selecionadas; essas proteínas são chamadas de *proteínas de canal*. Outras proteínas, chamadas *proteínas transportadoras (carreadoras)*, ligam-se a moléculas ou íons que devem ser transportados, e as mudanças conformacionais nas moléculas

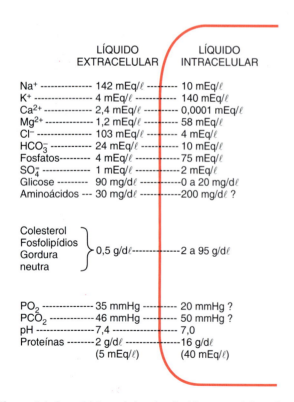

Figura 4.1 Composição química dos líquidos extracelular e intracelular. Os pontos de interrogação indicam que os valores precisos do líquido intracelular são desconhecidos. A *linha vermelha* indica a membrana celular.

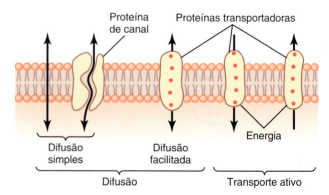

Figura 4.2 Vias de transporte através da membrana celular e os mecanismos básicos de transporte.

proteicas movem as substâncias através dos interstícios da proteína para o outro lado da membrana. Proteínas de canal e proteínas transportadoras são geralmente seletivas para os tipos de moléculas ou íons que podem atravessar a membrana.

Difusão *versus* transporte ativo. O transporte através da membrana celular, seja diretamente através da bicamada lipídica ou através das proteínas, ocorre por meio de um de dois processos básicos, *difusão* ou *transporte ativo*.

Embora existam muitas variações desses mecanismos básicos, *difusão* significa movimento molecular aleatório de substâncias, molécula por molécula, seja através de espaços intermoleculares na membrana ou em combinação com uma proteína transportadora. A energia que causa a difusão é a energia do movimento cinético normal da matéria.

Em contraste, *transporte ativo* significa o movimento de íons ou outras substâncias através da membrana em combinação com uma proteína transportadora, de tal forma que a proteína transportadora faz com que a substância se mova contra um gradiente de energia, como de um estado de baixa concentração para um estado de alta concentração. Esse movimento requer uma fonte adicional de energia além da energia cinética. Uma explicação mais detalhada da física básica e da físico-química desses dois processos é fornecida mais adiante neste capítulo.

DIFUSÃO

Todas as moléculas e íons nos líquidos corporais, incluindo moléculas de água e substâncias dissolvidas, estão em movimento constante, com cada partícula movendo-se separadamente. O movimento dessas partículas é o que os físicos chamam de "calor" – quanto maior o movimento, mais alta a temperatura – e o movimento nunca cessa, exceto na temperatura de zero absoluto. Quando uma molécula em movimento, A, se aproxima de uma molécula estacionária, B, as forças eletrostáticas e outras forças nucleares da molécula A repelem a molécula B, transferindo parte da energia de movimento da molécula A para a molécula B. Consequentemente, a molécula B ganha energia cinética de movimento, enquanto a molécula A desacelera, perdendo parte de sua energia cinética. Conforme mostrado na **Figura 4.3**, uma única molécula em uma solução salta entre as outras moléculas – primeiro em uma direção, depois em outra, depois em outra e assim por diante – saltando aleatoriamente milhares de vezes a cada segundo. Esse movimento contínuo de moléculas entre si em líquidos ou gases é denominado *difusão*.

Os íons se difundem da mesma maneira que as moléculas inteiras, e até mesmo as partículas coloidais suspensas se difundem de maneira semelhante, exceto que os coloides se difundem muito menos rapidamente do que as substâncias moleculares devido ao seu grande tamanho.

DIFUSÃO ATRAVÉS DA MEMBRANA CELULAR

A difusão através da membrana celular é dividida em dois subtipos, denominados *difusão simples* e *difusão facilitada*. A difusão simples significa que o movimento cinético de moléculas ou íons ocorre através de uma abertura da membrana ou através de espaços intermoleculares sem interação com proteínas transportadoras na membrana. A taxa de difusão é determinada pela quantidade de substância disponível, a velocidade do movimento cinético e o número e o tamanho das aberturas na membrana através das quais as moléculas ou íons podem se mover.

A difusão facilitada requer a interação de uma proteína transportadora. A proteína transportadora auxilia na passagem de moléculas ou íons através da membrana ligando-se quimicamente a eles e conduzindo-os através da membrana nesta forma.

A difusão simples pode ocorrer através da membrana celular por duas vias: (1) através dos interstícios da bicamada lipídica, se a substância difusora for lipossolúvel; e (2) através de canais aquosos de grandes proteínas de transporte na membrana, como mostrado à esquerda na **Figura 4.2**.

Difusão de substâncias lipossolúveis através da bicamada lipídica. A *lipossolubilidade* de uma substância é um fator importante para determinar a rapidez com que ela se difunde através da bicamada lipídica. Por exemplo, as lipossolubilidades de oxigênio, nitrogênio, dióxido de carbono e álcoois são altas, e todas essas substâncias podem se dissolver diretamente na bicamada lipídica e se difundir através da membrana celular da mesma maneira que a difusão de solutos hidrossolúveis ocorre em uma solução aquosa. A taxa de difusão de cada uma dessas substâncias através da membrana é diretamente proporcional à sua lipossolubilidade. Especialmente grandes quantidades de oxigênio podem ser transportadas dessa maneira; portanto, o oxigênio pode ser fornecido ao interior da célula quase como se a membrana celular não existisse.

Difusão das moléculas de água e outras moléculas insolúveis em lipídios através dos canais proteicos. Embora a água seja altamente insolúvel nos lipídios da membrana, ela passa prontamente por canais em moléculas de proteína que penetram todo o caminho através da membrana. Muitas das membranas celulares do corpo contêm "poros" de proteínas chamadas *aquaporinas* que permitem seletivamente a passagem rápida de água através da membrana. As aquaporinas são altamente

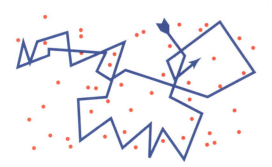

Figura 4.3 Difusão de uma molécula em líquido durante um milésimo de segundo.

especializadas, e existem pelo menos 13 tipos diferentes em várias células de mamíferos.

A rapidez com que as moléculas de água podem se difundir através da maioria das membranas celulares é impressionante. Por exemplo, a quantidade total de água que se difunde em cada direção através da membrana das hemácias durante cada segundo é cerca de 100 vezes maior que o volume das hemácias.

Outras moléculas insolúveis em lipídios podem passar pelos canais dos poros das proteínas da mesma forma que as moléculas de água, se forem hidrossolúveis e suficientemente pequenas. No entanto, à medida que se tornam maiores, sua penetração diminui rapidamente. Por exemplo, o diâmetro da molécula de ureia é apenas 20% maior do que o da água, mas sua penetração através dos poros da membrana celular é cerca de 1.000 vezes menor do que a da água. Mesmo assim, dada a surpreendente taxa de penetração da água, essa quantidade de penetração da ureia ainda permite o transporte rápido da ureia através da membrana em minutos.

DIFUSÃO ATRAVÉS DE POROS E CANAIS PROTEICOS | PERMEABILIDADE SELETIVA E CANAIS COM COMPORTA

As reconstruções tridimensionais computadorizadas de poros e canais proteicos demonstraram vias tubulares desde o líquido extracelular até o líquido intracelular. Portanto, as substâncias podem se mover por difusão simples diretamente ao longo desses poros e canais de um lado da membrana para o outro.

Os poros são compostos de proteínas integrais da membrana celular que formam tubos abertos através da membrana e estão sempre abertos. No entanto, o diâmetro de um poro e suas cargas elétricas fornecem seletividade que permite a passagem de apenas certas moléculas. Por exemplo, as *aquaporinas* permitem a passagem rápida de água através das membranas celulares, mas excluem outras moléculas. As aquaporinas têm um poro estreito que permite que as moléculas de água se difundam através da membrana em fila única. O poro é muito estreito para permitir a passagem de íons hidratados. Conforme discutido nos Capítulos 28 e 76, a densidade de algumas aquaporinas (p. ex., aquaporina-2) nas membranas celulares não é estática, mas é alterada em diferentes condições fisiológicas.

Os canais proteicos são distinguidos por duas características importantes: (1) eles são frequentemente *seletivamente permeáveis* a certas substâncias; e (2) muitos dos canais podem ser abertos ou fechados por *comportas* que são reguladas por sinais elétricos (*canais dependentes de voltagem*) ou produtos químicos que se ligam às proteínas do canal (*canais dependentes de ligantes*). Assim, os canais iônicos são estruturas dinâmicas flexíveis, e mudanças conformacionais sutis influenciam as comportas e a seletividade iônica.

Permeabilidade seletiva de canais proteicos. Muitos canais proteicos são altamente seletivos para o transporte de um ou mais íons ou moléculas específicas. Essa seletividade resulta de características específicas do canal, como seu diâmetro, formato e a natureza das cargas elétricas e ligações químicas ao longo de suas superfícies internas.

Os *canais de potássio* permitem a passagem de íons potássio através da membrana celular cerca de 1.000 vezes mais rapidamente do que permitem a passagem de íons sódio. Esse alto grau de seletividade não pode ser explicado inteiramente pelos diâmetros moleculares dos íons porque os íons potássio são ligeiramente maiores do que os íons sódio. Com o uso da cristalografia de raios X descobriu-se que os canais de potássio foram têm uma *estrutura tetramérica*, consistindo em quatro subunidades proteicas idênticas circundando um poro central (ver **Figura 4.4**). No topo do poro do canal estão as *alças do poro* que formam um *filtro de seletividade* estreito. Revestindo o filtro de seletividade estão *oxigênios carbonílicos*. Quando os íons potássio hidratados entram no filtro de seletividade, eles interagem com os oxigênios carbonílicos e perdem a maioria de suas moléculas de água ligadas, permitindo que os íons potássio desidratados passem pelo canal. Os oxigênios carbonílicos estão muito distantes, no entanto, para permitir que eles interajam intimamente com os íons sódio menores, que são, portanto, efetivamente excluídos pelo filtro de seletividade de passagem pelo poro.

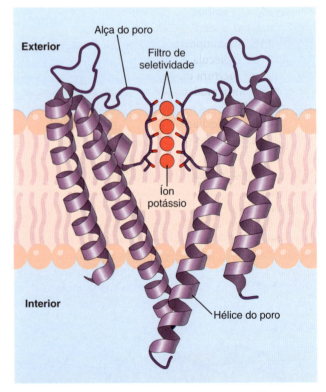

Figura 4.4 A estrutura de um canal de potássio. O canal é composto de quatro subunidades (das quais apenas duas são mostradas), cada uma com duas hélices transmembrana. Um filtro de seletividade estreito é formado a partir das alças do poro, e os oxigênios carbonílicos revestem as paredes do filtro de seletividade, formando locais para a ligação transitória de íons potássio desidratados. A interação dos íons potássio com os oxigênios carbonílicos faz com que os íons potássio liberem suas moléculas de água ligadas, permitindo que os íons potássio desidratados passem pelo poro.

Acredita-se que diferentes filtros de seletividade para os vários canais iônicos determinem, em grande parte, a especificidade de vários canais para cátions ou ânions ou para íons específicos, como sódio (Na+), potássio (K+) e cálcio (Ca²⁺), que ganham acesso aos canais.

Um dos mais importantes dos canais proteicos, o *canal de sódio*, tem apenas 0,3 a 0,5 nanômetro de diâmetro, mas a capacidade dos canais de sódio de discriminar íons sódio entre os outros íons concorrentes nos líquidos circundantes é crucial para o funcionamento celular adequado. A parte mais estreita do poro aberto do canal de sódio, o *filtro de seletividade*, é alinhada com resíduos de aminoácidos *fortemente carregados negativamente*, como mostrado no painel superior da **Figura 4.5**. Essas fortes cargas negativas podem puxar pequenos íons sódio *desidratados* para dentro desses canais, afastando-os de suas moléculas de água que os hidratariam, embora os íons não precisem estar totalmente desidratados para passar pelos canais. Uma vez no canal, os íons sódio se difundem em qualquer direção de acordo com as leis usuais de difusão. Assim, o canal de sódio é altamente seletivo para a passagem de íons sódio.

Comportas dos canais proteicos. As comportas ("portões") dos canais proteicos fornecem um meio de controlar a permeabilidade iônica dos canais. Esse mecanismo é mostrado em ambos os painéis da **Figura 4.5** para a passagem seletiva de íons sódio e potássio. Acredita-se que algumas das comportas sejam extensões semelhantes a gatilhos da molécula da proteína transportadora, que pode fechar a abertura do canal ou pode ser levantada da abertura por uma mudança conformacional na forma da molécula proteica.

A abertura e o fechamento das comportas são controlados de duas maneiras principais:

1. *Variação de voltagem.* No caso da variação de tensão, a conformação molecular da comporta ou suas ligações químicas responde ao potencial elétrico através da membrana celular. Por exemplo, no painel superior da **Figura 4.5**, uma forte carga negativa no interior da membrana celular pode fazer com que as comportas externas de sódio permaneçam bem fechadas. Por outro lado, quando o interior da membrana perde sua carga negativa, essas comportas se abrem repentinamente e permitem que o sódio passe para dentro através dos poros de sódio. Esse processo é o mecanismo básico para eliciar potenciais de ação nos nervos que são responsáveis pelos sinais nervosos. No painel inferior da **Figura 4.5**, as comportas de potássio estão nas extremidades intracelulares dos canais de potássio e se abrem quando o interior da membrana celular se torna carregado positivamente. A abertura dessas comportas é parcialmente responsável por encerrar o potencial de ação, um processo discutido no Capítulo 5.

2. *Variação química (ligante).* Algumas comportas dos canais proteicos são abertas pela ligação de uma substância química (um ligante) com a proteína, o que causa uma mudança conformacional ou na ligação química na molécula da proteína que abre ou fecha a comporta. Um dos exemplos mais importantes de controle químico é o efeito do neurotransmissor acetilcolina no *receptor de acetilcolina*, que funciona como um canal iônico dependente de ligante. A acetilcolina abre a comporta desse canal, fornecendo um poro carregado negativamente com cerca de 0,65 nanômetro de diâmetro que permite a passagem de moléculas não carregadas ou íons positivos menores que esse diâmetro. Essa comporta é extremamente importante para a transmissão de sinais nervosos de uma célula nervosa para outra (ver Capítulo 46) e de células nervosas para células musculares para causar a contração muscular (ver Capítulo 7).

Estado aberto *versus* estado fechado dos canais com comportas. A **Figura 4.6 A** mostra dois registros de corrente elétrica fluindo através de um único canal de sódio quando havia um gradiente de potencial de aproximadamente 25 milivolts através da membrana. Observe que o canal conduz a corrente de forma tudo ou nada. Ou seja, a comporta do canal se abre e, em seguida, se fecha, com cada estado aberto durante apenas uma fração de milissegundo, até vários milissegundos, demonstrando a rapidez com que as mudanças podem ocorrer durante a abertura e o fechamento das comportas de proteína. Em um potencial de tensão, o canal pode permanecer fechado todo ou quase todo o tempo, enquanto em outra tensão, ele pode permanecer aberto todo ou na maior parte do tempo. Em tensões intermediárias, como mostrado na figura, as comportas tendem a abrir e fechar intermitentemente, resultando em um fluxo de corrente médio em algum lugar entre o mínimo e o máximo.

Método de *patch clamp* para registrar o fluxo de corrente de íons através de canais individuais. O método experimental de *patch clamp* (fixação de voltagem) para registrar o fluxo de corrente de íons através de

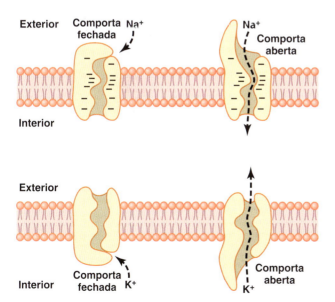

Figura 4.5 Transporte de íons sódio e potássio através dos canais proteicos. Também são mostradas mudanças conformacionais nas moléculas de proteína para abrir ou fechar as "comportas" que protegem os canais.

canais proteicos individuais é ilustrado na **Figura 4.6 B**. Uma micropipeta com um diâmetro de ponta de apenas 1 ou 2 micrômetros é encostada na parte externa de uma membrana celular. A sucção é então aplicada dentro da pipeta para puxar a membrana contra a ponta da pipeta, o que cria uma vedação em que as bordas da pipeta tocam a membrana celular. O resultado é um minúsculo fragmento de membrana na ponta da pipeta, através da qual o fluxo da corrente elétrica pode ser registrado.

Alternativamente, como mostrado no canto inferior direito na **Figura 4.6 B**, o pequeno fragmento de membrana celular no final da pipeta pode ser arrancado da célula. A pipeta com o pequeno fragmento selado é então inserida em uma solução livre, o que permite que as concentrações de íons tanto dentro da micropipeta quanto na solução externa sejam alteradas conforme desejado. Além disso, a tensão elétrica (voltagem) entre os dois lados da membrana pode ser ajustada, ou "fixada", a uma determinada tensão.

Foi possível fazer esses fragmentos pequenos o suficiente para que apenas uma única proteína de canal seja encontrada na pequena área de membrana em estudo. Variando as concentrações de íons diferentes, bem como a tensão através da membrana, pode-se determinar as características de transporte do canal individual, juntamente com suas propriedades de comportas.

DIFUSÃO FACILITADA REQUER PROTEÍNAS TRANSPORTADORAS DE MEMBRANA

A difusão facilitada também é chamada de *difusão mediada por transportador*, porque uma substância transportada dessa maneira se difunde através da membrana com a ajuda de uma proteína transportadora específica. Ou seja, o transportador *facilita* (viabiliza) a difusão da substância para o outro lado.

A difusão facilitada difere, de maneira importante, da difusão simples pelo seguinte: embora a taxa de difusão simples através de um canal aberto aumente proporcionalmente com a concentração da substância difusora, na difusão facilitada a taxa de difusão se aproxima de um máximo, chamado $V_{máx}$, conforme a concentração da substância difusora aumenta. Essa diferença entre difusão simples e difusão facilitada é demonstrada na **Figura 4.7**. A figura mostra que, à medida que a concentração da substância difusora aumenta, a taxa de difusão simples continua a aumentar proporcionalmente; porém, no caso de difusão facilitada, a taxa de difusão não pode aumentar além do nível de $V_{máx}$.

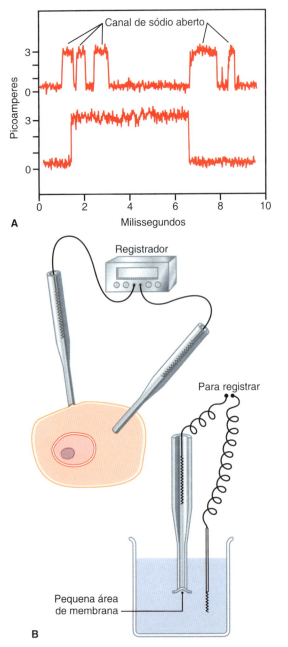

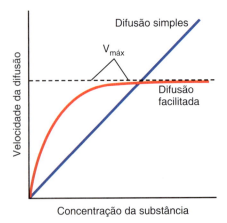

Figura 4.6 A. Registro do fluxo de corrente através de um único canal de sódio dependente de voltagem, demonstrando o princípio de tudo ou nada para a abertura e o fechamento do canal. **B.** Método de *patch clamp* (fixação da voltagem) para registrar o fluxo de corrente através de um único canal proteico. À esquerda, o registro é realizado a partir de uma pequena área de uma membrana celular viva. À direita, o registro é de uma pequena área de membrana retirada da célula.

Figura 4.7 Efeito da concentração de uma substância na taxa de difusão através de uma membrana por difusão simples e difusão facilitada. Este gráfico mostra que a difusão facilitada se aproxima de uma taxa máxima, chamada de $V_{máx}$.

O que limita a velocidade da difusão facilitada? Uma resposta provável é o mecanismo ilustrado na **Figura 4.8**. Esta figura mostra uma proteína transportadora com um poro grande o suficiente para transportar uma molécula específica. Ela também mostra um receptor de ligação no interior da proteína transportadora. A molécula a ser transportada entra no poro e se liga. Então, em uma fração de segundo, uma mudança conformacional ou química ocorre na proteína transportadora, de modo que o poro agora se abre para o lado oposto da membrana. Como a força de ligação do receptor é fraca, o movimento térmico da molécula ligada faz com que ela se solte e seja liberada no lado oposto da membrana. A velocidade na qual as moléculas podem ser transportadas por esse mecanismo nunca pode ser maior do que a velocidade na qual a molécula da proteína transportadora pode sofrer mudanças para a frente e para trás entre seus dois estados. Observe especificamente, porém, que esse mecanismo permite que a molécula transportada se mova – ou seja, se difunda – em qualquer direção através da membrana.

Entre as muitas substâncias que atravessam as membranas celulares por difusão facilitada estão a *glicose* e a maioria dos *aminoácidos*. No caso da glicose, pelo menos 14 membros de uma família de proteínas de membrana (chamadas *GLUT*) que transportam moléculas de glicose foram descobertos em vários tecidos. Algumas dessas proteínas GLUT transportam outros monossacarídeos que têm estruturas semelhantes às da glicose, incluindo galactose e frutose. Um deles, o transportador de glicose 4 (GLUT4), é ativado pela insulina, que pode aumentar a velocidade de difusão facilitada da glicose em até 10 a 20 vezes em tecidos sensíveis à insulina. Esse é o principal mecanismo pelo qual a insulina controla o uso de glicose no corpo, conforme discutido no Capítulo 79.

FATORES QUE AFETAM A VELOCIDADE EFETIVA DA DIFUSÃO

Agora, é evidente que muitas substâncias podem se difundir através da membrana celular. O que geralmente é importante é a velocidade *efetiva* da difusão de uma substância na direção desejada. Essa velocidade efetiva é determinada por vários fatores.

Velocidade efetiva de difusão é proporcional à diferença de concentração através da membrana.
A **Figura 4.9 A** mostra uma membrana celular com alta concentração de determinada substância no exterior e baixa concentração de certa substância no interior. A velocidade na qual a substância se difunde *para dentro* é proporcional à concentração de moléculas no *exterior*, porque essa concentração determina quantas moléculas atingem o exterior da membrana a cada segundo. Por outro lado, a velocidade na qual as moléculas se difundem *para fora* é proporcional à sua concentração *dentro* da membrana. Portanto, a velocidade de difusão efetiva para a célula é proporcional à concentração no exterior *menos* a concentração no interior:

$$\text{Difusão efetiva} \propto (C_e - C_i)$$

em que C_e é a concentração externa e C_i é a concentração interna da célula.

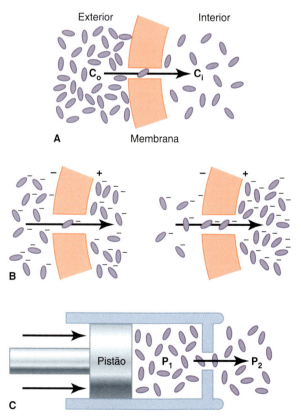

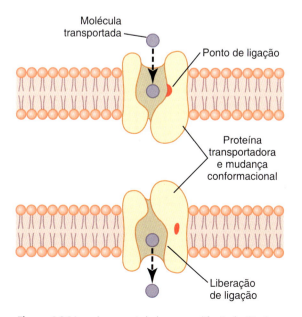

Figura 4.8 Mecanismo postulado para a difusão facilitada.

Figura 4.9 Efeito da diferença de concentração (**A**), diferença de potencial elétrico afetando íons negativos (**B**) e diferença de pressão (**C**) para causar difusão de moléculas e íons através de uma membrana celular. C_e: concentração externa da célula; C_i: concentração interna da célula; P_1: pressão 1; P_2: pressão 2.

Potencial elétrico de membrana e difusão de íons: o potencial de Nernst. Se um potencial elétrico é aplicado através da membrana, como mostrado na **Figura 4.9 B**, as cargas elétricas dos íons fazem com que eles se movam através da membrana, embora não exista diferença de concentração para causar o movimento. Assim, no painel esquerdo da **Figura 4.9 B**, a concentração de íons *negativos* é a mesma em ambos os lados da membrana, mas uma carga positiva foi aplicada ao lado direito da membrana e uma carga negativa foi aplicada à esquerda, criando um gradiente elétrico através da membrana. A carga positiva atrai os íons negativos, enquanto a carga negativa os repele. Portanto, a difusão efetiva ocorre da esquerda para a direita. Depois de algum tempo, grandes quantidades de íons negativos se moveram para a direita, criando a condição mostrada no painel direito da **Figura 4.9 B**, na qual uma diferença de concentração dos íons se desenvolveu na direção oposta à diferença de potencial elétrico. A diferença de concentração agora tende a mover os íons para a esquerda, enquanto a diferença elétrica tende a movê-los para a direita. Quando a diferença de concentração aumenta o suficiente, os dois efeitos se equilibram. Na temperatura corporal normal (37°C), a diferença elétrica que irá equilibrar uma dada diferença de concentração de íons *univalentes* – como íons Na^+ – pode ser determinada a partir da seguinte fórmula, chamada de *equação de Nernst*:

$$\text{FEM (em milivolts)} = \pm\, 61 \log \frac{C_1}{C_2}$$

em que FEM é a força eletromotriz (tensão) entre o lado 1 e o lado 2 da membrana, C_1 é a concentração no lado 1 e C_2 é a concentração no lado 2. Esta equação é extremamente importante para compreender a transmissão dos impulsos nervosos e será discutida no Capítulo 5.

Efeito de uma diferença de pressão através da membrana. Às vezes, uma considerável diferença de pressão se desenvolve entre os dois lados de uma membrana difusível. Essa diferença de pressão ocorre, por exemplo, nas membranas dos capilares sanguíneos em todos os tecidos do corpo. A pressão em muitos capilares é cerca de 20 mmHg maior dentro do que fora.

A pressão, na verdade, significa a soma de todas as forças das diferentes moléculas que atingem uma área de superfície unitária em um determinado instante. Portanto, ter uma pressão mais alta em um lado da membrana do que no outro lado significa que a soma de todas as forças das moléculas que atingem os canais naquele lado da membrana é maior do que no outro lado. Na maioria dos casos, essa situação é causada por maior número de moléculas atingindo a membrana por segundo de um lado do que do outro lado. O resultado é que maiores quantidades de energia estão disponíveis para causar um movimento efetivo de moléculas do lado de alta pressão para o lado de baixa pressão. Esse efeito é demonstrado na **Figura 4.9 C**, que exibe um pistão desenvolvendo alta pressão em um lado de um poro, fazendo com que mais moléculas atinjam o poro desse lado e, portanto, mais moléculas se difundam para o outro lado.

OSMOSE ATRAVÉS DE MEMBRANAS SELETIVAMENTE PERMEÁVEIS | DIFUSÃO EFETIVA DE ÁGUA

A substância mais abundante que se difunde pela membrana celular é, sem dúvida, a água. Água suficiente, normalmente, se difunde em cada direção através da membrana das hemácias por segundo, igualando cerca de *100 vezes o volume da própria célula*. No entanto, a quantidade que normalmente se difunde nas duas direções é tão precisamente equilibrada que o movimento efetivo da água é zero. Portanto, o volume da célula permanece constante. Contudo, sob certas condições, pode haver uma *diferença de concentração de água* através de uma membrana. Quando essa diferença de concentração de água se desenvolve, ocorre o movimento efetivo da água através da membrana celular, fazendo com que a célula inche ou encolha, dependendo da direção do movimento da água. Esse processo de movimento efetivo da água causado por uma diferença de concentração de água é denominado *osmose*.

Para ilustrar a osmose, suponhamos as condições mostradas na **Figura 4.10**, com água pura em um lado da membrana celular e uma solução de cloreto de sódio no outro lado. As moléculas de água atravessam a membrana celular com facilidade, enquanto os íons sódio e cloreto passam com dificuldade. Portanto, a solução de cloreto de sódio é, na verdade, uma mistura de moléculas de água permeáveis e íons sódio e cloreto não permeáveis, e diz-se que a membrana é *seletivamente permeável* à água, mas muito menos aos íons sódio e cloreto. Ainda, a presença de sódio e cloreto deslocou algumas das moléculas de água no lado da membrana onde esses íons estão presentes e, portanto, reduziu a concentração de moléculas de água para menos do que a da água pura. Como resultado, no exemplo mostrado na **Figura 4.10**, mais moléculas de

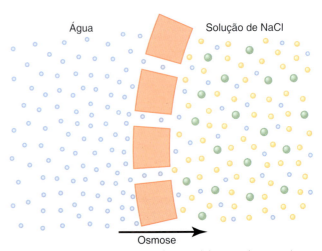

Figura 4.10 Osmose em uma membrana celular quando uma solução de cloreto de sódio é colocada em um lado da membrana e água é colocada no outro lado.

água atingem os canais do lado esquerdo, onde há água pura, do que do lado direito, onde a concentração de água foi reduzida. Assim, o movimento efetivo da água ocorre da esquerda para a direita – ou seja, a *osmose* ocorre da água pura para a solução de cloreto de sódio.

Pressão osmótica

Se na **Figura 4.10** fosse aplicada pressão à solução de cloreto de sódio, a osmose da água nesta solução seria diminuída, interrompida ou mesmo revertida. A quantidade de pressão necessária para interromper a osmose é chamada de *pressão osmótica* da solução de cloreto de sódio.

O princípio de uma diferença de pressão oposta à osmose é demonstrado na **Figura 4.11**, que mostra uma membrana seletivamente permeável separando duas colunas de líquido, uma contendo água pura e a outra contendo uma solução de água e qualquer soluto que não penetre na membrana. A osmose da água da câmara B para a câmara A faz com que os níveis das colunas de líquido se tornem cada vez mais distantes, até que, eventualmente, se desenvolva uma diferença de pressão entre os dois lados da membrana que seja grande o suficiente para se opor ao efeito osmótico. A diferença de pressão através da membrana neste ponto é igual à pressão osmótica da solução que contém o soluto não difusível.

Importância do número de partículas osmóticas (concentração molar) na determinação da pressão osmótica.

A pressão osmótica exercida por partículas em uma solução, sejam elas moléculas ou íons, é determinada pelo número de partículas por unidade de volume de líquido, não pela massa das partículas. A razão para isso é que cada partícula em uma solução, independentemente de sua massa, exerce, em média, a mesma quantidade de pressão contra a membrana. Ou seja, partículas grandes, que têm massa (m) maior do que partículas pequenas, movem-se a uma velocidade (v) mais lenta. As partículas pequenas se movem em velocidades mais altas de tal forma que suas energias cinéticas médias (k), conforme determinado pela seguinte equação,

$$k = \frac{mv^2}{2}$$

são iguais para cada partícula pequena e para cada partícula grande. Consequentemente, o fator que determina a pressão osmótica de uma solução é a concentração da solução em termos do número de partículas (que é a mesma que sua *concentração molar*, se for uma molécula não dissociada), não em termos de massa do soluto.

Osmolalidade: osmol.

Para expressar a concentração de uma solução em termos de número de partículas (osmolalidade), uma unidade chamada *osmol* é usada no lugar de gramas.

Um osmol é o peso de 1 molécula-grama de soluto osmoticamente ativo. Assim, 180 gramas de glicose, que é o peso de 1 molécula-grama de glicose, é igual a 1 osmol de glicose porque a glicose não se dissocia em íons. Se um soluto se dissociar em dois íons, o peso de 1 molécula-grama do soluto se tornará 2 osmols porque o número de partículas osmoticamente ativas agora é duas vezes maior do que o soluto não dissociado. Portanto, quando totalmente dissociado, o peso de 1 molécula-grama de cloreto de sódio, 58,5 gramas, é igual a 2 osmols.

Assim, uma solução que tem *1 osmol de soluto dissolvido em cada quilograma de água* é dita ter uma *osmolalidade de 1 osmol por quilograma*, e uma solução que tem 1/1.000 osmol dissolvido por quilograma tem uma osmolalidade de 1 miliosmol por quilograma. A osmolalidade normal dos líquidos extracelular e intracelular é de cerca de *300 miliosmols por quilograma de água*.

Relação entre osmolalidade e pressão osmótica.

À temperatura corporal normal (37°C), uma concentração de 1 osmol por litro causará uma pressão osmótica de 19.300 mmHg na solução. Da mesma forma, a concentração de *1 miliosmol* por litro é equivalente a 19,3 mmHg de pressão osmótica. Multiplicando esse valor pela concentração de 300 miliosmols dos líquidos corporais, obtém-se uma pressão osmótica total calculada dos líquidos corporais de 5.790 mmHg. O valor medido para isso, no entanto, é, em média, apenas cerca de 5.500 mmHg. A razão para essa diferença é que muitos íons nos líquidos corporais, como os íons sódio e cloreto, são altamente atraídos uns pelos outros; consequentemente, eles não podem mover-se totalmente desenfreados nos líquidos e criar o seu potencial de pressão osmótica total. Portanto, em média, a pressão osmótica real dos líquidos corporais é cerca de 0,93 vez o valor calculado.

O termo osmolaridade.

Osmolaridade é a concentração osmolar expressa em *osmols por litro de solução*, em vez de osmols por quilograma de água. Embora, estritamente

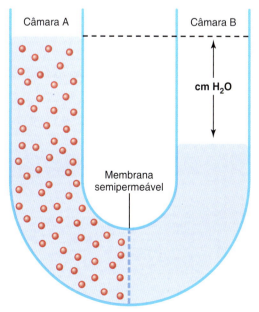

Figura 4.11 Demonstração de pressão osmótica causada por osmose em uma membrana semipermeável.

falando, seja o osmol por quilograma de água (osmolalidade) que determina a pressão osmótica, as diferenças quantitativas entre osmolaridade e osmolalidade são inferiores a 1% para soluções diluídas como as do corpo. Por ser muito mais prático medir a osmolaridade do que a osmolalidade, medir a osmolaridade é a prática usual em estudos fisiológicos.

TRANSPORTE ATIVO DE SUBSTÂNCIAS ATRAVÉS DAS MEMBRANAS

Às vezes, uma grande concentração de uma substância é necessária no líquido intracelular, embora o líquido extracelular contenha apenas uma pequena concentração. Essa situação é verdadeira, por exemplo, para os íons potássio. Por outro lado, é importante manter as concentrações de outros íons muito baixas dentro da célula, mesmo que suas concentrações no líquido extracelular sejam altas. Essa situação é especialmente verdadeira para os íons sódio. Nenhum desses dois efeitos poderia ocorrer por difusão simples porque a difusão simples eventualmente equilibra as concentrações nos dois lados da membrana. Em vez disso, alguma fonte de energia deve causar movimento excessivo de íons potássio para o interior das células e movimento excessivo de íons sódio para o exterior das células. Quando uma membrana celular move moléculas ou íons "para cima" contra um gradiente de concentração (ou "para cima" contra um gradiente elétrico ou de pressão), o processo é chamado de *transporte ativo*.

Alguns exemplos de substâncias que são ativamente transportadas através de pelo menos algumas membranas celulares incluem íons sódio, potássio, cálcio, ferro, hidrogênio, cloreto, iodeto e urato, vários açúcares diferentes e a maioria dos aminoácidos.

Transporte ativo primário e transporte ativo secundário. O transporte ativo é dividido em dois tipos de acordo com a fonte de energia utilizada para facilitar o transporte, *transporte ativo primário* e *transporte ativo secundário*. No transporte ativo primário, a energia é derivada diretamente da quebra do trifosfato de adenosina (ATP) ou algum outro composto de fosfato de alta energia. No transporte ativo secundário, a energia é derivada secundariamente da energia que foi armazenada na forma de diferenças de concentração iônica de substâncias moleculares ou iônicas secundárias entre os dois lados de uma membrana celular, criada originalmente pelo transporte ativo primário. Em ambos os casos, o transporte depende de *proteínas transportadoras* que atravessam a membrana celular, como acontece com a difusão facilitada. No entanto, no transporte ativo, a proteína transportadora funciona de maneira diferente do transportador na difusão facilitada porque ela é capaz de transmitir energia à substância transportada para movê-la contra o gradiente eletroquímico. As seções a seguir fornecem alguns exemplos de transporte ativo primário e transporte ativo secundário, com explicações mais detalhadas de seus princípios de funcionamento.

TRANSPORTE ATIVO PRIMÁRIO

A bomba de sódio-potássio transporta íons sódio para fora das células e íons potássio para dentro das células

Entre as substâncias que são transportadas pelo transporte ativo primário estão sódio, potássio, cálcio, hidrogênio, cloreto e alguns outros íons. O mecanismo de transporte ativo que foi estudado em maiores detalhes é a bomba de *sódio-potássio* (Na^+/K^+), um transportador que bombeia íons sódio para fora através da membrana celular de todas as células e, ao mesmo tempo, bombeia íons potássio de fora para dentro. Essa bomba é responsável por manter as diferenças de concentração de sódio e potássio através da membrana celular, bem como por estabelecer uma tensão elétrica negativa no interior das células. Na verdade, como mostrado no Capítulo 5, essa bomba também é a base da função nervosa, transmitindo sinais nervosos por todo o sistema nervoso.

A **Figura 4.12** mostra os componentes físicos básicos da bomba de Na^+/K^+. A *proteína transportadora* é um complexo de duas proteínas globulares separadas – uma maior, chamada de subunidade α, com peso molecular de cerca de 100.000, e uma menor, chamada de subunidade β, com peso molecular de cerca de 55.000. Embora a função da proteína menor não seja conhecida (exceto que pode ancorar o complexo proteico na membrana lipídica), a proteína maior tem três características específicas que são importantes para o funcionamento da bomba:

1. Apresenta três *sítios de ligação para íons sódio* na porção da proteína que se projeta para o interior da célula.
2. Apresenta dois *sítios de ligação para íons potássio* na parte externa.
3. A porção interna desta proteína, perto dos sítios de ligação do sódio, tem atividade de adenosina trifosfatase (ATPase).

Quando dois íons potássio se ligam no exterior da proteína transportadora e três íons sódio se ligam no interior, a função ATPase da proteína é ativada. A ativação da função ATPase leva à clivagem de uma molécula de ATP,

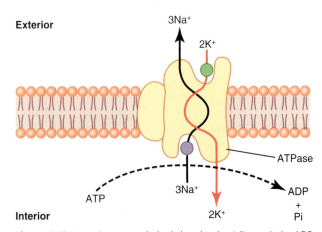

Figura 4.12 Mecanismo postulado da bomba de sódio-potássio. ADP: difosfato de adenosina; ATP: trifosfato de adenosina; Pi: íon fosfato.

dividindo-a em difosfato de adenosina (ADP) e liberando energia de uma ligação fosfato de alta energia. Acredita-se que essa energia liberada cause uma mudança química e conformacional na molécula da proteína transportadora, expulsando três íons sódio para fora e dois íons potássio para dentro.

Como acontece com outras enzimas, a bomba de Na^+/K^+ ATPase pode funcionar ao contrário. Se os gradientes eletroquímicos para Na^+ e K^+ forem experimentalmente aumentados ao grau em que a energia armazenada em seus gradientes seja maior do que a energia química da hidrólise do ATP, esses íons irão descer seus gradientes de concentração, e a bomba de Na^+/K^+ sintetizará ATP a partir de ADP e fosfato. A forma fosforilada da bomba de Na^+/K^+, portanto, pode doar seu fosfato ao ADP para produzir ATP ou usar a energia para mudar sua conformação e bombear Na^+ para fora da célula e K^+ para dentro da célula. As concentrações relativas de ATP, ADP e fosfato, bem como os gradientes eletroquímicos para Na^+ e K^+, determinam a direção da reação enzimática. Para algumas células, como células nervosas eletricamente ativas, 60 a 70% da necessidade de energia da célula pode ser dedicada ao bombeamento de Na^+ para fora da célula e K^+ para dentro da célula.

A bomba de Na^+/K^+ é importante para o controle do volume celular.

Uma das funções mais importantes da bomba de Na^+/K^+ é controlar o volume da célula. Sem a função dessa bomba, a maioria das células do corpo incharia até estourar.

O mecanismo para controlar o volume é o seguinte. Dentro da célula há um grande número de proteínas e outras moléculas orgânicas que não podem escapar da célula. A maioria dessas proteínas e outras moléculas orgânicas são carregadas negativamente e, portanto, atraem grandes quantidades de potássio, sódio e outros íons positivos. Todas essas moléculas e íons então causam osmose de água para o interior da célula. A menos que esse processo seja controlado, a célula inchará indefinidamente até estourar. O mecanismo normal para prevenir esse resultado é a bomba de Na^+/K^+. Observe novamente que esse mecanismo bombeia três íons Na^+ para o exterior da célula para cada dois íons K^+ bombeados para o interior. Além disso, a membrana é muito menos permeável aos íons sódio do que aos íons potássio e, uma vez que os íons sódio estão do lado de fora, eles têm uma forte tendência a permanecer lá. Esse processo, portanto, representa uma perda efetiva de íons para fora da célula, o que também inicia a osmose de água para fora da célula.

Se uma célula começa a inchar por qualquer motivo, a bomba de Na^+/K^+ é automaticamente ativada, movendo ainda mais íons para o exterior e carregando água com eles. Portanto, a bomba de Na^+/K^+ desempenha um papel de vigilância contínua na manutenção do volume celular normal.

Natureza eletrogênica da bomba de Na^+/K^+.

O fato de que a bomba de Na^+/K^+ move três íons Na^+ para o exterior para cada dois íons K^+ que são movidos para o interior significa que, na realidade, apenas uma carga positiva é movida do interior da célula para o exterior da célula para cada ciclo da bomba. Essa ação cria positividade fora da célula, mas resulta em um déficit de íons positivos dentro da célula; ou seja, causa negatividade no interior da célula. Portanto, a bomba de Na^+/K^+ é considerada *eletrogênica* porque cria um potencial elétrico através da membrana celular. Conforme discutido no Capítulo 5, esse potencial elétrico é um requisito básico nas fibras nervosas e musculares para a transmissão de sinais nervosos e musculares.

Transporte ativo primário de íons cálcio

Outro importante mecanismo de transporte ativo primário é a *bomba de cálcio*. Os íons cálcio são normalmente mantidos em uma concentração extremamente baixa no citosol intracelular de praticamente todas as células do corpo, em uma concentração cerca de 10.000 vezes menor do que no líquido extracelular. Esse nível de manutenção é alcançado principalmente por duas bombas de cálcio de transporte ativo primário. Uma delas, que fica na membrana celular, bombeia cálcio para o exterior da célula. A outra bombeia íons cálcio em uma ou mais das organelas vesiculares intracelulares da célula, como o retículo sarcoplasmático das células musculares e as mitocôndrias em todas as células. Em cada um desses casos, a proteína transportadora penetra na membrana e funciona como uma enzima ATPase, com a mesma capacidade de clivar ATP que a ATPase da proteína transportadora de sódio. A diferença é que essa proteína tem um local de ligação altamente específico para o cálcio, em vez do sódio.

Transporte ativo primário de íons hidrogênio

O transporte ativo primário de íons hidrogênio é especialmente importante em dois locais do corpo: (1) nas glândulas gástricas do estômago; e (2) nos túbulos contorcidos distais e nos ductos coletores corticais dos rins.

Nas glândulas gástricas, as *células parietais* de localização mais profunda têm o mecanismo ativo primário mais potente para transportar íons hidrogênio de qualquer parte do corpo. Esse mecanismo é a base para a secreção de ácido clorídrico nas secreções digestivas do estômago. Nas extremidades secretoras das células parietais da glândula gástrica, a concentração de íons hidrogênio aumenta até um milhão de vezes e é liberada no estômago, junto com os íons cloreto, para formar o ácido clorídrico.

Nos túbulos renais, *células intercaladas* especiais, encontradas nos túbulos contorcidos distais e ductos coletores corticais, também transportam íons hidrogênio por transporte ativo primário. Nesse caso, grandes quantidades de íons hidrogênio são secretadas do sangue para o líquido tubular renal com o objetivo de eliminar o excesso de íons hidrogênio dos líquidos corporais. Os íons hidrogênio podem ser secretados no líquido tubular renal contra um gradiente de concentração de cerca de 900 vezes. No entanto, como discutido no Capítulo 31, a maioria desses íons hidrogênio combina-se com tampões de líquido tubular antes de serem eliminados na urina.

Energética do transporte ativo primário

A quantidade de energia necessária para transportar ativamente uma substância através de uma membrana é determinada pela concentração da substância durante o transporte. Em comparação com a energia necessária para concentrar uma substância 10 vezes, concentrá-la 100 vezes requer duas vezes mais energia, e concentrá-la 1.000 vezes requer três vezes mais energia. Em outras palavras, a energia necessária é proporcional ao *logaritmo* do grau que a substância está concentrada, conforme expresso pela seguinte fórmula:

$$\text{Energia (em calorias por osmol)} = 1.400 \log \frac{C_1}{C_2}$$

Assim, em termos de calorias, a quantidade de energia necessária para concentrar 1 osmol de uma substância 10 vezes é cerca de 1.400 calorias, enquanto para concentrá-la 100 vezes são necessárias 2.800 calorias. Pode-se ver que o gasto energético para concentrar substâncias nas células ou para remover substâncias das células contra um gradiente de concentração pode ser enorme. Algumas células, como as que revestem os túbulos renais e muitas células glandulares, gastam até 90% de sua energia apenas para esse propósito.

TRANSPORTE ATIVO SECUNDÁRIO | COTRANSPORTE E CONTRATRANSPORTE

Quando os íons sódio são transportados para fora das células por transporte ativo primário, geralmente se desenvolve um grande gradiente de concentração de íons sódio através da membrana celular, com alta concentração fora da célula e baixa concentração dentro. Esse gradiente representa um depósito de energia, porque o excesso de sódio fora da membrana celular está sempre tentando se difundir para o interior. Sob condições apropriadas, essa energia de difusão do sódio pode puxar outras substâncias junto com o sódio através da membrana celular. Esse fenômeno, denominado *cotransporte*, é uma forma de *transporte ativo secundário*.

Para o sódio puxar outra substância junto com ele, um mecanismo de acoplamento é necessário; isso é conseguido por meio de uma outra proteína transportadora na membrana celular. O transportador, neste caso, serve como um ponto de fixação tanto para o íon sódio quanto para a substância a ser cotransportada. Uma vez que ambos estão ligados, o gradiente de energia do íon sódio faz com que o íon sódio e a outra substância sejam transportados juntos para o interior da célula.

No *contratransporte*, os íons sódio novamente tentam se difundir para o interior da célula devido ao seu grande gradiente de concentração. Porém, desta vez, a substância a ser transportada está no interior da célula e é transportada para o exterior. Portanto, o íon sódio liga-se à proteína transportadora, onde ela se projeta para a superfície externa da membrana, e a substância a ser contratransportada se liga à projeção interna da proteína transportadora.

Depois que os dois se ligam, ocorre uma mudança conformacional, e a energia liberada pela ação do íon sódio que se move para o interior faz com que a outra substância se mova para o exterior.

Cotransporte de glicose e aminoácidos junto com os íons sódio

A glicose e muitos aminoácidos são transportados para a maioria das células contra grandes gradientes de concentração; o mecanismo dessa ação é inteiramente por cotransporte, conforme mostrado na **Figura 4.13**. Observe que a proteína transportadora tem dois sítios de ligação em seu lado externo, um para o sódio e outro para a glicose. Além disso, a concentração de íons sódio é alta no exterior e baixa no interior, o que fornece energia para o transporte. Uma propriedade especial da proteína transportadora é que uma mudança conformacional para permitir o movimento do sódio para o interior não ocorrerá até que uma molécula de glicose também se fixe. Quando ambos se fixam, ocorre a mudança conformacional, e o sódio e a glicose são transportados para o interior da célula ao mesmo tempo. Portanto, este é um *cotransportador de sódio-glicose*. Os cotransportadores de sódio-glicose são especialmente importantes para o transporte de glicose pelas células epiteliais renais e intestinais, conforme discutido nos Capítulos 28 e 66.

O *cotransporte de sódio-aminoácidos* ocorre da mesma maneira que a glicose, exceto que usa um conjunto diferente de proteínas transportadoras. Pelo menos cinco *proteínas transportadoras de aminoácidos* foram identificadas, cada uma das quais é responsável pelo transporte de um subconjunto de aminoácidos com características moleculares específicas.

O cotransporte de sódio-glicose e sódio-aminoácidos ocorre especialmente através das células epiteliais do trato intestinal e dos túbulos renais dos rins para promover a absorção dessas substâncias para o sangue. Esse processo será discutido em capítulos posteriores.

Outros importantes mecanismos de cotransporte em pelo menos algumas células incluem o cotransporte de íons potássio, cloreto, bicarbonato, fosfato, iodo, ferro e urato.

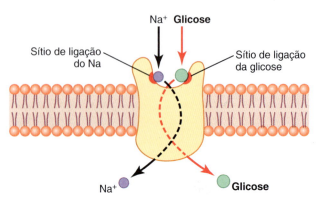

Figura 4.13 Mecanismo postulado para cotransporte de sódio-glicose.

Contratransporte de sódio e de íons cálcio e hidrogênio

Dois contratransportadores especialmente importantes (*i. e.*, transporte em uma direção oposta ao íon primário) são o *contratransporte de sódio-cálcio* e *contratransporte de sódio-hidrogênio* (ver **Figura 4.14**).

O contratransporte de sódio-cálcio ocorre através de todas ou quase todas as membranas celulares, com os íons sódio movendo-se para o interior e os íons cálcio para o exterior; ambos estão ligados à mesma proteína transportadora em um modo de contratransporte. Esse mecanismo se soma ao transporte ativo primário de cálcio que ocorre em algumas células.

O contratransporte de sódio-hidrogênio ocorre em vários tecidos. Um exemplo especialmente importante é nos *túbulos proximais* dos rins, onde os íons sódio se movem do lúmen do túbulo para o interior da célula tubular e os íons hidrogênio são contratransportados para o lúmen do túbulo. Como um mecanismo para concentrar íons hidrogênio, o contratransporte não é tão poderoso quanto o transporte ativo primário de íons hidrogênio que ocorre nos túbulos renais mais distais, mas pode transportar um *número extremamente grande de íons hidrogênio*, tornando-se, assim, uma chave para controle de íons hidrogênio nos líquidos corporais, conforme discutido em detalhes no Capítulo 31.

TRANSPORTE ATIVO ATRAVÉS DAS CAMADAS CELULARES

Em muitos lugares do corpo, as substâncias devem ser transportadas por todo o caminho através de uma camada celular, em vez de simplesmente através da membrana celular. O transporte desse tipo ocorre através de: (1) epitélio intestinal; (2) epitélio dos túbulos renais; (3) epitélio de todas as glândulas exócrinas; (4) epitélio da vesícula biliar; e (5) membrana do plexo coroide do cérebro, junto com outras membranas.

O mecanismo básico para o transporte de uma substância através de uma camada celular é o seguinte: (1) *transporte ativo* através da membrana celular *em um lado* das células transportadoras na camada; e então (2) *difusão simples* ou *difusão facilitada* através da membrana *no lado oposto* da célula.

A **Figura 4.15** mostra um mecanismo para o transporte de íons sódio através da camada epitelial dos

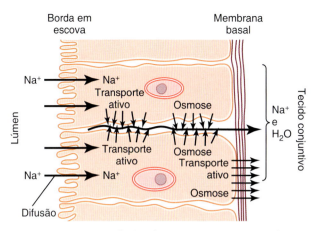

Figura 4.15 Mecanismo básico de transporte ativo através de uma camada de células.

intestinos, vesícula biliar e túbulos renais. Essa figura mostra que as células epiteliais estão fortemente conectadas no polo luminal por meio de junções. A borda em escova nas superfícies luminais das células é permeável aos íons sódio e à água. Portanto, o sódio e a água se difundem prontamente do lúmen para o interior da célula. Em seguida, nas membranas basal e lateral das células, os íons sódio são ativamente transportados para o líquido extracelular do tecido conjuntivo circundante e para os vasos sanguíneos. Essa ação cria um gradiente de alta concentração de íons sódio através dessas membranas, que, por sua vez, causa osmose da água. Assim, o transporte ativo de íons sódio nas superfícies basolaterais das células epiteliais resulta no transporte não apenas de íons sódio, mas também de água.

É por meio desses mecanismos que quase todos os nutrientes, íons e outras substâncias são absorvidos para o sangue a partir do intestino. Esses mecanismos também são a forma como as mesmas substâncias são reabsorvidas do filtrado glomerular pelos túbulos renais.

Numerosos exemplos dos diferentes tipos de transporte discutidos neste capítulo serão fornecidos ao longo do livro.

Bibliografia

Agre P, Kozono D: Aquaporin water channels: molecular mechanisms for human diseases. FEBS Lett 555:72, 2003.

Bröer S: Amino acid transport across mammalian intestinal and renal epithelia. Physiol Rev 88:249, 2008.

DeCoursey TE: Voltage-gated proton channels: molecular biology, physiology, and pathophysiology of the H(V) family. Physiol Rev 93:599, 2013.

DiPolo R, Beaugé L: Sodium/calcium exchanger: influence of metabolic regulation on ion carrier interactions. Physiol Rev 86:155, 2006.

Drummond HA, Jernigan NL, Grifoni SC: Sensing tension: epithelial sodium channel/acid-sensing ion channel proteins in cardiovascular homeostasis. Hypertension 51:1265, 2008.

Eastwood AL, Goodman MB: Insight into DEG/ENaC channel gating from genetics and structure. Physiology (Bethesda) 27:282, 2012.

Fischbarg J: Fluid transport across leaky epithelia: central role of the tight junction and supporting role of aquaporins. Physiol Rev 90:1271, 2010.

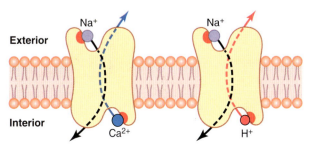

Figura 4.14 Contratransporte de sódio e de íons cálcio e hidrogênio.

Gadsby DC: Ion channels versus ion pumps: the principal difference, in principle. Nat Rev Mol Cell Biol 10:344, 2009.

Ghezzi C, Loo DDF, Wright EM. Physiology of renal glucose handling via SGLT1, SGLT2 and GLUT2. Diabetologia 61:2087-2097, 2018.

Hilge M: Ca^{2+} regulation of ion transport in the $Na+/Ca^{2+}$ exchanger. J Biol Chem 287:31641, 2012.

Jentsch TJ, Pusch M. CLC Chloride channels and transporters: structure, function, physiology, and disease. Physiol Rev 2018 98:1493-1590, 2018.

Kaksonen M, Roux A. Mechanisms of clathrin-mediated endocytosis. Nat Rev Mol Cell Biol 19:313-326, 2018.

Kandasamy P, Gyimesi G, Kanai Y, Hediger MA. Amino acid transporters revisited: new views in health and disease. Trends Biochem Sci 43:752-789, 2018.

Papadopoulos MC, Verkman AS: Aquaporin water channels in the nervous system. Nat Rev Neurosci 14:265, 2013.

Rieg T, Vallon V. Development of SGLT1 and SGLT2 inhibitors. Diabetologia 61:2079-2086, 2018.

Sachs F: Stretch-activated ion channels: what are they? Physiology 25:50, 2010.

Schwab A, Fabian A, Hanley PJ, Stock C: Role of ion channels and transporters in cell migration. Physiol Rev 92:1865, 2012.

Stransky L, Cotter K, Forgac M. The function of V-ATPases in cancer. Physiol Rev 96:1071-1091, 2016

Tian J, Xie ZJ: The Na-K-ATPase and calcium-signaling microdomains. Physiology (Bethesda) 23:205, 2008.

Verkman AS, Anderson MO, Papadopoulos MC. Aquaporins: important but elusive drug targets. Nat Rev Drug Discov 13:259-277, 2014.

Wright EM, Loo DD, Hirayama BA: Biology of human sodium glucose transporters. Physiol Rev 91:733, 2011.gut microbiome. Nat Rev Genet 20:185, 2019.

CAPÍTULO 5

Potencial de Membrana e Potencial de Ação

Os potenciais elétricos existem através das membranas de praticamente todas as células do corpo. Algumas células, como as células nervosas e musculares, geram impulsos eletroquímicos que mudam rapidamente em suas membranas, e esses impulsos são usados para transmitir sinais ao longo das membranas das células nervosas ou musculares. Em outros tipos de células, como células glandulares, macrófagos e células ciliadas, mudanças locais nos potenciais de membrana também ativam muitas das funções celulares. Este capítulo revisará os mecanismos básicos pelos quais os potenciais de membrana são gerados em repouso e durante a ação das células nervosas e musculares (ver Vídeo 5.1).

FÍSICA BÁSICA DOS POTENCIAIS DE MEMBRANA

Potenciais de membrana causados por diferenças de concentração de íons através de uma membrana seletivamente permeável

Na **Figura 5.1 A,** a concentração de potássio é grande *dentro* da membrana de uma fibra nervosa, mas muito baixa *fora* da membrana. Suponhamos que a membrana, neste caso, seja permeável aos íons potássio, mas não a quaisquer outros íons. Por causa do grande gradiente de concentração de potássio de dentro para fora, há uma forte tendência dos íons potássio de se difundirem para fora através da membrana. Ao fazer isso, eles carregam cargas elétricas positivas para o exterior, criando, assim, eletropositividade fora da membrana e eletronegatividade dentro da membrana por causa de ânions negativos que permanecem para trás e não se difundem para fora com o potássio. Em cerca de 1 milissegundo, a diferença de potencial entre o interior e o exterior, chamada de *potencial de difusão*, torna-se grande o suficiente para bloquear a difusão efetiva de potássio para o exterior, apesar do gradiente de alta concentração de íons potássio. Na fibra nervosa normal de mamíferos, *a diferença de potencial é de cerca de 94 milivolts, com negatividade dentro da membrana da fibra.*

A **Figura 5.1 B** mostra o mesmo fenômeno da **Figura 5.1 A**, mas dessa vez com alta concentração de íons sódio *fora* da membrana e baixa concentração de íons sódio *dentro* dela. Esses íons também são carregados positivamente. Dessa vez, a membrana é altamente permeável aos íons sódio, mas é impermeável a todos os outros íons. A difusão dos íons sódio carregados positivamente para o interior cria um potencial de membrana de polaridade oposta ao da **Figura 5.1 A**, com negatividade externa e positividade interna. Novamente, o potencial de membrana aumenta o suficiente em milissegundos para bloquear a difusão efetiva adicional de íons sódio para o interior; entretanto, dessa vez, na fibra nervosa de mamíferos, *o potencial é de cerca de 61 milivolts, positivo dentro da fibra.*

Assim, em ambas as partes da **Figura 5.1**, vemos que uma diferença de concentração de íons através de uma membrana seletivamente permeável pode, em condições apropriadas, criar um potencial de membrana. Mais adiante neste capítulo, mostraremos que muitas das mudanças rápidas nos potenciais de membrana observadas durante a transmissão do impulso nervoso e muscular resultam de tais mudanças rápidas dos potenciais de difusão.

A equação de Nernst descreve a relação do potencial de difusão com a diferença de concentração de íons através de uma membrana. O potencial de difusão através de uma membrana que se opõe exatamente à

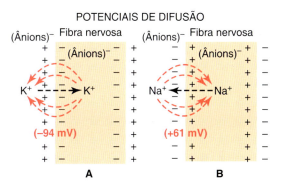

Figura 5.1 A. Estabelecimento de um potencial de difusão através de uma membrana de fibra nervosa, causado pela difusão de íons potássio de dentro da célula para fora da célula através de uma membrana que é seletivamente permeável apenas ao potássio. **B.** Estabelecimento de um potencial de difusão quando a membrana da fibra nervosa é permeável apenas aos íons sódio. Observe que o potencial da membrana interna é negativo quando os íons potássio se difundem e positivo quando os íons sódio se difundem, por causa dos gradientes de concentração opostos desses dois íons.

PARTE 2 Fisiologia da Membrana, do Nervo e do Músculo

difusão efetiva de um íon particular através da membrana é chamado de *potencial de Nernst* para aquele íon, um termo que foi introduzido no Capítulo 4. A magnitude do potencial de Nernst é determinada pela *razão* das concentrações desse íon específico nos dois lados da membrana. Quanto maior for essa razão, maior será a tendência do íon de se difundir em uma direção e, portanto, maior será o potencial de Nernst necessário para evitar a difusão efetiva adicional. A equação a seguir, chamada de *equação de Nernst*, pode ser usada para calcular o potencial de Nernst para qualquer íon univalente na temperatura corporal normal de 37°C:

$$\text{FEM (milivolts)} = \pm \frac{61}{z} \times \log \frac{\text{Concentração interna}}{\text{Concentração externa}}$$

em que FEM é a força eletromotriz e z é a carga elétrica do íon (p. ex., +1 para K^+).

Ao usar esta fórmula, geralmente se assume que o potencial no líquido extracelular fora da membrana permanece em potencial zero, e o potencial de Nernst é o potencial dentro da membrana. Além disso, o sinal do potencial será positivo (+) se o íon que está se difundindo de dentro para fora for um íon negativo, e será negativo (−) se o íon for positivo. Assim, quando a concentração de íons potássio positivos no interior for 10 vezes maior do que no exterior, o log de 10 será 1, então o potencial de Nernst será calculado em −61 milivolts dentro da membrana.

A equação de Goldman é usada para calcular o potencial de difusão quando a membrana é permeável a vários íons diferentes. Quando uma membrana é permeável a vários íons diferentes, o potencial de difusão que se desenvolve depende de três fatores: (1) da polaridade da carga elétrica de cada íon; (2) da permeabilidade da membrana (P) a cada íon; e (3) da concentração (C) dos respectivos íons no interior (i) e no exterior (e) da membrana. Assim, a fórmula a seguir, chamada de *equação de Goldman* ou *equação de Goldman-Hodgkin-Katz*, fornece o potencial de membrana calculado no *interior* da membrana quando dois íons positivos univalentes, sódio (Na^+) e potássio (K^+), e um íon negativo univalente, cloreto (Cl^-), estão envolvidos:

$$\text{FEM (milivolts)} = -61 \times \log \frac{C_{Na_i^+}P_{Na^+} + C_{K_i^+}P_{K^+} + C_{Cl_o^-}P_{Cl^-}}{C_{Na_o^+}P_{Na^+} + C_{K_o^+}P_{K^+} + C_{Cl_i^-}P_{Cl^-}}$$

Vários pontos-chave tornam-se evidentes a partir da equação de Goldman. Em primeiro lugar, os íons sódio, potássio e cloreto são os íons mais importantes envolvidos no desenvolvimento dos potenciais de membrana nas fibras nervosas e musculares, bem como nas células neuronais. O gradiente de concentração de cada um desses íons através da membrana ajuda a determinar a tensão do potencial de membrana.

Em segundo lugar, a importância quantitativa de cada um dos íons na determinação da tensão é proporcional à permeabilidade da membrana para aquele íon particular. Se a membrana tem permeabilidade zero para os íons

sódio e cloreto, o potencial de membrana torna-se inteiramente dominado pelo gradiente de concentração de íons potássio isoladamente, e o potencial resultante será igual ao potencial de Nernst para o potássio. O mesmo vale para cada um dos outros dois íons se a membrana se tornar seletivamente permeável para qualquer um deles isoladamente.

Em terceiro lugar, um gradiente de concentração de íon positivo de *dentro* para *fora* da membrana causa eletronegatividade dentro da membrana. O motivo para esse fenômeno é que o excesso de íons positivos se difunde para fora quando sua concentração é maior dentro do que fora da membrana. Essa difusão carrega cargas positivas para o exterior, mas deixa os ânions negativos não difusíveis no interior, criando, assim, eletronegatividade no interior. O efeito oposto ocorre quando há um gradiente para um íon negativo. Ou seja, um gradiente de íon cloreto de fora para dentro causa negatividade dentro da célula porque o excesso de íons cloreto carregados negativamente se difunde para dentro, deixando os íons positivos não difusíveis do lado de fora.

Em quarto lugar, como será explicado posteriormente, a permeabilidade dos canais de sódio e potássio sofre mudanças rápidas durante a transmissão de um impulso nervoso, enquanto a permeabilidade dos canais de cloreto não muda muito durante esse processo. Portanto, mudanças rápidas na permeabilidade de sódio e potássio são principalmente responsáveis pela transmissão de sinais nos neurônios, que é o assunto da maior parte do restante deste capítulo.

Potencial de repouso na membrana em diferentes tipos de células. Em algumas células, como as células do marca-passo cardíaco discutidas no Capítulo 10, o potencial de membrana muda continuamente e as células nunca ficam "em repouso". Em muitas outras células, mesmo nas células excitáveis, há um período quiescente no qual um potencial de membrana em repouso pode ser medido. A **Tabela 5.1** mostra os potenciais de membrana em repouso aproximados de alguns tipos diferentes de células. O potencial de membrana é obviamente muito dinâmico em células excitáveis, como os neurônios, nas quais ocorrem potenciais de ação. No entanto, mesmo em células não excitáveis, o potencial de membrana (tensão) também muda em resposta a vários estímulos, que alteram as atividades dos vários transportadores de íons, canais de íons e permeabilidade de membrana para íons sódio, potássio, cálcio e cloreto. O potencial de membrana em repouso é, portanto, apenas um breve estado transitório para muitas células.

Força eletroquímica resultante. Quando vários íons contribuem para o potencial de membrana, o potencial de equilíbrio para qualquer um dos íons contribuintes é diferente do potencial de membrana, e há uma *força eletroquímica resultante* (V_{res}) para cada íon que tende a causar movimento efetivo do íon através da membrana. Essa força resultante é igual à diferença entre o potencial de membrana (V_m) e o potencial de equilíbrio do íon (V_{eq}). Assim, $V_{res} = V_m − V_{eq}$.

Tabela 5.1 Potencial de membrana em repouso em diferentes tipos de células.

Tipo de célula	Potencial de repouso (mV)
Neurônios	−60 a −70
Musculares esqueléticas	−85 a −95
Musculares lisas	−50 a −60
Musculares cardíacas	−80 a −90
Ciliadas (cóclea)	−15 a −40
Astrócitos	−80 a −90
Hemácias	−8 a −12
Fotorreceptoras	−40 (escuro) a −70 (claro)

O sinal aritmético de V_{res} (positivo ou negativo) e a valência do íon (cátion ou ânion) podem ser usados para prever a direção do fluxo de íons através da membrana, para dentro ou para fora da célula. Para cátions como Na^+ e K^+, um V_{res} positivo prevê o movimento do íon para fora da célula descendo seu gradiente eletroquímico e um V_{res} negativo prevê o movimento do íon para dentro da célula. Para ânions, como o Cl^-, um V_{res} positivo prevê o movimento de íons para dentro da célula e um V_{res} negativo prevê o movimento de íons para fora da célula. Quando $V_m = V_{eq}$, não há movimento efetivo do íon para dentro ou para fora da célula. Além disso, a direção do fluxo de íons através da membrana se inverte quando V_m se torna maior ou menor que V_{eq}; portanto, o potencial de equilíbrio (V_{eq}) também é chamado de *potencial de reversão*.

Mensuração do potencial de membrana

O método para medir o potencial de membrana é simples em teoria, mas frequentemente difícil na prática devido ao pequeno tamanho da maioria das células e fibras. A **Figura 5.2** mostra uma micropipeta preenchida com uma solução eletrolítica. A micropipeta é introduzida através da membrana celular para o interior da fibra. Outro eletrodo, chamado *eletrodo indiferente*, é então colocado no líquido extracelular, e a diferença de potencial entre o interior e o exterior da fibra é medida por meio de um voltímetro apropriado. Esse voltímetro é um aparelho eletrônico altamente sofisticado que é capaz de medir pequenas tensões, apesar da resistência extremamente alta ao fluxo elétrico através da ponta da micropipeta,

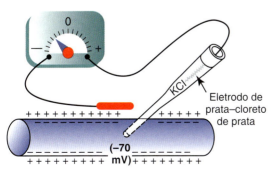

Figura 5.2 Medição do potencial de membrana da fibra nervosa usando um microeletrodo.

que tem um diâmetro de lúmen geralmente menor que 1 micrômetro e uma resistência de mais de 1 milhão de ohms. Para registrar *oscilações* rápidas no potencial de membrana durante a transmissão de impulsos nervosos, o microeletrodo é conectado a um osciloscópio, conforme explicado posteriormente neste capítulo.

A parte inferior da **Figura 5.3** mostra o potencial elétrico que é medido em cada ponto da membrana da fibra nervosa ou próximo a ela, começando do lado esquerdo da figura e passando para o lado direito. Enquanto o eletrodo estiver fora da membrana neuronal, o potencial registrado é zero, o potencial do líquido extracelular. Então, quando o eletrodo de registro passa pela área de mudança de tensão na membrana celular (chamada de *camada dipolo elétrico*), o potencial diminui abruptamente para −70 milivolts. Movendo-se pelo centro da fibra, o potencial permanece em um nível constante de −70 milivolts, mas reverte para zero no instante em que passa através da membrana no lado oposto da fibra.

Para criar um potencial negativo dentro da membrana, apenas íons positivos suficientes para desenvolver a camada de dipolo elétrico na própria membrana devem ser transportados para fora. Os íons restantes dentro da fibra nervosa podem ser positivos e negativos, conforme mostrado no painel superior da **Figura 5.3**. Portanto, a transferência de um número incrivelmente pequeno de íons através da membrana pode estabelecer o potencial normal de repouso de −70 milivolts dentro da fibra nervosa, o que significa que apenas cerca de 1/3.000.000 a 1/100.000.000 do total de cargas positivas dentro da fibra deve ser transferido. Além disso, um número igualmente pequeno de íons positivos se movendo de fora para dentro da fibra pode reverter o potencial de −70 milivolts para até +35 milivolts em apenas 1/10.000 de segundo. O deslocamento rápido de íons, dessa maneira, causa os sinais nervosos discutidos nas seções subsequentes deste capítulo.

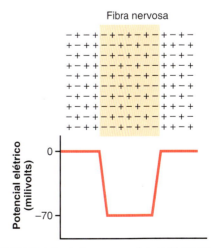

Figura 5.3 Distribuição de íons carregados positivamente e negativamente no líquido extracelular que envolve uma fibra nervosa e no líquido dentro da fibra. Observe o alinhamento de cargas negativas ao longo da superfície interna da membrana e cargas positivas ao longo da superfície externa. O *painel inferior* exibe as mudanças abruptas no potencial de membrana que ocorrem nas membranas nos dois lados da fibra.

POTENCIAL DE REPOUSO NA MEMBRANA DOS NEURÔNIOS

O potencial de repouso na membrana de fibras nervosas grandes, quando não estão transmitindo sinais nervosos, é de cerca de −70 milivolts. Ou seja, o potencial *dentro da fibra* é 70 milivolts mais negativo do que o potencial no líquido extracelular do lado externo da fibra. Nos próximos parágrafos, as propriedades de transporte da membrana nervosa em repouso para sódio e potássio e os fatores que determinam o nível desse potencial de repouso serão explicados.

Transporte ativo de íons sódio e potássio através da membrana: a bomba de sódio-potássio (Na$^+$/K$^+$). Lembre-se do Capítulo 4, que todas as membranas celulares do corpo têm uma poderosa bomba de Na$^+$/K$^+$ que transporta continuamente íons sódio para o exterior da célula e íons potássio para dentro, conforme ilustrado no lado esquerdo na **Figura 5.4**. Observe que esta é uma *bomba eletrogênica* porque três íons Na$^+$ são bombeados para fora para cada dois íons K$^+$ para dentro, deixando um déficit efetivo de íons positivos no interior e causando um potencial negativo dentro da membrana celular.

A bomba de Na$^+$/K$^+$ também causa grandes gradientes de concentração de sódio e potássio através da membrana nervosa em repouso. Esses gradientes são os seguintes:

Na$^+$ (exterior): 142 mEq/ℓ

Na$^+$ (interior): 14 mEq/ℓ

K$^+$ (exterior): 4 mEq/ℓ

K$^+$ (interior): 140 mEq/ℓ

As razões desses dois íons respectivos de dentro para fora são as seguintes:

$$Na^+_{interior}/Na^+_{exterior} = 0,1$$

$$K^+_{interior}/K^+_{exterior} = 35,0$$

Vazamento de potássio pela membrana da célula nervosa. O lado direito da **Figura 5.4** mostra um canal proteico (às vezes chamado de *domínio de poro em tandem*, *canal de potássio* ou *canal de "vazamento" de potássio* [K$^+$]) na membrana nervosa através do qual os íons potássio podem vazar, mesmo em uma célula em repouso. A estrutura básica dos canais de potássio foi descrita no Capítulo 4 (ver **Figura 4.4**). Esses canais de vazamento de K$^+$ também podem vazar ligeiramente íons sódio, mas são muito mais permeáveis ao potássio do que ao sódio, normalmente cerca de 100 vezes mais permeáveis. Conforme discutido adiante, esse diferencial na permeabilidade é um fator-chave na determinação do nível do potencial normal de repouso da membrana.

Origem do potencial de repouso normal da membrana

A **Figura 5.5** mostra os fatores importantes no estabelecimento do potencial de repouso normal da membrana. Eles são descritos a seguir.

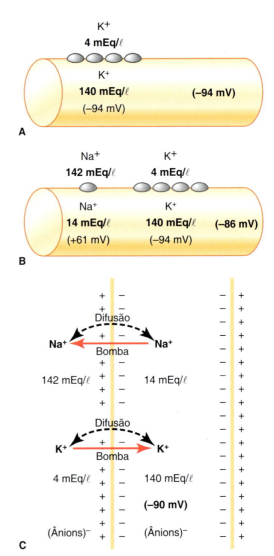

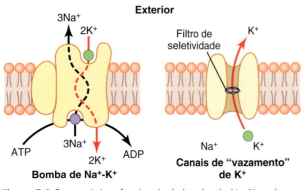

Figura 5.4 Características funcionais da bomba de Na$^+$/K$^+$ e dos canais de "vazamento" de K$^+$. Os canais de vazamento de K$^+$ também vazam levemente íons Na$^+$ para a célula, mas são muito mais permeáveis ao K$^+$. ADP: difosfato de adenosina; ATP: trifosfato de adenosina.

Figura 5.5 Estabelecimento de potenciais de membrana em repouso em três condições. **A.** Quando o potencial de membrana é causado inteiramente pela difusão apenas de potássio. **B.** Quando o potencial de membrana é causado pela difusão de íons sódio e potássio. **C.** Quando o potencial de membrana é causado pela difusão de íons sódio e potássio, além do bombeamento de ambos pela bomba de Na$^+$/K$^+$.

Contribuição do potencial de difusão do potássio.
Na **Figura 5.5 A**, assumimos que o único movimento de íons através da membrana é a difusão de íons potássio, conforme demonstrado pelos canais abertos entre o símbolo do potássio (K⁺) dentro e fora da membrana. Por causa da razão alta de íons potássio de dentro para fora, 35:1, o potencial de Nernst correspondente a essa razão é −94 milivolts porque o logaritmo de 35 é 1,54, e este, multiplicado por −61 milivolts, é −94 milivolts. Portanto, se os íons potássio fossem o único fator causador do potencial de repouso, o potencial de repouso *dentro da fibra* seria igual a −94 milivolts, conforme mostrado na figura.

Contribuição da difusão de sódio através da membrana nervosa. A **Figura 5.5 B** mostra a adição de uma leve permeabilidade da membrana nervosa aos íons sódio, causada pela difusão minúscula dos íons sódio através dos canais de vazamento de K⁺/Na⁺. A razão de íons sódio de dentro para fora da membrana é de 0,1, o que resulta em um potencial de Nernst calculado para o interior da membrana de +61 milivolts. Também mostrado na **Figura 5.5 B** está o potencial de Nernst para difusão de potássio de −94 milivolts. Como eles interagem entre si, qual será o potencial somado? Essa pergunta pode ser respondida usando a equação de Goldman descrita anteriormente. Intuitivamente, pode-se ver que, se a membrana é altamente permeável ao potássio, mas apenas ligeiramente permeável ao sódio, a difusão do potássio contribui muito mais para o potencial de membrana do que a difusão do sódio. Na fibra nervosa normal, a permeabilidade da membrana ao potássio é cerca de 100 vezes maior do que sua permeabilidade ao sódio. Usando esse valor na equação de Goldman, e considerando apenas sódio e potássio, há um potencial dentro da membrana de −86 milivolts, que está próximo do potencial de potássio mostrado na figura.

Contribuição da bomba de Na⁺/K⁺. Na **Figura 5.5 C**, a bomba de Na⁺/K⁺ é mostrada para fornecer uma contribuição adicional para o potencial de repouso. Esta figura mostra que o bombeamento contínuo de três íons sódio para o exterior ocorre para cada dois íons potássio bombeados para o interior da membrana. O bombeamento de mais íons sódio para fora do que íons potássio sendo bombeados para dentro causa uma perda contínua de cargas positivas de dentro da membrana, criando um grau adicional de negatividade (cerca de −4 milivolts adicionais) no interior, além daquele que pode ser explicado apenas pela difusão.

Portanto, conforme mostrado na **Figura 5.5 C**, o potencial efetivo de membrana quando todos esses fatores estão operando ao mesmo tempo é de cerca de −90 milivolts. No entanto, íons adicionais, como o cloreto, também devem ser considerados no cálculo do potencial de membrana.

Em resumo, os potenciais de difusão isolados causados pela difusão de potássio e sódio dariam um potencial de membrana de cerca de −86 milivolts, com quase tudo sendo determinado pela difusão de potássio. Um adicional de −4 milivolts é, então, contribuído para o potencial de membrana pela bomba eletrogênica de Na⁺–K⁺ de ação contínua, e há uma contribuição de íons cloreto. Como mencionado anteriormente, o potencial de membrana em repouso varia em diferentes células, desde tão baixo quanto cerca de −10 milivolts nas hemácias até tão alto quanto −90 milivolts nas células do músculo esquelético.

POTENCIAL DE AÇÃO NO NEURÔNIO

Os sinais nervosos são transmitidos por *potenciais de ação*, que são mudanças rápidas no potencial de membrana que se espalham rapidamente ao longo da membrana da fibra nervosa. Cada potencial de ação começa com uma mudança repentina do potencial normal de repouso da membrana negativo para um potencial positivo e termina com uma mudança quase igualmente rápida de volta ao potencial negativo. Para conduzir um sinal nervoso, o potencial de ação se move ao longo da fibra nervosa até chegar ao final da fibra.

O painel superior da **Figura 5.6** mostra as mudanças que ocorrem na membrana durante o potencial de ação, com a transferência de cargas positivas para o interior da fibra, no seu início, e o retorno das cargas positivas para o exterior, no seu término. O painel inferior mostra graficamente as mudanças sucessivas no potencial de membrana ao longo de alguns décimos de milésimos de segundo, ilustrando o início explosivo do potencial de ação e a recuperação quase igualmente rápida.

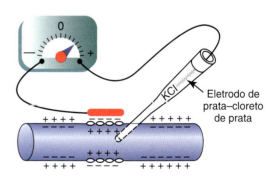

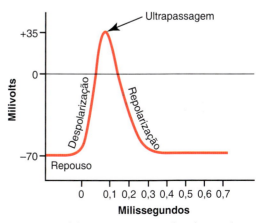

Figura 5.6 Potencial de ação típico registrado pelo método mostrado no *painel superior*.

Os estágios sucessivos do potencial de ação são descritos a seguir.

Fase de repouso. O estágio de repouso é o potencial de membrana em repouso antes do início do potencial de ação. A membrana é considerada "polarizada" durante esse estágio por causa do seu potencial de membrana negativo de –70 milivolts.

Fase de despolarização. Nesse momento, a membrana torna-se repentinamente permeável aos íons sódio, permitindo a difusão rápida de íons sódio carregados positivamente para o interior do axônio. O estado polarizado normal de –70 milivolts é imediatamente neutralizado pelo influxo de íons sódio carregados positivamente, com o potencial aumentando rapidamente na direção positiva – um processo chamado *despolarização*. Em fibras nervosas de maior calibre, o grande excesso de íons sódio positivos movendo-se para o interior faz com que o potencial de membrana ultrapasse o nível zero e se torne positivo. Em algumas fibras delgadas, bem como em muitos neurônios do sistema nervoso central, o potencial apenas se aproxima do nível zero e não ultrapassa para o estado positivo.

Fase de repolarização. Em alguns décimos de milésimos de segundo após a membrana se tornar altamente permeável aos íons sódio, os canais de sódio começam a se fechar e os canais de potássio se abrem em um grau maior do que o normal. Em seguida, a difusão rápida de íons potássio para o exterior restabelece o potencial de membrana em repouso negativo normal, o que é chamado de *repolarização* da membrana.

Para explicar mais detalhadamente os fatores que causam tanto a despolarização quanto a repolarização, descreveremos as características especiais de dois outros tipos de canais de transporte através da membrana nervosa, os canais de sódio e de potássio dependentes de voltagem.

CANAIS DE SÓDIO E DE POTÁSSIO DEPENDENTES DE VOLTAGEM

O fator necessário para causar despolarização e repolarização da membrana nervosa durante o potencial de ação é o *canal de sódio dependente de voltagem*. Um *canal de potássio dependente de voltagem* também desempenha um papel importante no aumento da rapidez da repolarização da membrana. *Esses dois canais dependentes de voltagem são adicionais à bomba de Na^+/K^+ e aos canais de vazamento de K^+.*

Ativação e inativação do canal de sódio dependente de voltagem

O painel superior da **Figura 5.7** mostra o canal de sódio dependente de voltagem em três estados separados. Esse canal tem duas *comportas* – uma próxima ao lado externo do canal, chamada de *comporta de ativação*, e outra próxima ao interior, chamada de *comporta de inativação*. O canto superior esquerdo da figura mostra o estado dessas duas comportas na membrana normal em repouso

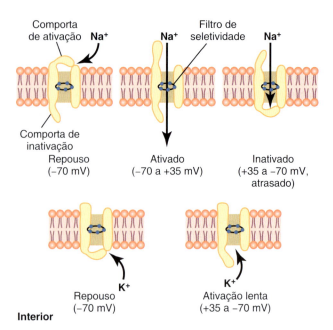

Figura 5.7 Características dos canais de sódio (*superior*) e potássio (*inferior*) dependentes de voltagem, mostrando a ativação e a inativação sucessivas dos canais de sódio e a ativação retardada dos canais de potássio quando o potencial de membrana é alterado do valor negativo normal de repouso para um valor positivo.

quando o potencial de membrana é –70 milivolts. Nesse estado, a comporta de ativação está fechada, o que impede qualquer entrada de íons sódio para o interior da fibra por meio desses canais de sódio.

Ativação do canal de sódio. Quando o potencial de membrana se torna menos negativo do que durante o estado de repouso, subindo de –70 milivolts em direção a zero, ele finalmente atinge uma tensão, geralmente em torno de –55 milivolts, que causa uma mudança conformacional repentina na comporta de ativação, virando-a completamente para a posição aberta. Durante esse *estado ativado*, os íons sódio podem vazar para dentro através do canal, aumentando a permeabilidade da membrana ao sódio em até 500 a 5.000 vezes.

Inativação do canal de sódio. O painel superior direito da **Figura 5.7** mostra um terceiro estado do canal de sódio. O mesmo aumento na tensão que abre a comporta de ativação também fecha a comporta de inativação. A comporta de inativação, entretanto, fecha alguns décimos de milésimos de segundo após a abertura da comporta de ativação. Ou seja, a mudança conformacional que vira a comporta de inativação para o estado fechado é um processo mais lento do que a mudança conformacional que abre a comporta de ativação. Portanto, após o canal de sódio ter permanecido aberto por alguns décimos de milésimos de segundo, a comporta de inativação se fecha e os íons sódio não podem mais vazar para o interior da membrana. Nesse ponto, o potencial de membrana começa a retornar ao estado de repouso da membrana, que é o processo de repolarização.

Outra característica importante do processo de inativação do canal de sódio é que a comporta de inativação não reabrirá até que o potencial de membrana retorne ou se aproxime do nível de potencial de membrana em repouso original. Portanto, geralmente não é possível que os canais de sódio se abram novamente sem primeiro repolarizar a fibra nervosa.

Canal de potássio dependente de voltagem e sua ativação

O painel inferior da **Figura 5.7** mostra o canal de potássio dependente de voltagem em dois estados – durante o estado de repouso (à esquerda) e próximo ao final do potencial de ação (à direita). Durante o estado de repouso, a comporta do canal de potássio está fechada e os íons potássio são impedidos de passar por esse canal para o exterior. Quando o potencial da membrana sobe de −70 milivolts para zero, essa mudança de tensão causa uma abertura conformacional da comporta e permite maior difusão de potássio para fora através do canal. No entanto, devido ao ligeiro atraso na abertura dos canais de potássio, eles se abrem, em sua maior parte, mais ou menos ao mesmo tempo que os canais de sódio começam a se fechar em razão da inativação. Assim, a diminuição da entrada de sódio na célula e o aumento simultâneo na saída de potássio da célula se combinam para acelerar o processo de repolarização, levando à recuperação total do potencial de membrana em repouso em mais alguns décimos de milésimos de segundo.

Método de fixação de voltagem (*voltage clamp*) para a medição do efeito da tensão elétrica na abertura e no fechamento de canais dependentes de voltagem.
A pesquisa original que levou à compreensão quantitativa dos canais de sódio e potássio foi tão engenhosa que levou o Prêmio Nobel para os cientistas responsáveis, Hodgkin e Huxley, em 1963. A essência desses estudos é mostrada na **Figura 5.8** e na **Figura 5.9**.

A **Figura 5.8** mostra o *método de fixação de voltagem* (*voltage clamp*), que é usado para medir o fluxo de íons através dos diferentes canais. Ao usar esse dispositivo, dois eletrodos são inseridos na fibra nervosa. Um desses eletrodos é usado para medir a tensão do potencial de membrana e o outro é usado para conduzir corrente elétrica para dentro ou para fora da fibra nervosa.

Esse dispositivo é usado da seguinte maneira: o investigador decide qual tensão estabelecer dentro da fibra nervosa. A parte eletrônica do dispositivo é então ajustada para a tensão desejada, injetando automaticamente eletricidade positiva ou negativa através do eletrodo de corrente em qualquer taxa necessária para manter a tensão, como medida pelo eletrodo de tensão, no nível definido pelo operador. Quando o potencial da membrana é subitamente aumentado por esse clampeamento de voltagem de −70 milivolts para zero, os canais de sódio e potássio dependentes de voltagem se abrem e os íons sódio e potássio começam a fluir através dos canais. Para contrabalançar o efeito desses movimentos de íons na configuração desejada da tensão

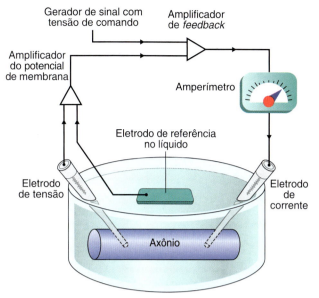

Figura 5.8 Método experimental de fixação de voltagem (*voltage clamp*) para o estudo do fluxo de íons através de canais específicos.

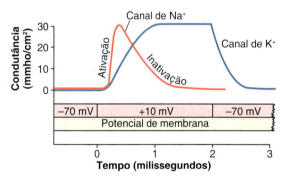

Figura 5.9 Mudanças típicas na condutância dos canais de íons sódio e potássio quando o potencial de membrana é subitamente aumentado do valor normal de repouso de −70 milivolts para um valor positivo de +10 milivolts por 2 milissegundos. Esta figura mostra que os canais de sódio abrem (ativam) e depois fecham (inativam) antes do final dos 2 milissegundos, enquanto os canais de potássio apenas abrem (ativam), e a taxa de abertura é muito mais lenta do que a dos canais de sódio.

intracelular, a corrente elétrica é injetada automaticamente através do eletrodo de corrente da fixação de voltagem para manter a tensão intracelular constante no nível zero que é exigido. Para atingir esse nível, a corrente injetada deve ser igual, mas de polaridade oposta ao fluxo de corrente efetiva através dos canais de membrana. Para medir quanto fluxo de corrente está ocorrendo a cada instante, o eletrodo de corrente é conectado a um amperímetro que registra o fluxo de corrente, conforme demonstrado na **Figura 5.8**.

Finalmente, o investigador ajusta as concentrações dos íons para níveis diferentes do normal, tanto dentro como fora da fibra nervosa, e repete o estudo. Esse experimento pode ser facilmente realizado ao usar fibras nervosas calibrosas removidas de alguns invertebrados, especialmente o axônio de lula gigante, que em alguns casos tem até 1 milímetro de diâmetro. Quando o sódio é o único íon permeante nas soluções dentro e fora do axônio da lula, a fixação de voltagem mede o fluxo de corrente apenas através dos canais de sódio. Quando o potássio é o único íon permeante, o fluxo de corrente apenas através dos canais de potássio é medido.

Outro meio de estudar o fluxo de íons através de um tipo individual de canal é bloquear um tipo de canal por vez. Por exemplo, os canais de sódio podem ser bloqueados por uma toxina chamada tetrodotoxina quando aplicada na parte externa da membrana celular, onde estão localizadas as comportas de ativação do sódio. Por outro lado, o íon tetraetilamônio bloqueia os canais de potássio quando é aplicado no interior da fibra nervosa.

A **Figura 5.9** mostra as mudanças típicas na condutância dos canais de sódio e potássio dependentes de voltagem quando o potencial de membrana é repentinamente alterado mediante o uso de fixação de voltagem, de −70 milivolts para +10 milivolts e, 2 milissegundos depois, de volta para −70 milivolts. Observe a abertura repentina dos canais de sódio (o estágio de ativação), dentro de uma pequena fração de milissegundo, após o potencial de membrana ser aumentado para o valor positivo. No entanto, durante o próximo milissegundo ou mais, os canais de sódio fecham automaticamente (o estágio de inativação).

Observe a abertura (ativação) dos canais de potássio, que se abrem menos rapidamente e alcançam o seu estado totalmente aberto somente depois que os canais de sódio se fecham quase completamente. Além disso, uma vez que os canais de potássio se abrem, eles permanecem abertos por toda a duração do potencial de membrana positivo e não se fecham novamente até que o potencial de membrana seja reduzido de volta a um valor negativo.

RESUMO DOS EVENTOS QUE CAUSAM O POTENCIAL DE AÇÃO

A **Figura 5.10** resume os eventos sequenciais que ocorrem durante e logo após o potencial de ação. A parte inferior da figura mostra as mudanças na condutância da membrana para os íons sódio e potássio. Durante o estado de repouso, antes do início do potencial de ação, a condutância para os íons potássio é 50 a 100 vezes maior que a condutância para os íons sódio. Essa disparidade é causada por um vazamento muito maior de íons potássio do que de íons sódio pelos canais de vazamento. No entanto, no início do potencial de ação, os canais de sódio tornam-se quase que instantaneamente ativados e permitem um aumento de até 5.000 vezes na condutância do sódio. O processo de inativação, então, fecha os canais de sódio em outra fração de milissegundo. O início do potencial de ação também inicia o disparo de tensão dos canais de potássio, fazendo com que comecem a se abrir mais lentamente, uma fração de milissegundo após a abertura dos canais de sódio. No final do potencial de ação, o retorno do potencial de membrana ao estado negativo faz com que os canais de potássio fechem e voltem ao seu estado original, mas, novamente, somente após um milissegundo adicional ou mais de retardo.

A parte intermediária da **Figura 5.10** mostra a razão entre a condutância do sódio e do potássio em cada instante durante o potencial de ação e, acima dessa

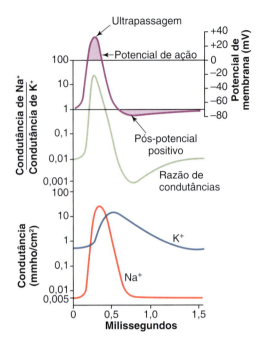

Figura 5.10 Alterações na condutância de sódio e potássio durante o curso do potencial de ação. A condutância do sódio aumenta alguns milhares de vezes durante os estágios iniciais do potencial de ação, enquanto a condutância do potássio aumenta apenas cerca de 30 vezes durante os últimos estágios do potencial de ação e por um curto período depois disso. (Essas curvas foram construídas a partir da teoria apresentada em artigos de Hodgkin & Huxley, mas transpostas de um axônio de lula para serem aplicadas aos potenciais de membrana de fibras nervosas calibrosas de mamíferos.)

representação, está o próprio potencial de ação. Durante a parte inicial do potencial de ação, a razão de condutância entre o sódio e o potássio aumenta mais de 1.000 vezes. Portanto, muito mais íons sódio fluem para o interior da fibra do que íons potássio para o exterior. Isso é o que faz com que o potencial de membrana se torne positivo no início do potencial de ação. Então, os canais de sódio começam a se fechar e os canais de potássio começam a se abrir; assim, a razão de condutância muda muito a favor da alta condutância de potássio, mas da baixa condutância de sódio. Essa mudança permite uma perda muito rápida de íons potássio para o exterior, mas praticamente nenhum fluxo de íons sódio para o interior. Consequentemente, o potencial de ação retorna rapidamente ao seu nível basal.

Papéis de outros íons durante o potencial de ação

Até agora, consideramos apenas os papéis dos íons sódio e potássio na geração do potencial de ação. Devem ser considerados, pelo menos, dois outros tipos de íons, ânions negativos e íons cálcio.

Íons impermeantes com carga negativa (ânions) dentro do axônio do nervo.
Dentro do axônio há muitos íons carregados negativamente que não podem passar pelos canais da membrana. Eles incluem os ânions de moléculas proteicas e de muitos compostos orgânicos de fos-

CAPÍTULO 5 Potencial de Membrana e Potencial de Ação

fato e compostos de sulfato, entre outros. Como esses íons não podem deixar o interior do axônio, qualquer déficit de íons positivos dentro da membrana deixa um excesso desses ânions negativos impermeantes. Portanto, esses íons negativos impermeantes são responsáveis pela carga negativa dentro da fibra quando há um déficit efetivo de íons potássio carregados positivamente e outros íons positivos.

Íons cálcio. As membranas de quase todas as células do corpo têm uma bomba de cálcio semelhante à bomba de sódio, e o cálcio atua junto com (ou no lugar do) sódio em algumas células para causar a maior parte do potencial de ação. Como a bomba de sódio, a bomba de cálcio transporta os íons cálcio do interior para o exterior da membrana celular (ou para o retículo endoplasmático da célula), criando um gradiente de íons cálcio de cerca de 10.000 vezes. Esse processo deixa uma concentração celular interna de íons cálcio de cerca de 10^{-7} molar, em contraste com uma concentração externa de cerca de 10^{-3} molar.

Além disso, existem *canais de cálcio dependentes de voltagem*. Como a concentração de íons cálcio é mais de 10.000 vezes maior no líquido extracelular do que no líquido intracelular, existe um enorme gradiente de difusão e de força eletroquímica resultante para o influxo passivo de íons cálcio para as células. Esses canais são ligeiramente permeáveis aos íons sódio e cálcio, mas a sua permeabilidade ao cálcio é cerca de 1.000 vezes maior do que ao sódio, em condições fisiológicas normais. Quando os canais se abrem em resposta a um estímulo que despolariza a membrana celular, os íons cálcio fluem para o interior da célula.

Uma das principais funções dos canais de íons cálcio dependentes de voltagem é contribuir para a fase de despolarização do potencial de ação em algumas células. A comporta dos canais de cálcio, entretanto, é relativamente lenta, exigindo de 10 a 20 vezes mais tempo para ativação do que os canais de sódio. Por esse motivo, eles são frequentemente chamados de *canais lentos*, em contraste com os canais de sódio, que são chamados de *canais rápidos*. Portanto, a abertura dos canais de cálcio proporciona uma despolarização mais sustentada, enquanto os canais de sódio desempenham um papel fundamental no início dos potenciais de ação.

Os canais de cálcio são numerosos no músculo cardíaco e no músculo liso. Na verdade, em alguns tipos de músculo liso, os canais rápidos de sódio quase não estão presentes; portanto, os potenciais de ação são causados quase inteiramente pela ativação dos canais lentos de cálcio.

Permeabilidade aumentada dos canais de sódio quando há déficit de íons cálcio. A concentração de íons cálcio no líquido extracelular também tem um efeito profundo no nível de tensão no qual os canais de sódio são ativados. Quando há um déficit de íons cálcio, os canais de sódio são ativados (abertos) por um pequeno aumento do potencial de membrana de seu nível normal, nível ainda muito negativo. Portanto, a fibra nervosa torna-se altamente excitável, às vezes descarregando repetidamente sem estímulo, em vez de permanecer no estado de repouso. Na verdade, a concentração de íons cálcio precisa cair apenas 50% abaixo do normal antes que a descarga espontânea ocorra em alguns nervos periféricos, muitas vezes causando *"tetania" muscular*. A tetania muscular às vezes é letal em virtude da contração tetânica dos músculos respiratórios.

A maneira provável pela qual os íons cálcio afetam os canais de sódio é a seguinte: esses íons parecem se ligar às superfícies externas da proteína do canal de sódio. As cargas positivas desses íons cálcio, por sua vez, alteram o estado elétrico da proteína do canal de sódio, alterando, assim, o nível de tensão necessário para abrir a comporta de sódio.

INÍCIO DO POTENCIAL DE AÇÃO

Até agora, explicamos a alteração da permeabilidade da membrana ao sódio e ao potássio, bem como o desenvolvimento do potencial de ação, mas não explicamos o que inicia o potencial de ação.

O ciclo de *feedback* positivo abre os canais de sódio.

Enquanto a membrana da fibra nervosa permanecer intacta, nenhum potencial de ação ocorrerá no nervo normal. No entanto, se qualquer evento causar aumento inicial suficiente no potencial de membrana de −70 milivolts em direção ao nível zero, a tensão crescente fará com que muitos canais de sódio dependentes de voltagem comecem a abrir. Essa ocorrência permite o influxo rápido de íons sódio, o que causa um aumento adicional no potencial de membrana, abrindo ainda mais canais de sódio dependentes de voltagem e permitindo mais fluxo de íons sódio para o interior da fibra. Esse processo é um ciclo de *feedback* positivo que, sendo forte o suficiente, continua até que todos os canais de sódio dependentes de voltagem sejam ativados (abertos). Então, dentro de outra fração de milissegundo, o potencial de membrana crescente causa o fechamento dos canais de sódio e a abertura dos canais de potássio, e o potencial de ação logo termina.

O início do potencial de ação ocorre somente depois que o potencial limiar é alcançado.

Um potencial de ação não ocorrerá até que o aumento inicial no potencial de membrana seja grande o suficiente para criar o *feedback* positivo descrito no parágrafo anterior. Isso ocorre quando o número de íons sódio que entra na fibra é maior do que o número de íons potássio que sai da fibra. Geralmente, é necessário um aumento repentino no potencial de membrana de 15 a 30 milivolts. Portanto, um aumento repentino no potencial de membrana em uma fibra nervosa calibrosa, de −70 milivolts até cerca de −55 milivolts, geralmente causa o desenvolvimento explosivo de um potencial de ação. Esse nível de −55 milivolts é considerado o *limiar* para a estimulação.

PROPAGAÇÃO DO POTENCIAL DE AÇÃO

Nos parágrafos anteriores, discutimos o potencial de ação como se ele ocorresse em um ponto da membrana. No entanto, um potencial de ação provocado em qualquer ponto de uma membrana excitável geralmente excita porções adjacentes da membrana, resultando na propagação do potencial de ação ao longo da membrana. Esse mecanismo é demonstrado na **Figura 5.11**.

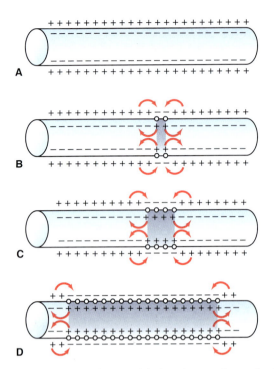

Figura 5.11 Propagação de potenciais de ação em ambas as direções ao longo de uma fibra condutora.

A **Figura 5.11 A** mostra uma fibra nervosa normal em repouso, e a **Figura 5.11 B** mostra uma fibra nervosa que foi excitada em sua porção intermediária, que repentinamente desenvolveu uma permeabilidade aumentada ao sódio. As *setas* mostram um circuito local de fluxo de corrente das áreas despolarizadas da membrana para as áreas adjacentes da membrana em repouso. Ou seja, cargas elétricas positivas são transportadas pelos íons sódio que se difundem para dentro, através da membrana despolarizada e, em seguida, por vários milímetros em ambas as direções ao longo da parte central do axônio. Essas cargas positivas aumentam a tensão por uma distância de 1 a 3 milímetros no interior da fibra mielínica calibrosa para acima do valor de tensão limiar que inicia um potencial de ação. Portanto, os canais de sódio nessas novas áreas se abrem imediatamente, como mostrado na **Figura 5.11 C** e na **Figura 5.11 D**, e o potencial de ação explosivo se espalha. Essas áreas recém-despolarizadas produzem ainda mais circuitos locais de fluxo de corrente ao longo da membrana, causando progressivamente mais e mais despolarização. Assim, o processo de despolarização percorre todo o comprimento da fibra. Essa transmissão do processo de despolarização ao longo de um nervo ou de uma fibra muscular é chamada de *impulso nervoso* ou *muscular*.

Direção da propagação. Como demonstrado na **Figura 5.11**, uma membrana excitável não tem uma direção única de propagação, mas o potencial de ação viaja em todas as direções, afastando-se do estímulo – mesmo ao longo de todos os ramos de uma fibra nervosa – até que toda a membrana se torne despolarizada.

Princípio do "tudo ou nada". Uma vez que um potencial de ação tenha sido provocado em qualquer ponto da membrana de uma fibra normal, o processo de despolarização ocorre por toda a membrana se as condições forem adequadas, mas não se propaga se as condições não forem adequadas. Esse princípio é denominado *princípio do tudo ou nada* e se aplica a todos os tecidos excitáveis normais. Ocasionalmente, o potencial de ação atinge um ponto na membrana no qual não gera tensão suficiente para estimular a próxima área da membrana. Quando essa situação ocorre, a propagação da despolarização para. Portanto, para que a propagação contínua de um impulso ocorra, a razão entre o potencial de ação e o limiar para excitação deve ser sempre maior que 1. Esse requisito "maior que 1" é chamado de *fator de segurança* para a propagação.

RESTABELECIMENTO DOS GRADIENTES IÔNICOS DE SÓDIO E POTÁSSIO APÓS O TÉRMINO DOS POTENCIAIS DE AÇÃO | IMPORTÂNCIA DO METABOLISMO ENERGÉTICO

A transmissão de cada potencial de ação ao longo de uma fibra nervosa reduz ligeiramente as diferenças de concentração de sódio e potássio dentro e fora da membrana, porque os íons sódio se difundem para o interior durante a despolarização e os íons potássio se difundem para o exterior durante a repolarização. Para um único potencial de ação, esse efeito é tão diminuto que não pode ser medido. De fato, 100.000 a 50 milhões de impulsos podem ser transmitidos por fibras nervosas calibrosas antes que as diferenças de concentração atinjam o ponto em que cesse a condução do potencial de ação. Com o tempo, no entanto, torna-se necessário restabelecer as diferenças de concentração de sódio e potássio na membrana, o que é obtido pela ação da bomba de Na^+/K^+, da mesma forma descrita anteriormente para o estabelecimento original do potencial de repouso. Ou seja, os íons sódio que se difundiram para o interior da célula, durante os potenciais de ação, e os íons potássio que se difundiram para o exterior devem retornar ao seu estado original pela bomba de Na^+/K^+. Como essa bomba requer energia para funcionar, essa "recarga" da fibra nervosa é um processo metabólico ativo, usando a energia derivada do sistema energético do trifosfato de adenosina (ATP) da célula. A **Figura 5.12** mostra que a fibra nervosa provoca aumento de calor durante a recarga, que é uma medida do gasto energético, quando a frequência do impulso nervoso aumenta.

Uma característica especial da bomba de Na^+/K^+ ATPase é que seu grau de atividade é fortemente estimulado quando o excesso de íons sódio se acumula dentro da membrana celular. Na verdade, a atividade de bombeamento aumenta aproximadamente em proporção à terceira potência dessa concentração intracelular de sódio. Conforme a concentração interna de sódio aumenta de 10 para 20 mEq/ℓ, a atividade da bomba não apenas

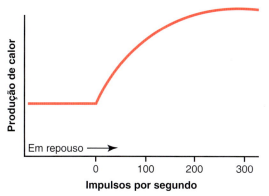

Figura 5.12 Produção de calor em uma fibra nervosa em repouso e com aumento progressivo das taxas de estimulação.

duplica, mas aumenta cerca de oito vezes. Portanto, é fácil entender como o processo de recarga da fibra nervosa pode ser colocado rapidamente em movimento sempre que as diferenças de concentração de íons sódio e potássio através da membrana começam a diminuir.

PLATÔ EM ALGUNS POTENCIAIS DE AÇÃO

Em alguns casos, a membrana excitada não se repolariza imediatamente após a despolarização; em vez disso, o potencial permanece em um platô próximo ao pico do potencial em ponta por muitos milissegundos antes do início da repolarização. Tal platô é mostrado na **Figura 5.13**; pode-se ver facilmente que o platô prolonga muito o período de despolarização. Esse tipo de potencial de ação ocorre nas fibras do músculo cardíaco, onde o platô dura de 0,2 a 0,3 segundo e faz com que a contração do músculo cardíaco dure esse mesmo longo tempo.

A causa do platô é uma combinação de vários fatores. Primeiro, no músculo cardíaco, dois tipos de canais contribuem para o processo de despolarização: (1) os canais usuais de sódio dependentes de voltagem, chamados *canais rápidos*; e (2) os canais de cálcio-sódio dependentes de voltagem (*canais de cálcio do tipo L*), que são lentos para abrir e, portanto, são chamados de *canais lentos*.

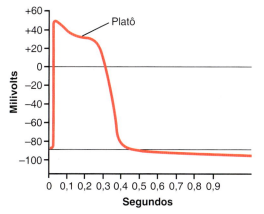

Figura 5.13 Potencial de ação (em milivolts) de uma fibra de Purkinje do coração, mostrando um platô.

A abertura de canais rápidos provoca a porção de pico do potencial de ação, enquanto a abertura prolongada dos canais lentos de cálcio-sódio permite, principalmente, que os íons cálcio entrem na fibra, o que é amplamente responsável pela porção de platô do potencial de ação.

Outro fator que pode ser parcialmente responsável pelo platô é que os canais de potássio dependentes de voltagem abrem mais lentamente do que o normal, frequentemente não abrindo muito até o final do platô. Esse fator retarda o retorno do potencial de membrana em direção ao seu valor negativo normal de −70 milivolts. O platô termina quando os canais de cálcio-sódio se fecham e a permeabilidade aos íons potássio aumenta.

RITMICIDADE DE ALGUNS TECIDOS EXCITÁVEIS | DESCARGA REPETITIVA

Descargas repetitivas autoinduzidas ocorrem normalmente no coração, na maioria dos músculos lisos e em muitos neurônios do sistema nervoso central. Essas descargas rítmicas causam o seguinte: (1) batimento rítmico do coração; (2) peristaltismo rítmico dos intestinos; e (3) eventos neuronais, como o controle rítmico da respiração.

Além disso, quase todos os outros tecidos excitáveis podem descarregar repetitivamente se o limiar de estimulação das células do tecido for reduzido a um nível suficientemente baixo. Por exemplo, mesmo fibras nervosas calibrosas e fibras musculares esqueléticas, que normalmente são altamente estáveis, descarregam-se repetitivamente quando são colocadas em uma solução que contenha o fármaco *veratridina*, que ativa os canais de íons sódio, ou quando a concentração de íons cálcio cai abaixo de um valor crítico, o que aumenta a permeabilidade da membrana ao sódio.

Processo de reexcitação necessário para a ritmicidade espontânea. Para que a ritmicidade espontânea (automatismo) ocorra, a membrana – mesmo em seu estado natural – deve ser permeável o suficiente aos íons sódio (ou aos íons cálcio e sódio através dos canais lentos de cálcio-sódio) para permitir a despolarização automática da membrana. Assim, a **Figura 5.14** mostra que o potencial de membrana em repouso no centro de controle rítmico do coração é de apenas −60 a −70 milivolts, que não é uma tensão negativa suficiente para manter os canais de sódio e cálcio totalmente fechados. Portanto, observa-se a seguinte sequência: (1) alguns íons sódio e cálcio fluem para dentro; (2) essa atividade aumenta a tensão da membrana na direção positiva, o que aumenta ainda mais a permeabilidade da membrana; (3) ainda mais íons fluem para dentro; e (4) a permeabilidade aumenta mais, e assim por diante, até que um potencial de ação seja gerado. Então, ao final do potencial de ação, a membrana se repolariza. Após outro atraso de milissegundos ou segundos, a excitabilidade espontânea causa a despolarização novamente, e um novo potencial de ação ocorre espontaneamente. Esse ciclo continua indefinidamente e causa a excitação rítmica autoinduzida do tecido excitável.

PARTE 2 Fisiologia da Membrana, do Nervo e do Músculo

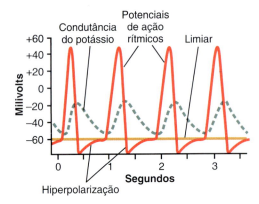

Figura 5.14 Potenciais de ação rítmicos (em milivolts) semelhantes aos registrados no centro de controle rítmico do coração. Observe sua relação com a condutância do potássio e com o estado de hiperpolarização.

Por que a membrana do centro de controle cardíaco não despolariza imediatamente após ter se tornado repolarizada, em vez de atrasar quase 1 segundo, antes do início do próximo potencial de ação? A resposta pode ser encontrada observando-se a curva denominada "condutância do potássio" na **Figura 5.14**. Essa curva mostra que, no final de cada potencial de ação, e continuando por um curto período depois disso, a membrana se torna mais permeável aos íons potássio. O aumento do efluxo de íons potássio carrega um número enorme de cargas positivas para o exterior da membrana, deixando consideravelmente mais negatividade dentro da fibra do que ocorreria de outra forma. Isso continua por quase 1 segundo após o término do potencial de ação anterior, puxando, assim, o potencial de membrana para mais perto do potencial de Nernst do potássio. Esse estado, denominado *hiperpolarização*, também é mostrado na **Figura 5.14**. Enquanto esse estado existir, a autorreexcitação não ocorrerá. No entanto, o aumento da condutância do potássio (e o estado de hiperpolarização) desaparece gradualmente, como mostrado na figura, depois que cada potencial de ação é concluído, assim, permitindo novamente que o potencial de membrana aumente até o *limiar* de excitação. Então, de repente, surge um novo potencial de ação e o processo ocorre repetitivamente.

CARACTERÍSTICAS ESPECIAIS DA TRANSMISSÃO DE SINAL EM TRONCOS NERVOSOS

Fibras nervosas mielínicas e amielínicas. A **Figura 5.15** mostra um corte transversal de um típico nervo pequeno, revelando muitas fibras nervosas calibrosas que constituem a maior parte da área do corte transversal. No entanto, um olhar mais cuidadoso revela muito mais fibras delgadas entre as fibras calibrosas. As fibras calibrosas são *mielínicas* e as delgadas são *amielínicas*. A maioria dos troncos nervosos contém cerca de duas vezes mais fibras amielínicas do que fibras mielínicas.

A **Figura 5.16** ilustra esquematicamente as características de uma fibra mielínica típica. A parte central da fibra é o *axônio*, e a membrana do axônio é a membrana que realmente conduz o potencial de ação. O axônio é

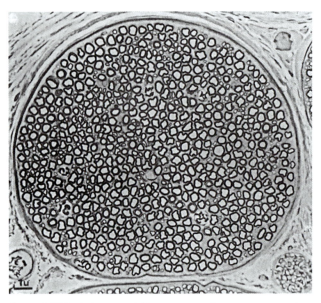

Figura 5.15 Corte transversal de um pequeno tronco nervoso contendo fibras mielínicas e amielínicas.

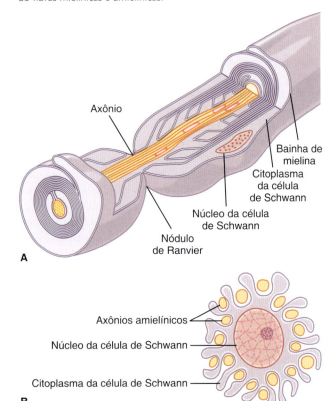

Figura 5.16 Função da célula de Schwann no isolamento das fibras nervosas. **A.** Envolvimento da membrana de uma célula de Schwann em torno de um axônio calibroso para formar a bainha de mielina da fibra nervosa mielínica. **B.** Envolvimento parcial da membrana e do citoplasma de uma célula de Schwann em torno de várias fibras nervosas amielínicas (mostradas em corte transversal). (**A.** Modificada de Leeson TS, Leeson R: Histology. Philadelphia: WB Saunders, 1979.)

preenchido em sua parte central com *axoplasma*, que é um líquido intracelular viscoso. Ao redor do axônio está uma *bainha de mielina* que geralmente é muito mais espessa que o próprio axônio. A cada 1 a 3 milímetros ao longo do comprimento da bainha de mielina está um *nódulo de Ranvier*.

A bainha de mielina é depositada ao redor do axônio pelas *células de Schwann* da seguinte maneira: a membrana de uma célula de Schwann envolve primeiro o axônio. A célula de Schwann então gira em torno do axônio muitas vezes, estabelecendo várias camadas da membrana da célula de Schwann, contendo a substância lipídica *esfingomielina*. Essa substância é um excelente isolante elétrico que diminui o fluxo de íons através da membrana em cerca de 5.000 vezes. Na junção entre cada duas células de Schwann sucessivas ao longo do axônio, uma pequena área não isolada, de apenas 2 a 3 micrômetros de comprimento, permanece onde os íons ainda podem fluir com facilidade através da membrana do axônio, entre o líquido extracelular e o líquido intracelular dentro do axônio. Essa área é chamada de *nódulo de Ranvier*.

Condução saltatória de nódulo a nódulo nas fibras mielínicas. Embora quase nenhum íon possa fluir pelas espessas bainhas de mielina dos nervos mielínicos, eles podem fluir com facilidade pelos nódulos de Ranvier. Portanto, os potenciais de ação ocorrem *apenas nos nódulos*. Ainda assim, os potenciais de ação são conduzidos de nódulo a nódulo por *condução saltatória*, conforme mostrado na **Figura 5.17**. Ou seja, a corrente elétrica flui através do líquido extracelular circundante fora da bainha de mielina, bem como através do axoplasma dentro do axônio, de nódulo a nódulo, excitando nódulos sucessivos um após o outro. Assim, o impulso nervoso salta ao longo da fibra, o que explica o termo *saltatório*.

A condução saltatória é valiosa por dois motivos:

1. Em primeiro lugar, ao fazer com que o processo de despolarização salte extensos intervalos ao longo do eixo da fibra nervosa, esse mecanismo aumenta a velocidade de transmissão nervosa nas fibras mielínicas em até 5 a 50 vezes.
2. Em segundo lugar, a condução saltatória conserva energia para o axônio porque apenas os nódulos despolarizam, permitindo talvez 100 vezes menos perda de íons do que seria necessário e, portanto, exigindo muito menos gasto energético para restabelecer as diferenças de concentração de sódio e potássio através da membrana após uma série de impulsos nervosos.

O excelente isolamento proporcionado pela membrana de mielina e a diminuição de 50 vezes na capacitância da membrana também permitem que a repolarização ocorra com pouca transferência de íons.

Velocidade de condução nas fibras nervosas. A velocidade de condução do potencial de ação nas fibras

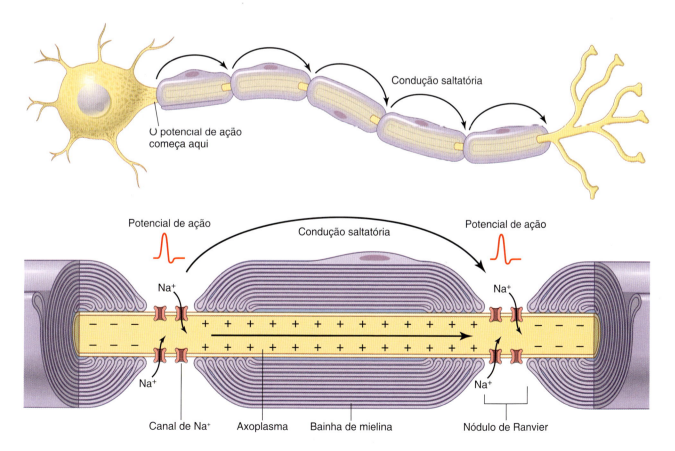

Figura 5.17 Condução saltatória ao longo de um axônio mielínico. O fluxo de corrente elétrica de nódulo a nódulo é ilustrado pelas *setas*.

nervosas varia de apenas 0,25 m/s em pequenas fibras amielínicas até 100 m/s – mais do que o comprimento de um campo de futebol em 1 segundo em fibras mielínicas calibrosas.

EXCITAÇÃO | O PROCESSO DE GERAÇÃO DO POTENCIAL DE AÇÃO

Basicamente, qualquer fator que faça com que os íons sódio comecem a se difundir para dentro através da membrana em número suficiente pode desencadear a abertura regenerativa automática dos canais de sódio. Essa abertura regenerativa automática pode resultar de perturbação *mecânica* da membrana, efeitos *químicos* na membrana ou passagem de *eletricidade* através da membrana. Todas essas abordagens são usadas em diferentes pontos do corpo para provocar potenciais de ação nervosos ou musculares: pressão mecânica para excitar terminações nervosas sensoriais na pele, neurotransmissores químicos para transmitir sinais de um neurônio para o próximo no cérebro e corrente elétrica para transmitir sinais entre células musculares sucessivas no coração e no intestino.

Excitação de uma fibra nervosa por um eletrodo metálico com carga negativa. O meio usual de excitar um nervo ou um músculo no laboratório experimental é aplicar eletricidade à superfície do nervo ou do músculo por meio de dois pequenos eletrodos, um dos quais com carga negativa e o outro com carga positiva. Quando a eletricidade é aplicada dessa maneira, a membrana excitável é estimulada no eletrodo negativo.

Lembre-se de que o potencial de ação é iniciado pela abertura dos canais de sódio dependentes de voltagem. Além disso, esses canais são abertos por uma diminuição na tensão elétrica normal em repouso através da membrana – isto é, a corrente negativa do eletrodo diminui a tensão do lado de fora da membrana para um valor negativo mais próximo da tensão do potencial negativo dentro da fibra. Esse efeito diminui a tensão elétrica através da membrana e permite que os canais de sódio se abram, resultando em um potencial de ação. Por outro lado, no eletrodo positivo, a injeção de cargas positivas na parte externa da membrana nervosa aumenta a diferença de tensão através da membrana, em vez de diminuí-la. Esse efeito causa um estado de hiperpolarização, que na verdade diminui a excitabilidade da fibra em vez de causar um potencial de ação.

Limiar para excitação e potenciais locais agudos. Um estímulo elétrico negativo fraco pode não ser capaz de excitar uma fibra. No entanto, quando a tensão do estímulo é aumentada, chega um ponto em que a excitação ocorre. A **Figura 5.18** mostra os efeitos de estímulos de força progressiva aplicados sucessivamente. Um estímulo fraco no ponto A faz com que o potencial de membrana mude de –70 para –65 milivolts, mas essa mudança não é suficiente para que os processos regenerativos automáticos do potencial de ação se desenvolvam. No ponto B, o estímulo é maior, mas a intensidade ainda não é suficiente.

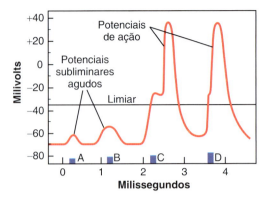

Figura 5.18 Efeito de estímulos de tensões crescentes para provocar um potencial de ação. Observe o desenvolvimento de potenciais subliminares agudos quando os estímulos estão abaixo do valor de limiar necessário para desencadear um potencial de ação.

O estímulo, entretanto, perturba o potencial de membrana localmente, por até 1 milissegundo ou mais após esses dois estímulos fracos. Essas alterações de potencial local são chamadas de *potenciais locais agudos* e, quando não conseguem desencadear um potencial de ação, são chamadas de *potenciais subliminares agudos*.

No ponto C da **Figura 5.18**, o estímulo é ainda mais forte. Agora, o potencial local mal atingiu o *limiar* necessário para desencadear um potencial de ação, mas isso ocorre apenas após um curto "período de latência". No ponto D, o estímulo é ainda mais forte, o potencial local agudo também é mais forte e o potencial de ação ocorre após menos tempo do que o período de latência.

Assim, essa figura mostra que mesmo um estímulo fraco causa mudança no potencial local da membrana, mas a intensidade do potencial local deve aumentar até o nível limiar antes que o potencial de ação seja acionado.

PERÍODO REFRATÁRIO APÓS UM POTENCIAL DE AÇÃO, DURANTE O QUAL UM NOVO POTENCIAL NÃO PODE SER PROVOCADO

Um novo potencial de ação não pode ocorrer em uma fibra excitável enquanto a membrana ainda estiver despolarizada do potencial de ação anterior. A razão para essa restrição é que, logo após o potencial de ação ser iniciado, os canais de sódio (ou canais de cálcio, ou ambos) tornam-se inativados, e nenhuma quantidade de sinal excitatório aplicada a esses canais nesse ponto abrirá as comportas de inativação. A única condição que permitirá sua reabertura é o potencial de membrana retornar ao nível de potencial de membrana em repouso original ou próximo a ele. Então, em outra pequena fração de segundo, as comportas de inativação dos canais se abrirão e um novo potencial de ação poderá ser iniciado.

O período durante o qual um segundo potencial de ação não pode ser desencadeado, mesmo com um estímulo forte, é chamado de *período refratário absoluto*. Esse período para as fibras nervosas mielínicas calibrosas é de cerca de 1/2.500 segundos. Portanto, pode-se calcular prontamente que tal fibra pode transmitir um máximo de cerca de 2.500 impulsos por segundo.

CAPÍTULO 5 Potencial de Membrana e Potencial de Ação

Inibição da excitabilidade | Estabilizadores e anestésicos locais

Em contraste com os fatores que aumentam a excitabilidade nervosa, os *fatores estabilizadores da membrana* podem *diminuir a excitabilidade*. Por exemplo, uma alta *concentração de íons cálcio no líquido extracelular* diminui a permeabilidade da membrana aos íons sódio e, simultaneamente, reduz a excitabilidade. Portanto, os íons cálcio são chamados de *estabilizadores*.

Anestésicos locais. Entre os estabilizadores mais importantes estão as muitas substâncias usadas clinicamente como anestésicos locais, incluindo *procaína* e *tetracaína*. A maioria desses agentes atua diretamente nas comportas de ativação dos canais de sódio, tornando muito mais difícil a abertura dessas comportas e, portanto, reduzindo a excitabilidade da membrana. Quando a excitabilidade é reduzida para tão baixo que a razão entre a *força do potencial de ação* e o *limiar de excitabilidade* (chamado *fator de segurança*) é reduzida para menos de 1,0, os impulsos nervosos deixam de passar pelos nervos anestesiados.

Bibliografia

Alberts B, Johnson A, Lewis J, et al: Molecular Biology of the Cell, 5th ed. New York: Garland Science, 2008.

Bennett DL, Clark AJ, Huang J, Waxman SG, Dib-Hajj SD. The Role of Voltage-Gated Sodium Channels in Pain Signaling. Physiol Rev 99:1079-1151, 2019.

Bentley M, Banker G. The cellular mechanisms that maintain neuronal polarity. Nat Rev Neurosci 17:611-622, 2016.

Blaesse P, Airaksinen MS, Rivera C, Kaila K: Cation-chloride cotransporters and neuronal function. Neuron 61:820, 2009.

Dai S, Hall DD, Hell JW: Supramolecular assemblies and localized regulation of voltage-gated ion channels. Physiol Rev 89:411, 2009.

Debanne D, Campanac E, Bialowas A, et al: Axon physiology. Physiol Rev 91:555, 2011.

Delmas P, Hao J, Rodat-Despoix L: Molecular mechanisms of mechanotransduction in mammalian sensory neurons. Nat Rev Neurosci 12:139, 2011.

Dib-Hajj SD, Yang Y, Black JA, Waxman SG: The Na(V)1.7 sodium channel: from molecule to man. Nat Rev Neurosci 14:49, 2013.

Hodgkin AL, Huxley AF: Quantitative description of membrane current and its application to conduction and excitation in nerve. J Physiol (Lond) 117:500, 1952.

Kaczmarek LK, Zhang Y Kv3 Channels: Enablers of rapid firing, neurotransmitter release, and neuronal endurance. Physiol Rev 97:1431-1468, 2017.

Kaila K, Price TJ, Payne JA, Puskarjov M, Voipio J. Cation-chloride cotransporters in neuronal development, plasticity and disease. Nat Rev Neurosci 15:637-654, 2014.

Kandel ER, Schwartz JH, Jessell TM: Principles of Neural Science, 5th ed. New York: McGraw-Hill, 2012.

Kleber AG, Rudy Y: Basic mechanisms of cardiac impulse propagation and associated arrhythmias. Physiol Rev 84:431, 2004.

Leterrier C, Dubey P, Roy S. The nano-architecture of the axonal cytoskeleton. Nat Rev Neurosci 18:713-726, 2017.

Mangoni ME, Nargeot J: Genesis and regulation of the heart automaticity. Physiol Rev 88:919, 2008.

Micu I, Plemel JR, Caprariello AV, Nave KA, Stys PK. Axo-myelinic neurotransmission: a novel mode of cell signalling in the central nervous system Nat Rev Neurosci. 19:49-58, 2018.

Pangrsic T, Singer JH, Koschak A. Voltage-gated calcium channels: key players in sensory coding in the retina and the inner ear. Physiol Rev 98:2063-2096, 2018.

Philips T, Rothstein JD. Oligodendroglia: metabolic supporters of neurons. J Clin Invest 127:3271-3280, 2017.

Rasband MN: The axon initial segment and the maintenance of neuronal polarity. Nat Rev Neurosci 11:552, 2010.

Ross WN: Understanding calcium waves and sparks in central neurons. Nat Rev Neurosci 13:157, 2012.

Schmitt N, Grunnet M, Olesen SP. Cardiac potassium channel subtypes: new roles in repolarization and arrhythmia. Physiol Rev 94:609-653, 2014

Vacher H, Mohapatra DP, Trimmer JS: Localization and targeting of voltage-dependent ion channels in mammalian central neurons. Physiol Rev 88:1407, 2008.L, Goodman MB: Insight into DEG/ENaC channel gating from genetics and structure. Physiology (Bethesda) 27:282, 2012.

CAPÍTULO 6

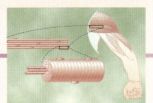

PARTE 2

Contração do Músculo Esquelético

Cerca de 40% da massa corporal total são compostos por músculo esquelético e, talvez, outros 10% por músculo liso e cardíaco. Alguns dos mesmos princípios básicos de contração se aplicam a todos esses tipos de músculos. Neste capítulo, consideraremos principalmente a função do músculo esquelético; as funções especializadas do músculo liso serão discutidas no Capítulo 8 e do músculo cardíaco, no Capítulo 9.

ANATOMIA FISIOLÓGICA DO MÚSCULO ESQUELÉTICO

A **Figura 6.1** mostra que os músculos esqueléticos são compostos por numerosas fibras que variam de 10 a 80 micrômetros de diâmetro. Cada uma dessas fibras é composta por subunidades sucessivamente menores, também mostradas na **Figura 6.1** e descritas nos parágrafos subsequentes.

Na maioria dos músculos esqueléticos, cada fibra se estende por todo o comprimento do músculo. Exceto por cerca de 2% das fibras, cada fibra geralmente é inervada por apenas uma terminação nervosa, localizada próximo ao meio da fibra.

O sarcolema é a membrana fina que envolve uma fibra muscular esquelética. O sarcolema consiste em uma membrana celular verdadeira, chamada membrana plasmática, e um revestimento externo formado por uma fina camada de material polissacarídeo que contém numerosas fibrilas colágenas delgadas. Em cada extremidade da fibra muscular, essa camada superficial do sarcolema se funde com uma fibra do tendão. As fibras do tendão, por sua vez, agrupam-se em feixes para formar os tendões musculares que conectam os músculos aos ossos.

Miofibrilas são compostas por filamentos de actina e de miosina. Cada fibra muscular contém várias centenas a vários milhares de *miofibrilas*, que são ilustradas na imagem da seção transversa da **Figura 6.1 C**. Cada miofibrila (ver **Figura 6.1 D** e **E**) é composta por cerca de 1.500 *filamentos de miosina* adjacentes e 3.000 *filamentos de actina*, que são grandes moléculas de proteínas polimerizadas responsáveis pela contração muscular. Esses filamentos podem ser vistos no corte longitudinal na micrografia eletrônica da **Figura 6.2** e são representados esquematicamente na **Figura 6.1 E a L**. Os filamentos espessos nos diagramas são *miosina* e os filamentos finos são *actina*.

Observe na **Figura 6.1 E** que os filamentos de miosina e de actina se interdigitam parcialmente e, assim, fazem com que as miofibrilas tenham bandas claras e escuras alternadas, conforme ilustrado na **Figura 6.2**. As bandas claras contêm apenas filamentos de actina e são chamadas de *bandas I* porque são *isotrópicas* à luz polarizada. As bandas escuras contêm filamentos de miosina, bem como as extremidades dos filamentos de actina, onde se sobrepõem à miosina, e são chamadas de *bandas A* porque são *anisotrópicas* à luz polarizada. Observe também as pequenas projeções das laterais dos filamentos de miosina na **Figura 6.1 E** e **L**. Essas projeções são as *pontes cruzadas*. É a interação dessas pontes cruzadas com os filamentos de actina que causa a contração (ver Vídeo 6.1).

A **Figura 6.1 E** também mostra que as extremidades dos filamentos de actina estão ligadas a uma *linha Z*. A partir dessa linha, esses filamentos se estendem em ambas as direções para se interdigitarem com os filamentos de miosina. A linha Z, que é composta de proteínas filamentosas diferentes dos filamentos de actina e de miosina, passa transversalmente pela miofibrila e também transversalmente de miofibrila a miofibrila, ligando as miofibrilas umas às outras por toda a fibra muscular. Portanto, toda a fibra muscular possui bandas claras e escuras, assim como as miofibrilas individuais. Essas bandas dão aos músculos esquelético e cardíaco a sua aparência estriada.

A porção da miofibrila (ou de toda a fibra muscular) que fica entre duas linhas Z sucessivas é chamada de *sarcômero*. Quando a fibra muscular está contraída, conforme mostrado na parte inferior da **Figura 6.5**, o comprimento do sarcômero é de cerca de 2 micrômetros. Nesse comprimento, os filamentos de actina se sobrepõem completamente aos filamentos de miosina, e as pontas dos filamentos de actina estão apenas começando a se sobrepor. Como discutido mais tarde, nesse comprimento, o músculo é capaz de gerar sua maior força de contração.

Moléculas filamentosas de titina mantêm os filamentos de miosina e de actina no seu devido lugar. A relação lado a lado entre os filamentos de miosina e de

CAPÍTULO 6 Contração do Músculo Esquelético

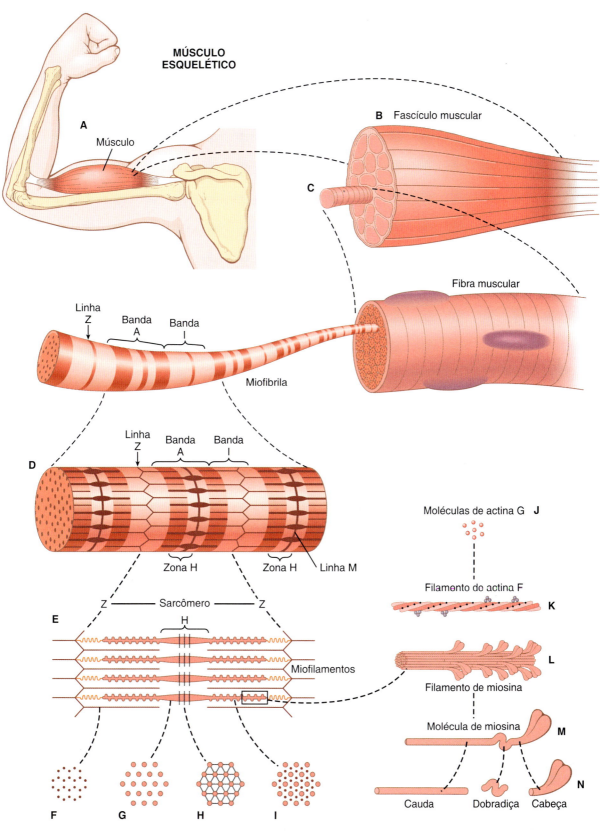

Figura 6.1 A-E/J-N. Organização do músculo esquelético, do nível macroscópico ao molecular. **F-I.** Seções transversas nos níveis indicados.

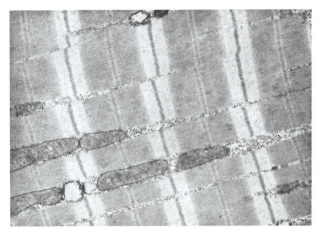

Figura 6.2 Micrografia eletrônica de miofibrilas musculares mostrando a organização detalhada dos filamentos de actina e de miosina. Observe as mitocôndrias situadas entre as miofibrilas. *(De Fawcett DW: The Cell. Philadelphia: WB Saunders, 1981.)*

actina é mantida por um grande número de moléculas filamentosas de uma proteína chamada *titina* (ver **Figura 6.3**). Cada molécula de titina tem um peso molecular de cerca de 3 milhões, o que a torna uma das maiores moléculas de proteína do corpo. Além disso, por ser filamentosa, é *muito flexível*. Essas moléculas flexíveis de titina atuam como uma estrutura que mantém os filamentos de miosina e de actina no seu devido lugar para que a maquinaria contrátil do sarcômero funcione. Uma das extremidades da molécula de titina é elástica e está ligada à linha Z, agindo como uma mola e mudando de comprimento à medida que o sarcômero contrai e relaxa. A outra parte da molécula de titina a prende ao filamento espesso de miosina. A molécula de titina também pode atuar como um molde para a formação inicial de porções dos filamentos contráteis do sarcômero, especialmente os filamentos de miosina.

Sarcoplasma é o líquido intracelular entre as miofibrilas. Muitas miofibrilas estão suspensas lado a lado em cada fibra muscular. Os espaços entre as miofibrilas são preenchidos com líquido intracelular chamado *sarcoplasma*, contendo grandes quantidades de potássio, magnésio e fosfato, além de várias enzimas proteicas. Também está presente um grande número de *mitocôndrias* paralelas às miofibrilas. Essas mitocôndrias fornecem às miofibrilas em contração grandes quantidades de energia, na forma de trifosfato de adenosina (ATP), formado pelas mitocôndrias.

Retículo sarcoplasmático é o retículo endoplasmático especializado do músculo esquelético. Além disso, no sarcoplasma que circunda as miofibrilas de cada fibra muscular, existe um retículo extenso (ver **Figura 6.4**), denominado *retículo sarcoplasmático*. Esse retículo tem uma organização especial que é extremamente importante na regulação do armazenamento, liberação, receptação de cálcio e, portanto, da contração muscular, conforme discutido no Capítulo 7. Os tipos de fibras musculares de contração rápida têm retículos sarcoplasmáticos especialmente extensos.

MECANISMO GERAL DA CONTRAÇÃO MUSCULAR

O início e a execução da contração muscular ocorrem nas seguintes etapas sequenciais:

1. Um potencial de ação viaja ao longo de um nervo motor até suas terminações nas fibras musculares.
2. Em cada terminação, o nervo secreta uma pequena quantidade do neurotransmissor *acetilcolina*.
3. A acetilcolina atua em uma área local da membrana da fibra muscular para abrir os canais de cátions, regulados pela acetilcolina, através das moléculas proteicas que flutuam na membrana.
4. A abertura dos canais regulados pela acetilcolina permite que grandes quantidades de íons sódio se difundam para o interior da membrana da fibra muscular. Essa

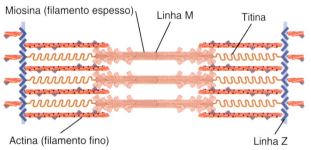

Figura 6.3 Organização das proteínas em um sarcômero. Cada molécula de titina se estende da *linha Z* à *linha M*. Parte da molécula de titina está intimamente associada ao filamento espesso de Miosina, enquanto o resto da molécula é flexível e muda de comprimento conforme o sarcômero contrai e relaxa.

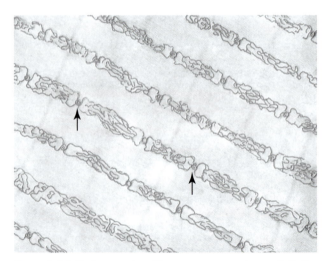

Figura 6.4 Retículo sarcoplasmático nos espaços entre as miofibrilas, mostrando um sistema longitudinal paralelo às miofibrilas. Também são mostrados em seção transversa os túbulos T (*setas*) que fazem a comunicação com o exterior da membrana da fibra e são importantes para conduzir o sinal elétrico para o centro da fibra muscular. *(De Fawcett DW: The Cell. Philadelphia: WB Saunders, 1981.)*

ação causa uma despolarização local que, por sua vez, leva à abertura de canais de sódio dependentes de voltagem, que inicia um potencial de ação na membrana.
5. O potencial de ação viaja ao longo da membrana da fibra muscular da mesma forma que os potenciais de ação percorrem as membranas das fibras nervosas.
6. O potencial de ação despolariza a membrana muscular, e grande parte da eletricidade do potencial de ação flui através do centro da fibra muscular. Aqui, ele faz com que o retículo sarcoplasmático libere grandes quantidades de íons cálcio que foram armazenados dentro desse retículo.
7. Os íons cálcio iniciam as forças de atração entre os filamentos de actina e de miosina, fazendo com que eles deslizem lado a lado, o que caracteriza o processo contrátil.
8. Após uma fração de segundo, os íons cálcio são bombeados de volta para o retículo sarcoplasmático por uma bomba de Ca^{2+} da membrana e permanecem armazenados no retículo até que surja um novo potencial de ação muscular; essa remoção de íons cálcio das miofibrilas faz com que a contração muscular cesse.

Descreveremos agora a maquinaria molecular do processo de contração muscular.

MECANISMO MOLECULAR DA CONTRAÇÃO MUSCULAR

A contração muscular ocorre por um mecanismo de filamentos deslizantes. A **Figura 6.5** demonstra o mecanismo básico da contração muscular. Ela mostra o estado relaxado de um sarcômero (parte superior) e o estado contraído (parte inferior). No estado relaxado, as extremidades dos filamentos de actina que se estendem de duas linhas Z sucessivas quase não se sobrepõem. Por outro lado, no estado contraído, esses filamentos de actina foram puxados para dentro entre os filamentos de miosina, de modo que suas extremidades se sobrepõem ao máximo. Além disso, as linhas Z foram puxadas pelos filamentos de actina até as extremidades dos filamentos de miosina. Assim, a contração muscular ocorre por um *mecanismo de filamentos deslizantes*.

Mas o que faz com que os filamentos de actina deslizem para dentro entre os filamentos de miosina? Essa ação é causada por forças geradas pela interação das pontes cruzadas dos filamentos de miosina com os filamentos de actina. Em condições de repouso, essas forças são inativas, mas quando um potencial de ação viaja ao longo da fibra muscular, isso faz com que o retículo sarcoplasmático libere grandes quantidades de íons cálcio que circundam rapidamente as miofibrilas. Os íons cálcio, por sua vez, ativam as forças entre os filamentos de miosina e de actina e a contração começa. No entanto, a energia é necessária para que o processo contrátil prossiga. Essa energia vem de ligações de alta energia na molécula de ATP, que é degradada em difosfato de adenosina (ADP) para liberar a energia. Nas próximas seções, descreveremos esses processos moleculares da contração.

Características moleculares dos filamentos contráteis

Os filamentos de miosina são compostos por várias moléculas de miosina. Cada uma das moléculas de miosina, mostrada na **Figura 6.6 A**, tem um peso molecular de cerca de 480.000. A **Figura 6.6 B** mostra a organização de muitas moléculas para formar um filamento de miosina, bem como a interação de um dos lados desse filamento com as extremidades de dois filamentos de actina.

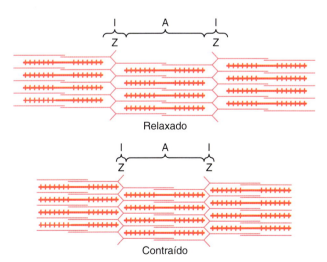

Figura 6.5 Estados relaxado e contraído de uma miofibrila mostrando o deslizamento dos filamentos de actina (*rosa*) nos espaços entre os filamentos de miosina (*vermelho*) (*parte superior*) e puxando as membranas Z uma em direção à outra (*parte inferior*).

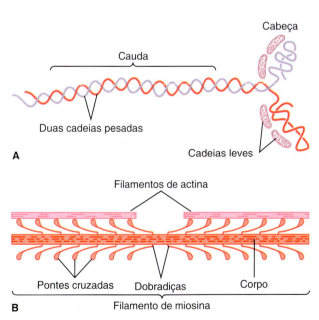

Figura 6.6 A. Molécula de miosina. **B.** Combinação de muitas moléculas de miosina para formar um filamento de miosina. Também são mostradas milhares de *pontes cruzadas* de miosina e a interação das *cabeças* das pontes cruzadas com os filamentos de actina adjacentes.

A *molécula de miosina* (ver **Figura 6.6 A**) é composta de seis cadeias polipeptídicas – duas *cadeias pesadas*, cada uma com um peso molecular de cerca de 200.000; e quatro *cadeias leves*, com pesos moleculares de cerca de 20.000 cada. As duas cadeias pesadas se enrolam em espiral para formar uma dupla-hélice, que é chamada de cauda da molécula de miosina. Uma extremidade de cada uma dessas cadeias é dobrada bilateralmente em uma estrutura polipeptídica globular chamada cabeça da miosina. Assim, existem duas cabeças livres em uma extremidade da molécula de dupla-hélice da miosina. As quatro cadeias leves também fazem parte da cabeça da miosina, duas em cada cabeça. Essas cadeias leves ajudam a controlar a função da cabeça durante a contração muscular.

O *filamento de miosina* é composto de 200 ou mais moléculas individuais de miosina. A porção central de um desses filamentos é mostrada na **Figura 6.6 B**, exibindo as caudas das moléculas de miosina agrupadas para formar o *corpo* do filamento, enquanto muitas cabeças das moléculas ficam penduradas nas laterais do corpo. Além disso, parte do corpo de cada molécula de miosina pende para o lado junto com a cabeça, proporcionando, assim, um *braço* que estende a cabeça para fora do corpo, como mostrado na figura. As projeções dos braços e das cabeças juntas são chamadas de *pontes cruzadas*. Cada ponte cruzada é flexível em dois pontos chamados *dobradiças* – um onde o braço deixa o corpo do filamento de miosina e o outro onde a cabeça se fixa ao braço. Os braços articulados permitem que as cabeças sejam estendidas para fora do corpo do filamento de miosina ou trazidas para perto do corpo. As cabeças articuladas, por sua vez, participam do processo de contração, conforme discutido nas seções seguintes.

O comprimento total de cada filamento de miosina é uniforme, quase exatamente 1,6 micrômetro. Observe, no entanto, que não há cabeças das pontes cruzadas no centro do filamento de miosina, a uma distância de cerca de 0,2 micrômetro, porque os braços articulados se estendem para longe do centro.

Agora, para completar o quadro, o filamento de miosina é retorcido de modo que cada par sucessivo de pontes cruzadas seja axialmente deslocado do par anterior em 120 graus. Essa torção garante que as pontes cruzadas se estendam em todas as direções ao redor do filamento.

Atividade de ATPase da cabeça da miosina.
Outra característica da cabeça da miosina essencial para a contração muscular é a sua função como *enzima adenosina trifosfatase (ATPase)*. Como explicado posteriormente, essa propriedade permite que a cabeça clive o ATP e use a energia derivada da ligação fosfato de alta energia do ATP para energizar o processo de contração.

Filamentos de actina são compostos por actina, tropomiosina e troponina.
O suporte principal do filamento de actina é uma *molécula de proteína de actina F* de fita dupla, representada pelas duas fitas de cor mais clara na **Figura 6.7**. As duas fitas são enroladas em uma hélice da mesma maneira que a molécula de miosina.

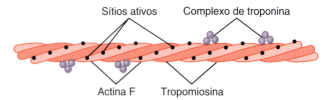

Figura 6.7 Filamento de actina composto por duas fitas helicoidais de moléculas de *actina F* e duas fitas de moléculas de *tropomiosina* que se encaixam nos sulcos entre as fitas de actina. Ligado a uma extremidade de cada molécula de tropomiosina está um complexo de *troponina* que inicia a contração.

Cada fita da dupla-hélice de actina F é composta de *moléculas de actina G* polimerizadas, cada uma com um peso molecular de cerca de 42.000. Ligada a cada uma das moléculas de actina G está uma molécula de ADP. Acredita-se que essas moléculas de ADP sejam os locais ativos nos filamentos de actina com os quais as pontes cruzadas dos filamentos de miosina interagem para causar a contração muscular. Os sítios ativos nas duas fitas de actina F da dupla-hélice são escalonados: por todo o filamento de actina há um sítio ativo a cada 2,7 nanômetros.

Cada filamento de actina tem cerca de 1 micrômetro de comprimento. As bases dos filamentos de actina são fortemente inseridas nas linhas Z; as extremidades dos filamentos projetam-se em ambas as direções para ficar nos espaços entre as moléculas de miosina, conforme mostrado na **Figura 6.5**.

Moléculas de tropomiosina.
O filamento de actina também contém outra proteína, a *tropomiosina*. Cada molécula de tropomiosina tem peso molecular de 70.000 e comprimento de 40 nanômetros. Essas moléculas são enroladas em espiral ao redor das laterais da hélice de actina F. No estado de repouso, as moléculas de tropomiosina ficam no topo dos sítios ativos das fitas de actina, de forma que a atração não pode ocorrer entre os filamentos de actina e de miosina para causar a contração. A contração ocorre apenas quando um sinal apropriado causa uma mudança de conformação na tropomiosina que "descobre" os sítios ativos na molécula de actina e inicia a contração, conforme explicado posteriormente.

Troponina e seu papel na contração muscular.
Ligadas intermitentemente ao longo das laterais das moléculas de tropomiosina estão moléculas de proteínas adicionais chamadas *troponina*. Essas moléculas de proteína são, na verdade, complexos de três subunidades proteicas fracamente ligadas, cada uma das quais desempenha um papel específico no controle da contração muscular. Uma das subunidades (troponina I) tem forte afinidade pela actina; outra (troponina T), pela tropomiosina; e uma terceira (troponina C), pelos íons cálcio. Acredita-se que esse complexo ligue a tropomiosina à actina. Acredita-se também que a forte afinidade da troponina pelos íons cálcio inicie o processo de contração, conforme explicado na próxima seção.

Interação de um filamento de miosina, dois filamentos de actina e íons cálcio para causar a contração

Inibição do filamento de actina pelo complexo troponina-tropomiosina. Um filamento de actina puro sem a presença do complexo troponina-tropomiosina (mas na presença de íons magnésio e ATP) liga-se instantânea e fortemente às cabeças das moléculas de miosina. Então, se o complexo troponina-tropomiosina é adicionado ao filamento de actina, a ligação entre a miosina e a actina não ocorre. Portanto, acredita-se que os sítios ativos no filamento de actina normal do músculo relaxado sejam inibidos ou fisicamente cobertos pelo complexo troponina-tropomiosina. Consequentemente, os sítios não podem se ligar às cabeças dos filamentos de miosina para causar a contração. Antes que a contração possa ocorrer, o efeito inibitório do complexo troponina-tropomiosina deve ser inibido.

Ativação do filamento de actina pelos íons cálcio. Na presença de grandes quantidades de íons cálcio, o próprio efeito inibitório da troponina-tropomiosina nos filamentos de actina é inibido. O mecanismo dessa inibição não é conhecido, mas foi apresentada uma sugestão. Quando os íons cálcio se combinam com a troponina C, cada molécula da qual pode se ligar fortemente com até quatro íons cálcio, o complexo de troponina então sofre uma mudança conformacional que de alguma forma puxa a molécula de tropomiosina e a move mais profundamente no sulco entre as duas fitas de actina. Essa ação descobre os sítios ativos da actina, permitindo, assim, que esses sítios ativos atraiam as cabeças das pontes cruzadas de miosina e que a contração prossiga. Embora esse mecanismo seja hipotético, ele enfatiza que a relação normal entre o complexo troponina-tropomiosina e a actina é alterada pelos íons cálcio, produzindo uma nova condição que leva à contração.

Interação do filamento de actina ativado com as pontes cruzadas de miosina | O mecanismo da catraca da contração muscular. Assim que o filamento de actina é ativado pelos íons cálcio, as cabeças das pontes cruzadas dos filamentos de miosina são atraídas para os sítios ativos do filamento de actina e iniciam a contração. Embora a maneira precisa pela qual essa interação das pontes cruzadas com a actina causa a contração ainda seja parcialmente teórica, uma hipótese para a qual existem evidências consideráveis é a *teoria da catraca* da contração, também conhecida como teoria do "ir adiante" (*walk-along*).

A **Figura 6.8** demonstra esse mecanismo postulado de ir adiante para a contração. Mostra as cabeças de duas pontes cruzadas conectando-se e desconectando-se de sítios ativos de um filamento de actina. Quando uma cabeça se liga a um sítio ativo, essa ligação simultaneamente causa profundas mudanças nas forças intramoleculares entre a cabeça e o braço de sua ponte cruzada. O novo alinhamento de forças faz com que a cabeça se incline em direção

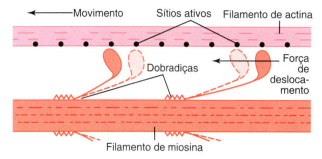

Figura 6.8 O mecanismo da catraca ("ir adiante" [*walk-along*]) para a contração dos músculos.

ao braço e arraste o filamento de actina junto com ela. Essa inclinação da cabeça é chamada de *força de deslocamento*. Imediatamente após a inclinação, a cabeça se separa automaticamente do sítio ativo. Em seguida, a cabeça retorna à sua direção estendida. Nessa posição, ela se combina com um novo sítio ativo mais adiante no filamento de actina; a cabeça, então, se inclina novamente para causar um novo movimento de força e o filamento de actina dá mais um passo. Assim, as cabeças das pontes cruzadas se dobram para a frente e para trás e, passo a passo, caminham ao longo do filamento de actina, puxando as extremidades de dois filamentos de actina sucessivos em direção ao centro do filamento de miosina.

Acredita-se que cada uma das pontes cruzadas opere independentemente de todas as outras, conectando-se e puxando em um ciclo contínuo e repetitivo. Portanto, quanto maior o número de pontes cruzadas em contato com o filamento de actina em um determinado momento, maior será a força de contração.

O ATP é a fonte de energia para a contração | Eventos químicos envolvidos no movimento das cabeças de miosina. Quando um músculo se contrai, é realizado trabalho com necessidade de energia. Grandes quantidades de ATP são clivadas para formar ADP durante o processo de contração e, quanto mais trabalho realizado pelo músculo, mais ATP é clivado; esse fenômeno é denominado *efeito Fenn*. Acredita-se que a seguinte sequência de eventos seja o meio pelo qual esse efeito ocorra:

1. Antes do início da contração, as cabeças das pontes cruzadas se ligam ao ATP. A atividade ATPase da cabeça da miosina imediatamente cliva o ATP, mas deixa os produtos de clivagem, o ADP mais o íon fosfato, ligados à cabeça. Nesse estado, a conformação da cabeça é tal que ela se estende perpendicularmente em direção ao filamento de actina, mas ainda não está ligada à actina.

2. Quando o complexo troponina-tropomiosina se liga aos íons cálcio, os sítios ativos no filamento de actina são descobertos e as cabeças da miosina então se ligam a esses locais, conforme mostrado na **Figura 6.8**.

3. A ligação entre a cabeça da ponte cruzada e o sítio ativo do filamento de actina causa uma mudança conformacional na cabeça, levando a cabeça a inclinar-se em direção ao braço da ponte cruzada e fornecendo a força

necessária para puxar o filamento de actina. A energia que ativa a força de deslocamento é a energia já armazenada, como uma mola armada, pela mudança conformacional que ocorreu na cabeça quando a molécula de ATP foi clivada anteriormente.

4. Uma vez que a cabeça da ponte cruzada se inclina, a liberação do ADP e do íon fosfato que estavam previamente ligados à cabeça é permitida. No local de liberação do ADP, uma nova molécula de ATP se liga. Essa ligação do novo ATP causa o desprendimento entre a cabeça e a actina.

5. Depois que a cabeça se separa da actina, a nova molécula de ATP é clivada para iniciar o próximo ciclo, levando a um novo movimento de força. Ou seja, a energia volta a inclinar a cabeça novamente à sua condição perpendicular, pronta para iniciar o novo ciclo de força de deslocamento.

6. Quando a cabeça inclinada (com sua energia armazenada derivada da clivagem do ATP) se liga a um novo sítio ativo no filamento de actina, ela se destrava e mais uma vez fornece uma nova força de deslocamento.

Assim, o processo prossegue repetidas vezes até que os filamentos de actina puxem a membrana Z contra as extremidades dos filamentos de miosina ou até que a carga no músculo se torne grande demais para que ocorra mais tração.

A quantidade de sobreposição dos filamentos de actina e de miosina determina a tensão desenvolvida pela contração muscular

A **Figura 6.9** mostra o efeito do comprimento do sarcômero e a quantidade de sobreposição dos filamentos de miosina-actina na tensão ativa desenvolvida por uma fibra muscular em contração. À direita estão diferentes graus de sobreposição dos filamentos de miosina e de actina em distintos comprimentos de sarcômero. No ponto D do diagrama, o filamento de actina foi puxado até a extremidade do filamento de miosina, sem sobreposição de actina-miosina. Nesse ponto, a tensão desenvolvida pelo músculo ativado é zero. Em seguida, conforme o sarcômero encurta e o filamento de actina começa a se sobrepor ao filamento de miosina, a tensão aumenta progressivamente até que o comprimento do sarcômero diminui para cerca de 2,2 micrômetros. Nesse ponto, o filamento de actina já se sobrepôs a todas as pontes cruzadas do filamento de miosina, mas ainda não atingiu o centro do filamento de miosina. Com mais encurtamento, o sarcômero mantém a tensão total até que o ponto B seja alcançado, com um comprimento de sarcômero de cerca de 2 micrômetros. Então, as extremidades dos dois filamentos de actina começam a se sobrepor, além de se sobreporem aos filamentos de miosina. À medida que o comprimento do sarcômero diminui de 2 micrômetros para cerca de 1,65 micrômetro no ponto A, a força de contração diminui rapidamente. Nesse ponto, as duas linhas Z do sarcômero encostam nas extremidades dos filamentos de miosina. Então, conforme a contração prossegue para comprimentos ainda mais curtos do sarcômero, as extremidades dos filamentos de miosina são enrugadas e, como mostrado na figura, a força da contração se aproxima de zero, mas o sarcômero agora se contraiu até o seu menor comprimento.

Efeito do comprimento muscular na força de contração do músculo total. A curva superior da **Figura 6.10** é semelhante à da **Figura 6.9**, mas a curva da **Figura 6.10** representa a tensão de todo o músculo, em vez de uma única fibra muscular. O músculo em sua totalidade contém uma grande quantidade de tecido conjuntivo; além disso, os sarcômeros em diferentes partes do músculo nem sempre se contraem na mesma intensidade. Portanto, a curva tem dimensões um tanto diferentes daquelas mostradas para a fibra muscular individual, mas exibe a mesma forma geral para a inclinação, *na faixa normal de contração*, como mostrado na **Figura 6.10**.

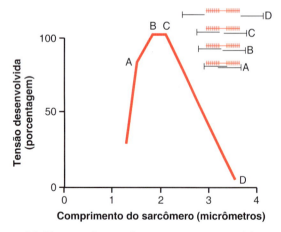

Figura 6.9 Diagrama de comprimento-tensão para um único sarcômero totalmente contraído mostrando a força máxima de contração quando o sarcômero tem 2,0 a 2,2 micrômetros de comprimento. No canto *superior direito* estão as posições relativas dos filamentos de actina e de miosina em diferentes comprimentos de sarcômero, do ponto A ao ponto D. *(Modificada de Gordon AM, Huxley AF, Julian FJ: The length-tension diagram of single vertebrate striated muscle fibers. J Physiol 171:28P, 1964.)*

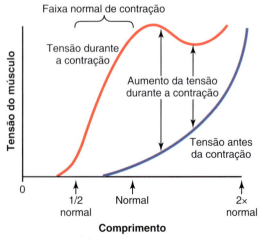

Figura 6.10 Relação do comprimento muscular com a tensão no músculo antes e durante a contração muscular.

Observe na **Figura 6.10** que, quando o músculo está em seu comprimento normal de *repouso*, com um comprimento de sarcômero de cerca de 2 micrômetros, ele se contrai na ativação com a força máxima aproximada de contração. No entanto, o *aumento* da tensão que ocorre durante a contração, chamada de *tensão ativa*, diminui à medida que o músculo é alongado além de seu comprimento normal – isto é, a um comprimento de sarcômero maior que cerca de 2,2 micrômetros. Esse fenômeno é demonstrado pela diminuição do comprimento da seta na figura, no comprimento muscular maior que o normal.

Relação da velocidade de contração com a carga

Um músculo esquelético se contrai rapidamente quando sem carga, para um estado de contração total em cerca de 0,1 segundo para o músculo médio. Quando se aplicam cargas, a velocidade de contração diminui progressivamente à medida que a carga aumenta, conforme mostrado na **Figura 6.11**. Quando a carga é aumentada para igualar a força máxima que o músculo pode exercer, a velocidade de contração torna-se zero, e resulta em nenhuma contração, apesar da ativação da fibra muscular.

Essa velocidade decrescente de contração com carga ocorre porque uma carga em um músculo em contração é uma força reversa que se opõe à força contrátil causada pela contração muscular. Portanto, a força efetiva que está disponível para causar a velocidade de encurtamento é correspondentemente reduzida.

ENERGÉTICA DA CONTRAÇÃO MUSCULAR

Trabalho realizado durante a contração muscular

Quando um músculo se contrai contra uma carga, ele realiza um *trabalho*. Executar trabalho significa que a *energia* é transferida do músculo para a carga externa, para levantar um objeto a uma altura maior ou para superar a resistência ao movimento.

Em termos matemáticos, o trabalho é definido pela seguinte equação:

$$T = C \times D$$

em que T é o trabalho realizado, C é a carga e D é a distância do movimento contra a carga. A energia necessária para realizar o trabalho é derivada das reações químicas nas células musculares durante a contração, conforme descrito nas seções a seguir.

Três fontes de energia para a contração muscular

A maior parte da energia necessária para a contração muscular é usada para acionar o mecanismo da catraca ("ir adiante" [*walk-along*]) pelo qual as pontes cruzadas puxam os filamentos de actina, mas pequenas quantidades de energia são necessárias para: (1) bombear íons cálcio do sarcoplasma para o retículo sarcoplasmático após o término da contração; e (2) bombear íons sódio e potássio através da membrana da fibra muscular para manter um ambiente iônico apropriado para a propagação dos potenciais de ação da fibra muscular.

A concentração de ATP na fibra muscular, cerca de 4 milimolares, é suficiente para manter a contração total por apenas 1 a 2 segundos no máximo. O ATP é clivado para formar o ADP, que transfere energia da molécula de ATP para o mecanismo de contração da fibra muscular. Então, conforme descrito no Capítulo 2, o ADP é refosforilado para formar um novo ATP em outra fração de segundo, o que permite que o músculo continue sua contração. Existem três fontes de energia para essa refosforilação.

A primeira fonte de energia usada para reconstituir o ATP é a substância *fosfocreatina*, que carrega uma ligação fosfato de alta energia semelhante às ligações do ATP. A ligação fosfato de alta energia da fosfocreatina tem uma quantidade ligeiramente maior de energia livre do que cada ligação do ATP, como discutido com mais detalhes nos Capítulos 68 e 73. Portanto, a fosfocreatina é instantaneamente clivada e sua energia liberada causa a ligação de um novo íon fosfato ao ADP para reconstituir o ATP. No entanto, a quantidade total de fosfocreatina na fibra muscular também é pequena, apenas cerca de 5 vezes maior que o ATP. Portanto, a energia combinada do ATP armazenado e da fosfocreatina no músculo é capaz de causar a contração muscular máxima por apenas 5 a 8 segundos.

A segunda fonte importante de energia, que é usada para reconstituir o ATP e a fosfocreatina, é um processo denominado *glicólise* – a quebra do *glicogênio* previamente armazenado nas células musculares. A rápida quebra enzimática do glicogênio em ácido pirúvico e ácido láctico libera energia que é usada para converter o ADP em ATP; o ATP pode então ser usado diretamente para energizar a contração muscular adicional e também para reformar os estoques de fosfocreatina.

A importância desse mecanismo de glicólise é dupla. Primeiro, as reações glicolíticas podem ocorrer mesmo na ausência de oxigênio, de modo que a contração muscular

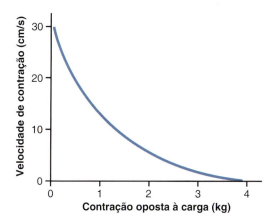

Figura 6.11 Relação da carga com a velocidade de contração em um músculo esquelético com seção transversa de 1 cm² e comprimento de 8 cm.

pode ser mantida por muitos segundos e às vezes até mais de 1 minuto, mesmo quando o fornecimento de oxigênio do sangue não está disponível. Segundo, a taxa de formação de ATP por glicólise é cerca de 2,5 vezes mais rápida do que a formação de ATP em resposta aos nutrientes celulares reagindo com o oxigênio. No entanto, tantos produtos finais da glicólise se acumulam nas células musculares que a glicólise também perde sua capacidade de sustentar a contração muscular máxima após cerca de 1 minuto.

A terceira e última fonte de energia é o *metabolismo oxidativo*, que significa combinar o oxigênio com os produtos finais da glicólise e com vários outros nutrientes celulares para liberar ATP. *Mais de 95% de toda a energia usada pelos músculos para a contração sustentada por longo prazo derivam do metabolismo oxidativo.* Os nutrientes consumidos são carboidratos, lipídios e proteínas. Para a atividade muscular máxima de prazo extremamente longo – muitas horas – a maior proporção de energia vem dos lipídios, mas, por períodos de 2 a 4 horas, até metade da energia pode vir dos carboidratos armazenados.

Os mecanismos detalhados desses processos energéticos serão discutidos nos Capítulos 68 a 73. Além disso, a importância dos diferentes mecanismos de liberação de energia durante o desempenho de diferentes esportes será discutida no Capítulo 85.

> **Eficiência da contração muscular.** A eficiência de uma máquina ou de um motor é calculada como a porcentagem da entrada de energia que é convertida em trabalho em vez de calor. A porcentagem da energia de entrada para o músculo (a energia química dos nutrientes) que pode ser convertida em trabalho, mesmo nas melhores condições, é inferior a 25%, com o restante transformando-se em calor. A razão para essa baixa eficiência é que cerca de metade da energia dos nutrientes é perdida durante a formação do ATP e, mesmo assim, apenas 40 a 45% da energia do próprio ATP podem ser posteriormente convertidos em trabalho.
>
> A eficiência máxima pode ser alcançada apenas quando o músculo se contrai a uma velocidade moderada. Se o músculo se contrair lentamente ou sem qualquer movimento, pequenas quantidades de calor serão liberadas durante a contração, mesmo que pouco ou nenhum trabalho seja realizado, diminuindo, assim, a eficiência de conversão para quase zero. Por outro lado, se a contração for muito rápida, grande parte da energia será usada para superar o atrito viscoso dentro do próprio músculo, e isso também reduzirá a eficiência da contração. Normalmente, a eficiência máxima ocorre quando a velocidade de contração é cerca de 30% do máximo.

CARACTERÍSTICAS DA CONTRAÇÃO DO MÚSCULO COMO UM TODO

Muitas características da contração muscular podem ser demonstradas pelo desencadeamento de *abalos musculares* de um único músculo. Isso pode ser realizado pela excitação elétrica do nervo para um músculo ou pela passagem de um curto estímulo elétrico através do próprio músculo, dando origem a uma única contração repentina que dura uma fração de segundo.

As contrações isométricas não encurtam o músculo, enquanto as contrações isotônicas encurtam o músculo sob uma tensão constante. A contração muscular é considerada *isométrica* quando o músculo não encurta durante a contração e *isotônica* quando ele encurta, mas a tensão (carga) no músculo permanece constante durante toda a contração. Os sistemas para registrar os dois tipos de contração muscular são mostrados na **Figura 6.12**.

No sistema isométrico, o músculo se contrai contra um transdutor de força sem diminuir o comprimento

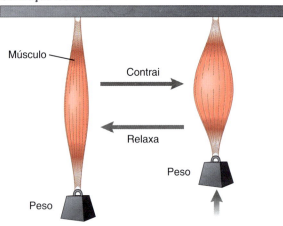

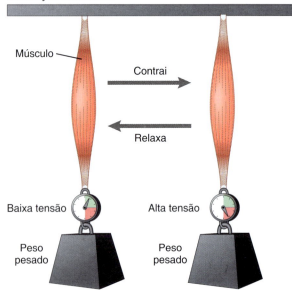

Figura 6.12 Sistemas isotônico e isométrico para registro das contrações musculares. A contração isotônica ocorre quando a força da contração muscular é maior do que a carga, e a tensão no músculo permanece constante durante a contração. Quando o músculo se contrai, ele encurta e move a carga. A contração isométrica ocorre quando a carga é maior do que a força da contração muscular; o músculo cria tensão quando se contrai, mas o comprimento total do músculo não muda.

do músculo, conforme mostrado no painel inferior da **Figura 6.12**. No sistema isotônico, o músculo encurta contra uma carga fixa, o que é ilustrado no painel superior da figura, mostrando um músculo levantando um peso. As características da contração isotônica dependem da carga contra a qual o músculo se contrai, bem como da inércia da carga. No entanto, o sistema isométrico registra mudanças na força de contração muscular independentemente da inércia da carga. Portanto, o sistema isométrico é frequentemente usado para comparar as características funcionais de diferentes tipos de músculos.

Características dos abalos isométricos registrados em diferentes músculos. O corpo humano tem muitos tamanhos de músculos esqueléticos – desde o pequeno músculo estapédio no ouvido médio, medindo apenas alguns milímetros de comprimento e 1 milímetro ou mais de diâmetro, até o volumoso músculo quadríceps, meio milhão de vezes maior que o estapédio. Além disso, as fibras podem ser tão pequenas quanto 10 micrômetros de diâmetro ou tão grandes quanto 80 micrômetros. Finalmente, a energética da contração muscular varia consideravelmente de um músculo para outro. Portanto, não é de se admirar que as características mecânicas da contração muscular difiram entre os músculos.

A **Figura 6.13** mostra registros de contrações isométricas de três tipos de músculo esquelético – um músculo ocular, que tem uma duração de contração *isométrica* de menos que 1/50 segundo; o músculo gastrocnêmio, que tem uma duração de contração de cerca de 1/15 segundo; e o músculo sóleo, que tem uma duração de contração de cerca de 1/5 de segundo. Essas durações de contração são altamente adaptadas às funções dos respectivos músculos. Os movimentos oculares devem ser extremamente rápidos para manter a fixação dos olhos em objetos específicos para fornecer a acuidade visual. O músculo gastrocnêmio deve se contrair moderadamente rápido para fornecer velocidade suficiente de movimento dos membros para correr e pular, e o músculo sóleo está relacionado principalmente com a contração lenta para o suporte contínuo e de longo prazo do corpo contra a gravidade.

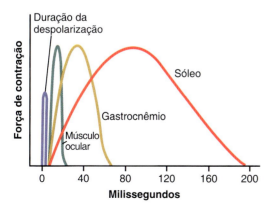

Figura 6.13 Duração das contrações isométricas para diferentes tipos de músculos esqueléticos de mamíferos, mostrando um período latente entre o potencial de ação (despolarização) e a contração muscular.

Fibras musculares rápidas *versus* lentas. Como será discutido mais detalhadamente no Capítulo 85 sobre fisiologia do esporte, cada músculo do corpo é composto de uma mistura das chamadas fibras musculares *rápidas* e *lentas*, com outras fibras ainda graduadas entre esses dois extremos. Os músculos que reagem rapidamente, incluindo o tibial anterior, são compostos principalmente de fibras rápidas, com apenas um pequeno número da variedade lenta. Por outro lado, músculos como o sóleo, que respondem lentamente, mas com contração prolongada, são compostos principalmente de fibras lentas. As diferenças entre esses dois tipos de fibras são descritas nas seções a seguir.

Fibras lentas (tipo 1, músculo vermelho). A seguir são apresentadas as características das fibras lentas:

1. São menores do que as fibras rápidas.
2. Também são inervadas por fibras nervosas menores.
3. Têm um sistema de vasos sanguíneos mais extenso e mais capilares para fornecer quantidades extras de oxigênio em comparação com as fibras rápidas.
4. Têm um número muito maior de mitocôndrias para suportar altos níveis de metabolismo oxidativo.
5. Contêm grandes quantidades de mioglobina, uma proteína que contém ferro semelhante à hemoglobina nas hemácias. A mioglobina se combina com o oxigênio e o armazena até o necessário, o que também acelera muito o transporte de oxigênio para a mitocôndria. A mioglobina dá ao músculo lento uma aparência avermelhada – por isso o nome *músculo vermelho*.

Fibras rápidas (tipo 2, músculo branco). A seguir são apresentadas as características das fibras rápidas:

1. São grandes para uma intensa força de contração.
2. Têm um retículo sarcoplasmático extenso para a liberação rápida de íons cálcio para iniciar a contração.
3. Apresentam grandes quantidades de enzimas glicolíticas para a liberação rápida de energia pelo processo glicolítico.
4. Têm um suprimento sanguíneo menos extenso do que as fibras lentas porque o metabolismo oxidativo é de importância secundária.
5. Têm menos mitocôndrias do que as fibras lentas, também porque o metabolismo oxidativo é secundário. Um déficit de mioglobina vermelha no músculo rápido dá a ele o nome de *músculo branco*.

MECÂNICA DA CONTRAÇÃO DO MÚSCULO ESQUELÉTICO

Em uma unidade motora todas as fibras musculares são inervadas por uma única fibra nervosa. Cada neurônio motor que sai da medula espinhal inerva várias fibras musculares, com o número de fibras inervadas dependendo do tipo de músculo. Todas as fibras musculares inervadas por uma única fibra nervosa são chamadas de *unidade motora* (ver **Figura 6.14**). Em geral, pequenos

PARTE 2 Fisiologia da Membrana, do Nervo e do Músculo

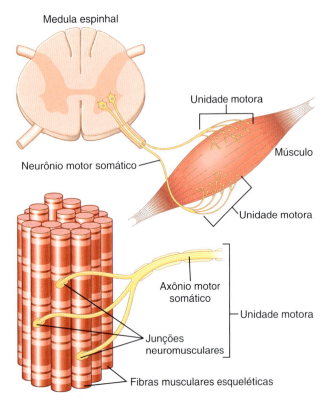

Figura 6.14 Uma unidade motora consiste em um neurônio motor e o grupo de fibras musculares esqueléticas que ele inerva. Um único axônio motor pode se ramificar para inervar várias fibras musculares que funcionam juntas como um grupo. Embora cada fibra muscular seja inervada por um único neurônio motor, um músculo inteiro pode receber informações de centenas de neurônios motores diferentes.

Somação por múltiplas fibras. Quando o sistema nervoso central envia um sinal fraco para contrair um músculo, as unidades motoras menores do músculo podem ser estimuladas em preferência às unidades motoras maiores. Então, à medida que a força do sinal aumenta, unidades motoras cada vez maiores começam a ser excitadas, com as unidades motoras maiores frequentemente tendo até 50 vezes a força contrátil das unidades menores. Esse fenômeno, chamado de *princípio do tamanho*, é importante porque permite que as gradações da força muscular durante a contração fraca ocorram em pequenas etapas, enquanto as etapas se tornam progressivamente maiores quando grandes quantidades de força são necessárias. Esse princípio de tamanho ocorre porque as unidades motoras menores são acionadas por pequenas fibras nervosas motoras, e os pequenos motoneurônios na medula espinhal são mais excitáveis do que os maiores; portanto, naturalmente eles são excitados primeiro.

Outra característica importante da somação por fibras múltiplas é que as diferentes unidades motoras são acionadas de forma assíncrona pela medula espinhal; como resultado, a contração alterna entre as unidades motoras, uma após a outra, proporcionando uma contração suave, mesmo em baixas frequências de sinais nervosos.

Somação por frequência e tetanização. A **Figura 6.15** mostra os princípios da somação por frequência e da tetanização. As contrações individuais que ocorrem uma após a outra em baixa frequência de estimulação são exibidas à esquerda. Então, conforme a frequência aumenta, chega um ponto em que cada nova contração ocorre antes que a anterior termine. Como resultado, a segunda contração é adicionada parcialmente à primeira e, assim, a força total da contração aumenta progressivamente com a frequência crescente. Quando a frequência atinge um nível crítico, as contrações sucessivas eventualmente se tornam tão rápidas que se fundem, e toda a contração muscular parece ser completamente suave e contínua, como mostrado na figura. Esse processo é denominado *tetanização*. Em uma frequência ligeiramente mais alta, a força da contração atinge seu máximo; então, qualquer aumento adicional na frequência além desse ponto não tem efeito adicional no aumento da força contrátil. A tetania

músculos que reagem rapidamente e cujo controle deve ser exato têm mais fibras nervosas para menos fibras musculares (p. ex., apenas duas ou três fibras musculares por unidade motora em alguns dos músculos da laringe). Por outro lado, músculos volumosos que não requerem controle fino, como o músculo sóleo, podem ter várias centenas de fibras musculares em uma unidade motora. Um número médio para todos os músculos do corpo é questionável, mas uma estimativa razoável seria cerca de 80 a 100 fibras musculares para uma unidade motora.

As fibras musculares em cada unidade motora não estão todas agrupadas no músculo, mas se sobrepõem a outras unidades motoras em microfeixes de 3 a 15 fibras. Essa interdigitação permite que as unidades motoras separadas se contraiam em apoio umas às outras, em vez de inteiramente como segmentos individuais.

Contrações musculares gerando forças diferentes | Somação de forças. *Somação* significa somar os abalos individuais para aumentar a intensidade da contração muscular total. A somação ocorre de duas maneiras: (1) aumentando o número de unidades motoras que se contraem simultaneamente, o que é chamado de *somação por múltiplas fibras*; e (2) aumentando a frequência da contração, que é chamada de *somação por frequência* e pode levar à *tetanização*.

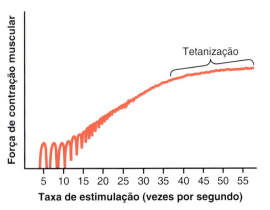

Figura 6.15 Somação por frequência e tetanização.

ocorre porque íons cálcio suficientes são mantidos no sarcoplasma muscular, mesmo entre os potenciais de ação, de modo que um estado contrátil total é mantido sem permitir qualquer relaxamento entre os potenciais de ação.

Força máxima de contração. A força máxima de contração tetânica de um músculo operando em um comprimento muscular normal é, em média, entre 3 e 4 kg/cm^2 de músculo. Como um músculo quadríceps pode ter até 103 cm^2 de ventre muscular, até cerca de 363 kg de tensão podem ser aplicados ao tendão patelar. Assim, pode-se entender prontamente como é possível para os músculos arrancarem seus tendões de suas inserções ósseas.

Mudanças na força muscular no início da contração | O efeito escada (*treppe*). Quando um músculo começa a se contrair após um longo período de repouso, sua força inicial de contração pode ser tão pequena quanto a metade de sua força 10 a 50 contrações musculares depois. Ou seja, a força da contração aumenta para um platô, fenômeno denominado *efeito escada*, ou *efeito treppe* (escada, em alemão).

Embora não sejam conhecidas todas as possíveis causas do efeito escada, acredita-se que seja causado principalmente pelo aumento de íons cálcio no citosol devido à liberação de mais e mais íons do retículo sarcoplasmático com cada potencial de ação muscular sucessivo e falha do sarcoplasma para recapturar os íons imediatamente.

Tônus do músculo esquelético. Mesmo quando os músculos estão em repouso, geralmente permanece uma certa tensão, chamada *tônus muscular*. Como as fibras musculares esqueléticas normais não se contraem sem um potencial de ação para estimular as fibras, o tônus do músculo esquelético resulta inteiramente de uma baixa taxa de impulsos nervosos vindos da medula espinhal. Esses impulsos nervosos, por sua vez, são controlados em parte por sinais transmitidos do cérebro para os motoneurônios anteriores da medula espinhal, e em parte por sinais que se originam em *fusos musculares* localizados no músculo. Ambos os sinais serão discutidos em relação à função do fuso muscular e da medula espinhal no Capítulo 55.

Fadiga muscular. A contração forte prolongada de um músculo leva ao conhecido estado de fadiga muscular. Estudos em atletas mostraram que a fadiga muscular aumenta em proporção quase direta com a taxa de depleção do glicogênio muscular. Portanto, a fadiga resulta principalmente da incapacidade dos processos contráteis e metabólicos das fibras musculares de continuarem a fornecer a mesma produção de trabalho. No entanto, experimentos também mostraram que a transmissão do sinal nervoso através da junção neuromuscular, discutida no Capítulo 7, pode diminuir pelo menos um pouco após intensa atividade muscular prolongada, reduzindo ainda mais a contração muscular. A interrupção do fluxo sanguíneo através de um músculo em contração leva à fadiga muscular quase completa em 1 ou 2 minutos em virtude da perda de suprimento de nutrientes, especialmente a perda de oxigênio.

Sistemas de alavancas do corpo. Os músculos operam aplicando tensão aos seus pontos de inserção nos ossos, e os ossos, por sua vez, formam vários tipos de sistemas de alavancas. A **Figura 6.16** mostra o sistema de alavanca ativado pelo músculo bíceps para erguer o antebraço contra uma carga. Se considerarmos que um músculo bíceps braquial volumoso tem uma área de seção transversa de 39 cm^2, a força máxima de contração seria de cerca de 136 kg. Quando o antebraço forma um ângulo reto com o braço, a inserção do tendão do bíceps é cerca de 5 cm anterior ao fulcro no cotovelo e o comprimento total da alavanca do antebraço é de cerca de 35 cm. Portanto, a quantidade de potência de levantamento do bíceps na mão seria apenas um sétimo dos 136 kg de força muscular, ou cerca de 19,5 kg. Quando o braço está totalmente estendido, a inserção do bíceps é muito menos do que 5 cm anterior ao fulcro, e a força com a qual a mão pode ser trazida para a frente também é muito inferior a 19,5 kg.

Em suma, uma análise dos sistemas de alavancas do corpo depende do conhecimento: (1) do ponto de inserção do músculo; (2) da sua distância do fulcro da alavanca; (3) do comprimento do braço da alavanca; e (4) da posição da alavanca. Muitos tipos de movimento são necessários no corpo, alguns precisam de grande força e outros precisam de grandes distâncias de movimento. Por esse motivo, existem muitos tipos diferentes de músculos; alguns são longos e contraem a uma longa distância, e alguns são curtos, mas têm grandes áreas transversais e podem fornecer extrema força de contração em distâncias curtas. O estudo de diferentes tipos de músculos, sistemas de alavancas e seus movimentos é denominado *cinesiologia* e é um importante componente científico da fisiologia humana.

Posicionamento de uma parte do corpo pela contração dos músculos agonistas e antagonistas em lados opostos de uma articulação. Praticamente todos os movimentos do corpo são causados pela contração simultânea dos músculos agonistas e antagonistas em lados opostos das articulações. Esse processo é denominado *coativação dos músculos agonista e antagonista* e é controlado pelos centros de controle motor do cérebro e da medula espinhal.

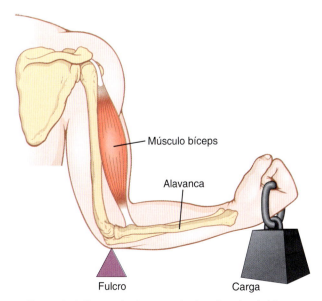

Figura 6.16 Sistema de alavanca ativado pelo músculo bíceps.

PARTE 2 Fisiologia da Membrana, do Nervo e do Músculo

A posição de cada parte separada do corpo, como um braço ou uma perna, é determinada pelos graus relativos de contração dos grupos de músculos agonistas e antagonistas. Por exemplo, suponhamos que um braço ou uma perna seja colocado em uma posição intermediária. Para atingir essa posição, os músculos agonistas e antagonistas são excitados em um grau aproximadamente igual. Lembre-se de que um músculo alongado se contrai com mais força do que um músculo encurtado, o que foi ilustrado na **Figura 6.10**, mostrando a força máxima de contração em todo o comprimento funcional do músculo e quase nenhuma força de contração na metade do comprimento normal. Portanto, o músculo alongado de um lado da articulação pode se contrair com muito mais força do que o músculo mais curto do lado oposto. Conforme um braço ou perna se move em direção à sua posição intermediária, a força do músculo mais longo diminui, mas a força do músculo mais curto aumenta até que as duas forças se igualem. Nesse ponto, o movimento do braço ou da perna é interrompido. Assim, ao variar as proporções do grau de ativação dos músculos agonistas e antagonistas, o sistema nervoso direciona o posicionamento do braço ou da perna.

Discutiremos no Capítulo 55 que o sistema nervoso motor tem mecanismos adicionais importantes para compensar as diferentes cargas musculares ao direcionar esse processo de posicionamento.

REMODELAÇÃO DO MÚSCULO PARA CORRESPONDER À SUA FUNÇÃO

Os músculos do corpo remodelam-se continuamente para corresponder às funções exigidas deles. Seus diâmetros, comprimentos, forças e suprimentos vasculares são alterados, e até mesmo os tipos de fibras musculares são alterados, pelo menos ligeiramente. Esse processo de remodelação costuma ser bastante rápido, ocorrendo em poucas semanas. Experimentos em animais mostraram que as proteínas contráteis musculares em alguns músculos menores e mais ativos podem ser substituídas em apenas 2 semanas.

Hipertrofia muscular e atrofia muscular. O aumento da massa total de um músculo é denominado *hipertrofia muscular*. Quando a massa total diminui, o processo é denominado *atrofia muscular*.

Praticamente toda hipertrofia muscular resulta de um aumento no número de filamentos de actina e de miosina em cada fibra muscular, causando o aumento das fibras musculares individuais; essa condição é chamada simplesmente de *hipertrofia da fibra*. A hipertrofia ocorre em grau muito maior quando o músculo é carregado durante o processo contrátil. Apenas algumas contrações fortes por dia são necessárias para causar hipertrofia significativa dentro de 6 a 10 semanas.

A maneira pela qual a contração vigorosa leva à hipertrofia é mal compreendida. Sabe-se, entretanto, que a taxa de síntese das proteínas contráteis musculares é muito maior quando a hipertrofia está se desenvolvendo,

levando também a um número progressivamente maior de filamentos de actina e de miosina nas miofibrilas, frequentemente aumentando até 50%. Foi observado que algumas das miofibrilas se dividem dentro do músculo hipertrofiado para formar novas miofibrilas, mas a importância desse processo no aumento normal do músculo esquelético ainda é desconhecida.

Junto com o aumento do tamanho das miofibrilas, os sistemas enzimáticos que fornecem energia também aumentam, especialmente as enzimas para a glicólise, permitindo um fornecimento rápido de energia durante a contração muscular vigorosa de curto prazo.

Quando um músculo permanece sem uso por muitas semanas, a taxa de degradação das proteínas contráteis é mais rápida do que a taxa de substituição. Portanto, ocorre atrofia muscular. A via que parece ser responsável por grande parte da degradação proteica em um músculo em atrofia é a *via ubiquitina-proteassoma dependente de ATP*. Os proteassomas são grandes complexos de proteínas que degradam proteínas danificadas ou desnecessárias por *proteólise*, uma reação química que quebra as ligações peptídicas. A ubiquitina é uma proteína reguladora que basicamente marca quais células serão alvo da degradação proteassômica.

Ajuste do comprimento do músculo. Outro tipo de hipertrofia ocorre quando os músculos são estirados além do comprimento normal. Esse estiramento faz com que novos sarcômeros sejam adicionados nas extremidades das fibras musculares, onde se fixam aos tendões. Na verdade, novos sarcômeros podem ser adicionados tão rapidamente quanto vários por minuto no músculo em desenvolvimento recente, ilustrando a rapidez desse tipo de hipertrofia.

Por outro lado, quando um músculo permanece continuamente encurtado para menos do que seu comprimento normal, os sarcômeros nas extremidades das fibras musculares podem realmente desaparecer. É por meio desses processos que os músculos são continuamente remodelados para que tenham o comprimento adequado para a contração muscular apropriada.

Hiperplasia das fibras musculares. Em raras condições de geração de força muscular extrema, observou-se que o número real de fibras musculares aumenta (em uma porcentagem pequena), além do processo de hipertrofia das fibras. Esse aumento no número de fibras é denominado *hiperplasia da fibra*. Quando isso ocorre, o mecanismo é a divisão linear de fibras previamente aumentadas.

Denervação muscular causa rápida atrofia. Quando um músculo perde seu suprimento nervoso, ele não recebe mais os sinais contráteis necessários para manter o tamanho normal do músculo. Portanto, a atrofia começa quase imediatamente. Após cerca de 2 meses, alterações degenerativas também começam a aparecer nas fibras musculares. Se o suprimento nervoso para o músculo voltar a crescer rapidamente, o retorno completo da função pode ocorrer em apenas 3 meses, mas, a partir de então, a capacidade de retorno funcional torna-se cada vez menor, sem retorno adicional da função após 1 a 2 anos.

No estágio final da atrofia por denervação, a maioria das fibras musculares é destruída e substituída por tecido fibroso e adiposo. As fibras que permanecem são compostas por uma longa membrana celular com alinhamento de núcleos de células musculares, mas com pouca ou nenhuma propriedade contrátil e pequena ou nenhuma capacidade de regenerar as miofibrilas se um nervo voltar a crescer.

O tecido fibroso que substitui as fibras musculares durante a atrofia por denervação também tende a continuar encurtando por muitos meses, um processo denominado *contratura*. Portanto, um dos problemas mais importantes na prática da fisioterapia é evitar que os músculos atrofiados desenvolvam contraturas patológicas, dolorosas e deformantes. Esse objetivo é alcançado por meio do alongamento diário dos músculos ou do uso de aparelhos que os mantenham alongados durante o processo de atrofia.

Recuperação da contração muscular na poliomielite | Desenvolvimento de macrounidades motoras. Quando algumas fibras nervosas de um músculo são destruídas, como ocorre na poliomielite, as fibras nervosas restantes se ramificam para formar novos axônios que inervam muitas das fibras musculares paralisadas. Esse processo resulta em grandes unidades motoras chamadas *macrounidades motoras*, que podem conter até cinco vezes o número normal de fibras musculares para cada neurônio motor proveniente da medula espinhal. A formação de grandes unidades motoras diminui o grau de controle que se tem sobre os músculos, mas permite que os músculos recuperem alguns graus de força.

Rigidez cadavérica (*rigor mortis*). Algumas horas após a morte, todos os músculos do corpo entram em um estado de *contratura* denominado *rigidez cadavérica* (*rigor mortis*); ou seja, os músculos se contraem e ficam rígidos, mesmo sem potenciais de ação. Essa rigidez resulta da perda de todo o ATP, que é necessário para causar a separação das pontes cruzadas dos filamentos de actina durante o processo de relaxamento. Os músculos permanecem rígidos até que as proteínas musculares se deteriorem, cerca de 15 a 25 horas depois, o que presumivelmente resulta da autólise causada por enzimas liberadas dos lisossomos. Todos esses eventos ocorrem mais rapidamente em temperaturas mais altas.

Distrofia muscular. As distrofias musculares incluem várias doenças hereditárias que causam fraqueza progressiva e degeneração das fibras musculares, que são substituídas por tecido adiposo e colágeno.

Uma das formas mais comuns de distrofia muscular é a *distrofia muscular de Duchenne* (DMD). Essa doença afeta apenas os homens porque é transmitida como um traço recessivo ligado ao X e é causada pela mutação do gene que codifica uma proteína chamada *distrofina*, que liga os filamentos de actina a proteínas na membrana da célula muscular. A distrofina e as proteínas associadas formam uma interface entre o aparato contrátil intracelular e a matriz extracelular.

Embora as funções precisas da distrofina não sejam completamente compreendidas, a falta de distrofina ou formas mutadas da proteína causam desestabilização da membrana da célula muscular e ativação de múltiplos processos fisiopatológicos, como a alteração do controle do cálcio intracelular e o prejuízo ao reparo da membrana após lesão. Um efeito importante da distrofina anormal é um aumento na permeabilidade da membrana ao cálcio, permitindo, assim, que os íons cálcio extracelulares entrem na fibra muscular e iniciem mudanças nas enzimas intracelulares que, em última análise, levam à proteólise e à quebra da fibra muscular.

Os sintomas da DMD incluem fraqueza muscular que começa na primeira infância e progride rapidamente, de modo que o paciente geralmente fica em cadeira de rodas aos 12 anos e a morte por insuficiência respiratória costuma acontecer antes dos 30 anos. Uma forma mais branda dessa doença, chamada *distrofia muscular de Becker* (DMB), também é causada por mutações no gene que codifica para a distrofina, mas tem início tardio e sobrevida mais longa. Estima-se que a DMD e a DMB afetem 1 em cada 5.600 a 7.700 homens com idades entre 5 e 24 anos. Atualmente, não existe nenhum tratamento eficaz para DMD ou DMB, embora a caracterização da base genética para essas doenças forneça o potencial para a terapia gênica no futuro.

Bibliografia

Adams GR, Bamman MM: Characterization and regulation of mechanical loading-induced compensatory muscle hypertrophy. Compr Physiol 2:2829, 2012.

Allen DG, Lamb GD, Westerblad H: Skeletal muscle fatigue: cellular mechanisms. Physiol Rev 88:287, 2008.

Blake DJ, Weir A, Newey SE, Davies KE: Function and genetics of dystrophin and dystrophin-related proteins in muscle. Physiol Rev 82:291, 2002.

Damas F, Libardi CA, Ugrinowitsch C. The development of skeletal muscle hypertrophy through resistance training: the role of muscle damage and muscle protein synthesis. Eur J Appl Physiol 118:485-500, 2019.

Fitts RH: The cross-bridge cycle and skeletal muscle fatigue. J Appl Physiol 104:551, 2008.

Francaux M, Deldicque L. Exercise and the control of muscle mass in human. Pflugers Arch 471:397-411, 2019.

Glass DJ: Signaling pathways that mediate skeletal muscle hypertrophy and atrophy. Nat Cell Biol 5:87, 2003.

Gorgey AS, Witt O, O'Brien L, Cardozo C, Chen Q, Lesnefsky EJ, Graham ZA. Mitochondrial health and muscle plasticity after spinal cord injury. Eur J Appl Physiol 119:315-331, 2019.

Gunning P, O'Neill G, Hardeman E: Tropomyosin-based regulation of the actin cytoskeleton in time and space. Physiol Rev 88:1, 2008.

Heckman CJ, Enoka RM: Motor unit. Compr Physiol 2:2629, 2012.

Henderson CA, Gomez CG, Novak SM, Mi-Mi L, Gregorio CC. Overview of the muscle cytoskeleton. Compr Physiol 7:891-944, 2017.

Jungbluth H, Treves S, Zorzato F, Sarkozy A, Ochala J, Sewry C, Phadke R, Gautel M, Muntoni F. Congenital myopathies: disorders of excitation-contraction coupling and muscle contraction. Nat Rev Neurol 14:151-167, 2018.

Larsson L, Degens H, Li M, Salviati L, Lee YI, Thompson W, Kirkland JL, Sandri M. Sarcopenia: Aging-related loss of muscle mass and function. Physiol Rev 99:427-511, 2019.

Lin BL, Song T, Sadayappan S. Myofilaments: Movers and rulers of the sarcomere. Compr Physiol 7:675-692, 2017.

Mercuri E, Muntoni F: Muscular dystrophies. Lancet 381:845, 2013.

PARTE 2 Fisiologia da Membrana, do Nervo e do Músculo

Murach KA, Fry CS, Kirby TJ, Jackson JR, Lee JD, White SH, Dupont-Versteegden EE, McCarthy JJ, Peterson CA. Starring or supporting role? Satellite cells and skeletal muscle fiber size regulation. Physiology (Bethesda) 33:26-38, 2018.

Olsen LA, Nicoll JX, Fry AC. The skeletal muscle fiber: a mechanically sensitive cell. Eur J Appl Physiol 119:333-349, 2019.

Patikas DA, Williams CA, Ratel S. Exercise-induced fatigue in young people: advances and future perspectives. Eur J Appl Physiol 118:899-910, 2018.

Schaeffer PJ, Lindstedt SL: How animals move: comparative lessons on animal locomotion. Compr Physiol 3:289, 2013.

Schiaffino S, Reggiani C: Fiber types in mammalian skeletal muscles. Physiol Rev 91:1447, 2011.

Tsianos GA, Loeb GE. Muscle and limb mechanics. Compr Physiol 7:429-462, 2017.

van Breemen C, Fameli N, Evans AM: Pan-junctional sarcoplasmic reticulum in vascular smooth muscle: nanospace Ca^{2+} transport for site- and function-specific Ca^{2+} signalling. J Physiol 591:2043, 2013.

Vandenboom R. Modulation of skeletal muscle contraction by myosin phosphorylation. Compr Physiol 7:171-212, 2016.L, Goodman MB: Insight into DEG/ENaC channel gating from genetics and structure. Physiology (Bethesda) 27:282, 2012.

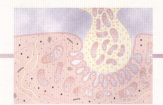

CAPÍTULO 7

Excitação do Músculo Esquelético: Transmissão Neuromuscular e Acoplamento Excitação-Contração

PARTE 2

JUNÇÃO NEUROMUSCULAR E TRANSMISSÃO DE IMPULSOS DAS TERMINAÇÕES NERVOSAS PARA AS FIBRAS MUSCULARES ESQUELÉTICAS

As fibras musculares esqueléticas são inervadas por fibras nervosas mielínicas calibrosas que se originam de grandes motoneurônios nos cornos anteriores da medula espinhal. Conforme discutido no Capítulo 6, cada fibra nervosa, após entrar no ventre muscular, normalmente se ramifica e estimula de três a centenas de fibras musculares esqueléticas. Cada terminação nervosa faz uma junção, chamada *junção neuromuscular*, com a fibra muscular próxima de seu ponto médio. O potencial de ação iniciado na fibra muscular pelo sinal nervoso viaja em ambas as direções até as extremidades da fibra muscular. Com exceção de cerca de 2% das fibras musculares, há apenas uma dessas junções por fibra muscular.

ANATOMIA FISIOLÓGICA DA JUNÇÃO NEUROMUSCULAR | A PLACA MOTORA

A **Figura 7.1 A** e **B** mostram a junção neuromuscular de uma fibra nervosa mielínica calibrosa com uma fibra muscular esquelética. A fibra nervosa forma um complexo de *terminais nervosos ramificados* que se invaginam na superfície da fibra muscular, mas ficam fora da membrana plasmática da fibra muscular. Toda a estrutura é chamada de *placa motora*. Ela é coberta por uma ou mais células de Schwann que a isolam dos líquidos circundantes.[1]

A **Figura 7.1 C** mostra a junção entre um único terminal axonal e a membrana da fibra muscular. A membrana invaginada é chamada de *goteira sináptica* (*canaleta sináptica*), e o espaço entre o terminal e a membrana da fibra é chamado de *espaço sináptico* ou *fenda sináptica*, que tem de 20 a 30 nanômetros de largura. Na parte inferior da goteira existem numerosas pequenas *dobras da membrana muscular* chamadas *fendas subneurais*, que aumentam muito a área de superfície na qual o transmissor sináptico pode atuar.

---

[1] N.R.C.: A terminação da célula de Schwann se denomina celula teloglial.

No terminal axonal estão muitas mitocôndrias que fornecem trifosfato de adenosina (ATP), a fonte de energia usada para a síntese de um transmissor, a *acetilcolina* (*ACh*), que excita a membrana da fibra muscular. A acetilcolina é sintetizada no citoplasma do terminal, mas é rapidamente absorvida em muitas pequenas *vesículas sinápticas*, cerca de 300.000 das quais estão normalmente nos terminais de uma única placa terminal. Na fenda sináptica estão grandes quantidades da enzima *acetilcolinesterase*, que destrói a acetilcolina alguns milissegundos depois de ter sido liberada das vesículas sinápticas.

SECREÇÃO DE ACETILCOLINA PELOS TERMINAIS NERVOSOS

Quando um impulso nervoso atinge a junção neuromuscular, cerca de 125 vesículas de acetilcolina são liberadas dos terminais para a fenda sináptica. Alguns dos detalhes desse mecanismo podem ser vistos na **Figura 7.2**, uma ampliação de uma fenda sináptica com a membrana neural acima e a membrana muscular e suas fendas subneurais abaixo.

Na superfície interna da membrana neural estão as *barras densas* lineares, mostradas em seção transversa na **Figura 7.2**. Em cada lado de cada barra densa estão partículas proteicas que penetram na membrana neural; são os *canais de cálcio dependentes de voltagem*. Quando um potencial de ação se propaga pelo terminal, esses canais se abrem e permitem que os íons cálcio se difundam da fenda sináptica para o interior do terminal nervoso. Acredita-se que os íons cálcio, por sua vez, ativem a *proteinoquinase dependente de Ca^{2+}-calmodulina*, que, por sua vez, fosforila as proteínas *sinapsinas* que ancoram as vesículas de acetilcolina ao citoesqueleto do terminal pré-sináptico. Esse processo libera as vesículas de acetilcolina do citoesqueleto e permite que elas se movam para a *zona ativa* da membrana neural pré-sináptica adjacente às barras densas. As vesículas então se encaixam nos locais de liberação, se fundem com a membrana neural e descarregam sua acetilcolina na fenda sináptica pelo processo de *exocitose*.

Embora alguns dos detalhes mencionados anteriormente sejam especulativos, sabe-se que o estímulo eficaz para causar a liberação de acetilcolina das vesículas é a

PARTE 2 Fisiologia da Membrana, do Nervo e do Músculo

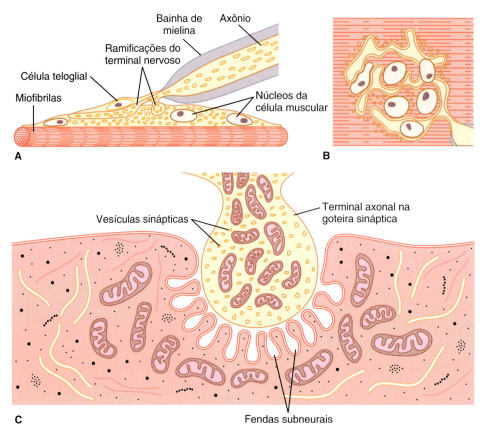

Figura 7.1 Perspectivas diferentes da placa motora. **A.** Seção longitudinal da placa terminal. **B.** Vista da superfície da placa terminal. **C.** Aspecto da micrografia eletrônica do ponto de contato entre um único terminal axonal e a membrana da fibra muscular.

entrada de íons cálcio e que a acetilcolina das vesículas é então descarregada através da membrana neural adjacente às barras densas.

A acetilcolina abre canais iônicos nas membranas pós-sinápticas.
A **Figura 7.2** também mostra muitos

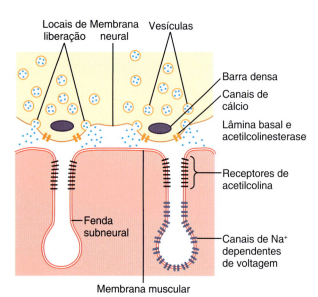

Figura 7.2 Liberação de acetilcolina das vesículas sinápticas na membrana neural da junção neuromuscular. Observe a proximidade dos locais de liberação na membrana neural aos receptores de acetilcolina na membrana muscular na embocadura das fendas subneurais.

pequenos *receptores de acetilcolina* e *canais de sódio dependentes de voltagem* na membrana da fibra muscular. Os *canais iônicos dependentes de acetilcolina* estão localizados quase inteiramente próximos à embocadura das fendas subneurais, imediatamente abaixo das áreas de barra densa, onde a acetilcolina é descarregada na fenda sináptica. Os canais de sódio dependentes de voltagem também revestem as fendas subneurais.

Cada receptor de acetilcolina é um complexo proteico com peso molecular total de aproximadamente 275.000. O complexo receptor de acetilcolina fetal é composto por cinco subunidades de proteínas, duas proteínas *alfa* e uma de cada proteína *beta*, *delta* e *gama*. No adulto, uma proteína *épsilon* substitui a proteína gama nesse complexo receptor. Essas moléculas de proteína atravessam completamente a membrana, dispostas lado a lado em um círculo para formar um canal tubular, ilustrado na **Figura 7.3**. O canal permanece contraído, como mostrado na parte A da figura, até que duas moléculas de acetilcolina se liguem, respectivamente, às duas proteínas da subunidade *alfa*. Essa ligação causa uma mudança conformacional que abre o canal, conforme mostrado na parte B da figura.

O canal dependente de acetilcolina tem um diâmetro de cerca de 0,65 nanômetro, que é grande o suficiente para permitir que importantes íons positivos – sódio (Na^+), potássio (K^+) e cálcio (Ca^{2+}) – se movam facilmente através da abertura. Estudos de *patch-clamp* mostraram que um desses canais, quando aberto pela acetilcolina, pode transmitir de 15.000 a 30.000 íons sódio em 1 milissegundo. Por outro lado, os íons negativos, como os íons cloreto, não passam por causa de fortes cargas negativas na embocadura do canal que repelem esses íons negativos.

Na prática, muito mais íons sódio fluem através dos canais dependentes de acetilcolina do que quaisquer outros íons, por duas razões. Primeiro, existem apenas dois íons positivos presentes em grandes concentrações – íons sódio no líquido extracelular e íons potássio no líquido intracelular. Segundo, o potencial negativo no interior da membrana muscular, −80 a −90 milivolts, puxa os íons sódio carregados positivamente para o interior da fibra, evitando simultaneamente o efluxo dos íons potássio carregados positivamente quando eles tentam passar para fora.

Conforme mostrado na **Figura 7.3 B**, o principal efeito da abertura dos canais dependentes de acetilcolina é permitir que os íons sódio fluam para o interior da fibra, carregando cargas positivas com eles. Essa ação cria uma mudança de potencial positivo local dentro da membrana da fibra muscular, chamado de *potencial da placa motora*. Esse potencial da placa motora normalmente causa despolarização suficiente para abrir os canais de sódio dependentes de voltagem vizinhos, permitindo um influxo ainda maior de íons sódio e iniciando um potencial de ação que se propaga ao longo da membrana muscular e causa a contração muscular.

Degradação da acetilcolina liberada na fenda sináptica: o papel da acetilcolinesterase.
A acetilcolina (ACh), uma vez liberada na fenda sináptica, continua a ativar os receptores de acetilcolina enquanto essa ACh permanecer no espaço. No entanto, ela é rapidamente degradada pela enzima *acetilcolinesterase*, que está ligada principalmente à camada esponjosa de tecido conjuntivo frouxo que preenche a fenda sináptica entre o terminal nervoso pré-sináptico e a membrana muscular pós-sináptica. Uma pequena quantidade de acetilcolina se difunde para fora da fenda sináptica e não está mais disponível para agir na membrana da fibra muscular.

O curto tempo que a acetilcolina permanece na fenda sináptica – alguns milissegundos no máximo – normalmente é suficiente para excitar a fibra muscular. Então, a rápida remoção da acetilcolina evita a contínua reexcitação muscular depois que a fibra muscular se recupera de seu potencial de ação inicial.

Potencial da placa motora e excitação da fibra muscular esquelética.
O súbito aporte de íons sódio na fibra muscular quando os canais dependentes de acetilcolina se abrem faz com que o potencial elétrico dentro da fibra, na *área correspondente à placa motora*, aumente na direção positiva em até 50 a 75 milivolts, criando um *potencial local* chamado de *potencial da placa motora*. Lembre-se do Capítulo 5 que um aumento repentino no potencial da membrana nervosa de mais de 20 a 30 milivolts é normalmente suficiente para iniciar a abertura de mais e mais canais de sódio, iniciando, assim, um potencial de ação na membrana da fibra muscular.

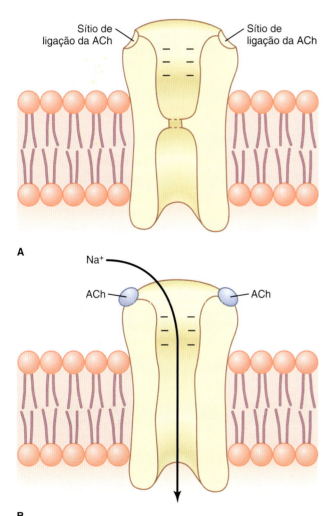

Figura 7.3 Canal dependente de acetilcolina. **A.** Estado fechado. **B.** Depois que a acetilcolina (ACh) se liga e uma mudança conformacional abre o canal, permitindo que íons sódio entrem na fibra muscular e excitem a contração. Observe as cargas negativas na embocadura do canal que impedem a passagem de íons negativos, como os íons cloreto.

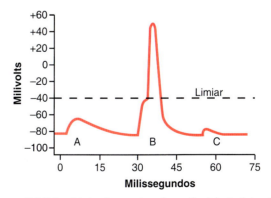

Figura 7.4 Potencial da placa motora (em milivolts). **A.** Potencial da placa motora enfraquecido, registrado em um músculo curarizado, que é muito fraco para desencadear um potencial de ação. **B.** Potencial da placa motora normal desencadeando um potencial de ação muscular. **C.** Potencial da placa motora enfraquecido causado pela toxina botulínica que diminui a liberação de acetilcolina na placa motora, novamente muito fraco para desencadear um potencial de ação muscular.

PARTE 2 Fisiologia da Membrana, do Nervo e do Músculo

A **Figura 7.4** ilustra um potencial da placa motora iniciando o potencial de ação, com três potenciais da placa motora separados. Os potenciais da placa motora A e C são muito fracos para desencadear um potencial de ação, mas eles produzem fracas mudanças locais de tensão na placa motora, como observado na figura. Em contraste, o potencial da placa motora B é muito mais forte e faz com que canais de sódio suficientes se abram, de modo que o efeito autorregenerativo de mais e mais íons sódio fluindo para o interior da fibra inicie um potencial de ação. A fraqueza do potencial da placa motora no ponto A foi causada pelo envenenamento da fibra muscular com *curare*, um fármaco que bloqueia a ação de controle da acetilcolina nos canais de acetilcolina, competindo pelos sítios do receptor de acetilcolina. A fraqueza do potencial da placa motora no ponto C resultou do efeito da *toxina botulínica*, um veneno bacteriano que diminui a quantidade de acetilcolina liberada pelos terminais nervosos.

Fator de segurança para a transmissão na junção neuromuscular | Fadiga da junção.

Normalmente, cada impulso que chega à junção neuromuscular causa cerca de três vezes mais potencial da placa motora do que o necessário para estimular a fibra muscular. Portanto, a junção neuromuscular normal é considerada como tendo um alto *fator de segurança*. No entanto, a estimulação da fibra nervosa em frequências superiores a 100 vezes por segundo, durante vários minutos, pode diminuir tanto o número de vesículas de acetilcolina que os impulsos deixam de passar para a fibra muscular. Essa situação é chamada de *fadiga* da junção neuromuscular, e é o mesmo efeito que causa fadiga das sinapses no sistema nervoso central quando as sinapses estão superexcitadas. Em condições normais de funcionamento, a fadiga mensurável da junção neuromuscular raramente ocorre e, mesmo assim, apenas nos níveis mais exaustivos de atividade muscular.

Formação e liberação de acetilcolina

A formação e a liberação da acetilcolina na junção neuromuscular ocorrem nas seguintes etapas:

1. Pequenas vesículas, com tamanho de cerca de 40 nanômetros, são formadas pelo complexo de Golgi no corpo celular do motoneurônio na medula espinhal. Essas vesículas são então transportadas pelo axoplasma que flui através da parte central do axônio, desde o corpo celular central na medula espinhal até a junção neuromuscular nas terminações das fibras nervosas periféricas. Cerca de 300.000 dessas pequenas vesículas se acumulam nos terminais nervosos de uma única placa terminal do músculo esquelético.

2. A acetilcolina é sintetizada no citosol da fibra nervosa terminal, mas é imediatamente transportada através das membranas das vesículas para o seu interior, onde é armazenada em forma altamente concentrada – cerca de 10.000 moléculas de acetilcolina em cada vesícula.

3. Quando um potencial de ação chega ao terminal nervoso, ele abre muitos *canais de cálcio* na membrana do terminal nervoso, porque esse terminal tem uma abundância de canais de cálcio dependentes de voltagem. Como resultado, a concentração de íons cálcio dentro da membrana terminal aumenta cerca de 100 vezes, o que, por sua vez, aumenta a taxa de fusão das vesículas de acetilcolina com a membrana terminal em cerca de 10.000 vezes. Essa fusão faz com que muitas das vesículas se rompam, permitindo a *exocitose* da acetilcolina para a fenda sináptica. Cerca de 125 vesículas geralmente se rompem com cada potencial de ação. Então, após alguns milissegundos, a acetilcolina é clivada pela acetilcolinesterase em íon acetato e colina, e a colina é ativamente reabsorvida no terminal neural para ser reutilizada para formar nova acetilcolina. Essa sequência de eventos ocorre em um período de 5 a 10 milissegundos.

4. O número de vesículas disponíveis na terminação nervosa é suficiente para permitir a transmissão de apenas alguns milhares de impulsos da terminação nervosa para o músculo. Portanto, para a função contínua da junção neuromuscular, novas vesículas precisam ser reformadas rapidamente. Poucos segundos após o término de cada potencial de ação, surgem pequenas cavidades revestidas na membrana nervosa terminal, causadas por proteínas contráteis na terminação nervosa, especialmente a proteína *clatrina*, que está ligada à membrana nas áreas das vesículas originais. Em cerca de 20 segundos, as proteínas se contraem e fazem com que as pequenas cavidades se separem para o interior da membrana, formando, assim, novas vesículas. Em alguns segundos, a acetilcolina é transportada para o interior dessas vesículas, e elas ficam prontas para um novo ciclo de liberação de acetilcolina.

Substâncias que aumentam ou bloqueiam a transmissão na junção neuromuscular

Substâncias que estimulam a fibra muscular por ação análoga à da acetilcolina. Vários compostos, incluindo *metacolina*, *carbacol* e *nicotina*, têm quase o mesmo efeito na fibra muscular que a acetilcolina. As principais diferenças entre essas substâncias e a acetilcolina são que tais compostos não são destruídos pela colinesterase ou são destruídos tão lentamente que sua ação frequentemente persiste por vários minutos a várias horas. As substâncias atuam causando áreas localizadas de despolarização da membrana da fibra muscular na placa motora, onde os receptores de acetilcolina estão localizados. Então, cada vez que a fibra muscular se recupera de uma contração anterior, essas áreas despolarizadas, em virtude do vazamento de íons, iniciam um novo potencial de ação, causando um estado de espasmo muscular.

Substâncias que estimulam a junção neuromuscular pela inativação da acetilcolinesterase. Três substâncias particularmente conhecidas – *neostigmina*, *fisostigmina* e *isofluorofato (fluorofosfato de di-isopropil)* – inativam a acetilcolinesterase nas sinapses para que não hidrolise mais a acetilcolina. Portanto, com cada impulso nervoso sucessivo, acetilcolina adicional se acumula e estimula a fibra muscular repetidamente. Essa atividade causa *espasmo muscular* quando até mesmo alguns impulsos nervosos alcançam o músculo. Infelizmente, também pode causar a morte como resultado de um espasmo da laringe, que sufoca uma pessoa.

A neostigmina e a fisostigmina combinam-se com a acetilcolinesterase para inativar a acetilcolinesterase por até

CAPÍTULO 7 Excitação do Músculo Esquelético: Transmissão Neuromuscular e Acoplamento Excitação-Contração

algumas horas, após o que essas substâncias são deslocadas da acetilcolinesterase para que a esterase se torne novamente ativa. Por outro lado, o isofluorofato, que é um poderoso gás venenoso para as terminações nervosas, inativa a acetilcolinesterase por semanas, o que torna esse veneno particularmente letal.

Substâncias que bloqueiam a transmissão na junção neuromuscular. Um grupo de substâncias conhecido como *curariformes* pode impedir a passagem de impulsos da terminação nervosa para o músculo. Por exemplo, a D-tubocurarina bloqueia a ação da acetilcolina nos receptores de acetilcolina da fibra muscular, evitando, assim, um aumento suficiente na permeabilidade dos canais da membrana muscular para iniciar um potencial de ação.

Miastenia *gravis* causa fraqueza muscular

A *miastenia gravis*, que ocorre em cerca de 1 em cada 20.000 pessoas, causa fraqueza muscular pela incapacidade das junções neuromusculares de transmitir sinais suficientes das fibras nervosas para as fibras musculares. Os anticorpos que atacam os receptores de acetilcolina foram demonstrados no sangue da maioria dos pacientes com miastenia *gravis*. Portanto, acredita-se que a miastenia *gravis* seja uma doença autoimune na qual os pacientes desenvolveram anticorpos que bloqueiam ou destroem seus próprios receptores de acetilcolina na junção neuromuscular pós-sináptica.

Independentemente da causa, os potenciais da placa motora que ocorrem nas fibras musculares são geralmente muito fracos para iniciar a abertura dos canais de sódio dependentes de voltagem, e a despolarização das fibras musculares não ocorre. Se a doença for suficientemente intensa, o paciente pode morrer de insuficiência respiratória como resultado de uma grave fraqueza dos músculos respiratórios. A doença geralmente pode ser amenizada por várias horas pela administração de *neostigmina* ou algum outro fármaco anticolinesterásico, que permite que quantidades maiores do que o normal de acetilcolina se acumulem na fenda sináptica. Em minutos, algumas das pessoas afetadas podem começar a recobrar a atividade motora quase normalmente, até que uma nova dose de neostigmina seja necessária, algumas horas depois.

POTENCIAL DE AÇÃO MUSCULAR

Quase tudo o que foi discutido no Capítulo 5, com relação à iniciação e à condução dos potenciais de ação nas fibras nervosas, se aplica igualmente às fibras musculares esqueléticas, exceto por diferenças quantitativas. Alguns dos aspectos quantitativos dos potenciais musculares são os seguintes:

1. O potencial de membrana em repouso é de cerca de −80 a −90 milivolts nas fibras esqueléticas, cerca de 10 a 20 milivolts mais negativo do que nos neurônios.
2. A duração do potencial de ação é de 1 a 5 milissegundos no músculo esquelético, cerca de cinco vezes mais do que nas fibras nervosas mielínicas calibrosas.
3. A velocidade de condução é de 3 a 5 m/s, cerca de 1/13 da velocidade de condução nas fibras nervosas mielínicas calibrosas que excitam o músculo esquelético.

Propagação dos potenciais de ação para o interior da fibra muscular por meio do sistema tubular T

A fibra do músculo esquelético é tão espessa que os potenciais de ação que se propagam ao longo de sua membrana superficial quase não causam fluxo de corrente no interior profundo da fibra. A contração muscular máxima, entretanto, requer que a corrente penetre profundamente na fibra muscular até as proximidades das miofibrilas mais afastadas. Essa penetração é obtida pela transmissão dos potenciais de ação ao longo dos *túbulos transversais* (túbulos T) que penetram a fibra muscular em toda a sua extensão, conforme ilustrado na **Figura 7.5**. Os potenciais de ação no túbulo T causam liberação de íons cálcio dentro da fibra muscular na vizinhança imediata das miofibrilas, e esses íons cálcio, então, causam a contração. O processo geral é chamado de acoplamento *excitação-contração*.

ACOPLAMENTO EXCITAÇÃO-CONTRAÇÃO

Sistema túbulo transversal-retículo sarcoplasmático

A **Figura 7.5** mostra as miofibrilas circundadas pelo sistema túbulo T-retículo sarcoplasmático. Os túbulos T são pequenos e se estendem transversalmente às miofibrilas. Eles começam na membrana celular e penetram de um lado da fibra muscular até o lado oposto. O que não é mostrado na figura é que esses túbulos se ramificam entre si e formam redes de túbulos T que se entrelaçam entre todas as miofibrilas separadas. Além disso, *onde os túbulos T se originam da membrana celular, eles estão abertos para o exterior da fibra muscular*. Portanto, eles se comunicam com o líquido extracelular ao redor da fibra muscular e contêm líquido extracelular em seus lumens. Em outras palavras, *os túbulos T são, na verdade, extensões internas da membrana celula*r. Portanto, quando um potencial de ação se propaga pela membrana da fibra muscular, uma mudança de potencial também se propaga ao longo dos túbulos T para o interior profundo da fibra muscular. As correntes elétricas em torno desses túbulos T, então, provocam a contração muscular.

A **Figura 7.5** também mostra um *retículo sarcoplasmático*, em amarelo. Esse retículo sarcoplasmático é composto de duas partes principais: (1) grandes câmaras, chamadas *cisternas terminais*, que estão em contato com os túbulos T; e (2) túbulos longitudinais longos que circundam todas as superfícies das miofibrilas em contração.

Liberação de íons cálcio pelo retículo sarcoplasmático

Uma das características especiais do retículo sarcoplasmático é o excesso de íons cálcio em alta concentração dentro de seus túbulos vesiculares. Muitos desses íons são liberados de cada vesícula quando um potencial de ação ocorre no túbulo T adjacente.

PARTE 2 Fisiologia da Membrana, do Nervo e do Músculo

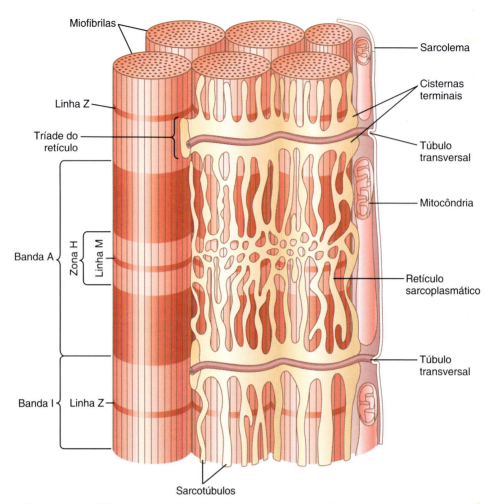

Figura 7.5 Sistema túbulo transversal (T)-retículo sarcoplasmático. Observe que os túbulos T se comunicam com o exterior da membrana celular e, profundamente na fibra muscular, cada túbulo T fica adjacente às extremidades dos túbulos longitudinais do retículo sarcoplasmático que circundam todos os lados das miofibrilas que de fato se contraem. Esta é uma ilustração do músculo de uma rã, que possui um túbulo T por sarcômero, localizado na linha Z. Um arranjo semelhante é encontrado no músculo cardíaco dos mamíferos, mas o músculo esquelético dos mamíferos tem dois túbulos T por sarcômero, localizados nas junções das bandas A-I.

As **Figuras 7.6** e **7.7** mostram que o potencial de ação do túbulo T faz com que a corrente flua para as cisternas do retículo sarcoplasmático, onde elas estão em contato com o túbulo T. À medida que o potencial de ação atinge o túbulo T, a mudança de tensão é detectada pelos *receptores de di-hidropiridina* ligados aos *canais de liberação de cálcio*, também chamados de *canais receptores de rianodina*, nas cisternas adjacentes do retículo sarcoplasmático (ver **Figura 7.6**). A ativação dos receptores de di-hidropiridina desencadeia a abertura dos canais de liberação de cálcio nas cisternas, bem como em seus túbulos longitudinais associados. Esses canais permanecem abertos por alguns milissegundos, liberando íons cálcio no sarcoplasma que circunda as miofibrilas e causando contração, conforme discutido no Capítulo 6.

A bomba de cálcio remove os íons Ca^{2+} do líquido miofibrilar após a ocorrência da contração. Uma vez que os íons cálcio foram liberados dos túbulos sarcoplasmáticos e se difundiram entre as miofibrilas, a contração muscular continua enquanto a concentração de íons cálcio permanecer alta. No entanto, uma bomba de cálcio continuamente ativa, localizada nas paredes do retículo sarcoplasmático, bombeia íons cálcio das miofibrilas de volta aos túbulos sarcoplasmáticos (ver **Figura 7.6**). Essa bomba, chamada SERCA (Ca^{2+}-ATPase do retículo sarcoplasmático), pode concentrar os íons cálcio cerca de 10.000 vezes dentro dos túbulos. Além disso, dentro do retículo existe uma *proteína ligante de cálcio* chamada *calsequestrina*, que pode ligar até 40 íons cálcio para cada molécula de calsequestrina.

Pulso excitatório de íons cálcio. A concentração normal, no estado de repouso ($< 10^{-7}$ molar), de íons cálcio no citosol que banha as miofibrilas é muito pequena para provocar a contração. Portanto, o complexo troponina-tropomiosina mantém os filamentos de actina inibidos e mantém um estado relaxado do músculo.

Por outro lado, a excitação total do túbulo T e do sistema do retículo sarcoplasmático causa liberação suficiente de íons cálcio para aumentar a concentração no líquido miofibrilar para até 2×10^{-4} molar, um aumento de

CAPÍTULO 7 Excitação do Músculo Esquelético: Transmissão Neuromuscular e Acoplamento Excitação-Contração

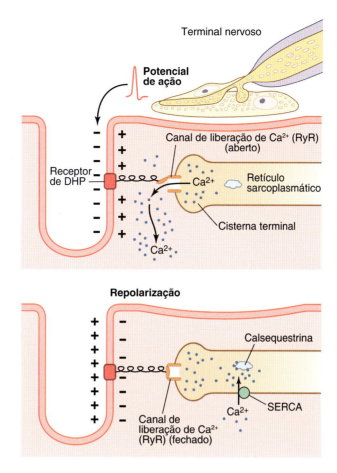

Figura 7.6 Acoplamento excitação-contração no músculo esquelético. O *painel superior* mostra um potencial de ação no túbulo transversal que causa mudança conformacional nos receptores de di-hidropiridina (DHP) sensíveis à tensão, abrindo os canais de rianodina (RyR) de liberação de Ca^{2+}, nas cisternas terminais do retículo sarcoplasmático, e permitindo que o Ca^{2+} se difunda rapidamente no sarcoplasma e inicie a contração muscular. Durante a repolarização (*painel inferior*), a mudança conformacional no receptor de DHP fecha os canais de liberação de Ca^{2+}, e o Ca^{2+} é transportado do sarcoplasma para o retículo sarcoplasmático por uma bomba de cálcio dependente de trifosfato de adenosina, chamada SERCA (Ca^{2+}-ATPase do retículo sarcoplasmático).

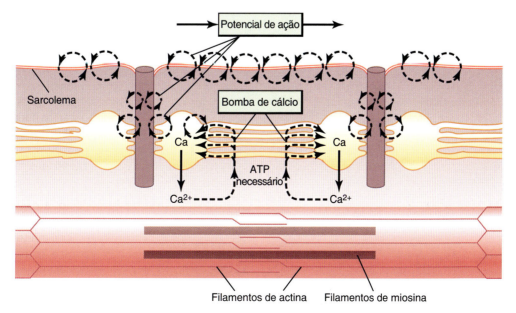

Figura 7.7 Acoplamento excitação-contração no músculo, mostrando (1) um potencial de ação que causa a liberação de íons cálcio do retículo sarcoplasmático e então (2) a recaptação dos íons cálcio por uma bomba de cálcio. ATP: trifosfato de adenosina.

PARTE 2 Fisiologia da Membrana, do Nervo e do Músculo

500 vezes, cerca de 10 vezes o nível necessário para causar a contração muscular máxima. Imediatamente depois disso, a bomba de cálcio esgota os íons cálcio novamente. A duração total desse pulso de cálcio na fibra muscular esquelética normal dura cerca de 1/20 de segundo, embora possa durar mais em algumas fibras e menos em outras. No músculo cardíaco, o pulso de cálcio dura cerca de um terço de segundo em virtude da longa duração do potencial de ação cardíaco.

Durante esse pulso de cálcio, ocorre a contração muscular. Se a contração precisar continuar sem interrupção por longos intervalos, uma série de pulsos de cálcio deverá ser iniciada por uma série contínua de potenciais de ação repetitivos, como discutido no Capítulo 6.

Hipertermia maligna

Em indivíduos suscetíveis, a *hipertermia maligna* e uma *crise hipermetabólica* podem ser desencadeadas pela exposição a certos tipos de anestésicos, incluindo halotano e isoflurano ou succinilcolina. Foi demonstrado que pelo menos seis mutações genéticas, especialmente dos genes do receptor da rianodina ou receptor da di-hidropiridina, aumentam muito a suscetibilidade ao desenvolvimento de hipertermia maligna durante a anestesia. Pouco se sabe sobre os mecanismos específicos pelos quais os anestésicos interagem com esses receptores anormais para desencadear a hipertermia maligna. Sabe-se, entretanto, que essas mutações causam a passagem desregulada de cálcio do retículo sarcoplasmático para os espaços intracelulares, o que, por sua vez, faz com que as fibras musculares se contraiam excessivamente. Essas contrações musculares sustentadas aumentam muito a taxa metabólica, gerando grandes quantidades de calor e causando acidose celular, bem como esgotamento dos estoques de energia.

Os sintomas de hipertermia maligna incluem rigidez muscular, febre alta e aumento da frequência cardíaca. Complicações adicionais em casos graves podem incluir rápida degradação do músculo esquelético (*rabdomiólise*) e um alto nível de potássio plasmático devido à liberação de grandes quantidades de potássio das células musculares danificadas. O tratamento da hipertermia maligna geralmente envolve o resfriamento rápido e a administração de *dantroleno*, um fármaco que antagoniza os receptores de rianodina, que inibe a liberação de íons cálcio para o retículo sarcoplasmático e, assim, atenua a contração muscular.

Bibliografia

Ver também a bibliografia dos Capítulos 5 e 6.

Bouzat C, Sine SM. Nicotinic acetylcholine receptors at the single-channel level. Br J Pharmacol 175:1789-1804, 2018.

Cheng H, Lederer WJ: Calcium sparks. Physiol Rev 88:1491, 2008.

Dalakas MC. Immunotherapy in myasthenia gravis in the era of biologics. Nat Rev Neurol 15:113-124, 2019.

Gilhus NE. Myasthenia gravis. N Engl J Med 37:2570-2581, 2016.

Jungbluth H, Treves S, Zorzato F, Sarkozy A, Ochala J, Sewry C, et al. Congenital myopathies: disorders of excitation-contraction coupling and muscle contraction. Nat Rev Neurol 14:151-167, 2018

Meissner G. The structural basis of ryanodine receptor ion channel function. J Gen Physiol 149:1065-1089, 2017.

Periasamy M, Maurya SK, Sahoo SK, Singh S, Sahoo SK, Reis FCG, et al. Role of SERCA pump in muscle thermogenesis and metabolism. Compr Physiol 7:879-890, 2017.

Rekling JC, Funk GD, Bayliss DA, et al: Synaptic control of motoneuronal excitability. Physiol Rev 80:767, 2000.

Rosenberg PB: Calcium entry in skeletal muscle. J Physiol 587:3149, 2009.

Ruff RL, Lisak RP. Nature and action of antibodies in myasthenia gravis. Neurol Clin 36:275-291, 2018.

Ruff RL: Endplate contributions to the safety factor for neuromuscular transmission. Muscle Nerve 44:854, 2011.

Sine SM: End-plate acetylcholine receptor: structure, mechanism, pharmacology, and disease. Physiol Rev 92:1189, 2012.

Tintignac LA, Brenner HR, Rüegg MA. Mechanisms regulating neuromuscular junction development and function and causes of muscle wasting. Physiol Rev 95:809-852, 2015

Vincent A: Unraveling the pathogenesis of myasthenia gravis. Nat Rev Immunol 10:797, 2002.

CAPÍTULO 8

Excitação e Contração do Músculo Liso

PARTE 2

CONTRAÇÃO DO MÚSCULO LISO

O músculo liso é composto de pequenas fibras que geralmente têm de 1 a 5 micrômetros de diâmetro e apenas 20 a 500 micrômetros de comprimento. Em contraste, as fibras musculares esqueléticas são 30 vezes maiores em diâmetro e centenas de vezes mais longas. Muitos dos mesmos princípios de contração se aplicam tanto ao músculo liso quanto ao esquelético. Mais importante, essencialmente as mesmas forças de atração entre os filamentos de miosina e de actina causam a contração no músculo liso e no músculo esquelético, mas o arranjo físico interno das fibras musculares lisas é diferente.

TIPOS DE MÚSCULO LISO

O músculo liso de cada órgão é distinto daquele da maioria dos outros órgãos por vários aspectos: (1) dimensões físicas; (2) organização em feixes ou folhetos; (3) resposta a diferentes tipos de estímulos; (4) características de inervação; e (5) função. Ainda assim, por uma questão de simplicidade, o músculo liso geralmente pode ser dividido em dois tipos principais, que são mostrados na **Figura 8.1**, *músculo liso multiunitário* e *músculo liso unitário* (ou de *unidade única*).

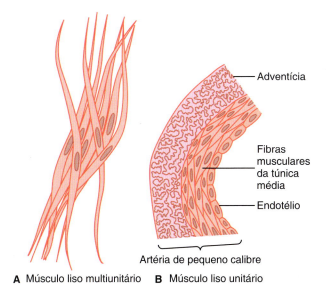

A Músculo liso multiunitário **B** Músculo liso unitário

Figura 8.1 Músculos lisos multiunitário (**A**) e unitário (**B**).

Músculo liso multiunitário. O músculo liso multiunitário é composto por fibras musculares lisas distintas e separadas. Cada fibra opera independentemente das outras e frequentemente é inervada por uma única terminação nervosa, como ocorre com as fibras musculares esqueléticas. Além disso, as superfícies externas dessas fibras, como as das fibras musculares esqueléticas, são cobertas por uma fina camada de substância semelhante à membrana basal, uma mistura de colágeno fino e glicoproteínas que ajuda a isolar as fibras separadas umas das outras.

A característica mais importante das fibras musculares lisas multiunitárias é que cada fibra pode se contrair independentemente das outras, e seu controle é exercido principalmente por sinais nervosos. Em contraste, a maior parte do controle do músculo liso unitário é exercida por estímulos não nervosos. Alguns exemplos de músculo liso multiunitário são o músculo ciliar do olho, o músculo da íris do olho e os músculos piloeretores que causam a ereção dos pelos quando estimulados pelo sistema nervoso simpático.

Músculo liso unitário. O músculo liso unitário também é chamado de *músculo liso sincicial* ou músculo liso visceral. O termo *unitário* não significa fibras musculares únicas. Em vez disso, significa massa de centenas a milhares de fibras musculares lisas que se contraem juntas como uma única unidade. As fibras geralmente são dispostas em folhetos ou feixes, e suas membranas celulares são aderidas umas às outras em vários pontos, de modo que a força gerada em uma fibra muscular pode ser transmitida à outra. Além disso, as membranas celulares são unidas por muitas *junções comunicantes* (*junções gap*), através das quais os íons podem fluir livremente de uma célula muscular para a seguinte, de modo que os potenciais de ação, ou o fluxo de íons sem potenciais de ação, podem viajar de uma fibra para a próxima e fazer com que as fibras musculares se contraiam juntas. Esse tipo de músculo liso também é conhecido como *músculo liso sincicial* devido às suas interconexões sinciciais entre as fibras. É também chamado de *músculo liso visceral* porque é encontrado nas paredes da maioria das vísceras do corpo, incluindo o trato gastrointestinal, ductos biliares, ureteres, útero e muitos vasos sanguíneos.

MECANISMO CONTRÁTIL NO MÚSCULO LISO

Base química para a contração do músculo liso

O músculo liso contém *filamentos* de *actina* e de *miosina*, com características químicas semelhantes às dos filamentos de actina e de miosina no músculo esquelético. Ele não contém o complexo de troponina necessário para o controle da contração do músculo esquelético e, portanto, o mecanismo de controle da contração é diferente. Esse tópico será discutido com mais detalhes posteriormente neste capítulo.

Estudos químicos mostraram que os filamentos de actina e de miosina derivados do músculo liso interagem uns com os outros da mesma forma que no músculo esquelético. Além disso, o processo contrátil é ativado por íons cálcio, e o trifosfato de adenosina (ATP) é degradado em difosfato de adenosina (ADP) para fornecer energia para a contração.

Existem, no entanto, grandes diferenças entre a organização física do músculo liso e do músculo esquelético, bem como diferenças no acoplamento excitação-contração, controle do processo contrátil pelos íons cálcio, duração da contração e a quantidade de energia necessária para a contração.

Base física para a contração do músculo liso

O músculo liso não tem o mesmo arranjo estriado de filamentos de actina e de miosina observado no músculo esquelético. Em vez disso, as técnicas de micrografia eletrônica sugerem a organização física mostrada na **Figura 8.2**, de um grande número de filamentos de actina ligados aos *corpos densos*. Alguns desses corpos estão presos à membrana celular e outros estão dispersos dentro da célula. Alguns dos corpos densos de membrana de células adjacentes são unidos por pontes proteicas intercelulares. É principalmente por meio dessas ligações que a força de contração é transmitida de uma célula para a outra.

Intercalados entre os filamentos de actina na fibra muscular estão os filamentos de miosina. Esses filamentos têm um diâmetro maior do que o dobro dos filamentos de actina. Em micrografias eletrônicas, geralmente são encontrados 5 a 10 vezes mais filamentos de actina do que filamentos de miosina.

À direita na **Figura 8.2** está uma estrutura postulada de uma unidade contrátil individual em uma célula muscular lisa, mostrando um grande número de filamentos de actina irradiando de dois corpos densos; as extremidades desses filamentos se sobrepõem a um filamento de miosina localizado a meio caminho entre os corpos densos. Essa unidade contrátil é semelhante à unidade contrátil do músculo esquelético, mas sem a regularidade da estrutura do músculo esquelético. Na verdade, os corpos densos do músculo liso têm a mesma função que as linhas Z no músculo esquelético.

Outra diferença é que a maioria dos filamentos de miosina tem pontes cruzadas "com polarização lateral"

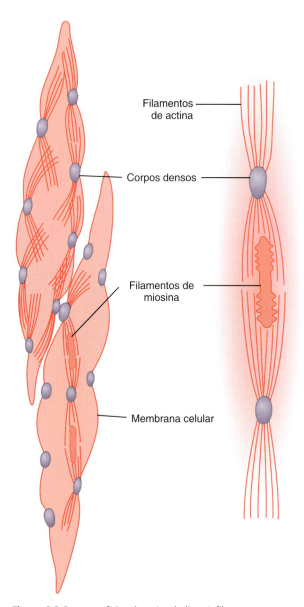

Figura 8.2 Estrutura física do músculo liso. A fibra no *canto superior esquerdo* mostra filamentos de actina irradiando de corpos densos. A fibra na *parte inferior esquerda* e à *direita* demonstra a relação dos filamentos de miosina com os filamentos de actina.

dispostas de forma que as pontes de um lado se dobrem em uma direção e as do outro lado se dobrem na direção oposta. Essa configuração permite que a miosina puxe um filamento de actina em uma direção de um lado, enquanto simultaneamente puxa outro filamento de actina na direção oposta do outro lado. A importância dessa organização é que ela permite que as células musculares lisas se contraiam até 80% de seu comprimento, em vez de serem limitadas a menos de 30%, como ocorre no músculo esquelético.

Comparação da contração do músculo liso e da contração do músculo esquelético

Embora a maioria dos músculos esqueléticos se contraia e relaxe rapidamente, a maior parte da contração do músculo liso é uma contração tônica prolongada, às vezes durando horas ou até dias. Portanto, é de se esperar que as

CAPÍTULO 8 Excitação e Contração do Músculo Liso

características físicas e químicas da contração do músculo liso e do músculo esquelético sejam diferentes. Algumas das diferenças são observadas nas seções a seguir.

Ciclagem lenta das pontes cruzadas de miosina. A rapidez da ciclagem das pontes cruzadas de miosina no músculo liso – isto é, sua ligação à actina, depois a liberação da actina e a religação para o próximo ciclo – é muito mais lenta do que no músculo esquelético. A frequência é tão pequena quanto 1/10 a 1/300 daquela no músculo esquelético. No entanto, acredita-se que a *fração de tempo* que as pontes cruzadas permanecem ligadas aos filamentos de actina, que é um fator importante que determina a força de contração, aumenta muito no músculo liso. Uma possível razão para a ciclagem lenta é que as cabeças da ponte cruzada têm muito menos atividade ATPase do que no músculo esquelético; assim, a degradação do ATP que energiza os movimentos das cabeças da ponte cruzada é bastante reduzida, com a diminuição correspondente da taxa de ciclagem.

Baixa energia necessária para sustentar a contração do músculo liso. Apenas 1/10 a 1/300 da energia do músculo esquelético é necessária para sustentar a mesma tensão de contração no músculo liso. Acredita-se que isso também resulte da ciclagem lenta de ligação e liberação das pontes cruzadas e porque apenas uma molécula de ATP é necessária para cada ciclo, independentemente de sua duração.

Essa baixa utilização de energia pelo músculo liso é importante para a economia geral de energia do corpo porque órgãos como o intestino, a bexiga urinária, a vesícula biliar e outras vísceras frequentemente mantêm a contração muscular tônica quase indefinidamente.

Lentidão do início da contração e do relaxamento do tecido muscular liso. Um tecido muscular liso típico começa a se contrair 50 a 100 milissegundos depois de ser excitado, atinge a contração total cerca de 0,5 segundo depois e, em seguida, diminui a força contrátil em mais 1 a 2 segundos, dando um tempo total de contração de 1 a 3 segundos. Isso é cerca de 30 vezes mais longo do que uma única contração de uma fibra muscular esquelética média. No entanto, como existem tantos tipos de músculo liso, a contração de alguns tipos pode ser tão curta quanto 0,2 segundo ou tão longa quanto 30 segundos.

O início lento da contração do músculo liso, bem como a sua contração prolongada, é causado pela lentidão na ligação e na liberação das pontes cruzadas com os filamentos de actina. Além disso, o início da contração em resposta aos íons cálcio é muito mais lento do que no músculo esquelético, como será discutido posteriormente.

A força máxima de contração geralmente é maior no músculo liso do que no músculo esquelético. Apesar da quantidade relativamente pequena de filamentos de miosina no músculo liso, e apesar do tempo de ciclo lento das pontes cruzadas, a força máxima de contração do músculo liso é muitas vezes maior do que a do músculo esquelético, de 4 a 6 kg/cm² de área transversal para o músculo liso em comparação com 3 a 4 kg para o músculo esquelético. Essa grande força de contração do músculo liso resulta do período prolongado de ligação das pontes cruzadas de miosina aos filamentos de actina.

Mecanismo de tranca facilita a retenção prolongada das contrações do músculo liso. Uma vez que o músculo liso desenvolveu a contração total, a quantidade de excitação contínua geralmente pode ser reduzida para muito menos do que o nível inicial, mesmo que o músculo mantenha sua força total de contração. Além disso, a energia consumida para manter a contração é, frequentemente, minúscula, às vezes apenas 1/300 da energia necessária para sustentar uma contração comparável no músculo esquelético. Esse mecanismo é chamado de *mecanismo de tranca (ou mecanismo de trava)*.

A importância do mecanismo de tranca é que ele pode manter a contração tônica prolongada na musculatura lisa por horas, com pouco uso de energia. É necessário pouco sinal excitatório contínuo das fibras nervosas ou fontes hormonais.

Estresse-relaxamento do músculo liso. Outra característica importante do músculo liso, especialmente o tipo unitário visceral de músculo liso de muitos órgãos ocos, é a sua capacidade de retornar quase à sua *força* original de contração segundos ou minutos depois de ter sido alongado ou encurtado. Por exemplo, um aumento repentino no volume de líquido na bexiga urinária, alongando, assim, o músculo liso da parede da bexiga, causa um grande aumento imediato da pressão na bexiga. No entanto, durante os próximos 15 a 60 segundos, apesar do alongamento contínuo da parede da bexiga, a pressão retorna quase exatamente ao nível original. Então, quando o volume é aumentado em mais uma etapa, o mesmo efeito ocorre novamente.

Por outro lado, quando o volume é repentinamente diminuído, a pressão cai drasticamente no início, mas depois aumenta para o nível original ou para valores muito próximos dele, em alguns segundos ou minutos. Esses fenômenos são chamados de *estresse-relaxamento* e *estresse-relaxamento reverso*. Sua importância é que, exceto por curtos períodos, eles permitem que um órgão oco mantenha aproximadamente a mesma quantidade de pressão dentro de seu lúmen, apesar de grandes mudanças sustentadas de volume.

REGULAÇÃO DA CONTRAÇÃO PELOS ÍONS CÁLCIO

Como acontece com o músculo esquelético, o estímulo inicial para a maioria das contrações do músculo liso é um aumento nos íons cálcio intracelulares. Esse aumento pode ser causado em diferentes tipos de músculo liso por estimulação nervosa da fibra muscular lisa, estimulação hormonal, estiramento da fibra ou mesmo alterações no ambiente químico da fibra.

O músculo liso não contém troponina, a proteína reguladora que é ativada pelos íons cálcio para causar a contração do músculo esquelético. Em vez disso, a contração do músculo liso é ativada por um mecanismo totalmente diferente, conforme descrito na próxima seção.

Os íons cálcio combinam-se com a calmodulina para causar a ativação da miosinoquinase e a fosforilação da cabeça da miosina. No lugar da troponina, as células musculares lisas contêm uma grande quantidade de outra proteína reguladora chamada *calmodulina* (ver **Figura 8.3**). Embora essa proteína seja semelhante à troponina, ela é diferente na maneira como inicia a contração. A calmodulina inicia a contração ativando as pontes cruzadas de miosina. Essa ativação e a subsequente contração ocorrem na seguinte sequência:

1. A concentração de cálcio no líquido citosólico do músculo liso aumenta como resultado do influxo de cálcio do líquido extracelular através dos canais de cálcio e/ou da liberação de cálcio do retículo sarcoplasmático.
2. Os íons cálcio ligam-se reversivelmente à calmodulina.
3. O complexo cálcio-calmodulina então se une à miosina e ativa a *miosinoquinase da cadeia leve*, uma enzima fosforilante.
4. Uma das cadeias leves de cada cabeça da miosina, chamada de *cadeia reguladora*, torna-se fosforilada em resposta a essa miosinoquinase. Quando essa cadeia não é fosforilada, o ciclo de ligação-liberação da cabeça da miosina com o filamento de actina não ocorre. Porém, quando a cadeia reguladora é fosforilada, a cabeça tem a capacidade de se ligar repetidamente ao filamento de actina e prosseguir através de todo o processo cíclico de puxões intermitentes, o mesmo que ocorre com o músculo esquelético, causando, assim, a contração muscular.

Fonte dos íons cálcio que causam a contração

Embora o processo contrátil no músculo liso, como no músculo esquelético, seja ativado por íons cálcio, a fonte dos íons cálcio é diferente. Uma diferença importante é que o retículo sarcoplasmático, que fornece praticamente todos os íons cálcio para a contração do músculo esquelético, é apenas ligeiramente desenvolvido na maioria dos músculos lisos. Em vez disso, a maioria dos íons cálcio que causam a contração entra na célula muscular a partir do líquido extracelular no momento do potencial de ação ou de outro estímulo. Ou seja, a concentração de íons cálcio no líquido extracelular é maior que 10^{-3} molar, em comparação com menos de 10^{-7} molar dentro da célula muscular lisa; isso causa a rápida difusão dos íons cálcio para a célula a partir do líquido extracelular quando os canais de cálcio se abrem. O tempo necessário para que essa difusão ocorra é, em média, de 200 a 300 milissegundos e é chamado de *período latente* antes do início da contração. Esse período latente é cerca de 50 vezes maior para a contração do músculo liso do que para a contração do músculo esquelético.

Papel do retículo sarcoplasmático do músculo liso. A **Figura 8.4** mostra alguns túbulos sarcoplasmáticos levemente desenvolvidos que ficam próximos à membrana celular em algumas células musculares lisas maiores.

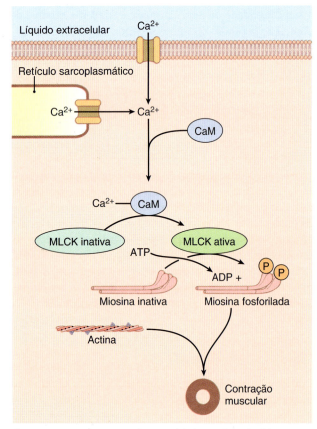

Figura 8.3 A concentração de íon cálcio intracelular (Ca^{2+}) aumenta quando o Ca^{2+} entra na célula através dos canais de cálcio na membrana celular ou é liberado do retículo sarcoplasmático. O Ca^{2+} se liga à calmodulina (CaM) para formar um complexo Ca^{2+}-CaM, que então ativa a miosinoquinase da cadeia leve (MLCK). A MLCK ativa fosforila a cadeia leve da miosina, levando à ligação da cabeça da miosina com o filamento de actina e à contração do músculo liso. ADP: difosfato de adenosina; ATP: trifosfato de adenosina; P: fosfato.

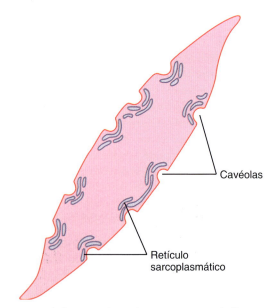

Figura 8.4 Túbulos sarcoplasmáticos em uma grande fibra muscular lisa mostrando sua relação com invaginações na membrana celular chamadas *cavéolas*.

Pequenas invaginações da membrana celular, chamadas *cavéolas*, estão em contato com as superfícies desses túbulos. As cavéolas sugerem um análogo rudimentar do sistema de túbulos transversais do músculo esquelético. Quando um potencial de ação é transmitido para as cavéolas, acredita-se que excite a liberação de íons cálcio dos túbulos sarcoplasmáticos adjacentes, da mesma forma que os potenciais de ação nos túbulos transversais do músculo esquelético causam a liberação de íons cálcio dos túbulos sarcoplasmáticos longitudinais do músculo esquelético. Em geral, quanto mais extenso o retículo sarcoplasmático da fibra muscular lisa, mais rapidamente ela se contrai.

A contração do músculo liso é dependente da concentração extracelular de íons cálcio. A alteração da concentração normal de íons cálcio no líquido extracelular tem pouco efeito sobre a força de contração do músculo esquelético, mas isso não se aplica à maioria dos músculos lisos. Quando a concentração de íons cálcio no líquido extracelular diminui para cerca de 1/3 a 1/10 do normal, a contração do músculo liso geralmente cessa. Portanto, a força de contração do músculo liso é, geralmente, altamente dependente da concentração de íons cálcio no líquido extracelular.

Uma bomba de cálcio é necessária para causar o relaxamento do músculo liso. Para causar o relaxamento do músculo liso após sua contração, os íons cálcio devem ser removidos dos líquidos intracelulares. Essa remoção é obtida por uma *bomba de cálcio* que bombeia os íons cálcio para fora da fibra muscular lisa de volta para o líquido extracelular ou para o retículo sarcoplasmático, se estiver presente (ver **Figura 8.5**). Essa bomba necessita de ATP e tem ação lenta em comparação com a bomba do retículo sarcoplasmático de ação rápida no músculo esquelético. Portanto, uma única contração do músculo liso costuma durar segundos, em vez de centésimos a décimos de segundo, como ocorre com o músculo esquelético.

A miosinofosfatase é importante na finalização da contração. O relaxamento do músculo liso ocorre quando os canais de cálcio se fecham e a bomba de cálcio transporta os íons cálcio para fora do líquido citosólico da célula. Quando a concentração do íon cálcio cai abaixo de um nível crítico, os processos mencionados anteriormente se invertem automaticamente, exceto para a fosforilação da cabeça da miosina. A reversão dessa situação requer outra enzima, a *miosinofosfatase* (ver **Figura 8.5**), localizada no citosol da célula muscular lisa, que cliva o fosfato da cadeia leve reguladora. Então, o ciclo para e a contração cessa. O tempo necessário para o relaxamento da contração muscular, portanto, é determinado em grande parte pela quantidade de miosinofosfatase ativa na célula.

Possível mecanismo de regulação do mecanismo de tranca. Em virtude da importância do fenômeno de tranca no músculo liso, e porque esse fenômeno permite a manutenção a longo prazo do tônus em muitos órgãos com músculo liso sem muito gasto de energia, têm havido muitas

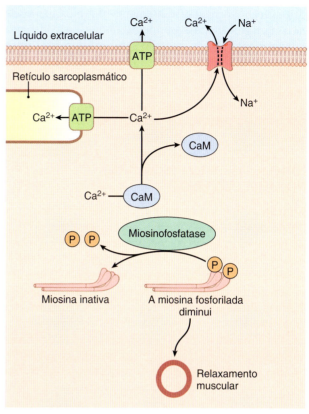

Figura 8.5 O relaxamento do músculo liso ocorre quando a concentração de íons cálcio (Ca^{2+}) diminui abaixo de um nível crítico, à medida que o Ca^{2+} é bombeado para fora da célula ou para o retículo sarcoplasmático. O Ca^{2+} é então liberado da calmodulina (CaM) e a miosinofosfatase remove o fosfato da cadeia leve da miosina, causando a liberação da cabeça da miosina do filamento de actina e o relaxamento do músculo liso. ADP: difosfato de adenosina; ATP: trifosfato de adenosina; Na^+: sódio; P: fosfato.

tentativas de explicá-lo. Entre os muitos mecanismos que foram postulados, um dos mais simples é o seguinte.

Quando as enzimas miosinoquinase e miosinofosfatase estão fortemente ativadas, a frequência dos ciclos das cabeças da miosina e a velocidade de contração são grandes. Então, conforme a ativação das enzimas diminui, a frequência dos ciclos diminui, mas, ao mesmo tempo, a desativação dessas enzimas permite que as cabeças da miosina permaneçam ligadas ao filamento de actina por uma proporção cada vez mais longa do período de ciclagem. Portanto, o número de cabeças ligadas ao filamento de actina em um determinado momento permanece grande. Como o número de cabeças ligadas à actina determina a força estática de contração, a tensão é mantida, ou travada, mas pouca energia é usada pelo músculo porque o ATP não é degradado à ADP, exceto nas raras ocasiões em que a cabeça se desprende.

CONTROLES NERVOSO E HORMONAL DA CONTRAÇÃO DO MÚSCULO LISO

Embora as fibras musculares esqueléticas sejam estimuladas exclusivamente pelo sistema nervoso, o músculo liso pode ser estimulado a se contrair por sinais nervosos, estimulação hormonal, estiramento do músculo e de várias outras maneiras. A principal razão para a diferença é que a membrana do músculo liso contém muitos tipos de proteínas receptoras que podem iniciar o processo contrátil. Ainda outras proteínas receptoras inibem a contração do músculo liso, que é outra diferença do músculo esquelético. Portanto, nesta seção, discutiremos o controle nervoso da contração do músculo liso, seguido pelo controle hormonal e outros meios de controle.

JUNÇÕES NEUROMUSCULARES DO MÚSCULO LISO

Anatomia fisiológica das junções neuromusculares do músculo liso.
As junções neuromusculares do tipo altamente estruturado encontradas nas fibras musculares esqueléticas não ocorrem no músculo liso. Em vez disso, as *fibras nervosas autônomas* que inervam o músculo liso geralmente se ramificam difusamente na parte superior de um folheto de fibras musculares, como mostrado na **Figura 8.6**. Na maioria dos casos, essas fibras não entram em contato direto com as membranas celulares das fibras musculares lisas, mas, em vez disso, formam *junções difusas* que secretam sua substância transmissora na matriz de revestimento do músculo liso, geralmente de alguns nanômetros a alguns micrômetros de distância das células musculares. A substância transmissora então se difunde para as células. Além disso, onde há muitas camadas de células musculares, as fibras nervosas frequentemente inervam apenas a camada externa. A excitação muscular viaja dessa camada externa para as camadas internas por condução do potencial de ação na massa muscular ou por difusão adicional da substância transmissora.

Os axônios que inervam as fibras musculares lisas não têm os pés terminais com ramificações típicas do tipo encontrado na placa motora das fibras musculares esqueléticas. Em vez disso, a maioria dos axônios terminais finos tem múltiplas *varicosidades* distribuídas ao longo de seus eixos. Nesses pontos, as *células de Schwann* que envolvem os axônios são interrompidas para que a substância transmissora possa ser secretada pelas paredes das varicosidades. Nas varicosidades existem vesículas semelhantes às da placa terminal do músculo esquelético que contêm substância transmissora. No entanto, em contraste com as vesículas das junções do músculo esquelético, que sempre contêm acetilcolina, as vesículas das terminações das fibras nervosas autônomas contêm acetilcolina em algumas fibras e noradrenalina em outras e, ocasionalmente, também outras substâncias.

Em alguns casos, particularmente no tipo de músculo liso multiunitário, as varicosidades são separadas da membrana da célula muscular por apenas 20 a 30 nanômetros – a mesma largura da fenda sináptica encontrada na junção do músculo esquelético. Elas são chamadas de *junções de contato* e funcionam da mesma maneira que a junção neuromuscular do músculo esquelético. A rapidez de contração dessas fibras musculares lisas é consideravelmente mais rápida do que a das fibras estimuladas pelas junções difusas.

Substâncias transmissoras excitatórias e inibitórias secretadas na junção neuromuscular do músculo liso.
As substâncias transmissoras mais importantes secretadas pelos nervos autônomos que inervam o músculo liso são a *acetilcolina* e a *noradrenalina*, mas elas nunca são secretadas pelas mesmas fibras nervosas. A acetilcolina é uma substância transmissora excitatória para as fibras musculares lisas em alguns órgãos, mas um transmissor inibitório para a musculatura lisa em outros órgãos. Quando a acetilcolina excita uma fibra muscular, a noradrenalina normalmente a inibe. Por outro lado, quando a acetilcolina inibe uma fibra, a noradrenalina geralmente a excita.

Por que essas respostas são diferentes? A resposta é que tanto a acetilcolina quanto a noradrenalina excitam ou inibem o músculo liso ligando-se primeiro a uma *proteína receptora* na superfície da membrana da célula muscular. Algumas das proteínas receptoras são *receptores excitatórios*, enquanto outras são *receptores inibitórios*. Assim, o tipo de receptor determina se o músculo liso será inibido ou excitado e também determina qual dos dois transmissores, acetilcolina ou noradrenalina, é eficaz em causar a excitação ou a inibição. Esses receptores são discutidos com mais detalhes no Capítulo 61, no que diz respeito à função do sistema nervoso autônomo.

POTENCIAL DE MEMBRANA E POTENCIAL DE AÇÃO NO MÚSCULO LISO

Potencial de membrana no músculo liso.
A tensão quantitativa do potencial de membrana do músculo liso

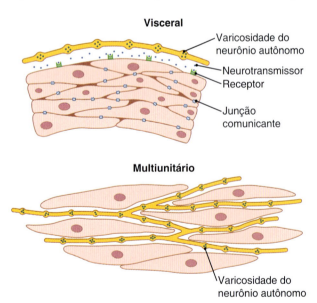

Figura 8.6 Inervação do músculo liso por fibras nervosas autônomas que se ramificam difusamente e secretam neurotransmissores de múltiplas varicosidades. As células musculares lisas unitárias (viscerais) são conectadas por junções comunicantes (*junções do tipo gap*) para que a despolarização possa se propagar rapidamente de uma célula para outra, permitindo que as células musculares se contraiam como uma única unidade. No músculo liso multiunitário, cada célula é estimulada independentemente por um neurotransmissor liberado de varicosidades nervosas autônomas intimamente associadas.

depende da condição momentânea do músculo. No estado normal de repouso, o potencial intracelular geralmente é cerca de –50 a –60 milivolts, que é cerca de 30 milivolts menos negativo do que no músculo esquelético.

Potencial de ação no músculo liso unitário. Os potenciais de ação ocorrem no músculo liso unitário (p. ex., músculo visceral) da mesma forma que no músculo esquelético. Eles normalmente não ocorrem em grande parte do músculo liso de tipo multiunitário, conforme discutido em uma seção subsequente.

Os potenciais de ação do músculo liso visceral ocorrem em uma de duas formas – (1) potenciais de pico ou (2) potenciais de ação com platôs.

Potenciais de pico. Os potenciais de ação de pico típicos, como os observados no músculo esquelético, ocorrem na maioria dos tipos de músculo liso unitário. A duração desse tipo de potencial de ação é de 10 a 50 milissegundos, como mostrado na **Figura 8.7 A**. Esses potenciais de ação podem ser desencadeados de várias maneiras – por exemplo, por estimulação elétrica, pela ação de hormônios no músculo liso, pela ação de substâncias transmissoras das fibras nervosas, por estiramento ou como resultado da geração espontânea na própria fibra muscular, conforme discutido posteriormente.

Potenciais de ação com platôs. A **Figura 8.7 C** mostra um potencial de ação do músculo liso com um platô. O início desse potencial de ação é semelhante ao do potencial de pico típico. No entanto, em vez da repolarização rápida da membrana da fibra muscular, a repolarização é atrasada por algumas centenas a até 1.000 milissegundos (1 segundo). A importância do platô é que ele pode ser responsável pela contração prolongada que ocorre em alguns tipos de músculo liso, como o ureter, o útero sob algumas condições e certos tipos de músculo liso vascular. Além disso, esse é o tipo de potencial de ação visto nas fibras musculares cardíacas que têm um período prolongado de contração, conforme discutido nos Capítulos 9 e 10.

Os canais de cálcio são importantes na geração do potencial de ação do músculo liso. A membrana da célula muscular lisa tem muito mais canais de cálcio dependentes de voltagem do que o músculo esquelético, mas poucos canais de sódio dependentes de voltagem. Portanto, o sódio não participa muito da geração do potencial de ação na maioria dos músculos lisos. Em vez disso, o fluxo de íons cálcio para o interior da fibra é o principal responsável pelo potencial de ação. Esse fluxo ocorre da mesma forma autorregenerativa que ocorre com os canais de sódio nas fibras nervosas e nas fibras musculares esqueléticas. No entanto, os canais de cálcio abrem-se muito mais lentamente do que os canais de sódio e também permanecem abertos por muito mais tempo. Essas características são em grande parte responsáveis pelos potenciais de ação com platô prolongado de algumas fibras musculares lisas.

Outra característica importante da entrada de íons cálcio nas células durante o potencial de ação é que os íons cálcio agem diretamente no mecanismo contrátil do músculo liso para causar a contração. Assim, o cálcio realiza duas tarefas ao mesmo tempo.

Os potenciais de ondas lentas no músculo liso unitário podem levar à geração espontânea de potenciais de ação. Alguns músculos lisos são autoexcitatórios – isto é, os potenciais de ação surgem dentro das células musculares lisas sem um estímulo extrínseco. Essa atividade é frequentemente associada a um *ritmo de onda lenta* do potencial de membrana. Uma onda lenta típica em um músculo liso visceral do intestino é mostrada na **Figura 8.7 B**. A onda lenta não é o potencial de ação. Ou seja, não é um processo autorregenerativo que se espalha progressivamente pelas membranas das fibras musculares. Em vez disso, é uma propriedade local das fibras musculares lisas que constituem a massa muscular.

A causa do ritmo de onda lenta é desconhecida. Uma sugestão é que as ondas lentas são causadas pelo aumento e pela diminuição do bombeamento de íons positivos (presumivelmente íons sódio) para fora através da membrana da fibra muscular. Ou seja, o potencial de membrana torna-se mais negativo quando o sódio é bombeado rapidamente e menos negativo quando a bomba de sódio se torna menos ativa. Outra sugestão é que as condutâncias dos canais iônicos aumentem e diminuam ritmicamente.

A importância das ondas lentas é que, quando são fortes o suficiente, podem iniciar potenciais de ação. As ondas lentas em si não podem causar contração muscular. No

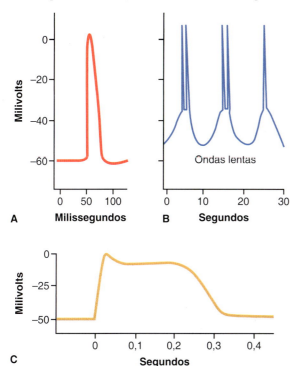

Figura 8.7 A. Potencial de ação típico do músculo liso (potencial de pico) desencadeado por um estímulo externo. **B.** Potenciais de pico repetitivos, desencadeados por ondas elétricas rítmicas lentas que ocorrem espontaneamente no músculo liso da parede intestinal. **C.** Potencial de ação com um platô, registrado a partir de uma fibra muscular lisa do útero.

PARTE 2 Fisiologia da Membrana, do Nervo e do Músculo

entanto, quando o pico do potencial de onda lenta negativo dentro da membrana celular aumenta na direção positiva, de –60 a cerca de –35 milivolts (o limiar aproximado para desencadear potenciais de ação na maioria dos músculos lisos viscerais), um potencial de ação se desenvolve e se propaga sobre a massa muscular e ocorre a contração. A **Figura 8.7 B** ilustra esse efeito, mostrando que a cada pico da onda lenta, um ou mais potenciais de ação ocorrem. Essas sequências repetitivas de potenciais de ação provocam a contração rítmica da massa muscular lisa. Portanto, as ondas lentas são chamadas de *ondas marca-passo*. No Capítulo 63, vemos que esse tipo de atividade de marca-passo controla as contrações rítmicas do intestino.

Excitação do músculo liso visceral causada pelo estiramento muscular. Quando o músculo liso visceral (unitário) é estirado o suficiente, geralmente são gerados potenciais de ação espontâneos. Eles resultam de uma combinação de: (1) potenciais normais de onda lenta; e (2) diminuição na negatividade geral do potencial de membrana causada pelo estiramento. Essa resposta ao estiramento permite que a parede intestinal, quando excessivamente alongada, se contraia automática e ritmicamente. Por exemplo, quando o intestino está sobrecarregado com o conteúdo intestinal, as contrações automáticas locais costumam criar ondas peristálticas que movem o conteúdo para fora do intestino distendido, geralmente na direção do ânus.

DESPOLARIZAÇÃO DO MÚSCULO LISO MULTIUNITÁRIO, NA AUSÊNCIA DE POTENCIAIS DE AÇÃO

As fibras musculares lisas do músculo liso multiunitário (p. ex., o músculo da íris do olho ou o músculo piloeretor de cada pelo) normalmente se contraem principalmente em resposta a estímulos nervosos. As terminações nervosas secretam acetilcolina no caso de alguns músculos lisos multiunitários e noradrenalina no caso de outros. Em ambos os casos, as substâncias transmissoras causam despolarização da membrana muscular lisa, e essa despolarização, por sua vez, provoca a contração. Os potenciais de ação geralmente não se desenvolvem porque as fibras são muito pequenas para gerar um potencial de ação. (Quando os potenciais de ação são desencadeados no *músculo liso unitário visceral*, 30 a 40 fibras musculares lisas devem despolarizar simultaneamente antes que ocorra um potencial de ação autopropagado.) Porém, em pequenas células musculares lisas, mesmo sem um potencial de ação, a despolarização local (chamada de *potencial juncional*) causada pela substância neurotransmissora se propaga "eletrotonicamente" por toda a fibra e é tudo o que é necessário para causar a contração muscular.

Fatores teciduais locais e hormônios podem causar a contração do músculo liso, sem a necessidade de potencial de ação

Cerca da metade de toda a contração muscular lisa é provavelmente iniciada por fatores estimuladores que atuam diretamente na maquinaria contrátil do músculo liso e sem potenciais de ação. Dois tipos de fatores estimuladores, não nervosos e não associados a potenciais de ação, frequentemente envolvidos são (1) fatores químicos teciduais locais e (2) vários hormônios.

Contração do músculo liso em resposta a fatores químicos teciduais locais. No Capítulo 17, discutiremos o controle da contração das arteríolas, metarteríolas e esfíncteres pré-capilares. O menor desses vasos tem pouco ou nenhum suprimento nervoso. Ainda assim, o músculo liso é altamente contrátil, respondendo rapidamente às mudanças nas condições químicas locais no líquido intersticial circundante e ao estiramento causado pelas mudanças na pressão sanguínea.

No estado normal de repouso, muitos desses pequenos vasos sanguíneos permanecem contraídos. No entanto, quando o fluxo sanguíneo extra para o tecido é necessário, vários fatores podem relaxar a parede do vaso, permitindo, assim, o aumento do fluxo. Desta forma, um poderoso sistema local de controle por *feedback* controla o fluxo sanguíneo para a área tecidual local. Alguns dos fatores de controle específicos são os seguintes:

1. A falta de oxigênio nos tecidos locais causa relaxamento da musculatura lisa e, portanto, vasodilatação.
2. O excesso de dióxido de carbono causa vasodilatação.
3. O aumento da concentração de íons hidrogênio causa vasodilatação.

Adenosina, ácido láctico, íons potássio aumentados, óxido nítrico e temperatura corporal aumentada podem causar vasodilatação local. A diminuição da pressão arterial, por causar diminuição do estiramento do músculo liso vascular, também causa a dilatação desses pequenos vasos sanguíneos.

Efeitos dos hormônios na contração do músculo liso. Muitos hormônios circulantes no sangue afetam a contração do músculo liso em algum grau, e alguns têm efeitos profundos. Entre os mais importantes desses hormônios estão *noradrenalina, adrenalina, angiotensina II, endotelina, vasopressina, ocitocina, serotonina* e *histamina*.

Um hormônio causa a contração de um músculo liso quando a membrana da célula muscular contém *receptores excitatórios hormônio-dependentes* para o respectivo hormônio. Por outro lado, o hormônio causa inibição se a membrana possuir *receptores inibitórios* para o hormônio, em vez de receptores excitatórios.

Mecanismos de excitação ou inibição do músculo liso por hormônios ou fatores teciduais locais. Alguns receptores hormonais na membrana do músculo liso abrem os canais iônicos de sódio ou cálcio e despolarizam a membrana, da mesma forma que ocorre após a estimulação nervosa. Às vezes, o resultado é o potencial de ação ou o aumento dos potenciais de ação que já estão ocorrendo. Em outros casos, a despolarização ocorre sem potenciais de ação, e essa despolarização permite a entrada de íons cálcio na célula, o que promove a contração.

A inibição, ao contrário, ocorre quando o hormônio (ou outro fator tecidual) *fecha os canais de sódio e cálcio* para evitar a entrada desses íons positivos; a inibição também ocorre se os canais de potássio normalmente fechados forem abertos, permitindo que íons potássio positivos se difundam para fora da célula. Ambas as ações aumentam o grau de negatividade dentro da célula muscular, um estado denominado *hiperpolarização*, que inibe fortemente a contração muscular.

Às vezes, a contração ou a inibição do músculo liso é iniciada por hormônios sem causar diretamente qualquer alteração no potencial de membrana. Nesses casos, o hormônio pode ativar um receptor de membrana que não abre nenhum canal iônico, mas, em vez disso, causa uma alteração interna na fibra muscular, como a liberação de íons cálcio do retículo sarcoplasmático intracelular; o cálcio então induz a contração. Para inibir a contração, outros mecanismos receptores são conhecidos por ativar a enzima adenilato ciclase ou guanilato ciclase na membrana celular. As porções dos receptores que se projetam para o interior das células são acopladas a essas enzimas, causando a formação de monofosfato cíclico de adenosina (cAMP) ou monofosfato cíclico de guanosina (GMPc), os chamados segundos mensageiros. O cAMP ou o GMPc tem muitos efeitos, um dos quais é alterar o grau de fosforilação de várias enzimas que inibem indiretamente a contração. A bomba que move os íons cálcio do sarcoplasma para o retículo sarcoplasmático é ativada, assim como a bomba da membrana celular que move os íons cálcio para fora da célula; esses efeitos reduzem a concentração de íons cálcio no sarcoplasma, inibindo, assim, a contração.

Os músculos lisos apresentam uma grande diversidade na maneira de iniciar a contração ou o relaxamento em resposta a diferentes hormônios, neurotransmissores e outras substâncias. Em alguns casos, a mesma substância pode causar relaxamento ou contração dos músculos lisos em locais diferentes. Por exemplo, a noradrenalina inibe a contração do músculo liso no intestino, mas estimula a contração do músculo liso nos vasos sanguíneos.

Bibliografia

Ver também a bibliografia dos Capítulos 5 e 6.

Behringer EJ, Segal SS: Spreading the signal for vasodilatation: implications for skeletal muscle blood flow control and the effects of aging. J Physiol 590:6277, 2012.

Berridge MJ: Smooth muscle cell calcium activation mechanisms. J Physiol 586:5047, 2008.

Blaustein MP, Lederer WJ: Sodium/calcium exchange: its physiological implications. Physiol Rev 79:763, 1999.

Brozovich FV, Nicholson CJ, Degen CV, Gao YZ, Aggarwal M, Morgan KG: Mechanisms of vascular smooth muscle contraction and the basis for pharmacologic treatment of smooth muscle disorders. Pharmacol Rev 68:476, 2016.

Burnstock G. Purinergic signaling in the cardiovascular system. Circ Res 120:207, 2017.

Cheng H, Lederer WJ: Calcium sparks. Physiol Rev 88:1491, 2008.

Davis MJ: Perspective: physiological role(s) of the vascular myogenic response. Microcirculation 19:99, 2012.

Dopico AM, Bukiya AN, Jaggar JH. Calcium- and voltage-gated BK channels in vascular smooth muscle. Pflugers Arch 470:1271, 2018.

Dora KA. Endothelial-smooth muscle cell interactions in the regulation of vascular tone in skeletal muscle. Microcirculation 23:626, 2016.

Drummond HA, Grifoni SC, Jernigan NL: A new trick for an old dogma: ENaC proteins as mechanotransducers in vascular smooth muscle. Physiology (Bethesda) 23:23, 2008.

Hill MA, Meininger GA. Small artery mechanobiology: roles of cellular and non-cellular elements. Microcirculation 23:611, 2016.

Huizinga JD, Lammers WJ: Gut peristalsis is governed by a multitude of cooperating mechanisms. Am J Physiol Gastrointest Liver Physiol 296:G1, 2009.

Kauffenstein G, Laher I, Matrougui K, et al: Emerging role of G protein-coupled receptors in microvascular myogenic tone. Cardiovasc Res 95:223, 2012.

Lacolley P, Regnault V, Segers P, Laurent S. Vascular smooth muscle cells and arterial stiffening: relevance in development, aging, and disease. Physiol Rev 97:1555, 2017.

Morgan KG, Gangopadhyay SS: Cross-bridge regulation by thin filament-associated proteins. J Appl Physiol 91:953, 2001.

Ratz PH. Mechanics of vascular smooth muscle. Compr Physiol 6:111, 2015.

Sanders KM, Kito Y, Hwang SJ, Ward SM. Regulation of gastrointestinal smooth muscle function by interstitial cells. Physiology (Bethesda) 31:316, 2016.

Somlyo AP, Somlyo AV: Ca^{2+} sensitivity of smooth muscle and non-muscle myosin II: modulated by G proteins, kinases, and myosin phosphatase. Physiol Rev 83:1325, 2003.

Tykocki NR, Boerman EM, Jackson WF. Smooth muscle ion channels and regulation of vascular tone in resistance arteries and arterioles. Compr Physiol 7:485, 2017.

Webb RC: Smooth muscle contraction and relaxation. Adv Physiol Educ 27:201, 2003.

PARTE 3

O Coração

RESUMO DA PARTE

9 Músculo Cardíaco: O Coração como Bomba e o Funcionamento das Valvas Cardíacas, *110*

10 Excitação Rítmica do Coração, *125*

11 Fundamentos da Eletrocardiografia, *132*

12 Interpretação Eletrocardiográfica de Anormalidades no Músculo Cardíaco e no Fluxo Sanguíneo Coronariano: Análise Vetorial, *140*

13 Arritmias Cardíacas e sua Interpretação Eletrocardiográfica, *155*

CAPÍTULO 9

Músculo Cardíaco: O Coração como Bomba e o Funcionamento das Valvas Cardíacas

O coração, mostrado na **Figura 9.1**, na verdade é composto por duas bombas separadas: o *coração direito,* que bombeia sangue através dos pulmões, e o *coração esquerdo,* que bombeia sangue através da circulação sistêmica, fornecendo fluxo sanguíneo para outros órgãos e tecidos do corpo. Cada um deles é uma bomba pulsátil de duas câmaras, composta por um *átrio* e um *ventrículo.* Cada átrio é uma bomba fraca que serve de câmara de entrada para o ventrículo, ajudando a mover o sangue para ele. Os ventrículos fornecem, então, a principal força de bombeamento que impulsiona o sangue (1) através da circulação pulmonar pelo ventrículo direito ou (2) através da circulação sistêmica pelo ventrículo esquerdo. O coração é cercado por um envoltório fechado, formado por duas camadas e chamado de *pericárdio,* que protege o coração e o mantém no lugar.

Mecanismos especiais no coração provocam uma sucessão contínua de contrações chamada *ritmo cardíaco,* transmitindo potenciais de ação por todo o músculo cardíaco para produzir o batimento rítmico do coração. Esse sistema de controle rítmico é discutido no Capítulo 10. Neste capítulo, explicamos como o coração funciona enquanto bomba, começando com as características especiais do músculo cardíaco (ver Vídeo 9.1).

FISIOLOGIA DO MÚSCULO CARDÍACO

O coração é composto de três tipos principais de músculo cardíaco – *músculo atrial, músculo ventricular* e fibras musculares *excitatórias* e *condutoras* especializadas. Os tipos de músculo atrial e ventricular contraem-se da mesma maneira que o músculo esquelético, exceto que a duração da contração é muito mais longa. As fibras excitatórias e condutoras especializadas do coração, entretanto, contraem-se fracamente porque contêm poucas fibrilas contráteis; em vez disso, geram descarga elétrica rítmica automática na forma de potenciais de ação e conduzem esses potenciais de ação ao longo do coração, formando um sistema excitocondutor que gera e conduz o batimento rítmico do coração.

ANATOMIA DO MÚSCULO CARDÍACO

A **Figura 9.2** mostra a histologia do músculo cardíaco, demonstrando suas fibras dispostas em forma de treliça, dividindo-se, recombinando e depois se espalhando novamente. Observe que o músculo cardíaco é *estriado* da mesma maneira que o músculo esquelético. Além disso, o músculo cardíaco tem miofibrilas típicas que contêm *filamentos de actina* e *miosina* quase idênticos aos encontrados no músculo esquelético; esses filamentos ficam lado a lado e deslizam durante a contração da mesma maneira que ocorre no músculo esquelético (ver Capítulo 6). Em outros aspectos, entretanto, o músculo cardíaco é bem diferente do músculo esquelético, como veremos.

Figura 9.1 Estrutura do coração e percurso do fluxo sanguíneo através das câmaras e valvas cardíacas. O coração consiste em várias camadas, incluindo endocárdio interno, miocárdio e camadas mais externas do epicárdio e do pericárdio.

CAPÍTULO 9 Músculo Cardíaco: O Coração como Bomba e o Funcionamento das Valvas Cardíacas

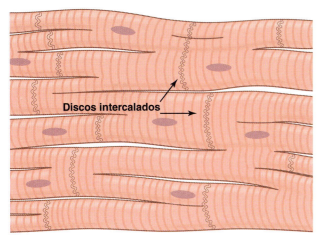

Figura 9.2 Natureza de interconexão sincicial das fibras musculares cardíacas.

A torção do ventrículo esquerdo ajuda na sua ejeção e no seu relaxamento. O ventrículo esquerdo é organizado em complexas camadas de fibras musculares que correm em diferentes direções e permitem que o coração se contraia em um movimento de torção durante a sístole. A camada subepicárdica (externa) gira na direção esquerda, e a camada subendocárdica (interna) gira na direção oposta (direita), causando rotação no sentido horário do ápice do coração e rotação anti-horária da base do ventrículo esquerdo (ver **Figura 9.3**). Isso causa um movimento de torção do ventrículo esquerdo, puxando a base para baixo em direção ao ápice durante a sístole (contração). No final da sístole, o ventrículo esquerdo fica parecido com uma mola comprimida que, em seguida, retoma sua forma e se destorce durante a diástole (relaxamento) para permitir que o sangue entre rapidamente nas câmaras de bombeamento.

O músculo cardíaco é um sincício. As áreas escuras que cruzam as fibras do músculo cardíaco na Figura 9.2 são chamadas *discos intercalares*; na verdade, são membranas celulares que separam as células individuais do músculo cardíaco umas das outras. Ou seja, as fibras do músculo cardíaco são compostas de muitas células individuais conectadas em série e em paralelo umas com as outras.

Em cada disco intercalado, as membranas celulares se fundem para formar junções de comunicação permeáveis (*gap junctions*, ou junções comunicantes) que permitem a difusão rápida de íons. Portanto, do ponto de vista funcional, os íons se movem com facilidade no líquido intracelular ao longo dos eixos longitudinais das fibras do músculo cardíaco, de modo que os potenciais de ação viajam facilmente de uma célula do músculo cardíaco para a próxima, passando pelos discos intercalados. Assim, o músculo cardíaco é um *sincício* formado por muitas células musculares cardíacas, no qual as células cardíacas estão tão interconectadas que, quando uma célula fica excitada, o potencial de ação se espalha rapidamente para todas elas.

O coração, na verdade, é composto por dois sincícios; o *sincício atrial*, que constitui as paredes dos dois átrios; e o *sincício ventricular*, que constitui as paredes dos dois ventrículos. Os átrios são separados dos ventrículos por tecido fibroso que circunda as aberturas valvares atrioventriculares (AV) entre os átrios e os ventrículos. Normalmente, os potenciais não são conduzidos do sincício atrial para o sincício ventricular diretamente por meio desse tecido fibroso. Em vez disso, eles são conduzidos apenas por meio de um sistema condutor especializado chamado *feixe AV*, um feixe de fibras condutivas com vários milímetros de diâmetro que será discutido no Capítulo 10.

Essa divisão do músculo cardíaco em dois sincícios funcionais permite que os átrios se contraiam um pouco antes da contração ventricular, o que é importante para a eficácia do bombeamento cardíaco.

POTENCIAIS DE AÇÃO NO MÚSCULO CARDÍACO

O *potencial de ação* registrado em uma fibra muscular ventricular, mostrado na **Figura 9.4**, tem média de cerca de 105 milivolts, o que significa que o potencial intracelular aumenta de um valor muito negativo entre os batimentos, cerca de −85 milivolts, para um valor ligeiramente positivo, cerca de +20 milivolts, a cada batida. Após o *pico* inicial, a membrana permanece despolarizada por cerca de 0,2 segundo, exibindo um *platô*, seguido por uma repolarização abrupta. A presença desse platô no potencial de ação faz com que a contração ventricular dure até 15 vezes mais no músculo cardíaco do que no músculo esquelético, por isso o coração não entra em tetania.

O que causa o potencial de ação longo e o platô no músculo cardíaco? Pelo menos duas diferenças principais entre as propriedades da membrana do músculo cardíaco e do músculo esquelético são responsáveis pelo potencial de ação prolongado e pelo platô no músculo cardíaco. Em primeiro lugar, o *potencial de ação do músculo esquelético* é causado quase inteiramente pela abertura repentina de um grande número de *canais*

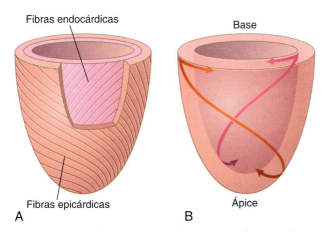

Figura 9.3 A. As fibras subendocárdicas internas do ventrículo esquerdo (*em rosa*) seguem obliquamente em relação às fibras subepicárdicas externas (*em vermelho*). **B.** As fibras musculares subepicárdicas são enroladas como uma hélice girada para a esquerda, e as fibras subendocárdicas, como uma hélice rodada para a direita.

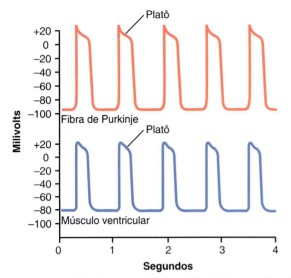

Figura 9.4 Potenciais de ação rítmica (em milivolts) de uma fibra de Purkinje e de uma fibra muscular ventricular, registrados por microeletrodos.

rápidos de sódio que permitem que uma enorme quantidade de íons sódio entre na fibra do músculo esquelético a partir do líquido extracelular. Esses canais são chamados *canais rápidos* porque permanecem abertos por apenas alguns milésimos de segundo e, em seguida, se fecham abruptamente. No final desse fechamento, ocorre a repolarização e o potencial de ação termina em cerca de outro milésimo de segundo.

No músculo cardíaco, o potencial de ação é causado pela abertura de dois tipos de canais: (1) os mesmos *canais rápidos de sódio ativados por voltagem* que existem no músculo esquelético; e (2) outra população completamente diferente de *canais de cálcio do tipo L (canais lentos de cálcio)*, que também são chamados de *canais de cálcio-sódio*. Essa segunda população de canais difere dos canais rápidos de sódio porque se abrem mais lentamente e, o que é mais importante, permanecem abertos por vários décimos de segundo. Durante esse tempo, grande quantidade de íons cálcio e sódio flui por esses canais para o interior da fibra muscular cardíaca, e essa atividade mantém um período prolongado de despolarização, *causando um platô* no potencial de ação. Além disso, os íons cálcio extracelulares que entram durante a fase de platô ativam o processo contrátil do músculo, enquanto os íons cálcio que causam a contração do músculo esquelético são derivados do retículo sarcoplasmático intracelular.

A segunda principal diferença funcional entre o músculo cardíaco e o músculo esquelético, que ajuda a explicar tanto o potencial de ação prolongado quanto seu platô, é que, imediatamente após o início do potencial de ação, a permeabilidade da membrana do músculo cardíaco para íons potássio *diminui* cerca de cinco vezes, um efeito que não ocorre no músculo esquelético. Essa redução na permeabilidade ao potássio pode, de alguma maneira, resultar do influxo excessivo de cálcio através dos canais de cálcio que acabamos de observar. Independentemente da causa, a redução da permeabilidade ao potássio diminui muito o efluxo de íons potássio carregados positivamente durante o platô do potencial de ação e, assim, evita o retorno precoce da voltagem da membrana ao seu nível de repouso. Quando os canais lentos de cálcio-sódio se fecham ao final de 0,2 a 0,3 segundo e o influxo de íons cálcio e sódio cessa, a permeabilidade da membrana para os íons potássio também aumenta rapidamente. Essa rápida perda de potássio da fibra retorna imediatamente o potencial de membrana ao seu nível de repouso, encerrando, assim, o potencial de ação.

Fases do potencial de ação do músculo cardíaco.

A **Figura 9.5** resume as fases do potencial de ação no músculo cardíaco e os fluxos de íons que ocorrem durante cada fase.

Fase 0 (despolarização): abertura dos canais rápidos de sódio. Quando a célula cardíaca é estimulada e despolarizada, o potencial de membrana torna-se mais positivo. Os canais de sódio dependentes de voltagem (canais rápidos de sódio) se abrem e permitem que o sódio flua rapidamente para o interior da célula e a despolarize. O potencial de membrana atinge cerca de +20 milivolts antes do fechamento dos canais de sódio.

Fase 1 (repolarização inicial): fechamento rápido dos canais de sódio. Os canais de sódio se fecham, a célula começa a se repolarizar e os íons potássio deixam a célula através dos canais abertos de potássio.

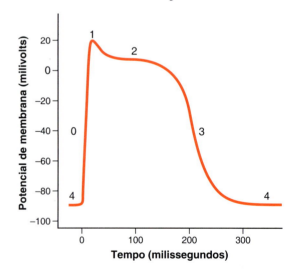

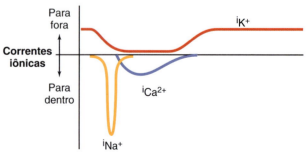

Figura 9.5 Fases do potencial de ação da célula do músculo ventricular cardíaco e correntes iônicas associadas para sódio ($^iNa^+$), cálcio ($^iCa^{2+}$) e potássio ($^iK^+$).

Fase 2 (platô): abertura dos canais de cálcio e fechamento dos canais rápidos de potássio. Ocorre uma breve repolarização inicial e o potencial de ação se estabiliza como resultado do aumento da permeabilidade do íon cálcio e diminuição da permeabilidade do íon potássio. Os canais de cálcio dependentes de voltagem se abrem lentamente durante as fases 0 e 1, e o cálcio entra na célula. Os canais de potássio então se fecham, e a combinação de diminuição do efluxo de íons potássio e aumento do influxo de íons cálcio faz com que o potencial de ação se estabilize, formando o platô.

Fase 3 (repolarização rápida): fechamento dos canais de cálcio e abertura dos canais lentos de potássio. O fechamento dos canais de íon cálcio e o aumento da permeabilidade do íon potássio, que permite que os íons potássio saiam da célula rapidamente, encerra o platô e retorna o potencial da membrana celular ao seu nível de repouso.

Fase 4 (potencial de membrana em repouso): a média é de cerca de −80 a −90 milivolts.

Velocidade de condução do sinal no músculo cardíaco. A velocidade de condução do sinal do potencial de ação excitatório ao longo das *fibras musculares atriais e ventriculares* é de cerca de 0,3 a 0,5 m/s, ou cerca de 1/250 da velocidade nas fibras nervosas muito grandes e cerca de 1/10 da velocidade nas fibras musculares esqueléticas. A velocidade de condução no sistema condutivo especializado do coração – nas *fibras de Purkinje* – é tão alta quanto 4 m/s na maioria das partes do sistema, permitindo a condução rápida do sinal excitatório para as diferentes partes do coração, conforme explicado no Capítulo 10.

Período refratário do músculo cardíaco. O músculo cardíaco, como todo tecido excitável, é refratário à reestimulação durante o potencial de ação. Portanto, o período refratário do coração é o intervalo de tempo durante o qual um impulso cardíaco normal não pode reexcitar uma área já excitada do músculo cardíaco, conforme mostrado na **Figura 9.6**. O período refratário normal do ventrículo (período refratário absoluto) é de 0,25 a 0,30 segundo, que é aproximadamente a duração do potencial de ação de platô prolongado. Há um período *refratário relativo adicional* de cerca de 0,05 segundo durante o qual o músculo é mais difícil de excitar do que o normal, mas pode ser excitado por um sinal excitatório muito forte, como demonstrado pela contração prematura precoce no segundo exemplo da **Figura 9.6**. O período refratário do músculo atrial é muito mais curto do que o dos ventrículos (cerca de 0,15 segundo para os átrios em comparação com 0,25 a 0,30 segundo para os ventrículos).

ACOPLAMENTO EXCITAÇÃO-CONTRAÇÃO: FUNÇÃO DOS ÍONS CÁLCIO E DOS TÚBULOS TRANSVERSOS

O termo *acoplamento excitação-contração* refere-se ao mecanismo pelo qual o potencial de ação faz com que as miofibrilas do músculo se contraiam. Esse mecanismo foi

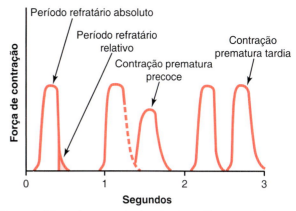

Figura 9.6 Força de contração do músculo cardíaco ventricular, mostrando também a duração do período refratário absoluto e o período refratário relativo, além do efeito da contração prematura. Observe que as contrações prematuras não causam a soma das ondas, como ocorre no músculo esquelético.

discutido para o músculo esquelético no Capítulo 7. Novamente, existem diferenças nesse mecanismo no músculo cardíaco que têm efeitos importantes sobre as características da contração muscular cardíaca.

Como acontece com o músculo esquelético, quando um potencial de ação passa pela membrana do músculo cardíaco, o potencial de ação se espalha para o interior da fibra muscular cardíaca ao longo das membranas dos *túbulos transversais (T)*. Os potenciais de ação do túbulo T atuam, então, sobre as membranas dos *túbulos sarcoplasmáticos longitudinais* para causar a liberação de íons cálcio no sarcoplasma muscular a partir do retículo sarcoplasmático. Em alguns milésimos de segundo, esses íons cálcio se difundem nas miofibrilas e catalisam as reações químicas que promovem o deslizamento dos filamentos de actina e miosina uns sobre os outros, o que produz a contração muscular.

Até agora, esse mecanismo de acoplamento excitação-contração é o mesmo do músculo esquelético, mas há um segundo efeito que é bastante diferente. Além dos íons cálcio que são liberados no sarcoplasma pelas cisternas do retículo sarcoplasmático, há também íons cálcio que se difundem para o sarcoplasma a partir dos túbulos T no momento do potencial de ação, o que abre canais de cálcio voltagem-dependentes na membrana dos túbulos T (ver **Figura 9.7**). O cálcio que entra na célula ativa os *canais de liberação de cálcio*, também chamados *canais receptores de rianodina*, na membrana do retículo sarcoplasmático, desencadeando a liberação de cálcio no sarcoplasma. Os íons cálcio no sarcoplasma, então, interagem com a troponina para iniciar a formação das pontes cruzadas e a contração pelo mesmo mecanismo básico descrito para o músculo esquelético no Capítulo 6.

Sem o cálcio dos túbulos T, a força da contração do músculo cardíaco seria reduzida consideravelmente porque o retículo sarcoplasmático do músculo cardíaco é menos desenvolvido do que o do músculo esquelético e não armazena cálcio suficiente para fornecer a contração completa. Os túbulos T do músculo cardíaco, entretanto, têm um diâmetro cinco vezes maior do que o dos

PARTE 3 O Coração

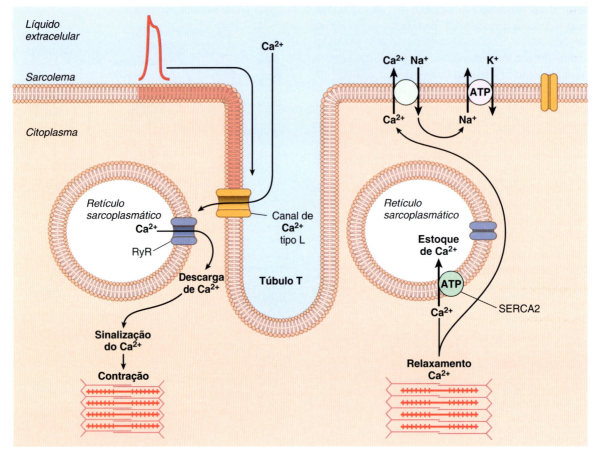

Figura 9.7 Mecanismos de acoplamento excitação-contração e relaxamento no músculo cardíaco. ATP, trifosfato de adenosina. RyR, canal receptor de rianodina liberador de Ca^{2+}; SERCA2, bomba de Ca^{2+}-ATPase.

túbulos do músculo esquelético, o que significa um volume 25 vezes maior. Além disso, dentro dos túbulos T existe uma grande quantidade de mucopolissacarídeos carregados eletronegativamente e que se ligam a um estoque abundante de íons cálcio, mantendo-os disponíveis para difusão no interior da fibra muscular cardíaca quando surge um potencial de ação do túbulo T.

A força de contração do músculo cardíaco depende, em grande parte, da concentração de íons cálcio nos líquidos extracelulares. Na verdade, um coração colocado em uma solução sem cálcio para de bater rapidamente. A razão para essa resposta é que as aberturas dos túbulos T passam diretamente através da membrana da célula do músculo cardíaco para os espaços extracelulares ao redor das células, permitindo que o mesmo líquido extracelular que está no interstício do músculo cardíaco percorra os túbulos T. Consequentemente, a quantidade de íons cálcio no sistema de túbulo T (*i. e.*, a disponibilidade de íons cálcio para causar a contração do músculo cardíaco) depende, em grande medida, da concentração de íon cálcio no líquido extracelular.

Por outro lado, a força da contração do músculo esquelético dificilmente é afetada por mudanças moderadas na concentração de cálcio no líquido extracelular. Isso ocorre porque a contração do músculo esquelético é causada quase inteiramente por íons cálcio liberados do retículo sarcoplasmático *dentro* da fibra muscular esquelética.

No final do platô do potencial de ação cardíaco, o influxo de íons cálcio para o interior da fibra muscular é repentinamente interrompido e os íons cálcio no sarcoplasma são rapidamente bombeados de volta para fora das fibras musculares no retículo sarcoplasmático e nos túbulos T – espaço do líquido extracelular. O transporte de cálcio de volta para o retículo sarcoplasmático é conseguido com a ajuda de uma bomba de cálcio-adenosina trifosfatase (ATPase). Essa bomba de cálcio-ATPase é conhecida como SERCA2 (*sarcoplasmic endoplasmic reticulum calcium ATPase*); ver **Figura 9.7**. Os íons cálcio também são removidos da célula por um trocador de sódio-cálcio. O sódio que entra na célula durante essa troca é então transportado para fora da célula pela bomba de sódio-potássio-ATPase. Como resultado, a contração cessa até que apareça um novo potencial de ação.

Duração da contração. O músculo cardíaco começa a se contrair alguns milissegundos após o início do potencial de ação e continua a se contrair até alguns milissegundos após o término do potencial de ação. Portanto, a duração da contração do músculo cardíaco é principalmente uma função da duração do potencial de ação, *incluindo o platô* – cerca de 0,2 segundo no músculo atrial e 0,3 segundo no músculo ventricular.

CAPÍTULO 9 Músculo Cardíaco: O Coração como Bomba e o Funcionamento das Valvas Cardíacas

CICLO CARDÍACO

Os eventos cardíacos que ocorrem desde o início de um batimento cardíaco até o início do próximo são chamados *ciclo cardíaco*. Cada ciclo é iniciado pela geração espontânea de um potencial de ação no nó sinusal, conforme explicado no Capítulo 10. Esse nó está localizado na parede lateral superior do átrio direito próximo à abertura da veia cava superior, e o potencial de ação viaja dali, rapidamente, através de ambos os átrios e, em seguida, através do feixe AV para os ventrículos. Em razão desse arranjo especial do sistema de condução dos átrios para os ventrículos, há um atraso de mais de 0,1 segundo durante a passagem do impulso cardíaco dos átrios para os ventrículos. Esse atraso permite que os átrios se contraiam antes da contração ventricular, bombeando sangue para os ventrículos antes que a forte contração ventricular comece. Assim, os átrios atuam como *bombas preparatórias* para os ventrículos, e os ventrículos, por sua vez, fornecem a principal fonte de energia para mover o sangue através do sistema vascular do corpo.

Diástole e sístole

A *duração total do ciclo cardíaco*, incluindo sístole e diástole, é a recíproca da frequência cardíaca. Por exemplo, se a frequência cardíaca for de 72 batimentos/min, a duração do ciclo cardíaco será 1/72 min/batimento (bpm) – cerca de 0,0139 min/batimento ou 0,833 s/batimento.

A **Figura 9.8** mostra os diferentes eventos durante o ciclo cardíaco para o lado esquerdo do coração. As três curvas superiores mostram as mudanças de pressão em aorta, ventrículo esquerdo e átrio esquerdo, respectivamente. A quarta curva mostra as mudanças no volume do ventrículo esquerdo, a quinta mostra o *eletrocardiograma* e a sexta mostra um *fonocardiograma*, que é uma gravação dos sons produzidos pelo coração – principalmente pelas valvas cardíacas – conforme ele bombeia. É especialmente importante que o leitor estude esta figura em detalhes e entenda as causas de todos os eventos mostrados.

O aumento da frequência cardíaca diminui a duração do ciclo cardíaco. Quando a frequência cardíaca aumenta, a duração de cada ciclo cardíaco diminui, incluindo as fases de contração e relaxamento. A duração do potencial de ação e da sístole também diminuem, mas não em porcentagem tão grande quanto a diástole. A uma frequência cardíaca normal de 72 bpm, a sístole compreende cerca de 0,4 de todo o ciclo cardíaco. Com três vezes a frequência cardíaca normal, a sístole representa cerca de 0,65 de todo o ciclo cardíaco. Isso significa que o coração batendo muito rapidamente não permanece relaxado por tempo suficiente para permitir o enchimento completo das câmaras cardíacas antes da contração seguinte.

Relação do eletrocardiograma com o ciclo cardíaco

O eletrocardiograma na **Figura 9.8** mostra as *ondas P, Q, R, S e T*, discutidas nos Capítulos 11 e 12. Elas representam as tensões elétricas geradas pelo coração e registradas pelo eletrocardiograma a partir da superfície corporal.

A *onda P* é causada pela *propagação da despolarização* através dos átrios e é seguida pela contração atrial, que

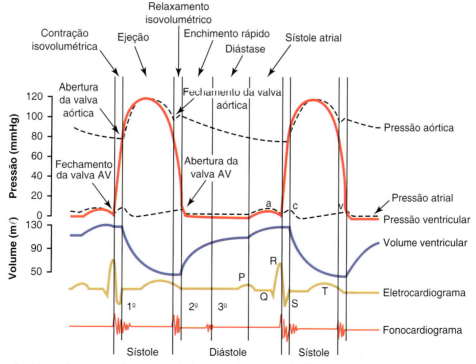

Figura 9.8 Eventos do ciclo cardíaco para a função ventricular esquerda, mostrando alterações na pressão atrial esquerda, pressão ventricular esquerda, pressão aórtica, volume ventricular, eletrocardiograma e fonocardiograma. AV, atrioventricular.

PARTE 3 O Coração

causa um leve aumento na curva de pressão atrial imediatamente após a onda P eletrocardiográfica.

Cerca de 0,16 segundo após o início da onda P, as *ondas QRS (complexo QRS)* aparecem como resultado da despolarização elétrica dos ventrículos, que inicia a contração dos ventrículos e faz com que a pressão ventricular comece a aumentar. Portanto, o complexo QRS começa um pouco antes do início da sístole ventricular.

Finalmente, a *onda T ventricular* representa o estágio de repolarização dos ventrículos quando as fibras musculares ventriculares começam a relaxar. Portanto, a onda T ocorre um pouco antes do final da contração ventricular.

Os átrios funcionam como bombas precursoras para os ventrículos

O sangue normalmente flui continuamente das grandes veias para os átrios; cerca de 80% do sangue flui diretamente através dos átrios para os ventrículos, mesmo antes de os átrios se contraírem. Então, a contração atrial geralmente causa um enchimento adicional de 20% dos ventrículos. Portanto, os átrios funcionam como bombas primárias que aumentam a eficácia do bombeamento ventricular em até 20%. No entanto, o coração pode continuar a funcionar na maioria das condições, mesmo sem esses 20% adicionais de eficácia, porque normalmente tem a capacidade de bombear 300 a 400% mais sangue do que o necessário para o corpo em repouso. Portanto, quando os átrios deixam de funcionar, é improvável que a diferença seja notada, a menos que a pessoa se exercite; nesse caso, ocasionalmente se desenvolvem sintomas de insuficiência cardíaca, especialmente falta de ar.

Mudanças de pressão nos átrios – ondas a, c e v. Na curva de pressão atrial da **Figura 9.8**, são mostradas três pequenas elevações de pressão, chamadas *ondas de pressão atrial a, c e v.*

A *onda a* é causada pela contração atrial. Normalmente, a pressão do átrio *direito* aumenta 4 a 6 mmHg durante a contração atrial, e a pressão do átrio *esquerdo* aumenta cerca de 7 a 8 mmHg.

A *onda c* ocorre quando os ventrículos começam a se contrair; é causada, em parte, por um leve refluxo do sangue para os átrios no início da contração ventricular, mas principalmente pelo abaulamento das valvas AV em direção aos átrios em virtude do aumento da pressão nos ventrículos.

A *onda v* ocorre perto do final da contração ventricular; ela resulta do fluxo lento de sangue das veias para os átrios, enquanto as valvas AV são fechadas durante a contração ventricular. Então, quando a contração ventricular termina, as valvas AV se abrem, permitindo que o sangue atrial armazenado flua rapidamente para os ventrículos, causando o desaparecimento da onda v.

FUNÇÃO DOS VENTRÍCULOS COMO BOMBAS

Os ventrículos enchem-se de sangue durante a diástole. Durante a sístole ventricular, grandes quantidades de sangue se acumulam nos átrios direito e esquerdo por causa das valvas AV fechadas. Portanto, assim que a sístole termina e as pressões ventriculares caem novamente para seus valores diastólicos baixos, as pressões moderadamente aumentadas que se desenvolveram nos átrios durante a sístole ventricular imediatamente forçam a abertura das valvas AV e permitem que o sangue flua rapidamente para os ventrículos, como mostrado pelo aumento da *curva de volume do ventrículo* esquerdo na **Figura 9.8**. Esse período é denominado *período de enchimento rápido dos ventrículos.*

Em um coração saudável, o período de enchimento rápido dura cerca do primeiro terço da diástole. Normalmente, durante o terço médio da diástole, apenas uma pequena quantidade de sangue flui para os ventrículos. Esse é o sangue que continua a fluir das veias para os átrios e passa através destes diretamente para os ventrículos. Durante o último terço da diástole, os átrios se contraem (sístole atrial) e dão um impulso adicional para o influxo de sangue para os ventrículos. Esse mecanismo é responsável por cerca de 20% do enchimento dos ventrículos durante cada ciclo cardíaco.

Os ventrículos enrijecem com o envelhecimento ou com doenças que causam fibrose cardíaca, como hipertensão ou diabetes melito. Isso faz com que menos sangue preencha os ventrículos na porção inicial da diástole e requer mais volume (pré-carga; discutido posteriormente) ou mais enchimento a partir da contração atrial posterior para manter o débito cardíaco adequado.

Fluxo de sangue dos ventrículos durante a sístole

Período de contração isovolumétrica (isométrica). Imediatamente após o início da contração ventricular, a pressão ventricular aumenta abruptamente, conforme mostrado na **Figura 9.8**, fazendo com que as valvas AV se fechem. Então, é necessário um adicional de 0,02 a 0,03 segundo para que o ventrículo crie pressão suficiente para abrir as valvas semilunares (aórtica e pulmonar), vencendo as pressões na aorta e na artéria pulmonar. Portanto, durante esse período, ocorre contração nos ventrículos, mas não ocorre esvaziamento (já que todas as valvas estão fechadas) e o volume sanguíneo fica constante. Esse período é chamado de *período de contração isovolumétrica* ou *isométrica,* o que significa que a tensão do músculo cardíaco está aumentando, mas ocorre pouco ou nenhum encurtamento das fibras musculares. De fato, nas fases isométricas do ciclo cardíaco, todas as valvas se encontram fechadas.

Período de ejeção. Quando a pressão do ventrículo esquerdo sobe ligeiramente acima de 80 mmHg (e a pressão do ventrículo direito sobe ligeiramente acima de 8 mmHg), as pressões ventriculares forçam a abertura das valvas semilunares. Imediatamente, o sangue é ejetado dos ventrículos para a aorta e o tronco pulmonar (que vai originar as artérias pulmonares direita e esquerda). Aproximadamente 60% do sangue dos ventrículos no final da diástole são ejetados durante a sístole; cerca de 70% dessa porção fluem durante o primeiro terço do período de ejeção, com os 30% restantes esvaziando durante os próximos dois terços. Portanto, o primeiro terço é chamado de *período de ejeção rápida* e os dois últimos terços são chamados de *período de ejeção lenta*.

Período de relaxamento isovolumétrico (isométrico). No final da sístole, o relaxamento ventricular começa repentinamente, permitindo que as pressões intraventriculares direita e esquerda diminuam rapidamente. As pressões elevadas nas grandes artérias distendidas que acabaram de ser preenchidas com sangue dos ventrículos contraídos empurram imediatamente o sangue de volta para os ventrículos, o que fecha as valvas aórtica e pulmonar. Por mais 0,03 a 0,06 segundo, o músculo ventricular continua relaxando, mesmo que o volume ventricular não seja alterado (já que todas as valvas estão fechadas), dando origem ao período de *relaxamento isovolumétrico* ou *isométrico*. Durante esse período, as pressões intraventriculares diminuem rapidamente de volta aos seus níveis diastólicos baixos. Então, as valvas AV se abrem para iniciar um novo ciclo de bombeamento ventricular.

Volume diastólico final, volume sistólico final e débito sistólico. Durante a diástole, o enchimento normal dos ventrículos aumenta o volume de cada ventrículo para cerca de 110 a 120 mℓ. Esse volume é denominado *volume diastólico final*. Então, conforme os ventrículos se esvaziam durante a sístole, o volume diminui em cerca de 70 mℓ (que é o volume ejetado na sístole), o que é chamado de *débito sistólico*. O volume restante em cada ventrículo, de cerca de 40 a 50 mℓ, é chamado *volume sistólico final*. A fração do volume diastólico final que é ejetado é chamada *fração de ejeção*, geralmente igual a cerca de 0,6 (ou 60%). A porcentagem da fração de ejeção é frequentemente usada clinicamente para avaliar a capacidade sistólica cardíaca (bombeamento).

Quando o coração se contrai fortemente, o volume sistólico final pode diminuir para tão pouco quanto 10 a 20 mℓ. Por outro lado, quando grandes quantidades de sangue fluem nos ventrículos durante a diástole, os volumes diastólicos finais do ventrículo podem chegar a 150 a 180 mℓ no coração saudável. Tanto aumentando o volume diastólico final quanto diminuindo o volume sistólico final, a saída do volume sistólico pode ser aumentada para mais do que o dobro do normal.

AS VALVAS CARDÍACAS IMPEDEM FLUXO DE SANGUE DURANTE A SÍSTOLE

Valvas atrioventriculares. As valvas AV (ou seja, a *valva tricúspide* e as *valvas mitrais*) evitam o refluxo do sangue dos ventrículos para os átrios durante a sístole, e as *valvas semilunares* (i. e., as *valvas aórtica e pulmonar*) impedem o refluxo da aorta e do tronco pulmonar para os ventrículos durante a diástole. Essas valvas, mostradas na **Figura 9.9** para o ventrículo esquerdo, se fecham e se abrem *passivamente*. Ou seja, elas se fecham quando um

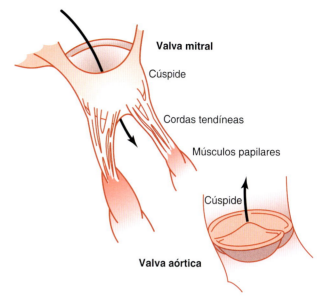

Figura 9.9 Valvas mitral e aórtica (valvas ventriculares esquerdas).

gradiente de pressão retrógrado empurra o sangue para trás e se abrem quando um gradiente de pressão anterógrado força o sangue adiante. Por motivos anatômicos, as finas valvas AV quase não produzem qualquer refluxo quando se fecham, enquanto as valvas semilunares, mais pesadas, produzem um pequeno refluxo bastante rápido, que dura alguns milissegundos.

Função dos músculos papilares. A **Figura 9.9** também mostra os músculos papilares que se ligam às cúspides das valvas AV pelas *cordas tendíneas*. Os músculos papilares se contraem quando as paredes ventriculares se contraem, mas, ao contrário do que se poderia esperar, *não ajudam* no fechamento das valvas. Em vez disso, eles puxam as cúspides das valvas para dentro em direção aos ventrículos, para evitar que se projetem muito para trás em direção aos átrios durante a contração ventricular. Se uma corda tendínea se rompe, ou se um dos músculos papilares fica paralisado devido ao baixo fluxo sanguíneo de um infarto do miocárdio, a valva se projeta para trás durante a contração ventricular, às vezes tanto que vaza acentuadamente e resulta em insuficiência cardíaca grave ou mesmo letal.

Valvas semilunares (aórtica e pulmonar). As valvas semilunares da artéria aórtica e do tronco pulmonar funcionam de maneira bem diferente das valvas AV. Primeiro, as altas pressões nas artérias no final da sístole fazem com que as valvas semilunares se fechem, em contraste com o fechamento muito mais suave das valvas AV. Em segundo lugar, em virtude das aberturas menores, a velocidade de ejeção do sangue pelas valvas aórtica e pulmonar é muito maior do que pelas valvas AV, que são muito maiores. Além disso, por causa do fechamento rápido e da ejeção rápida, as bordas das valvas aórtica e pulmonar estão sujeitas a abrasão mecânica muito maior do que as valvas AV. Finalmente, as valvas AV são sustentadas pelas cordas

PARTE 3 O Coração

tendíneas, o que não acontece com as valvas semilunares. A partir da anatomia das valvas aórtica e pulmonar (como mostrado para a valva aórtica na parte inferior da **Figura 9.9**), fica óbvio que elas devem ser constituídas por um tecido fibroso especialmente forte, mas muito flexível para suportar o estresse físico a que estão submetidas.

CURVA DE PRESSÃO AÓRTICA

Quando o ventrículo esquerdo se contrai, a pressão ventricular aumenta rapidamente até que a valva aórtica se abra. Então, depois que a valva se abre, a pressão no ventrículo aumenta muito menos rapidamente, como mostrado na **Figura 9.7**, porque o sangue flui imediatamente do ventrículo para a aorta e então para as artérias de distribuição sistêmica.

A entrada de sangue nas artérias durante a sístole faz com que as paredes dessas artérias se estiquem e a pressão aumente para cerca de 120 mmHg. Em seguida, no final da sístole, após o ventrículo esquerdo parar de ejetar sangue e a valva aórtica se fechar, as paredes elásticas das artérias mantêm uma pressão elevada nas artérias, mesmo durante a diástole.

Ocorre uma *incisura* na curva de pressão aórtica quando a valva aórtica se fecha. Isso é causado por um curto período de refluxo de sangue imediatamente antes do fechamento da valva, seguido pela interrupção repentina do refluxo.

Depois que a valva aórtica se fecha, a pressão na aorta diminui lentamente ao longo da diástole porque o sangue armazenado nas artérias elásticas distendidas flui continuamente através dos vasos periféricos de volta às veias. Antes que o ventrículo se contraia novamente, a pressão aórtica geralmente cai para cerca de 80 mmHg (pressão diastólica), que é dois terços da pressão máxima de 120 mmHg (pressão sistólica) que ocorre na aorta durante a contração ventricular.

As curvas de pressão no *ventrículo direito* e na *artéria pulmonar* são semelhantes às da aorta, exceto que as pressões são de apenas cerca de um sexto, conforme discutido no Capítulo 14.

Relação dos sons do coração com o batimento cardíaco

Ao ouvir o coração com um estetoscópio, não se ouve a abertura das valvas, pois este é um processo relativamente lento que normalmente não é ruidoso. No entanto, quando as valvas se fecham, os folhetos das valvas e os líquidos circundantes vibram sob a influência de mudanças repentinas de pressão, emitindo um som que viaja em todas as direções através do tórax.

Quando os ventrículos se contraem, ouve-se primeiro um som causado pelo fechamento das valvas AV. O tom de vibração é baixo e relativamente durador e é conhecido como a *primeira bulha cardíaca (B1).* Quando as valvas aórtica e pulmonar se fecham no final da sístole, ouve-se um estalo rápido porque essas valvas se fecham rapidamente e os arredores vibram por um curto período. Esse som é denominado

segunda bulha cardíaca (B2). As causas precisas dos sons cardíacos são discutidas mais detalhadamente no Capítulo 23, em relação à escuta dos sons com o estetoscópio.

Trabalho sistólico do coração

O *trabalho sistólico do coração* é a quantidade de energia que o coração converte para trabalhar durante cada batimento cardíaco enquanto bombeia sangue para as artérias. O trabalho sistólico do coração tem duas formas. Primeiro, a maior proporção é usada para mover o sangue das veias de baixa pressão para as artérias de alta pressão. Isso é chamado de *trabalho de pressão de volume* ou *trabalho externo*. Em segundo lugar, uma pequena proporção da energia é usada para acelerar o sangue até sua velocidade de ejeção através das valvas aórtica e pulmonar, que é a *energia cinética do componente do fluxo sanguíneo* na produção de trabalho.

O trabalho externo do ventrículo direito é normalmente cerca de um sexto do trabalho do ventrículo esquerdo por causa da diferença de seis vezes nas pressões sistólicas bombeadas pelos dois ventrículos. O trabalho adicional de cada ventrículo necessário para criar a energia cinética do fluxo sanguíneo é proporcional à massa de sangue ejetada vezes o quadrado da velocidade de ejeção.

Normalmente, a produção de trabalho do ventrículo esquerdo necessária para criar a energia cinética do fluxo sanguíneo é apenas cerca de 1% da produção de trabalho total do ventrículo e, portanto, é ignorada no cálculo de trabalho total. Em certas condições anormais, no entanto, como estenose aórtica, em que o sangue flui com grande velocidade através da valva estenosada, mais de 50% da produção total de trabalho pode ser necessária para criar a energia cinética do fluxo sanguíneo.

ANÁLISE GRÁFICA DO BOMBEAMENTO VENTRICULAR

A **Figura 9.10** mostra um diagrama que é especialmente útil para explicar a mecânica de bombeamento do ventrículo *esquerdo*. Os componentes mais importantes do diagrama são as duas curvas denominadas "pressão diastólica" e "pressão sistólica". Elas representam as curvas de volume-pressão.

A curva da pressão diastólica é determinada pelo enchimento do coração com volumes progressivamente maiores de sangue e medindo a pressão diastólica imediatamente antes de ocorrer a contração ventricular, que é a *pressão diastólica final* do ventrículo.

A curva de pressão sistólica é determinada pelo registro da pressão sistólica alcançada durante a contração ventricular a cada volume de preenchimento.

Até que o volume do ventrículo que não se contrai ultrapasse cerca de 150 mℓ, a pressão diastólica não aumenta muito. Portanto, até esse volume, o sangue pode fluir facilmente para o ventrículo a partir do átrio. Acima de 150 mℓ, a pressão diastólica ventricular aumenta rapidamente, em parte devido ao tecido fibroso no coração que não se estica mais e em parte porque o pericárdio que circunda o coração fica cheio quase até seu limite.

CAPÍTULO 9 Músculo Cardíaco: O Coração como Bomba e o Funcionamento das Valvas Cardíacas

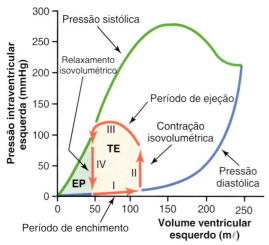

Figura 9.10 Relação entre o volume do ventrículo esquerdo e a pressão intraventricular durante a diástole e a sístole. Também é mostrado pelas *setas vermelhas* o "diagrama de volume-pressão", demonstrando as mudanças no volume e na pressão intraventricular durante o ciclo cardíaco normal. TE, trabalho externo líquido; EP, energia potencial.

Durante a contração ventricular, a pressão sistólica aumenta, mesmo com baixos volumes ventriculares, e atinge o máximo com um volume ventricular de 150 a 170 mℓ. Então, conforme o volume aumenta ainda mais, a pressão sistólica na verdade diminui sob algumas condições, como demonstrado pela curva de pressão sistólica decrescente na **Figura 9.10**. Isso ocorre porque, nesses grandes volumes, os filamentos de actina e miosina das fibras do músculo cardíaco estão separados o suficiente para que a força de cada contração da fibra cardíaca se torne menor do que ideal.

Observe especialmente na figura que a pressão sistólica máxima para o ventrículo *esquerdo* normal está entre 250 e 300 mmHg, mas isso varia amplamente com a força do coração de cada pessoa e o grau de estimulação do coração pelos nervos cardíacos. Para o ventrículo *direito* normal, a pressão sistólica máxima está entre 60 e 80 mmHg.

Diagrama de volume-pressão durante o ciclo cardíaco; trabalho sistólico do coração. As linhas vermelhas na **Figura 9.10** formam uma alça denominada *diagrama de volume-pressão* do ciclo cardíaco para a função normal do ventrículo esquerdo. Uma versão mais detalhada dessa alça é mostrada na **Figura 9.11**. É dividida em quatro fases.

Fase I: período de preenchimento. A fase I no diagrama de volume-pressão começa com um volume ventricular de cerca de 50 mℓ e uma pressão diastólica de 2 a 3 mmHg. A quantidade de sangue que permanece no ventrículo após o batimento cardíaco anterior, 50 mℓ, é chamada *volume sistólico final*. Conforme o sangue venoso flui para o ventrículo a partir do átrio esquerdo, o volume ventricular normalmente aumenta para cerca de 120 mℓ, chamado *volume diastólico final*, um aumento de 70 mℓ. Portanto, o diagrama de volume-pressão durante a fase I se estende ao longo da linha na **Figura 9.10** rotulada como "I" e do ponto A ao ponto B na **Figura 9.11**, com o volume aumentando para 120 mℓ e a pressão diastólica aumentando para cerca de 5 a 7 mmHg.

Fase II: período de contração isovolumétrica. Durante a contração isovolumétrica, o volume do ventrículo não se altera porque todas as valvas estão fechadas.

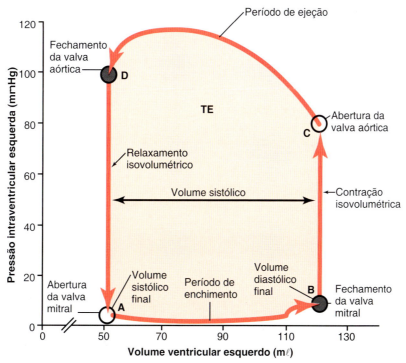

Figura 9.11 Diagrama de volume-pressão demonstrando mudanças no volume e na pressão intraventricular durante um único ciclo cardíaco (*setas vermelhas*). A *área sombreada* representa a saída do trabalho externo líquido (TE) pelo ventrículo esquerdo durante o ciclo cardíaco.

PARTE 3 O Coração

No entanto, a pressão dentro do ventrículo aumenta para igualar a pressão na aorta, para um valor de pressão de cerca de 80 mmHg, conforme representado pelo ponto C (ver **Figura 9.11**).

Fase III: período de ejeção. Durante a ejeção, a pressão sistólica aumenta ainda mais em virtude da contração ainda maior do ventrículo. Ao mesmo tempo, o volume do ventrículo diminui porque a valva aórtica agora está aberta e o sangue flui do ventrículo para a aorta. Portanto, na **Figura 9.10**, a curva denominada "III" ou "período de ejeção" traça as mudanças no volume e na pressão sistólica durante este período de ejeção.

Fase IV: período de relaxamento isovolumétrico. No final do período de ejeção (ponto D, **Figura 9.11**), a valva aórtica se fecha e a pressão ventricular volta ao nível de pressão diastólica. A linha identificada como "IV" (ver **Figura 9.10**) traça essa diminuição na pressão intraventricular sem qualquer alteração no volume. Assim, o ventrículo retorna ao seu ponto inicial, com cerca de 50 mℓ de sangue deixados no ventrículo a uma pressão atrial de 2 a 3 mmHg.

A área subtendida por esse diagrama de volume-pressão funcional (a área sombreada, denominada "TE") representa o *trabalho sistólico externo* do ventrículo durante seu ciclo de contração. Em estudos experimentais de contração cardíaca, esse diagrama é usado para calcular o trabalho sistólico cardíaco.

Quando o coração bombeia grandes quantidades de sangue, a área do diagrama torna-se muito maior. Ou seja, estende-se muito para a direita porque o ventrículo se enche de mais sangue durante a diástole, sobe muito mais porque o ventrículo se contrai com maior pressão e geralmente se estende mais para a esquerda porque o ventrículo se contrai para um volume menor, especialmente se for estimulado a aumentar a atividade pelo sistema nervoso simpático.

Conceitos de pré-carga e pós-carga. Ao avaliar as propriedades contráteis do músculo, é importante especificar o grau de tensão muscular quando ele começa a se contrair, chamada *pré-carga*, e especificar a carga contra a qual o músculo exerce sua força contrátil, chamada *pós-carga*.

Para a contração cardíaca, a *pré-carga* é geralmente considerada a pressão diastólica final quando o ventrículo está cheio. A *pós-carga* do ventrículo é a pressão na aorta que sai do ventrículo. Na **Figura 9.10**, isso corresponde à pressão sistólica descrita pela curva de fase III do diagrama de volume-pressão. (Às vezes, a pós-carga é vagamente considerada como a resistência na circulação, em vez de pressão.)

A importância dos conceitos de pré-carga e pós-carga é que, em muitos estados funcionais anormais do coração ou da circulação, a pressão durante o enchimento do ventrículo (a pré-carga) e a pressão arterial contra a qual o ventrículo deve se contrair (a pós-carga), ou ambas, são alteradas de normal para um grau grave.

Energia química necessária para a contração cardíaca: utilização do oxigênio pelo coração

O músculo cardíaco, assim como o músculo esquelético, usa energia química para fornecer o trabalho de contração. Aproximadamente 70 a 90% dessa energia são normalmente derivados do metabolismo oxidativo dos ácidos graxos, com cerca de 10 a 30% vindos de outros nutrientes, principalmente glicose e lactato. Portanto, a taxa de consumo de oxigênio pelo coração é uma excelente medida da energia química liberada enquanto o coração realiza seu trabalho. As diferentes reações químicas que liberam essa energia são discutidas nos Capítulos 68 e 69.

Estudos experimentais mostraram que o consumo de oxigênio pelo coração e a energia química gasta durante a contração estão diretamente relacionados à área sombreada total na **Figura 9.10**. Essa porção sombreada consiste no *trabalho externo* (TE), conforme explicado anteriormente, e uma porção adicional chamada de *energia potencial*, denominada "EP". A energia potencial representa o trabalho adicional que poderia ser realizado pela contração do ventrículo se o ventrículo pudesse esvaziar completamente todo o sangue em sua câmara com cada contração.

O consumo de oxigênio também mostrou ser quase proporcional à *tensão* que ocorre no músculo cardíaco durante a contração multiplicada pela *duração do tempo* em que a contração persiste; isso é chamado de *índice de tensão-tempo*. De acordo com a lei de Laplace, a tensão da parede ventricular (T) está relacionada à pressão ventricular esquerda (P) e ao raio (r): $T = P \times r$.

Como a tensão é alta quando a pressão sistólica (e, portanto, a pressão ventricular esquerda) é alta, consequentemente, mais oxigênio é usado. Quando a pressão sistólica está cronicamente elevada, o estresse sobre a parede e a carga de trabalho cardíaca também aumentam, induzindo ao espessamento das paredes do ventrículo esquerdo, o que pode reduzir o raio da câmara ventricular (hipertrofia concêntrica) e, pelo menos parcialmente, aliviar o aumento da tensão da parede. Além disso, é gasta uma quantidade muito maior de energia química, mesmo em pressões sistólicas normais, quando o ventrículo está anormalmente dilatado (hipertrofia excêntrica), porque a tensão do músculo cardíaco durante a contração é proporcional à pressão vezes o raio do ventrículo. Isso se torna especialmente importante nos casos de insuficiência cardíaca, quando o ventrículo cardíaco está dilatado e, paradoxalmente, a quantidade de energia química necessária para uma determinada quantidade de trabalho é maior do que o normal, embora o coração já esteja falhando.

Eficiência cardíaca. Durante a contração do músculo cardíaco, a maior parte da energia química gasta é convertida em *calor* e uma parte muito menor é convertida em *produção de trabalho*. A *eficiência cardíaca* é a relação entre a produção de trabalho e a energia química total usada para realizar o trabalho. A eficiência máxima de um coração normal está entre 20 e 25%. Em pessoas com insuficiência cardíaca, essa eficiência pode diminuir para 5%.

REGULAÇÃO DO BOMBEAMENTO CARDÍACO

Quando uma pessoa está em repouso, o coração bombeia apenas 4 a 6 ℓ de sangue por minuto. Durante exercícios extenuantes, o coração pode bombear quatro a sete vezes essa quantidade. Os mecanismos básicos para regular o bombeamento cardíaco são os seguintes: (1) regulação intrínseca do bombeamento cardíaco em resposta a mudanças no volume de sangue que flui para o coração; e (2) controle da frequência cardíaca e da força de contração cardíaca pelo sistema nervoso autônomo.

REGULAÇÃO INTRÍNSECA DO BOMBEAMENTO CARDÍACO – O MECANISMO DE FRANK-STARLING

No Capítulo 20, aprenderemos que, na maioria das condições, a quantidade de sangue bombeada pelo coração a cada minuto é normalmente determinada quase inteiramente pela taxa de fluxo sanguíneo das veias para o coração, que é chamada *retorno venoso*. Ou seja, cada tecido periférico do corpo controla seu próprio fluxo sanguíneo local, e todos os fluxos locais de tecido se combinam e retornam pelas veias ao átrio direito. O coração, por sua vez, bombeia automaticamente esse sangue que entra nas artérias para que ele possa fluir pelo circuito novamente.

Essa capacidade intrínseca do coração de se adaptar a volumes crescentes de fluxo de sangue é chamada *mecanismo de Frank-Starling*, batizado em homenagem a Otto Frank e Ernest Starling, dois grandes fisiologistas. Basicamente, o mecanismo de Frank-Starling significa que, quanto mais o músculo cardíaco for alongado durante o enchimento, maior será a força de contração e maior será a quantidade de sangue bombeado para a aorta. Ou, dito de outra forma – *dentro dos limites fisiológicos, o coração bombeia todo o sangue que retorna a ele por meio das veias.*

Qual é a explicação do mecanismo de Frank-Starling?
Quando uma quantidade extra de sangue flui para os ventrículos, o músculo cardíaco é alongado para um comprimento maior. Esse alongamento faz com que o músculo se contraia com uma força maior porque os filamentos de actina e miosina são levados a um grau de sobreposição mais próximo do ideal para a geração de força. Portanto, o ventrículo, por causa de seu bombeamento aumentado, bombeia automaticamente o sangue extra para as artérias. Essa capacidade do músculo alongado, até um comprimento ideal, de se contrair com o aumento da produção de trabalho é característica de todos os músculos estriados, conforme explicado no Capítulo 6, e não é simplesmente uma característica do músculo cardíaco.

Além do importante efeito de alongamento do músculo cardíaco, um outro fator aumenta o bombeamento do coração quando seu volume é aumentado. O estiramento da parede atrial direita aumenta diretamente a frequência cardíaca em 10 a 20%, o que também ajuda a aumentar a quantidade de sangue bombeado a cada minuto, embora sua contribuição seja muito menor do que a do mecanismo de Frank-Starling. Conforme discutido no Capítulo 18, o estiramento do átrio também ativa os receptores de alongamento e um reflexo nervoso, o *reflexo de Bainbridge*, que é transmitido pelo nervo vago e pode aumentar a frequência cardíaca em mais 40 a 60%.

Curvas de função ventricular

Uma das melhores formas de expressar a capacidade funcional dos ventrículos em bombear sangue são as *curvas da função ventricular*. A **Figura 9.12** mostra um tipo de curva de função ventricular chamada *curva de trabalho sistólico*. Observe que, à medida que a pressão atrial para cada lado do coração aumenta, o trabalho sistólico para esse lado aumenta até atingir o limite da capacidade de bombeamento do ventrículo.

A **Figura 9.13** mostra outro tipo de curva de função ventricular chamada *curva de saída de volume ventricular*. As duas curvas desta figura representam a função dos dois ventrículos do coração humano com base em dados extrapolados de estudos experimentais em animais. À medida que as pressões dos átrios direito e esquerdo aumentam, as respectivas saídas de volume ventricular por minuto também aumentam.

Assim, as *curvas da função ventricular* são outra forma de expressar o mecanismo de Frank-Starling do coração. Ou seja, à medida que os ventrículos se enchem em resposta a pressões atriais mais altas, cada volume ventricular e a força da contração do músculo cardíaco aumentam, fazendo com que o coração bombeie maiores quantidades de sangue para as artérias.

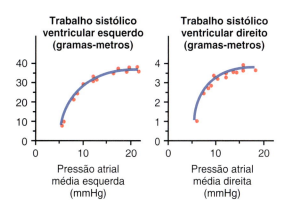

Figura 9.12 Curvas da função ventricular esquerda e direita registradas em cães, mostrando o trabalho sistólico ventricular como uma função das pressões atriais médias esquerda e direita. (*Dados de Sarnoff SJ: Myocardial contractility as described by ventricular function curves. Physiol Rev 35:107, 1955.*)

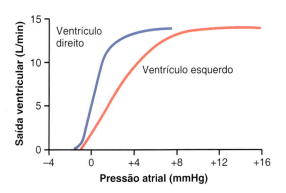

Figura 9.13 Curvas aproximadas do volume ventricular direito e esquerdo normais para o coração humano em repouso, extrapoladas a partir de dados obtidos em cães e dados de pacientes humanos.

Controle do coração pelos nervos simpático e parassimpático

A efetividade do bombeamento cardíaco também é controlada por nervos *simpático e parassimpático (vago)*, que suprem abundantemente o coração, conforme mostrado na **Figura 9.14**. Para determinados níveis de pressão atrial, a quantidade de sangue bombeado a cada minuto (*débito cardíaco*) geralmente pode ser aumentada em mais de 100% por estimulação simpática. Em contraste, o débito pode ser reduzido a quase zero por estimulação vagal (parassimpática).

Mecanismos de excitação do coração pelos nervos simpáticos. A estimulação simpática forte pode aumentar a frequência cardíaca em humanos adultos jovens da frequência normal de 70 bpm para até 180 a 200 bpm e, raramente, até 250 bpm. Além disso, a estimulação simpática pode dobrar a força da contração do coração, aumentando o volume de sangue bombeado e a pressão de ejeção. Assim, a estimulação simpática muitas vezes pode aumentar o débito cardíaco máximo de duas a três vezes, além do aumento do débito causado pelo mecanismo de Frank-Starling discutido anteriormente.

Por outro lado, a *inibição* dos nervos simpáticos para o coração pode diminuir o bombeamento cardíaco em grau moderado. Em condições normais, as fibras nervosas simpáticas para o coração descarregam continuamente a uma taxa lenta que mantém o bombeamento cerca de 30% acima disso, sem estimulação simpática. Portanto, quando a atividade do sistema nervoso simpático está deprimida abaixo do normal, tanto a frequência cardíaca quanto a força da contração do músculo ventricular diminuem, reduzindo também o nível de bombeamento cardíaco em até 30% abaixo do normal.

A estimulação parassimpática (vagal) reduz a frequência cardíaca e a força da contração. A forte estimulação das fibras nervosas parassimpáticas no nervo vago para o coração pode parar o batimento cardíaco por alguns segundos, mas o coração geralmente "escapa" e bate a uma taxa de 20 a 40 bpm, enquanto a estimulação parassimpática continuar. Além disso, uma forte estimulação vagal pode diminuir a força da contração do músculo cardíaco em 20 a 30%.

As fibras vagais são distribuídas principalmente para os átrios e não muito para os ventrículos, onde ocorre a contração de força do coração. Essa distribuição explica por que o efeito da estimulação vagal é principalmente diminuir a frequência cardíaca, em vez de diminuir muito a força da contração cardíaca. No entanto, a grande diminuição da frequência cardíaca, combinada com uma ligeira redução da força de contração do coração, pode diminuir o bombeamento ventricular em 50% ou mais.

Efeito da estimulação simpática ou parassimpática sobre a curva de função cardíaca. A **Figura 9.15** mostra quatro curvas de função cardíaca. Essas curvas são semelhantes às curvas da função ventricular da **Figura 9.13**. No entanto, representam a função de todo o coração, e não de um único ventrículo. Elas mostram a relação entre a pressão do átrio direito na entrada do coração direito e o débito cardíaco do ventrículo esquerdo para a aorta.

As curvas da **Figura 9.15** demonstram que a qualquer pressão atrial direita dada, o débito cardíaco aumenta durante o aumento da estimulação simpática e diminui durante o aumento da estimulação parassimpática. Essas alterações no débito causadas pela estimulação do sistema nervoso autônomo resultam de *mudanças na frequência cardíaca e na força contrátil do coração*.

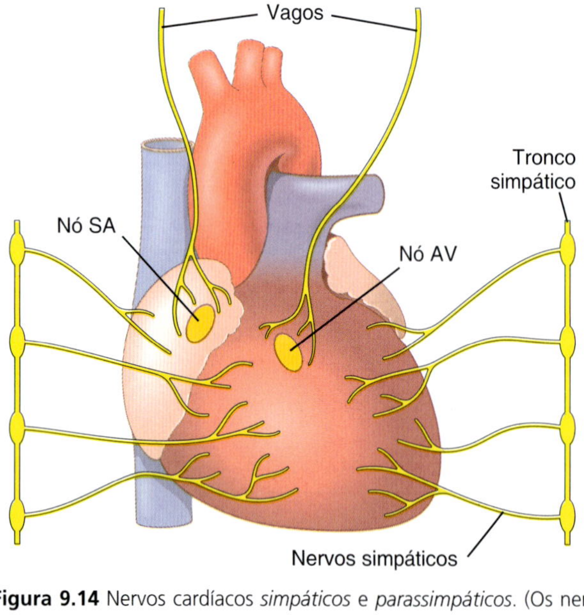

Figura 9.14 Nervos cardíacos *simpáticos* e *parassimpáticos*. (Os nervos vagos para o coração são nervos parassimpáticos.) AV, atrioventricular; SA, sinoatrial.

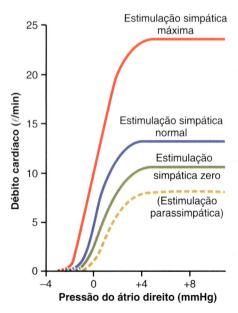

Figura 9.15 Efeito sobre a curva de débito cardíaco de diferentes graus de estimulação simpática ou parassimpática.

EFEITO DOS ÍONS POTÁSSIO E CÁLCIO SOBRE A FUNÇÃO CARDÍACA

Em nossa discussão sobre os potenciais de membrana no Capítulo 5, especificamos que os íons potássio têm um efeito importante sobre os potenciais de membrana e, no Capítulo 6, observamos que os íons cálcio desempenham um papel especialmente importante na ativação do processo contrátil do músculo. Portanto, não é surpreendente que as concentrações de cada um desses dois íons nos líquidos extracelulares tenham efeitos importantes sobre o bombeamento cardíaco.

Efeito dos íons potássio. O excesso de potássio nos líquidos extracelulares faz com que o coração fique dilatado e flácido e também diminui a frequência cardíaca. Grandes quantidades de potássio também podem bloquear a condução do impulso cardíaco dos átrios para os ventrículos através do feixe AV. A elevação da concentração de potássio para apenas 8 a 12 mEq/ℓ – duas a três vezes o valor normal – pode causar fraqueza grave do coração, ritmo anormal e morte.

Esses efeitos resultam parcialmente do fato de que uma alta concentração de potássio nos líquidos extracelulares diminui o potencial de membrana em repouso nas fibras musculares cardíacas, conforme explicado no Capítulo 5. Ou seja, uma alta concentração de potássio no líquido extracelular despolariza parcialmente a membrana celular, fazendo com que o potencial de membrana fique menos negativo. À medida que o potencial de membrana diminui, a intensidade do potencial de ação também diminui, o que torna a contração cardíaca cada vez mais fraca.

Efeito dos íons cálcio. O excesso de íons cálcio causa efeitos quase exatamente opostos aos dos íons potássio, fazendo com que o coração se mova em direção à contração espástica. Isso é causado por um efeito direto dos íons cálcio para iniciar o processo de contração cardíaca, conforme explicado anteriormente neste capítulo.

Por outro lado, a deficiência de íons cálcio causa fraqueza cardíaca, semelhante ao efeito de potássio alto. Felizmente, os níveis de íons cálcio no sangue normalmente são regulados dentro de uma faixa muito estreita. Portanto, os efeitos cardíacos de concentrações anormais de cálcio raramente são motivo de preocupação clínica.

EFEITO DA TEMPERATURA SOBRE O FUNCIONAMENTO DO CORAÇÃO

A elevação da temperatura corporal, como ocorre durante a febre, aumenta muito a frequência cardíaca, às vezes até o dobro da frequência normal. A redução da temperatura diminui muito a frequência cardíaca, que pode cair para algumas batidas por minuto quando uma pessoa está perto da morte por hipotermia na faixa de temperatura corporal de 15,5°C a 21°C. Provavelmente esses efeitos resultam do fato de que o calor aumenta a permeabilidade da membrana do músculo cardíaco a íons que controlam a frequência cardíaca, resultando na aceleração do processo de autoexcitação.

A *força de contração* cardíaca geralmente é aumentada temporariamente por uma elevação moderada da temperatura, como ocorre durante a atividade física, mas a elevação prolongada da temperatura esgota os sistemas metabólicos do coração e acaba causando fraqueza. Portanto, a função cardíaca ideal depende muito do controle adequado da temperatura corporal pelos mecanismos de controle explicados no Capítulo 74.

AUMENTAR A CARGA DE PRESSÃO ARTERIAL (ATÉ UM LIMITE) NÃO DIMINUI O DÉBITO CARDÍACO

Observe na **Figura 9.16** que o aumento da pressão arterial na aorta não diminui o débito cardíaco até que a pressão arterial média fique acima de 160 mmHg. Em outras palavras, durante a função cardíaca normal em pressões arteriais sistólicas normais (80 a 140 mmHg), o débito cardíaco é determinado quase inteiramente pela facilidade do sangue de fluir através dos tecidos orgânicos, que, por sua vez, controla o retorno venoso do sangue ao coração. Esse mecanismo é o assunto principal do Capítulo 20.

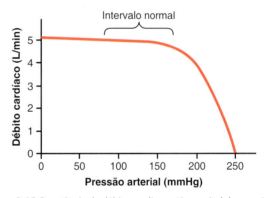

Figura 9.16 Constância do débito cardíaco até um nível de pressão de 160 mmHg. Somente quando a pressão arterial fica acima desse limite normal, o aumento da carga de pressão causa uma queda significativa do débito cardíaco.

Bibliografia

Bell V, Mitchell GF: Influence of vascular function and pulsatile hemodynamics on cardiac function. Curr Hypertens Rep 17: 580, 2015.

Bertero E, Maack C: Calcium signaling and reactive oxygen species in mitochondria. Circ Res 122: 1460, 2018

Cingolani HE, Pérez NG, Cingolani OH, Ennis IL: The Anrep effect: 100 years later. Am J Physiol Heart Circ Physiol 304:H175, 2013.

Dewenter M, von der Lieth A, Katus HA, Backs J: Calcium signaling and transcriptional regulation in cardiomyocytes. Circ Res 121:1000, 2017.

Doenst T, Nguyen TD, Abel ED: Cardiac metabolism in heart failure: implications beyond ATP production. Circ Res 113:709, 2013.

Eisner DA, Caldwell JL, Kistamás K, Trafford AW: Calcium and excitation-contraction coupling in the heart. Circ Res 121:181, 2017.

Finkel T, Menazza S, Holmström KM, et al: The ins and outs of mitochondrial calcium. Circ Res 116:1810, 2015.

Guyton AC, Jones CE, Coleman TG: Circulatory Physiology: Cardiac Output and Its Regulation, 2nd ed. Philadelphia: WB Saunders, 1973.

Kho C, Lee A, Hajjar RJ: Altered sarcoplasmic reticulum calcium cycling—targets for heart failure therapy. Nat Rev Cardiol 9:717, 2012.

PARTE 3 O Coração

Lewis GA, Schelbert EB, Williams SG, et al: Biological phenotypes of heart failure with preserved ejection fraction. J Am Coll Cardiol 70:2186, 2017.

Luo M, Anderson ME: Mechanisms of altered Ca^{2+} handling in heart failure. Circ Res 113:690, 2013.

Mangoni ME, Nargeot J: Genesis and regulation of the heart automaticity. Physiol Rev 88:919, 2008.

Marks AR: Calcium cycling proteins and heart failure: mechanisms and therapeutics. J Clin Invest 123:46, 2013.

Mayourian J, Ceholski DK, Gonzalez DM, et al: Physiologic, pathologic, and therapeutic paracrine modulation of cardiac excitation-contraction coupling. Circ Res 122:167, 2018.

Omar AM, Vallabhajosyula S, Sengupta PP: Left ventricular twist and torsion: research observations and clinical applications. Circ Cardiovasc Imaging 8:74, 2015.

Puglisi JL, Negroni JA, Chen-Izu Y, Bers DM: The force-frequency relationship: insights from mathematical modeling. Adv Physiol Educ 37:28, 2013.

Sarnoff SJ: Myocardial contractility as described by ventricular function curves. Physiol Rev 35:107, 1955.

Starling EH: The Linacre Lecture on the Law of the Heart. London: Longmans Green, 1918.

ter Keurs HE: The interaction of Ca^{2+} with sarcomeric proteins: role in function and dysfunction of the heart. Am J Physiol Heart Circ Physiol 302:H38, 2012.

Triposkiadis F, Pieske B, Butler J, et al: Global left atrial failure in heart failure. Eur J Heart Fail 18:1307, 2016.

Vega RB, Kelly DP: Cardiac nuclear receptors: architects of mitochondrial structure and function. J Clin Invest 127:1155, 2017.

CAPÍTULO 10

Excitação Rítmica do Coração

O coração humano tem um sistema especial para autoexcitação rítmica e contração repetitiva de aproximadamente 100.000 vezes/dia ou 3 bilhões de vezes, em média, ao longo da vida. Esse feito impressionante é realizado por um sistema que: (1) gera impulsos elétricos para iniciar a contração rítmica do músculo cardíaco; e (2) conduz esses impulsos rapidamente pelo coração. Quando esse sistema funciona normalmente, os átrios se contraem cerca de um sexto de segundo antes da contração ventricular, o que permite o enchimento dos ventrículos antes de bombear o sangue para os pulmões e a circulação periférica. Outra característica especialmente importante do sistema é que ele permite que todas as porções dos ventrículos se contraiam quase simultaneamente, o que é essencial para a geração de pressão mais efetiva nas câmaras ventriculares.

Esse sistema rítmico e condutor é suscetível a danos por doenças cardíacas, especialmente por isquemia resultante de fluxo sanguíneo coronário inadequado. O efeito geralmente é um ritmo cardíaco errático ou uma sequência anormal de contração das câmaras cardíacas, e a efetividade do bombeamento pode ser gravemente afetada, chegando ao ponto de causar a morte.

SISTEMA EXCITATÓRIO E CONDUTOR ESPECIALIZADO DO CORAÇÃO

A **Figura 10.1** mostra o sistema excitatório e condutor especializado do coração que controla as contrações cardíacas. A figura mostra o nó sinusal (também chamado nó sinoatrial [SA]), onde são gerados os impulsos rítmicos normais; as vias internodais que conduzem os impulsos do nó sinusal para o nó atrioventricular (AV); o nó AV, no qual os impulsos dos átrios são retardados antes de passarem para os ventrículos; o feixe AV, que conduz impulsos dos átrios para os ventrículos; e os ramos esquerdo e direito do feixe de fibras de Purkinje, que conduzem os impulsos cardíacos a todas as partes dos ventrículos.

NÓ SINUSAL (SINOATRIAL)

O nó sinusal é uma pequena faixa elipsoide achatada de músculo cardíaco especializado, com cerca de 3 mm de largura, 15 mm de comprimento e 1 mm de espessura. Está localizado na parede posterolateral superior do átrio direito, imediatamente abaixo e ligeiramente lateral à abertura da veia cava superior. As fibras desse nó quase não têm filamentos musculares contráteis, e cada uma tem apenas 3 a 5 micrômetros (μm) de diâmetro, em contraste com o diâmetro de 10 a 15 μm das fibras musculares atriais circundantes. No entanto, as fibras do nó sinusal conectam-se diretamente com as fibras do músculo atrial, de modo que qualquer potencial de ação que comece no nó sinusal se espalhe imediatamente para a parede muscular do átrio.

RITMICIDADE ELÉTRICA AUTOMÁTICA DAS FIBRAS SINUSAIS

Algumas fibras cardíacas têm a capacidade de *autoexcitação*, um processo que pode provocar descarga e contração rítmica automática. Essa capacidade é especialmente verdadeira para o sistema de condução especializado do coração, incluindo as fibras do nó sinusal. Por esse motivo, o nó sinusal normalmente controla a frequência cardíaca de todo o coração, como será discutido em detalhes

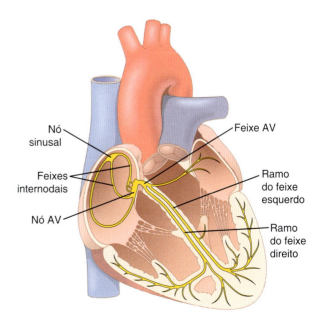

Figura 10.1 O nó sinusal e o sistema de Purkinje do coração, mostrando também o nó atrioventricular (AV), as vias (feixes) internodais atriais e os ramos do feixe ventricular.

posteriormente neste capítulo. Primeiro, vamos descrever essa ritmicidade automática.

Mecanismo de ritmicidade do nó sinusal. A **Figura 10.2** mostra os potenciais de ação registrados no interior de uma fibra nodal sinusal no intervalo de três batimentos cardíacos e, por comparação, um único potencial de ação da fibra muscular ventricular. Observe que o potencial de membrana em repouso da fibra nodal sinusal entre as descargas é de cerca de −55 a −60 milivolts, em comparação com −85 a −90 milivolts da fibra muscular ventricular. A causa dessa negatividade mais baixa é que as membranas celulares das fibras sinusais são naturalmente permeáveis a íons sódio e cálcio, e as cargas positivas dos íons sódio e cálcio que entram neutralizam parte da negatividade intracelular.

Antes de explicarmos a ritmicidade das fibras nodais sinusais, primeiro lembre-se do que foi discutido nos Capítulos 5 e 9, que o músculo cardíaco tem três tipos principais de canais iônicos de membrana, que desempenham papéis importantes nas mudanças de voltagem do potencial de ação. São eles (1) *canais rápidos de sódio*, (2) *canais de cálcio (particularmente os canais de cálcio do tipo L ou "lentos")* e (3) *canais de potássio* (ver **Figura 9.5**).

A abertura dos canais rápidos de sódio por alguns décimos de milésimos de segundo é responsável pelo rápido pico ascendente do potencial de ação observado no músculo ventricular devido ao rápido influxo de íons sódio positivos para o interior da fibra. Então, o platô do potencial de ação ventricular é causado principalmente pela abertura mais lenta dos canais lentos de sódio-cálcio, que dura cerca de 0,3 segundo. Por fim, a abertura dos canais de potássio permite a difusão de grandes quantidades de íons potássio positivos na direção externa através da membrana da fibra e retorna o potencial da membrana ao seu nível de repouso.

No entanto, há uma diferença na função desses canais na fibra nodal sinusal porque o potencial de repouso é muito menos negativo, apenas −55 milivolts na fibra nodal em vez dos −90 milivolts da fibra muscular ventricular. Nesse nível de −55 milivolts, os canais rápidos de sódio, principalmente, já se tornaram inativados ou bloqueados. Isso ocorre porque sempre que o potencial de membrana permanece menos negativo do que cerca de −55 milivolts por mais de alguns milissegundos, as portas de inativação no interior da membrana celular que fecham os canais rápidos de sódio se fecham e permanecem fechadas. Portanto, apenas os canais lentos de sódio-cálcio podem abrir (ou seja, podem ser ativados) e, assim, provocar o potencial de ação. Como resultado, o potencial de ação nodal atrial desenvolve-se mais lentamente do que o potencial de ação do músculo ventricular. Além disso, depois que o potencial de ação ocorre, o retorno do potencial ao seu estado negativo também ocorre lentamente, ao contrário do retorno abrupto observado na fibra ventricular.

A permeabilidade das fibras nodais sinusais para sódio e cálcio provoca autoexcitação. Em virtude da alta concentração de íons sódio no líquido extracelular fora da fibra nodal, bem como do número moderado de canais de sódio já abertos, os íons sódio positivos de fora das fibras normalmente tendem a escoar para o interior através das chamadas "*funny currents*". Portanto, entre os batimentos cardíacos, o influxo de íons sódio carregados positivamente provoca um aumento lento no potencial de membrana em repouso na direção positiva. Assim, como mostrado na **Figura 10.2**, o potencial de repouso aumenta gradualmente e se torna menos negativo entre cada dois batimentos cardíacos. Quando o potencial atinge um limiar de voltagem de cerca de −40 milivolts, os canais de cálcio do tipo L são ativados, provocando o potencial de ação. Portanto, basicamente, a permeabilidade inerente das fibras nodais sinusais aos íons sódio e cálcio causa sua autoexcitação.

Por que esse escoamento de íons sódio e cálcio não faz com que as fibras do nó sinusal permaneçam despolarizadas o tempo todo? Dois eventos ocorrem durante o curso do potencial de ação para prevenir esse estado constante de despolarização. Primeiro, os canais de cálcio do tipo L tornam-se inativados (*i. e.*, se fecham) em cerca de 100 a 150 milissegundos após a abertura; e segundo, mais ou menos ao mesmo tempo, abre-se um número muito maior de canais de potássio. Portanto, o influxo de íons cálcio e sódio positivos através dos canais de cálcio do tipo L cessa, enquanto, ao mesmo tempo, grandes quantidades de íons potássio positivos se difundem para fora da fibra. Ambos os efeitos reduzem o potencial intracelular de volta ao nível de repouso negativo e, portanto, encerram o potencial de ação. Além disso, os canais de potássio permanecem abertos por mais alguns décimos de segundo, continuando temporariamente o movimento de cargas positivas para fora da célula, com excesso de negatividade resultante dentro da fibra; esse processo é denominado *hiperpolarização*. O estado de hiperpolarização carrega inicialmente o potencial de membrana em repouso até cerca de −55 a −60 milivolts no término do potencial de ação.

Por que esse novo estado de hiperpolarização não é mantido para sempre? A razão é que, durante os próximos

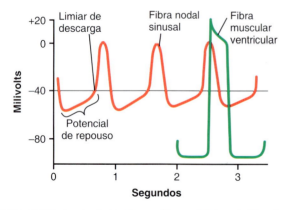

Figura 10.2 Descarga rítmica de uma fibra nodal sinusal. Além disso, o potencial de ação nodal sinusal é comparado com o de uma fibra muscular ventricular.

décimos de segundo após o término do potencial de ação, progressivamente mais e mais canais de potássio se fecham. O escoamento de íons sódio ("*funny currents*") e íons cálcio mais uma vez desequilibra o fluxo externo de íons potássio, o que faz com que o potencial de repouso flutue para cima mais uma vez, alcançando finalmente o nível de limiar de descarga em um potencial de cerca de −40 milivolts. Então, todo o processo começa novamente: autoexcitação para causar o potencial de ação, recuperação do potencial de ação, hiperpolarização após o término do potencial de ação, deriva do potencial de repouso para o limiar e, finalmente, reexcitação para provocar outro ciclo. Esse processo continua ao longo da vida de uma pessoa.

AS VIAS INTERNODAIS E INTERATRIAIS TRANSMITEM OS IMPULSOS CARDÍACOS ATRAVÉS DOS ÁTRIOS

As extremidades das fibras nodais sinusais conectam-se diretamente com as fibras musculares atriais circundantes. Portanto, os potenciais de ação originados no nó sinusal viajam para fora dessas fibras musculares atriais. Dessa forma, o potencial de ação se espalha por toda a massa muscular atrial e, eventualmente, até o nó AV. A velocidade de condução na maioria dos músculos atriais é de cerca de 0,3 m/s, mas a condução é mais rápida, cerca de 1 m/s, em várias pequenas faixas de fibras atriais. Um desses feixes, chamado *feixe interatrial anterior* (também conhecido como *feixe de Bachman*), passa pelas paredes anteriores dos átrios até o átrio esquerdo. Além disso, três outros pequenos feixes curvam-se através das paredes atrial anterior, lateral e posterior e terminam no nó AV, mostrado nas **Figuras 10.1** e **10.3**; são chamados, respectivamente, *vias internodais anterior, média e posterior*. A causa da velocidade de condução mais rápida nesses feixes é a presença de fibras de condução especializadas. Essas fibras são semelhantes às fibras de Purkinje dos ventrículos de condução ainda mais rápida, discutidas a seguir.

O NÓ ATRIOVENTRICULAR RETARDA A CONDUÇÃO DO IMPULSO DOS ÁTRIOS PARA OS VENTRÍCULOS

O sistema condutor atrial é organizado de forma que o impulso cardíaco não viaje dos átrios para os ventrículos muito rapidamente; esse retardo permite que os átrios esvaziem o sangue nos ventrículos antes que a contração ventricular se inicie. É principalmente o nó AV e suas fibras condutoras adjacentes que atrasam essa transmissão para os ventrículos.

O nó AV está localizado na parede posterior do átrio direito, imediatamente atrás da valva tricúspide, como mostrado na **Figura 10.1**. A **Figura 10.3** apresenta um diagrama das diferentes partes desse nó, além das conexões com as fibras de entrada da via internodal atrial e o feixe AV de saída. Esta figura também mostra os intervalos de tempo aproximados (em frações de segundo) entre o início do impulso cardíaco no nó sinusal e seu aparecimento

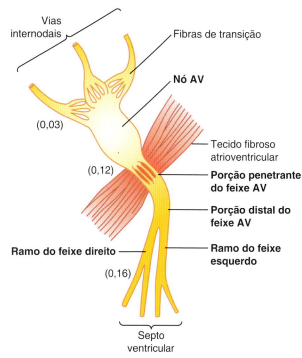

Figura 10.3 Organização do nó atrioventricular (AV). Os números representam o intervalo de tempo desde a origem do impulso no nó sinusal. Os valores foram extrapolados para humanos.

subsequente no sistema nodal AV. Observe que o impulso, depois de viajar pelas vias internodais, alcança o nó AV cerca de 0,03 segundo após sua origem no nó sinusal. Então, há um atraso de outro 0,09 segundo no próprio nó AV antes que o impulso entre na porção penetrante do feixe AV, de onde passa para os ventrículos. Um atraso final de mais 0,04 segundo ocorre principalmente neste feixe AV penetrante, que é composto de vários pequenos fascículos que passam pelo tecido fibroso que separa os átrios dos ventrículos.

Assim, o atraso total no sistema AV nodal e no feixe AV é de cerca de 0,13 segundo. Esse retardo, além do atraso de condução inicial de 0,03 segundo do nó sinusal para o nó AV, representa um retardo total de 0,16 segundo antes que o sinal excitatório finalmente alcance o músculo em contração dos ventrículos.

Causa da condução lenta. A condução lenta nas fibras do feixe AV transicionais, nodais e penetrantes é causada principalmente por um número menor de junções comunicantes entre células sucessivas nas vias de condução, de modo que ocorre grande resistência à condução dos íons excitatórios de uma fibra condutora para a próxima. Portanto, é fácil ver por que cada célula sucessiva demora a ser excitada.

TRANSMISSÃO RÁPIDA DO IMPULSO CARDÍACO NO SISTEMA PURKINJE VENTRICULAR

Fibras especiais de Purkinje conduzem do nó AV através do feixe AV para os ventrículos. Com exceção da porção inicial dessas fibras, onde penetram na barreira fibrosa

PARTE 3 O Coração

AV, apresentam características funcionais opostas às das fibras nodais AV. São fibras muito grandes, ainda maiores do que as fibras musculares ventriculares normais, e transmitem potenciais de ação a uma velocidade de 1,5 a 4,0 m/s, uma velocidade cerca de seis vezes maior do que no músculo ventricular normal e 150 vezes maior que em algumas fibras nodais AV. Essa velocidade permite a transmissão quase instantânea do impulso cardíaco por todo o restante do músculo ventricular.

Acredita-se que a rápida transmissão dos potenciais de ação pelas fibras de Purkinje seja causada por um nível muito alto de permeabilidade das junções comunicantes nos discos intercalados entre as células sucessivas que constituem as fibras de Purkinje. Portanto, os íons são transmitidos facilmente de uma célula para a próxima, aumentando, assim, a velocidade de transmissão. As fibras de Purkinje também têm muito poucas miofibrilas, o que significa que elas se contraem pouco ou nada durante o curso da transmissão do impulso.

O feixe AV normalmente é uma via de condução unilateral. Uma característica especial do feixe AV é a incapacidade, exceto em estados anormais, de os potenciais de ação viajarem para trás, seguindo dos ventrículos aos átrios. Essa característica evita a reentrada de impulsos cardíacos por essa via dos ventrículos para os átrios, permitindo apenas a condução direta dos átrios para os ventrículos.

Além disso, deve-se lembrar que, em todos os lugares, exceto no feixe AV, o músculo atrial é separado do músculo ventricular por uma barreira fibrosa contínua, que é parcialmente mostrada na **Figura 10.3**. Essa barreira normalmente atua como um isolante para evitar a passagem do impulso cardíaco entre os músculos atrial e ventricular por qualquer outra via além da condução direta através do feixe AV. Em casos raros, uma ponte muscular anormal, ou via acessória, penetra a barreira fibrosa em outro lugar além do feixe AV. Nessas condições, o impulso cardíaco pode reentrar nos átrios pelos ventrículos e causar arritmias cardíacas graves.

Distribuição das fibras de Purkinje nos ventrículos – ramos dos feixes esquerdo e direito. Após penetrar no tecido fibroso entre os músculos atrial e ventricular, a porção distal do feixe AV desce no septo ventricular por 5 a 15 mm em direção ao ápice do coração, conforme mostrado nas **Figuras 10.1 e 10.3**. Em seguida, o feixe se divide em ramos esquerdo e direito que se encontram abaixo do endocárdio nos dois lados respectivos do septo ventricular. Cada ramo se espalha para baixo em direção ao ápice do ventrículo, dividindo-se progressivamente em ramos menores. Esses ramos, por sua vez, correm lateralmente ao redor de cada câmara ventricular e voltam em direção à base do coração. As extremidades das fibras de Purkinje penetram cerca de um terço do caminho na massa muscular e, finalmente, tornam-se contínuas com as fibras do músculo cardíaco.

O tempo total decorrido é, em média, de apenas 0,03 segundo do momento em que o impulso cardíaco entra nos ramos do feixe no septo ventricular até atingir as terminações das fibras de Purkinje. Portanto, uma vez que o impulso cardíaco entra no sistema condutor de Purkinje ventricular, ele se espalha quase imediatamente por toda a massa muscular ventricular.

TRANSMISSÃO DO IMPULSO CARDÍACO NO MÚSCULO VENTRICULAR

Uma vez que o impulso atinge as extremidades das fibras de Purkinje, ele é transmitido através da massa muscular ventricular pelas próprias fibras musculares ventriculares. A velocidade de transmissão é agora de apenas 0,3 a 0,5 m/s, um sexto da velocidade das fibras de Purkinje.

O músculo cardíaco envolve o coração em uma espiral dupla, com septos fibrosos entre as camadas em espiral; portanto, o impulso cardíaco não viaja necessariamente para fora em direção à superfície do coração. Em vez disso, angula em direção à superfície ao longo das direções das espirais. Por causa dessa angulação, a transmissão da superfície endocárdica para a superfície epicárdica do ventrículo requer até mais 0,03 segundo, quase o mesmo tempo necessário para a transmissão através de toda a porção ventricular do sistema de Purkinje. Assim, o tempo total para a transmissão do impulso cardíaco dos ramos do feixe inicial até a última das fibras musculares ventriculares no coração normal é cerca de 0,06 segundo.

RESUMO DA PROPAGAÇÃO DO IMPULSO CARDÍACO ATRAVÉS DO CORAÇÃO

A **Figura 10.4** resume a transmissão do impulso cardíaco através do coração humano. Os números na figura representam os intervalos de tempo, em frações de segundo, que decorrem entre a origem do impulso cardíaco no nó sinusal e seu aparecimento em cada ponto respectivo do coração. Observe que o impulso se espalha em velocidade moderada através dos átrios, mas é atrasado mais de 0,1 segundo na região nodal AV antes de aparecer no feixe AV septal ventricular. Depois de entrar nesse feixe, ele se espalha muito rapidamente através das fibras de Purkinje para toda a superfície endocárdica dos ventrículos. Então, o impulso mais uma vez se espalha um pouco menos rapidamente através do músculo ventricular para as superfícies epicárdicas.

É importante que o aluno aprenda em detalhes o curso do impulso cardíaco através do coração e os tempos precisos de seu aparecimento em cada parte separada do coração. Um conhecimento quantitativo completo desse processo é essencial para a compreensão da eletrocardiografia, que é discutida nos Capítulos 11 a 13.

CONTROLE DA EXCITAÇÃO E DA CONDUÇÃO NO CORAÇÃO

O NÓ SINUSAL É O MARCA-PASSO NATURAL DO CORAÇÃO

Quando discutimos a gênese e a transmissão do impulso cardíaco através do coração, observamos que o impulso

CAPÍTULO 10 Excitação Rítmica do Coração

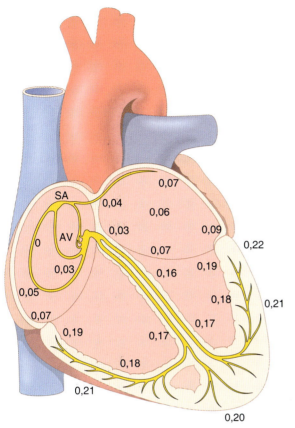

Figura 10.4 Transmissão do impulso cardíaco através do coração, mostrando o tempo de surgimento (em frações de segundo após o aparecimento inicial no nó sinoatrial) em diferentes partes do coração. AV, atrioventricular; SA, sinoatrial.

normalmente surge no nó sinusal. Em algumas condições anormais, isso não ocorre. Outras partes do coração também podem exibir excitação rítmica intrínseca, da mesma forma que as fibras nodais sinusais; isso é particularmente verdadeiro para as fibras nodais AV e as fibras de Purkinje.

As fibras nodais AV, quando não estimuladas por alguma fonte externa, descarregam a uma taxa rítmica intrínseca de 40 a 60 vezes por minuto, e as fibras de Purkinje descarregam a uma taxa entre 15 e 40 vezes por minuto. Essas taxas contrastam com a taxa normal do nó sinusal de 70 a 80 vezes por minuto.

Por que então o nó sinusal, em vez do nó AV ou das fibras de Purkinje, controla a ritmicidade do coração? A resposta deriva do fato de que a frequência de disparo de potenciais de ação do nó sinusal é consideravelmente mais rápida do que a frequência de disparo natural do nó AV ou das fibras de Purkinje. Cada vez que o nó sinusal lança uma descarga, seu impulso é conduzido tanto para o nó AV quanto para as fibras de Purkinje, também descarregando suas membranas excitáveis. No entanto, o nó sinusal descarrega novamente antes que o nó AV ou as fibras de Purkinje possam atingir seus próprios limiares de autoexcitação. Portanto, o novo impulso do nó sinusal descarrega tanto o nó AV quanto as fibras de Purkinje antes que a autoexcitação possa ocorrer em qualquer um desses locais.

Assim, o nó sinusal controla a batida do coração porque sua taxa de descarga rítmica é mais rápida do que a de qualquer outra parte do coração. Em condições fisiológicas, ele é o marca-passo natural do coração.

Marca-passos anormais – marca-passo ectópico. Ocasionalmente, alguma outra parte do coração desenvolve uma frequência de disparo que é mais rápida do que a do nó sinusal. Por exemplo, esse desenvolvimento às vezes ocorre no nó AV ou nas fibras de Purkinje quando um deles se torna anormal. Nos dois casos, o marca-passo do coração muda do nó sinusal para o nó AV ou para as fibras de Purkinje excitadas. Em condições mais raras, um local qualquer no músculo atrial ou ventricular desenvolve excitabilidade excessiva e se torna o marca-passo.

Um marca-passo em outro lugar que não o nó sinusal é chamado de *marca-passo ectópico*. Um marca-passo ectópico causa uma sequência anormal de contração das diferentes partes do coração e pode causar um enfraquecimento significativo do bombeamento cardíaco.

Outra causa de deslocamento do marca-passo é o bloqueio da transmissão do impulso cardíaco do nó sinusal para as outras partes do coração. O novo marca-passo geralmente se desenvolve no nó AV ou na porção penetrante do feixe AV no caminho para os ventrículos.

Quando ocorre o bloqueio AV, isto é, quando o impulso cardíaco não consegue passar dos átrios para os ventrículos através do sistema nodal e do feixe AV, os átrios continuam a bater na taxa normal de ritmo do nó sinusal enquanto um novo marca-passo geralmente se desenvolve no sistema de Purkinje dos ventrículos e impulsiona o músculo ventricular a uma nova taxa, algo entre 15 e 40 batimentos por minuto. Após o bloqueio súbito do feixe AV, o sistema de Purkinje não começa a emitir seus impulsos rítmicos intrínsecos até 5 a 20 segundos mais tarde porque, antes do bloqueio, as fibras de Purkinje foram "sobrecarregadas" pelos impulsos sinusais rápidos e, consequentemente, estão em um estado suprimido. Durante esses 5 a 20 segundos, os ventrículos não bombeiam sangue e a pessoa desmaia após os primeiros 4 a 5 segundos em razão da falta de fluxo sanguíneo para o cérebro. Esse atraso na captação do batimento cardíaco é chamado *síndrome de Stokes-Adams*. Se o período de atraso for muito longo, pode levar à morte.

PAPEL DO SISTEMA PURKINJE NA CAUSA DA CONTRAÇÃO SÍNCRONA DO MÚSCULO VENTRICULAR

A rápida condução do sistema Purkinje normalmente permite que o impulso cardíaco chegue a quase todas as porções dos ventrículos em um curto intervalo de tempo, excitando a primeira fibra muscular ventricular apenas 0,03 a 0,06 segundo antes da excitação da última fibra muscular ventricular. Esse tempo faz com que todas as porções do músculo ventricular em ambos os ventrículos comecem a se contrair quase ao mesmo tempo e continuem se contraindo por cerca de outro 0,3 segundo.

PARTE 3 O Coração

O bombeamento efetivo pelas duas câmaras ventriculares requer esse tipo de contração síncrona. Se o impulso cardíaco percorresse os ventrículos lentamente, grande parte da massa ventricular se contrairia antes da contração do restante, caso em que o efeito de bombeamento geral seria bastante reduzido. De fato, em alguns tipos de disfunção cardíaca, várias das quais são discutidas nos Capítulos 12 e 13, ocorre uma transmissão lenta, e a efetividade do bombeamento dos ventrículos diminui em até 20 a 30%. Dispositivos de ressincronização cardíaca implantáveis são tipos de marca-passos artificiais que usam fios elétricos ou condutores que podem ser inseridos nas câmaras cardíacas para restaurar o tempo apropriado entre os átrios e ambos os ventrículos para melhorar a eficácia do bombeamento em pacientes com corações dilatados e enfraquecidos.

NERVOS SIMPÁTICOS E PARASSIMPÁTICOS CONTROLAM A RITMICIDADE DO CORAÇÃO E A CONDUÇÃO DO IMPULSO PELOS NERVOS CARDÍACOS

O coração recebe inervação de nervos simpáticos e parassimpáticos, conforme mostrado na **Figura 9.14** do Capítulo 9. Os nervos parassimpáticos (nervos vagos) são distribuídos principalmente para os nós SA e AV, em menor extensão para o músculo dos dois átrios e muito pouco diretamente para o músculo ventricular. Os nervos simpáticos, ao contrário, estão distribuídos por todas as partes do coração, com forte representação no músculo ventricular, bem como em todas as demais áreas.

A estimulação parassimpática (vagal) retarda o ritmo e a condução cardíacos. A estimulação dos nervos parassimpáticos para o coração (nervos vagos) faz com que a acetilcolina seja liberada nas terminações vagais. Esse neurotransmissor tem dois efeitos principais sobre o coração. Primeiro, ele diminui a taxa de ritmo do nó sinusal e, segundo, diminui a excitabilidade das fibras de junção AV entre a musculatura atrial e o nó AV, retardando, assim, a transmissão do impulso cardíaco para os ventrículos.

Uma estimulação vagal fraca a moderada diminui a taxa de bombeamento do coração, muitas vezes para apenas metade do normal. Além disso, a forte estimulação dos nervos vagos pode interromper completamente a excitação rítmica pelo nó sinusal ou bloquear completamente a transmissão do impulso cardíaco dos átrios para os ventrículos através do nó AV. Nos dois casos, os sinais excitatórios rítmicos não são mais transmitidos aos ventrículos. Os ventrículos podem parar de bater por 5 a 20 segundos, mas então alguma pequena área nas fibras de Purkinje, geralmente na porção septal ventricular do feixe AV, desenvolve um ritmo próprio e provoca a contração ventricular a uma taxa de 15 a 40 batimentos por minuto. Esse fenômeno é denominado *escape ventricular*.

Mecanismo dos efeitos vagais. A acetilcolina liberada nas terminações nervosas vagais aumenta muito a permeabilidade das membranas das fibras aos íons potássio, o que permite a rápida saída de potássio das fibras condutoras. Esse processo aumenta a negatividade no interior das fibras, efeito denominado *hiperpolarização*, que torna esse tecido excitável muito menos excitável, conforme explicado no Capítulo 5.

No nó sinusal, o estado de hiperpolarização torna o potencial de membrana em repouso das fibras nodais sinusais consideravelmente mais negativo do que o normal, ou seja, −65 a −75 milivolts em vez do nível normal de −55 a −60 milivolts. Portanto, o aumento inicial do potencial de membrana nodal sinusal provocado pela entrada de sódio e cálcio requer muito mais tempo para atingir o limiar do potencial de excitação. Esse requisito diminui muito a taxa de ritmicidade dessas fibras nodais. Se a estimulação vagal for forte o suficiente, é possível interromper totalmente a autoexcitação rítmica desse nó.

No nó AV, um estado de hiperpolarização causado por estimulação vagal torna difícil para as pequenas fibras atriais que entram no nó gerar eletricidade suficiente para excitar as fibras nodais. Portanto, o fator de segurança para a transmissão do impulso cardíaco através das fibras de transição para as fibras nodais AV diminui. Uma diminuição moderada simplesmente atrasa a condução do impulso, mas uma grande diminuição a bloqueia totalmente.

A estimulação simpática aumenta o ritmo e a condução cardíacos. A estimulação simpática provoca essencialmente efeitos opostos aos causados pela estimulação vagal no coração, da seguinte maneira:

1. Aumenta a taxa de descarga nodal sinusal.
2. Aumenta a taxa de condução, bem como o nível de excitabilidade em todas as partes do coração.
3. Aumenta muito a força de contração de toda a musculatura cardíaca, tanto atrial quanto ventricular, conforme discutido no Capítulo 9.

Em resumo, a estimulação simpática aumenta a atividade geral do coração. A estimulação máxima pode quase triplicar a frequência dos batimentos cardíacos e pode aumentar a força da contração cardíaca em até duas vezes.

Mecanismo do efeito simpático. A estimulação dos nervos simpáticos libera *noradrenalina* nas terminações nervosas simpáticas. A noradrenalina, por sua vez, estimula os *receptores beta-1 adrenérgicos*, que medeiam os efeitos sobre a frequência cardíaca. O mecanismo preciso pelo qual a estimulação adrenérgica beta-1 atua sobre as fibras do músculo cardíaco não está claro, mas acredita-se que aumente a permeabilidade da membrana da fibra aos íons sódio e cálcio. No nó sinusal, um aumento da permeabilidade sódio-cálcio causa um potencial de repouso mais positivo. Também provoca um aumento da taxa de desvio para cima do potencial de membrana diastólica em direção ao nível de limiar para autoexcitação, acelerando, assim, a autoexcitação e, portanto, aumentando a frequência cardíaca.

CAPÍTULO 10 Excitação Rítmica do Coração

No nó AV e nos feixes AV, o aumento da permeabilidade sódio-cálcio torna mais fácil para o potencial de ação excitar cada porção sucessiva dos feixes de fibras condutoras, diminuindo o tempo de condução dos átrios para os ventrículos.

O aumento da permeabilidade aos íons cálcio é pelo menos parcialmente responsável pelo aumento da força contrátil do músculo cardíaco sob a influência da estimulação simpática. Isso ocorre porque os íons cálcio desempenham um papel poderoso em estimular o processo contrátil das miofibrilas.

Bibliografia

Abriel H, Rougier JS, Jalife J: Ion channel macromolecular complexes in cardiomyocytes: roles in sudden cardiac death. Circ Res 116:1971, 2015.

Anderson RH, Boyett MR, Dobrzynski H, Moorman AF: The anatomy of the conduction system: implications for the clinical cardiologist. J Cardiovasc Transl Res 6:187, 2013.

Barbuti A, DiFrancesco D: Control of cardiac rate by "funny" channels in health and disease. Ann N Y Acad Sci 1123:213, 2008.

Fedorov VV, Glukhov AV, Chang R: Conduction barriers and pathways of the sinoatrial pacemaker complex: their role in normal rhythm and atrial arrhythmias. Am J Physiol Heart Circ Physiol 302:H1773, 2012.

Fukada K, Kanazawa H, Aizawa Y, et al: Cardiac innervation and sudden cardiac death. Circ Res 116: 2005, 2015.

Kléber AG, Rudy Y: Basic mechanisms of cardiac impulse propagation and associated arrhythmias. Physiol Rev 84:431, 2004.

John RM, Kumar S: Sinus node and atrial arrhythmias. Circulation 133:1892, 2016.

Leyva F, Nisam S, Auricchio: 20 years of cardiac resynchronization therapy. J Am Coll Cardiol. 64:1047, 2014.

Mangoni ME, Nargeot J: Genesis and regulation of the heart automaticity. Physiol Rev 88:919, 2008.

Monfredi O, Maltsev VA, Lakatta EG: Modern concepts concerning the origin of the heartbeat. Physiology (Bethesda) 28:74, 2013.

Murphy C, Lazzara R: Current concepts of anatomy and electrophysiology of the sinus node. J Interv Card Electrophysiol 46:9, 2016.

Roubille F, Tardif JC: New therapeutic targets in cardiology: heart failure and arrhythmia: HCN channels. Circulation 127:1986, 2013.

Smaill BH, Zhao J, Trew ML: Three-dimensional impulse propagation in myocardium: arrhythmogenic mechanisms at the tissue level. Circ Res 112:834, 2013.

Wickramasinghe SR, Patel VV: Local innervation and atrial fibrillation. Circulation 128:1566, 2013.

Willis BC, Ponce-Balbuena D, Jaliffe J: Protein assemblies of sodium and inward rectifier potassium channels control cardiac excitability and arrhythmogenesis. Am J Physiol Heart Circ Physiol 308:H1463, 2015.

CAPÍTULO 11

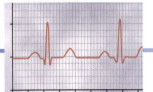

Fundamentos da Eletrocardiografia

Quando um impulso cardíaco passa pelo coração, a corrente elétrica também se propaga do coração para os tecidos adjacentes ao redor. Uma pequena porção da corrente se propaga até a superfície do corpo. Se os eletrodos forem colocados sobre a pele em lados opostos do coração, os potenciais elétricos gerados pela corrente podem ser registrados; o registro é conhecido como *eletrocardiograma (ECG)*. A **Figura 11.1** mostra um ECG normal para dois batimentos cardíacos.

FORMAS DE ONDA DO ELETROCARDIOGRAMA NORMAL

O ECG normal (ver **Figura 11.1**) é composto por uma onda P, um complexo QRS e uma onda T. O complexo QRS é frequentemente composto por três ondas separadas: a onda Q, a onda R e a onda S.

A *onda P* é causada por potenciais elétricos gerados quando os átrios despolarizam antes do início da contração atrial. O *complexo QRS* é causado por potenciais gerados quando os ventrículos se despolarizam antes da contração, isto é, quando a onda de despolarização se propaga pelos ventrículos. Portanto, tanto a onda P quanto os componentes do complexo QRS são *ondas de despolarização*.

A *onda T* é causada por potenciais gerados à medida que os ventrículos se recuperam da despolarização. Esse processo ocorre normalmente no músculo ventricular 0,25 a 0,35 segundo após a despolarização. A onda T é conhecida como *onda de repolarização*.

Assim, o ECG é composto por ondas de despolarização e repolarização. Os princípios de despolarização e repolarização são discutidos no Capítulo 5. A distinção entre ondas de despolarização e ondas de repolarização é tão importante na eletrocardiografia que são necessários esclarecimentos adicionais.

ONDAS DE DESPOLARIZAÇÃO *VERSUS* ONDAS DE REPOLARIZAÇÃO CARDÍACA

A **Figura 11.2** mostra uma única fibra muscular cardíaca em quatro estágios de despolarização e repolarização, com a cor vermelha designando despolarização. Durante a despolarização, o potencial normalmente negativo dentro da fibra se inverte, tornando-se ligeiramente positivo no interior da fibra e negativo por fora.

Na **Figura 11.2 A**, a despolarização, demonstrada por cargas vermelhas positivas do lado de dentro e cargas vermelhas negativas do lado de fora, está viajando da esquerda para a direita. A primeira metade da fibra já foi despolarizada, enquanto a outra metade ainda está polarizada. Portanto, o eletrodo esquerdo do lado de fora da fibra está em uma área de negatividade e o eletrodo direito está em uma área de positividade, o que faz com que o medidor tenha um registro positivo. À direita da fibra muscular é mostrado um registro das mudanças de potencial entre os dois eletrodos, conforme registrado por um

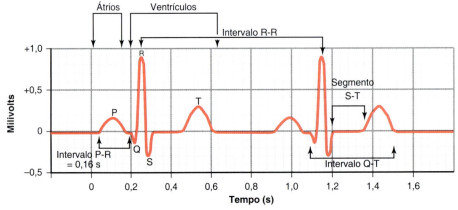

Figura 11.1 Eletrocardiograma normal.

CAPÍTULO 11 Fundamentos da Eletrocardiografia

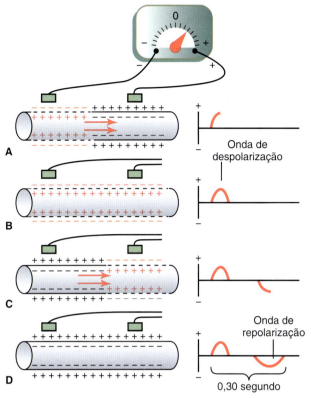

Figura 11.2 Registro da onda de despolarização (**A** e **B**) e da onda de repolarização (**C** e **D**) de uma fibra muscular cardíaca.

medidor de alta velocidade. Observe que, quando a despolarização alcança a marca da metade na **Figura 11.2 A**, o registro à direita aumenta para um valor positivo máximo.

Na **Figura 11.2 B**, a despolarização estendeu-se por toda a fibra muscular e o registro à direita voltou à linha de base zero porque os dois eletrodos agora estão em áreas de igual negatividade. A onda completa é uma onda de despolarização porque resulta da propagação da despolarização ao longo da membrana da fibra muscular.

A **Figura 11.2 C** mostra a repolarização intermediária da mesma fibra muscular, com a positividade retornando para o lado externo da fibra. Nesse ponto, o eletrodo esquerdo está em uma área de positividade e o eletrodo direito está em uma área de negatividade. Essa polaridade é oposta à polaridade na **Figura 11.2 A**. Consequentemente, o registro, conforme mostrado à direita, torna-se negativo.

Na **Figura 11.2 D**, a fibra muscular está completamente repolarizada, e os dois eletrodos estão agora em áreas de positividade de modo que nenhuma diferença de potencial é registrada entre eles. Assim, no registro da direita, o potencial volta mais uma vez a zero. Essa onda negativa completa é uma onda de repolarização porque resulta da propagação da repolarização ao longo da membrana da fibra muscular.

Relação do potencial de ação monofásico do músculo ventricular com as ondas QRS e T no eletrocardiograma padrão. O potencial de ação monofásico do músculo ventricular, discutido no Capítulo 10, normalmente dura entre 0,25 e 0,35 segundo. A parte superior da **Figura 11.3** mostra um potencial de ação monofásico registrado a partir de um microeletrodo inserido no interior de uma única fibra muscular ventricular. O aumento desse potencial de ação é causado pela despolarização, e o retorno do potencial à linha de base é causado pela repolarização.

A parte inferior da **Figura 11.3** mostra um registro do ECG desse mesmo ventrículo. Observe que as ondas QRS aparecem no início do potencial de ação monofásico, e a onda T aparece no final. Observe especialmente que *nenhum potencial é registrado no ECG quando o músculo ventricular está completamente polarizado ou completamente despolarizado*. Somente quando o músculo está parcialmente polarizado ou parcialmente despolarizado é que a corrente flui de uma parte dos ventrículos para outra e, portanto, a corrente também flui para a superfície do corpo para produzir o ECG.

RELAÇÃO DA CONTRAÇÃO ATRIAL E VENTRICULAR COM AS ONDAS DO ELETROCARDIOGRAMA

Antes que a contração do músculo possa ocorrer, a despolarização deve se propagar pelo músculo para iniciar os processos químicos de contração. Veja novamente a **Figura 11.1**; a onda P ocorre no início da contração dos átrios, e o complexo de ondas QRS ocorre no início da contração dos ventrículos. Os ventrículos permanecem contraídos até que tenha ocorrido a repolarização, isto é, até depois do fim da onda T.

Os átrios se repolarizam cerca de 0,15 a 0,20 segundo após o término da onda P, que também é o momento aproximado em que o complexo QRS está sendo registrado no ECG. Portanto, a onda de repolarização atrial, conhecida como *onda T atrial*, geralmente é obscurecida pelo complexo QRS, muito maior. Por esse motivo, uma onda T atrial raramente é observada no ECG.

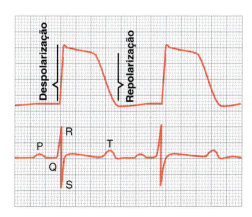

Figura 11.3 *Parte superior*, potencial de uma fibra muscular ventricular durante a função cardíaca normal, mostrando a rápida despolarização e, em seguida, a repolarização ocorrendo lentamente durante o estágio de platô, mas rapidamente em direção ao final. *Parte inferior*, eletrocardiograma registrado simultaneamente.

A onda de repolarização ventricular é a onda T do ECG normal. Normalmente, o músculo ventricular começa a se repolarizar em algumas fibras cerca de 0,20 segundo após o início da onda de despolarização (o complexo QRS), mas em muitas outras fibras, leva até 0,35 segundo. Assim, o processo de repolarização ventricular se estende por um longo período, cerca de 0,15 segundo. Por esse motivo, a onda T no ECG normal é uma onda prolongada, mas a voltagem da onda T é consideravelmente menor do que a voltagem do complexo QRS, em parte pelo seu comprimento prolongado.

CALIBRAÇÃO E REGISTRO ELETROCARDIOGRÁFICO

Todos os registros de ECGs são feitos com linhas de calibração apropriadas na grade do visor. Historicamente, os ECGs eram registrados eletronicamente e impressos em papel; atualmente, no geral, são exibidos digitalmente. Conforme mostrado na **Figura 11.1**, as linhas de calibração horizontais são organizadas de modo que 10 das pequenas divisões de linha para cima ou para baixo no ECG padrão representem 1 milivolt, com positividade para cima e negatividade para baixo.

As linhas verticais no ECG são linhas de calibração de tempo. Um ECG típico é executado a uma velocidade de 25 milímetros por segundo, embora às vezes sejam empregadas velocidades mais rápidas. Portanto, cada 25 milímetros na horizontal correspondem a 1 segundo e cada segmento de 5 milímetros, indicado pelas linhas verticais escuras, representa 0,20 segundo. Os intervalos de 0,20 segundo são então divididos em cinco intervalos menores por linhas finas, cada uma representando 0,04 segundo.

Voltagens normais no eletrocardiograma. As voltagens registradas das ondas no ECG normal dependem da maneira como os eletrodos são aplicados à superfície do corpo e da proximidade dos eletrodos em relação ao coração. Quando um eletrodo é colocado diretamente sobre os ventrículos e um segundo eletrodo é colocado em outra parte do corpo, distante do coração, a voltagem do complexo QRS pode ser tão alta quanto 3 a 4 milivolts. Mesmo essa voltagem é pequena em comparação com o potencial de ação monofásico de 110 milivolts registrado diretamente na membrana do músculo cardíaco. Quando ECGs são registrados a partir de eletrodos nos dois braços ou em um braço e uma perna, a voltagem do complexo QRS geralmente é de 1,0 a 1,5 milivolt do topo da onda R até a parte inferior da onda S, a voltagem da onda P fica entre 0,1 e 0,3 milivolt e a voltagem da onda T fica entre 0,2 e 0,3 milivolt.

Intervalo P-Q ou P-R. O tempo entre o início da onda P e o início do complexo QRS é o intervalo entre o início da excitação elétrica dos átrios e o início da excitação dos ventrículos. Esse período é denominado *intervalo P-Q*. O intervalo P-Q normal é de cerca de 0,16 segundo. (Frequentemente, esse intervalo é chamado *intervalo P-R* porque a onda Q provavelmente está ausente.) O intervalo P-R encurta em frequências cardíacas mais rápidas devido ao aumento da atividade simpática ou à diminuição da atividade parassimpática, que aumenta a velocidade de condução do nó atrioventricular. Por outro lado, o intervalo P-R aumenta com frequências cardíacas mais lentas como consequência da condução nodal atrioventricular mais lenta, causada por aumento do tônus parassimpático ou retirada da atividade simpática.

Intervalo Q-T. A contração do ventrículo dura quase desde o início da onda Q (ou onda R, se a onda Q estiver ausente) até o final da onda T. Esse intervalo é chamado *intervalo Q-T* e normalmente dura cerca de 0,35 segundo.

Frequência cardíaca determinada pelo eletrocardiograma. A taxa de batimentos cardíacos pode ser determinada facilmente a partir de um ECG porque a frequência cardíaca é recíproca ao intervalo de tempo entre dois batimentos cardíacos sucessivos (o intervalo R-R). Se o intervalo entre dois batimentos, conforme determinado a partir das linhas de calibração de tempo, for de 1 segundo, a frequência cardíaca será de 60 batimentos/min. O intervalo normal entre dois complexos QRS sucessivos em um adulto é de cerca de 0,83 segundo, que é uma frequência cardíaca de 60/0,83 vez/min, ou 72 batimentos/min.

FLUXO DE CORRENTE AO REDOR DO CORAÇÃO DURANTE O CICLO CARDÍACO

Registro de potenciais elétricos de massa parcialmente despolarizada do músculo cardíaco sincicial

A **Figura 11.4** mostra massa sincicial de músculo cardíaco que foi estimulada em seu ponto mais central. Antes da estimulação, todos os exteriores das células musculares eram positivos e os interiores, negativos. Pelas razões apresentadas no Capítulo 5 na discussão dos potenciais de membrana, assim que uma área de sincício cardíaco se torna despolarizada, cargas negativas vazam para as

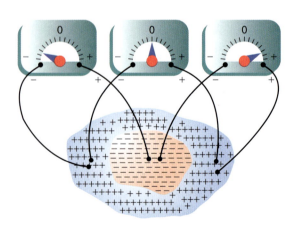

Figura 11.4 Os potenciais instantâneos desenvolvem-se na superfície da massa muscular cardíaca que foi despolarizada em seu centro.

partes externas das fibras musculares despolarizadas, tornando essa parte da superfície eletronegativa, conforme representado pelos sinais negativos na **Figura 11.4**. A superfície restante do coração, que ainda está polarizada, é representada pelos sinais de mais. Portanto, um medidor conectado com seu terminal negativo na área de despolarização e seu terminal positivo em uma das áreas ainda polarizadas, como mostrado à direita na figura, apresenta registro positivo.

A **Figura 11.4** também mostra duas outras colocações de eletrodos e leituras de medidor. Esses posicionamentos e leituras devem ser estudados cuidadosamente, e o leitor deve ser capaz de explicar as causas das respectivas leituras do medidor. Como a despolarização se propaga em todas as direções através do coração, as diferenças de potencial mostradas na figura persistem por apenas alguns milésimos de segundo, e as medições reais de voltagem podem ser realizadas apenas com um aparelho de registro de alta velocidade.

Fluxo de correntes elétricas no tórax ao redor do coração

A **Figura 11.5** mostra a localização do músculo ventricular no interior do tórax. Mesmo os pulmões, embora estejam principalmente cheios de ar, conduzem eletricidade de forma surpreendente, e os líquidos em outros tecidos ao redor do coração conduzem eletricidade com ainda mais facilidade. Portanto, o coração está realmente suspenso em um meio condutor. Quando uma parte dos ventrículos se despolariza e, portanto, torna-se eletronegativa em relação ao restante, a corrente elétrica flui da área despolarizada para a área polarizada em grandes rotas circulares, conforme observado na figura.

Devemos recordar a discussão sobre o sistema de Purkinje no Capítulo 10, em que o impulso cardíaco chega primeiro aos ventrículos no septo e logo depois se propaga para as superfícies internas do restante dos ventrículos, conforme mostrado pelas áreas vermelhas e pelos sinais negativos na **Figura 11.5**. Esse processo proporciona eletronegatividade no interior dos ventrículos e eletropositividade nas paredes externas dos ventrículos, com a corrente elétrica fluindo pelos líquidos ao redor dos ventrículos ao longo de vias elípticas, conforme demonstrado pelas setas curvas da figura. Se calcularmos a média algébrica de todas as linhas de fluxo de corrente (linhas elípticas), *o fluxo de corrente médio ocorre com negatividade em direção à base do coração e com positividade em direção ao ápice*.

Durante a maior parte do restante do processo de despolarização, a corrente também continua a fluir nessa mesma direção, enquanto a despolarização se propaga da superfície endocárdica para fora através da massa muscular ventricular. Então, imediatamente antes que a despolarização tenha completado seu curso através dos ventrículos, a direção média do fluxo da corrente se inverte por cerca de 0,01 segundo, fluindo do ápice ventricular em direção à base, porque a última parte do

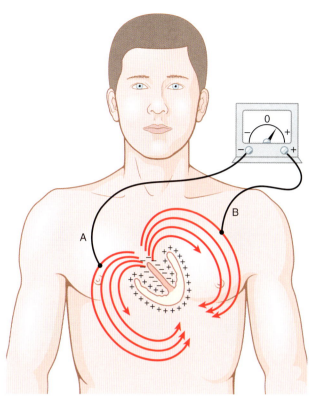

Figura 11.5 Fluxo de corrente no tórax ao redor dos ventrículos parcialmente despolarizados. *A* e *B* são eletrodos.

coração a se tornar despolarizada são as paredes externas dos ventrículos próximas à base do coração.

Assim, em ventrículos cardíacos normais, a corrente flui de negativo para positivo principalmente da base do coração em direção ao ápice durante quase todo o ciclo de despolarização, exceto no final. Se um medidor estiver conectado a eletrodos na superfície do corpo, conforme mostrado na **Figura 11.5**, o eletrodo mais próximo da base será negativo, enquanto o eletrodo mais próximo do ápice será positivo e o medidor de registro mostrará um registro positivo no ECG.

DERIVAÇÕES ELETROCARDIOGRÁFICAS

Padrão de três derivações bipolares dos membros

A **Figura 11.6** mostra as conexões elétricas entre os membros do paciente e o eletrocardiógrafo para registro de ECGs das chamadas *derivações bipolares padrão dos membros*. O termo *bipolar* significa que o ECG é registrado a partir de dois eletrodos localizados em lados diferentes do coração – neste caso, nos membros. Portanto, uma derivação não é um único fio conectado ao corpo, mas uma combinação de dois fios e seus eletrodos para fazer um circuito completo entre o corpo e o eletrocardiógrafo. O eletrocardiógrafo em cada caso é representado por um medidor elétrico no diagrama, embora o eletrocardiógrafo real seja um sistema de alta velocidade computadorizado com um visor eletrônico.

PARTE 3 O Coração

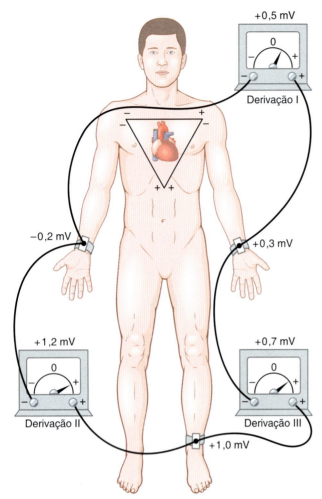

Figura 11.6 Arranjo convencional de eletrodos para registrar as derivações eletrocardiográficas padrão. O triângulo de Einthoven é sobreposto no peito.

Derivação I. No registro da derivação I (D1) dos membros, o terminal negativo do eletrocardiógrafo é conectado ao braço direito e o terminal positivo é conectado ao braço esquerdo. Portanto, quando o ponto onde o braço direito se conecta ao tórax é eletronegativo em relação ao ponto onde o braço esquerdo se conecta, o eletrocardiógrafo tem registro positivo, ou seja, acima da linha de voltagem zero no ECG. Quando o oposto é verdadeiro, o eletrocardiógrafo registra abaixo da linha.

Derivação II. Para registrar a derivação II (D2) dos membros, o terminal negativo do eletrocardiógrafo é conectado ao braço direito e o terminal positivo é conectado à perna esquerda. Portanto, quando o braço direito é negativo em relação à perna esquerda, o eletrocardiógrafo tem registro positivo.

Derivação III. Para registrar a derivação III (D3) dos membros, o terminal negativo do eletrocardiógrafo é conectado ao braço esquerdo e o terminal positivo é conectado à perna esquerda. Essa configuração significa que o eletrocardiógrafo tem registro positivo quando o braço esquerdo é negativo em relação à perna esquerda.

Triângulo de Einthoven. Na **Figura 11.6**, o triângulo, chamado *triângulo de Einthoven,* é desenhado em torno da área do coração. Esse triângulo mostra que os dois braços e a perna esquerda formam os vértices de um triângulo que envolve o coração. Os dois vértices na parte superior do triângulo representam os pontos em que os dois braços se conectam eletricamente com os líquidos ao redor do coração, e o vértice inferior é o ponto em que a perna esquerda se conecta com os líquidos.

Lei de Einthoven. A lei de Einthoven afirma que se os ECGs forem registrados simultaneamente com as três derivações dos membros, a soma dos potenciais registrados nas derivações I e III será igual ao potencial na derivação II:

Potencial de derivação I + potencial de derivação III = potencial de derivação II (*i. e.*, D1 + D3 = D2)

Em outras palavras, se os potenciais elétricos de quaisquer duas das três derivações eletrocardiográficas bipolares dos membros forem conhecidos em qualquer dado instante, o terceiro pode ser determinado simplesmente somando-se os dois primeiros. Observe, no entanto, que os sinais positivos e negativos das diferentes derivações devem ser observados ao se fazer esta soma.

Por exemplo, vamos supor que, momentaneamente, conforme observado na **Figura 11.6**, o braço direito seja −0,2 milivolt (negativo) em relação ao potencial médio no corpo, o braço esquerdo seja +0,3 milivolt (positivo) e a perna esquerda seja +1,0 milivolt (positivo). Observando os medidores da figura, pode-se perceber que a derivação I registra um potencial positivo de +0,5 milivolt porque essa é a diferença entre os −0,2 milivolt no braço direito e os +0,3 milivolt no braço esquerdo. Da mesma forma, a derivação III registra um potencial positivo de +0,7 milivolt e a derivação II registra um potencial positivo de +1,2 milivolt porque essas são as diferenças de potencial instantâneas entre os respectivos pares de membros.

Agora, observe que a soma das voltagens nas derivações I e III é igual à voltagem na derivação II; ou seja, 0,5 mais 0,7 é igual a 1,2. Matematicamente, esse princípio, chamado lei de Einthoven, é válido em qualquer dado instante enquanto os três ECGs bipolares "padrão" estiverem sendo registrados.

Eletrocardiogramas normais registrados a partir de três derivações bipolares padrão dos membros. A **Figura 11.7** mostra os registros dos ECGs nas derivações I, II e III. É óbvio que os ECGs nessas três derivações são semelhantes entre si porque todas elas registram ondas P positivas e ondas T positivas, e a maior parte do complexo QRS também é positiva em cada ECG. Na análise dos três ECGs, pode-se mostrar, com medidas cuidadosas e a devida observância das polaridades, que, em qualquer instante, a soma dos potenciais nas derivações I e III é igual ao potencial na derivação II, ilustrando, assim, a validade da lei de Einthoven.

Como os registros de todas as derivações bipolares padrão dos membros são semelhantes umas às outras, não importa muito qual derivação é registrada quando se

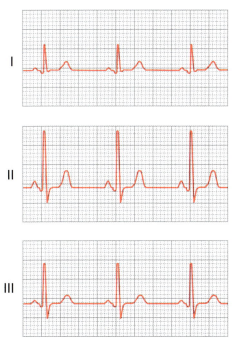

Figura 11.7 Eletrocardiogramas normais registrados nas três derivações eletrocardiográficas padrão (I a III).

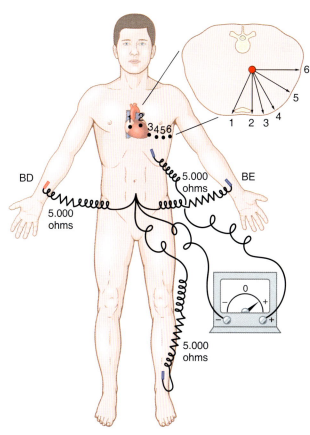

Figura 11.8 Conexões do corpo com o eletrocardiógrafo para registro das derivações torácicas. BE, braço esquerdo; BD, braço direito.

CAPÍTULO 11 Fundamentos da Eletrocardiografia

deseja diagnosticar diferentes arritmias cardíacas, porque o diagnóstico de arritmias depende principalmente das relações de tempo entre as diferentes ondas do ciclo cardíaco. No entanto, quando se deseja diagnosticar danos no músculo ventricular ou atrial ou no sistema de condução de Purkinje, é muito importante observar que derivações são registradas, porque as anormalidades na contração do músculo cardíaco ou na condução do impulso cardíaco alteram os padrões dos ECGs de forma marcante em algumas derivações, mas podem não afetar outras. A interpretação eletrocardiográfica desses dois tipos de condições – miopatias cardíacas e arritmias cardíacas – é discutida separadamente nos Capítulos 12 e 13.

Derivações precordiais

Frequentemente, os ECGs são registrados com um eletrodo colocado na superfície anterior do tórax, diretamente sobre o coração, em um dos pontos mostrados na **Figura 11.8**. Esse eletrodo é conectado ao terminal positivo do eletrocardiógrafo, e o eletrodo negativo, chamado *eletrodo indiferente* ou *terminal central de Wilson*, é conectado por resistências elétricas iguais ao braço direito, ao braço esquerdo e à perna esquerda, todos ao mesmo tempo, como também mostrado na figura. Normalmente, são registradas seis derivações torácicas padrão, uma de cada vez, na parede torácica anterior, com o eletrodo torácico sendo colocado sequencialmente nos seis pontos mostrados no diagrama. Os diferentes registros são conhecidos como derivações V_1, V_2, V_3, V_4, V_5 e V_6.

A **Figura 11.9** ilustra os ECGs do coração saudável, conforme registrados a partir dessas seis derivações torácicas padrão. Como as superfícies do coração estão próximas à parede torácica, cada eletrodo torácico registra principalmente o potencial elétrico da musculatura cardíaca imediatamente abaixo do eletrodo. Portanto, anormalidades relativamente pequenas nos ventrículos, particularmente na parede ventricular anterior, podem causar alterações marcantes nos ECGs registrados em derivações torácicas individuais.

Nas derivações V_1 e V_2, os registros de QRS do coração normal são principalmente negativos porque, conforme mostrado na **Figura 11.8**, o eletrodo do tórax nessas derivações está mais próximo da base do coração do que do ápice, e a base do coração é a direção da eletronegatividade durante a maior parte do processo de despolarização ventricular. Por outro lado, os complexos QRS nas derivações V_4, V_5 e V_6 são principalmente positivos porque

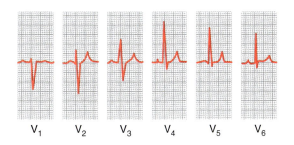

Figura 11.9 Eletrocardiogramas normais registrados nas seis derivações torácicas padrão.

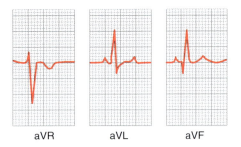

Figura 11.10 Eletrocardiogramas normais registrados nas três derivações aumentadas unipolares dos membros.

o eletrodo torácico nessas derivações está mais perto do ápice do coração, que é a direção da eletropositividade durante a maior parte da despolarização.

Derivações aumentadas dos membros

Outro sistema de derivações amplamente utilizado são as *derivações aumentadas dos membros*. Nesse tipo de registro, dois dos membros são conectados por meio de resistências elétricas ao terminal negativo do eletrocardiógrafo e o terceiro membro é conectado ao terminal positivo. Quando o terminal positivo está no braço direito, a derivação é conhecida como derivação aVR; quando no braço esquerdo, é conhecida como derivação aVL; e quando na perna esquerda, é conhecida como derivação aVF.

Os registros normais das derivações aumentadas dos membros são mostrados na **Figura 11.10**. São todos semelhantes aos registros de derivação padrão dos membros, exceto pelo fato de que o registro da derivação aVR é invertido. (Por que ocorre essa inversão? Estude as conexões de polaridade do eletrocardiógrafo para determinar a resposta a essa pergunta.)

Registro eletrocardiográfico

As derivações normalmente são registradas em três agrupamentos como na **Figura 11.11**: as derivações bipolares padrão dos membros (I, II, III), seguidas pelas derivações aumentadas (aVR, aVL e aVF), e, então, as derivações precordiais (V_1 a V_6).

Eletrocardiografia ambulatorial

Os ECGs padrão fornecem uma avaliação dos eventos elétricos cardíacos durante um breve período, geralmente enquanto o paciente está em repouso. Em condições associadas a anormalidades infrequentes, mas importantes, dos ritmos cardíacos, pode ser útil examinar o ECG por um período mais longo, permitindo a avaliação das mudanças nos fenômenos elétricos cardíacos que são transitórios e podem ser perdidos com um ECG padrão de repouso. A extensão do ECG para permitir a avaliação de eventos elétricos cardíacos enquanto o paciente deambula durante as atividades diárias normais é chamada *eletrocardiografia ambulatorial*.

O monitoramento eletrocardiográfico ambulatorial normalmente é empregado quando um paciente demonstra sintomas que se acredita serem causados por arritmias transitórias ou outras anormalidades cardíacas transitórias. Esses sintomas podem incluir dor no peito, síncope (desmaios) ou quase síncope, tonturas e sensação de batimentos cardíacos irregulares (palpitações). A informação crucial necessária para diagnosticar arritmias transitórias graves ou outras condições cardíacas é um registro de ECG durante o tempo preciso em que o sintoma está ocorrendo. Esses dispositivos também podem ser usados para detectar arritmias cardíacas assintomáticas, como fibrilação atrial, que podem aumentar o risco de formação de êmbolos, que, por sua vez, podem causar acidente vascular cerebral. Como a variabilidade diária na frequência das arritmias é substancial, a detecção geralmente requer monitoramento eletrocardiográfico ambulatorial ao longo do dia.

Existem várias categorias de registradores eletrocardiográficos ambulatoriais. Registradores contínuos (monitores Holter) são normalmente usados por 24 a 48 horas para investigar a relação dos sintomas e eventos eletrocardiográficos que podem ocorrer dentro desse período. Registradores intermitentes são usados por períodos mais longos (semanas a meses) para fornecer breves registros intermi-

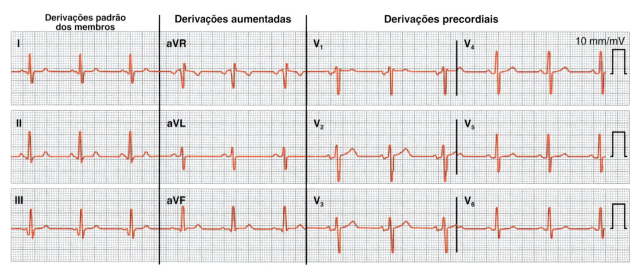

Figura 11.11 Eletrocardiograma normal de 12 derivações.

CAPÍTULO 11 Fundamentos da Eletrocardiografia

tentes para detecção de eventos que ocorrem com pouca frequência; esses registros geralmente são iniciados pelo paciente ao apresentar sintomas. Em alguns casos, um pequeno dispositivo, do tamanho de um grande clipe de papel e chamado *gravador de* loop *implantável*, é implantado logo abaixo da pele do tórax para monitorar a atividade elétrica do coração continuamente por 2 a 3 anos. O dispositivo pode ser programado para iniciar um registro quando a frequência cardíaca ficar abaixo ou acima de um nível predeterminado, ou pode ser ativado manualmente pelo paciente quando ocorrer um sintoma como tontura. Melhorias na tecnologia digital de gravadores equipados com micropro-

cessadores permitem a transmissão contínua ou intermitente de dados eletrocardiográficos digitais por linhas telefônicas, e sistemas de *software* sofisticados fornecem análise *on-line* rápida e computadorizada dos dados à medida que são adquiridos. Dispositivos portáteis mais novos, incluindo relógios ou dispositivos portáteis de monitoramento eletrocardiográfico, também estão sendo desenvolvidos para monitoramento doméstico do ritmo cardíaco.

Bibliografia

Ver bibliografia do Capítulo 13.

CAPÍTULO 12

Interpretação Eletrocardiográfica de Anormalidades no Músculo Cardíaco e no Fluxo Sanguíneo Coronariano: Análise Vetorial

Com base na discussão do Capítulo 10 sobre a transmissão do impulso através do coração, é óbvio que qualquer mudança no padrão de transmissão pode causar potenciais elétricos anormais ao redor do coração e, consequentemente, alterar o formato das ondas no eletrocardiograma (ECG). Por esse motivo, as anormalidades mais graves do músculo cardíaco podem ser diagnosticadas pela análise dos contornos das ondas nas diferentes derivações eletrocardiográficas.

ANÁLISE VETORIAL DO ELETROCARDIOGRAMA

OS VETORES PODEM REPRESENTAR POTENCIAIS ELÉTRICOS

Para compreender de que maneira as anormalidades cardíacas afetam os contornos do ECG, é necessário primeiro se familiarizar com o conceito de *vetores* e *análise vetorial* aplicados aos potenciais elétricos dentro e ao redor do coração. No Capítulo 11, destacamos que a corrente flui em uma direção particular no coração em um determinado instante durante o ciclo cardíaco. Um vetor é uma seta que aponta na direção do potencial elétrico gerado pelo fluxo da corrente, *com a ponta da seta na direção positiva*. Além disso, por convenção, o comprimento da seta é traçado *proporcionalmente à voltagem do potencial*.

Vetor resultante no coração em qualquer instante.
A área sombreada e os sinais negativos na **Figura 12.1** mostram a despolarização do septo ventricular e de partes das paredes endocárdicas apicais dos dois ventrículos. No instante da excitação do coração, a corrente elétrica flui entre as áreas despolarizadas dentro do coração e nas áreas não despolarizadas na parte externa do coração, conforme indicado pelas longas setas elípticas. Uma parte da corrente também flui para o interior das câmaras cardíacas diretamente das áreas despolarizadas em direção às áreas ainda polarizadas. No geral, uma quantidade consideravelmente maior de corrente flui para baixo da base dos ventrículos em direção ao ápice do que para cima. Portanto, o vetor somado do potencial gerado nesse instante particular, chamado *vetor médio instantâneo*, é representado pela longa *seta preta* desenhada através do centro dos ventrículos, da base em direção ao ápice. Além disso, como a corrente somada é muito grande, o potencial é grande e o vetor é longo.

A DIREÇÃO DE UM VETOR É INDICADA EM GRAUS

Quando um vetor é exatamente horizontal e direcionado para o lado esquerdo da pessoa, diz-se que o vetor se estende na direção de 0 grau, conforme mostrado na **Figura 12.2**. A partir desse ponto zero de referência, a escala de vetores gira no sentido horário; quando o vetor se estende de cima para baixo, tem uma direção de +90°, quando se estende da esquerda para a direita da pessoa, tem uma direção de +180°, e quando se estende direto para cima, tem uma direção de −90° (ou +270°).

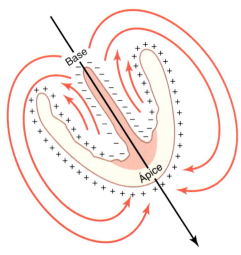

Figura 12.1 O vetor médio através dos ventrículos parcialmente despolarizados segue da base do ventrículo esquerdo em direção ao ápice.

CAPÍTULO 12 Interpretação Eletrocardiográfica de Anormalidades no Músculo Cardíaco...

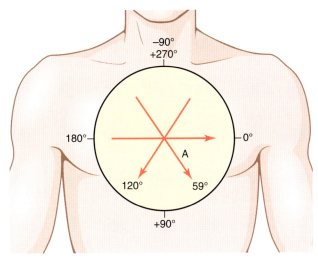

Figura 12.2 Vetores desenhados para representar potenciais para vários corações diferentes e o eixo do potencial (expresso em graus) para cada coração.

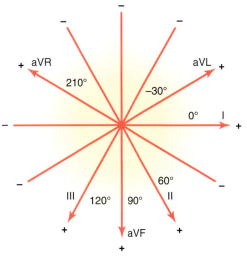

Figura 12.3 Eixos de três derivações bipolares e três unipolares.

Em um coração normal, a direção média do vetor durante a propagação da onda de despolarização através dos ventrículos, chamada *vetor QRS médio*, é de cerca de +59°, que é mostrado pelo vetor A, desenhado através do centro da Figura 12.2 na direção de +59°. Isso significa que, durante a maior parte da onda de despolarização, o ápice do coração permanece positivo em relação à base, como será discutido posteriormente neste capítulo.

EIXO PARA CADA DERIVAÇÃO BIPOLAR PADRÃO E PARA CADA DERIVAÇÃO UNIPOLAR DOS MEMBROS

No Capítulo 11, são descritas as três derivações bipolares padrão e as três derivações unipolares dos membros. Cada derivação é, na verdade, um par de eletrodos conectados ao corpo em lados opostos do coração, e a direção do eletrodo negativo para o positivo é chamada de *eixo* do eletrodo. A derivação I é registrada a partir de dois eletrodos colocados respectivamente nos dois braços. Como os eletrodos estão exatamente na direção horizontal, com o eletrodo positivo à esquerda, o eixo da derivação I é de 0°.

No registro da derivação II, os eletrodos são colocados no braço direito e na perna esquerda. O braço direito conecta-se ao torso no canto superior direito, e a perna esquerda conecta-se ao canto inferior esquerdo. Portanto, a direção dessa derivação é de cerca de +60°.

Fazendo uma análise similar, pode-se observar que a derivação III tem um eixo de cerca de +120°; a derivação aVR, de +210°; a derivação aVF, de +90°; e a derivação aVL, de −30°. As direções dos eixos de todas as derivações são mostradas na **Figura 12.3** e são conhecidas como *sistema de referência hexagonal*. As polaridades dos eletrodos são mostradas pelos sinais de mais e menos na figura. *O leitor deve memorizar esses eixos e suas polaridades, especialmente para as derivações I, II e III bipolares dos membros, para compreender o restante deste capítulo.*

ANÁLISE VETORIAL DE POTENCIAIS REGISTRADOS EM DIFERENTES DERIVAÇÕES

A **Figura 12.4** mostra um coração parcialmente despolarizado, com o vetor A representando a direção média instantânea do fluxo de corrente nos ventrículos. Nesse caso, a direção do vetor é de +55° e a voltagem do potencial, representada pelo comprimento do vetor A, é de 2 milivolts. No diagrama do coração, o vetor A é mostrado novamente e uma linha é desenhada para representar o eixo da derivação I na direção de 0 grau. Para determinar quanto da voltagem no vetor A será registrada na derivação I, uma linha perpendicular ao eixo da derivação I é desenhada da ponta do vetor A para o eixo da derivação I, e um chamado *vetor projetado (B)* é desenhado ao longo do eixo da derivação I. A seta desse vetor projetado aponta para a extremidade positiva do eixo da derivação I, o que significa que o registro momentaneamente assinalado no ECG da derivação I é positivo. A voltagem instantânea registrada será igual ao comprimento de B dividido pelo comprimento de A vezes 2 milivolts, ou cerca de 1 milivolt.

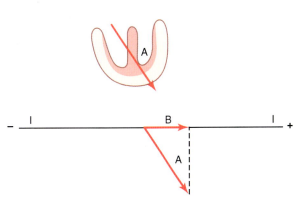

Figura 12.4 Determinação de um vetor B projetado ao longo do eixo da derivação I quando o vetor A representa o potencial instantâneo nos ventrículos.

A **Figura 12.5** mostra outro exemplo de análise vetorial. Neste exemplo, o vetor A representa o potencial elétrico e seu eixo em um determinado instante durante a despolarização ventricular em um coração no qual o lado esquerdo se despolariza mais rapidamente do que o lado direito. Nesse caso, o vetor instantâneo tem uma direção de 100° e sua voltagem é novamente 2 milivolts. Para determinar o potencial realmente registrado na derivação I, desenhamos uma linha perpendicular da ponta do vetor A ao eixo de derivação I e determinamos o vetor projetado B. O vetor B é muito curto e, dessa vez, está na direção negativa, indicando que, nesse instante particular, o registro na derivação I será negativo (abaixo da linha zero no ECG), e a voltagem registrada será pequena, cerca de –0,3 milivolt. Esta figura demonstra que, *quando o vetor no coração está em uma direção quase perpendicular ao eixo da derivação, a voltagem registrada no ECG dessa derivação é muito baixa. Inversamente, quando o vetor do coração está quase exatamente no mesmo eixo do eixo principal, essencialmente toda a voltagem do vetor será registrada.*

Análise vetorial de potenciais nas três derivações bipolares padrão dos membros. Na **Figura 12.6**, o vetor A representa o potencial elétrico instantâneo de um coração parcialmente despolarizado. Para determinar o potencial registrado nesse instante no ECG para cada uma das três derivações bipolares padrão dos membros, são traçadas linhas perpendiculares (linhas tracejadas) da ponta do vetor A até as três linhas que representam os eixos das três derivações padrão diferentes, conforme mostrado na figura. O vetor B projetado representa o potencial registrado naquele instante na derivação I, o vetor C projetado representa o potencial na derivação II e o vetor D projetado representa o potencial na derivação III. Em cada um deles, o registro no ECG é positivo (i. e., acima da linha zero – porque os vetores projetados apontam nas direções positivas ao longo dos eixos de todas as derivações).

O potencial na derivação I (vetor B) é cerca de metade do potencial real no coração (vetor A); na derivação II (vetor C), é quase igual ao do coração e, na derivação III (vetor D), é cerca de um terço do valor no coração.

Pode ser feita uma análise idêntica para determinar os potenciais registrados nas derivações aumentadas dos membros, exceto que os respectivos eixos das derivações aumentadas (ver **Figura 12.3**) são usados no lugar dos eixos de derivação bipolar padrão dos membros, usados para a **Figura 12.6**.

ANÁLISE VETORIAL DO ELETROCARDIOGRAMA NORMAL

VETORES QUE OCORREM EM INTERVALOS SUCESSIVOS DURANTE A DESPOLARIZAÇÃO DOS VENTRÍCULOS – O COMPLEXO QRS

Quando o impulso cardíaco entra nos ventrículos através do feixe atrioventricular, a primeira porção dos ventrículos a se tornar despolarizada é a superfície endocárdica do septo esquerdo. Então, a despolarização se propaga rapidamente para envolver ambas as superfícies endocárdicas do septo, como mostrado pela parte sombreada mais escura do ventrículo na **Figura 12.7 A**. Em seguida, a despolarização se propaga ao longo das superfícies endocárdicas do restante dos dois ventrículos, como mostrado nas **Figuras 12.7 B e C**. Finalmente, a despolarização se propaga através do músculo ventricular para fora do coração, conforme mostrado progressivamente na **Figura 12.7 C a E**.

Em cada estágio na **Figura 12.7 A a E**, o potencial elétrico médio instantâneo dos ventrículos é representado por um vetor vermelho sobreposto ao ventrículo em cada figura. Cada um desses vetores é então analisado pelo método descrito na seção anterior para determinar as voltagens que serão registradas a cada instante em cada uma das três derivações eletrocardiográficas padrão. À direita de cada figura é mostrado o desenvolvimento progressivo

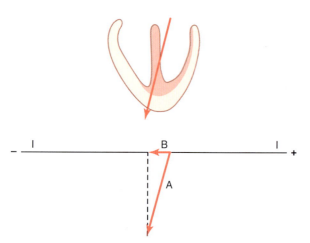

Figura 12.5 Determinação do vetor B projetado ao longo do eixo da derivação I, quando o vetor A representa o potencial instantâneo nos ventrículos.

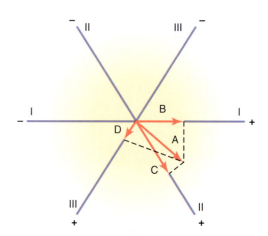

Figura 12.6 Determinação dos vetores projetados nas derivações I, II e III, quando o vetor A representa o potencial instantâneo nos ventrículos.

CAPÍTULO 12 Interpretação Eletrocardiográfica de Anormalidades no Músculo Cardíaco...

do complexo QRS eletrocardiográfico. *Lembre-se de que um vetor positivo em uma derivação causará o registro no ECG acima da linha zero, enquanto um vetor negativo causará o registro abaixo da linha zero.*

Antes de prosseguir com considerações adicionais sobre a análise vetorial, é essencial compreender a análise dos vetores normais sucessivos apresentados na **Figura 12.7**. Cada uma dessas análises deve ser estudada em detalhes de acordo com o procedimento aqui descrito. A seguir, faremos um breve resumo dessa sequência.

Na **Figura 12.7 A**, o músculo ventricular apenas começou a ser despolarizado, representando um instante cerca de 0,01 segundo após o início da despolarização. Nesse momento, o vetor é curto porque apenas uma pequena parte dos ventrículos – o septo – está despolarizada. Portanto, todas as voltagens eletrocardiográficas são baixas, conforme registrado à direita do músculo ventricular para cada uma das derivações. A voltagem na derivação II é maior do que as voltagens nas derivações I e III porque o vetor do coração se estende principalmente na mesma direção que o eixo da derivação II.

Na **Figura 12.7 B**, que representa cerca de 0,02 segundo após o início da despolarização, o vetor do coração é longo porque grande parte da massa muscular ventricular tornou-se despolarizada. Portanto, as voltagens em todas as derivações eletrocardiográficas aumentaram.

Na **Figura 12.7 C**, cerca de 0,035 segundo após o início da despolarização, o vetor do coração está se tornando mais curto e as voltagens eletrocardiográficas registradas são mais baixas, porque a parte externa do ápice do coração está agora eletronegativa, neutralizando grande parte da positividade nas outras superfícies epicárdicas do coração. Além disso, o eixo do vetor está começando a se deslocar em direção ao lado esquerdo do tórax porque

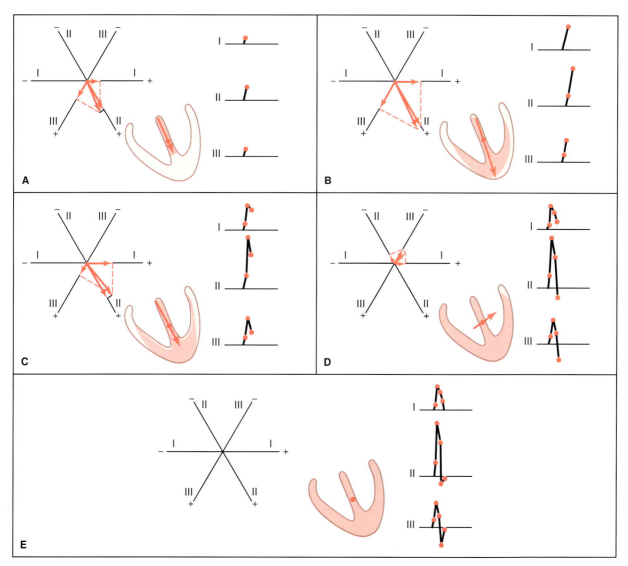

Figura 12.7 As áreas sombreadas dos ventrículos estão despolarizadas (−); as áreas não sombreadas ainda estão polarizadas (+). São mostrados os vetores ventriculares e os complexos QRS 0,01 segundo após o início da despolarização ventricular (**A**); 0,02 segundo após o início da despolarização (**B**); 0,035 segundo após o início da despolarização (**C**); 0,05 segundo após o início da despolarização (**D**) e, após a conclusão da despolarização dos ventrículos, 0,06 segundo após o início (**E**).

o ventrículo esquerdo é ligeiramente mais lento para despolarizar do que o ventrículo direito. Portanto, a relação entre a voltagem na derivação I e a derivação III está aumentando.

Na **Figura 12.7 D**, cerca de 0,05 segundo após o início da despolarização, o vetor do coração aponta em direção à base do ventrículo esquerdo e é curto porque apenas uma pequena porção do músculo ventricular ainda está polarizada positivamente. Por causa da direção do vetor nesse momento, as voltagens registradas nas derivações II e III são negativas (*i. e.*, abaixo da linha), enquanto a voltagem da derivação I ainda é positiva.

Na **Figura 12.7 E**, cerca de 0,06 segundo após o início da despolarização, toda a massa muscular ventricular está despolarizada, de modo que nenhuma corrente flui ao redor do coração e nenhum potencial elétrico é gerado. O vetor torna-se zero e as voltagens em todas as derivações tornam-se zero.

Assim, os complexos QRS são completados nas três derivações bipolares padrão dos membros.

Às vezes, no início, o complexo QRS apresenta uma leve depressão negativa em uma ou mais derivações, o que não é mostrado na **Figura 12.7**; essa depressão é a onda Q. Quando ocorre, é causada pela despolarização inicial do lado esquerdo do septo antes do lado direito, o que cria um vetor fraco da esquerda para a direita por uma fração de segundo antes que ocorra o vetor usual da base para o ápice. A principal deflexão positiva mostrada na **Figura 12.7** é a onda R e a deflexão negativa final é a onda S.

O ELETROCARDIOGRAMA DURANTE A REPOLARIZAÇÃO VENTRICULAR – A ONDA T

Após o músculo ventricular se tornar despolarizado, cerca de 0,15 segundo depois, a repolarização começa e prossegue até se completar, em cerca de 0,35 segundo. Essa repolarização forma a onda T no ECG.

Como o septo e as áreas endocárdicas do músculo ventricular se despolarizam primeiro, parece lógico que essas áreas também devam se repolarizar antes. No entanto, não é isso o que normalmente acontece, porque o septo e outras áreas endocárdicas têm um período de contração mais longo do que a maioria das superfícies externas do coração. Portanto, *a porção maior da massa muscular ventricular a repolarizar primeiro inclui toda a superfície externa dos ventrículos, especialmente próximo ao ápice do coração*. As áreas endocárdicas, ao contrário, normalmente se repolarizam por último. Postula-se que essa sequência de repolarização seja causada pela alta pressão sanguínea dentro dos ventrículos durante a contração, o que reduz bastante o fluxo sanguíneo coronário para o endocárdio, retardando, assim, a repolarização das áreas endocárdicas.

Como as superfícies apicais externas dos ventrículos repolarizam antes das superfícies internas, a extremidade positiva do vetor ventricular geral durante a repolarização é em direção ao ápice do coração. *Como resultado, a onda T normal em todas as três derivações bipolares dos membros é positiva, que é também a polaridade da maior parte do complexo QRS normal.*

Na **Figura 12.8**, os cinco estágios de repolarização dos ventrículos são indicados pelo aumento progressivo das áreas sombreadas mais claras – as áreas repolarizadas. Em cada estágio, o vetor se estende da base do coração em direção ao ápice até desaparecer no último estágio. No início, o vetor é relativamente pequeno porque a área de repolarização é pequena. Posteriormente, o vetor se torna mais forte devido a maiores graus de repolarização. Finalmente, o vetor torna-se mais fraco novamente porque as áreas de despolarização ainda persistentes tornam-se tão pequenas que a quantidade total do fluxo de corrente diminui. Essas mudanças também demonstram que o vetor é maior quando cerca de metade do coração está no estado polarizado e cerca de metade está despolarizado.

As alterações no ECG das três derivações padrão dos membros durante a repolarização são observadas sob cada um dos ventrículos, representando os estágios progressivos da repolarização. Assim, ao longo de cerca de 0,15 segundo, o período necessário para que todo o processo ocorra, é gerada a onda T do ECG.

DESPOLARIZAÇÃO ATRIAL – A ONDA P

A despolarização dos átrios começa no nó sinusal e se propaga em todas as direções sobre os átrios. Portanto, o ponto de eletronegatividade original nos átrios está próximo ao ponto de entrada da veia cava superior, onde se encontra o nó sinusal, e a direção da despolarização inicial é indicada pelo vetor preto na **Figura 12.9**. Além disso, o vetor permanece geralmente nessa direção durante todo o processo de despolarização atrial normal. Como essa

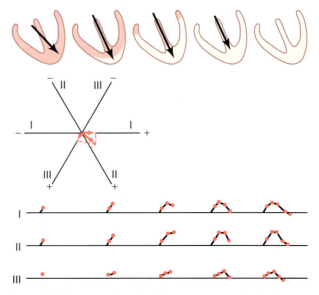

Figura 12.8 Geração da onda T durante a repolarização dos ventrículos, mostrando também a análise vetorial do primeiro estágio da repolarização. O tempo total do início da onda T ao seu final é de aproximadamente 0,15 segundo.

CAPÍTULO 12 Interpretação Eletrocardiográfica de Anormalidades no Músculo Cardíaco...

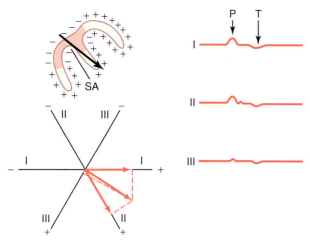

Figura 12.9 Despolarização dos átrios e geração da onda P, mostrando o vetor máximo através dos átrios e os vetores resultantes nas três derivações padrão. À direita estão as ondas P e T atriais. SA, nó sinoatrial.

direção é geralmente nas direções positivas dos eixos das três derivações bipolares padrão dos membros I, II e III, o ECG registrado nos átrios durante a despolarização geralmente também é positivo nas três derivações, conforme mostrado na **Figura 12.9**. Esse registro de despolarização atrial é conhecido como onda P atrial.

Repolarização dos átrios – a onda T atrial. A propagação da despolarização através do músculo atrial é *muito mais lenta do que nos ventrículos* porque os átrios não têm sistema de Purkinje para a condução rápida do sinal. Portanto, a musculatura ao redor do nó sinusal torna-se despolarizada muito tempo antes da musculatura nas partes distais dos átrios. Consequentemente, *a área nos átrios que também se repolariza primeiro é a região do seio nodal, a área que originalmente se despolarizou primeiro.*

Assim, quando a repolarização começa, a região ao redor do nó sinusal torna-se positiva em relação ao restante dos átrios. Portanto, o vetor de repolarização atrial é *retrógrado em relação ao vetor de despolarização.* (Observe que isso é oposto ao efeito que ocorre nos ventrículos.) Portanto, como mostrado na coluna da direita da **Figura 12.9**, a chamada onda T atrial surge cerca de 0,15 segundo após a onda P atrial, mas essa onda T está no lado oposto da linha de referência zero da onda P; ou seja, normalmente é negativa, em vez de positiva, nas três derivações bipolares padrão dos membros.

Em um ECG normal, a onda T *atrial* surge quase ao mesmo tempo que o complexo QRS dos ventrículos. Portanto, é quase sempre totalmente obscurecida pelo grande complexo QRS *ventricular*, embora em alguns estados muito anormais ela apareça no ECG registrado.

Vetorcardiograma

Conforme observado anteriormente, o vetor do fluxo de corrente através do coração muda rapidamente à medida que o impulso se propaga pelo miocárdio. Ele muda em dois aspectos. Primeiro, o comprimento do vetor aumenta e diminui em virtude do aumento e da diminuição da voltagem do vetor. Em segundo lugar, o vetor muda de direção por causa das mudanças na direção média do potencial elétrico do coração. O *vetorcardiograma* mostra essas mudanças em diferentes tempos durante o ciclo cardíaco, conforme mostrado na **Figura 12.10**.

No grande vetorcardiograma mostrado na **Figura 12.10**, o ponto 5 é o *ponto de referência zero*, e esse ponto é a extremidade negativa de todos os vetores sucessivos. Enquanto o músculo cardíaco é polarizado entre os batimentos cardíacos, a extremidade positiva do vetor permanece no ponto zero porque não há potencial elétrico vetorial. No entanto, assim que a corrente começa a fluir pelos ventrículos no início da despolarização ventricular, a extremidade positiva do vetor sai do ponto de referência zero.

Quando o septo se torna despolarizado pela primeira vez, o vetor se estende para baixo em direção ao ápice dos ventrículos, mas é relativamente fraco, gerando, assim, a primeira porção do vetorcardiograma ventricular, conforme mostrado pela extremidade positiva do vetor 1. À medida que o músculo ventricular se torna despolarizado, o vetor fica cada vez mais forte, geralmente oscilando ligeiramente para um lado. Assim, o vetor 2 da **Figura 12.10** representa o estado de despolarização dos ventrículos cerca de 0,02 segundo após o vetor 1. Após outro 0,02 segundo, o vetor 3 representa o potencial e o vetor 4 ocorre em mais 0,01 segundo. Finalmente, os ventrículos tornam-se totalmente despolarizados, e o vetor torna-se novamente zero, conforme mostrado no ponto 5.

A figura elíptica gerada pelas extremidades positivas dos vetores é chamada de *vetorcardiograma QRS*.

EIXO ELÉTRICO MÉDIO DO QRS VENTRICULAR E SEU SIGNIFICADO

O vetorcardiograma durante a despolarização ventricular (o vetorcardiograma QRS) mostrado na **Figura 12.10** é o de um coração normal. Observe que, durante a maior parte do ciclo de despolarização ventricular, a direção do potencial elétrico (de negativo para positivo) segue da base dos ventrículos em direção ao ápice. Essa direção

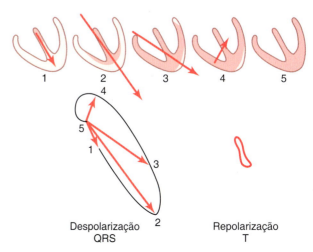

Figura 12.10 Vetorcardiogramas QRS e T.

preponderante do potencial durante a despolarização da base ao ápice do coração é chamada *eixo elétrico médio dos ventrículos*. O eixo elétrico médio dos ventrículos normais é de 59°. Em muitas patologias cardíacas essa direção muda acentuadamente, às vezes até para polos opostos do coração.

DETERMINAÇÃO DO EIXO ELÉTRICO A PARTIR DE UM ELETROCARDIOGRAMA DE DERIVAÇÃO PADRÃO

Clinicamente, o eixo elétrico do coração geralmente é estimado a partir dos ECGs de derivação bipolar padrão dos membros, em vez do vetorcardiograma. A **Figura 12.11** mostra um método para realizar essa estimativa. Depois de registrar as derivações padrão, determinam-se o potencial e a polaridade dos registros nas derivações I e III. Na derivação I da **Figura 12.11**, o registro é positivo e, na derivação III, é principalmente positivo, mas negativo durante parte do ciclo. Se qualquer parte de um registro for negativo, *esse potencial negativo deve ser subtraído da parte positiva do potencial* para determinar o *potencial resultante* dessa derivação, conforme mostrado pela *seta* à direita do complexo QRS da derivação III. Em seguida, cada potencial resultante das derivações I e III é marcado nos eixos das respectivas derivações, com a base do potencial no ponto de intersecção dos eixos, conforme mostrado na **Figura 12.11**.

Para determinar o vetor do potencial elétrico ventricular médio total do QRS, são traçadas linhas perpendiculares (as *linhas tracejadas* na figura) a partir dos ápices das derivações I e III, respectivamente. O ponto de intersecção dessas duas linhas perpendiculares (tracejadas) representa, por análise vetorial, o ápice do vetor QRS *médio* nos ventrículos, e o ponto de intersecção dos eixos da derivação I e da derivação III representa a extremidade negativa do vetor médio. Portanto, o *vetor QRS médio* é traçado entre esses dois pontos. O potencial médio aproximado gerado pelos ventrículos durante a despolarização é representado pelo comprimento desse vetor QRS médio, e o eixo elétrico médio é representado pela direção do vetor médio. Assim, a orientação do eixo elétrico médio dos ventrículos normais, como determinado na **Figura 12.11**, é de 59° positivos (+59°).

CONDIÇÕES VENTRICULARES ANORMAIS QUE PROVOCAM DESVIO DO EIXO

Embora o eixo elétrico médio dos ventrículos tenha em média cerca de 59°, esse valor pode oscilar, mesmo em um coração normal, de cerca de 20° a cerca de 100°. As causas das variações normais são, principalmente, diferenças anatômicas no sistema de distribuição de Purkinje ou na própria musculatura de diferentes corações. No entanto, várias condições anormais do coração podem causar desvios do eixo além dos limites normais, conforme descrito a seguir.

Mudança na posição do coração no tórax. Se o coração sofre uma angulação para a esquerda, o eixo elétrico médio do coração também se *desloca para a esquerda*. Esse deslocamento ocorre (1) no final da expiração profunda; (2) quando a pessoa se deita, porque o conteúdo abdominal pressiona para cima contra o diafragma e (3), com bastante frequência, em pessoas obesas, cujos diafragmas normalmente pressionam para cima contra o coração o tempo todo, como resultado do aumento da adiposidade visceral.

Da mesma forma, a angulação do coração para a direita faz com que o eixo elétrico médio dos ventrículos se *desloque para a direita*. Esse deslocamento ocorre (1) no final da inspiração profunda; (2) quando a pessoa se levanta e (3), normalmente, em pessoas altas e magras cujo coração pende para baixo.

Hipertrofia de um dos ventrículos. Quando um dos ventrículos sofre grande hipertrofia, *o eixo do coração se desloca em direção ao ventrículo hipertrofiado* por duas razões. Primeiro, há mais músculos no lado hipertrofiado do coração do que no outro lado, o que permite a geração de um potencial elétrico maior naquele lado. Em segundo lugar, é necessário mais tempo para a onda de despolarização viajar pelo ventrículo hipertrofiado do que pelo ventrículo normal. Consequentemente, o ventrículo *normal* torna-se despolarizado consideravelmente antes do ventrículo *hipertrofiado*, e essa situação causa um forte vetor do lado normal do coração, em direção ao lado hipertrofiado, que permanece fortemente carregado positivamente. Assim, o eixo desvia em direção ao ventrículo hipertrofiado.

Análise vetorial do desvio do eixo esquerdo decorrente da hipertrofia do ventrículo esquerdo. A **Figura 12.12** mostra três ECGs de derivação bipolar padrão dos membros. A análise vetorial demonstra o desvio do eixo esquerdo, com o eixo elétrico médio apontando na direção de −15°. Esse é um ECG típico causado pelo aumento da massa muscular do ventrículo esquerdo. Nesse caso, o desvio do eixo era provocado pela *hipertensão* (pressão arterial alta), que fazia com que o ventrículo esquerdo se

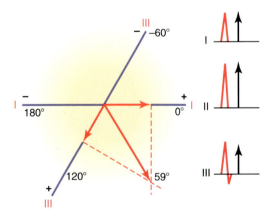

Figura 12.11 Traçado do eixo elétrico médio dos ventrículos a partir de duas derivações eletrocardiográficas (derivações I e III).

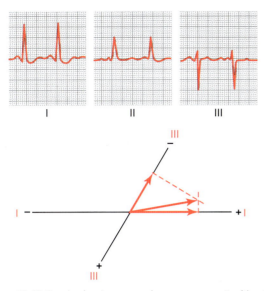

Figura 12.12 Desvio do eixo esquerdo em um *coração hipertenso (ventrículo esquerdo hipertrófico)*. Observe também o complexo QRS ligeiramente prolongado.

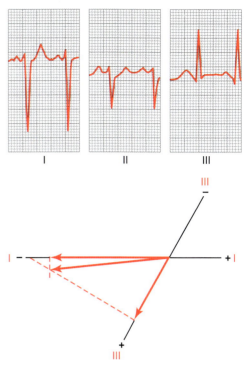

Figura 12.13 Eletrocardiograma de alta voltagem para uma pessoa com *estenose valvar pulmonar congênita com hipertrofia ventricular direita*. Também podem ser observados o desvio intenso do eixo para a direita e o complexo QRS ligeiramente prolongado.

hipertrofiasse para bombear o sangue contra a pressão arterial sistêmica elevada. Um quadro semelhante de desvio do eixo esquerdo ocorre quando o ventrículo esquerdo hipertrofia como resultado de *estenose valvar aórtica, regurgitação valvar aórtica* ou *doenças cardíacas congênitas* em que o ventrículo esquerdo aumenta enquanto o ventrículo direito permanece com tamanho relativamente normal.

Análise vetorial do desvio do eixo direito decorrente da hipertrofia do ventrículo direito.

O ECG da **Figura 12.13** mostra intenso desvio do eixo para a direita, para um eixo elétrico de 170°, que está 111° à direita do eixo QRS ventricular médio de 59° normal. O desvio do eixo para a direita demonstrado nesta figura foi causado por hipertrofia do ventrículo direito em decorrência de *estenose valvar pulmonar congênita*. O desvio do eixo direito também pode ocorrer com outras patologias cardíacas congênitas que causam hipertrofia do ventrículo direito, como *tetralogia de Fallot* e *defeito do septo interventricular*.

O bloqueio do ramo causa desvio do eixo.

Normalmente, as paredes laterais dos dois ventrículos despolarizam quase no mesmo instante, porque os ramos direito e esquerdo do sistema de Purkinje transmitem o impulso cardíaco para as duas paredes ventriculares quase simultaneamente. Como resultado, os potenciais gerados pelos dois ventrículos (nos dois lados opostos do coração) praticamente se neutralizam. No entanto, se apenas um dos ramos principais do feixe for bloqueado, o impulso cardíaco se propagará pelo ventrículo normal antes de se propagar pelo outro ventrículo. Portanto, não ocorre a despolarização dos dois ventrículos, quase ao mesmo tempo, e os potenciais de despolarização não se neutralizam. Como resultado, o desvio do eixo ocorre como descrito a seguir.

Análise vetorial do desvio do eixo esquerdo em bloqueio do ramo esquerdo.

Quando o ramo esquerdo do feixe é bloqueado, a despolarização cardíaca se propaga através do ventrículo direito duas a três vezes mais rapidamente do que através do ventrículo esquerdo. Consequentemente, grande parte do ventrículo esquerdo permanece polarizado por até 0,1 segundo após o ventrículo direito ter se despolarizado totalmente. Assim, o ventrículo direito torna-se eletronegativo, enquanto o ventrículo esquerdo permanece eletropositivo durante a maior parte do processo de despolarização, e um forte vetor se projeta do ventrículo direito em direção ao ventrículo esquerdo. Em outras palavras, ocorre um intenso desvio do eixo esquerdo de cerca de −50° porque a extremidade positiva do vetor aponta para o ventrículo esquerdo. Essa situação é demonstrada na **Figura 12.14**, que mostra o desvio típico do eixo esquerdo resultante do bloqueio do ramo esquerdo.

Por causa da lentidão da condução do impulso quando o sistema de Purkinje está bloqueado, além do desvio do eixo, a duração do complexo QRS é muito prolongada como resultado da extrema lentidão da despolarização no lado afetado do coração. Esse efeito pode ser verificado observando as larguras excessivas das ondas QRS na **Figura 12.14** (discutidas em maiores detalhes posteriormente neste capítulo). Este complexo QRS extremamente prolongado diferencia o bloqueio de ramo do desvio do eixo causado pela hipertrofia.

Análise vetorial do desvio do eixo direito em bloqueio do ramo direito.

Quando o ramo direito do feixe é bloqueado, o ventrículo esquerdo despolariza muito mais rapidamente do que o ventrículo direito e, assim, o

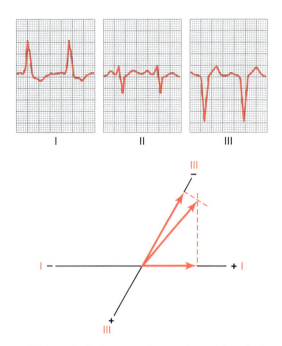

Figura 12.14 Desvio do eixo esquerdo causado por *bloqueio de ramo esquerdo*. Observe também o complexo QRS muito prolongado.

lado esquerdo dos ventrículos torna-se eletronegativo até 0,1 segundo antes do direito. Portanto, desenvolve-se um vetor forte, com sua extremidade negativa em direção ao ventrículo esquerdo e sua extremidade positiva em direção ao ventrículo direito. Em outras palavras, ocorre um intenso desvio do eixo para a direita. Na **Figura 12.15**, o desvio do eixo direito causado pelo bloqueio do ramo direito é demonstrado e seu vetor é analisado; essa análise mostra um eixo de cerca de 105°, em vez dos 59° normais, e um complexo QRS prolongado devido à condução lenta.

CONDIÇÕES QUE CAUSAM VOLTAGENS ANORMAIS DO COMPLEXO QRS

VOLTAGEM AUMENTADA NAS DERIVAÇÕES BIPOLARES PADRÃO DOS MEMBROS

Normalmente, as voltagens nas três derivações bipolares padrão dos membros, medidas do pico da onda R até a parte inferior da onda S, variam entre 0,5 e 2,0 milivolts, com a derivação III geralmente registrando a voltagem mínima e a derivação II a voltagem máxima. Entretanto, essas relações podem variar, mesmo para o coração normal. Em geral, quando a soma das voltagens de todos os complexos QRS das três derivações padrão é maior que 4 milivolts, considera-se que o paciente tem um ECG de alta voltagem.

Geralmente, a causa dos complexos QRS de alta voltagem é o aumento da massa muscular do coração, que normalmente resulta da *hipertrofia do músculo* em resposta à carga excessiva em uma parte do coração ou na outra. Por exemplo, o ventrículo direito hipertrofia quando deve bombear sangue através de uma valva pulmonar estenótica ou quando a pressão arterial pulmonar está elevada, e o ventrículo esquerdo hipertrofia quando uma pessoa tem pressão arterial sistêmica elevada. O aumento da quantidade de músculo gera maior eletricidade ao redor do coração. Como resultado, os potenciais elétricos registrados nas derivações eletrocardiográficas são consideravelmente maiores do que o normal, conforme mostrado nas **Figuras 12.12 e 12.13**.

VOLTAGEM DIMINUÍDA NO ELETROCARDIOGRAMA

Voltagem diminuída causada por miopatias cardíacas. Uma das causas mais comuns de diminuição da voltagem no complexo QRS é a ocorrência anterior de *pequenos infartos do miocárdio*, com resultante *diminuição da massa muscular*. Essa condição também faz com que a onda de despolarização se mova lentamente através dos ventrículos e impede que grandes áreas do coração se tornem maciçamente despolarizadas de uma só vez. Consequentemente, essa condição causa certo prolongamento do complexo QRS, juntamente com a diminuição da voltagem. A **Figura 12.16** mostra um ECG de baixa voltagem típico, com prolongamento do complexo QRS, que é comum após vários pequenos infartos do coração terem causado atrasos locais na condução do impulso e voltagens reduzidas em

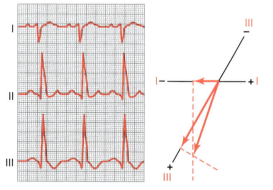

Figura 12.15 Desvio do eixo direito causado por *bloqueio de ramo direito*. Observe também o complexo QRS muito prolongado.

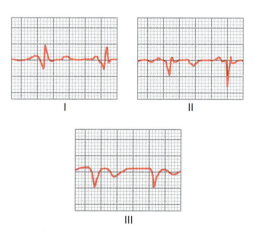

Figura 12.16 Eletrocardiograma de baixa voltagem após dano localizado ao longo dos ventrículos causado por um *infarto do miocárdio prévio*.

CAPÍTULO 12 Interpretação Eletrocardiográfica de Anormalidades no Músculo Cardíaco...

virtude da perda de massa muscular ao longo dos ventrículos. Doenças miocárdicas infiltrativas também causam baixa voltagem no ECG. Por exemplo, na amiloidose cardíaca, proteínas anormais infiltram-se no miocárdio, levando a voltagens reduzidas, particularmente nas derivações dos membros.

Voltagem diminuída causada por condições que circundam o coração. Uma das causas mais importantes de diminuição da voltagem nas derivações eletrocardiográficas é a presença de excesso de *líquido no pericárdio (efusão pericárdica).* Como o líquido extracelular conduz facilmente as correntes elétricas, uma grande parte da eletricidade que sai do coração é conduzida de uma área à outra através do líquido pericárdico. Assim, essa efusão causa efetivamente um "curto-circuito" nos potenciais elétricos gerados pelo coração, diminuindo as voltagens eletrocardiográficas que atingem as superfícies externas do corpo. Em menor grau, a *efusão pleural* também pode causar um curto-circuito na eletricidade ao redor do coração, de modo que as voltagens na superfície do corpo e nos ECGs diminuem.

O *enfisema pulmonar* pode diminuir os potenciais eletrocardiográficos, mas por um motivo diferente da efusão pericárdica. Em pessoas com enfisema pulmonar, a condução da corrente elétrica através dos pulmões é consideravelmente reduzida, por causa da quantidade excessiva de ar nos pulmões. Além disso, a cavidade torácica aumenta e os pulmões tendem a envolver o coração em uma extensão maior do que o normal. Portanto, os pulmões atuam como isolantes, que impedem a propagação da voltagem elétrica do coração para a superfície do corpo, o que resulta na diminuição dos potenciais eletrocardiográficos nas várias derivações.

PADRÕES PROLONGADOS E BIZARROS DO COMPLEXO QRS

HIPERTROFIA OU DILATAÇÃO CARDÍACA PROLONGAM O COMPLEXO QRS

O complexo QRS dura enquanto a despolarização continuar a se propagar pelos ventrículos (*i. e.*, enquanto parte dos ventrículos estiver despolarizada e parte ainda estiver polarizada). Portanto, a *condução prolongada* do impulso através dos ventrículos sempre causa um complexo QRS prolongado. Esse prolongamento geralmente ocorre quando um ou ambos os ventrículos estão hipertrofiados ou dilatados por causa do caminho mais longo que o impulso deve percorrer. O complexo QRS normal dura de 0,06 a 0,08 segundo, enquanto, em casos de hipertrofia ou dilatação do ventrículo esquerdo ou direito, o complexo QRS pode ser prolongado para 0,09 a 0,12 segundo.

O BLOQUEIO DO SISTEMA DE PURKINJE PROLONGA O COMPLEXO QRS

Quando as fibras de Purkinje são bloqueadas, o impulso cardíaco deve ser conduzido pelo músculo ventricular, em vez do sistema de Purkinje. Essa ação diminui a velocidade de condução do impulso para cerca de um terço do normal. Portanto, se ocorre o bloqueio completo de um dos ramos do feixe, a duração do complexo QRS geralmente aumenta para 0,14 segundo, ou mais.

Em geral, um complexo QRS é considerado anormalmente longo quando dura mais de 0,09 segundo. Quando dura mais de 0,12 segundo o prolongamento é quase certamente causado por um bloqueio patológico em alguma área do sistema de condução ventricular, conforme mostrado pelos ECGs com bloqueio de ramo nas **Figuras 12.14 e 12.15**.

CONDIÇÕES QUE CAUSAM COMPLEXOS QRS BIZARROS

Padrões bizarros no complexo QRS geralmente são causados por duas condições: (1) destruição do músculo cardíaco em várias áreas do sistema ventricular, com substituição dessa musculatura por tecido cicatricial; e (2) múltiplos pequenos bloqueios locais na condução de impulsos em diversos pontos do sistema de Purkinje. Como resultado, a condução do impulso cardíaco se torna irregular, causando mudanças rápidas nas voltagens e desvios do eixo. Essa irregularidade costuma causar picos duplos ou mesmo triplos em algumas das derivações eletrocardiográficas, como as mostradas na **Figura 12.14**.

CORRENTE DE LESÃO

Muitas anormalidades cardíacas diferentes, especialmente aquelas que danificam o músculo cardíaco, podem fazer com que parte do coração permaneça parcial ou totalmente *despolarizada o tempo todo.* Quando essa condição ocorre, a corrente flui entre as áreas patologicamente despolarizadas e normalmente polarizadas, mesmo entre os batimentos cardíacos. Essa condição é chamada *corrente de lesão.* Observe especialmente que *a parte lesada do coração é negativa, porque essa é a parte que está despolarizada e emite cargas negativas para os líquidos circundantes, enquanto o restante do coração está neutro ou com polaridade positiva.*

Essas são algumas anormalidades que podem causar uma corrente de lesão: (1) *trauma mecânico,* que às vezes faz com que as membranas permaneçam tão permeáveis que a repolarização completa se torna impossível; (2) *processos infecciosos,* que danificam as membranas musculares; e (3) *isquemia de áreas localizadas do músculo cardíaco, causada por oclusões coronárias locais,* que é a causa mais comum de uma corrente de lesão no coração. Durante a isquemia, não há nutrientes suficientes no suprimento de sangue coronário para o músculo cardíaco de modo a manter a polarização normal da membrana.

EFEITO DA CORRENTE DE LESÃO SOBRE O COMPLEXO QRS

Na **Figura 12.17**, uma pequena área na base do ventrículo esquerdo tornou-se recentemente infartada (*i. e.*, houve perda

PARTE 3 O Coração

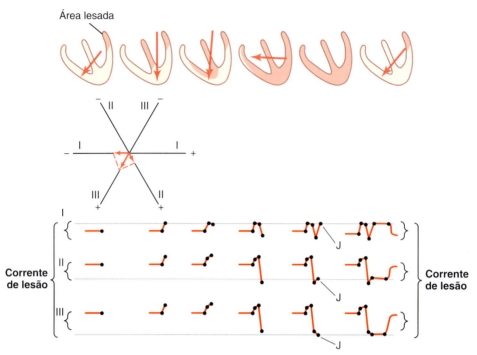

Figura 12.17 Efeito de uma corrente de lesão no eletrocardiograma.

do fluxo sanguíneo coronariano). Portanto, durante o intervalo T-P – ou seja, quando o músculo ventricular normal está totalmente polarizado –, a corrente *negativa* anormal ainda flui da área infartada na base do ventrículo esquerdo e se propaga em direção ao restante dos ventrículos.

O vetor dessa corrente de lesão, conforme mostrado no primeiro coração na **Figura 12.17**, está em uma direção de cerca de 125°, com a base do vetor, a *extremidade negativa*, em direção ao músculo lesado. Como mostrado nas áreas inferiores da figura, antes mesmo de o complexo QRS começar, *esse vetor causa um registro inicial na derivação I abaixo da linha de potencial zero*, porque o vetor projetado da corrente de lesão na derivação I aponta para a extremidade negativa do eixo da derivação I. Na derivação II, o registro está acima da linha porque o vetor projetado aponta mais para o terminal positivo da derivação. Na derivação II, o registro está acima da linha porque o vetor projetado aponta mais para o terminal positivo da derivação. Na derivação III, o vetor projetado aponta na mesma direção que o terminal positivo da derivação III, de modo que o registro é positivo. Além disso, como o vetor está quase exatamente na direção do eixo da derivação III, a voltagem da corrente de lesão na derivação III é muito maior do que na derivação I ou na derivação II.

À medida que o coração continua o seu processo normal de despolarização, primeiro o septo torna-se despolarizado; então, a despolarização se propaga até o ápice e de volta às bases dos ventrículos. A última porção dos ventrículos a se despolarizar totalmente é a base do ventrículo direito porque a base do ventrículo esquerdo já está total e permanentemente despolarizada. Pela análise vetorial, os estágios sucessivos da geração eletrocardiográfica pela onda de despolarização que viaja pelos ventrículos podem ser construídos graficamente, como demonstrado na parte inferior da **Figura 12.17**.

Quando o coração se torna totalmente despolarizado, no final do processo de despolarização (como observado no penúltimo estágio na **Figura 12.17**), todo o músculo ventricular está em um estado negativo. Portanto, nesse instante do ECG, nenhuma corrente flui dos ventrículos para os eletrodos eletrocardiográficos porque agora tanto o músculo cardíaco lesado quanto o músculo em contração estão despolarizados.

Em seguida, à medida ocorre a repolarização, todo o coração finalmente se repolariza, exceto a área de despolarização permanente na base lesada do ventrículo esquerdo. Assim, a repolarização causa um retorno da corrente de lesão em cada derivação, como observado na extrema direita da **Figura 12.17**.

O PONTO J É O POTENCIAL DE REFERÊNCIA ZERO PARA ANALISAR A CORRENTE DE LESÃO

Pode-se pensar que as máquinas de ECG podem determinar quando nenhuma corrente está fluindo ao redor do coração. No entanto, existem muitas correntes dispersas no corpo, como as correntes resultantes dos potenciais da pele e das divergências nas concentrações iônicas em diferentes líquidos do corpo. Portanto, quando dois eletrodos são conectados entre os braços ou entre um braço e uma perna, essas correntes dispersas tornam impossível predeterminar o nível de referência zero exato no ECG.

Por isso, deve ser utilizado o seguinte procedimento para determinar o nível de potencial zero: primeiramente, anota-se *o ponto exato em que a onda de despolarização acaba de completar sua passagem pelo coração*, o que ocorre no final do complexo QRS. Exatamente nesse ponto, todas as partes dos ventrículos se tornaram despolarizadas, incluindo as partes danificadas e as partes normais, de modo que nenhuma corrente está fluindo ao redor do coração. Até mesmo a corrente de lesão desaparece nesse ponto. Portanto, o potencial do eletrocardiograma nesse instante está em voltagem zero. Esse ponto é conhecido como *ponto J* no ECG, como mostrado na **Figura 12.18**.

Em seguida, para análise do eixo elétrico do potencial de lesão causado por uma corrente de lesão, uma linha horizontal é desenhada no ECG para cada derivação no nível do ponto J. Essa linha horizontal é o *nível de potencial zero* no ECG, a partir do qual todos os potenciais causados por correntes de lesão devem ser medidos.

Uso do ponto J na plotagem do eixo do potencial de lesão. A **Figura 12.18** mostra ECGs (derivações I e III) de um coração lesado. Ambos os registros mostram potenciais de lesão. Em outras palavras, o ponto J de cada um desses dois ECGs não está na mesma linha do segmento T-P. Na figura, uma linha horizontal foi desenhada através do ponto J para representar o nível de voltagem zero em cada um dos dois registros. O potencial de lesão em cada derivação é a diferença entre a voltagem do ECG imediatamente antes do início da onda P e o nível de voltagem zero determinado a partir do ponto J. Na derivação I, a voltagem registrada do potencial de lesão está acima do nível de potencial zero e, portanto, é positiva. Por outro lado, na derivação III, o potencial de lesão está abaixo do nível de voltagem zero e, portanto, é negativo.

Na parte inferior da **Figura 12.18**, os respectivos potenciais de lesão nas derivações I e III são plotados nas coordenadas dessas derivações e o vetor resultante do potencial de lesão para toda a massa muscular ventricular é determinado por análise vetorial, conforme descrito. Nesse caso, o vetor resultante estende-se do lado direito dos ventrículos em direção à esquerda e ligeiramente para cima, com um eixo de cerca de −30°. Se colocarmos esse vetor para o potencial de lesão diretamente sobre os ventrículos, *a extremidade negativa do vetor aponta para a área permanentemente despolarizada e "lesada" dos ventrículos*. No exemplo mostrado na **Figura 12.18**, a área lesionada estaria na parede lateral do ventrículo direito.

Essa análise é obviamente complexa. No entanto, é essencial que o aluno revise repetidamente até que seja totalmente compreendida. *Nenhum outro aspecto da análise eletrocardiográfica é mais importante.*

ISQUEMIA CORONÁRIA COMO CAUSA DE POTENCIAL DE LESÃO

O fluxo sanguíneo insuficiente para o músculo cardíaco deprime o metabolismo do músculo por pelo menos três razões: (1) falta de oxigênio; (2) acúmulo excessivo de dióxido de carbono; e (3) falta de nutrientes alimentares suficientes. Consequentemente, a repolarização da membrana muscular não pode ocorrer em áreas de isquemia miocárdica grave. Frequentemente, o músculo cardíaco não morre porque o fluxo sanguíneo é suficiente para manter a vida do músculo, embora não seja suficiente para causar a repolarização normal das membranas. Enquanto esse estado for mantido, um potencial de lesão continua a fluir durante a porção diastólica (a porção T-P) de cada ciclo cardíaco.

A isquemia extrema do músculo cardíaco ocorre após a oclusão coronária, e uma forte corrente de lesão flui da área infartada dos ventrículos durante o intervalo T-P entre os batimentos cardíacos, como mostrado nas **Figuras 12.19** e **12.20**. Portanto, uma das características diagnósticas mais importantes dos ECGs registrados após uma trombose coronária aguda é a corrente da lesão.

Infarto agudo da parede anterior. A **Figura 12.19** mostra o ECG nas três derivações bipolares padrão dos membros e em uma derivação do tórax (derivação V_2) registradas em um paciente com infarto agudo da parede anterior. A característica diagnóstica mais importante desse ECG é o potencial de lesão intensa na derivação torácica V_2. Se traçarmos uma linha de potencial horizontal zero através do ponto J desse ECG, será encontrado um forte potencial de lesão *negativo* durante o intervalo T-P, o que significa que o eletrodo do tórax na frente do coração está em uma área de potencial fortemente negativo. Em outras palavras, a extremidade negativa do vetor do potencial de lesão nesse coração é contra a parede torácica anterior. Isso significa que a corrente de lesão emana da parede anterior dos ventrículos, o que diagnostica essa condição como um *infarto da parede anterior*.

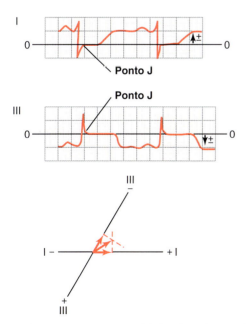

Figura 12.18 Ponto J como o potencial de referência zero dos eletrocardiogramas para as derivações I e III. Além disso, o método para traçar o eixo do potencial de lesão é mostrado no *painel inferior*.

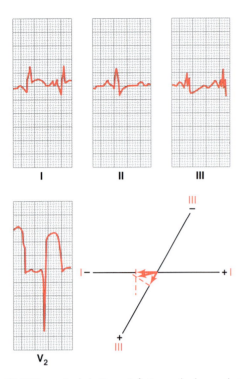

Figura 12.19 Corrente de lesão no *infarto agudo da parede anterior*. Observe o potencial de lesão intensa na derivação V$_2$.

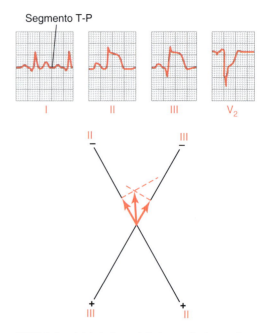

Figura 12.20 Potencial de lesão no *infarto agudo da parede posterior, apical*.

Ao analisar os potenciais de lesão nas derivações I e III, encontra-se um potencial negativo na derivação I e um potencial positivo na derivação III. Esse achado significa que o vetor resultante do potencial de lesão no coração é de cerca de +150°, com a extremidade negativa apontando para o ventrículo esquerdo e a extremidade positiva apontando para o ventrículo direito. Assim, nesse ECG, a corrente de lesão provém principalmente do ventrículo esquerdo, bem como da parede anterior do coração. Portanto, poderíamos concluir que esse infarto da parede anterior quase certamente é causado pela trombose do ramo descendente anterior da artéria coronária esquerda.

Infarto da parede posterior. A **Figura 12.20** mostra as três derivações bipolares padrão dos membros e uma derivação do tórax (derivação V$_2$) de um paciente com infarto da parede posterior. A principal característica diagnóstica desse ECG também está na derivação do tórax. Se uma linha de referência de potencial zero for desenhada através do ponto J dessa derivação, fica aparente que, durante o intervalo T-P, o potencial da corrente de lesão é positivo. Isso significa que a extremidade positiva do vetor está na direção da parede torácica anterior e a extremidade negativa (a extremidade lesada do vetor) aponta para longe da parede torácica. Em outras palavras, a corrente de lesão é proveniente da parte posterior do coração oposta à parede torácica anterior, razão pela qual esse tipo de ECG é a base para o diagnóstico de infarto da parede posterior.

Se analisarmos os potenciais de lesão das derivações II e III da **Figura 12.20**, fica aparente que o potencial de lesão é negativo nas duas derivações. Por análise vetorial, conforme mostrado na figura, descobre-se que o vetor resultante do potencial de lesão é de cerca de −95°, com a extremidade negativa apontando para baixo e a extremidade positiva apontando para cima. Assim, como o infarto, indicado pelo eletrodo de tórax, está na parede posterior do coração e, indicado pelos potenciais de lesão nas derivações II e III, se localiza na porção apical do coração, seria de se suspeitar que o infarto está próximo ao ápice na parede posterior do ventrículo esquerdo.

Infarto em outras partes do coração. Usando os mesmos procedimentos demonstrados nas discussões anteriores sobre infartos das paredes anterior e posterior, muitas vezes é possível determinar a localização de uma área infartada que emite uma corrente de lesão. Para fazer essas análises vetoriais, deve-se lembrar que *a extremidade positiva do vetor do potencial de lesão aponta para o músculo cardíaco normal, e a extremidade negativa aponta para a parte lesada do coração que está emitindo a corrente da lesão*.

Progressão do ECG durante e após uma trombose coronária aguda. A **Figura 12.21** mostra uma derivação torácica V$_3$ de um paciente com infarto agudo da parede anterior, demonstrando alterações no ECG desde o dia do acidente até 1 semana depois, 3 semanas depois e, finalmente, 1 ano depois. A partir deste ECG, pode-se verificar que o potencial de lesão é forte imediatamente após o infarto agudo (o segmento T-P é deslocado positivamente do segmento S-T). No entanto, após cerca de 1 semana, o potencial de lesão diminuiu consideravelmente e, após 3 semanas, desapareceu. Depois disso, o ECG não muda muito durante o próximo ano. Esse é o padrão usual de recuperação após um infarto agudo do miocárdio de grau moderado, mostrando que o *novo fluxo sanguíneo*

CAPÍTULO 12 Interpretação Eletrocardiográfica de Anormalidades no Músculo Cardíaco...

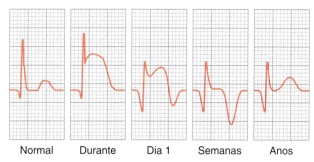

Figura 12.21 Recuperação do miocárdio após *infarto da parede anterior*, demonstrando o desaparecimento do potencial de lesão presente no primeiro dia após o infarto.

coronário colateral se desenvolve o suficiente para restabelecer a nutrição adequada para a maior parte da área infartada.

Em alguns pacientes que apresentam infarto do miocárdio, a área infartada nunca mais volta a ter um suprimento de sangue coronário adequado. Frequentemente, parte do músculo cardíaco morre, mas, se o músculo não morrer, continuará a mostrar potencial de lesão enquanto a isquemia existir, principalmente durante sessões de atividade física, quando o coração está sobrecarregado.

As ondas Q em um ECG representam um antigo infarto do miocárdio. A **Figura 12.22** mostra as derivações I e III após *infartos da parede anterior e da parede posterior* cerca de 1 ano após o infarto agudo do coração. Geralmente, nos casos de infarto anterior, desenvolve-se uma onda Q no início do complexo QRS na derivação I, devido à perda de massa muscular na parede anterior do ventrículo esquerdo, mas, no caso de infarto posterior, desenvolve-se uma onda Q no início do complexo QRS na derivação III, devido à perda de músculo na parte apical posterior do ventrículo.

É certo que essas configurações nem sempre são encontradas em todos os casos de infarto do miocárdio antigo. Perda local de músculo e pontos locais de bloqueio de condução de sinal cardíaco podem causar padrões QRS muito bizarros (p. ex., ondas Q especialmente proeminentes), voltagem diminuída e prolongamento de QRS.

Corrente de lesão na angina de peito. O termo angina de peito significa dor no coração, e é percebida na região peitoral do tórax. Essa dor geralmente também se irradia para a região esquerda do pescoço e desce pelo braço esquerdo. A dor geralmente é causada por isquemia moderada do coração. Geralmente, a pessoa não sente dor quando está em repouso, mas, assim que o coração sofre uma sobrecarga, a dor aparece.

Às vezes aparece no ECG um potencial de lesão durante um ataque de angina de peito grave, porque a insuficiência coronária se torna grande o suficiente para impedir a repolarização adequada de algumas áreas do coração durante a diástole.

ANORMALIDADES NA ONDA T

No início do capítulo, observamos que a onda T é normalmente positiva em todas as derivações bipolares padrão dos membros, e que isso é causado porque a repolarização do ápice e das superfícies externas dos ventrículos acontece antes da repolarização das superfícies intraventriculares. Ou seja, a onda T torna-se anormal quando não ocorre a sequência normal de repolarização. Vários fatores, incluindo a isquemia miocárdica, podem alterar essa sequência de repolarização.

EFEITO DA LENTA CONDUÇÃO DA ONDA DE DESPOLARIZAÇÃO SOBRE AS CARACTERÍSTICAS DA ONDA T

Reportando-se à **Figura 12.14**, observe que o complexo QRS é consideravelmente prolongado. A razão para esse prolongamento é a *condução atrasada no ventrículo esquerdo* resultante do bloqueio do ramo esquerdo. Esse atraso na condução faz com que o ventrículo esquerdo se torne despolarizado cerca de 0,08 segundo após a despolarização do ventrículo direito, o que dá um forte vetor QRS médio *à esquerda*. No entanto, os períodos refratários das massas musculares ventriculares direita e esquerda não são muito diferentes um do outro. Portanto, o ventrículo direito começa a se repolarizar muito antes do ventrículo esquerdo, o que causa forte positividade no ventrículo direito e negatividade no ventrículo esquerdo quando a onda T está se desenvolvendo. Em outras palavras, o eixo médio da onda T agora é desviado *para a direita*, que é o sentido oposto ao eixo elétrico médio do complexo QRS no mesmo ECG. Assim, quando a condução do impulso de despolarização através dos ventrículos é muito atrasada, a onda T quase sempre tem polaridade oposta à do complexo QRS.

A DESPOLARIZAÇÃO ENCURTADA EM PORÇÕES DO MÚSCULO VENTRICULAR PODE CAUSAR ANORMALIDADES NA ONDA T

Se a base dos ventrículos exibisse um período anormalmente curto de despolarização – ou seja, um potencial de ação encurtado –, a repolarização dos ventrículos não começaria no ápice, como normalmente acontece. Em vez disso, a base dos ventrículos se repolarizaria antes do ápice, e o vetor de repolarização apontaria do ápice em

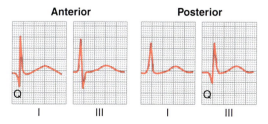

Figura 12.22 Eletrocardiogramas de infartos das paredes anterior e posterior que ocorreram cerca de 1 ano antes, mostrando uma onda Q na derivação I em um *infarto da parede anterior* e uma onda Q na derivação III em um *infarto da parede posterior*.

direção à base do coração, no sentido oposto ao vetor padrão de repolarização. Consequentemente, a onda T nas três derivações padrão seria negativa, em vez do positivo usual. Assim, o simples fato de a base dos ventrículos ter um período de despolarização encurtado é suficiente para causar mudanças acentuadas na onda T, a ponto de alterar toda a polaridade dela, conforme mostrado na **Figura 12.23**.

A *isquemia leve* é a causa mais comum de encurtamento da despolarização do músculo cardíaco, porque essa condição aumenta o fluxo de corrente através dos canais de potássio. Quando a isquemia ocorre em apenas uma área do coração, o período de despolarização dessa área diminui desproporcionalmente ao das outras áreas. Como resultado, uma mudança na morfologia da onda T, como inversão ou formas de onda bifásicas, pode ser evidência de isquemia miocárdica. A isquemia pode resultar de estenose coronária crônica e progressiva (estreitamento), oclusão coronariana aguda, espasmo da artéria coronária ou insuficiência coronária relativa que ocorre durante a atividade física ou estado de anemia grave.

Efeito dos digitálicos sobre a onda T. Conforme discutido no Capítulo 22, os digitálicos são substâncias que podem ser empregadas durante a insuficiência cardíaca para aumentar a força da contração do músculo cardíaco. Entretanto, quando é administrada uma superdosagem de digitálicos, a duração da despolarização em uma parte dos ventrículos pode ser aumentada desproporcionalmente à de outras partes. Como resultado, podem ocorrer alterações inespecíficas, como inversão da onda T ou ondas T bifásicas, em uma ou mais derivações eletrocardiográficas. Uma onda T bifásica causada pela administração excessiva de digitálicos é mostrada na **Figura 12.24**. Portanto, as alterações na onda T durante a administração de digitálicos costumam ser os primeiros sinais de toxicidade digitálica.

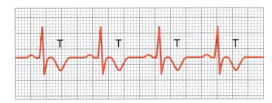

Figura 12.23 Onda T invertida resultante de isquemia leve na base dos ventrículos.

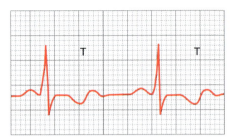

Figura 12.24 Uma onda T bifásica causada por toxicidade digitálica.

Bibliografia

Ver bibliografia do Capítulo 13.

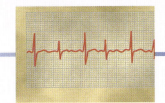

CAPÍTULO 13

Arritmias Cardíacas e sua Interpretação Eletrocardiográfica

Alguns dos tipos mais perturbadores de disfunção cardíaca ocorrem por anormalidades no ritmo cardíaco. Por exemplo, às vezes o batimento dos átrios não é coordenado com o batimento dos ventrículos, de modo que os átrios não funcionam mais para otimizar o enchimento ventricular.

O objetivo deste capítulo é discutir a fisiologia das arritmias cardíacas mais comuns e seus efeitos no bombeamento do coração, bem como seu diagnóstico por eletrocardiografia. As arritmias cardíacas podem ter uma única causa ou podem ser o resultado de uma combinação das seguintes anormalidades no sistema excitocondutor do coração:

- Ritmicidade anormal do marca-passo
- Deslocamento do marca-passo do nó sinusal para outro lugar no coração
- Bloqueios em diferentes pontos na propagação do impulso através do coração
- Anormalidades nas vias de transmissão do impulso através o coração
- Geração espontânea de impulsos anômalos em praticamente qualquer parte do coração.

RITMOS SINUSAIS ANORMAIS

TAQUICARDIA

O termo *taquicardia* significa *frequência cardíaca rápida*, que geralmente é definida como mais rápida do que 100 batimentos/min em um adulto. Um eletrocardiograma (ECG) registrado em um paciente com taquicardia é mostrado na **Figura 13.1**. Esse ECG é normal, exceto que a frequência cardíaca, como determinado pelos intervalos de tempo entre os complexos QRS, é de cerca de 150 batimentos/min em vez dos 72 batimentos/min normais.

Algumas causas de taquicardia incluem o aumento da temperatura corporal, desidratação, anemia por perda de sangue, estimulação do coração pelos nervos simpáticos e condições tóxicas do coração.

A frequência cardíaca geralmente aumenta cerca de 18 batimentos/min para cada aumento de um grau Celsius na temperatura corporal, até uma temperatura de aproximadamente 40,5°C. Além disso, a frequência cardíaca pode diminuir por causa da debilidade progressiva do músculo cardíaco como resultado da febre. A febre causa taquicardia porque o aumento da temperatura aumenta a taxa de metabolismo do nó sinusal, que por sua vez aumenta diretamente sua excitabilidade e frequência rítmica.

Diversos fatores podem fazer com que o sistema nervoso simpático excite o coração, conforme discutido neste texto. Por exemplo, quando um paciente sofre uma perda de sangue grave, a estimulação do reflexo simpático do coração pode aumentar a frequência cardíaca para 150 a 180 batimentos/min. O simples enfraquecimento do miocárdio geralmente aumenta a frequência cardíaca, porque o coração enfraquecido não bombeia sangue para a árvore arterial de forma normal, causando reduções na pressão arterial e induzindo reflexos simpáticos para aumentar a frequência cardíaca.

BRADICARDIA

O termo *bradicardia* significa frequência cardíaca lenta, geralmente definida como menos de 60 batimentos/min. Um registro de bradicardia é mostrado pelo ECG na **Figura 13.2**.

Bradicardia em atletas. O coração do atleta bem treinado muitas vezes é maior e consideravelmente mais forte do que o de uma pessoa normal, o que permite que bombeie um grande volume sistólico por batimento, mesmo durante os períodos de descanso. Quando o atleta está em

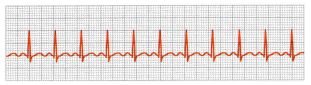

Figura 13.1 Taquicardia sinusal (derivação DI).

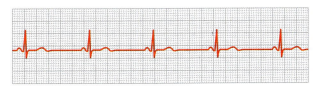

Figura 13.2 Bradicardia sinusal (derivação DIII).

repouso, a quantidade maior de sangue bombeada para a árvore arterial a cada batimento desencadeia reflexos circulatórios de *feedback* ou outros efeitos que causam bradicardia.

A estimulação vagal causa bradicardia. Qualquer reflexo circulatório que estimule os nervos vagos causa a liberação de acetilcolina nas terminações vagais do coração, resultando em um efeito parassimpático. Talvez o exemplo mais notável desse fenômeno ocorra em pacientes com *síndrome do seio carotídeo*. Nesses pacientes, os receptores de pressão (barorreceptores) localizados na região do seio carotídeo das paredes da artéria carótida são excessivamente sensíveis. Portanto, mesmo uma pressão externa leve no pescoço provoca um forte reflexo barorreceptor, causando intensos efeitos vagais colinérgicos no coração, incluindo bradicardia extrema. Muitas vezes, esse reflexo é tão poderoso que chega a parar o coração por 5 a 10 segundos, levando à perda de consciência (síncope).

ARRITMIA SINUSAL

A **Figura 13.3** mostra um *cardiotacômetro* registrando a frequência cardíaca, primeiro durante a respiração normal e, em seguida, na segunda metade do registro, com respiração profunda. O cardiotacômetro é um instrumento que registra a duração do intervalo entre os sucessivos complexos QRS no ECG por meio da *altura de sucessivos picos*. Observe neste registro que a frequência cardíaca aumentou e diminuiu não mais que 5% durante a respiração tranquila (na metade esquerda do registro). Então, *durante a respiração profunda*, a frequência cardíaca aumentou e diminuiu a cada ciclo respiratório em até 30%.

A arritmia sinusal pode resultar de qualquer uma das diversas condições circulatórias que alteram a intensidade dos sinais nervosos simpáticos e parassimpáticos para o nó sinusal do coração. O padrão respiratório na arritmia sinusal resulta principalmente do "transbordamento" de sinais do centro respiratório medular para o centro vasomotor adjacente durante os ciclos respiratórios inspiratórios e expiratórios. Esse transbordar dos sinais causa aumentos e diminuições alternados no número de impulsos transmitidos através dos nervos simpático e vago para o coração.

BLOQUEIO CARDÍACO NAS VIAS DE CONDUÇÃO INTRACARDÍACA

BLOQUEIO SINOATRIAL

Em casos raros, o impulso do nó sinusal é bloqueado antes de entrar no músculo atrial. Esse fenômeno é demonstrado na **Figura 13.4**, que exibe a interrupção repentina das ondas P, com a resultante paralisação dos átrios. No entanto, os ventrículos adquirem um novo ritmo, com o impulso geralmente originando-se espontaneamente no nó atrioventricular (AV), de modo que a frequência do complexo QRS ventricular é diminuída, mas não alterada de outra forma. O bloqueio sinoatrial pode ser resultado de uma isquemia miocárdica que afeta o nó sinusal, inflamação ou infecção do coração ou efeitos colaterais de certos medicamentos, e pode ser observado em atletas bem treinados.

BLOQUEIO ATRIOVENTRICULAR

O único meio pelo qual os impulsos podem passar normalmente dos átrios para os ventrículos é o *feixe AV*, também conhecido como *feixe de His*. As condições que podem diminuir a taxa de condução do impulso nesse feixe ou bloquear totalmente o impulso são as seguintes:

1. *Isquemia do nó AV ou das fibras do feixe de His* frequentemente atrasa ou bloqueia a condução dos átrios para os ventrículos. Uma insuficiência coronariana pode causar isquemia do nó e do feixe de His da mesma maneira que pode causar isquemia do miocárdio.
2. A *compressão do feixe de His* por tecido cicatricial ou por áreas calcificadas do coração pode deprimir ou bloquear a condução dos átrios para os ventrículos.
3. *Inflamação do nó AV ou do feixe de His* pode deprimir a condução dos átrios para os ventrículos. Uma inflamação frequentemente resulta de diferentes tipos de miocardite que são causadas, por exemplo, por difteria ou doença reumática.
4. *A estimulação extrema do coração pelos nervos vagos*, em casos raros, bloqueia a condução do impulso através do nó AV. Essa excitação vagal ocasionalmente é resultante de forte estimulação dos barorreceptores em pessoas com *síndrome do seio carotídeo*, discutida anteriormente em relação à bradicardia.
5. *Degeneração do sistema de condução AV*, que algumas vezes é observada em pacientes mais idosos.
6. *Medicamentos como digitálicos ou antagonistas beta-adrenérgicos* podem, em alguns casos, prejudicar a condução AV.

BLOQUEIO ATRIOVENTRICULAR INCOMPLETO

Bloqueio de primeiro grau – intervalo PR prolongado. O lapso de tempo usual entre o *início* da onda P e o *início* do complexo QRS é de cerca de 0,16 segundo quando

Figura 13.3 Arritmia sinusal registrada por um cardiotacômetro. À esquerda está o registro quando a pessoa respirava normalmente; à direita, quando respirava profundamente.

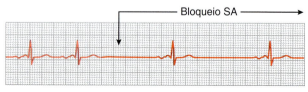

Figura 13.4 Bloqueio nodal sinoatrial (SA), com ritmo nodal atrioventricular durante o período de bloqueio (derivação DIII).

o coração está batendo em uma frequência normal. Esse *intervalo PR* geralmente diminui de comprimento com um batimento cardíaco mais rápido e aumenta com um batimento cardíaco mais lento. Em geral, quando o intervalo PR aumenta para mais de 0,20 segundo é considerado prolongado e o paciente tem um *bloqueio cardíaco incompleto de primeiro grau*.

A **Figura 13.5** mostra um ECG com um intervalo PR prolongado; o intervalo, nesse caso, é de cerca de 0,30 segundo, em vez de 0,20 segundo, ou menos, do intervalo normal. Assim, o bloqueio de primeiro grau é definido como um *atraso* na condução dos átrios para os ventrículos, mas não o bloqueio real da condução. O intervalo PR raramente dura mais de 0,35 a 0,45 segundo porque, nessa altura, a condução através do feixe de His está tão deprimida que a condução é totalmente interrompida. Um meio de determinar a gravidade de certas patologias cardíacas, como a *cardiopatia reumática aguda*, por exemplo, é medir o intervalo PR.

Bloqueio de segundo grau. Quando a condução através do feixe de His é lenta o suficiente para aumentar o intervalo PR de 0,25 a 0,45 segundo, o potencial de ação pode ser forte o suficiente para passar pelo feixe para os ventrículos e às vezes não é forte o suficiente para fazê-lo. Nesse caso, haverá uma onda P atrial, mas nenhuma onda QRS, e acontecerão os chamados batimentos ausentes (ou faltantes) dos ventrículos. Essa condição é chamada de *bloqueio cardíaco de segundo grau*.

Existem dois tipos de bloqueio AV de segundo grau – *Mobitz tipo I* (também conhecido como *periodicidade de Wenckebach*) e *Mobitz tipo II*. O bloqueio do tipo I é caracterizado pelo prolongamento progressivo do intervalo PR até ocorrer um batimento ventricular faltante e é então seguido pela reinicialização do intervalo PR e repetição do ciclo anormal. Um bloqueio do tipo I quase sempre é causado por anormalidade do nó AV. Na maioria dos casos, esse tipo de bloqueio é benigno e não é necessário um tratamento específico.

No bloqueio do tipo II, geralmente há um número fixo de ondas P não conduzidas para cada complexo QRS. Por exemplo, um bloqueio 2:1 implica que existem duas ondas P para cada complexo QRS. Em outras ocasiões, podem ocorrer ritmos de 3:2 ou 3:1. Em contraste com o bloqueio do tipo I, no bloqueio do tipo II, o intervalo PR não muda antes do batimento caído; ele permanece fixo. O bloqueio do tipo II geralmente é causado por uma anormalidade do feixe do sistema His-Purkinje e pode exigir o implante de um marca-passo artificial para evitar a progressão para um bloqueio cardíaco completo e a parada cardíaca.

A **Figura 13.6** mostra o prolongamento progressivo do intervalo PR, típico do bloqueio tipo I (Wenckebach). Observe o prolongamento do intervalo PR precedendo o batimento caído, seguido por um intervalo PR encurtado após o batimento caído.

Bloqueio AV completo (bloqueio de terceiro grau). Quando a condição que causa problemas de condução no nó AV ou no feixe de His se agrava, ocorre o bloqueio completo do impulso dos átrios para os ventrículos. Nesse caso, os ventrículos estabelecem espontaneamente seu próprio sinal, geralmente originado no nó AV ou feixe de His distal ao bloqueio. Portanto, as ondas P tornam-se dissociadas dos complexos QRS, como mostrado na **Figura 13.7**. Observe que a *frequência de ritmo dos átrios* nesse ECG é de cerca de 100 batimentos/min, enquanto a frequência de batimento ventricular é inferior a 40 batimentos/min. Além disso, não existe relação entre o ritmo das ondas P e o dos complexos QRS porque os ventrículos "escaparam" do controle pelos átrios, ganharam autonomia e estão batendo em sua própria frequência natural, controlada na maioria das vezes por sinais rítmicos gerados distalmente ao nó AV ou feixe de His, onde ocorre o bloqueio.

Síndrome de Stokes-Adams – escape ventricular. Em alguns pacientes com bloqueio AV, o bloqueio total vai e vem, ou seja, os impulsos são conduzidos dos átrios para os ventrículos por um período de tempo e então, repentinamente, deixam de ser conduzidos. A duração do bloqueio pode ser de alguns segundos, alguns minutos, algumas horas ou mesmo semanas ou mais antes do retorno da condução. Essa condição ocorre em corações com isquemia limítrofe do sistema condutor.

Cada vez que a condução AV é interrompida, os ventrículos geralmente só iniciam seu próprio batimento após um atraso de 5 a 30 segundos. Esse atraso resulta do fenômeno denominado *supressão por superestímulo*. A supressão por superestímulo significa que a excitabilidade ventricular é inicialmente suprimida porque os ventrículos

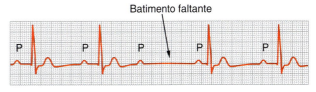

Figura 13.6 Bloqueio atrioventricular de segundo grau tipo I, mostrando o prolongamento PR progressivo antes de um batimento cardíaco faltante.

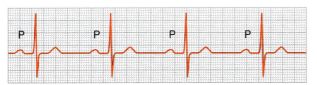

Figura 13.5 Intervalo PR prolongado, causado por bloqueio atrioventricular de primeiro grau (derivação DII).

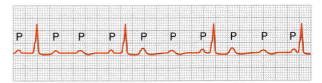

Figura 13.7 Bloqueio atrioventricular completo (derivação DII).

foram impulsionados pelos átrios a uma taxa maior do que sua frequência rítmica natural. No entanto, após alguns segundos, certas áreas do sistema Purkinje além do bloqueio, geralmente na parte distal do nó AV além do ponto de bloqueio no nó ou no feixe de His, começam a descarregar ritmicamente a uma taxa de 15 a 40 vezes/min, agindo como um marca-passo dos ventrículos. Esse fenômeno é denominado *escape ventricular*.

Como o cérebro não consegue permanecer ativo por mais de 4 a 7 segundos sem suprimento de sangue, a maioria das pessoas desmaia alguns segundos após a ocorrência de um bloqueio completo, porque o coração não bombeia sangue por 5 a 30 segundos, até que os ventrículos "escapem". Após o escape, no entanto, os ventrículos que batem lentamente (geralmente menos de 40 batimentos/min) bombeiam sangue suficiente para permitir uma rápida recuperação do desmaio e, então, sustentar a pessoa. Esses desmaios periódicos (síncope) são conhecidos como *síndrome de Stokes-Adams*.

Ocasionalmente, o intervalo de paralisação ventricular no início do bloqueio completo é tão longo que se torna prejudicial à saúde do paciente e pode até mesmo causar a morte. Consequentemente, a maioria desses pacientes recebe um *marca-passo artificial*, um pequeno estimulador elétrico operado por bateria colocado sob a pele, com eletrodos geralmente conectados ao ventrículo direito. O marca-passo fornece impulsos rítmicos contínuos aos ventrículos.

BLOQUEIO INTRAVENTRICULAR INCOMPLETO – ALTERNÂNCIAS ELÉTRICAS

A maioria dos fatores que podem causar o bloqueio AV também podem bloquear a condução do impulso no sistema de Purkinje ventricular periférico. A **Figura 13.8** mostra a condição conhecida como *alternância elétrica*, que resulta do bloqueio intraventricular parcial a cada dois batimentos cardíacos. Esse ECG também mostra *taquicardia* (frequência cardíaca acelerada), que provavelmente é a razão da ocorrência do bloqueio. Isso porque, quando a frequência cardíaca é rápida, pode ser impossível para algumas partes do sistema de Purkinje se recuperarem do período refratário anterior com rapidez suficiente para responder a cada batimento cardíaco subsequente. Além disso, muitas condições que deprimem o coração, como isquemia, miocardite ou toxicidade digitálica, podem causar bloqueio intraventricular incompleto, resultando em alternâncias elétricas.

CONTRAÇÕES PREMATURAS

Uma contração prematura é a ocorrência de uma contração cardíaca antes do tempo que seria esperado. Essa condição também é chamada de *extrassístole*, *batimento prematuro* ou *batimento ectópico*.

CAUSAS DAS CONTRAÇÕES PREMATURAS

A maioria das contrações prematuras resulta de *focos ectópicos* no coração, que emitem impulsos anormais em momentos ímpares durante o ritmo cardíaco. As possíveis causas de focos ectópicos são as seguintes: (1) áreas localizadas de isquemia; (2) pequenas placas calcificadas em diferentes pontos do coração, que pressionam o músculo cardíaco adjacente de modo que algumas das fibras ficam irritadas; e (3) irritação tóxica do nó AV, sistema de Purkinje ou miocárdio, causada por infecção, medicamentos, nicotina ou cafeína. O desenvolvimento mecânico de contrações prematuras também é frequente durante o cateterismo cardíaco; geralmente ocorre um grande número de contrações prematuras quando o cateter entra no ventrículo e pressiona o endocárdio.

CONTRAÇÕES ATRIAIS PREMATURAS

A **Figura 13.9** mostra uma única contração atrial prematura (CAP). A onda P desse batimento ocorreu muito cedo no ciclo cardíaco; o intervalo PR é encurtado, indicando que a origem ectópica do batimento está nos átrios, próximo ao nó AV. Além disso, o intervalo entre a contração prematura e a contração subsequente é ligeiramente prolongado, o que é chamado de *pausa compensatória*. Uma das razões para a ocorrência dessa pausa compensatória é que a contração prematura se originou no átrio a certa distância do nó sinusal, e o impulso teve de percorrer uma quantidade considerável de músculo atrial antes de descarregar o nó sinusal. Consequentemente, o nó sinusal descarregou com atraso no ciclo prematuro, o que fez com que a descarga do nó sinusal subsequente também aparecesse tardiamente.

As CAPs ocorrem com frequência em pessoas saudáveis. Geralmente se manifestam em atletas cujos corações estão em condições muito saudáveis. Condições tóxicas leves, resultantes de fatores como tabagismo, falta de sono, ingestão exagerada de café, alcoolismo e uso de várias substâncias também podem provocar essas contrações.

Déficit de pulso. Quando o coração se contrai antes do previsto, os ventrículos não se enchem de sangue

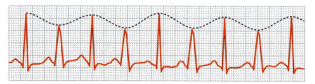

Figura 13.8 Bloqueio intraventricular parcial – alternância elétrica (derivação DI).

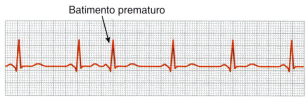

Figura 13.9 Batimento atrial prematuro (derivação DI).

normalmente e a saída do volume sistólico durante essa contração é diminuída ou quase ausente. Portanto, a onda de pulso que passa para as artérias periféricas após uma contração prematura pode ser tão fraca que não pode ser sentida na artéria radial. Assim, ocorre um déficit no número de pulsos radiais, quando comparado com o número real de contrações do coração.

CONTRAÇÕES PREMATURAS NO NÓ AV OU NO FEIXE DE HIS

A **Figura 13.10** mostra uma contração prematura que se originou no nó AV ou no feixe de His. Falta a onda P no registro eletrocardiográfico da contração prematura. Em vez disso, a onda P é sobreposta ao complexo QRS porque o impulso cardíaco viajou para trás para os átrios, ao mesmo tempo que viajou para os ventrículos. Essa onda P distorce ligeiramente o complexo QRS, mas a onda P propriamente dita não pode ser evidenciada como tal. Em geral, as contrações prematuras nodais AV têm o mesmo significado e causas que as contrações prematuras atriais.

CONTRAÇÕES VENTRICULARES PREMATURAS

O ECG na **Figura 13.11** mostra uma série de contrações ventriculares prematuras (CVPs), alternando com contrações normais em um padrão conhecido como *bigeminismo*. As CVPs causam efeitos específicos no ECG:

1. *Em geral, o complexo QRS é consideravelmente prolongado.* A razão para esse prolongamento é que o impulso é conduzido principalmente através da musculatura dos ventrículos, de condução lenta, em vez do sistema de Purkinje.
2. *O complexo QRS tem alta voltagem.* Quando o impulso normal é conduzido através do coração, passa pelos dois ventrículos quase simultaneamente. Consequentemente, no coração normal, as ondas de despolarização dos dois lados do coração – principalmente de polaridade oposta entre si – neutralizam-se parcialmente no ECG. Quando ocorre uma CVP, o impulso quase sempre viaja em apenas uma direção, não ocorrendo o efeito de neutralização, e um lado inteiro ou a extremidade dos ventrículos é despolarizado antes do outro, o que causa grandes potenciais elétricos, como mostrado para as CVPs na **Figura 13.11**.
3. Depois de quase todas as CVPs, a *onda T tem uma polaridade de potencial elétrico exatamente oposta àquela do complexo QRS*, porque a *condução lenta do impulso* através do músculo cardíaco faz com que as fibras musculares que despolarizam primeiro também se repolarizem primeiro.

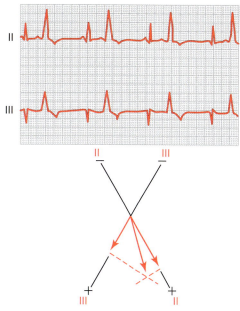

Figura 13.11 Contrações ventriculares prematuras (CVPs) demonstradas pelos grandes complexos QRS anormais (derivações II e III). O eixo das contrações prematuras é traçado de acordo com os princípios da análise vetorial explicados no Capítulo 12 e mostra a origem da CVP próxima à base dos ventrículos.

Algumas CVPs são relativamente benignas em seus efeitos sobre o bombeamento geral pelo coração; elas podem resultar de fatores como tabagismo, ingestão excessiva de café, falta de sono, vários estados tóxicos leves e até irritabilidade emocional. Por outro lado, muitas outras CVPs resultam de impulsos isolados e dispersos, ou sinais de reentrada que se originam em torno das bordas de áreas infartadas ou isquêmicas do coração. A presença dessas CVPs deve ser levada a sério. Pessoas com um número significativo de CVPs geralmente têm um risco muito maior de desenvolver fibrilação ventricular letal espontânea, presumivelmente provocada por uma dessas CVPs. Essa situação é especialmente prevalente quando as CVPs acontecem durante o período mais vulnerável para a ocorrência de fibrilação, qual seja, logo no final da onda T, quando os ventrículos estão saindo do período refratário, como será explicado posteriormente neste capítulo.

Análise vetorial da origem de uma contração ventricular prematura ectópica. No Capítulo 12, são explicados os princípios da análise vetorial. Com a aplicação desses princípios, pode-se determinar, com base no ECG da **Figura 13.11**, o ponto de origem da CVP, como descrito a seguir. Observe que os potenciais das contrações prematuras nas derivações DII e DIII são fortemente positivos. Ao traçar esses potenciais nos eixos das derivações DII e DIII e estabelecer por análise vetorial o vetor QRS médio no coração, descobre-se que o vetor desta contração prematura tem a extremidade negativa (origem) na base do coração e a

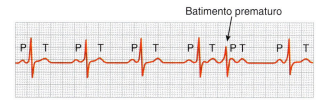

Figura 13.10 Contração nodal atrioventricular prematura (derivação DIII).

extremidade positiva em direção ao ápice. Assim, a primeira porção do coração a se despolarizar durante essa contração prematura fica próxima à base dos ventrículos, que é, portanto, a origem do foco ectópico.

Distúrbios da repolarização cardíaca – síndrome do QT longo. Lembre-se de que a onda Q corresponde à despolarização ventricular, enquanto a onda T corresponde à repolarização ventricular. O intervalo QT é o tempo do ponto Q ao fim da onda T. Distúrbios que atrasem a repolarização da musculatura ventricular após o potencial de ação causam potenciais de ação ventricular prolongados e, portanto, intervalos QT excessivamente longos no ECG, uma condição chamada de *síndrome do QT longo* (SQTL).

A principal preocupação associada à SQTL é que o atraso na repolarização da musculatura ventricular aumenta a suscetibilidade de desenvolvimento de arritmias ventriculares chamadas *torsade de pointes*, que literalmente significa "torção das pontas". Esse tipo de arritmia tem as características mostradas na **Figura 13.12**. A forma do complexo QRS pode mudar ao longo do tempo, com a arritmia geralmente se manifestando após um batimento prematuro, uma pausa e, em seguida, outro batimento com um longo intervalo QT, que pode desencadear arritmias, taquicardia e, em alguns casos, fibrilação ventricular.

Os distúrbios de repolarização cardíaca que levam à SQTL podem ser herdados ou adquiridos. As formas congênitas de SQTL são doenças raras causadas por mutações nos genes dos canais de sódio ou potássio. Foram identificadas pelo menos 17 mutações diferentes desses genes, que causam graus variáveis de prolongamento QT.

Mais comuns são as formas adquiridas de SQTL, que estão associadas a distúrbios eletrolíticos plasmáticos, como hipomagnesemia, hipopotassemia ou hipocalcemia, ou com a administração de quantidades excessivas de medicamentos antiarrítmicos, como quinidina ou alguns antibióticos, como quinolonas ou eritromicina, que prolongam o intervalo QT.

Embora algumas pessoas com SQTL não tenham sintomas importantes (além do intervalo QT prolongado), outras apresentam desmaios e arritmias ventriculares que podem ser precipitadas por exercícios físicos; emoções intensas, como medo, raiva ou um grande susto. As arritmias ventriculares associadas à SQTL podem, em alguns casos, deteriorar-se em fibrilação ventricular e morte súbita.

O tratamento pode incluir sulfato de magnésio para SQTL aguda e medicação antiarrítmica, como bloqueadores beta-adrenérgicos, ou a implantação cirúrgica de um dispositivo cardíaco desfibrilador no caso de SQTL crônica.

TAQUICARDIA PAROXÍSTICA

Ocasionalmente, algumas anormalidades em diferentes partes do coração, incluindo os átrios, o sistema de Purkinje ou os ventrículos, podem causar uma rápida descarga rítmica de impulsos, que se espalham em todas as direções e pelo coração. Acredita-se que esse fenômeno seja causado com mais frequência por vias de *feedback* com *movimento circular* de reentrada que controlam a

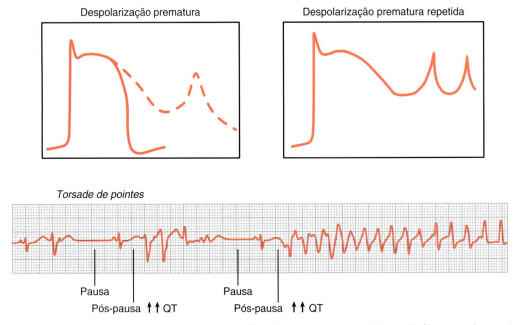

Figura 13.12 Desenvolvimento de arritmias na síndrome do QT longo (SQTL). Quando o potencial de ação da fibra muscular ventricular é prolongado como resultado do atraso na repolarização, pode ocorrer uma despolarização prematura (*linha tracejada na figura superior esquerda*) antes da repolarização completa. Sob certas condições, as despolarizações prematuras repetidas (*figura superior direita*) podem levar a despolarizações múltiplas. Na *torsade de pointes* (*figura inferior*), batimentos ventriculares prematuros levam a pausas, prolongamento pós-pausa do intervalo QT e arritmias. (*Modificada de Murray KT, Roden DM: Disorders of cardiac repolarization: the long QT syndromes. In: Crawford MG, DiMarco JP [eds]: Cardiology. London: Mosby, 2001.*)

autorreexcitação local repetida. Devido ao ritmo rápido do foco irritável, esse foco se torna o marca-passo cardíaco.

O termo *paroxístico* significa que a frequência cardíaca fica rápida nos paroxismos, começando subitamente e durando alguns segundos, minutos, horas ou muito mais. O paroxismo geralmente termina tão repentinamente quanto começou, com o marca-passo do coração voltando imediatamente para o nó sinusal.

A taquicardia paroxística geralmente pode ser interrompida provocando-se um reflexo vagal. Um tipo de reflexo vagal que pode ser desencadeado com esse propósito ocorre quando se pressiona o pescoço nas regiões dos seios carotídeos, o que pode causar reflexo vagal suficiente para interromper o paroxismo. Também podem ser usados medicamentos antiarrítmicos para atrasar a condução ou prolongar o período refratário nos tecidos cardíacos.

TAQUICARDIA ATRIAL PAROXÍSTICA

A **Figura 13.13** demonstra um aumento repentino na frequência cardíaca de cerca de 95 para aproximadamente 150 batimentos/min no meio do registro. Analisando detalhadamente o ECG, pode-se observar uma onda P invertida durante o batimento cardíaco rápido antes de cada complexo QRS, e essa onda P fica parcialmente sobreposta à onda T normal do batimento anterior. Esse achado indica que a origem dessa taquicardia paroxística está no átrio, mas, como a onda P tem formato anormal, a origem não fica próximo do nó sinusal.

Taquicardia nodal paroxística. A taquicardia paroxística geralmente resulta de um ritmo aberrante envolvendo o nó AV, que geralmente causa complexos QRS quase normais, mas ondas P totalmente ausentes ou obscurecidas.

Em geral, a taquicardia paroxística atrial ou nodal, ambas conhecidas como *taquicardias supraventriculares*, ocorrem em pessoas jovens, de outra forma saudáveis, e geralmente são decorrentes de uma predisposição para a taquicardia depois da adolescência. Em geral, a taquicardia supraventricular assusta muito o paciente e pode causar fraqueza durante o paroxismo, mas geralmente a crise não provoca danos permanentes.

TAQUICARDIA VENTRICULAR

A **Figura 13.14** mostra um curto paroxismo típico de taquicardia ventricular. O ECG da taquicardia ventricular tem o aspecto de uma série de batimentos ventriculares

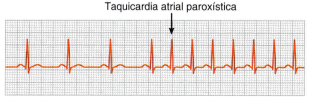

Figura 13.13 Taquicardia atrial paroxística – início no meio do registro (derivação DI).

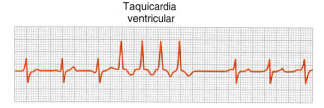

Figura 13.14 Taquicardia ventricular paroxística (derivação DIII).

prematuros ocorrendo um após o outro, sem nenhum batimento normal intercalado.

A taquicardia ventricular geralmente é uma condição séria por dois motivos. Em primeiro lugar, esse tipo de taquicardia geralmente não ocorre, a menos que haja dano isquêmico considerável nos ventrículos. Em segundo lugar, *a taquicardia ventricular frequentemente inicia a condição letal de fibrilação ventricular* por causa da estimulação rápida e repetida do músculo ventricular, como será discutido na próxima seção.

Às vezes, a intoxicação por *digitálicos* administrados como medicação para tratamento da insuficiência cardíaca causa focos irritáveis que levam à taquicardia ventricular. Medicamentos antiarrítmicos, como *amiodarona* ou *lidocaína*, podem ser usados para tratar a taquicardia ventricular. A lidocaína deprime o aumento normal da permeabilidade ao sódio na membrana do músculo cardíaco durante a geração do potencial de ação, frequentemente bloqueando a descarga rítmica do ponto focal que está causando a crise paroxística. A amiodarona tem múltiplas ações, como prolongar o potencial de ação e o período refratário no músculo cardíaco e desacelerar a condução AV. Em alguns casos, é necessária uma *cardioversão* com choque elétrico no coração para restaurar o ritmo cardíaco normal.

FIBRILAÇÃO VENTRICULAR

A mais séria entre todas as arritmias cardíacas é a fibrilação ventricular, que, se não for interrompida em 1 a 3 minutos, é quase invariavelmente fatal. A fibrilação ventricular resulta de impulsos cardíacos que se tornaram irregulares dentro da massa muscular ventricular, estimulando primeiro uma porção do músculo ventricular, depois outra porção, depois outra e, finalmente, realimentando-se para excitar o mesmo músculo ventricular repetidamente, sem parar. Quando esse fenômeno ocorre, pequenas porções da musculatura ventricular se contraem ao mesmo tempo, enquanto outras partes relaxam. Assim, nunca ocorre uma contração coordenada de toda a musculatura ventricular de uma só vez, necessária ao ciclo de bombeamento cardíaco. Apesar do movimento maciço de sinais estimuladores ao longo dos ventrículos, as câmaras ventriculares não aumentam nem se contraem, mas permanecem em um estágio indeterminado de contração parcial, bombeando sem sangue ou com quantidades desprezíveis. Portanto, após o início da fibrilação, dentro de 4 a 5 segundos, ocorre inconsciência, resultante da falta de fluxo sanguíneo para o cérebro, e a morte irrecuperável dos tecidos começa a ocorrer em todo o corpo em poucos minutos.

Vários fatores podem desencadear o início da fibrilação ventricular; uma pessoa pode ter batimentos cardíacos normais em um momento, mas 1 segundo depois, os ventrículos podem entrar em fibrilação. Os fatores com probabilidade especial para iniciar a fibrilação são um choque elétrico súbito no coração, isquemia do músculo cardíaco ou isquemia do sistema de condução especializado.

FENÔMENO DE REENTRADA – MOVIMENTOS CIRCULARES COMO BASE PARA A FIBRILAÇÃO VENTRICULAR

Quando o impulso cardíaco *normal* em um coração normal percorre a extensão dos ventrículos, ele não tem para onde ir porque todo o músculo ventricular se encontra em período refratário e não pode conduzir o impulso. Portanto, esse impulso morre, e o coração aguarda que um novo potencial de ação comece no nó sinusal.

Em algumas circunstâncias, entretanto, essa sequência normal de eventos não ocorre. A seguir será apresentada uma explicação mais completa sobre as condições subjacentes que podem iniciar a reentrada e resultar no que é conhecido como *movimentos circulares*, que por sua vez causam a fibrilação ventricular.

A **Figura 13.15** mostra várias pequenas tiras de músculo cardíaco cortadas na forma de círculos. Se essa faixa for estimulada na posição das 12 horas, *de modo que o impulso viaje em apenas uma direção*, o impulso se espalhará progressivamente em torno do círculo até retornar à posição das 12 horas. Se as fibras musculares estimuladas originalmente ainda estiverem em um estado refratário, o impulso morrerá, porque o músculo refratário não pode transmitir um segundo impulso. No entanto, três condições diferentes podem fazer com que esse impulso continue a viajar em torno do círculo – isto é, podem causar a reentrada do impulso no músculo que já foi excitado (movimento circular):

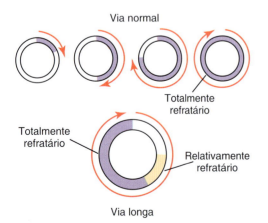

Figura 13.15 Movimento circular, mostrando aniquilação do impulso na via curta e propagação contínua do impulso na via longa.

1. Se a *via em torno do círculo for muito mais longa do que o normal*, no momento em que o impulso retornar à posição das 12 horas, o músculo originalmente estimulado não estará mais refratário e o impulso continuará em torno do círculo repetidamente.
2. Se o comprimento da via permanecer constante, mas a *velocidade de condução diminuir* o suficiente, um intervalo de tempo maior decorrerá antes que o impulso retorne à posição das 12 horas. A esta altura, o músculo originalmente estimulado pode estar fora do estado refratário e o impulso pode continuar ao redor do círculo repetidamente.
3. *O período refratário do músculo pode ficar muito encurtado.* Nesse caso, o impulso também pode continuar em torno do círculo.

Essas condições ocorrem em diferentes estados patológicos do coração humano: (1) o alongamento da via ocorre tipicamente em corações dilatados; (2) a diminuição da taxa de condução frequentemente resulta do bloqueio do sistema de Purkinje, isquemia do músculo, níveis elevados de potássio no sangue e muitos outros fatores; e (3) o encurtamento do período refratário ocorre comumente em resposta a vários medicamentos, como a adrenalina, ou após estimulação elétrica repetitiva. Assim, em muitos distúrbios cardíacos, a reentrada pode causar padrões anormais de contração cardíaca ou ritmos cardíacos anormais que ignoram os efeitos do marca-passo do nó sinusal.

MECANISMO DE REAÇÃO EM CADEIA NA FIBRILAÇÃO

Na fibrilação ventricular, observam-se muitas ondas contráteis pequenas e distintas, espalhando-se ao mesmo tempo em diferentes direções sobre o músculo cardíaco. Os impulsos reentrantes na fibrilação não são simplesmente um único impulso movendo-se em um círculo, como mostrado na **Figura 13.15**. Em vez disso, eles se degeneraram em uma série de múltiplas frentes de onda que têm a aparência de uma reação em cadeia. Uma das melhores maneiras de explicar esse processo na fibrilação é descrever o início da fibrilação por choque elétrico com uma corrente elétrica alternada de 60 ciclos.

Fibrilação causada por corrente alternada de 60 ciclos. Em um ponto central dos ventrículos no coração A da **Figura 13.16**, é aplicado um estímulo elétrico de 60 ciclos por meio de um eletrodo estimulador. O primeiro ciclo do estímulo elétrico faz com que uma onda de despolarização se espalhe em todas as direções, deixando todo o músculo abaixo do eletrodo em estado refratário. Após cerca de 0,25 segundo, parte desse músculo começa a sair do estado refratário. Algumas porções saem da refratariedade antes de outras. Esse estado de eventos é representado no coração A por muitas manchas mais claras, que representam o músculo cardíaco excitável, e manchas escuras, que representam músculos que ainda são refratários. Agora, a manutenção de estímulos de 60 ciclos pelo

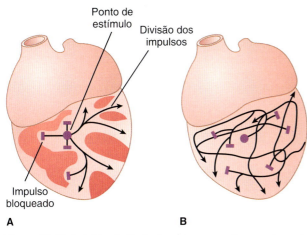

Figura 13.16 A. Início da fibrilação em um coração com áreas de musculatura refratária. **B.** Propagação contínua de impulsos fibrilatórios no ventrículo fibrilante.

eletrodo pode fazer com que os impulsos viajem apenas em certas direções através do coração, mas não em todas as direções. Assim, no coração A, certos impulsos viajam por curtas distâncias até chegarem às áreas refratárias do coração e, então, são bloqueados. No entanto, outros impulsos passam entre as áreas refratárias e continuam a viajar nas áreas excitáveis. Então, vários eventos acontecem em rápida sucessão, todos ocorrendo simultaneamente e culminando em um estado de fibrilação.

Primeiro, o bloqueio dos impulsos em algumas direções, mas a transmissão bem-sucedida em outras, criam uma das condições necessárias para o desenvolvimento de um sinal reentrante, isto é, *a transmissão de algumas das ondas de despolarização ao redor do coração apenas em algumas direções, mas não em outras*.

Em segundo lugar, a rápida estimulação do coração causa duas mudanças no músculo cardíaco, e ambas predispõem ao movimento circular: (1) a *velocidade de condução através do músculo cardíaco diminui*, o que permite um intervalo de tempo maior para os impulsos viajarem ao redor do coração; e (2) o *período refratário do músculo é encurtado*, permitindo a reentrada do impulso no músculo cardíaco previamente excitado em um tempo muito menor do que o normal.

Terceiro, uma das características mais importantes da fibrilação ventricular é a *divisão dos impulsos*, conforme demonstrado no coração A da **Figura 13.16**. Quando uma onda de despolarização atinge uma área refratária do coração, ela viaja para os dois lados em torno da área refratária. Assim, um único impulso se transforma em dois impulsos. Então, quando cada um desses impulsos atinge outra área refratária, ele se divide para formar mais dois impulsos. Desta forma, muitas novas frentes de onda são continuamente formadas por *reações em cadeia* progressivas até que, finalmente, muitas pequenas ondas de despolarização viajam em muitas direções ao mesmo tempo. Além disso, esse padrão irregular da progressão dos impulsos abre *muitas vias cheias de curvas para que os impulsos passem, alongando muito a via de condução, que é uma das condições que mantêm a fibrilação*. Também resulta em um padrão irregular contínuo de áreas refratárias irregulares no coração.

Pode-se ver facilmente quando um círculo vicioso foi iniciado. Cada vez mais impulsos são formados; esses impulsos causam mais e mais áreas de músculo refratário, e as áreas refratárias causam cada vez mais divisão dos impulsos. Portanto, sempre que uma única área do músculo cardíaco sai da refratariedade, existe um impulso próximo para entrar novamente na área.

O coração B da **Figura 13.16** demonstra o estado final que se desenvolve na fibrilação ventricular. Aqui, podem-se ver muitos impulsos viajando em todas as direções, alguns se dividindo e aumentando o número de impulsos e outros bloqueados por áreas refratárias. Frequentemente um único choque elétrico durante esse período vulnerável pode levar a um padrão irregular de impulsos que se espalham em todas as direções em torno de áreas refratárias do músculo, o que resulta em fibrilação ventricular.

O ELETROCARDIOGRAMA NA FIBRILAÇÃO VENTRICULAR

Na fibrilação ventricular, o ECG apresenta um registro bizarro (ver **Figura 13.17**) e comumente não mostra tendência para um ritmo regular de qualquer tipo. Durante os primeiros segundos de fibrilação ventricular, massas relativamente grandes de músculo se contraem simultaneamente, o que causa ondas irregulares grosseiras no ECG. Após alguns segundos, as contrações grosseiras dos ventrículos desaparecem e o ECG muda para um novo padrão de ondas de baixa voltagem muito irregulares. Portanto, nenhum padrão eletrocardiográfico repetitivo pode ser atribuído à fibrilação ventricular. Em vez disso, a musculatura ventricular se contrai em até 30 a 50 pequenas porções de músculo por vez, e os potenciais eletrocardiográficos mudam constantemente e espasmodicamente, porque as correntes elétricas no coração fluem primeiro em uma direção e depois em outra, e raramente repetem um ciclo específico.

Na fibrilação ventricular as voltagens das ondas no ECG geralmente são de cerca de 0,5 milivolt quando a fibrilação ventricular começa, mas diminuem rapidamente; portanto, após 20 a 30 segundos, na maioria das vezes são de apenas 0,2 a 0,3 milivolt. Podem ser registradas voltagens diminutas de 0,1 milivolt ou menos por 10 minutos ou mais após o início da fibrilação ventricular. Como já foi observado, como não ocorre bombeamento de sangue durante a fibrilação ventricular, esse estado é letal, a

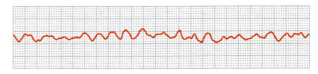

Figura 13.17 Fibrilação ventricular (derivação DII).

menos que interrompido por uma terapia bem-sucedida, como um eletrochoque imediato (desfibrilação) através do coração, como será explicado na próxima seção.

DESFIBRILAÇÃO VENTRICULAR

Embora uma voltagem de corrente alternada moderada aplicada diretamente aos ventrículos desencadeia quase invariavelmente a fibrilação, uma corrente elétrica de alta voltagem que passe pelos ventrículos por uma fração de segundo pode interromper a fibrilação ao colocar todos os músculos ventriculares simultaneamente em período refratário. Isso é conseguido pela passagem de uma corrente intensa através de grandes eletrodos colocados nos dois lados do coração. A corrente penetra na maioria das fibras dos ventrículos ao mesmo tempo, estimulando essencialmente todas as partes dos ventrículos simultaneamente e fazendo com que todas se tornem refratárias. Todos os potenciais de ação cessam, e o coração fica parado por 3 a 5 segundos, após os quais começa a bater novamente, geralmente com o nó sinusal ou alguma outra parte do coração passando a ser o marca-passo. No entanto, se o mesmo foco reentrante que tinha originalmente colocado os ventrículos em fibrilação ainda estiver presente, a fibrilação pode recomeçar imediatamente.

Quando são aplicados eletrodos diretamente nos dois lados do coração, a fibrilação geralmente pode ser interrompida usando 1.000 volts de corrente contínua, aplicada por alguns milésimos de segundo. Quando aplicado através de dois eletrodos na parede torácica, como mostrado na **Figura 13.18**, o procedimento habitual é carregar um grande capacitor elétrico de vários milhares de volts e, em seguida, fazer com que o capacitor descarregue por alguns milésimos de segundo através dos eletrodos e através do coração.

Na maioria dos casos, a corrente de desfibrilação é fornecida ao coração em formas de onda bifásicas, alternando a direção do pulso da corrente através do coração. Essa forma de administração reduz substancialmente a energia necessária para uma desfibrilação bem-sucedida, reduzindo o risco de queimaduras e danos cardíacos.

Em pacientes com alto risco de desenvolvimento de fibrilação ventricular, pode ser colocado um pequeno cardioversor desfibrilador implantável (CDI), alimentado por bateria, com fios de eletrodo alojados no ventrículo direito. O dispositivo é programado para detectar fibrilação ventricular e revertê-la, fornecendo um breve impulso elétrico ao coração. Os avanços na eletrônica e nas baterias permitiram o desenvolvimento de CDIs que podem fornecer corrente elétrica suficiente para desfibrilar o coração por meio de fios de eletrodo implantados por via subcutânea, fora da caixa torácica, próximo ao coração, em vez de dentro ou sobre o próprio órgão. Esses dispositivos podem ser implantados por meio de procedimento cirúrgico simples.

BOMBEAMENTO MANUAL DO CORAÇÃO (REANIMAÇÃO CARDIOPULMONAR) COMO AUXILIAR NA DESFIBRILAÇÃO

A menos que desfibrilado em 1 minuto após o início da fibrilação ventricular, o coração geralmente está muito fraco para ser reanimado pela desfibrilação, em razão da falta de nutrição pelo fluxo sanguíneo coronário. No entanto, a reanimação ainda é possível com o bombeamento manual do coração (compressão manual intermitente) antes e a desfibrilação posteriormente. Dessa forma, pequenas quantidades de sangue são distribuídas na aorta, e desenvolve-se um novo suprimento de sangue coronário. Então, após alguns minutos de bombeamento manual, a desfibrilação elétrica geralmente se torna possível. Corações em fibrilação foram bombeados manualmente por até 90 minutos, seguidos de uma desfibrilação bem-sucedida.

A técnica para bombear o coração sem abrir o tórax consiste em dar golpes intermitentes de pressão sobre a parede torácica, juntamente com respiração artificial. Esse processo, mais a desfibrilação, é chamado de *reanimação cardiopulmonar* (RCP).

A falta de fluxo sanguíneo para o cérebro por mais de 5 a 8 minutos geralmente causa comprometimento mental permanente ou mesmo destruição do tecido cerebral. Ainda que o coração seja reanimado, a pessoa pode morrer em razão dos efeitos do dano cerebral ou pode viver com sequela mental permanente.

FIBRILAÇÃO ATRIAL

Lembre-se de que, exceto para a via de condução através do feixe de His, a massa muscular atrial é separada da massa muscular ventricular por tecido fibroso. Portanto,

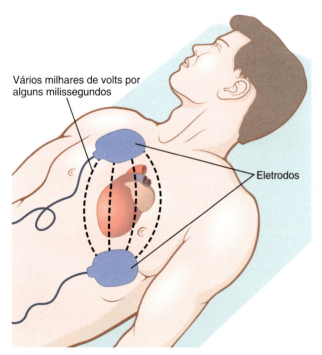

Figura 13.18 Aplicação de corrente elétrica no tórax para interromper a fibrilação ventricular.

a fibrilação ventricular ocorre frequentemente sem fibrilação atrial. Da mesma forma, a fibrilação frequentemente ocorre nos átrios sem fibrilação ventricular (à direita na **Figura 13.20**).

O mecanismo da fibrilação atrial é idêntico ao da fibrilação ventricular, exceto que o processo ocorre apenas na massa muscular atrial em vez da massa ventricular. Uma causa frequente de fibrilação atrial é o aumento do volume atrial, que pode resultar, por exemplo, de lesões nas valvas cardíacas que impedem o esvaziamento adequado dos átrios para os ventrículos ou de insuficiência ventricular com excesso de represamento de sangue nos átrios. As paredes atriais dilatadas fornecem as condições ideais para uma via de condução longa, bem como de condução lenta, e ambas predispõem à fibrilação atrial.

Bombeamento prejudicado dos átrios durante a fibrilação atrial. Pelas mesmas razões que os ventrículos não bombeiam sangue durante a fibrilação ventricular, os átrios também não bombearão na fibrilação atrial. Portanto, os átrios tornam-se inúteis como bombas primárias para os ventrículos. Mesmo assim, o sangue flui passivamente através dos átrios para os ventrículos, e a eficiência do bombeamento ventricular diminui em apenas 20 a 30%. Portanto, em contraste com a letalidade da fibrilação ventricular, uma pessoa pode viver anos com fibrilação atrial, embora com eficiência geral reduzida no bombeamento cardíaco. No entanto, devido à redução da função contrátil atrial, o sangue pode estagnar, permitindo a formação de coágulos sanguíneos no apêndice atrial. Esses coágulos sanguíneos podem se deslocar e viajar para o cérebro, causando acidente vascular cerebral, ou para outras partes do corpo. Portanto, os pacientes com fibrilação atrial geralmente recebem medicamentos para reduzir a coagulação do sangue (anticoagulantes) de modo a reduzir o risco de embolia.

O ELETROCARDIOGRAMA NA FIBRILAÇÃO ATRIAL

A **Figura 13.19** mostra o ECG durante a fibrilação atrial. Numerosas ondas pequenas de despolarização se espalham em todas as direções através dos átrios durante a fibrilação atrial. Como as ondas são fracas e muitas delas têm polaridade oposta a qualquer dado momento, elas em geral se neutralizam eletricamente quase por completo. Portanto, no ECG, não é possível observar nenhuma onda P dos átrios, ou apenas um registro de onda fina, de alta frequência e muito baixa voltagem. Por outro lado, os complexos QRS são normais, a menos que haja alguma patologia dos ventrículos, mas seu ritmo é irregular, como será explicado a seguir.

IRREGULARIDADE DO RITMO VENTRICULAR DURANTE A FIBRILAÇÃO ATRIAL

Quando os átrios estão em fibrilação, os impulsos provenientes do músculo atrial chegam ao nó AV rapidamente, mas também de forma irregular. Como o nó AV não transmitirá um segundo impulso por cerca de 0,35 segundo após o anterior, deve decorrer pelo menos 0,35 segundo entre uma contração ventricular e a seguinte. Então, ocorre um intervalo adicional mas variável de 0 a 0,6 segundo, antes que um dos impulsos fibrilatórios atriais irregulares chegue ao nó AV. Assim, o intervalo entre as contrações ventriculares sucessivas varia de um mínimo de aproximadamente 0,35 segundo a um máximo de cerca de 0,95 segundo, provocando um batimento cardíaco muito irregular. Na verdade, essa irregularidade, demonstrada pelo espaçamento variável dos batimentos cardíacos no ECG mostrado na **Figura 13.19**, é um dos achados clínicos utilizados para diagnosticar esta condição. Além disso, em virtude da rápida frequência dos impulsos fibrilatórios nos átrios, o ventrículo é estimulado a uma taxa cardíaca acelerada, geralmente entre 125 e 150 batimentos/min.

TRATAMENTO DA FIBRILAÇÃO ATRIAL POR CARDIOVERSÃO

Do mesmo modo que a fibrilação ventricular pode ser convertida ao ritmo normal por eletrochoque, a fibrilação atrial também pode ser convertida pelo mesmo método. O procedimento é semelhante ao da conversão da fibrilação ventricular, exceto que o choque elétrico único é programado (ou sincronizado) para disparar apenas durante o complexo QRS, quando os ventrículos são refratários à estimulação. Frequentemente, *o ritmo normal retorna, se o coração for capaz disso*. Esse procedimento é chamado de *cardioversão* sincronizada, em vez de *desfibrilação*, no caso de fibrilação ventricular.

FLUTTER ATRIAL

O *flutter* atrial é outra patologia causada por movimentos circulares nos átrios. O *flutter* atrial é diferente da fibrilação atrial porque o sinal elétrico se propaga como uma única onda grande, sempre em uma direção, repetitivamente em torno da massa muscular atrial, conforme mostrado à esquerda na **Figura 13.20**. O *flutter* atrial causa uma aceleração na frequência de contração dos átrios, geralmente entre 200 e 350 batimentos/min. No entanto, como um lado dos átrios está se contraindo enquanto o outro lado relaxa, a quantidade de sangue bombeado pelos átrios é reduzida. Além disso, os sinais chegam ao nó AV muito rapidamente para que todos passem para os ventrículos, porque os períodos refratários do nó AV e do feixe de His são muito longos para permitir a passagem de

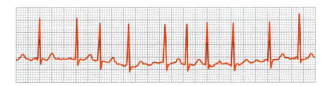

Figura 13.19 Fibrilação atrial (derivação DII). Podem ser observadas as ondas QRS e T ventriculares.

PARTE 3 O Coração

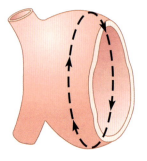
Flutter atrial

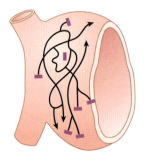
Fibrilação atrial

Figura 13.20 Vias de propagação de impulsos no *flutter* atrial e na fibrilação atrial.

apenas uma fração dos sinais atriais. Portanto, geralmente ocorrem de dois a três batimentos dos átrios para cada batimento dos ventrículos.

A **Figura 13.21** mostra um ECG típico de *flutter* atrial. As ondas P são fortes em virtude da contração de massas musculares semicoordenadas. No entanto, observe que um complexo QRS segue uma onda P atrial apenas uma vez a cada dois batimentos atriais, originando um ritmo de 2:1.

PARADA CARDÍACA

Uma última anormalidade grave do sistema de condução da ritmicidade cardíaca é a *parada cardíaca*, que resulta da interrupção de todos os sinais de controle elétrico no coração. Ou seja, não existe qualquer ritmo espontâneo.

A parada cardíaca pode ocorrer *durante uma anestesia profunda*, quando pode haver hipóxia grave devida à respiração inadequada. A hipóxia impede que as fibras musculares e as fibras condutoras mantenham os diferenciais normais de concentração de eletrólitos em suas membranas, e sua excitabilidade pode ser tão afetada que a ritmicidade automática desaparece.

Em muitos casos de parada cardíaca por anestesia, a RCP prolongada (por muitos minutos ou mesmo horas) é bem-sucedida em restabelecer o ritmo cardíaco normal. Em alguns pacientes, uma doença grave no miocárdio pode causar parada cardíaca permanente ou semipermanente, que pode levar à morte. Para tratar essa condição, têm sido usados com sucesso impulsos elétricos rítmicos de um marca-passo cardíaco eletrônico implantado, para manter os pacientes vivos por meses a anos.

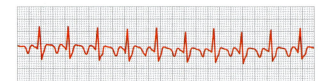

Figura 13.21 *Flutter* atrial a 250 batimentos/min, com ritmo atrial-ventricular de 2:1 a 125 batimentos/min (derivação DII).

Bibliografia

Ackerman M, Atkins DL, Triedman JK: Sudden cardiac death in the young, *Circulation* 133:1006, 2016.

Adler A, Rosso R, Viskin D, et al.: What do we know about the "malignant form" of early repolarization? *J Am Coll Cardiol* 62:863, 2013.

Borne RT, Katz D, Betz J, et al.: Implantable cardioverter-defibrillators for secondary prevention of sudden cardiac death: a review, *J Am Heart Assoc* 6:e005515, 2017.

Darby AE, DiMarco JP: Management of atrial fibrillation in patients with structural heart disease, *Circulation* 125:945, 2012.

Dobrzynski H, Boyett MR, Anderson RH: New insights into pacemaker activity: promoting understanding of sick sinus syndrome, *Circulation* 115:1921, 2007.

Fukuda K, Kanazawa H, Aizawa Y, et al.: Cardiac innervation and sudden cardiac death, *Circ Res* 116:2015, 2005.

Giudicessi JR, Roden DM, Wilde AAM, et al.: Classification and reporting of potentially proarrhythmic common genetic variation in long QT syndrome genetic testing, *Circulation* 137:619, 2018.

Guasch E, Mont L: Diagnosis, pathophysiology, and management of exercise-induced arrhythmias, *Nat Rev Cardiol* 14:88, 2017.

John RM, Tedrow UB, Koplan BA, et al.: Ventricular arrhythmias and sudden cardiac death, *Lancet* 380:1520, 2012.

Koruth JS, Lala A, Pinney S, et al.: The clinical use of ivabradine, *J Am Coll Cardiol* 70:1777, 2017.

Lee G, Sanders P, Kalman JM: Catheter ablation of atrial arrhythmias: state of the art, *Lancet* 380:1509, 2012.

Macfarlane PW, Antzelevitch C, Haissaguerre M, et al.: The early repolarization pattern: A consensus paper, *J Am Coll Cardiol* 66:470, 2015.

Morita H, Wu J, Zipes DP: The QT syndromes: long and short, *Lancet* 372:750, 2008.

Olshansky B, Sullivan RM: Inappropriate sinus tachycardia, *J Am Coll Cardiol* 61:793, 2013.

Park DS, Fishman GI: The cardiac conduction system, *Circulation* 123:904, 2011.

Passman R, Kadish A: Sudden death prevention with implantable devices, *Circulation* 116:561, 2007.

Prystowsky EN, Padanilam BJ, Joshi S, Fogel RI: Ventricular arrhythmias in the absence of structural heart disease, *J Am Coll Cardiol* 59:1733, 2012.

Reed GW, Rossi JE, Cannon CP: Acute myocardial infarction, *Lancet* 389:197, 2017.

Rienstra M, Lubitz SA, Mahida S, et al.: Symptoms and functional status of patients with atrial fibrillation: state of the art and future research opportunities, *Circulation* 125:2933, 2012.

Roden DM: Drug-induced prolongation of the QT interval, *N Engl J Med* 350:1013, 2004.

Schlapfer J, Wellens HJ: Computer-interpreted electrocardiograms. Benefits and limitations, *J Am Coll Cardiol* 70:1183, 2017.

Schwartz PJ, Ackerman MJ, George Jr AL, Wilde AA: Impact of genetics on the clinical management of channelopathies, *J Am Coll Cardiol* 62:169, 2013.

Schwartz PJ, Woosley RL: Predicting the unpredictable: Drug-induced QT prolongation and Torsades de Pointes, *J Am Coll Cardiol* 67:1639, 2016.

Shen MJ, Zipes DP: Role of the autonomic nervous system in modulating cardiac arrhythmias, *Circ Res* 114:1004, 2014.

Staerk L, Sherer JA, Ko D, Benjamin EJ, Helm RH: Atrial fibrillation: epidemiology, pathophysiology, and clinical outcomes, *Circ Res* 120:1501, 2017.

Vijayaraman P, Chung MK, Dandamudi G, et al.: His bundle pacing, *J Am Coll Cardiol* 72:927, 2018.

PARTE 4

Circulação

RESUMO DA PARTE

14 Visão Geral da Circulação: Pressão, Fluxo e Resistência, *168*

15 Distensibilidade Vascular e Funções dos Sistemas Arterial e Venoso, *179*

16 A Microcirculação e o Sistema Linfático: Trocas Capilares, Líquido Intersticial e Fluxo de Linfa, *189*

17 Controle Local e Humoral do Fluxo Sanguíneo nos Tecidos, *202*

18 Regulação Nervosa da Circulação e Controle Rápido da Pressão Arterial, *215*

19 O Papel dos Rins no Controle da Pressão Arterial em Longo Prazo e na Hipertensão, *227*

20 Débito Cardíaco, Retorno Venoso e suas Regulações, *244*

21 Fluxo Sanguíneo Muscular e Débito Cardíaco durante o Exercício; Circulação Coronariana e Cardiopatia Isquêmica, *258*

22 Insuficiência Cardíaca, *270*

23 Valvas e Bulhas Cardíacas; Doenças Cardíacas Valvares e Congênitas, *282*

24 Choque Circulatório e seu Tratamento, *292*

PARTE 4

CAPÍTULO 14

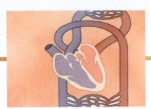

Visão Geral da Circulação: Pressão, Fluxo e Resistência

A função da circulação é atender às necessidades das células corporais – transportar nutrientes para os tecidos, transportar resíduos de produtos, transportar hormônios de uma parte do corpo para outra e, em geral, manter um ambiente adequado em todos os líquidos teciduais para a sobrevivência e o funcionamento ideal das células.

A taxa de fluxo sanguíneo através de muitos tecidos é controlada principalmente em resposta a sua necessidade de nutrientes e remoção de resíduos do metabolismo. Em alguns órgãos, como os rins, a circulação desempenha funções adicionais. O fluxo sanguíneo para o rim, por exemplo, está muito além de suas necessidades metabólicas e está relacionado à sua função excretora, que exige que um grande volume de sangue seja filtrado a cada minuto.

O coração e os vasos sanguíneos, por sua vez, são controlados para suprir o débito cardíaco e a pressão arterial necessários para fornecer o fluxo sanguíneo adequado aos tecidos. Quais são os mecanismos para controlar o volume e o fluxo sanguíneo, e como esse processo se relaciona com as outras funções da circulação? Esses são alguns dos tópicos e questões que discutiremos nesta seção sobre a circulação.

CARACTERÍSTICAS FÍSICAS DA CIRCULAÇÃO

A circulação, mostrada na **Figura 14.1**, é dividida em *circulação sistêmica* e *circulação pulmonar*. Como a circulação sistêmica fornece fluxo sanguíneo para todos os tecidos corporais, exceto os pulmões, também é chamada *grande circulação* ou *circulação periférica*.

Elementos funcionais da circulação. Antes de discutir os detalhes da função circulatória, é importante entender o papel de cada uma das estruturas que participam da função circulatória.

A função das *artérias* é transportar sangue *sob alta pressão* para os tecidos. Por esse motivo, as artérias têm paredes vasculares fortes e o sangue flui em alta velocidade nas artérias.

As *arteríolas* são os pequenos ramos finais do sistema arterial; elas agem como *condutos de controle* através dos quais o sangue é liberado para os capilares. Elas têm fortes paredes musculares que podem fechar os vasos completamente ou, por relaxamento, podem dilatá-los várias vezes; desse modo, as arteríolas podem alterar muito o fluxo sanguíneo em cada tecido em resposta às suas necessidades.

A função dos *capilares* é a troca de líquidos, nutrientes, eletrólitos, hormônios e outras substâncias entre o sangue e o líquido intersticial. Para cumprir essa função, as paredes capilares são finas e têm numerosos *poros capilares* minúsculos, permeáveis à água e outras pequenas substâncias moleculares.

As *vênulas* coletam sangue dos capilares e gradualmente coalescem em veias progressivamente maiores.

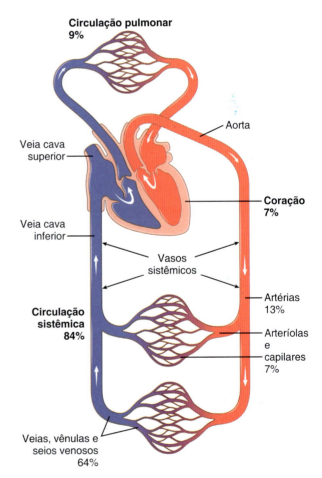

Figura 14.1 Distribuição do sangue (em porcentagem do sangue total) nas diferentes partes do sistema circulatório.

CAPÍTULO 14 Visão Geral da Circulação: Pressão, Fluxo e Resistência

As *veias* funcionam como condutos para o transporte de sangue das vênulas de volta ao coração. As veias também funcionam como um importante reservatório de sangue extra. A pressão no sistema venoso é baixa, e suas paredes venosas são finas. Mesmo assim, são vasos musculosos o suficiente para se contrair ou expandir e, desse modo, servir como um reservatório controlável para o sangue extra, em pequena ou grande quantidade, dependendo das necessidades da circulação.

Volumes sanguíneos nas diferentes partes da circulação.
A **Figura 14.1** fornece uma visão geral da circulação e lista as porcentagens do volume total de sangue nos principais segmentos da circulação. Por exemplo, cerca de 84% de todo o volume de sangue do organismo está na circulação sistêmica e 16%, no coração e nos pulmões. Dos 84% na circulação sistêmica, aproximadamente 64% estão nas veias, 13% nas artérias e 7% nas arteríolas e capilares sistêmicos. O coração contém 7% do sangue e os vasos pulmonares contêm 9%.

O mais surpreendente é o baixo volume de sangue nos capilares. É aqui, entretanto, que ocorre a função mais importante da circulação – a difusão de substâncias, em via de "mão dupla", entre o sangue e os tecidos, conforme discutido no Capítulo 16.

Área de seção transversal e velocidade do fluxo sanguíneo.
Se todos os *vasos sistêmicos* de cada tipo fossem colocados lado a lado, suas áreas de seção transversal totais aproximadas para o ser humano médio seriam as seguintes:

Vaso	Área de seção transversal (cm²)
Aorta	2,5
Pequenas artérias	20
Arteríolas	40
Capilares	2.500
Vênulas	250
Pequenas veias	80
Veias cavas	8

Observe particularmente que as áreas da seção transversal das veias são muito maiores do que as das artérias, em média cerca de quatro vezes. Essa diferença explica a grande capacidade de armazenamento de sangue do sistema venoso em comparação com o sistema arterial.

Como o mesmo fluxo sanguíneo (F) deve passar por cada segmento da circulação (o fluxo F é a quantidade que passa em um dado ponto a cada minuto), a velocidade do fluxo sanguíneo (v) é inversamente proporcional à área da seção transversal vascular (A):

$$v = F/A$$

Assim, em condição de repouso, a média da velocidade é de cerca de 33 cm/s na aorta, mas é apenas 1/1.000 desse valor nos capilares – cerca de 0,3 mm/s. No entanto, como os capilares têm um comprimento típico de apenas 0,3 a 1 milímetro, o sangue permanece neles por apenas 1 a 3 segundos, o que é surpreendente porque toda difusão

de substâncias nutritivas e eletrólitos que ocorre através das paredes dos capilares deve ser realizada neste curto espaço de tempo.

Pressões nas diversas partes da circulação.
Como o coração bombeia sangue continuamente para a aorta, a pressão média nesta artéria é alta, com média de cerca de 100 mmHg. Além disso, como o bombeamento cardíaco é pulsátil, a pressão arterial normalmente alterna entre um *nível médio de pressão sistólica* de 120 mmHg e um *nível de pressão diastólica* de 80 mmHg em condições de repouso, como mostrado no lado esquerdo da **Figura 14.2**.

À medida que o sangue flui através da *circulação sistêmica*, sua pressão média cai progressivamente para cerca de 0 mmHg no momento em que atinge o fim das veias cavas superior e inferior, onde deságuam no átrio direito do coração.

A pressão em muitos dos capilares sistêmicos varia de 35 mmHg, perto das extremidades arteriolares, a um valor tão baixo quanto 10 mmHg perto das extremidades venosas, mas sua pressão funcional média na maioria dos leitos vasculares é de cerca de 17 mmHg, um valor de pressão suficientemente baixo para que pouco plasma flua através dos pequenos *poros* das paredes capilares, embora os nutrientes possam se *difundir* facilmente por esses mesmos poros para as células do tecido periférico. Em alguns capilares, como os capilares glomerulares dos rins, a pressão é consideravelmente mais alta, com média de cerca de 60 mmHg, causando taxas muito mais altas de filtração de líquidos.

Na ponta direita da **Figura 14.2**, observe as respectivas pressões nas diferentes partes da *circulação pulmonar*. Nas artérias pulmonares, a pressão é pulsátil, assim como na aorta, mas a pressão é bem menor; a *pressão sistólica média da artéria pulmonar* é de cerca de 25 mmHg e a *pressão diastólica* média é de cerca de 8 mmHg, com uma pressão arterial pulmonar média de apenas 16 mmHg. A pressão capilar pulmonar média é de apenas 7 mmHg. Ainda assim, o fluxo total de sangue que passa pelos pulmões a cada minuto é o mesmo que pela circulação sistêmica. As baixas pressões do sistema pulmonar estão de acordo com as necessidades dos pulmões, porque o que importa é expor o sangue dos capilares pulmonares ao oxigênio e a outros gases nos alvéolos.

PRINCÍPIOS BÁSICOS DA FUNÇÃO CIRCULATÓRIA

Embora os detalhes do funcionamento circulatório sejam complexos, três princípios básicos fundamentam todas as funções do sistema.

1. *O fluxo sanguíneo para a maioria dos tecidos é controlado de acordo com as necessidades desse tecido.* Quando estão ativos, os tecidos precisam de um suprimento maior de nutrientes e, portanto, de mais fluxo sanguíneo do que quando em repouso, ocasionalmente de 20 a 30 vezes o nível de repouso. No entanto, o coração normalmente não pode aumentar seu débito cardíaco

PARTE 4 Circulação

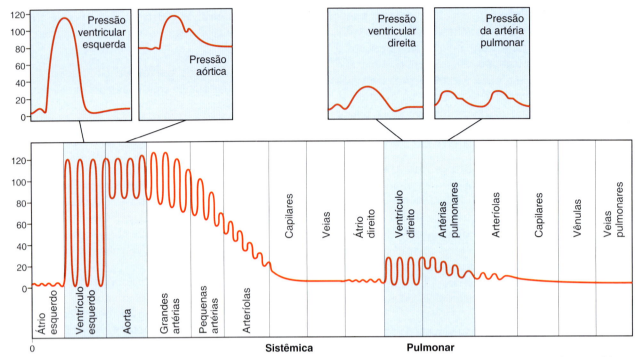

Figura 14.2 Pressão arterial normal (em mmHg) nas diferentes partes do sistema circulatório quando a pessoa está na posição horizontal (posição supina).

mais de quatro a sete vezes além dos níveis de repouso. Portanto, não é possível simplesmente aumentar o fluxo sanguíneo em todas as partes do organismo quando um determinado tecido exige um fluxo maior. Em vez disso, a microvasculatura de cada tecido, especialmente as arteríolas, monitora continuamente as necessidades, como a disponibilidade de oxigênio e outros nutrientes e o acúmulo de dióxido de carbono e outros produtos residuais. Esses microvasos, por sua vez, se dilatam ou contraem para controlar o fluxo sanguíneo local no nível necessário à atividade do tecido. Além disso, o controle nervoso da circulação pelo sistema nervoso central e por hormônios fornece ajuda extra ao controle do fluxo sanguíneo nos tecidos.

2. *O débito cardíaco representa a soma de todos os fluxos teciduais locais.* Quando o sangue flui através de um tecido, ele retorna imediatamente ao coração através das veias. O coração responde automaticamente a esse aumento do fluxo de sangue bombeando-o imediatamente, adiante, para as artérias. Assim, enquanto o coração funcionar normalmente, ele atua como um autômato, respondendo às demandas dos tecidos. Entretanto, o coração muitas vezes precisa de ajuda, na forma de sinais nervosos especiais, para bombear a quantidade necessária sangue.

3. *A regulação da pressão arterial geralmente é independente do controle do fluxo sanguíneo local ou do controle do débito cardíaco.* O sistema circulatório tem um amplo sistema de controle da pressão arterial. Por exemplo, se a qualquer momento a pressão estiver significativamente abaixo do nível normal de cerca de 100 mmHg, uma descarga de reflexos nervosos desencadeia em segundos uma série de alterações circulatórias para aumentar a pressão de volta ao valor normal. Os sinais nervosos especialmente: (a) aumentam a força do bombeamento cardíaco; (b) provocam a contração dos grandes reservatórios venosos para fornecer mais sangue ao coração; e (c) provocam constrição generalizada das arteríolas em diversos tecidos, de modo que mais sangue se acumule nas grandes artérias para elevar a pressão arterial. Além disso, para períodos mais longos – horas e dias – os rins desempenham um papel adicional importante, secretando hormônios para controle da pressão e regulação do volume sanguíneo.

Assim, as necessidades dos tecidos individuais são atendidas especificamente pela circulação. No restante deste capítulo, começaremos a discutir o controle básico do fluxo sanguíneo sobre os tecidos, o débito cardíaco e a pressão arterial.

INTER-RELAÇÕES DE PRESSÃO, FLUXO E RESISTÊNCIA

O fluxo de sangue através de um vaso sanguíneo é determinado por dois fatores: (1) a *diferença de pressão* sanguínea entre as duas extremidades do vaso, também chamada *gradiente de pressão* ao longo do vaso, que impulsiona o sangue através do vaso; e (2) a dificuldade do fluxo sanguíneo através do vaso, que é chamado *resistência vascular*. A **Figura 14.3** demonstra essas relações, mostrando um segmento de vaso sanguíneo localizado em qualquer parte do sistema circulatório.

P_1 representa a pressão na origem do vaso e P_2 é a pressão na outra extremidade. A resistência ocorre como

CAPÍTULO 14 Visão Geral da Circulação: Pressão, Fluxo e Resistência

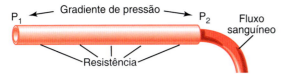

Figura 14.3 Inter-relações de pressão, resistência e fluxo sanguíneo. P_1: pressão na origem do vaso; P_2: pressão na outra extremidade do vaso.

resultado do atrito entre o sangue que flui e o endotélio intravascular ao longo de toda a parte interna do vaso. O fluxo através do vaso pode ser calculado pela seguinte fórmula, adaptada da *lei de Ohm* usada na eletricidade:

$$F = \frac{\Delta P}{R}$$

em que F é o fluxo sanguíneo, ΔP é a diferença de pressão (P1 − P2) entre as duas extremidades do vaso e R é a resistência. Essa fórmula define que o fluxo sanguíneo é diretamente proporcional à diferença de pressão, mas inversamente proporcional à resistência.

Observe que é a *diferença* de pressão entre as duas extremidades do vaso, e não a pressão absoluta em seu interior, que determina a taxa de fluxo. Por exemplo, se a pressão nas duas extremidades de um vaso for de 100 mmHg e não houver diferença entre elas, não haverá fluxo, embora existirá uma pressão de 100 mmHg.

A lei de Ohm, ilustrada na fórmula, expressa uma das mais importantes relações que o leitor precisa conhecer para entender a hemodinâmica da circulação. Devido à extrema importância desta fórmula, o leitor também deve se familiarizar com suas outras formas algébricas:

$$\Delta P = F \times R$$

$$R = \frac{\Delta P}{F}$$

FLUXO SANGUÍNEO

A taxa de fluxo sanguíneo representa a quantidade de sangue que passa por um determinado ponto da circulação durante um determinado período de tempo. Normalmente, o fluxo sanguíneo é expresso em *mililitros por minuto* ou *litros por minuto*, mas pode ser expresso em mililitros por segundo ou em qualquer outra unidade de fluxo e tempo.

O fluxo sanguíneo total na circulação de um adulto em repouso é de cerca de 5.000 mℓ/min. Isso é chamado *débito cardíaco* porque é a quantidade de sangue bombeada para a aorta pelo coração a cada minuto.

Métodos para medição do fluxo sanguíneo. Muitos *fluxômetros*, sejam aparelhos mecânicos ou eletromecânicos, podem ser inseridos em série em um vaso sanguíneo ou, em alguns casos, aplicados na parte externa do vaso para medir o fluxo sanguíneo.

Fluxômetro eletromagnético. Um fluxômetro eletromagnético, cujos princípios são ilustrados na **Figura 14.4**, pode ser usado para medir o fluxo sanguíneo experimentalmente sem abrir o vaso. A **Figura 14.4 A** mostra a geração de força eletromotriz (voltagem elétrica) em um fio que se move rapidamente na direção transversal através de um campo magnético. Este é um princípio bem conhecido para produção de eletricidade por um gerador elétrico. A **Figura 14.4 B** mostra que o mesmo princípio se aplica à geração de força eletromotriz no sangue que se move através de um campo magnético. Nesse caso, um vaso sanguíneo é colocado entre os polos de um ímã forte e os eletrodos são colocados nos dois lados do vaso, perpendiculares às linhas magnéticas de força. Quando o sangue flui através do vaso, é gerada uma voltagem elétrica proporcional à taxa de fluxo sanguíneo entre os dois eletrodos, e essa voltagem é

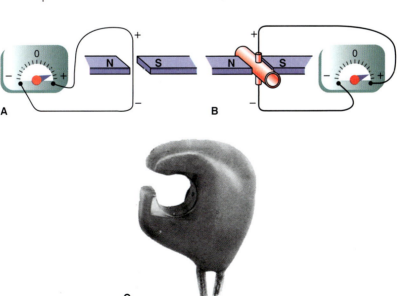

Figura 14.4 A. Fluxômetro eletromagnético mostrando a geração de uma voltagem elétrica em um fio à medida que ele passa por um campo eletromagnético. **B.** Geração de uma voltagem elétrica em eletrodos inseridos em um vaso sanguíneo quando o vaso é colocado sob forte campo magnético e o sangue flui através do vaso. **C.** Sonda moderna, com medidor de fluxo eletromagnético para implantação crônica ao redor dos vasos sanguíneos. N e S referem-se aos polos norte e sul do ímã.

registrada com o uso de um voltímetro apropriado ou aparelho de registro eletrônico. A **Figura 14.4 C** mostra uma sonda que é colocada em um grande vaso sanguíneo para registrar o fluxo sanguíneo. A sonda contém o ímã forte e os eletrodos.

Uma vantagem especial do fluxômetro eletromagnético é que ele pode registrar alterações no fluxo em menos de 1/100 de segundo, permitindo o registro preciso tanto de alterações pulsáteis no fluxo como no fluxo constante.

Fluxômetro ultrassônico Doppler. Outro tipo de medidor de vazão que pode ser aplicado na parte externa do vaso e que apresenta muitas das mesmas vantagens do fluxômetro eletromagnético é o *fluxômetro ultrassônico Doppler*, mostrado na **Figura 14.5**. Um minúsculo cristal piezoelétrico é montado em uma extremidade da parede do dispositivo. Esse cristal, quando energizado por um aparelho eletrônico apropriado, transmite ultrassom a uma frequência de várias centenas de milhares de ciclos por segundo no sentido do fluxo sanguíneo. Uma parte do som é refletida pelos eritrócitos no sangue em movimento. As ondas de ultrassom refletidas retornam das células sanguíneas para o cristal. Essas ondas refletidas têm uma frequência mais baixa do que a onda transmitida porque os eritrócitos estão se afastando do cristal transmissor. Isso é chamado *efeito Doppler* (efeito sonoro que se experimenta quando um trem se aproxima e passa apitando. Depois que passa pela pessoa, o som do apito subitamente torna-se muito mais grave do que quando o trem se aproximava).

Para o fluxômetro mostrado na **Figura 14.5**, a onda de ultrassom de alta frequência é interrompida de forma intermitente e a onda refletida é recebida de volta no cristal e amplificada muitas vezes pelo aparelho eletrônico. Outra parte do aparelho eletrônico determina a diferença de frequência entre a onda transmitida e a onda refletida, determinando, assim, a velocidade do fluxo sanguíneo. Contanto que o diâmetro do vaso sanguíneo não mude, as alterações no fluxo sanguíneo no vaso estão diretamente relacionadas às mudanças na velocidade do fluxo.

Do mesmo modo que o fluxômetro eletromagnético, o fluxômetro ultrassônico com Doppler é capaz de registrar mudanças pulsáteis rápidas no fluxo, bem como o fluxo estável.

Fluxo laminar do sangue nos vasos. Quando o sangue flui a uma taxa constante através de um vaso sanguíneo longo e uniforme, ele flui em *linhas concêntricas* com as camadas de sangue equidistantes da parede do vaso. Além disso, a porção central do sangue permanece no centro do vaso. Esse tipo de fluxo é chamado *fluxo laminar* ou *fluxo de corrente*, em contraste com o *fluxo turbulento* ou *fluxo turbilhonado*, que é o sangue fluindo em todas as direções no vaso e se misturando continuamente em seu interior, como será discutido a seguir.

Padrão parabólico da velocidade do sangue durante o fluxo laminar. Quando ocorre fluxo laminar, a velocidade do fluxo no centro do vaso é muito maior do que em direção às bordas externas. Esse fenômeno é demonstrado na **Figura 14.6**. Na **Figura 14.6 A,** o vaso contém dois líquidos, o da esquerda, colorido por um corante, e o da direita, um líquido transparente, mas não há fluxo no vaso. Quando os líquidos começam a fluir, desenvolve-se entre eles uma configuração parabólica, como mostrado 1 segundo depois na **Figura 14.6 B**. A porção de líquido adjacente à parede do vaso praticamente não se moveu, a porção ligeiramente afastada da parede se move por uma pequena distância e a porção no centro do vaso se move por uma longa distância. Esse efeito é denominado *padrão parabólico da velocidade do fluxo sanguíneo*.

O padrão parabólico se desenvolve porque as moléculas de líquido que tocam a parede movem-se lentamente devido à aderência à parede do vaso. A camada seguinte de moléculas desliza sobre elas, a terceira camada sobre a segunda, a quarta camada sobre a terceira, e assim por diante. Portanto, o líquido no meio do vaso pode se mover rapidamente porque existem muitas camadas de moléculas deslizantes entre o centro do lúmen e a parede do vaso. Assim, cada camada em direção ao centro flui progressivamente mais rápido do que as camadas externas.

Fluxo turbulento do sangue sob certas condições. Quando a intensidade do fluxo sanguíneo fica muito alta ou quando passa por uma obstrução em um vaso, faz uma curva fechada ou passa sobre uma superfície áspera, o fluxo pode se tornar *turbulento* ou desordenado, em vez de laminar (ver **Figura 14.6 C**). No fluxo turbulento o sangue flui transversalmente no vaso e ao longo do percurso, formando espirais no sangue, chamadas *correntes erráticas*. Essas correntes são semelhantes aos redemoinhos que podem ser vistos em um rio que flui rapidamente em um ponto de obstrução. Na presença de correntes erráticas,

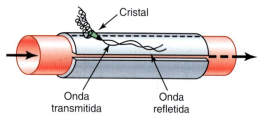

Figura 14.5 Fluxômetro Doppler ultrassônico.

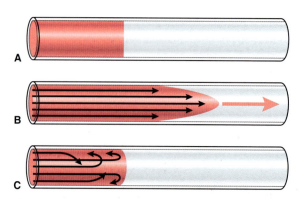

Figura 14.6 A. Dois líquidos (um tingido de vermelho e outro transparente) antes do início do fluxo. **B.** Os mesmos líquidos 1 segundo após o início do fluxo. **C.** Fluxo turbulento, com elementos do líquido movendo-se em um padrão desordenado.

CAPÍTULO 14 Visão Geral da Circulação: Pressão, Fluxo e Resistência

o sangue flui com uma resistência muito maior do que quando o fluxo é laminar, porque os remoinhos aumentam tremendamente a fricção geral do fluxo no vaso.

A tendência para o fluxo turbulento aumenta em proporção direta à velocidade do fluxo sanguíneo, ao diâmetro do vaso e à densidade do sangue e é inversamente proporcional à viscosidade do sangue, de acordo com a equação:

$$Re = \frac{v \cdot d \cdot \rho}{\eta}$$

em que *Re* é o *número de Reynolds*, a medida da tendência para ocorrer turbulência, v é a velocidade média do fluxo sanguíneo (em cm/s), d é o diâmetro do vaso (em centímetros), ρ é a densidade (em gramas/mℓ), e η é a viscosidade (em poise). A viscosidade do sangue normalmente é cerca de 1/30 poise e a densidade é apenas ligeiramente maior que 1. Quando o número de Reynolds está acima de 200 a 400, ocorre fluxo turbulento em alguns ramos dos vasos, que se extingue ao longo das porções mais lisas. No entanto, quando o número de Reynolds fica acima de aproximadamente 2.000, geralmente ocorre turbulência, mesmo em um vaso reto e liso.

O número de Reynolds para o fluxo no sistema vascular normalmente aumenta para 200 a 400, mesmo em grandes artérias. Como resultado, quase sempre ocorre certa turbulência de fluxo nas ramificações desses vasos. Nas porções proximais da aorta e da artéria pulmonar, o número de Reynolds pode aumentar para vários milhares durante a fase rápida de ejeção pelos ventrículos, o que causa considerável turbulência na aorta proximal e na artéria pulmonar, onde muitas condições são apropriadas para turbulência, como as seguintes: (1) alta velocidade do fluxo sanguíneo; (2) natureza pulsátil do fluxo; (3) mudança repentina no diâmetro do vaso; e (4) grande diâmetro do vaso. No entanto, em vasos pequenos, o número de Reynolds quase nunca é alto o suficiente para causar turbulência.

PRESSÃO SANGUÍNEA

Unidades padrão de pressão. A pressão arterial quase sempre é medida em milímetros de mercúrio (mmHg), porque o manômetro de mercúrio tem sido usado como referência padrão para medir a pressão desde sua invenção em 1846 por Poiseuille. Na verdade, pressão sanguínea representa a *força exercida pelo sangue contra qualquer unidade de área da parede do vaso*. Se a pressão em um vaso for de 100 mmHg, isso significa que a força exercida é suficiente para empurrar uma coluna de mercúrio contra a gravidade até um nível de 50 milímetros de altura.

Ocasionalmente, a pressão é medida em *centímetros de água* (cmH$_2$O). Uma pressão de 10 cmH$_2$O representa uma pressão suficiente para elevar a coluna de água contra a gravidade a uma altura de 10 centímetros. *Um milímetro de pressão de mercúrio equivale a 1,36 centímetro de pressão da água*, porque a gravidade específica do mercúrio é 13,6 vezes maior que a da água, e 1 centímetro é 10 vezes maior que 1 milímetro.

Métodos de alta fidelidade para medir a pressão sanguínea. O mercúrio em um manômetro tem tanta inércia que não consegue subir e descer rapidamente. Por esse motivo, o manômetro de mercúrio, embora excelente para registrar pressões constantes, não consegue responder a alterações de pressão que ocorrem mais rapidamente do que cerca de um ciclo a cada 2 a 3 segundos. Sempre que for preciso registrar pressões que mudam rapidamente, é necessário usar um outro tipo de aparelho para medir a pressão. A **Figura 14.7** demonstra os princípios básicos de três *transdutores* de pressão eletrônicos comumente utilizados para converter a pressão sanguínea e/ou rápidas alterações na pressão em sinais elétricos e, em seguida, registrar os sinais elétricos em um gravador elétrico de alta velocidade. Esses transdutores utilizam uma membrana de metal muito fina e muito esticada que forma uma das paredes da câmara de líquido. A câmara de líquido, por sua vez, é conectada por meio de uma agulha ou cateter inserido no vaso sanguíneo onde a pressão deve ser medida. Quando a pressão é alta, a membrana fica ligeiramente abaulada e, quando está baixa, retorna à posição de repouso.

Na **Figura 14.7 A**, uma placa de metal simples é colocada alguns centésimos de centímetro acima da membrana. Quando a membrana fica abaulada, ela se aproxima da placa, o que aumenta a *capacitância elétrica* entre as duas, e essa alteração na capacitância pode ser registrada usando um sistema eletrônico apropriado.

Na **Figura 14.7 B**, um pequeno cilindro de ferro repousa sobre a membrana e pode ser deslocado para cima em um espaço central dentro de uma bobina de fio elétrico. O movimento do ferro na bobina aumenta a *indutância* da bobina, e isso também pode ser registrado eletronicamente.

Finalmente, na **Figura 14.7 C**, um fio de resistência esticado muito fino é conectado à membrana. Quando esse fio é muito esticado, a resistência aumenta; quando é menos esticado, a resistência diminui. Essas alterações também podem ser registradas por um sistema eletrônico.

Os sinais elétricos do transdutor são enviados para um amplificador e, em seguida, para um dispositivo de gravação. Com alguns desses sistemas de registro de alta fidelidade, foram anotados com precisão ciclos de pressão de até 500 ciclos/s. Os gravadores de uso comum são capazes de registrar alterações de pressão que ocorrem em 20 a 100 ciclos/s, como mostrado no registro da **Figura 14.7 C**.

RESISTÊNCIA AO FLUXO SANGUÍNEO

Unidades de resistência. A resistência é o impedimento ao fluxo sanguíneo em um vaso, mas não pode ser medida por qualquer meio direto. Em vez disso, a resistência deve ser calculada a partir de medições de fluxo sanguíneo e diferença de pressão entre dois pontos no vaso. Se a diferença de pressão entre dois pontos for de 1 mmHg e o fluxo for de 1 mℓ/s, a resistência é considerada *1 unidade de resistência periférica*, geralmente abreviada como *URP*.

Expressão de resistência no sistema CGS. Ocasionalmente, um padrão físico básico de mensuração chamado sistema CGS (centímetros, gramas, segundos) é usado

PARTE 4 Circulação

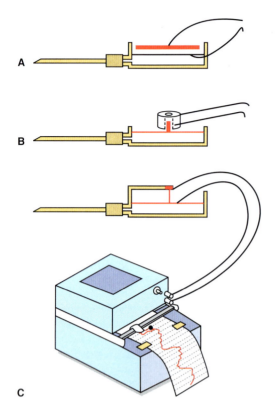

Figura 14.7 A a **C**. Princípios de três tipos de transdutores eletrônicos para registro de rápidas alterações de pressão arterial (consulte o texto).

para expressar a resistência. Esta unidade é a dina s/cm^5. Utilizando essas unidades, a resistência pode ser calculada pela seguinte fórmula:

$$R\left(\text{em } \frac{\text{dina s}}{\text{cm}^5}\right) = \frac{1.333 \times \text{mmHg}}{\text{m}\ell/\text{s}}$$

Resistência vascular periférica total e resistência vascular pulmonar total.

A taxa de fluxo sanguíneo em todo o sistema circulatório é igual à taxa de bombeamento do sangue pelo coração – ou seja, é igual ao débito cardíaco. Em um ser humano adulto, a média é de aproximadamente 100 mℓ/s. A diferença de pressão das artérias sistêmicas para as veias sistêmicas é de cerca de 100 mmHg. Portanto, a resistência de toda a circulação sistêmica, chamada de *resistência periférica total*, é de cerca de 100/100 ou 1 URP.

Em condições em que todos os vasos sanguíneos ficam fortemente contraídos, a resistência periférica total ocasionalmente aumenta para até 4 URP. Por outro lado, quando os vasos ficam muito dilatados, a resistência pode cair para apenas 0,2 URP.

No sistema pulmonar, a pressão arterial pulmonar média é de 16 mmHg e a pressão atrial esquerda média é de 2 mmHg, conferindo uma diferença de pressão líquida de 14 mm. Portanto, quando o débito cardíaco está normal, em cerca de 100 mℓ/s, a *resistência vascular pulmonar total* é calculada em cerca de 0,14 URP (cerca de um sétimo da circulação sistêmica).

A condutância do sangue no vaso é o inverso da resistência.

A condutância é a medida do fluxo sanguíneo através de um vaso em uma dada diferença de pressão. Essa medição é geralmente expressa em termos de mℓ/s por mmHg de pressão, mas também pode ser expressa em termos de mℓ/s por mmHg ou em quaisquer outras unidades de fluxo sanguíneo e pressão.

É evidente que a condutância é a medida inversa exata da resistência, como demonstrado pela seguinte equação:

$$\text{Condutância} = \frac{1}{\text{Resistência}}$$

Pequenas mudanças no raio do vaso alteram acentuadamente sua condutância.

Pequenas variações no raio de um vaso provocam grandes alteração em sua capacidade de conduzir o sangue quando o fluxo sanguíneo é laminar. Esse fenômeno é ilustrado na **Figura 14.8 A**, que mostra três vasos com raios relativos de 1, 2 e 4, mas com a mesma diferença de pressão de 100 mmHg entre as duas extremidades. Embora os raios desses vasos aumentem apenas quatro vezes, os respectivos fluxos são de 1, 16 e 256 mℓ/min, o que é um aumento de 256 vezes no fluxo. Assim, a condutância do vaso aumenta na proporção da quarta potência do raio, de acordo com a seguinte fórmula:

$$\text{Condutância} \propto \text{Raio}^4$$

Lei de Poiseuille.

A causa desse grande aumento na condutância quando o raio aumenta pode ser explicada observando-se a **Figura 14.8 B**, que mostra as seções transversais de um vaso grande e de um pequeno. Os anéis concêntricos no interior dos vasos indicam que a velocidade do fluxo em cada anel é diferente daquela dos anéis adjacentes por causa do fluxo *laminar*, como foi discutido anteriormente neste capítulo. Ou seja, o sangue no anel que toca a parede do vaso quase não flui por causa da aderência ao endotélio vascular. O anel seguinte de sangue,

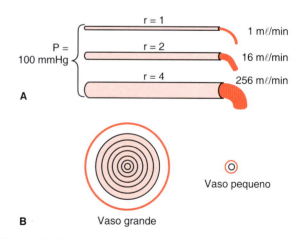

Figura 14.8 A. Demonstração do efeito do diâmetro do vaso sobre o fluxo sanguíneo. **B.** Anéis concêntricos de sangue fluindo em velocidades diferentes; quanto mais longe da parede do vaso, mais rápido o fluxo. r: raio; P: diferença de pressão entre as duas extremidades dos vasos.

em direção ao centro do vaso, desliza pelo primeiro anel e, portanto, flui mais rapidamente. Da mesma maneira, o terceiro, o quarto, o quinto e o sexto anéis fluem em velocidades progressivamente crescentes. Assim, o sangue que está próximo à parede do vaso flui lentamente, enquanto o sangue que está no centro flui muito mais rapidamente.

Em vasos pequenos, praticamente todo o sangue está próximo à parede, de modo que o fluxo central muito rápido simplesmente não existe. Ao realizarmos o somatório de todas as velocidades, em todos os anéis concêntricos do fluxo sanguíneo, e as multiplicarmos pelas áreas dos anéis, podemos obter a seguinte fórmula, conhecida como *lei de Poiseuille*:

$$F = \frac{\pi \Delta P r^4}{8 \eta l}$$

em que F é a taxa de fluxo sanguíneo, ΔP é a diferença de pressão entre as extremidades do vaso, r é o raio do vaso, l é o comprimento do vaso e η é a viscosidade do sangue.

Na equação, observe particularmente que a taxa de fluxo sanguíneo é diretamente proporcional à *quarta potência do raio do vaso*, o que demonstra mais uma vez que o diâmetro de um vaso sanguíneo (que é igual a duas vezes o raio) é o principal fator na determinação da taxa de fluxo sanguíneo através de um vaso.

Importância da "lei da quarta potência" na determinação da resistência arteriolar. Na circulação sistêmica, cerca de dois terços da resistência sistêmica total ao fluxo sanguíneo representam a resistência nas pequenas arteríolas. Os diâmetros internos das arteríolas variam de 4 micrômetros a 25 micrômetros. No entanto, suas fortes paredes vasculares permitem que os diâmetros internos mudem acentuadamente, muitas vezes por até quatro vezes. A partir da lei da quarta potência discutida anteriormente, que relaciona o fluxo sanguíneo ao diâmetro do vaso, pode-se perceber que um aumento de quatro vezes no diâmetro do vaso pode aumentar o fluxo em até 256 vezes. Assim, a lei da quarta potência possibilita que as arteríolas, respondendo a sinais nervosos ou a sinais químicos do tecido local com pequenas alterações no diâmetro, sejam capazes de interromper quase completamente o fluxo sanguíneo para o tecido ou, no outro extremo, causar um grande aumento. Foram registradas faixas de fluxo sanguíneo de mais de 100 vezes em áreas teciduais diferentes, entre os limites de constrição arteriolar máxima e dilatação arteriolar máxima.

Resistência ao fluxo sanguíneo em circuitos vasculares em série e em paralelo. O sangue bombeado pelo coração flui de uma região de alta pressão da circulação sistêmica (ou seja, a aorta) para uma área de baixa pressão (ou seja, a veia cava) por muitos quilômetros de vasos sanguíneos dispostos em série e em paralelo. As artérias, as arteríolas, os capilares, as vênulas e as veias são organizados coletivamente em série. Quando os vasos sanguíneos estão dispostos em série, o fluxo através de cada vaso sanguíneo é o mesmo, e a resistência total ao fluxo sanguíneo (R_{total}) é igual à soma das resistências de cada vaso:

$$R_{total} = R_1 + R_2 + R_3 + R_4...$$

Portanto, a resistência vascular periférica total é igual à soma das resistências das artérias, arteríolas, capilares, vênulas e veias. No exemplo mostrado na **Figura 14.9 A**, a resistência vascular total é igual à soma de R_1 e R_2.

Os vasos sanguíneos ramificam-se extensamente para formar circuitos em paralelo que fornecem sangue a diversos órgãos e tecidos do corpo. Esse arranjo em paralelo permite que cada tecido regule seu próprio fluxo sanguíneo, em grande medida, independentemente do fluxo para outros tecidos.

Para vasos sanguíneos dispostos em paralelo (ver **Figura 14.9 B**), a resistência total ao fluxo sanguíneo é expressa da seguinte forma:

$$\frac{1}{R_{total}} = \frac{1}{R_1} + \frac{1}{R_2} + \frac{1}{R_3} + \frac{1}{R_4}...$$

É óbvio que, para um determinado gradiente de pressão, quantidades muito maiores de sangue fluirão por esse sistema paralelo do que por qualquer um dos vasos sanguíneos individuais. Portanto, a resistência total é muito menor do que a resistência de qualquer vaso sanguíneo individualmente. O fluxo através de cada um dos vasos paralelos na **Figura 14.9 B** é determinado pelo gradiente de pressão e sua própria resistência, e não pela resistência dos outros vasos sanguíneos paralelos. No entanto, aumentar a resistência de qualquer um dos vasos sanguíneos aumenta a resistência vascular total.

Pode parecer paradoxal que adicionar mais vasos sanguíneos a um circuito reduza a resistência vascular total. Muitos vasos sanguíneos paralelos, entretanto, facilitam o fluxo do sangue através do circuito, porque cada vaso paralelo fornece outra via de *condutância* para o fluxo sanguíneo. A condutância total (C_{total}) para o fluxo sanguíneo é a soma da condutância de cada via em paralelo:

$$C_{total} = C_1 + C_2 + C_3 + C_4...$$

Por exemplo, as circulações cerebral, renal, muscular, gastrointestinal, cutânea e coronária são organizadas em paralelo, e cada tecido contribui para a condutância geral da circulação sistêmica. O fluxo sanguíneo através de cada

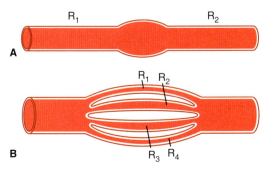

Figura 14.9 Resistência vascular (R). **A.** Em série. **B.** Em paralelo.

tecido é uma fração do fluxo sanguíneo total (débito cardíaco) e é determinado pela resistência (o inverso da condutância) ao fluxo sanguíneo no tecido, bem como pelo gradiente de pressão. Portanto, a amputação de um membro ou a remoção cirúrgica de um rim também remove um circuito paralelo e reduz a condutância vascular total e o fluxo sanguíneo total (*i. e.*, o débito cardíaco) enquanto aumenta a resistência vascular periférica total.

EFEITO DO HEMATÓCRITO E DA VISCOSIDADE DO SANGUE SOBRE A RESISTÊNCIA VASCULAR E O FLUXO SANGUÍNEO

Observe que outro fator importante na equação de Poiseuille é a viscosidade do sangue. Quanto maior a viscosidade, menor será o fluxo em um vaso se todos os outros fatores forem constantes. *Além disso, a viscosidade do sangue normal é cerca de três vezes maior que a viscosidade da água.*

O que torna o sangue tão viscoso? É principalmente o grande número de eritrócitos suspensos no sangue, com cada um exercendo um arrasto friccional contra as células adjacentes e contra a parede do vaso sanguíneo.

Hematócrito é a proporção de sangue representada por eritrócitos. Se uma pessoa tem hematócrito de 40, isso significa que 40% do volume de sangue são células e o restante é plasma. O hematócrito dos homens adultos é em média cerca de 42, enquanto o das mulheres é em média 38. Esses valores podem variar muito, dependendo de fatores individuais como anemia, grau de atividade corporal e altitude em que reside. Essas alterações no hematócrito são discutidas no Capítulo 33, em relação aos eritrócitos e sua função de transporte de oxigênio.

O hematócrito é determinado pela centrifugação do sangue em um tubo calibrado, como mostrado na **Figura 14.10**. A calibração permite a leitura direta da porcentagem de células.

O aumento do hematócrito eleva acentuadamente a viscosidade do sangue. A viscosidade do sangue eleva-se acentuadamente à medida que o hematócrito aumenta, como mostrado na **Figura 14.11**. A viscosidade do sangue total, em um hematócrito normal, é de cerca de 3 a 4; isso significa que é necessária uma pressão de três a quatro vezes maior para impulsionar o sangue total do que para impulsionar a água pelo mesmo vaso. Quando o hematócrito sobe para 60 ou 70, o que costuma acontecer em pessoas com *policitemia*, a viscosidade do sangue pode chegar a 10 vezes a da água, e seu fluxo através dos vasos sanguíneos é muito reduzido.

Outros fatores que afetam a viscosidade sanguínea são a concentração de proteínas plasmáticas e o tipo de proteína plasmática, mas esses efeitos são muito menores do que o efeito do hematócrito, não sendo considerados importantes na maioria dos estudos hemodinâmicos. A viscosidade do plasma sanguíneo é cerca de 1,5 vez a da água.

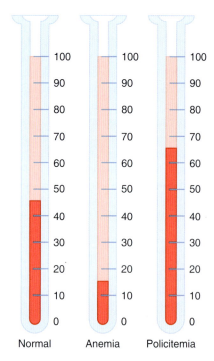

Figura 14.10 Valores de hematócrito em uma pessoa saudável (normal) e em pacientes com anemia e policitemia. Os números referem-se à porcentagem do sangue composta por glóbulos vermelhos.

EFEITOS DA PRESSÃO SOBRE A RESISTÊNCIA VASCULAR E O FLUXO SANGUÍNEO DOS TECIDOS

A autorregulação atenua o efeito da pressão arterial sobre o fluxo sanguíneo tecidual. Pela discussão até agora, pode-se esperar que um aumento na pressão arterial provoque um aumento proporcional no fluxo sanguíneo através dos tecidos orgânicos. No entanto, o efeito da pressão arterial sobre o fluxo sanguíneo em muitos tecidos geralmente é muito menor do que se poderia esperar, como mostrado na **Figura 14.12**. Isso ocorre porque um aumento na pressão arterial não apenas aumenta a força que impulsiona o sangue pelos vasos, mas também inicia aumentos compensatórios na resistência vascular em poucos

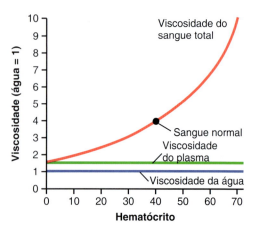

Figura 14.11 Efeito do hematócrito sobre a viscosidade do sangue (viscosidade da água = 1).

CAPÍTULO 14 Visão Geral da Circulação: Pressão, Fluxo e Resistência

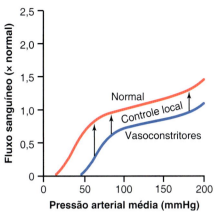

Figura 14.12 Efeito de alterações da pressão arterial durante um período de vários minutos no fluxo sanguíneo de um tecido, como o músculo esquelético. Observe que, entre os valores de pressão de 70 e 175 mmHg, o fluxo sanguíneo é autorregulado. A *linha azul* mostra o efeito da estimulação do nervo simpático ou da vasoconstrição por hormônios como noradrenalina, angiotensina II, vasopressina ou endotelina nessa relação. A redução do fluxo sanguíneo tecidual raramente é mantida por mais do que algumas horas em virtude da ativação de mecanismos autorregulatórios locais que eventualmente fazem o fluxo sanguíneo voltar ao normal.

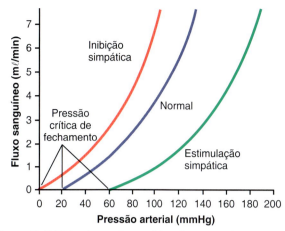

Figura 14.13 Efeito da pressão arterial no fluxo sanguíneo através de um vaso passivo, em diferentes graus de tônus vascular, causado pelo aumento ou diminuição da estimulação simpática do vaso.

segundos, por meio da ativação de mecanismos de controle local, discutidos no Capítulo 17. Por outro lado, com reduções na pressão arterial, a resistência vascular é imediatamente reduzida na maioria dos tecidos e o fluxo sanguíneo é mantido a uma taxa relativamente constante. A capacidade de cada tecido de ajustar sua resistência vascular e de manter o fluxo sanguíneo normal durante alterações de pressão arterial entre aproximadamente 70 e 175 mmHg é chamada *autorregulação do fluxo sanguíneo*.

Observe na **Figura 14.12** que as mudanças no fluxo sanguíneo podem ser causadas por forte estimulação simpática, que contrai os vasos. Da mesma forma, vasoconstritores hormonais, como *noradrenalina, angiotensina II, vasopressina* ou *endotelina*, também podem reduzir o fluxo sanguíneo, pelo menos temporariamente.

As alterações do fluxo sanguíneo raramente duram mais do que algumas horas na maioria dos tecidos, mesmo quando são mantidos aumentos na pressão arterial ou níveis elevados de vasoconstritores. A razão para a relativa constância do fluxo sanguíneo é que os mecanismos autorregulatórios locais de cada tecido eventualmente anulam a maioria dos efeitos dos vasoconstritores, para fornecer um fluxo sanguíneo apropriado às necessidades teciduais.

Relação pressão-fluxo em leitos vasculares isolados.

Em vasos sanguíneos experimentalmente isolados do restante do corpo ou em tecidos que, hipoteticamente, não apresentam autorregulação, as alterações na pressão arterial podem ter efeitos importantes sobre o fluxo sanguíneo. O efeito da pressão sobre o fluxo sanguíneo pode ser maior do que o previsto pela equação de Poiseuille, como mostrado pelas curvas ascendentes na **Figura 14.13**. A razão para isso é que o aumento da pressão arterial não apenas aumenta a força que impulsiona o sangue através dos vasos, mas também distende os vasos elásticos, *diminuindo* sua resistência vascular. Por outro lado, a diminuição da pressão arterial em vasos sanguíneos passivos aumenta a resistência à medida que os vasos elásticos colapsam gradualmente em virtude da redução da pressão de distensão. Quando a pressão fica abaixo de um nível crítico, chamada *pressão crítica de fechamento*, o fluxo é interrompido, porque os vasos sanguíneos estão completamente colapsados.

A estimulação simpática e outros vasoconstritores podem alterar a relação passiva pressão-fluxo mostrada na **Figura 14.13**. Assim, a *inibição* da atividade simpática provoca *grandes dilatações* nos vasos e pode aumentar o fluxo sanguíneo em duas vezes ou mais. Por outro lado, uma estimulação simpática muito forte *pode contrair* tanto os vasos que o fluxo sanguíneo ocasionalmente diminui para zero por alguns segundos, apesar da alta pressão arterial.

Na realidade, em condições fisiológicas reais não há leitos vasculares isolados, sujeitos a exibir a relação passiva pressão-fluxo mostrada na **Figura 14.13**. Mesmo em tecidos sem autorregulação efetiva do fluxo durante mudanças agudas na pressão arterial, o fluxo sanguíneo é regulado de acordo com as necessidades do tecido quando as alterações de pressão se mantêm, como discutido no Capítulo 17.

Tensão na parede vascular. A tensão sobre a parede do vaso sanguíneo se desenvolve em resposta aos gradientes de pressão transmural e faz com que a musculatura lisa vascular e as células endoteliais sofram estiramento em todas as direções (ver **Figura 14.14 A**). De acordo com a *lei de Laplace*, a tensão na parede (T) de um tubo de parede fina é proporcional ao gradiente de pressão transmural (ΔP) vezes o raio (r) do vaso sanguíneo, dividido pela espessura de parede (h):

$$T = \frac{(\Delta P \times r)}{h}$$

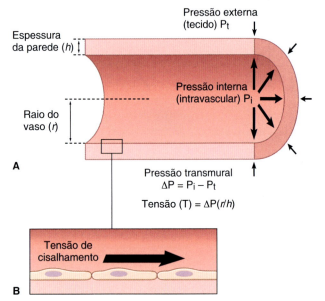

Figura 14.14 Ilustração dos efeitos da tensão na parede do vaso e da tensão de cisalhamento sobre os vasos sanguíneos. A tensão na parede desenvolve-se em resposta a gradientes de pressão transmural e provoca o estiramento das células endoteliais e das células da musculatura lisa vascular em todas as direções. Tensão de cisalhamento é a força de atrito ou resistência nas células endoteliais causada pelo fluxo sanguíneo. A tensão de cisalhamento resulta na deformação unidirecional das células endoteliais.

Assim, vasos maiores expostos a altas pressões, como a aorta, devem ter paredes mais fortes para suportar níveis mais elevados de tensão e geralmente são reforçados com faixas fibrosas de colágeno. Em contraste, os capilares têm raios muito menores e, portanto, estão expostos a tensões de parede muito mais baixas, permitindo-lhes suportar pressões de até 65 a 70 mmHg em alguns órgãos, como os rins. Como discutido no Capítulo 17, alterações crônicas na pressão sanguínea resultam na remodelação dos vasos para acomodar as mudanças associadas na tensão na parede.

Tensão de cisalhamento vascular. À medida que o sangue flui, ele cria uma força de atrito, ou arrasto, nas células endoteliais que revestem o vasos sanguíneos (ver **Figura 14.14 B**). Essa força, chamada *tensão de cisalhamento*, é proporcional à velocidade do fluxo e à viscosidade do sangue, inversamente proporcional ao cubo do raio, e geralmente é expressa em força/unidade de área (p. ex., dinas/cm^2). Na prática clínica, não existe um método utilizado regularmente para medir a tensão de cisalhamento. No entanto, apesar de sua magnitude relativamente baixa, em comparação com as forças contráteis ou com o estiramento da parede pela pressão arterial, a tensão de cisalhamento é importante no desenvolvimento e adaptação do sistema vascular para acomodar as necessidades de fluxo sanguíneo dos tecidos. As células endoteliais contêm várias proteínas que, juntas, funcionam como sensores mecânicos e regulam as vias de sinalização que moldam a vasculatura durante o desenvolvimento embrionário e continuam alterando a morfologia dos vasos sanguíneos para otimizar a oferta de sangue aos tecidos na vida adulta, como discutido adiante, no Capítulo 17.

Bibliografia

Ver bibliografia do Capítulo 15.

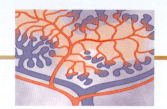

Distensibilidade Vascular e Funções dos Sistemas Arterial e Venoso

CAPÍTULO 15

PARTE 4

DISTENSIBILIDADE VASCULAR

Uma característica importante do sistema vascular é que todos os vasos sanguíneos são *distensíveis*. A natureza elástica das artérias permite que acomodem o débito pulsátil do coração e estabeleçam uma média na pressão das pulsações. Essa capacidade fornece um fluxo de sangue contínuo e uniforme através de vasos sanguíneos muito pequenos nos tecidos.

Os mais distensíveis de todos os vasos são as veias. Mesmo pequenos aumentos na pressão venosa fazem com que as veias armazenem de 0,5 a 1,0 ℓ de sangue extra. Portanto, *as veias fornecem um reservatório* para armazenar grandes quantidades de sangue extra, que pode ser usado sempre que houver necessidade em outra parte da circulação.

Unidades de distensibilidade vascular. A distensibilidade vascular normalmente é expressa como uma fração do aumento de volume para cada milímetro de aumento de mercúrio na pressão, de acordo com a seguinte fórmula:

$$\text{Distensibilidade vascular} = \frac{\text{Aumento de volume}}{\text{Aumento da pressão} \times \text{Volume original}}$$

Isto é, se 1 mmHg faz com que um vaso que originalmente continha 10 mℓ de sangue aumente seu volume em 1 mℓ, a distensibilidade seria 0,1 por mmHg, ou 10% por mmHg.

As veias são muito mais distensíveis do que as artérias. As paredes das artérias são mais grossas e muito mais fortes do que as das veias. Consequentemente, as veias, em média, são cerca de oito vezes mais distensíveis do que as artérias. Ou seja, um determinado aumento na pressão causa cerca de oito vezes mais aumento no volume de sangue em uma veia do que em uma artéria de diâmetro comparável.

Na circulação pulmonar, a capacidade de distensão das veias pulmonares é semelhante à da circulação sistêmica. No entanto, as artérias pulmonares normalmente operam sob pressões de cerca de um sexto do valor no sistema arterial sistêmico e sua distensibilidade é correspondentemente maior — cerca de seis vezes a capacidade de distensão das artérias sistêmicas.

COMPLACÊNCIA VASCULAR (CAPACITÂNCIA VASCULAR)

Em estudos hemodinâmicos, geralmente é mais importante saber a *quantidade total de sangue* que pode ser armazenada em uma determinada parte da circulação para cada aumento de pressão de mmHg do que conhecer a distensibilidade dos vasos individuais. Esse valor é denominado *complacência* ou *capacitância* do respectivo leito vascular; isto é:

$$\text{Complacência vascular} = \frac{\text{Aumento de volume}}{\text{Aumento da pressão}}$$

Complacência e distensibilidade são bastante diferentes. Um vaso altamente distensível que tem um pequeno volume pode ter muito menos complacência do que um vaso muito menos distensível que tenha um grande volume, porque a *complacência é igual a distensibilidade vezes o volume*.

A complacência de uma veia sistêmica é cerca de 24 vezes a de sua artéria correspondente, porque é cerca de 8 vezes mais distensível e tem um volume cerca de 3 vezes maior (8 × 3 = 24).

CURVAS DE VOLUME-PRESSÃO NAS CIRCULAÇÕES ARTERIAIS E VENOSAS

Um método conveniente para expressar a relação entre pressão e volume em um recipiente ou em qualquer parte da circulação é usar uma *curva de volume-pressão*. As curvas sólidas vermelhas e azuis na **Figura 15.1** representam, respectivamente, as curvas normais de volume-pressão sistêmica do sistema arterial e do sistema venoso, mostrando que, quando o sistema arterial de um adulto médio (incluindo as grandes artérias, pequenas artérias e arteríolas) é preenchido com cerca de 700 mℓ de sangue, a pressão arterial média é de 100 mmHg, mas, quando é preenchido com apenas 400 mℓ de sangue, a pressão cai para zero.

Em todo o sistema venoso sistêmico, o volume normalmente varia de 2.000 a 3.500 mℓ, e é necessária uma alteração de várias centenas de mℓ nesse volume para alterar a pressão venosa em apenas 3 a 5 mmHg. Esse requisito explica, principalmente, por que até meio litro de sangue pode ser transfundido para uma pessoa saudável em apenas alguns minutos, sem alterar muito a função da circulação.

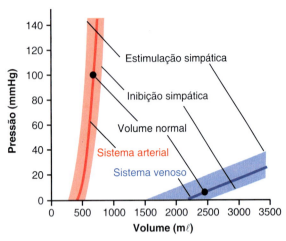

Figura 15.1 Curvas de volume-pressão dos sistemas arterial e venoso sistêmico, mostrando os efeitos da estimulação ou inibição dos nervos simpáticos no sistema circulatório.

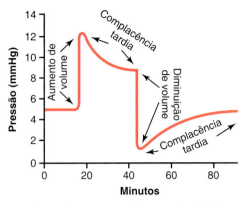

Figura 15.2 Efeito sobre a pressão intravascular da injeção de um volume de sangue em um segmento venoso e a posterior remoção do excesso de sangue, demonstrando o princípio da complacência tardia.

Efeito da estimulação ou da inibição simpática nas relações volume-pressão dos sistemas arterial e venoso.

Na **Figura 15.1** também são mostrados os efeitos nas curvas de volume-pressão quando os nervos simpáticos vasculares são excitados ou inibidos. É evidente que um aumento no tônus da musculatura lisa vascular, causado pela estimulação simpática, aumenta a pressão em cada volume das artérias ou veias, enquanto a inibição simpática diminui a pressão. O controle da vasculatura pelo sistema nervoso simpático é um meio eficiente para diminuir as dimensões de um segmento da circulação, transferindo sangue para outros segmentos. Por exemplo, um aumento no tônus vascular em toda a circulação sistêmica pode fazer com que grandes volumes de sangue sejam transferidos para o coração, que é um dos principais métodos empregados pelo organismo para aumentar rapidamente o bombeamento cardíaco.

O controle simpático da capacitância vascular também é muito importante durante uma hemorragia. O aumento do tônus simpático, especialmente nas veias, reduz o tamanho dos vasos o suficiente para que a circulação continue a operar quase normalmente, mesmo quando até 25% do volume total de sangue tenha sido perdido.

Complacência tardia (estresse-relaxamento) dos vasos.

O termo *complacência tardia* significa que um vaso exposto a um aumento de volume inicialmente exibe um grande aumento na pressão, mas o alongamento tardio progressivo da musculatura lisa da parede do vaso permite que a pressão volte ao normal em um período de minutos a horas. Esse efeito é mostrado na **Figura 15.2**. Na figura, a pressão é registrada em um pequeno segmento de uma veia que está ocluída nas duas extremidades. Um volume extra de sangue é injetado repentinamente até que a pressão aumente de 5 para 12 mmHg. Mesmo que nenhum sangue seja removido após a injeção, a pressão começa a diminuir imediatamente e se aproxima de 9 mmHg após vários minutos. Assim, o volume de sangue injetado causa distensão *elástica* imediata da veia, mas então as fibras musculares lisas do vaso começam a se alongar em comprimentos maiores e suas tensões diminuem de modo correspondente. Esse efeito é uma característica de todos os músculos lisos e é denominado *estresse-relaxamento*, como foi explicado no Capítulo 8.

A complacência tardia é um mecanismo importante pelo qual a circulação pode acomodar sangue extra quando necessário, como após uma grande transfusão. A complacência tardia na direção reversa é a maneira pela qual a circulação se ajusta automaticamente por um período de minutos ou horas para diminuir o volume de sangue após uma hemorragia grave.

ONDAS DE PULSO DA PRESSÃO ARTERIAL

A cada batimento cardíaco, uma nova onda de sangue enche as artérias. Não fosse pela distensibilidade do sistema arterial, todo esse novo sangue teria que fluir pelos vasos sanguíneos periféricos quase instantaneamente, apenas durante a sístole cardíaca, e nenhum fluxo ocorreria durante a diástole. No entanto, a complacência da árvore arterial normalmente reduz os pulsos de pressão a quase nada quando o sangue atinge os capilares; portanto, o fluxo sanguíneo dos tecidos é principalmente contínuo, com muito pouca pulsação.

As *pulsações de pressão* na raiz da aorta são ilustradas na **Figura 15.3**. Em um adulto jovem saudável, a pressão no pico de cada pulso, chamada de *pressão sistólica*, é de cerca de 120 mmHg. No ponto mais baixo de cada pulso, chamado de *pressão diastólica*, é cerca de 80 mmHg. A diferença entre essas duas pressões, de cerca de 40 mmHg, é chamada de *pressão de pulso*.

Dois fatores principais afetam a pressão de pulso: (1) o *débito do volume sistólico* cardíaco; e (2) a *complacência (distensibilidade total)* da árvore arterial. Um terceiro fator menos importante é o caráter de ejeção do coração durante a sístole.

Em geral, quanto maior o débito de volume sistólico, maior a quantidade de sangue que deve ser acomodada na árvore arterial a cada batimento cardíaco e, portanto,

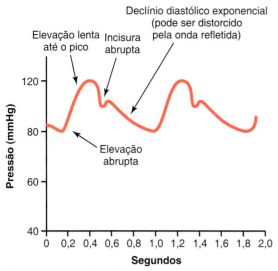

Figura 15.3 Curva do pulso de pressão na aorta ascendente.

maior será o aumento e a queda da pressão durante a sístole e a diástole, causando, assim, maior pressão de pulso. Por outro lado, quanto menor a complacência do sistema arterial, maior será o aumento da pressão para um determinado volume sistólico de sangue bombeado para as artérias. Por exemplo, como mostrado nas curvas centrais da linha de cima na **Figura 15.4**, a pressão de pulso na senescência às vezes aumenta para o dobro do normal porque as artérias enrijeceram com a *arteriosclerose* e, portanto, são relativamente não complacentes.

Efetivamente, a pressão de pulso é determinada em termos aproximados pela *razão entre o débito sistólico e a complacência da árvore arterial*. Qualquer condição da circulação que afete um desses dois fatores também afeta a pressão de pulso:

Pressão de pulso ≈ Volume sistólico/complacência arterial

TRAÇADOS ANORMAIS DE PRESSÃO DE PULSO

Algumas condições fisiopatológicas da circulação provocam *traçados anormais da onda de pressão*, além de alterar a pressão de pulso. Entre essas condições destacam-se, especialmente, a estenose aórtica, a persistência do canal arterial e a regurgitação aórtica, mostradas individualmente na **Figura 15.4**.

Em pessoas com *estenose valvar aórtica*, o diâmetro da abertura da valva aórtica é significativamente reduzido, e o pulso de pressão aórtica é muito diminuído em razão da redução do fluxo sanguíneo ejetado através da valva estenótica.

Em pessoas com *persistência do canal arterial*, 50% ou mais do sangue bombeado para a aorta pelo ventrículo esquerdo flui imediatamente de volta, através do canal aberto, para a artéria pulmonar e os vasos sanguíneos pulmonares, permitindo, assim, que a pressão diastólica caia muito antes do próximo batimento cardíaco e aumentando a pressão de pulso.

Em pessoas com *regurgitação aórtica*, a valva aórtica está ausente ou não fecha completamente. Portanto, após cada batimento cardíaco, o sangue que acabou de ser bombeado para a aorta flui imediatamente de volta para o ventrículo esquerdo. Como resultado, a pressão aórtica pode cair até zero entre os batimentos cardíacos. Além disso, não aparece a incisura no traçado do pulso aórtico porque não ocorre o fechamento da valva aórtica.

TRANSMISSÃO DOS PULSOS DE PRESSÃO PARA AS ARTÉRIAS PERIFÉRICAS

Quando o coração ejeta sangue para a aorta durante a sístole, apenas a porção proximal da aorta se distende inicialmente, porque a inércia do sangue impede seu movimento súbito pelo trajeto até a periferia. No entanto, o aumento da pressão na aorta proximal supera rapidamente essa inércia e a frente de onda de distensão se espalha cada vez mais ao longo da aorta, como mostrado na **Figura 15.5**. Esse fenômeno é denominado *transmissão do pulso de pressão* nas artérias.

A velocidade de transmissão do pulso de pressão é de 3 a 5 m/s na aorta normal, 7 a 10 m/s nos grandes ramos arteriais e 15 a 35 m/s nas pequenas artérias. Em geral, quanto maior a complacência de cada segmento vascular, mais lenta é a velocidade, o que explica a transmissão lenta na aorta e a transmissão muito mais rápida nas pequenas artérias distais, muito menos complacentes. Na aorta, a velocidade de transmissão do pulso de pressão é 15 ou mais vezes a velocidade do fluxo sanguíneo, porque o pulso de pressão é simplesmente uma onda de *pressão* em movimento que envolve pouco movimento total do volume de sangue no sentido distal.

Os pulsos de pressão são amortecidos nas pequenas artérias, arteríolas e capilares. A **Figura 15.6** mostra alterações típicas dos traçados do pulso de pressão à medida que o pulso flui em direção aos vasos periféricos. Observe especialmente nas três curvas inferiores que a intensidade da pulsação se torna progressivamente menor nas pequenas artérias, arteríolas e, principalmente, nos capilares. De fato, somente quando os pulsos

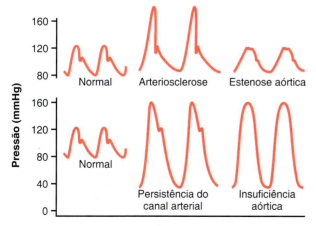

Figura 15.4 Curvas de pressão de pulso aórtica na arteriosclerose, na estenose aórtica, na persistência do canal arterial e na insuficiência aórtica.

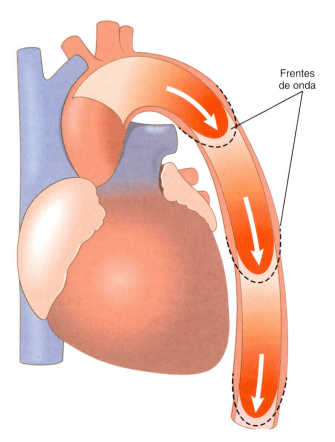

Figura 15.5 Estágios progressivos na transmissão do pulso de pressão ao longo da aorta.

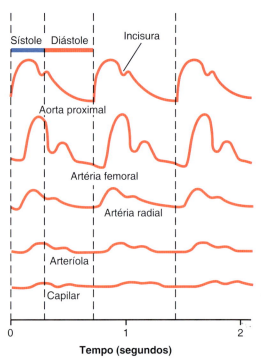

Figura 15.6 Alterações nas curvas dos pulsos de pressão à medida que a onda passa em direção aos vasos menores.

aórticos são muito grandes ou quando as arteríolas estão muito dilatadas é que podem ser observadas as pulsações nos capilares.

Essa diminuição progressiva das pulsações na periferia é chamada de *amortecimento dos pulsos de pressão*. Existem duas causas para esse amortecimento: (1) a resistência ao movimento do sangue pelos vasos; e (2) a complacência dos vasos. A resistência amortece as pulsações porque uma pequena quantidade de sangue deve fluir para a frente na onda de pulso para distender o segmento seguinte do vaso; quanto maior for a resistência, maior será a dificuldade. A complacência amortece as pulsações porque quanto mais complacente for o vaso, maior será a quantidade de sangue necessária na onda de pulso para provocar um aumento na pressão. Portanto, o *grau de amortecimento é quase diretamente proporcional ao produto da resistência vezes a complacência*.

MÉTODOS CLÍNICOS PARA MEDIÇÃO DAS PRESSÕES SISTÓLICA E DIASTÓLICA

Não é prático usar gravadores de pressão que requerem a inserção de agulha em uma artéria para fazer medições de pressão arterial rotineiras em pacientes humanos, embora esse tipo de gravador seja utilizado ocasionalmente quando são necessários estudos especiais. Em vez disso, o clínico determina as pressões sistólica e diastólica por meios indiretos, geralmente pelo *método auscultatório*.

Método auscultatório. A **Figura 15.7** mostra o método auscultatório para determinar as pressões arteriais sistólica e diastólica. O estetoscópio deve ser colocado sobre a artéria ulnar e o manguito de pressão deve ser inflado ao redor do braço. Enquanto o manguito comprime o braço com pouca pressão para fechar a artéria braquial, nenhum som pode ser ouvido na artéria ulnar com o estetoscópio. No entanto, quando a pressão do manguito é grande o suficiente para fechar a artéria durante parte do ciclo de pressão arterial, um som é ouvido a cada pulsação. Esses sons são chamados de *sons de Korotkoff*, em homenagem a Nikolai Korotkoff, um médico russo que os descreveu em 1905.

Acredita-se que os sons de Korotkoff sejam provocados principalmente pela ejeção de sangue através do vaso parcialmente ocluído e por vibrações na parede do vaso. O jato provoca turbulência no vaso além do manguito, e essa turbulência desencadeia as vibrações ouvidas pelo estetoscópio.

Na determinação da pressão sanguínea pelo método auscultatório, a pressão no manguito primeiramente é elevada bem acima da pressão sistólica arterial. Enquanto a pressão do manguito for maior do que a pressão sistólica, a artéria braquial permanecerá colapsada, de forma que nenhum jato de sangue conseguirá fluir para a parte inferior da artéria, em qualquer parte do ciclo de pressão. Portanto, nenhum som de Korotkoff será ouvido na porção distal da artéria. Em seguida, a pressão do manguito é reduzida gradualmente. Assim que a pressão no manguito fica abaixo da pressão sistólica (ponto B, **Figura 15.7**), o sangue começa a fluir pela artéria abaixo do manguito durante o pico da pressão sistólica, e começam a ser ouvidos sons, semelhantes

CAPÍTULO 15 Distensibilidade Vascular e Funções dos Sistemas Arterial e Venoso

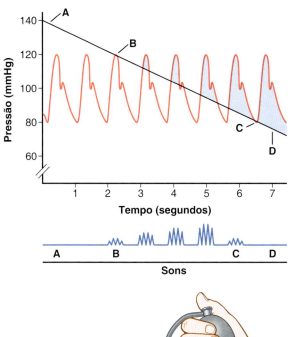

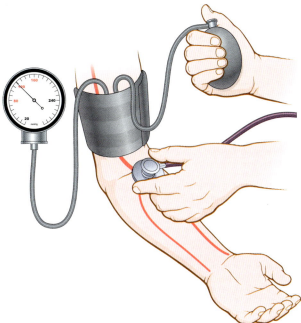

Figura 15.7 Método auscultatório para a medida das pressões arteriais sistólica e diastólica.

a *batidas rítmicas*, na artéria ulnar, em sincronia com os batimentos cardíacos. Assim que esses sons começam a ser ouvidos, o nível de pressão indicado pelo manômetro conectado ao manguito é quase igual à pressão sistólica.

À medida que a pressão no manguito é reduzida ainda mais, os sons de Korotkoff mudam de qualidade, perdendo as características de batida e adquirindo uma característica mais grave. Então, finalmente, quando a pressão no manguito chega perto da pressão diastólica, os sons mudam repentinamente, passando a ter uma característica abafada (ponto C, **Figura 15.7**). Observa-se a pressão do manômetro quando os sons de Korotkoff mudam para a qualidade abafada, e essa pressão é aproximadamente igual à pressão diastólica, embora superestime ligeiramente a pressão diastólica determinada diretamente por

cateter intra-arterial. À medida que a pressão do manguito cai mais alguns mmHg, a artéria não se fecha mais durante a diástole, o que significa que o fator básico que provoca os sons (a ejeção de sangue através de uma artéria comprimida) não está mais presente. Portanto, os sons desaparecem totalmente. Muitos médicos acreditam que o valor de pressão na qual os sons de Korotkoff desaparecem completamente deve ser usado como medida da pressão diastólica, exceto em situações em que o desaparecimento dos sons não puder ser determinado com segurança porque os sons permanecem audíveis, mesmo após o esvaziamento completo do manguito. Por exemplo, em pacientes com fístulas arteriovenosas para hemodiálise ou com insuficiência aórtica, os sons de Korotkoff podem ser ouvidos após o esvaziamento completo do manguito.

O método auscultatório para determinar as pressões sistólica e diastólica não é totalmente preciso, mas geralmente fornece valores em um intervalo de 10% em relação aos determinados pela medição direta por cateter no interior das artérias.

Método oscilométrico automatizado. As pressões arteriais sistólica e diastólica são frequentemente medidas por meio de dispositivos oscilométricos automatizados. Esses aparelhos usam um manguito de esfigmomanômetro, como no método auscultatório, mas com um sensor de pressão eletrônico para detectar as oscilações de pressão que ocorrem no manguito quando o sangue flui através de uma artéria, geralmente a artéria braquial. Os aparelhos oscilométricos de pressão arterial usam algoritmos eletrônicos específicos para inflar e desinflar o manguito automaticamente e interpretar as oscilações da pressão. Quando o manguito é inflado e sua pressão excede a pressão sistólica, não há fluxo sanguíneo na artéria e não há oscilação da pressão no manguito. À medida que o manguito é lentamente esvaziado, o sangue começa a jorrar através da artéria, e a pressão do manguito oscila em sincronia com a expansão e contração cíclica da artéria. À medida que a pressão do manguito diminui, as oscilações aumentam em amplitude até um máximo, que corresponde à pressão arterial média. A amplitude de oscilação então diminui conforme a pressão do manguito cai abaixo da pressão diastólica do paciente e o sangue flui suavemente através da artéria. Usando algoritmos específicos, as oscilações na pressão do manguito são automaticamente convertidas em sinais digitais das pressões sistólica e diastólica, bem como da frequência cardíaca, e então exibidas.

Monitores oscilométricos de pressão arterial requerem menos habilidade do que a técnica auscultatória e podem ser utilizados pelo paciente em casa, evitando o chamado "efeito do jaleco", que aumenta a pressão arterial em alguns pacientes quando um profissional de saúde está presente. No entanto, para serem precisos, esses aparelhos devem ser calibrados, ou podem produzir medições não confiáveis quando o tamanho do manguito é inadequado ou em algumas condições circulatórias anormais, como arteriosclerose grave, que aumenta a rigidez da parede arterial.

Pressões arteriais normais medidas pelos métodos auscultatório e oscilatório. A **Figura 15.8** mostra valores normais aproximados das pressões arteriais sistólica e diastólica em diferentes faixas etárias. O aumento progressivo da pressão ao longo da vida é resultado dos efeitos do envelhecimento sobre os mecanismos de controle da pressão arterial. Veremos no Capítulo 19 que os rins são os principais responsáveis por essa regulação de longo prazo da pressão arterial; é bem conhecido o fato de que os rins apresentam alterações definitivas com a idade, principalmente após os 50 anos.

Um ligeiro aumento extra na pressão *sistólica* geralmente ocorre após os 60 anos. Esse aumento resulta da diminuição da capacidade de distensão, ou do endurecimento, das artérias, que geralmente é consequência da *aterosclerose*. O efeito final é uma pressão sistólica mais alta, com considerável aumento na pressão de pulso, conforme explicado anteriormente.

Pressão arterial média. A pressão arterial média representa a média das pressões arteriais medidas milissegundo por milissegundo durante um intervalo de tempo. Não é igual à média das pressões sistólica e diastólica porque, em frequências cardíacas normais, uma fração maior do ciclo cardíaco é usada na diástole do que na sístole. Assim, a pressão arterial permanece mais próxima da pressão diastólica do que da pressão sistólica durante a maior parte do ciclo cardíaco. Portanto, a pressão arterial média é determinada cerca de 60% pela pressão diastólica e 40% pela pressão sistólica. Observe na **Figura 15.8** que a pressão média (*linha verde sólida*) em todas as faixas etárias está mais próxima da pressão diastólica do que da pressão sistólica. No entanto, em frequências cardíacas muito altas, a diástole compreende uma fração menor do ciclo cardíaco, e a pressão arterial média é mais próxima da média das pressões sistólica e diastólica.

VEIAS E SUAS FUNÇÕES

As veias fornecem passagens para que o sangue retorne ao coração, mas também desempenham outras funções especiais que são necessárias para o funcionamento da circulação. Especialmente importante é sua capacidade de contrair e relaxar e, assim, armazenar pequenas ou grandes quantidades de sangue e disponibilizar esse sangue quando necessário para o restante da circulação. As veias periféricas também podem impulsionar o sangue para a frente por meio da chamada *bomba venosa* e até ajudam a regular o débito cardíaco, uma função extremamente importante, descrita em detalhes no Capítulo 20.

PRESSÕES VENOSAS: PRESSÃO ATRIAL DIREITA (PRESSÃO VENOSA CENTRAL) E PRESSÕES VENOSAS PERIFÉRICAS

O sangue de todas as veias sistêmicas flui para o átrio direito do coração. Portanto, a pressão no átrio direito é chamada de *pressão venosa central*.

A pressão do átrio direito é regulada por um equilíbrio entre (1) a capacidade do coração de bombear sangue para fora do átrio e ventrículo direitos para os pulmões e (2) a tendência do sangue de fluir das veias periféricas para o átrio direito. Se o coração direito estiver bombeando com força, a pressão do átrio direito diminui. Por outro lado, a fraqueza do coração eleva a pressão atrial direita. Além disso, qualquer efeito que provoque um rápido influxo de sangue para o átrio direito das veias periféricas eleva a pressão do átrio direito. Alguns fatores que podem aumentar esse retorno venoso e, com isso, aumentar a pressão atrial direita são: (1) aumento do volume sanguíneo; (2) aumento do tônus dos grandes vasos em todo o corpo, com resultante aumento das pressões venosas periféricas; e (3) dilatação das arteríolas, o que diminui a resistência periférica e permite o fluxo rápido do sangue das artérias para as veias.

Os mesmos fatores que regulam a pressão do átrio direito também contribuem para a regulação do débito cardíaco, porque a quantidade de sangue bombeado pelo coração depende da capacidade de bombeamento e da tendência do sangue de fluir para o coração a partir dos vasos periféricos. Portanto, discutiremos a regulação da pressão do átrio direito com muito mais profundidade no Capítulo 20, em conexão com a regulação do débito cardíaco.

A *pressão atrial direita normal* é cerca de 0 mmHg, que é igual à pressão atmosférica em torno do corpo. Pode aumentar para 20 a 30 mmHg em condições muito anormais, como por exemplo: (1) insuficiência cardíaca grave; ou (2) após transfusão maciça de sangue, o que aumenta muito o volume sanguíneo total e faz com que quantidades excessivas de sangue tentem fluir dos vasos periféricos para o coração.

Geralmente, o limite inferior da pressão atrial direita é cerca de −3 a −5 mmHg abaixo da pressão atmosférica, que também é a pressão na cavidade torácica que circunda o coração. A pressão atrial direita se aproxima desses valores baixos quando o coração bombeia com vigor excepcional ou quando o fluxo sanguíneo dos vasos periféricos para o coração está muito deprimido, como depois de uma hemorragia grave.

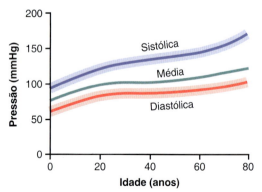

Figura 15.8 Mudanças nas pressões arteriais sistólica, diastólica e média com o envelhecimento. As áreas sombreadas mostram os intervalos normais aproximados.

Resistência venosa e pressão venosa periférica

As grandes veias têm tão pouca resistência ao fluxo sanguíneo *quando estão distendidas* que seu valor é próximo de zero. No entanto, como mostrado na **Figura 15.9**, a maioria das grandes veias que entram no tórax são comprimidas em muitos pontos pelos tecidos circundantes, de modo que o fluxo sanguíneo é impedido nesses pontos. Por exemplo, as veias dos braços são comprimidas por suas angulações agudas sobre a primeira costela. Além disso, a pressão nas veias do pescoço geralmente fica tão baixa que a pressão atmosférica no exterior do pescoço faz com que essas veias sejam colapsadas. Finalmente, as veias que correm pelo abdome são frequentemente comprimidas por diferentes órgãos e pela pressão intra-abdominal, de modo que geralmente estão pelo menos parcialmente colapsadas, assumindo um formato ovoide ou em fenda. Por essas razões, as *veias grandes em geral oferecem certa resistência ao fluxo sanguíneo*, e, portanto, a pressão em pequenas veias mais periféricas com a pessoa deitada é +4 a +6 mmHg maior do que a pressão do átrio direito.

Efeito da pressão atrial direita elevada sobre a pressão venosa periférica.
Quando a pressão atrial direita fica acima de seu valor normal de 0 mmHg, o sangue começa a se acumular nas veias cavas. Esse excedente de sangue aumenta o volume das veias, de sorte que até mesmo os pontos de colapso se abrem quando a pressão do átrio direito fica acima de +4 a +6 mmHg. Então, conforme a pressão do átrio direito se eleva, esse aumento adicional provoca um aumento correspondente na pressão venosa periférica nos membros e em outras partes do corpo. Como a função cardíaca deve estar muito prejudicada para causar um aumento na pressão do átrio direito de até +4 a +6 mmHg, a pressão venosa periférica não fica perceptivelmente elevada, mesmo nos estágios iniciais da insuficiência cardíaca, enquanto a pessoa está em repouso.

Efeito da pressão intra-abdominal sobre as pressões venosas da perna.
A pressão na cavidade abdominal de uma pessoa reclinada normalmente é, em média, de +6 mmHg, mas pode aumentar para +15 a +30 mmHg como resultado de gravidez, obesidade abdominal, presença de grandes tumores ou de excesso de líquido (chamado *ascite*). Quando a pressão intra-abdominal aumenta, a pressão nas veias das pernas deve aumentar para um valor *acima* da pressão abdominal, para que as veias abdominais se abram e permitam que o sangue flua das pernas para o coração. Assim, se a pressão intra-abdominal for +20 mmHg, a pressão mais baixa possível nas veias femorais será também de aproximadamente +20 mmHg.

Efeito da pressão gravitacional sobre a pressão venosa

Em qualquer corpo d'água exposto ao ar, a pressão na superfície da água é igual à pressão atmosférica, mas a pressão aumenta 1 mmHg para cada 13,6 milímetros de distância abaixo da superfície. Essa pressão é resultado do peso da água e, portanto, é chamada de *pressão gravitacional* ou *pressão hidrostática*.

A ação da pressão gravitacional também ocorre no sistema vascular em virtude do peso do sangue nos vasos, como mostrado na **Figura 15.10**. Quando a pessoa está

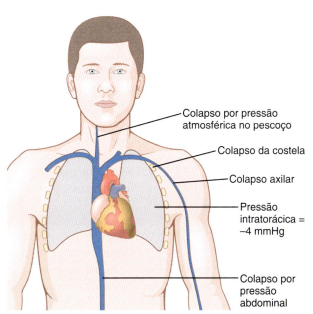

Figura 15.9 Pontos de compressão que tendem a colapsar as veias que entram no tórax.

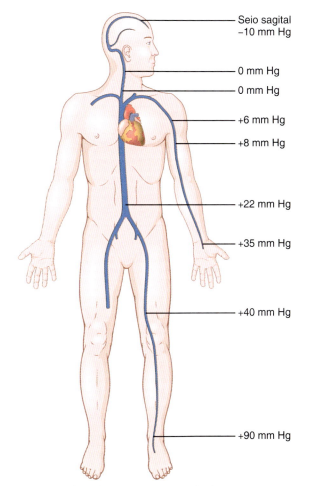

Figura 15.10 Efeito da pressão gravitacional sobre as pressões venosas em todo o corpo na pessoa em pé.

de pé, a pressão no átrio direito permanece em cerca de 0 mmHg, porque o coração bombeia para as artérias todo o excesso de sangue que tenta se acumular nesse ponto. No entanto, em um *adulto de pé e absolutamente imóvel*, a pressão nas veias dos pés é de cerca de +90 mmHg, simplesmente pelo efeito do peso gravitacional do sangue presente nas veias entre o coração e os pés. As pressões venosas em outros níveis do corpo têm valores proporcionais entre 0 e 90 mmHg.

Nas veias do braço, a pressão no nível da primeira costela geralmente é de cerca de +6 mmHg, por causa da compressão da veia subclávia quando passa sobre essa costela. A pressão gravitacional ao longo do braço é determinada pela distância abaixo do nível dessa costela. Assim, se a diferença gravitacional entre o nível da costela e da mão for de +29 mmHg, essa pressão gravitacional será adicionada à pressão de +6 mmHg, causada pela compressão da veia ao passar sobre a costela, perfazendo uma pressão total de +35 mmHg nas veias da mão.

As veias do pescoço de uma pessoa em pé colapsam quase completamente até o crânio por causa da pressão atmosférica na parte externa do pescoço. Esse colapso faz com que a pressão nessas veias permaneça zero em toda a sua extensão. Qualquer tendência de elevação de pressão acima desse nível abre as veias, permitindo que a pressão volte a zero por causa do fluxo do sangue. Ao contrário, qualquer tendência de queda de pressão para abaixo de zero nas veias do pescoço causa um colapso ainda maior dos vasos, aumentando ainda mais sua resistência e retornando a pressão a zero.

As veias no interior do crânio, por outro lado, estão em uma câmara rígida (a cavidade craniana) que não é passível de se colapsar (colabar). Consequentemente, *podem ser encontradas pressões negativas nos seios durais da cabeça*; na posição ortostática, a pressão venosa no seio sagital na parte superior do cérebro é de cerca de −10 mmHg, por causa da "sucção" hidrostática entre o topo e a base do crânio. Portanto, se o seio sagital for aberto durante um procedimento cirúrgico, o ar pode ser sugado imediatamente para o sistema venoso e, até mesmo, ser levado para baixo e causar embolia gasosa no coração, que pode ser fatal.

Efeito do fator gravitacional sobre as pressões arteriais e outras pressões. O fator gravitacional também afeta as pressões nas artérias periféricas e nos capilares. Por exemplo, uma pessoa em pé que tem uma pressão arterial média de 100 mmHg no nível do coração tem uma pressão arterial nos pés de cerca de 190 mmHg. Portanto, quando a pressão arterial é declarada como 100 mmHg, isso geralmente significa que 100 mmHg é a pressão no nível gravitacional do coração, mas não necessariamente em qualquer outra parte dos vasos arteriais.

Válvulas venosas e a bomba venosa: efeitos sobre a pressão venosa

Não fosse pelas válvulas nas veias, o efeito da pressão gravitacional faria com que a pressão venosa nos pés fosse sempre cerca de +90 mmHg em um adulto de pé. No entanto, cada vez que as pernas se movem, os músculos contraem e comprimem as veias dentro ou adjacentes aos músculos, o que pressiona o sangue para fora das veias. No entanto, as válvulas nas veias, mostradas na **Figura 15.11**, são dispostas de forma que o fluxo de sangue venoso possa ser apenas em direção ao coração. Consequentemente, toda vez que a pessoa move as pernas ou mesmo tensiona os músculos das pernas, uma certa quantidade de sangue venoso é impelida em direção ao coração. Esse sistema de bombeamento é conhecido como *bomba venosa* ou *bomba muscular* e é tão eficiente que, em circunstâncias normais, a pressão venosa nos pés de um adulto que caminha permanece inferior a +20 mmHg.

Quando a pessoa fica perfeitamente imóvel, a bomba venosa não funciona e as pressões venosas na parte inferior das pernas aumentam até o valor gravitacional total de 90 mmHg em cerca de 30 segundos. As pressões nos capilares também aumentam muito, fazendo com que o líquido escoe do sistema circulatório para os espaços teciduais. Como resultado, as pernas incham e o volume sanguíneo diminui. Quando fica absolutamente imóvel, a pessoa pode perder de 10 a 20% do volume sanguíneo do sistema circulatório em um intervalo de 15 a 30 minutos, o que pode levar a desmaios, como quando um soldado é colocado em posição de sentido. Essa situação pode ser evitada pela simples flexão dos músculos das pernas, periodicamente e dobrando levemente os joelhos, permitindo que a bomba venosa funcione.

A incompetência das válvulas venosas causa veias varicosas. As válvulas do sistema venoso podem se tornar incompetentes ou mesmo ser destruídas quando as veias são distendidas por excesso de pressão venosa durante semanas ou meses, o que pode ocorrer durante a gravidez ou quando a pessoa fica em pé na maior parte

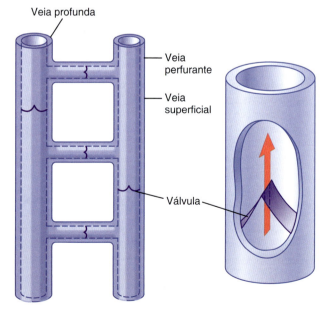

Figura 15.11 Válvulas venosas nas pernas.

do tempo. A distensão das veias aumenta seu diâmetro transversal, mas os folhetos das válvulas não aumentam de tamanho e, portanto, fecham-se mais completamente. Quando isso ocorre, a pressão nas veias das pernas aumenta muito como resultado da falência da bomba venosa, o que aumenta ainda mais o tamanho das veias e, finalmente, destrói totalmente a função das válvulas. Assim, a pessoa desenvolve as chamadas *veias varicosas (varizes)*, que se caracterizam por grandes protrusões bulbosas das veias sob a pele da perna, principalmente na porção inferior.

Sempre que pessoas com varizes ficam de pé por mais de alguns minutos, as pressões venosa e capilar tornam-se muito altas e o vazamento de líquido dos capilares provoca edema constante nas pernas. O edema, por sua vez, impede a difusão adequada de nutrientes dos capilares para as células musculares e cutâneas, de modo que os músculos ficam doloridos e fracos, e a pele pode ficar gangrenosa e ulcerada. O melhor tratamento para essa condição é a elevação contínua das pernas, a um nível pelo menos tão alto quanto o coração. Bandagens apertadas ou meias elásticas de compressão também podem ser de grande ajuda na prevenção do edema e suas sequelas.

Estimativa clínica da pressão venosa. A pressão venosa, com frequência, pode ser estimada simplesmente observando-se o grau de distensão das veias periféricas, especialmente as veias do pescoço. Por exemplo, em uma pessoa normal em repouso, sentada, as veias do pescoço nunca estão distendidas. No entanto, quando a pressão atrial direita aumenta para até +10 mmHg, as veias da parte inferior começam a se projetar, e, com pressão atrial de +15 mmHg, essencialmente todas as veias do pescoço são distendidas.

Medição direta da pressão venosa e da pressão atrial direita. A pressão venosa pode ser medida facilmente inserindo-se uma agulha diretamente na veia e conectando-a a um medidor de pressão. O único meio pelo qual a *pressão atrial direita* pode ser medida com precisão é a inserção de um cateter nas veias periféricas e no átrio direito. As pressões medidas por meio desses *cateteres venosos centrais* são frequentemente usadas em certos pacientes cardíacos hospitalizados, para fornecer uma avaliação constante da capacidade de bombeamento do coração.

Nível de referência para medição de pressões venosas e outras pressões circulatórias. Embora tenhamos comentado que a pressão atrial direita é 0 mmHg e a pressão arterial é 100 mmHg, não estabelecemos o nível gravitacional no sistema circulatório ao qual essa pressão se refere. Há um ponto no sistema circulatório em que os fatores de pressão gravitacional causados por mudanças na posição do corpo de uma pessoa saudável geralmente não afetam a medição da pressão em mais de 1 a 2 mmHg. Esse ponto se localiza no nível da valva tricúspide ou próximo a ela, como mostrado pelo cruzamento dos eixos na **Figura 15.12**. Portanto, todas as medições de pressão circulatória discutidas neste texto se referem a esse nível, que é chamado de *nível de referência para medição de pressão*.

A razão para a falta de efeitos gravitacionais na valva tricúspide é que o próprio coração impede automaticamente mudanças gravitacionais significativas na pressão nesse ponto da seguinte maneira: se a pressão na valva tricúspide estiver ligeiramente acima do normal, o preenchimento do ventrículo direito será maior que o normal, fazendo com que o coração bombeie sangue mais rapidamente e, portanto, reduzindo a pressão na valva tricúspide ao seu valor médio normal. Por outro lado, se a pressão cair, o ventrículo direito não conseguirá ser adequadamente preenchido, seu bombeamento diminuirá e o sangue se acumulará no sistema venoso até que a pressão no nível da valva tricúspide suba e retorne ao valor normal. Em outras palavras, *o coração atua como um sistema de retroalimentação* que regula a pressão na valva tricúspide.

Quando a pessoa está em decúbito dorsal, a valva tricúspide se localiza em um ponto imaginário que corresponde a, aproximadamente, 60% da espessura do tórax, anteriormente ao dorso. Esse é o *nível de referência de pressão zero* para a pessoa deitada.

FUNÇÃO DE RESERVATÓRIO SANGUÍNEO DAS VEIAS

Como comentamos no Capítulo 14, mais de 60% de todo o sangue no sistema circulatório em geral fica nas veias. Por isso, e também porque a complacência das veias é grande, o sistema venoso funciona como *reservatório de sangue* para a circulação.

Quando o organismo perde sangue e a pressão arterial começa a cair, são desencadeados sinais nervosos dos seios carotídeos e de outros órgãos sensíveis à pressão na circulação, como foi discutido no Capítulo 18. Esses sinais, por sua vez, provocam a emissão de sinais nervosos do cérebro e da medula espinhal, principalmente por meio dos nervos simpáticos para as veias, fazendo com que se contraiam. Esse processo interrompe a maior parte do déficit circulatório causado pela perda de sangue. Mesmo quando até 20% do volume total de sangue é perdido, o sistema circulatório frequentemente funciona quase normalmente graças a essa função de reservatório variável das veias.

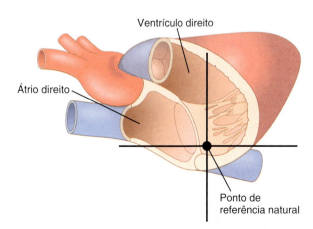

Figura 15.12 Ponto de referência para medição da pressão circulatória (localizado próximo à valva tricúspide).

RESERVATÓRIOS SANGUÍNEOS ESPECÍFICOS

Certas partes do sistema circulatório são tão extensas e/ou tão complacentes que são chamadas de *reservatórios sanguíneos específicos*. Esses reservatórios incluem: (1) o *baço*, que às vezes pode diminuir de tamanho o suficiente para liberar até 100 ml de sangue para outras áreas da circulação; (2) o *fígado*, cujos seios podem liberar várias centenas de mililitros de sangue para o restante da circulação; (3) as *grandes veias abdominais*, que podem contribuir com até 300 ml; e (4) o *plexo venoso abaixo da pele*, que também pode contribuir com várias centenas de mililitros. O *coração* e os *pulmões*, embora não sejam partes do sistema de reservatório venoso sistêmico, também podem ser considerados reservatórios sanguíneos. O tamanho do coração, por exemplo, diminui durante a estimulação simpática e, dessa forma, pode contribuir com cerca de 50 a 100 ml de sangue; os pulmões podem contribuir com outros 100 a 200 ml quando as pressões pulmonares caem para valores baixos.

O BAÇO É UM RESERVATÓRIO DE ERITRÓCITOS

A **Figura 15.13** mostra que o baço tem duas áreas separadas para armazenamento de sangue, os *seios venosos* e a *polpa*. Os seios podem se dilatar da mesma forma que qualquer outra parte do sistema venoso e armazenar todos os componentes do sangue.

Na polpa esplênica, os capilares são tão permeáveis que todos os componentes do sangue, incluindo os eritrócitos, atravessam as paredes dos capilares para a malha trabecular, formando a *polpa vermelha*. As hemácias são aprisionadas pelas trabéculas enquanto o plasma flui para os seios venosos e depois para a circulação geral. Consequentemente, a polpa vermelha do baço funciona como um *reservatório especial que contém grandes quantidades concentradas de eritrócitos*. Esses eritrócitos concentrados podem, então, ser lançados na circulação geral sempre que o sistema nervoso simpático ficar excitado e provocar a contração do baço e de seus vasos. Podem ser liberados na circulação até 50 ml de hemácias concentradas, elevando o hematócrito em 1 a 2%.

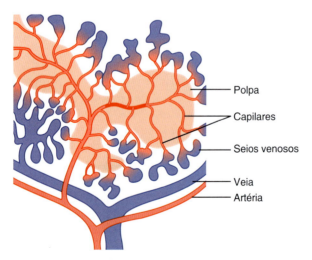

Figura 15.13 Estruturas funcionais do baço.

Em outras áreas da polpa esplênica, existem ilhotas de leucócitos que coletivamente são chamadas de *polpa branca*. Nessa área são fabricadas células linfoides, semelhantes às fabricadas nos linfonodos. Essas células fazem parte do sistema imunológico do organismo, descrito no Capítulo 35.

Função do baço como purificador do sangue: remoção de células velhas. Antes de entrarem nos seios esplênicos, as células sanguíneas que passam pela polpa esplênica são submetidas a uma grande compressão. Portanto, é de se esperar que os frágeis eritrócitos não resistam ao traumatismo. Por esse motivo, muitos deles são destruídos no baço. Após a ruptura das células, a hemoglobina liberada e o estroma celular são digeridos pelas células reticuloendoteliais do baço, e os produtos da digestão são reutilizados principalmente como nutrientes, que podem ser usados para fabricação de novas células sanguíneas.

Células reticuloendoteliais do baço. A polpa esplênica contém grandes células fagocíticas reticuloendoteliais e os seios venosos são revestidos por células semelhantes. Essas células funcionam como parte do sistema de limpeza do sangue, agindo em conjunto com um sistema semelhante de células reticuloendoteliais nos seios venosos do fígado. Quando o sangue é invadido por agentes infecciosos, as células reticuloendoteliais esplênicas removem rapidamente substâncias como detritos, bactérias e parasitas. Além disso, em muitas infecções crônicas, o baço aumenta de tamanho da mesma maneira que os linfonodos e, então, realiza a função de limpeza com ainda mais avidez.

Bibliografia

Badeer HS: Hemodynamics for medical students. Am J Physiol (Adv Physiol Educ) 25:44, 2001.

Bazigou E, Makinen T: Flow control in our vessels: vascular valves make sure there is no way back. Cell Mol Life Sci 70:1055, 2013.

Hall JE: Integration and regulation of cardiovascular function. Am J Physiol (Adv Physiol Educ) 22:s174, 1999.

Hicks JW, Badeer HS: Gravity and the circulation: "open" vs. "closed" systems. Am J Physiol 262:R725, 1992.

Lacolley P, Regnault V, Segers P, Laurent S: Vascular smooth muscle cells and arterial stiffening: Relevance in development, aging, and disease. Physiol Rev 97:1555, 2017.

Min E, Schwartz MA: Translocating transcription factors in fluid shear stress-mediated vascular remodeling and disease. Exp Cell Res 376:92, 2019.

O'Rourke MF, Adji A: Noninvasive studies of central aortic pressure. Curr Hypertens Rep 14:8, 2012.

Pickering TG, Hall JE, Appel LJ, et al: Recommendations for blood pressure measurement in humans and experimental animals: Part 1: blood pressure measurement in humans: a statement for professionals from the Subcommittee of Professional and Public Education of the American Heart Association Council on High Blood Pressure Research. Hypertension 45:142, 2005.

Stergiou GS, Alpert B, Mieke S, Asmar R, et. al: A Universal Standard for the Validation of Blood Pressure Measuring Devices: Association for the Advancement of Medical Instrumentation/European Society of Hypertension/International Organization for Standardization (AAMI/ESH/ISO) Collaboration Statement. Hypertension 71:368, 2018.

Whelton PK, Carey RM, Aronow WS, Casey DE Jr, et. al: Guideline for the Prevention, Detection, Evaluation, and Management of High Blood Pressure in Adults: Executive Summary: A Report of the American College of Cardiology/American Heart Association Task Force on Clinical Practice Guidelines. Hypertension. 71:1269, 2018.

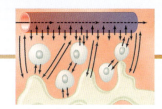

CAPÍTULO 16

A Microcirculação e o Sistema Linfático: Trocas Capilares, Líquido Intersticial e Fluxo de Linfa

As funções mais importantes da microcirculação são o *transporte de nutrientes para os tecidos* e a *remoção de produtos de excreção celular*. As pequenas arteríolas controlam o fluxo sanguíneo para cada tecido, e as condições teciduais locais, por sua vez, controlam o diâmetro das arteríolas. Assim, cada tecido, na maioria dos casos, controla seu próprio fluxo sanguíneo de acordo com suas necessidades individuais, conforme discutido no Capítulo 17.

As paredes dos capilares são finas e constituídas por células endoteliais de camada única e altamente permeáveis. Portanto, a água, os nutrientes das células e os excrementos celulares podem se intercambiar rápida e facilmente entre os tecidos e o sangue circulante.

A circulação periférica de todo o corpo tem cerca de 10 bilhões de capilares, com uma área de superfície total estimada em 500 a 700 metros quadrados (cerca de um oitavo da área de superfície de um campo de futebol americano). É raro que uma única célula funcional do corpo esteja a mais de 20 a 30 micrômetros de distância de um capilar.

ESTRUTURA DA MICROCIRCULAÇÃO E DO SISTEMA CAPILAR

A microcirculação de cada órgão é organizada para atender às necessidades específicas desse órgão. Em geral, cada artéria nutriente que entra em um órgão ramifica-se seis a oito vezes antes que as artérias se tornem pequenas o suficiente para serem chamadas de *arteríolas*, que geralmente têm diâmetros internos de apenas 10 a 15 micrômetros. Em seguida, as arteríolas se ramificam de duas a cinco vezes, atingindo diâmetros de 5 a 9 micrômetros em suas extremidades, de onde fornecem sangue aos capilares.

As arteríolas são muito musculares e podem alterar seus diâmetros muitas vezes. As metarteríolas (arteríolas terminais) não têm uma camada muscular contínua, mas as fibras musculares lisas circundam o vaso em pontos intermitentes, como mostrado na **Figura 16.1**.

No ponto em que cada capilar verdadeiro se origina de uma metarteríola, uma fibra muscular lisa geralmente circunda o capilar. Essa estrutura é chamada de *esfíncter pré-capilar*. Esse esfíncter pode abrir e fechar a entrada do capilar.

As vênulas são maiores que as arteríolas e têm uma camada muscular muito mais fraca. No entanto, a pressão nas vênulas é muito menor do que nas arteríolas, de modo que as vênulas ainda podem se contrair consideravelmente, apesar da fraca musculatura.

Essa disposição típica do leito capilar não é encontrada em todas as partes do corpo, embora uma disposição semelhante possa servir à mesma finalidade. Mais importante ainda, as metarteríolas e os esfíncteres pré-capilares estão em contato próximo com os tecidos que abastecem. Portanto, as condições locais dos tecidos – como as concentrações de nutrientes, produtos finais do metabolismo e íons hidrogênio – podem causar efeitos diretos sobre os vasos para controlar o fluxo sanguíneo local em cada pequena área de tecido.

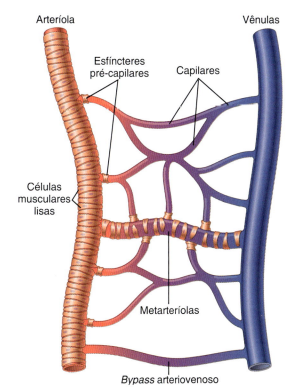

Figura 16.1 Componentes da microcirculação.

Estrutura da parede capilar. A **Figura 16.2** mostra a estrutura ultramicroscópica de células endoteliais típicas da parede capilar, como encontrada na maioria dos órgãos do corpo, especialmente nos músculos e no tecido conjuntivo. Observe que a parede é composta por uma camada unicelular de células endoteliais e é circundada por uma fina membrana basal na parte externa do capilar. A espessura total da parede capilar é de apenas cerca de 0,5 micrômetro. O diâmetro interno do capilar é de 4 a 9 micrômetros, grande o suficiente para que as hemácias e outras células sanguíneas consigam passar.

Poros na membrana capilar. A **Figura 16.2** mostra duas pequenas passagens conectando o interior do capilar com o exterior. Uma dessas passagens é a chamada *fenda intercelular*, que é o canal curvo e fino mostrado no alto da figura entre células endoteliais adjacentes. Cada fenda é interrompida periodicamente por cadeias curtas de proteínas, que mantêm as células endoteliais unidas, mas, entre essas cadeias, o líquido pode passar livremente através da fenda. As fendas normalmente têm um espaçamento uniforme, com uma largura de cerca de 6 a 7 nanômetros (60 a 70 angstroms [Å]), que é ligeiramente menor que o diâmetro de uma molécula da proteína albumina.

Como as fendas intercelulares estão localizadas apenas nas bordas das células endoteliais, geralmente representam não mais do que 1/1.000 da área total da superfície da parede capilar. No entanto, a taxa de movimentação térmica das moléculas de água, assim como da maioria dos íons solúveis em água e pequenos solutos, é tão rápida que todas essas substâncias se difundem com facilidade entre o interior e o exterior dos capilares através desses *poros estreitos*, as fendas intercelulares.

Nas células endoteliais existem muitas *vesículas plasmalêmicas* diminutas, também chamadas de *cavéolas* (pequenas cavernas). Essas vesículas plasmalêmicas se formam a partir de oligômeros de proteínas chamadas *caveolinas*, que estão associadas a moléculas de *colesterol* e *esfingolipídios*. Embora as funções precisas das cavéolas ainda não sejam claras, acredita-se que desempenhem um papel na *endocitose* (processo pelo qual a célula envolve o material de fora da célula) e na *transcitose*[1] de macromoléculas no interior das células endoteliais. As cavéolas na superfície da célula parecem absorver pequenas quantidades de plasma ou líquido extracelular que contém proteínas plasmáticas. Essas vesículas podem então se mover lentamente através da célula endotelial. Algumas dessas vesículas podem coalescer para formar *canais vesiculares* por todo o percurso através da célula endotelial, como mostrado na **Figura 16.2**.

Tipos especiais de poros em capilares de certos órgãos. Os poros dos capilares de alguns órgãos têm características especiais para atender às suas necessidades específicas. Algumas dessas características são as seguintes:

1. No *cérebro*, as junções entre as células endoteliais capilares são principalmente *junções oclusivas* que permitem que apenas moléculas extremamente pequenas, como água, oxigênio e dióxido de carbono passem para dentro ou para fora dos tecidos cerebrais.
2. No *fígado*, as fendas entre as células endoteliais dos capilares são quase totalmente abertas, de modo que praticamente todas as substâncias dissolvidas do plasma, incluindo as proteínas plasmáticas, podem passar do sangue para os tecidos do fígado.
3. Os poros das *membranas capilares gastrointestinais* têm um tamanho intermediário entre os poros dos músculos e os do fígado.
4. Nos *capilares glomerulares dos rins*, numerosas pequenas janelas ovais chamadas *fenestrações* atravessam as células endoteliais de modo que grandes quantidades de pequenas substâncias moleculares e iônicas (mas não as grandes moléculas de proteínas plasmáticas) podem ser filtradas pelos glomérulos, sem ter que passar pelas fendas entre as células endoteliais.

FLUXO DE SANGUE NOS CAPILARES: PAPEL DA VASOMOTRICIDADE

O sangue, em geral, não flui continuamente pelos capilares, e sim de maneira intermitente, fluindo e sendo

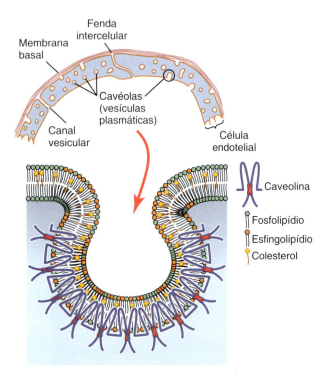

Figura 16.2 Estrutura da parede capilar. Observe especialmente a *fenda intercelular* na junção entre as células endoteliais adjacentes. Acredita-se que a maioria das substâncias solúveis em água se difunda através da membrana capilar ao longo das fissuras. Acredita-se que pequenas invaginações da membrana, chamadas cavéolas, desempenhem uma função no transporte de macromoléculas através da membrana celular. As cavéolas contêm caveolinas, que são proteínas que interagem com o colesterol e se polimerizam para formar a cavéola.

---

[1] N.R.T.: Processo de transpassar a célula, entrando por endocitose de um lado e saindo por exocitose do outro.

interrompido a cada poucos segundos ou minutos. A causa dessa intermitência é o fenômeno chamado *vasomotricidade*, que significa contração intermitente das metarteríolas e esfíncteres pré-capilares (e às vezes até de arteríolas muito pequenas).

Regulação da vasomotricidade. O fator preponderante entre os que afetam o grau de abertura e fechamento das metarteríolas e dos esfíncteres pré-capilares é a concentração de *oxigênio* nos tecidos. Quando a taxa de utilização de oxigênio pelo tecido é alta – de modo que a concentração de oxigênio no tecido fica abaixo do normal – os períodos de intermitência do fluxo sanguíneo capilar ocorrem com maior frequência, e a duração de cada período de fluxo também é maior, permitindo que o sangue capilar carregue uma quantidade maior de oxigênio (bem como de outros nutrientes) aos tecidos. Esse efeito, aliado a vários outros fatores que controlam o fluxo sanguíneo local nos tecidos, é discutido no Capítulo 17.

Estimativa média do funcionamento do sistema capilar. Apesar da intermitência do fluxo sanguíneo através de cada capilar, existem tantos capilares nos tecidos que seu funcionamento representa uma média da função de cada capilar individual. Ou seja, existe uma *taxa média de fluxo sanguíneo* através de cada leito capilar, uma *pressão capilar média* nos capilares e uma *taxa média de transferência de substâncias* entre o sangue dos capilares e o líquido intersticial circundante. No restante deste capítulo, vamos tratar dessas médias, mas devemos lembrar que as funções médias são, na realidade, as funções de bilhões de capilares individuais, cada um operando intermitentemente em resposta às condições teciduais locais.

TROCAS DE ÁGUA, NUTRIENTES E OUTRAS SUBSTÂNCIAS ENTRE O SANGUE E O LÍQUIDO INTERSTICIAL

A difusão através da membrana capilar é o meio mais importante de transferência de substâncias entre o plasma e o líquido intersticial. A **Figura 16.3** mostra que, à medida que o sangue flui ao longo do lúmen do capilar, um número muito grande de moléculas de água e partículas dissolvidas se difunde para dentro e para fora através da parede capilar, proporcionando uma mistura contínua entre o líquido intersticial e o plasma. Eletrólitos, nutrientes e resíduos metabólicos se difundem facilmente através da membrana capilar. As proteínas são os únicos constituintes dissolvidos no plasma e nos líquidos intersticiais que não conseguem atravessar facilmente a membrana capilar.

Substâncias lipossolúveis difundem-se diretamente através das membranas celulares do endotélio capilar. Se uma substância for lipossolúvel, poderá difundir-se diretamente através das membranas celulares do capilar sem ter que passar pelos poros. Essas substâncias incluem o *oxigênio* e o *dióxido de carbono*. Como essas

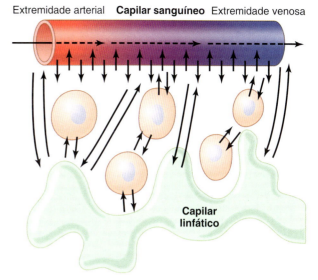

Figura 16.3 Difusão de moléculas de líquido e de substâncias dissolvidas entre o capilar e os espaços do líquido intersticial.

substâncias podem permear todas as áreas da membrana capilar, suas taxas de transporte através da membrana capilar são muitas vezes mais rápidas do que as taxas de substâncias insolúveis em lipídeos, como íons sódio e moléculas de glicose, que só conseguem atravessar pelos poros.

Substâncias solúveis em água e insolúveis em lipídios difundem-se através dos poros intercelulares da membrana capilar. Muitas substâncias necessárias aos tecidos são hidrossolúveis, mas não conseguem passar pelas membranas lipídicas das células endoteliais; isto inclui *moléculas de água, íons sódio, íons cloreto* e *glicose*. Embora apenas 1/1.000 da área de superfície dos capilares seja representado pelas fendas intercelulares entre as células endoteliais, a velocidade do movimento molecular térmico nas fendas é tão grande que mesmo essa pequena área é suficiente para permitir uma difusão enorme de água e substâncias hidrossolúveis através desses poros em fenda. Para dar uma ideia da rapidez com que essas substâncias se difundem, *a taxa com que as moléculas de água se difundem através da membrana capilar é cerca de 80 vezes maior do que a taxa com que o próprio plasma flui linearmente ao longo do capilar*. Ou seja, a água do plasma é trocada com a água do líquido intersticial 80 vezes antes que o plasma possa fluir por toda a extensão do capilar.

Efeito do tamanho da molécula sobre a passagem através dos poros. A largura dos poros da fenda intercelular capilar, 6 a 7 nanômetros, é cerca de 20 vezes o diâmetro da molécula de água, que é a menor molécula entre as que passam com facilidade pelos poros capilares. Os diâmetros das moléculas de proteína plasmática, no entanto, são ligeiramente maiores do que a largura dos poros. Outras substâncias, como íons sódio, íons cloreto, glicose e ureia, têm diâmetros intermediários. Portanto, a permeabilidade dos poros capilares para diferentes substâncias varia em função dos diâmetros moleculares.

A **Tabela 16.1** lista a permeabilidade relativa dos poros capilares no músculo esquelético para várias substâncias, demonstrando, por exemplo, que a permeabilidade para moléculas de glicose é 0,6 vez maior que para moléculas de água, enquanto a permeabilidade para moléculas de albumina é muito pequena – apenas um 1/1.000 do valor em relação a moléculas de água.

Nesse ponto, precisamos fazer um alerta. Os capilares dos diversos tecidos têm diferenças extremas em suas permeabilidades. Por exemplo, as membranas dos capilares sinusoides do fígado são tão permeáveis que até as proteínas plasmáticas conseguem atravessar, praticamente com a mesma facilidade que a água e outras substâncias. Além disso, a permeabilidade da membrana glomerular renal para água e eletrólitos é cerca de 500 vezes a permeabilidade dos capilares musculares, mas isso não é verdadeiro para as proteínas plasmáticas. Para essas proteínas, as permeabilidades capilares são muito pequenas, como em outros tecidos e órgãos. Quando estudarmos esses diferentes órgãos posteriormente neste livro, deverá ficar claro por que alguns tecidos requerem maiores graus de permeabilidade capilar do que outros. Por exemplo, são necessários graus maiores de permeabilidade capilar para que o fígado transfira enormes quantidades de nutrientes entre o sangue e as células do parênquima hepático e para que os rins permitam a filtração de grandes quantidades de líquido para a formação da urina.

A difusão através da membrana capilar é proporcional à diferença de concentração entre os dois lados da membrana. Quanto maior a diferença entre as concentrações de uma determinada substância nos dois lados da membrana capilar, maior será o movimento total da substância em uma direção através da membrana. Por exemplo, a concentração de oxigênio no sangue capilar normalmente é maior do que no líquido intersticial. Portanto, grandes quantidades de oxigênio se movem do sangue em direção aos tecidos. Por outro lado, a concentração de dióxido de carbono é maior nos tecidos do que no sangue, o que faz com que o excesso de dióxido de carbono se mova para o sangue e seja carregado para fora dos tecidos.

As taxas de difusão através das membranas capilares das substâncias nutricionalmente mais importantes são tão grandes que, mesmo com pequenas diferenças de concentração, são suficientes para provocar o transporte adequado entre o plasma e o líquido intersticial. Por exemplo, a concentração de oxigênio no líquido intersticial imediatamente fora do capilar é um pouco menor do que sua concentração no plasma, mas essa ligeira diferença faz com que uma quantidade suficiente de oxigênio se mova do sangue para os espaços intersticiais, de modo a fornecer todo o oxigênio necessário ao metabolismo dos tecidos – frequentemente até vários litros de oxigênio por minuto durante estados de muita atividade corporal.

INTERSTÍCIO E LÍQUIDO INTERSTICIAL

Cerca de um sexto do volume total do corpo consiste em espaços entre as células, que coletivamente são chamados de *interstício*. O líquido nesses espaços é chamado de *líquido intersticial*.

A estrutura do interstício é mostrada na **Figura 16.4**. Ele contém dois tipos principais de estruturas sólidas: (1) *feixes de fibras de colágeno*; e (2) *filamentos de proteoglicano*. Os feixes de fibras de colágeno estendem-se por longas distâncias no interstício. Eles são extremamente fortes e fornecem a maior parte da força tensional dos tecidos. Os filamentos de proteoglicanos, no entanto, são moléculas extremamente finas, espiraladas ou retorcidas compostas de cerca de 98% de *ácido hialurônico* e 2% de proteína. Essas moléculas são tão finas que não podem ser observadas com um microscópio óptico e são difíceis de demonstrar, mesmo com o microscópio eletrônico. No entanto,

Tabela 16.1 Permeabilidade relativa de poros capilares do músculo esquelético em moléculas de tamanhos diferentes.

Substância	Peso molecular	Permeabilidade
Água	18	1,00
NaCl	58,5	0,96
Ureia	60	0,8
Glicose	180	0,6
Sacarose	342	0,4
Insulina	5.000	0,2
Mioglobina	17.600	0,03
Hemoglobina	68.000	0,01
Albumina	69.000	0,001

Dados extraídos de Pappenheimer JR: Passage of molecules through capillary walls. Physiol Rev 33:387,1953.

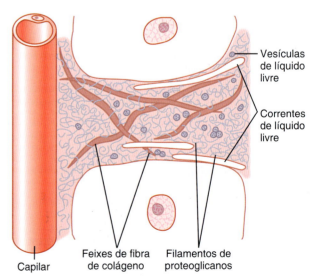

Figura 16.4 Estrutura do interstício. Os filamentos de proteoglicanos ocupam os espaços entre os feixes de fibras de colágeno. Ocasionalmente, também são formadas vesículas de líquido livre e pequenas quantidades de líquido livre na forma de correntes.

elas formam uma trama de filamentos reticulares muito finos semelhantes a um amontoado de cerdas.

Gel no interstício. O líquido presente no interstício é derivado de filtração e difusão pelos capilares. Ele contém praticamente os mesmos constituintes do plasma, exceto por concentrações muito mais baixas de proteínas, porque elas não passam com facilidade pelos poros dos capilares. O líquido intersticial fica retido principalmente nos pequenos espaços entre os filamentos de proteoglicanos. Essa combinação dos filamentos de proteoglicanos com o líquido retido entre eles tem as características de um *gel* e, portanto, é denominada *gel tecidual*.

Em virtude do grande número de filamentos de proteoglicanos, *é difícil para o líquido fluir com facilidade* através do gel tecidual. Em vez disso, o líquido *basicamente se difunde* através do gel; quer dizer, ele se move molécula a molécula de um lugar para outro, por movimento térmico cinético, em vez de um movimento conjunto de um grande número de moléculas.

A velocidade de difusão através do gel é de cerca de 95 a 99% em relação à difusão livre pelo líquido. Para as curtas distâncias entre os capilares e as células do tecido, essa difusão permite o transporte rápido através do interstício, não apenas de moléculas de água, mas também de substâncias como eletrólitos, nutrientes de baixo peso molecular, resíduos celulares, oxigênio e dióxido de carbono.

Líquido livre no interstício. Embora quase todo o líquido no interstício em condições normais esteja retido no gel tecidual, ocasionalmente *pequenas correntes de líquido livre* e *pequenas vesículas de líquido livre* também estão presentes, o que significa líquido livre de moléculas de proteoglicano que, portanto, pode fluir livremente. Quando um corante é injetado no sangue circulante, geralmente se pode observar que ele flui através do interstício em pequenas correntes, percorrendo as superfícies das fibras de colágeno ou as superfícies celulares.

A quantidade de líquido livre presente na maioria dos tecidos *normais* é pequena, geralmente menos de 1%. Por outro lado, quando os tecidos desenvolvem *edema*, essas *pequenas porções e correntes de líquido livre se expandem acentuadamente*, até que a metade ou mais do líquido do edema se torne líquido de fluxo livre, independente dos filamentos de proteoglicanos.

FILTRAÇÃO DE LÍQUIDOS PELOS CAPILARES

A pressão hidrostática nos capilares tende a forçar o líquido e as substâncias dissolvidas através dos poros capilares para os espaços intersticiais. Por outro lado, a pressão osmótica gerada pelas proteínas plasmáticas (chamada *pressão coloidosmótica*) tende a fazer com que o líquido se movimente por osmose dos espaços intersticiais para o sangue. Essa pressão osmótica exercida pelas proteínas plasmáticas normalmente impede a perda significativa de volume de líquido do sangue para os espaços intersticiais.

Também é importante o papel do *sistema linfático*, que traz de volta à circulação as pequenas quantidades de excesso de proteína e líquido que extravasam do sangue para os espaços intersticiais. No restante deste capítulo, discutiremos os mecanismos que controlam em conjunto a filtração capilar e a função do fluxo linfático, para regular os respectivos volumes de plasma e líquido intersticial.

Forças hidrostáticas e coloidosmóticas controlam o movimento do líquido através da membrana capilar.

A **Figura 16.5** mostra as quatro forças primárias que determinam se o líquido sairá do sangue para o líquido intersticial ou o contrário. Essas forças, chamadas de *forças de Starling*, foram nomeadas em homenagem ao fisiologista Ernest Starling, o primeiro a demonstrar a sua importância:

1. *Pressão hidrostática capilar* (Pc), que tende a forçar o líquido *para fora* através da membrana capilar.
2. *Pressão hidrostática do líquido intersticial* (Pi), que tende a forçar o líquido *para dentro* através da membrana capilar quando a Pi é positiva, mas para fora quando a Pi é negativa.
3. *Pressão coloidosmótica capilar* (Πp), que tende a provocar osmose do líquido *para dentro* através da membrana capilar.
4. *Pressão coloidosmótica intersticial* (Πi), que tende a provocar osmose do líquido *para fora* através da membrana capilar.

Se a soma dessas forças – a *pressão efetiva de filtração* – for positiva, haverá filtração de líquido através dos capilares. Se a soma das forças de Starling for negativa, haverá reabsorção de líquido dos espaços intersticiais para os capilares. A pressão efetiva de filtração (PEF) é calculada da seguinte forma:

$$PEF = Pc - Pi - \Pi p + \Pi i$$

Como será discutido posteriormente, a PEF é ligeiramente positiva em condições normais, resultando em uma filtração efetiva de líquido através dos capilares para o espaço intersticial na maioria dos órgãos. A taxa de filtração de líquido em um tecido também pode ser determinada pelo número e tamanho dos poros em cada capilar,

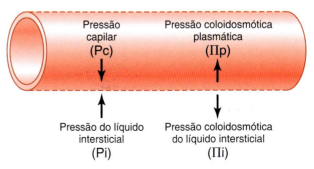

Figura 16.5 A pressão do líquido e as forças de pressão coloidosmótica operam na membrana capilar e tendem a mover o líquido para fora ou para dentro através dos poros da membrana.

PARTE 4 Circulação

bem como pelo número de capilares através dos quais o sangue está fluindo. Esses fatores são geralmente expressos em conjunto, como *coeficiente de filtração capilar* (K_f). O K_f é, portanto, uma medida da capacidade das membranas capilares de filtrar a água para uma determinada PEF e geralmente é expresso em mℓ/min por mmHg de pressão efetiva.

A taxa de filtração de líquido capilar é, portanto, determinada da seguinte forma:

$$\text{Filtração} = K_f \times \text{PEF}$$

Nas próximas seções, discutiremos cada uma das forças que determinam a taxa de filtração de líquido capilar.

PRESSÃO HIDROSTÁTICA CAPILAR

Vários métodos têm sido empregados para estimar a pressão hidrostática capilar: (1) *canulação direta dos capilares por micropipeta*, o que obtém uma pressão capilar média de cerca de 25 mmHg em alguns tecidos, como o músculo esquelético e o intestino, e (2) *medição funcional indireta da pressão capilar*, que obtém uma pressão capilar média de cerca de 17 mmHg nesses tecidos.

Método da micropipeta para medir a pressão capilar. Para medir a pressão por canulação, deve-se introduzir uma pipeta de vidro microscópica diretamente no capilar, e a pressão é medida por um sistema micromanométrico apropriado. Com esse método, as pressões capilares foram medidas em tecidos expostos de animais e em grandes alças capilares do eponíquio na base da unha de seres humanos. Essas medições forneceram pressões de 30 a 40 mmHg nas extremidades arteriais dos capilares, 10 a 15 mmHg nas extremidades venosas e cerca de 25 mmHg no meio.

Em alguns capilares, como nos *capilares glomerulares* renais, as pressões medidas pelo método da micropipeta são muito maiores, com média de cerca de 60 mmHg. Os *capilares peritubulares* dos rins, ao contrário, têm uma pressão hidrostática que é, em média, de apenas cerca de 13 mmHg. Assim, as pressões hidrostáticas capilares em diferentes tecidos variam muito, dependendo do tecido específico e de sua condição fisiológica.

PRESSÃO HIDROSTÁTICA DO LÍQUIDO INTERSTICIAL

Existem vários métodos para medir a pressão hidrostática do líquido intersticial, cada um fornecendo valores ligeiramente diferentes, dependendo do método empregado e do tecido onde a pressão está sendo medida. No tecido subcutâneo frouxo, a pressão do líquido intersticial medida pelos diferentes métodos é geralmente alguns milímetros de mercúrio menor que a pressão atmosférica; ou seja, os valores são chamados de *pressão negativa do líquido intersticial*. Em outros tecidos que estão rodeados por cápsulas, como os rins, a pressão intersticial é geralmente positiva (ou seja, maior do que a pressão atmosférica). Os métodos mais utilizados são: (1) medição da pressão com uma micropipeta inserida nos tecidos;

(2) medição da pressão de cápsulas perfuradas implantadas; e (3) medição da pressão a partir de uma mecha de algodão inserida no tecido. Os diferentes métodos fornecem valores distintos para a pressão hidrostática intersticial, ainda que nos mesmos tecidos.

Medição da pressão do líquido intersticial por micropipetas. O mesmo tipo de micropipeta usado para medir a pressão capilar também pode ser empregado em alguns tecidos para medir a pressão do líquido intersticial. A ponta da micropipeta tem cerca de 1 micrômetro de diâmetro, mas mesmo isso é pelo menos 20 vezes maior do que o tamanho dos espaços entre os filamentos de proteoglicano do interstício. Portanto, a pressão aferida provavelmente é o valor de pressão em uma bolsa de líquido livre.

As pressões medidas pelo método da micropipeta variam de −2 a +2 mmHg em tecidos *frouxos*, como a pele, mas, na maioria dos casos, têm média ligeiramente inferior à pressão atmosférica.

Medida da pressão de líquido intersticial livre em cápsulas ocas perfuradas implantadas. A pressão do líquido intersticial livre medida quando se utilizam cápsulas de 2 cm de diâmetro em tecido subcutâneo *frouxo* normal é, em média, de cerca de −6 mmHg, mas, com cápsulas menores, os valores não são muito diferentes dos −2 mmHg medidos pela micropipeta.

Pressões do líquido intersticial em tecidos limitados por estruturas rígidas. Alguns tecidos orgânicos são cercados por estruturas rígidas, como a abóbada craniana ao redor do cérebro, a forte cápsula fibrosa ao redor do rim, as bainhas fibrosas ao redor dos músculos e a esclera ao redor do olho. Na maioria desses tecidos, independentemente do método utilizado na medição, as pressões do líquido intersticial são positivas. No entanto, essas pressões quase sempre são ainda menores do que as pressões exercidas sobre a parte externa dos tecidos pelos invólucros que os contêm. Por exemplo, a pressão do líquido cefalorraquidiano em torno do cérebro de um animal em decúbito lateral é, em média, de +10 mmHg, enquanto a *pressão do líquido intersticial cerebral* é, em média, de +4 a +6 mmHg. No rim, a pressão capsular ao redor do órgão é, em média, de cerca de +13 mmHg, enquanto as *pressões do líquido intersticial renal* relatadas têm média de cerca de +6 mmHg. Assim, levando-se em conta que a pressão exercida sobre a pele é a pressão atmosférica, que é considerada pressão zero, pode-se formular uma regra geral de que a pressão do líquido intersticial normal geralmente é vários milímetros de mercúrio negativos em relação à pressão que cerca cada tecido.

Na maioria das cavidades naturais do corpo, onde há líquido livre em equilíbrio dinâmico com os líquidos intersticiais circundantes, as pressões medidas foram negativas. Algumas dessas cavidades e medições de pressão são as seguintes:

- Espaço intrapleural: −8 mmHg
- Espaços sinoviais articulares: −4 a −6 mmHg
- Espaço epidural: −4 a −6 mmHg.

CAPÍTULO 16 A Microcirculação e o Sistema Linfático: Trocas Capilares, Líquido Intersticial e Fluxo de Linfa

Resumo: a pressão do líquido intersticial no tecido subcutâneo frouxo geralmente é subatmosférica.

Embora os vários métodos já descritos forneçam valores ligeiramente diferentes, a maioria dos fisiologistas acredita que a pressão do líquido intersticial no tecido subcutâneo *frouxo* é, em condições normais, ligeiramente menos subatmosférica, com média de cerca de –3 mmHg.

O bombeamento pelo sistema linfático é a causa básica da pressão negativa do líquido intersticial.

O sistema linfático será discutido posteriormente neste capítulo, mas primeiro precisamos entender o papel básico que esse sistema desempenha na determinação da pressão do líquido intersticial. O sistema linfático é uma espécie de sistema de coleta e eliminação ("faxina tecidual") que remove o excesso de líquido, o excesso de moléculas de proteína, detritos e outros resíduos dos espaços teciduais. Normalmente, quando o líquido entra nos capilares linfáticos terminais, as paredes dos vasos linfáticos se contraem automaticamente por alguns segundos e bombeiam o líquido para a circulação sanguínea. Esse processo cria a pressão ligeiramente negativa medida para o líquido nos espaços intersticiais.

PRESSÃO COLOIDOSMÓTICA DO PLASMA

As proteínas do plasma causam pressão coloidosmótica.

Conforme discutido no Capítulo 4, somente moléculas ou íons que não conseguem passar pelos poros de uma membrana semipermeável exercem pressão osmótica. Como as proteínas são os únicos constituintes dissolvidos no plasma e nos líquidos intersticiais que não conseguem passar com facilidade pelos poros capilares, são as proteínas do plasma e dos líquidos intersticiais as responsáveis pelas pressões osmóticas nos dois lados da membrana capilar. Essa pressão osmótica causada pelas proteínas é chamada de *pressão coloidosmótica* ou *pressão oncótica*. O termo *pressão coloidosmótica* deriva do fato de que uma solução proteica se assemelha a uma solução coloidal, apesar de ser, na verdade, uma solução molecular verdadeira.

Valores normais para pressão coloidosmótica do plasma.

A pressão coloidosmótica do plasma humano normal é, em média, de cerca de 28 mmHg; 19 mm dessa pressão são causados por efeitos moleculares da proteína dissolvida e 9 mm são causados pelo *efeito Donnan* – isto é, a pressão osmótica extra causada por íons sódio, potássio e outros cátions ligados às proteínas plasmáticas.

Efeito das diferentes proteínas plasmáticas sobre a pressão coloidosmótica.

As proteínas plasmáticas são uma mistura que contém albumina, globulinas e fibrinogênio, com peso molecular médio de 69.000, 140.000 e 400.000, respectivamente. Assim, 1 grama de globulina contém apenas metade das moléculas contidas em 1 grama de albumina; e 1 grama de fibrinogênio contém apenas um sexto das moléculas de 1 grama de albumina. É importante relembrar, pelo que foi discutido no Capítulo 4, que a pressão osmótica é determinada pelo *número de moléculas* dissolvidas em um líquido, e não pela massa dessas moléculas. O quadro a seguir fornece as concentrações relativas de massa (g/dℓ) dos diferentes tipos de proteínas normalmente encontradas no plasma e suas respectivas contribuições para a pressão coloidosmótica total do plasma (Πp). Esses valores incluem o efeito Donnan dos íons ligados às proteínas plasmáticas:

	g/dℓ	Πp (mmHg)
Albumina	4,5	21,8
Globulinas	2,5	6,0
Fibrinogênio	0,3	0,2
Total	7,3	28,0

Assim, cerca de 80% da pressão coloidosmótica total do plasma resultam da albumina, 20% das globulinas e quase nenhuma do fibrinogênio. Portanto, do ponto de vista da dinâmica dos líquidos capilares e teciduais, a albumina é o fator mais importante.

PRESSÃO COLOIDOSMÓTICA DO LÍQUIDO INTERSTICIAL

Embora, em geral, o tamanho do poro capilar seja menor do que o tamanho molecular das proteínas plasmáticas, isso não se aplica a todos os poros. Por isso, pequenas quantidades de proteínas plasmáticas extravasam para os espaços intersticiais através dos poros e por transcitose em pequenas vesículas.

A quantidade total de proteína nos 12 ℓ de líquido intersticial do organismo é ligeiramente maior do que a quantidade total de proteína plasmáticas, mas como esse volume é quatro vezes o volume do plasma, a *concentração* média de proteínas no líquido intersticial da maioria dos tecidos é geralmente apenas 40% em relação ao plasma, ou cerca de 3 g/dℓ. Quantitativamente, a pressão coloidosmótica média do líquido intersticial para essa concentração de proteínas é de cerca de 8 mmHg.

TROCAS DE LÍQUIDO ATRAVÉS DA MEMBRANA CAPILAR

Como os diferentes fatores que afetam o movimento dos líquidos através da membrana capilar já foram discutidos, podemos agrupar todos esses fatores para ver como o sistema capilar mantém a distribuição normal do volume de líquidos entre o plasma e o líquido intersticial.

A pressão capilar média nas extremidades arteriais dos capilares é 15 a 25 mmHg maior do que nas extremidades venosas. Por causa dessa diferença, o líquido é filtrado para fora dos capilares em suas extremidades arteriais, mas, nas extremidades venosas, o líquido é reabsorvido pelos capilares (ver **Figura 16.3**). Assim, uma pequena quantidade de líquido realmente "flui" através dos tecidos das extremidades arteriais dos capilares para as extremidades venosas. A dinâmica desse fluxo é discutida adiante.

PARTE 4 Circulação

Análise das forças que causam filtração na extremidade arterial do capilar. As médias aproximadas das forças operantes na *extremidade arterial* do capilar e que provocam a movimentação através da membrana capilar são mostradas a seguir:

	mmHg
Forças que tendem a mover o líquido para fora	
Pressão hidrostática capilar (extremidade arterial do capilar)	30
Pressão hidrostática do líquido intersticial (*negativa*)	3
Pressão coloidosmótica do líquido intersticial	8
FORÇA TOTAL PARA FORA	41
Forças que tendem a mover o líquido para dentro	
Pressão coloidosmótica do plasma	28
FORÇA TOTAL PARA DENTRO	28
Soma das forças	
Para fora	41
Para dentro	28
FORÇA EFETIVA PARA FORA (NA EXTREMIDADE ARTERIAL)	13

Assim, a soma das forças na extremidade arterial do capilar mostra uma *pressão efetiva de filtração* de 13 mmHg, que tende a mover o líquido para fora dos poros capilares. Essa pressão de filtração de 13 mmHg faz com que, em média, cerca de 1/200 do plasma no sangue circulante seja filtrado das extremidades arteriais dos capilares para os espaços intersticiais, cada vez que o sangue passa pelos capilares.

Análise da reabsorção na extremidade venosa do capilar. A baixa pressão arterial na extremidade venosa do capilar altera o equilíbrio de forças em favor da reabsorção da seguinte maneira:

	mmHg
Forças que tendem a mover o líquido para dentro	
Pressão coloidosmótica do plasma	28
FORÇA TOTAL PARA DENTRO	28
Forças que tendem a mover o líquido para fora	
Pressão hidrostática capilar (extremidade venosa do capilar)	10
Pressão hidrostática do líquido intersticial (*negativa*)	3
Pressão coloidosmótica do líquido intersticial	8
FORÇA TOTAL PARA FORA	21
Soma das forças	
Para dentro	28
Para fora	21
FORÇA EFETIVA PARA DENTRO	7

Assim, existe uma *pressão efetiva de reabsorção* de 7 mmHg nas extremidades venosas dos capilares. Essa pressão de reabsorção é consideravelmente menor do que a pressão de filtração nas extremidades arteriais capilares, mas lembre-se de que os capilares venosos são mais numerosos e mais permeáveis do que os capilares arteriais. Assim, é necessária uma pressão de reabsorção menor para provocar o movimento do líquido para dentro.

A pressão de reabsorção faz com que cerca de nove décimos do líquido filtrado das extremidades arteriais dos capilares sejam reabsorvidos nas extremidades venosas. O décimo restante flui para os vasos linfáticos e retorna para o sangue circulante.

EQUILÍBRIO DE STARLING PARA TROCAS CAPILARES

Ernest Starling assinalou há mais de um século que, em condições normais, existe um estado de quase equilíbrio na maioria dos capilares. Ou seja, a quantidade de líquido filtrado para fora nas extremidades arteriais dos capilares é quase igual ao líquido que retorna à circulação por reabsorção. O ligeiro desequilíbrio que ocorre é responsável pelo líquido que finalmente retorna à circulação através dos vasos linfáticos.

O quadro a seguir mostra os princípios do equilíbrio de Starling. Nesse quadro são calculadas as médias das pressões nos capilares arteriais e venosos para determinar a pressão capilar *funcional* média em toda a extensão capilar. Essa pressão capilar funcional média é calculada em 17,3 mmHg.

	mmHg
Forças médias que tendem a mover o líquido para fora	
Pressão capilar média	17,3
Pressão hidrostática do líquido intersticial (*negativa*)	3
Pressão coloidosmótica do líquido intersticial	8
FORÇA TOTAL PARA FORA	28,3
Forças médias que tendem a mover o líquido para dentro	
Pressão coloidosmótica do plasma	28
FORÇA TOTAL PARA DENTRO	28
Soma das forças médias	
Para fora	28,3
Para dentro	28
FORÇA EFETIVA PARA FORA	0,3

Assim, para a circulação capilar total, encontramos um quase equilíbrio entre o total das forças para fora, de 28,3 mmHg, e o total das forças para dentro, de 28,0 mmHg. Esse ligeiro desequilíbrio de forças, de 0,3 mmHg, provoca um pouco mais de filtração de líquido nos espaços intersticiais do que de reabsorção. Esse leve excesso é chamado de *filtração efetiva* e é o líquido que deve retornar à circulação pelos vasos linfáticos. A taxa normal de filtração efetiva *no organismo inteiro*, excluídos os rins, é de apenas cerca de 2 mℓ/min.

COEFICIENTE DE FILTRAÇÃO CAPILAR

No exemplo anterior, um desequilíbrio líquido médio de forças nas membranas capilares de 0,3 mmHg causa uma filtração efetiva de líquido em todo o corpo de 2 mℓ/min. Expressando a taxa de filtração efetiva de líquido para cada mmHg em desequilíbrio, encontra-se uma taxa de filtração efetiva de 6,67 mℓ/min de líquido por mmHg

CAPÍTULO 16 A Microcirculação e o Sistema Linfático: Trocas Capilares, Líquido Intersticial e Fluxo de Linfa

para todo o corpo. Esse valor é denominado *coeficiente de filtração capilar* corporal total.

O coeficiente de filtração também pode ser expresso para regiões separadas do corpo em termos de taxa de filtração por minuto por mmHg por 100 gramas de tecido. Nesta base, o coeficiente de filtração capilar médio do tecido é de cerca de 0,01 mℓ/min por mmHg por 100 g de tecido. No entanto, devido a diferenças extremas nas permeabilidades e nas áreas de superfície dos sistemas capilares em diferentes tecidos, esse coeficiente pode variar mais de 100 vezes. O coeficiente é muito pequeno no cérebro e nos músculos; moderadamente grande no tecido subcutâneo; grande no intestino e extremamente grande no fígado e nos glomérulos renais, onde a superfície capilar é grande e os poros são muito numerosos ou muito abertos. Da mesma forma, a penetração de proteínas através das membranas capilares também varia muito. A concentração de proteínas no líquido intersticial dos músculos é de cerca de 1,5 g/dℓ; no tecido subcutâneo, é de 2 g/dℓ; no intestino, é de 4 g/dℓ; e, no fígado, é de 6 g/dℓ.

Efeito do desequilíbrio de forças na membrana capilar. Se a pressão capilar média aumentar significativamente acima do valor médio de 17 mmHg, a força efetiva que tende a causar a filtração de líquido nos espaços de tecido também aumenta. Assim, um aumento de 20 mmHg na pressão capilar média causa um aumento na pressão efetiva de filtração de 0,3 a 20,3 mmHg, o que resulta em 68 vezes mais filtração efetiva de líquido nos espaços intersticiais do que normalmente ocorre. Para evitar o acúmulo de excesso de líquido nesses espaços, seria necessário um fluxo de líquido 68 vezes maior que o normal para o sistema linfático, que é uma quantidade duas a cinco vezes maior que a capacidade de transporte dos vasos linfáticos. Como resultado, o líquido começaria a se acumular nos espaços intersticiais, resultando na formação de edema.

Por outro lado, se a pressão capilar cair muito, ocorrerá reabsorção efetiva de líquido nos capilares, em vez de filtração, e o volume sanguíneo aumentará à custa do volume de líquido intersticial. Os efeitos do desequilíbrio na membrana capilar em relação ao desenvolvimento dos diferentes tipos de edema são discutidos no Capítulo 25.

SISTEMA LINFÁTICO

O sistema linfático representa uma via acessória através da qual o líquido pode fluir dos espaços intersticiais para o sangue. Mais importante, os vasos linfáticos podem transportar proteínas e grandes partículas para longe dos tecidos, pois essas substâncias não podem ser removidas por reabsorção direta nos capilares sanguíneos. Esse retorno de proteínas dos espaços intersticiais para o sangue é uma função essencial, sem a qual morreríamos em cerca de 24 horas.

CANAIS LINFÁTICOS

Quase todos os tecidos do organismo possuem canais linfáticos especiais que drenam o excesso de líquido diretamente dos espaços intersticiais. As exceções incluem as porções superficiais da pele, o sistema nervoso central, o endomísio dos músculos e os ossos. No entanto, mesmo esses tecidos têm canais intersticiais diminutos chamados *pré-linfáticos*, através dos quais o líquido intersticial pode fluir; esse líquido é, por fim, drenado nos vasos linfáticos ou, no caso do cérebro, no líquido cefalorraquidiano e, em seguida, diretamente de volta ao sangue.

Essencialmente, todos os vasos linfáticos da parte inferior do corpo escoam no *ducto torácico*, que por sua vez escoa no sistema venoso sanguíneo na altura da junção da veia jugular interna *esquerda* e da veia subclávia esquerda, como mostrado na **Figura 16.6**.

A linfa do lado esquerdo da cabeça, braço esquerdo e partes da região torácica também entra no ducto torácico antes de escoar nas veias.

A linfa do lado direito do pescoço e da cabeça, braço direito e partes do tórax direito entra no *ducto linfático direito* (muito menor que o ducto torácico), que escoa no sistema venoso sanguíneo na altura da junção da veia subclávia *direita* com a veia jugular interna.

Capilares linfáticos terminais e sua permeabilidade. A maior parte do líquido filtrado das *extremidades arteriais dos capilares sanguíneos* flui entre as células e, finalmente, é reabsorvida pelas *extremidades venosas* dos *capilares sanguíneos*, mas, em média, cerca de um décimo do líquido entra nos *capilares linfáticos* e retorna ao sangue através do sistema linfático, em vez dos capilares venosos. A quantidade total dessa linfa normalmente é de apenas 2 a 3 ℓ/dia.

O líquido que retorna à circulação pelos vasos linfáticos é extremamente importante porque substâncias de alto peso molecular, como as proteínas, não podem ser absorvidas dos tecidos de nenhuma outra maneira, embora possam entrar nos capilares linfáticos quase sem impedimento. A razão para esse mecanismo é uma estrutura especial dos capilares linfáticos, demonstrada na **Figura 16.7**. Essa figura mostra as células endoteliais do capilar linfático ligadas por *fibrilas de ancoragem* ao tecido conjuntivo circundante. Nas junções das células endoteliais adjacentes, a borda de uma célula endotelial se sobrepõe à borda da célula adjacente de tal forma que a borda sobreposta fica livre para se mover para dentro, formando, assim, uma válvula minúscula que se abre para o interior do capilar linfático. O líquido intersticial, juntamente com suas partículas em suspensão, pode empurrar a válvula aberta e fluir diretamente para o capilar linfático. No entanto, esse líquido tem dificuldade de sair do capilar depois de entrar, porque qualquer refluxo fecha a válvula de retenção. Assim, os vasos linfáticos possuem válvulas nas extremidades dos capilares linfáticos terminais, bem como válvulas ao longo de seus vasos maiores, até o ponto em que se esvaziam na circulação sanguínea.

FORMAÇÃO DA LINFA

A linfa é derivada do líquido intersticial que flui para os vasos linfáticos. Portanto, a linfa, ao entrar pela primeira

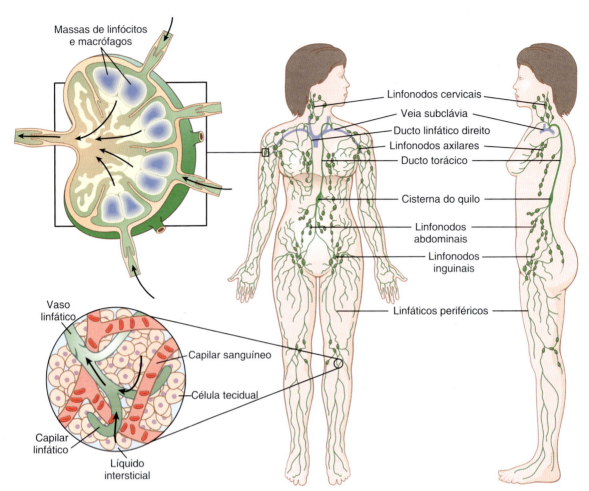

Figura 16.6 O sistema linfático.

vez nos linfáticos terminais, tem quase a mesma composição que o líquido intersticial.

A concentração de proteína no líquido intersticial da maioria dos tecidos é em média de cerca de 2 g/dℓ, e a concentração de proteína na linfa fluindo desses tecidos está próxima desse valor. A linfa formada no fígado tem uma alta concentração de proteína, de 6 g/dℓ, e a linfa formada no intestino tem uma concentração de proteína de 3 a 4 g/dℓ. Como cerca de dois terços de toda a linfa normalmente são derivados do fígado e dos intestinos, a linfa do ducto torácico, que é uma mistura da linfa proveniente de todas as áreas do corpo, geralmente tem uma concentração de proteína de 3 a 5 g/dℓ.

O sistema linfático também é uma das principais vias de absorção de nutrientes do trato gastrointestinal, especialmente para a absorção de praticamente todas as gorduras dos alimentos, como discutido no Capítulo 66. Após uma refeição rica em gorduras, a linfa do ducto torácico pode conter de 1 a 2% de gordura.

Por fim, mesmo partículas grandes, como bactérias, podem abrir caminho entre as células endoteliais dos capilares linfáticos e, dessa forma, entrar na linfa. À medida que linfa passa pelos linfonodos, essas partículas são quase totalmente removidas e destruídas, como discutido no Capítulo 34.

TAXA DE FLUXO DA LINFA

Cerca de 100 mℓ/h de linfa fluem através do *ducto torácico* de um ser humano em repouso, e aproximadamente outros 20 mℓ fluem para a circulação a cada hora através de outros canais, totalizando um fluxo linfático estimado de cerca de 120 mℓ/h ou 2 a 3 ℓ/dia.

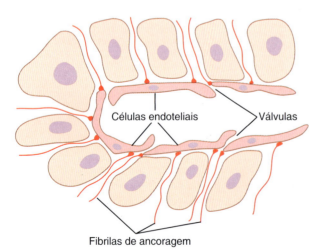

Figura 16.7 Estrutura especial dos capilares linfáticos, que permite a passagem de substâncias de alto peso molecular para a linfa.

CAPÍTULO 16 A Microcirculação e o Sistema Linfático: Trocas Capilares, Líquido Intersticial e Fluxo de Linfa

Efeito da pressão do líquido intersticial sobre o fluxo linfático. A **Figura 16.8** mostra o efeito de diferentes níveis de pressão hidrostática do líquido intersticial sobre o fluxo de linfa, medido em animais. Observe que o fluxo linfático normal é muito pequeno, com pressões de líquido intersticial mais negativas do que o valor normal de −6 mmHg. Então, quando a pressão sobe para 0 mmHg (pressão atmosférica), o fluxo aumenta mais de 20 vezes. Portanto, qualquer fator que aumente a pressão do líquido intersticial também aumenta o fluxo linfático se os vasos linfáticos estiverem funcionando normalmente. Esses fatores incluem o seguinte:

- Pressão hidrostática capilar elevada
- Diminuição da pressão coloidosmótica do plasma
- Aumento da pressão coloidosmótica do líquido intersticial
- Aumento da permeabilidade dos capilares.

Todos esses fatores favorecem o movimento efetivo do líquido para o interstício, aumentando o volume do líquido intersticial, a pressão do líquido intersticial e o fluxo linfático, tudo ao mesmo tempo.

No entanto, observe na **Figura 16.8** que, quando a pressão hidrostática do líquido intersticial se torna 1 ou 2 mmHg maior do que a pressão atmosférica (> 0 mmHg), o fluxo linfático para de aumentar em pressões ainda mais altas. Isso resulta do fato de que o aumento da pressão do tecido não apenas aumenta a entrada de líquido nos capilares linfáticos, mas também comprime as superfícies externas dos vasos linfáticos maiores, impedindo o fluxo linfático. Com valores mais altos de pressão, esses dois fatores se equilibram, de modo que o fluxo linfático atinge a intensidade máxima de fluxo. Essa taxa de fluxo máxima é ilustrada pelo platô superior na **Figura 16.8**.

A bomba linfática aumenta o fluxo de linfa. Existem válvulas em todos os canais linfáticos. A **Figura 16.9** mostra válvulas típicas de vasos linfáticos coletores, nos quais os capilares linfáticos se esvaziam.

Filmagens de vasos linfáticos expostos em animais e em humanos mostram que, quando um vaso linfático coletor

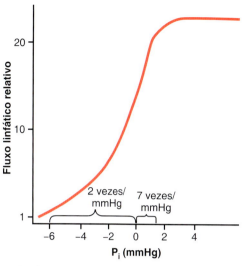

Figura 16.8 Relação entre a pressão do líquido intersticial e o fluxo linfático na perna de um cão. Observe que o fluxo linfático atinge o máximo quando a pressão intersticial (P$_i$) fica ligeiramente acima da pressão atmosférica (0 mmHg). *(Cortesia: Dr. Harry Gibson e Dr. Aubrey Taylor.)*

ou vaso linfático maior é estirado pelo líquido, o músculo liso da parede do vaso se contrai automaticamente. Além disso, cada segmento do vaso linfático entre válvulas sucessivas funciona como uma bomba automática separada. Ou seja, mesmo um pequeno preenchimento de um segmento faz com que ele se contraia e o líquido seja bombeado através da próxima válvula para o próximo segmento linfático. Esse líquido preenche o segmento subsequente e alguns segundos depois também se contrai, com o processo continuando ao longo de todo o vaso linfático até que o líquido seja finalmente esvaziado na circulação sanguínea. Em um vaso linfático muito grande, como o ducto torácico, essa bomba linfática pode gerar uma pressão de até 50 a 100 mmHg.

Bombeamento causado pela compressão intermitente externa dos linfáticos. Além do bombeamento causado pela contração intermitente intrínseca das paredes dos vasos linfáticos, qualquer fator externo que

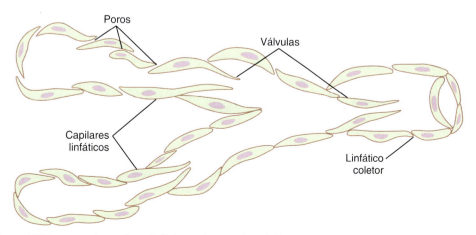

Figura 16.9 Estrutura dos capilares linfáticos e de um coletor linfático, mostrando também as válvulas linfáticas.

PARTE 4 Circulação

comprima de forma intermitente os vasos linfáticos também pode causar bombeamento. Em ordem de importância, esses fatores são os seguintes:

- Contração dos músculos esqueléticos circundantes
- Movimento das partes do corpo
- Pulsações das artérias adjacentes aos vasos linfáticos
- Compressão dos tecidos por objetos externos ao corpo.

A bomba linfática torna-se muito ativa durante a prática de exercícios físicos, frequentemente aumentando o fluxo linfático de 10 a 30 vezes. Por outro lado, durante os períodos de repouso, o fluxo linfático é bem lento (quase zero).

Bomba capilar linfática. O capilar linfático terminal também é capaz de bombear linfa, além do bombeamento feito pelos vasos linfáticos maiores. Como explicado anteriormente neste capítulo, os filamentos de ancoragem nas paredes dos capilares linfáticos aderem firmemente às células do tecido circundante. Portanto, cada vez que o excesso de líquido entra no tecido e faz com que ele inche, os filamentos de ancoragem puxam a parede do capilar linfático e o líquido flui para o capilar linfático terminal através das junções entre as células endoteliais. Então, quando o tecido é comprimido, a pressão aumenta no interior do capilar e faz com que as bordas sobrepostas das células endoteliais se fechem como válvulas. Por isso, a pressão empurra a linfa para a frente no linfático coletor, em vez de para trás, através das junções celulares.

As células endoteliais dos capilares linfáticos também contêm alguns filamentos contráteis de actomiosina. Em alguns tecidos animais (p. ex., na asa do morcego), observou-se que esses filamentos provocam a contração rítmica dos capilares linfáticos, da mesma maneira que ocorre com pequenos vasos sanguíneos e vasos linfáticos maiores. Portanto, é provável que pelo menos parte do bombeamento linfático resulte da contração das células endoteliais dos capilares linfáticos, além da contração dos vasos linfáticos musculares maiores.

Resumo dos fatores que determinam o fluxo linfático. A partir da discussão anterior, pode-se perceber que os dois principais fatores que determinam o fluxo linfático são (1) a pressão do líquido intersticial e (2) a atividade da bomba linfática. Portanto, pode-se afirmar que, em geral, *a taxa de fluxo linfático é determinada pelo produto da pressão do líquido intersticial pela atividade da bomba linfática.*

O papel do sistema linfático no controle da concentração de proteínas, do volume e da pressão do líquido intersticial

Já ficou claro que o sistema linfático funciona como um mecanismo de escoamento (transbordamento), para devolver o excesso de proteínas e de líquido dos espaços teciduais para a circulação. Portanto, o sistema linfático também desempenha um papel central no controle de:

(1) concentração de proteínas nos líquidos intersticiais; (2) volume do líquido intersticial; e (3) pressão do líquido intersticial. A seguir, uma explicação sobre como esses fatores interagem.

1. Lembre-se de que pequenas quantidades de proteínas extravasam continuamente dos capilares sanguíneos para o interstício. Somente uma quantidade muito pequena, se houver, de proteínas retorna à circulação por meio das extremidades venosas dos capilares sanguíneos. Portanto, essas proteínas tendem a se acumular no líquido intersticial, o que, por sua vez, aumenta a pressão coloidosmótica dos líquidos intersticiais.
2. O aumento da pressão coloidosmótica do líquido intersticial desloca o equilíbrio de forças nas membranas dos capilares sanguíneos em favor da filtração do líquido para o interstício. Portanto, efetivamente, as proteínas provocam a translocação osmótica do líquido para fora da parede capilar em direção ao interstício, aumentando o volume e a pressão do líquido intersticial.
3. O aumento da pressão do líquido intersticial eleva muito a intensidade do fluxo linfático, que leva embora o volume do líquido intersticial em excesso e o excesso de proteína que se acumulou nos espaços.

Então, assim que a concentração de proteínas no líquido intersticial atinge um determinado nível e provoca aumentos comparáveis no volume e na pressão do líquido intersticial, o retorno da proteína e do líquido pelo sistema linfático passa a ser grande o suficiente para contrabalançar a taxa de extravasamento para o interstício pelos capilares sanguíneos. Portanto, os valores quantitativos de todos esses fatores alcançam um estado estacionário e permanecem equilibrados nesses níveis até que algum fator altere a intensidade de extravasamento de proteínas e líquido dos capilares sanguíneos.

Importância da pressão negativa do líquido intersticial na manutenção da coesão dos tecidos

Tradicionalmente, presume-se que os diferentes tecidos do organismo permaneçam coesos puramente pela ação das fibras de tecido conjuntivo. No entanto, essas fibras são muito fracas ou mesmo ausentes em muitas áreas do corpo humano, particularmente em pontos onde os tecidos precisam deslizar uns sobre os outros (p. ex., a pele deslizando sobre o dorso da mão ou sobre o rosto). No entanto, mesmo nessas áreas, os tecidos são mantidos unidos pela ação da pressão negativa do líquido intersticial, que na verdade forma um vácuo parcial. Quando os tecidos perdem sua pressão negativa, o líquido se acumula nos espaços e ocorre a condição conhecida como *edema*. Essa condição será discutida no Capítulo 25.

Bibliografia

Alitalo K: The lymphatic vasculature in disease. Nat Med 17:1371, 2011.

CAPÍTULO 16 A Microcirculação e o Sistema Linfático: Trocas Capilares, Líquido Intersticial e Fluxo de Linfa

Chidlow JH Jr, Sessa WC: Caveolae, caveolins, and cavins: complex control of cellular signalling and inflammation. Cardiovasc Res 86:219, 2010.

Dejana E: Endothelial cell-cell junctions: happy together. Nat Rev Mol Cell Biol 5:261, 2004.

Gutterman DD, Chabowski DS, Kadlec AO, et. al: The human microcirculation: regulation of flow and beyond. Circ Res 118:157, 2016.

Guyton AC: Interstitial fluid pressure: II. Pressure-volume curves of interstitial space. Circ Res 16:452, 1965.

Guyton AC, Granger HJ, Taylor AE: Interstitial fluid pressure. Physiol Rev 51:527, 1971.

Jourde-Chiche N, Fakhouri F, Dou L, Bellien J, et al: Endothelium structure and function in kidney health and disease. Nat Rev Nephrol 15:87, 2019.

Komarova YA, Kruse K, Mehta D, Malik AB: Protein interactions at endothelial junctions and signaling mechanisms regulating endothelial permeability. Circ Res 120:179, 2017.

Mehta D, Malik AB: Signaling mechanisms regulating endothelial permeability. Physiol Rev 86:279, 2006.

Michel CC, Curry FE: Microvascular permeability. Physiol Rev 79:703, 1999.

Oliver G: Lymphatic vasculature development. Nat Rev Immunol 4:35, 2004.

Parker JC: Hydraulic conductance of lung endothelial phenotypes and Starling safety factors against edema. Am J Physiol Lung Cell Mol Physiol 292:L378, 2007.

Potente M, Mäkinen T: Vascular heterogeneity and specialization in development and disease. Nat Rev Mol Cell Biol 18:477, 2017.

Predescu SA, Predescu DN, Malik AB: Molecular determinants of endothelial transcytosis and their role in endothelial permeability. Am J Physiol Lung Cell Mol Physiol 293:L823, 2007.

Townsley MI: Structure and composition of pulmonary arteries, capillaries, and veins. Compr Physiol 2:675, 2012

Wiig H, Swartz MA: Interstitial fluid and lymph formation and transport: physiological regulation and roles in inflammation and cancer. Physiol Rev 92:1005, 2012.

CAPÍTULO 17

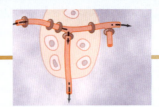

Controle Local e Humoral do Fluxo Sanguíneo nos Tecidos

CONTROLE LOCAL DO FLUXO SANGUÍNEO EM RESPOSTA ÀS NECESSIDADES TECIDUAIS

Um princípio fundamental da função circulatória é a capacidade da maioria dos tecidos de controlar seu próprio fluxo sanguíneo local, de acordo com suas necessidades metabólicas específicas. Algumas das necessidades específicas dos tecidos em relação ao fluxo sanguíneo são:

1. Oferta de oxigênio aos tecidos.
2. Oferta de outros nutrientes, como glicose, aminoácidos e ácidos graxos.
3. Remoção de dióxido de carbono dos tecidos.
4. Remoção de íons hidrogênio dos tecidos.
5. Manutenção de concentrações adequadas de íons nos tecidos.
6. Transporte de diversos hormônios e outras substâncias para os diferentes tecidos.

Certos órgãos têm requisitos especiais. Por exemplo, o fluxo sanguíneo para a pele determina a perda de calor do corpo e, dessa forma, ajuda a controlar a temperatura corporal. Além disso, o fornecimento de quantidades adequadas de plasma sanguíneo aos rins permite que filtrem e excretem os resíduos corporais e regulem os volumes de líquidos e eletrólitos.

Veremos que esses fatores exercem graus extremos de controle do fluxo sanguíneo local e que diferentes tecidos atribuem diferentes níveis de importância a esses fatores no controle do fluxo sanguíneo.

Variações no fluxo sanguíneo em diferentes tecidos e órgãos. Observe na **Tabela 17.1** os grandes fluxos sanguíneos listados para alguns órgãos, por exemplo, centenas de mililitros por minuto por 100 gramas de tecido da glândula tireoide ou adrenal e um fluxo sanguíneo total de 1.350 mℓ/min no fígado, que é 95 mℓ/min/100 g de tecido hepático.

Observe também o fluxo sanguíneo extremamente grande nos rins, 1.100 mℓ/min. Essa quantidade extrema de fluxo é necessária para que os rins desempenhem sua função de limpar o sangue de produtos residuais e regular a composição dos líquidos corporais com precisão.

Por outro lado, o mais surpreendente é o baixo fluxo sanguíneo para os músculos *inativos* do corpo – apenas um total de 750 mℓ/min – embora os músculos constituam entre 30 e 40% da massa corporal total. No estado de repouso, a atividade metabólica dos músculos é baixa, assim como o fluxo sanguíneo – apenas 4 mℓ/min/100 g. No entanto, durante a prática de exercícios pesados, a atividade metabólica muscular pode aumentar mais de 60 vezes e o fluxo sanguíneo até 20 vezes, elevando-se para até 16.000 mℓ/min no leito vascular muscular total do corpo (ou 80 mℓ/min/100 g de músculo).

Importância do controle local do fluxo sanguíneo pelos tecidos. Podemos fazer a seguinte pergunta: por que não fornecer continuamente um grande fluxo sanguíneo através de todos os tecidos do corpo, em quantidade suficiente para suprir as necessidades do tecido, independentemente de uma atividade tecidual pequena ou grande? A resposta é igualmente simples; tal mecanismo exigiria muitas vezes mais fluxo sanguíneo do que o coração é capaz de bombear.

Tabela 17.1 Fluxo sanguíneo para diferentes órgãos e tecidos em condições basais.

	Porcentagem do débito cardíaco	mℓ/min	mℓ/min/100 g de tecido
Cérebro	14	700	50
Coração	4	200	70
Brônquios	2	100	25
Rins	22	1.100	360
Fígado	27	1.350	95
• Portal	(21)	(1.050)	
• Arterial	(6)	(300)	
Músculo (inativo)	15	750	4
Ossos	5	250	3
Pele (clima frio)	6	300	3
Tireoide	1	50	160
Adrenais	0,5	25	300
Outros tecidos	3,5	175	1,3
Total	100	5.000	

Experimentos mostraram que o fluxo sanguíneo para cada tecido geralmente é regulado no nível mínimo para suprir suas necessidades, nem mais, nem menos. Por exemplo, em tecidos para os quais o requisito mais importante é o fornecimento de oxigênio, o fluxo sanguíneo é sempre controlado em um nível apenas ligeiramente superior ao necessário para manter a oxigenação total do tecido, mas não mais do que isso. Ao controlar com precisão o fluxo sanguíneo local, os tecidos quase nunca sofrem de deficiência nutricional de oxigênio e a carga de trabalho do coração é mantida no mínimo.

MECANISMOS DE CONTROLE DO FLUXO SANGUÍNEO

O controle do fluxo sanguíneo local pode ser dividido em duas fases, controle agudo e controle de longo prazo. O *controle agudo* é alcançado por mudanças rápidas na vasodilatação local ou vasoconstrição das arteríolas, metarteríolas e esfíncteres pré-capilares, que ocorrem de segundos a minutos para fornecer manutenção rápida do fluxo sanguíneo local apropriado ao tecido. *Controle de longo prazo* significa mudanças lentas e controladas no fluxo durante um período de dias, semanas ou até meses. Em geral, essas mudanças de longo prazo proporcionam um controle ainda melhor do fluxo em relação às necessidades dos tecidos. Essas mudanças ocorrem como resultado de aumento ou diminuição no tamanho físico e no número de vasos sanguíneos que irrigam os tecidos.

CONTROLE AGUDO DO FLUXO SANGUÍNEO LOCAL

O aumento no metabolismo tecidual incrementa o fluxo sanguíneo para os tecidos

A **Figura 17.1** mostra o efeito agudo aproximado sobre o fluxo sanguíneo, resultante do aumento da taxa de metabolismo em um tecido local, como um músculo esquelético. Observe que um incremento no metabolismo de até oito vezes o normal incrementa o fluxo sanguíneo agudamente em cerca de quatro vezes.

A disponibilidade reduzida de oxigênio aumenta o fluxo sanguíneo nos tecidos. Um dos nutrientes metabólicos mais necessários é o oxigênio. Sempre que a disponibilidade de oxigênio para os tecidos diminuir, como nas seguintes situações: (1) em grandes altitudes no topo de uma montanha; (2) na pneumonia; (3) no envenenamento por monóxido de carbono (que atrapalha a capacidade da hemoglobina de transportar oxigênio); ou (4) no envenenamento por cianeto (que compromete a capacidade de utilização do oxigênio pelos tecidos), o fluxo sanguíneo através dos tecidos aumentará acentuadamente. A **Figura 17.2** mostra que, quando a saturação arterial de oxigênio diminui para cerca de 25% do normal, o fluxo sanguíneo na pata isolada do cão aumenta cerca de três vezes; ou seja, o fluxo sanguíneo aumenta até quase o suficiente para compensar a menor quantidade de oxigênio no sangue, quase mantendo um suprimento relativamente constante aos tecidos.

O envenenamento por cianeto, ao impedir o tecido local de utilizar totalmente o oxigênio, pode provocar um aumento do fluxo sanguíneo local de até sete vezes, demonstrando o efeito extremo da deficiência de oxigênio sobre o aumento do fluxo sanguíneo. Os mecanismos pelos quais as mudanças no metabolismo do tecido ou na disponibilidade de oxigênio alteram o fluxo sanguíneo nos tecidos não são totalmente compreendidos, mas duas teorias principais foram propostas, a *teoria da vasodilatação* e a *teoria da demanda de oxigênio*.

Teoria da vasodilatação para a regulação aguda do fluxo sanguíneo local: possível papel especial da adenosina. De acordo com a teoria da vasodilatação, quanto maior a taxa de metabolismo ou menor a disponibilidade de oxigênio ou de alguns outros nutrientes, maior a taxa de formação de *substâncias vasodilatadoras* nas células do tecido. Acredita-se que as substâncias vasodilatadoras se difundam através dos tecidos para os esfíncteres pré-capilares, metarteríolas e arteríolas, provocando dilatação. Algumas das diferentes substâncias vasodilatadoras sugeridas são *adenosina, dióxido de carbono, compostos de fosfato de adenosina, histamina, íons potássio* e *íons hidrogênio*.

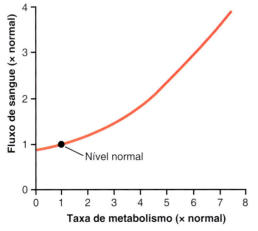

Figura 17.1 Efeito do aumento da taxa de metabolismo no fluxo sanguíneo dos tecidos.

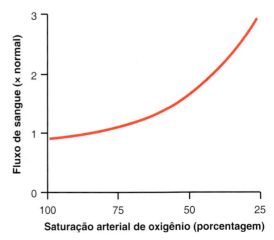

Figura 17.2 Efeito da diminuição da saturação de oxigênio arterial no fluxo sanguíneo da pata isolada de um cão.

As substâncias vasodilatadoras podem ser liberadas pelo tecido em resposta à deficiência de oxigênio. Por exemplo, experimentos mostraram que a diminuição da disponibilidade de oxigênio pode fazer com que a adenosina e o ácido láctico (contendo íons hidrogênio) sejam liberados nos espaços entre as células do tecido; essas substâncias, então, provocam intensa vasodilatação aguda e, portanto, são responsáveis, ou parcialmente responsáveis, pela regulação do fluxo sanguíneo local. Outras substâncias vasodilatadoras, como o dióxido de carbono, ácido láctico e íons potássio, também tendem a aumentar nos tecidos quando o fluxo sanguíneo é reduzido e o metabolismo celular continua na mesma taxa ou quando o metabolismo celular aumenta repentinamente. Um aumento na concentração de metabólitos vasodilatadores provoca vasodilatação das arteríolas, o que aumenta o fluxo sanguíneo do tecido e permite o retorno ao normal da concentração tecidual de metabólitos.

Muitos fisiologistas acreditam que a *adenosina* seja um vasodilatador importante para controlar o fluxo sanguíneo local. Por exemplo, quantidades mínimas de adenosina são liberadas das células do músculo cardíaco quando o fluxo sanguíneo coronariano se torna muito pequeno, e essa liberação de adenosina provoca vasodilatação local suficiente no coração para que o fluxo sanguíneo coronariano retorne ao normal. Além disso, sempre que o coração fica mais ativo do que o normal, seu metabolismo aumenta, provocando um incremento na utilização de oxigênio, seguido por (1) diminuição da concentração de oxigênio nas células do músculo cardíaco com (2) consequente degradação de trifosfato de adenosina (ATP), que (3) aumenta a liberação de adenosina. Acredita-se que grande parte dessa adenosina escoa das células do músculo cardíaco para provocar vasodilatação coronariana, proporcionando aumento do fluxo sanguíneo coronariano de modo a suprir o aumento da demanda de nutrientes do coração ativo.

Embora as evidências experimentais sejam menos claras, muitos fisiologistas também sugeriram que o mesmo mecanismo de adenosina seja um importante controlador do fluxo sanguíneo no músculo esquelético e em muitos outros tecidos, bem como no coração. No entanto, tem sido difícil comprovar que são formadas nos tecidos quantidades suficientes de qualquer substância vasodilatadora individualmente, incluindo adenosina, para provocar todo o aumento medido no fluxo sanguíneo. É provável que haja a contribuição de uma combinação de vários vasodilatadores diferentes liberados pelos tecidos para a regulação do fluxo sanguíneo.

Teoria da demanda de oxigênio para controle do fluxo sanguíneo local. Embora a teoria da vasodilatação seja amplamente aceita, várias questões críticas levaram alguns fisiologistas a favorecer outra teoria, que pode ser chamada de *teoria da demanda de oxigênio* ou, mais precisamente, *teoria da demanda de nutrientes* (porque estão envolvidos outros nutrientes além do oxigênio). O oxigênio é um dos nutrientes metabólicos necessários para a contração do músculo vascular, mas outros nutrientes são necessários também. Portanto, na ausência de quantidades adequadas de oxigênio, é razoável acreditar que os vasos sanguíneos relaxariam e, portanto, se dilatariam. Além disso, o aumento da utilização de oxigênio pelos tecidos, como resultado do aumento do metabolismo, teoricamente, poderia diminuir a disponibilidade de oxigênio para as fibras musculares lisas nos vasos sanguíneos locais, provocando vasodilatação local.

O mecanismo pelo qual a disponibilidade de oxigênio poderia operar é mostrado na **Figura 17.3**, na qual se observa uma unidade vascular de tecido, consistindo em uma metarteríola com um único capilar lateral e seu tecido circundante. Na origem do capilar está o *esfíncter pré-capilar*, e ao redor da metarteríola estão várias outras fibras de músculo liso. Ao observar o tecido sob um microscópio, os esfíncteres pré-capilares normalmente estão completamente abertos ou completamente fechados. O número de esfíncteres pré-capilares que estão abertos em um determinado momento é aproximadamente proporcional às necessidades nutricionais do tecido. Os esfíncteres pré-capilares e as metarteríolas abrem e fecham ciclicamente várias vezes por minuto, com a duração da fase de abertura sendo proporcional às necessidades metabólicas dos tecidos por oxigênio. A abertura e o fechamento cíclicos são chamados de *vasomoção*.

Como o músculo liso requer oxigênio para permanecer contraído, pode-se supor que a força de contração dos esfíncteres aumentaria com a elevação da concentração

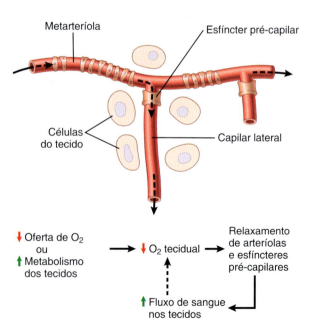

Figura 17.3 Diagrama de uma área de unidade de tecido para explicar o controle agudo de *feedback* local do fluxo sanguíneo, mostrando uma *metarteríola* passando pelo tecido e um *capilar lateral* com seu *esfíncter pré-capilar* para controlar o fluxo sanguíneo capilar.

de oxigênio. Consequentemente, quando a concentração de oxigênio no tecido fica acima de um certo nível, os esfíncteres pré-capilares e as metarteríolas presumivelmente se fecham até que as células do tecido consumam o excesso de oxigênio. No entanto, quando o excesso se esgota e a concentração de oxigênio cai o suficiente, os esfíncteres se abrem mais uma vez para reiniciar o ciclo.

Assim, com base nos dados disponíveis, tanto a *teoria da vasodilatação* quanto a *teoria da demanda de oxigênio* poderiam explicar a regulação aguda do fluxo sanguíneo local em resposta às necessidades metabólicas dos tecidos. Provavelmente é uma combinação dos dois mecanismos.

Possível papel de outros nutrientes, que não o oxigênio, no controle do fluxo sanguíneo local. Em condições especiais, foi demonstrado que a falta de glicose no sangue que perfunde os tecidos pode provocar vasodilatação local. Também é possível que esse mesmo efeito ocorra quando há deficiência de outros nutrientes, como aminoácidos ou ácidos graxos, embora isso ainda não tenha sido confirmado. Além disso, ocorre vasodilatação na doença *beribéri*, provocada por deficiência de vitamina B_1 (*tiamina*), bem como em deficiências de outras vitaminas do complexo B, tais como a *riboflavina* (B_2) e a *niacina* (B_3). Nessas avitaminoses, o fluxo sanguíneo vascular periférico em quase todas as partes do corpo costuma aumentar de duas a três vezes. Como essas (e provavelmente outras) vitaminas são necessárias para a fosforilação induzida por oxigênio, que é necessária para produzir ATP nas células, pode-se entender como a deficiência dessas substâncias pode levar à diminuição da capacidade contrátil do músculo liso e, por conseguinte, à vasodilatação local.

Exemplos especiais de controle metabólico agudo do fluxo sanguíneo local

Os mecanismos que descrevemos até agora para o controle do fluxo sanguíneo local são chamados de *mecanismos metabólicos* porque todos funcionam em resposta às necessidades metabólicas dos tecidos. Dois exemplos especiais adicionais de controle metabólico do fluxo sanguíneo local são *hiperemia reativa* e *hiperemia ativa* (ver **Figura 17.4**).

A hiperemia reativa ocorre após o bloqueio do fornecimento de sangue aos tecidos por algum tempo. Quando o suprimento de sangue a um tecido é bloqueado por alguns segundos a 1 hora, ou mais e, em seguida, é desbloqueado, o fluxo sanguíneo através do tecido em geral aumenta imediatamente em quatro a sete vezes. Esse fluxo aumentado continua por alguns segundos, se o bloqueio durou apenas alguns segundos, mas às vezes continua por horas, se o fluxo sanguíneo foi interrompido por 1 hora ou mais. Esse fenômeno é denominado *hiperemia reativa*.

A hiperemia reativa é outra manifestação do mecanismo de regulação do fluxo sanguíneo metabólico local; isto é, a falta de fluxo aciona todos os fatores que provocam vasodilatação. Após curtos períodos de oclusão vascular,

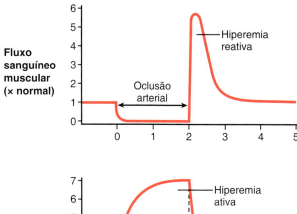

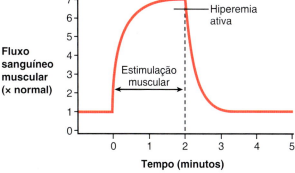

Figura 17.4 *Hiperemia reativa* em um tecido após a oclusão temporária da artéria que fornece o fluxo sanguíneo e *hiperemia ativa* após aumento da atividade metabólica do tecido.

o fluxo sanguíneo extra durante a fase de hiperemia reativa dura o suficiente para compensar quase exatamente o déficit de oxigênio que se acumulou durante o período de oclusão. Esse mecanismo enfatiza a estreita conexão entre a regulação do fluxo sanguíneo local e o fornecimento de oxigênio e outros nutrientes aos tecidos.

A hiperemia ativa ocorre quando a taxa metabólica dos tecidos aumenta. Quando um tecido se torna muito ativo, como no músculo em exercício, na glândula gastrointestinal durante um período de hipersecreção ou mesmo no cérebro durante o aumento da atividade mental, a taxa de fluxo sanguíneo através do tecido também aumenta (ver **Figura 17.4**). O aumento do metabolismo local faz com que as células consumam os nutrientes do líquido tecidual rapidamente e liberem grandes quantidades de substâncias vasodilatadoras. O resultado é a dilatação dos vasos sanguíneos locais e o aumento do fluxo sanguíneo local. Dessa forma, o tecido ativo recebe os nutrientes adicionais necessários para sustentar seu novo nível de funcionamento. Como observado anteriormente, a hiperemia ativa no músculo esquelético pode aumentar o fluxo sanguíneo muscular local em até 20 vezes durante a prática intensa de exercícios.

Autorregulação do fluxo sanguíneo durante alterações na pressão arterial: mecanismos metabólicos e miogênicos

Em qualquer tecido do corpo, um rápido aumento da pressão arterial provoca um aumento imediato no fluxo sanguíneo. No entanto, em menos de 1 minuto, o fluxo sanguíneo na maioria dos tecidos retorna quase ao nível normal, embora a pressão arterial seja mantida elevada. Esse retorno do fluxo ao normal é chamado de *autorregulação*. Após a ocorrência da autorregulação, o fluxo sanguíneo local na maioria dos tecidos estará aproximadamente correlacionado à pressão arterial, conforme mostrado pela curva contínua aguda na **Figura 17.5**. Observe que entre as pressões arteriais de cerca de 70 e 175 mmHg, o fluxo sanguíneo aumenta apenas 20 a 30%, embora a pressão arterial aumente 150%. Em alguns tecidos, como o cérebro e o coração, essa autorregulação é ainda mais precisa.

Por quase um século, foram propostas duas teorias para explicar esse mecanismo agudo de autorregulação. Elas foram chamadas de teoria metabólica e teoria miogênica.

A *teoria metabólica* pode ser compreendida facilmente aplicando-se os princípios básicos da regulação do fluxo sanguíneo local, discutidos nas seções anteriores. Assim, quando a pressão arterial fica muito alta, o excesso de fluxo fornece oxigênio em demasia e muitos outros nutrientes, eliminando os vasodilatadores liberados pelos tecidos. A presença dos nutrientes (especialmente o oxigênio) e a diminuição dos níveis teciduais de vasodilatadores fazem com que os vasos sanguíneos se contraiam e retornem o fluxo ao normal, apesar da pressão aumentada.

A *teoria miogênica*, entretanto, sugere que um outro mecanismo, não relacionado ao metabolismo tecidual, explica o fenômeno da autorregulação. Essa teoria é baseada na observação de que o estiramento repentino de pequenos vasos sanguíneos faz com que o músculo liso da parede do vaso se contraia. Portanto, foi proposto que, quando a pressão arterial elevada estira o vaso, ocorre uma constrição vascular reativa, o que reduz o fluxo sanguíneo, que praticamente retorna ao normal. Ao contrário, com pressão baixa, o grau de estiramento do vaso é menor, e por isso o músculo liso relaxa, reduzindo a resistência vascular e ajudando o fluxo a retornar ao normal.

A resposta miogênica é inerente à musculatura lisa vascular e pode ocorrer na ausência de influências neurais ou hormonais. É mais pronunciada nas arteríolas, porém também pode ser observada nas artérias, vênulas, veias e até mesmo nos vasos linfáticos. A contração miogênica é iniciada pela *despolarização vascular induzida por estiramento*, que então aumenta rapidamente a entrada do íon cálcio do líquido extracelular para o interior das células, fazendo com que se contraiam. Alterações na pressão vascular também podem abrir ou fechar outros canais iônicos que influenciam a contração vascular. Os mecanismos precisos pelos quais as mudanças na pressão causam a abertura ou o fechamento dos canais iônicos vasculares ainda não são conhecidos, mas provavelmente envolvem efeitos mecânicos da pressão sobre as proteínas extracelulares que são ligadas a elementos do citoesqueleto da parede vascular ou aos próprios canais iônicos.

O mecanismo miogênico parece ser importante na prevenção do estiramento excessivo dos vasos sanguíneos quando a pressão arterial está elevada. No entanto, o papel do mecanismo miogênico na regulação do fluxo sanguíneo não está claro, porque esse mecanismo de detecção de pressão não pode detectar diretamente as variações do fluxo sanguíneo tecidual. Os fatores metabólicos parecem substituir o mecanismo miogênico em circunstâncias nas quais as demandas metabólicas dos tecidos são significativamente aumentadas, como durante a prática de exercícios musculares vigorosos, que provocam grande aumento do fluxo sanguíneo na musculatura esquelética.

Mecanismos especiais para controle agudo do fluxo sanguíneo em tecidos específicos

Embora os mecanismos gerais de controle do fluxo sanguíneo local discutidos até agora estejam presentes em quase todos os tecidos do corpo, mecanismos diferentes operam em algumas áreas especiais. Todos os mecanismos são discutidos ao longo deste livro em relação a órgãos específicos, mas dois mecanismos merecem destaque especial:

1. Nos *rins*, o controle do fluxo sanguíneo depende significativamente de um mecanismo chamado *feedback tubuloglomerular*, no qual a composição do líquido no túbulo distal inicial é detectada por uma estrutura epitelial do túbulo distal, chamada *mácula densa*. Essa estrutura está localizada onde o túbulo distal passa adjacente às arteríolas aferentes e eferentes no *aparelho justaglomerular* do néfron. Quando uma grande quantidade de líquido é filtrada do sangue através do glomérulo para o sistema tubular, os sinais de *feedback* da mácula densa provocam a constrição das arteríolas aferentes, reduzindo o fluxo sanguíneo renal e ajudando a taxa de filtração glomerular a retornar ao normal. Os detalhes desse mecanismo são discutidos no Capítulo 27.

2. No *cérebro*, além do controle do fluxo sanguíneo pela concentração de oxigênio nos tecidos, as concentrações de dióxido de carbono e de íons hidrogênio desempenham papéis importantes. Um aumento de uma ou de ambas as substâncias dilata a vasculatura cerebral

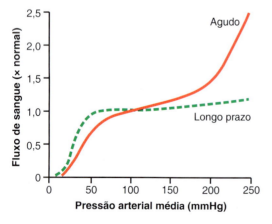

Figura 17.5 Efeito de diferentes níveis de pressão arterial sobre o fluxo sanguíneo de um músculo. A *curva vermelha sólida* mostra o efeito quando a pressão arterial aumenta por um período de minutos. A *curva verde tracejada* mostra o efeito quando a pressão arterial aumenta lentamente ao longo de várias semanas.

e permite a rápida eliminação do excesso de dióxido de carbono ou de íons hidrogênio dos tecidos. Esse mecanismo é importante porque o *nível de excitabilidade do cérebro é altamente dependente do controle preciso da concentração de dióxido de carbono e da concentração de íons hidrogênio*. Esse mecanismo especial para o controle do fluxo sanguíneo cerebral é apresentado no Capítulo 62.

3. Na *pele*, o controle do fluxo sanguíneo está intimamente ligado à regulação da temperatura corporal. O fluxo cutâneo e subcutâneo regula a perda de calor pela medida do fluxo de calor do centro para a superfície corporal, onde o calor é perdido para o ambiente. O fluxo sanguíneo da pele é muito controlado pelo sistema nervoso central, por intermédio da inervação simpática, como discutido no Capítulo 74. Embora o fluxo sanguíneo da pele seja de apenas cerca de 3 mℓ/min/100 g de tecido em clima frio, podem ocorrer grandes alterações nesse valor conforme a necessidade. Quando o corpo humano é exposto a aquecimento, o fluxo sanguíneo da pele pode aumentar muito, chegando a *7 a 8 ℓ/min* no corpo inteiro. E quando a temperatura corporal é reduzida, o fluxo sanguíneo da pele é reduzido, ficando pouco acima de zero em temperaturas muito baixas. Mesmo com vasoconstrição grave, o fluxo sanguíneo cutâneo em geral é grande o suficiente para atender às demandas metabólicas básicas da pele.

Controle do fluxo sanguíneo dos tecidos: fatores de relaxamento ou de constrição derivados do endotélio

As células endoteliais que revestem os vasos sanguíneos sintetizam várias substâncias que, quando liberadas, podem afetar o grau de relaxamento ou contração da parede vascular. Para muitos desses fatores relaxantes ou constritores derivados do endotélio, os papéis fisiológicos estão apenas começando a ser compreendidos.

O óxido nítrico é um vasodilatador liberado por células endoteliais saudáveis.
Entre os fatores relaxantes derivados do endotélio o mais importante é o *óxido nítrico* (NO), um gás lipofílico que é liberado pelas células endoteliais em resposta a diversos estímulos químicos e físicos. A *enzima óxido nítrico sintase endotelial* (eNOS) sintetiza NO a partir da arginina e do oxigênio e pela redução do nitrato inorgânico. Após se difundir para fora da célula endotelial, o NO tem meia-vida no sangue de apenas cerca de 6 segundos e atua principalmente nos tecidos locais, onde é liberado. O óxido nítrico ativa as enzimas *guanilato ciclases solúveis* nas células da musculatura lisa vascular (ver **Figura 17.6**); o resultado é a conversão de trifosfato de guanosina cíclico (GTPc) em monofosfato de guanosina cíclico (GMPc) e a ativação da *proteinoquinase dependente de GMPc* (PKG), cuja ação provoca o relaxamento dos vasos sanguíneos.

O fluxo de sangue através das artérias e arteríolas provoca *tensão de cisalhamento* nas células endoteliais por

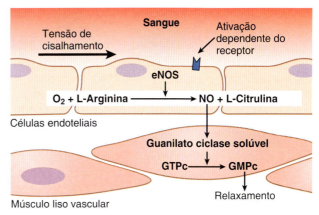

Figura 17.6 A enzima óxido nítrico sintase endotelial (eNOS), presente nas células endoteliais, sintetiza o óxido nítrico (NO) a partir da arginina e do oxigênio. O NO ativa as guanilato ciclases solúveis nas células da musculatura lisa vascular, resultando na conversão do trifosfato de guanosina cíclico (GTPc) em monofosfato de guanosina cíclico (GMPc), que, por fim, provoca o relaxamento dos vasos sanguíneos.

causa do tracionamento viscoso do sangue contra as paredes vasculares. Essa tensão distorce as células endoteliais na direção do fluxo, provocando um aumento significativo na liberação de NO. O óxido nítrico, providencialmente, relaxa os vasos sanguíneos, porque os mecanismos metabólicos locais para controlar o fluxo sanguíneo dos tecidos dilatam principalmente as artérias e arteríolas muito pequenas em cada tecido. Ainda assim, quando o fluxo sanguíneo através de uma porção microvascular da circulação aumenta, essa ação estimula secundariamente a liberação de NO dos vasos maiores, como resultado do aumento do fluxo e da tensão de cisalhamento nesses vasos. O NO liberado aumenta os diâmetros dos vasos sanguíneos maiores proximais sempre que o fluxo sanguíneo microvascular aumenta distalmente. Sem essa resposta, a eficácia do controle do fluxo sanguíneo local seria menor, porque uma parte significativa da resistência ao fluxo sanguíneo ocorre nas pequenas artérias proximais.

A síntese e a liberação de NO pelas células endoteliais também podem ser estimuladas por alguns vasoconstritores, como a angiotensina II, que se ligam a receptores específicos nas células endoteliais. O aumento da liberação de NO protege contra uma vasoconstrição excessiva.

Quando as células endoteliais são lesadas por hipertensão crônica ou aterosclerose, o comprometimento da síntese de NO pode contribuir para a vasoconstrição excessiva e o agravamento da hipertensão e do dano endotelial. Se não for tratada, pode causar lesão vascular e danos a tecidos vulneráveis, como coração, rins e cérebro.

Mesmo antes da descoberta do óxido nítrico, os médicos usavam nitroglicerina, nitrato de amila e outros derivados de nitrato para tratar pacientes com *angina de peito* (i. e., dor torácica intensa causada por isquemia do músculo cardíaco). Essas substâncias, quando decompostas quimicamente, liberam NO e provocam a dilatação dos vasos sanguíneos por todo o corpo, incluindo os vasos coronários.

PARTE 4 Circulação

Outras aplicações importantes da fisiologia e farmacologia do óxido nítrico são o desenvolvimento e o uso clínico de medicamentos (p. ex., sildenafila) que inibem a *fosfodiesterase-5* (PDE-5) *específica do GMPc*, uma enzima que degrada o GMPc. Ao impedir a degradação do GMPc, os inibidores do PDE-5 prolongam efetivamente as ações do NO para provocar vasodilatação. O uso clínico primário dos inibidores de PDE-5 é no tratamento da *disfunção erétil*. A ereção peniana é causada por impulsos nervosos parassimpáticos através dos nervos pélvicos até o pênis, onde os neurotransmissores acetilcolina e NO são liberados. Ao impedir a degradação do NO, os inibidores de PDE-5 aumentam a dilatação dos vasos sanguíneos do pênis e auxiliam na ereção, conforme discutido no Capítulo 81.

A endotelina é um potente vasoconstritor liberado pelo endotélio lesado. As células endoteliais também liberam substâncias vasoconstritoras. A mais importante é a endotelina, uma grande molécula de peptídeo com 27 aminoácidos que requer apenas quantidades mínimas (nanogramas) para provocar forte vasoconstrição. Essa substância está presente nas células endoteliais de todos, ou da maioria, dos vasos sanguíneos, mas aumenta muito quando os vasos estão lesados. O estímulo usual para a liberação é o dano ao endotélio, como o causado por esmagamento dos tecidos ou pela injeção de uma substância química traumatizante no vaso sanguíneo. Após um dano grave ao vaso sanguíneo, a liberação local de endotelina e a subsequente vasoconstrição ajudam a prevenir hemorragia em artérias de até 5 milímetros de diâmetro, que podem ter sido abertas por lesão por esmagamento.

Acredita-se também que o aumento da liberação de endotelina contribua para a vasoconstrição quando o endotélio é lesado pela hipertensão. Os medicamentos que bloqueiam os receptores da endotelina têm sido empregados para tratar *hipertensão pulmonar*, mas geralmente não são usados para reduzir a pressão arterial em pacientes com hipertensão arterial sistêmica.

REGULAÇÃO DO FLUXO SANGUÍNEO A LONGO PRAZO

Até aqui, a maioria dos mecanismos de regulação do fluxo sanguíneo local que discutimos começa a atuar no intervalo de alguns segundos a minutos após a alteração nas condições locais do tecido. No entanto, mesmo após a ativação completa desses mecanismos agudos, o fluxo sanguíneo geralmente é ajustado apenas cerca de três quartos do necessário para as necessidades adicionais exatas dos tecidos. Por exemplo, quando a pressão arterial aumenta repentinamente de 100 para 150 mmHg, o fluxo sanguíneo aumenta quase que instantaneamente, em cerca de 100%. Depois, em um intervalo de 30 segundos a 2 minutos, o fluxo diminui e retorna para cerca de 10 a 15% acima do valor de controle original. Esse exemplo ilustra a rapidez dos mecanismos agudos para a regulação do fluxo sanguíneo local, mas também demonstra que a regulação ainda está incompleta, porque permanece em alguns tecidos um excesso de fluxo sanguíneo de 10 a 15%.

No entanto, ao longo de um período de horas, dias e semanas, desenvolve-se um tipo de regulação do fluxo sanguíneo local de longo prazo, além do controle agudo. Essa regulação de longo prazo proporciona um controle muito mais completo do fluxo sanguíneo. No exemplo anterior, se a pressão arterial permanecer indefinidamente em 150 mmHg, o fluxo de sangue através dos tecidos se aproximará quase exatamente do nível de fluxo normal em um intervalo de algumas semanas. A **Figura 17.5** mostra (na *curva verde tracejada*) a extrema eficácia dessa regulação a longo prazo do fluxo sanguíneo local. Observe que, uma vez que a regulação de longo prazo teve tempo para ocorrer, as mudanças a longo prazo na pressão arterial entre 50 e 200 mmHg têm pouco efeito sobre a taxa de fluxo sanguíneo local.

A regulação de longo prazo do fluxo sanguíneo é especialmente importante quando as demandas metabólicas de um tecido sofrem alterações. Assim, se um tecido se torna cronicamente hiperativo e requer maiores quantidades de oxigênio e outros nutrientes, as arteríolas e os vasos capilares geralmente aumentam em número e tamanho dentro de algumas semanas para que sejam capazes de atender às necessidades do tecido, a menos que o sistema circulatório tenha se tornado patológico ou muito envelhecido para responder.

Regulação do fluxo sanguíneo por alterações na vascularização dos tecidos

Um mecanismo fundamental para a regulação do fluxo sanguíneo local a longo prazo é a alteração na vascularização dos tecidos. Por exemplo, se o metabolismo em um tecido aumentar por um período prolongado, a vascularização também aumentará, em um processo denominado *angiogênese*; se o metabolismo for reduzido, a vascularidade também diminuirá. A **Figura 17.7** mostra o grande aumento no número de capilares em um músculo tibial anterior de rato, estimulado eletricamente a se contrair por curtos períodos a cada dia durante 30 dias, em comparação com o músculo não estimulado na outra perna do animal.

Assim, ocorre uma verdadeira reconstrução física da vasculatura do tecido, para atender às necessidades teciduais. Essa reconstrução ocorre rapidamente (em poucos dias) em animais jovens. Também ocorre rapidamente em tecidos em crescimento, como nos tecidos cancerosos, mas ocorre muito mais lentamente em tecidos envelhecidos e bem estabelecidos. Portanto, o tempo necessário para a regulação de longo prazo pode ser de apenas alguns dias no recém-nascido ou de meses em adultos mais velhos. Além disso, a resposta final é muito melhor nos tecidos mais jovens do que nos envelhecidos; assim, no recém-nascido, a vascularidade se ajustará para corresponder quase exatamente às necessidades de fluxo sanguíneo do tecido, ao passo que em tecidos mais antigos, a vascularização frequentemente fica muito abaixo das necessidades teciduais.

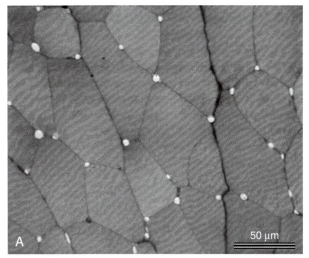
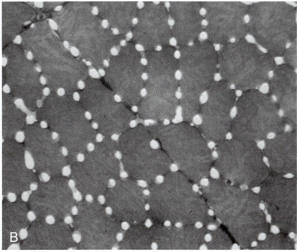

Figura 17.7 Grande aumento no número de capilares (pontos brancos) em um músculo tibial anterior de rato, que foi estimulado eletricamente a se contrair por curtos períodos a cada dia durante 30 dias (**B**), em comparação com o músculo não estimulado (**A**). Os 30 dias de estimulação elétrica intermitente converteram o músculo tibial anterior glicolítico, predominantemente de contração rápida, em um músculo oxidativo, predominantemente de contração lenta, com aumento no número de capilares e diminuição do diâmetro das fibras, como mostrado. *(Cortesia do Dr. Thomas Adair.)*

O papel do oxigênio na regulação do fluxo a longo prazo. O oxigênio é importante não apenas para o controle agudo do fluxo sanguíneo local, mas também para o controle a longo prazo. Um exemplo disso é o aumento da vascularização nos tecidos de animais que vivem em grandes altitudes, onde o nível de oxigênio atmosférico é baixo. Em recém-nascidos prematuros que são colocados em tendas de O_2 para fins terapêuticos, o excesso de oxigênio provoca a interrupção quase imediata do crescimento vascular na retina dos olhos do neonato, podendo até mesmo provocar a degeneração de alguns pequenos vasos que já se formaram. Quando o prematuro é retirado da tenda de O_2, ocorre um supercrescimento explosivo de novos vasos, para compensar a súbita diminuição na disponibilidade de oxigênio. Frequentemente, o crescimento é tão grande que os vasos retinianos crescem da retina para o humor vítreo do olho, eventualmente causando cegueira, na condição chamada *fibroplasia retrolental* (retinopatia da prematuridade).

Importância dos fatores de crescimento vascular na formação de novos vasos sanguíneos. Até agora foram encontradas uma dúzia ou mais de fatores de promoção do crescimento de novos vasos sanguíneos, quase todos formados por pequenos peptídeos. Os quatro fatores mais bem caracterizados são o *fator de crescimento endotelial vascular* (VEGF, *vascular endothelial growth factor*), *fator de crescimento de fibroblastos*, *fator de crescimento derivado de plaquetas* (PDGF, *platelet-derived growth factor*) e *angiogenina*, todos isolados de tecidos com suprimento sanguíneo inadequado. A deficiência de oxigênio nos tecidos induz a expressão de *fatores indutores de hipóxia* (HIFs, *hypoxia inductible factors*), fatores de transcrição que, por sua vez, regulam positivamente a expressão gênica e a formação de fatores de crescimento vascular (também chamados de *fatores angiogênicos*).

A angiogênese tem início com novos vasos brotando de outros pequenos vasos. A primeira etapa é a dissolução da membrana basal das células endoteliais no ponto de brotação. Essa etapa é seguida pela rápida reprodução de novas células endoteliais, que emergem da parede do vaso como cordões que se estendem em direção à fonte de fator angiogênico. As células em cada cordão continuam a se dividir e rapidamente se dobram em um tubo. Em seguida, o tubo se conecta a outro tubo que brotou de outro vaso doador (outra arteríola ou vênula) e forma uma alça capilar através da qual o sangue começa a fluir. Se o fluxo for grande o suficiente, células musculares lisas eventualmente invadirão a parede, e, assim, alguns dos novos vasos se transformarão em novas arteríolas ou vênulas, ou talvez até em vasos maiores. Assim, a angiogênese explica de que maneira os fatores metabólicos presentes nos tecidos podem provocar o crescimento local de nova vasculatura.

Outras substâncias, como alguns hormônios esteroides, têm efeito oposto sobre os pequenos vasos sanguíneos, ocasionalmente até causando a dissolução das células vasculares e o desaparecimento dos vasos. Portanto, os vasos sanguíneos também podem desaparecer quando não forem necessários. Os peptídeos produzidos nos tecidos também podem bloquear o crescimento de novos vasos sanguíneos. Por exemplo, a *angiostatina*, um fragmento da proteína plasminogênio, é um inibidor natural da angiogênese. A *endostatina* é outro peptídeo antiangiogênico derivado da degradação do colágeno tipo XVII. Embora as funções fisiológicas precisas dessas substâncias antiangiogênicas ainda sejam desconhecidas, existe um grande interesse em seu uso potencial para interromper o crescimento dos vasos sanguíneos em tumores cancerosos e, portanto, prevenir os grandes aumentos no fluxo sanguíneo, necessários para sustentar o suprimento de nutrientes de tumores de crescimento rápido.

PARTE 4 Circulação

A vascularização é determinada pela necessidade máxima de fluxo sanguíneo, e não pela necessidade média. Uma característica especialmente importante do controle vascular a longo prazo é que a vascularização é determinada, principalmente, pelo nível *máximo* de fluxo sanguíneo exigido pelo tecido, e não pela necessidade média. Por exemplo, durante a prática de exercícios pesados, a necessidade de fluxo sanguíneo frequentemente aumenta em todo o organismo de seis a oito vezes o fluxo de repouso. Esse grande excesso de fluxo pode não ser necessário mais do que alguns minutos por dia. No entanto, mesmo esse curto período de aumento da demanda pode fazer com que uma quantidade suficiente de fatores angiogênicos seja formada pelos músculos, para aumentar a vascularização de acordo com a necessidade. Se não fosse por essa capacidade, toda vez que uma pessoa fizesse uma atividade extenuante, os músculos deixariam de receber os nutrientes necessários, especialmente o oxigênio necessário, e, portanto, não seriam capazes de se contrair.

No entanto, após o desenvolvimento da nova vascularização, os vasos sanguíneos adicionais normalmente permanecem contraídos e se abrem para permitir o fluxo extra apenas quando estímulos locais apropriados, como falta de oxigênio, estímulos vasodilatadores nervosos ou outros estímulos, ativam o fluxo extra necessário.

Regulação do fluxo sanguíneo pelo desenvolvimento de circulação colateral

Na maioria dos tecidos do corpo, quando uma artéria ou veia é bloqueada, desenvolve-se um novo canal vascular ao redor do bloqueio e permite pelo menos um reabastecimento parcial de sangue para o tecido afetado. O primeiro estágio desse processo é a dilatação de pequenas alças vasculares que já conectam o vaso acima do bloqueio ao vaso abaixo. Essa dilatação ocorre em um intervalo de um ou dois minutos, indicando que a dilatação é provavelmente mediada por fatores metabólicos. Após essa abertura inicial dos vasos colaterais, o fluxo sanguíneo muitas vezes ainda é menos de um quarto do necessário para suprir todas as necessidades do tecido. No entanto, nas horas seguintes ocorre mais abertura, de modo que depois de 1 dia metade das necessidades do tecido podem ser atendidas e, em poucos dias, o fluxo sanguíneo geralmente é suficiente para atender às necessidades do tecido.

Os vasos colaterais continuam a crescer por muitos meses depois disso, geralmente formando pequenos canais colaterais em vez de um único vaso grande. Em condições de repouso, o fluxo sanguíneo pode retornar ao normal, mas os novos canais raramente se tornam grandes o suficiente para fornecer o fluxo sanguíneo necessário durante momentos de atividade extenuante do tecido. Assim, o desenvolvimento de vasos colaterais segue os princípios usuais de controle de fluxo sanguíneo local agudo e de longo prazo; o controle agudo é a rápida dilatação metabólica, seguida cronicamente por crescimento e aumento de novos vasos por um período de semanas e meses.

Um exemplo importante do desenvolvimento de vasos sanguíneos colaterais ocorre após a trombose de uma das artérias coronárias. Por volta dos 60 anos, muitas pessoas experimentam o fechamento ou pelo menos a oclusão parcial de no mínimo um dos ramos dos vasos coronários menores, mas se mantêm assintomáticos porque os vasos sanguíneos colaterais se desenvolvem rápido o suficiente para evitar danos ao miocárdio. Quando os vasos sanguíneos colaterais são incapazes de se desenvolver com rapidez suficiente para manter o fluxo sanguíneo por causa da velocidade ou gravidade da insuficiência coronariana, podem ocorrer ataques cardíacos graves.

Remodelagem vascular em resposta a alterações crônicas no fluxo sanguíneo ou na pressão arterial

O crescimento e a remodelagem vascular são componentes fundamentais do desenvolvimento e crescimento do tecido e ocorrem como uma resposta adaptativa a mudanças de longo prazo na pressão sanguínea ou no fluxo sanguíneo. Por exemplo, após vários meses de treinamento físico crônico, a vascularização dos músculos treinados aumenta, para acomodar suas necessidades mais altas de fluxo sanguíneo. Além de mudanças na densidade capilar, também pode haver alterações na estrutura dos grandes vasos sanguíneos em resposta a mudanças de longo prazo na pressão sanguínea e no fluxo sanguíneo. Quando a pressão arterial está cronicamente elevada, por exemplo, as artérias grandes e pequenas e as arteríolas se remodelam para acomodar o aumento de tensão mecânica sobre a parede provocado pela pressão arterial mais elevada. Na maioria dos tecidos, as pequenas artérias e arteríolas respondem rapidamente (em segundos) ao aumento da pressão arterial com vasoconstrição, o que ajuda a autorregular o fluxo sanguíneo do tecido, como discutido anteriormente. A vasoconstrição diminui o diâmetro do lúmen, o que por sua vez tende a normalizar a tensão sobre a parede vascular (T), que, segundo a *lei de Laplace*, é o produto do raio (r) do vaso sanguíneo pela pressão (P): $T = r \times P$.

Nos pequenos vasos que se contraem em resposta ao aumento da pressão sanguínea, as células da musculatura lisa vascular e as células endoteliais gradualmente – ao longo de um período de dias ou semanas – se reorganizam em torno do diâmetro menor do lúmen, um processo denominado *remodelagem eutrófica concêntrica*, sem alteração na área transversal total da parede vascular (ver **Figura 17.8**). Em artérias maiores que não se contraem em resposta ao aumento da pressão, a parede do vaso é exposta ao aumento da tensão, que estimula uma resposta de *remodelagem hipertrófica* e um aumento na área de seção transversa da parede vascular. A resposta hipertrófica aumenta o tamanho das células da musculatura lisa vascular e estimula a formação adicional de proteínas da matriz extracelular, como colágeno e fibronectina, que reforçam a resistência da parede vascular para suportar as pressões sanguíneas mais elevadas. No entanto, essa

CAPÍTULO 17 Controle Local e Humoral do Fluxo Sanguíneo nos Tecidos

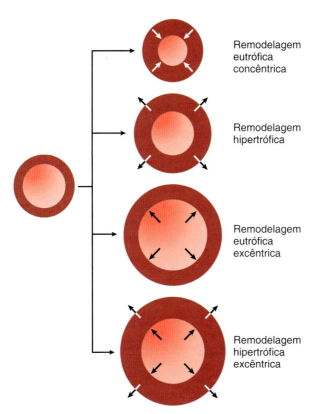

Figura 17.8 Remodelagem vascular em resposta a um aumento crônico da pressão sanguínea ou do fluxo sanguíneo. Em pequenas artérias e arteríolas que se contraem em resposta ao aumento da pressão arterial, a *remodelagem eutrófica concêntrica* normalmente ocorre porque o diâmetro do lúmen é menor e a parede vascular é mais espessa, mas a área total da seção transversa da parede do vaso não é alterada. Em grandes vasos sanguíneos que não se contraem em resposta ao aumento da pressão arterial, pode haver *remodelagem hipertrófica*, com aumento da espessura e da área transversal total da parede vascular. Se os vasos sanguíneos são expostos a aumentos crônicos no fluxo sanguíneo, geralmente ocorre uma *remodelagem eutrófica excêntrica*, com aumentos no diâmetro do lúmen, pouca alteração na espessura da parede e aumento da área transversal total da parede vascular. Se o vaso sanguíneo for exposto a aumentos de longo prazo na pressão sanguínea e no fluxo sanguíneo, geralmente ocorre uma *remodelagem hipertrófica excêntrica*, com aumentos no diâmetro do lúmen, espessura da parede e área transversal total da parede vascular. Reduções crônicas na pressão arterial e no fluxo sanguíneo têm efeitos opostos, conforme descrito anteriormente.

resposta hipertrófica também torna os grandes vasos sanguíneos mais rígidos, o que é uma marca registrada da hipertensão crônica.

Outro exemplo de remodelagem vascular é a alteração que ocorre quando uma grande veia (geralmente a veia safena) é implantada em um paciente para um procedimento de revascularização do miocárdio. As veias normalmente são expostas a pressões muito mais baixas do que as artérias e têm paredes muito mais finas, mas quando uma veia é suturada na aorta e conectada a uma artéria coronária, ela é exposta a aumentos na pressão intraluminal e na tensão sobre a parede. O aumento da tensão sobre a parede inicia a hipertrofia das células da musculatura lisa vascular e promove a formação da matriz extracelular, que engrossa e fortalece a parede da veia; como resultado, vários meses após a implantação no sistema arterial, a veia terá uma espessura de parede semelhante à de uma artéria.

Também ocorre remodelagem vascular quando um vaso sanguíneo é exposto cronicamente a um fluxo sanguíneo aumentado ou reduzido. O desenvolvimento de uma fístula conectando uma grande artéria e uma grande veia, desviando completamente de pequenos vasos e capilares com alta resistência, fornece um exemplo especialmente interessante de remodelagem na artéria e veia afetadas. Em pacientes com insuficiência renal submetidos à diálise, é criada uma fístula arteriovenosa (A-V) diretamente da artéria radial para a veia antecubital do antebraço, para permitir o acesso vascular para a diálise. A taxa de fluxo sanguíneo na artéria radial pode aumentar em até 10 a 50 vezes a intensidade normal do fluxo, dependendo da patência da fístula. Como resultado da alta taxa de fluxo e da alta tensão de cisalhamento sobre a parede do vaso, o diâmetro do lúmen da artéria radial aumenta progressivamente (*remodelagem excêntrica*), enquanto a espessura da parede do vaso pode permanecer inalterada, resultando em um aumento da área de seção transversa da parede vascular. Em contraste, a espessura da parede, o diâmetro do lúmen e a área transversal da parede vascular no lado venoso da fístula aumentam em resposta a incrementos na pressão e no fluxo sanguíneo (*remodelagem hipertrófica excêntrica*). Esse padrão de remodelagem condiz com a ideia de que aumentos de longo prazo na tensão sobre a parede vascular causam hipertrofia e incremento da espessura da parede em grandes vasos sanguíneos, enquanto o aumento da taxa de fluxo sanguíneo e da tensão de cisalhamento causa remodelagem excêntrica e incremento do diâmetro luminal para acomodar o aumento do fluxo sanguíneo.

Reduções crônicas na pressão arterial e no fluxo sanguíneo têm efeitos opostos aos descritos anteriormente. Quando o fluxo sanguíneo é muito reduzido, o diâmetro do lúmen vascular também é reduzido e, quando a pressão arterial é reduzida, a espessura da parede vascular geralmente diminui. Assim, a remodelagem vascular é uma importante resposta adaptativa dos vasos sanguíneos ao crescimento e desenvolvimento do tecido, bem como às alterações fisiológicas e patológicas da pressão sanguínea e do fluxo sanguíneo para os tecidos.

CONTROLE HUMORAL DA CIRCULAÇÃO

Controle humoral da circulação significa que o controle é feito por substâncias secretadas ou absorvidas pelos líquidos corporais, como hormônios e fatores produzidos localmente. Algumas dessas substâncias são formadas por glândulas especiais e transportadas no sangue por todo o organismo. Outras são formadas em áreas locais de tecido e provocam apenas efeitos circulatórios locais. Entre os fatores humorais mais importantes que afetam a função circulatória estão os descritos nas seções a seguir.

PARTE 4 Circulação

VASOCONSTRITORES

Noradrenalina e adrenalina. A *noradrenalina* é um hormônio vasoconstritor especialmente potente; a *adrenalina* é menos potente como vasoconstritor e, em alguns tecidos, até causa uma leve vasodilatação. (Um exemplo especial de vasodilatação provocada pela adrenalina é a que ocorre para dilatar as artérias coronárias durante o aumento da atividade cardíaca.)

Quando o sistema nervoso simpático é estimulado em diferentes partes do corpo durante períodos de estresse ou de atividade física, as terminações nervosas simpáticas nos tecidos individuais liberam noradrenalina, que excita o coração e contrai as veias e arteríolas. Além disso, os nervos simpáticos que suprem as medulas adrenais fazem com que essas glândulas secretem e liberem noradrenalina e adrenalina no sangue. Esses hormônios, então, circulam por todas as áreas do corpo e provocam praticamente os mesmos efeitos na circulação que a estimulação simpática direta, proporcionando um sistema duplo de controle: (1) estimulação nervosa direta; e (2) efeitos indiretos da noradrenalina e/ou adrenalina no sangue circulante.

Angiotensina II. A angiotensina II é outra potente substância vasoconstritora. Apenas *um milionésimo* de grama pode aumentar a pressão arterial de uma pessoa em 50 mmHg ou mais.

O efeito da angiotensina II é a forte constrição das pequenas arteríolas. Se essa constrição ocorrer em uma área de tecido isolada, o fluxo sanguíneo para essa área pode ser gravemente reduzido. No entanto, a verdadeira importância da angiotensina II é a atuação simultânea em várias arteríolas do corpo, para aumentar a *resistência vascular periférica total* e diminuir a excreção de sódio e água pelos rins, desse modo aumentando a pressão arterial. Assim, esse hormônio desempenha um papel fundamental na regulação da pressão arterial, como é discutido em detalhes no Capítulo 19.

Vasopressina. A *vasopressina*, também chamada de *hormônio antidiurético (ADH)*, é um vasoconstritor ainda mais potente do que a angiotensina II, o que a torna uma das substâncias constritoras vasculares mais importantes do organismo. Ela é produzida pelas células nervosas do hipotálamo cerebral (ver Capítulos 29 e 76) e depois transportada pelos axônios nervosos até a glândula hipófise posterior, onde é finalmente secretada no sangue.

É evidente que a vasopressina poderia promover fortes efeitos sobre a função circulatória. No entanto, como são secretadas apenas quantidades mínimas de vasopressina na maioria das condições fisiológicas, alguns pesquisadores acreditam que a vasopressina desempenhe um papel pequeno no controle vascular. No entanto, experimentos mostraram que a concentração de vasopressina circulante no sangue após uma hemorragia grave pode aumentar o suficiente para atenuar as reduções na pressão arterial de forma acentuada. Em alguns casos, essa ação isolada é capaz de praticamente normalizar a pressão arterial.

A vasopressina tem como função principal aumentar consideravelmente a reabsorção de água dos túbulos renais de volta ao sangue (ver Capítulo 29) e, portanto, ajuda a controlar o volume de líquido corporal. É por isso que esse hormônio também é chamado de *hormônio antidiurético (ADH)*.

VASODILATADORES

Bradicinina. Várias substâncias chamadas *cininas* podem provocar poderosa vasodilatação quando formadas no sangue e nos líquidos teciduais de determinados órgãos. As cininas são pequenos polipeptídeos que são separados pela ação de enzimas proteolíticas do tipo α_2-globulinas, presentes no plasma ou nos líquidos dos tecidos. Uma enzima proteolítica particularmente importante é a *calicreína*, que está presente no sangue e nos líquidos teciduais em sua forma inativa. Essa calicreína inativa pode ser ativada por maceração do sangue, inflamação do tecido ou outros efeitos químicos ou físicos semelhantes. À medida que a calicreína é ativada, ela atua imediatamente na α_2-globulina para liberar uma cinina chamada *calidina*, que então é convertida em *bradicinina* pela ação de enzimas teciduais. Uma vez formada, a bradicinina persiste por apenas alguns minutos, porque é inativada pela enzima *carboxipeptidase* ou pela *enzima conversora*, a mesma enzima que também desempenha um papel essencial na ativação da angiotensina, conforme discutido no Capítulo 19. A enzima calicreína ativada é destruída por um *inibidor de calicreína*, que também está presente nos líquidos corporais.

A bradicinina provoca poderosa *dilatação arteriolar* e o *aumento da permeabilidade capilar*. Por exemplo, a injeção de *1 micrograma* de bradicinina na artéria braquial de uma pessoa aumenta o fluxo sanguíneo no braço em até seis vezes, e até mesmo quantidades menores injetadas localmente nos tecidos podem causar edema local acentuado, resultante de um aumento no tamanho dos poros capilares.

As cininas parecem desempenhar papéis especiais na regulação do fluxo sanguíneo e no extravasamento capilar de líquidos em tecidos inflamados. Também se acredita que a bradicinina tenha participação nos processos que auxiliam a regulação do fluxo sanguíneo na pele, bem como nas glândulas salivares e gastrointestinais.

Histamina. A histamina é liberada em praticamente todos os tecidos do corpo se estes forem lesados, se estiverem inflamados ou forem sujeitos a uma reação alérgica. A maior parte da histamina é derivada de *mastócitos*, nos tecidos lesados, e dos *basófilos* no sangue.

A histamina tem um poderoso efeito vasodilatador sobre as arteríolas e, do mesmo modo que a bradicinina, tem a capacidade de aumentar muito a porosidade capilar,

CAPÍTULO 17 Controle Local e Humoral do Fluxo Sanguíneo nos Tecidos

permitindo o extravasamento de líquido e proteínas plasmáticas para os tecidos. Em várias condições patológicas, a intensa dilatação arteriolar e o aumento da porosidade capilar produzida pela histamina fazem com que grandes quantidades de líquido vazem da circulação para os tecidos, induzindo a formação de edema. Os efeitos vasodilatadores locais e produtores de edema da histamina são especialmente proeminentes durante reações alérgicas e são discutidos no Capítulo 35.

CONTROLE VASCULAR FEITO POR ÍONS E OUTROS FATORES QUÍMICOS

Diferentes íons e outros fatores químicos podem dilatar ou contrair os vasos sanguíneos locais. A lista a seguir detalha alguns de seus efeitos específicos:

1. Um aumento na concentração intracelular de *íons cálcio* provoca *vasoconstrição* devido ao efeito geral do cálcio de estimular a contração da musculatura lisa, conforme discutido no Capítulo 8.
2. Um aumento na concentração de *íons potássio*, dentro da faixa de variação fisiológica, provoca *vasodilatação*. Esse efeito resulta da capacidade dos íons potássio de inibir a contração da musculatura lisa.
3. Um aumento na concentração de *íons magnésio* provoca *poderosa vasodilatação* porque os íons magnésio inibem a contração da musculatura lisa.
4. Um *aumento* na concentração de *íons hidrogênio* (diminuição do pH) provoca dilatação das arteríolas. Por outro lado, uma *pequena redução na concentração de íons hidrogênio* provoca constrição arteriolar.
5. Os *ânions* que têm efeitos significativos sobre os vasos sanguíneos são o *acetato* e o *citrato*, que provocam graus leves de vasodilatação.
6. Um *aumento na concentração de dióxido de carbono* provoca uma vasodilatação moderada na maioria dos tecidos, mas acentuada no cérebro. Além disso, o dióxido de carbono presente no sangue, atuando no centro vasomotor cerebral, tem um efeito indireto extremamente potente, transmitido pelo sistema vasoconstritor nervoso simpático, que provoca vasoconstrição generalizada no organismo.

A maioria dos vasodilatadores ou vasoconstritores tem pouco efeito sobre o fluxo sanguíneo a longo prazo, a não ser quando alteram a taxa metabólica dos tecidos. Na maioria dos estudos experimentais, o fluxo sanguíneo do tecido e o débito cardíaco (a soma do fluxo para todos os tecidos do corpo) não são substancialmente alterados, exceto por 1 ou 2 dias, quando grandes quantidades de vasoconstritores poderosos, como a angiotensina II, ou vasodilatadores, como a bradicinina, são cronicamente infundidos. Por que o fluxo sanguíneo não se altera significativamente na maioria dos tecidos, mesmo na presença de grandes quantidades desses agentes vasoativos?

Para responder a essa pergunta, devemos retornar a um dos princípios fundamentais da função circulatória que foi discutido anteriormente – a capacidade de cada tecido de *autorregular* seu próprio fluxo sanguíneo, de acordo com as necessidades metabólicas e outras funções teciduais. A administração de um vasoconstritor potente, como a angiotensina II, pode provocar diminuições transitórias no fluxo sanguíneo dos tecidos e no débito cardíaco, mas geralmente tem pouco efeito a longo prazo, se não alterar a taxa metabólica dos tecidos. Do mesmo modo, a maioria dos vasodilatadores provoca apenas alterações de curto prazo no fluxo sanguíneo tecidual e no débito cardíaco, se não provocarem alterações na taxa metabólica do tecido. Portanto, o fluxo sanguíneo geralmente é regulado de acordo com as necessidades teciduais específicas, desde que a pressão arterial seja adequada para perfundir os tecidos.

Bibliografia

Adair TH: Growth regulation of the vascular system: an emerging role for adenosine. Am J Physiol Regul Integr Comp Physiol 289:R283, 2005.

Apte RS, Chen DS, Ferrara N: VEGF in Signaling and Disease: Beyond Discovery and Development. Cell 176:1248, 2019.

Bolduc V, Thorin-Trescases N, Thorin E: Endothelium-dependent control of cerebrovascular functions through age: exercise for healthy cerebrovascular aging. Am J Physiol Heart Circ Physiol 305:H620, 2013.

Briet M, Schiffrin EL: Treatment of arterial remodeling in essential hypertension. Curr Hypertens Rep 15:3, 2013.

Casey DP, Joyner MJ: Compensatory vasodilatation during hypoxic exercise: mechanisms responsible for matching oxygen supply to demand. J Physiol 590:6321, 2012.

Drummond HA, Grifoni SC, Jernigan NL: A new trick for an old dogma: ENaC proteins as mechanotransducers in vascular smooth muscle. Physiology (Bethesda) 23:23, 2008.

Eelen G, de Zeeuw P, Treps L, Harjes U, Wong BW, Carmeliet P: Endothelial Cell Metabolism. Physiol Rev 98:3, 2018.

Garcia V, Sessa WC: Endothelial NOS: perspective and recent developments. Br J Pharmacol 176:189, 2019.

Green DJ, Hopman MT, Padilla J, Laughlin MH, Thijssen DH: Vascular Adaptation to Exercise in Humans: Role of Hemodynamic Stimuli. Physiol Rev 97:495, 2017.

Harder DR, Rarick KR, Gebremedhin D, Cohen SS: Regulation of Cerebral Blood Flow: Response to Cytochrome P450 Lipid Metabolites. Compr Physiol 8:801, 2018.

Hellsten Y, Nyberg M, Jensen LG, Mortensen SP: Vasodilator interactions in skeletal muscle blood flow regulation. J Physiol 590: 6297, 2012.

Johnson JM, Minson CT, Kellogg DL Jr: Cutaneous vasodilator and vasoconstrictor mechanisms in temperature regulation. Compr Physiol 4:33, 2014.

Kraehling JR, Sessa WC: Contemporary Approaches to Modulating the Nitric Oxide-cGMP Pathway in Cardiovascular Disease. Circ Res 120:1174, 2017.

Lasker GF, Pankey EA, Kadowitz PJ: Modulation of soluble guanylate cyclase for the treatment of erectile dysfunction. Physiology (Bethesda) 28:262, 2013.

Marshall JM, Ray CJ: Contribution of non-endothelium-dependent substances to exercise hyperaemia: are they O(2) dependent? J Physiol 590:6307, 2012.

Mortensen SP, Saltin B: Regulation of the skeletal muscle blood flow in humans. Exp Physiol 99:1552, 2014.

PARTE 4 Circulação

Potente M, Mäkinen T: Vascular heterogeneity and specialization in development and disease. Nat Rev Mol Cell Biol 18:477, 2017.

Shaw I, Rider S, Mullins J, Hughes J, Péault B: Pericytes in the renal vasculature: roles in health and disease. Nat Rev Nephrol 14:521, 2018.

Silvestre JS, Smadja DM, Lévy BI: Postischemic revascularization: from cellular and molecular mechanisms to clinical applications. Physiol Rev 93:1743, 2013.

Simons M: An inside view: VEGF receptor trafficking and signaling. Physiology (Bethesda) 27:213, 2012.

Smith KJ, Ainslie PN: Regulation of cerebral blood flow and metabolism during exercise. Exp Physiol 102:1356, 2017.

Tejero J, Shiva S, Gladwin MT: Sources of vascular nitric oxide and reactive oxygen species and their regulation. Physiol Rev 99:311, 2019.

Weis SM, Cheresh DA: Tumor angiogenesis: molecular pathways and therapeutic targets. Nat Med 17:1359, 2011.

Welti J, Loges S, Dimmeler S, Carmeliet P: Recent molecular discoveries in angiogenesis and antiangiogenic therapies in cancer. J Clin Invest 123:3190, 2013.

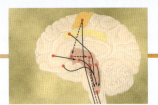

CAPÍTULO 18

Regulação Nervosa da Circulação e Controle Rápido da Pressão Arterial

REGULAÇÃO NERVOSA DA CIRCULAÇÃO

Como foi discutido no Capítulo 17, o ajuste do fluxo sanguíneo nos tecidos e órgãos do corpo é a principal função dos mecanismos locais de controle dos tecidos. Neste capítulo, discutiremos como o controle nervoso da circulação tem funções mais globais, como redistribuir o fluxo sanguíneo para diferentes áreas do corpo, aumentar ou diminuir a atividade de bombeamento pelo coração e fornecer controle rápido da pressão arterial sistêmica.

O sistema nervoso controla a circulação quase inteiramente por intermédio do *sistema nervoso autônomo*. As várias funções desse sistema são apresentadas em mais detalhes no Capítulo 61, e esse assunto também foi apresentado no Capítulo 17. Neste capítulo, vamos tratar das características adicionais anatômicas e funcionais específicas.

SISTEMA NERVOSO AUTÔNOMO

O componente mais importante do sistema nervoso autônomo para a regulação da circulação é o *sistema nervoso simpático*. O *sistema nervoso parassimpático*, entretanto, também contribui de maneira importante para a regulação da função cardíaca, como descrito posteriormente neste capítulo.

Sistema nervoso simpático. A **Figura 18.1** mostra a anatomia do controle circulatório pelo sistema nervoso simpático. As fibras nervosas vasomotoras simpáticas saem da medula espinhal pelos nervos espinhais torácicos e pelo primeiro ou dois primeiros nervos espinhais lombares. A seguir, passam imediatamente para os *troncos simpáticos*, localizados nos dois lados da coluna vertebral. Em seguida, passam para a circulação por duas vias: (1) através de *nervos simpáticos* específicos que inervam principalmente a vasculatura das vísceras e do coração, como mostrado no lado direito da **Figura 18.1**; e (2) quase imediatamente para os segmentos periféricos dos *nervos espinhais*, distribuídos para a vasculatura das áreas periféricas. As rotas específicas dessas fibras na medula espinhal e nos troncos simpáticos são discutidas no Capítulo 61.

Inervação simpática dos vasos sanguíneos. A **Figura 18.2** mostra a distribuição das fibras nervosas simpáticas para os vasos sanguíneos, demonstrando que, na maioria dos tecidos, todos os vasos, *exceto* os capilares, recebem inervação. Os esfíncteres e metarteríolas pré-capilares são inervados em alguns tecidos, como os vasos sanguíneos mesentéricos, embora sua inervação simpática geralmente não seja tão densa quanto nas pequenas artérias, arteríolas e veias.

A inervação das *pequenas artérias* e *arteríolas* permite que a estimulação simpática aumente a *resistência* ao fluxo sanguíneo e, desse modo, reduza a taxa de fluxo sanguíneo através dos tecidos.

A inervação dos grandes vasos, principalmente das *veias*, permite que a estimulação simpática *reduza* seu volume. Essa diminuição de volume pode impulsionar o sangue para o coração e, portanto, desempenha um papel importante na regulação do bombeamento cardíaco, como será explicado posteriormente neste e nos capítulos subsequentes.

A estimulação simpática aumenta a frequência e a contratilidade cardíacas. As fibras simpáticas também se dirigem diretamente para o coração, como mostrado na **Figura 18.1**. Conforme discutido no Capítulo 9, a estimulação simpática aumenta acentuadamente a atividade do coração, incrementando tanto a frequência cardíaca quanto a força e o volume de bombeamento.

A estimulação parassimpática diminui a frequência e a contratilidade cardíacas. Embora o sistema nervoso parassimpático seja extremamente importante para muitas outras funções autonômicas do organismo, como o controle de diversas ações gastrointestinais, ele desempenha apenas um papel secundário na regulação da função vascular da maioria dos tecidos. Seu efeito circulatório mais importante é o controle da frequência cardíaca por meio de *fibras nervosas parassimpáticas* para o coração nos *nervos vagos*, como mostrado na **Figura 18.1** pela linha vermelha tracejada que parte do bulbo raquidiano diretamente para o coração.

Os efeitos da estimulação parassimpática sobre a função cardíaca foram discutidos em detalhes no Capítulo 9. Essa estimulação parassimpática provoca uma *diminuição* acentuada na frequência cardíaca e uma ligeira redução na contratilidade do músculo cardíaco.

PARTE 4 Circulação

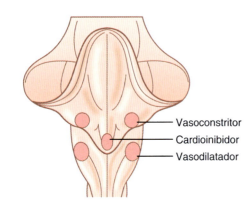

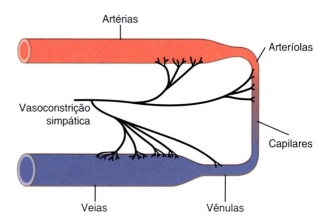

Figura 18.2 Inervação simpática da circulação sistêmica.

Esse efeito vasoconstritor simpático é especialmente potente sobre os rins, intestinos, baço e pele, e muito menos potente sobre a musculatura esquelética, coração e cérebro.

Centro vasomotor no cérebro e seu controle do sistema vasoconstritor. Localizada bilateralmente, principalmente na substância reticular do bulbo e no terço inferior da ponte cerebral, está uma área chamada de *centro vasomotor*, mostrada na **Figura 18.1** e na **Figura 18.3**. Esse centro transmite impulsos parassimpáticos através dos nervos vagos para o coração e impulsos simpáticos através da medula espinhal e nervos simpáticos periféricos para praticamente todas as artérias, arteríolas e veias do corpo.

Embora a organização completa do centro vasomotor ainda não esteja esclarecida, alguns experimentos permitiram identificar áreas importantes nesse centro:

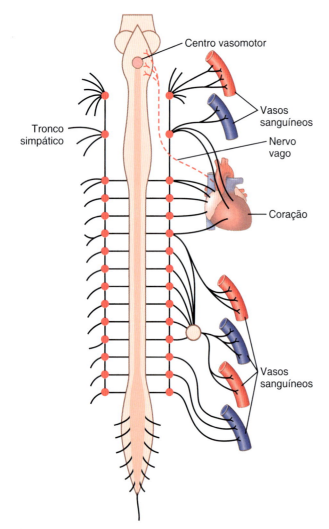

Figura 18.1 Anatomia do *controle nervoso simpático* da circulação. Além disso, a *linha vermelha tracejada* mostra o nervo vago transportando sinais parassimpáticos para o coração.

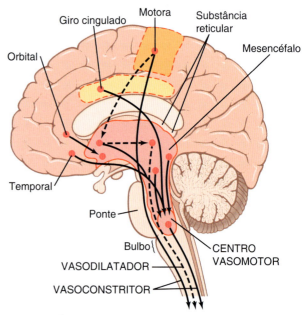

Figura 18.3 Áreas do cérebro que desempenham papéis importantes na regulação nervosa da circulação. As *linhas tracejadas* representam as vias inibitórias.

Sistema vasoconstritor simpático e seu controle pelo sistema nervoso central

Os nervos simpáticos carregam um grande número de *fibras nervosas vasoconstritoras* e apenas algumas fibras vasodilatadoras. As fibras vasoconstritoras são distribuídas essencialmente para todos os segmentos da circulação, embora mais para alguns tecidos do que para outros.

1. Uma *área vasoconstritora* localizada bilateralmente nas porções anterolaterais do bulbo superior. Os neurônios originários dessa área distribuem suas fibras por todos os níveis da medula espinhal, onde estimulam os neurônios vasoconstritores pré-ganglionares do sistema nervoso simpático.
2. Uma *área vasodilatadora* localizada bilateralmente nas porções anterolaterais da metade inferior do bulbo. As fibras desses neurônios projetam-se para cima, até a área vasoconstritora que acabamos de descrever, inibindo a atividade vasoconstritora dessa área e provocando vasodilatação.
3. Uma *área sensorial* localizada bilateralmente no *núcleo do trato solitário* nas porções posterolaterais do bulbo e ponte inferior. Os neurônios dessa área recebem sinais nervosos sensoriais do sistema circulatório principalmente através dos *nervos vago* e *glossofaríngeo*, e os sinais de saída dessa área sensorial ajudam a controlar as atividades das áreas vasoconstritoras e vasodilatadoras do centro vasomotor, proporcionando, assim, o controle reflexo de diversas funções circulatórias. Um exemplo é o *reflexo barorreceptor* para controlar a pressão arterial, descrito posteriormente neste capítulo.

Constrição parcial contínua dos vasos sanguíneos pelo tônus vasoconstritor simpático. Em condições normais, a área vasoconstritora do centro vasomotor transmite continuamente sinais às fibras nervosas vasoconstritoras simpáticas por todo o corpo, provocando o disparo lento de potenciais de ação nessas fibras, a uma frequência de cerca de 0,5 a 2 impulsos por segundo. Esse disparo contínuo é chamado de *tônus vasoconstritor simpático*. Esses impulsos normalmente mantêm um estado parcial de constrição nos vasos sanguíneos, denominado *tônus vasomotor*.

A **Figura 18.4** demonstra a importância do tônus vasoconstritor. No experimento mostrado nesta figura, um anestésico espinhal foi administrado a um animal. Esse anestésico bloqueou toda a transmissão dos impulsos nervosos simpáticos da medula espinhal para a periferia. Como resultado, a pressão arterial caiu de 100 para 50 mmHg, demonstrando o efeito da perda do tônus vasoconstritor por todo o corpo. Poucos minutos depois, uma pequena quantidade do hormônio noradrenalina foi injetada no sangue (noradrenalina é a principal substância hormonal vasoconstritora secretada nas terminações das fibras nervosas vasoconstritoras simpáticas). Quando esse hormônio injetado foi transportado pelo sangue para os vasos sanguíneos, eles se contraíram novamente e a pressão arterial subiu para um nível ainda maior do que o normal por 1 a 3 minutos, até a degradação da noradrenalina.

Controle da atividade cardíaca pelo centro vasomotor. Ao mesmo tempo que o centro vasomotor regula a quantidade de constrição vascular, ele também controla a atividade cardíaca. As porções *laterais* do centro vasomotor transmitem impulsos excitatórios através das fibras nervosas simpáticas para o coração, quando há necessidade de aumentar a frequência cardíaca e a contratilidade. Por outro lado, quando há necessidade de reduzir o bombeamento cardíaco, a porção *média* do centro vasomotor envia sinais para os *núcleos motores dorsais dos nervos vagos* adjacentes, que então transmitem impulsos parassimpáticos através dos nervos vagos para o coração, de modo a reduzir a frequência e a contratilidade. Portanto, o centro vasomotor pode aumentar ou reduzir a atividade cardíaca. A frequência e a força das contrações cardíacas geralmente aumentam quando ocorre vasoconstrição e diminuem quando a vasoconstrição é inibida.

Controle do centro vasomotor pelos centros nervosos superiores. Um grande número de pequenos neurônios localizados em toda a *formação reticular* da *ponte*, *mesencéfalo* e *diencéfalo* pode excitar ou inibir o centro vasomotor. Essa substância reticular é mostrada na **Figura 18.3**. Em geral, os neurônios nas porções mais laterais e superiores da substância reticular causam excitação, enquanto as porções médias e inferiores causam inibição.

O *hipotálamo* desempenha um papel especial no controle do sistema vasoconstritor, pois pode levar a potentes efeitos excitatórios ou inibitórios sobre o centro vasomotor. As *áreas posterolaterais* do hipotálamo provocam principalmente excitação, enquanto a *área anterior* pode causar excitação ou inibição leves, dependendo da parte exata do hipotálamo anterior que é estimulada.

Muitas áreas do *córtex cerebral* também podem excitar ou inibir o centro vasomotor. A estimulação do *córtex motor*, por exemplo, excita o centro vasomotor em razão de impulsos descendentes transmitidos para o hipotálamo e depois para o centro vasomotor. Além disso, a estimulação do *lobo temporal anterior, áreas orbitais do córtex pré-frontal, parte anterior do giro cingulado, amígdala, septo e hipocampo* podem excitar ou inibir o centro vasomotor, dependendo da região exata em que essas áreas são estimuladas e da intensidade do estímulo. Assim, diversas

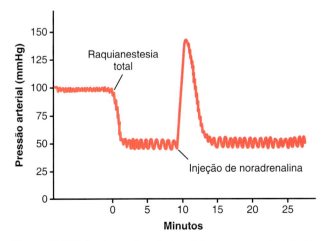

Figura 18.4 Efeito da raquianestesia total sobre a pressão arterial, mostrando diminuição acentuada da pressão, decorrente da perda do tônus vasomotor.

PARTE 4 Circulação

áreas basais do cérebro podem ter efeitos profundos sobre a função cardiovascular.

A noradrenalina é o neurotransmissor vasoconstritor simpático.

A substância secretada nas terminações dos nervos vasoconstritores é principalmente a noradrenalina, que atua diretamente nos *receptores alfa-adrenérgicos* da musculatura lisa vascular, provocando vasoconstrição, como discutido no Capítulo 61.

Medula adrenal e sua relação com o sistema vasoconstritor simpático.

Os impulsos simpáticos são transmitidos para as medulas adrenais ao mesmo tempo que são transmitidos para os vasos sanguíneos. Esses impulsos fazem com que a medula adrenal *secrete adrenalina e noradrenalina para o sangue circulante.* Esses dois hormônios são transportados pela corrente sanguínea para todas as partes do corpo, onde atuam diretamente em todos os vasos sanguíneos e geralmente causam vasoconstrição. Em determinados tecidos, a *adrenalina* provoca vasodilatação porque também estimula os *receptores beta-adrenérgicos*, que dilatam em vez de contrair certos vasos, como discutido no Capítulo 61.

Sistema vasodilatador simpático e seu controle pelo sistema nervoso central.

Os nervos simpáticos para os músculos esqueléticos contêm fibras *vasodilatadoras* simpáticas, bem como fibras vasoconstritoras. Em alguns animais, como nos gatos, essas fibras dilatadoras liberam *acetilcolina*, e não noradrenalina, em suas terminações. No entanto, acredita-se que nos primatas o efeito vasodilatador seja causado pela adrenalina que excita receptores beta-adrenérgicos específicos na vasculatura muscular.

A via de controle do sistema nervoso central (SNC) para o sistema vasodilatador é mostrada pelas linhas tracejadas na **Figura 18.3**. A principal área do cérebro que controla esse sistema é o *hipotálamo anterior*.

Possível papel do sistema vasodilatador simpático.

O sistema vasodilatador simpático não parece desempenhar um papel importante no controle da circulação em seres humanos. Isso porque o bloqueio completo dos nervos simpáticos para os músculos dificilmente afeta sua capacidade de controlar o próprio fluxo sanguíneo em muitas condições fisiológicas. Ainda assim, alguns experimentos sugerem que, no início da atividade física, o sistema simpático pode inicialmente provocar a vasodilatação nos músculos esqueléticos, para permitir um *aumento antecipado do fluxo sanguíneo*, antes mesmo que os músculos precisem de nutrientes adicionais. Nos seres humanos, existem evidências de que essa resposta vasodilatadora simpática nos músculos esqueléticos possa ser mediada pela adrenalina circulante, que estimula os receptores beta-adrenérgicos; ou pelo óxido nítrico liberado do endotélio vascular em resposta à estimulação pela acetilcolina.

Desmaio emocional – síncope vasovagal.

Ocorre uma reação vasodilatadora interessante em pessoas que experimentam abalos emocionais intensos, ao ponto de causar desmaios. Em casos assim, o sistema vasodilatador muscular é ativado e, ao mesmo tempo, o centro cardioinibitório vagal transmite fortes sinais ao coração para diminuir acentuadamente a frequência cardíaca. A pressão arterial cai rapidamente, o que reduz o fluxo sanguíneo para o cérebro e faz com que a pessoa perca a consciência. Esse efeito é denominado *síncope vasovagal*. O desmaio emocional frequentemente se inicia com pensamentos perturbadores no córtex cerebral. A via então, provavelmente, segue para o centro vasodilatador do hipotálamo anterior próximo aos centros vagais do bulbo, para o coração através dos nervos vagos e também através da medula espinhal para os nervos *vasodilatadores simpáticos* dos músculos.

Papel do sistema nervoso no controle rápido da pressão arterial

Uma das funções mais importantes do controle nervoso da circulação é sua capacidade de provocar aumentos rápidos na pressão arterial. Para isso, todas as funções vasoconstritoras e cardioaceleradoras do sistema nervoso simpático são estimuladas em conjunto. Ao mesmo tempo, há inibição recíproca dos sinais inibitórios parassimpáticos vagais para o coração. A seguir destacamos as três principais alterações que ocorrem simultaneamente, e cada uma delas contribui para elevar a pressão arterial:

1. *A maioria das arteríolas da circulação sistêmica está contraída*, o que aumenta muito a resistência vascular periférica total, aumentando, assim, a pressão arterial.
2. *As veias estão fortemente contraídas.* Essa constrição desloca o sangue das grandes veias periféricas em direção ao coração, aumentando, assim, o volume de sangue nas câmaras cardíacas. O estiramento do coração aumenta a força dos batimentos e, portanto, consegue bombear quantidades maiores de sangue. Isso também aumenta a pressão arterial.
3. *Por fim, o coração é estimulado diretamente pelo sistema nervoso autônomo, fortalecendo ainda mais o bombeamento cardíaco.* Grande parte desse incremento é provocado por um aumento na frequência cardíaca, que pode aumentar até três vezes o normal. Além disso, os sinais nervosos simpáticos aumentam diretamente a força contrátil do músculo cardíaco, aumentando a capacidade do coração de bombear grandes volumes de sangue. Durante uma forte estimulação simpática, o coração pode bombear cerca de duas vezes mais sangue do que em condições normais, o que contribui ainda mais para o aumento agudo da pressão arterial.

O controle nervoso da pressão arterial é rápido.

Uma característica especialmente importante do controle nervoso da pressão arterial é a rapidez de sua resposta, começando em segundos e frequentemente aumentando a pressão para duas vezes o normal em 5 a 10 segundos. Por outro lado, a inibição repentina da estimulação nervosa cardiovascular pode diminuir a pressão arterial para metade do valor normal em um intervalo de 10 a 40 segundos. Portanto, o controle nervoso é o mecanismo mais rápido para a regulação da pressão arterial.

AUMENTO DA PRESSÃO ARTERIAL DURANTE EXERCÍCIOS MUSCULARES E OUTROS FATORES DE ESTRESSE

Um exemplo importante da capacidade do sistema nervoso de elevar a pressão arterial é o aumento da pressão que ocorre durante o exercício muscular. Durante a prática de exercícios pesados, os músculos requerem um fluxo sanguíneo muito maior. Parte desse aumento resulta da vasodilatação local da vasculatura muscular, provocada pelo aumento no metabolismo das células musculares, como explicado no Capítulo 17. Um aumento adicional resulta da elevação simultânea da pressão arterial causada pela estimulação simpática da circulação geral durante a prática de exercícios. Com exercícios vigorosos, a pressão arterial sobe cerca de 30 a 40%, o que aumenta ainda mais o fluxo sanguíneo em quase duas vezes.

O aumento da pressão arterial durante o exercício resulta principalmente de efeitos do sistema nervoso. Ao mesmo tempo que as áreas motoras do cérebro são ativadas para produzir o exercício, a maior parte do sistema de ativação reticular do tronco encefálico também é ativada, o que inclui um grande aumento na estimulação das áreas vasoconstritoras e cardioaceleradoras do centro vasomotor. Esses efeitos aumentam rapidamente a pressão arterial, para acompanhar o aumento da atividade muscular.

Em muitos outros tipos de estresse, além do exercício muscular, também podem ocorrer aumentos semelhantes de pressão. Por exemplo, em situações de medo intenso, a pressão arterial pode aumentar em até 75 a 100 mmHg em poucos segundos. Essa resposta é chamada de *reação de alarme* e gera uma pressão arterial elevada capaz de suprir imediatamente o fluxo sanguíneo para os músculos, o que pode ser necessário para uma resposta de fuga do perigo.

MECANISMOS REFLEXOS PARA A MANUTENÇÃO DA NORMALIDADE DA PRESSÃO ARTERIAL

Além das funções relacionadas ao exercício e fatores de estresse do sistema nervoso autônomo para aumentar a pressão arterial, vários mecanismos subconscientes de controle nervoso especial operam o tempo todo para manter a pressão no nível normal ou próximo ao normal. Quase todos são mecanismos reflexos de *feedback negativo*, descritos nas seções a seguir.

Sistema barorreceptor de controle de pressão arterial – reflexos barorreceptores

O mais conhecido dos mecanismos nervosos de controle da pressão arterial é o *reflexo barorreceptor*. Basicamente, esse reflexo é iniciado por receptores de estiramento, chamados *barorreceptores* ou *pressorreceptores*, localizados em pontos específicos das paredes de várias grandes artérias sistêmicas. O aumento na pressão arterial estira os barorreceptores e faz com que transmitam sinais para o SNC. Os sinais de *feedback* são enviados de volta através

do sistema nervoso autônomo para a circulação, para reduzir a pressão arterial até o nível normal.

Anatomia fisiológica dos barorreceptores e sua inervação. Barorreceptores são terminações nervosas livres localizadas nas paredes das artérias, que são estimuladas quando estiradas. Alguns poucos barorreceptores estão localizados na parede de praticamente todas as grandes artérias das regiões do tórax e do pescoço, mas, como mostrado na **Figura 18.5**, os barorreceptores são extremamente abundantes nas seguintes regiões: (1) parede de cada artéria carótida interna, ligeiramente acima da bifurcação carotídea, uma área conhecida como *seio carotídeo*; e (2) parede do arco aórtico.

A **Figura 18.5** mostra que os sinais dos barorreceptores carotídeos são transmitidos através dos pequenos *nervos de Hering* para os *nervos glossofaríngeos* na região cervical superior e, em seguida, para o *núcleo do trato solitário* na área bulbar do tronco encefálico. Os sinais dos barorreceptores aórticos, localizados no arco da aorta, são transmitidos através dos *nervos vagos* para o mesmo núcleo do trato solitário do bulbo.

Resposta dos barorreceptores às alterações na pressão arterial. A **Figura 18.6** mostra os efeitos de diferentes níveis de pressão arterial na frequência de transmissão de impulsos pelo nervo de Hering do seio carotídeo. Observe que os barorreceptores do seio carotídeo não são estimulados por pressões entre 0 e 50 a 60 mmHg, mas, acima desses níveis, respondem cada vez mais rapidamente e alcançam o máximo próximo aos 180 mmHg. A resposta dos barorreceptores aórticos é semelhante à dos receptores carotídeos, exceto que, em geral, operam em níveis de pressão arterial cerca de 30 mmHg mais elevados.

Observe especialmente que na faixa operacional normal da pressão arterial, em torno de 100 mmHg, até mesmo uma ligeira alteração na pressão provoca uma forte mudança no sinal barorreflexo, de modo a reajustar a pressão arterial ao valor normal. Assim, o mecanismo de *feedback* do barorreceptor funciona com maior efetividade na faixa de pressão onde é mais necessário.

Os barorreceptores respondem rapidamente às mudanças na pressão arterial; a frequência de impulsos aumenta em uma fração de segundo durante cada sístole e diminui novamente durante a diástole. Além disso, *os barorreceptores respondem muito mais a uma pressão que varia rapidamente* do que a uma pressão estacionária. Ou seja, se a pressão arterial média for de 150 mmHg, mas naquele momento estiver subindo rapidamente, a frequência de transmissão do impulso pode ser até duas vezes maior que quando a pressão está estacionária em 150 mmHg.

Reflexo circulatório desencadeado por barorreceptores. Depois que os sinais dos barorreceptores entram no núcleo do trato solitário, sinais secundários *inibem o centro vasoconstritor* do bulbo e *excitam o centro parassimpático vagal*. Os efeitos resultantes são os seguintes:

PARTE 4 Circulação

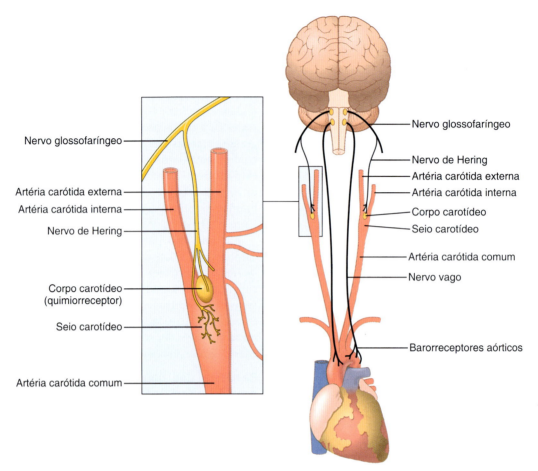

Figura 18.5 Sistema barorreceptor de controle da pressão arterial.

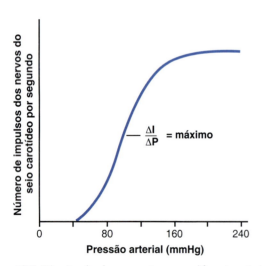

Figura 18.6 Ativação dos barorreceptores em diferentes níveis de pressão arterial. ΔI, variação dos impulsos nervosos do seio carotídeo por segundo; ΔP, variação da pressão arterial (mmHg).

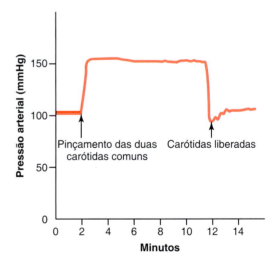

Figura 18.7 Efeito típico do reflexo do seio carotídeo sobre a pressão aórtica provocado pelo pinçamento das duas carótidas comuns (após os dois nervos vagos terem sido seccionados).

(1) *vasodilatação* das veias e arteríolas em todo o sistema circulatório periférico; e (2) *diminuição da frequência e da força de contração cardíacas*. Portanto, a excitação dos barorreceptores provocada pela alta pressão nas artérias faz com que a *pressão arterial diminua* reflexamente, em virtude de uma diminuição na resistência vascular periférica e no débito cardíaco. Por outro lado, a pressão baixa tem efeitos opostos, fazendo com que a pressão volte ao normal por reflexo.

A **Figura 18.7** mostra uma alteração reflexa típica na pressão arterial causada pela oclusão das duas artérias carótidas comuns. Isso reduz a pressão do seio carotídeo;

como resultado, os sinais dos barorreceptores diminuem e causam menor efeito inibitório sobre o centro vasomotor. O centro vasomotor torna-se muito mais ativo do que o normal, fazendo com que a pressão aórtica suba e permaneça elevada durante os 10 minutos que as carótidas permanecem obstruídas. A remoção da oclusão permite que a pressão nos seios carotídeos aumente, e o reflexo do seio carotídeo diminui a pressão aórtica quase imediatamente para um pouco abaixo do normal, como uma supercompensação momentânea, e depois volta ao normal em um minuto.

Os barorreceptores atenuam as alterações na pressão arterial durante mudanças na postura corporal. A capacidade dos barorreceptores de manter a pressão arterial relativamente constante na parte superior do corpo é importante quando uma pessoa que está deitada se levanta. Ao se levantar, a pressão arterial na cabeça e na parte superior do corpo tende a cair imediatamente, e a queda acentuada da pressão pode provocar perda de consciência. No entanto, a queda da pressão nos barorreceptores provoca um reflexo imediato, resultando em forte descarga simpática por todo o corpo, que minimiza a redução da pressão na cabeça e na parte superior do corpo.

Função de tamponamento da pressão pelo sistema de controle dos barorreceptores. Como o sistema barorreceptor se opõe a aumentos ou diminuições da pressão arterial, ele é chamado de *sistema de tamponamento pressórico*, e os nervos dos barorreceptores são chamados de *nervos tampão*.

A **Figura 18.8** mostra a importância dessa função. O painel superior da figura mostra duas horas de registro da pressão arterial de um cão normal, e o painel inferior mostra o registro da pressão arterial de um cão cujos nervos barorreceptores dos seios carotídeos e da aorta foram removidos. Observe a extrema variabilidade da pressão no cão desnervado, causada por eventos rotineiros, como se deitar, ficar de pé, se excitar, comer, defecar e latir.

A **Figura 18.9** mostra as distribuições de frequência das pressões arteriais médias registradas para um dia de 24 horas no cão normal e no cão desnervado. Observe que quando os barorreceptores funcionavam normalmente, a pressão arterial média permanecia dentro de uma faixa estreita de variação ao longo do dia, de 85 a 115 mmHg e, na maior parte do tempo, permanecia em torno de 100 mmHg. Após a denervação dos barorreceptores, no entanto, a curva de distribuição de frequência se achatou, mostrando que a faixa de pressão aumentou 2,5 vezes, caindo muitas vezes para níveis tão baixos quanto 50 mmHg ou subindo para mais de 160 mmHg. Portanto, fica fácil perceber a extrema variabilidade da pressão na ausência do sistema barorreceptor arterial.

O objetivo principal do sistema barorreceptor arterial é, portanto, reduzir a variação na pressão arterial, minuto a minuto, para cerca de um terço do que ocorreria se o sistema barorreceptor não estivesse presente.

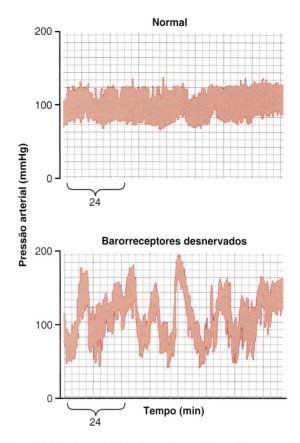

Figura 18.8 Registros de duas horas da pressão arterial em um cão normal (*acima*) e no mesmo cão (*abaixo*) várias semanas após os barorreceptores terem sido desnervados. *(Modificada de Cowley AW Jr, Liard JF, Guyton AC: Role of barorreceptor reflex in daily control of arterial blood pressure and other variables in dogs. Circ Res 32:564, 1973.)*

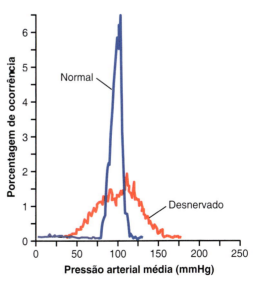

Figura 18.9 Curvas de distribuição de frequência da pressão arterial por um período de 24 horas em um cão normal e no mesmo cão várias semanas após os barorreceptores terem sido desnervados. *(Modificada de Cowley AW Jr, Liard JF, Guyton AC: Role of barorreceptor reflex in daily control of arterial blood pressure and other variables in dogs. Circ Res 32:564, 1973.)*

PARTE 4 Circulação

Qual é a importância dos barorreceptores na regulação de longo prazo da pressão arterial? Embora os barorreceptores arteriais forneçam um controle rigoroso, momento a momento, da pressão arterial, sua importância na regulação de longo prazo apresenta controvérsias. Uma das razões pelas quais os barorreceptores foram considerados por alguns fisiologistas como relativamente sem importância na regulação crônica da pressão arterial é que eles tendem, depois de 1 ou 2 dias, a se *reconfigurar* para o nível de pressão ao qual estão sendo expostos. Isto é, se a pressão arterial aumentar do valor normal de 100 mmHg para 160 mmHg, no começo os impulsos barorreceptores são transmitidos em uma frequência muito alta. Durante os minutos seguintes, as descargas diminuem consideravelmente. Então, passa a diminuir muito mais lentamente durante os próximos 1 a 2 dias, ao final dos quais a frequência de descargas terá retornado quase ao normal, embora a pressão arterial média ainda permaneça em 160 mmHg. Inversamente, quando a pressão arterial cai para um nível muito baixo, no começo os barorreceptores não transmitem impulsos, mas gradualmente, no intervalo de 1 a 2 dias, a frequência de transmissão dos barorreceptores retorna ao nível de controle.

Essa reconfiguração dos barorreceptores pode atenuar sua potência como sistema de controle para corrigir distúrbios que tendem a alterar a pressão arterial por mais do que apenas alguns dias de cada vez. Estudos experimentais, no entanto, sugerem que os barorreceptores não se reconfiguram totalmente e podem, portanto, contribuir para a regulação da pressão arterial, influenciando especialmente a atividade da inervação simpática renal. Por exemplo, com aumentos prolongados na pressão arterial, os reflexos barorreceptores podem mediar diminuições na atividade do nervo simpático renal que promovem o aumento da excreção de sódio e água pelos rins. Essa ação, por sua vez, causa uma redução gradual do volume sanguíneo, o que ajuda a restaurar a pressão arterial ao normal. Assim, a regulação de longo prazo da pressão arterial média pelos barorreceptores requer interação com sistemas adicionais, principalmente com o sistema de controle de pressão rim-líquidos corporais (junto com seus mecanismos nervosos e hormonais associados), discutido nos Capítulos 19 e 30.

Estudos experimentais e ensaios clínicos demonstraram que a estimulação elétrica crônica das fibras nervosas aferentes do seio carotídeo pode causar reduções sustentadas na atividade do sistema nervoso simpático e na pressão arterial de pelo menos 15 a 20 mmHg. Essas observações sugerem que a maior parte, senão toda, da reconfiguração do reflexo barorreceptor que ocorre com aumentos sustentados na pressão arterial, como na hipertensão crônica, resulta da reconfiguração dos próprios mecanorreceptores do nervo do seio carotídeo, e não de uma reconfiguração nos centros vasomotores do sistema nervoso central.

Controle da pressão arterial por quimiorreceptores carotídeos e aórticos – efeito do déficit de oxigênio sobre a pressão arterial. Existe um *reflexo quimiorreceptor* intimamente associado ao sistema de controle de pressão dos barorreceptores, que opera de maneira muito semelhante, exceto pelo fato de que a resposta é iniciada por quimiorreceptores, em vez de receptores de estiramento.

As células quimiorreceptoras são sensíveis a níveis baixos de oxigênio ou a níveis elevados de dióxido de carbono e de íons hidrogênio. Estão localizadas em pequenos *órgãos quimiorreceptores* com cerca de 2 milímetros de tamanho (dois *corpos carotídeos*, um deles localizado na bifurcação de cada artéria carótida comum, e geralmente um a três *corpos aórticos* adjacentes à aorta). Os quimiorreceptores excitam as fibras nervosas que, juntamente com as fibras barorreceptoras, passam pelos nervos de Hering e pelos nervos vagos em direção ao centro vasomotor do tronco encefálico.

Cada corpo carotídeo ou aórtico recebe um abundante fluxo sanguíneo por meio de uma pequena artéria nutriente, de modo que os quimiorreceptores estão sempre em contato próximo com o sangue arterial. Sempre que a pressão arterial cai para um nível crítico, os quimiorreceptores são estimulados, porque a redução do fluxo sanguíneo provoca uma diminuição nos níveis de oxigênio, bem como o acúmulo excessivo de dióxido de carbono e íons hidrogênio que não são removidos pela circulação lenta.

Os sinais transmitidos pelos quimiorreceptores *excitam* o centro vasomotor, e essa resposta eleva a pressão arterial de volta ao normal. No entanto, esse reflexo quimiorreceptor não é um potente controlador da pressão arterial até que ela esteja abaixo de 80 mmHg. Portanto, é nas pressões mais baixas que esse reflexo se torna importante para ajudar a prevenir novas quedas da pressão arterial.

Os quimiorreceptores são discutidos em mais detalhes no Capítulo 42 em relação ao *controle respiratório*, no qual normalmente desempenham um papel muito mais importante do que no controle da pressão arterial. No entanto, a ativação dos quimiorreceptores também pode contribuir para o aumento da pressão arterial em condições como obesidade grave e *apneia obstrutiva do sono*, um distúrbio grave associado a episódios repetitivos de interrupção da respiração durante a noite e hipóxia.

Reflexos atriais e das artérias pulmonares que regulam a pressão arterial. Os átrios e as artérias pulmonares têm receptores de estiramento em suas paredes, chamados de *receptores de baixa pressão*. Eles são semelhantes aos receptores de estiramento dos barorreceptores presentes nas grandes artérias sistêmicas. Esses receptores de baixa pressão desempenham um papel importante, especialmente na minimização das variações de pressão arterial em resposta às alterações no volume sanguíneo. Por exemplo, se subitamente são infundidos 300 mililitros de sangue em um cão com todos os receptores intactos, a pressão arterial aumenta apenas cerca de 15 mmHg. Com os *barorreceptores arteriais desnervados*, a pressão sobe cerca de 40 mmHg. Se os *receptores de baixa pressão* também forem desnervados, a pressão arterial subirá cerca de 100 mmHg.

Assim, é possível perceber que, embora os receptores de baixa pressão na artéria pulmonar e nos átrios não possam detectar a pressão arterial sistêmica, eles detectam aumentos simultâneos de pressão nas áreas de baixa pressão da circulação, que são causados por um aumento de volume. Além disso, eles provocam reflexos paralelos aos reflexos barorreceptores, para tornar a totalidade do sistema reflexo mais potente no controle da pressão arterial.

Reflexos atriais que ativam os rins – o reflexo de volume. O estiramento dos átrios e ativação dos receptores atriais de baixa pressão também causam reduções reflexas na atividade do nervo simpático renal, diminuição da reabsorção tubular e dilatação das arteríolas aferentes renais (ver **Figura 18.10**). Os sinais também são transmitidos simultaneamente dos átrios para o hipotálamo, para diminuir a secreção de hormônio antidiurético (ADH). A diminuição da resistência arteriolar aferente nos rins eleva a pressão capilar glomerular, com aumento resultante na filtração de líquido pelos túbulos renais. A redução dos níveis de ADH diminui a reabsorção de água pelos túbulos. A combinação desses efeitos – aumento da filtração glomerular e diminuição da reabsorção de líquidos – favorece a eliminação de líquido pelos rins, atenuando o aumento do volume sanguíneo. O estiramento atrial causado pelo aumento do volume sanguíneo também induz a liberação de *peptídeo atrial natriurético (PAN)*, um hormônio que aumenta a excreção de sódio e água pela urina e o retorno do volume sanguíneo ao normal (ver **Figura 18.10**).

Todos esses mecanismos que favorecem o retorno do volume sanguíneo ao normal após uma sobrecarga de volume atuam como controladores indiretos da pressão, bem como controladores do volume sanguíneo, porque o excesso de volume aumenta o débito cardíaco e a pressão arterial. Esse mecanismo *reflexo de volume* é discutido novamente no Capítulo 30, juntamente com outros mecanismos de controle do volume sanguíneo.

O aumento da pressão atrial eleva a frequência cardíaca – reflexo de Bainbridge. O aumento da pressão atrial pode aumentar a frequência cardíaca em até 75%, principalmente quando ela é predominantemente lenta. Quando é rápida, o estiramento atrial causado pela infusão de líquidos pode reduzir a frequência cardíaca em virtude da ativação dos barorreceptores arteriais. Assim, o efeito final do aumento de volume sanguíneo e do estiramento atrial sobre a frequência cardíaca depende das contribuições relativas dos reflexos barorreceptores, que tendem a desacelerar a frequência cardíaca, e do *reflexo de Bainbridge*, que tende a acelerar, como mostrado na **Figura 18.10**. Quando o volume sanguíneo fica acima do normal, muitas vezes o reflexo de Bainbridge aumenta a frequência cardíaca, apesar das ações inibitórias dos barorreflexos.

Uma pequena parte do aumento da frequência cardíaca associada ao aumento do volume sanguíneo e ao estiramento atrial é causada pelo efeito direto do aumento do volume atrial que estira o nó sinusal; foi observado no Capítulo 10 que esse efeito pode aumentar a frequência cardíaca em até 15%. Um aumento adicional de 40 a 60% na frequência cardíaca é causado pelo reflexo de Bainbridge.

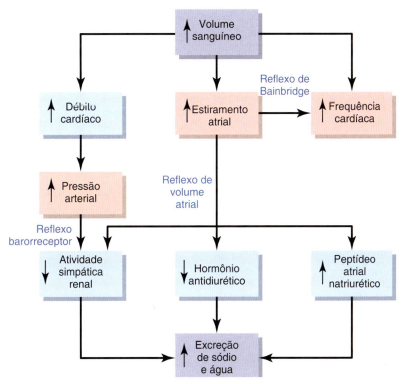

Figura 18.10 Respostas reflexas ao aumento do volume sanguíneo, que elevam a pressão arterial e o estiramento atrial.

PARTE 4 Circulação

Os receptores de estiramento dos átrios que provocam o reflexo de Bainbridge transmitem seus sinais aferentes através dos nervos vagos até o bulbo no cérebro. Em seguida, os sinais eferentes são transmitidos de volta pelos nervos vagos e simpáticos para aumentar a frequência cardíaca e a força de contração. Assim, esse reflexo ajuda a prevenir o represamento do sangue nas veias, nos átrios e na circulação pulmonar.

A REDUÇÃO DO FLUXO SANGUÍNEO PARA O CENTRO VASOMOTOR CEREBRAL PROVOCA AUMENTO DA PRESSÃO ARTERIAL – RESPOSTA ISQUÊMICA DO SNC

A maior parte do controle nervoso da pressão sanguínea é obtida por reflexos que se originam nos barorreceptores, quimiorreceptores e receptores de baixa pressão, todos localizados na circulação periférica fora do cérebro. No entanto, quando o fluxo sanguíneo para o centro vasomotor na parte inferior do tronco encefálico diminui o suficiente para causar uma deficiência nutricional – ou seja, provocando *isquemia cerebral* – os neurônios vasoconstritores e cardioaceleradores do centro vasomotor respondem diretamente à isquemia, ficando fortemente excitados. Quando ocorre essa excitação, a pressão arterial sistêmica se eleva até o máximo da capacidade de bombeamento cardíaco. Acredita-se que esse efeito resulte da incapacidade do sangue que flui lentamente para transportar o dióxido de carbono para fora do centro vasomotor do tronco encefálico. O fluxo sanguíneo lento para o centro vasomotor aumenta muito concentração local de dióxido de carbono e tem um efeito extremamente potente na estimulação das áreas de controle nervoso vasomotor simpático no bulbo.

É possível que outros fatores, como o acúmulo de ácido láctico e outras substâncias ácidas no centro vasomotor, também contribuam para a estimulação e elevação acentuada da pressão arterial. Essa elevação de pressão em resposta à isquemia cerebral é conhecida como *resposta isquêmica do SNC*.

O efeito isquêmico sobre a atividade vasomotora pode elevar expressivamente a pressão arterial média, às vezes a 250 mmHg por até 10 minutos. *O grau de vasoconstrição simpática causada por isquemia cerebral intensa muitas vezes é tão grande que alguns vasos periféricos ficam total ou quase totalmente ocluídos.* Os rins, por exemplo, frequentemente interrompem a produção de urina totalmente por causa da constrição arteriolar renal em resposta à descarga simpática. Portanto, a *resposta isquêmica do SNC é um dos mais potentes fatores ativadores do sistema vasoconstritor simpático.*

Importância da resposta isquêmica do SNC como regulador da pressão arterial. Apesar da natureza potente da resposta isquêmica do SNC, ela não se torna significativa até que a pressão arterial fique bem abaixo do normal, abaixo de 60 mmHg ou menos, alcançando o maior grau de estimulação com pressão de 15 a 20 mmHg. Portanto, a resposta isquêmica do SNC não é um mecanismo comum de regulação da pressão arterial. Ao contrário, ela funciona principalmente como um *sistema emergencial de controle de pressão, que atua de maneira rápida e intensa para evitar uma redução adicional, sempre que o fluxo sanguíneo para o cérebro diminui perigosamente, ficando próximo a níveis letais.* Esse mecanismo pode ser considerado como o *último recurso para controlar a pressão arterial.*

Reação de Cushing ao aumento da pressão no cérebro. A *reação de Cushing* é um tipo especial de resposta isquêmica do SNC que resulta de um aumento na pressão do liquor (líquido cefalorraquidiano) em torno do cérebro, na caixa craniana. Por exemplo, quando a pressão do líquido cefalorraquidiano aumenta para se igualar à pressão arterial, isso comprime o cérebro como um todo, bem como as artérias cerebrais, e interrompe o suprimento de sangue para o cérebro. Essa ação desencadeia uma resposta isquêmica do SNC, que aumenta pressão arterial. Quando a pressão arterial sobe para um nível mais alto do que a pressão do líquido cefalorraquidiano, o sangue flui novamente para os vasos cerebrais para aliviar a isquemia. Geralmente, a pressão sanguínea atinge um novo nível de equilíbrio ligeiramente superior à pressão do líquido cefalorraquidiano, permitindo que o sangue comece a fluir pelo cérebro novamente. A reação de Cushing ajuda a proteger os centros vitais cerebrais da perda de nutrição quando a pressão do líquido cefalorraquidiano aumenta o suficiente para comprimir as artérias cerebrais.

CARACTERÍSTICAS ESPECIAIS DO CONTROLE NERVOSO DA PRESSÃO ARTERIAL

PAPEL DOS NERVOS E DOS MÚSCULOS ESQUELÉTICOS NO AUMENTO DO DÉBITO CARDÍACO E DA PRESSÃO ARTERIAL

Embora o controle nervoso de ação rápida da circulação seja afetado pelo sistema nervoso autônomo, existem pelo menos duas condições nas quais os nervos e os músculos esqueléticos também desempenham papéis importantes nas respostas circulatórias.

O reflexo de compressão abdominal aumenta o débito cardíaco e a pressão arterial. Quando um reflexo barorreceptor ou quimiorreceptor é disparado, os sinais nervosos são transmitidos simultaneamente através dos nervos esqueléticos para os músculos esqueléticos do corpo, principalmente para os músculos abdominais. A contração muscular, então, comprime todos os reservatórios venosos do abdome, ajudando a deslocar o sangue dos reservatórios vasculares abdominais em direção ao coração. Como resultado, uma quantidade maior de sangue é disponibilizada para o coração bombear. Essa resposta geral é chamada de *reflexo de compressão abdominal*. O efeito resultante na circulação é o mesmo causado pelos impulsos vasoconstritores simpáticos quando contraem as veias – um aumento no débito cardíaco e na pressão arterial. O reflexo de compressão abdominal provavelmente é muito mais importante do que se acreditava, porque é de conhecimento geral que pessoas com músculos esqueléticos paralisados apresentam uma propensão muito maior de desenvolver episódios hipotensivos do que aquelas com a musculatura funcionando normalmente.

A contração do músculo esquelético aumenta o débito cardíaco e a pressão arterial durante o exercício. Quando os músculos esqueléticos se contraem durante o exercício, eles comprimem os vasos sanguíneos de todo o corpo. Até mesmo a antecipação do exercício tensiona os músculos, comprimindo a vasculatura dos músculos e do abdome. Essa compressão desloca o sangue dos vasos periféricos para o coração e pulmões e, portanto, aumenta o débito cardíaco. Esse efeito é essencial para ajudar a produzir o aumento de cinco a sete vezes no débito cardíaco, muitas vezes necessário durante a prática de exercícios pesados. O aumento do débito cardíaco, por sua vez, é um fator essencial para o aumento da pressão arterial durante o exercício, da média normal de 100 mmHg para até 130 a 160 mmHg.

ONDAS RESPIRATÓRIAS NA PRESSÃO ARTERIAL

Em cada ciclo de respiração, a pressão arterial em geral oscila, subindo e descendo 4 a 6 mmHg, provocando *ondas respiratórias* na pressão arterial. As ondas são o resultado de vários efeitos, alguns de natureza reflexa, como os descritos a seguir:

1. Muitos dos sinais respiratórios produzidos no centro respiratório do bulbo se dissipam para o centro vasomotor a cada ciclo respiratório.
2. Cada vez que a pessoa inspira, a pressão na cavidade torácica torna-se mais negativa do que o normal, fazendo com que os vasos sanguíneos do tórax se expandam. Isso reduz a quantidade de sangue que retorna ao lado esquerdo do coração e, assim, diminui momentaneamente o débito cardíaco e a pressão arterial.
3. As alterações de pressão nos vasos torácicos provocadas pela respiração podem excitar os receptores de estiramento vascular e atrial.

Embora seja difícil analisar as relações exatas entre todos os fatores que provocam a formação de ondas de pressão respiratória, o resultado final durante o ciclo respiratório normal geralmente é um aumento na pressão arterial durante a parte inicial da expiração e uma diminuição na pressão durante o restante do ciclo. Com a respiração profunda, a pressão arterial pode subir e descer até 20 mmHg em cada ciclo respiratório.

Ondas vasomotoras de pressão arterial – oscilação dos sistemas reflexos de controle da pressão

Frequentemente, durante o registro da pressão arterial, além das pequenas ondas de pressão causadas pela respiração, também podem ser observadas algumas ondas muito maiores – muitas vezes aumentando em até 10 a 40 mmHg – que sobem e descem mais lentamente do que as ondas respiratórias. A duração de cada ciclo varia de 26 segundos no cão anestesiado até 7 a 10 segundos no ser humano não anestesiado. Essas ondas são chamadas de *ondas vasomotoras* ou *ondas de Mayer*. Esses registros são ilustrados na **Figura 18.11**, mostrando o aumento e a queda cíclicos da pressão arterial.

As ondas vasomotoras são causadas pela oscilação reflexa de um ou mais mecanismos nervosos de controle da pressão, entre eles os descritos a seguir.

Oscilação dos reflexos barorreceptores e quimiorreceptores. As ondas vasomotoras da **Figura 18.11 B** são frequentemente observadas em registros experimentais de pressão, embora, em geral, sejam muito menos intensas do que as mostradas na figura. Elas são provocadas principalmente pela oscilação do *reflexo barorreceptor*. Ou seja, a pressão alta excita os barorreceptores, que então inibem o sistema nervoso simpático, baixando a pressão alguns segundos depois. A diminuição da pressão, por sua vez, reduz a estimulação dos barorreceptores e permite que o centro vasomotor volte a ser ativado, levando a pressão para um valor alto. A resposta não é instantânea e sofre um atraso de alguns segundos. Essa pressão elevada, então, inicia outro ciclo, e a oscilação continua.

O *reflexo quimiorreceptor* também pode oscilar para provocar o mesmo tipo de ondas. Esse reflexo geralmente oscila ao mesmo tempo que o reflexo barorreceptor. Provavelmente desempenha o principal papel na geração de ondas vasomotoras quando a pressão arterial está na faixa de 40 a 80 mmHg porque, nesta faixa baixa, o controle quimiorreceptor da circulação torna-se mais potente, enquanto o controle dos barorreceptores está mais fraco.

Oscilação da resposta isquêmica do SNC. O registro na **Figura 18.11 A** é o resultado de oscilação no mecanismo de resposta isquêmica do SNC para o controle da pressão. Nesse experimento, a pressão do líquido cefalorraquidiano foi aumentada para 160 mmHg, o que comprimiu os vasos cerebrais e desencadeou a resposta de pressão isquêmica do SNC para até 200 mmHg. Quando a pressão arterial alcançou um valor tão alto, a isquemia cerebral foi aliviada e o sistema nervoso simpático foi inativado. Como resultado, a pressão arterial caiu rapidamente

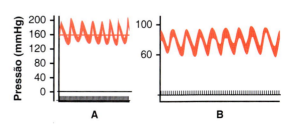

Figura 18.11 A. Ondas vasomotoras causadas pela oscilação da resposta isquêmica do SNC. **B.** Ondas vasomotoras causadas pela oscilação do reflexo barorreceptor.

PARTE 4 Circulação

para um valor muito mais baixo, causando novamente isquemia cerebral. A isquemia então deflagrou outro aumento de pressão. Novamente, a isquemia foi aliviada, e novamente a pressão caiu. Essa resposta se repetiu ciclicamente enquanto a pressão do líquido cefalorraquidiano permaneceu elevada.

Assim, qualquer mecanismo reflexo de controle de pressão pode oscilar se a intensidade do *feedback* for forte o suficiente e se houver um atraso entre a excitação do receptor de pressão e a resposta de pressão subsequente. As ondas vasomotoras demonstram que os reflexos nervosos que controlam a pressão arterial obedecem aos mesmos princípios aplicáveis a sistemas de controle mecânicos e elétricos. Por exemplo, se a resposta de *feedback* for muito intensa no mecanismo de orientação do piloto automático de um avião, e também houver atraso no tempo de resposta desse mecanismo, o avião oscilará lateralmente, em vez de seguir um curso reto.

Bibliografia

Cowley AW Jr: Long-term control of arterial blood pressure. Physiol Rev 72:231, 1992.

Dampney RA: Central neural control of the cardiovascular system: current perspectives. Adv Physiol Educ 40:283, 2016.

DiBona GF: Sympathetic nervous system and hypertension. Hypertension 61:556, 2013.

Fisher JP, Young CN, Fadel PJ: Autonomic adjustments to exercise in humans. Compr Physiol 5:475, 2015.

Freeman R, Abuzinadah AR, Gibbons C, Jones P, Miglis MG, Sinn DI: Orthostatic hypotension: JACC state-of-the-art review. J Am Coll Cardiol 72:1294, 2018.

Grassi G, Mark A, Esler M: The sympathetic nervous system alterations in human hypertension. Circ Res 116:976, 2015.

Guyenet PG: Regulation of breathing and autonomic outflows by chemoreceptors. Compr Physiol 4:1511, 2014.

Guyenet PG: The sympathetic control of blood pressure. Nat Rev Neurosci 7:335, 2006.

Guyenet PG, Abbott SB, Stornetta RL: The respiratory chemoreception conundrum: light at the end of the tunnel? Brain Res 1511:126, 2013.

Guyenet PG, Stornetta RL, Holloway BB, Souza GMPR, Abbott SBG: Rostral ventrolateral medulla and hypertension. Hypertension 72:559, 2018.

Guyton AC: Arterial Pressure and Hypertension. Philadelphia: WB Saunders, 1980.

Hall JE, do Carmo JM, da Silva AA, Wang Z, Hall ME: Obesity-induced hypertension: interaction of neurohumoral and renal mechanisms. Circ Res 116:991, 2015.

Jardine DL, Wieling W, Brignole M, Lenders JWM, Sutton R, Stewart J: The pathophysiology of the vasovagal response. Heart Rhythm 15:921, 2018

Lohmeier TE, Hall JE: Device-based neuromodulation for resistant hypertension therapy. Circ Res 124:1071, 2019.

Lohmeier TE, Iliescu R: The baroreflex as a long-term controller of arterial pressure. Physiology (Bethesda) 30:148, 2015.

Mansukhani MP, Wang S, Somers VK: Chemoreflex physiology and implications for sleep apnoea: insights from studies in humans. Exp Physiol 100:130, 2015.

Mueller PJ, Clifford PS, Crandall CG, Smith SA, Fadel PJ: Integration of central and peripheral regulation of the circulation during exercise: Acute and chronic adaptations. Compr Physiol 8:103, 2017.

Prabhakar NR: Carotid body chemoreflex: a driver of autonomic abnormalities in sleep apnoea. Exp Physiol 101(8):975, 2016.

Toledo C, Andrade DC, Lucero C, Schultz HD, Marcus N, Retamal M, Madrid C, Del Rio R: Contribution of peripheral and central chemoreceptors to sympatho-excitation in heart failure. J Physiol 595:43, 2017.

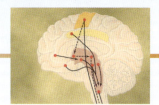

CAPÍTULO 19

O Papel dos Rins no Controle da Pressão Arterial em Longo Prazo e na Hipertensão

Além dos mecanismos de ação rápida para a regulação da pressão arterial discutidos no Capítulo 18, o organismo também apresenta potentes mecanismos para regular a pressão arterial semana após semana, mês após mês. Esse controle a longo prazo da pressão arterial está intimamente vinculado à homeostase do volume de líquido corporal, que é determinada pelo equilíbrio entre a ingestão e a eliminação de líquidos. Para a sobrevivência a longo prazo, a ingestão e a eliminação de líquidos devem ser precisamente balanceadas, uma tarefa que é realizada por múltiplos controles nervosos e hormonais e por sistemas de controle local nos rins, que regulam a excreção de sal e água. Neste capítulo, discutiremos os mecanismos que desempenham um papel importante na regulação da pressão arterial a longo prazo.

SISTEMA RIM-VOLUME PLASMÁTICO PARA O CONTROLE DA PRESSÃO ARTERIAL

O sistema rim-volume plasmático para controle da pressão arterial atua lenta, mas vigorosamente, da seguinte maneira: se o volume de sangue (volume plasmático) aumentar e a capacitância vascular não for alterada, a pressão arterial também aumentará. O aumento da pressão, por sua vez, faz com que os rins excretem o excesso de volume, retornando a pressão ao valor normal.

Na história filogenética do desenvolvimento animal, esse sistema rim-volume para controle de pressão é primitivo. É totalmente operacional em um dos pseudovertebrados mais primitivos, o peixe mixina (feiticeira ou peixe-bruxa). Esse animal tem pressão arterial baixa, de apenas 8 a 14 mmHg, e essa pressão aumenta quase que diretamente na proporção de seu volume de sangue. A mixina ingere continuamente a água do mar, que é absorvida pelo sangue, aumentando o volume plasmático e a pressão arterial. No entanto, quando a pressão aumenta muito, o rim excreta o excesso de volume na urina e alivia a pressão. Em baixa pressão, o rim excreta menos líquido do que o ingerido. Portanto, como a mixina continua a beber, o volume do líquido extracelular, o volume do sangue e a pressão aumentam novamente para níveis mais elevados.

Esse mecanismo primitivo de controle de pressão sobreviveu ao longo dos tempos, mas com a adição de múltiplos sistemas nervosos, hormonais e sistemas locais de controle, que também contribuem para a regulação da excreção de sal e água. Nos seres humanos, o débito urinário de água e sal é tão sensível – se não mais – às mudanças de pressão quanto na mixina. De fato, um aumento na pressão arterial de apenas alguns milímetros de Hg pode dobrar o débito renal de água, um fenômeno chamado *diurese por pressão*, bem como dobrar a eliminação de sal, chamada *natriurese por pressão*.

Nos seres humanos, assim como no peixe-bruxa, o sistema rim-volume para o controle da pressão arterial é um mecanismo fundamental para o controle da pressão arterial a longo prazo. No entanto, durante os estágios evolucionários, ocorreram vários aperfeiçoamentos para tornar o controle desse sistema muito mais preciso. Uma melhoria especialmente importante, que será discutida mais adiante, foi a adição do mecanismo renina-angiotensina.

QUANTIFICAÇÃO DA DIURESE POR PRESSÃO COMO BASE PARA O CONTROLE DA PRESSÃO ARTERIAL

A **Figura 19.1** mostra o efeito médio aproximado de diferentes níveis de pressão arterial sobre o débito renal de sal e água por um rim isolado, demonstrando um aumento acentuado na produção de urina à medida que a pressão aumenta. Esse aumento do débito urinário é o fenômeno conhecido como *diurese por pressão*. A curva nessa figura é chamada de *curva de débito urinário renal* ou *curva da função renal*. Nos seres humanos, com uma pressão arterial de 50 mmHg, o débito urinário é essencialmente zero. A 100 mmHg, é normal e, a 200 mmHg, é 4 a 6 vezes o valor normal. Além disso, a elevação da pressão arterial não apenas aumenta o volume do débito urinário, mas também causa um aumento aproximadamente igual na eliminação de sódio, que é o fenômeno conhecido como *natriurese por pressão*.

Experimento que demonstra o sistema rim-volume para controle de pressão arterial. A **Figura 19.2** mostra o resultado de um experimento com cães em que todos os mecanismos de reflexo nervoso para o controle da pressão arterial foram bloqueados pela primeira vez. Então, a pressão arterial foi subitamente elevada pela infusão de cerca de 400 m*l* de sangue por via intravenosa.

PARTE 4 Circulação

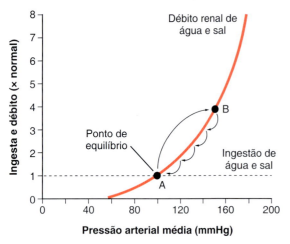

Figura 19.1 Curva típica de pressão arterial-débito urinário renal medida em um rim isolado perfundido, mostrando diurese por pressão quando a pressão arterial se eleva acima do normal (ponto A) para aproximadamente 150 mmHg (ponto B). O ponto de equilíbrio A descreve o nível em que a pressão arterial será regulada se a ingestão não for alterada. (Observe que a pequena porção da ingestão total de sal e água que é perdida por vias não renais é ignorada nesta e em outras figuras semelhantes neste capítulo.)

Observe o rápido aumento no débito cardíaco para cerca do dobro do normal e o aumento na pressão arterial média para 205 mmHg, 115 mmHg acima do nível de repouso. A curva do meio mostra o efeito dessa elevação da pressão arterial sobre o débito urinário, que aumentou 12 vezes. Juntamente com essa enorme perda de líquido pela urina, tanto o débito cardíaco quanto a pressão arterial voltaram ao normal durante a hora seguinte. Assim, é possível perceber que os rins têm uma capacidade extrema de eliminar o excesso de volume de líquidos do corpo em resposta à alta pressão arterial e, ao fazê-lo, permitem o retorno da pressão arterial ao normal.

O mecanismo rim-volume fornece ganho quase infinito por *feedback* para controle de pressão arterial a longo prazo. A **Figura 19.1** mostra a seguinte relação: (1) a curva de débito renal para água e sal em resposta ao aumento da pressão arterial; e (2) a linha que representa a ingestão total de água e sal. Por um longo período, o débito de água e sal deve ser igual à ingestão. Além disso, o único ponto no gráfico da **Figura 19.1** em que o débito é igual ao consumo é na interseção das duas curvas, no chamado *ponto de equilíbrio* (ponto A). Vejamos o que acontece se a pressão arterial subir ou ficar abaixo do ponto de equilíbrio.

Primeiro, suponha que a pressão arterial suba para 150 mmHg (ponto B). Nesse nível, o débito renal de água e sal é quase três vezes maior do que a ingestão. Portanto, o corpo perde líquido, o volume plasmático diminui e a pressão arterial diminui. Além disso, esse equilíbrio negativo de líquido não será interrompido até que a *pressão diminua* exatamente até o nível de equilíbrio. Mesmo quando a pressão arterial é apenas alguns mmHg maior do que o nível de equilíbrio, a perda de água e sal ainda é

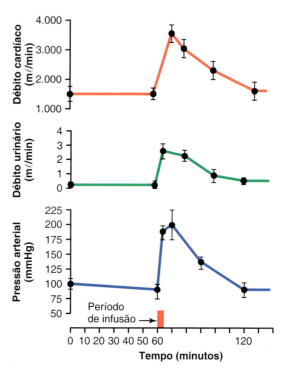

Figura 19.2 Aumentos no débito cardíaco, débito urinário e pressão arterial causados pelo aumento de volume plasmático em cães cujos mecanismos nervosos de controle da pressão foram bloqueados. Esta figura mostra o retorno da pressão arterial ao normal após cerca de 1 hora de perda de líquido pela urina. (*Cortesia do Dr. William Dobbs.*)

maior do que a ingestão, de modo que a pressão continua a cair nos últimos mmHg, *até que a pressão finalmente retorne ao ponto de equilíbrio*.

Se a pressão arterial estiver abaixo do ponto de equilíbrio, a ingestão de água e sal será maior do que a eliminação. Portanto, o volume de líquido corporal aumenta, o volume plasmático aumenta e a pressão arterial sobe até que retorne ao ponto de equilíbrio. Esse *retorno constante da pressão arterial ao ponto de equilíbrio* é conhecido como o *princípio de ganho quase infinito por feedback* para o controle da pressão arterial pelo mecanismo rim-volume.

Dois determinantes do nível de pressão arterial a longo prazo. Na **Figura 19.1**, também se pode observar que dois fatores básicos a longo prazo determinam o nível de pressão arterial a longo prazo. Contanto que as duas curvas que representam o débito renal de sal e água e a ingestão de sal e água permaneçam exatamente como são mostradas na **Figura 19.1**, o nível médio de pressão arterial acabará se reajustando para 100 mmHg, que é o nível de pressão representado pelo ponto de equilíbrio desta figura. Além disso, existem apenas duas maneiras pelas quais a pressão desse ponto de equilíbrio pode ser alterada a partir do nível de 100 mmHg. A primeira é pelo deslocamento do nível de pressão da curva de débito renal para sal e água, e a outra é pela modificação do nível da curva de ingestão de água e sal. Portanto, expresso de forma simples, os dois determinantes primários do nível de pressão arterial a longo prazo estão a seguir.

CAPÍTULO 19 O Papel dos Rins no Controle da Pressão Arterial em Longo Prazo e na Hipertensão

1. O grau de deslocamento da curva de pressão de débito renal para água e sal.
2. O nível de ingestão de água e sal.

O modo de operação desses dois determinantes do controle da pressão arterial é demonstrado na **Figura 19.3**. Na **Figura 19.3 A**, uma anormalidade nos rins fez com que a curva de débito renal se deslocasse 50 mmHg na direção de pressão alta (para a direita). Observe que o ponto de equilíbrio também se deslocou 50 mmHg acima do normal. Portanto, pode-se afirmar que se a curva de débito renal se deslocar para um novo nível de pressão, a pressão arterial alcançará esse novo nível de pressão em poucos dias.

A **Figura 19.3 B** mostra como uma mudança no nível de ingestão de sal e água também pode alterar a pressão arterial. Nesse caso, o nível de ingestão quadruplicou e o ponto de equilíbrio se deslocou para um nível de pressão de 160 mmHg, 60 mmHg acima do nível normal. Por outro lado, uma diminuição no nível de ingestão reduziria a pressão arterial.

Assim, é *impossível alterar o nível médio de pressão arterial a longo prazo* para um novo valor sem alterar um ou os dois determinantes básicos do nível da pressão arterial a longo prazo, (1) o nível de ingestão de sal e água ou (2) o grau de desvio da curva de função renal ao longo do eixo de pressão. No entanto, se qualquer um deles for alterado, verificar-se-á que a pressão arterial é posteriormente regulada para um novo nível de pressão, a pressão arterial indicada pela interseção das duas novas curvas.

Na maioria das pessoas, entretanto, a curva da função renal é muito mais íngreme do que a mostrada na **Figura 19.3**, e as mudanças na ingestão de sal têm apenas um efeito discreto sobre a pressão arterial, como será discutido na próxima seção.

A curva de débito renal crônico é muito mais íngreme do que a curva aguda.
Uma característica importante da natriurese por pressão (e da diurese por pressão) é que mudanças crônicas na pressão arterial, com duração de dias ou meses, têm um efeito muito maior no débito renal de sal e água do que o observado durante mudanças agudas na pressão (ver **Figura 19. 4**). Assim, quando os rins estão funcionando normalmente, a *curva crônica de débito renal* é muito mais íngreme do que a curva aguda.

Os poderosos efeitos dos aumentos crônicos da pressão arterial sobre o débito urinário ocorrem porque o aumento da pressão tem não apenas os efeitos hemodinâmicos diretos sobre o rim para aumentar a excreção, mas também tem efeitos indiretos mediados por alterações nervosas e hormonais que se desenvolvem quando a pressão arterial é aumentada. Por exemplo, o aumento da pressão arterial diminui a atividade do sistema nervoso simpático, em parte por meio dos mecanismos reflexos dos barorreceptores discutidos no Capítulo 18, mas também pela redução na produção de vários hormônios, como angiotensina II e aldosterona, que tendem a reduzir a excreção de sal e água pelos rins. A atividade reduzida desses sistemas *antinatriuréticos*, portanto, amplifica a efetividade da natriurese e da diurese por pressão para aumentar a excreção de sal e água durante elevações crônicas da pressão arterial (ver Capítulos 28 e 30 para maiores detalhes).

Por outro lado, quando a pressão arterial é reduzida, o sistema nervoso simpático é ativado e aumenta a produção de hormônios antinatriuréticos, somando-se aos efeitos

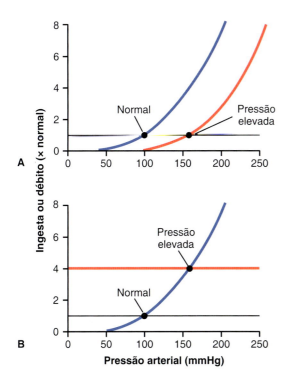

Figura 19.3 Duas maneiras pelas quais a pressão arterial pode ser elevada. **A**. Deslocando a curva de débito renal para a direita, em direção a um nível de pressão mais alto. **B**. Aumentando o nível de ingestão de sal e água.

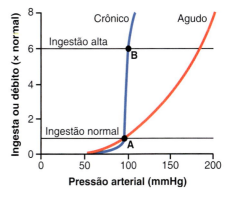

Figura 19.4 Curvas de débito renal agudas e crônicas. Em condições estáveis, o débito renal de sal e água é igual à ingestão. A e B representam os pontos de equilíbrio para a regulação a longo prazo da pressão arterial, quando a ingestão de sal é normal ou seis vezes o normal, respectivamente. Por causa da inclinação da curva de débito renal crônico, o aumento da ingestão de sal normalmente causa apenas pequenas alterações na pressão arterial. Em pessoas com insuficiência renal, a inclinação da curva de débito renal pode diminuir, semelhante à curva aguda, resultando em aumento da sensibilidade da pressão arterial às alterações na ingestão de sal.

diretos da redução da pressão para diminuir o débito renal de sal e água. Essa combinação de efeitos diretos da pressão sobre os rins com efeitos indiretos sobre o sistema nervoso simpático e vários sistemas hormonais tornam a natriurese e a diurese por pressão fatores extremamente potentes para o controle a longo prazo da pressão arterial e do volume de líquidos corporais.

A importância da influência nervosa e hormonal na natriurese por pressão fica especialmente evidente durante alterações crônicas na ingestão de sódio. Se os rins e os mecanismos nervosos e hormonais estiverem funcionando normalmente, aumentos crônicos de até seis vezes na ingestão de sal e água geralmente estão associados a pouco efeito sobre a pressão arterial. Observe que o ponto B de equilíbrio da pressão arterial na curva é quase o mesmo que o ponto A, o ponto de equilíbrio na ingestão normal de sal. Por outro lado, reduções de até um sexto na ingestão de sal e água geralmente têm pouco efeito sobre a pressão arterial. Assim, dizem que muitas pessoas são *insensíveis ao sal* porque mesmo grandes variações na ingestão de sal não alteram a pressão arterial mais do que alguns mmHg.

Pessoas com lesão renal ou secreção excessiva de hormônios antinatriuréticos, como angiotensina II ou aldosterona, no entanto, podem ser *sensíveis ao sal*, com uma curva de débito renal atenuada, semelhante à curva aguda mostrada na **Figura 19.4**. Nesses casos, mesmo aumentos moderados na ingestão de sal podem causar uma elevação significativa da pressão arterial.

Alguns dos fatores que tornam a pressão arterial sensível ao sal incluem perda de néfrons funcionais, decorrente da lesão renal, e produção excessiva de hormônios antinatriuréticos, como angiotensina II ou aldosterona. Por exemplo, a redução cirúrgica de massa renal ou uma lesão renal devida a hipertensão, diabetes ou várias outras patologias renais fazem com que a pressão arterial seja mais sensível às mudanças na ingestão de sal. Nesses casos, são necessários aumentos maiores do que o normal na pressão arterial para aumentar o débito renal o suficiente para manter um equilíbrio entre a ingestão e a eliminação de sal e água.

Existem evidências de que a alta ingestão de sal a longo prazo, com duração de anos, pode realmente causar danos aos rins e, eventualmente, tornar a pressão arterial mais sensível ao sal. A sensibilidade da pressão arterial ao sal em pacientes com hipertensão será discutida posteriormente neste capítulo.

Incapacidade da resistência vascular periférica total aumentada em elevar o nível de pressão arterial a longo prazo, se a ingestão de líquidos e a função renal não se alterarem

Relembrando a equação básica da pressão arterial – a *pressão arterial* é igual ao *débito cardíaco* vezes a *resistência vascular periférica total* – fica claro que um aumento na resistência vascular periférica total deve elevar a pressão arterial.

De fato, *quando a resistência vascular periférica total aumenta agudamente*, a pressão arterial aumenta imediatamente. No entanto, se os rins continuarem a funcionar normalmente, o aumento agudo da pressão arterial geralmente não é sustentado. Em vez disso, a pressão arterial retorna ao normal em cerca de 1 ou 2 dias. Por quê?

A razão para esse fenômeno é que o aumento da resistência vascular em todas as outras partes do corpo, *exceto nos rins*, não altera o ponto de equilíbrio para o controle da pressão arterial que é ditado pelos rins (ver **Figuras 19.1** e **19.3**).

Em vez disso, os rins começam a responder imediatamente à elevação da pressão arterial, provocando diurese por pressão e natriurese por pressão. Em poucas horas, grandes quantidades de sal e água são eliminadas do corpo; esse processo continua até que a pressão arterial retorne ao nível de pressão de equilíbrio. Nesse ponto, a pressão arterial está normalizada e o volume de líquido extracelular e o volume de sangue diminuem para níveis abaixo do normal.

A **Figura 19.5** mostra os débitos cardíacos e pressões arteriais aproximados em diferentes condições clínicas, nas quais a *resistência vascular periférica total a longo prazo* é muito menor ou muito maior do que o normal, mas a excreção renal de sal e água é normal. Observe que, em todas essas diferentes condições clínicas, a pressão arterial também está normal.

Uma palavra de cautela é necessária neste ponto de nossa discussão. Muitas vezes, quando a resistência vascular periférica total aumenta, a *resistência vascular intrarrenal aumenta simultaneamente*, o que altera a

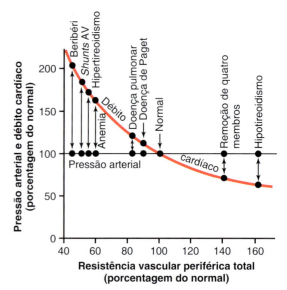

Figura 19.5 Relações entre a resistência vascular periférica total e os níveis a longo prazo da pressão arterial e do débito cardíaco em diferentes anormalidades clínicas. Nessas condições, os rins funcionavam normalmente. Observe que a alteração da resistência vascular periférica total por todo o organismo causou alterações iguais e opostas no débito cardíaco, mas, em todos os casos, não teve efeito sobre a pressão arterial. AV, arteriovenoso. (*Modificada de Guyton AC: Arterial Pressure and Hypertension. Philadelphia: WB Saunders, 1980.*)

função renal e pode causar hipertensão, deslocando a curva da função renal para um nível de pressão mais alto, como mostrado na **Figura 19.3 A**. Veremos um exemplo desse mecanismo posteriormente neste capítulo, quando discutirmos a hipertensão causada por mecanismos vasoconstritores. No entanto, o responsável *é o aumento da resistência renal*, e *não o aumento da resistência vascular periférica total* – uma distinção importante.

O aumento do volume de líquido pode elevar a pressão arterial por aumentar o débito cardíaco ou a resistência vascular periférica total

O mecanismo geral pelo qual o aumento do volume de líquido extracelular pode elevar a pressão arterial, *se a capacidade vascular não for aumentada simultaneamente*, é mostrado na **Figura 19.6**. A sequência de eventos é a seguinte: (1) aumento do volume de líquido extracelular, que (2) aumenta o volume plasmático, que (3) aumenta a pressão média de enchimento circulatória, que (4) aumenta o retorno venoso de sangue ao coração, que (5) aumenta o débito cardíaco, que (6) aumenta a pressão arterial. A pressão arterial elevada, por sua vez, aumenta a excreção renal de sal e água e pode fazer retornar quase ao normal o volume de líquido extracelular, se a função renal estiver normal e a capacidade vascular estiver inalterada.

Observe, neste caso especialmente, as duas maneiras pelas quais um aumento no débito cardíaco pode aumentar a pressão arterial. Uma delas é o efeito direto do aumento do débito cardíaco para aumentar a pressão e o outro é um efeito indireto para aumentar a resistência vascular periférica total por meio da *autorregulação* do fluxo sanguíneo. O segundo efeito será explicado a seguir.

Voltando ao Capítulo 17, lembraremos que, sempre que uma quantidade excessiva de sangue flui através de um tecido, a vasculatura tecidual local se contrai e reduz o fluxo sanguíneo de volta ao normal. Esse fenômeno é chamado de *autorregulação*, que significa simplesmente a regulação do fluxo sanguíneo pelo próprio tecido. Quando o volume plasmático aumentado eleva o débito cardíaco, o fluxo sanguíneo tende a aumentar em todos os tecidos do corpo; se o aumento do fluxo sanguíneo excede as necessidades metabólicas dos tecidos, os mecanismos de autorregulação contraem os vasos sanguíneos de todo o corpo, o que, por sua vez, aumenta a resistência vascular periférica total.

Finalmente, como a pressão arterial é igual ao *débito cardíaco* vezes a *resistência vascular periférica total*, o aumento secundário na resistência vascular periférica total que resulta do mecanismo de autorregulação ajuda a elevar a pressão arterial. Por exemplo, um aumento de apenas 5 a 10% no débito cardíaco pode elevar a pressão arterial do valor médio normal de 100 mmHg para 150 mmHg quando acompanhado por um aumento na resistência vascular periférica total devido à autorregulação do fluxo sanguíneo do tecido ou outros fatores que causam vasoconstrição. O discreto aumento do débito cardíaco geralmente não é mensurável.

Importância do sal (NaCl) no mecanismo rim-volume na regulação da pressão arterial

Embora as discussões até aqui tenham enfatizado a importância do volume na regulação da pressão arterial, estudos experimentais mostraram que um aumento na ingestão de sal tem maior probabilidade de elevar a pressão arterial, especialmente em pessoas que são sensíveis ao sal, do que um aumento na ingestão de água. O motivo é que a água pura é normalmente excretada pelos rins quase tão rapidamente quanto é ingerida, mas o sal não é eliminado tão facilmente. À medida que o sal se acumula no corpo, também aumenta indiretamente o volume do líquido extracelular por dois motivos básicos:

1. Embora uma quantidade adicional de sódio possa ser armazenada nos tecidos quando o sal se acumula no corpo, o excesso de sal no líquido extracelular aumenta a osmolaridade do líquido. O aumento da osmolaridade estimula o centro da sede no cérebro, fazendo com que a pessoa beba mais água para fazer voltar ao normal a concentração extracelular de sal e aumentando o volume de líquido extracelular.

2. O aumento da osmolaridade causado pelo excesso de sal no líquido extracelular também estimula o mecanismo

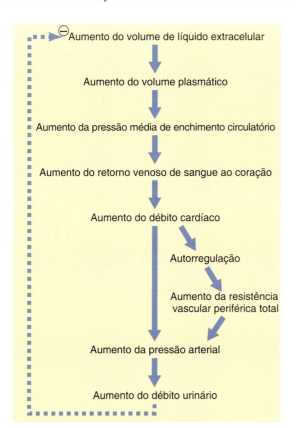

Figura 19.6 Etapas sequenciais pelas quais o aumento do volume de líquido extracelular aumenta a pressão arterial. Observe especialmente que o aumento do débito cardíaco tem um efeito direto para aumentar a pressão arterial e um efeito indireto, aumentando primeiro a resistência vascular periférica total.

de secreção hipotálamo-hipófise posterior a secretar maiores quantidades de *hormônio antidiurético* (ver Capítulo 29). O hormônio antidiurético faz com que os rins reabsorvam quantidades muito maiores de água do líquido tubular renal, diminuindo, assim, o volume excretado pela urina, mas aumentando o volume de líquido extracelular.

Desse modo, a quantidade de sal que se acumula no corpo é um importante determinante do volume de líquido extracelular. Aumentos relativamente pequenos no líquido extracelular e no volume plasmático muitas vezes podem aumentar a pressão arterial substancialmente. Entretanto, isso só acontece se o acúmulo de sal levar a um aumento do volume plasmático, e se a capacidade vascular não aumentar simultaneamente. Como discutido anteriormente, aumentar a ingestão de sal quando não existe comprometimento da função renal ou produção excessiva de hormônios antinatriuréticos, em geral, não aumenta muito a pressão arterial, porque os rins eliminam rapidamente o excesso de sal, e o volume plasmático dificilmente é alterado.

HIPERTENSÃO CRÔNICA (PRESSÃO SANGUÍNEA ELEVADA) CAUSADA PELO COMPROMETIMENTO DA FUNÇÃO RENAL

Quando se diz que uma pessoa tem *hipertensão* crônica (ou pressão alta), isso significa que sua *pressão arterial média* é maior do que o limite superior da medida aceita como normal. Uma pressão arterial *média* superior a 110 mmHg (o valor normal é ≈90 mmHg) é considerada hipertensão. (Esse nível de pressão *média* ocorre quando a pressão arterial *diastólica* é maior que ≈90 mmHg e a pressão *sistólica* é maior que ≈135 mmHg.) Em pessoas com hipertensão grave, a pressão arterial *média* pode aumentar para 150 a 170 mmHg, com a pressão diastólica tão alta quanto 130 mmHg e pressão *sistólica* ocasionalmente tão alta quanto 250 mmHg.

Mesmo uma elevação moderada da pressão arterial resulta na redução da expectativa de vida. Com pressões extremamente altas – pressões arteriais médias 50% ou mais acima do normal – a expectativa de vida é de poucos anos, a menos que a pessoa seja tratada adequadamente. Os efeitos letais da hipertensão são causados principalmente de três maneiras:

1. A carga de trabalho excessiva do coração leva a insuficiência cardíaca precoce e doença coronariana, muitas vezes causando a morte como resultado de um ataque cardíaco.
2. A alta pressão frequentemente danifica um grande vaso sanguíneo no cérebro, seguido pela morte de grande parte do tecido cerebral; essa ocorrência é chamada de *infarto cerebral*. Clinicamente, é denominada acidente vascular cerebral (AVC). Dependendo de que parte do cérebro está envolvida, um AVC pode ser fatal ou causar paralisia, demência, cegueira e vários outros distúrbios cerebrais graves.
3. A alta pressão quase sempre causa lesões nos rins, produzindo muitas áreas de destruição do tecido renal e, eventualmente, insuficiência renal, uremia e morte.

As lições aprendidas com o tipo de hipertensão denominada *hipertensão por sobrecarga de volume* foram cruciais para a compreensão do papel do mecanismo rim-volume na regulação da pressão arterial. Hipertensão por sobrecarga de volume significa que a hipertensão é causada pelo acúmulo excessivo de líquido extracelular no corpo, como nos exemplos a seguir.

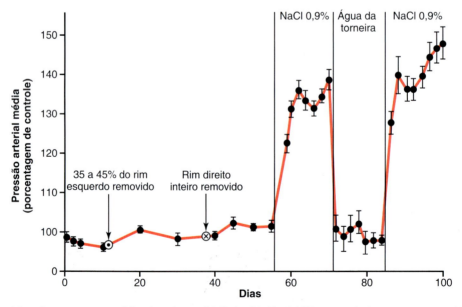

Figura 19.7 Efeito médio sobre a pressão arterial ao ingerir soro fisiológico (NaCl a 0,9%) em vez de água, em cães com 70% do tecido renal removido. *(Modificada de Langston JB, Guyton AC, Douglas BH et al.: Effect of changes in salt intake on arterial pressure and renal function in partially nephrectomized dogs. Circ Res 12:508, 1963.)*

CAPÍTULO 19 O Papel dos Rins no Controle da Pressão Arterial em Longo Prazo e na Hipertensão

Hipertensão experimental por sobrecarga de volume causada pela redução da massa renal e pelo aumento na ingestão de sal. A **Figura 19.7** mostra um experimento típico que demonstra a hipertensão por sobrecarga de volume em um grupo de cães com 70% de sua massa renal removida. No primeiro ponto circulado da curva, os dois polos de um dos rins foram retirados e, no segundo ponto circulado, todo o rim oposto foi retirado, deixando os animais com apenas 30% de sua massa renal normal. Observe que a remoção dessa quantidade de massa renal aumentou a pressão arterial, em média, apenas 6 mmHg. Em seguida, os cães receberam uma solução salina para beber, em vez de água. Como a solução salina não consegue matar a sede, os cães beberam duas a quatro vezes o volume que beberiam de água pura e, em poucos dias, sua pressão média arterial subiu para cerca de 40 mmHg acima do normal. Após 2 semanas, os cães receberam água pura novamente, em vez de solução salina; a pressão voltou ao normal em 2 dias. Por fim, na conclusão do experimento, os cães receberam novamente uma solução salina e, dessa vez, a pressão subiu muito mais rapidamente, demonstrando outra vez a hipertensão por sobrecarga de volume.

Se considerarmos novamente os determinantes básicos da regulação da pressão arterial a longo prazo, podemos entender por que ocorreu hipertensão no experimento de sobrecarga de volume ilustrado na **Figura 19.7**. Primeiro, a redução da massa renal para 30% do normal reduziu muito a capacidade dos rins de excretar sal e água. Assim, houve o acúmulo de sal e água no corpo que, em poucos dias, elevaram a pressão arterial até o ponto de excretar o excesso de sal e água ingeridos.

Alterações sequenciais na função circulatória durante o desenvolvimento de hipertensão por sobrecarga de volume. É especialmente instrutivo estudar as alterações sequenciais na função circulatória durante o desenvolvimento progressivo da hipertensão por sobrecarga de volume (ver **Figura 19.8**). Cerca de 1 semana antes do ponto marcado como dia "0", a massa renal já havia diminuído para apenas 30% do normal. Então, nesse ponto, a ingestão de sal e água foi aumentada para cerca de seis vezes o normal e mantida alta a partir de então. O efeito agudo foi aumentar o volume do líquido extracelular, o volume plasmático e o débito cardíaco para 20 a 40% acima do normal. Simultaneamente, a pressão arterial começou a subir, mas inicialmente, não tanto quanto o volume de líquido e o débito cardíaco. A razão para esse aumento mais lento na pressão pode ser entendida pela análise da curva de resistência vascular periférica total, que mostra uma *diminuição* inicial na resistência vascular periférica total. Essa diminuição foi causada pelo mecanismo barorreceptor, discutido no Capítulo 18, que atenuou temporariamente o aumento da pressão. No entanto, após 2 a 4 dias, os barorreceptores se adaptaram (reinicializaram) e não foram mais capazes de evitar o aumento da pressão. Nesse ponto, a pressão arterial havia subido ao

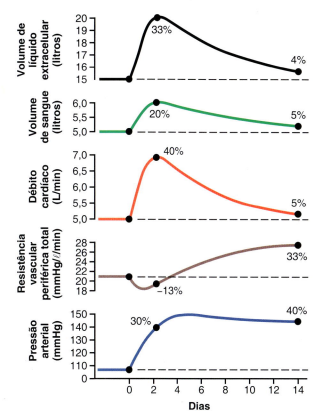

Figura 19.8 Mudanças progressivas em variáveis importantes do sistema circulatório durante as primeiras semanas de hipertensão por sobrecarga de volume. Observe especialmente o aumento inicial do débito cardíaco como causa básica da hipertensão. Na sequência, o mecanismo de autorregulação retorna o débito cardíaco quase ao normal, ao mesmo tempo que provoca um aumento secundário na resistência vascular periférica total. (Modificada de Guyton AC: Arterial Pressure and Hypertension. Philadelphia: WB Saunders, 1980.).

máximo, devido ao aumento do débito cardíaco, embora a resistência vascular periférica total ainda estivesse quase no nível normal.

Após essas mudanças agudas precoces nas variáveis circulatórias, ocorreram mudanças secundárias mais prolongadas durante as semanas seguintes. Especialmente importante foi o *aumento progressivo na resistência vascular periférica total*, simultâneo à *redução do débito cardíaco, que retornou ao normal*, em parte como resultado do mecanismo de *autorregulação a longo prazo do fluxo sanguíneo* discutido no Capítulo 17 e anteriormente neste capítulo. Ou seja, depois da grande elevação do débito cardíaco que desencadeou a hipertensão, o fluxo sanguíneo excessivo através dos tecidos causou constrição progressiva das arteríolas locais, devolvendo o fluxo sanguíneo local aos tecidos e também o débito cardíaco em direção ao normal, provocando, simultaneamente, um *aumento secundário na resistência vascular periférica total*.

Observe que o volume de líquido extracelular e o volume plasmático também voltaram ao normal, juntamente com a diminuição do débito cardíaco. Isso resultou de dois fatores. Primeiro, o aumento da resistência arteriolar diminuiu a pressão capilar, o que permitiu que

PARTE 4 Circulação

o líquido nos espaços teciduais fosse reabsorvido pelo sangue. Segundo, a pressão arterial elevada fez com que os rins excretassem o excesso de volume de líquido que inicialmente se acumulara no corpo.

Várias semanas após a manifestação inicial da sobrecarga de volume, foram observados os seguintes efeitos:

1. Hipertensão.
2. Aumento acentuado na resistência vascular periférica total.
3. Retorno quase completo do volume de líquido extracelular, do volume plasmático e do débito cardíaco ao normal.

Portanto, podemos dividir a hipertensão por sobrecarga de volume em dois estágios sequenciais. O primeiro estágio resulta do aumento do volume de líquido, que provoca o aumento do débito cardíaco. Esse aumento no débito cardíaco atua como mediador da hipertensão. O segundo estágio da hipertensão por sobrecarga de volume é caracterizado por alta pressão arterial e alta resistência vascular periférica total, com retorno do débito cardíaco para níveis tão próximos do normal, que as técnicas de medição usuais muitas vezes não são capazes de detectar um débito cardíaco anormalmente elevado.

Assim, na hipertensão por sobrecarga de volume, o aumento da resistência vascular periférica total ocorre após o desenvolvimento da hipertensão; portanto, é um efeito dela, e não sua causa.

Hipertensão por sobrecarga de volume em pacientes sem os rins, mas mantidos com um rim artificial

Quando o paciente é mantido por um rim artificial, é especialmente importante manter seu volume de líquido corporal em um nível normal, removendo a quantidade adequada de água e sal cada vez que o paciente é submetido a diálise. Se essa etapa não for realizada, permitindo o aumento do volume de líquido extracelular, quase sempre o paciente desenvolve hipertensão, exatamente como mostrado na **Figura 19.8**. Ou seja, inicialmente, o débito cardíaco aumenta e causa hipertensão. Então, o mecanismo de autorregulação retorna o débito cardíaco ao normal, enquanto provoca o aumento secundário da resistência vascular periférica total. Assim, no final, a hipertensão parece ser um tipo de hipertensão com alta resistência vascular periférica, embora a causa inicial seja o acúmulo excessivo de volume.

Hipertensão causada por excesso de aldosterona

Outro tipo de hipertensão por sobrecarga de volume é causado por excesso de aldosterona no corpo ou, ocasionalmente, pelo excesso de outros tipos de esteroides. Um pequeno tumor presente em uma das glândulas adrenais ocasionalmente secreta grandes quantidades de aldosterona; essa condição é chamada de *hiperaldosteronismo primário*. Conforme discutido nos Capítulos 28 e 30, a aldosterona aumenta a taxa de reabsorção de sal e água pelos túbulos renais, aumentando, assim, o volume plasmático, o volume do líquido extracelular e a pressão arterial. Se a ingestão de sal for aumentada ao mesmo tempo, a hipertensão tornar-se-á ainda maior. Além disso, se o quadro persistir por meses ou anos, o excesso de pressão arterial costuma causar alterações patológicas, que fazem os rins reterem ainda mais sal e água, além do efeito direto da aldosterona. Assim, a hipertensão muitas vezes fica tão grave que pode ser fatal.

Aqui, novamente, nos estágios iniciais desse tipo de hipertensão, o débito cardíaco está frequentemente aumentado, mas, em estágios posteriores, ele geralmente retorna quase ao normal, enquanto a resistência vascular periférica total se torna secundariamente elevada, conforme explicado anteriormente neste capítulo para casos de hipertensão primária por sobrecarga de volume.

PAPEL DO SISTEMA RENINA-ANGIOTENSINA NO CONTROLE DA PRESSÃO ARTERIAL

Além da capacidade renal de controlar a pressão arterial por meio de alterações no volume de líquido extracelular, os rins também possuem outro potente mecanismo de controle, o *sistema renina-angiotensina*.

A *renina* é uma enzima proteica liberada pelos rins quando a pressão arterial cai muito. Por sua vez, aumenta a pressão arterial de diferentes maneiras, ajudando a corrigir a queda inicial da pressão.

COMPONENTES DO SISTEMA RENINA-ANGIOTENSINA

A **Figura 19.9** mostra as principais etapas funcionais pelas quais o sistema renina-angiotensina ajuda a regular a pressão arterial. A renina é sintetizada e armazenada nas *células justaglomerulares* (células JG) dos rins. São células de musculatura lisa modificada, localizadas principalmente *nas paredes das arteríolas aferentes imediatamente proximais aos glomérulos*. Diversos fatores controlam a secreção de renina, incluindo o sistema nervoso simpático, vários hormônios e autacoides locais, como prostaglandinas, óxido nítrico e endotelina. Quando a pressão arterial cai, as células JG liberam renina por meio de pelo menos três mecanismos principais:

1. Os *barorreceptores sensíveis à pressão* nas células JG respondem à diminuição da pressão arterial com o aumento da liberação de renina.
2. A *diminuição da oferta de cloreto de sódio para as células da mácula densa* no início do túbulo distal estimula a liberação de renina (ver Capítulo 27)
3. O *aumento da atividade do sistema nervoso simpático* estimula a liberação de renina ao ativar os receptores beta-adrenérgicos nas células JG. A estimulação simpática também ativa os receptores alfa-adrenérgicos, que podem aumentar a reabsorção renal de cloreto de

CAPÍTULO 19 O Papel dos Rins no Controle da Pressão Arterial em Longo Prazo e na Hipertensão

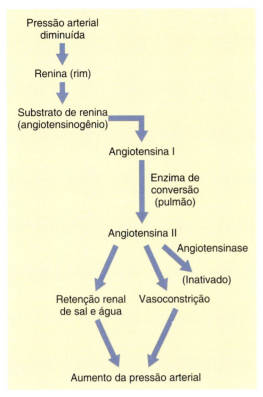

Figura 19.9 Mecanismo vasoconstritor renina-angiotensina para controle da pressão arterial.

sódio e reduzir a taxa de filtração glomerular em casos de forte ativação simpática. A elevada atividade simpática renal também aumenta a sensibilidade do barorreceptor renal e dos mecanismos da mácula densa para a liberação de renina.

A maior parte da renina é liberada no sangue que perfunde os rins para, em seguida, circular por todo o corpo. No entanto, pequenas quantidades de renina permanecem nos líquidos locais dos rins e exercem várias funções intrarrenais.

A renina é uma enzima, não uma substância vasoativa. Como mostrado na **Figura 19.9**, a renina atua enzimaticamente sobre outra proteína plasmática, uma globulina chamada *substrato de renina* (ou *angiotensinogênio*), para liberar um peptídeo de 10 aminoácidos, a angiotensina I. A angiotensina I tem algumas propriedades vasoconstritoras, mas não fortes o suficiente para provocar alterações significativas na função circulatória. A renina persiste no sangue por 30 a 60 minutos e continua a provocar a formação de quantidades adicionais de angiotensina I durante todo o período.

Em um intervalo que varia de alguns segundos a minutos após a formação da angiotensina I, dois aminoácidos adicionais são removidos da angiotensina I para formar um peptídeo de 8 aminoácidos, a *angiotensina II*. Essa conversão ocorre em grande parte nos pulmões, enquanto o sangue flui através dos pequenos vasos pulmonares, catalisada por uma enzima chamada *enzima conversora de angiotensina* (ECA), presente no endotélio da vasculatura pulmonar. Outros tecidos, como os rins e os vasos sanguíneos, também contêm ECA e, portanto, conseguem formar a angiotensina II localmente.

A angiotensina II é um vasoconstritor extremamente potente, além de também afetar a função circulatória de outras maneiras. No entanto, permanece no sangue apenas por 1 ou 2 minutos, porque é rapidamente inativada por várias enzimas sanguíneas e teciduais chamadas coletivamente de *angiotensinases*.

A angiotensina II tem dois efeitos principais que podem elevar a pressão arterial. O primeiro, a *vasoconstrição em muitas áreas do corpo*, ocorre rapidamente. A vasoconstrição ocorre intensamente nas arteríolas e menos nas veias. A constrição das arteríolas aumenta a resistência vascular periférica total, elevando, assim, a pressão arterial, como mostrado na parte inferior da **Figura 19.9**. Além disso, a leve constrição das veias promove um aumento do retorno venoso, ajudando o coração a bombear contra o aumento da pressão.

O segundo meio principal pelo qual a angiotensina II aumenta a pressão arterial é pela *diminuição da excreção de sal e água* pelos rins, devido tanto à estimulação da secreção de aldosterona, como de efeitos diretos. A retenção de sal e água pelos rins aumenta lentamente o volume de líquido extracelular, que então aumenta a pressão arterial durante as horas e os dias subsequentes. Esse efeito a longo prazo, por meio de ações diretas e indiretas da angiotensina II sobre os rins, é ainda mais poderoso do que o mecanismo agudo de vasoconstrição na eventual elevação da pressão.

Rapidez e intensidade da resposta da pressão vasoconstritora ao sistema renina-angiotensina

A **Figura 19.10** mostra um experimento que demonstra o efeito de uma hemorragia sobre a pressão arterial em duas condições distintas: (1) com o funcionamento do sistema renina-angiotensina; e (2) após o bloqueio do sistema por um anticorpo bloqueador de renina. Observe que após a hemorragia – sangramento suficiente para causar uma diminuição aguda da pressão arterial para 50 mmHg – a pressão arterial voltou a subir para 83 mmHg, quando o sistema renina-angiotensina estava funcional. Por outro lado, a pressão subiu para apenas 60 mmHg quando o

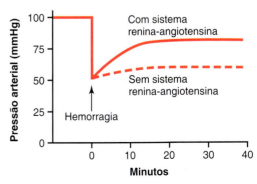

Figura 19.10 Efeito compensador de pressão do sistema vasoconstritor renina-angiotensina após hemorragia grave. *(Extraída de experimentos do Dr. Royce Brough.)*

sistema renina-angiotensina foi bloqueado. Esse fenômeno mostra que o sistema renina-angiotensina é potente o suficiente para elevar a pressão arterial, no mínimo, até a metade do valor normal alguns minutos após uma hemorragia grave. Portanto, esse sistema pode salvar a vida do paciente, especialmente nos casos de choque circulatório.

Observe também que o sistema vasoconstritor renina-angiotensina requer cerca de 20 minutos para ficar totalmente ativo. Portanto, é um pouco mais lento do que os reflexos nervosos e o sistema simpático noradrenalina-adrenalina.

A angiotensina II provoca retenção renal de sal e água – um mecanismo importante para o controle a longo prazo da pressão arterial

A angiotensina II faz com que os rins retenham sal e água de duas maneiras principais:

1. A angiotensina II atua diretamente nos rins, provocando retenção de sal e água.
2. A angiotensina II estimula as glândulas adrenais a secretar aldosterona, e a aldosterona, por sua vez, aumenta a reabsorção de sal e água pelos túbulos renais. Assim, quando quantidades excessivas de angiotensina II circulam no sangue, todo o mecanismo a longo prazo rim-volume para o controle da pressão arterial é automaticamente ajustado para manter a pressão arterial em níveis mais altos do que o normal.

Mecanismo dos efeitos diretos da angiotensina II sobre os rins para provocar a retenção renal de sal e água. A angiotensina tem vários efeitos diretos que fazem os rins reterem sal e água. Um dos principais efeitos é a constrição das arteríolas renais, especialmente as *arteríolas eferentes* glomerulares, que diminui o fluxo sanguíneo renal. O fluxo lento do sangue reduz a pressão sobre os capilares peritubulares, o que aumenta a reabsorção de líquido pelos túbulos. A angiotensina II também tem ações diretas importantes sobre as células tubulares para aumentar a reabsorção tubular de sódio e água, como discutido no Capítulo 28. Muitas vezes, os efeitos combinados da angiotensina II podem diminuir a produção de urina para menos de um quinto do volume normal.

A angiotensina II aumenta a retenção renal de sal e água pela estimulação de aldosterona. A angiotensina II é também um dos estimuladores mais potentes de secreção de aldosterona pelas glândulas adrenais, como discutiremos na seção sobre a regulação dos líquidos corporais no Capítulo 30 e na seção sobre função da glândula adrenal no Capítulo 78. Portanto, quando o sistema renina-angiotensina é ativado, a taxa de secreção de aldosterona geralmente também aumenta; uma importante função subsequente da aldosterona é provocar um aumento acentuado na reabsorção de sódio pelos túbulos renais, elevando sua concentração total no líquido extracelular e, como já explicado, o volume de líquido extracelular. Assim, tanto o efeito direto da angiotensina II sobre os rins quanto o efeito por meio da aldosterona são importantes no controle da pressão arterial a longo prazo.

Análise quantitativa de alterações na pressão arterial causadas pela angiotensina II. A **Figura 19.11** mostra uma análise quantitativa do efeito da angiotensina no controle da pressão arterial. Mostra também duas curvas de função renal, bem como uma linha que descreve o nível normal de ingestão de sódio. A curva da função renal à esquerda foi medida em cães cujo sistema renina-angiotensina foi bloqueado por um inibidor de ECA, que bloqueia a conversão da angiotensina I em angiotensina II. A curva à direita foi medida em cães com infusão contínua de angiotensina II em um nível cerca de 2,5 vezes a taxa normal de formação de angiotensina no sangue. Observe a mudança da curva de débito renal em direção a níveis de pressão mais elevados sob a influência da angiotensina II. Esse deslocamento é causado pelo efeito direto da angiotensina II sobre o rim e por efeito indireto, por meio da secreção de aldosterona, conforme explicado anteriormente.

Finalmente, observe os dois pontos de equilíbrio, um para angiotensina zero, mostrando um nível de pressão arterial de 75 mmHg, e um para angiotensina elevada, mostrando um nível de pressão de 115 mmHg. Portanto, o fato de a angiotensina causar retenção renal de sal e água pode ter um efeito poderoso na promoção da elevação crônica da pressão arterial.

Papel do sistema renina-angiotensina na manutenção de uma pressão arterial normal, apesar das grandes variações na ingestão de sal

Uma das funções mais importantes do sistema renina-angiotensina é permitir que uma pessoa possa ingerir quantidades muito pequenas ou muito grandes de sal, sem que isso provoque grandes alterações no volume de líquido extracelular ou na pressão arterial. Essa função é

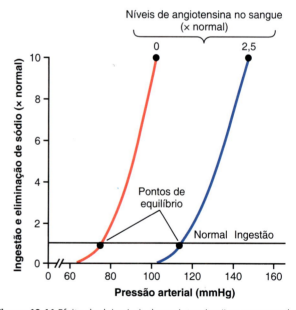

Figura 19.11 Efeito de dois níveis de angiotensina II no sangue sobre a curva de débito renal, mostrando a regulação da pressão arterial em um ponto de equilíbrio de 75 mmHg, quando o nível de angiotensina II está baixo, e em 115 mmHg, quando o nível de angiotensina II é alto.

explicada pela **Figura 19.12**, que mostra que o efeito inicial do aumento na ingestão de sal é elevar o volume de líquido extracelular, o que tende a elevar a pressão arterial. Os diversos efeitos do aumento da ingestão de sal, incluindo pequenos aumentos na pressão arterial e efeitos independentes da pressão, reduzem a taxa de secreção de renina e a formação de angiotensina II, o que ajuda a eliminar o sal adicional com aumentos mínimos no volume de líquido extracelular ou na pressão arterial. Assim, o sistema renina-angiotensina é um mecanismo de *feedback* automático que ajuda a manter a pressão arterial no nível normal ou próximo dele, mesmo quando a ingestão de sal é aumentada. Quando a ingestão de sal fica abaixo do normal, ocorrem efeitos exatamente opostos.

Para enfatizar a eficácia do sistema renina-angiotensina no controle da pressão arterial, quando o sistema funciona normalmente, a pressão, em geral, não aumenta mais do que 4 a 6 mmHg em resposta a um aumento de até 100 vezes na ingestão de sal (ver **Figura 19.13**). Por outro lado, quando a supressão usual da formação de angiotensina é impedida por meio de infusão contínua de pequenas quantidades de angiotensina II para que os níveis sanguíneos não possam diminuir, o mesmo aumento na ingestão de sal pode fazer com que a pressão aumente em 40 mmHg ou mais (ver **Figura 19.13**). Quando a ingestão de sal é reduzida a um décimo do normal, a pressão arterial praticamente não sofre alteração, desde que o sistema renina-angiotensina funcione normalmente. No entanto, quando a formação da angiotensina II é bloqueada por um inibidor de ECA, a pressão arterial diminui acentuadamente à medida que a ingestão de sal é reduzida (ver **Figura 19.13**). Assim, o sistema renina-angiotensina talvez seja o mais potente no organismo para acomodar grandes variações na ingestão de sal com alterações mínimas na pressão arterial.

HIPERTENSÃO CAUSADA POR TUMOR SECRETOR DE RENINA OU POR ISQUEMIA RENAL

Ocasionalmente, ocorre um tumor das células JG secretoras de renina, que passa a produzir grandes quantidades de renina, causando a formação de grandes quantidades de angiotensina II. Em todos os pacientes nos quais esse fenômeno ocorreu, desenvolveu-se um quadro de hipertensão grave. Além disso, quando grandes quantidades de angiotensina II são infundidas continuamente em animais durante dias ou semanas, também se desenvolve grave hipertensão a longo prazo.

Já observamos que a angiotensina II pode aumentar a pressão arterial de duas maneiras:

1. Por contração das arteríolas em todo o corpo, de modo a aumentar a resistência vascular periférica total e a pressão arterial; esse efeito ocorre segundos após o início da infusão de grandes quantidades de angiotensina II.
2. Por retenção de sal e água pelos rins; ao longo de alguns dias, mesmo quantidades moderadas de angiotensina II podem causar hipertensão por meio de suas ações renais, sendo a principal causa da elevação da pressão arterial a longo prazo.

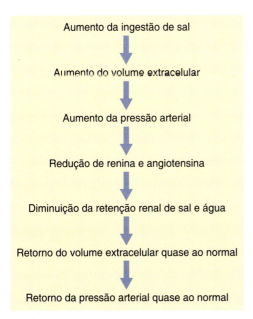

Figura 19.12 Eventos sequenciais em que o aumento da ingestão de sal eleva a pressão arterial, mas a diminuição do *feedback* na atividade do sistema renina-angiotensina retorna a pressão arterial praticamente ao normal.

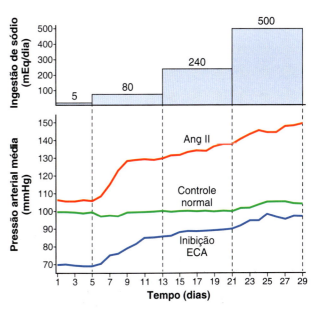

Figura 19.13 Alterações na pressão arterial média durante mudanças crônicas na ingestão de sódio, em cães de controle normais e em cães tratados com um inibidor da enzima conversora de angiotensina (ECA) para bloquear a formação de angiotensina II (Ang II); ou infundidos com Ang II para impedir a supressão de Ang II. A ingestão de sódio foi aumentada por etapas, de um nível baixo de 5 mmol/dia para 80, 240 e 500 mmol/dia durante 8 dias em cada nível. *(Modificada de Hall JE, Guyton AC, Smith MJ Jr et al.: Blood pressure and renal function during chronic changes in sodium intake: role of angiotensin. Am J Physiol 239:F271, 1980.)*

Hipertensão de rim único de Goldblatt. Quando um dos rins é removido e se coloca um grampo constritor na artéria renal do rim remanescente, como mostrado na **Figura 19.14**, o efeito imediato é uma grande redução na pressão da artéria renal além do grampo constritor, como demonstrado pela curva tracejada na figura. Então, em segundos ou minutos, a pressão arterial sistêmica começa a subir e continua a aumentar por vários dias. Em geral, a pressão aumenta rapidamente durante a primeira hora, e esse efeito é seguido por um aumento adicional mais lento durante os dias seguintes. Quando a pressão arterial *sistêmica* alcança seu novo nível de pressão estável, a *pressão arterial renal* distal à constrição (curva tracejada na figura) terá retornado quase totalmente ao normal. A hipertensão produzida dessa forma é chamada de *hipertensão de rim único de Goldblatt* em homenagem a Harry Goldblatt, que foi o primeiro a pesquisar as importantes características quantitativas da hipertensão causada pela constrição da artéria renal.

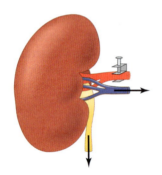

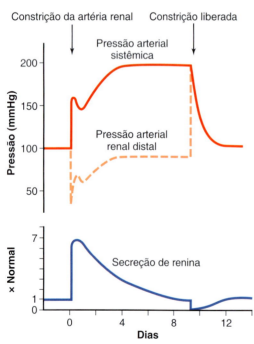

Figura 19.14 Efeito da colocação de um grampo de constrição na artéria renal de um rim após a remoção do outro. Observe as alterações na pressão arterial sistêmica, pressão arterial renal distal ao grampo e taxa de secreção de renina. A hipertensão resultante é chamada de hipertensão de rim único de Goldblatt.

O aumento precoce da pressão arterial na hipertensão de Goldblatt é causado pelo mecanismo vasoconstritor renina-angiotensina. Ou seja, como o fluxo sanguíneo através do rim é insuficiente após a constrição aguda da artéria renal, são secretadas grandes quantidades de renina, como demonstrado pela curva inferior da **Figura 19.14**, e esta ação aumenta os níveis sanguíneos de angiotensina II e aldosterona. A angiotensina II, por sua vez, eleva agudamente a pressão arterial. A secreção de renina atinge o pico em cerca de 1 ou 2 horas, mas retorna praticamente ao normal em 5 a 7 dias, porque a pressão arterial *renal*, a essa altura, também voltou ao normal, de modo que o rim não está mais isquêmico.

O segundo aumento da pressão arterial é causado pela retenção de sal e água pelo rim contraído, que também é estimulado pela angiotensina II e aldosterona. Em 5 a 7 dias, o volume plasmático aumenta o suficiente para elevar a pressão arterial ao um novo nível sustentado. O valor quantitativo deste nível de pressão é determinado pelo grau de constrição da artéria renal. Ou seja, a pressão aórtica deve aumentar o suficiente para que a pressão arterial renal, distal ao grampo constritor, seja alta o suficiente para manter um débito urinário normal.

Um cenário semelhante se desenvolve em pacientes com estenose da artéria renal do rim remanescente, como pode ocorrer com pessoas que recebem um transplante renal. Além disso, aumentos funcionais ou patológicos na resistência das arteríolas renais, como resultado de aterosclerose ou de níveis excessivos de vasoconstritores, podem provocar hipertensão pelos mesmos mecanismos que atuam na constrição da artéria renal principal.

Hipertensão de dois rins de Goldblatt. A hipertensão também pode se desenvolver quando a artéria de apenas um rim está contraída, enquanto a do outro rim está normal. O rim contraído secreta renina e também retém sal e água devido à diminuição da pressão arterial renal nesse rim. Então, o rim contralateral "normal" retém sal e água por causa da renina produzida pelo rim isquêmico. Essa renina aumenta a produção de angiotensina II e aldosterona, que circulam para o rim contralateral e também fazem com que ele retenha sal e água. Assim, os dois rins — mas por motivos diferentes — passam a reter sal e água. Consequentemente, se desenvolve um quadro hipertensivo.

A contrapartida clínica da hipertensão de dois rins de Goldblatt é a *hipertensão renovascular*, que ocorre quando há estenose de uma única artéria renal — por exemplo, causada por aterosclerose — em uma pessoa com os dois rins.

Hipertensão causada por doenças renais que secretam renina cronicamente. Frequentemente, áreas irregulares de um ou ambos os rins estão doentes e tornam-se isquêmicas devido a constrições vasculares locais ou a infartos, enquanto outras áreas dos rins são normais. Em uma situação como essa, ocorrem efeitos quase idênticos aos dos dois tipos de hipertensão de Goldblatt. Ou seja, o tecido renal isquêmico irregular secreta renina, que, por sua vez — por agir na formação de angiotensina II —

CAPÍTULO 19 O Papel dos Rins no Controle da Pressão Arterial em Longo Prazo e na Hipertensão

faz com que a massa renal remanescente também retenha sal e água. Uma das causas mais comuns de hipertensão renal, especialmente em pessoas idosas, é a doença renal isquêmica focal.

Outros tipos de hipertensão causada por combinações de sobrecarga de volume e vasoconstrição

Hipertensão na parte superior do corpo causada por coarctação da aorta. Um em cada poucos milhares de bebês nasce com constrição patológica ou com bloqueio da aorta em um ponto além dos ramos arteriais aórticos na cabeça e nos braços, mas próximo às artérias renais, uma condição chamada *coarctação da aorta*. Quando isso ocorre, o fluxo sanguíneo para a parte inferior do corpo é transportado por várias pequenas artérias colaterais na parede corporal, com muita resistência vascular entre a aorta superior e a aorta inferior. Como consequência, a pressão arterial na parte superior do corpo pode ser 40 a 50% maior do que na parte inferior.

O mecanismo dessa hipertensão da parte superior do corpo é quase idêntico ao da hipertensão de rim único de Goldblatt. Ou seja, quando um grampo constritor é colocado na aorta acima das artérias renais, a pressão arterial em ambos os rins cai inicialmente, a renina é secretada, a angiotensina e a aldosterona são formadas e a hipertensão ocorre na parte superior do corpo. A pressão arterial na parte inferior do corpo, no nível dos rins, aumenta quase até o normal, mas a pressão alta persiste na parte superior do corpo. Os rins não estão mais isquêmicos e, portanto, a secreção de renina e a formação de angiotensina e aldosterona voltam quase ao normal. Da mesma forma, na coarctação da aorta, a pressão arterial na parte inferior do corpo costuma ser praticamente normal, enquanto a pressão na parte superior do corpo é muito mais alta do que o normal.

Papel da autorregulação do fluxo na hipertensão causada pela coarctação da aorta. Uma característica importante da hipertensão causada pela coarctação da aorta é que o fluxo sanguíneo nos braços, onde a pressão pode estar 40 a 60% acima do normal, é praticamente normal. Da mesma maneira, o fluxo sanguíneo nas pernas, onde a pressão não é elevada, também é praticamente normal. Como isso pode ocorrer, já que a pressão na parte superior do corpo é 40 a 60% maior do que na parte inferior? Não existem diferenças nas substâncias vasoconstritoras presentes no sangue das partes superior e inferior do corpo, porque o mesmo sangue flui nas duas áreas. Da mesma forma, o sistema nervoso inerva ambas as áreas da circulação de forma semelhante, então não há razão para acreditar que a explicação esteja em uma diferença no controle nervoso dos vasos sanguíneos. A principal razão é que a *autorregulação do fluxo se desenvolve tão plenamente* que os mecanismos de controle do fluxo sanguíneo local compensam quase 100% das diferenças de pressão. O resultado é que, tanto na área de alta pressão quanto na área de baixa pressão, o fluxo sanguíneo local é controlado por mecanismos autorregulatórios locais, de acordo com as necessidades do tecido e não de acordo com o nível de pressão.

Hipertensão na pré-eclâmpsia (toxemia gravídica). Uma síndrome chamada *pré-eclâmpsia* (também chamada

de *toxemia gravídica*) se desenvolve em aproximadamente 5 a 10% das gestantes. Uma das manifestações da pré-eclâmpsia é a hipertensão que geralmente cede após o parto. Embora as causas precisas da pré-eclâmpsia não sejam totalmente compreendidas, acredita-se que a isquemia da placenta e a liberação subsequente de fatores tóxicos participem na origem de muitas das manifestações desse distúrbio, incluindo a hipertensão materna. As substâncias liberadas pela placenta isquêmica, por sua vez, provocam disfunção das células endoteliais vasculares por todo o organismo, incluindo os vasos sanguíneos renais. Essa *disfunção endotelial diminui a liberação de óxido nítrico* e outras substâncias vasodilatadoras, causando vasoconstrição, diminuição da taxa de filtração de líquido pelos glomérulos para os túbulos renais, comprometimento da natriurese de pressão renal e desenvolvimento de hipertensão.

Outra anormalidade patológica que pode contribuir para a hipertensão na pré-eclâmpsia é o espessamento das membranas glomerulares renais (causado provavelmente por um processo autoimune), que também reduz a taxa de filtração glomerular de líquidos. Por motivos óbvios, o nível de pressão arterial necessário para provocar a formação normal de urina torna-se elevado, e o nível de pressão arterial a longo prazo torna-se correspondentemente elevado. Essas pacientes apresentam propensão especial para o desenvolvimento de graus extras de hipertensão quando ingerem sal em excesso.

Hipertensão neurogênica. A *hipertensão neurogênica aguda* pode ser causada por forte *estimulação do sistema nervoso simpático*. Por exemplo, quando uma pessoa fica excitada por qualquer razão ou durante estados de ansiedade, o sistema simpático fica excessivamente estimulado, ocorre vasoconstrição periférica em todo o organismo, seguido de hipertensão *aguda*.

Outro tipo de hipertensão neurogênica *aguda* ocorre quando os nervos que partem dos barorreceptores são cortados ou quando o trato solitário é destruído em cada lado do bulbo raquidiano. Essas são as áreas onde os nervos dos barorreceptores carotídeos e aórticos se conectam ao tronco encefálico. A interrupção repentina dos sinais nervosos normais dos barorreceptores tem o mesmo efeito sobre os mecanismos de controle da pressão nervosa que uma súbita redução da pressão arterial na aorta e nas artérias carótidas. Ou seja, a perda do efeito inibitório normal no centro vasomotor causada por sinais nervosos barorreceptores normais permite que o centro vasomotor repentinamente se torne extremamente ativo e a pressão arterial média aumente de 100 mmHg para até 160 mmHg. A pressão volta ao normal em cerca de 2 dias, porque a resposta do centro vasomotor ao sinal do barorreceptor ausente se dissipa, o que é chamado de *reajuste central do mecanismo de controle barorreceptor da pressão*. Portanto, a hipertensão neurogênica causada pela secção dos nervos barorreceptores é principalmente um tipo de hipertensão aguda, não um tipo crônico.

O sistema nervoso simpático também desempenha um papel importante em algumas formas de hipertensão crônica, em grande parte pela ativação dos nervos simpáticos renais. Por exemplo, o ganho excessivo de peso e a obesidade frequentemente levam à ativação do sistema nervoso

PARTE 4 Circulação

simpático, que por sua vez estimula os nervos simpáticos renais, prejudica a natriurese de pressão renal e causa hipertensão crônica. Essas anormalidades parecem ter um papel importante em grande parte dos pacientes com *hipertensão primária (essencial)*, como será discutido posteriormente.

Causas genéticas da hipertensão. Hipertensão hereditária espontânea foi observada em várias linhagens de animais, incluindo diferentes linhagens de ratos e coelhos e pelo menos uma linhagem de cães. Na cepa de ratos que foi mais estudada, a cepa Okamoto, *espontaneamente hipertensa*, há evidências de que, no desenvolvimento inicial da hipertensão, o sistema nervoso simpático seja consideravelmente mais ativo do que, em ratos normais. Nos estágios mais avançados desse tipo de hipertensão, têm sido observadas alterações estruturais nos néfrons renais: (1) aumento da resistência arterial renal pré-glomerular; e (2) diminuição da permeabilidade das membranas glomerulares. Essas alterações estruturais também podem contribuir para a continuidade da hipertensão a longo prazo. Em outras cepas de ratos hipertensos, também foi observada insuficiência renal.

Nos seres humanos, foram identificadas várias mutações genéticas diferentes que podem causar hipertensão. Essas formas de hipertensão são chamadas de *hipertensão monogênica* porque são causadas pela mutação de um único gene. Uma característica interessante desses distúrbios genéticos é que todos eles causam comprometimento da função renal, seja pelo aumento da resistência das arteríolas renais ou pela reabsorção excessiva de sal e água pelos túbulos renais. Em alguns casos, o aumento da reabsorção se deve a mutações gênicas que aumentam diretamente o transporte de sódio ou cloreto nas células epiteliais tubulares renais. Em outros casos, as mutações genéticas causam aumento da síntese ou da atividade de hormônios que estimulam a reabsorção tubular renal de sal e água. Assim, em todos os distúrbios hipertensivos monogênicos descobertos até agora, a via final comum para a hipertensão parece ser o comprometimento da função renal. A hipertensão monogênica, entretanto, é rara, e todas as formas conhecidas respondem por menos de 1% dos casos de hipertensão humana.

HIPERTENSÃO PRIMÁRIA (ESSENCIAL)

Acredita-se que cerca de 90 a 95% de todos os pacientes hipertensos tenham hipertensão primária, também chamada de *hipertensão essencial*. Esses termos significam simplesmente que a *hipertensão é de origem desconhecida*, em contraste com as formas de hipertensão que são *secundárias* a causas conhecidas, como estenose da artéria renal ou formas monogênicas de hipertensão.

Na maioria dos pacientes, o *ganho de peso excessivo* e um *estilo de vida sedentário* parecem desempenhar um papel importante na causa da hipertensão primária. A maioria dos pacientes com hipertensão está acima do peso, e estudos com diferentes populações sugeriram que o excesso de adiposidade pode ser responsável por 65 a 75% do risco de desenvolver hipertensão primária. Estudos clínicos mostraram claramente a importância da perda de peso na redução da pressão arterial da maioria

dos pacientes hipertensos, e as diretrizes clínicas para o tratamento da hipertensão recomendam o aumento da atividade física e a perda de peso como primeiras etapas no tratamento da maioria dos pacientes.

As seguintes características da hipertensão primária, entre outras, são causadas por excesso de ganho de peso e obesidade:

1. *O débito cardíaco aumenta* em parte devido ao fluxo sanguíneo adicional necessário para irrigar o tecido adiposo extra. No entanto, o fluxo sanguíneo no coração, rins, sistema digestório e musculatura esquelética também aumenta com o ganho de peso, devido ao aumento da taxa metabólica e do crescimento dos órgãos e tecidos em resposta ao crescimento das demandas metabólicas. Como a hipertensão se mantém por muitos meses e até anos, a resistência vascular periférica total pode estar aumentada.

2. *A atividade nervosa simpática, especialmente nos rins, está aumentada em pacientes com sobrepeso.* As causas do aumento da atividade simpática em pessoas obesas não são totalmente compreendidas, mas estudos sugerem que hormônios como a *leptina*, que são liberados das células de gordura, podem estimular diretamente diferentes regiões do hipotálamo, que por sua vez têm uma influência excitatória nos centros vasomotores do bulbo. Também há evidências de sensibilidade reduzida dos barorreceptores arteriais para tamponar a elevação da pressão arterial, bem como a ativação de quimiorreceptores em pessoas obesas, especialmente naquelas que também têm apneia obstrutiva do sono.

3. *Os níveis de angiotensina II e aldosterona estão aumentados em muitos pacientes obesos.* Isso pode ser causado em parte pelo aumento da estimulação do nervo simpático, que aumenta a liberação de renina pelos rins e, portanto, a formação de angiotensina II, que por sua vez estimula a glândula adrenal a secretar aldosterona.

4. *O mecanismo de natriurese por pressão renal fica comprometido, e os rins não excretam quantidades adequadas de sal e água, a menos que a pressão arterial esteja alta ou que a função renal melhore de alguma forma.* Se a pressão arterial média no paciente com hipertensão essencial for de 150 mmHg, a redução aguda da pressão arterial média para o valor normal de 100 mmHg (mas sem alterar de outra forma a função renal, exceto pela diminuição da pressão) causará anúria quase total. A pessoa passa a reter sal e água até que a pressão volte ao valor elevado de 150 mmHg. Reduções crônicas da pressão arterial com terapias anti-hipertensivas efetivas, entretanto, geralmente não causam retenção acentuada de sal e água pelos rins porque essas terapias também melhoram a natriurese por pressão renal, como será discutido posteriormente.

Estudos experimentais com animais e pacientes obesos sugerem que a redução da natriurese da pressão renal na hipertensão associada à obesidade é causada principalmente pelo aumento da reabsorção tubular renal de sal e água, devido ao aumento da atividade nervosa simpática e dos níveis elevados de angiotensina II e aldosterona. No entanto, se a hipertensão não for tratada de modo efetivo, também poderá resultar em dano vascular nos rins, o que poderá reduzir a taxa de filtração glomerular e aumentar a gravidade da hipertensão. Eventualmente, a hipertensão não controlada associada à obesidade e outros distúrbios metabólicos pode resultar em lesões vasculares graves e perda completa da função renal.

Análise gráfica do controle da pressão arterial na hipertensão essencial. A **Figura 19.15** apresenta uma análise gráfica da hipertensão essencial. As curvas dessa figura são chamadas de *curvas de função renal por sobrecarga de sódio* porque a pressão arterial em cada caso aumenta muito lentamente, ao longo de muitos dias ou semanas, pela elevação do nível de ingestão de sódio. O tipo de curva por sobrecarga de sódio pode ser determinado aumentando o nível de ingestão de sódio para um novo nível a cada poucos dias e, em seguida, aguardando que a produção renal de sódio entre em equilíbrio com a ingestão e, ao mesmo tempo, registrando as mudanças na pressão arterial.

Quando esse procedimento é realizado em pacientes com hipertensão essencial, podem ser registrados dois tipos de curvas, mostrados à direita na **Figura 19.15**; uma é chamada de (1) *hipertensão insensível ao sal* e a outra (2) *hipertensão sensível ao sal*. Observe que nos dois casos as curvas são deslocadas para a direita, para um nível de pressão mais alto do que para pessoas com pressão arterial normal. No caso da pessoa com hipertensão essencial insensível ao sal, a pressão não aumenta significativamente ao passar de uma ingestão normal de sal para uma ingestão elevada de sal. No entanto, em pacientes com hipertensão essencial sensível ao sal, o aumento na ingestão de sal agrava significativamente a hipertensão.

Dois pontos adicionais devem ser enfatizados. Primeiro, a sensibilidade da pressão arterial ao sal não é uma característica do tipo tudo ou nada – é quantitativa, com alguns indivíduos sendo mais sensíveis ao sal do que outros. Em segundo lugar, a sensibilidade da pressão arterial ao sal não é uma característica fixa; ao contrário, a pressão arterial em geral se torna mais sensível ao sal à medida que a pessoa envelhece, especialmente após os 50 ou 60 anos de idade, quando o número de unidades funcionais (*néfrons*) nos rins começa a diminuir gradualmente.

A razão para a diferença entre hipertensão essencial insensível ao sal e hipertensão sensível ao sal provavelmente está relacionada a diferenças estruturais ou funcionais nos rins desses dois tipos de pacientes hipertensos. Por exemplo, a hipertensão sensível ao sal pode ocorrer em diferentes patologias renais crônicas em virtude da perda gradual de néfrons ou pelo processo normal de envelhecimento, conforme discutido no Capítulo 32. O funcionamento anormal do sistema renina-angiotensina também pode tornar a pressão arterial sensível ao sal, como foi discutido anteriormente neste capítulo.

Tratamento da hipertensão essencial. Como uma primeira etapa, os protocolos atuais para o tratamento da hipertensão recomendam modificações no estilo de vida com o objetivo de aumentar a atividade física e a perda de peso na maioria dos pacientes. Infelizmente, muitos pacientes não conseguem perder peso, e o tratamento farmacológico com anti-hipertensivos precisa ser iniciado. Medicamentos de duas classes são usados para tratar a hipertensão: (1) *medicamentos vasodilatadores*, que aumentam o fluxo sanguíneo renal e a taxa de filtração glomerular; e (2) *fármacos natriuréticos ou diuréticos*, que diminuem a reabsorção tubular de sal e água.

Os vasodilatadores geralmente provocam vasodilatação em muitos outros tecidos do corpo, bem como nos rins. Os diferentes vasodilatadores agem de uma das seguintes maneiras: (1) inibindo os sinais nervosos simpáticos para os rins ou bloqueando a ação da substância transmissora simpática na vasculatura renal e nos túbulos renais; (2) relaxando diretamente a musculatura lisa da vasculatura renal; ou (3) bloqueando a ação do sistema renina-angiotensina-aldosterona na vasculatura renal ou nos túbulos renais.

Os medicamentos que reduzem a reabsorção de sal e água pelos túbulos renais incluem, em particular, substâncias que bloqueiam o transporte ativo de sódio através da parede tubular; esse bloqueio, por sua vez, também impede a reabsorção de água, conforme explicado anteriormente neste capítulo. Essas substâncias natriuréticas ou diuréticas são discutidas em maiores detalhes no Capítulo 32.

RESUMO DOS SISTEMAS INTEGRADOS PARA A REGULAÇÃO DA PRESSÃO ARTERIAL

Já ficou claro que a pressão arterial é regulada não por um único sistema de controle de pressão, mas por vários sistemas inter-relacionados, cada um desempenhando uma

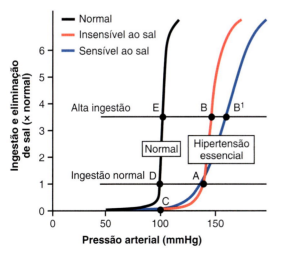

Figura 19.15 Análise da regulação da pressão arterial em (1) hipertensão essencial insensível ao sal e (2) sensível ao sal. *(Modificada de Guyton AC, Coleman TG, Young DB et al.: Salt balance and long-term blood pressure control. Annu Rev Med 31:15, 1980.)*

função específica. Por exemplo, quando uma pessoa sofre uma hemorragia tão grave que faz a pressão cair repentinamente, dois problemas se apresentam ao sistema de controle de pressão. O primeiro é a sobrevivência; a pressão arterial deve ser rapidamente devolvida a um nível suficientemente alto para que a pessoa possa sobreviver ao episódio agudo. A segunda é retornar o volume plasmático e a pressão arterial eventualmente aos seus níveis normais, para que o sistema circulatório possa restabelecer a normalidade total, não apenas de volta aos níveis necessários para a sobrevivência.

No Capítulo 18, vimos que a primeira linha de defesa contra alterações agudas na pressão arterial é o sistema de controle nervoso. Neste capítulo, enfatizamos uma segunda linha de defesa, alcançada principalmente por mecanismos renais, para o controle a longo prazo da pressão arterial. No entanto, existem outras peças no quebra-cabeça. A **Figura 19.16** ajuda a juntar essas peças.

A **Figura 19.16** mostra em termos aproximados as respostas de controle imediatas (segundos e minutos) e a longo prazo (horas e dias), expressas como respostas de *feedback* de oito mecanismos de controle da pressão arterial. Esses mecanismos podem ser divididos em três grupos: (1) aqueles que reagem rapidamente, em segundos ou minutos; (2) aqueles que respondem durante um período de tempo intermediário – isto é, minutos ou horas; e (3) aqueles que fornecem regulação da pressão arterial a longo prazo, por dias, meses e anos.

Mecanismos de controle de pressão arterial que atuam em segundos ou minutos. Os mecanismos de controle de pressão de ação rápida são quase inteiramente reflexos nervosos agudos ou outras respostas do sistema nervoso autônomo. Observe na **Figura 19.16** os três mecanismos que apresentam respostas em segundos: (1) o mecanismo de *feedback* dos barorreceptores; (2) o mecanismo isquêmico do sistema nervoso central; e (3) o mecanismo quimiorreceptor. Esses mecanismos não apenas começam a reagir em segundos, mas também são muito potentes. Depois de uma queda aguda de pressão, como a causada por hemorragia grave, os mecanismos nervosos se combinam para provocar as seguintes respostas: (1) constrição das veias e transferência de sangue para o coração; (2) aumento da frequência cardíaca e da contratilidade do coração, para aumentar a capacidade do bombeamento cardíaco; e (3) constrição da maioria das arteríolas periféricas. Todos esses efeitos ocorrem quase que instantaneamente para retornar a pressão arterial até níveis que possibilitem a sobrevivência.

Quando a pressão sobe muito e repentinamente, como pode ocorrer em resposta a uma rápida transfusão do sangue em excesso, os mesmos mecanismos de controle operam na direção inversa, retornando a pressão ao normal.

Mecanismos de controle de pressão arterial que atuam após vários minutos. Diversos mecanismos de controle de pressão só apresentam uma resposta significativa alguns minutos após uma alteração aguda da pressão arterial. Três desses mecanismos são mostrados na **Figura 19.16**: (1) mecanismo vasoconstritor renina-angiotensina; (2) relaxamento por estresse da vasculatura; e (3) deslocamento de líquido através das paredes capilares do tecido para dentro e para fora da circulação, de modo a reajustar o volume plasmático conforme a necessidade.

Já descrevemos detalhadamente o papel do sistema vasoconstritor renina-angiotensina como meio subagudo para aumentar a pressão arterial quando necessário. O mecanismo de *relaxamento por estresse* é demonstrado pelo exemplo a seguir. Quando a pressão nos vasos sanguíneos fica muito alta, eles se alongam cada vez mais por minutos ou horas; como resultado, a pressão nos vasos retorna ao normal. Esse estiramento contínuo dos vasos, denominado *relaxamento por estresse*, pode funcionar como "tampão" da pressão por um período intermediário.

O mecanismo de *deslocamento de líquido capilar* significa simplesmente que sempre que a pressão capilar cair muito, o líquido é absorvido pelas membranas capilares dos tecidos para a circulação, aumentando o volume de sangue e a pressão na circulação. Por outro lado, quando a pressão capilar aumenta muito, o líquido é perdido da circulação para os tecidos, reduzindo o volume plasmático, bem como praticamente todas as pressões circulatórias.

Esses três mecanismos intermediários são ativados principalmente depois de 30 minutos a várias horas. Durante esse tempo, os mecanismos nervosos geralmente se tornam cada vez menos efetivos, o que explica a importância dessas medidas não nervosas de controle de pressão no médio prazo.

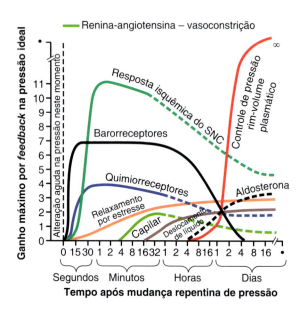

Figura 19.16 Potência aproximada de vários mecanismos de controle da pressão arterial em diferentes intervalos de tempo, após o início de um distúrbio na pressão arterial. Observe especialmente o ganho quase infinito (∞) do mecanismo de controle de pressão rim-volume que ocorre após algumas semanas. SNC, sistema nervoso central. (Modificada de Guyton AC: Arterial Pressure and Hypertension. Philadelphia: WB Saunders, 1980.)

CAPÍTULO 19 O Papel dos Rins no Controle da Pressão Arterial em Longo Prazo e na Hipertensão

Mecanismos a longo prazo para regulação da pressão arterial. O objetivo deste capítulo foi explicar o papel dos rins no controle a longo prazo da pressão arterial. Na parte à direita da **Figura 19.16** é mostrado o mecanismo de controle da pressão rim-volume plasmático, que é o mesmo mecanismo rim-volume de controle da pressão, demonstrando que leva algumas horas para começar a apresentar uma resposta significativa. No entanto, ele eventualmente desenvolve um ganho por *feedback* para controle da pressão arterial, que é praticamente infinito. Isso significa que esse mecanismo pode retornar a pressão arterial quase totalmente, não apenas parcialmente, ao nível de pressão que possibilita o débito normal de sal e água pelos rins.

Muitos fatores podem afetar o nível de regulação da pressão pelo mecanismo rim-volume. Um deles, mostrado na **Figura 19.16**, é a aldosterona. A diminuição na pressão arterial leva em minutos a um aumento na secreção de aldosterona e, ao longo da próxima hora ou dias, esse efeito desempenha um papel importante na modificação das características do mecanismo rim-volume para o controle da pressão.

Especialmente importante é a interação do sistema renina-angiotensina com a aldosterona e os mecanismos renais de controle de líquido. Por exemplo, a ingestão de sal de uma pessoa pode variar muito de um dia para o outro. Vimos neste capítulo que a ingestão de sal pode cair para apenas um décimo do normal ou pode subir para 10 a 15 vezes o normal e, ainda assim, o nível regulado da pressão arterial média sofrerá uma alteração de apenas alguns mmHg se o sistema renina-angiotensina-aldosterona estiver plenamente funcional. Entretanto, se o sistema não estiver funcional, a pressão sanguínea passa a ser muito sensível às alterações da ingestão de sal.

Assim, o controle da pressão arterial se inicia com as medidas emergenciais fornecidas pelos mecanismos nervosos, continua com as características de sustentação feita pelos controles intermediários e, por fim, é estabilizado no nível de pressão a longo prazo pelo mecanismo rim-volume. Esse mecanismo a longo prazo, por sua vez, tem múltiplas interações com o sistema renina-angiotensina-aldosterona, com o sistema nervoso e com muitos outros fatores que contribuem para o controle da pressão arterial em situações especiais.

Bibliografia

Acelajado MC, Hughes ZH, Oparil S, Calhoun DA: Treatment of resistant and refractory hypertension. Circ Res 124:1061, 2019.

Brands MW: Chronic blood pressure control. Compr Physiol 2:2481, 2012.

Coffman TM: The inextricable role of the kidney in hypertension. J Clin Invest 124:2341, 2014.

Colafella KMM, Denton KM: Sex-specific differences in hypertension and associated cardiovascular disease. Nat Rev Nephrol 14:185, 2018.

Cowley AW: Long-term control of arterial blood pressure. Physiol Rev 72:231, 1992.

Guyton AC: Arterial Pressure and hypertension. Philadelphia: WB Saunders, 1980.

Hall JE, Granger JP, do Carmo JM, et al: Hypertension: physiology and pathophysiology. Compr Physiol 2:2393, 2012.

Hall JE, do Carmo JM, da Silva AA, et al: Obesity-induced hypertension: interaction of neurohumoral and renal mechanisms. Circ Res 116:991, 2015.

Hall JE, do Carmo JM, da Silva AA, et al: Obesity, kidney dysfunction and hypertension: mechanistic links. Nat Rev Nephrol 15:367, 2019.

Lohmeier TE, Hall JE: Device-based neuromodulation for resistant hypertension therapy. Circ Res 124:1071, 2019.

Lifton RP, Gharavi AG, Geller DS: Molecular mechanisms of human hypertension. Cell 104:545, 2001.

Oparil S, Schmieder RE: New approaches in the treatment of hypertension. Circ Res 116:1074, 2015.

Rana S, Lemoine E, Granger J, Karumanchi SA: Preeclampsia. Circ Res 124:1094, 2019.

Rossier BC, Bochud M, Devuyst O: The hypertension pandemic: an evolutionary perspective. Physiology (Bethesda) 32:112, 2017.

Whelton PK, Carey RM, Aronow WS, et al: Guideline for the Prevention, Detection, Evaluation, and Management of High Blood Pressure in Adults: Executive Summary: A Report of the American College of Cardiology/American Heart Association Task Force on Clinical Practice Guidelines. Hypertension 71:1269, 2018.

CAPÍTULO 20

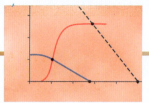

Débito Cardíaco, Retorno Venoso e suas Regulações

O *débito cardíaco* é a quantidade de sangue bombeado pelo coração para a aorta a cada minuto. Essa também é a quantidade de sangue que flui pela circulação. Como o débito cardíaco é a soma do fluxo sanguíneo para todos os tecidos do corpo, é um dos fatores mais importantes a se considerar em relação ao funcionamento do sistema cardiovascular.

O *retorno venoso* é igualmente importante porque é a quantidade de sangue que flui das veias para o átrio direito a cada minuto. O retorno venoso e o débito cardíaco devem se igualar, exceto por poucos batimentos cardíacos, quando o sangue é temporariamente armazenado ou removido do coração e dos pulmões.

VALORES NORMAIS PARA O DÉBITO CARDÍACO EM REPOUSO E EM MOVIMENTO

O débito cardíaco varia muito, de acordo com o nível de atividade do corpo. Os seguintes fatores, entre outros, afetam diretamente o débito cardíaco: (1) o nível basal do metabolismo orgânico; (2) o nível de exercício; (3) a idade; e (4) o tamanho do corpo.

Para *homens jovens saudáveis*, a média do débito cardíaco em repouso é de cerca de 5,6 ℓ/min. Para as *mulheres*, esse valor é de cerca de 4,9 ℓ/min. Quando o fator idade também é considerado – porque com o processo de envelhecimento diminui tanto a atividade corporal quanto a massa de alguns tecidos (p. ex., músculos esqueléticos) –, o débito cardíaco médio para o adulto em repouso, em números arredondados, costuma ser cerca de 5 ℓ/min. No entanto, o débito cardíaco varia consideravelmente entre homens e mulheres saudáveis, dependendo da massa muscular, da adiposidade, do nível de atividade física e de outros fatores que influenciam a taxa metabólica e as necessidades nutricionais dos tecidos.

Índice cardíaco

Experimentos mostram que o débito cardíaco, em valores aproximados, aumenta proporcionalmente à área de superfície corporal. Portanto, o débito cardíaco é frequentemente expresso em termos do *índice cardíaco*, que representa o débito cardíaco por metro quadrado de superfície corporal. Um adulto médio de 70 kg tem uma área de superfície corporal de cerca de 1,7 metro quadrado, o que significa que o índice cardíaco médio normal para adultos é de cerca de 3 ℓ/min/m^2 de área de superfície corporal.

Efeito do envelhecimento sobre o débito cardíaco. A **Figura 20.1** mostra o débito cardíaco, expresso como índice cardíaco, em diferentes faixas etárias. O índice cardíaco aumenta rapidamente para um nível superior a 4 ℓ/min/m^2 aos 10 anos e diminui para cerca de 2,4 ℓ/min/m^2 aos 80 anos. Adiante neste capítulo, explicaremos que o débito cardíaco é regulado ao longo da vida quase em proporção direta à atividade metabólica geral. Portanto, o índice cardíaco em declínio é indicativo de diminuição da atividade e/ou redução da massa muscular que ocorre com o envelhecimento.

CONTROLE DO DÉBITO CARDÍACO PELO RETORNO VENOSO – MECANISMO DE FRANK-STARLING

Embora a função cardíaca seja obviamente crucial na determinação do débito cardíaco, os vários fatores da circulação

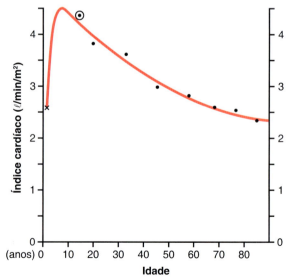

Figura 20.1 Índice cardíaco de uma pessoa – débito cardíaco por metro quadrado de área de superfície – em diferentes idades. (Modificada de Guyton AC, Jones CE, Coleman TG: Circulatory Physiology: Cardiac Output and Its Regulation, 2nd ed. Philadelphia: WB Saunders, 1973.)

periférica que afetam o fluxo de sangue das veias para o coração, chamados de *retorno venoso*, normalmente são os controladores primários do débito cardíaco.

A principal razão pela qual os fatores periféricos geralmente são tão importantes no controle do débito cardíaco é que o coração tem um mecanismo embutido que normalmente permite que ele bombeie automaticamente a quantidade de sangue que flui das veias para o átrio direito. Esse mecanismo, chamado de *lei de Frank-Starling da circulação sanguínea*, foi discutido no Capítulo 9. Basicamente, essa lei afirma que, quando quantidades maiores de sangue fluem para o coração, esse aumento de volume provoca o estiramento das paredes das câmaras cardíacas. Como resultado do estiramento, o músculo cardíaco se contrai com uma força maior (aumento da contratilidade) e essa ação ejeta o sangue extra que entrou na circulação sistêmica. Portanto, o sangue que flui para o coração é bombeado automaticamente, sem demora, para a aorta e flui novamente pela circulação.

Outro fator importante, discutido nos Capítulos 10 e 18, é que a distensão do coração provoca um aumento na frequência cardíaca. O estiramento do *nó sinusal* na parede do átrio direito tem efeito direto sobre sua ritmicidade, aumentando a frequência cardíaca em até 10 a 15%. Além disso, o átrio direito distendido desencadeia um reflexo nervoso chamado *reflexo de Bainbridge*, passando primeiro para o centro vasomotor cerebral e depois de volta ao coração pelos nervos simpáticos e vagos, o que também aumenta a frequência cardíaca.

Na maioria das condições usuais não estressantes, o débito cardíaco é controlado, principalmente, por fatores periféricos que determinam o retorno venoso. Entretanto, como discutiremos mais adiante neste capítulo, se o volume de sangue que retorna for maior do que a capacidade de bombeamento cardíaco, o coração se tornará o fator limitante que determina o débito cardíaco.

O débito cardíaco é o somatório do fluxo sanguíneo de todos os tecidos – o metabolismo tecidual regula a maior parte do fluxo sanguíneo local

O retorno venoso ao coração é a soma de todos os fluxos sanguíneos locais, através de todos os segmentos individuais de tecido da circulação periférica (ver **Figura 20.2**). Portanto, pode se concluir que a regulação do débito cardíaco é a soma de todas as regulações locais do fluxo sanguíneo.

Os mecanismos locais de regulação do fluxo sanguíneo foram discutidos no Capítulo 17. Na maioria dos tecidos, o fluxo aumenta principalmente em proporção ao metabolismo de cada tecido. Por exemplo, o fluxo sanguíneo local quase sempre aumenta quando o consumo de oxigênio nos tecidos aumenta; este efeito é demonstrado na **Figura 20.3** para diferentes níveis de atividade física. Observe que à medida que aumenta a produção de trabalho produzido durante o exercício, paralelamente aumentam também o consumo de oxigênio e o débito cardíaco.

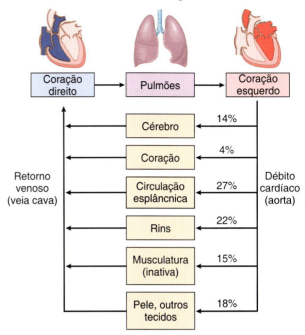

Figura 20.2 O débito cardíaco é igual ao retorno venoso e representa a soma dos fluxos sanguíneos dos tecidos e órgãos. Exceto quando o coração está gravemente enfraquecido e incapaz de bombear o retorno venoso de forma adequada, o débito cardíaco (fluxo sanguíneo total dos tecidos) é determinado, principalmente, pelas necessidades metabólicas dos tecidos e órgãos do corpo.

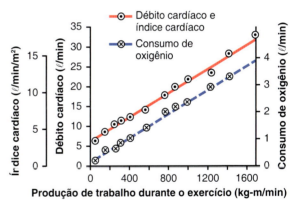

Figura 20.3 Efeito do aumento dos níveis de atividade sobre o aumento do débito cardíaco (*linha contínua vermelha*) e sobre o consumo de oxigênio (*linha tracejada azul*). (*Modificada de Guyton AC, Jones CE, Coleman TG: Circulatory Physiology: Cardiac Output and Its Regulation, 2nd ed. Philadelphia: WB Saunders, 1973.*)

Em resumo, o débito cardíaco é determinado pela soma de todos os fatores orgânicos que controlam o fluxo sanguíneo local. Todos os fluxos locais são adicionados para formar o retorno venoso, e o coração bombeia automaticamente esse sangue de retorno para as artérias, para circular novamente pelo sistema.

A variação do débito cardíaco é inversamente proporcional à resistência vascular periférica total, quando a pressão arterial não varia. A **Figura 20.4** é a mesma **Figura 19.5**. É repetida aqui para ilustrar um princípio extremamente importante no controle do débito cardíaco: sob muitas condições, o nível de débito cardíaco no longo prazo varia inversamente em relação às alterações na resistência vascular periférica total, desde que a pressão arterial permaneça inalterada. Observe na **Figura 20.4** que, quando a resistência vascular periférica total é exatamente normal (na marca de 100% na figura), o débito cardíaco também é normal. Então, quando a resistência vascular periférica total fica acima do normal, o débito cardíaco cai; inversamente, quando a resistência vascular periférica total diminui, o débito cardíaco aumenta. Pode-se compreender facilmente esse fenômeno reconsiderando uma das formas da lei de Ohm, conforme expresso no Capítulo 14:

$$\text{Débito cardíaco} = \frac{\text{Pressão arterial}}{\text{Resistência vascular periférica total}}$$

Assim, sempre que o nível de longo prazo da resistência vascular periférica total sofre uma alteração (mas sem que as outras funções da circulação estejam alteradas), o débito cardíaco varia quantitativamente na direção exatamente oposta.

Limites para o débito cardíaco

Existem limites definidos para a quantidade de sangue que o coração consegue bombear e que podem ser expressos quantitativamente, na forma de *curvas de débito cardíaco*.

A **Figura 20.5** demonstra uma *curva de débito cardíaco normal*, mostrando o débito cardíaco por minuto em cada nível de pressão do átrio direito. Esse é um tipo de *curva de função cardíaca*, discutido no Capítulo 9. Observe que o nível de platô dessa curva de débito cardíaco normal é cerca de 13 ℓ/min, 2,5 vezes o débito cardíaco normal de cerca de 5 ℓ/min. Isso significa que o coração humano normal, funcionando sem qualquer estimulação especial, consegue bombear um retorno venoso até cerca de 2,5 vezes o volume normal antes que o coração se torne um fator limitante no controle do débito cardíaco.

A **Figura 20.5** mostra várias curvas de débito cardíaco para corações que não estão bombeando normalmente. As curvas na parte superior da figura são registros de *corações hiperfuncionantes*, que estão bombeando melhor do que o normal. As curvas na parte de baixo são para corações *hipofuncionantes*, que estão bombeando volumes abaixo do normal.

Fatores que provocam aumento da contratilidade miocárdica

Dois tipos genéricos de fatores que podem fazer o coração bombear com mais força do que o normal (hiperfunção) são a estimulação nervosa e a hipertrofia do músculo cardíaco.

A excitação nervosa pode aumentar o bombeamento cardíaco. No Capítulo 9, vimos que uma combinação de *estimulação* simpática e *inibição* parassimpática faz duas coisas para aumentar a efetividade do bombeamento cardíaco: (1) aumenta muito a frequência cardíaca – às vezes, em pessoas jovens, do nível normal de 72 batimentos/min para até 180 a 200 batimentos/min – e (2) aumenta a força de contração do coração (chamada de *aumento de contratilidade ou efeito inotrópico positivo*) para o dobro de sua capacidade normal. Combinando esses dois efeitos, a excitação nervosa máxima do coração pode

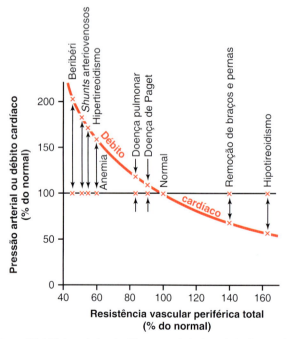

Figura 20.4 Efeito crônico de diferentes níveis de resistência vascular periférica total sobre o débito cardíaco, mostrando uma relação inversa entre a resistência vascular periférica total e o débito cardíaco. AV: atrioventricular. *(Modificada de Guyton AC: Arterial Pressure and Hypertension. Philadelphia: WB Saunders, 1980.)*

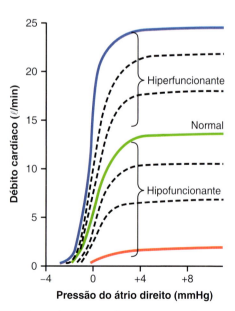

Figura 20.5 Curvas de débito cardíaco para o coração normal e para corações hipofuncionantes e hiperfuncionantes. *(Modificada de Guyton AC, Jones CE, Coleman TG: Circulatory Physiology: Cardiac Output and Its Regulation, 2nd ed. Philadelphia: WB Saunders, 1973.)*

elevar o nível de platô da curva de débito cardíaco para quase duas vezes o platô da curva normal, como mostrado pelo nível de 25 ℓ/min da curva superior na **Figura 20.5**.

A hipertrofia cardíaca pode aumentar a eficácia do bombeamento. Um aumento de longo prazo na carga de trabalho, mas não excessivo a ponto de danificar o coração, faz com que o músculo cardíaco aumente em massa e força contrátil, da mesma maneira que exercícios intensos provocam a hipertrofia dos músculos esqueléticos. Por exemplo, o coração de corredores de maratona pode ter sua massa aumentada em 50 a 75%. Esse fator aumenta o nível de platô da curva de débito cardíaco em 60 a 100% e, portanto, permite que o coração bombeie um volume muito maior do que os valores normais de débito cardíaco.

Quando se combina excitação nervosa e hipertrofia do coração, como ocorre com corredores de maratona, o efeito total pode permitir que o coração bombeie de 30 a 40 ℓ/min, cerca de 2,5 vezes o volume que pode ser alcançado por uma pessoa comum. Esse nível elevado de bombeamento é um dos fatores mais importantes na determinação do tempo de prova do corredor.

Fatores que provocam déficit da função cardíaca (hipofunção)

Qualquer fator que reduza a capacidade de bombeamento cardíaco provoca a hipofunção do coração. Alguns dos fatores que podem diminuir a capacidade de bombeamento do coração são descritos a seguir:

- Aumento da pressão arterial contra a qual o coração deve bombear, como na hipertensão grave
- Inibição da excitação nervosa do coração
- Fatores patológicos que causam anormalidades no ritmo cardíaco ou na frequência cardíaca
- Bloqueio da artéria coronária, causando um ataque cardíaco
- Doença cardiovascular
- Doença cardíaca congênita
- Miocardite (inflamação do músculo cardíaco)
- Hipóxia cardíaca.

REGULAÇÃO NERVOSA DO DÉBITO CARDÍACO

Importância do sistema nervoso na manutenção da pressão arterial quando os vasos sanguíneos periféricos se dilatam. A **Figura 20.6** mostra uma diferença importante no controle do débito cardíaco com e sem o funcionamento do sistema nervoso autônomo. As curvas sólidas demonstram o efeito no cão normal da dilatação intensa dos vasos sanguíneos periféricos, provocada pela administração do fármaco dinitrofenol, que aumenta o metabolismo de praticamente todos os tecidos corporais cerca de quatro vezes.[1] Com os mecanismos de

---

[1] N.R.C.: O grande aumento do metabolismo produz intensa vasodilatação arterial (que reduz a pressão arterial) e venosa (que aumenta o retorno venoso).

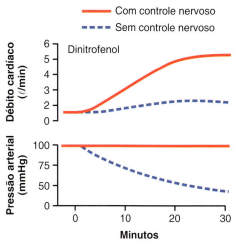

Figura 20.6 Experimento em cão para demonstrar a importância da manutenção da estimulação nervosa da pressão arterial como pré-requisito para o controle do débito cardíaco. Observe que, com o controle neural da pressão, o estimulante metabólico *dinitrofenol* aumentou muito o débito cardíaco; sem o controle neural, a pressão arterial caiu e o débito cardíaco aumentou muito pouco. (*Extraída de experimentos do Dr. M. Banet.*)

controle nervoso intactos, a dilatação de todos os vasos sanguíneos periféricos praticamente não causou alteração na pressão arterial, mas aumentou o débito cardíaco em quase quatro vezes. No entanto, depois que o controle autônomo do sistema nervoso foi bloqueado, a vasodilatação dos vasos sanguíneos com dinitrofenol (curvas tracejadas) causou uma queda profunda na pressão arterial para cerca de metade do valor normal, e o débito cardíaco aumentou apenas 1,6 vez em vez de quadruplicar.

Assim, a manutenção de uma pressão arterial normal pelos reflexos do sistema nervoso, pelos mecanismos explicados no Capítulo 18, é essencial para atingir débitos cardíacos elevados quando os tecidos periféricos dilatam seus vasos sanguíneos para aumentar o retorno venoso.

Efeito do sistema nervoso no aumento da pressão arterial durante o exercício. Durante a prática de exercícios, aumentos intensos no metabolismo da musculatura esquelética ativa causam relaxamento das arteríolas musculares para permitir o suprimento adequado de oxigênio e outros nutrientes necessários para sustentar a contração muscular. Isso diminui muito a resistência vascular periférica total, o que normalmente diminuiria a pressão arterial também. No entanto, o sistema nervoso imediatamente faz a compensação. A mesma atividade cerebral que envia sinais motores aos músculos, envia sinais simultâneos aos centros nervosos autônomos do cérebro para estimular a atividade circulatória, causando grande constrição das veias, aumento da frequência cardíaca e aumento da contratilidade do coração. Juntas, todas as alterações aumentam a pressão arterial acima do normal, o que, por sua vez, força ainda mais o fluxo sanguíneo através dos músculos ativos.

Em resumo, quando os vasos sanguíneos do tecido local se dilatam e aumentam o retorno venoso e o débito cardíaco acima do normal, o sistema nervoso desempenha um papel fundamental na prevenção da queda da pressão arterial para níveis desastrosamente baixos. Durante o exercício, o sistema nervoso vai ainda mais longe, fornecendo sinais adicionais para elevar a pressão arterial acima do normal, o que serve para aumentar o débito cardíaco em 30 a 100%.

Débito cardíaco patologicamente alto ou patologicamente baixo

Diversas anormalidades clínicas podem fazer com que o débito cardíaco aumente ou diminua. As anormalidades mais importantes do débito cardíaco são mostradas na **Figura 20.7**.

Débito cardíaco elevado causado pela redução da resistência vascular periférica total

O lado esquerdo da **Figura 20.7** identifica as condições que resultam em débitos cardíacos anormalmente altos. Uma das características distintivas dessas condições é que *todas resultam da redução crônica da resistência vascular periférica total*. Nenhuma delas resulta da excitação excessiva do próprio coração, o que explicaremos a seguir. Consideremos algumas das condições que podem diminuir a resistência vascular periférica e ao mesmo tempo aumentar o débito cardíaco acima do normal.

1. *Beribéri*. Esta doença é causada por deficiência de vitamina B_1 (*tiamina*) na dieta. A falta dessa vitamina causa diminuição da capacidade dos tecidos de utilizar alguns nutrientes celulares, e os mecanismos locais de controle do fluxo sanguíneo nos tecidos, por sua vez, provocam acentuada vasodilatação periférica compensatória. Algumas vezes, a resistência vascular periférica total diminui para apenas metade do normal. Consequentemente, os níveis de retorno venoso e débito cardíaco no longo prazo também podem aumentar para duas vezes o valor normal.
2. *Fístula arteriovenosa*. Anteriormente, observamos que sempre que existe uma fístula (também chamada de *shunt AV*) entre uma artéria e uma veia principais, grandes quantidades de sangue fluem diretamente da artéria para a veia. Isso também diminui muito a resistência vascular periférica total e, da mesma maneira, aumenta o retorno venoso e o débito cardíaco.
3. *Hipertireoidismo*. No hipertireoidismo, o metabolismo da maioria dos tecidos do corpo aumenta consideravelmente. O uso de oxigênio aumenta a liberação de substâncias vasodilatadoras pelos tecidos. Portanto, a resistência vascular periférica total diminui acentuadamente em razão das reações locais de controle do fluxo sanguíneo nos tecidos por todo o corpo; consequentemente, o retorno venoso e o débito cardíaco frequentemente aumentam para 40 a 80% acima do normal.
4. *Anemia*. Na anemia, dois efeitos periféricos diminuem muito a resistência vascular periférica total. Um desses efeitos é a redução da viscosidade do sangue, resultante da diminuição da concentração de hemácias. O outro efeito é a diminuição do fornecimento de oxigênio aos tecidos, o que causa vasodilatação local. Como consequência, o débito cardíaco aumenta muito.

Qualquer outro fator que reduza a resistência vascular periférica total cronicamente também aumenta o débito cardíaco se a pressão arterial não diminuir muito.

Baixo débito cardíaco

A **Figura 20.7** mostra, à direita, várias condições que causam um débito cardíaco anormalmente baixo. Essas condições se enquadram em duas categorias: (1) anormalidades

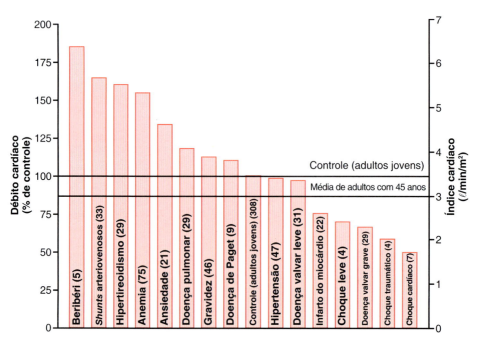

Figura 20.7 O débito cardíaco em diferentes condições patológicas. Entre parênteses é mostrado o número de pacientes estudados em cada condição. AV: atrioventricular. *(Modificada de Guyton AC, Jones CE, Coleman TG: Circulatory Physiology: Cardiac Output and Its Regulation, 2nd ed. Philadelphia: WB Saunders, 1973.)*

CAPÍTULO 20 Débito Cardíaco, Retorno Venoso e suas Regulações

que diminuem a eficácia de bombeamento cardíaco; e (2) anormalidades que diminuem o retorno venoso.

Diminuição do débito cardíaco causada por fatores cardíacos. Sempre que o coração sofre lesões graves, independentemente da causa, seu nível limitado de bombeamento pode ficar abaixo do necessário para oferecer um fluxo sanguíneo adequado aos tecidos. Alguns exemplos desta condição incluem o seguinte: (1) *bloqueio acentuado dos vasos sanguíneos coronarianos e consequente infarto do miocárdio*; (2) *doença cardíaca valvar grave*; (3) *miocardite*; (4) *tamponamento pericárdico*; e (5) *distúrbios metabólicos cardíacos*. Os efeitos de várias dessas condições são mostrados à direita na **Figura 20.7**, demonstrando os reduzidos débitos cardíacos que produzem esse resultado.

Quando o débito cardíaco cai tanto que os tecidos de todo o corpo começam a sofrer deficiência nutricional, a condição é chamada de *choque cardiogênico*. Essa condição é discutida no Capítulo 22 em relação à insuficiência cardíaca.

Diminuição do débito cardíaco causada por fatores periféricos não cardíacos – retorno venoso reduzido. Qualquer coisa que interfira no retorno venoso também pode levar à diminuição do débito cardíaco. Alguns desses fatores são descritos a seguir:

1. *Redução do volume sanguíneo.* O fator periférico não cardíaco que mais comumente resulta em redução do débito cardíaco é a diminuição do volume sanguíneo, geralmente decorrente de uma hemorragia. A perda de sangue pode diminuir o enchimento do sistema vascular a um nível tão baixo que não há sangue suficiente nos vasos periféricos para criar pressões vasculares periféricas altas o suficiente para empurrar o sangue de volta para o coração.
2. *Dilatação venosa aguda.* A dilatação venosa aguda ocorre mais frequentemente quando o sistema nervoso simpático se torna repentinamente inativo. Por exemplo, um desmaio geralmente resulta da perda repentina da atividade do sistema nervoso simpático, o que faz com que vasos periféricos de capacitância, especialmente as veias, se dilatem acentuadamente. Essa dilatação diminui a pressão de enchimento do sistema vascular, porque o volume de sangue não pode mais criar a pressão adequada nos vasos sanguíneos periféricos, agora flácidos. Como resultado, o sangue acumula-se nos vasos e não retorna ao coração tão rapidamente quanto deveria.
3. *Obstrução das grandes veias.* Em raras ocasiões, as grandes veias ficam obstruídas e o sangue nos vasos periféricos não consegue fluir de volta para o coração. Consequentemente, o débito cardíaco cai acentuadamente.
4. *Diminuição da massa tecidual, especialmente diminuição da massa muscular esquelética.* Com o processo normal de envelhecimento ou com períodos prolongados de inatividade física, ocorre uma redução no tamanho dos músculos esqueléticos. Essa redução, por sua vez, diminui o consumo total de oxigênio e a necessidade de fluxo sanguíneo para os músculos, resultando em diminuições no fluxo sanguíneo do músculo esquelético e no débito cardíaco.
5. *Diminuição da taxa metabólica dos tecidos.* Se houver redução na taxa metabólica do tecido, como ocorre no músculo esquelético durante repouso prolongado no leito, o consumo de oxigênio e as necessidades nutricionais dos tecidos também serão menores, o que diminuirá o fluxo sanguíneo para os tecidos, resultando em redução do débito cardíaco. Outras condições, como *hipotireoidismo*, também podem reduzir a taxa metabólica e, portanto, o fluxo sanguíneo para os tecidos e o débito cardíaco.

Independentemente da causa da redução do débito cardíaco, seja um fator periférico ou cardíaco, se o valor ficar abaixo do necessário para a nutrição adequada dos tecidos, a pessoa entrará em *choque circulatório*. Essa condição pode ser fatal em um intervalo que varia de alguns minutos a horas. O choque circulatório é um cenário clínico tão importante que será discutido em detalhes no Capítulo 24.

CURVAS DE DÉBITO CARDÍACO UTILIZADAS NA ANÁLISE QUANTITATIVA DE SUA REGULAÇÃO

Nossa discussão sobre a regulação do débito cardíaco até agora é adequada para a compreensão dos fatores que controlam o débito cardíaco na maioria das condições simples. No entanto, para compreender a regulação do débito cardíaco em situações especialmente estressantes, como em extremos do exercício, insuficiência cardíaca e choque circulatório, uma análise quantitativa mais complexa é apresentada nas seções a seguir.

Para realizar uma análise mais quantitativa, é necessário distinguir separadamente os dois principais fatores relacionados à regulação do débito cardíaco: (1) a capacidade de bombeamento do coração, representada pelas *curvas do débito cardíaco;* e (2) os fatores periféricos que afetam o fluxo sanguíneo das veias para o coração, representados pelas *curvas de retorno venoso*. Então, podemos colocar essas curvas juntas de forma quantitativa para mostrar como elas interagem simultaneamente umas com as outras para determinar o débito cardíaco, o retorno venoso e a pressão atrial direita.

Algumas das curvas de débito cardíaco usadas para representar a eficácia quantitativa do bombeamento cardíaco já foram mostradas na **Figura 20.5**. No entanto, é necessário um conjunto adicional de curvas para mostrar o efeito sobre o débito cardíaco causado pela alteração das pressões externas do lado de fora do coração, conforme explicado na próxima seção.

Efeito da pressão externa, fora do coração, sobre as curvas de débito cardíaco. A **Figura 20.8** mostra o efeito de alterações na pressão cardíaca externa sobre a curva de débito cardíaco. A pressão externa normal é igual à pressão intrapleural normal (pressão na cavidade torácica), que é cerca de –4 mmHg. Observe, na figura, que um aumento na pressão intrapleural, para –2 mmHg, desloca toda a curva do débito cardíaco para a direita na mesma proporção. Esse deslocamento ocorre porque o preenchimento das câmaras cardíacas com sangue requer 2 mmHg extras de pressão atrial direita para superar o aumento da

PARTE 4 Circulação

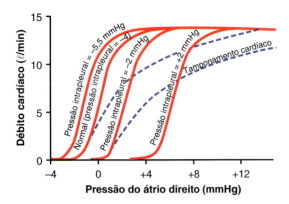

Figura 20.8 Curvas de débito cardíaco em diferentes níveis de pressão intrapleural e diferentes graus de tamponamento cardíaco. *(Modificada de Guyton AC, Jones CE, Coleman TG: Circulatory Physiology: Cardiac Output and Its Regulation, 2nd ed. Philadelphia: WB Saunders, 1973.)*

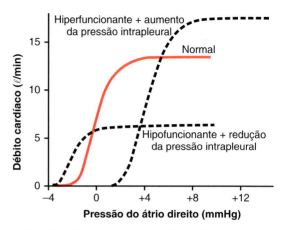

Figura 20.9 Combinações dos dois padrões principais de curvas de débito cardíaco, mostrando o efeito das alterações sobre a pressão extracardíaca e sobre a eficácia do coração como bomba. *(Modificada de Guyton AC, Jones CE, Coleman TG: Circulatory Physiology: Cardiac Output and Its Regulation, 2nd ed. Philadelphia: WB Saunders, 1973.)*

pressão do lado de fora do coração. Da mesma forma, um aumento na pressão intrapleural para +2 mmHg requer um aumento de 6 mmHg na pressão atrial direita com valor normal de −4 mmHg, o que desloca toda a curva de débito cardíaco 6 mmHg para a direita.

Alguns fatores que podem alterar a pressão do lado de fora do coração e, assim, deslocar a curva de débito cardíaco são descritos a seguir:

1. *Mudanças cíclicas na pressão intrapleural durante a respiração*, que são cerca de ± 2 mmHg durante o ciclo normal, mas podem chegar a ± 50 mmHg durante a respiração forçada.
2. *Respiração contra uma pressão negativa*, que desloca a curva para uma pressão atrial direita mais negativa (à esquerda).
3. *Respiração com pressão positiva*, que desloca a curva para a direita.
4. *Abertura da caixa torácica*, que aumenta a pressão intrapleural para 0 mmHg e desloca a curva de débito cardíaco para a direita em 4 mmHg.
5. *Tamponamento cardíaco*, que significa acúmulo de grande quantidade de líquido na cavidade pericárdica ao redor do coração, com consequente aumento da pressão cardíaca externa e deslocamento da curva para a direita.

Observe na **Figura 20.8** que o tamponamento cardíaco desloca as partes superiores das curvas mais para a direita do que as partes inferiores, porque a pressão do tamponamento externo alcança valores mais altos à medida que as câmaras cardíacas se enchem de volumes aumentados durante o alto débito cardíaco.

Combinações de diferentes padrões de curvas de débito cardíaco. A **Figura 20.9** mostra que a curva final do débito cardíaco pode mudar como resultado de alterações simultâneas nos seguintes fatores: (1) pressão cardíaca externa; e (2) eficácia do coração como bomba. Por exemplo, a combinação de um coração hiperfuncionante com um aumento da pressão intrapleural levaria a um nível máximo elevado de débito cardíaco em virtude da maior capacidade de bombeamento do coração, mas a curva de débito cardíaco seria deslocada para a direita (para pressões atriais mais altas) devido ao aumento da pressão intrapleural. Assim, sabendo o que está acontecendo com a pressão externa e com a capacidade de bombeamento do coração, pode-se expressar a capacidade momentânea do coração para bombear sangue por uma única curva de débito cardíaco.

CURVAS DE RETORNO VENOSO

A circulação sistêmica inteira deve ser considerada antes que uma análise completa da regulação cardíaca possa ser realizada. Para analisar experimentalmente o funcionamento da circulação sistêmica, o coração e os pulmões foram retirados da circulação de um animal e substituídos por uma bomba e sistema de oxigenação artificial. Em seguida, fatores como volume sanguíneo, resistência vascular e pressão venosa central no átrio direito, foram alterados para determinar de que maneira a circulação sistêmica funciona em diferentes estados circulatórios. A partir desses estudos, podem ser determinados os três fatores principais que afetam o retorno venoso ao coração a partir da circulação sistêmica:

1. *Pressão no átrio direito*, que exerce uma força retrógrada nas veias, para impedir o fluxo de sangue das veias para o átrio direito.
2. Grau de preenchimento da circulação sistêmica (medido pela *pressão média de enchimento sistêmico*), que força o sangue sistêmico em direção ao coração (esta é a pressão que pode ser medida em toda a circulação sistêmica quando o fluxo de sangue é totalmente interrompido, e que será discutida em detalhes posteriormente)
3. *Resistência ao fluxo sanguíneo* entre os vasos periféricos e o átrio direito.

Todos esses fatores podem ser expressos quantitativamente pela *curva de retorno venoso*, como explicaremos nas próximas seções.

Curva normal de retorno venoso

Do mesmo modo que a curva de débito cardíaco correlaciona o bombeamento de sangue pelo coração à pressão atrial direita, *a curva de retorno venoso também correlaciona o retorno venoso com a pressão atrial direita* – isto é, o fluxo de sangue venoso para o coração a partir da circulação sistêmica em diferentes níveis de pressão do átrio direito.

A **Figura 20.10** mostra uma curva *normal* de retorno venoso. Essa curva mostra que, quando a capacidade de bombeamento do coração diminui e faz com que a pressão atrial direita aumente, a força retrógrada da pressão atrial crescente sobre as veias da circulação sistêmica diminui o retorno venoso de sangue ao coração. *Se todos os reflexos circulatórios nervosos forem impedidos de atuar*, o retorno venoso diminuirá para zero quando a pressão do átrio direito aumentar para cerca de +7 mmHg. Esse ligeiro aumento na pressão do átrio direito causa uma diminuição drástica no retorno venoso, porque qualquer aumento na pressão retrógrada faz com que o sangue se acumule na circulação sistêmica em vez de retornar ao coração.

Ao mesmo tempo que a pressão do átrio direito está aumentando e provocando a estase venosa, o bombeamento cardíaco também se aproxima de zero em virtude da diminuição do retorno venoso. Tanto a pressão arterial quanto a venosa alcançam o equilíbrio quando todo o fluxo na circulação sistêmica cessa a uma pressão de 7 mmHg, que, por definição, é a *pressão média de enchimento sistêmico*.

Platô na curva de retorno venoso com pressões atriais negativas, causado pelo colapso das grandes veias.
Quando a pressão do átrio direito fica *abaixo* de zero, ou seja, abaixo da pressão atmosférica, praticamente não ocorre aumento adicional no retorno venoso, e no momento em que a pressão do átrio direito cai para cerca de −2 mmHg, o retorno venoso alcança um platô. Ela permanece nesse platô mesmo que a pressão do átrio direito caia para −20 mmHg, −50 mmHg ou ainda mais. Esse platô é resultado do *colapso das grandes veias* que entram no tórax. A pressão negativa no átrio direito suga as paredes das veias assim que elas entram no tórax, o que impede qualquer fluxo adicional de sangue das veias periféricas. Consequentemente, mesmo com pressões muito negativas no átrio direito o retorno venoso não pode aumentar significativamente acima do que ocorre com uma pressão atrial normal de 0 mmHg.

Pressão média de enchimento circulatório, pressão média de enchimento sistêmico – efeitos sobre o retorno venoso

Quando o bombeamento cardíaco é interrompido por choque elétrico no coração de modo a provocar fibrilação ventricular, ou quando é interrompido de qualquer outra forma, o fluxo de sangue cessa alguns segundos depois em toda a circulação. Sem fluxo sanguíneo, as pressões em toda a circulação tornam-se iguais. Esse nível equilibrado de pressão é denominado *pressão média de enchimento circulatório*.

O aumento do volume sanguíneo eleva a pressão média de enchimento circulatório.
Quanto maior o volume de sangue na circulação, mais alta é a pressão de média enchimento circulatório, porque o volume extra de sangue estira as paredes da vasculatura. A *curva vermelha* na Figura **20.11** mostra o efeito normal aproximado de diferentes níveis de volume sanguíneo sobre a pressão média de enchimento circulatório. Observe que para um volume de sangue de cerca de 4.000 mℓ, a pressão média de enchimento circulatório é próxima de zero, porque esse é um volume que não sobrecarrega a circulação, mas, para um volume de 5.000 mℓ, a pressão de enchimento tem o

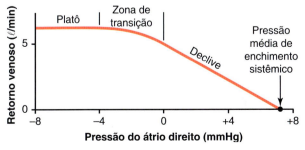

Figura 20.10 *Curva normal de retorno venoso.* O platô é causado pelo *colapso* das grandes veias que entram no tórax quando a pressão do átrio direito fica abaixo da pressão atmosférica. Observe também que o retorno venoso é zero quando a pressão do átrio direito aumenta para se igualar à pressão média de enchimento sistêmico.

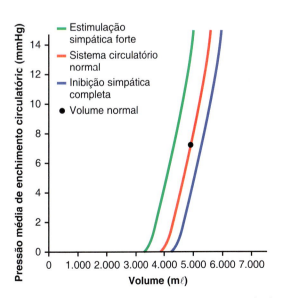

Figura 20.11 Efeito de alterações no volume sanguíneo total sobre a *pressão média de enchimento circulatório* (curva de volume-pressão para todo o sistema circulatório). Essas curvas também mostram os efeitos de uma forte estimulação simpática e da inibição simpática completa.

valor normal de 7 mmHg. Do mesmo modo, com volumes ainda mais altos, a pressão média de enchimento circulatório aumenta quase linearmente.

A estimulação nervosa simpática aumenta a pressão média de enchimento circulatório. A *curva verde* e a *curva azul* na **Figura 20.11** mostram, respectivamente, os efeitos de níveis altos e baixos de atividade nervosa simpática sobre a pressão média de enchimento circulatório. A forte estimulação simpática contrai todos os vasos sanguíneos sistêmicos, bem como os vasos sanguíneos pulmonares maiores e até as câmaras cardíacas. Portanto, a capacidade do sistema diminui de modo que, a cada nível de volume sanguíneo, a pressão média de enchimento circulatório aumenta. Com um volume sanguíneo normal, a estimulação simpática máxima aumenta a pressão média de enchimento circulatório de 7 mmHg em cerca de duas vezes, ou aproximadamente 14 mmHg.

Por outro lado, a inibição completa do sistema nervoso simpático relaxa os vasos sanguíneos e o coração, diminuindo a pressão média de enchimento circulatório do valor normal de 7 mmHg para cerca de 4 mmHg. Observe na **Figura 20.11** como as curvas são íngremes, o que significa que mesmo pequenas alterações no volume sanguíneo ou na capacidade sistêmica, causadas por níveis diferentes de atividade simpática, podem ter grandes efeitos sobre a pressão média de enchimento circulatório.

Pressão média de enchimento sistêmico e sua relação com a pressão média de enchimento circulatório. A *pressão média de enchimento sistêmico* (PES) é ligeiramente diferente da pressão média de enchimento circulatório. É a pressão medida em *qualquer parte da circulação sistêmica* depois que o fluxo sanguíneo foi interrompido pelo pinçamento dos grandes vasos sanguíneos no coração, para que as pressões na circulação sistêmica possam ser medidas independentemente das pressões na circulação pulmonar. A *pressão média de enchimento sistêmico*, embora seja praticamente impossível medir em um animal vivo, *é, quase sempre, praticamente igual à pressão média de enchimento circulatório*, porque a circulação pulmonar tem menos de um oitavo da capacitância da circulação sistêmica e apenas cerca de um décimo do volume de sangue.

Efeito de alterações na pressão média de enchimento sistêmico sobre a curva de retorno venoso. A **Figura 20.12** mostra os efeitos na curva de retorno venoso causados pelo aumento ou diminuição da PES. Observe que o valor normal de PES é de aproximadamente 7 mmHg. Então, na curva mais alta da figura, a PES foi aumentada para 14 mmHg e, na curva mais baixa, diminuiu para 3,5 mmHg. Essas curvas demonstram que, quanto mais alta a PES (que também significa uma maior capacidade do sistema circulatório se encher de sangue), mais a curva de retorno venoso se desloca *para cima e para a direita*. Por outro lado, quanto menor a PES, mais a curva se desloca *para baixo* e *para a esquerda*.

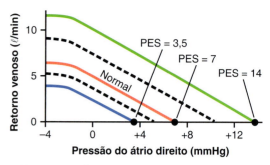

Figura 20.12 Curvas de retorno venoso mostrando a curva normal quando a *pressão média de enchimento sistêmico* (PES) é de 7 mmHg e o efeito da alteração nos valores de PES para 3,5, 7 ou 14 mmHg. (Modificada de Guyton AC, Jones CE, Coleman TG: *Circulatory Physiology: Cardiac Output and Its Regulation*, 2nd ed. Philadelphia: WB Saunders, 1973.)

Em outras palavras, quanto maior o grau de enchimento do sistema, maior é a facilidade do sangue de fluir para o coração. Quanto menor o grau de enchimento do sistema, mais dificilmente o sangue flui para o coração.

Quando o gradiente de pressão para o retorno venoso é zero, não há retorno venoso. Quando a pressão do átrio direito sobe para se igualar à PES, não há mais diferença de pressão entre os vasos periféricos e o átrio direito. Consequentemente, não pode mais haver fluxo sanguíneo dos vasos periféricos de volta ao átrio direito. No entanto, quando a pressão atrial direita cai progressivamente abaixo da PES, o fluxo sanguíneo para o coração aumenta proporcionalmente, como pode ser observado pela análise de qualquer uma das curvas de retorno venoso na **Figura 20.12**. Ou seja, *quanto maior a diferença entre a PES e a pressão atrial direita, maior será o retorno venoso*. Portanto, a diferença entre essas duas pressões é chamada de *gradiente de pressão para o retorno venoso*.

Resistência ao retorno venoso

Do mesmo modo que a PES representa uma pressão que empurra o sangue venoso da periferia em direção ao coração, também existe resistência a esse fluxo de sangue venoso. Isso é chamado de *resistência ao retorno venoso*. A maior parte da resistência ao retorno venoso ocorre nas veias, embora possam ocorrer nas arteríolas e também em pequenas artérias.

Por que a resistência venosa é tão importante na determinação da resistência ao retorno venoso? A resposta é que quando a resistência nas veias aumenta, o sangue começa a ficar represado, principalmente nas próprias veias. No entanto, a pressão venosa aumenta muito pouco, porque as veias são altamente distensíveis. Portanto, esse aumento da pressão venosa não é muito eficaz para vencer a resistência, e o fluxo sanguíneo para o átrio direito diminui drasticamente. Inversamente, quando as resistências arteriolar e das pequenas artérias aumentam, o sangue se acumula nas artérias, que têm uma capacitância de apenas um trigésimo da das veias. Portanto, mesmo um leve acúmulo de sangue nas artérias aumenta muito a pressão – 30 vezes mais do que nas veias –, e essa alta de pressão consegue superar grande parte do aumento da resistência. Matematicamente, verifica-se que cerca de dois terços da chamada resistência ao retorno venoso são determinados pela resistência venosa, e cerca de um terço, pela resistência das pequenas artérias e arteríolas.

O retorno venoso pode ser calculado pela seguinte fórmula:

$$RV = \frac{PES - PAD}{RRV}$$

em que RV é o retorno venoso, PES é a pressão média de enchimento sistêmico, PAD é a pressão do átrio direito e RRV é a resistência ao retorno venoso. No adulto saudável, os valores aproximados são os seguintes: RV = 5 ℓ/min; PES = 7 mmHg; PAD = 0 mmHg e RRV = 1,4 mmHg/ℓ/min de fluxo sanguíneo.

Efeito da resistência ao retorno venoso sobre a curva de retorno venoso. A **Figura 20.13** demonstra o efeito de diferentes níveis de resistência ao retorno venoso sobre a curva de retorno venoso, mostrando que uma *diminuição* dessa resistência para a metade do normal permite o dobro de fluxo sanguíneo e, portanto, *gira a curva para cima* com inclinação duas vezes maior. Inversamente, um aumento na resistência para o dobro do normal *gira a curva para baixo* com metade da inclinação normal.

Observe também que, quando a pressão atrial direita aumenta para se igualar à PES, o retorno venoso é nulo em todos os níveis de resistência ao retorno venoso, porque não há gradiente de pressão para provocar o fluxo do sangue. Portanto, *o nível mais alto que a pressão do átrio direito pode alcançar*, independentemente de quanto o coração possa falhar, é igual à PES.

Combinações de padrões da curva de retorno venoso. A **Figura 20.14** mostra os efeitos sobre a curva de retorno venoso das alterações simultâneas na PES e na resistência ao retorno venoso, demonstrando que os dois fatores podem operar simultaneamente.

ANÁLISE DO DÉBITO CARDÍACO E DA PRESSÃO ATRIAL DIREITA PELO USO SIMULTÂNEO DAS CURVAS DE DÉBITO CARDÍACO E DE RETORNO VENOSO

Em todo o sistema circulatório, o coração e a circulação sistêmica precisam atuar em conjunto. Esse requisito significa que (1) o retorno venoso da circulação sistêmica deve ser igual ao débito cardíaco e (2) a pressão do átrio direito é a mesma no coração e na circulação sistêmica.

Portanto, é possível prever o débito cardíaco e a pressão atrial direita da seguinte maneira:

1. Determine a capacidade momentânea de bombeamento do coração e descreva na forma de uma curva de débito cardíaco.
2. Determine o estado momentâneo de fluxo da circulação sistêmica para o coração e descreva o fluxo na forma de curva de retorno venoso.
3. Compare as duas curvas, como mostrado na **Figura 20.15**.

As curvas na figura representam a *curva normal de débito cardíaco* (linha vermelha) e a *curva normal de retorno venoso* (linha azul). No gráfico, existe apenas um ponto, o ponto A, onde o retorno venoso é igual ao débito cardíaco e onde a pressão do átrio direito é a mesma tanto para o coração quanto para a circulação sistêmica. Portanto, na circulação normal, a pressão do átrio direito, o débito cardíaco e o retorno venoso são todos representados pelo

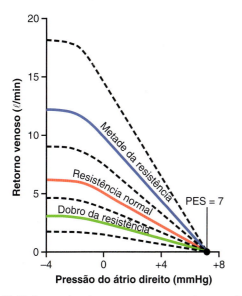

Figura 20.13 Curvas de retorno venoso que mostram o efeito de alterações na resistência ao retorno venoso. PES: pressão média de enchimento sistêmico. (*Modificada de Guyton AC, Jones CE, Coleman TG: Circulatory Physiology: Cardiac Output and Its Regulation, 2nd ed. Philadelphia: WB Saunders, 1973.*)

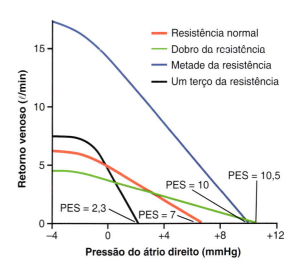

Figura 20.14 Combinações dos principais padrões das curvas de retorno venoso mostrando os efeitos de alterações simultâneas na pressão média de enchimento sistêmico (PES) e na resistência ao retorno venoso. (*Modificada de Guyton AC, Jones CE, Coleman TG: Circulatory Physiology: Cardiac Output and Its Regulation, 2nd ed. Philadelphia: WB Saunders, 1973.*)

PARTE 4 Circulação

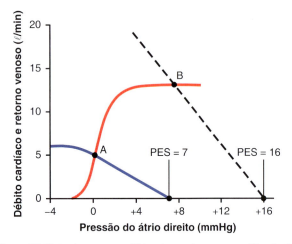

Figura 20.15 As duas *curvas sólidas* demonstram uma análise do débito cardíaco e da pressão atrial direita quando as curvas de débito cardíaco (*linha vermelha*) e de retorno venoso (*linha azul*) estão normais. A transfusão de sangue equivalente a 20% do volume sanguíneo faz com que a curva de retorno venoso se desloque para a linha tracejada. Como resultado, o débito cardíaco e a pressão do átrio direito se deslocam do ponto A para o ponto B. PES: pressão média de enchimento sistêmico.

ponto A, chamado de *ponto de equilíbrio*, que fornece um valor normal para o débito cardíaco, de 5 ℓ/min, e uma pressão do átrio direito de 0 mmHg.

Efeito do aumento do volume sanguíneo sobre o débito cardíaco. Um aumento repentino de cerca de 20% no volume sanguíneo pode aumentar o débito cardíaco em aproximadamente 2,5 a 3 vezes o valor normal. A análise desse efeito é mostrada na **Figura 20.15**. Imediatamente após a infusão de grande quantidade de sangue adicional, o enchimento aumentado do sistema eleva o valor de PES para 16 mmHg, o que desloca a curva de retorno venoso para a direita. Ao mesmo tempo, o aumento do volume sanguíneo distende a vasculatura, reduzindo a resistência e, portanto, reduzindo a resistência ao retorno venoso, que gira a curva para cima. Como resultado desses dois efeitos, a curva de retorno venoso da **Figura 20.15** é deslocada para a direita. Essa nova curva equivale à curva de débito cardíaco no ponto B, mostrando que o débito cardíaco e o retorno venoso aumentaram 2,5 a 3 vezes e que a pressão atrial direita se elevou para aproximadamente +8 mmHg.

Efeitos compensatórios desencadeados em resposta ao aumento do volume sanguíneo. O grande aumento no débito cardíaco causado pelo aumento do volume sanguíneo dura apenas alguns minutos, porque vários efeitos compensatórios são imediatamente iniciados:

1. O aumento do débito cardíaco *aumenta a pressão capilar*, de modo que o líquido começa a transudar dos capilares para os tecidos, e com isso o volume sanguíneo volta normal.
2. O aumento da pressão nas veias faz com que elas continuem se distendendo gradativamente pelo mecanismo denominado *estresse-relaxamento*; isso causa a distensão principalmente dos reservatórios de sangue venoso, como o fígado e o baço, e, consequentemente, a *redução da PES*.
3. O excesso de fluxo sanguíneo através dos tecidos periféricos provoca um aumento autorregulatório na resistência vascular periférica, aumentando a *resistência ao retorno venoso*.

Esses fatores fazem com que a PES retorne ao normal e com que os vasos de resistência da circulação sistêmica se contraiam. E assim, gradualmente, por um período de 10 a 40 minutos, o débito cardíaco volta praticamente ao normal.

Efeito da estimulação simpática sobre o débito cardíaco. A estimulação simpática afeta o coração e a circulação sistêmica: (1) *faz o coração bombear com mais força*; e (2) aumenta a PES na circulação sistêmica, por meio da contração dos vasos periféricos, principalmente das veias, e *aumenta a resistência ao retorno venoso*.

Na **Figura 20.16** são representados os *valores normais* de débito cardíaco e curvas de retorno venoso; eles se igualam no ponto A, que representa um retorno venoso normal, débito cardíaco de 5 ℓ/min e pressão atrial direita de 0 mmHg. Observe na figura que, com a máxima estimulação simpática (curvas verdes), a PES aumenta para 17 mmHg (representado pelo ponto em que a curva de retorno venoso alcança o nível de retorno venoso zero). A estimulação simpática também aumenta a eficácia do bombeamento cardíaco em quase 100%. Como resultado, o débito cardíaco sobe do valor normal no ponto de equilíbrio A para cerca do dobro no ponto de equilíbrio D e, ainda assim, a *pressão do átrio direito praticamente não se*

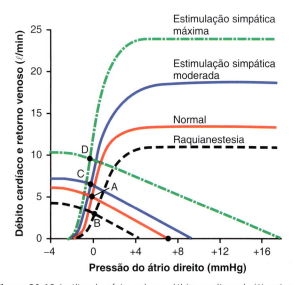

Figura 20.16 Análise do efeito sobre o débito cardíaco de (1) estimulação simpática moderada (do ponto A ao ponto C); (2) estimulação simpática máxima (ponto D) e (3) inibição simpática provocada por raquianestesia total (ponto B). *(Modificada de Guyton AC, Jones CE, Coleman TG: Circulatory Physiology: Cardiac Output and Its Regulation, 2nd ed. Philadelphia: WB Saunders, 1973.)*

altera. Assim, diferentes graus de estimulação simpática podem aumentar o débito cardíaco progressivamente para cerca de duas vezes o normal por curtos períodos, até que outros efeitos compensatórios sejam desencadeados, em segundos ou minutos, para retornar o débito cardíaco a valores próximos do normal.

Efeito da inibição simpática sobre o débito cardíaco.
O sistema nervoso simpático pode ser bloqueado por *raquianestesia total* ou pelo uso de um fármaco, como o *hexametônio*, que bloqueia a transmissão de sinais nervosos através dos gânglios autônomos. As curvas mais baixas na **Figura 20.16** mostram o efeito da inibição simpática causada pela raquianestesia total, demonstrando que: (1) *a PES cai para cerca de 4 mmHg*; e (2) *a eficácia do coração como bomba diminui para cerca de 80% do normal.* O débito cardíaco cai do ponto A para o ponto B, o que representa uma diminuição de cerca de 60% do normal.

Efeito da abertura de uma grande fístula arteriovenosa. A **Figura 20.17** mostra vários estágios de alterações circulatórias que ocorrem após a abertura de uma grande fístula AV – isto é, depois do estabelecimento de uma ligação direta entre uma grande artéria e uma grande veia.

1. As duas curvas vermelhas que se cruzam no ponto A mostram a condição normal.
2. As curvas que se cruzam no ponto B mostram a condição circulatória *imediatamente após a abertura de uma grande fístula*. Os principais efeitos são os seguintes: (a) uma rotação súbita e íngreme da curva de retorno venoso para cima, causada pela *grande diminuição na resistência ao retorno venoso*, porque o sangue pode fluir, quase sem impedimento, diretamente das grandes artérias para o sistema venoso, contornando a maioria dos elementos de resistência presentes na circulação periférica; e (b) um *aumento discreto no nível da curva de débito cardíaco*, porque a formação da fístula diminui a resistência vascular periférica e permite uma queda aguda na pressão arterial, contra a qual o coração pode bombear com maior facilidade. O resultado final, representado pelo ponto B, é um *aumento no débito cardíaco de 5 ℓ/min para 13 ℓ/min e um aumento na pressão do átrio direito para aproximadamente +3 mmHg.*
3. O ponto C representa os efeitos depois de cerca de 1 minuto, após os reflexos nervosos simpáticos terem restaurado a pressão arterial praticamente ao normal e provocado dois outros efeitos: (a) um aumento na PES (devido à constrição de todas as veias e artérias) de 7 a 9 mmHg, deslocando assim a curva de retorno venoso 2 mmHg para a direita; e (b) elevação adicional da curva de débito cardíaco resultante da excitação nervosa simpática do coração. O débito cardíaco agora sobe para quase 16 ℓ/min, e a pressão atrial direita sobe para cerca de 4 mmHg.
4. O ponto D mostra o efeito depois de mais algumas semanas. A essa altura, o volume sanguíneo aumentou porque a leve redução na pressão arterial e a estimulação simpática reduziram temporariamente a produção de urina pelos rins, provocando retenção de sal e água. Agora, a PES aumentou para +12 mmHg, deslocando a curva de retorno venoso outros 3 mmHg para a direita. Além disso, o aumento prolongado na carga de trabalho do coração provocou uma discreta hipertrofia do músculo cardíaco, elevando ainda mais o nível da curva de débito cardíaco. Portanto, o ponto D mostra um débito cardíaco que é agora de quase 20 ℓ/min e uma pressão atrial direita de cerca de 6 mmHg.

Outras análises da regulação do débito cardíaco.
No Capítulo 21, será apresentada a análise da regulação do débito cardíaco durante o exercício. No Capítulo 22, serão discutidas as análises da regulação do débito cardíaco em diferentes estágios da insuficiência cardíaca congestiva.

MÉTODOS PARA MEDIÇÃO DO DÉBITO CARDÍACO

A avaliação precisa do débito cardíaco é de vital importância na prática médica moderna, especialmente em pacientes gravemente enfermos ou de alto risco que precisam ser submetidos a uma cirurgia. Em experimentos com animais, o débito cardíaco pode ser medido com o uso de um fluxômetro eletromagnético ou ultrassônico, que é colocado na aorta ou na artéria pulmonar. Nos seres humanos, entretanto, o débito cardíaco geralmente é medido por métodos indiretos que não requerem uma intervenção cirúrgica.

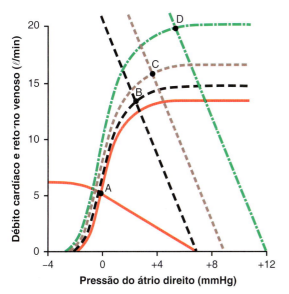

Figura 20.17 Análise de alterações sucessivas no débito cardíaco e na pressão atrial direita em um ser humano após a abertura repentina de uma grande fístula arteriovenosa (AV). As etapas da análise, como mostrado pelos pontos de equilíbrio, são as seguintes: A, condições normais; B, imediatamente após a abertura da fístula AV; C, cerca de 1 minuto após a ativação dos reflexos simpáticos; e D, várias semanas após o aumento do volume sanguíneo e o início da hipertrofia do coração. (Modificada de Guyton AC, Jones CE, Coleman TG: Circulatory Physiology: Cardiac Output and Its Regulation, 2nd ed. Philadelphia: WB Saunders, 1973.)

Débito pulsátil do coração medido por fluxômetro eletromagnético ou ultrassônico

A **Figura 20.18** mostra o registro em um cão do fluxo sanguíneo na raiz da aorta. Esse registro foi feito por um fluxômetro eletromagnético e demonstra que o fluxo sanguíneo se eleva rapidamente até o pico durante a sístole e, depois, ao final da sístole, reverte por uma fração de segundo. Esse fluxo reverso fecha a valva aórtica para que o fluxo volte a zero.

Medição do débito cardíaco usando o princípio de Fick para o oxigênio.

O princípio de Fick é explicado pela **Figura 20.19**. Essa figura mostra que 200 mℓ de oxigênio são absorvidos por minuto dos pulmões para o sangue pulmonar. Também mostra que o sangue que chega no coração direito tem uma concentração de oxigênio de 160 mℓ por litro de sangue, enquanto o sangue que sai do coração esquerdo tem uma concentração de oxigênio de 200 mℓ por litro de sangue. A partir desses dados, pode-se verificar que, para cada litro de sangue que passa pelos pulmões, são absorvidos 40 mℓ de oxigênio.

Como a quantidade total de oxigênio absorvido por minuto pelo sangue nos pulmões é de 200 mℓ; dividindo-se 200 por 40, temos um total de 5 ℓ de sangue que devem passar pela circulação pulmonar por minuto para absorver essa quantidade de oxigênio. Portanto, a quantidade de sangue que flui por minuto pelos pulmões é de 5 ℓ, o que também representa uma medida do débito cardíaco. Assim, o débito cardíaco pode ser calculado pela seguinte equação:

Débito cardíaco (ℓ/min) =

$$\frac{O_2 \text{ absorvido por minuto pelos pulmões (m}\ell\text{/min)}}{\text{Diferença arteriovenosa de O}_2 \text{ (m}\ell\text{/}\ell \text{ de sangue)}}$$

Ao aplicar o procedimento de Fick para determinação do débito cardíaco em seres humanos, o *sangue venoso misto* geralmente é obtido através de um cateter inserido na veia braquial do antebraço, segue através da veia subclávia, alcança o átrio direito e, finalmente, ao ventrículo direito ou artéria pulmonar. O *sangue arterial sistêmico*, portanto, pode ser obtido de qualquer artéria sistêmica do corpo. A *taxa de absorção de oxigênio* pelos pulmões é medida pela taxa de consumo do oxigênio do ar respirado, usando qualquer tipo de medidor de oxigênio.

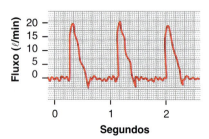

Figura 20.18 Fluxo sanguíneo pulsátil na raiz da aorta, registrado com um medidor de fluxo eletromagnético.

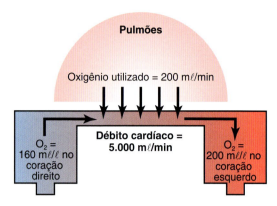

Figura 20.19 Princípio de Fick para determinação do débito cardíaco.

Método de diluição do indicador

Para medir o débito cardíaco por esse método, uma pequena quantidade do indicador, que pode ser um corante, é injetada em uma grande veia sistêmica ou, de preferência, diretamente no átrio direito. Esse indicador passa rapidamente pelo coração direito, depois pelos vasos sanguíneos pulmonares, pelo coração esquerdo até, finalmente, alcançar o sistema arterial sistêmico. A concentração do corante é registrada à medida que passa por artérias periféricas, produzindo uma curva como a mostrada na **Figura 20.20**. Em cada um desses casos, no tempo zero foram injetados 5 miligramas do corante *Cardiogreen*. No registro superior, nada do corante passa para a árvore arterial até cerca de 3 segundos após a injeção, mas então a concentração arterial do corante aumenta rapidamente até seu máximo em cerca de 6 a 7 segundos. Depois disso, a concentração cai rapidamente, mas, antes de chegar a zero, uma parte do corante já circulou por todos os vasos sistêmicos periféricos e retornou ao coração pela segunda

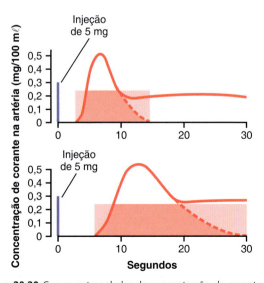

Figura 20.20 Curvas extrapoladas de concentração de corante usadas para calcular dois débitos cardíacos separados pelo método de diluição. As áreas retangulares são as concentrações médias calculadas de corante no sangue arterial pela duração das respectivas curvas extrapoladas.

vez. Consequentemente, a concentração do corante na artéria começa a aumentar novamente. Para efeito de cálculo, é necessário *extrapolar* a inclinação inicial da curva até o ponto zero, como mostrado pela parte tracejada de cada curva. Desse modo, a *curva extrapolada tempo-concentração* do corante na artéria sistêmica, sem a recirculação, pode ser medida em sua primeira porção e estimada com razoável precisão na última.

Uma vez que a curva extrapolada tempo-concentração tenha sido determinada, a concentração média de corante no sangue arterial pode ser calculada em função da duração da curva. No exemplo de cima da **Figura 20.20**, esse cálculo foi feito por meio da medida da área sob toda a curva inicial e sob a curva extrapolada e, em seguida, pelo cálculo da concentração média de corante para a duração da curva. Pode-se observar, pelo retângulo sombreado atrás da curva, no painel superior da figura, que a concentração média de corante é de 0,25 mg/dℓ de sangue e que esse valor médio permaneceu constante por 12 segundos. No início do experimento foi injetado um total de 5 miligramas de corante. Para que o sangue transporte apenas 0,25 miligrama de corante a cada 100 mililitros, no intervalo de 12 segundos, teriam que passar pelo coração um total de 20 frações de 100 mililitros de sangue cada uma, o que representa o mesmo que um débito cardíaco de 2 ℓ/12 segundos, ou 10 ℓ/min. Deixamos para o leitor a tarefa de calcular o débito cardíaco a partir da curva *extrapolada*, no painel inferior da **Figura 20.20**. Resumindo, o débito cardíaco pode ser determinado pela seguinte equação:

$$\text{Débito cardíaco (m}\ell\text{/min)} = \frac{\text{Miligramas de corante injetados} \times 60}{\left(\begin{array}{c}\text{Concentração média de} \\ \text{corante em cada mililitro de} \\ \text{sangue pela duração da curva}\end{array}\right) \times \left(\begin{array}{c}\text{Duração da} \\ \text{curva em} \\ \text{segundos}\end{array}\right)}$$

Ecocardiografia

O débito cardíaco também pode ser estimado por *ecocardiografia*, um método que usa ondas de ultrassom geradas por um transdutor colocado sobre a parede torácica ou passado pelo esôfago do paciente para medir o tamanho das câmaras cardíacas e a velocidade do sangue que flui do ventrículo esquerdo para a aorta. O volume sistólico pode ser calculado a partir da velocidade do sangue que flui para a aorta, e a área de seção transversal da aorta pode ser determinada a partir do diâmetro da aorta medido pelo ultrassom. Portanto, o débito cardíaco é calculado pelo produto entre o volume sistólico e a frequência cardíaca.

Método da bioimpedância elétrica do tórax

A *cardiografia por bioimpedância*, também conhecida como *bioimpedância elétrica do tórax*, é uma tecnologia não invasiva usada para medir alterações na condutividade elétrica total do tórax, para avaliação indireta dos parâmetros hemodinâmicos, como, por exemplo, o débito cardíaco. Esse método detecta as mudanças de *impedância* causadas por uma corrente de alta frequência e baixa magnitude que flui através do tórax, entre dois pares adicionais de eletrodos, localizados fora do segmento medido. Impedância elétrica é a resistência que um circuito apresenta à corrente quando uma tensão é aplicada. A cada batimento cardíaco, o volume sanguíneo e a velocidade na aorta sofrem alterações, e a mudança correspondente na impedância e no tempo são medidas e empregadas para estimar o débito cardíaco.

Embora alguns estudos tenham sugerido que a cardiografia por impedância pode fornecer avaliações razoáveis do débito cardíaco em algumas condições, esse método também está sujeito a fontes potenciais de erro, incluindo interferências elétricas, artefatos de movimento, acúmulo de líquido ao redor do coração e dos pulmões e arritmias. Alguns estudos sugerem que a margem média de erro com esse método pode alcançar 20 a 40%.

A medição precisa do débito cardíaco fornece informações sobre a função cardíaca e a perfusão dos tecidos, pois essa medida representa a soma do fluxo sanguíneo para todos os órgãos e tecidos orgânicos. Por isso, estão sendo continuamente desenvolvidos métodos não invasivos, para possibilitar medições mais precisas do débito cardíaco para o tratamento de pacientes com distúrbios circulatórios.

Bibliografia

Berger D, Takala J: Determinants of systemic venous return and the impact of positive pressure ventilation. Ann Transl Med 6:350, 2018.

Guyton AC: Determination of cardiac output by equating venous return curves with cardiac response curves. Physiol Rev 35:123, 1955.

Guyton AC: The relationship of cardiac output and arterial pressure control. Circulation 64:1079, 1981.

Guyton AC, Jones CE, Coleman TG: Circulatory Physiology: Cardiac Output and Its Regulation. Philadelphia: WB Saunders, 1973.

Hall JE: Integration and regulation of cardiovascular function. Am J Physiol 277:S174, 1999.

Hall JE: The pioneering use of systems analysis to study cardiac output regulation. Am J Physiol Regul Integr Comp Physiol 287:R1009, 2004.

Klein I, Danzi S: Thyroid disease and the heart. Circulation 116:1725, 2007.

Kobe J, Mishra N, Arya VK, Al-Moustadi W, Nates W, Kumar B: Cardiac output monitoring: technology and choice. Ann Card Anaesth 22:6, 2019.

Magder S: Volume and its relationship to cardiac output and venous return. Crit Care 20:271, 2016.

Patterson SW, Starling EH: On the mechanical factors which determine the output of the ventricles. J Physiol 48:357, 1914.

Rothe CF: Reflex control of veins and vascular capacitance. Physiol Rev 63:1281, 1983.

Rothe CF: Mean circulatory filling pressure: its meaning and measurement. J Appl Physiol 74:499, 1993.

Sarnoff SJ, Berglund E: Ventricular function. 1. Starling's law of the heart, studied by means of simultaneous right and left ventricular function curves in the dog. Circulation 9:706, 1953.

Thiele RH, Bartels K, Gan TJ: Cardiac output monitoring: a contemporary assessment and review. Crit Care Med 43:177, 2015.

Uemura K, Sugimachi M, Kawada T, et al: A novel framework of circulatory equilibrium. Am J Physiol Heart Circ Physiol 286:H2376, 2004.

CAPÍTULO 21

Fluxo Sanguíneo Muscular e Débito Cardíaco durante o Exercício; Circulação Coronariana e Cardiopatia Isquêmica

Neste capítulo, discutiremos o seguinte: (1) fluxo sanguíneo para os músculos esqueléticos; e (2) fluxo sanguíneo da artéria coronária para o coração. A regulação de cada um desses tipos de fluxo sanguíneo é obtida, principalmente, pelo controle local da resistência vascular em resposta às necessidades metabólicas do tecido muscular.

Também discutiremos a fisiologia de assuntos relacionados, incluindo: (1) controle do débito cardíaco durante o exercício; (2) características dos ataques cardíacos; e (3) a dor na angina de peito.

REGULAÇÃO DO FLUXO SANGUÍNEO NO MÚSCULO ESQUELÉTICO EM REPOUSO E DURANTE O EXERCÍCIO

O exercício extenuante é uma das condições mais estressantes que o sistema circulatório enfrenta, porque há uma grande massa de musculatura esquelética no corpo, que exige uma grande quantidade de fluxo sanguíneo. Além disso, o débito cardíaco frequentemente deve aumentar para quatro a cinco vezes o normal no indivíduo não atleta ou para seis a sete vezes o normal no atleta bem treinado, para satisfazer as necessidades metabólicas dos músculos em exercício.

TAXA DE FLUXO SANGUÍNEO DA MUSCULATURA ESQUELÉTICA

Durante o repouso, o fluxo sanguíneo na musculatura esquelética é, em média, de 3 a 4 ml/min/100 g de músculo. Durante o exercício extremo em um atleta bem condicionado, esse fluxo sanguíneo pode aumentar de 25 a 50 vezes, chegando a 100 a 200 ml/min/100 g de músculo. Fluxos sanguíneos máximos de até 400 ml/min/100 g de músculo foram relatados na musculatura da coxa de atletas treinados em resistência.

Fluxo sanguíneo durante as contrações musculares. A **Figura 21.1** mostra um registro das alterações no fluxo sanguíneo do músculo da panturrilha de uma perna durante a realização de exercício muscular intenso e rítmico. Observe que o fluxo aumenta e diminui a cada contração muscular. Ao final das contrações, o fluxo sanguíneo permanece alto por alguns segundos, mas depois retorna ao normal durante os próximos minutos.

A causa do fluxo mais baixo durante a fase de contração muscular é a compressão dos vasos sanguíneos pelo músculo contraído. Durante uma forte contração tetânica, que causa compressão sustentada dos vasos sanguíneos, o fluxo sanguíneo pode ser quase interrompido, mas isso também causa um rápido enfraquecimento da contração.

Aumento do fluxo sanguíneo nos capilares musculares durante o exercício. Em repouso, alguns capilares musculares têm pouco ou nenhum sangue fluindo, mas, durante a prática de exercícios extenuantes, todos os capilares se abrem. Essa abertura de capilares dormentes diminui a distância que o oxigênio e outros nutrientes devem percorrer dos capilares até as fibras musculares em contração; isso pode contribuir com um aumento de duas a três vezes na área de superfície capilar, através da qual o oxigênio e os nutrientes podem se difundir do sangue para os tecidos.

CONTROLE DO FLUXO SANGUÍNEO NA MUSCULATURA ESQUELÉTICA

A queda nos níveis de oxigênio no músculo aumenta muito o fluxo sanguíneo. O grande aumento

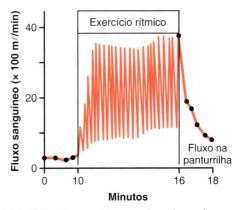

Figura 21.1 Efeitos do exercício muscular sobre o fluxo sanguíneo na panturrilha da perna durante uma forte contração rítmica. O fluxo sanguíneo é muito menor durante as contrações do que entre elas. (*Modificada de Barcroft H, Dornhorst AC: The blood flow through the human calf during rhythmic exercise. J Physiol 109: 402, 1949.*)

no fluxo sanguíneo muscular que ocorre durante a atividade do músculo esquelético é causado, principalmente, por substâncias liberadas localmente e que atuam diretamente sobre as arteríolas musculares para provocar dilatação. Um dos efeitos químicos mais importantes é a redução do nível de oxigênio nos tecidos musculares. Quando os músculos estão ativos, eles utilizam o oxigênio rapidamente, diminuindo a concentração de oxigênio nos líquidos dos tecidos. Isso, por sua vez, causa vasodilatação arteriolar local, porque os baixos níveis de oxigênio fazem com que os vasos sanguíneos relaxem e porque a deficiência de oxigênio provoca a liberação de substâncias vasodilatadoras. A adenosina pode ser uma substância vasodilatadora importante, mas experimentos mostraram que mesmo grandes quantidades de adenosina infundidas diretamente na artéria muscular não conseguem aumentar o fluxo sanguíneo na mesma extensão que durante a prática de exercícios intensos e não podem sustentar a vasodilatação no músculo esquelético por mais de cerca de 2 horas.

Felizmente, mesmo depois que os vasos sanguíneos musculares se tornam insensíveis aos efeitos vasodilatadores da adenosina, outros fatores vasodilatadores continuam a manter o fluxo sanguíneo capilar aumentado durante o exercício. Esses fatores incluem: (1) íons potássio; (2) trifosfato de adenosina (ATP); (3) ácido láctico; e (4) dióxido de carbono. Ainda não foi possível determinar quantitativamente a importância de cada um desses fatores no aumento do fluxo sanguíneo muscular durante a atividade; esse assunto foi discutido em mais detalhes no Capítulo 17.

Controle nervoso do fluxo sanguíneo muscular. Além dos mecanismos vasodilatadores teciduais locais, os músculos esqueléticos são enervados por fibras simpáticas vasoconstritoras e, em algumas espécies animais, também por fibras simpáticas vasodilatadoras.

As fibras nervosas simpáticas vasoconstritoras secretam noradrenalina em suas terminações nervosas. Quando ativado ao máximo, esse mecanismo pode diminuir o fluxo sanguíneo dos músculos em repouso para metade a um terço do normal. Essa vasoconstrição tem uma importância fisiológica para atenuar a queda de pressão arterial no choque circulatório e em outros períodos de estresse, quando pode até ser necessário aumentar a pressão arterial.

Além da noradrenalina secretada nas terminações nervosas simpáticas vasoconstritoras, as medulas das duas glândulas adrenais também secretam quantidades maiores de noradrenalina e ainda mais adrenalina no sangue circulante durante a prática de exercícios extenuantes. A noradrenalina circulante atua nos vasos musculares para causar um efeito vasoconstritor semelhante ao provocado pela estimulação nervosa simpática direta. A adrenalina, entretanto, frequentemente tem um leve efeito vasodilatador, porque ela excita mais os receptores beta-adrenérgicos dos vasos, que são receptores vasodilatadores, ao contrário dos receptores vasoconstritores alfa, que são excitados especialmente pela noradrenalina. Esses receptores são discutidos no Capítulo 61.

REGULAÇÃO DO FLUXO SANGUÍNEO DURANTE O EXERCÍCIO

Durante a prática de exercícios ocorrem três efeitos principais, que são essenciais para que o sistema circulatório seja capaz de suprir o enorme fluxo sanguíneo exigido pelos músculos: (1) ativação do sistema nervoso simpático em muitos tecidos, com consequentes efeitos estimuladores na circulação; (2) aumento da pressão arterial; e (3) aumento do débito cardíaco.

Efeitos da ativação simpática

No início da atividade física, os sinais são transmitidos não apenas do cérebro para os músculos, para provocar a contração muscular, mas também para o centro vasomotor, para iniciar a descarga simpática em muitos outros tecidos. Simultaneamente, são atenuados os sinais parassimpáticos para o coração. Portanto, há três efeitos circulatórios principais:

1. O coração é estimulado a aumentar consideravelmente a frequência cardíaca e a força de bombeamento (contratilidade), como resultado da estimulação simpática para o coração, além da liberação cardíaca da inibição parassimpática normal.
2. Muitas arteríolas da circulação periférica estão fortemente contraídas, exceto as arteríolas nos músculos ativos, que estão fortemente dilatadas pelos efeitos vasodilatadores locais nos músculos, como observado anteriormente. Assim, o coração é estimulado a fornecer maior fluxo sanguíneo exigido pelos músculos ao mesmo tempo que reduz temporariamente o fluxo sanguíneo para a maioria das áreas não musculares do corpo, para "emprestar" suprimento sanguíneo aos músculos. Esse processo é responsável por até 2 ℓ/min de fluxo sanguíneo extra para os músculos, o que é extremamente importante quando se considera o cenário de uma pessoa correndo para salvar sua vida, em que mesmo um aumento fracionário na velocidade da corrida pode fazer a diferença entre a vida e a morte. Dois sistemas circulatórios periféricos, o coronariano e o cerebral, são poupados desse efeito vasoconstritor, porque nessas áreas a circulação tem uma inervação vasoconstritora pobre – felizmente, porque tanto o coração quanto o cérebro são tão essenciais para a realização do exercício quanto os músculos esqueléticos.
3. As paredes musculares das veias e de outras áreas de capacitância da circulação são fortemente contraídas, o que aumenta muito a pressão média de enchimento sistêmico. Como vimos no Capítulo 20, esse efeito é um dos fatores mais importantes na promoção do aumento do retorno do sangue venoso ao coração e, portanto, no aumento do débito cardíaco.

A estimulação simpática pode aumentar a pressão arterial durante o exercício

Um efeito importante da maior estimulação simpática durante o exercício é o aumento da pressão arterial. Esse aumento resulta de diversos efeitos estimuladores, como:

(1) vasoconstrição das arteríolas e pequenas artérias na maioria dos tecidos corporais, exceto o cérebro e músculos ativos, incluindo o coração; (2) aumento da atividade de bombeamento cardíaco; e (3) grande aumento da pressão média de enchimento sistêmico, resultante, principalmente, da contração venosa. Esses efeitos, atuando em conjunto, quase sempre elevam a pressão arterial durante o exercício. Esse aumento pode ser pequeno, de 20 mmHg, ou chegar a 80 mmHg, dependendo das condições em que o exercício é realizado. Quando uma pessoa realiza exercícios sob condições de estresse, mas usa apenas poucos músculos, a resposta nervosa simpática ainda ocorre. Nos poucos músculos ativos, ocorre vasodilatação, mas em outras partes do corpo o efeito é principalmente de vasoconstrição, muitas vezes elevando a pressão arterial média para até 170 mmHg. Isso pode ocorrer com a pessoa de pé sobre uma escada martelando para colocar um prego no teto. A tensão emocional nessa situação é óbvia.

Por outro lado, quando uma pessoa realiza exercícios intensos com o corpo inteiro, como na corrida ou natação, o aumento da pressão arterial costuma ser de apenas 20 a 40 mmHg. Essa falta de um grande aumento na pressão resulta da extrema vasodilatação que ocorre simultaneamente em grandes massas de músculos ativos.

Por que é importante elevar a pressão arterial durante o exercício? Quando os músculos são estimulados ao máximo em um experimento de laboratório, mas sem permitir que a pressão arterial aumente, o fluxo sanguíneo muscular raramente aumenta mais do que cerca de oito vezes. Ainda assim, sabemos por estudos com corredores de maratona que o fluxo sanguíneo muscular pode aumentar de apenas 1 ℓ/min para todo o corpo durante o repouso para mais de 20 ℓ/min durante a atividade máxima. Portanto, está claro que o fluxo sanguíneo muscular pode aumentar muito mais do que ocorre nesse simples experimento de laboratório. Qual é a diferença? Principalmente, a pressão arterial que aumenta durante o exercício normal. Suponhamos, por exemplo, que a pressão arterial aumente 30% durante exercícios pesados. Esse aumento de 30% provoca uma força 30% maior para empurrar o sangue através da vasculatura do tecido muscular. No entanto, esse não é o único efeito importante – o aumento de pressão também provoca o estiramento das paredes dos vasos e esse efeito, juntamente com a ação dos vasodilatadores liberados localmente e a pressão arterial mais alta, pode aumentar o fluxo muscular total para mais de 20 vezes o valor normal.

Importância do aumento do débito cardíaco durante o exercício

Durante a prática de exercícios físicos há, simultaneamente, muitos efeitos fisiológicos diferentes, para aumentar o débito cardíaco em proporção aproximada ao grau de atividade. De fato, a capacidade do sistema circulatório em proporcionar um aumento do débito cardíaco para fornecimento de oxigênio e outros nutrientes aos músculos durante o exercício é tão importante quanto a própria força muscular para estabelecer o limite para um trabalho muscular contínuo. Por exemplo, os corredores de maratona que conseguem aumentar mais o débito cardíaco geralmente são detentores de recordes nos tempos de corrida.

Análise gráfica das alterações no débito cardíaco durante exercício intenso. A **Figura 21.2** mostra uma análise gráfica do grande aumento que ocorre no débito cardíaco durante a prática de exercícios pesados. O débito cardíaco e as curvas de retorno venoso que se cruzam no ponto A representam a análise da circulação normal, e as curvas que se cruzam no ponto B representam a análise durante exercícios intensos. Observe que o grande aumento do débito cardíaco requer alterações significativas tanto na curva de débito cardíaco quanto na curva de retorno venoso, como segue.

O nível aumentado da curva de débito cardíaco é fácil de entender. Resulta quase inteiramente da estimulação simpática do coração, que causa o seguinte: (1) aumento da frequência cardíaca, até 170 a 190 batimentos/min; e (2) aumento da força de contração cardíaca, que pode dobrar. Sem essa elevação no nível da função cardíaca, o aumento do débito cardíaco ficaria limitado ao nível de platô do coração normal, que seria um aumento máximo de apenas cerca de 2,5 vezes, em vez do aumento de 4 vezes que pode ser alcançado pelo corredor não treinado e o aumento de 7 vezes que pode ser alcançado por alguns maratonistas.

Analise agora as curvas de retorno venoso. Se não ocorresse uma alteração na curva normal de retorno venoso, o débito cardíaco dificilmente aumentaria durante o exercício, porque o nível de platô superior da curva normal de retorno venoso é de apenas 6 ℓ/min. No entanto, ocorrem duas alterações importantes:

1. A pressão média de enchimento sistêmico aumenta no início de exercícios pesados. Esse efeito resulta em parte da estimulação simpática, que contrai as veias e outras áreas de capacitância da circulação. Além disso, o tensionamento dos músculos abdominais e de outros músculos esqueléticos comprime muito a vasculatura

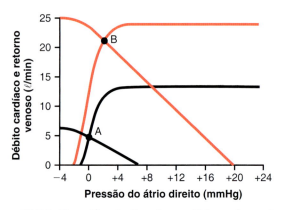

Figura 21.2 Análise gráfica de alterações no débito cardíaco, retorno venoso e pressão atrial direita com a prática de exercícios extenuantes. *Curvas pretas*, circulação normal. *Curvas vermelhas*, exercícios pesados.

interna, proporcionando uma compressão ainda maior de todo o sistema vascular de capacitância e aumentando ainda mais a pressão média de enchimento sistêmico. Durante o exercício máximo, esses dois efeitos juntos podem elevar a pressão média de enchimento sistêmico do nível normal de 7 mmHg para até 30 mmHg.
2. A inclinação da curva de retorno venoso gira para cima. Essa rotação para cima é causada pela diminuição da resistência em praticamente todos os vasos sanguíneos do tecido muscular ativo, o que também reduz a resistência ao retorno venoso, aumentando, assim, a inclinação ascendente da curva de retorno venoso.

Portanto, a combinação do aumento da pressão média de enchimento sistêmico com a diminuição da resistência ao retorno venoso eleva todo o nível da curva de retorno venoso.

Em resposta às alterações na curva de retorno venoso e na curva de débito cardíaco, o novo ponto de equilíbrio na **Figura 21.2** para débito cardíaco e pressão atrial direita é agora o ponto B, em contraste com o nível normal no ponto A. Observe especialmente que a pressão do átrio direito quase não mudou, tendo aumentado apenas 1,5 mmHg. Na verdade, em uma pessoa com um coração forte, a pressão do átrio direito frequentemente fica abaixo do normal durante a prática intensa de exercícios, em virtude do grande aumento da estimulação simpática do coração. Em contraste, mesmo um nível moderado de exercício pode causar aumentos acentuados na pressão do átrio direito em pacientes com o coração enfraquecido.

CIRCULAÇÃO CORONARIANA

No mundo ocidental, cerca de um terço de todas as mortes em países industrializados resultam de doença arterial coronariana, e a maioria dos idosos tem pelo menos algum tipo de comprometimento nas artérias coronárias. Por isso, compreender a fisiologia normal e patológica da circulação coronariana é um dos assuntos mais importantes da medicina.

ANATOMIA E FISIOLOGIA DO SUPRIMENTO SANGUÍNEO CORONARIANO

A **Figura 21.3** mostra o coração e seu suprimento de sangue coronariano. Observe que as artérias coronárias principais ficam na superfície do coração e as artérias menores penetram a superfície da massa muscular cardíaca. É quase inteiramente por meio dessas artérias que o coração recebe seu suprimento nutricional. Apenas 1/10 de milímetro mais interno da superfície endocárdica pode obter nutrição significativa diretamente do sangue nas câmaras cardíacas, de modo que essa fonte de nutrição muscular é minúscula.

A *artéria coronária esquerda* supre, principalmente, as porções anterior e lateral esquerda do ventrículo esquerdo, enquanto a *artéria coronária direita* supre a maior parte

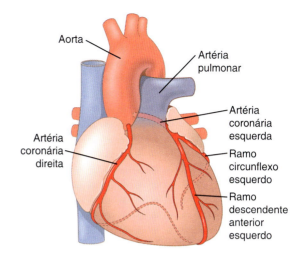

Figura 21.3 Artérias coronárias.

do ventrículo direito, assim como a parte posterior do ventrículo esquerdo em 80 a 90% das pessoas.

A maior parte do fluxo sanguíneo venoso coronariano do músculo ventricular esquerdo retorna ao átrio direito através do *seio coronário*, o que representa cerca de 75% do fluxo sanguíneo coronariano total. Por outro lado, a maior parte do sangue venoso coronariano do músculo ventricular direito retorna por pequenas *veias cardíacas anteriores*, que fluem diretamente para o átrio direito, e não por meio do seio coronário. Uma quantidade muito pequena de sangue venoso coronariano também retorna ao coração através das diminutas *veias cardíacas mínimas*, que desembocam nas câmaras cardíacas.

O FLUXO SANGUÍNEO CORONARIANO NORMAL REPRESENTA, EM MÉDIA, 5% DO DÉBITO CARDÍACO

O fluxo sanguíneo coronariano normal na pessoa em repouso é, em média, de 70 mℓ/min/100 g de peso do coração, ou cerca de 225 mℓ/min, o que representa em torno de 4 a 5% do débito cardíaco total.

Durante exercícios extenuantes, o coração no adulto jovem aumenta seu débito cardíaco de quatro a sete vezes e bombeia esse sangue contra uma pressão arterial mais alta do que o normal. Consequentemente, a carga de trabalho do coração em condições graves pode aumentar de 6 a 9 vezes. Ao mesmo tempo, o fluxo sanguíneo coronariano aumenta de 3 a 4 vezes, para fornecer os nutrientes adicionais necessários ao coração. Esse aumento não é tão grande quanto o aumento da carga de trabalho, o que significa uma elevação na razão entre o gasto de energia pelo coração e o fluxo sanguíneo coronariano. Assim, a eficiência no uso de energia pelo coração aumenta para compensar a deficiência relativa do suprimento de sangue coronariano.

A contração do músculo cardíaco provoca alterações físicas no fluxo sanguíneo coronariano durante a sístole e a diástole. A **Figura 21.4** mostra as alterações no fluxo sanguíneo através dos capilares que alimentam o

PARTE 4 Circulação

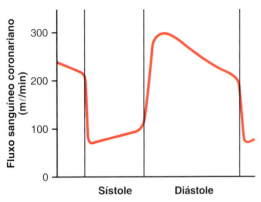

Figura 21.4 Fluxo sanguíneo fásico através dos capilares coronarianos do ventrículo esquerdo humano durante a sístole e a diástole cardíacas (extrapolado dos fluxos medidos em cães).

sistema coronariano ventricular esquerdo, em mℓ/min, durante a sístole e diástole, conforme extrapolado de estudos experimentais em animais. Observe nesse diagrama que o fluxo capilar coronariano no músculo do ventrículo esquerdo fica mais baixo durante a sístole, que se opõe ao fluxo em leitos vasculares de outras áreas do corpo. A razão para esse fenômeno é a forte compressão dos vasos sanguíneos intramusculares pelo músculo ventricular esquerdo durante a contração sistólica.

Durante a diástole, o músculo cardíaco relaxa e não obstrui mais o fluxo sanguíneo através dos capilares do músculo ventricular esquerdo, de modo que o sangue flui rapidamente durante toda a diástole.

O fluxo sanguíneo através dos capilares coronarianos do ventrículo direito também sofre alterações fásicas durante o ciclo cardíaco, mas, como a força de contração do músculo ventricular direito é muito menor do que a do músculo ventricular esquerdo, as alterações fásicas inversas são apenas parciais, ao contrário das que acontecem no músculo ventricular esquerdo.

Fluxo sanguíneo coronariano – efeito da pressão intramiocárdica. A **Figura 21.5** demonstra o arranjo especial dos vasos coronarianos em diferentes profundidades no músculo cardíaco, mostrando na superfície externa as *artérias coronárias*, de localização *epicárdica*, que suprem a maior parte do músculo. As artérias intramusculares menores, derivadas das artérias epicárdicas, penetram no músculo para fornecer os nutrientes necessários. Imediatamente abaixo do endocárdio localiza-se um plexo de *artérias subendocárdicas*. Durante a sístole, o fluxo sanguíneo tende a ser reduzido através do plexo subendocárdico do ventrículo esquerdo, onde os vasos coronarianos intramusculares estão fortemente comprimidos pela contração do músculo ventricular. No entanto, pequenos vasos adicionais do plexo subendocárdico (que se nutrem diretamente do O_2 existente no sangue que está no ventrículo esquerdo) normalmente compensam essa redução. Posteriormente neste capítulo, voltaremos a falar sobre o fluxo sanguíneo coronariano quando discutirmos a cardiopatia isquêmica.

CONTROLE DO FLUXO SANGUÍNEO CORONARIANO

O metabolismo muscular local é o principal controlador do fluxo coronariano

O fluxo sanguíneo através do sistema coronariano é regulado principalmente por vasodilatação arteriolar local, em resposta às necessidades nutricionais do músculo cardíaco. Ou seja, sempre que a força da contração cardíaca aumenta, a taxa de fluxo sanguíneo coronariano também aumenta. Por outro lado, a diminuição da atividade cardíaca é acompanhada por uma diminuição do fluxo coronariano. Essa regulação local do fluxo é semelhante à que ocorre em muitos outros tecidos do corpo, especialmente na musculatura esquelética.

A demanda de oxigênio é o principal fator na regulação local do fluxo sanguíneo coronariano.

O fluxo sanguíneo nas artérias coronárias geralmente é regulado quase exatamente na proporção da necessidade de oxigênio pela musculatura cardíaca. Normalmente, cerca de 70% do oxigênio do sangue arterial coronariano são removidos à medida que o sangue flui pelo músculo cardíaco. Como não resta muito oxigênio, a musculatura cardíaca só pode ser suprida com o pouco oxigênio adicional, a menos que o fluxo sanguíneo coronariano aumente. Felizmente, esse aumento de fluxo acontece praticamente em proporção direta a qualquer consumo metabólico adicional de oxigênio pelo coração.

A maneira pela qual o aumento no consumo de oxigênio provoca a dilatação das coronárias ainda não foi totalmente esclarecida. Muitos pesquisadores especularam que uma diminuição na concentração de oxigênio no coração provoque a liberação de substâncias vasodilatadoras nas células musculares e que essas substâncias dilatam as arteríolas. Uma substância com grande propensão vasodilatadora é a adenosina. Quando há concentrações muito baixas de oxigênio nas células musculares, uma grande proporção do ATP celular se decompõe em monofosfato de adenosina (AMP). Pequenas porções dessa substância são então degradadas e liberam adenosina para os líquidos teciduais do músculo cardíaco, com aumento resultante no fluxo sanguíneo coronariano local. Depois que a adenosina causa vasodilatação, grande parte é reabsorvida pelas células cardíacas para ser reutilizada na produção de ATP.

A adenosina não é a única substância vasodilatadora identificada; outras são os compostos de fosfato de adenosina, íons potássio, íons hidrogênio, dióxido de carbono,

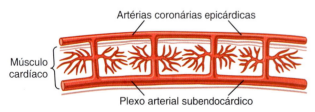

Figura 21.5 Diagrama da vasculatura coronariana epicárdica, intramuscular e subendocárdica.

CAPÍTULO 21 Fluxo Sanguíneo Muscular e Débito Cardíaco durante o Exercício...

prostaglandinas e óxido nítrico. Os mecanismos de vasodilatação coronariana durante o aumento da atividade cardíaca não foram totalmente explicados pela presença de adenosina. Agentes farmacológicos que bloqueiam total ou parcialmente o efeito vasodilatador da adenosina não conseguem impedir completamente a vasodilatação causada pelo aumento da atividade do músculo cardíaco. Estudos em músculos esqueléticos também mostram que a infusão contínua de adenosina mantém a dilatação vascular por apenas 1 a 3 horas, embora a atividade muscular ainda dilate os vasos sanguíneos localmente, mesmo quando a adenosina não consegue mais dilatá-los. Portanto, os outros mecanismos vasodilatadores listados anteriormente devem ser levados em conta.

Controle nervoso do fluxo sanguíneo coronariano

A estimulação dos nervos autônomos para o coração pode afetar o fluxo sanguíneo coronariano direta e indiretamente. Os efeitos diretos resultam da ação dos neurotransmissores acetilcolina, dos nervos vagos, e noradrenalina, da inervação simpática nos vasos coronarianos. Os efeitos indiretos resultam de alterações secundárias no fluxo sanguíneo coronariano causadas pelo aumento ou diminuição da atividade cardíaca.

Os efeitos indiretos, que em sua maioria se opõem aos efeitos diretos, desempenham um papel muito mais importante no controle regular do fluxo sanguíneo coronariano. Assim, a estimulação simpática, que libera noradrenalina e adrenalina pelas fibras simpáticas, como também libera noradrenalina pela medula adrenal, aumenta tanto a frequência quanto a contratilidade cardíaca e aumenta a taxa metabólica do coração. Por sua vez, o aumento do metabolismo cardíaco ativa os mecanismos reguladores locais, para dilatar os vasos coronarianos e para que o fluxo sanguíneo possa aumentar aproximadamente na mesma proporção das necessidades metabólicas do músculo cardíaco. Em contraste, a estimulação vagal, com sua liberação de acetilcolina, desacelera o coração e deprime levemente a contratilidade cardíaca. Esses efeitos diminuem o consumo de oxigênio pelo coração e, portanto, contraem indiretamente as artérias coronárias.

Efeitos diretos de estímulos nervosos sobre a vasculatura coronariana. A distribuição das fibras nervosas parassimpáticas (vagais) para o sistema coronariano ventricular não é muito grande. No entanto, a acetilcolina liberada pela estimulação parassimpática tem efeito direto na dilatação das artérias coronárias.

Os vasos coronarianos têm uma inervação simpática muito maior. No Capítulo 61, vemos que os neurotransmissores simpáticos noradrenalina e adrenalina podem ter efeitos constritores ou dilatadores sobre a vasculatura, dependendo da presença ou ausência de receptores de constrição ou dilatação nas paredes dos vasos sanguíneos. Os receptores constritores são chamados de *receptores alfa* e os receptores dilatadores são chamados de

receptores beta. Existem receptores alfa e beta nos vasos coronarianos. Em geral, os vasos coronarianos epicárdicos têm uma preponderância de receptores alfa, enquanto as artérias intramusculares podem apresentar uma quantidade maior de receptores beta. Portanto, a estimulação simpática pode, pelo menos em teoria, provocar discreta constrição ou dilatação coronariana geral, mas em geral causa constrição. Em algumas pessoas, os efeitos vasoconstritores dos receptores alfa parecem ser desproporcionalmente intensos, que faz com que apresentem tendência para isquemia miocárdica vasoespástica durante períodos de estimulação simpática excessiva, que frequentemente resulta em dor anginosa.

Fatores metabólicos, especialmente a demanda de oxigênio pelo coração, são os principais controladores do fluxo sanguíneo miocárdico. Sempre que os efeitos diretos da estimulação nervosa reduzem o fluxo sanguíneo coronariano, o controle metabólico do fluxo substitui os efeitos nervosos diretos em segundos.

CARACTERÍSTICAS ESPECIAIS DO METABOLISMO DO MÚSCULO CARDÍACO

Os princípios básicos do metabolismo celular, discutidos nos Capítulos 68 a 73, aplicam-se ao músculo cardíaco do mesmo modo que a outros tecidos, mas há certas diferenças quantitativas. Mais importante ainda, em condições de repouso, o músculo cardíaco normalmente consome mais ácidos graxos do que carboidratos para o fornecimento de energia ($\approx$ 70% da energia é derivada dos ácidos graxos). No entanto, como também acontece com outros tecidos, em condições anaeróbicas ou isquêmicas, o metabolismo cardíaco deve recorrer a mecanismos de glicólise anaeróbia para obtenção de energia. A glicólise, porém, consome grandes quantidades da glicose presente no sangue e, ao mesmo tempo, produz grandes quantidades de ácido láctico no tecido cardíaco. Essa é provavelmente uma das causas da dor anginosa em condições de isquemia cardíaca, como será discutido posteriormente neste capítulo.

Como em outros tecidos, mais de 95% da energia metabólica liberada pelos alimentos é usada para formação de ATP na mitocôndria. Esse ATP, por sua vez, atua como transportador de energia para a contração muscular cardíaca e outras funções celulares. Na isquemia coronariana grave, o ATP se degrada primeiro em difosfato de adenosina e, em seguida, em AMP e adenosina. Como a membrana das células musculares cardíacas é ligeiramente permeável à adenosina, boa parte desse agente pode se difundir das células musculares para o sangue circulante.

Acredita-se que a adenosina liberada seja uma das substâncias que provocam a dilatação das arteríolas coronárias durante a hipóxia coronariana, como discutido anteriormente. No entanto, a perda de adenosina também tem uma consequência importante no nível celular. Em apenas 30 minutos de isquemia coronariana grave, como ocorre após um infarto do miocárdio, cerca de metade das moléculas de adenina pode ser perdida pelas células afetadas do músculo cardíaco. Além disso, essa perda só pode ser substituída por nova síntese de adenina, a uma taxa de apenas 2% por hora. Portanto, uma vez que um episódio grave de isquemia coronariana persiste por 30 minutos ou mais, o alívio da isquemia pode ser tarde demais para evitar lesão e morte das células cardíacas. Esta é quase certamente uma das principais causas de morte celular cardíaca durante episódios de isquemia miocárdica.

CARDIOPATIA ISQUÊMICA

A causa mais comum de morte nos países ocidentais é a cardiopatia isquêmica, que resulta de uma insuficiência de fluxo sanguíneo coronariano. Nos EUA, cerca de 35% das pessoas com 65 anos ou mais morrem de cardiopatia isquêmica. Algumas mortes são repentinas, como resultado de oclusão coronariana aguda ou fibrilação cardíaca, enquanto outros casos evoluem lentamente ao longo de semanas a anos, como resultado do enfraquecimento progressivo do processo de bombeamento cardíaco. Neste capítulo, discutimos a isquemia coronariana aguda, causada por oclusão coronariana aguda e infarto do miocárdio. No Capítulo 22, discutiremos a insuficiência cardíaca congestiva, que frequentemente é causada pela lenta evolução da isquemia coronariana e pelo enfraquecimento do músculo cardíaco.

A aterosclerose é uma das principais causas de cardiopatia isquêmica. Uma causa frequente de diminuição do fluxo sanguíneo coronariano é a aterosclerose. O processo aterosclerótico é discutido em conexão com o metabolismo lipídico no Capítulo 69. Resumidamente, em pessoas com predisposição genética para a aterosclerose, que estão com sobrepeso ou obesas e têm um estilo de vida sedentário, ou que têm pressão alta e danos às células endoteliais dos vasos sanguíneos coronarianos, ao longo do tempo, grandes quantidades de colesterol se depositam sob o endotélio em pontos dispersos pelas artérias de todo o corpo. Gradualmente, essas áreas de depósito são invadidas por tecido fibroso e frequentemente se tornam calcificadas. O resultado final é o desenvolvimento de placas ateroscleróticas, que na verdade se projetam para os lumens dos vasos e bloqueiam total ou parcialmente o fluxo sanguíneo. Um local comum para o desenvolvimento de placas ateroscleróticas são os primeiros centímetros das principais artérias coronárias.

Oclusão coronariana aguda

A oclusão aguda de uma artéria coronária costuma acontecer em pacientes que já têm uma cardiopatia coronariana aterosclerótica subjacente, mas quase nunca ocorre em pessoas com circulação coronariana normal. A oclusão aguda pode ter várias causas, duas das quais destacamos a seguir:

1. A placa aterosclerótica pode provocar a formação de um coágulo sanguíneo local denominado *trombo*, que oclui a artéria. O trombo geralmente se forma onde a placa arteriosclerótica rompeu o endotélio, entrando em contato direto com o sangue circulante. Como a placa apresenta uma superfície não uniforme, as plaquetas sanguíneas aderem a ela, ocorre a deposição de fibrina e as hemácias ficam retidas, formando um coágulo sanguíneo que cresce até obstruir o vaso. Ocasionalmente, o coágulo se desprende de seu ponto de fixação na placa aterosclerótica e flui para um ramo mais periférico da árvore arterial coronariana, onde bloqueia a artéria naquele ponto. Um trombo que flui ao longo da artéria dessa maneira e oclui o vaso mais distalmente é chamado de *êmbolo coronariano*.

2. Muitos médicos acreditam que também possa ocorrer o espasmo muscular local de uma artéria coronária. O espasmo pode ser resultado direto da irritação da musculatura lisa da parede arterial causada pelas margens de uma placa arteriosclerótica ou pode resultar de reflexos nervosos locais, que provocam contração excessiva da parede vascular coronariana. O espasmo pode então evoluir para uma *trombose secundária* do vaso.

O papel salva-vidas da circulação colateral coronariana. O nível de dano ao músculo cardíaco causado pela lenta evolução da constrição aterosclerótica das artérias coronárias ou pela oclusão coronária súbita é determinado em grande parte pelo grau de circulação colateral existente ou que pode se desenvolver no intervalo de minutos após uma oclusão. Em um coração normal, praticamente não existe grande comunicação entre as artérias coronárias maiores. No entanto, existem muitas anastomoses entre as artérias menores de 20 a 250 micrômetros de diâmetro, como mostrado na **Figura 21.6**.

Quando ocorre a oclusão súbita de uma das artérias coronárias maiores, as pequenas anastomoses começam a se dilatar em segundos. No entanto, o fluxo sanguíneo através desses colaterais minúsculos geralmente representa

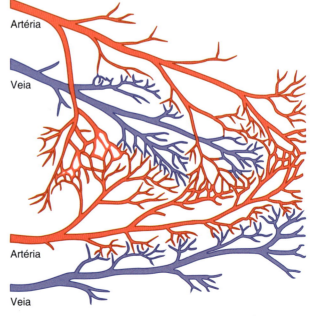

Figura 21.6 Anastomoses minúsculas no sistema arterial coronariano normal.

CAPÍTULO 21 Fluxo Sanguíneo Muscular e Débito Cardíaco durante o Exercício...

menos da metade do volume necessário para manter viva a porção do músculo cardíaco que passam a irrigar. Os diâmetros dos vasos colaterais não aumentam muito nas 8 a 24 horas seguintes. Depois desse período, no entanto, o fluxo colateral começa a aumentar, dobrando no segundo ou terceiro dia e frequentemente alcançando o volume do fluxo coronariano normal ou quase normal em cerca de 1 mês. Como resultado do desenvolvimento desses canais colaterais, muitos pacientes se recuperam quase completamente de diferentes graus de oclusão coronariana quando a área de envolvimento muscular não é muito grande.

Quando a aterosclerose contrai as artérias coronárias lentamente, ao longo de um período de anos, e não em um episódio súbito, a vasculatura colateral tem como se desenvolver ao mesmo tempo, enquanto a aterosclerose se agrava. Desse modo, a pessoa pode nunca vir a apresentar um episódio agudo de disfunção cardíaca. Eventualmente, entretanto, o processo esclerótico evolui além dos limites do suprimento colateral para fornecer o fluxo sanguíneo necessário e, muitas vezes, os próprios vasos sanguíneos colaterais desenvolvem aterosclerose. Quando isso ocorre, a produção de trabalho do músculo cardíaco fica gravemente comprometida, e o coração não consegue bombear nem mesmo as quantidades normalmente necessárias de fluxo sanguíneo. Essa é uma das causas mais comuns de insuficiência cardíaca em idosos.

Infarto do miocárdio

Imediatamente após uma oclusão coronariana aguda, o fluxo sanguíneo cessa nos vasos coronarianos além da oclusão, exceto por pequenas quantidades de fluxo colateral dos vasos circundantes. A porção do músculo com fluxo zero ou tão pouco fluxo que não consegue sustentar o funcionamento do músculo cardíaco é chamada de área *infartada*. O processo geral é chamado de *infarto agudo do miocárdio (IAM)*.

Logo após o início do infarto, pequenas quantidades de sangue colateral começam a se infiltrar na área infartada, o que, combinado com a dilatação progressiva dos vasos sanguíneos locais, sobrecarrega a região com sangue estagnado. Simultaneamente, as fibras musculares utilizam o que resta de oxigênio no sangue, fazendo com que a hemoglobina fique totalmente desoxigenada. Por isso, a área infartada assume uma coloração castanho-azulada e os vasos sanguíneos da área parecem estar ingurgitados, apesar da ausência de fluxo sanguíneo. Em estágios posteriores, as paredes dos vasos tornam-se altamente permeáveis e o líquido extravasa, o tecido muscular local fica edemaciado e as células do músculo cardíaco começam a inchar, por causa da diminuição do metabolismo celular. Em poucas horas de ausência quase total de suprimento sanguíneo, as células do músculo cardíaco começam a morrer.

O músculo cardíaco precisa de cerca de 1,3 mℓ de oxigênio/100 g de tecido muscular/min apenas para permanecer vivo. Em comparação, cerca de 8 mℓ de oxigênio/100 g são entregues ao ventrículo esquerdo normal em repouso a cada minuto. Portanto, se houver apenas de 15 a 30% do fluxo sanguíneo coronariano normal em repouso, o músculo ainda consegue sobreviver. Mas na porção central de um grande infarto, onde quase não há fluxo sanguíneo colateral, o tecido muscular morre.

Infarto subendocárdico. O músculo subendocárdico frequentemente sofre infarto, mesmo quando não há evidência de infarto nas porções da superfície externa do coração. Isso ocorre porque o músculo subendocárdico tem um consumo maior de oxigênio e mais dificuldade para conseguir o fluxo sanguíneo adequado, pois os vasos sanguíneos subendocárdicos são fortemente comprimidos pela contração sistólica do coração, como explicado anteriormente. Portanto, uma condição que compromete o fluxo sanguíneo para qualquer área do coração provoca primeiramente danos às regiões subendocárdicas, e o dano então se espalha, alcançando o epicárdio.

CAUSAS DE MORTE APÓS OCLUSÃO CORONARIANA AGUDA

As causas mais comuns de morte após o infarto agudo do miocárdio são as seguintes: (1) diminuição do débito cardíaco; (2) represamento de sangue nos vasos sanguíneos pulmonares e morte resultante de edema pulmonar; (3) fibrilação cardíaca; e, ocasionalmente (4) ruptura do coração.

Diminuição do débito cardíaco – distensão sistólica local e choque cardiogênico. Quando algumas das fibras do músculo cardíaco param de funcionar e outras estão muito fracas para se contrair com força, a capacidade geral de bombeamento do ventrículo afetado é proporcionalmente reduzida. A força total de bombeamento do coração infartado é frequentemente reduzida mais do que se poderia esperar, em razão de um fenômeno denominado *distensão sistólica local*, mostrado na **Figura 21.7**. Ou seja, quando as áreas normais do músculo ventricular se contraem, a porção isquêmica, com o tecido muscular morto ou simplesmente não funcional, em vez de se contrair, é forçada para fora pela pressão que se desenvolve no interior do ventrículo. Portanto, grande parte da força de bombeamento do ventrículo é dissipada pela protrusão da área disfuncional do músculo cardíaco.

Quando o coração fica incapaz de se contrair com força suficiente para bombear a quantidade adequada de sangue para a árvore arterial periférica, ocorrem insuficiência cardíaca e necrose dos tecidos periféricos, resultantes da isquemia periférica. Essa condição, que será discutida com mais detalhes no próximo capítulo, é chamada de *choque coronariano, choque cardiogênico* ou *choque cardíaco* (quando ocorre agudamente), ou *insuficiência cardíaca de baixo débito* (quando ocorre de maneira insidiosa). O choque cardiogênico quase sempre acontece quando mais de 40% do ventrículo esquerdo está infartado, e o resultado final em mais de 70% dos pacientes com choque cardiogênico é a morte.

Acúmulo de sangue no sistema venoso. Quando o coração não está bombeando o sangue para a frente, ele

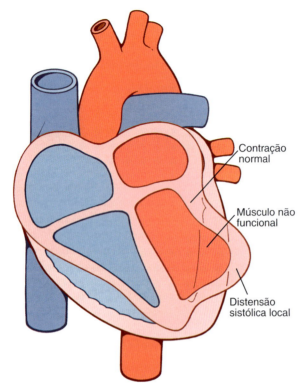

Figura 21.7 Estiramento sistólico em área de isquemia do músculo cardíaco.

acaba ficando represado nos átrios e nos vasos sanguíneos dos pulmões ou na circulação sistêmica. Isso leva ao aumento das pressões capilares, principalmente nos pulmões.

Esse acúmulo de sangue nas veias não costuma causar muita dificuldade durante as primeiras horas após um infarto do miocárdio. Em vez disso, os sintomas se manifestam alguns dias depois, porque o débito cardíaco agudamente reduzido resulta na diminuição do fluxo sanguíneo para os rins. Então, pelos motivos discutidos no Capítulo 22, os rins não excretam urina suficiente. Isso aumenta progressivamente o volume sanguíneo total e se manifesta por sintomas de congestão. Sendo assim, muitos pacientes aparentemente assintomáticos nos primeiros dias após o surgimento da insuficiência cardíaca de repente desenvolvem um edema agudo de pulmão, que muitas vezes os leva à morte poucas horas após o aparecimento dos primeiros sintomas respiratórios.

Fibrilação ventricular após infarto do miocárdio. Em muitos pacientes que não resistem à oclusão coronariana, a morte ocorre por um desenvolvimento repentino de fibrilação ventricular. A tendência para o desenvolvimento de fibrilação é especialmente grande após um infarto extenso, mas também pode ocorrer após pequenas oclusões. Alguns pacientes com insuficiência coronariana crônica morrem repentinamente de fibrilação, sem ter qualquer infarto agudo.

A fibrilação se desenvolve com mais frequência durante dois períodos especialmente delicados após um infarto coronariano. O primeiro se dá durante os 10 minutos iniciais após a ocorrência do infarto. Então, há um curto período de relativa segurança, seguido por um segundo período de irritabilidade cardíaca que se manifesta aproximadamente uma hora depois e pode durar várias horas. Também pode ocorrer fibrilação muitos dias após o infarto, mas a probabilidade é menor. Pelo menos quatro fatores estão envolvidos na tendência à fibrilação cardíaca:

1. A interrupção aguda do suprimento sanguíneo ao músculo cardíaco causa rápida depleção de potássio da musculatura isquêmica. Isso também aumenta a concentração de potássio nos líquidos extracelulares ao redor das fibras musculares cardíacas. Experimentos em que o potássio foi injetado no sistema coronariano demonstraram que uma concentração extracelular elevada de potássio aumenta a irritabilidade da musculatura cardíaca e, portanto, a possibilidade de fibrilação.
2. A isquemia do músculo causa uma *corrente de lesão*, descrita no Capítulo 12 em relação aos eletrocardiogramas de pacientes com infarto agudo do miocárdio. Ou seja, a musculatura isquêmica frequentemente não consegue repolarizar completamente suas membranas após o batimento cardíaco e, portanto, a superfície externa desse músculo permanece negativa em relação ao potencial de membrana normal do músculo cardíaco em outras partes do coração. Portanto, a corrente elétrica flui dessa área isquêmica do coração para a área normal e pode desencadear impulsos anormais, que podem causar fibrilação.
3. Após um infarto maciço podem surgir potentes reflexos simpáticos, principalmente porque o coração não está bombeando o volume adequado de sangue para a árvore arterial, o que resulta em diminuição da pressão arterial. A estimulação simpática também aumenta a irritabilidade do músculo cardíaco e, portanto, predispõe à fibrilação.
4. A fraqueza do músculo cardíaco provocada pelo infarto do miocárdio pode causar dilatação excessiva do ventrículo. Essa dilatação aumenta o comprimento da via de condução do impulso ao coração e frequentemente promove vias de condução anormais em torno da área infartada do músculo cardíaco. Esses dois efeitos predispõem ao desenvolvimento de *movimentos* elétricos *circulares* porque, como discutido no Capítulo 13, o prolongamento excessivo das vias de condução nos ventrículos permite que os impulsos cheguem novamente ao músculo que já está se recuperando do período refratário, iniciando, assim, um ciclo de movimento circular, em um processo contínuo.

Ruptura da área infartada. Durante os primeiros dias após um infarto agudo, o risco de ruptura da porção isquêmica do coração é pequeno, mas alguns dias depois, as fibras musculares mortas começam a sofrer degeneração e a parede do coração fica muito fina e esticada. Quando isso acontece, a porção morta do músculo cardíaco se projeta para fora, com protrusão acentuada a cada contração, e essa distensão sistólica localizada aumenta cada vez mais, até que, finalmente, o coração se rompe. Um dos métodos empregados para avaliar a evolução de um infarto grave do miocárdio é o registro de imagens cardíacas, seja por meio de ecocardiografia, ressonância magnética (RM) ou tomografia computadorizada (TC), para verificar se a distensão sistólica está piorando.

Quando ocorre o rompimento de um ventrículo, a perda de sangue para o espaço pericárdico provoca o rápido desenvolvimento de um derrame pericárdico, que poderá causar o *tamponamento cardíaco* – isto é, compressão externa do coração pelo sangue acumulado na cavidade pericárdica. Por causa da compressão, o sangue não consegue fluir para o átrio direito, e o paciente morre por diminuição súbita do débito cardíaco.

ESTÁGIOS DA RECUPERAÇÃO DE UM INFARTO AGUDO DO MIOCÁRDIO

A parte superior esquerda da **Figura 21.8** mostra os efeitos de uma oclusão coronariana aguda em um paciente com uma pequena área de isquemia muscular; à direita é mostrado um coração com uma grande área isquêmica. Quando a área de isquemia é pequena, ocorre pouca ou nenhuma necrose de células musculares, mas, frequentemente, parte do músculo fica temporariamente disfuncional, porque o suprimento nutricional é insuficiente para promover a contração muscular.

Quando a área de isquemia é grande, algumas das fibras musculares no centro dessa área morrem rapidamente, no intervalo de 1 a 3 horas, quando ocorre a interrupção total do suprimento sanguíneo coronariano. Imediatamente ao redor da área morta fica uma região disfuncional, que apresenta falhas na contração e também na condução do impulso. Então, estendendo-se em círculos concêntricos ao redor da área não funcional, fica uma área que ainda está se contraindo, porém fracamente por causa da isquemia leve.

Substituição do tecido muscular morto por tecido cicatricial. Na parte inferior da **Figura 21.8**, são mostrados os vários estágios de recuperação após um extenso infarto do miocárdio. Logo após a oclusão, as fibras musculares no centro da área isquêmica morrem. Então, durante os próximos dias, essa região de fibras mortas cresce, porque muitas fibras marginais finalmente sucumbem à isquemia prolongada. Ao mesmo tempo, devido ao aumento dos canais arteriais colaterais que irrigam a borda externa da área infartada, grande parte do músculo disfuncional se recupera. De alguns dias até 3 semanas, a maior parte desse músculo torna a ser novamente funcional ou morre. Nesse intervalo, começa a se desenvolver tecido fibroso entre as fibras mortas; a isquemia pode estimular o crescimento de fibroblastos e promover o desenvolvimento de quantidades maiores do que o normal de tecido fibroso. Portanto, o tecido muscular necrosado (morto) é gradualmente substituído por tecido fibroso. Então, como é uma propriedade geral do tecido fibroso passar por contração e dissolução progressivas, a cicatriz fibrosa pode diminuir em um período que varia de meses a 1 ano.

Por fim, as áreas normais do coração gradualmente sofrem hipertrofia, para compensar, pelo menos parcialmente, a perda de musculatura cardíaca. Por meio desses processos, o coração pode se recuperar parcial ou quase totalmente em poucos meses, dependendo da gravidade do infarto e da quantidade de tecido morto.

Importância do repouso no tratamento do infarto do miocárdio. A extensão da morte celular cardíaca é determinada pelo grau de isquemia e pela carga de trabalho imposta ao músculo cardíaco. Quando a carga de trabalho aumenta muito, como durante a prática de exercícios físicos, em momentos de forte tensão emocional ou como resultado de extrema fadiga, o coração precisa de mais oxigênio e nutrientes adicionais à manutenção da vida. Além disso, os vasos sanguíneos anastomóticos, que passam a fornecer sangue às áreas isquêmicas, também precisam continuar alimentando áreas do coração que normalmente abastecem. Quando o coração fica excessivamente ativo, os vasos da musculatura normal ficam muito dilatados. Essa dilatação permite que a maior parte do sangue que flui para os vasos coronarianos escoe através do tecido muscular normal, deixando, assim, pouca quantidade para fluir pelos pequenos canais anastomóticos para abastecer a área isquêmica. Como resultado, ocorre uma piora na isquemia, uma condição chamada de *síndrome do roubo coronariano*. Por isso, um fator importante no tratamento de um paciente com infarto do miocárdio é a observância do repouso absoluto durante o processo de recuperação.

FUNÇÃO CARDÍACA APÓS A RECUPERAÇÃO DE UM INFARTO AGUDO DO MIOCÁRDIO

Ocasionalmente, um coração que se recuperou de um grande infarto do miocárdio consegue praticamente retornar à capacidade funcional total; na maioria dos casos, porém, a capacidade de bombeamento fica permanentemente reduzida em relação à de um coração saudável. Isso não significa que a pessoa seja necessariamente deficiente cardíaca ou que o débito cardíaco em repouso esteja tão

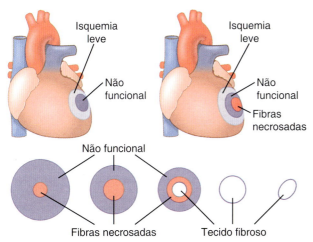

Figura 21.8 *Parte superior*, áreas pequenas e grandes de isquemia coronariana. *Parte inferior*, estágios de recuperação do infarto do miocárdio.

PARTE 4 Circulação

abaixo do normal, porque o coração geralmente é capaz de bombear 300 a 400% mais sangue por minuto do que o corpo necessita em repouso – ou seja, o coração saudável tem uma reserva cardíaca de 300 a 400%. Mesmo quando a reserva cardíaca é reduzida a apenas 100%, a pessoa ainda consegue realizar a maior parte das atividades cotidianas, mas não exercícios extenuantes, que trariam uma sobrecarrega ao coração.

DOR NA CARDIOPATIA ISQUÊMICA

Normalmente, uma pessoa não pode "sentir" seu coração, mas o músculo cardíaco isquêmico geralmente causa uma sensação dolorosa que pode ser intensa. Não se sabe exatamente o que causa essa dor, mas acredita-se que a isquemia coronariana faça com que o miocárdio libere substâncias ácidas, como o ácido láctico e outras substâncias que promovem a sensação dolorosa, como histamina, cininas ou enzimas proteolíticas celulares, que não são removidas com a rapidez necessária pelo lento fluxo sanguíneo coronariano. As altas concentrações desses produtos estimulam as terminações nervosas da dor no músculo cardíaco, enviando impulsos dolorosos através das fibras nervosas aferentes sensoriais até o sistema nervoso central.

Angina de peito (dor precordial). Na maioria das pessoas com constrição progressiva das artérias coronárias, a dor cardíaca, chamada de angina de peito, começa a aparecer sempre que a carga de trabalho do coração fica muito grande em relação ao fluxo sanguíneo coronariano disponível. Essa dor geralmente é sentida abaixo da parte superior do esterno, sobre o coração. Além disso, a dor é frequentemente referida a áreas distantes da superfície corporal, geralmente no braço e ombro esquerdos, mas também no pescoço e mesmo na lateral da face. A razão para essa distribuição da sensação dolorosa é que, durante a vida embrionária, o coração se origina no pescoço, assim como os braços. Portanto, tanto o coração quanto essas áreas superficiais do corpo recebem fibras nervosas de dor dos mesmos segmentos da medula espinhal.

A maioria das pessoas com angina de peito crônica sente dor quando se exercita ou experimenta emoções que aumentem o metabolismo cardíaco ou contraiam temporariamente os vasos coronarianos por causa dos sinais nervosos vasoconstritores simpáticos. A dor anginosa também é exacerbada por baixas temperaturas ou por estar com o estômago cheio, fatores que aumentam a carga de trabalho do coração. A dor geralmente dura apenas alguns minutos. No entanto, alguns pacientes apresentam isquemia tão acentuada e duradoura que sentem dor o tempo todo. A dor é frequentemente descrita como quente, opressiva e que provoca sensação de aperto; a intensidade da dor é tamanha que o paciente precisa interromper todas as atividades corporais desnecessárias.

Tratamento medicamentoso. Vários medicamentos vasodilatadores, quando administrados durante um ataque agudo de angina, conseguem proporcionar alívio imediato da dor. Os vasodilatadores de ação rápida comumente utilizados são a *nitroglicerina* e outros *compostos à base de nitrato*. Outros medicamentos, como inibidores da enzima de conversão da angiotensina, bloqueadores do receptor da angiotensina, bloqueadores dos canais de cálcio e a *ranolazina*, podem ser usados com benefícios no tratamento da angina de peito crônica estável.

Outra classe de medicamentos usados no tratamento prolongado da angina de peito são os *betabloqueadores*, como o *propranolol*. Essas substâncias bloqueiam os receptores beta-adrenérgicos simpáticos, o que impede o aumento simpático da frequência cardíaca e do metabolismo cardíaco durante a prática de exercícios físicos ou em momentos de estresse emocional. Portanto, a terapia com betabloqueadores diminui a necessidade cardíaca de oxigênio metabólico adicional durante situações estressantes. Por motivos óbvios, isso também pode reduzir o número de ataques de angina, bem como sua gravidade.

TRATAMENTO CIRÚRGICO DA DOENÇA CORONARIANA

Cirurgia de ponte aortocoronária. Em muitos pacientes com isquemia coronariana, as áreas contraídas das artérias coronárias estão localizadas em apenas alguns pontos dispersos bloqueados pela doença aterosclerótica, e o restante da vasculatura coronariana é normal ou quase normal. Na década de 1960, foi desenvolvido um procedimento cirúrgico denominado *ponte aortocoronária* ou *cirurgia de revascularização do miocárdio* (CABG, *coronary artery bypass grafting*), no qual uma secção de uma veia subcutânea é removida do braço ou da perna e enxertada desde a raiz da aorta até o lado de uma artéria coronária periférica, localizada além do ponto de bloqueio aterosclerótico.

Geralmente, são realizados de um a cinco desses enxertos, cada um alimentando uma artéria coronária periférica além do bloqueio. A dor anginosa na maioria dos pacientes é aliviada após a cirurgia de *bypass* coronariano. Além disso, para pacientes ainda sem grave dano do coração antes da cirurgia, o procedimento consegue oferecer uma expectativa de vida normal. Se o miocárdio já estiver gravemente lesado, entretanto, esse procedimento terá pouca utilidade.

Angioplastia coronariana. Desde a década de 1980, um procedimento tem sido usado para desobstruir vasos coronarianos parcialmente bloqueados antes que ocorra a oclusão total. Esse procedimento, denominado *angioplastia da artéria coronária*, é descrito a seguir. Um pequeno cateter com ponta de balão, com cerca de 1 milímetro de diâmetro, é introduzido no sistema coronariano sob orientação radiográfica e conduzido através da artéria parcialmente ocluída até que o balão do cateter ultrapasse o ponto parcialmente ocluído. Então, o balão é inflado com alta pressão, o que distende acentuadamente a artéria

CAPÍTULO 21 Fluxo Sanguíneo Muscular e Débito Cardíaco durante o Exercício...

doente. Depois que esse procedimento é realizado, o fluxo sanguíneo através do vaso frequentemente aumenta de 3 a 4 vezes, e mais de 75% dos pacientes submetidos ao procedimento sentem alívio dos sintomas de isquemia coronariana por pelo menos vários anos, embora muitos ainda precisem, por fim, de cirurgia de *bypass*.

Pequenos tubos de malha de aço inoxidável chamados *stents* podem ser colocados dentro de uma artéria coronária dilatada por angioplastia, de modo a manter a patência da artéria, prevenindo uma reestenose. Algumas semanas após a colocação do *stent* na artéria coronária, o endotélio cresce sobre a superfície metálica da malha, permitindo que o sangue flua suavemente através do *stent*. No entanto, a reestenose da artéria coronária bloqueada ocorre em cerca de 25 a 40% dos pacientes tratados com angioplastia, frequentemente no intervalo 6 meses do procedimento inicial. Geralmente isso acontece em razão da formação excessiva de tecido cicatricial, que se desenvolve sob o novo endotélio saudável que cresceu sobre a malha metálica. Os *stents* que liberam fármacos lentamente (*stents* farmacológicos) podem ajudar a prevenir o crescimento excessivo de tecido cicatricial.

Novos procedimentos para desobstrução de artérias coronárias ateroscleróticas estão constantemente sendo desenvolvidos experimentalmente. Um desses procedimentos utiliza um feixe de *laser* que sai da ponta de um cateter inserido na artéria coronária em direção à lesão aterosclerótica. O *laser* literalmente dissolve a lesão sem danificar o restante da parede arterial de maneira significativa.

Bibliografia

Allaqaband H, Gutterman DD, Kadlec AO: Physiological consequences of coronary arteriolar dysfunction and its influence on cardiovascular disease. Physiology (Bethesda) 33:338, 2018.

Alexander JH, Smith PK: Coronary-artery bypass grafting. N Engl J Med 374:1954, 2016.

Anderson JL, Morrow DA: Acute myocardial infarction. N Engl J Med 376:2053, 2017.

Casey DP, Joyner MJ: Compensatory vasodilatation during hypoxic exercise: mechanisms responsible for matching oxygen supply to demand. J Physiol 590:6321, 2012.

Crea F, Liuzzo G: Pathogenesis of acute coronary syndromes. J Am Coll Cardiol 61:1, 2013.

Deussen A, Ohanyan V, Jannasch A, et al: Mechanisms of metabolic coronary flow regulation. J Mol Cell Cardiol 52:794, 2012.

Doenst T, Haverich A, Serruys P, Bonow RO, Kappetein P, et al: PCI and CABG for treating stable coronary artery disease. J Am Coll Cardiol 73:964, 2019.

Dora KA: Endothelial-smooth muscle cell interactions in the regulation of vascular tone in skeletal muscle. Microcirculation 23:626, 2016.

Drew RC: Baroreflex and neurovascular responses to skeletal muscle mechanoreflex activation in humans: an exercise in integrative physiology. Am J Physiol Regul Integr Comp Physiol 313:R654, 2017.

Duncker DJ, Bache RJ: Regulation of coronary blood flow during exercise. Physiol Rev 88:1009, 2008.

Foreman RD, Garrett KM, Blair RW: Mechanisms of cardiac pain. Compr Physiol 5:929, 2015.

Goodwill AG, Dick GM, Kiel AM, Tune JD: Regulation of coronary blood flow. Compr Physiol 7:321, 2017.

Gori T, Polimeni A, Indolfi C, Räber L, Adriaenssens T, Münzel T: Predictors of stent thrombosis and their implications for clinical practice. Nat Rev Cardiol 16:243, 2019

Guyton AC, Jones CE, Coleman TG: Circulatory Pathology: Cardiac Output and Its Regulation. Philadelphia: WB Saunders, 1973.

Joyner MJ, Casey DP: Regulation of increased blood flow (hyperemia) to muscles during exercise: a hierarchy of competing physiological needs. Physiol Rev 95:549, 2015.

Meier P, Schirmer SH, Lansky AJ, et al: The collateral circulation of the heart. BMC Med 11:143, 2013.

Mitchell JH: Abnormal cardiovascular response to exercise in hypertension: contribution of neural factors. Am J Physiol Regul Integr Comp Physiol 312:R851, 2017.

Sandoval Y, Jaffe AS: Type 2 Myocardial infarction. J Am Coll Cardiol 73:1846, 2019.

Taqueti VR, Di Carli MF: Coronary microvascular disease pathogenic mechanisms and therapeutic options. J Am Coll Cardiol 72:2625, 2018.

CAPÍTULO 22

Insuficiência Cardíaca

Uma das condições mais importantes tratadas pelo médico é a insuficiência cardíaca (falência do coração). Essa doença pode resultar de qualquer condição cardíaca que reduza a capacidade do coração de bombear sangue suficiente para atender às necessidades orgânicas. A causa geralmente é a diminuição da contratilidade do miocárdio, resultante da diminuição do fluxo sanguíneo coronariano. No entanto, a insuficiência cardíaca também pode ser provocada por danos às valvas cardíacas, pressão externa ao redor do coração, deficiência de vitamina B, doença muscular cardíaca primária ou qualquer outra anormalidade que torne o coração uma bomba hipofuncionante.

Neste capítulo, discutiremos principalmente a insuficiência cardíaca provocada por cardiopatia isquêmica, resultante do bloqueio parcial dos vasos sanguíneos coronarianos, a causa mais comum dessa condição. No Capítulo 23, discutiremos as doenças cardíacas valvares e congênitas.

DINÂMICA CIRCULATÓRIA NA INSUFICIÊNCIA CARDÍACA

EFEITOS AGUDOS DE INSUFICIÊNCIA CARDÍACA MODERADA

Se um coração sofre um grande dano repentino, como, por exemplo, por infarto do miocárdio, a capacidade de bombeamento cardíaco é imediatamente reduzida. Como resultado, observam-se dois efeitos principais: (1) redução do débito cardíaco; e (2) represamento de sangue nas veias, resultando em aumento da pressão venosa.

As alterações progressivas na efetividade do bombeamento cardíaco em momentos diferentes após um infarto agudo do miocárdio são mostradas graficamente na **Figura 22.1**. A parte superior dessa figura mostra uma curva de débito cardíaco normal. O ponto A nessa curva é o ponto operacional normal, mostrando um débito cardíaco em repouso de 5 ℓ/min e uma pressão atrial direita de 0 mmHg.

Imediatamente após o dano no coração, ocorre uma grande depressão na curva de débito cardíaco, descendo para a curva mais baixa na parte inferior do gráfico. Em poucos segundos, um novo estado circulatório é estabelecido no ponto B, ilustrando que o débito cardíaco caiu para 2 ℓ/min, cerca de dois quintos do normal, enquanto a pressão atrial direita aumentou para +4 mmHg, pois o sangue venoso que retorna ao coração vindo do organismo é represado no átrio direito. Embora baixo, esse débito cardíaco ainda é suficiente para a manutenção da vida por talvez algumas horas, mas é provável que esteja associado a desmaios. Felizmente, esse estágio agudo geralmente dura apenas alguns segundos, porque os reflexos nervosos simpáticos ocorrem quase imediatamente e compensam, em grande parte, os danos ao coração, como descrito a seguir.

Compensação da insuficiência cardíaca aguda por reflexos nervosos simpáticos. Quando o débito cardíaco alcança um nível precariamente baixo, muitos dos reflexos circulatórios discutidos no Capítulo 18 são rapidamente ativados. O mais conhecido deles é o *reflexo barorreceptor*, que é ativado pela diminuição da pressão arterial. O *reflexo quimiorreceptor*, a *resposta isquêmica do sistema nervoso central* e até mesmo *reflexos que se originam no coração lesionado* provavelmente contribuem

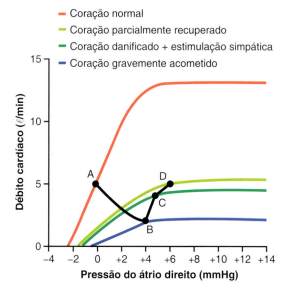

Figura 22.1 Alterações progressivas na curva de débito cardíaco após infarto agudo do miocárdio. Tanto o débito cardíaco quanto a pressão atrial direita mudam progressivamente do ponto A ao ponto D (ilustrado pela *linha preta*) ao longo de um período de segundos, minutos, dias e semanas.

para a ativação do sistema nervoso simpático. As fibras simpáticas, portanto, tornam-se fortemente estimuladas em poucos segundos, e, simultaneamente, são inibidos os sinais nervosos parassimpáticos para o coração.

A forte estimulação simpática tem efeitos importantes sobre o coração e a vasculatura periférica. Se toda a musculatura ventricular estiver difusamente danificada, mas ainda funcional, a estimulação simpática fortalecerá essa musculatura. Se parte do músculo não estiver funcional e parte ainda estiver normal, o músculo normal será fortemente estimulado pela estimulação simpática, compensando parcialmente o músculo não funcional. Assim, a *força de bombeamento cardíaco aumentará* como resultado da estimulação simpática. Esse efeito é ilustrado na **Figura 22.1**, mostrando, após a compensação simpática, um aumento de aproximadamente duas vezes na curva de um débito cardíaco muito reduzido.

A estimulação simpática também aumenta o retorno venoso, pois aumenta o tônus da maioria dos vasos sanguíneos da circulação, principalmente das veias, *elevando a pressão média de enchimento sistêmico* para 12 a 14 mmHg, quase 100% acima do normal. Conforme discutido no Capítulo 20, esse aumento da pressão de enchimento aumenta muito a tendência de refluxo do sangue das veias de volta ao coração. Portanto, o coração danificado passa a receber um fluxo sanguíneo maior do que o normal, e a pressão atrial direita aumenta ainda mais, o que ajuda o coração a bombear quantidades ainda maiores de sangue. Assim, na **Figura 22.1**, o novo estado circulatório é representado pelo ponto C, mostrando um débito cardíaco de 4,2 ℓ/min e uma pressão atrial direita de 5 mmHg.

Os reflexos simpáticos alcançam seu máximo em cerca de 30 segundos. Portanto, uma pessoa que tenha um ataque cardíaco súbito e moderado poderá sentir apenas uma dor cardíaca e desmaiar por alguns segundos. Logo em seguida, com o auxílio das compensações pelo reflexo simpático, o débito cardíaco poderá retornar a um nível adequado para sustentar a pessoa se ela permanecer em repouso, embora a dor possa persistir.

ESTÁGIO CRÔNICO DE INSUFICIÊNCIA CARDÍACA – RETENÇÃO DE LÍQUIDOS E DÉBITO CARDÍACO COMPENSADO

Após os primeiros minutos de um ataque cardíaco agudo, inicia-se um estado subagudo prolongado, caracterizado, principalmente, por dois eventos: (1) retenção de líquido pelos rins; e (2) graus variados de recuperação cardíaca ao longo de um período de semanas a meses, conforme ilustrado pela curva em verde-claro na **Figura 22.1**. Esse tópico também foi discutido no Capítulo 21.

A retenção de líquido pelos rins e o aumento no volume sanguíneo podem se manter por horas ou dias

Um baixo débito cardíaco tem um efeito profundo sobre a função renal, muitas vezes resultando em anúria quando o débito cardíaco cai para 50 a 60% do valor normal. Em geral, o débito urinário permanece abaixo do normal enquanto o débito cardíaco e a pressão arterial permanecerem significativamente mais baixos do que o normal; o débito urinário geralmente não retorna ao normal após um ataque cardíaco agudo até que o débito cardíaco e a pressão arterial se elevem praticamente aos níveis normais.

A retenção moderada de líquidos na insuficiência cardíaca pode ser benéfica. Muitos cardiologistas consideram que a retenção de líquidos sempre tem um efeito prejudicial sobre a insuficiência cardíaca. No entanto, um aumento moderado no volume de líquidos corporais e no volume sanguíneo é um fator importante para ajudar a compensar a diminuição da capacidade de bombeamento cardíaco, aumentando o retorno venoso. O volume sanguíneo elevado aumenta o retorno venoso de duas maneiras. Primeiro, aumenta a pressão média de enchimento sistêmico, o que *aumenta o gradiente de pressão responsável pelo fluxo venoso de sangue para o coração*. Segundo, distende as veias, o que *reduz a resistência venosa*, permitindo até mesmo que o sangue flua mais facilmente para o coração.

Se o coração não estiver muito acometido, esse aumento do retorno venoso poderá compensar quase totalmente a diminuição da capacidade de bombeamento cardíaca – o suficiente para que, mesmo com a capacidade reduzida de 40 a 50% do normal, o aumento do retorno venoso possa produzir muitas vezes um débito cardíaco próximo do normal, enquanto a pessoa permanecer em repouso.

Quando a capacidade de bombeamento cardíaca é reduzida ainda mais, o fluxo sanguíneo para os rins finalmente se torna muito baixo para que a excreção renal de sal e água sejam suficientes para igualar a ingestão. Portanto, a retenção de líquidos começa e se mantém indefinidamente, a menos que sejam empregados os principais procedimentos terapêuticos. Além disso, como o coração já está bombeando em sua capacidade máxima, *esse excesso de líquido não tem mais efeito benéfico* sobre a circulação. Em vez disso, a retenção aumenta a carga de trabalho do coração já danificado e ocorre o desenvolvimento de um edema intenso em todo o corpo, o que isoladamente pode ser muito prejudicial e pode levar à morte.

Efeitos prejudiciais da retenção excessiva de líquidos na insuficiência cardíaca grave. Em contraste com os efeitos benéficos da retenção moderada de líquidos na insuficiência cardíaca, nos casos com grande excesso de líquido, pode haver consequências fisiológicas graves, como: (1) aumento da carga de trabalho no coração lesado; (2) estiramento excessivo do coração, o que o enfraquece ainda mais; (3) filtração de líquido para os pulmões, provocando edema pulmonar e consequente desoxigenação do sangue; e (4) desenvolvimento de edema na maior parte do corpo. Esses efeitos prejudiciais do excesso de líquido são discutidos em seções posteriores deste capítulo.

PARTE 4 Circulação

Recuperação do coração após infarto do miocárdio

Após o dano súbito do coração decorrente de um infarto do miocárdio, os processos naturais de reparação do organismo começam a ajudar a restaurar a função cardíaca normal. Por exemplo, um novo suprimento de sangue colateral começa a fluir para as porções periféricas da área infartada, podendo tornar os músculos cardíacos nas áreas marginais novamente funcionais. Além disso, a porção não comprometida da musculatura cardíaca sofre hipertrofia, compensando parte do dano.

O grau de recuperação depende do tipo e da gravidade do dano cardíaco, variando da falta de recuperação até a recuperação quase completa. Após um infarto agudo do miocárdio, o coração costuma se recuperar rapidamente durante os primeiros dias e semanas e alcança a maior parte de seu estado final de recuperação em 5 a 7 semanas, embora discretos graus adicionais de recuperação possam continuar a ocorrer por meses.

Curva de débito cardíaco após uma recuperação parcial. A **Figura 22.1** mostra a função de um coração parcialmente recuperado, aproximadamente 1 semana após um infarto agudo do miocárdio. A essa altura, já houve uma retenção considerável de líquido pelo organismo, e a propensão de elevação do retorno venoso também aumentou acentuadamente; portanto, a pressão atrial direita aumenta ainda mais. Como resultado, o estado circulatório agora se desloca do ponto C para o ponto D, que mostra um débito cardíaco normal de 5 ℓ/min, mas a pressão do átrio direito aumentou para 6 mmHg.

Como o débito cardíaco voltou ao normal, a excreção renal de líquidos também retorna ao normal e deixa de ocorrer retenção de líquido, exceto que *a retenção que já ocorreu continua a manter excessos moderados de líquido.* Portanto, exceto pela alta pressão atrial direita representada pelo ponto D nessa figura, a pessoa apresenta agora uma dinâmica cardiovascular essencialmente normal, *desde que permaneça em repouso.*

Se a recuperação cardíaca for significativa, e se o volume de retenção de líquido for adequado, o débito cardíaco aumenta para o normal e a estimulação simpática diminui gradualmente. À medida que o coração se recupera, a rápida frequência do pulso, a pele fria e a palidez decorrentes da estimulação simpática no estágio agudo da insuficiência cardíaca desaparecem gradualmente.

RESUMO DAS ALTERAÇÕES APÓS INSUFICIÊNCIA CARDÍACA AGUDA – INSUFICIÊNCIA CARDÍACA COMPENSADA

Para resumir os eventos discutidos nas últimas seções, que descrevem a dinâmica das alterações circulatórias após um ataque cardíaco agudo e moderado, podemos dividi-los nos seguintes estágios: (1) efeito instantâneo do dano cardíaco; (2) compensação pelo sistema nervoso simpático, que ocorre principalmente nos primeiros 30 a 60 segundos; e (3) compensações crônicas resultantes da recuperação parcial do coração e da retenção de líquido pelos rins. Todas essas alterações são mostradas graficamente pela linha preta na **Figura 22.1**. A progressão dessa linha mostra o estado normal da circulação (ponto A), o estado alguns segundos após o ataque cardíaco, mas antes que os reflexos simpáticos sejam desencadeados (ponto B), o aumento do débito cardíaco para o normal resultante da estimulação simpática (ponto C), e retorno final do débito cardíaco praticamente ao normal após vários dias ou várias semanas de recuperação cardíaca parcial e retenção de líquidos (ponto D). Esse estado final é denominado *insuficiência cardíaca compensada.*

Insuficiência cardíaca compensada. Na **Figura 22.1,** observe especialmente que a capacidade máxima de bombeamento do coração parcialmente recuperado, conforme representado pelo nível de platô da curva verde-clara, ainda está reduzida para menos da metade do normal. Isso demonstra que um aumento na pressão atrial direita pode manter o débito cardíaco em um nível normal, apesar do enfraquecimento contínuo do coração. Assim, muitas pessoas, especialmente os idosos, apresentam débito cardíaco normal em repouso, mas pressões atriais direitas leve a moderadamente elevadas, em razão dos graus variados de insuficiência cardíaca compensada. As pessoas podem não saber a respeito da ocorrência do dano cardíaco, porque ele geralmente se desenvolve aos poucos e a compensação ocorre de acordo com os estágios progressivos de dano.

Quando a pessoa convive com um estado de insuficiência cardíaca compensada, qualquer tentativa de realizar exercícios pesados pode provocar o retorno imediato dos sintomas de insuficiência cardíaca aguda, porque o coração não é capaz de aumentar sua capacidade de bombeamento para os novos níveis de exigência. Portanto, considera-se que a *reserva cardíaca* é reduzida na insuficiência cardíaca compensada. Esse conceito de reserva cardíaca será discutido posteriormente neste capítulo.

DINÂMICA DA INSUFICIÊNCIA CARDÍACA GRAVE – INSUFICIÊNCIA CARDÍACA DESCOMPENSADA

Se o dano ao coração for muito grave, nenhuma compensação por reflexos nervosos simpáticos ou retenção de líquidos será capaz de fazer com que o músculo cardíaco muito enfraquecido forneça um débito cardíaco de valor normal. Consequentemente, o débito cardíaco não consegue se elevar o suficiente para normalizar a quantidade de líquido excretada pelos rins. Portanto, a retenção continua, o organismo desenvolve cada vez mais edema e essa sequência de eventos acaba resultando na morte do paciente. Essa condição é chamada de *insuficiência cardíaca descompensada.* Assim, uma das principais causas da insuficiência cardíaca descompensada é o comprometimento do bombeamento cardíaco, que se torna insuficiente para que possa ocorrer a eliminação da quantidade diária de líquido pelos rins.

Análise gráfica da insuficiência cardíaca descompensada. A **Figura 22.2** mostra a grande depressão no débito cardíaco em diferentes momentos (pontos A ao F) depois que o coração se tornou gravemente debilitado. Nesta curva, o ponto A representa o estado aproximado da circulação antes de ocorrer qualquer compensação; e o ponto B representa o estado alguns minutos depois, quando a estimulação simpática promove a compensação máxima de que é capaz, mas antes do início da retenção de líquidos. Nesse momento, o débito cardíaco aumentou para 4 ℓ/min e a pressão do átrio direito aumentou para 5 mmHg. A pessoa parece estar razoavelmente bem, mas esse estado não se mantém estável, porque o débito cardíaco não aumenta o suficiente para que possa ocorrer a excreção renal adequada de líquidos; portanto, a retenção continua e pode ser a causa da morte. Esses eventos serão explicados quantitativamente a seguir.

Observe a linha reta na **Figura 22.2**, com um débito cardíaco de 5 ℓ/min. Esse é aproximadamente o nível de débito cardíaco crítico necessário no adulto médio para restabelecer o equilíbrio normal de líquidos pelos rins – isto é, para que a eliminação de sal e água seja tão alta quanto a ingestão. Com débitos cardíacos abaixo desse nível, os mecanismos de retenção de líquido discutidos na seção anterior permanecem em ação e o volume de líquido corporal aumenta progressivamente. Por causa desse aumento progressivo no volume de líquidos, a pressão média de enchimento sistêmico continua a aumentar, o que força quantidades crescentes de sangue das veias periféricas para o átrio direito, aumentando também a pressão do átrio direito. Na **Figura 22.2**, depois de aproximadamente 1 dia, o estado circulatório muda do ponto B para o ponto C, com a pressão do átrio direito subindo para 7 mmHg e o débito cardíaco aumentando para 4,2 ℓ/min. Observe que novamente o débito cardíaco ainda não é alto o suficiente para estabelecer o débito renal normal; portanto, continua havendo retenção de líquido. Depois de cerca de um dia, a pressão do átrio direito sobe para 9 mmHg e o estado circulatório é aquele representado pelo ponto D. Ainda assim, o débito cardíaco é insuficiente para estabelecer o equilíbrio hídrico normal.

Depois de mais alguns dias de retenção de líquidos, a pressão atrial direita aumenta ainda mais, porém, nesse momento, a função cardíaca começa a declinar. Esse declínio é causado pelo estiramento excessivo do coração, edema do músculo cardíaco e outros fatores que reduzem a capacidade de bombeamento do coração. Nesse ponto, fica claro que uma retenção adicional de líquido será mais prejudicial do que benéfica para a circulação. Mesmo assim, o débito cardíaco ainda não é alto o suficiente para promover a função renal normal, então a retenção não só continua, mas se acelera por causa da queda do débito cardíaco (e da queda da pressão arterial que também ocorre). Consequentemente, em poucos dias, o estado circulatório atinge o ponto F da curva, com o débito cardíaco agora menor que 2,5 ℓ/min e a pressão do átrio direito em 16 mmHg. Esse estado é praticamente incompatível com a vida, e o paciente morrerá, a menos que essa cadeia de eventos possa ser revertida. Esse estado em que a insuficiência cardíaca continua a piorar é denominado *insuficiência cardíaca descompensada*.

A partir dessa análise é possível perceber que a incapacidade do débito cardíaco (e da pressão arterial) de aumentar até o nível crítico necessário para o funcionamento normal dos rins resulta no seguinte: (1) retenção progressiva de líquidos; (2) elevação progressiva da pressão média de enchimento sistêmico; e (3) elevação progressiva da pressão atrial direita até que, finalmente, o coração esteja tão distendido ou edemaciado que não consiga bombear nem mesmo quantidades moderadas de sangue, resultando em falência completa. Clinicamente, é possível detectar esse grave quadro de descompensação principalmente pela formação progressiva de edema, especialmente edema pulmonar, que causa *estertores* (estalidos) bolhosos nos pulmões e *dispneia* (falta de ar). Nesse estágio, a ausência de tratamento adequado conduz rapidamente à morte.

Tratamento da descompensação. O processo de descompensação muitas vezes pode ser interrompido desse modo: (1) *fortalecimento do coração* de várias maneiras, especialmente pela *administração de um medicamento cardiotônico*, como *digitálicos*, para fortalecer o coração o suficiente para bombear as quantidades adequadas de sangue para que os rins voltem a funcionar normalmente; ou (2) *administração de diuréticos para aumentar a excreção renal* e, ao mesmo tempo, reduzir a ingestão de água e sal, o que resulta em um equilíbrio entre a ingestão e o débito hídrico, apesar do baixo débito cardíaco.

Os dois métodos interrompem o processo de descompensação, restabelecendo o equilíbrio de líquidos, de modo que pelo menos a mesma quantidade de líquido que é ingerida seja eliminada.

Mecanismo de ação dos medicamentos cardiotônicos. Cardiotônicos, como digitálicos, quando administrados a uma pessoa com o coração saudável, têm pouco efeito sobre o aumento da força de contração do músculo cardíaco. No entanto, quando administrados a um paciente com insuficiência cardíaca crônica, os mesmos medicamentos podem aumentar a força do miocárdio com

Figura 22.2 Débito cardíaco extremamente deprimido, indicativo de cardiopatia descompensada. A retenção progressiva de líquidos aumenta a pressão do átrio direito ao longo de alguns dias, e o débito cardíaco progride do ponto A ao ponto F até a morte.

PARTE 4 Circulação

insuficiência entre 50 e 100%. Portanto, eles são um dos pilares do tratamento da insuficiência cardíaca crônica.

Acredita-se que os digitálicos e outros glicosídeos cardiotônicos fortaleçam as contrações cardíacas, por aumentar a concentração de íons cálcio nas fibras musculares. Esse efeito provavelmente se deve à inibição da Na^+/K^+-ATPase nas membranas celulares cardíacas. A inibição da bomba de Na^+/K^+ aumenta a concentração intracelular de sódio e desacelera a bomba de troca Na^+/Ca^{2+}, que expulsa cálcio da célula em troca de sódio. Como a bomba de troca Na^+/Ca^{2+} depende de um alto gradiente de sódio através da membrana celular, o acúmulo de sódio no interior da célula reduz sua atividade.

No músculo cardíaco debilitado, o retículo sarcoplasmático não consegue acumular quantidades normais de cálcio e, portanto, não é capaz de liberar a quantidade suficiente de íons cálcio no compartimento de líquido livre das fibras musculares para provocar a contração total do músculo. O efeito dos digitálicos para diminuir a ação da bomba de troca sódio-cálcio e aumentar a concentração de íons cálcio no músculo cardíaco fornece o cálcio adicional necessário para aumentar a força de contração do músculo. Portanto, em geral é benéfico deprimir o mecanismo de bombeamento de cálcio em uma quantidade moderada com o uso de digitálicos, permitindo que o nível de cálcio intracelular da fibra muscular aumente ligeiramente.

INSUFICIÊNCIA CARDÍACA UNILATERAL ESQUERDA

Até agora, consideramos a insuficiência cardíaca como um todo. Ainda assim, em um grande número de pacientes, especialmente aqueles com insuficiência cardíaca aguda precoce, a insuficiência do lado esquerdo predomina sobre a do lado direito, e, em casos raros, o lado direito entra em falência sem alterações significativas do lado esquerdo.

Quando o coração esquerdo entra em falência sem insuficiência concomitante do coração direito, o sangue continua a ser bombeado para os pulmões com o vigor normal do coração direito, ao passo que não é bombeado adequadamente para fora dos pulmões pelo coração esquerdo para a circulação sistêmica. Como resultado, a *pressão média de enchimento pulmonar* aumenta em virtude do deslocamento de grandes volumes de sangue da circulação sistêmica para a circulação pulmonar.

À medida que o volume de sangue nos pulmões aumenta, a pressão capilar pulmonar aumenta e, se essa pressão ficar acima de um valor aproximadamente igual à pressão osmótica coloidal do plasma – cerca de 28 mmHg – o líquido começa a ser filtrado dos capilares para os espaços intersticiais e alvéolos pulmonares, resultando em edema pulmonar.

Assim, os problemas mais importantes da insuficiência cardíaca esquerda (*insuficiência cardíaca congestiva*) incluem *congestão vascular pulmonar* e *edema pulmonar*.

Na insuficiência cardíaca esquerda aguda grave, muitas vezes o edema pulmonar se desenvolve tão rapidamente que pode causar morte por asfixia em 20 a 30 minutos, o que será discutido posteriormente neste capítulo.

INSUFICIÊNCIA CARDÍACA DE BAIXO DÉBITO – CHOQUE CARDIOGÊNICO

Em muitos casos, depois de um ataque cardíaco agudo, e frequentemente após períodos prolongados de deterioração cardíaca lenta e progressiva, o coração se torna incapaz de bombear até mesmo a quantidade mínima de fluxo sanguíneo necessária para manutenção da vida. Consequentemente, os tecidos orgânicos começam a sofrer e a se deteriorar, muitas vezes levando à morte em algumas horas a alguns dias. O quadro, então, é de choque circulatório, como explicado no Capítulo 24. Até o sistema cardiovascular sofre com a falta de nutrição e se deteriora, juntamente com o restante do corpo, acelerando a morte. Essa síndrome de choque circulatório causada por bombeamento cardíaco inadequado é chamada de *choque cardiogênico* ou simplesmente *choque cardíaco*. Depois que o choque cardiogênico se desenvolve, a taxa de sobrevivência costuma ser inferior a 30%, mesmo com os cuidados médicos apropriados.

Ciclo vicioso de deterioração cardíaca no choque cardiogênico. A discussão sobre choque circulatório no Capítulo 24 enfatiza a tendência de o coração se tornar progressivamente debilitado quando o suprimento de sangue coronariano é reduzido durante o curso do choque. Ou seja, a pressão arterial baixa que ocorre durante o choque reduz ainda mais o suprimento sanguíneo coronariano. Essa redução enfraquece ainda mais o coração, o que faz com que a pressão arterial caia ainda mais, o que torna o choque cada vez pior, e o processo acaba entrando em um ciclo vicioso de deterioração cardíaca. No choque cardiogênico causado por infarto do miocárdio, esse problema é muito agravado pelo bloqueio já presente nos vasos coronarianos. Por exemplo, em um coração saudável, a pressão arterial deve ser reduzida para cerca de 45 mmHg antes que a deterioração cardíaca se instale. No entanto, em um coração que já tem um vaso coronariano principal bloqueado, a deterioração começa quando a pressão arterial coronariana fica abaixo de 80 a 90 mmHg. Em outras palavras, nesse cenário, mesmo uma pequena redução na pressão arterial pode desencadear um ciclo vicioso de deterioração cardíaca. Por esse motivo, no tratamento do infarto do miocárdio, é extremamente importante prevenir até mesmo períodos curtos de hipotensão.

Fisiologia do tratamento do choque cardiogênico. Frequentemente, um paciente morre de choque cardiogênico antes que os vários processos compensatórios possam retornar o débito cardíaco (e a pressão arterial) a um nível de sustentação da vida. Portanto, o tratamento dessa condição é um dos desafios mais importantes no gerenciamento de ataques cardíacos agudos.

Frequentemente, os digitálicos são administrados imediatamente para fortalecer o coração, caso o músculo ventricular apresente sinais de deterioração. Além disso, a infusão de sangue total, plasma ou um medicamento para aumentar a pressão arterial podem ser usados para manter a pressão arterial. Se a pressão arterial puder ser elevada a um nível suficientemente alto, o fluxo sanguíneo coronariano muitas vezes aumenta o suficiente para prevenir o ciclo vicioso de deterioração. Esse processo oferece tempo suficiente para que os mecanismos compensatórios apropriados no sistema circulatório corrijam o choque.

Foi obtido certo sucesso para salvar a vida de pacientes em choque cardiogênico com o emprego de um dos seguintes procedimentos: (1) remoção cirúrgica do coágulo na artéria coronária, muitas vezes em combinação com um enxerto de *bypass* coronariano; ou (2) cateterismo da artéria coronária bloqueada e infusão de *estreptoquinase* ou *enzimas ativadoras de plasminogênio tecidual*, que provocam a dissolução do coágulo. Os resultados podem ser surpreendentes quando um desses procedimentos é instituído na primeira hora do choque cardiogênico, mas traz pouco ou nenhum benefício depois de 3 horas.

EDEMA EM PACIENTES COM INSUFICIÊNCIA CARDÍACA

A insuficiência cardíaca aguda não causa edema periférico imediato. A insuficiência cardíaca aguda *esquerda* pode causar a rápida congestão dos pulmões, com desenvolvimento de edema pulmonar e até morte no intervalo de minutos a horas. No entanto, a insuficiência cardíaca esquerda ou direita demora a causar edema periférico. Essa situação pode ser melhor observada na **Figura 22.3**. Quando um coração anteriormente saudável falha como bomba, a pressão aórtica diminui e a pressão atrial direita aumenta. À medida que o débito cardíaco se aproxima de zero, essas duas pressões se aproximam em um valor de equilíbrio de cerca de 13 mmHg. A pressão capilar também cai de seu valor normal de 17 mmHg para a nova pressão de equilíbrio de 13 mmHg. Assim, *a insuficiência cardíaca aguda grave frequentemente causa redução, em vez de aumento, na pressão capilar periférica*. Portanto, experimentos com animais, bem como pesquisas com seres humanos, mostram que a insuficiência cardíaca aguda quase nunca promove o desenvolvimento imediato de edema periférico.

A RETENÇÃO RENAL DE LÍQUIDOS A LONGO PRAZO NA INSUFICIÊNCIA CARDÍACA PERSISTENTE PROVOCA EDEMA PERIFÉRICO

Depois de aproximadamente 1 dia de insuficiência cardíaca global ou insuficiência cardíaca ventricular direita, o edema periférico começa a se desenvolver, principalmente *por causa da retenção de líquidos pelos rins*. A retenção de líquido aumenta a pressão média de enchimento sistêmico, resultando em um aumento da tendência de retorno do sangue ao coração. Isso eleva ainda mais a pressão do átrio direito e retorna a pressão arterial ao valor normal. Portanto, *a pressão capilar também aumenta acentuadamente*, provocando perda de líquido para os tecidos e o desenvolvimento de edema grave.

A redução do débito urinário durante a insuficiência cardíaca tem várias causas conhecidas.

1. **Redução da taxa de filtração glomerular.** Uma diminuição do débito cardíaco tende a reduzir a pressão glomerular nos rins em razão: (a) da *redução da pressão arterial;* e (b) da *intensa constrição simpática das arteríolas aferentes do glomérulo*. Como consequência, exceto nos graus mais leves de insuficiência cardíaca, a taxa de filtração glomerular costuma ser reduzida. Fica claro na discussão sobre a função renal nos Capítulos 27 a 30 que *uma diminuição na filtração glomerular pode reduzir acentuadamente o débito urinário*. Uma redução no débito cardíaco para cerca da metade do volume normal pode resultar em anúria quase completa.

2. **Ativação do sistema renina-angiotensina e aumento da reabsorção de água e sal pelos túbulos renais.** O fluxo sanguíneo renal reduzido causa um aumento acentuado na *secreção de renina* pelos rins, o que por sua vez aumenta a *formação de angiotensina II*, como descrito no Capítulo 19. A angiotensina II, por sua vez, tem um efeito direto sobre as arteríolas renais, que diminui ainda mais o fluxo sanguíneo através dos rins, o que reduz a pressão nos capilares peritubulares ao redor dos túbulos renais, promovendo um grande aumento na reabsorção de água e sal pelos túbulos. A angiotensina II também atua diretamente sobre as células epiteliais dos túbulos renais para estimular a reabsorção de sal e água. Portanto, a eliminação de água e sal pela urina fica muito reduzida, e grandes quantidades de sal e água se acumulam no sangue e nos líquidos intersticiais por todo o corpo.

3. **Aumento da secreção de aldosterona.** No estágio crônico de insuficiência cardíaca, grandes quantidades

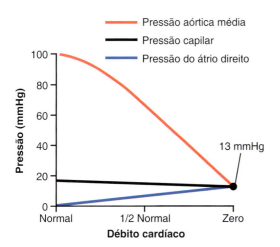

Figura 22.3 Alterações progressivas na pressão aórtica média, na pressão capilar do tecido periférico e na pressão atrial direita conforme o débito cardíaco cai do valor normal para zero.

PARTE 4 Circulação

de aldosterona são secretadas pelo córtex adrenal. Isso é principalmente resultado do efeito da angiotensina II, que estimula a secreção de aldosterona pelo córtex adrenal. No entanto, parte do aumento na secreção de aldosterona pode resultar do aumento da concentração plasmática de potássio. O excesso de potássio é reconhecidamente um dos estímulos mais potentes à secreção de aldosterona, e a concentração de potássio aumenta em resposta à redução da função renal em pessoas com insuficiência cardíaca. O nível elevado de aldosterona aumenta ainda mais a reabsorção de sódio pelos túbulos renais, o que por sua vez leva a um aumento secundário da reabsorção de água, como discutido no Capítulo 28.

4. **Aumento da secreção de hormônio antidiurético.** Na insuficiência cardíaca avançada, o aumento da secreção de *hormônio antidiurético* (ADH) pode contribuir para a reabsorção excessiva de água pelos túbulos renais. Como discutido nos Capítulos 28 e 29, o ADH é secretado pela neuro-hipófise em resposta ao aumento da osmolaridade do líquido extracelular, bem como a estímulos não osmóticos dos barorreceptores de baixa pressão (p. ex., atrial esquerdo) e alta pressão (p. ex., seios carotídeos). Na insuficiência cardíaca grave, os efeitos não osmóticos da redução do débito cardíaco e da pressão arterial podem predominar, para estimular a secreção de ADH, que por sua vez causa retenção excessiva de água e *hiponatremia* (baixa concentração de sódio plasmático). Níveis inadequadamente altos de ADH e hiponatremia devem alertar para uma piora no quadro de pacientes com insuficiência cardíaca.

5. **Ativação do sistema nervoso simpático.** Conforme discutido anteriormente, a insuficiência cardíaca provoca forte ativação do sistema nervoso simpático, que por sua vez provoca vários efeitos que levam à retenção de sal e água pelos rins: (a) constrição das arteríolas aferentes renais, o que reduz a taxa de filtração glomerular; (b) estimulação da reabsorção de sal e água pelos túbulos renais, como consequência da ativação de receptores alfa-adrenérgicos nas células epiteliais tubulares; (c) estimulação da liberação de renina e formação de angiotensina II, que aumenta a reabsorção tubular renal; e (d) estimulação da liberação de ADH pela neuro-hipófise, que então aumenta a reabsorção de água pelos túbulos renais. Esses efeitos da estimulação simpática serão discutidos nos Capítulos 27 e 28.

Importância dos peptídeos natriuréticos para retardar o início da descompensação cardíaca. *Peptídeos natriuréticos* são hormônios liberados pelo coração quando fica distendido. O peptídeo atrial natriurético (PAN) é liberado pelas paredes atriais, e o peptídeo cerebral natriurético (PCN) é liberado pelas paredes ventriculares. Como a insuficiência cardíaca quase sempre aumenta as pressões atrial e ventricular que distendem as paredes dessas câmaras, os níveis circulantes de PAN e PCN no sangue podem aumentar várias vezes na insuficiência cardíaca grave. Esses peptídeos natriuréticos, por sua vez, têm efeito direto sobre os rins para aumentar muito a excreção de sal e água. Portanto, os peptídeos natriuréticos desempenham um papel natural para ajudar a prevenir sintomas congestivos extremos na insuficiência cardíaca. Como a meia-vida do PCN é significativamente mais longa do que a do PAN e como ele pode ser facilmente dosado no plasma, é frequentemente empregado para diagnosticar insuficiência cardíaca ou monitorar a volemia em pacientes com insuficiência cardíaca estabelecida. Os efeitos renais do PAN serão discutidos nos Capítulos 28 e 30.

Edema agudo de pulmão no estágio tardio da insuficiência cardíaca – um outro ciclo vicioso letal

Uma causa frequente de morte é a formação de *edema pulmonar agudo* em pacientes que já apresentam insuficiência cardíaca há muito tempo. Quando isso ocorre em uma pessoa sem uma nova lesão cardíaca, geralmente é desencadeado por sobrecarga temporária do coração, como a que pode resultar de uma sessão de exercícios pesados, uma experiência emocional ou até mesmo um forte resfriado. Acredita-se que o edema pulmonar agudo resulte do seguinte ciclo vicioso:

1. Um aumento temporário da carga do ventrículo esquerdo já enfraquecido inicia o ciclo vicioso. Devido à capacidade limitada de bombeamento do coração esquerdo, o sangue começa a se acumular nos pulmões.
2. O aumento do volume de sangue nos pulmões eleva a pressão capilar pulmonar e uma pequena quantidade de líquido começa a transudar para os tecidos e alvéolos pulmonares.
3. O aumento de líquido nos pulmões diminui o grau de oxigenação do sangue.
4. A diminuição da oxigenação enfraquece ainda mais o coração, além de provocar vasodilatação periférica.
5. A vasodilatação periférica aumenta ainda mais o retorno venoso do sangue da circulação periférica.
6. O aumento do retorno venoso aumenta ainda mais o acúmulo de sangue nos pulmões, resultando em, por exemplo, ainda maior transudação de líquido, maior dessaturação do oxigênio arterial e maior retorno venoso. E, assim, se estabelece um ciclo vicioso.

Uma vez que esse ciclo vicioso tenha avançado além de um determinado ponto crítico, ele se mantém até a morte do paciente, a menos que medidas terapêuticas bem-sucedidas sejam iniciadas em minutos. Os tipos de medidas que podem reverter o processo e salvar a vida do paciente incluem o seguinte:

1. Colocar torniquetes nos braços e nas pernas para sequestrar grande parte do sangue nas veias e, portanto, diminuir a carga de trabalho do coração esquerdo.
2. Administrar um diurético de ação rápida, como a furosemida, para provocar a rápida eliminação de líquidos.

3. Ofertar oxigênio puro para o paciente respirar, para reverter a dessaturação de oxigênio no sangue, a deterioração cardíaca e a vasodilatação periférica.
4. Administrar um medicamento cardiotônico de ação rápida, como digitálicos, para fortalecer o coração.

Esse ciclo vicioso de edema pulmonar agudo pode progredir tão rapidamente que a morte pode ocorrer em 20 a 60 minutos. Portanto, para que qualquer procedimento seja bem-sucedido deve ser instituído imediatamente.

RESERVA CARDÍACA

A porcentagem máxima que o débito cardíaco pode aumentar acima do normal é chamada de *reserva cardíaca*. Assim, no adulto jovem saudável, a reserva cardíaca é de 300 a 400%. Em pessoas com treinamento atlético, é de 500 a 600% ou mais. No entanto, pessoas com insuficiência cardíaca grave não têm reserva cardíaca. Como exemplo de reserva normal, o débito cardíaco de um jovem adulto saudável durante exercícios vigorosos pode aumentar até cerca de cinco vezes, o que representa um aumento de 400% em relação ao normal – ou seja, *uma reserva cardíaca de 400%*.

Qualquer fator que impeça o coração de bombear o sangue de maneira satisfatória diminui a reserva cardíaca. A redução da reserva cardíaca pode resultar de distúrbios como cardiopatia isquêmica, cardiomiopatia, deficiência de vitaminas que afetam o músculo cardíaco, lesão física do miocárdio, orovalvopatia e outros fatores, alguns dos quais são mostrados na **Figura 22.4.**

Diagnóstico de reserva cardíaca baixa – teste de esforço. Enquanto a pessoa com baixa reserva cardíaca permanecer em repouso, geralmente não apresentará os principais sintomas de doença cardíaca. No entanto, o diagnóstico de baixa reserva cardíaca pode ser feito solicitando ao paciente que se exercite na esteira ergométrica ou que suba e desça alguns degraus; as duas situações requerem um aumento significativo do débito cardíaco. O aumento da carga no coração esgota rapidamente a pequena reserva disponível, e o débito cardíaco logo deixa de aumentar o suficiente para sustentar o novo nível de atividade corporal. Os efeitos agudos são os seguintes:

1. Falta de ar imediata e às vezes extrema (*dispneia*), resultante da incapacidade cardíaca de bombear sangue suficiente para os tecidos, causando isquemia tecidual e provocando a sensação de falta de ar.
2. Fadiga muscular extrema resultante da isquemia muscular, que limita a capacidade da pessoa de continuar se exercitando.
3. Aumento excessivo da frequência cardíaca, porque os reflexos nervosos do coração têm uma reação exagerada na tentativa de superar o débito cardíaco inadequado.

Os testes de esforço fazem parte do arsenal propedêutico do cardiologista. Esses testes substituem as medidas de débito cardíaco que não podem ser verificadas na maioria dos ambientes clínicos.

ANÁLISE GRÁFICA QUANTITATIVA DA INSUFICIÊNCIA CARDÍACA

Embora seja possível compreender a maioria dos princípios gerais da insuficiência cardíaca usando principalmente a lógica qualitativa, como fizemos até agora, também é possível compreender em maior profundidade a importância dos diferentes fatores da insuficiência cardíaca usando abordagens quantitativas. Uma dessas abordagens é o método gráfico para análise da regulação do débito cardíaco apresentado no Capítulo 20. No restante deste capítulo, usaremos essa técnica gráfica para analisar vários aspectos da insuficiência cardíaca.

Análise gráfica da insuficiência cardíaca aguda e da compensação crônica

A **Figura 22.5** mostra o *débito cardíaco* e as curvas de *retorno venoso* para diferentes estados cardíacos e da circulação periférica. As duas curvas que passam pelo ponto A são (1) a *curva de débito cardíaco normal* e (2) a *curva de retorno venoso normal*. Conforme indicado no Capítulo 20, há apenas um ponto em cada uma dessas duas curvas em que o sistema circulatório consegue operar – ponto A, onde as duas curvas se cruzam. Portanto, o estado normal da circulação é um débito cardíaco e retorno venoso de 5 ℓ/min e uma pressão atrial direita de 0 mmHg.

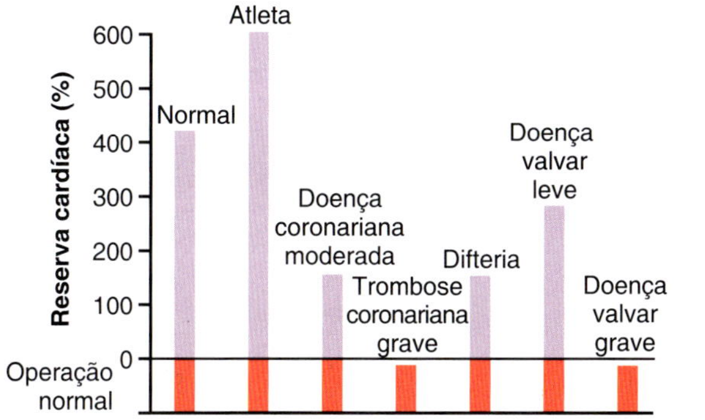

Figura 22.4 Reserva cardíaca em diferentes condições, mostrando uma reserva inferior a zero para duas das condições.

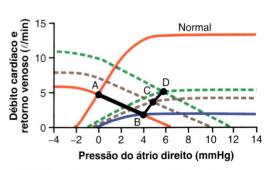

Figura 22.5 Alterações progressivas no débito cardíaco, no retorno venoso e na pressão atrial direita durante os diferentes estágios da insuficiência cardíaca.

O ataque cardíaco agudo reduz a curva de débito cardíaco. Durante os primeiros segundos após um ataque cardíaco moderado, a curva de débito cardíaco cai para a *curva inferior em azul*. Durante esses poucos segundos, a curva de retorno venoso ainda não mudou porque o sistema circulatório periférico ainda está operando normalmente. Portanto, o novo estado circulatório é representado pelo ponto B, onde a nova curva de débito cardíaco cruza a curva de retorno venoso normal. Assim, a pressão atrial direita aumenta imediatamente para 4 mmHg, enquanto o débito cardíaco cai para 2 ℓ/min.

Os reflexos simpáticos aumentam o débito cardíaco e as curvas de retorno venoso. Nos 30 segundos seguintes são ativados os reflexos simpáticos. Eles aumentam o débito cardíaco e as curvas de retorno venoso (*curvas tracejadas em marrom*). A estimulação simpática pode aumentar o nível de platô da curva de débito cardíaco de 30 até 100%. Também pode aumentar a pressão média de enchimento sistêmico (representada pelo ponto onde a curva de retorno venoso cruza o eixo de retorno venoso zero) em vários milímetros de mercúrio – nessa figura, de um valor normal de 7 mmHg para 10 mmHg. Esse aumento na pressão média de enchimento sistêmico desloca toda a curva de retorno venoso para a direita e para cima. O novo débito cardíaco e as curvas de retorno venoso agora se equilibram no ponto C – isto é, a uma pressão atrial direita de +5 mmHg e um débito cardíaco de 4 ℓ/min.

A compensação nos próximos dias aumentará ainda mais o débito cardíaco e as curvas de retorno venoso. Durante a semana seguinte, o débito cardíaco e as curvas de retorno venoso aumentam ainda mais (*curvas tracejadas em verde*) em razão: (1) de alguma recuperação do coração; e (2) da retenção renal de sal e água, o que aumenta ainda mais a pressão média de enchimento sistêmico – dessa vez para +12 mmHg. As duas novas curvas agora se equilibram no ponto D. Portanto, o débito cardíaco voltou ao normal. A pressão do átrio direito, entretanto, aumentou ainda mais, para +6 mmHg. Como o débito cardíaco agora está normal, o débito renal também está normal, mostrando que foi alcançado um novo estado de equilíbrio hídrico. O sistema circulatório continuará a funcionar no ponto D e permanecerá estável, com débito cardíaco normal e pressão atrial direita elevada, até que algum fator extrínseco adicional altere a curva de débito cardíaco ou a curva de retorno venoso.

Usando essa técnica para análise, é possível verificar especialmente a importância da retenção moderada de líquidos e como ela leva a um novo estado estável circulatório na insuficiência cardíaca leve a moderada. Também pode ser observada a inter-relação da pressão média de enchimento sistêmico com o bombeamento cardíaco em diferentes graus de insuficiência cardíaca.

Observe que os eventos descritos na **Figura 22.5** são os mesmos apresentados na **Figura 22.1**, embora seja uma análise quantitativa.

Análise gráfica da insuficiência cardíaca descompensada

A curva preta de débito cardíaco na **Figura 22.6** é a mesma curva mostrada na **Figura 22.2** – uma curva muito deprimida que já atingiu o grau máximo de recuperação que este coração pode alcançar. Nessa figura, adicionamos curvas de retorno venoso que ocorrem durante dias sucessivos após a queda aguda da curva de débito cardíaco para esse nível baixo. No ponto A, a curva no tempo zero equivale à curva de retorno venoso normal para um débito cardíaco de cerca de 3 ℓ/min. No entanto, a estimulação do sistema nervoso simpático, causada por esse baixo débito cardíaco, aumenta a pressão média de enchimento sistêmico em 30 segundos de 7 para 10,5 mmHg. Esse efeito desloca a curva de retorno venoso para cima e para a direita para produzir a curva denominada compensação autonômica. Assim, a nova curva de retorno venoso é igual à curva de débito cardíaco no ponto B. O débito cardíaco foi melhorado para um nível de 4 ℓ/min, mas à custa de um aumento adicional na pressão do átrio direito para 5 mmHg.

O débito cardíaco de 4 ℓ/min ainda é muito baixo para que os rins funcionem normalmente. Portanto, o líquido continua a ser retido e a pressão média de enchimento sistêmico aumenta de 10,5 para quase 13 mmHg. Nesse momento, a curva de retorno venoso é rotulada como "2º dia" e se equilibra com a curva de débito cardíaco no ponto C. O débito cardíaco aumenta para 4,2 ℓ/min e a pressão do átrio direito aumenta para 7 mmHg.

Durante os próximos dias, o débito cardíaco nunca aumenta o suficiente para restabelecer a função renal normal. O líquido continua a ser retido, a pressão média de enchimento sistêmico continua a aumentar, a curva de retorno venoso continua a se deslocar para a direita e o ponto de equilíbrio entre a curva de retorno venoso e a curva de débito cardíaco também se desloca progressivamente para o ponto D, o ponto E e finalmente, o ponto F. O processo de equilíbrio está agora na curva descendente

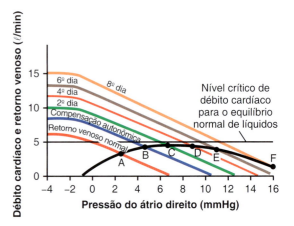

Figura 22.6 Análise gráfica de cardiopatia descompensada, mostrando a alteração progressiva da curva de retorno venoso para a direita e o aumento da pressão atrial direita, como resultado da retenção contínua de líquidos.

da curva de débito cardíaco e, portanto, a retenção adicional de líquidos causa edema cardíaco ainda mais grave, com um efeito prejudicial sobre o débito cardíaco. A condição acelera em declive até que a morte.

Assim, a *descompensação* resulta do fato de que a curva de débito cardíaco nunca alcança o nível crítico de 5 ℓ/min, necessário para restabelecer a excreção renal normal de líquidos, necessária para equilibrar a ingesta e o débito de líquidos.

Tratamento de insuficiência cardíaca descompensada com digitálicos. Suponha que o estágio de descompensação já tenha alcançado o ponto E na **Figura 22.6**, e então prossiga para o mesmo ponto E na **Figura 22.7**. Nesse momento, são administrados digitálicos para fortalecer o coração. Essa intervenção eleva a curva de débito cardíaco ao nível mostrado na **Figura 22.7**, mas sem ocorrer mudança imediata na curva de retorno venoso. Portanto, a nova curva de débito cardíaco equivale à curva de retorno venoso no ponto G. O débito cardíaco é agora de 5,7 ℓ/min, um valor mais alto do que o nível crítico de 5 ℓ necessário para fazer os rins excretarem quantidades normais de urina. O aumento do débito cardíaco, junto com o conhecido efeito diurético dos digitálicos, permite que os rins eliminem parte do excesso de líquido.

A eliminação progressiva de líquido ao longo de um período de dias reduz a pressão média de enchimento sistêmico para 11,5 mmHg, e a nova curva de retorno venoso torna-se a curva rotulada "Dias depois". Esta curva é igual à curva de débito cardíaco do coração digitalizado no ponto H, a um débito de 5 ℓ/min e pressão do átrio direito de 4,6 mmHg. Esse débito cardíaco é exatamente o necessário para o equilíbrio normal de líquidos. Portanto, nenhum líquido adicional será perdido e nenhum será ganho. Consequentemente, o sistema circulatório já está estabilizado ou, em outras palavras, a descompensação da insuficiência cardíaca foi compensada. Dito de outra forma, a condição final de estabilidade da circulação é definida pelo ponto de cruzamento de três curvas — a curva de débito cardíaco, a curva de retorno venoso e o nível crítico para o equilíbrio normal de líquidos. Os mecanismos compensatórios estabilizam automaticamente a circulação quando as três curvas se cruzam no mesmo ponto.

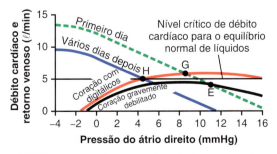

Figura 22.7 O tratamento de uma cardiopatia descompensada mostra o efeito dos digitálicos sobre a elevação da curva do débito cardíaco, o que, por sua vez, provoca um aumento do débito urinário, desvio progressivo da curva de retorno venoso para a esquerda e diminuição da pressão atrial direita.

INSUFICIÊNCIA CARDÍACA COM DISFUNÇÃO DIASTÓLICA E FRAÇÃO DE EJEÇÃO NORMAL

Nossa discussão até agora se concentrou principalmente na insuficiência cardíaca causada pela redução da contratilidade do miocárdio após um infarto ou pelo comprometimento do fluxo sanguíneo coronariano. No entanto, como discutido anteriormente neste capítulo, a insuficiência cardíaca pode ocorrer a partir de qualquer condição que reduza a capacidade do coração de bombear sangue suficiente para atender às necessidades do organismo. A insuficiência cardíaca associada ao comprometimento da contratilidade cardíaca costuma ser chamada de *insuficiência cardíaca sistólica* ou *insuficiência cardíaca com fração de ejeção reduzida* (ICFER). Conforme discutido no Capítulo 9, a fração de ejeção (FE), frequentemente avaliada por ecocardiografia, é a fração do volume diastólico final do ventrículo esquerdo que é ejetada com cada contração. Uma FE de 0,6 significa que 60% do volume diastólico final do ventrículo é bombeado a cada batimento cardíaco. Os valores normais para FE são considerados entre 50 e 70%. Quando o músculo cardíaco está enfraquecido, em decorrência de um infarto do miocárdio ou por comprometimento do fluxo sanguíneo coronariano, a FE costuma ser reduzida, com valores abaixo de 40% considerados indicativos de ICFER.

A insuficiência cardíaca também pode estar associada a uma FE normal, se o músculo cardíaco se tornar espesso e rígido (*hipertrofia concêntrica*), de modo que o enchimento dos ventrículos é prejudicado e retém um volume de sangue menor do que o normal. Nessas condições, a quantidade total de sangue bombeado pelo coração pode não ser suficiente para atender às necessidades do organismo, mesmo que esteja bombeando com uma FE normal ou mesmo aumentada. Essa condição costuma ser chamada de *insuficiência cardíaca com fração de ejeção preservada* (ICFEP).

Durante os últimos 30 a 40 anos, uma proporção crescente de pacientes com insuficiência cardíaca apresentou ICFEP. Atualmente, mais de 50% dos pacientes com insuficiência cardíaca apresentam FE normal. A ICFEP ocorre mais comumente em mulheres e idosos e especialmente naqueles com obesidade, diabetes melito e hipertensão, uma constelação de distúrbios geralmente chamada de *síndrome metabólica*. Nesses indivíduos, a disfunção diastólica é caracterizada pelo comprometimento da taxa de enchimento ventricular, relaxamento retardado dos cardiomiócitos, aumento da espessura da parede ventricular, proliferação da matriz extracelular e fibrose, que contribuem para um ventrículo esquerdo mais rígido.

Embora os médicos frequentemente classifiquem os pacientes nas categorias de ICFEP ou ICFER usando o limiar de FE de 50%, a maioria dos pacientes com insuficiência cardíaca avançada exibe anormalidades no enchimento ventricular, bem como comprometimento da contratilidade e da função sistólica. A maioria das alterações neuro-humorais que foram discutidas para insuficiência cardíaca, incluindo ativação do sistema simpático e sistema renina-angiotensina, bem como retenção excessiva de líquidos pelos rins, ocorrem independentemente de haver FE normal ou reduzida. A insuficiência cardíaca é uma síndrome heterogênea, e não uma doença específica, e ocorre sempre que o coração não consegue bombear sangue suficiente para atender às necessidades do organismo.

Assim, as medições da FE, embora úteis, nem sempre fornecem uma avaliação precisa da função cardíaca. Um coração pequeno e espessado com enchimento diastólico prejudicado pode ser incapaz de bombear o volume sistólico e o débito cardíaco apropriados para atender às necessidades do corpo, mas pode ter uma FE normal ou elevada. Esse exemplo ilustra as limitações da FE ventricular esquerda como marcador da função ventricular esquerda e como meio de categorizar pacientes com insuficiência cardíaca de diferentes causas.

INSUFICIÊNCIA CARDÍACA DE ALTO DÉBITO

A **Figura 22.8** fornece uma análise de dois tipos de insuficiência cardíaca de alto débito. Um é causado por uma *fístula arteriovenosa* que sobrecarrega o coração por causa do retorno venoso excessivo, embora a capacidade de bombeamento cardíaco não esteja diminuída. O outro tipo é causado pelo *beribéri* (deficiência de vitamina B_1 [tiamina]), uma doença em que o retorno venoso aumenta muito em virtude da diminuição da resistência vascular sistêmica, mas, ao mesmo tempo, a capacidade de bombeamento cardíaco está diminuída.

Uma fístula arteriovenosa aumenta o retorno venoso. As linhas em preto na **Figura 22.8** representam as curvas normais de débito cardíaco e de retorno venoso. Essas curvas se equiparam no ponto A, que representa um débito cardíaco normal de 5 ℓ/min e uma pressão atrial direita normal de 0 mmHg.

Agora, suponhamos que a resistência vascular sistêmica (*resistência vascular periférica total*) diminua muito como resultado da abertura de uma grande fístula arteriovenosa (uma ligação direta entre uma grande artéria e uma grande veia). A curva de retorno venoso gira para cima para produzir a curva rotulada "Fístula AV". Essa curva de retorno venoso é igual à curva de débito cardíaco normal no ponto B, com débito cardíaco de 12,5 ℓ/min e pressão de átrio direito de 3 mmHg. Assim, o débito cardíaco tornou-se muito elevado, a pressão atrial direita tornou-se ligeiramente elevada, e há sinais discretos de congestão periférica. Se a pessoa tentar se exercitar, terá pouca reserva cardíaca, porque o coração já está próximo da capacidade máxima de bombear o sangue extra através da fístula arteriovenosa. Isso é semelhante a uma condição de falência chamada de *insuficiência de alto débito*, mas na realidade o coração está sobrecarregado pelo excesso de retorno venoso.

O beribéri enfraquece o coração, provoca retenção de líquidos pelos rins e aumenta o retorno venoso. A **Figura 22.8** mostra as alterações aproximadas no débito cardíaco e nas curvas de retorno venoso causadas pelo beribéri. O nível reduzido da curva de débito cardíaco é causado pelo enfraquecimento do coração, resultante da avitaminose (principalmente da falta de tiamina [vitamina B_1]) que causa a síndrome do beribéri. O enfraquecimento do coração diminuiu o fluxo sanguíneo para os rins. Portanto, os rins retêm uma grande quantidade de líquido, o que, por sua vez, aumenta a pressão média de enchimento sistêmico (representada pelo ponto onde a curva de retorno venoso agora cruza o nível de débito cardíaco zero) do valor normal de 7 mmHg para 11 mmHg. Isso desloca a curva de retorno venoso para a direita. Finalmente, a curva de retorno venoso gira para cima em relação à curva normal porque a avitaminose dilata os vasos sanguíneos periféricos, conforme explicado no Capítulo 17.

As duas curvas em azul (curva de débito cardíaco e curva de retorno venoso) cruzam-se no ponto C, que descreve a condição circulatória no beribéri, com pressão atrial direita, neste caso, de 9 mmHg, e débito cardíaco cerca de 65% acima do normal. Esse alto débito cardíaco ocorre apesar do coração fraco, conforme demonstrado pelo nível de platô deprimido da curva de débito cardíaco.

Bibliografia

Bahit MC, Kochar A, Granger CB: Post-myocardial infarction heart failure. JACC Heart Fail 6:179, 2018.

Braunwald E: Cardiomyopathies: an overview. Circ Res 121:711, 2017.

Burke MA, Cook SA, Seidman JG, Seidman CE: Clinical and mechanistic insights into the genetics of cardiomyopathy. J Am Coll Cardiol 68:2871, 2016.

Divakaran S, Loscalzo J: The role of nitroglycerin and other nitrogen oxides in cardiovascular therapeutics. J Am Coll Cardiol 70:2393, 2017.

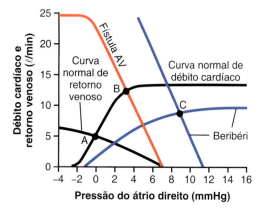

Figura 22.8 Análise gráfica de dois tipos de condições que podem causar insuficiência cardíaca de alto débito – fístula arteriovenosa (AV) e beribéri.

CAPÍTULO 22 Insuficiência Cardíaca

Ellison DH, Felker GM: Diuretic treatment in heart failure. N Engl J Med 377:1964, 2017.

Guyton AC, Jones CE, Coleman TG: Circulatory Physiology: Cardiac Output and Its Regulation. Philadelphia: WB Saunders, 1973.

Kearns MJ, Walley KR: Tamponade: hemodynamic and echocardiographic diagnosis. Chest 153:1266, 2018.

Luo M, Anderson ME: Mechanisms of altered Ca2+ handling in heart failure. Circ Res 113:690, 2013.

Lymperopoulos A, Rengo G, Koch WJ: Adrenergic nervous system in heart failure: pathophysiology and therapy. Circ Res 113:739, 2013.

Marwick TH: Ejection fraction pros and cons. J Am Coll Cardiol 72:2360, 2018.

McHugh K, DeVore AD, Wu J, Matsouaka RA, et al: Heart failure with preserved ejection fraction and diabetes. J Am Coll Cardiol 73:602, 2019.

Mullens W, Verbrugge FH, Nijst P, Tang WHW: Renal sodium avidity in heart failure: from pathophysiology to treatment strategies. Eur Heart J 38:1872, 2017.

Normand C, Kaye DM, Povsic TJ, Dickstein K: Beyond pharmacological treatment: an insight into therapies that target specific aspects of heart failure pathophysiology. Lancet 393:1045, 2019.

Packer M: The conundrum of patients with obesity, exercise intolerance, elevated ventricular filling pressures and a measured ejection fraction in the normal range. Eur J Heart Fail 21:156, 2019.

Packer M: Why is the use of digitalis withering? Another reason that we need medical heart failure specialists. Eur J Heart Fail 20:851, 2018.

Pandey A, Patel KV, Vaduganathan M, Sarma S, et al: Physical activity, fitness, and obesity in heart failure with preserved ejection fraction. JACC Heart Fail 6:975, 2018.

Rossignol P, Hernandez AF, Solomon SD, Zannad F: Heart failure drug treatment. Lancet 393:1034, 2019.

Taqueti VR, Di Carli MF: Coronary microvascular disease pathogenic mechanisms and therapeutic Options. J Am Coll Cardiol 72:2625, 2018.

CAPÍTULO 23

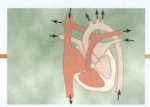

Valvas e Bulhas Cardíacas; Doenças Cardíacas Valvares e Congênitas

O funcionamento das valvas cardíacas foi discutido no Capítulo 9, no qual apontamos que o *fechamento* das valvas causa sons audíveis (bulhas). Normalmente, nenhum som pode ser ouvido quando as valvas se abrem. Neste capítulo, discutiremos primeiro os fatores que causam os sons cardíacos em condições normais e anormais. Em seguida, discutiremos as alterações circulatórias genéricas que ocorrem na presença de defeitos cardíacos valvares ou congênitos.

BULHAS CARDÍACAS

BULHAS CARDÍACAS NORMAIS

Quando auscultamos um coração normal com o estetoscópio, ouvimos um som geralmente descrito como "tum-tá, tum-tá". O "tum" está associado ao fechamento das valvas atrioventriculares (A-V) no início da sístole, e o "tá" está associado ao fechamento das valvas semilunares (aórtica e pulmonar) no final da sístole. O som "tum" é chamado de *primeira bulha cardíaca (B1)* e o "tá" é chamado de *segunda bulha cardíaca (B2)*, porque o início do ciclo normal de bombeamento cardíaco é considerado quando as valvas AV se fecham no início da sístole ventricular (ouvir Áudio 23.1).

A primeira bulha cardíaca está associada ao fechamento das valvas atrioventriculares. A principal causa da primeira bulha cardíaca (B1) é a *vibração das valvas tensas imediatamente após o fechamento, juntamente com a vibração das paredes adjacentes do coração e dos principais vasos ao redor do coração.* Ou seja, ao gerar a primeira bulha cardíaca, a contração dos ventrículos causa primeiramente um refluxo súbito de sangue contra as valvas A-V (valvas tricúspide e mitral), fazendo com que elas se fechem e se curvem em direção aos átrios, até que as cordas tendíneas interrompam abruptamente essa protrusão retrógrada. O retesamento elástico das cordas tendíneas e valvas, então, faz com que o fluxo de sangue retrógrado flua novamente para a frente, para dentro de cada ventrículo respectivo. Esse mecanismo faz com que o sangue e as paredes ventriculares, bem como as valvas tensionadas, vibrem e causem turbulência vibratória no sangue. As vibrações se propagam pelos tecidos adjacentes à parede torácica, onde podem ser ouvidas como bulhas com o uso do estetoscópio.

A segunda bulha cardíaca está associada ao fechamento das valvas semilunares. A segunda bulha cardíaca (B2) resulta do fechamento súbito das valvas semilunares (valvas aórtica e pulmonar) ao final da sístole. Quando as valvas semilunares se fecham, elas se projetam para trás em direção aos ventrículos, e seu estiramento elástico repuxa o sangue de volta para as artérias, o que causa um curto período de reverberação do sangue para frente e para trás entre as paredes das artérias e as valvas semilunares, como também entre essas valvas e as paredes ventriculares. As vibrações que ocorrem nas paredes arteriais são transmitidas, principalmente, ao longo das artérias. Quando as vibrações dos vasos ou ventrículos entram em contato com uma caixa de ressonância, como a parede torácica, elas criam um som que pode ser ouvido com o estetoscópio.

Duração e espectro da primeira e segunda bulhas. A duração de cada um dos sons cardíacos é ligeiramente superior a 0,10 segundo, com a primeira bulha durando cerca de 0,14 segundo e a segunda bulha, cerca de 0,11 segundo. A razão para a segunda bulha ser mais curta é que as valvas semilunares estão mais retesadas do que as valvas A-V, e por isso vibram por um período mais curto do que as valvas A-V.

A faixa audível de frequência (espectro) no primeiro e segundo sons cardíacos, como mostrado na **Figura 23.1**, começa na frequência mais baixa que o ouvido humano consegue detectar, cerca de 40 ciclos/segundo, e chega acima de 500 ciclos/segundo. Quando um aparelho eletrônico especial é usado para gravar esses sons, a maior parte do som gravado está em frequências e níveis sonoros abaixo da faixa audível, descendo a 3 a 4 ciclos/segundo e atingindo cerca de 20 ciclos/segundo, como ilustrado pela área sombreada inferior na **Figura 23.1**. Por esse motivo, grande parte dos sons cardíacos pode ser registrada eletronicamente por fonocardiografia, embora não possa ser ouvida com o estetoscópio.

A segunda bulha cardíaca normalmente tem uma frequência mais alta do que a primeira bulha por dois motivos: (1) o grau de tensionamento das valvas semilunares

CAPÍTULO 23 Valvas e Bulhas Cardíacas; Doenças Cardíacas Valvares e Congênitas

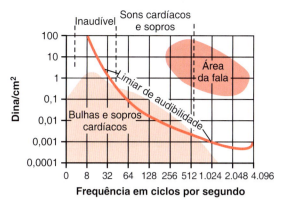

Figura 23.1 Amplitude das vibrações de diferentes frequências nas bulhas cardíacas e sopros cardíacos em relação ao limiar de audibilidade, mostrando que a amplitude dos sons que podem ser ouvidos está entre 40 e 520 ciclos/s. (Modificada de Butterworth JS, Chassin JL, McGrath JJ: Cardiac Auscultation, 2nd ed. New York: Grune & Stratton, 1960.)

em comparação com o das valvas A-V, muito menos tensas; e (2) o maior coeficiente elástico das paredes arteriais retesadas, que fornece as principais câmaras vibratórias para a segunda bulha, em comparação com as câmaras ventriculares muito mais frouxas e menos elásticas, que fornecem o sistema vibratório para a primeira bulha cardíaca. O clínico usa essas diferenças para distinguir características especiais dos dois respectivos sons.

A terceira bulha cardíaca ocorre no início do terço médio da diástole. Ocasionalmente, uma terceira bulha cardíaca (B3) fraca e reverberante é ouvida no início do *terço médio da diástole*. Uma explicação lógica, mas não comprovada, para esse som é a oscilação do sangue para frente e para trás entre as paredes dos ventrículos, iniciada pela irrigação sanguínea dos átrios. Isso é análogo a abrir a torneira dentro de um saco de papel, com a água que entra reverberando para frente e para trás entre as paredes do saco, causando vibrações. Acredita-se que a razão pela qual a terceira bulha cardíaca não ocorre até o terço médio da diástole é que, na parte inicial da diástole, os ventrículos não estão cheios o suficiente para criar até mesmo a pequena quantidade de tensão elástica necessária para reverberação. A frequência desse som geralmente é tão baixa que o ouvido humano não consegue captar, mas muitas vezes pode ser registrado no fonocardiograma. A presença da terceira bulha cardíaca pode ser normal em crianças, adolescentes e adultos jovens, mas em idosos geralmente indica insuficiência cardíaca sistólica.

Sístole atrial – quarta bulha cardíaca. Eventualmente, pode ser registrada no fonocardiograma uma bulha cardíaca atrial (quarta bulha ou B4), que quase nunca pode ser percebida pelo estetoscópio por ser fraca e de frequência muito baixa – geralmente 20 ciclos/segundo ou menos. Esse som ocorre quando os átrios se contraem e, presumivelmente, é causado pelo influxo de sangue nos ventrículos, que desencadeia vibrações semelhantes às da terceira bulha cardíaca. É comum haver uma quarta bulha cardíaca em pessoas que se beneficiam da contração atrial para enchimento ventricular, como resultado da redução da complacência da parede ventricular e do aumento da resistência ao enchimento ventricular. Por exemplo, uma quarta bulha cardíaca é frequentemente ouvida em pacientes idosos com hipertrofia ventricular esquerda.

Áreas da superfície torácica para a ausculta de bulhas cardíacas normais. A audição dos sons do corpo, geralmente com o auxílio de um estetoscópio, é denominada *ausculta*. A **Figura 23.2** mostra as áreas da parede torácica nas quais os diferentes sons valvares cardíacos podem ser mais bem distinguidos. Embora os sons de todas as valvas possam ser ouvidos em todas essas áreas, o cardiologista distingue as bulhas das diferentes valvas por um processo de eliminação. Ou seja, ele move o estetoscópio de uma área para outra, observando a intensidade dos sons em diferentes áreas e, aos poucos, escolhendo os componentes sonoros de cada valva.

As áreas de ausculta dos diferentes sons cardíacos não se localizam diretamente sobre as valvas. A área aórtica se situa acima, ao longo da aorta, em virtude da transmissão do som pela aorta; a área pulmonar também se situa acima, ao longo da artéria pulmonar. A área tricúspide fica sobre o ventrículo direito, e a área mitral, sobre o ápice do ventrículo esquerdo, que é a porção do coração mais próxima da superfície torácica; o coração é girado de modo que o restante do ventrículo esquerdo fique mais posteriormente.

Fonocardiograma. Se um microfone especialmente projetado para detectar sons de baixa frequência for colocado sobre o tórax, os sons cardíacos poderão ser amplificados e registrados por um aparelho de gravação de alta velocidade. A gravação é chamada de *fonocardiograma*, e os sons cardíacos aparecem como ondas, como mostrado esquematicamente na **Figura 23.3**. A gravação A é um

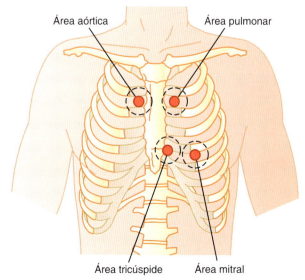

Figura 23.2 Áreas do tórax onde os sons de cada valva são mais bem ouvidos.

PARTE 4 Circulação

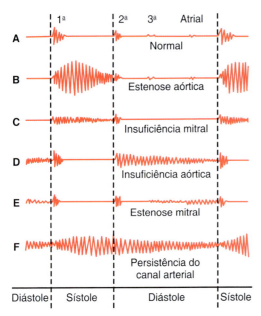

Figura 23.3 Fonocardiogramas de corações normais e anormais.

exemplo de sons cardíacos normais, mostrando as vibrações da primeira, segunda e terceira bulhas e até mesmo o som atrial muito fraco. Observe especificamente que a terceira bulha cardíaca e a bulha atrial são sons surdos muito baixos. A terceira bulha cardíaca pode ser gravada em apenas 30 a 50% das pessoas, e a bulha cardíaca atrial pode ser registrada em, provavelmente, 25% das pessoas.

LESÕES VALVARES

Lesões valvares reumáticas

A *febre reumática* é uma doença autoimune em que as valvas cardíacas podem ser danificadas ou destruídas. A doença geralmente é deflagrada por uma toxina estreptocócica.

A sequência de eventos quase sempre começa com uma infecção estreptocócica preliminar, provocada especificamente por estreptococos hemolíticos do grupo A. Essas bactérias inicialmente causam dor de garganta, escarlatina ou infecção do ouvido médio. Entretanto, os estreptococos também liberam várias proteínas, contra as quais o sistema reticuloendotelial produz *anticorpos*. Os anticorpos reagem não apenas com a proteína estreptocócica, mas também com outros tecidos proteicos do corpo, muitas vezes causando graves danos imunológicos. Essas reações continuam a ocorrer enquanto os anticorpos persistirem no sangue – 1 ano ou mais.

A febre reumática causa danos principalmente em certas áreas suscetíveis, como as valvas cardíacas. O grau de dano à valva cardíaca está diretamente relacionado com a concentração e persistência dos anticorpos. Os princípios imunológicos relacionados a esse tipo de reação serão discutidos no Capítulo 35, e no Capítulo 32 será observado que a nefrite glomerular aguda tem uma base imunológica semelhante.

Em pessoas com febre reumática, crescem grandes lesões hemorrágicas, fibrinosas e bulbosas ao longo das bordas inflamadas das valvas cardíacas. Como a valva mitral sofre traumatismo maior durante a ação valvar do que qualquer uma das outras valvas, ela é danificada com mais frequência, e a valva aórtica é a segunda mais danificada. As valvas cardíacas direitas – isto é, as valvas tricúspide e pulmonar – geralmente são afetadas com muito menos gravidade, provavelmente porque o estresse de baixa pressão que atua nessas valvas é leve em comparação com o estresse de alta pressão que atua nas valvas cardíacas esquerdas.

As lesões da febre reumática aguda costumam ocorrer simultaneamente nos folhetos de valvas adjacentes, de modo que as bordas dos folhetos ficam presas umas às outras. Então, semanas, meses ou anos depois, as lesões se transformam em tecido cicatricial, fundindo permanentemente as porções dos folhetos valvares adjacentes. Além disso, as bordas soltas dos folhetos, que normalmente são delgadas e podem se agitar livremente, muitas vezes se transformam em massas sólidas com cicatrizes.

Uma valva na qual os folhetos aderem um ao outro de modo tão extenso que o sangue não consegue fluir normalmente é considerada uma valva *estenosada*. Por outro lado, quando as bordas da valva são tão destruídas pelo tecido cicatricial que não conseguem se fechar quando os ventrículos se contraem, ocorre *regurgitação* (refluxo) de sangue quando a valva deveria estar fechada. Geralmente não ocorre estenose sem a coexistência de pelo menos algum grau de regurgitação e vice-versa.

Envelhecimento e estenose da valva aórtica

Durante o processo de envelhecimento, a valva aórtica frequentemente vai se tornando espessa, calcificada e rígida e pode obstruir parcialmente o fluxo do ventrículo esquerdo. Com o aumento da expectativa de vida e o envelhecimento da população, a *estenose da valva aórtica* se tornou a doença cardíaca valvar mais comum.

A estenose de uma valva aórtica previamente normal muitas vezes é chamada de *estenose valvar aórtica calcificada senil*, e se caracteriza pela deposição de cálcio e ossificação da valva, que leva ao estreitamento do orifício valvar. Como resposta compensatória ao aumento da carga de trabalho imposta ao coração pela valva aórtica estenosada, o ventrículo esquerdo sofre hipertrofia *concêntrica*. Esse tipo de hipertrofia está associado ao aumento da espessura da parede do ventrículo esquerdo, o que permite ao coração bombear com maior vigor contra o fluxo parcialmente obstruído. Um gradiente de pressão crescente desenvolve-se através da valva calcificada, atingindo 75 a 100 mmHg em casos graves de estenose da valva aórtica.

O ventrículo esquerdo hipertrofiado também se torna mais fibrótico e tende a ser isquêmico em razão do comprometimento da perfusão microcirculatória, embora alguns pacientes também possam apresentar aterosclerose das artérias coronárias. A fração de ejeção pode ser

CAPÍTULO 23 Valvas e Bulhas Cardíacas; Doenças Cardíacas Valvares e Congênitas

normal, e o paciente pode ser capaz de manter o débito cardíaco adequado em condições de repouso, mas, mesmo com exercícios moderados, podem aparecer sintomas de insuficiência cardíaca. À medida que a estenose se agrava progressivamente, ocorrem reduções na função cardíaca sistólica e incapacidade do ventrículo esquerdo de desenvolver pressão suficiente para bombear efetivamente contra a carga imposta pela valva aórtica parcialmente obstruída. Consequentemente, surgem sintomas de insuficiência cardíaca congestiva, com redução do volume sistólico e do débito cardíaco.

A estenose da valva aórtica calcificada geralmente não se agrava o suficiente para despertar atenção clínica até depois dos 70 anos. Sintomas importantes da estenose da valva aórtica são angina relacionada ao esforço, tolerância reduzida ao exercício e insuficiência cardíaca congestiva. A falta de ar (*dispneia*) é decorrente do aumento da pressão de enchimento do ventrículo esquerdo ou da incapacidade de aumentar o débito cardíaco de maneira adequada à intensidade da atividade física. O reconhecimento precoce e o tratamento da estenose aórtica são importantes porque, se não for tratada, ela será uma condição progressiva e, em última análise, fatal.

O desenvolvimento de tecnologias de substituição valvar aórtica transcateter tem proporcionado novas oportunidades terapêuticas, especialmente para pacientes mais velhos, nos quais os procedimentos cirúrgicos tradicionais não podem ser realizados ou estão associados a alto risco.

Sopros cardíacos causados por lesões valvares

Como mostrado pelos fonocardiogramas na **Figura 23.3**, podem ser observados muitos sons cardíacos anormais, conhecidos como *sopros cardíacos*, na presença de anormalidades valvares, como discutido a seguir.

Sopro sistólico de estenose aórtica. Em pessoas com estenose aórtica, todo o sangue é ejetado do ventrículo esquerdo através de uma pequena abertura fibrosa na valva aórtica. Por causa da resistência à ejeção, a pressão sanguínea no ventrículo esquerdo às vezes aumenta até 300 mmHg; a pressão na aorta ainda é normal. Assim, é criado um efeito peculiar, semelhante ao fluxo pelo bico de uma mangueira, *durante a sístole*, com o sangue jorrando a uma grande velocidade através da pequena abertura da valva. Este fenômeno causa *intensa turbulência* do sangue na raiz da aorta. O sangue turbulento colidindo com as paredes da aorta causa uma vibração intensa, e ocorre um sopro alto durante a sístole (ouvir gravação B, **Figura 23.3**; Áudio 23.2) que é transmitido por toda a aorta torácica superior e chega até mesmo às grandes artérias do pescoço. É um som áspero e, em pessoas com estenose grave, pode ser tão intenso que pode ser ouvido a centímetros de distância. Além disso, as vibrações sonoras muitas vezes podem ser sentidas com a mão na parte superior do tórax e na parte inferior do pescoço, um fenômeno conhecido como *frêmito*.

Sopro diastólico de insuficiência aórtica. Na insuficiência aórtica, nenhum som anormal é ouvido durante a sístole, mas *durante a diástole*, o sangue reflui da aorta com alta pressão para o ventrículo esquerdo, causando um sopro sibilante de timbre relativamente alto, com uma qualidade de assobio, que pode ser mais bem ouvido sobre o ventrículo esquerdo (ouvir gravação D, **Figura 23.3**; Áudio 23.3). Este sopro resulta do *turbilhonamento* do sangue jorrando de modo retrógrado para o sangue presente no ventrículo esquerdo diastólico, já com baixa pressão.

Sopro sistólico da insuficiência mitral. Em pessoas com insuficiência mitral, *durante a sístole* o sangue flui para trás através da valva mitral para o átrio esquerdo. Esse fluxo invertido também causa um sopro de alta frequência e sibilante (ouvir gravação C, **Figura 23.3**; Áudio 23.4) semelhante ao da insuficiência aórtica, mas ocorrendo durante a sístole e não durante a diástole. É transmitido mais fortemente para o átrio esquerdo. No entanto, o átrio esquerdo se localiza tão profundamente dentro do tórax que é difícil ouvir esse som diretamente sobre o átrio. Como resultado, o som da insuficiência mitral é transmitido para a parede torácica principalmente através do ventrículo esquerdo até o ápice do coração.

Sopro diastólico da estenose mitral. Em pessoas com estenose mitral, o sangue passa do átrio esquerdo para o ventrículo esquerdo com dificuldade através da valva mitral estenosada, e como a pressão no átrio esquerdo raramente fica acima de 30 mmHg, não se desenvolve o grande diferencial de pressão para forçar o sangue do átrio esquerdo para o ventrículo esquerdo. Consequentemente, os sons anormais ouvidos na estenose mitral (ouvir gravação E, **Figura 23.3**; Áudio 23.5) são geralmente fracos e de frequência muito baixa, de modo que a maior parte do espectro sonoro está abaixo do limite inferior de frequência da audição humana.

Durante a parte inicial da diástole, um ventrículo esquerdo com uma valva mitral estenosada tem tão pouco sangue e suas paredes são tão flácidas que o sangue não reverbera para frente e para trás entre as paredes do ventrículo. Por esse motivo, mesmo em pessoas com estenose mitral grave, nenhum sopro pode ser ouvido durante o primeiro terço da diástole. Então, após o enchimento parcial, o ventrículo se distendeu o suficiente para que o sangue reverbere, com o surgimento de um sopro grave e ressonante.

Fonocardiogramas de sopros valvares. Os fonocardiogramas B, C, D e E da **Figura 23.3** mostram, respectivamente, registros idealizados que seriam obtidos de pacientes com estenose aórtica, insuficiência mitral, insuficiência aórtica e estenose mitral. É óbvio, a partir desses fonocardiogramas, que a lesão estenosada aórtica causa o sopro mais alto, e a lesão estenosada mitral causa o sopro mais fraco. Os fonocardiogramas mostram como a intensidade dos sopros varia durante as diferentes fases da sístole e da diástole, e o tempo relativo de cada sopro também fica evidente. Observe especialmente que os sopros de estenose aórtica e insuficiência mitral ocorrem apenas durante a sístole, enquanto os sopros de insuficiência aórtica e estenose mitral ocorrem apenas durante a diástole.

DINÂMICA ANORMAL DA CIRCULAÇÃO NAS VALVOPATIAS

DINÂMICA CIRCULATÓRIA NA ESTENOSE AÓRTICA E NA INSUFICIÊNCIA AÓRTICA

Na *estenose aórtica*, o ventrículo esquerdo em contração não consegue esvaziar adequadamente, enquanto na *insuficiência aórtica*, o sangue da aorta reflui para o ventrículo assim que o ventrículo bombeia o sangue em direção à artéria. Portanto, nos dois casos, o *débito efetivo do volume sistólico* é reduzido.

Para atenuar os defeitos na circulação ocorrem vários efeitos compensatórios importantes. Algumas dessas compensações são descritas nas seções a seguir.

Hipertrofia do ventrículo esquerdo. Tanto na estenose aórtica quanto na insuficiência aórtica, a musculatura ventricular esquerda sofre hipertrofia em virtude do aumento da carga de trabalho do ventrículo. Na *regurgitação (insuficiência)*, a câmara ventricular esquerda também se dilata para conter todo o sangue lançado pela aorta. Esse tipo de hipertrofia, com dilatação da câmara ventricular, é denominado *hipertrofia excêntrica* (ver **Figura 23.4**). Frequentemente, a massa muscular do ventrículo esquerdo aumenta de quatro a cinco vezes, criando um coração esquerdo extremamente grande.

Quando a valva aórtica está gravemente *estenosada*, o músculo hipertrofiado pode permitir que o ventrículo esquerdo desenvolva até 400 mmHg de pressão intraventricular no pico sistólico. Esse tipo de hipertrofia *concêntrica* está associado ao espessamento das paredes ventriculares e redução do volume da câmara ventricular (ver **Figura 23.4**). Também pode ocorrer em circunstâncias diferentes, em que a pós-carga do coração está aumentada, como na hipertensão crônica.

Em pessoas com insuficiência aórtica grave, o ventrículo esquerdo dilatado consegue bombear um volume sistólico de até 250 mililitros, embora até 75% desse sangue retorne ao ventrículo durante a diástole e apenas 25% fluam através da aorta para todo o corpo.

Aumento do volume sanguíneo. Outro efeito que ajuda a compensar a redução no bombeamento efetivo pelo ventrículo esquerdo é o aumento do volume sanguíneo (volemia). Este aumento de volume resulta do seguinte: (1) ligeira redução inicial na pressão arterial; (2) reflexos nervosos e alterações hormonais induzidas pela diminuição da pressão. Em conjunto, esses mecanismos diminuem a produção de urina pelos rins, fazendo com que o volume sanguíneo aumente e a pressão arterial média retorne ao normal. Além disso, a massa de hemácias eventualmente aumenta, devido a um leve grau de hipóxia tecidual.

O aumento do volume sanguíneo tende a incrementar o retorno venoso ao coração, o que, por sua vez, faz com que o ventrículo esquerdo bombeie com a força adicional necessária para superar a dinâmica anormal de bombeamento.

Lesões valvares aórticas podem estar associadas à inadequação do fluxo sanguíneo coronariano. Quando uma pessoa tem estenose valvar aórtica, o músculo ventricular deve tensionar com mais força para criar a alta pressão intraventricular necessária para forçar o sangue através da valva estenosada. Essa ação aumenta a carga de trabalho e o consumo de oxigênio do ventrículo, sendo

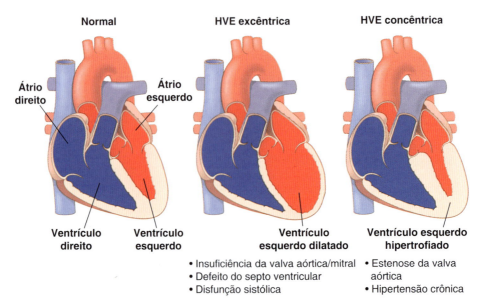

Figura 23.4 Comparação do ventrículo esquerdo em um coração normal, um coração com HVE excêntrica e um coração com HVE concêntrica. A massa ventricular esquerda aumenta na HVE excêntrica e concêntrica, mas há um aumento no tamanho da cavidade ventricular esquerda na HVE excêntrica, enquanto a espessura da parede aumenta na HVE concêntrica. HVE: hipertrofia ventricular esquerda.

CAPÍTULO 23 Valvas e Bulhas Cardíacas; Doenças Cardíacas Valvares e Congênitas

necessário um aumento do fluxo sanguíneo coronariano para fornecer esse oxigênio. O grande tensionamento da parede do ventrículo, entretanto, provoca reduções acentuadas no fluxo coronariano durante a sístole, particularmente nos vasos subendocárdicos. A pressão diastólica intraventricular também aumenta quando a valva aórtica está estenosada, e esse aumento da pressão pode causar a compressão das camadas internas do músculo cardíaco e a redução do fluxo sanguíneo coronariano. Assim, uma estenose grave da valva aórtica frequentemente causa isquemia no músculo cardíaco.

Com a insuficiência aórtica, a pressão diastólica intraventricular também aumenta, comprimindo a camada interna do músculo cardíaco e diminuindo o fluxo sanguíneo coronariano. A pressão diastólica aórtica diminui durante a insuficiência aórtica, o que também pode reduzir o fluxo sanguíneo coronariano e provocar isquemia no músculo cardíaco.

Falência eventual do ventrículo esquerdo e desenvolvimento de edema pulmonar. Nos estágios iniciais da estenose aórtica ou da insuficiência aórtica, a capacidade intrínseca do ventrículo esquerdo de se adaptar às cargas crescentes impede o surgimento de anormalidades significativas na função circulatória da pessoa em repouso, além do aumento da carga de trabalho exigida do ventrículo esquerdo. Portanto, costumam se desenvolver graus consideráveis de estenose aórtica ou de insuficiência aórtica antes que a pessoa perceba que tem uma cardiopatia grave (p. ex., um valor de pressão sistólica ventricular esquerda em repouso de até 200 mmHg em pessoas com estenose aórtica, ou um débito de volume sistólico do ventrículo esquerdo que pode ser o dobro do normal em pessoas com insuficiência aórtica).

Depois de um determinado estágio crítico nessas lesões valvares aórticas, o ventrículo esquerdo não consegue mais atender à demanda de trabalho. Como consequência, o ventrículo esquerdo se dilata e o débito cardíaco começa a cair; o sangue se acumula simultaneamente no átrio esquerdo e nos pulmões, por trás do ventrículo esquerdo incompetente. A pressão atrial esquerda se eleva progressivamente, e, com pressões atriais esquerdas médias acima de 25 a 40 mmHg, desenvolve-se um grave edema nos pulmões, como foi discutido em detalhes no Capítulo 39.

DINÂMICA DA ESTENOSE MITRAL E DA INSUFICIÊNCIA MITRAL

Em pessoas com estenose mitral, o fluxo sanguíneo do átrio esquerdo para o ventrículo esquerdo é impedido e, em pessoas com insuficiência mitral, grande parte do sangue que fluiu para o ventrículo esquerdo durante a diástole retorna ao átrio esquerdo durante a sístole, em vez de ser bombeado para a aorta. Portanto, qualquer uma dessas condições reduz a movimentação efetiva do sangue do átrio esquerdo para o ventrículo esquerdo.

Edema pulmonar na valvopatia mitral. O acúmulo de sangue no átrio esquerdo provoca um aumento progressivo da pressão atrial esquerda, resultando no desenvolvimento de edema pulmonar grave. Normalmente, o edema não é letal até que a pressão atrial esquerda média fique acima de 25 mmHg, podendo chegar a 40 mmHg, porque os vasos linfáticos pulmonares conseguem se dilatar e transportar o líquido rapidamente para fora dos tecidos pulmonares.

Aumento do átrio esquerdo e fibrilação atrial. Na valvopatia mitral, a alta pressão no átrio esquerdo também provoca a dilatação progressiva desse átrio, o que aumenta a distância que o impulso elétrico excitatório cardíaco deve percorrer na parede atrial. Por fim, essa via pode ficar tão longa que predispõe ao desenvolvimento de *movimentos circulares* do sinal elétrico excitatório, como discutido no Capítulo 13. Portanto, nos estágios finais de uma valvopatia mitral, especialmente nos casos de estenose mitral, frequentemente ocorre fibrilação atrial. Isso reduz ainda mais a eficácia do bombeamento cardíaco e provoca maior debilidade ao coração.

Compensação na valvopatia mitral inicial. Como também ocorre na valvopatia aórtica e em muitos tipos de cardiopatia congênita, o volume sanguíneo aumenta na valvopatia mitral, principalmente por causa da diminuição da excreção de água e sal pelos rins. Esse aumento do volume sanguíneo aumenta o retorno venoso ao coração, ajudando a superar o efeito da debilidade cardíaca. Portanto, após a compensação, o débito cardíaco pode cair apenas minimamente até os estágios finais da valvopatia mitral, embora a pressão atrial esquerda esteja aumentando.

À medida que a pressão do átrio esquerdo aumenta, o sangue começa a acumular-se nos pulmões, finalmente retornando para a artéria pulmonar. Além disso, o edema pulmonar incipiente causa constrição arteriolar pulmonar. Esses dois efeitos juntos aumentam a pressão arterial pulmonar sistólica e também a pressão ventricular direita, às vezes até 60 mmHg, que é mais do que o dobro do normal. Esse aumento da pressão, por sua vez, causa hipertrofia do coração direito, o que compensa parcialmente o aumento da carga de trabalho.

DINÂMICA CIRCULATÓRIA DURANTE O EXERCÍCIO EM PACIENTES COM LESÕES VALVARES

Durante a prática de exercícios físicos, é necessário aumentar o fluxo sanguíneo para fornecer oxigênio e nutrientes adicionais aos músculos e remover os resíduos do metabolismo acelerado. Consequentemente, maiores quantidades de sangue venoso são devolvidas ao coração pela circulação periférica. Portanto, todas as anormalidades dinâmicas que ocorrem nos diferentes tipos de valvopatia tornam-se exacerbadas. Mesmo em pessoas com doença cardíaca valvar leve, em que os sintomas podem ser irreconhecíveis em repouso, geralmente se desenvolvem sintomas graves durante exercícios pesados. Por exemplo, em pacientes com lesões valvares aórticas, o exercício pode causar insuficiência ventricular esquerda aguda, seguida de *edema agudo de pulmão*. Além disso, em pacientes com doença mitral, os exercícios podem causar tanto acúmulo de sangue nos pulmões que pode ocorrer um edema pulmonar grave ou mesmo letal em apenas 10 minutos.

Mesmo em quadros leves a moderados de valvopatias, a *reserva cardíaca* do paciente diminui proporcionalmente à gravidade da disfunção valvar. Ou seja, o débito cardíaco não aumenta tanto quanto deveria durante o exercício. Portanto, os músculos do corpo se cansam rapidamente porque o aumento no fluxo sanguíneo muscular é pequeno.

DINÂMICA CIRCULATÓRIA ANORMAL EM CARDIOPATIAS CONGÊNITAS

Ocasionalmente, ocorrem malformações no coração ou nos vasos sanguíneos durante a vida fetal; o defeito é chamado de *anomalia congênita*. Existem três tipos principais de anomalias congênitas cardíacas e seus vasos associados: (1) *estenose* do canal por onde passa o fluxo sanguíneo em algum ponto do coração ou de um vaso sanguíneo principal intimamente relacionado; (2) uma anomalia que permite que o sangue reflua do lado esquerdo do coração ou da aorta para o lado direito do coração ou para a artéria pulmonar, reduzindo o fluxo através da circulação sistêmica, chamada de *desvio (shunt) da esquerda para a direita*; e (3) uma anomalia que permite que o sangue flua diretamente do coração direito para o coração esquerdo, reduzindo o fluxo para os pulmões, chamada de *shunt da direita para a esquerda*.

O efeito das diferentes lesões estenosadas são facilmente compreendidos. Por exemplo, a *estenose congênita da valva aórtica* resulta nos mesmos efeitos dinâmicos que a estenose da valva aórtica causada por outras lesões valvares, a saber, hipertrofia cardíaca, isquemia do músculo cardíaco, redução do débito cardíaco e tendência a desenvolver edema pulmonar grave.

Outro tipo de estenose congênita é a *coarctação da aorta*, que geralmente ocorre acima do nível do diafragma. Essa estenose faz com que a pressão arterial na parte superior do corpo (acima do nível da coarctação) seja muito maior do que a pressão na parte inferior, por causa da grande resistência ao fluxo sanguíneo através da coarctação para a parte inferior; parte do sangue deve contornar a coarctação através de pequenas artérias colaterais, como foi discutido no Capítulo 19.

PERSISTÊNCIA DO CANAL ARTERIAL – *SHUNT* DA ESQUERDA PARA A DIREITA

Durante a vida fetal, os pulmões estão colapsados e a compressão elástica dos pulmões que mantém os alvéolos colapsados também mantém a maioria dos vasos sanguíneos pulmonares colapsados. Portanto, a resistência ao fluxo sanguíneo através dos pulmões é tão grande que a pressão arterial pulmonar no feto é alta. Além disso, em virtude da baixa resistência ao fluxo sanguíneo da aorta através dos grandes vasos da placenta, a pressão na aorta do feto é mais baixa do que o normal – na verdade, mais baixa do que na artéria pulmonar. Esse fenômeno faz com que quase todo o sangue arterial pulmonar flua através de uma artéria especial presente no feto, que conecta a artéria pulmonar à aorta (ver **Figura 23.5**), o *canal arterial*, evitando assim os pulmões. Esse mecanismo permite a recirculação imediata do sangue pelas artérias sistêmicas do feto, sem que o sangue passe pelos pulmões. Essa ausência de fluxo sanguíneo nos pulmões não é prejudicial ao feto porque o sangue é oxigenado pela placenta.

Fechamento do canal arterial após o nascimento. Assim que o bebê nasce e começa a respirar, os pulmões se inflam. Não apenas os alvéolos se enchem de ar, mas também a resistência ao fluxo sanguíneo através da árvore vascular pulmonar diminui acentuadamente, permitindo que a pressão arterial pulmonar caia. Simultaneamente, a pressão aórtica aumenta em decorrência da interrupção repentina do fluxo sanguíneo da aorta através da placenta. Assim, a pressão na artéria pulmonar cai, enquanto na aorta sobe. Como resultado, o fluxo sanguíneo através do canal arterial cessa repentinamente após o nascimento, e, de fato, o sangue começa a refluir através do canal, da aorta para a artéria pulmonar. Esse novo estado de fluxo sanguíneo reverso faz com que o canal arterial seja obstruído em algumas horas a alguns dias na maioria dos bebês, de modo que o fluxo sanguíneo através do canal

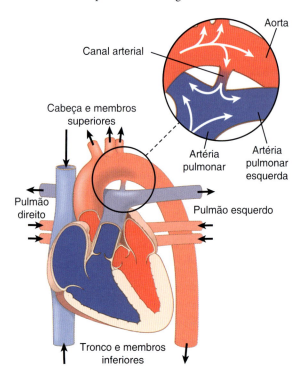

Figura 23.5 Persistência do canal arterial, mostrando, pela cor azul, que o sangue venoso se transforma em sangue oxigenado em diferentes pontos da circulação. *No destaque*, refluxo de sangue da aorta para a artéria pulmonar e, em seguida, através dos pulmões pela segunda vez.

CAPÍTULO 23 Valvas e Bulhas Cardíacas; Doenças Cardíacas Valvares e Congênitas

não persista. Acredita-se que o ducto feche porque a concentração de oxigênio do sangue aórtico que agora flui por ele é cerca de duas vezes maior do que a do sangue que flui da artéria pulmonar para o ducto durante a vida fetal. O oxigênio provavelmente contrai o músculo da parede do ducto. Esse fenômeno é discutido com mais detalhes no Capítulo 84.

Infelizmente, em aproximadamente 1 de cada 5.500 bebês, o canal não fecha, causando a condição conhecida como *persistência do canal arterial*, que é mostrada na **Figura 23.5**.

Dinâmica da circulação com um ducto patente persistente

Durante os primeiros meses de vida do lactente, um ducto patente geralmente não provoca anormalidades graves no funcionamento. No entanto, à medida que a criança cresce, o diferencial entre a pressão alta na aorta e a pressão mais baixa na artéria pulmonar aumenta progressivamente, com aumento correspondente no fluxo de retorno do sangue da aorta para a artéria pulmonar. Além disso, a alta pressão arterial aórtica geralmente faz com que o diâmetro do canal parcialmente aberto aumente com o tempo, agravando a condição ainda mais.

Recirculação através dos pulmões. Em uma criança mais velha com ducto patente, entre metade e dois terços do sangue aórtico reflui para a artéria pulmonar, depois através dos pulmões e, finalmente, de volta para o ventrículo esquerdo e aorta, passando pelos pulmões e coração esquerdo duas ou mais vezes para cada vez que passa pela circulação sistêmica. Pessoas com essa condição *não apresentam cianose até fases tardias da vida, quando ocorre insuficiência cardíaca ou congestão pulmonar.* De fato, no início da vida, o sangue arterial costuma ser mais bem oxigenado do que o normal por causa das passagens adicionais pelos pulmões.

Diminuição das reservas cardíaca e respiratória. Os principais efeitos da persistência do canal arterial são a diminuição da reserva cardíaca e respiratória. O ventrículo esquerdo bombeia cerca de duas ou mais vezes o débito cardíaco normal, e o máximo que ele consegue bombear após a hipertrofia do coração é cerca de quatro a sete vezes o normal. Portanto, durante o exercício, o fluxo sanguíneo efetivo para o restante do corpo nunca consegue aumentar para alcançar os níveis exigidos para atividades extenuantes. Mesmo com exercícios moderadamente extenuantes, a pessoa tende a sentir fraqueza e até desmaiar por uma insuficiência cardíaca momentânea.

As altas pressões nos vasos pulmonares causadas pelo excesso de fluxo nos pulmões também podem resultar em congestão e edema pulmonar. Como resultado da carga excessiva sobre o coração, e especialmente porque a congestão pulmonar se torna progressivamente mais grave com a idade, a maioria dos pacientes com canal patente não corrigido morre em decorrência de uma cardiopatia, na faixa etária de 20 a 40 anos.

Bulhas cardíacas: sopro em maquinário

No recém-nascido com persistência do canal arterial, ocasionalmente nenhuma bulha cardíaca anormal pode ser ouvida, porque a quantidade de fluxo reverso de sangue através do canal pode ser insuficiente para provocar um sopro cardíaco. No entanto, à medida que a criança cresce, entre 1 e 3 anos de idade, começa a ser ouvido um sopro forte na região da artéria pulmonar no tórax, como mostrado no registro F, **Figura 23.3**. Esse som é muito mais intenso durante a sístole, quando a pressão aórtica está alta, e de menor intensidade durante a diástole, quando a pressão aórtica cai, de modo que o sopro aumenta e diminui a cada batimento cardíaco, criando o chamado *sopro em maquinário*.

Tratamento cirúrgico

O tratamento cirúrgico da persistência do canal arterial (PCA) é simples; basta ligar o canal patente ou dividi-lo e, em seguida, fechar as duas extremidades. Esse procedimento foi uma das primeiras cirurgias cardíacas bem-sucedidas já realizadas. Dispositivos com cateter são frequentemente usados para fechar PCAs em lactentes ou crianças com tamanho suficiente para realizar o procedimento. Uma pequena mola de metal ou outro dispositivo de oclusão é passado através do cateter e colocado na PCA para bloquear o fluxo sanguíneo através do vaso.

TETRALOGIA DE FALLOT – UMA DERIVAÇÃO DA DIREITA PARA A ESQUERDA

A tetralogia de Fallot é mostrada na **Figura 23.6**; ela é a causa mais comum da síndrome do *"bebê azul"*. Como a maior parte do sangue não passa pelos pulmões, o sangue aórtico é principalmente sangue venoso não oxigenado. Nessa condição, ocorrem simultaneamente quatro anormalidades cardíacas:

1. A aorta se origina do ventrículo direito em vez do esquerdo, ou se sobrepõe a um orifício no septo, como mostrado na **Figura 23.6**, recebendo sangue dos dois ventrículos.
2. Como a artéria pulmonar está estenosada, passa do ventrículo direito para os pulmões um volume de sangue muito menor do que o normal; em vez disso, a maior parte do sangue passa diretamente para a aorta, desviando, assim, dos pulmões.
3. O sangue do ventrículo esquerdo flui pelo orifício no septo ventricular para o ventrículo direito e, em seguida, para a aorta ou diretamente para a aorta sobreposta a esse orifício.
4. Como o coração direito deve bombear grandes quantidades de sangue contra a alta pressão na aorta, sua musculatura é muito desenvolvida, provocando um aumento do ventrículo direito.

Dinâmica circulatória anormal. É fácil perceber que a principal dificuldade fisiológica causada pela tetralogia de

PARTE 4 Circulação

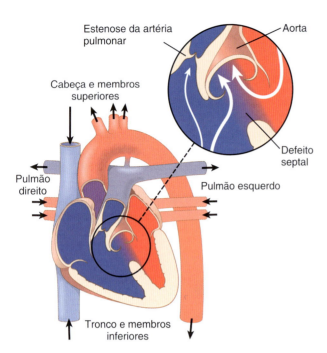

Figura 23.6 Tetralogia de Fallot, mostrando, pela cor azul, que a maior parte do sangue venoso é desviada do ventrículo direito para a aorta, sem passar pelos pulmões.

Fallot é a derivação do sangue que passa pelos pulmões sem ser oxigenado. Até 75% do sangue venoso que retorna ao coração passa diretamente do ventrículo direito para a aorta, sem ser oxigenado. Isso pode resultar na *cianose* (coloração azul) da pele da criança. Outros sinais incluem altas pressões no ventrículo direito, aumento do ventrículo direito e um *shunt* da esquerda para a direita através do septo interventricular, que pode ser visualizado por ecocardiografia.

Tratamento cirúrgico. A tetralogia de Fallot geralmente pode ser tratada com sucesso com cirurgia. O procedimento usual é abrir a estenose pulmonar, fechar o defeito septal e reconstruir a rota de fluxo na aorta. Quando a cirurgia é bem-sucedida, a expectativa média de vida sobe de apenas 3 a 4 anos para 50 ou mais.

CAUSAS DE ANOMALIAS CONGÊNITAS

Uma cardiopatia congênita não é incomum, ocorrendo em cerca de 8 em cada 1.000 nascidos vivos. Uma das causas mais comuns de defeitos cardíacos congênitos é uma infecção viral na mãe durante o primeiro trimestre de gestação, quando o coração fetal está sendo formado. Os defeitos são particularmente propensos a se desenvolver quando a futura mãe contrai rubéola durante o primeiro trimestre de gravidez. Tomar certos medicamentos, como inibidores da enzima de conversão da angiotensina (ACE) e medicamentos para acne (p. ex., isotretinoína), e o abuso de álcool ou drogas durante a gravidez também aumentam o risco de defeitos cardíacos no feto em desenvolvimento.

Alguns defeitos cardíacos congênitos são hereditários, porque o mesmo defeito ocorre em gêmeos idênticos, bem como nas gerações seguintes. Filhos de pacientes tratados cirurgicamente para cardiopatia congênita têm chance cerca de 10 vezes maior de ter uma cardiopatia congênita do que outras crianças. Os defeitos cardíacos congênitos frequentemente estão associados a outros defeitos congênitos.

USO DE CIRCULAÇÃO EXTRACORPÓREA DURANTE A CIRURGIA CARDÍACA

É quase impossível reparar defeitos intracardíacos cirurgicamente com o coração ainda funcionando. Portanto, foram desenvolvidos diversos tipos de *máquinas coração-pulmão* artificiais para substituir o coração e os pulmões durante um procedimento cirúrgico. O sistema é chamado de *circulação extracorpórea* e consiste principalmente em uma bomba e um dispositivo de oxigenação. Praticamente qualquer tipo de bomba que não provoque hemólise sanguínea parece ser adequado.

Os métodos empregados para oxigenar o sangue incluem: (1) fazer borbulhar oxigênio pelo sangue e remover as bolhas antes de devolvê-lo ao paciente; (2) fazer o sangue gotejar sobre as superfícies de folhas de plástico na presença de oxigênio; (3) passar o sangue sobre a superfície de discos giratórios; e (4) passar o sangue entre membranas finas ou através de tubos finos permeáveis ao oxigênio e ao dióxido de carbono.

HIPERTROFIA MIOCÁRDICA NAS CARDIOPATIAS VALVARES E CONGÊNITAS

A hipertrofia do músculo cardíaco é um dos mecanismos mais importantes pelo qual o coração se adapta ao aumento na carga de trabalho, quer esse aumento seja causado pelo aumento da pressão contra a qual o músculo cardíaco deve se contrair ou pelo aumento do débito cardíaco que precisa ser bombeado. É possível calcular aproximadamente o grau de hipertrofia de cada câmara cardíaca multiplicando o débito ventricular pela pressão contra a qual o ventrículo deve trabalhar, com ênfase na pressão. Assim, ocorre hipertrofia na maioria das valvopatias e cardiopatias congênitas, muitas vezes fazendo com que o coração pese até 800 gramas, em vez dos 300 gramas normais.

Efeitos deletérios dos estágios finais da hipertrofia cardíaca. Embora a causa mais comum de hipertrofia cardíaca seja a hipertensão, quase todas as cardiopatias, incluindo doenças valvares e congênitas, podem estimular o aumento do coração.

A chamada *hipertrofia cardíaca fisiológica* é considerada uma resposta compensatória do coração ao aumento da carga de trabalho e geralmente é benéfica para a manutenção do débito cardíaco na presença de anormalidades que prejudicam a eficácia do coração como bomba. No entanto, graus extremos de hipertrofia podem resultar em insuficiência cardíaca. Uma das razões é que a vasculatura coronariana normalmente não aumenta na mesma

CAPÍTULO 23 Valvas e Bulhas Cardíacas; Doenças Cardíacas Valvares e Congênitas

proporção que a massa muscular cardíaca. A segunda razão é que frequentemente se desenvolve fibrose muscular, especialmente no músculo subendocárdico, onde o fluxo sanguíneo coronariano é deficiente, com tecido fibroso substituindo as fibras musculares em degeneração. Em virtude do aumento desproporcional da massa muscular em relação ao fluxo sanguíneo coronariano, pode ocorrer uma isquemia relativa, à medida que o músculo cardíaco fica hipertrofiado e se desenvolve a insuficiência do fluxo sanguíneo coronariano. A dor anginosa, portanto, acompanha frequentemente a hipertrofia cardíaca associada a doenças cardíacas valvares e congênitas. O aumento do coração também está associado a um aumento no risco de desenvolvimento de arritmias, que, por sua vez, podem levar a um comprometimento adicional da função cardíaca e morte súbita resultante de fibrilação.

Bibliografia

Bing R, Cavalcante JL, Everett RJ, Clavel MA, Newby DE, Dweck MR: Imaging and impact of myocardial fibrosis in aortic stenosis. JACC Cardiovasc Imaging 12:283, 2019.

Bonow RO, Leon MB, Doshi D, Moat N: Management strategies and future challenges for aortic valve disease. Lancet 387:1312, 2016.

Burchfield JS, Xie M, Hill JA: Pathological ventricular remodeling: mechanisms: part 1 of 2. Circulation 128:388, 2013.

Clyman RI: Patent ductus arteriosus, its treatments, and the risks of pulmonary morbidity. Semin Perinatol 42:235, 2018.

Fahed AC, Gelb BD, Seidman JG, Seidman CE: Genetics of congenital heart disease: the glass half empty. Circ Res 112(4):707, 2013.

Gould ST, Srigunapalan S, Simmons CA, Anseth KS: Hemodynamic and cellular response feedback in calcific aortic valve disease. Circ Res 113:186, 2013.

Hinton RB, Ware SM: Heart failure in pediatric patients with congenital heart disease. Circ Res 120:978, 2017

Kodali SK, Velagapudi P, Hahn RT, Abbott D, Leon MB: Valvular heart disease in patients ≥ 80 years of age. J Am Coll Cardiol 71:2058, 2018

Lindman BR, Bonow RO, Otto CM: Current management of calcific aortic stenosis. Circ Res 113:223, 2013.

Manning WJ: Asymptomatic aortic stenosis in the elderly: a clinical review. JAMA 310:1490, 2013.

Maron BJ: Clinical course and management of hypertrophic cardiomyopathy. N Engl J Med 379:655, 2018.

Maron BJ, Maron MS, Maron BA, Loscalzo J: Moving beyond the sarcomere to explain heterogeneity in hypertrophic cardiomyopathy. J Am Coll Cardiol 73:1978, 2019.

Nishimura RA, Otto CM, Bonow RO, Carabello BA, et al: 2017 AHA/ACC Focused update of the 2014 AHA/ACC guideline for the management of patients with valvular heart disease: A report of the American College of Cardiology/American Heart Association Task Force on Clinical Practice Guidelines. Circulation 135:e1159, 2017.

Ohukainen P, Ruskoaho H, Rysa J: Cellular mechanisms of valvular thickening in early and intermediate calcific aortic valve disease. Curr Cardiol Rev 14:264, 2018.

Remenyi B, ElGuindy A, Smith SC Jr, Yacoub M, Holmes DR Jr: Valvular aspects of rheumatic heart disease. Lancet 387:1335, 2016.

Sommer RJ, Hijazi ZM, Rhodes JF Jr: Pathophysiology of congenital heart disease in the adult: part I: shunt lesions. Circulation 117:1090, 2008.

Sommer RJ, Hijazi ZM, Rhodes JF: Pathophysiology of congenital heart disease in the adult: part III: complex congenital heart disease. Circulation 117:1340, 2008.

Zaidi S, Brueckner M: Genetics and genomics of congenital heart disease. Circ Res 120:923, 2017.

CAPÍTULO 24

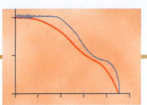

Choque Circulatório e seu Tratamento

Choque circulatório significa fluxo sanguíneo inadequado generalizado por todo o organismo, até o ponto de causar dano tecidual, especialmente porque muito pouco oxigênio e outros nutrientes são fornecidos às células do tecido. Até o próprio sistema cardiovascular – a musculatura do coração, paredes dos vasos sanguíneos, sistema vasomotor e outras partes do sistema circulatório – começa a se deteriorar, de maneira que uma vez iniciado, o choque tende a piorar progressivamente.

CAUSAS FISIOLÓGICAS DO CHOQUE

CHOQUE CIRCULATÓRIO CAUSADO PELA DIMINUIÇÃO DO DÉBITO CARDÍACO

O choque geralmente resulta de débito cardíaco inadequado. Portanto, qualquer condição que reduza o débito cardíaco muito abaixo do normal pode levar a um choque circulatório. Dois fatores podem reduzir gravemente o débito cardíaco:

1. *Anormalidades cardíacas que diminuem a capacidade do coração de bombear sangue.* Essas anormalidades incluem, particularmente, o infarto do miocárdio, mas também estados tóxicos do coração, disfunção valvar cardíaca grave, arritmias cardíacas e outras condições. O choque circulatório resultante da diminuição da capacidade de bombeamento cardíaco é denominado *choque cardiogênico*. Essa condição é discutida no Capítulo 22, no qual se observa que até 70% das pessoas que sofrem choque cardiogênico não sobrevivem.
2. *Fatores que diminuem o retorno venoso* também reduzem o débito cardíaco, porque o coração não consegue bombear sangue que não flua para ele. A causa mais comum da diminuição do retorno venoso é a *redução do volume sanguíneo*, mas o retorno venoso também pode ser reduzido como resultado da *diminuição do tônus vascular*, especialmente dos reservatórios de sangue venoso, ou *obstrução ao fluxo sanguíneo* em qualquer ponto da circulação, especialmente na via de retorno venoso ao coração.

CHOQUE CIRCULATÓRIO SEM DIMINUIÇÃO DO DÉBITO CARDÍACO

Ocasionalmente, o débito cardíaco é normal ou até maior do que o normal, mesmo que a pessoa esteja em choque circulatório. Essa situação pode resultar do seguinte: (1) *taxa metabólica excessiva, de modo que mesmo um débito cardíaco normal é inadequado*; ou (2) *padrões anormais de perfusão tecidual, de modo que a maior parte do débito cardíaco passa por outros vasos sanguíneos, além daqueles que fornecem nutrição aos tecidos locais.*

As causas específicas do choque serão discutidas posteriormente neste capítulo. Por enquanto, é importante observar que todas resultam em *fornecimento inadequado de nutrientes a tecidos e órgãos críticos, bem como à remoção inadequada dos resíduos celulares.*

O QUE ACONTECE COM A PRESSÃO ARTERIAL NO CHOQUE CIRCULATÓRIO?

Na opinião de muitos médicos, o nível da pressão arterial é a principal medida de adequação da função circulatória. No entanto, muitas vezes os valores de pressão arterial podem nos enganar seriamente. Ocasionalmente, uma pessoa pode estar em choque grave e ainda assim apresentar pressão arterial quase normal devido a poderosos reflexos nervosos que impedem a pressão de cair. Em outros casos, a pressão arterial pode cair para a metade do normal, mas a pessoa ainda tem perfusão tecidual normal e não está em choque.

Na maioria dos tipos de choque, especialmente no choque causado por acentuada perda sanguínea, a pressão arterial diminui ao mesmo tempo que o débito cardíaco diminui, embora geralmente não tanto.

DETERIORAÇÃO TECIDUAL É O RESULTADO FINAL DO CHOQUE CIRCULATÓRIO

Quando o choque circulatório alcança um estado crítico de gravidade, independentemente de sua causa inicial, o *próprio choque produz mais choque*. Ou seja, o fluxo sanguíneo inadequado faz com que os tecidos corporais comecem a se deteriorar, incluindo o coração e o sistema circulatório. Essa deterioração provoca diminuições ainda maiores no débito cardíaco e segue-se um círculo vicioso, com choque circulatório progressivamente crescente, perfusão tecidual menos adequada e mais choque, até a morte. É nesse estágio tardio do choque circulatório que temos especial interesse, porque frequentemente o tratamento fisiológico apropriado pode reverter o rápido declínio até a morte.

ESTÁGIOS DO CHOQUE

Como as características do choque circulatório se modificam de acordo com os diferentes graus de gravidade, o choque é frequentemente dividido em três fases principais:

1. *Estágio não progressivo* (também chamado de *estágio compensado*), no qual os mecanismos normais de compensação da circulação resultam na recuperação completa, sem ajuda de terapia externa.
2. *Estágio progressivo,* no qual, sem terapia, o choque evolui, podendo resultar em morte.
3. *Estágio irreversível,* no qual o choque progrediu a tal ponto que as formas de tratamento conhecidas são inadequadas para salvar a vida da pessoa, mesmo que, por enquanto, a pessoa ainda esteja viva.

Discutiremos agora os estágios do choque circulatório causado pela diminuição do volume sanguíneo, que ilustram os princípios básicos. Em seguida, consideraremos as características especiais do choque desencadeado por outras causas.

CHOQUE CAUSADO POR HIPOVOLEMIA (CHOQUE HEMORRÁGICO)

Hipovolemia significa diminuição do volume sanguíneo. Uma hemorragia é a causa mais comum de choque hipovolêmico. A hemorragia *diminui a pressão de enchimento da circulação* e, consequentemente, reduz o retorno venoso. Como resultado, o débito cardíaco fica abaixo do normal e o choque pode se desenvolver.

Relação do volume de sangramento com o débito cardíaco e a pressão arterial

A **Figura 24.1** mostra os efeitos aproximados sobre o débito cardíaco e a pressão arterial da remoção de sangue do sistema circulatório por um período de cerca de 30 minutos. Aproximadamente 10% do volume total de sangue pode ser removido quase sem efeito sobre a pressão arterial ou o débito cardíaco, mas uma perda maior geralmente diminui o débito cardíaco primeiro e depois a pressão arterial, que caem para zero quando cerca de 40 a 45% do volume total de sangue foram removidos.

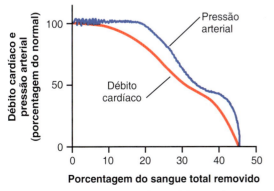

Figura 24.1 Efeito da hemorragia sobre o débito cardíaco e a pressão arterial.

Compensação do choque por reflexo simpático – sua importância para a manutenção da pressão arterial. A diminuição da pressão arterial após uma hemorragia, bem como a diminuição das pressões nas artérias pulmonares e veias no tórax, desencadeia potentes reflexos simpáticos (iniciados principalmente pelos barorreceptores arteriais e outros receptores de estiramento vascular, como explicado no Capítulo 18). Esses reflexos estimulam o sistema vasoconstritor simpático na maioria dos tecidos orgânicos, resultando em três efeitos importantes:

1. As arteríolas se contraem na maior parte da circulação sistêmica, aumentando a resistência periférica total.
2. As veias e os reservatórios venosos se contraem, ajudando a manter o retorno venoso adequado, apesar da diminuição do volume sanguíneo.
3. A atividade cardíaca aumenta acentuadamente, às vezes elevando a frequência cardíaca do valor normal de 72 batidas/min até 160 a 180 batidas/min.

Na ausência de reflexos simpáticos, apenas 15 a 20% do volume de sangue podem ser removidos em um período de 30 minutos antes da morte; por outro lado, a pessoa pode sofrer uma perda de 30 a 40% do volume sanguíneo quando os reflexos estão intactos. Portanto, esses reflexos ampliam a quantidade de perda sanguínea que pode ocorrer sem causar a morte para cerca de duas vezes o que seria possível na sua ausência.

Maior efeito dos reflexos nervosos simpáticos na manutenção da pressão arterial do que na manutenção do débito cardíaco. Tomando-se novamente a **Figura 24.1** como referência, podemos observar que a pressão arterial se mantém nos níveis normais, ou próximos ao normal, na pessoa com hemorragia por mais tempo do que o débito cardíaco. A razão para essa diferença é que os reflexos simpáticos são gerados mais para manter a pressão arterial do que para manter o débito cardíaco. Eles aumentam a pressão arterial principalmente pelo aumento da resistência periférica total, que não tem efeito benéfico sobre o débito cardíaco. Porém, *a constrição simpática das veias é importante para evitar que o retorno venoso e o débito cardíaco caiam muito,* além de seu papel na manutenção da pressão arterial.

Especialmente interessante na **Figura 24.1** é o segundo platô na curva de pressão arterial, que ocorre a aproximadamente 50 mmHg. Esse segundo platô é o resultado da ativação da resposta isquêmica do sistema nervoso central, que provoca estimulação extrema do sistema nervoso simpático quando o cérebro começa a sentir falta de oxigênio ou acúmulo excessivo de dióxido de carbono, como discutido no Capítulo 18. Esse efeito da resposta isquêmica do sistema nervoso central pode ser chamado de "último recurso" dos reflexos simpáticos em sua tentativa de evitar que a pressão arterial caia muito.

Proteção do fluxo sanguíneo coronariano e cerebral pelos reflexos. Um valor especial da manutenção da pressão arterial normal, mesmo na presença de diminuição do débito cardíaco, é a proteção do fluxo sanguíneo através das circulações coronariana e cerebral. A estimulação simpática não provoca constrição significativa dos vasos cerebrais ou cardíacos. Além disso, nesses dois leitos vasculares, a autorregulação do fluxo sanguíneo local é excelente, o que evita que diminuições moderadas da pressão arterial diminuam significativamente seu fluxo sanguíneo. Portanto, o fluxo sanguíneo através do coração e do cérebro é mantido essencialmente em níveis normais, desde que a pressão arterial média não fique abaixo de cerca de 70 mmHg, embora o fluxo sanguíneo em outras áreas do corpo possa estar reduzido para até um terço ou um quarto do normal nesse momento por causa da vasoconstrição.

CHOQUE HEMORRÁGICO PROGRESSIVO E NÃO PROGRESSIVO

A **Figura 24.2** apresenta um experimento que demonstra os efeitos de diferentes graus de hemorragia aguda súbita na evolução subsequente da pressão arterial. Os animais nesse experimento foram anestesiados e sangrados rapidamente até que suas pressões arteriais caíssem para níveis diferentes. Todos os animais cujas pressões caíram imediatamente para não menos que 45 mmHg (grupos I, II e III) se recuperaram; a recuperação ocorria rapidamente se a pressão caísse apenas ligeiramente (grupo I), mas ocorria lentamente se caísse quase ao nível de 45 mmHg (grupo III). Com a pressão arterial abaixo de 45 mmHg (grupos IV, V e VI), todos os animais morreram, embora muitos deles ficassem entre a vida e a morte por horas antes de o sistema circulatório se deteriorar até o estágio de morte.

Esse experimento demonstra que o sistema circulatório pode se recuperar, desde que o grau de hemorragia não seja maior do que uma certa quantidade crítica. Ultrapassar esse limiar crítico, mesmo com alguns mililitros de perda sanguínea, faz a diferença no resultado final entre a vida e a morte. Assim, a hemorragia além de um certo nível crítico faz com que o choque se torne *progressivo*. Ou seja, *o choque em si provoca ainda mais choque*, e a condição se torna um círculo vicioso que acaba levando à deterioração da circulação e à morte.

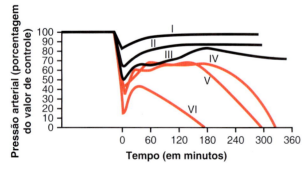

Figura 24.2 Evolução da pressão arterial em cães após diferentes graus de hemorragia aguda. Cada curva apresenta os resultados médios de seis cães.

Choque não progressivo (choque compensado)

Se o choque não for forte o suficiente para causar sua própria progressão, a pessoa se recuperará. Portanto, o choque de menor intensidade é denominado *choque não progressivo (autolimitado)* ou *choque compensado*, o que significa que os reflexos simpáticos e outros fatores fazem uma compensação que é suficiente para evitar maior deterioração da circulação.

Os fatores que fazem com que uma pessoa se recupere de graus moderados de choque são mecanismos de controle de *feedback* negativo da circulação, que tentam normalizar o débito cardíaco e a pressão arterial. Isso inclui o seguinte:

1. *Reflexos barorreceptores*, que provocam poderosa estimulação simpática da circulação.
2. *Resposta isquêmica do sistema nervoso central*, que provoca uma estimulação simpática ainda mais poderosa em todo o corpo, mas não é ativada significativamente até que a pressão arterial fique abaixo de 50 mmHg.
3. *Relaxamento reverso por estresse do sistema circulatório*, que faz com que os vasos sanguíneos se contraiam para acomodar o volume de sangue menor, de modo que o volume disponível preencha mais adequadamente a circulação.
4. *Aumento da secreção de renina pelos rins e formação de angiotensina II*, que contrai as arteríolas periféricas e também provoca a diminuição da produção de água e sal pelos rins, que ajuda a prevenir a progressão do choque.
5. *Aumento da secreção de vasopressina pela glândula neuro-hipófise (hormônio antidiurético)*, que contrai as arteríolas e veias periféricas e aumenta muito a retenção de água pelos rins.
6. *Aumento da secreção de adrenalina e noradrenalina pela medula adrenal*, que contrai as arteríolas e veias periféricas e aumenta a frequência cardíaca.
7. *Mecanismos compensatórios que fazem com que o volume sanguíneo retorne ao normal*, incluindo absorção de grandes quantidades de líquido do trato intestinal, absorção de líquido dos espaços intersticiais pelos capilares sanguíneos, conservação de água e sal pelos rins, aumento da sede e aumento do apetite por sal, o que faz com que a pessoa beba água e coma alimentos salgados se for capaz de fazê-lo.

Os reflexos simpáticos e o aumento da secreção de catecolaminas pela medula adrenal fornecem ajuda rápida para a recuperação, porque eles se tornam maximamente ativados dentro de 30 segundos a poucos minutos após a hemorragia.

Os mecanismos de angiotensina e vasopressina, bem como o relaxamento reverso por estresse, que provoca a contração dos vasos sanguíneos e reservatórios venosos, todos requerem de 10 a 60 minutos para apresentar a resposta completa, mas ajudam muito a aumentar a pressão arterial ou aumentar a pressão de enchimento circulatório, e dessa maneira aumentam o retorno do sangue ao coração.

Por fim, o reajuste do volume sanguíneo por absorção de líquido dos espaços intersticiais e do trato intestinal, bem como a ingestão oral e a absorção de quantidades adicionais de água e sal, podem exigir de 1 a 48 horas, mas a recuperação finalmente ocorre, desde que o choque não evolua o suficiente para entrar no estágio progressivo.

Choque progressivo – causado pelo círculo vicioso de deterioração cardiovascular

A **Figura 24.3** mostra alguns dos *feedbacks* positivos que deprimem ainda mais o débito cardíaco, fazendo com que o choque se torne progressivo. Alguns dos *feedbacks* mais importantes são descritos nas seções a seguir.

Depressão miocárdica. Quando a pressão arterial cai o suficiente, *o fluxo sanguíneo coronariano fica abaixo do necessário para a nutrição adequada do miocárdio*, enfraquecendo o músculo cardíaco e diminuindo ainda mais o débito cardíaco. Assim, desenvolve-se um ciclo de *feedback* positivo, por meio do qual o choque se torna cada vez mais grave.

A **Figura 24.4** mostra as curvas de débito cardíaco extrapoladas para o coração humano a partir de estudos experimentais com animais, demonstrando a deterioração progressiva do coração em momentos diferentes após o início do choque. Um animal anestesiado foi sangrado

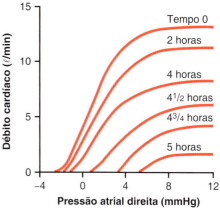

Figura 24.4 Curvas do débito cardíaco em momentos diferentes após o início do choque hemorrágico. (Essas curvas foram extrapoladas para o coração humano a partir de dados obtidos em experimentos com cães realizados pelo Dr. J.W. Crowell.)

até que a pressão arterial caísse para 30 mmHg, e a pressão foi mantida nesse nível por sangramento adicional ou retransfusão, de acordo com a necessidade. Observe na segunda curva da figura que houve pouca deterioração cardíaca durante as primeiras duas horas, mas, por volta da quarta hora, o coração já havia se deteriorado em cerca de 40%. Então, rapidamente, durante a última hora do experimento (após 4 horas de baixa pressão arterial coronariana), o coração se deteriorou completamente.

Desse modo, uma das características importantes do choque progressivo, seja de origem hemorrágica ou de

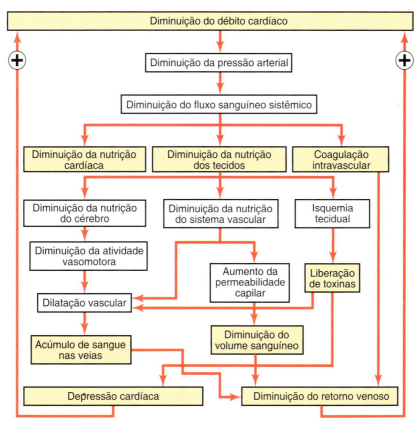

Figura 24.3 Diferentes tipos de *feedback* positivo que podem levar à progressão do choque.

outra causa, é a eventual deterioração progressiva do coração. Nos estágios iniciais do choque, essa deterioração desempenha um papel muito pequeno na condição geral do paciente, em parte porque a deterioração do coração não é grave durante a primeira hora do choque, mas principalmente porque o coração tem uma grande capacidade de reserva, que normalmente permite bombear 300 a 400% mais sangue do que o necessário para a nutrição adequada dos tecidos. Nos últimos estágios do choque, entretanto, a deterioração do coração é provavelmente o fator mais importante na progressão letal final do choque.

Insuficiência vasomotora. Nos estágios iniciais do choque, vários reflexos circulatórios provocam intensa atividade do sistema nervoso simpático. Essa atividade ajuda a retardar a depressão do débito cardíaco e, principalmente, ajuda a prevenir a diminuição da pressão arterial. No entanto, chega um ponto em que o fluxo sanguíneo reduzido deprime tanto o centro vasomotor cerebral que ele também se torna progressivamente menos ativo e, por fim, totalmente inativo. Por exemplo, a *interrupção completa de circulação para o cérebro* durante os primeiros 4 a 8 minutos causa a mais intensa de todas as descargas simpáticas, mas ao final de 10 a 15 minutos, o centro vasomotor fica tão deprimido que nenhuma outra evidência de descarga simpática pode ser demonstrada. Felizmente, o centro vasomotor geralmente não falha nos estágios iniciais do choque se a pressão arterial permanecer acima de 30 mmHg.

Bloqueio de vasos muito pequenos por sangue estagnado. Com o passar do tempo, ocorre bloqueio em diversos vasos sanguíneos muito pequenos do sistema circulatório, e esse bloqueio também faz com que o choque progrida. A causa inicial desse bloqueio é a lentidão do fluxo sanguíneo na microvasculatura. Como o metabolismo tecidual se mantém apesar do baixo fluxo, continuam a ser lançadas nos vasos sanguíneos grandes quantidades de ácido carbônico e ácido láctico, que aumentam muito a acidez do sangue. Esse efeito da acidez, juntamente com outros produtos de deterioração dos tecidos isquêmicos, provoca a aglutinação do sangue no local, resultando na formação de minúsculos coágulos (*plugs*) que obstruem o fluxo nos pequenos vasos. Mesmo que os vasos não fiquem obstruídos, a tendência aumentada das células sanguíneas de se aglutinarem dificulta o fluxo do sangue pela microvasculatura, dando origem ao termo *sangue estagnado*.

Aumento da permeabilidade capilar. Depois de muitas horas de hipóxia capilar e da falta de outros nutrientes, a permeabilidade dos capilares aumenta gradualmente, e grandes quantidades de líquido começam a transudar para os tecidos. Esse fenômeno diminui ainda mais o volume sanguíneo, com a consequente redução do débito cardíaco, agravando ainda mais o choque. A hipóxia capilar não provoca aumento da permeabilidade capilar até os estágios finais do choque prolongado.

Liberação de toxinas pelo tecido isquêmico. Foi sugerido que o choque faz com que os tecidos liberem substâncias tóxicas, como histamina, serotonina e enzimas teciduais, que causam uma deterioração ainda maior do sistema circulatório. Estudos experimentais comprovaram a importância de pelo menos uma toxina, a *endotoxina*, em alguns tipos de choque.

Depressão miocárdica causada por endotoxina. A *endotoxina* é liberada por células mortas de bactérias gram-negativas presentes nos intestinos. A diminuição do fluxo sanguíneo para os intestinos geralmente provoca maior formação e absorção dessa substância tóxica. A toxina circulante, então, provoca aumento do metabolismo celular, apesar da nutrição inadequada das células, que tem um efeito específico sobre o músculo cardíaco, causando a *depressão cardíaca*. A endotoxina pode desempenhar um papel importante em alguns tipos de choque, especialmente no choque séptico, que será discutido posteriormente neste capítulo.

Deterioração celular generalizada. Enquanto o choque se agrava, ocorrem muitos sinais de deterioração celular generalizada por todo o corpo. Um órgão especialmente afetado é o *fígado*, como mostrado na **Figura 24.5**. O fígado é afetado principalmente pela falta de nutrientes em quantidade suficiente para suportar a taxa normalmente alta de metabolismo das células hepáticas, mas também por causa da exposição das células do fígado a qualquer toxina vascular ou outro fator metabólico anormal que ocorre no choque.

Entre os efeitos celulares nocivos conhecidos por ocorrer na maioria dos tecidos orgânicos destacam-se:

1. O transporte ativo de sódio e potássio através da membrana celular torna-se muito diminuído. Como resultado, o sódio e o cloreto se acumulam nas células e o potássio é perdido. Além disso, as células começam a inchar.

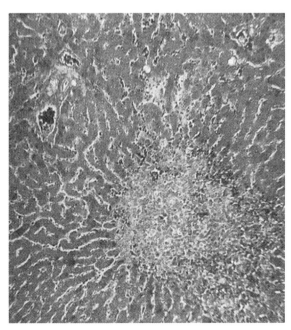

Figura 24.5 Necrose da porção central de um lóbulo hepático no choque circulatório grave. (Cortesia do Dr. J.W. Crowell.)

2. A atividade mitocondrial nas células hepáticas, bem como em muitos outros tecidos orgânicos, torna-se gravemente deprimida.
3. Os lisossomos das células em áreas dispersas do tecido começam a se romper, com liberação intracelular de *hidrolases*, que provocam deterioração intracelular posterior.
4. O metabolismo celular de nutrientes, como a glicose, acaba se tornando bastante deprimido nos últimos estágios do choque. As ações de alguns hormônios também ficam deprimidas, incluindo quase 100% de depressão das ações da insulina.

Todos esses efeitos contribuem para uma deterioração ainda maior de muitos órgãos, especialmente: (1) do *fígado*, com depressão de suas diversas funções metabólicas e de desintoxicação; (2) dos *pulmões*, com eventual desenvolvimento de edema pulmonar e baixa capacidade de oxigenação do sangue; e (3) do *coração*, deprimindo ainda mais sua contratilidade.

Áreas focais de necrose tecidual causada por fluxo sanguíneo irregular em diferentes órgãos.
Nem todas as células do corpo são igualmente danificadas pelo choque porque alguns tecidos têm melhor suprimento sanguíneo do que outros. Por exemplo, as células adjacentes às extremidades arteriais dos capilares recebem melhor nutrição do que as células adjacentes às extremidades venosas dos mesmos capilares. Portanto, ocorre uma deficiência nutritiva maior ao redor das extremidades venosas dos capilares do que em outras áreas. A **Figura 24.5** mostra a necrose no centro de um lóbulo hepático, a última parte do lóbulo a ser exposta ao sangue quando passa pelos sinusoides do fígado.

Ocorrem lesões puntiformes semelhantes no músculo cardíaco, embora, neste caso, o padrão repetitivo definido não possa ser demonstrado, como ocorre no fígado. No entanto, as lesões cardíacas desempenham um papel importante para chegar ao estágio final e irreversível do choque. Também surgem lesões deteriorativas nos rins, especialmente no epitélio dos túbulos renais, levando à insuficiência renal e, ocasionalmente, à morte urêmica vários dias depois. A deterioração dos pulmões também costuma resultar em dificuldade respiratória e morte vários dias depois, pela chamada *síndrome do choque pulmonar*.

Acidose no choque.
Os distúrbios metabólicos que ocorrem no tecido submetido a choque podem provocar acidose em todo o corpo. Isso resulta da má distribuição de oxigênio aos tecidos, o que diminui muito o metabolismo oxidativo dos alimentos. Quando isso ocorre, as células obtêm a maior parte de sua energia pelo processo anaeróbio da glicólise, que resulta em *excesso de ácido láctico* no sangue. Além disso, a ausência de sangue fluindo através dos tecidos impede a remoção normal do dióxido de carbono. Nas células, o dióxido de carbono reage localmente com água para formar altas concentrações de ácido carbônico intracelular, que, por sua vez, reage com diversas substâncias químicas presentes no tecido para formar substâncias ácidas intracelulares adicionais. Assim, outro efeito deteriorante do choque é a acidose tecidual generalizada e local, que agrava a progressão do choque.

Deterioração por *feedback* positivo dos tecidos em choque e o círculo vicioso do choque progressivo.
Os fatores que acabamos de discutir e que podem levar a maior progressão do choque são todos eles um tipo de *feedback positivo* – isto é, cada aumento de grau do choque provoca um aumento adicional no próprio choque. No entanto, o *feedback* positivo não leva necessariamente a um círculo vicioso. O desenvolvimento de um círculo vicioso depende da intensidade do *feedback* positivo. Em graus leves de choque, os mecanismos de *feedback* negativo da circulação, incluindo os reflexos simpáticos, o mecanismo de relaxamento reverso por estresse dos reservatórios de sangue e a absorção de líquido dos espaços intersticiais para a corrente sanguínea podem facilmente superar as influências de *feedback* positivo e, portanto, promover a recuperação do paciente. No choque grave, entretanto, os mecanismos deteriorativos de *feedback* tornam-se cada vez mais potentes, levando a uma deterioração tão rápida da circulação que todos os sistemas normais de *feedback* negativo de controle circulatório agindo juntos não conseguem normalizar o débito cardíaco.

Considerando uma vez mais os princípios de *feedback* positivo e os círculos viciosos discutidos no Capítulo 1, pode-se compreender prontamente por que existe um nível crítico de débito cardíaco, acima do qual o paciente em choque se recupera e abaixo do qual ele entra em um círculo vicioso de deterioração circulatória que prossegue até a morte.

CHOQUE IRREVERSÍVEL

Depois que o choque evolui para um determinado estágio, a transfusão ou qualquer outro tipo de tratamento torna-se incapaz de salvar a vida do paciente. Diz-se então que a pessoa está no *estágio irreversível de choque*. Ironicamente, mesmo nesse estágio irreversível, em raras ocasiões, o tratamento consegue estabilizar a pressão arterial e até mesmo o débito cardíaco em valores normais, ou próximo do normal, por curtos períodos, mas o sistema circulatório continua a se deteriorar, e segue-se o óbito no intervalo que varia de poucos minutos até algumas horas.

A **Figura 24.6** mostra que, durante o estágio irreversível, uma transfusão pode, ocasionalmente, normalizar o débito cardíaco (bem como a pressão arterial). No entanto, o débito cardíaco logo começa a cair novamente e as transfusões subsequentes têm um efeito cada vez menor. A esta altura, já aconteceram várias alterações nas células do músculo cardíaco, que podem não afetar necessariamente a capacidade *imediata* do coração de bombear sangue, mas, que por um período prolongado, podem deprimir o bombeamento o suficiente para causar a morte. Depois de um certo ponto, já ocorreram tantos

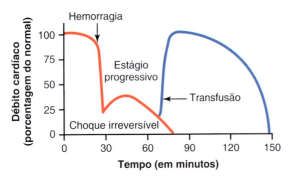

Figura 24.6 Incapacidade da transfusão para evitar a morte no choque irreversível.

danos aos tecidos, foram liberadas tantas enzimas destrutivas nos líquidos corporais e se desenvolveu tanta acidose e tantos outros fatores destrutivos estão em andamento que até mesmo um débito cardíaco normal por alguns minutos não é capaz de reverter o processo contínuo de deterioração. Portanto, no choque grave, chega-se a um estágio em que o paciente entra em óbito, embora um tratamento vigoroso ainda possa retornar o débito cardíaco ao normal por curtos períodos.

Depleção das reservas celulares de fosfato de alta energia no choque irreversível. As reservas de fosfato de alta energia nos tecidos corporais, especialmente no fígado e no coração, diminuem muito no choque grave. Basicamente, todo o *fosfato de creatina* já foi degradado e quase todo o *trifosfato de adenosina* foi degradado em *difosfato de adenosina*, *monofosfato de adenosina* e, por fim, *adenosina*. Grande parte dessa adenosina se difunde das células para o sangue circulante e é convertida em ácido úrico, uma substância que não consegue reentrar nas células para reconstituir o sistema de adenosina fosfato. Nova adenosina pode ser sintetizada a uma taxa de apenas cerca de 2% da quantidade celular normal por hora, o que significa que, uma vez esgotados os estoques de fosfato de alta energia das células, é difícil sua reposição.

Assim, um dos resultados mais devastadores nos estágios finais do choque, e talvez o mais significativo para o desenvolvimento do estado de irreversibilidade, é o esgotamento celular desses compostos de alta energia.

CHOQUE HIPOVOLÊMICO CAUSADO PELA PERDA DE PLASMA

A perda de plasma do sistema circulatório, mesmo sem perda de hemácias, muitas vezes pode ser grave o suficiente para reduzir acentuadamente o volume sanguíneo total, causando um choque hipovolêmico típico, semelhante em quase todos os detalhes ao provocado por hemorragia. A perda grave de plasma ocorre nas seguintes condições:

1. A *obstrução intestinal* pode causar uma redução drástica do volume plasmático. A distensão do intestino nos casos de obstrução intestinal bloqueia parcialmente o fluxo de sangue venoso nas paredes intestinais, o que aumenta a pressão capilar intestinal, fazendo com que o líquido extravase dos capilares para as paredes e o lúmen intestinal. Como o líquido extravasado tem alto teor de proteína, o resultado é a redução da proteína plasmática total do sangue e do volume plasmático.

2. *Queimaduras graves e outras condições de desnudamento da pele* causam perda de plasma através das áreas cutâneas expostas, de modo que o volume plasmático se reduz significativamente.

O choque hipovolêmico resultante de perda plasmática tem quase as mesmas características do choque causado por hemorragia, exceto por um fator complicador adicional: a viscosidade do sangue aumenta muito, como resultado do aumento da concentração de glóbulos vermelhos no sangue remanescente, e esse aumento da viscosidade exacerba a lentidão do fluxo sanguíneo.

A perda de líquidos de todos os compartimentos corporais é chamada de *desidratação*; essa condição também pode reduzir o volume sanguíneo e causar choque hipovolêmico semelhante ao que resulta de uma hemorragia. Algumas das causas desse tipo de choque são: (1) sudorese excessiva; (2) perda de líquidos por diarreia ou vômitos graves; (3) perda excessiva de líquido pelos rins; (4) ingestão inadequada de líquidos e eletrólitos; ou (5) destruição do córtex adrenal, com perda da secreção de aldosterona e consequente insuficiência renal para reabsorver sódio, cloreto e água, o que ocorre na ausência do hormônio adrenocortical aldosterona.

CHOQUE HIPOVOLÊMICO CAUSADO POR TRAUMATISMO

Uma das causas mais comuns de choque circulatório é o traumatismo corporal. Frequentemente, o choque resulta de uma hemorragia causada pelo traumatismo, mas também pode ocorrer mesmo sem hemorragia, porque uma grande contusão pode danificar os capilares o suficiente para permitir a perda excessiva de plasma para os tecidos. Esse fenômeno resulta em grande redução do volume plasmático, com choque hipovolêmico resultante.

Têm sido feitas muitas tentativas para implicar os fatores tóxicos liberados pelos tecidos traumatizados como uma das causas do choque após o traumatismo. No entanto, experimentos de transfusão cruzada com animais normais não conseguiram mostrar elementos tóxicos significativos. O choque traumático, portanto, parece resultar principalmente de hipovolemia, embora também possa haver um grau moderado de choque neurogênico concomitante, causado pela perda do tônus vasomotor, como discutido a seguir.

CHOQUE NEUROGÊNICO: AUMENTO DA CAPACITÂNCIA VASCULAR

Ocasionalmente, o choque ocorre sem perda de volume sanguíneo. Em vez disso, a *capacitância vascular* aumenta tanto que mesmo a quantidade normal de sangue é incapaz de preencher o sistema circulatório adequadamente. Uma das principais causas dessa condição é a *perda súbita do tônus vasomotor* em todo o corpo, resultando especialmente em dilatação massiva das veias (venodilatação). A condição resultante é conhecida como *choque neurogênico*.

O papel da capacitância vascular na regulação da função circulatória foi discutido no Capítulo 15, no qual foi observado que um aumento na capacidade vascular ou uma diminuição no volume sanguíneo reduz a *pressão média de enchimento sistêmico,* que diminui o retorno venoso ao coração. A redução no retorno venoso, causada pela dilatação vascular, é denominada *estase venosa*, com consequente acúmulo de sangue.

Causas do choque neurogênico. Os fatores neurogênicos que podem causar perda do tônus vasomotor incluem o seguinte:

1. A *anestesia geral profunda* geralmente deprime o centro vasomotor o suficiente para causar paralisia vasomotora, com choque neurogênico resultante.
2. A *raquianestesia*, especialmente quando se estende por toda a medula espinhal, bloqueia o fluxo nervoso simpático do sistema nervoso e pode ser uma causa potente de choque neurogênico.
3. Uma *lesão cerebral* costuma causar paralisia vasomotora. Muitos pacientes com concussão ou contusão cerebral nas regiões basais do cérebro experimentam um choque neurogênico profundo. Além disso, embora a isquemia cerebral por alguns minutos quase sempre provoque grande estimulação vasomotora e aumento da pressão arterial, a isquemia prolongada (durando > 5 a 10 minutos) pode causar o efeito oposto – a inativação total dos neurônios vasomotores no tronco encefálico, com consequente diminuição da pressão arterial e desenvolvimento de choque neurogênico grave.

CHOQUE ANAFILÁTICO OU CHOQUE HISTAMÍNICO

A *anafilaxia* é uma condição alérgica na qual o débito cardíaco e a pressão arterial diminuem drasticamente. Essa condição será discutida no Capítulo 35. Resulta principalmente de uma reação antígeno-anticorpo que ocorre rapidamente depois que um antígeno ao qual a pessoa é sensível entra na circulação. Um dos principais efeitos é fazer com que os *basófilos* no sangue e os *mastócitos* nos tecidos pericapilares liberem *histamina* ou uma *substância semelhante à histamina*. A histamina provoca: (1) aumento na capacidade vascular devido à dilatação venosa, causando uma diminuição acentuada no retorno venoso; (2) dilatação das arteríolas, resultando em grande redução da pressão arterial; e (3) permeabilidade capilar muito aumentada, com perda rápida de líquido e proteína para os espaços teciduais. O resultado é uma grande redução no retorno venoso e, às vezes, um choque tão grave que a pessoa pode morrer em minutos.

A injeção intravenosa de grandes quantidades de histamina causa choque histamínico, que tem características quase idênticas às do choque anafilático.

CHOQUE SÉPTICO

Choque séptico refere-se a uma infecção bacteriana amplamente disseminada por muitas áreas do corpo, com a infecção sendo transportada pelo sangue de um tecido para outro e causando danos extensos. Existem muitas variedades de choque séptico porque há muitos tipos de infecção bacteriana que podem causá-lo e porque a infecção em diferentes partes do organismo produz efeitos distintos. A maioria dos casos de choque séptico, entretanto, é causada por bactérias gram-positivas, seguidas por bactérias gram-negativas produtoras de endotoxinas.

O choque séptico é extremamente importante para o clínico porque, com exceção do choque cardiogênico, é atualmente a causa mais frequente de morte relacionada ao choque nos hospitais.

Algumas das causas típicas de choque séptico incluem:

1. Peritonite causada pela disseminação da infecção do útero e das tubas uterinas, muitas vezes resultante de um aborto instrumental realizado em condições não estéreis.
2. Peritonite resultante de ruptura do sistema gastrointestinal, muitas vezes causada por doença intestinal ou por feridas.
3. Infecção corporal generalizada resultante da disseminação de uma infecção de pele, como uma infecção estreptocócica ou estafilocócica.
4. Infecção gangrenosa generalizada resultante especificamente de bacilos da gangrena gasosa, propagando-se primeiro através dos tecidos periféricos e, finalmente, através da circulação para os órgãos internos, especialmente o fígado.
5. Infecção que se dissemina para o sangue a partir do rim ou do trato urinário, geralmente causada por bacilos colônicos.

Características especiais do choque séptico. Em virtude dos vários tipos de choque séptico, é difícil categorizar essa condição. As características a seguir são frequentemente observadas:

1. Febre alta.
2. Vasodilatação muitas vezes acentuada por todo o corpo, especialmente nos tecidos infectados.
3. Débito cardíaco elevado em talvez metade dos pacientes, causado por dilatação arteriolar nos tecidos infectados e por alta taxa metabólica e vasodilatação em outras partes do organismo, resultante da estimulação do metabolismo celular por toxinas bacterianas e da alta temperatura corporal.
4. Estagnação do sangue, causada pela aglutinação das hemácias, em resposta à degeneração dos tecidos.

PARTE 4 Circulação

5. Desenvolvimento de microcoágulos sanguíneos em áreas extensas do corpo, em uma condição conhecida como *coagulação intravascular disseminada (CIVD)*; além disso, faz com que os fatores de coagulação do sangue sejam usados, de modo que ocorre hemorragia em muitos tecidos, especialmente na parede intestinal.

Nos estágios iniciais do choque séptico, o paciente geralmente não apresenta sinais de colapso circulatório, mas apenas sinais de infecção bacteriana. À medida que a infecção se agrava, o sistema circulatório geralmente é envolvido em virtude da extensão direta da infecção ou, secundariamente, pela ação de toxinas bacterianas, que resulta em perda de plasma para os tecidos infectados através da deterioração das paredes dos capilares sanguíneos. Finalmente, chega um ponto em que a deterioração da circulação se torna progressiva, da mesma maneira que ocorre nos outros tipos de choque. Os estágios finais do choque séptico não são muito diferentes dos estágios finais do choque hemorrágico, embora os fatores precipitantes sejam marcadamente diferentes nas duas condições.

FISIOLOGIA DO TRATAMENTO DO CHOQUE

TERAPIA DE REPOSIÇÃO

Transfusão de sangue e de plasma. Se uma pessoa está em choque causado por hemorragia, geralmente a melhor terapia possível é a transfusão de sangue total. Se o choque for causado por perda plasmática, a melhor terapia será a administração de plasma. Quando a causa é desidratação, a administração de uma solução eletrolítica apropriada pode corrigir o choque.

Nem sempre há disponibilidade de sangue total, como, por exemplo, em um campo de batalha. Mas o plasma geralmente pode substituir o sangue total de forma adequada, porque aumenta o volume sanguíneo e restaura a hemodinâmica. O plasma não é capaz de restaurar o hematócrito, mas o organismo geralmente consegue suportar a diminuição no hematócrito para cerca de metade do nível normal, antes que se desenvolvam consequências graves, se o débito cardíaco for adequado. Portanto, em uma emergência, é razoável usar plasma no lugar de sangue total para tratar um choque hemorrágico e a maioria dos outros tipos de choque hipovolêmico.

Existem situações em que o plasma não está disponível. Nesses casos, foram desenvolvidos vários produtos, *substitutos do plasma*, que desempenham quase exatamente as mesmas funções hemodinâmicas. Um desses substitutos é a solução de dextrana.

Solução de dextrana como substituto do plasma.
O principal requisito de um substituto do plasma verdadeiramente efetivo é que permaneça no sistema circulatório – isto é, que não seja filtrado através dos poros capilares para os espaços de tecido. Além disso, a solução deve ser atóxica e conter eletrólitos apropriados para evitar o desequilíbrio eletrolítico do líquido extracelular durante a administração.

Para permanecer na circulação, o substituto do plasma deve conter alguma substância que tenha um tamanho molecular grande o suficiente para exercer pressão oncótica. Uma das substâncias desenvolvidas com esse propósito é a *dextrana*, um grande polímero sacarídeo de glicose. As dextranas de tamanho molecular apropriado não conseguem atravessar os poros capilares e, portanto, podem substituir as proteínas plasmáticas como agentes osmóticos coloidais.

Foram observadas poucas reações tóxicas quando se utiliza dextrana purificada para fornecer pressão osmótica coloidal; portanto, soluções contendo esta substância têm sido utilizadas como substituto do plasma na terapia de reposição de líquidos.

TRATAMENTO DOS CHOQUES NEUROGÊNICO E ANAFILÁTICO COM AGENTES SIMPATICOMIMÉTICOS

Um *agente simpaticomimético* é um fármaco que imita a estimulação simpática. Esses fármacos incluem a *noradrenalina*, a *adrenalina* e um grande número de substâncias de ação prolongada, que têm os mesmos efeitos básicos da adrenalina e da noradrenalina.

Os medicamentos simpaticomiméticos provaram ser especialmente benéficos em dois tipos de choque. O primeiro é o *choque neurogênico*, no qual o sistema nervoso simpático está gravemente deprimido. A administração de um medicamento simpaticomimético substitui a ação simpática diminuída e, em geral, pode restaurar completamente a função circulatória.

O segundo tipo de choque em que os agentes simpaticomiméticos tem valor é o *choque anafilático*, no qual o excesso de histamina desempenha um papel proeminente. As substâncias simpaticomiméticas têm efeito vasoconstritor que se opõe ao efeito vasodilatador da histamina. Portanto, a adrenalina, a noradrenalina ou outros fármacos simpaticomiméticos costumam salvar vidas.

Os simpaticomiméticos não têm se mostrado de grande valor no tratamento do choque hemorrágico. A razão é que, nesse tipo de choque, o sistema nervoso simpático é quase sempre ativado ao máximo pelos reflexos circulatórios; já existe tanta noradrenalina e adrenalina em circulação, que substâncias simpaticomiméticas não apresentam efeito benéfico adicional.

OUTROS TRATAMENTOS

Rebaixamento do nível da cabeça. Quando a pressão cai muito na maioria dos tipos de choque, principalmente nos choques hemorrágico e neurogênico, colocar o paciente em posição inclinada (*posição de Trendelenburg*) com a cabeça em um nível de pelo menos 30 centímetros abaixo do nível dos pés ajuda a promover o retorno venoso, aumentando também o débito cardíaco. Essa posição de cabeça baixa é o primeiro passo essencial no tratamento de muitos tipos de choque.

Oxigenoterapia. Como o principal efeito deletério da maioria dos diversos tipos de choque é a baixa entrega de oxigênio aos tecidos, o fornecimento de oxigênio para o paciente respirar pode ser benéfico em alguns casos. No entanto, essa intervenção frequentemente é muito menos benéfica do que se poderia esperar, porque o problema, na maioria dos tipos de choque, não é a oxigenação inadequada do sangue pelos pulmões, mas o transporte inadequado do sangue depois de oxigenado.

Tratamento com glicocorticoides. Os glicocorticoides – hormônios produzidos pelo córtex adrenal que controlam o metabolismo da glicose – são frequentemente administrados a pacientes em choque grave por diversas razões: (1) experimentos empíricos mostraram que os glicocorticoides frequentemente aumentam a força contrátil do coração nos estágios finais do choque; (2) os glicocorticoides estabilizam os lisossomas nas células teciduais e, assim, impedem a liberação de enzimas lisossomais no citoplasma das células, evitando a deterioração dessa fonte; e (3) os glicocorticoides podem auxiliar as células gravemente danificadas no metabolismo da glicose.

PARADA CIRCULATÓRIA

Uma condição intimamente relacionada ao choque circulatório é a parada circulatória, quando ocorre a interrupção total do fluxo sanguíneo. Essa condição pode ocorrer, por exemplo, como resultado de uma *parada cardíaca* ou de uma *fibrilação ventricular*.

A fibrilação ventricular geralmente pode ser interrompida por forte eletrochoque do coração, cujos princípios básicos são descritos no Capítulo 13.

No caso de uma parada cardíaca completa, ocasionalmente o ritmo cardíaco normal pode ser restaurado pela aplicação imediata de procedimentos de reanimação cardiopulmonar e, simultaneamente, pelo fornecimento de quantidades adequadas de oxigênio ventilatório aos pulmões do paciente.

Efeito da parada circulatória sobre o cérebro

Um desafio especial na parada circulatória é prevenir os efeitos prejudiciais sobre o cérebro. Em geral, mais de 5 a 8 minutos de parada circulatória total podem causar pelo menos algum grau de dano cerebral permanente em mais da metade dos pacientes. Uma parada circulatória por até 10 a 15 minutos quase sempre destrói permanentemente uma parte significativa da capacidade mental.

Por muitos anos, acreditou-se que esse efeito danoso ao cérebro era causado pela hipóxia cerebral aguda que ocorre durante a parada circulatória. No entanto, experimentos têm demonstrado que, se a formação de coágulos nos vasos sanguíneos do cérebro puder ser impedida, isso também pode evitar grande parte da deterioração cerebral precoce durante a parada circulatória. Por exemplo, em experimentos com animais, todo o sangue foi removido dos vasos sanguíneos no início da parada circulatória e recolocado no final, para impedir a ocorrência de coagulação sanguínea intravascular. Nesse experimento, o cérebro em geral foi capaz de suportar até 30 minutos de parada circulatória sem lesão cerebral permanente. Além disso, a administração de heparina ou estreptoquinase (para prevenir a coagulação do sangue) antes da parada cardíaca demonstrou aumentar a capacidade de sobrevivência do cérebro em até duas a quatro vezes mais do que o normal.

Bibliografia

Angus DC, van der Poll T: Severe sepsis and septic shock. N Engl J Med 369:840, 2013.

Buckley MS, Barletta JF, Smithburger PL, Radosevich JJ, Kane-Gill SL: Catecholamine vasopressor support sparing strategies in vasodilatory shock. Pharmacotherapy 39:382, 2019.

Cecconi M, Evans L, Levy M, Rhodes A: Sepsis and septic shock. Lancet 392:75, 2018.

Cannon JW: Hemorrhagic shock. N Engl J Med 378:370, 2018.

Crowell JW, Smith EE: Oxygen deficit and irreversible hemorrhagic shock. Am J Physiol 206:313, 1964.

Galli SJ, Tsai M, Piliponsky AM: The development of allergic inflammation. Nature 454:445, 2008.

Guyton AC, Jones CE, Coleman TG: Circulatory Physiology: Cardiac Output and Its Regulation. Philadelphia: WB Saunders, 1973.

Huet O, Chin-Dusting JP: Septic shock: desperately seeking treatment. Clin Sci (Lond) 126:31, 2014.

Hunt BJ: Bleeding and coagulopathies in critical care. N Engl J Med 370:847, 2014.

Kar B, Basra SS, Shah NR, Loyalka P: Percutaneous circulatory support in cardiogenic shock: interventional bridge to recovery. Circulation 125:1809, 2012.

Lieberman PL: Recognition and first-line treatment of anaphylaxis. Am J Med 127(1 Suppl):S6, 2014.

Myburgh JA, Mythen MG: Resuscitation fluids. N Engl J Med 369:1243, 2013.

Nakamura T, Murata T: Regulation of vascular permeability in anaphylaxis. Br J Pharmacol 175:2538, 2018.

Prescott HC, Angus DC: Enhancing recovery from sepsis: a review. JAMA 319:62, 2018.

Reynolds HR, Hochman J: Cardiogenic shock: current concepts and improving outcomes. Circulation 117:686, 2008.

Siddall E, Khatri M, Radhakrishnan J: Capillary leak syndrome: etiologies, pathophysiology, and management. Kidney Int 92:37, 2017.

Simons FE, Sheikh A: Anaphylaxis: the acute episode and beyond. BMJ 2013 Feb 12;346:f602. doi: 10.1136/bmj.f602.

Líquidos Corporais e Rins

PARTE 5

RESUMO DA PARTE

25 Regulação dos Compartimentos de Líquidos Corporais: Líquidos Extracelulares e Intracelulares; Edema, *304*

26 Sistema Urinário: Anatomia Funcional e Formação da Urina pelos Rins, *320*

27 Filtração Glomerular, Fluxo Sanguíneo Renal e seus Respectivos Controles, *330*

28 Reabsorção e Secreção Tubulares Renais, *342*

29 Concentração e Diluição da Urina; Regulação da Osmolaridade e Concentração de Sódio do Líquido Extracelular, *364*

30 Regulação Renal de Potássio, Cálcio, Fosfato e Magnésio; Integração de Mecanismos Renais para o Controle do Volume Sanguíneo e do Líquido Extracelular, *381*

31 Equilíbrio Acidobásico, *400*

32 Diuréticos e Doenças Renais, *418*

CAPÍTULO 25

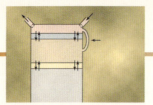

Regulação dos Compartimentos de Líquidos Corporais: Líquidos Extracelulares e Intracelulares; Edema

A manutenção do volume relativamente constante e a composição estável dos líquidos corporais é essencial para a homeostase. Alguns dos problemas mais comuns e importantes da clínica médica ocorrem em razão de anormalidades nos sistemas de controle que mantêm relativa estabilidade nos líquidos corporais. Neste capítulo e nos próximos sobre fisiologia renal, discutiremos a regulação geral do volume de líquidos corporais, os constituintes do líquido extracelular, o equilíbrio acidobásico e o controle das trocas de líquidos entre os compartimentos extra e intracelular.

A ENTRADA E A SAÍDA DE LÍQUIDOS SÃO EQUILIBRADAS DURANTE CONDIÇÕES ESTÁVEIS

A relativa estabilidade dos líquidos corporais é extraordinária em virtude da contínua troca de líquidos e solutos com o ambiente externo, bem como dentro dos compartimentos corporais. Por exemplo, o líquido que adentra o organismo é altamente variável e deve ser cuidadosamente contrabalanceado pela saída de um volume igual de água, a fim de impedir o aumento ou a diminuição dos volumes dos líquidos corporais.

GANHO DIÁRIO DE ÁGUA

A água é adicionada ao organismo por meio de duas grandes fontes: (1) ingestão na forma de líquidos ou água dos alimentos, que normalmente corresponde a cerca de 2.100 mℓ/dia dos líquidos diários; e (2) síntese no organismo por meio da oxidação de carboidratos, o que corresponde a cerca de 200 mℓ/dia. Esses mecanismos fornecem o ganho total de aproximadamente 2.300 mℓ/dia (**Tabela 25.1**).

Contudo, a ingestão de água é altamente variável entre diferentes indivíduos e inclusive no mesmo indivíduo em diferentes dias, dependendo do clima, hábitos e nível de atividade física.

PERDA DIÁRIA DE ÁGUA DO ORGANISMO

Perdas insensíveis de água. Algumas perdas não podem ser reguladas com precisão. Por exemplo, humanos sofrem perdas contínuas de água por evaporação a partir do trato respiratório e difusão através da pele, os quais juntos correspondem a cerca de 700 mℓ/dia de perda sob condições normais. Essa perda recebe a denominação *perda insensível de água* porque não temos consciência dela, embora ocorra continuamente em todos os indivíduos vivos.

As perdas insensíveis de água através da pele ocorrem independentemente da transpiração, mesmo em pessoas que nascem sem glândulas sudoríparas; a perda média por difusão através da pele é de cerca de 300 a 400 mℓ/dia. Essa perda é minimizada pela camada de pele cornificada rica em colesterol, a qual promove uma barreira contra perdas excessivas por difusão. Quando essa camada se torna exposta, como em queimaduras extensas, a taxa de evaporação pode aumentar até 10 vezes, chegando a 3 a 5 ℓ/dia. Por essa razão, vítimas de queimaduras devem receber grandes quantidades de líquidos, em geral por via intravenosa, a fim de equilibrar a perda.

A perda insensível de água por meio do trato respiratório normalmente corresponde a 300 a 400 mℓ/dia. Conforme o ar adentra o trato respiratório, torna-se saturado com a umidade até uma pressão de vapor de cerca de 47 mmHg antes de sua eliminação. Como a pressão de

Tabela 25.1 Ganhos e perdas diárias de água (mℓ/dia).

Ganhos ou perdas	Normal	Exercício vigoroso e prolongado
Ganhos		
Líquidos ingeridos	2.100	?
A partir do metabolismo	200	200
Ganhos totais	2.300	?
Perdas		
Insensíveis: pele	350	350
Insensíveis: pulmões	350	650
Transpiração	100	5.000
Fezes	100	100
Urina	1.400	500
Perdas totais	2.300	6.600

vapor do ar inspirado é geralmente menor que 47 mmHg, perde-se água continuamente pelos pulmões durante a respiração. Em climas frios, a pressão de vapor atmosférica diminui até quase zero, culminando em maior perda de água dos pulmões conforme diminui a temperatura. Esse processo explica a sensação de secura nas vias respiratórias em climas frios.

Perda de líquidos na transpiração. A quantidade de água perdida durante a transpiração é altamente variável, dependendo da atividade física e temperatura ambiente. O volume normalmente transpirado aproxima-se de 100 mℓ/dia, embora em climas muito quentes ou durante atividade intensa, a perda por transpiração possa aumentar até 1 a 2 ℓ/hora. Essa perda pode rapidamente esgotar os líquidos corporais se o ganho não for aumentado pelo mecanismo da sede, conforme discutido no Capítulo 29.

Perda de líquidos nas fezes. Apenas uma pequena quantidade de água (100 mℓ/dia) é normalmente perdida nas fezes. A perda pode aumentar a muitos litros por dia em indivíduos com diarreia grave. Portanto, a diarreia grave pode representar um risco à vida se não for corrigida em poucos dias.

Perda de líquidos nos rins. A perda de água remanescente do organismo ocorre na urina excretada pelos rins. Múltiplos mecanismos controlam a taxa de excreção de urina. O meio mais importante de o organismo manter o equilíbrio entre ganho e perda de água, assim como de eletrólitos, é o controle da taxa com a qual os rins eliminam essas substâncias. Por exemplo, o volume de urina pode decair a 0,5 ℓ/dia em uma pessoa desidratada, ou aumentar até 20 ℓ/dia em uma pessoa que ingeriu grandes quantidades de água.

Essa variabilidade de ganhos também se aplica à maioria dos eletrólitos do organismo, como sódio, cloreto e potássio. Para algumas pessoas, a ingestão de sódio pode ser baixa, como 20 mEq/dia, ao passo que outras podem ingerir 300 a 500 mEq/dia. Os rins têm a função de ajustar a taxa de excreção de água e eletrólitos para adequar precisamente o ganho dessas substâncias, bem como compensar perdas excessivas de líquidos e eletrólitos que ocorrem em determinadas doenças. Nos Capítulos 26 a 32, discutiremos os mecanismos que permitem que os rins executem essas notáveis funções.

COMPARTIMENTOS DE LÍQUIDOS CORPORAIS

A totalidade dos líquidos corporais distribui-se principalmente entre dois compartimentos, o *líquido extracelular* e o *líquido intracelular* (ver **Figura 25.1**). O líquido extracelular divide-se em *líquido intersticial* e *plasma* sanguíneo.

Existe ainda um outro pequeno compartimento de líquido denominado *líquido transcelular*. Este inclui os líquidos dos espaços sinovial, peritoneal, pleural, pericárdico

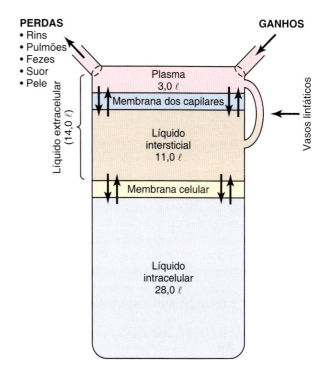

Figura 25.1 Resumo da regulação de líquidos corporais, incluindo os grandes compartimentos de líquidos e as membranas que os separam. Os valores demonstrados equivalem aos de um homem com peso médio de 70 kg.

e intraocular, bem como o líquido cefalorraquidiano (liquor), que é geralmente considerado um tipo especializado de líquido extracelular, embora em alguns casos sua composição possa diferir muito do líquido do plasma ou interstício. Todos os líquidos transcelulares juntos somam cerca de 1 a 2 ℓ.

Em um adulto de 70 kg, a água total do organismo equivale a cerca de 60% do peso corporal, ou aproximadamente 42 ℓ. Esse percentual depende da idade, do sexo e do grau de obesidade. À medida que o indivíduo envelhece, a porcentagem de peso corporal total representada pelos líquidos diminui gradualmente. Essa diminuição se deve, em parte, ao fato de que o envelhecimento geralmente é associado a um aumento na porcentagem de gordura corporal, a qual reduz a proporção de água do organismo.

Como as mulheres normalmente apresentam maior percentual de gordura em comparação com os homens, sua quantidade total de água é em média 50% do peso corporal. Em bebês prematuros ou neonatos, a quantidade total de água varia de 70 a 75% do peso corporal. Portanto, ao discutir compartimentos de líquidos corporais normais, deve-se lembrar que existem variações dependendo da idade, do sexo e da porcentagem de gordura corporal.

Em muitos outros países, o peso corporal médio (e massa de gordura) aumentou rapidamente ao longo dos últimos 30 anos. O peso médio de um homem adulto acima de 20 anos de idade nos EUA é estimado em 88,8 kg, enquanto o de uma mulher adulta é de 77,4 kg. Por essa razão, os dados discutidos para um homem de peso médio 70 kg neste e outros capítulos devem ser ajustados ao se considerarem os compartimentos de líquidos corporais da maioria das pessoas.

COMPARTIMENTO DE LÍQUIDO INTRACELULAR

Cerca de 28 dos 42 ℓ de líquido do organismo encontram-se dentro de nossos trilhões de células, sendo coletivamente denominados *líquido intracelular*. Portanto, o líquido intracelular constitui aproximadamente 40% do peso corporal total em um indivíduo "médio".

O líquido presente em cada célula contém sua própria mistura individual de diferentes constituintes, porém suas concentrações são semelhantes às de outras células. De fato, a composição dos líquidos celulares é notavelmente similar, mesmo em diferentes animais, desde os microrganismos mais primitivos até os humanos. Por essa razão, considera-se o líquido intracelular de todas as diferentes células juntas como um grande compartimento de líquido.

COMPARTIMENTO DE LÍQUIDO EXTRACELULAR

Todos os líquidos situados fora das células são coletivamente chamados de *líquido extracelular*. Juntos, esses líquidos correspondem a cerca de 20% do peso corporal total, ou aproximadamente 14 ℓ em um homem de 70 kg. Os dois maiores compartimentos do líquido extracelular são o *líquido intersticial*, que equivale a mais do que três quartos (11 ℓ) do líquido extracelular, e o *plasma*, que equivale a quase um quarto do líquido extracelular, cerca de 3 ℓ. O plasma é a porção líquida (não celular) do sangue, que realiza troca de substâncias continuamente com o líquido intersticial através de poros nas membranas dos capilares. Tais poros são altamente permeáveis a praticamente todos os solutos do líquido extracelular, exceto às proteínas. Portanto, líquidos extracelulares estão em constante mistura, de forma que o plasma e o líquido intersticial têm aproximadamente a mesma constituição, exceto pelas proteínas, as quais se encontram mais concentradas no plasma.

VOLUME SANGUÍNEO (VOLEMIA)

O sangue contém líquidos extracelular (líquido que constitui o plasma) e intracelular (líquido dentro das hemácias). Todavia, é considerado um compartimento líquido separado, visto que se encontra contido em uma estrutura fechada e bem delimitada, o sistema circulatório. O volume de sangue é especialmente importante para o controle da dinâmica cardiovascular.

A volemia média em adultos é aproximadamente 7% do peso corporal, o que corresponde a algo em torno de 5 ℓ. Cerca de 60% do sangue é plasma e 40% hemácias, embora essas proporções possam variar consideravelmente em diferentes indivíduos, dependendo do sexo, peso e outros fatores.

Hematócrito (volume globular). O hematócrito é a fração do sangue composta por hemácias, sendo determinado por meio de sua centrifugação em um tubo até que as células se acumulem compactadas no fundo. Como a centrífuga não é capaz de compactar completamente as hemácias, cerca de 3 a 4% do plasma permanece aprisionado em meio às células, de tal forma que o verdadeiro hematócrito corresponde a cerca de 96% do hematócrito mensurado.

Em homens, o hematócrito mensurado equivale normalmente a 40% e, em mulheres, a aproximadamente 36%. Em indivíduos com *anemia* grave, o hematócrito pode diminuir até 10%, valor que pode ser insuficiente à manutenção da vida. Da mesma forma, indivíduos com determinadas condições apresentam produção excessiva de hemácias, resultando em *policitemia*. Nesses casos, o hematócrito pode chegar a 65%.

CONSTITUINTES DOS LÍQUIDOS EXTRACELULAR E INTRACELULAR

Comparações da composição do líquido extracelular, incluindo o plasma e líquido intersticial, encontram-se demonstradas nas **Figuras 25.2** e **25.3** e na **Tabela 25.2**.

Composição iônica similar do plasma e do líquido intersticial

Como o plasma e o líquido intersticial são separados somente por membranas capilares altamente permeáveis, sua composição iônica é similar. A diferença mais importante entre esses dois compartimentos é a maior concentração de proteínas do plasma; visto que os capilares apresentam menor permeabilidade às proteínas plasmáticas, somente pequenas quantidades destas extravasam para os espaços intersticiais na maioria dos tecidos.

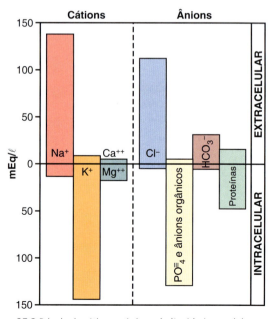

Figura 25.2 Principais cátions e ânions do líquido intracelular e extracelular. As concentrações de Ca^{++} e Mg^{++} representam a soma desses dois íons. As concentrações demonstradas representam o total de íons livres e íons complexos.

CAPÍTULO 25 Regulação dos Compartimentos de Líquidos Corporais: Líquidos Extracelulares e Intracelulares; Edema

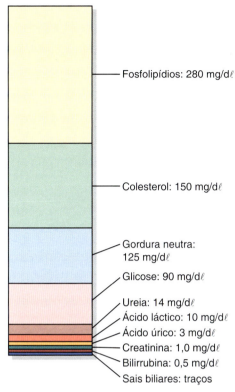

Figura 25.3 Não eletrólitos do plasma.

Tabela 25.2 Substâncias osmoticamente ativas nos líquidos extracelular e intracelular.

Substância	Plasma (mOsm/ℓ H$_2$O)	Interstício (mOsm/ℓ H$_2$O)	Meio intracelular (mOsm/ℓ H$_2$O)
Na$^+$	142	139	14
K$^+$	4,2	4,0	140
Ca^{++}	1,3	1,2	0
Mg^{++}	0,8	0,7	20
Cl$^-$	106	108	4
HCO$_3^-$	24	28,3	10
HPO$_4^-$, H$_2$PO$_4^-$	2	2	11
SO$_4^-$	0,5	0,5	1
Fosfocreatina			45
Carnosina			14
Aminoácidos	2	2	8
Creatina	0,2	0,2	9
Lactato	1,2	1,2	1,5
Trifosfato de adenosina (ATP)			5
Hexose monofosfato			3,7
Glicose	5,6	5,6	
Proteínas	1,2	0,2	4
Ureia	4	4	4
Outros	4,8	3,9	10
mOSm/ℓ total	299,8	300,8	301,2
Osmolaridade corrigida (mOsm/ℓ H$_2$O)	282,0	281,0	281,0
Pressão osmótica total a 37°C (mmHg)	5.441	5.423	5.423

Devido ao *efeito Donnan*, a concentração de íons com carga positiva (cátions) é ligeiramente maior (cerca de 2%) no plasma do que no líquido intersticial. As proteínas plasmáticas apresentam carga resultante negativa e, por essa razão, tendem a ligar-se a cátions como sódio e potássio, acumulando quantidades extra desses cátions no plasma. Da mesma forma, íons com carga negativa (ânions) tendem a apresentar concentração ligeiramente maior no líquido intersticial, em comparação com o plasma, já que as cargas negativas das proteínas plasmáticas repelem ânions. Para fins práticos, todavia, as concentrações de íons do líquido intersticial e do plasma será considerados equivalentes.

Com referência mais uma vez à **Figura 25.2**, pode-se observar que o líquido extracelular, incluindo o plasma e líquido intersticial, contém grandes quantidades de sódio e cloreto, bem como quantidades razoáveis de bicarbonato, porém apenas pequenas quantidades de potássio, cálcio, magnésio, fosfato e ácidos orgânicos. A composição desse líquido é cuidadosamente regulada por diversos mecanismos, mas especialmente pelos rins, como discutido mais adiante. Essa regulação permite que as células permaneçam continuamente banhadas em um líquido que contém a quantidade adequada de eletrólitos e nutrientes para sua função celular ideal.

CONSTITUINTES DO LÍQUIDO INTRACELULAR

O líquido intracelular separa-se do extracelular por uma membrana celular altamente permeável à água, porém não à maioria dos eletrólitos do organismo. Ao contrário do líquido extracelular, o intracelular contém somente pequenas quantidades de sódio e cloreto e praticamente nenhum cálcio. Em vez desses íons, contém grandes quantidades de potássio e fosfato, os quais são pouco concentrados no líquido extracelular. Ademais, as células possuem grandes quantidades de proteínas – quase quatro vezes a concentração do plasma.

MENSURAÇÃO DOS VOLUMES DOS COMPARTIMENTOS DE LÍQUIDOS CORPORAIS | PRINCÍPIO INDICADOR-DILUIÇÃO

O volume de um compartimento de líquido corporal do organismo pode ser mensurado adicionando-se uma substância indicadora ao mesmo, permitindo que esta se disperse igualmente pelo compartimento e, em seguida, analisando a extensão de sua diluição. A **Figura 25.4** demonstra esse *método indicador-diluição* para mensuração do volume de um compartimento de líquido. O método baseia-se no princípio de conservação das massas, o que significa que a massa total de uma substância dispersa no compartimento de líquido será a mesma da massa total injetada nesse compartimento.

PARTE 5 Líquidos Corporais e Rins

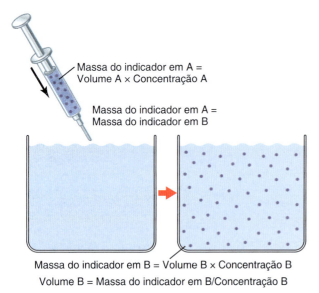

Figura 25.4 Método indicador-diluição para mensuração de volumes de líquidos.

No exemplo demonstrado pela **Figura 25.4**, uma pequena quantidade de corante ou outra substância contida na seringa é injetada em uma câmara, aguardando-se sua dispersão até que esteja misturada em igual quantidade por todas as áreas. Em seguida, uma amostra de líquido contendo a substância dispersa é removida e a concentração é analisada por método fotelétrico ou outro método. Se não houver extravasamento da substância de dentro do compartimento, sua massa total no compartimento (Volume B × Concentração B) será igual à massa total da substância injetada (Volume A × Concentração A). Com um simples rearranjo da equação, pode-se calcular o volume desconhecido da câmara B conforme segue:

$$\text{Volume B} = \frac{\text{Volume A} \times \text{Concentração A}}{\text{Concentração B}}$$

Para esse cálculo, é necessário conhecer os seguintes fatores: (1) a quantidade total da substância injetada na câmara (numerador da equação); e (2) a concentração do líquido da câmara após a dispersão da substância (denominador).

Por exemplo, se 1 mililitro de uma solução contendo 10 mg/mℓ de corante se dispersar na câmara B e a concentração final da câmara for igual a 0,01 mg/mℓ, o volume desconhecido da câmara poderá ser calculado como segue:

$$\text{Volume B} = \frac{1\ m\ell \times 10\ mg/m\ell}{0,01\ mg/m\ell} = 1.000\ m\ell$$

Esse método pode ser utilizado para mensurar o volume de praticamente qualquer compartimento do organismo, contanto que se respeitem as seguintes condições: (1) o indicador deve se dispersar *homogeneamente* através do compartimento; (2) o indicador deve se dispersar *somente* no compartimento onde está sendo mensurado; e (3) o indicador *não deve ser metabolizado ou excretado*. Se o indicador for metabolizado ou excretado, deverá ser aplicada uma correção para a sua perda. Diversas substâncias podem ser utilizadas para mensurar o volume de cada um dos diferentes líquidos corporais.

DETERMINAÇÃO DOS VOLUMES DE COMPARTIMENTOS DE LÍQUIDOS CORPORAIS ESPECÍFICOS

Mensuração da água total do organismo. A água radioativa (trítio, ^3H_2O) ou a água pesada (deutério, ^2H_2O) podem ser utilizadas para mensurar a água total do organismo. Essas formas de água se misturam com a água total do organismo dentro de algumas horas após sua injeção no sangue, sendo possível utilizar o princípio de diluição para calcular a água total (**Tabela 25.3**). Outra substância que já foi utilizada para mensurar a água total do organismo é a *antipirina*, que é altamente lipossolúvel, penetrando rapidamente nas membranas celulares e se distribuindo uniformemente pelos compartimentos intra e extracelular.

Mensuração do volume de líquido extracelular. O volume do líquido extracelular pode ser estimado utilizando-se qualquer substância dentre muitas que se dispersam no plasma e no líquido intersticial, as quais, porém, não adentram imediatamente as membranas celulares. Incluem o sódio radioativo, o cloreto radioativo, o iotalamato radioativo, o íon tiossulfato e a inulina. Quando alguma dessas substâncias é injetada no sangue, geralmente sua dispersão ocorre de maneira quase completa no líquido extracelular dentro de 30 a 60 minutos. Algumas, contudo, como o sódio radioativo, podem se difundir para dentro das células em uma pequena quantidade. Portanto, fala-se frequentemente em *espaço do sódio* ou *espaço da inulina* em vez de uma verdadeira mensuração do volume de líquido extracelular.

Cálculo do volume intracelular. O volume intracelular não pode ser mensurado de maneira direta. Todavia, pode ser calculado da seguinte forma:

Volume intracelular =
Água total do organismo − Volume extracelular

Mensuração do volume de plasma. O volume de plasma pode ser mensurado usando-se uma substância que não penetre prontamente nas membranas apilares,

Tabela 25.3 Mensuração dos volumes de líquidos corporais.

Volume	Indicadores
Água total do organismo	^3H_2O, ^2H_2O, antipirina
Líquido extracelular	^{22}Na, ^{125}I-iotalamato, tiossulfato, inulina
Líquido intracelular	(Calculada como água total − volume do líquido extracelular)
Volume de plasma	^{125}I-albumina, azul de Evans (T-1824)
Volume de sangue	Hemácias marcadas com ^{51}Cr, ou calculado como: volume de sangue = volume de plasma/(1 − hematócrito)
Líquido intersticial	Calculado como: volume de líquido extracelular − volume de plasma

CAPÍTULO 25 Regulação dos Compartimentos de Líquidos Corporais: Líquidos Extracelulares e Intracelulares; Edema

mas permaneça no sistema vascular após a injeção. Uma das substâncias mais comumente usadas para medir o volume plasmático é a albumina sérica marcada com iodo radioativo (^{125}I-albumina) ou com um corante que se ligue avidamente às proteínas plasmáticas, como o corante azul de Evans (também denominado *T-1824*).

Cálculo do volume de líquido intersticial. O volume do líquido intersticial não pode ser mensurado diretamente, mas pode ser calculado do seguinte modo:

$$\text{Volume de líquido intersticial = Volume de líquido}$$
$$\text{extracelular – volume de plasma}$$

Mensuração do volume de sangue. Quando se realiza a mensuração do *hematócrito* (fração do volume total do sangue que é composta por hemácias, leucócitos e plaquetas) e o volume do plasma utilizando os métodos já descritos, o volume de sangue (volemia) pode ser calculado pela seguinte equação:

$$\text{Volume total de sangue} = \frac{\text{Volume de plasma}}{1 - \text{Hematócrito}}$$

Por exemplo, se o volume do plasma for 3 ℓ e o hematócrito 40%, o volume total de sangue será calculado como:

$$\frac{3\,\ell}{1 - 0,4} = 5\,\ell$$

Outro método para se mensurar o volume de sangue é a injeção na circulação de hemácias que foram marcadas com material radioativo (traçador). Após a sua mistura na circulação, a radioatividade de uma amostra de sangue misto poderá ser mensurada e o volume total de sangue, calculado pelo princípio de indicador-diluição. Uma substância que pode ser utilizada para traçar hemácias é o cromo radioativo (^{51}Cr), que se liga firmemente a essas células.

TROCAS DE LÍQUIDOS E EQUILÍBRIO OSMÓTICO ENTRE OS LÍQUIDOS INTRACELULAR E EXTRACELULAR

Um frequente problema no tratamento de pacientes críticos é a manutenção adequada dos líquidos em um ou ambos os compartimentos, intra e extracelular. Conforme discutido no Capítulo 16 e mais adiante neste capítulo, as quantidades relativas de líquido extracelular distribuídas entre o plasma e o espaço intersticial são determinadas principalmente pelo equilíbrio entre forças hidrostáticas e coloidosmóticas através das membranas capilares.

A distribuição dos líquidos entre os compartimentos intra e extracelular é determinada principalmente pelo efeito osmótico de solutos menores – especialmente o sódio, cloreto e outros eletrólitos – que atuam através da membrana celular. O motivo é que as membranas celulares são altamente permeáveis à água, porém relativamente impermeáveis mesmo a íons pequenos como sódio e cloreto. Portanto, a água se move rapidamente através da membrana, de forma que os líquidos intra e extracelulares se mantêm isotônicos entre si.

Na próxima seção, discutiremos as inter-relações dos volumes dos líquidos intra e extracelular, bem como os fatores osmóticos que podem causar transferência de líquidos entre esses compartimentos.

PRINCÍPIOS BÁSICOS DA OSMOSE E PRESSÃO OSMÓTICA

Os princípios básicos da osmose e da pressão osmótica foram apresentados no Capítulo 4. Sendo assim, revisaremos aqui apenas os aspectos mais importantes desses princípios que se apliquem à regulação de volume.

Como as membranas celulares são relativamente impermeáveis à maioria dos solutos, porém altamente permeáveis à água (ou seja, são seletivamente permeáveis), sempre que há maior concentração de soluto de um lado da membrana, a água se difunde através dela para a região onde a concentração do soluto é maior. Portanto, se um soluto como o cloreto de sódio for adicionado ao líquido extracelular, a água rapidamente irá se difundir através da membrana para fora das células até que a concentração dos dois lados da membrana seja equivalente. Da mesma forma, se um soluto como o cloreto de sódio for removido do líquido extracelular, a água irá se difundir através das membranas para dentro das células.

Osmolalidade e osmolaridade. A concentração osmolar de uma solução denomina-se *osmolalidade* quando é expressa em *osmóis por quilograma de água* e *osmolaridade* quando expressa em *osmóis por litro de solução*. Em soluções diluídas, como os líquidos corporais, esses termos podem ser utilizados quase como sinônimos, visto que as diferenças são pequenas. A maior parte dos cálculos utilizados clinicamente e nos muitos capítulos subsequentes baseia-se em osmolaridades, não em osmolalidades.

Cálculo da osmolaridade e pressão osmótica de uma solução. Utilizando-se a lei de van't Hoff, pode-se calcular a pressão osmótica potencial de uma solução, admitindo-se que a membrana celular seja impermeável ao soluto. Por exemplo, a pressão osmótica de uma solução de cloreto de sódio a 0,9% é calculada como se segue. Uma solução a 0,9% significa que há 0,9 g de cloreto de sódio a cada 100 mililitros de solução, ou 9 g/ℓ. Como o peso molecular do cloreto de sódio é de 58,5 g/mol, a molaridade da solução equivale a 9 g/ℓ divididos por 58,5 g/mol, ou aproximadamente 0,154 mol/ℓ. Como cada molécula de sódio equivale a 2 osmóis, a osmolaridade da solução é igual a 0,154 × 2, ou 0,308 Osm/ℓ. Assim, a osmolaridade dessa solução é de 308 mOsm/ℓ. A pressão osmótica potencial da solução seria, desse modo, 308 mOsm/ℓ × 19,3 mmHg/mOsm/ℓ, ou 5.944 mmHg.

Esse cálculo é uma aproximação, visto que os íons sódio e cloreto não se comportam de forma completamente independente em solução em virtude da sua atração interiônica. É possível corrigir esses desvios das previsões da lei de van't Hoff por meio de um fator de correção denominado *coeficiente osmótico*. Para o cloreto de sódio, o coeficiente osmótico é de cerca de 0,93. Portanto, a real osmolaridade de uma solução de cloreto de sódio a 0,9% seria igual a 308 × 0,93, ou aproximadamente 286 mOsm/ℓ. Por motivos práticos, os coeficientes osmóticos de diferentes solutos são muitas vezes negligenciados na determinação da osmolaridade e da pressão osmótica em condições fisiológicas.

Osmolaridade dos líquidos corporais. Ao referir-se novamente à **Tabela 25.2**, nota-se a osmolaridade aproximada das várias substâncias osmoticamente ativas do plasma, líquido intersticial e líquido intracelular. Cerca de 80% da osmolaridade total do líquido intersticial e do plasma se devem aos íons sódio e cloreto, ao passo que no líquido intracelular, quase metade da osmolaridade é atribuída aos íons potássio, sendo o restante dividido entre muitas outras substâncias intracelulares.

Conforme demonstrado na **Tabela 25.2**, a osmolaridade total de cada um desses três compartimentos é de aproximadamente 300 mOsm/ℓ, sendo a osmolaridade plasmática cerca de 1 mOsm/ℓ maior do que a dos líquidos intersticial e intracelular. Essa leve diferença é causada pelos efeitos osmóticos das proteínas plasmáticas, as quais mantêm pressão cerca de 20 mmHg maior nos capilares do que nos espaços intersticiais circunjacentes, conforme discutido no Capítulo 16.

Atividade osmolar dos líquidos corporais corrigida. No final da **Tabela 25.2** são apresentadas as atividades osmolares corrigidas do plasma, do líquido intersticial e do líquido intracelular. A razão dessas correções é que os cátions e ânions exercem atração interiônica, que pode causar uma leve diminuição na atividade osmótica das substâncias dissolvidas.

Equilíbrio osmótico entre os líquidos intracelular e extracelular

Pressões osmóticas altas podem se desenvolver através da membrana celular com mudanças relativamente pequenas nas concentrações de solutos do líquido extracelular. Conforme discutido anteriormente, para cada gradiente de concentração em miliosmol de um *soluto impermeante* (soluto que não transpõe a membrana celular), cerca de 19,3 mmHg de pressão osmótica são exercidos na membrana. Se esta for exposta à água pura e a osmolaridade do líquido intracelular for 282 mOsm/ℓ, a pressão osmótica que poderá se desenvolver na membrana será maior que 5.400 mmHg. Isso demonstra a grande força que move a água através da membrana celular quando os líquidos intra e extracelular não estão em equilíbrio. O resultado dessas forças é que mudanças relativamente pequenas na concentração de solutos impermeantes no líquido extracelular podem provocar grandes mudanças no volume da célula.

Líquidos isotônicos, hipotônicos e hipertônicos.

Os efeitos de diferentes concentrações de solutos impermeantes do líquido extracelular sobre o volume da célula estão demonstrados na **Figura 25.5**. Se uma célula for

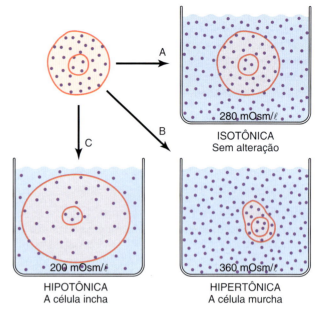

Figura 25.5 Efeitos das soluções isotônicas (**A**), hipertônicas (**B**) e hipotônicas (**C**) sobre o volume da célula.

inserida em uma solução de solutos impermeantes com osmolaridade igual a 282 mOsm/ℓ, não ocorrerá encolhimento nem tumefação porque a concentração dos líquidos intracelular e extracelular é igual e os solutos não entram nem saem da célula. Essa solução é denominada *isotônica* porque não incha nem murcha as células. Exemplos de soluções isotônicas incluem a solução de cloreto de sódio a 0,9% ou glicose a 5%. Trata-se de importantes soluções na clínica médica, visto que podem ser infundidas no sangue sem risco de perturbar o equilíbrio osmótico entre os meios intra e extracelular.

Se uma célula for inserida em uma solução *hipotônica* com concentração mais baixa de solutos impermeantes (< 282 mOsm/ℓ), a água se difundirá para dentro da célula, tornando-a tumefeita; então, a água continuará diluindo o líquido intracelular e concentrando o extracelular até que ambas as soluções atinjam aproximadamente a mesma osmolaridade. Soluções de cloreto de sódio com concentração menor que 0,9% são hipotônicas e causam inchaço (edema) das células.

Se uma célula for inserida em uma solução *hipertônica* com concentração mais alta de solutos impermeantes, a água fluirá para fora da célula para o líquido extracelular, concentrando o líquido intracelular e diluindo o extracelular. Nesse caso, a célula murchará até que as duas concentrações se tornem iguais. Soluções de cloreto de sódio maiores que 0,9% são hipertônicas.

Líquidos isosmóticos, hiperosmóticos e hiposmóticos. Os termos *isotônico*, *hipotônico* e *hipertônico* referem-se a soluções que podem causar mudança no volume das células. A tonicidade das soluções depende da concentração de solutos impermeantes. Alguns solutos, contudo, podem transpor a membrana celular. Soluções com osmolaridade igual à da célula são chamadas *isosmóticas*, independentemente de o soluto penetrar ou não a membrana celular.

CAPÍTULO 25 Regulação dos Compartimentos de Líquidos Corporais: Líquidos Extracelulares e Intracelulares; Edema

Os termos *hiperosmótico* e *hiposmótico* referem-se a soluções cuja osmolaridade é maior ou menor, respectivamente, em comparação com o líquido extracelular normal, sem considerar se o soluto transpõe ou não a membrana celular. Substâncias altamente permeantes (difusíveis), como a ureia, podem causar mudanças transitórias no volume dos líquidos entre os meios intra e extracelular. Porém, com o tempo, as concentrações eventualmente se igualam nos dois compartimentos com pouco efeito sobre o volume intracelular sob condições estáveis.

O equilíbrio osmótico entre os líquidos intracelular e extracelular é atingido rapidamente. A transferência de líquido através da membrana celular ocorre de maneira tão rápida que quaisquer diferenças nas osmolaridades entre esses dois compartimentos são geralmente corrigidas dentro de segundos ou, no máximo, minutos. Esse rápido movimento da água através da membrana não significa que o equilíbrio completo ocorra entre os compartimentos intra e extracelular de todo o organismo dentro do mesmo curto período de tempo. O motivo é que o líquido normalmente adentra o organismo pelo trato digestório e deve ser transportado pelo sangue a todos os tecidos antes que possa ocorrer um equilíbrio osmótico completo. Em geral, isso demanda cerca de 30 minutos no corpo todo após a ingestão de água.

VOLUME E OSMOLALIDADE DOS LÍQUIDOS EXTRACELULAR E INTRACELULAR EM CONDIÇÕES ANORMAIS

Alguns dos diferentes fatores que podem modificar expressivamente os volumes extra e intracelular são a ingestão excessiva de água ou sua retenção nos rins, desidratação, infusão intravenosa de diferentes tipos de solução, perda de grandes quantidades de líquido no trato gastrointestinal e perda de quantidades anormais de líquido por meio da transpiração ou pelos rins.

As alterações dos volumes do líquido intracelular e extracelular e os tipos de terapia que devem ser instituídos podem ser calculados tendo-se em mente os seguintes princípios básicos:

1. *A água move-se rapidamente através das membranas celulares;* portanto, as osmolaridades dos líquidos intra e extracelular permanecem quase idênticas entre si, exceto por alguns minutos após mudança em um desses compartimentos.
2. *As membranas celulares são quase completamente impermeáveis a muitos solutos*, como sódio e cloreto; portanto, o número de osmóis no líquido extra ou intracelular geralmente permanece relativamente constante, exceto quando ocorre adição ou perda de alguns solutos do compartimento extracelular.

Com esses princípios básicos em mente, podemos analisar os diferentes efeitos de diversas condições anormais desses líquidos sobre os volumes extracelular e intracelular, bem como suas osmolaridades.

Efeito da adição de solução salina ao líquido extracelular

Se uma solução salina *isotônica* for adicionada ao compartimento do líquido extracelular, a osmolaridade desse líquido não se alterará. O principal efeito será um aumento no volume de líquido extracelular (ver **Figura 25.6 A**). O sódio e o cloreto permanecerão em grande medida no líquido extracelular porque as membranas celulares se comportam como se fossem impermeáveis ao cloreto de sódio.

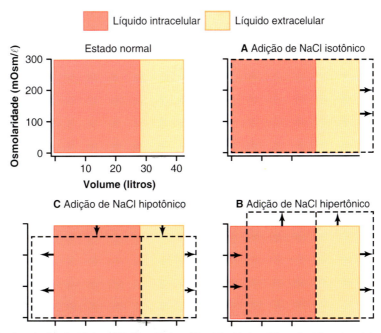

Figura 25.6 Efeito da adição de soluções isotônicas (**A**), hipertônicas (**B**) e hipotônicas (**C**) ao líquido extracelular após equilíbrio osmótico. O estado normal está indicado por *linhas sólidas* e as mudanças a partir do normal estão demonstradas por *áreas sombreadas*. Os volumes dos compartimentos dos líquidos intra e extracelulares são demonstrados nas abscissas de cada diagrama e suas osmolaridades, nas ordenadas.

PARTE 5 Líquidos Corporais e Rins

Se uma solução *hipertônica* for adicionada ao compartimento do líquido extracelular, a osmolaridade extracelular irá aumentar e provocar efeito osmótico de saída da água para o compartimento extracelular (ver **Figura 25.6 B**). Novamente, praticamente todo o cloreto de sódio adicionado permanecerá no meio extracelular e o líquido se difundirá das células para esse meio, até que se atinja equilíbrio osmótico. O efeito resultante é um aumento no volume extracelular (maior que o volume de líquido adicionado), uma redução do volume intracelular e um aumento na osmolaridade em ambos os compartimentos.

Se uma solução *hipotônica* for adicionada ao líquido extracelular, a osmolaridade desse líquido irá diminuir, de forma que parte da água extracelular se difunda para dentro das células até que os compartimentos intra e extracelular atinjam a mesma osmolaridade (ver **Figura 25.6 C**). Ambos os volumes, intracelular e extracelular, aumentarão devido à adição do líquido hipotônico, embora o volume intracelular sofra o maior aumento.

Cálculo das mudanças de líquidos e osmolaridades após infusão de solução salina hipertônica. É possível calcular os efeitos sequenciais da infusão de diferentes soluções sobre os volumes dos líquidos extra e intracelular, bem como suas osmolaridades. Por exemplo, se 2 ℓ de uma solução hipertônica de cloreto de sódio a 3,0% fossem infundidos no compartimento de líquido extracelular de um paciente de 70 kg cuja osmolaridade plasmática inicial fosse 282 mOsm/ℓ, quais seriam os volumes intra e extracelular e suas osmolaridades após o equilíbrio osmótico?

O primeiro passo é calcular as condições iniciais, incluindo o volume, concentração e miliosmóis totais de cada compartimento. Admitindo-se que o volume do líquido extracelular seja 20% do peso corporal e o volume do líquido intracelular corresponda a 40% do peso corporal, os seguintes volumes e concentrações poderão ser calculados.

Passo 1. Condições iniciais

	Volume (litros)	Concentração (mOsm/ℓ)	Total (mOsm)
Líquido extracelular	14	280	3.920
Líquido intracelular	28	280	7.840
Líquido corporal total	42	280	11.760

Em seguida, calcula-se o total de miliosmóis adicionado ao líquido extracelular em 2 ℓ de cloreto de sódio a 3%. Uma solução a 3% significa que há 3 g/100 mℓ, ou 30 gramas de cloreto de sódio por litro de solução. Como o peso molecular do cloreto de sódio é cerca de 58,5 g/mol, significa que há cerca de 0,5128 mol de cloreto de sódio por litro de solução. Para 2 ℓ de solução, tem-se 1,0256 mol de cloreto de sódio. Visto que 1 mol de cloreto de sódio equivale a aproximadamente 2 osmóis (o cloreto de sódio tem duas partículas osmoticamente ativas por mol), o efeito final da adição de 2 ℓ dessa solução será a adição de 2.051 miliosmóis de cloreto de sódio ao líquido extracelular.

No segundo passo, calcular-se o efeito instantâneo da adição de 2.051 miliosmóis de cloreto de sódio ao líquido extracelular juntamente com 2 ℓ de volume. Não haveria alteração na concentração ou volume do *líquido intracelular* e não ocorreria equilíbrio osmótico. Já no *líquido extracelular*, haveria um adicional de 2.051 miliosmóis de soluto, totalizando 5.971 miliosmóis. Como o compartimento extracelular agora tem 16 ℓ de volume, sua concentração pode ser calculada dividindo-se 5.971 miliosmóis por 16 ℓ, resultando uma concentração de aproximadamente 373 mOsm/ℓ. Assim, os seguintes valores seriam atingidos instantaneamente após a adição da solução.

Passo 2. Efeito instantâneo da adição de 2 ℓ de cloreto de sódio a 3%

	Volume (litros)	Concentração (mOsm/ℓ)	Total (mOsm)
Líquido extracelular	16	373	5.971
Líquido intracelular	28	280	7.840
Líquido corporal total	44	Sem equilíbrio	13.811

No terceiro passo, são calculados os volumes e concentrações encontrados alguns minutos após ser atingido o equilíbrio osmótico. Nesse caso, as concentrações dos líquidos nos compartimentos intra e extracelular seriam iguais e podem ser calculadas dividindo-se o total de miliosmóis do organismo, 13.811, pelo volume total, agora de 44 ℓ. Esse cálculo resulta em uma concentração de 313,9 mOsm/ℓ. Portanto, todos os compartimentos de líquidos corporais atingiriam essa mesma concentração após o equilíbrio osmótico. Assumindo que não haja perda de soluto ou água do organismo e que não ocorra movimento de cloreto de sódio para dentro ou fora das células, calcular-se-iam então os volumes dos compartimentos intra e extracelular. O volume do líquido intracelular é calculado dividindo-se o total de miliosmóis desse líquido (7.840) pela concentração (313,9 mOsm/ℓ), o que resulta em um volume de 24,98 ℓ. O volume do líquido extracelular é calculado dividindo-se o total de miliosmóis desse líquido (5.971) pela concentração (313,9 mOsm/ℓ), o que resulta em um volume de 19,02 ℓ. Novamente, esses cálculos se baseiam na ideia de que o cloreto de sódio adicionado ao líquido extracelular permaneça ali e não seja transportado para dentro das células.

Passo 3. Efeito da adição de 2 ℓ de cloreto de sódio a 3% após o equilíbrio osmótico

	Volume (litros)	Concentração (mOsm/ℓ)	Total (mOsm)
Líquido extracelular	19,02	313,9	5.971
Líquido intracelular	24,98	313,9	7.840
Líquido corporal total	44,0	313,9	13.811

Em suma, é possível observar por esse exemplo que a adição de 2 ℓ de uma solução hipertônica de cloreto de sódio causa um aumento de mais de 5 ℓ no volume extracelular, juntamente com *diminuição* de quase 3 ℓ no volume intracelular.

Esse método de cálculo das mudanças dos volumes de líquido intracelular e extracelular e de suas osmolaridades

CAPÍTULO 25 Regulação dos Compartimentos de Líquidos Corporais: Líquidos Extracelulares e Intracelulares; Edema

pode ser aplicado a praticamente qualquer problema clínico de regulação de volumes de líquidos. O leitor deve se familiarizar com esses cálculos porque a compreensão acerca dos aspectos matemáticos do equilíbrio osmótico entre os compartimentos de líquido intra e extracelular é essencial à compreensão de quase todas as alterações patológicas de líquidos do organismo, bem como seus tratamentos.

GLICOSE E OUTRAS SOLUÇÕES ADMINISTRADAS COM PROPÓSITOS NUTRITIVOS

Diversos tipos de soluções são administrados por via intravenosa para promover a nutrição de indivíduos incapazes de ingerir nutrientes em quantidades adequadas. Soluções de glicose são amplamente utilizadas; soluções de aminoácidos e de lipídios homogeneizados são utilizadas em menor grau. Quando se administra uma solução desse tipo, as concentrações de suas substâncias osmoticamente ativas são em geral ajustadas a valores próximos da isotonicidade, ou seu fornecimento é realizado de forma lenta o suficiente para que o equilíbrio osmótico dos líquidos corporais não seja perturbado.

Após a metabolização da glicose ou outros nutrientes, resta frequentemente um excesso de água, especialmente quando há ingestão adicional de líquidos. De maneira geral, os rins excretam esse líquido na forma de urina diluída. O resultado final, portanto, é a adição apenas dos nutrientes ao organismo.

Uma solução de glicose a 5%, que é praticamente isosmótica, é geralmente empregada para tratar a desidratação. Por ser isosmótica, a solução pode ser infundida por via intravenosa sem causar ingurgitamento de hemácias, que ocorreria com a infusão de água pura. A glicose da solução é rapidamente transportada para as células e metabolizada. Portanto, a infusão de glicose a 5% reduz a osmolaridade do líquido extracelular e, assim, auxilia na correção do aumento dessa osmolaridade causado pela desidratação.

ANORMALIDADES CLÍNICAS DA REGULAÇÃO DO VOLUME DE LÍQUIDOS: HIPONATREMIA E HIPERNATREMIA

Uma medida imediatamente disponível ao clínico durante a avaliação do estado hidreletrolítico do paciente é a concentração de sódio plasmático. A osmolaridade do plasma não é mensurada rotineiramente; contudo, como o sódio e seus ânions associados (principalmente o cloreto) correspondem a mais de 90% do soluto do líquido extracelular, a concentração de sódio do plasma serve como indicador razoável da osmolaridade plasmática sob muitas condições. Quando essa concentração diminui alguns miliequivalentes abaixo do normal (cerca de 142 mEq/ℓ), define-se o estado de *hiponatremia*. Quando a concentração se eleva acima do normal, define-se a *hipernatremia*.

Causas de hiponatremia: excesso de água ou perda de sódio

A redução da concentração plasmática de sódio pode resultar da perda desse íon do líquido extracelular ou da adição de água extra ao líquido extracelular (**Tabela 25.4**). Uma perda primária de sódio geralmente resulta em *desidratação hiponatrêmica* e está associada à diminuição do volume de líquido extracelular. Condições que podem causar hiponatremia como resultado da perda de sódio incluem a *diarreia* e o *vômito*. O *uso abusivo de diuréticos* que inibem a capacidade dos rins de preservar sódio, bem como certos tipos de doenças renais que cursam com perda de sódio, também podem causar graus moderados de hiponatremia. A *doença de Addison*, que resulta da secreção diminuída do hormônio aldosterona, prejudica a capacidade de reabsorção de sódio dos rins, podendo causar grau moderado de hiponatremia.

A hiponatremia também pode estar associada à retenção excessiva de água, a qual dilui o sódio do líquido extracelular, condição conhecida como *hiperidratação hiponatrêmica*. Por exemplo, a *secreção excessiva do hormônio antidiurético* (ADH), que aumenta a reabsorção de água nos túbulos renais, pode levar à hiperidratação hiponatrêmica.

Hiponatremia causa edema celular

Mudanças rápidas no volume celular resultantes da hiponatremia podem ter efeitos profundos na função de tecidos e órgãos, especialmente no encéfalo. Uma redução rápida da concentração de sódio plasmático, por exemplo, pode causar edema das células do encéfalo e sintomas neurológicos, incluindo cefaleia, náuseas, letargia e desorientação. Se a concentração plasmática de sódio cair rapidamente para menos que 115 a 120 mEq/ℓ, o edema poderá levar a convulsões, coma, lesão cerebral permanente e morte.

Tabela 25.4 Anormalidades da regulação do volume de líquidos corporais: hiponatremia e hipernatremia.

Anormalidade	Causa	Concentração plasmática de Na⁺	Volume do líquido extracelular	Volume do líquido intracelular
Desidratação hiponatrêmica	Insuficiência adrenal; uso abusivo de diuréticos	↓	↓	↑
Hiperidratação hiponatrêmica	Excesso de ADH (SIADH); neoplasias broncogênicas	↓	↑	↑
Desidratação hipernatrêmica	Diabetes insípido; sudorese excessiva	↑	↓	↓
Hiperidratação hipernatrêmica	Síndrome de Cushing; hiperaldosteronismo primário	↑	↑	↓

ADH: hormônio antidiurético; SIADH: síndrome da secreção inapropriada de ADH.

Como o crânio é rígido, o cérebro não pode aumentar seu volume mais que 10% sem ser forçado para baixo sobre o tronco encefálico (*herniação cerebral*), o que também pode provocar lesão permanente e morte.

Quando a hiponatremia evolui mais lentamente, ao longo de muitos dias, o encéfalo e outros tecidos respondem com o transporte de sódio, cloreto, potássio e solutos orgânicos, como glutamato, das células para o compartimento extracelular. Essa resposta atenua o fluxo osmótico da água para dentro das células neurais e o edema dos tecidos (ver **Figura 25.7**).

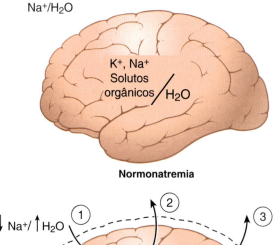

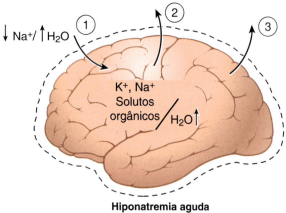

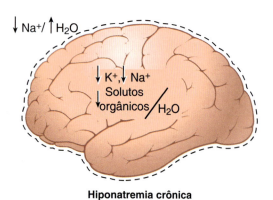

Figura 25.7 Regulação do volume das células do encéfalo durante a hiponatremia. Na hiponatremia aguda, causada pela perda de Na+ ou excesso de H₂O, ocorre difusão de H₂O para dentro das células (1) e edema do tecido (indicado pelas *linhas tracejadas*). Esse processo estimula o transporte de Na+, K+ e solutos orgânicos para fora das células (2), o que por sua vez causa difusão da água para fora das células (3). Com a hiponatremia crônica, o edema do encéfalo é atenuado pelo transporte de solutos para fora das células.

O transporte de solutos das células durante a hiponatremia de evolução lenta, entretanto, pode tornar o encéfalo suscetível a lesões quando a hiponatremia é corrigida muito rapidamente. Quando soluções hipertônicas são adicionadas muito rapidamente para corrigir a hiponatremia, essa intervenção pode ultrapassar a capacidade cerebral de recapturar os solutos perdidos anteriormente pelas suas células, o que pode levar a uma lesão osmótica dos neurônios, associada à *desmielinização* (perda da bainha de mielina dos nervos). Essa desmielinização neuronal mediada pela osmose pode ser evitada limitando-se a correção da hiponatremia crônica a menos que 10 a 12 mEq/ℓ em 24 horas e a menos que 18 mEq/ℓ em 48 horas. A taxa lenta de correção permite que o encéfalo recupere os osmóis perdidos das células durante a adaptação à hiponatremia crônica.

A hiponatremia é o distúrbio eletrolítico mais comum da rotina clínica e pode ocorrer em até 15 a 25% dos pacientes hospitalizados.

Causas de hipernatremia: perda de água ou excesso de sódio

O aumento da concentração plasmática de sódio, que também causa aumento da osmolaridade, pode ocorrer pela perda de água do líquido extracelular, que concentra os íons sódio, ou excesso de sódio no líquido extracelular. A perda primária de água do líquido extracelular resulta em *desidratação hipernatrêmica*. Essa condição pode ocorrer por uma incapacidade de secretar ADH, necessária para que os rins conservem água. Como resultado da falta de ADH, os rins excretam grandes quantidades de urina diluída (distúrbio conhecido como *diabetes insípido central*), causando desidratação e aumento da concentração de cloreto de sódio no líquido extracelular. Em alguns tipos de doença renal, os rins não respondem ao ADH, causando o *diabetes insípido nefrogênico*. Uma causa mais comum de hipernatremia associada à diminuição do volume de líquido é simplesmente a *desidratação* causada pela ingestão de água menor que sua perda, como ocorre com a sudorese prolongada durante exercícios duradouros e extenuantes.

A hipernatremia também pode ocorrer quando se adiciona excessivamente cloreto de sódio ao líquido extracelular. Isso frequentemente resulta em *hiperidratação hipernatrêmica* porque o excesso de cloreto de sódio extracelular também está, em geral, associado a algum grau de retenção de água nos rins. Por exemplo, a secreção excessiva do hormônio *aldosterona*, que retém sódio, pode causar grau discreto de hipernatremia e hiperidratação. O motivo para a hipernatremia não ser mais grave é que a retenção de sódio também estimula a secreção de ADH e faz com que os rins reabsorvam grandes quantidades de água.

Portanto, durante a análise das anormalidades da concentração plasmática de sódio e a decisão acerca da terapia adequada, deve-se primeiro determinar se a anormalidade é causada por perda ou ganho primário de sódio ou por perda ou ganho primário de água.

A hipernatremia torna as células murchas

A hipernatremia é menos comum que a hiponatremia, e sintomas graves geralmente ocorrem somente com aumentos rápidos e expressivos da concentração de sódio plasmática acima de 158 a 160 mEq/ℓ. A hipernatremia geralmente provoca sede intensa e estimula a secreção de ADH, ambos fatores que protegem o organismo contra aumento exacerbado do sódio plasmático e do líquido extracelular, conforme discutido no Capítulo 29. Contudo, a hipernatremia grave pode ocorrer em pacientes com lesões hipotalâmicas que prejudicam a sensação de sede, em lactentes que não têm acesso imediato à água, em pacientes mais velhos com alteração de estado mental ou em indivíduos com diabetes insípido.

A correção da hipernatremia pode ser alcançada por meio da administração de solução hiposmótica de cloreto de sódio ou dextrose. Entretanto, é prudente corrigi-la lentamente em pacientes que apresentaram aumentos crônicos na concentração plasmática de sódio, já que a hipernatremia também ativa mecanismos de defesa que protegem as células das alterações de volume. Essas defesas se opõem às que ocorrem na hiponatremia e consistem em mecanismos de aumento da concentração intracelular de sódio e outros solutos.

EDEMA: EXCESSO DE LÍQUIDO NOS TECIDOS

Edema refere-se à presença de líquido excessivo nos tecidos do organismo. Em muitos casos, o edema ocorre principalmente no compartimento de líquido extracelular, mas pode envolver também acúmulo intracelular.

EDEMA INTRACELULAR

Três condições são especialmente propensas a causar edema intracelular: (1) hiponatremia, conforme discutido anteriormente; (2) depressão dos sistemas metabólicos dos tecidos; e (3) nutrição celular inadequada. Por exemplo, quando o fluxo sanguíneo a um tecido é reduzido, a oferta de oxigênio e nutrientes é também reduzida. Se o fluxo se tornar tão lento que o metabolismo normal do tecido não possa mais ser mantido, as bombas iônicas da membrana celular tornar-se-ão deprimidas e os íons sódio que normalmente adentram a célula poderão não ser mais bombeados para fora dela. O excesso de sódio intracelular causará efeito osmótico da água para dentro das células. Em alguns casos, o processo pode aumentar o volume intracelular de uma região tecidual – como uma perna isquêmica inteira, por exemplo – em duas a três vezes seu tamanho normal. A ocorrência de um aumento de volume intracelular dessa magnitude é geralmente prelúdio de morte tecidual.

O edema intracelular também pode ocorrer em tecidos inflamados. A inflamação geralmente aumenta a permeabilidade da membrana celular, permitindo entrada de sódio e outros íons na célula, com subsequente entrada de água por osmose.

EDEMA EXTRACELULAR

Ocorre edema extracelular quando excesso de líquido se acumula nos espaços extracelulares. Há duas causas gerais desse tipo de edema: (1) extravasamento anormal de líquido do plasma aos espaços intersticiais através dos capilares; e (2) incapacidade do sistema linfático de remover o líquido do interstício devolvendo-o para o sangue, em geral denominada *linfedema*. A causa clínica mais comum de acúmulo de líquido intersticial é a filtração capilar excessiva.

Fatores que podem aumentar a filtração capilar

A fim de compreender as causas da filtração capilar excessiva, é útil revisar os determinantes da filtração capilar discutidos no Capítulo 16. Matematicamente, a taxa de filtração capilar pode ser expressa da seguinte forma:

$$\text{Filtração} = K_f \times (P_c - P_{li} - \pi_c + \pi_{li})$$

em que K_f é o coeficiente de filtração capilar (produto da permeabilidade pela área de superfície dos capilares), P_c é a pressão hidrostática do capilar, P_{li} é a pressão hidrostática do líquido intersticial, π_c é a pressão coloidosmótica do capilar e π_{li} é a pressão coloidosmótica do líquido intersticial. A partir dessa equação, pode-se observar que *qualquer uma das alterações seguintes pode aumentar a taxa de filtração capilar*:

- Aumento do coeficiente de filtração capilar
- Aumento da pressão hidrostática capilar
- Diminuição da pressão coloidosmótica plasmática.

Linfedema: incapacidade dos vasos linfáticos de promover o retorno de líquidos e proteínas para o sangue

Quando a função linfática se torna gravemente prejudicada por uma obstrução ou perda de vasos linfáticos, o edema pode se tornar especialmente grave porque as proteínas plasmáticas que extravasam para o interstício não podem ser removidas de outra forma. O aumento da concentração de proteínas causa aumento da pressão coloidosmótica do líquido intersticial, o que atrai ainda mais líquido para fora dos capilares.

Obstruções do fluxo linfático podem ser especialmente graves em infecções de vasos linfáticos, como ocorre na infestação por *nematódeos filarioides* (*Wuchereria bancrofti*), vermes filiformes microscópicos. Os adultos habitam o sistema linfático dos humanos e são transmitidos de pessoa a pessoa por picadas de mosquitos do gênero *Culex*. Indivíduos com filariose podem apresentar linfedema grave (*elefantíase*), que pode se manifestar em homens na região escrotal, sendo denominada *hidrocele*. A filariose linfática acomete mais de 120 milhões de pessoas em 80 países nas regiões tropical e subtropical da Ásia, África, Pacífico Ocidental e partes do Caribe e América do Sul.

PARTE 5 Líquidos Corporais e Rins

Também é possível ocorrer linfedema em indivíduos com certos tipos de câncer após cirurgias que envolvam a ressecção ou obstrução de vasos linfáticos. Por exemplo, muitos vasos linfáticos são removidos durante mastectomias radicais, prejudicando a drenagem de proteínas e líquido da mama e região do braço, o que resulta em edema desses tecidos. Alguns vasos linfáticos eventualmente se regeneram após esse tipo de cirurgia e, por essa razão, o edema intersticial pode ser temporário.

Resumo das causas de edema extracelular

Muitas condições podem causar acúmulo de líquido nos espaços intersticiais devido ao extravasamento anormal a partir dos capilares, ou devido ao impedimento da drenagem linfática do interstício à circulação. A seguinte lista traz condições que podem causar edema extracelular por esses dois tipos de anormalidade:

I. Aumento da pressão capilar
   A. Retenção renal excessiva de sais e água
      1. Insuficiência renal aguda ou crônica
      2. Excesso de mineralocorticoides
   B. Aumento da pressão venosa
      1. Insuficiência cardíaca
      2. Obstrução venosa
      3. Falência de bombas venosas
         a) Paralisias musculares
         b) Imobilização de partes do corpo
         c) Falência de valvas venosas
   C. Diminuição da resistência arteriolar
      1. Excesso de calor corporal
      2. Insuficiência do sistema nervoso simpático
      3. Uso de fármacos ou substâncias vasodilatadores
II. Diminuição das proteínas plasmáticas
   A. Perda de proteínas pela urina (síndrome nefrótica)
   B. Perda de proteínas através de áreas desprovidas de pele
      1. Queimaduras
      2. Feridas
   C. Incapacidade de produzir proteínas
      1. Doença hepática (p. ex., cirrose)
      2. Desnutrição proteico-calórica grave
III. Aumento da permeabilidade capilar
   A. Reações imunológicas que causam liberação de histamina ou outros mediadores imunológicos
   B. Toxinas
   C. Infecções bacterianas
   D. Deficiência de vitaminas, especialmente vitamina C
   E. Isquemia prolongada
   F. Queimaduras
IV. Obstrução do retorno linfático
   A. Neoplasias
   B. Infecções e infestações (p. ex., nematódeos filarioides)
   C. Cirurgia
   D. Agenesia ou anormalidade dos vasos linfáticos.

Edema causado por insuficiência cardíaca. Uma das causas mais comuns e graves de edema é a insuficiência cardíaca, discutida no Capítulo 22. Nessa condição, o coração é incapaz de bombear normalmente o sangue das veias para as artérias, o que aumenta a pressão venosa e capilar, causando aumento da filtração capilar. Ademais, a pressão arterial tende a decair, causando diminuição da excreção de sais e água nos rins, o que agrava mais o edema. Além disso, o fluxo sanguíneo renal torna-se diminuído, o que estimula a secreção de renina, causando formação de angiotensina II e aldosterona, ambas causadoras de maior retenção de sal e água nos rins. Na insuficiência cardíaca avançada, o aumento da secreção de ADH estimula a reabsorção de água nos túbulos renais, levando a hiponatremia, bem como edema intra e extracelular. Portanto, em pacientes com insuficiência cardíaca não tratada, todos esses fatores atuam em conjunto para causar edema generalizado.

Em pacientes com insuficiência cardíaca esquerda sem insuficiência significativa do lado direito do coração, o sangue é bombeado normalmente para os pulmões pelo coração direito, porém não consegue facilmente desembocar das veias pulmonares de volta ao lado esquerdo em virtude do enfraquecimento do ventrículo esquerdo, que não consegue ejetar sangue suficiente, causando estase nas câmaras cardíacas esquerdas. Consequentemente, todas as pressões vasculares pulmonares, incluindo a pressão capilar pulmonar, aumentam sobremaneira em comparação com o normal, causando edema grave entre e dentro dos alvéolos pulmonares e risco de morte. Se não tratado, o acúmulo de líquido no parênquima pulmonar pode progredir rapidamente, levando o paciente à morte em poucas horas.

Edema causado pela diminuição da excreção de sal e água nos rins. A maior parte do cloreto de sódio adicionado ao sangue permanece no compartimento extracelular, com somente uma pequena quantidade adentrando as células. Portanto, nas doenças renais que comprometem a excreção urinária de sal e água, grandes quantidades de cloreto de sódio e água são adicionadas ao líquido extracelular. A maior parte desses sais e água extravasa do sangue para os espaços intersticiais, porém parte permanece no sangue. Os principais efeitos disso são: (1) aumentos generalizados do volume de líquido intersticial (edema extracelular); e (2) hipertensão em razão do aumento de volume sanguíneo, conforme explicado no Capítulo 19. Por exemplo, em crianças com glomerulonefrite aguda, cujos glomérulos renais foram lesionados por inflamação e são incapazes de filtrar quantidades adequadas de líquido, pode-se desenvolver edema extracelular grave e, com ele, hipertensão grave.

Edema causado pela diminuição das proteínas plasmáticas. A incapacidade de produzir quantidades normais de proteínas (principalmente a albumina), ou seu extravasamento do plasma, causa uma queda na pressão coloidosmótica plasmática. Isso conduz a um aumento da filtração capilar ao longo de todo o organismo e edema extracelular.

Uma das causas mais importantes de redução da concentração de proteínas plasmáticas é a perda dessas proteínas pela urina em algumas doenças renais, condição denominada *síndrome nefrótica*. Múltiplos tipos de doença renal podem lesionar as membranas dos glomérulos renais, deixando-as propensas ao extravasamento de proteínas do plasma e, com frequência, permitindo que grandes partes dessas proteínas sejam eliminadas na urina. Quando essa perda excede a capacidade do organismo de sintetizar proteínas, ocorre diminuição de sua concentração plasmática. Se a concentração cair abaixo de 25 g/100 mℓ, tem-se o quadro de edema generalizado grave.

A *cirrose hepática* é outra condição que diminui a concentração de proteínas plasmáticas. Cirrose significa o desenvolvimento de grande quantidade de tecido fibroso ao longo das células do parênquima hepático. Um resultado é a incapacidade dessas células de produzir proteínas plasmáticas suficientes, levando à diminuição da pressão coloidosmótica do plasma e edema generalizado.

Outra forma por meio da qual a cirrose causa edema é a compressão algumas vezes provocada pela fibrose hepática sobre as veias do sistema portal, conforme passam pelo fígado antes de sua drenagem para a circulação sistêmica. A obstrução desse fluxo venoso portal aumenta a pressão hidrostática capilar ao longo da região gastrointestinal e agrava a filtração de líquido para fora do plasma e para dentro das regiões intra-abdominais. Quando isso ocorre, os efeitos combinados da concentração de proteínas plasmáticas reduzida e a pressão capilar portal aumentada causam a transudação de grandes quantidades de líquido e proteínas para a cavidade peritoneal, condição denominada *ascite*.

FATORES DE SEGURANÇA QUE NORMALMENTE PREVINEM O EDEMA

Embora muitos distúrbios possam causar edema, a anormalidade em geral precisa ser grave antes que se desenvolva edema grave. O motivo são três fatores de segurança que previnem o acúmulo excessivo de líquidos nos espaços intersticiais: (1) baixa complacência do interstício quando a pressão do líquido intersticial se situa na faixa negativa; (2) capacidade de aumento do fluxo linfático em 10 a 50 vezes; e (3) diluição da concentração de proteínas do líquido intersticial, que diminui a pressão coloidosmótica desse líquido conforme aumenta a filtração capilar.

Fator de segurança causado pela baixa complacência do interstício na faixa de negativa de pressão

No Capítulo 16, notamos que a pressão hidrostática do líquido intersticial em tecidos subcutâneos frouxos do organismo é ligeiramente menor que a pressão atmosférica, com média em torno de −3 mmHg. Essa discreta sucção ajuda a manter os tecidos unidos. A **Figura 25.8** demonstra a relação aproximada entre os diferentes níveis de pressão e volume do líquido intersticial, extrapolada de estudos em animais para humanos. Observe na **Figura 25.8** que,

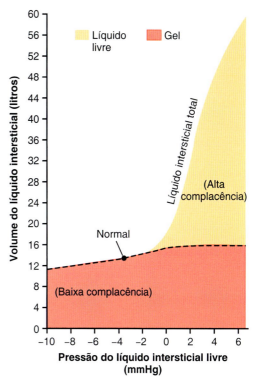

Figura 25.8 Relação entre a pressão hidrostática do líquido intersticial e seu volume, incluindo volume total, volume de líquido livre e volume de gel, em tecidos frouxos como a pele. Observe que quantidades significativas de líquido livre ocorrem somente quando a pressão do líquido intersticial é positiva. (*Modificada de Guyton AC, Granger HJ, Taylor AE: Interstitial fluid pressure. Physiol Rev 51:527, 1971.*)

contanto que a pressão intersticial permaneça na faixa negativa, pequenas alterações de volume do líquido intersticial são associadas a mudanças relativamente grandes de sua pressão hidrostática. Portanto, nessa faixa, a *complacência* dos tecidos, definida como a alteração de volume por mmHg de alteração da pressão, é baixa.

Como a baixa complacência dos tecidos atua como fator de segurança contra edema na faixa de pressão negativa? Para responder a essa questão, retome os determinantes da filtração capilar discutidos anteriormente. Quando a pressão hidrostática do líquido intersticial aumenta, esse aumento tende a contrapor a filtração capilar. Portanto, contanto que a pressão do líquido intersticial permaneça na faixa negativa, pequenas alterações de volume desse líquido causam mudanças relativamente grandes na sua pressão hidrostática, impedindo que mais líquido seja filtrado aos tecidos.

Como a pressão hidrostática normal do líquido intersticial é igual a −3 mmHg, será necessário um aumento de 3 mmHg antes que grandes quantidades de líquido comecem a se acumular nos tecidos. Desse modo, o fator de segurança contra o edema é a mudança da pressão do líquido intersticial em aproximadamente 3 mmHg. Na faixa de pressão positiva, esse fator se perde em razão do grande aumento da complacência dos tecidos.

PARTE 5 Líquidos Corporais e Rins

Importância do gel intersticial na prevenção de acúmulo de líquido no interstício. Observe na **Figura 25.8** que em tecidos normais com pressão intersticial negativa, praticamente todo o líquido do interstício se encontra na forma de gel. Ou seja, o líquido está retido em uma rede de proteoglicanos de tal forma que praticamente não há espaços de líquido livre maiores que alguns centésimos de micrômetro de diâmetro. A importância do gel é que ele impede que o líquido *flua com facilidade* através dos tecidos graças à massa de trilhões de filamentos proteoglicanos. Ademais, quando a pressão do líquido intersticial cai para valores muito negativos, o gel não se retrai tanto porque a rede de filamentos proteoglicanos oferece uma resistência elástica à compressão. Na faixa de pressão negativa, o volume do líquido intersticial não sofre grandes alterações, independentemente de ser o grau de sucção de apenas alguns mmHg ou 10 a 20 mmHg de pressão negativa. Em outras palavras, a complacência dos tecidos é muito baixa nessa faixa.

Por outro lado, quando a pressão do líquido intersticial aumenta até a faixa positiva, ocorre extraordinário acúmulo de *líquido livre* nos tecidos. Nessa faixa de pressão, os tecidos são complacentes, permitindo fluxo e acúmulo de grande quantidade de líquido, com aumentos adicionais relativamente pequenos na pressão hidrostática do intersticial. A maior parte do líquido extra que se acumula é líquido livre, pois pressiona os filamentos proteoglicanos, separando-os. Portanto, o líquido flui livremente através dos espaços teciduais por não se encontrar na forma de gel. Com isso, diz-se que o *edema é depressível*, pois é possível pressionar a área de tecido com o polegar e empurrar o líquido para fora dessa área. Ao retirar-se o polegar, resta uma depressão na pele por alguns segundos até o que líquido flua de volta para os tecidos circunjacentes. Esse tipo de edema distingue-se do *edema não depressível*, que ocorre quando são as células teciduais que estão tumefeitas, em vez do interstício, ou quando o líquido intersticial se torna coagulado com fibrinogênio de tal modo que não se move livremente pelos espaços teciduais.

Importância dos filamentos proteoglicanos no espaçamento entre as células e na prevenção de fluxo rápido de líquido nos tecidos. Os filamentos proteoglicanos, juntamente com fibrilas de colágeno muito maiores do espaço intersticial, atuam como espaçadores entre as células. Nutrientes e íons não se difundem prontamente através das membranas celulares, e, portanto, sem espaço adequado entre as células, esses nutrientes, eletrólitos e produtos de excreção celular não seriam rapidamente trocados entre os capilares sanguíneos e as células, os quais estão situados a certa distância entre si.

Os filamentos proteoglicanos também impedem que o líquido flua muito facilmente entre os espaços teciduais. Se não fosse por eles, o mero fato de uma pessoa estar de pé faria com que grandes quantidades de líquido intersticial fluíssem da porção superior para a porção inferior de seu corpo. Quando há acúmulo de muito líquido no interstício, como no caso do edema, esse líquido extra cria grandes canais que permitem fluxo rápido ao longo do interstício. Por isso, no caso de edema grave das pernas, é possível diminuir o edema simplesmente pela elevação das pernas.

Ainda que o líquido não possa *fluir* facilmente através dos tecidos na presença dos filamentos proteoglicanos, diferentes substâncias presentes no líquido podem se *difundir* através dos tecidos de maneira no mínimo 95% mais fácil do que normalmente se difundiriam. Por essa razão, a difusão normal de nutrientes até as células e a remoção de seus produtos de excreção não são comprometidas pelos filamentos proteoglicanos intersticiais.

Aumento do fluxo linfático como fator de proteção contra edema

Uma função primordial do sistema linfático é promover retorno de líquido e proteínas filtradas dos capilares ao interstício de volta à circulação. Sem esse contínuo retorno de proteínas filtradas e líquido, o volume plasmático seria rapidamente esgotado e ocorreria edema intersticial.

O sistema linfático atua como fator de proteção contra edema porque a linfa pode fluir até 10 a 50 vezes mais rápido quando há acúmulo de líquido nos tecidos. Esse fluxo aumentado permite que a linfa carreie grandes quantidades de líquido e proteínas em resposta ao aumento da filtração capilar, impedindo que a pressão intersticial se eleve até a faixa positiva. O fator de segurança causado pelo aumento do fluxo linfático foi calculado em aproximadamente 7 mmHg.

Diluição das proteínas do líquido intersticial como fator de segurança contra edema

Conforme quantidades maiores de líquido são filtradas para o interstício, ocorre aumento da pressão intersticial e, consequentemente, do fluxo linfático. Na maioria dos tecidos, a concentração intersticial de proteínas diminui com o aumento do fluxo linfático porque quantidades maiores de proteína são removidas em comparação com a quantidade filtrada dos capilares. O motivo desse fenômeno é que os capilares são relativamente impermeáveis às proteínas quando comparados aos vasos linfáticos. Dessa forma, as proteínas são diluídas no interstício conforme aumenta o fluxo linfático.

Visto que a pressão coloidosmótica do líquido intersticial produzida pelas proteínas tende a atrair líquido para fora dos capilares, a diminuição das proteínas intersticiais também diminui a força de filtração resultante nos capilares, o que tende a impedir o maior acúmulo de líquido. Esse fator de segurança foi calculado em aproximadamente 7 mmHg.

RESUMO DOS FATORES DE SEGURANÇA QUE PREVINEM O EDEMA

Tomando em conjunto todos os fatores de segurança contra edema, são apresentados os seguintes:

CAPÍTULO 25 Regulação dos Compartimentos de Líquidos Corporais: Líquidos Extracelulares e Intracelulares; Edema

1. O fator de segurança causado pela baixa complacência tecidual na faixa de pressão negativa é de cerca de 3 mmHg.
2. O fator de segurança causado pelo aumento do fluxo linfático é de cerca de 7 mmHg.
3. O fator de segurança causado pela diluição das proteínas dos espaços intersticiais é de cerca de 7 mmHg.

Portanto, o fator de segurança total contra edema é de aproximadamente 17 mmHg. Isso significa que a pressão capilar em um tecido periférico poderia, em teoria, aumentar 17 mmHg, ou aproximadamente dobrar seu valor normal, antes que ocorresse edema significativo.

LÍQUIDOS EM ESPAÇOS POTENCIAIS DO ORGANISMO

Alguns exemplos de espaços potenciais são o espaço pleural, pericárdico, peritoneal e as cavidades sinoviais, incluindo as articulações e bolsas sinoviais. Praticamente todos esses espaços potenciais apresentam superfícies que se tocam e deslizam entre si, com somente uma delgada camada de líquido no meio. A fim de facilitar o deslizamento, um líquido viscoso de natureza proteica lubrifica as superfícies.

Existe troca de líquido entre capilares e espaços potenciais.
A membrana da superfície de um espaço potencial em geral não oferece resistência significativa à passagem de líquidos, eletrólitos ou mesmo proteínas, todos os quais se movimentam entre o espaço e o líquido intersticial do tecido circunjacente com relativa facilidade. Por esse motivo, cada espaço potencial é, na realidade, um grande espaço de tecido. A consequência é que o líquido dos capilares adjacentes ao espaço potencial não somente se difunde para o interstício, mas também para o espaço potencial.

Vasos linfáticos drenam proteínas dos espaços potenciais.
Proteínas se acumulam nos espaços potenciais devido ao extravasamento a partir dos capilares, de forma semelhante ao acúmulo que ocorre nos espaços intersticiais ao longo do organismo. Tais proteínas devem ser removidas pelos vasos linfáticos ou outros canais que a retornem à circulação. Cada espaço potencial está direta ou indiretamente conectado a vasos linfáticos. Em alguns casos, como o da cavidade pleural e peritoneal, grandes vasos linfáticos emergem diretamente a partir da cavidade.

O líquido de edema nos espaços potenciais denomina-se efusão.
Quando ocorre edema nos tecidos subcutâneos adjacentes ao espaço potencial, esse líquido geralmente se acumula também no espaço potencial, quadro denominado *efusão*. Portanto, obstrução linfática ou qualquer uma das muitas anormalidades que podem causar aumento da filtração capilar também pode causar efusão da mesma forma que causam edema intersticial. A cavidade abdominal é especialmente suscetível a coleções de líquido de efusão, a qual é conhecida como *ascite*. Em casos graves, pode ocorrer acúmulo de 20 ou mais litros de líquido.

Os demais espaços potenciais, como a cavidade pleural, pericárdica e os espaços articulares podem tornar-se gravemente edemaciados quando há presença de edema generalizado. Ademais, lesão ou infecção local em qualquer uma dessas cavidades muitas vezes obstrui a drenagem linfática, causando edema isolado da cavidade.

A dinâmica da troca de líquidos na cavidade pleural será discutida com detalhes no Capítulo 39. Essa dinâmica é também bastante representativa dos demais espaços potenciais. A pressão normal do líquido em praticamente todos os espaços potenciais em estado não edematoso é *negativa* (subatmosférica), da mesma forma que no tecido subcutâneo frouxo. Por exemplo, a pressão hidrostática do líquido intersticial da cavidade pleural situa-se normalmente entre −7 e −8 mmHg, sendo de −3 a −5 mmHg nos espaços articulares e −5 a −6 na cavidade pericárdica.

Bibliografia

Adrogué HJ, Madias NE: The challenge of hyponatremia. J Am Soc Nephrol 23:1140, 2012.

Aukland K: Why don't our feet swell in the upright position? News Physiol Sci 9:214, 1994.

Berl T: Vasopressin antagonists. N Engl J Med 372:2207, 2015.

Bhave G, Neilson EG: Body fluid dynamics: back to the future. J Am Soc Nephrol 22:2166, 2011.

Breslin JW, Yang Y, Scallan JP, Sweat RS, Adderley SP, Murfee WL: Lymphatic vessel network structure and physiology. Compr Physiol 9:207, 2018.

Cifarelli V, Eichmann A: The intestinal lymphatic system: functions and metabolic implications. Cell Mol Gastroenterol Hepatol 7:503, 2019.

Damkier HH, Brown PD, Praetorius J: Cerebrospinal fluid secretion by the choroid plexus. Physiol Rev 93:1847, 2013.

Gankam Kengne F, Decaux G: Hyponatremia and the brain. Kidney Int Rep 3(24), 2017.

Guyton AC, Granger HJ, Taylor AF: Interstitial fluid pressure. Physiol Rev 1:527, 1971.

Jones DP: Syndrome of inappropriate secretion of antidiuretic hormone and hyponatremia. Pediatr Rev 39:27, 2018.

Jovanovich AJ, Berl T: Where vaptans do and do not fit in the treatment of hyponatremia. Kidney Int 83:563, 2013.

Jussila L, Alitalo K: Vascular growth factors and lymphangiogenesis, Physiol Rev 82:673, 2002.

Liamis G, Filippatos TD, Elisaf MS: Evaluation and treatment of hypernatremia: a practical guide for physicians. Postgrad Med 128:299, 2016.

Petrova TV, Koh GY: Organ-specific lymphatic vasculature: From development to pathophysiology. J Exp Med 215:35, 2018.

Schrier RW, Sharma S, Shchekochikhin D: Hyponatraemia: more than just a marker of disease severity? Nat Rev Nephrol 9:37, 2013.

Sterns RH: Treatment of severe hyponatremia. Clin J Am Soc Nephrol 13:641, 2018.

Sterns RHP: Disorders of plasma sodium–causes, consequences, and correction. N Engl J Med 372:55, 2015.

CAPÍTULO 26

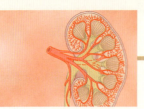

Sistema Urinário: Anatomia Funcional e Formação da Urina pelos Rins

FUNÇÕES MÚLTIPLAS DOS RINS

A maioria das pessoas conhece uma importante função dos rins – remover do organismo produtos de excreção que são ingeridos ou produzidos pelo metabolismo. Uma segunda função especialmente importante é o controle do volume e da composição eletrolítica dos líquidos corporais. Para a água e praticamente todos os eletrólitos do organismo, o equilíbrio entre entrada (ingestão ou produção metabólica) e saída (excreção ou consumo metabólico) é mantido, em larga escala, pelos rins. Essa função regulatória dos rins mantém o meio interno estável necessário para que as células exerçam suas diversas atividades.

Os rins exercem suas funções mais importantes por meio da filtração do plasma e da remoção de substâncias do filtrado em taxas variáveis, dependendo das necessidades do organismo. Os rins, por fim, depuram substâncias do filtrado (e, portanto, do sangue) excretando-as na urina ao mesmo tempo que devolvem ao sangue as substâncias necessárias.

Embora este capítulo e os capítulos seguintes abordem principalmente o controle da excreção renal de água, eletrólitos e produtos do metabolismo, os rins também exercem muitas outras funções homeostáticas, incluindo as seguintes:

- Excreção de produtos do metabolismo e de substâncias químicas exógenas
- Regulação do equilíbrio hídrico e eletrolítico
- Regulação da osmolalidade e concentrações de eletrólitos nos líquidos corporais
- Regulação da pressão arterial
- Regulação do equilíbrio acidobásico
- Regulação da produção de eritrócitos
- Secreção, metabolismo e excreção de hormônios
- Gliconeogênese.

Excreção de produtos do metabolismo, substâncias químicas exógenas, fármacos e metabólitos de hormônios. Os rins são o meio principal de eliminação da maior parte dos produtos de excreção do metabolismo que já não são mais necessários ao organismo. São eles: *ureia* (do metabolismo de aminoácidos), *creatinina* (da cretina muscular), *ácido úrico* (de ácidos nucleicos), *produtos finais da quebra da hemoglobina* (p. ex., bilirrubina) e *metabólitos de diversos hormônios*. Esses produtos devem ser eliminados do organismo tão logo sejam produzidos. Os rins também eliminam a maioria das toxinas e outras substâncias produzidas pelo organismo ou ingeridas, como pesticidas, fármacos e aditivos de alimentos.

Regulação do equilíbrio hídrico e eletrolítico. Para que se mantenha a homeostasia, a excreção de água e eletrólitos deve corresponder precisamente à sua entrada. Se a entrada exceder a excreção, a quantidade dessa substância no organismo aumentará. Se a excreção exceder a entrada, a quantidade se reduzirá. Ainda que desequilíbrios temporários (ou cíclicos) de água e eletrólitos possam ocorrer em muitas condições fisiológicas e fisiopatológicas associadas à alteração de sua entrada ou excreção renal, a manutenção da vida depende da restauração do equilíbrio hídrico e eletrolítico.

A entrada de água e muitos eletrólitos é, em geral, determinada pelos hábitos de alimentação e ingestão de líquidos de um indivíduo, o que requer que seus rins ajustem suas taxas de excreção para se adequar à entrada de diversas substâncias. A **Figura 26.1** demonstra a

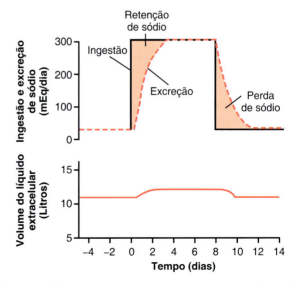

Figura 26.1 Efeito do aumento da ingestão de sódio em 10 vezes (de 30 a 300 mEq/dia) sobre a excreção urinária de sódio e o volume de líquido extracelular. As *áreas sombreadas* representam a retenção ou perda resultante de sódio, determinadas pela diferença entre a ingestão e excreção do íon.

resposta dos rins a um aumento abrupto da ingestão de sódio em 10 vezes, de um nível baixo de 30 mEq/dia para 300 mEq/dia. Dentro de 2 a 3 dias após o aumento da ingestão de sódio, a excreção renal também aumenta para cerca de 300 mEq/dia a fim de restabelecer rapidamente o equilíbrio entre a ingestão e a excreção. Contudo, durante os 2 a 3 dias da adaptação renal à maior ingestão de sódio, ocorre moderado acúmulo desse íon, aumentando ligeiramente o volume do líquido extracelular e deflagrando alterações hormonais e outras respostas compensatórias que sinalizam aos rins para que aumentem a excreção de sódio.

A habilidade dos rins de modificar a excreção de sódio em resposta às alterações de sua entrada é extraordinária. Estudos experimentais demonstraram que, em muitas pessoas, a ingestão de sódio pode ser aumentada até 1.500 mEq/dia (mais que 10 vezes acima do normal) ou diminuída para 10 mEq/dia (redução maior do que 90% do normal), com mudanças relativamente pequenas no volume do líquido extracelular ou na concentração plasmática do sódio. Esse fenômeno também é verdadeiro para a água e para a maioria dos demais eletrólitos, como os íons cloro, potássio, cálcio, hidrogênio, magnésio e fósforo. Nos próximos capítulos, discutiremos os mecanismos específicos que permitem que os rins realizem esses incríveis feitos para regular a homeostase.

Regulação da pressão arterial. Conforme discutido no Capítulo 19, os rins exercem papel dominante na regulação da pressão arterial a longo prazo por meio da excreção de quantidades variáveis de sódio e água. Também contribuem a curto prazo secretando hormônios e fatores ou substâncias vasoativas (p. ex., *renina*) que conduzem à formação de produtos vasoativos (p. ex., angiotensina II).

Regulação do equilíbrio acidobásico. Os rins contribuem com a regulação acidobásica, juntamente com os pulmões e tampões dos líquidos corporais, por meio da excreção de ácidos, reabsorção de bases e regulação dos estoques de tampões fisiológicos. Certos tipos de ácidos só podem ser eliminados pelos rins, como os ácidos sulfúrico e fosfórico, os quais são produzidos pelo metabolismo das proteínas.

Regulação da produção de eritrócitos. Os rins secretam a *eritropoetina*, que estimula a produção de hemácias pelas *células-tronco hematopoéticas* na medula óssea rubra, conforme discutido no Capítulo 33. Um importante estímulo para a secreção de eritropoetina pelos rins é a *hipóxia*. Os rins normalmente são responsáveis por praticamente toda a eritropoetina secretada na circulação. Em indivíduos com doença renal grave ou que tiveram seus rins removidos e são submetidos à hemodiálise, ocorre anemia grave resultante da diminuição da produção de eritropoetina.

Regulação da produção de 1,25-di-hidroxivitamina D₃. Os rins produzem a 1,25-di-hidroxivitamina D_3 (*calcitriol*), forma ativa da vitamina D, por meio da hidroxilação da 25-hidroxivitamina D_3 (originada no fígado) no carbono 1.

O calcitriol é essencial à deposição normal de cálcio nos ossos e absorção de cálcio e fósforo pelo trato gastrointestinal. Conforme discutido no Capítulo 80, o calcitriol exerce importante papel na regulação de cálcio e fósforo.

Síntese de glicose. Os rins sintetizam glicose a partir dos aminoácidos e outros precursores durante o jejum prolongado, processo referido como *gliconeogênese*. Sua capacidade de adicionar glicose ao sangue durante longos períodos de jejum é equiparável à do fígado.

Na doença renal crônica ou na insuficiência renal aguda, essas funções homeostáticas são perdidas, ocorrendo rapidamente graves anormalidades dos volumes e composição de líquidos corporais. Na falência renal completa, ocorre acúmulo de quantidades suficientes de potássio, ácidos, líquidos e outras substâncias no organismo para culminar em morte em poucos dias caso não seja realizada uma intervenção clínica como a hemodiálise a fim de restaurar, pelo menos parcialmente, o equilíbrio hidreletrolítico do organismo.

ANATOMIA FISIOLÓGICA DOS RINS

ORGANIZAÇÃO GERAL DOS RINS E DO TRATO URINÁRIO

Os dois rins ficam situados na parede posterior do abdome, fora da cavidade peritoneal (ver **Figura 26.2**). Cada rim do humano adulto pesa cerca de 150 gramas e tem o tamanho aproximado de um punho fechado. A face medial de cada rim contém uma região profunda denominada *hilo*, através do qual passam a artéria e a veia renal, vasos linfáticos, nervos e a pelve renal. Essa dá origem ao ureter, que conduz a urina formada desde o rim até a bexiga, onde aquela será armazenada até que ocorra o esvaziamento vesical. O rim é revestido por uma *cápsula* fibrosa firme que protege suas delicadas estruturas internas.

Em uma secção sagital do rim, as duas maiores regiões observadas são o *córtex* externo e a *medula* interna. Esta se divide em 8 a 10 massas cônicas de tecido denominadas *pirâmides renais*. A base de cada pirâmide origina-se no bordo entre o córtex e a medula e termina na *papila*, a qual se projeta para dentro do espaço da *pelve renal*, uma continuação da extremidade superior do ureter com formato de funil. O bordo externo da pelve divide-se em bolsas abertas denominadas *cálices maiores*, que se estendem para baixo e dividem-se em *cálices menores*, os quais, por sua vez, coletam a urina dos túbulos de cada papila. As paredes dos cálices, pelve e ureter contêm elementos contráteis que propulsionam a urina em direção à *bexiga*, onde aquela será armazenada até seu esvaziamento por meio da *micção*, discutida mais adiante neste capítulo.

APORTE SANGUÍNEO RENAL

O fluxo sanguíneo que chega aos rins normalmente corresponde a cerca de 22% do débito cardíaco, ou 1.100 mℓ/min. A artéria renal adentra o rim através do hilo e

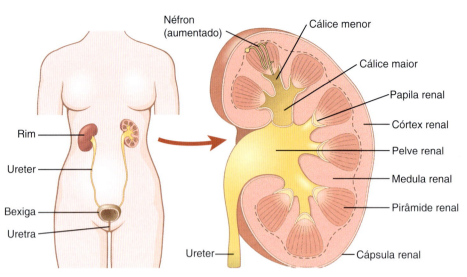

Figura 26.2 Organização geral dos rins e do sistema urinário.

se ramifica progressivamente para formar as *artérias interlobares*, *artérias arqueadas*, *artérias interlobulares* (também chamadas *artérias radiais*) e *arteríolas aferentes*, as quais terminam nos *capilares glomerulares*, onde grandes quantidades de líquido e solutos (exceto proteínas plasmáticas) são filtradas para iniciar a formação da urina (ver **Figura 26.3**). As extremidades distais dos capilares de cada glomérulo se coalescem para formar a *arteríola eferente*, que conduz a uma segunda rede de capilares, denominada *rede de capilares peritubulares*, os quais circundam os túbulos renais.

A circulação renal é única por apresentar dois leitos capilares, os capilares glomerulares e os peritubulares, separados pelas arteríolas eferentes. Estas auxiliam na regulação da pressão hidrostática dos dois conjuntos de capilares. Pressões hidrostáticas altas nos capilares glomerulares (cerca de 60 mmHg) causam rápida filtração de líquido, ao passo que pressões mais baixas nos capilares peritubulares (cerca de 13 mmHg) permitem rápida reabsorção de líquido. O ajuste da resistência das arteríolas aferentes e eferentes permite que os rins regulem a pressão hidrostática nos capilares glomerulares e peritubulares, modificando a taxa de filtração glomerular, reabsorção tubular ou ambas, em reposta às demandas homeostáticas do organismo.

Os capilares peritubulares drenam para os vasos do sistema venoso, que correm paralelos às arteríolas. Esses vasos progridem para formar a *veia interlobular*, a *veia arqueada*, a *veia interlobar* e a *veia renal*, que deixa o rim paralelamente à artéria renal e ao ureter.

O NÉFRON É A UNIDADE FUNCIONAL DO RIM

Cara rim humano contém aproximadamente 800.000 a 1.000.000 de néfrons, cada qual com capacidade de formar urina. O rim não pode regenerar novos néfrons, e, por essa razão, em casos de lesão ou doença renal, ou no processo de envelhecimento, o número de néfrons decai gradualmente. Após os 40 anos de idade, o número de néfrons funcionais geralmente cai cerca de 10% a cada 10 anos. Sendo assim, aos 80 anos de idade, muitos indivíduos têm 40% menos néfrons funcionais do que tinham aos 40 anos. Essa perda não representa um problema à vida tendo em vista mudanças adaptativas dos néfrons remanescentes que os permitem excretar quantidades adequadas de água, eletrólitos e produtos de excreção, conforme discutido no Capítulo 32.

Cada néfron contém (1) uma rede de capilares glomerulares denominada *glomérulo*, através dos quais grandes quantidades de líquido são filtradas do sangue; e (2) um longo *sistema tubular* no qual o líquido filtrado é convertido em urina a caminho da pelve renal (ver **Figura 26.3**).

O glomérulo contém uma rede de capilares glomerulares que se ramificam e se anastomosam com pressão hidrostática alta (cerca de 60 mmHg) comparada a outros leitos capilares. Esses capilares glomerulares são revestidos por células epiteliais, e todo o glomérulo está envolto pela *cápsula de Bowman*.

O líquido filtrado pelos capilares glomerulares flui pela cápsula de Bowman e adentra o *túbulo proximal*, situado no córtex renal (ver **Figura 26.4**). Desse túbulo o líquido flui para a *alça de Henle*, que se aprofunda na medula renal. Cada alça contém um *ramo descendente* e um *ramo ascendente*. As paredes do ramo descendente e a extremidade inferior do ramo ascendente são muito delgadas e, portanto, recebem o nome de *segmento delgado da alça de Henle*. Após ascender metade de seu caminho até o córtex, a parede da alça torna-se muito mais espessa, recebendo o nome de *segmento espesso do ramo ascendente*.

Ao final do ramo ascendente espesso, encontra-se um curto segmento cuja parede apresenta uma placa de células epiteliais especializadas conhecida como *mácula densa*. Como discutido mais adiante, a mácula densa exerce um importante papel no controle da função do néfron. Após a mácula densa, o líquido adentra o *túbulo distal* que, assim como o proximal, situa-se no córtex renal. Em seguida,

CAPÍTULO 26 Sistema Urinário: Anatomia Funcional e Formação da Urina pelos Rins

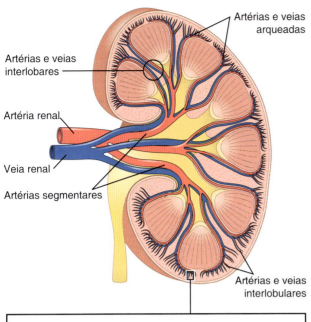

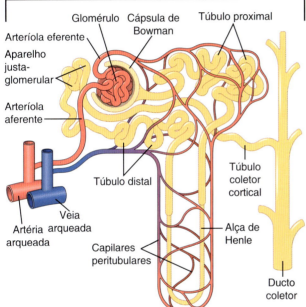

Figura 26.3 Seção do rim humano demonstrando os principais vasos que irrigam o rim e um esquema da microcirculação de cada néfron.

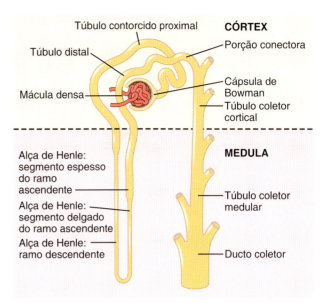

Figura 26.4 Segmentos tubulares básicos do néfron. O comprimento relativo dos diferentes segmentos tubulares não está representado em escala.

chega ao *túbulo conector* e ao *túbulo coletor cortical*, os quais conduzem ao *ducto coletor cortical*. As porções iniciais de 8 a 10 ductos coletores corticais unem-se para formar um único ducto coletor maior, que corre para dentro da medula para se tornar o *ducto coletor medular*. Os ductos coletores fundem-se progressivamente, formando ductos maiores que, eventualmente, culminarão na pelve renal através das extremidades das *papilas renais*. Em cada rim, há cerca de 250 desses ductos maiores, cada qual trazendo urina de aproximadamente 4.000 néfrons.

Diferenças regionais na estrutura do néfron: néfrons corticais e justamedulares. Embora cada néfron tenha todos os componentes já descritos, existem algumas diferenças, dependendo de quão profundo é o néfron no parênquima renal. Néfrons que apresentam glomérulos localizados na região externa do córtex são denominados *néfrons corticais*. Estes têm alças de Henle curtas que penetram uma curta distância na medula (ver **Figura 26.5**).

Aproximadamente 20 a 30% dos néfrons apresentam glomérulos mais profundos no córtex renal, próximos à medula, sendo denominados *néfrons justamedulares*. Esses néfrons têm alças de Henle longas que penetram profundamente na medula, em alguns casos alcançando até mesmo as extremidades das papilas renais.

As estruturas vasculares que irrigam os néfrons justamedulares também diferem das que irrigam os néfrons corticais. No caso destes últimos, todo o sistema tubular é envolvido por uma extensa rede de capilares peritubulares. Já os néfrons justamedulares possuem arteríolas eferentes longas que vão desde o glomérulo até a parte externa da medula, dividindo-se em capilares peritubulares especializados chamados vasos retos, os quais se estendem mais profundamente pela medula, paralelos à alça de Henle. Assim como a alça de Henle, os vasos retos retornam para o córtex e drenam para as veias corticais. Essa rede especializada de capilares da medula exerce importante papel na formação de urina concentrada, discutido no Capítulo 29.

MICÇÃO

A micção é o processo por meio do qual a bexiga urinária é esvaziada após se tornar repleta. Esse processo envolve dois passos principais. Primeiro, a bexiga se enche progressivamente até que a tensão em suas paredes aumente acima de um limiar. Essa tensão leva ao segundo passo, um reflexo nervoso chamado *reflexo de micção*, que esvazia a bexiga ou, caso isso não ocorra, ao menos elicita um desejo consciente de urinar. Embora o reflexo de micção seja de origem autônoma na medula espinhal, pode

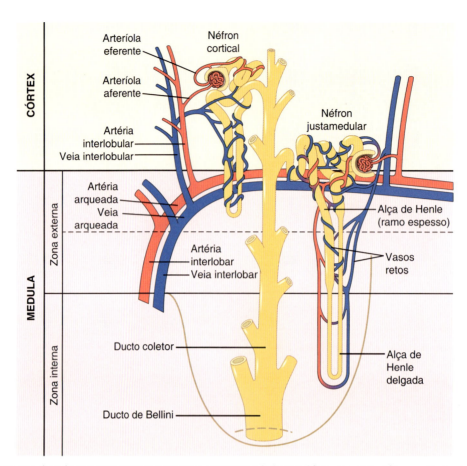

Figura 26.5 Esquema das relações entre vasos sanguíneos e estruturas tubulares e diferenças entre néfrons corticais e justamedulares.

também ser inibido ou facilitado por centros corticais cerebrais ou do tronco encefálico.

ANATOMIA FISIOLÓGICA DA BEXIGA

A bexiga urinária, demonstrada na **Figura 26.6**, é uma câmara de músculo liso composta por duas partes principais: (1) *corpo*, maior porção da bexiga que armazena a urina; e (2) *colo*, extensão afunilada do corpo que passa inferior e anteriormente no triângulo urogenital e conecta-se à uretra. A porção inferior do colo vesical também pode ser chamada de *uretra posterior* tendo em vista sua relação com a uretra.

O músculo liso da bexiga recebe o nome de *músculo detrusor*. Suas fibras estendem-se em todas as direções e, quando contraídas, podem aumentar a pressão vesical até 40 a 60 mmHg. Ou seja, *a contração do músculo detrusor é um importante passo no esvaziamento da bexiga*. Células de músculo liso do detrusor fundem-se umas às outras de maneira a formar trajetos de baixa resistência elétrica de uma célula até a outra. Dessa forma, o potencial de ação pode se distribuir ao longo do músculo de célula em célula, causando contração de toda a bexiga de uma só vez.

Na parede posterior da bexiga, imediatamente acima do colo vesical, há uma região triangular denominada *trígono*. Em seu ápice inferior, o colo vesical abre-se para a *uretra posterior* e, nos dois ângulos superiores do trígono, dois ureteres desembocam na bexiga. O trígono pode ser identificado por uma característica: a sua *mucosa*, o revestimento interno da bexiga, é lisa, diferente da mucosa do restante da bexiga, que é formada por *pregas*.

Cada ureter, à medida que adentra a bexiga, segue obliquamente pelo músculo detrusor e passa 1 a 2 cm abaixo da mucosa vesical antes de desembocar na luz da bexiga.

O colo vesical (uretra posterior) tem 2 a 3 cm de comprimento, e sua parede é composta pelo músculo detrusor entremeado a uma grande quantidade de tecido elástico. Nessa área, o músculo denomina-se *esfíncter interno*. Seu tônus natural normalmente mantém o colo e a uretra posterior sem urina, prevenindo, dessa forma, o esvaziamento da bexiga até que a pressão na maior parte da mesma aumente até atingir o limiar.

Após a uretra posterior, o canal uretral passa através do *diafragma urogenital*, que contém uma camada muscular chamada *esfíncter externo* da bexiga. Esse músculo é de natureza esquelética e voluntária, ao contrário do músculo do corpo e colo vesical, que é completamente de tipo liso. O músculo do esfíncter externo tem controle voluntário do sistema nervoso e pode ser utilizado para impedir a micção de forma consciente, mesmo quando os controles involuntários tentam esvaziar a bexiga.

Inervação da bexiga. O principal suprimento nervoso da bexiga provém dos *nervos pélvicos*, que se ligam à medula espinhal por meio do *plexo sacral*, principalmente nos segmentos S2 e S3 (ver **Figura 26.7**). No curso dos

CAPÍTULO 26 Sistema Urinário: Anatomia Funcional e Formação da Urina pelos Rins

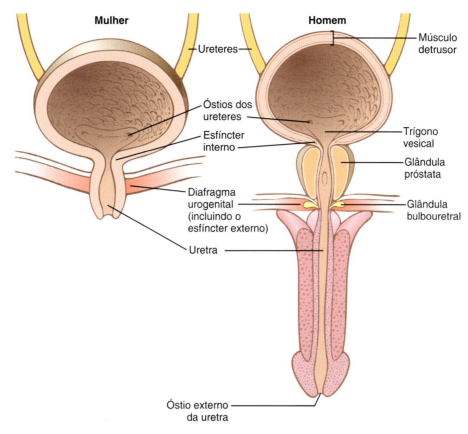

Figura 26.6 Anatomia da bexiga urinária e uretra de homens e mulheres.

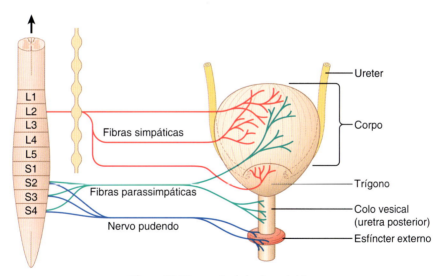

Figura 26.7 Inervação da bexiga urinária.

nervos pélvicos há tanto *fibras sensitivas* quanto *fibras motoras*. As fibras sensitivas detectam o grau de estiramento da parede da bexiga. Os sinais de estiramento que advêm da uretra posterior são especialmente fortes e são os principais responsáveis pela deflagração dos reflexos que causam o esvaziamento da bexiga.

As fibras motoras transmitidas pelos nervos pélvicos são *fibras parassimpáticas*. Terminam em células ganglionares localizadas na parede da bexiga. Ou seja, fibras pósganglionares curtas inervam o músculo detrusor.

Além dos nervos pélvicos, dois outros tipos de inervação são importantes para a função da bexiga. As mais importantes são as *fibras motoras esqueléticas* transmitidas pelo *nervo pudendo* para o esfíncter externo da bexiga. Essas fibras são *somáticas* e inervam e controlam o músculo esquelético voluntário do esfíncter. Ademais, a bexiga recebe *inervação simpática* da cadeia simpática através dos *nervos hipogástricos*, que advêm principalmente do segmento L2 da medula espinhal. Essas fibras simpáticas estimulam principalmente os vasos sanguíneos e têm pouco efeito sobre a contração vesical. Também passam algumas fibras sensitivas pelos nervos simpáticos, as quais podem ser importantes na sensação de bexiga repleta e, em alguns casos, de dor.

TRANSPORTE DA URINA PELOS URETERES DESDE OS RINS ATÉ A BEXIGA

A urina expelida da bexiga tem, essencialmente, a mesma composição do líquido que flui dos ductos coletores. Não há alterações significativas na composição da urina conforme ela flui através dos cálices renais e ureteres até a bexiga.

A urina que flui dos ductos coletores até os cálices renais causa estiramento desses cálices e aumenta sua *atividade de marca-passo* inerente, que provoca contrações peristálticas distribuídas ao longo da pelve renal e do trajeto do ureter, forçando a urina a fluir da pelve renal até a bexiga. Em adultos, os ureteres tem, normalmente, 25 a 35 cm de comprimento.

As paredes dos ureteres contêm músculo liso e são inervadas por nervos simpáticos e parassimpáticos, bem como por um plexo intramural de neurônios e fibras nervosas que se estendem ao longo de todo o comprimento dos ureteres. Como em outros músculos lisos viscerais, *contrações peristálticas no ureter são aumentadas pela estimulação parassimpática e inibidas pela estimulação simpática.*

Os ureteres adentram a bexiga através do *músculo detrusor* na região do trígono vesical, conforme demonstrado pela **Figura 26.6**. Seu curso é normalmente oblíquo por alguns centímetros através da parede vesical. O tônus normal do músculo detrusor na parede da bexiga tende a comprimir os ureteres, de forma que não ocorra fluxo retrógrado (refluxo) de urina a partir da bexiga quando a pressão aumenta durante a micção ou compressão vesical. Cada onda peristáltica que passa pelo ureter aumenta a sua pressão interna de forma que a região que passa dentro da parede vesical seja aberta para que a urina flua para dentro da bexiga.

Em alguns indivíduos, a distância que o ureter percorre dentro da parede vesical é menor que o normal, fazendo com que a contração da bexiga durante a micção nem sempre produza oclusão completa do ureter. O resultado é que parte da urina contida na bexiga é propulsionada de volta ao ureter, condição denominada *refluxo vesicoureteral*. Esse refluxo pode levar à dilatação ureteral e, quando grave, pode aumentar a pressão dos cálices renais e estruturas da medula renal, provocando lesões nessas regiões.

Sensação de dor nos ureteres e reflexo ureterorrenal. Os ureteres são extensivamente inervados por fibras nociceptivas. Quando um ureter é ocluído (p. ex., por um cálculo ureteral), ocorre intenso reflexo de constrição, associado a dor intensa. Os impulsos da dor também induzem um reflexo simpático nos rins para promover constrição das arteríolas renais, diminuindo a produção de urina. Esse efeito recebe o nome de *reflexo ureterorrenal* e é importante para atenuar o fluxo de líquido que adentra a pelve de um rim cujo ureter se encontra obstruído.

Enchimento da bexiga e tônus da parede vesical: o cistometrograma

A **Figura 26.8** demonstra as alterações aproximadas da pressão intravesical durante o enchimento da bexiga com urina. Quando não há urina na bexiga, a pressão se aproxima de 0. Contudo, quando a bexiga é preenchida com 30 a 50 mililitros de urina, sua pressão aumenta para 5 a 10 centímetros de água. Urina adicional – 200 a 300 mililitros – pode ser coletada com apenas um pequeno aumento adicional da pressão. Esse nível constante de pressão se deve ao tônus intrínseco da parede vesical. Acima de 300 a 400 mililitros, a coleção de mais urina na bexiga causa um aumento rápido na pressão.

Sobrepondo-se às alterações tônicas da pressão durante o enchimento da bexiga estão aumentos periódicos agudos de pressão que duram alguns segundos a mais que 1 minuto. O pico de pressão pode elevar-se a mais de 100 centímetros de água. Esses picos denominam-se *ondas de micção* no cistometrograma e são causados pelo reflexo da micção.

REFLEXO DE MICÇÃO

Referindo-se mais uma vez à **Figura 26.8**, é possível observar que, conforme a bexiga é preenchida, muitas *contrações de micção* sobrepostas vão surgindo, como demonstrado pelos picos pontilhados. Elas resultam de um reflexo de estiramento deflagrado por *receptores sensitivos de estiramento* presentes na parede da bexiga, especialmente por receptores na uretra posterior, quando essa área começa a ser preenchida por urina em momentos de alta pressão vesical. Os sinais sensitivos advindos dos receptores de estiramento da bexiga são conduzidos até os segmentos sacrais da medula espinhal pelos *nervos esplâncnicos pélvicos,* e o reflexo retorna à bexiga através das *fibras nervosas parassimpáticas* pelos mesmos nervos.

Quando a bexiga está apenas parcialmente cheia, essas contrações de micção normalmente se relaxam espontaneamente após uma fração de minuto, com o detrusor

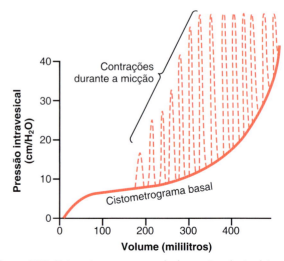

Figura 26.8 Cistometrograma normal, demonstrando também ondas de pressão agudas (*picos pontilhados*) causados pelos reflexos de micção.

CAPÍTULO 26 Sistema Urinário: Anatomia Funcional e Formação da Urina pelos Rins

cessando sua contração e a pressão decaindo novamente a seu valor basal. À medida que a bexiga é preenchida, os reflexos de micção tornam-se mais frequentes e causam maiores contrações do músculo detrusor.

Uma vez iniciado um reflexo de micção, este tem caráter autorregenerativo. Ou seja, a contração inicial da bexiga ativa os receptores de estiramento, causando maior aumento nos impulsos sensitivos que provêm da bexiga e uretra posterior, que provocam maior aumento na contração reflexa da bexiga; dessa forma, o ciclo se repete continuamente até que a bexiga atinja um grau de contração forte. Posteriormente, após alguns segundos até mais que um minuto, o reflexo autorregenerativo começa a fatigar-se, cessando o ciclo de reflexos de micção e permitindo o relaxamento da bexiga.

Portanto, o reflexo da micção é um ciclo completo dos seguintes eventos: (1) aumento progressivo e rápido da pressão; (2) período de pressão sustentada; e (3) retorno da pressão ao tônus vesical basal. Após ocorrência de um reflexo de micção que não culminou com o esvaziamento da bexiga, os elementos nervosos do reflexo geralmente permanecem em um estado refratário por alguns minutos até 1 hora, ou mais, antes que ocorra um próximo reflexo. Com o enchimento cada vez maior da bexiga, mais e mais reflexos de micção são deflagrados e com maior intensidade.

Quando o reflexo de micção se torna forte o suficiente, ele induz um outro reflexo, que segue pelos *nervos pudendos* até o *esfíncter externo*, causando sua inibição. Se a inibição no encéfalo for mais potente do que os sinais de constrição voluntários enviados ao esfíncter externo, ocorrerá a micção. Caso contrário, não ocorrerá micção até que a bexiga seja ainda mais preenchida, de forma a tornar o reflexo ainda mais intenso.

Facilitação ou inibição da micção pelo encéfalo.
O reflexo de micção é um reflexo autonômico da medula espinhal, mas pode ser inibido ou facilitado por centros presentes no encéfalo, como: (1) fortes *centros de facilitação e inibição do tronco encefálico, localizados principalmente na ponte*; e (2) muitos *centros localizados no córtex cerebral* de natureza predominantemente inibitória, porém capazes de se tornar excitatórios.

O reflexo de micção é a causa base da micção, embora centros superiores normalmente exerçam controle final da micção, como segue:

1. Os centros superiores mantêm o reflexo de micção parcialmente inibido, exceto quando há desejo de urinar.
2. Os centros superiores podem impedir a micção, mesmo durante o reflexo de micção, por meio de contração tônica do esfíncter externo da bexiga, até que se apresente o momento conveniente de urinar.
3. Quando chega o momento de urinar, centros corticais podem facilitar centros de micção sacrais a fim de auxiliar a deflagração do reflexo de micção e, ao mesmo tempo, inibir o esfíncter urinário externo para que ocorra a micção.

A *micção voluntária* é, em geral, iniciada do seguinte modo: primeiro, o indivíduo contrai voluntariamente os músculos abdominais, os quais aumentam a pressão vesical e permitem que mais urina adentre o colo vesical e pressionem a uretra posterior, estirando suas paredes. Essa ação estimula os receptores de estiramento, que deflagram o reflexo de micção e, simultaneamente, inibem o esfíncter uretral externo. Normalmente, toda a urina é eliminada, raramente restando mais que 5 a 10 mililitros na bexiga.

Anormalidades da micção

Atonia vesical e incontinência causadas pela destruição de fibras nervosas sensitivas.
A contração do reflexo de micção não poderá ocorrer se as fibras sensitivas que conduzem sinal da bexiga até a medula espinhal forem destruídas, impedindo a transmissão de sinais de estiramento oriundos da bexiga. Quando isso ocorre, o indivíduo perde o controle sobre a bexiga, mesmo com fibras eferentes íntegras da medula até a bexiga e conexões neurogênicas íntegras com o encéfalo. Em vez de ocorrer esvaziamento periódico, a bexiga é preenchida até o máximo e permite extravasamento de algumas gotas por vez pela uretra. Essa condição recebe o nome de *incontinência por superenchimento*.

Uma causa comum de atonia vesical é a lesão traumática da região sacral da medula espinhal. Algumas doenças também podem lesionar raízes nervosas que adentram a medula. Por exemplo, a sífilis pode causar fibrose constritiva ao redor das raízes nervosas, provocando sua destruição. Essa condição é denominada *tabes dorsalis*, com uma condição resultante da bexiga chamada *bexiga tabética*.

Bexiga automática causada por lesão da medula espinhal acima da região sacral.
Se a medula espinhal for lesionada acima da região sacral e os segmentos sacrais forem mantidos íntegros, reflexos de micção típicos ainda poderão ocorrer. Contudo, não serão mais controlados pelo encéfalo. Durante os primeiros dias até muitas semanas após a lesão, os reflexos de micção serão suprimidos devido ao estado de choque espinhal causado pela perda abrupta dos impulsos de facilitação advindos do tronco encefálico e do cérebro. Contudo, se a bexiga for esvaziada periodicamente por meio de cateterização a fim de impedir lesão vesical por estiramento excessivo, a excitabilidade do reflexo de micção gradualmente aumentará até que reflexos típicos voltem a ocorrer. Nesse caso, acontecerão esvaziamentos periódicos (porém imprevistos).

Bexiga neurogênica não inibida causada pela ausência de sinais inibitórios do encéfalo.
Outra anormalidade da micção é a chamada *bexiga neurogênica não inibida*, a qual resulta em micção frequente e relativamente descontrolada. Essa condição advém de uma lesão parcial na medula espinhal e no tronco encefálico, interrompendo a maior parte dos sinais inibitórios. Portanto, impulsos de facilitação que descendem continuamente pela medula mantêm os centros sacrais tão excitáveis que mesmo uma pequena quantidade de urina deflagra um reflexo de micção descontrolado, que promove micção frequente.

A FORMAÇÃO DA URINA RESULTA DE FILTRAÇÃO GLOMERULAR, REABSORÇÃO TUBULAR E SECREÇÃO TUBULAR

As taxas com que diferentes substâncias são excretadas na urina representam a soma de três processos renais, demonstrados na **Figura 26.9**: (1) filtração glomerular de substâncias presentes no sangue; (2) reabsorção de substâncias dos túbulos renais para o sangue; e (3) secreção de substâncias do sangue para os túbulos renais, como segue:

Taxa de excreção urinária =
Taxa de filtração − Taxa de reabsorção + Taxa de secreção

A formação da urina se inicia quando uma grande quantidade de líquido praticamente livre de proteínas é filtrado dos capilares glomerulares para a cápsula de Bowman. A maioria das substâncias presentes no plasma, exceto as proteínas, é filtrada livremente, de forma que sua concentração no filtrado glomerular da cápsula de Bowman é praticamente igual à do plasma. Conforme o filtrado deixa a cápsula de Bowman e passa através dos túbulos, é modificado pela reabsorção ou pela secreção de outras substâncias dos capilares peritubulares para os túbulos.

A **Figura 26.10** demonstra a manutenção renal de quatro substâncias hipotéticas. A substância demonstrada na parte A é livremente filtrada pelos capilares glomerulares, porém não sofre reabsorção nem secreção. Portanto, a sua taxa de excreção é igual à taxa com que foi filtrada. Certos produtos da excreção do organismo, como a creatinina, são depurados dessa forma pelos rins, permitindo a excreção de essencialmente tudo o que é filtrado.

Na parte B, a substância é livremente filtrada, porém também é parcialmente reabsorvida dos túbulos de volta para o sangue. Ou seja, a taxa de excreção urinária é menor que a taxa de filtração nos capilares glomerulares. Nesse caso, a taxa de excreção é calculada como taxa de filtração menos taxa de reabsorção. Esse padrão é típico para muitos eletrólitos do organismo, como os íons sódio e cloreto.

Na parte C, a substância é livremente filtrada nos capilares glomerulares, porém não é excretada na urina por ser toda ela reabsorvida dos túbulos para o sangue. Esse padrão ocorre para algumas substâncias nutricionais, como aminoácidos e glicose, o que permite sua conservação nos líquidos corporais.

A substância da parte D é livremente filtrada nos capilares glomerulares e não sofre reabsorção, porém quantidades adicionais são secretadas a partir do sangue dos capilares peritubulares para dentro dos túbulos renais. Esse padrão ocorre com frequência no caso de ácidos e bases orgânicas, permitindo que sejam depurados do

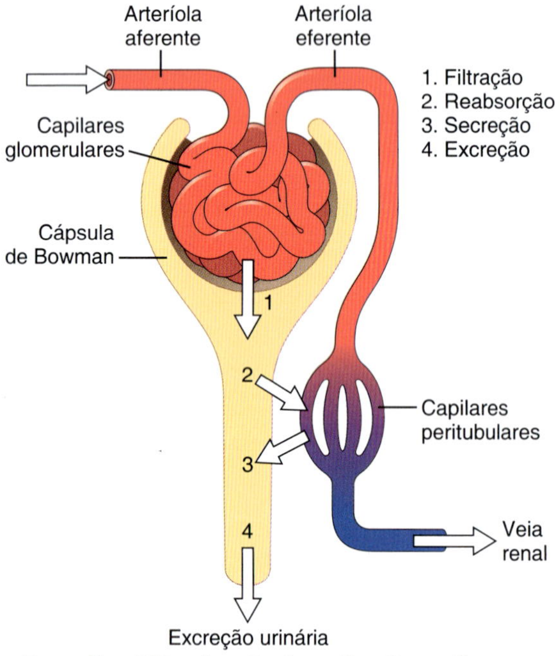

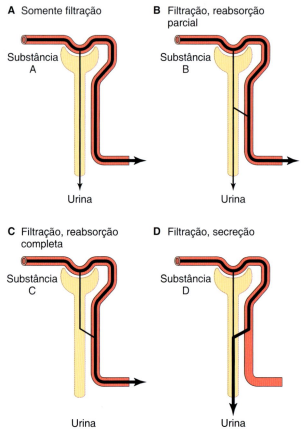

Figura 26.9 Processos renais básicos que determinam a composição da urina. A taxa de excreção urinária de uma substância é igual à taxa com que a substância é filtrada menos sua taxa de reabsorção mais a taxa com que a mesma é secretada do sangue dos capilares peritubulares para os túbulos.

Figura 26.10 Manutenção renal de quatro substâncias hipotéticas. **A.** A substância é livremente filtrada, porém não reabsorvida. **B.** A substância é livremente filtrada, porém parte da porção filtrada é reabsorvida de volta para o sangue. **C.** A substância é livremente filtrada, porém não é excretada na urina porque toda a quantidade filtrada é reabsorvida dos túbulos para o sangue. **D.** A substância é livremente filtrada e não é reabsorvida, porém é secretada do sangue dos capilares peritubulares para os túbulos renais.

CAPÍTULO 26 Sistema Urinário: Anatomia Funcional e Formação da Urina pelos Rins

sangue rapidamente e excretados em grandes quantidades na urina. A taxa de excreção nesse caso é calculada como taxa de filtração mais taxa de secreção tubular.

Para cada substância do plasma, ocorre uma combinação peculiar de filtração, reabsorção e secreção. A taxa com que a substância é excretada na urina depende das taxas relativas desses três processos renais básicos.

FILTRAÇÃO, REABSORÇÃO E SECREÇÃO DE DIFERENTES SUBSTÂNCIAS

Em geral, a reabsorção tubular é quantitativamente mais importante que a secreção tubular para a formação da urina, embora a secreção exerça um importante papel na determinação das quantidades de íons potássio e hidrogênio, bem como de outras substâncias, que são excretados na urina. A maioria das substâncias que devem ser depuradas do sangue, especialmente os produtos finais do metabolismo, como a ureia, creatinina, ácido úrico e uratos, é pouco reabsorvida e é, portanto, excretada em grandes quantidades na urina. Certas substâncias exógenas e fármacos também são pouco reabsorvidos, sendo adicionalmente secretados do sangue para os túbulos, com a sua taxa de excreção alta. Por outro lado, eletrólitos, como íons sódio, cloro e bicarbonato, são altamente reabsorvidos, de forma que apenas pequenas quantidades estarão presentes na urina. Algumas substâncias nutricionais, como aminoácidos e glicose, são completamente reabsorvidas dos túbulos e tornam-se ausentes na urina, mesmo quando grandes quantidades são filtradas nos capilares glomerulares.

Cada um desses processos – filtração glomerular, reabsorção tubular e secreção tubular – é regulado de acordo com as necessidades do organismo. Por exemplo, quando há excesso de sódio no organismo, a taxa com que sua filtração ocorre em geral aumenta ligeiramente e somente uma pequena fração sofre reabsorção, causando aumento da excreção de sódio na urina.

Para a maioria das substâncias, as taxas de filtração e reabsorção são extremamente altas comparadas às taxas de excreção. Portanto, mesmo pequenas alterações na filtração ou reabsorção podem levar a mudanças relativamente grandes na excreção renal. Por exemplo, um aumento de apenas 10% (de 180 para 198 ℓ/dia) na taxa de filtração glomerular (TFG) elevará o volume de urina em 13 vezes (de 1,5 a 19,5 ℓ/dia) se a reabsorção tubular permanecer constante. Na realidade, alterações na filtração glomerular e reabsorção tubular geralmente atuam de forma coordenada para produzir as alterações necessárias na excreção renal.

Por que são filtradas grandes quantidades de solutos para depois serem reabsorvidas pelos rins?

Alguém poderia se questionar se é biologicamente vantajoso filtrar quantidades tão grandes de água e solutos para depois reabsorver a maior parte dessas substâncias. Uma vantagem da alta TFG é que ela permite que os rins removam rapidamente do organismo os produtos de excreção que dependem somente da filtração glomerular para serem eliminados. A maior parte desses produtos sofre pouca reabsorção nos túbulos e, por esse motivo, dependem de uma alta TFG para a efetiva remoção do organismo.

Outra vantagem de uma alta TFG é que ela permite que todos os líquidos corporais sejam filtrados e processados pelos rins muitas vezes por dia. Como o volume plasmático inteiro corresponde a cerca de 3 ℓ, ao passo que a TFG é de aproximadamente 180 ℓ/dia, todo o plasma pode ser filtrado e processado cerca de 60 vezes/dia. Essa alta TFG permite que os rins controlem o volume e a composição dos líquidos corporais de forma precisa e rápida.

Bibliografia

Ver bibliografia dos Capítulos 27 a 32.

CAPÍTULO 27

Filtração Glomerular, Fluxo Sanguíneo Renal e seus Respectivos Controles

FILTRAÇÃO GLOMERULAR: O PRIMEIRO PASSO NA FORMAÇÃO DA URINA

O primeiro passo na formação da urina é a filtração de grandes quantidades de líquido através dos capilares glomerulares para a cápsula de Bowman – quase 180 ℓ/dia. A maior parte desse filtrado é reabsorvida, restando apenas cerca de 1 ℓ de líquido para ser excretado a cada dia, embora a taxa de excreção renal de líquidos seja altamente variável, dependendo da ingestão. A alta taxa de filtração glomerular depende de um alto fluxo sanguíneo renal, assim como de propriedades especiais das membranas dos capilares glomerulares. Neste capítulo, discutiremos as forças físicas que determinam a taxa de filtração glomerular (TFG), bem como os mecanismos fisiológicos que regulam essa taxa e o fluxo sanguíneo renal.

COMPOSIÇÃO DO FILTRADO GLOMERULAR

Assim como a maioria dos capilares, os capilares do glomérulo são relativamente impermeáveis às proteínas, de forma que o líquido filtrado (denominado *filtrado glomerular*) é, em essência, livre de proteínas e elementos celulares, incluindo hemácias. As concentrações dos demais constituintes do filtrado glomerular, incluindo a maioria dos sais e moléculas orgânicas, assemelham-se às suas concentrações plasmáticas. Exceções a essa generalização incluem algumas substâncias de baixo peso molecular, como cálcio e ácidos graxos, os quais não são filtrados livremente por serem parcialmente ligados a proteínas plasmáticas. Por exemplo, quase metade do cálcio plasmático e a maior parte dos ácidos graxos do plasma encontram-se ligados a proteínas, sendo essa fração ligada não filtrada nos capilares glomerulares.

A TAXA DE FILTRAÇÃO GLOMERULAR CORRESPONDE A CERCA DE 20% DO FLUXO SANGUÍNEO RENAL

Os capilares glomerulares, similarmente a outros capilares, filtram líquido em uma taxa determinada pelos seguintes fatores: (1) equilíbrio entre as forças hidrostáticas e coloidosmóticas que atuam através da membrana capilar; e (2) coeficiente de filtração capilar (K_f), produto da permeabilidade e área de superfície de filtração dos capilares. Os capilares glomerulares têm taxa de filtração muito mais alta do que a maioria dos capilares em virtude da alta pressão hidrostática glomerular e do alto K_f. No homem adulto médio, a TFG é de aproximadamente 125 mℓ/min, ou 180 ℓ/dia. A fração do fluxo plasmático renal que é filtrada (fração de filtração) gira em torno de 20%, ou seja, cerca de 20% do plasma que flui através do rim é filtrado nesses capilares (ver **Figura 27.1**).

A filtração é calculada da seguinte forma:

Fração de filtração = TFG/Fluxo plasmático renal

MEMBRANA GLOMERULAR

A membrana capilar glomerular é similar à de outros capilares, exceto por apresentar três (em vez de duas) camadas

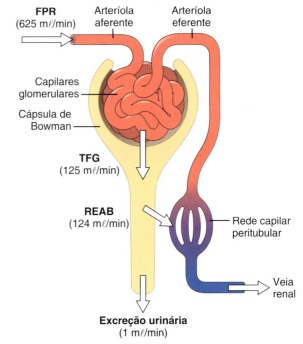

Figura 27.1 Valores médios do fluxo plasmático renal total (FPR), taxa de filtração glomerular (TFG), reabsorção tubular (REAB) e fluxo urinário. O FPR equivale ao fluxo sanguíneo renal × (1 − hematócrito). Observe que a TFG gira em torno de 20% do FPR, ao passo que o fluxo urinário corresponde a menos que 1% da TFG. Portanto, mais que 99% do líquido filtrado é normalmente absorvido. A fração de filtração é igual a TFG/FPR.

CAPÍTULO 27 Filtração Glomerular, Fluxo Sanguíneo Renal e seus Respectivos Controles

principais: (1) o *endotélio* dos capilares; (2) uma *membrana basal*; e (3) uma camada de *células epiteliais (podócitos)* que circundam a superfície externa da membrana basal do capilar (ver **Figura 27.2**).

Juntas, essas camadas perfazem a barreira de filtração que, embora tenha três níveis, filtra centenas de vezes mais água e solutos do que a membrana de um capilar usual. Mesmo com essa alta taxa de filtração, a membrana capilar glomerular normalmente filtra somente uma pequena quantidade de proteínas plasmáticas.

A alta taxa de filtração através da membrana capilar glomerular deve-se, em parte, às suas características especiais. O *endotélio* capilar é perfurado por milhares de pequenos orifícios denominados *fenestras*, que lembram os capilares fenestrados encontrados no fígado, embora sejam menores. Porém, mesmo com fenestrações relativamente maiores, as proteínas celulares endoteliais são ricamente carregadas com carga negativa, o que dificulta a passagem de proteínas plasmáticas.

Ao redor do endotélio há a *membrana basal*, que consiste em uma rede de colágeno e fibrilas de proteoglicanos com amplos espaços através dos quais grandes quantidades de água e pequenos solutos são filtrados. A membrana basal dificulta muito a filtração de proteínas plasmáticas, em parte pelas fortes cargas negativas associadas aos proteoglicanos.

A porção final da membrana glomerular consiste em uma camada de células epiteliais (podócitos) que revestem a superfície externa do glomérulo. Esses podócitos não são contínuos, eles têm longos processos que lembram pés *(podos)* que circulam a superfície externa dos capilares (ver **Figura 27.2**). Os processos podais dessa membrana são separados por espaços denominados *poros em fenda*, através dos quais flui o filtrado glomerular. As células epiteliais, que possuem em sua estrutura proteínas cuja carga também é negativa, fornecem restrição adicional à filtração de proteínas plasmáticas. Portanto, todas as camadas do capilar glomerular promovem uma barreira contra a filtração de proteínas plasmáticas, porém permitem rápida filtração de água e da maioria dos solutos do plasma.

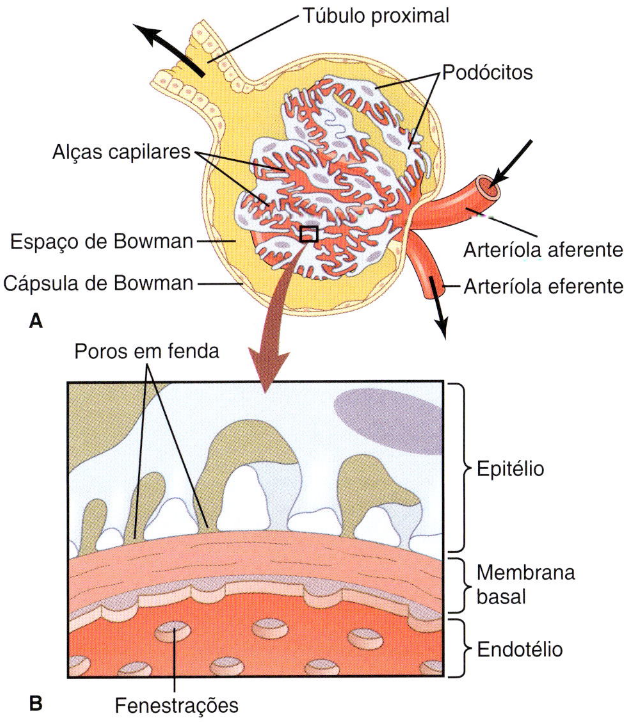

Filtrabilidade dos solutos inversamente proporcional ao seu tamanho. A membrana do capilar glomerular é mais espessa do que a da maioria dos capilares, porém também mais porosa, filtrando líquidos em taxa mais alta. Apesar da alta taxa de filtração, a barreira de filtração glomerular é seletiva na determinação de quais moléculas serão filtradas, com base em seu tamanho e carga elétrica.

A **Tabela 27.1** lista o efeito do tamanho molecular sobre a filtrabilidade de diferentes moléculas. Uma filtrabilidade igual a 1,0 significa que a substância é filtrada tão livremente quanto a água, enquanto uma filtrabilidade de 0,75 significa que a substância é filtrada a uma velocidade de 75% da água. Observe que os eletrólitos como sódio e pequenos compostos orgânicos, como a glicose, são filtrados livremente. Conforme o peso molecular se aproxima do peso da albumina, a filtrabilidade rapidamente decai, aproximando-se de zero.

Moléculas grandes com carga negativa são filtradas com menos facilidade que moléculas de carga positiva com igual tamanho. O diâmetro molecular da proteína plasmática albumina é de apenas cerca de 6 nanômetros, ao passo que os poros da membrana glomerular têm cerca de 8 nanômetros (80 angstroms [Å]). Contudo, a albumina tem filtração restrita em razão da sua carga negativa e da repulsão eletrostática exercida pelas cargas negativas dos proteoglicanos da parede capilar glomerular.

A **Figura 27.3** demonstra como as cargas elétricas afetam a filtração de dextranas de diferentes pesos moleculares pelo glomérulo. Dextranas são polissacarídeos que podem ser produzidos como moléculas neutras ou com carga positiva ou negativa. Observe que, para um dado raio molecular, moléculas de carga positiva serão filtradas muito mais rapidamente que moléculas de carga negativa. Dextranas neutras também são filtradas mais

Figura 27.2 A. Ultraestrutura básica dos capilares glomerulares. **B.** Seção transversal da membrana capilar glomerular e seus principais componentes: endotélio capilar, membrana basal e epitélio (podócitos).

Tabela 27.1 Filtrabilidade de substâncias pelos capilares glomerulares com base no peso molecular.

Substância	Peso molecular	Filtrabilidade
Água	18	1,0
Sódio	23	1,0
Glicose	180	1,0
Inulina	5.500	1,0
Mioglobina	17.000	0,75
Albumina	69.000	0,005

PARTE 5 Líquidos Corporais e Rins

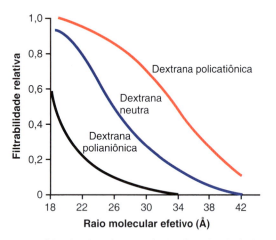

Figura 27.3 Efeito do raio e da carga elétrica da molécula de dextrana sobre sua filtrabilidade pelos capilares glomerulares. Um valor 1 indica que a substância é filtrada tão livremente quanto a água, ao passo que o valor 0 indica que não ocorre filtração. Dextranas são polissacarídeos que podem ser produzidos como moléculas neutras ou com cargas negativas ou positivas e pesos moleculares variados.

prontamente que dextranas de carga negativa com igual peso molecular. O motivo dessas diferenças na filtrabilidade é que as cargas negativas da membrana basal e dos podócitos promovem um importante meio de restrição às moléculas grandes com carga negativa, incluindo as proteínas plasmáticas.

Nefropatia por lesão mínima e aumento da permeabilidade glomerular às proteínas plasmáticas.

Na *nefropatia por lesão mínima*, os glomérulos tornam-se mais permeáveis às proteínas plasmáticas, ainda que aparentem estar normais quando observados em um microscópio óptico padrão. Contudo, ao serem visualizados em alta magnificação com microscópico eletrônico, em geral demonstram podócitos achatados com processos podais que podem estar separados da membrana basal glomerular (*supressão de podócitos*).

As causas da nefropatia por lesão mínima são incertas, mas podem estar, em parte, associadas a uma resposta imunológica anormalmente exacerbada, com secreção de citocinas das células T, as quais lesionam os podócitos, causando aumento da sua permeabilidade a algumas proteínas de baixo peso molecular, especialmente a albumina. Esse aumento de permeabilidade permite filtração de proteínas pelos capilares glomerulares e sua excreção na urina, condição denominada *proteinúria* ou *albuminúria*. A nefropatia por lesão mínima é mais comum em crianças pequenas, porém também ocorre em adultos, especialmente em portadores de outras doenças autoimunes.

DETERMINANTES DA TAXA DE FILTRAÇÃO GLOMERULAR

A TFG é determinada pelos seguintes fatores: (1) soma das forças hidrostáticas e coloidosmóticas existentes na membrana glomerular, que gera a *pressão resultante de filtração*;

e (2) o K_f glomerular. Matematicamente, a TFG equivale ao produto entre K_f e a pressão resultante de filtração:

$$TFG = K_f \times \text{Pressão resultante de filtração}$$

A pressão resultante de filtração representa a soma das forças hidrostáticas e coloidosmóticas que favorecem ou se opõem à filtração através dos capilares glomerulares (ver **Figura 27.4**). Essas forças incluem: (1) a pressão hidrostática dentro dos capilares glomerulares (pressão hidrostática glomerular, P_G), que favorece a filtração; (2) a pressão hidrostática da cápsula de Bowman (P_B), fora dos capilares, que se opõe à filtração; (3) a pressão coloidosmótica das proteínas plasmáticas do capilar glomerular (π_G), que se opõe à filtração; e (4) a pressão coloidosmótica das proteínas da cápsula de Bowman (π_B), que favorecem a filtração. Sob condições normais, a concentração de proteínas no filtrado glomerular é tão baixa que a pressão coloidosmótica do líquido da cápsula de Bowman é considerada zero.

Portanto, a TFG pode ser expressa como:

$$TFG = K_f \times (P_G - P_B - \pi_G + \pi_B)$$

Embora os valores normais dos determinantes da TFG não tenham sido mensurados diretamente em humanos, já foram estimados em animais, como cães e ratos. Com base nos resultados desses estudos em animais, acredita-se que as forças normais aproximadas que favorecem e se opõem à filtração glomerular de humanos sejam (ver **Figura 27.4**):

Forças que favorecem a filtração (mmHg)

Pressão hidrostática glomerular	60
Pressão coloidosmótica da cápsula de Bowman	0

Forças que se opõem à filtração (mmHg)

Pressão hidrostática da cápsula de Bowman	18
Pressão coloidosmótica do capilar glomerular	32

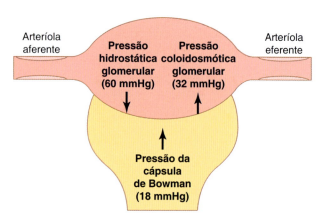

Figura 27.4 Resumo das forças que causam a filtração pelos capilares glomerulares. Os valores demonstrados são estimativas para humanos saudáveis.

Assim, a pressão de filtração resultante = 60 − 18 − 32 = +10 mmHg.

Alguns desses valores podem mudar notavelmente sob diferentes condições fisiológicas, enquanto outros se alteram principalmente nas enfermidades, conforme será discutido mais adiante.

O AUMENTO DO COEFICIENTE DE FILTRAÇÃO CAPILAR GLOMERULAR ELEVA A TAXA DE FILTRAÇÃO GLOMERULAR

O K_f é uma medida do produto entre a condutividade hidráulica e área de superfície dos capilares glomerulares. Não é possível mensurá-lo diretamente, porém é possível estimá-lo experimentalmente dividindo-se a TFG pela pressão resultante de filtração:

$$K_f = TFG/\text{Pressão resultante de filtração}$$

Como a TFG total de ambos os rins é de aproximadamente 125 mℓ/min e a pressão de filtração resultante é de 10 mmHg, calcula-se o K_f normal em cerca de 12,5 mℓ/min por mmHg de pressão de filtração. Quando expresso por 100 gramas de peso renal, situa-se em torno de 4,2 mℓ/min/mmHg, valor cerca de 400 vezes maior que o K_f da maioria dos capilares do organismo. O K_f médio de muitos outros tecidos do organismo não ultrapassa 0,01 mℓ/min/mmHg/100 g. Esse alto K_f dos capilares glomerulares contribui para sua rápida taxa de filtração de líquidos.

Embora o aumento do K_f eleve a TFG e sua diminuição também reduza a TFG, alterações do K_f provavelmente não proporcionam um mecanismo primário para a regulação diária normal da TFG. Algumas doenças, todavia, reduzem o K_f por meio da redução do número de capilares glomerulares funcionais (o que reduz a área de superfície de filtração) ou pelo aumento da espessura da membrana capilar glomerular e redução de sua condutividade hidráulica. Por exemplo, a hipertensão crônica não controlada pode gradualmente diminuir o K_f por aumentar a espessura da membrana basal dos capilares glomerulares e, eventualmente, lesioná-los tão gravemente a ponto de causar a perda da sua função.

O AUMENTO DA PRESSÃO HIDROSTÁTICA DA CÁPSULA DE BOWMAN REDUZ A TAXA DE FILTRAÇÃO GLOMERULAR

Mensurações diretas da pressão hidrostática da cápsula de Bowman e de diferentes pontos do túbulo proximal em experimentos com animais utilizando micropipetas sugerem que uma estimativa razoável desse valor em humanos seja de aproximadamente 18 mmHg sob condições normais. O aumento dessa pressão diminui a TFG, ao passo que sua diminuição aumenta a TFG. Contudo, alterações da pressão da cápsula de Bowman normalmente não constituem meio primário de regulação da TFG.

Em alguns estados patológicos associados à obstrução do trato urinário, a pressão da cápsula de Bowman pode aumentar significativamente, causando grave redução da TFG. Por exemplo, a precipitação do cálcio ou ácido úrico pode levar à formação de cálculos que se alojam no trato urinário, frequentemente no ureter, obstruindo o fluxo de urina e aumentando a pressão da cápsula de Bowman. Essa situação diminui a TFG e pode causar *hidronefrose* (distensão e dilatação da pelve e cálices renais), com a lesão, ou mesmo destruição, do rim caso a obstrução não seja aliviada.

O AUMENTO DA PRESSÃO COLOIDOSMÓTICA CAPILAR GLOMERULAR REDUZ A TAXA DE FILTRAÇÃO GLOMERULAR

Conforme o sangue passa da arteríola aferente através dos capilares glomerulares até as arteríolas eferentes, a concentração de proteínas plasmáticas aumenta cerca de 20% (ver **Figura 27.5**). O motivo desse aumento é que cerca de um quinto do líquido dos capilares é filtrado para a cápsula de Bowman, o que causa concentração das proteínas plasmáticas glomerulares que não são filtradas. Admitindo-se que a pressão coloidosmótica normal do plasma que adentra os capilares glomerulares gire em torno de 28 mmHg, esse valor geralmente aumenta para cerca de 36 mmHg quando o sangue alcança a extremidade eferente dos capilares. Portanto, a pressão coloidosmótica média das proteínas plasmáticas do capilar glomerular situa-se entre 28 e 36 mmHg, ou aproximadamente 32 mmHg.

Dois fatores influenciam a pressão coloidosmótica do capilar glomerular: (1) a pressão coloidosmótica plasmática arterial; e (2) a fração de plasma filtrada pelos capilares glomerulares (fração de filtração). O aumento da pressão coloidosmótica plasmática arterial aumenta a pressão coloidosmótica do capilar glomerular, o que tende a reduzir a TFG.

O aumento da fração de filtração também concentra as proteínas plasmáticas e aumenta a pressão coloidosmótica glomerular (ver **Figura 27.5**). Como a fração de filtração

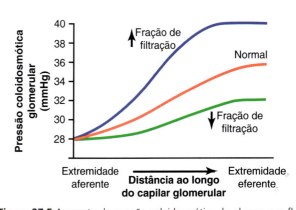

Figura 27.5 Aumento da pressão coloidosmótica do plasma que flui através do capilar glomerular. Normalmente, cerca de um quinto do líquido dos capilares glomerulares é filtrado para a cápsula de Bowman, tornando concentradas as proteínas plasmáticas que não são filtradas. Aumentos na fração de filtração (taxa de filtração glomerular/fluxo plasmático renal) elevam a taxa de crescimento da pressão coloidosmótica do plasma ao longo do capilar glomerular; reduções na fração de filtração têm efeito oposto.

define-se como TFG dividida pelo fluxo plasmático renal, a fração de filtração pode ser aumentada pelo incremento da TFG ou pela diminuição do fluxo plasmático renal. Por exemplo, uma diminuição no fluxo plasmático renal sem alteração inicial da TFG tenderia a aumentar a fração de filtração, o que por sua vez aumentaria a pressão coloidosmótica do capilar glomerular e reduziria a TFG. Por essa razão, alterações do fluxo sanguíneo renal podem influenciar a TFG independentemente das alterações sofridas pela pressão hidrostática glomerular.

Com o aumento do fluxo sanguíneo renal, ocorre inicialmente filtração de menor fração a partir dos capilares glomerulares, causando aumento mais lento na pressão coloidosmótica do capilar glomerular e menor efeito inibitório sobre a TFG. *Consequentemente, mesmo com pressão hidrostática glomerular constante, maior fluxo sanguíneo no glomérulo tende a aumentar a TFG e menor fluxo sanguíneo no glomérulo tende a diminuí-la.*

O AUMENTO DA PRESSÃO HIDROSTÁTICA DO CAPILAR GLOMERULAR ELEVA A TAXA DE FILTRAÇÃO GLOMERULAR

A pressão hidrostática do capilar glomerular já foi estimada em cerca de 60 mmHg sob condições normais. Alterações nesse valor constituem o principal meio de regulação fisiológica da TFG. Aumentos na pressão hidrostática glomerular elevam a TFG, ao passo que diminuições resultam em redução da TFG.

A pressão hidrostática glomerular é determinada por três variáveis, cada qual sob controle fisiológico: (1) *pressão arterial*; (2) *resistência arteriolar aferente*; e (3) *resistência arteriolar eferente*.

O aumento da pressão arterial tende a aumentar a pressão hidrostática glomerular e, por conseguinte, a TFG. Entretanto, conforme discutido mais adiante, esse efeito é atenuado por mecanismos autorregulatórios que mantêm pressão glomerular relativamente constante diante de flutuações da pressão arterial.

O aumento da resistência das arteríolas aferentes diminui a pressão hidrostática glomerular e a TFG (ver **Figura 27.6**). Da mesma forma, a dilatação das arteríolas aferentes aumenta a pressão hidrostática glomerular e a TFG.

A constrição das arteríolas eferentes aumenta a resistência ao fluxo de saída dos capilares glomerulares. Esse mecanismo eleva a pressão hidrostática glomerular e, contanto que o fluxo sanguíneo renal não seja muito reduzido pelo aumento da resistência eferente, a TFG sofre um ligeiro aumento (ver **Figura 27.6**). Todavia, como a vasoconstrição da arteríola eferente também diminui o fluxo sanguíneo renal, a fração de filtração e a pressão coloidosmótica glomerular aumentam conforme aumenta a resistência arteriolar eferente. Sendo assim, no caso de constrição grave da arteríola eferente (com aumento maior que cerca de três vezes sua resistência arteriolar), o aumento da pressão coloidosmótica excede o aumento da pressão hidrostática capilar causado pela constrição

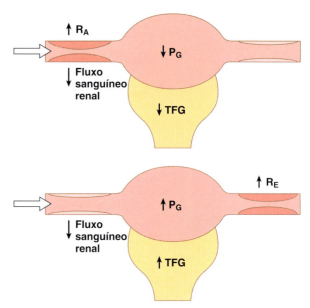

Figura 27.6 Efeito do aumento da resistência arteriolar aferente (R_A, *quadro superior*) ou eferente (R_E, *quadro inferior*) sobre o fluxo sanguíneo renal, pressão hidrostática glomerular (P_G) e taxa de filtração glomerular (TFG).

arteriolar eferente. Nessa situação, a *força resultante* de filtração diminui, causando redução da TFG.

Portanto, a constrição da arteríola eferente produz efeito bifásico sobre a TFG (ver **Figura 27.7**). Níveis moderados de constrição causam aumento discreto na TFG, já níveis graves provocam redução da TFG. A causa primária da eventual diminuição da TFG é descrita a seguir. Com a maior gravidade da constrição eferente e o aumento da concentração de proteínas plasmáticas, ocorre uma rápida elevação não linear da pressão coloidosmótica, causada pelo efeito Donnan; quanto maior a concentração de proteínas, mais rapidamente a pressão coloidosmótica se eleva em virtude da interação de íons ligados às proteínas plasmáticas, os quais também exercem efeito osmótico, como discutido no Capítulo 16.

Em suma, a constrição das arteríolas aferentes reduz a TFG. Já o efeito da constrição das arteríolas eferentes depende da gravidade da constrição; quando leve, ocorre aumento da TFG e, quando grave (aumentando a resistência em mais de três vezes), há uma tendência de redução da TFG.

A **Tabela 27.2** resume os fatores que podem diminuir a TFG.

FLUXO SANGUÍNEO RENAL

Em um homem de 70 kg, o fluxo sanguíneo combinado de ambos os rins é de aproximadamente 1.100 ml/min, ou cerca de 22% do débito cardíaco. Considerando que os dois rins correspondem a apenas 0,4% do peso corporal, logo se percebe que recebem um fluxo sanguíneo desproporcionalmente alto, em comparação com os demais órgãos.

CAPÍTULO 27 Filtração Glomerular, Fluxo Sanguíneo Renal e seus Respectivos Controles

Assim como com outros tecidos, o fluxo sanguíneo traz nutrientes e remove produtos de excreção dos rins. Todavia, o alto fluxo renal excede sobremaneira essa necessidade. O propósito desse fluxo adicional é suprir plasma suficiente para as altas taxas de filtração glomerular necessárias à regulação precisa dos volumes e da concentração de solutos dos líquidos corporais. Como se pode esperar, os mecanismos que regulam o fluxo sanguíneo renal estão intimamente ligados ao controle da TFG e das funções dos rins.

FLUXO SANGUÍNEO E CONSUMO DE OXIGÊNIO RENAL

Por grama de peso, os rins normalmente consomem oxigênio a uma taxa equivalente ao dobro da taxa do encéfalo, porém seu fluxo sanguíneo é quase sete vezes maior que o fluxo do encéfalo. Portanto, o oxigênio fornecido aos rins excede sobremaneira suas necessidades metabólicas, de modo que a taxa de extração arteriovenosa de oxigênio é relativamente baixa comparada à da maioria dos tecidos.

Uma grande fração do oxigênio consumido pelos rins relaciona-se à alta taxa de reabsorção ativa de sódio nos túbulos renais. Se o fluxo sanguíneo renal e a TFG diminuírem, menos sódio será filtrado, menos sódio será reabsorvido e menos oxigênio será consumido. Portanto, o consumo de oxigênio dos rins varia proporcionalmente à reabsorção de sódio tubular, que, por sua vez, está intimamente ligada à TFG e à quantidade de sódio filtrada (ver **Figura 27.8**). Se a filtração glomerular cessar completamente, a reabsorção de sódio também cessará, de forma que o consumo de oxigênio decairá para cerca de um quarto do normal. Esse consumo residual de oxigênio reflete as necessidades metabólicas básicas das células renais.

DETERMINANTES DO FLUXO SANGUÍNEO RENAL

O fluxo sanguíneo renal (FSR) é determinado pelo gradiente de pressão através da vasculatura renal (diferença entre as pressões hidrostáticas da artéria renal e da veia renal) dividido pela resistência vascular renal total:

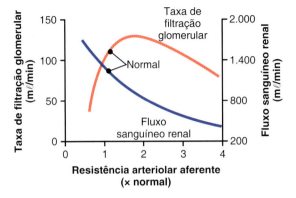

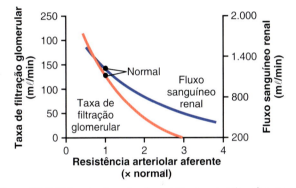

Figura 27.7 Efeito da alteração da resistência arteriolar aferente ou eferente sobre a taxa de filtração glomerular e o fluxo sanguíneo renal.

Tabela 27.2 Fatores que podem diminuir a taxa de filtração glomerular.

Determinantes físicos[a]	Causas fisiológicas ou fisiopatológicas
↓K_f → ↓TFG	Doença renal, diabetes melito, hipertensão, envelhecimento
↑P_B → ↓TFG	Obstrução do trato urinário (p. ex., cálculos renais)
↑π_G → ↓TFG	↓ Fluxo sanguíneo renal, aumento das proteínas plasmáticas
↓P_G → ↓TFG ↓P_A → ↓P_G	↓ Pressão arterial (pequeno efeito apenas, em razão da autorregulação)
↓R_E → ↓P_G	↓ Angiotensina II (fármacos que bloqueiam a formação de angiotensina II)
↑R_A → ↓P_G	↑ Atividade simpática, hormônios vasoconstritores (p. ex., noradrenalina, endotelina)

[a]Mudanças opostas nos determinantes geralmente resultam em aumento da TFG. K_f: coeficiente de filtração glomerular; P_A: pressão arterial sistêmica; P_B: pressão hidrostática da cápsula de Bowman; π_G: pressão coloidosmótica do capilar glomerular; P_G: pressão hidrostática do capilar glomerular; R_A: resistência arteriolar aferente; R_E: resistência arteriolar eferente; TFG: taxa de filtração glomerular.

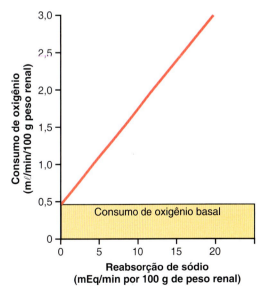

Figura 27.8 Relação entre o consumo de oxigênio e a reabsorção de sódio nos rins do cão. (De Kramer K, Deetjen P: [Relation of renal oxygen consumption to blood supply and glomerular filtration during variations of blood pressure.] Pflugers Arch Physiol 271:782, 1960.)

PARTE 5 Líquidos Corporais e Rins

$$FSR = \frac{(\text{Pressão da artéria renal} - \text{Pressão da veia renal})}{\text{Resistência vascular renal total}}$$

A pressão da artéria renal é quase igual à pressão arterial sistêmica, ao passo que a pressão da veia renal se situa por volta de 3 a 4 mmHg na maioria das condições. Assim como em outros leitos vasculares, a resistência vascular total através dos rins é determinada pela soma das resistências em segmentos vasculares individuais, incluindo as artérias, arteríolas, capilares e veias (**Tabela 27.3**).

A maior parte da resistência vascular renal reside em três segmentos principais – artérias interlobulares, arteríolas aferentes e arteríolas eferentes. A resistência desses vasos é controlada pelo sistema nervoso simpático, vários hormônios e mecanismos de controle renal interno locais, que serão discutidos mais adiante. Um aumento na resistência de qualquer um dos segmentos vasculares dos rins tende a reduzir o fluxo sanguíneo renal, ao passo que uma diminuição na resistência vascular aumenta o fluxo sanguíneo renal, se as pressões da artéria e veia renal permanecerem constantes.

Embora alterações na pressão arterial exerçam certa influência sobre o fluxo sanguíneo renal, os rins possuem mecanismos eficazes de manutenção do fluxo sanguíneo e TFG relativamente constantes dentro de uma faixa de pressão arterial de 80 a 170 mmHg, processo denominado *autorregulação*. Essa capacidade de autorregulação ocorre por meio de mecanismos intrínsecos aos rins, como discutido mais adiante neste capítulo.

O FLUXO SANGUÍNEO NOS VASOS RETOS DA MEDULA RENAL É BAIXO COMPARADO AO FLUXO RENAL CORTICAL

A porção externa do rim, ou seu córtex, recebe a maior parte do fluxo sanguíneo renal. O fluxo sanguíneo da medula corresponde a apenas cerca de 1 a 2% do fluxo renal total. O fluxo medular é suprido por uma porção especializada do sistema capilar peritubular, chamada vasos retos. Esses vasos descendem para a medula paralelamente às alças de Henle e depois retornam pelo mesmo trajeto ao córtex para drenarem para o sistema venoso. Conforme discutido no Capítulo 29, os vasos retos

desempenham um importante papel em permitir que os rins formem urina concentrada.

CONTROLE FISIOLÓGICO DA FILTRAÇÃO GLOMERULAR E FLUXO SANGUÍNEO RENAL

O determinante da TFG mais variável e suscetível ao controle fisiológico é a pressão hidrostática glomerular. Essa variável sofre influência do sistema nervoso simpático, hormônios, autacoides (substâncias vasoativas liberadas nos rins com ação local) e outros controles por *feedback* intrínsecos dos rins.

A ATIVAÇÃO INTENSA DO SISTEMA NERVOSO SIMPÁTICO REDUZ A TAXA DE FILTRAÇÃO GLOMERULAR

Em essência, todos os vasos sanguíneos renais, incluindo as arteríolas aferente e eferente, são ricamente inervados por fibras nervosas simpáticas. A ativação intensa desses nervos pode causar vasoconstrição das arteríolas renais e diminuir o fluxo sanguíneo renal e a TFG. A estimulação simpática moderada ou leve exerce pouca influência sobre o fluxo e a TFG. Por exemplo, a ativação reflexa do sistema nervoso simpático resultante de reduções moderadas na pressão sofrida pelos barorreceptores do seio carotídeo ou receptores cardiopulmonares tem pouca influência sobre o fluxo sanguíneo renal ou a TFG. Todavia, conforme discutido no Capítulo 28, mesmo aumentos discretos na atividade simpática dos rins podem estimular a liberação de renina e aumentar a reabsorção tubular renal, causando diminuição da excreção de sódio e água.

Os nervos simpáticos renais parecem ser os mais importantes fatores na redução da TFG durante distúrbios agudos graves que duram minutos a horas, como ocorre na reação de defesa, na isquemia cerebral ou na hemorragia grave.

CONTROLE HORMONAL E PARÁCRINO DA CIRCULAÇÃO RENAL

Diversos hormônios e autacoides (moléculas com ação parácrina, isto é, local) podem influenciar a TFG e o fluxo sanguíneo renal, conforme resumido na **Tabela 27.4**.

Tabela 27.3 Pressões e resistências vasculares aproximadas na circulação de um rim normal.

Vaso	Pressão no vaso (mmHg)		Porcentagem da resistência vascular renal total
	Início	Fim	
Artéria renal	100	100	Cerca de 0
Artérias interlobares, arqueadas e interlobulares	Cerca de 100	85	Cerca de 16
Arteríola aferente	85	60	Cerca de 26
Capilares glomerulares	60	59	Cerca de 1
Arteríola eferente	59	18	Cerca de 43
Capilares peritubulares	18	8	Cerca de 10
Veias interlobares, arqueadas e interlobulares	8	4	Cerca de 4
Veia renal	4	Cerca de 4	Cerca de 0

CAPÍTULO 27 Filtração Glomerular, Fluxo Sanguíneo Renal e seus Respectivos Controles

Tabela 27.4 Hormônios e autacoides que influenciam a taxa de filtração glomerular (TFG).

Noradrenalina	↓
Adrenalina	↓
Endotelina	↓
Angiotensina II	↔ (impede a ↓)
Óxido nítrico derivado do endotélio	↑
Prostaglandinas	↑

A noradrenalina, a adrenalina e a endotelina causam constrição dos vasos sanguíneos renais e diminuem a taxa de filtração glomerular. Hormônios que causam constrição das arteríolas aferentes e eferentes, diminuindo a TFG e o fluxo sanguíneo renal, incluem a *noradrenalina* e a *adrenalina* liberadas pela medula adrenal. Em geral, os níveis desses hormônios se equiparam à atividade do sistema nervoso simpático. Dessa forma, a noradrenalina e a adrenalina exercem pouca influência sobre a hemodinâmica renal, exceto sob condições associadas a uma ativação intensa do sistema nervoso simpático, como na hemorragia grave.

Outro vasoconstritor, a *endotelina*, é um peptídeo que pode ser liberado por células endoteliais de vasos lesionados dos rins ou de outros tecidos. O papel fisiológico desse autacoide não é totalmente compreendido. Contudo, a endotelina pode contribuir com a hemostasia (minimização da perda de sangue) quando um vaso é rompido, o que lesiona o endotélio e causa liberação desse potente vasoconstritor. Os níveis de endotelina plasmática também aumentam em muitas doenças associadas a lesões vasculares, como na toxemia da gestação, insuficiência renal aguda e uremia crônica, podendo contribuir com a vasoconstrição renal e redução da TFG em algumas dessas condições fisiopatológicas.

A angiotensina II causa constrição preferencialmente das arteríolas eferentes na maioria das condições fisiológicas. Um potente vasoconstritor renal, a *angiotensina II*, pode ser considerada um hormônio circulante e um *autacoide* produzido localmente, ou um *sinalizador parácrino*, visto que é produzida nos rins e na circulação sistêmica. Receptores para angiotensina II estão presentes em praticamente todos os vasos sanguíneos dos rins. Contudo, os vasos pré-glomerulares, especialmente as arteríolas aferentes, parecem apresentar relativa proteção contra a constrição mediada pela angiotensina II na maioria das condições fisiológicas associadas à ativação do sistema renina-angiotensina, como na dieta com baixo teor de sódio ou na diminuição da pressão de perfusão renal, devida a uma estenose da artéria renal. Essa proteção se deve à liberação de vasodilatadores, especialmente o *óxido nítrico* e as *prostaglandinas*, os quais atuam contra os efeitos vasoconstritores da angiotensina II nesses vasos.

As arteríolas eferentes, por sua vez, são altamente sensíveis à angiotensina II. Como sua ação promove constrição preferencialmente das arteríolas eferentes na maior parte das condições fisiológicas, o aumento dos níveis de angiotensina II eleva a pressão hidrostática glomerular ao mesmo tempo que reduz o fluxo sanguíneo renal. É preciso lembrar que o aumento da formação de angiotensina II geralmente ocorre em circunstâncias associadas a diminuição da pressão arterial ou depleção de volume, ambos capazes de diminuir a TFG. Nesses casos, o maior nível de angiotensina II, ao produzir constrição de arteríolas eferentes, auxilia na *prevenção* da redução da pressão hidrostática glomerular e TFG. Ao mesmo tempo, a redução do fluxo sanguíneo renal causada pela constrição das arteríolas eferentes contribui para diminuir o fluxo através dos capilares peritubulares, o que por sua vez aumenta a reabsorção de sódio e água, conforme discutido no Capítulo 28.

Portanto, níveis elevados de angiotensina II que ocorrem na dieta com baixo teor de sódio ou na depleção de volume auxiliam na manutenção da TFG e excreção normal de produtos de excreção do metabolismo, como ureia e creatinina, as quais dependem da filtração glomerular para serem excretadas. Ao mesmo tempo, a constrição das arteríolas eferentes induzida pela angiotensina II aumenta a reabsorção tubular de sódio e água, auxiliando na recuperação da volemia e da pressão arterial. Esse efeito que auxilia na autorregulação da TFG será discutido com mais detalhes mais adiante neste capítulo.

O óxido nítrico derivado do endotélio reduz a resistência vascular renal e aumenta a taxa de filtração glomerular. Um autacoide que reduz a resistência vascular renal e é liberado pelo endotélio vascular de todo o organismo é o *óxido nítrico derivado do endotélio*. Um nível basal de produção de óxido nítrico parece ser importante para a manutenção da vasodilatação dos rins e a excreção normal de sódio e água. Portanto, a administração de fármacos que inibem sua formação aumenta a resistência vascular renal e diminui a TFG e a excreção urinária de sódio, causando, por fim, aumento da pressão arterial. Em alguns pacientes hipertensos ou com aterosclerose, a lesão do endotélio vascular e a perda da produção normal de óxido nítrico podem contribuir com o aumento da vasoconstrição renal e da pressão arterial.

As prostaglandinas e a bradicinina reduzem a resistência vascular renal e tendem a aumentar a taxa de filtração glomerular. Prostaglandinas (PGE2 e PGI2) e bradicinina funcionam como autacoides que causam vasodilatação, aumento do fluxo sanguíneo renal e aumento da TFG. Essas substâncias são discutidas no Capítulo 17. Embora esses vasodilatadores não pareçam ter grande importância na regulação do fluxo sanguíneo renal ou TFG em condições normais, podem atenuar os efeitos vasoconstritores renais dos nervos simpáticos ou da angiotensina II, especialmente seus efeitos sobre as arteríolas aferentes.

Opondo-se à vasoconstrição das arteríolas aferentes, as prostaglandinas auxiliam na prevenção de reduções excessivas da TFG e do fluxo sanguíneo renal. Sob condições de estresse, como na depleção de volume ou após uma cirurgia, a administração de fármacos anti-inflamatórios não esteroidais (AINEs) como o ácido acetilsalicílico, que inibe a síntese de prostaglandinas, pode causar significativa redução da TFG.

AUTORREGULAÇÃO DA TAXA DE FILTRAÇÃO GLOMERULAR E FLUXO SANGUÍNEO RENAL

Os mecanismos de *feedback* intrínsecos dos rins normalmente mantêm o fluxo sanguíneo renal e a TFG relativamente constantes, mesmo diante de alterações significativas da pressão arterial.

Esses mecanismos ainda funcionam em rins perfundidos com sangue que foram removidos do organismo, independentemente de influências sistêmicas. Essa relativa constância da TFG e do fluxo sanguíneo renal recebe o nome de *autorregulação* (ver **Figura 27.9**).

A função primária da autorregulação do fluxo sanguíneo da maioria dos tecidos que não os rins é manter a oferta de oxigênio e nutrientes em nível normal e remover produtos de excreção do metabolismo, independentemente de alterações da pressão arterial. Nos rins, o fluxo sanguíneo normal é muito mais alto do que o necessário para essas funções. A maior função da autorregulação nos rins é manter uma TFG relativamente constante e controlar, de maneira precisa, a excreção renal de água e solutos.

A TFG normalmente se mantém relativamente constante, mesmo diante de flutuações consideráveis da pressão arterial que ocorrem durante as atividades diárias de uma pessoa. Por exemplo, quedas da pressão arterial até 70 a 75 mmHg ou aumentos até 160 a 180 mmHg normalmente modificam a TFG em menos de 10%. Em geral, o fluxo sanguíneo renal é autorregulado juntamente com a TFG, embora esta seja mais eficientemente controlada sob certas condições.

Importância da autorregulação da taxa de filtração glomerular na prevenção de alterações extremas da excreção renal

Embora os mecanismos de autorregulação renais não sejam perfeitos, são capazes de prevenir mudanças potencialmente grandes na TFG e excreção renal de água e solutos que poderiam ocorrer com alterações da pressão arterial. Pode-se compreender a importância quantitativa da autorregulação considerando-se a relativa magnitude da filtração glomerular, reabsorção tubular e excreção renal, bem como as mudanças na excreção renal que ocorreriam sem os mecanismos de autorregulação.

Normalmente, a TFG situa-se em torno de 180 ℓ/dia e a reabsorção tubular em 178,5 ℓ/dia, restando 1,5 ℓ/dia de líquido para ser excretado na urina. Sem autorregulação, mudança relativamente pequena na pressão arterial (de 100 a 125 mmHg) causaria aumento similar de 25% na TFG (de 180 ℓ/dia para cerca de 225 ℓ/dia). Com a reabsorção tubular constante em 178,5 ℓ/dia, o fluxo urinário aumentaria para 46,5 ℓ/dia (diferença entre TFG e reabsorção tubular) – um aumento total na urina superior a 30 vezes. Visto que o volume plasmático é de apenas cerca de 3 ℓ, essa alteração rapidamente resultaria em depleção de volume.

Na realidade, mudanças na pressão arterial geralmente exercem efeito muito menor sobre o volume de urina por duas razões: (1) a autorregulação renal previne grandes alterações da TFG que poderiam ocorrer; e (2) há mecanismos adaptativos adicionais nos túbulos renais que os fariam aumentar sua taxa de reabsorção após um aumento da TFG, fenômeno denominado *balanço glomerulotubular* (discutido no Capítulo 28). Mesmo com esses mecanismos especiais de controle, as mudanças na pressão arterial ainda têm efeitos significativos sobre a excreção renal de água e sódio, que recebem o nome de *diurese de pressão* ou *natriurese de pressão*, cruciais na regulação dos volumes de líquidos corporais e da pressão arterial, conforme discutido nos Capítulos 19 e 30.

FEEDBACK TUBULOGLOMERULAR E AUTORREGULAÇÃO DA TAXA DE FILTRAÇÃO GLOMERULAR

Os rins possuem um mecanismo especial de *feedback* que conecta mudanças na concentração de cloreto de sódio da mácula densa com o controle da resistência arteriolar renal e autorregulação da TFG. Esse *feedback* ajuda a garantir um aporte relativamente constante de cloreto de sódio para o túbulo distal e auxilia na prevenção contra flutuações deletérias da excreção renal que poderiam acontecer. Em muitas circunstâncias, o *feedback* autorregula paralelamente o fluxo sanguíneo renal e a TFG.

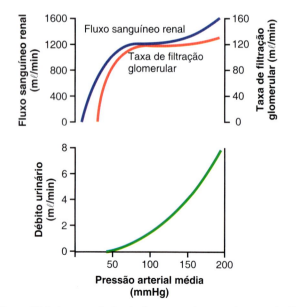

Figura 27.9 Autorregulação do fluxo sanguíneo renal e taxa de filtração glomerular com ausência de autorregulação do fluxo urinário durante alterações na pressão arterial renal.

Contudo, como esse mecanismo é especificamente direcionado à estabilização da entrega de cloreto de sódio ao túbulo distal, ocorrem alguns instantes de autorregulação da TFG à custa de mudanças no fluxo sanguíneo renal, que serão discutidas adiante. Em outros casos, o mecanismo pode, na realidade, causar mudanças na TFG em resposta às mudanças primárias na reabsorção tubular renal de cloreto de sódio.

O mecanismo de *feedback* tubuloglomerular apresenta dois componentes que atuam em conjunto para controlar a TFG: (1) um mecanismo de *feedback* arteriolar aferente; e (2) um mecanismo de *feedback* arteriolar eferente. Esses mecanismos dependem de arranjos anatômicos especiais do *aparelho justaglomerular* (ver **Figura 27.10**).

O aparelho justaglomerular consiste em *células da mácula densa* situadas na porção inicial do túbulo distal e *células justaglomerulares* presentes nas paredes das arteríolas aferentes e eferentes. A mácula densa é um grupo especializado de células epiteliais dos túbulos distais que fica em contato próximo com as arteríolas aferentes e eferentes. Suas células contêm o complexo de Golgi, organelas intracelulares secretórias direcionadas às arteríolas, o que sugere que essas células podem secretar uma substância destinada às arteríolas.

A diminuição do cloreto de sódio na mácula densa causa dilatação das arteríolas aferentes e aumento da liberação de renina. As células da mácula densa percebem alterações da concentração de cloreto de sódio no túbulo distal por meio de sinais ainda não completamente elucidados. Estudos experimentais sugeriram que a diminuição da TFG torne o fluxo da alça de Henle mais lento, causando aumento da reabsorção do percentual de sódio e cloreto que é entregue ao ramo ascendente da alça, ou seja, reduzindo a concentração de cloreto de sódio que chega até as células da mácula densa. Isso deflagra um sinal da mácula densa que culmina em dois efeitos (ver **Figura 27.11**): (1) diminuição da resistência ao fluxo sanguíneo nas arteríolas aferentes, o que eleva a pressão hidrostática glomerular e auxilia no retorno da TFG ao normal; e (2) aumento da liberação de renina das células justaglomerulares das arteríolas aferentes e eferentes, que são os principais locais de armazenamento de renina. A renina liberada dessas células funcionará como uma enzima para aumentar a formação de angiotensina I, a qual é convertida em angiotensina II. Por fim, a angiotensina II produzirá constrição das arteríolas eferentes, aumentando a pressão hidrostática glomerular e auxiliando no retorno da TFG ao normal.

Esses dois componentes do mecanismo de *feedback* tubuloglomerular, trabalhando juntos por intermédio da estrutura anatômica especial do aparelho justaglomerular, fornecem sinais de *feedback* para as arteríolas aferentes e eferentes para promover autorregularão eficiente da TFG durante alterações da pressão arterial. Quando ambos os mecanismos funcionam juntos, a TFG se altera pouco, mesmo durante flutuações grandes da pressão arterial dentro dos limites de 75 a 160 mmHg.

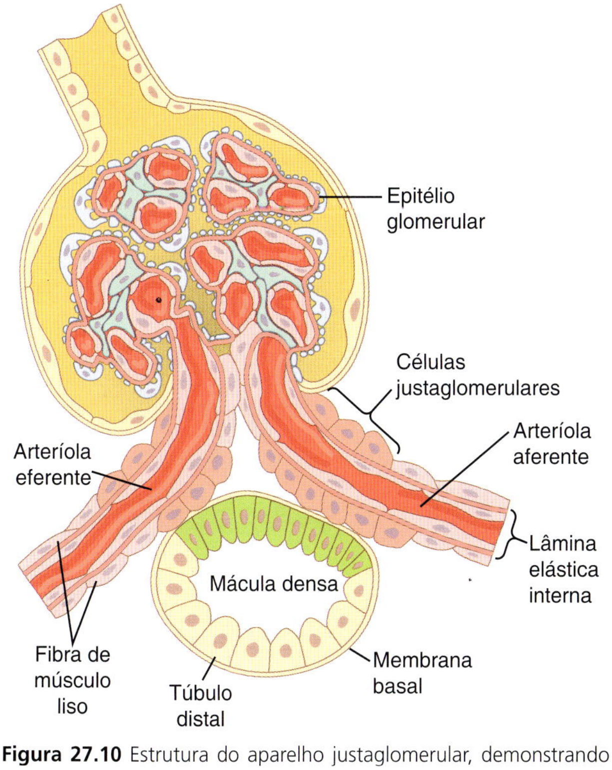

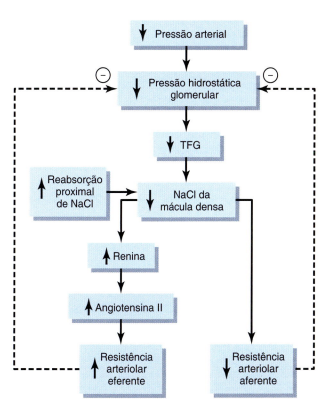

Figura 27.10 Estrutura do aparelho justaglomerular, demonstrando seu possível papel de *feedback* no controle da função do néfron.

Figura 27.11 Mecanismo de *feedback* da mácula densa para a autorregulação da pressão hidrostática glomerular e taxa de filtração glomerular (TFG) durante queda da pressão arterial renal.

O bloqueio da formação de angiotensina II reduz ainda mais a taxa de filtração glomerular durante a hipoperfusão renal. Como já discutido, a ação constritora preferencial da angiotensina II sobre as arteríolas eferentes auxilia na prevenção de reduções graves da pressão hidrostática glomerular e TFG quando a pressão de perfusão renal cai abaixo do normal. A administração de fármacos que bloqueiam a formação de angiotensina II (inibidores da enzima conversora de angiotensina) ou sua ação (antagonistas de receptores de angiotensina II) pode causar maiores reduções na TFG do que o usual quando a pressão arterial renal cai abaixo do normal. Portanto, uma importante complicação do uso desses fármacos para tratar pacientes hipertensos em razão de estenose da artéria renal (bloqueio parcial da artéria renal) é a grave diminuição da TFG, a qual pode, em alguns casos, levar à insuficiência renal aguda. Não obstante, fármacos que bloqueiam a angiotensina II são importantes agentes terapêuticos em muitos pacientes com hipertensão, insuficiência cardíaca congestiva e outras condições, contanto que tais pacientes sejam monitorados, evitando-se diminuições graves na TFG.

AUTORREGULAÇÃO MIOGÊNICA DO FLUXO SANGUÍNEO RENAL E TAXA DE FILTRAÇÃO GLOMERULAR

Outro mecanismo que contribui com a manutenção de fluxo sanguíneo renal e TFG relativamente constantes é a capacidade individual dos vasos de resistirem ao estiramento durante o aumento da pressão arterial, conhecida como *mecanismo miogênico*. Estudos realizados em vasos individuais (especialmente arteríolas pequenas) em todo o organismo demonstraram que os vasos respondem ao aumento da tensão na parede ou seu estiramento contraindo o músculo liso vascular. O estiramento da parede vascular permite maior movimento de íons cálcio do líquido extracelular para dentro das células, causando sua contração por meio dos mecanismos descritos no Capítulo 8. Essa contração previne estiramento excessivo do vaso, ao mesmo tempo que aumenta a resistência vascular, o que auxilia na prevenção de aumentos excessivos do fluxo sanguíneo renal e TFG durante momentos de pressão arterial elevada.

Embora o mecanismo miogênico provavelmente funcione na maior parte das arteríolas do organismo, sua importância para a autorregulação do fluxo sanguíneo renal e TFG tem sido questionada por alguns fisiologistas, visto que esse mecanismo sensível à pressão não possui exatamente os meios necessários para detectar diretamente as alterações do fluxo sanguíneo renal ou TFG. Por outro lado, o mecanismo pode ser mais importante em proteger o rim de lesões induzidas pela hipertensão. Em resposta a aumentos abruptos da pressão arterial, a resposta constritora miogênica das arteríolas aferentes ocorre dentro de segundos, atenuando a transmissão do aumento da pressão arterial para os capilares glomerulares.

A alta ingestão de proteínas e a hiperglicemia aumentam o fluxo sanguíneo renal e a taxa de filtração glomerular. Embora o fluxo sanguíneo renal e a TFG permaneçam relativamente estáveis sob a maioria das condições, em algumas circunstâncias essas variáveis se modificam significativamente. Por exemplo, *a alta ingestão de proteína é conhecida por aumentar o fluxo sanguíneo renal e a TFG*. Com uma dieta de alto teor proteico, como uma dieta contendo muita carne, a longo prazo, o aumento da TFG e do fluxo sanguíneo renal será, em parte, resultado do crescimento dos rins. Contudo, a TFG e o fluxo sanguíneo renal também aumentam 20 a 30% dentro de 1 a 2 horas após a ingestão de uma refeição rica em proteínas.

Uma possível explicação para o aumento da TFG seria que a refeição com alto teor proteico libera no sangue aminoácidos, os quais são absorvidos nos túbulos proximais. Como os aminoácidos e o sódio são reabsorvidos juntos por cotransporte nos túbulos proximais, o aumento da reabsorção de aminoácidos também estimula a reabsorção de sódio. Isso causa diminuição da entrega de sódio à mácula densa (ver **Figura 27.12**), o que inicia um *feedback* tubuloglomerular no sentido de diminuir a resistência das arteríolas aferentes, conforme discutido anteriormente. Essa diminuição da resistência arteriolar aferente causa uma elevação do fluxo sanguíneo renal e da TFG, permitindo que a excreção de sódio seja mantida em nível próximo ao normal ao mesmo tempo que aumenta a excreção de produtos do metabolismo proteico, como a ureia.

Um mecanismo similar pode também ser a explicação para o aumento significativo do fluxo sanguíneo renal e da TFG observado com o aumento marcante dos níveis de glicose sanguínea em indivíduos com diabetes melito descompensado.

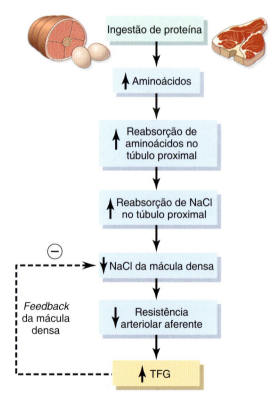

Figura 27.12 Possível papel do *feedback* da mácula densa na mediação do aumento da taxa de filtração glomerular (TFG) após refeição com alto teor proteico.

CAPÍTULO 27 Filtração Glomerular, Fluxo Sanguíneo Renal e seus Respectivos Controles

Como a glicose, assim como alguns aminoácidos, também sofre reabsorção juntamente com o sódio no túbulo proximal, o aumento da entrega de glicose aos túbulos faz com que ocorra reabsorção excessiva de sódio. Isso, por sua vez, diminui a concentração de cloreto de sódio da mácula densa, ativando o *feedback* tubuloglomerular de dilatação das arteríolas aferentes e, consequentemente, aumentando o fluxo sanguíneo renal e a TFG.

Esses exemplos demonstram que o fluxo sanguíneo renal e a TFG por si mesmos não são as variáveis primárias controladas pelo mecanismo de *feedback* tubuloglomerular. O principal propósito desse mecanismo é garantir um aporte constante de cloreto de sódio ao túbulo distal, onde acontece o processamento final da urina. Portanto, distúrbios que tendem a aumentar a reabsorção de cloreto de sódio em regiões tubulares antes da mácula densa tendem a estimular o aumento do fluxo sanguíneo renal e TFG, o que auxilia no retorno da concentração distal de cloreto de sódio ao normal, de maneira que as quantidades de sódio e água excretadas se mantenham normais (ver **Figura 27.12**).

Uma sequência de eventos contrária ocorre quando há redução da reabsorção tubular proximal. Por exemplo, quando túbulos proximais são lesionados (como por intoxicação por metais pesados, como mercúrio, ou doses altas de fármacos, como tetraciclinas), sua capacidade de reabsorver cloreto de sódio diminui. Como consequência, grandes quantidades de cloreto de sódio chegam ao túbulo distal e, sem a compensação adequada, podem rapidamente causar excessiva depleção de volume. Uma das importantes respostas compensatórias parece ser a vasoconstrição renal mediada pelo *feedback* tubuloglomerular que ocorre em resposta ao aumento da entrega de cloreto de sódio à mácula densa nessas circunstâncias. Esses exemplos mais uma vez demonstram a importância desse mecanismo de *feedback* em garantir que os túbulos distais recebam, na taxa adequada, cloreto de sódio, outros solutos do líquido tubular e o volume de líquido tubular, para que quantidades apropriadas dessas substâncias sejam excretadas na urina.

Outros fatores que influenciam o fluxo sanguíneo renal e a taxa de filtração glomerular. A TFG e o fluxo sanguíneo renal são baixos ao nascimento e se aproximam dos valores de um adulto após cerca de 2 anos de vida. Na ausência de doença renal, essas variáveis serão mantidas relativamente constantes até a quarta década de vida. Após esse período, a TFG diminui aproximadamente 5 a 10% por década, embora haja considerável variabilidade entre indivíduos. Esse declínio da TFG coincide com deficiência de óxido nítrico, maior estresse oxidativo e perda de néfrons funcionais, o que pode ser, em parte, resultado de pressão arterial aumentada, distúrbios metabólicos e outras condições que culminam com lesão glomerular com a idade.

Homens apresentam maior fluxo sanguíneo renal e TFG comparados às mulheres, mesmo quando se realiza correção para a massa corporal. Contudo, também demonstram queda mais rápida da TFG com o envelhecimento do que mulheres na pré-menopausa. Embora os mecanismos responsáveis por essas diferenças entre sexos não sejam completamente compreendidos, os efeitos benéficos dos estrogênios e os efeitos deletérios dos androgênios sobre os rins têm sido sugeridos como explicação parcial. A **Tabela 27.5** resume alguns fatores adicionais que influenciam a regulação do fluxo sanguíneo e da TFG, devendo ser considerados durante a avaliação da função renal.

Tabela 27.5 Algumas condições que influenciam o fluxo sanguíneo renal (FSR) e a taxa de filtração glomerular (TFG).

Condição	FSR	TFG
Envelhecimento	↓	↓
Dieta com alto teor proteico	↑	↑
Hiperglicemia[a]	↑	↑
Obesidade[a]	↑	↑
Alta ingestão de NaCl[a]	↑	↑
Glicocorticoides	↑	↑
Febre, pirogênios	↑	↑

[a]Refere-se a efeitos precoces, antes da lesão glomerular que pode ocorrer com hiperglicemia, obesidade e alta ingestão de sal crônicas.

Bibliografia

Anders HJ, Huber TB, Isermann B, Schiffer M: CKD in diabetes: diabetic kidney disease versus nondiabetic kidney disease. Nat Rev Nephrol 14:361, 2018.

Baylis C: Sexual dimorphism: the aging kidney, involvement of nitric oxide deficiency, and angiotensin II overactivity. J Gerontol A Biol Sci Med Sci 67:1365, 2012.

Beierwaltes WH, Harrison-Bernard LM, Sullivan JC, Mattson DL: Assessment of renal function; clearance, the renal microcirculation, renal blood flow, and metabolic balance. Compr Physiol 3:165, 2013.

Bidani AK, Polichnowski AJ, Loutzenhiser R, Griffin KA: Renal microvascular dysfunction, hypertension and CKD progression. Curr Opin Nephrol Hypertens 22:1, 2013.

Carlström M, Wilcox CS, Arendshorst WJ: Renal autoregulation in health and disease. Physiol Rev 95:405, 2015.

Cowley AW Jr, Abe M, Mori T, O'Connor PM, et. al: Reactive oxygen species as important determinants of medullary flow, sodium excretion, and hypertension. Am J Physiol Renal Physiol 308:F179, 2013.

de Groat WC, Griffiths D, Yoshimura N: Neural control of the lower urinary tract. Compr Physiol 5:327, 2015.

DiBona GF: Physiology in perspective: the wisdom of the body. Neural control of the kidney. Am J Physiol Regul Integr Comp Physiol 289:R633, 2005.

Gomez RA, Sequeira-Lopez MLS: Renin cells in homeostasis, regeneration and immune defence mechanisms. Nat Rev Nephrol 14:231, 2018.

Griffin KA: Hypertensive kidney injury and the progression of chronic kidney disease. Hypertension 70:687, 2017.

Guan Z, VanBeusecum JP, Inscho EW: Endothelin and the renal microcirculation. Semin Nephrol 35:145, 2015.

Hall JE, Brands MW: The renin-angiotensin-aldosterone system: renal mechanisms and circulatory homeostasis. In: Seldin DW, Giebisch G (eds): The Kidney—Physiology and Pathophysiology, 3rd ed. New York: Raven Press, 2000, pp 1009-1046.

Hall JE, do Carmo JM, da Silva AA, Wang Z, Hall ME: Obesity, kidney dysfunction and hypertension: mechanistic links. Nature Reviews Nephrology 15: 367, 2019.

Hall JE, do Carmo JM, da Silva AA, Wang Z, Hall ME: Obesity-induced hypertension: interaction of neurohumoral and renal mechanisms. Circ Res 116:991, 2015.

Navar LG, Kobori H, Prieto MC, Gonzalez-Villalobos RA: Intratubular renin-angiotensin system in hypertension. Hypertension 57:355, 2011.

Schell C, Huber TB: The evolving complexity of the podocyte cytoskeleton. J Am Soc Nephrol 28:3166-, 2017.

Schnermann J, Briggs JP: Tubular control of renin synthesis and secretion. Pflugers Arch 465:39, 2013.

Speed JS, Pollock DM: Endothelin, kidney disease, and hypertension. Hypertension 61:1142, 2013.

Thomson SC, Blantz RC: Biophysics of glomerular filtration. Compr Physiol 2:1671.

Vivarelli M, Massella L, Ruggiero B, Emma F: Minimal change disease. Clin J Am Soc Nephrol 12:332, 2017.

CAPÍTULO 28

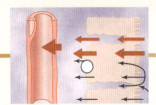

Reabsorção e Secreção Tubulares Renais

Conforme o filtrado glomerular adentra os túbulos renais, flui sequencialmente através de porções sucessivas do túbulo – *túbulo contorcido proximal, alça de Henle, túbulo contorcido distal, túbulo coletor* e *ducto coletor* – antes de ser excretado na forma de urina. Ao longo desse caminho, algumas substâncias são seletivamente reabsorvidas dos túbulos de volta para o sangue, enquanto outras são secretadas do sangue para o lúmen dos túbulos. Por fim, a urina formada e todas as substâncias nela presentes representam a soma desses três processos renais básicos – filtração glomerular, reabsorção tubular e secreção tubular:

Excreção urinária = Filtração glomerular − Reabsorção tubular + Secreção tubular

Para muitas substâncias, a reabsorção tubular exerce um papel muito mais importante do que a secreção na determinação da taxa final de excreção urinária. Contudo, a secreção tubular é responsável por quantidades significativas de íons potássio, hidrogênio e algumas outras substâncias que aparecem na urina.

A REABSORÇÃO TUBULAR É QUANTITATIVAMENTE GRANDE E ALTAMENTE SELETIVA

A **Tabela 28.1** demonstra a forma com que os rins depuram diversas substâncias que são filtradas livremente e reabsorvidas em taxas variáveis. A taxa de filtração de cada substância pode ser calculada da seguinte maneira:

Filtração = Taxa de filtração glomerular × Concentração plasmática

Esse cálculo pressupõe que a substância seja filtrada livremente e não esteja ligada a proteínas plasmáticas. Por exemplo, se a concentração plasmática de glicose for de aproximadamente 1 g/ℓ, a quantidade filtrada por dia será cerca de 180 ℓ/dia × 1 g/ℓ, ou 180 g/dia. Como em geral praticamente nenhuma glicose filtrada é excretada, a taxa de reabsorção de glicose também será de 180 g/dia.

Observando-se a **Tabela 28.1**, dois pontos tornam-se imediatamente aparentes. Primeiro, os processos de filtração glomerular e reabsorção tubular são quantitativamente grandes comparados à excreção de muitas substâncias. Portanto, uma pequena alteração na filtração glomerular ou reabsorção tubular tem o potencial de causar mudanças relativamente grandes na excreção urinária. Por exemplo, uma redução de 10% na reabsorção tubular, de 178,5 para 160,7 ℓ/dia, causará aumento do volume urinário de 1,5 para 19,3 ℓ/dia (quase 13 vezes) se a taxa de filtração glomerular (TFG) permanecer constante. Na realidade, alterações na reabsorção tubular e na filtração glomerular são intimamente coordenadas, de forma a evitar flutuações grandes na excreção urinária.

Segundo, ao contrário da filtração glomerular, que é relativamente não seletiva (essencialmente todos os solutos do plasma são filtrados, exceto proteínas plasmáticas ou substâncias a elas ligadas), *a reabsorção tubular é altamente seletiva*. Algumas substâncias, como a glicose e os aminoácidos, são quase completamente reabsorvidas nos

Tabela 28.1 Taxa de filtração, reabsorção e excreção de diferentes substâncias pelos rins.

Substância	Quantidade filtrada	Quantidade reabsorvida	Quantidade excretada	% da carga filtrada que é reabsorvida
Glicose (g/dia)	180	180	0	100
Bicarbonato (mEq/dia)	4.320	4.318	2	> 99,9
Sódio (mEq/dia)	25.560	25.410	150	99,4
Cloreto (mEq/dia)	19.440	19.260	180	99,1
Potássio (mEq/dia)	756	664	92	87,8
Ureia (mEq/dia)	46,8	23,4	23,4	50
Creatinina (mEq/dia)	1,8	0	1,8	0

túbulos, de forma que sua excreção urinária é essencialmente nula. Muitos íons do plasma, como sódio, cloreto e bicarbonato, também são altamente reabsorvidos, embora suas taxas de reabsorção e excreção urinária sejam variáveis, dependendo das necessidades do organismo. Resíduos do metabolismo, como ureia e creatinina, ao contrário, são pouco reabsorvidos nos túbulos e são excretados em quantidades relativamente grandes na urina.

Sendo assim, por meio do controle da reabsorção de diferentes substâncias, os rins regulam a excreção de solutos de forma independente entre si – uma habilidade essencial ao controle preciso da composição dos líquidos corporais. Neste capítulo discutiremos os mecanismos que permitem aos rins reabsorver ou secretar seletivamente diferentes substâncias em taxas variadas.

A REABSORÇÃO TUBULAR INCLUI MECANISMOS PASSIVOS E ATIVOS

Para que uma substância seja reabsorvida, ela deve primeiro ser transportada (1) através das membranas epiteliais tubulares para o líquido intersticial renal e, depois, (2) através da membrana capilar tubular de volta para o sangue (ver **Figura 28.1**). Portanto, a reabsorção de água e solutos inclui uma série de passos no transporte. A reabsorção através do epitélio tubular para o líquido intersticial inclui transporte ativo ou passivo pelos mesmos mecanismos básicos discutidos no Capítulo 4 para o transporte através de outras membranas celulares do organismo. Por exemplo, a água e os solutos podem ser transportados através das membranas celulares (*trajeto transcelular*) ou através dos espaços entre as junções celulares (*trajeto paracelular*

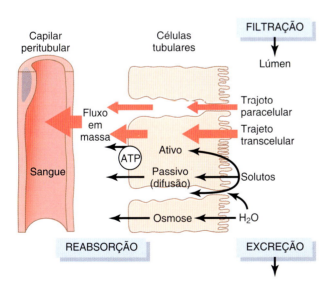

Figura 28.1 Reabsorção da água e solutos filtrados no lúmen tubular através das células epiteliais e interstício até o sangue. Solutos são transportados através das células (*trajeto transcelular*) por difusão passiva ou transporte ativo, ou entre as células (*trajeto paracelular* ou *intercelular*) por difusão. A água é transportada através das células e entre as células tubulares por osmose. O transporte de água e solutos do líquido intersticial para os capilares peritubulares ocorre por meio de ultrafiltração (*fluxo em massa*).

ou *intercelular*). Em seguida, após sua reabsorção através das células epiteliais para o líquido intersticial, água e solutos são transportados através da parede dos capilares para o sangue, por meio da *ultrafiltração* (*fluxo em massa*) mediada por forças hidrostáticas e coloidosmóticas. Capilares peritubulares comportam-se como as extremidades venosas da maioria dos demais capilares porque há uma força resultante de reabsorção que move o líquido e os solutos do interstício para o sangue.

TRANSPORTE ATIVO

O transporte ativo pode mover um soluto contra seu gradiente eletroquímico; isso requer energia derivada do metabolismo. O transporte ligado diretamente a uma fonte de energia, como a hidrólise de trifosfato de adenosina (ATP), denomina-se *transporte ativo primário*. Um exemplo desse mecanismo é a bomba de sódio e potássio ATPase, ou bomba Na^+-K^+ ATPase, que funciona ao longo da maior parte dos túbulos renais. O transporte associado *indiretamente* a uma fonte de energia, como aquele causado por um gradiente iônico, denomina-se *transporte ativo secundário*. A reabsorção de glicose pelos túbulos renais é um exemplo de transporte ativo secundário. Embora os solutos possam ser reabsorvidos por mecanismos tubulares ativos e/ou passivos, a água sempre é reabsorvida passivamente através da membrana epitelial dos túbulos pelo processo de *osmose*.

Solutos podem ser transportados através de ou entre as células epiteliais. As células tubulares renais, assim como outras células epiteliais, são mantidas unidas por *junções comunicantes*. Os espaços intercelulares laterais situam-se atrás das junções comunicantes e separam as células epiteliais do túbulo. Solutos podem ser reabsorvidos ou secretados através das células pelo *trajeto transcelular* ou entre as células, movendo-se através das junções comunicantes e espaços intercelulares, pelo *trajeto paracelular*. O sódio é uma substância que se move pelas duas vias, embora sua maior parte seja transportada pelo trajeto transcelular. Em alguns segmentos dos néfrons, especialmente no túbulo proximal, a água também é reabsorvida por meio do trajeto paracelular, sendo as substâncias nela diluídas, em especial os íons potássio, magnésio e cloreto, carreadas juntamente com o líquido absorvido entre as células.

Transporte ativo primário através da membrana tubular ligado à hidrólise de trifosfato de adenosina. A importância especial do transporte ativo primário é sua capacidade de mover solutos contra um gradiente eletroquímico. A energia desse transporte ativo provém da hidrólise de ATP por meio da ATPase de membrana, que também é um componente do mecanismo transportador que liga e move solutos através das membranas celulares. Os transportadores ativos primários conhecidos dos rins incluem as bombas Na^+-K^+ *ATPase, hidrogênio ATPase, hidrogênio-potássio ATPase* e *cálcio ATPase*.

Um bom exemplo de um sistema de transporte ativo primário é a reabsorção de íons sódio através da membrana tubular proximal, conforme demonstrado na **Figura 28.2**. Dos lados basolaterais da célula epitelial tubular, a membrana celular possui um extenso sistema Na$^+$-K$^+$ ATPase que hidrolisa ATP e utiliza a energia liberada para transportar íons sódio para fora da célula até o interstício. Ao mesmo tempo, o potássio é transportado do interstício para dentro da célula. A operação dessa bomba iônica mantém nível baixo de sódio e alto de potássio intracelular, gerando uma carga negativa de aproximadamente −70 mV dentro da célula. O bombeamento ativo de sódio para fora da célula através da membrana *basolateral* favorece a difusão passiva de sódio através da membrana *luminal* da célula, do lúmen para a célula, por dois motivos: (1) existe um gradiente de concentração que favorece a difusão de sódio para a célula porque sua concentração intracelular é baixa (12 mEq/ℓ) e a concentração tubular é alta (140 mEq/ℓ); e (2) o potencial intracelular negativo de −70 mV atrai íons positivos de sódio do lúmen tubular para a célula.

A reabsorção ativa de sódio pela bomba Na$^+$-K$^+$ ATPase ocorre na maioria das porções do túbulo. Em algumas partes do néfron, há também condições para mover grandes quantidades de sódio para dentro da célula. No túbulo proximal, existe uma extensa borda em escova do lado luminal da membrana (o lado voltado para o lúmen tubular) que multiplica sua área de superfície em cerca de 20 vezes. Também há proteínas carreadoras que se ligam a íons sódio na superfície luminal da membrana e os liberam dentro da célula, proporcionando *difusão facilitada* de sódio através da membrana para o interior da célula. Essas proteínas carreadoras também são importantes para o transporte ativo secundário de outras substâncias, como a glicose e aminoácidos, conforme será discutido adiante.

Portanto, a reabsorção final de íons sódio do lúmen do túbulo para o sangue envolve pelo menos três passos:

1. O sódio se difunde através da membrana luminal (também denominada *membrana apical*) para a célula segundo um gradiente eletroquímico estabelecido pela bomba Na$^+$-K$^+$ ATPase do lado basolateral da membrana.
2. O sódio é transportado através da membrana basolateral pela bomba Na$^+$-K$^+$ ATPase contra um gradiente eletroquímico.
3. Sódio, água e outras substâncias são reabsorvidos do líquido intersticial para os capilares peritubulares por meio de ultrafiltração, um processo passivo gerado pelos gradientes de pressão hidrostática e coloidosmótica.

Reabsorção ativa secundária através da membrana tubular. No transporte ativo secundário, duas ou mais substâncias interagem com uma proteína de membrana específica (proteína carreadora) e são transportadas juntas através da membrana. Conforme uma das substâncias (p. ex., o sódio) se difunde segundo seu gradiente eletroquímico, a energia liberada é utilizada para conduzir outra substância (p. ex., a glicose) contra seu gradiente eletroquímico. Ou seja, o transporte ativo secundário não requer energia diretamente do ATP ou outras fontes de alto teor energético de fosfato. A fonte direta provém da energia liberada pela difusão facilitada simultânea de outra substância transportada segundo seu gradiente eletroquímico.

A **Figura 28.3** demonstra o transporte ativo secundário de glicose e aminoácidos no túbulo proximal. Em ambos os casos, proteínas carreadoras específicas presentes na borda em escova combinam-se com um íon sódio e uma molécula de aminoácido ou glicose ao mesmo tempo. Esses mecanismos de transporte são tão eficientes que removem praticamente toda a glicose e aminoácido do lúmen tubular. Após sua entrada na célula, a glicose e os aminoácidos saem através das membranas basolaterais por meio da difusão gerada pelas altas concentrações dessas moléculas na célula e facilitada por proteínas transportadoras específicas.

Transportadores de sódio e glicose (SGLT2 e SGLT1) encontram-se localizados na borda em escova das células tubulares proximais e carreiam a glicose para dentro do citoplasma contra um gradiente de concentração, conforme descrito anteriormente. Aproximadamente 90% da glicose filtrada é reabsorvida pelo SGLT2 na porção inicial do túbulo proximal (segmento S1) e os 10% restantes são transportados pelo SGLT1 nos segmentos finais do túbulo proximal. Do lado basolateral da membrana, a glicose difunde-se para fora da célula até os espaços intersticiais com auxílio de *transportadores de glicose – GLUT2* no segmento S1 e *GLUT1* na porção final (segmento S3) do túbulo proximal.

Ainda que o transporte de glicose contra o gradiente químico não utilize diretamente ATP, sua reabsorção depende da energia gasta pela bomba Na$^+$-K$^+$ ATPase presente na membrana basolateral. Graças à atividade dessa bomba, mantém-se um gradiente eletroquímico para difusão facilitada de sódio através da membrana luminal,

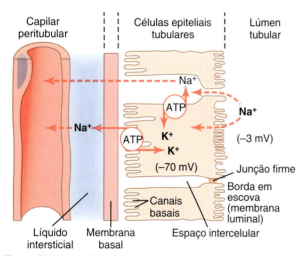

Figura 28.2 Mecanismo básico de transporte ativo de sódio através da célula epitelial tubular. A bomba de sódio e potássio transporta sódio do interior da célula através da membrana basolateral, criando uma baixa concentração intracelular de sódio e potencial elétrico intracelular negativo. Essa baixa concentração e o potencial negativo causam difusão de íons sódio do lúmen tubular para a célula através da borda em escova.

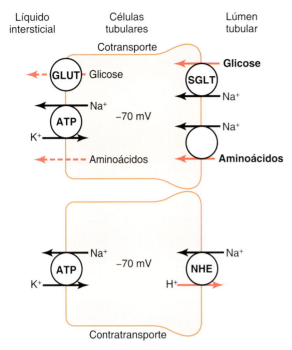

Figura 28.3 Mecanismos de transporte ativo secundários. A célula superior demonstra o *cotransporte* da glicose e aminoácidos juntamente com íons sódio através do lado apical das células epiteliais tubulares, seguido de difusão facilitada através das membranas basolaterais. A célula inferior demonstra o *contratransporte* de íons hidrogênio do interior da célula através da membrana apical para dentro do lúmen tubular. O movimento de íons sódio para dentro da célula, segundo o gradiente eletroquímico estabelecido pela bomba de sódio e potássio da membrana basolateral, proporciona energia para o transporte de íons hidrogênio da célula para o lúmen tubular. ATP: trifosfato de adenosina; NHE: trocador de sódio e hidrogênio; SGLT: cotransportador de sódio e glicose; GLUT: transportador de glicose.

sendo essa difusão de sódio a favor da corrente para dentro da célula responsável pela energia do transporte simultâneo de glicose contra a corrente na membrana luminal. Portanto, refere-se a essa reabsorção de glicose como sendo um *transporte ativo secundário* porque a glicose é reabsorvida contra um gradiente eletroquímico, mas de forma secundária ao transporte ativo primário de sódio.

Outro ponto importante é que se diz que uma substância é submetida a transporte ativo quando ao menos um dos passos de sua reabsorção envolver transporte primário ou secundário, mesmo se outros passos do processo forem passivos. Para a reabsorção da glicose, ocorre transporte ativo secundário na membrana luminal, porém difusão facilitada passiva na membrana basolateral e entrada passiva no fluxo predominante dos capilares peritubulares.

Secreção ativa secundária nos túbulos. Algumas substâncias são secretadas nos túbulos por transporte ativo secundário, que em geral envolve *contratransporte* dessa substância com íons sódio. No contratransporte, a energia liberada do movimento de uma das substâncias (p. ex., íons sódio) a favor da corrente possibilita o movimento de uma segunda substância no sentido oposto, contra a corrente.

Um exemplo de contratransporte, demonstrado na **Figura 28.3**, é a secreção ativa de íons hidrogênio associada à reabsorção de sódio na membrana luminal do túbulo proximal. Nesse caso, a entrada de sódio na célula combina-se com a saída de hidrogênio da célula por meio do contratransporte de sódio-hidrogênio. Esse transporte é mediado por uma proteína específica (*trocador de sódio-hidrogênio*) presente na borda em escova da membrana luminal. Conforme o sódio é carreado para o interior da célula, íons hidrogênio são forçados na direção oposta para o lúmen tubular. Os princípios básicos do transporte ativo primário e secundário são discutidos no Capítulo 4.

A pinocitose é um mecanismo de transporte ativo para a reabsorção de proteínas. Algumas partes do túbulo, especialmente do túbulo proximal, reabsorvem grandes moléculas como proteínas por meio da *pinocitose*, um tipo de *endocitose*. Nesse processo, a proteína liga-se à borda em escova da membrana luminal e essa porção da membrana se invagina para o interior da célula até que se destaque completamente, formando uma vesícula que contém a proteína. Uma vez dentro da célula, a proteína é digerida a seus aminoácidos constituintes, os quais são reabsorvidos através da membrana basolateral para o líquido intersticial. Como a pinocitose requer energia, é considerada uma forma de transporte ativo.

Transporte máximo de substâncias que são reabsorvidas ativamente. Para a maior parte das substâncias reabsorvidas ou secretadas ativamente, existe um limite na taxa com que o soluto pode ser transportado, que é geralmente chamado de *transporte máximo*. Esse limite se deve à saturação dos sistemas específicos de transporte envolvidos quando a quantidade do soluto que chega ao túbulo (denominada *carga tubular*) excede a capacidade das proteínas carreadoras e enzimas específicas envolvidas no processo de transporte.

O sistema de transporte da glicose no túbulo proximal é um bom exemplo. Normalmente, não se encontram níveis mensuráveis de glicose na urina porque essencialmente toda a glicose filtrada é reabsorvida no túbulo proximal. Contudo, quando a carga filtrada excede a capacidade tubular de reabsorção da glicose, ocorre excreção urinária de glicose.

No humano adulto, o transporte máximo da glicose situa-se em torno de 375 mg/min, ao passo que sua carga filtrada é de apenas cerca de 125 mg/min (TFG × glicose plasmática = 125 mℓ/min × 1 mg/mℓ). Com grandes aumentos na TFG e/ou na concentração de glicose plasmática que cursam com aumento da carga filtrada de glicose acima de 375 mg/min, o excedente filtrado não é reabsorvido e passa para a urina.

A **Figura 28.4** demonstra a relação entre a concentração plasmática de glicose, carga filtrada de glicose, transporte máximo para glicose e taxa de perda na urina. Observe que, quando a concentração plasmática de glicose é de 100 mg/100 mℓ e sua carga filtrada está normal (125 mg/min), não há perda de glicose na urina. Contudo, quando a concentração plasmática da glicose se eleva para

PARTE 5 Líquidos Corporais e Rins

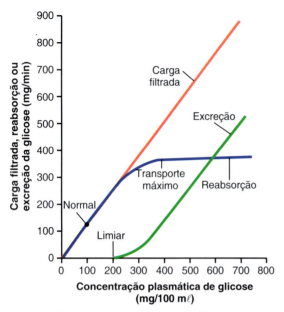

Figura 28.4 Relações entre a carga de glicose filtrada, taxa de reabsorção de glicose pelos túbulos renais e taxa de excreção de glicose na urina. O *transporte máximo* é a taxa máxima com que a glicose pode ser reabsorvida a partir dos túbulos. O *limiar renal* para a glicose refere-se à carga de glicose filtrada a partir da qual se inicia sua excreção na urina.

cerca de 200 mg/100 mℓ, aumentando a carga filtrada para cerca de 250 mg/min, uma pequena quantidade de glicose começa a aparecer na urina. Esse ponto recebe o nome de *limiar renal* para glicose. Note que essa presença de glicose na urina (no limiar) ocorre antes de ser atingido o *transporte máximo*. Uma razão para a diferença entre limiar e transporte máximo é que nem todos os néfrons apresentam o mesmo transporte máximo para glicose e, portanto, alguns começam a excretar glicose antes que outros tenham atingido seu transporte máximo. *O transporte máximo médio para os rins, que normalmente gira em torno de 375 mg/min, é alcançado quando todos os néfrons atingiram sua capacidade máxima de reabsorção de glicose.*

A glicose plasmática de um indivíduo saudável quase nunca se torna alta o suficiente para causar sua excreção na urina, mesmo após uma refeição. Todavia, no *diabetes melito* não controlado, a concentração plasmática de glicose pode chegar a níveis altos, fazendo com que a carga filtrada de glicose exceda o transporte máximo e resulte em sua excreção na urina. Alguns dos transportes máximos importantes para substâncias com *reabsorção ativa* pelos túbulos são demonstrados a seguir.

Substância	Transporte máximo
Glicose	375 mg/min
Fosfato	0,10 mmol/min
Sulfato	0,06 mmol/min
Aminoácidos	1,5 mmol/min
Urato	15 mg/min
Lactato	75 mg/min
Proteínas plasmáticas	30 mg/min

Transporte máximo para substâncias com secreção ativa. Substâncias que sofrem *secreção ativa* também exibem transporte máximo, como segue:

Substância	Transporte máximo
Creatinina	16 mg/min
Ácido paramino-hipúrico (PAH)	80 mg/min

Substâncias que são transportadas ativamente, mas não apresentam transporte máximo. O motivo de solutos que são transportados ativamente em geral apresentarem transporte máximo é que o sistema de transporte se torna saturado conforme aumenta a carga tubular do soluto. *Algumas substâncias que sofrem reabsorção ativa não apresentam transporte máximo* porque sua taxa de transporte é determinada por outros fatores: (1) o gradiente eletroquímico para difusão da substância através da membrana; (2) a permeabilidade da membrana para a substância; e (3) o tempo durante o qual o líquido contendo essa substância permanece dentro do túbulo. O transporte desse tipo é denominado *transporte gradiente-tempo* porque a taxa de transporte depende do gradiente eletroquímico e do tempo durante o qual a substância permanece no túbulo, o que, por sua vez, depende do fluxo tubular.

Um exemplo de transporte gradiente-tempo é a reabsorção de sódio no túbulo proximal, onde a capacidade máxima de transporte da bomba Na^+-K^+ ATPase da membrana basolateral é geralmente maior que a real taxa resultante de reabsorção de sódio, visto que uma grande quantidade de sódio transportado para fora da célula extravasa de volta para o lúmen tubular através das junções nas células epiteliais. A taxa com que ocorre esse retroescoamento depende (1) da permeabilidade das junções comunicantes; e (2) das forças físicas intersticiais, que determinam a taxa do fluxo predominante de reabsorção a partir do líquido intersticial para os capilares peritubulares. Portanto, o transporte de sódio nos túbulos proximais obedece, principalmente, a princípios de transporte gradiente-tempo em vez de características de transporte máximo tubular. Essa observação significa que, quanto maior for a concentração de sódio nos túbulos proximais, tanto maior será sua taxa de reabsorção. Ademais, quanto mais lento for o fluxo do líquido tubular, maior a porcentagem de sódio disponível para ser reabsorvido nos túbulos proximais.

Nas porções mais distais do néfron, as células epiteliais possuem junções muito mais firmes e transportam quantidades muito menores de sódio. Nesses segmentos, a reabsorção de sódio apresenta transporte máximo similar ao de outras substâncias de transporte ativo. Esse transporte máximo pode ainda ser aumentado por alguns hormônios, como a *aldosterona*.

REABSORÇÃO PASSIVA DE ÁGUA POR OSMOSE ASSOCIADA PRINCIPALMENTE À REABSORÇÃO DE SÓDIO

Quando solutos são transportados para fora do túbulo por transporte ativo primário ou secundário, suas concentrações tendem a cair dentro do túbulo enquanto se elevam no interstício renal. Esse fenômeno gera uma diferença de concentração que provoca osmose de água na mesma direção dos solutos transportados, do lúmen tubular para o interstício renal. Algumas partes do túbulo, em especial o túbulo proximal, são altamente permeáveis à água, ocorrendo reabsorção de água tão rapidamente que resta somente um pequeno gradiente de concentração para solutos através da membrana.

Uma grande parte do fluxo osmótico de água dos túbulos proximais ocorre através de canais de água (*aquaporinas*) presentes na membrana celular, bem como através das *junções comunicantes* entre as células epiteliais. Conforme denotado anteriormente, as junções entre as células não são tão firmes, pois permitem significativa difusão de água e íons menores. Essa condição é especialmente verdadeira nos túbulos proximais, que apresentam alta permeabilidade à água e permeabilidade menor – porém significativa – à maioria dos íons, como sódio, cloreto, potássio, cálcio e magnésio.

A água que se move através das junções comunicantes por osmose também carreia consigo alguns solutos, processo denominado *arrasto por solvente*. Ademais, como a reabsorção de água, solutos orgânicos e íons ocorre juntamente com a reabsorção de sódio, alterações nessa reabsorção influenciam significativamente a reabsorção da água e muitos outros solutos.

Nas porções mais distais do néfron e início da alça de Henle até o túbulo coletor, as junções comunicantes tornam-se muito menos permeáveis à água e aos solutos e as células epiteliais também apresentam grande redução em sua área de superfície de membrana. Portanto, a água já não se move facilmente através das junções comunicantes da membrana tubular por osmose. Contudo, o hormônio antidiurético (ADH) pode aumentar sobremaneira a permeabilidade dos túbulos distais e túbulos coletores à água.

Desse modo, o movimento da água através do epitélio tubular pode ocorrer somente se a membrana for permeável a ela, não importa qual a magnitude do gradiente osmótico. No túbulo proximal e segmento descendente da alça de Henle, a permeabilidade à água sempre é alta e ela sempre é altamente reabsorvida até atingir o equilíbrio osmótico com o líquido intersticial circunjacente. Essa alta permeabilidade se deve à abundante expressão do canal de água *aquaporina-1* (AQP-1) nas membranas apical e basolateral. No segmento ascendente da alça de Henle, a permeabilidade à água sempre é baixa, ou seja, quase nenhuma água é reabsorvida apesar do alto gradiente osmótico. Já a permeabilidade nas porções distais dos túbulos – túbulos distais, túbulos coletores e ductos coletores – ocorre através das aquaporinas, podendo ser alta ou baixa, dependendo da presença ou ausência de ADH.

REABSORÇÃO DE CLORO, UREIA E OUTROS SOLUTOS POR DIFUSÃO PASSIVA

Quando o sódio é reabsorvido através da célula epitelial tubular, íons negativos, como cloreto, são transportados com ele em virtude dos seus potenciais elétricos. Ou seja, o transporte de íons sódio com carga positiva para fora do lúmen deixa este último carregado negativamente comparado ao líquido intersticial, causando a difusão *passiva* de íons cloreto através do *trajeto paracelular*. Há ainda reabsorção adicional de íons cloreto decorrente de um gradiente de concentração que se desenvolve quando a água é reabsorvida do túbulo por osmose, o que concentra íons cloreto no lúmen tubular (ver **Figura 28.5**). Portanto, a reabsorção ativa de sódio está intimamente relacionada a uma reabsorção passiva de cloreto por meio de um potencial elétrico e um gradiente de concentração de cloreto.

Íons cloreto também podem ser reabsorvidos por transporte ativo secundário. O mais importante dos processos de transporte ativo secundário para reabsorção de cloreto envolve o cotransporte com sódio através da membrana luminal.

A ureia também sofre reabsorção passiva no túbulo, porém em grau muito menor que os íons cloreto. Conforme a água é reabsorvida dos túbulos (por osmose combinada à reabsorção de sódio), a concentração de ureia do lúmen tubular aumenta (ver **Figura 28.5**). Isso cria um gradiente de concentração que favorece a reabsorção de ureia. Contudo, a ureia não transpõe o túbulo tão rapidamente quanto a água. Em algumas partes do néfron, especialmente no ducto coletor medular mais interno, a reabsorção passiva de ureia é facilitada por *transportadores de ureia* específicos. Ainda assim, somente cerca de metade da ureia filtrada nos capilares glomerulares é reabsorvida nos túbulos. O remanescente permanece na urina, permitindo que os rins excretem grandes quantidades desse resíduo do metabolismo. Em mamíferos, mais de 90% do nitrogênio residual, gerado principalmente no fígado como um produto do metabolismo proteico, é normalmente excretado pelos rins na forma de ureia.

Outro resíduo metabólico, a creatinina, é uma molécula ainda maior que a ureia, essencialmente impermeante à membrana tubular. Portanto, quase nenhuma

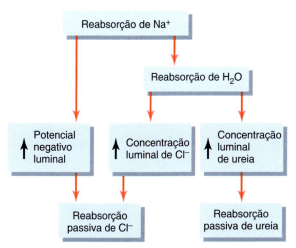

Figura 28.5 Mecanismos por meio dos quais a reabsorção de água, cloreto e ureia se equilibra com a reabsorção de sódio.

creatinina filtrada sofre reabsorção, de forma que praticamente toda a quantidade filtrada pelos glomérulos é excretada na urina.

REABSORÇÃO E SECREÇÃO AO LONGO DAS DIFERENTES PARTES DO NÉFRON

Nas seções anteriores, discutimos os princípios básicos pelos quais a água e os solutos são transportados através da membrana tubular. Com essas generalizações em mente, podemos agora discutir as diferentes características de segmentos tubulares individuais que lhes permitem desempenhar funções específicas. Somente as funções de transporte tubular quantitativamente mais importantes serão discutidas, especialmente a forma como se relacionam à reabsorção do sódio, do cloreto e da água. Nos capítulos subsequentes, serão discutidas a reabsorção e a secreção de outras substâncias em diferentes partes do sistema tubular.

REABSORÇÃO TUBULAR PROXIMAL

Normalmente, cerca de 65% da carga filtrada de sódio e água, bem como uma pequena porcentagem do cloreto filtrado, são reabsorvidos no túbulo proximal antes que o filtrado adentre a alça de Henle. Essas porcentagens podem ser aumentadas ou diminuídas em diferentes condições fisiológicas, conforme será discutido adiante.

Os túbulos proximais têm alta capacidade de reabsorção ativa e passiva. A alta capacidade do túbulo proximal para reabsorção resulta de suas características celulares especiais, conforme demonstrado na **Figura 28.6**. As células epiteliais do túbulo proximal são altamente metabólicas e possuem alto número de mitocôndrias para sustentar intensos processos de transporte ativo. Ademais, células tubulares proximais apresentam uma longa borda em escova do lado luminal (apical) da membrana, bem como um extenso labirinto de canais intercelulares e basais que, juntos, proporcionam uma ampla área de superfície de membrana dos lados luminal e basolateral do epitélio para o transporte rápido de íons sódio e outras substâncias.

A extensa superfície da membrana da borda em escova epitelial também é repleta de moléculas de proteína carreadoras que transportam uma grande parte dos íons sódio através da membrana luminal por meio do mecanismo de *cotransporte* com múltiplos nutrientes, como aminoácidos e glicose. O sódio adicional é transportado do lúmen tubular até a célula por meio de mecanismos de *contratransporte* que reabsorvem sódio enquanto secretam outras substâncias, especialmente íons hidrogênio. Conforme discutido no Capítulo 31, a secreção de íons hidrogênio no lúmen tubular é um passo importante na remoção de íons bicarbonato do túbulo (por meio da combinação de H$^+$ com HCO$_3^-$ para formar H$_2$CO$_3$ que, por sua vez, se dissocia em H$_2$O e CO$_2$).

Embora a bomba Na$^+$-K$^+$ ATPase forneça a maior força de reabsorção de sódio, cloreto e água ao longo do túbulo proximal, há algumas diferenças nos mecanismos pelos quais sódio e cloreto são transportados através do lado luminal das porções inicial e final da membrana tubular proximal.

Na primeira metade do túbulo proximal, o sódio é reabsorvido por meio de cotransporte juntamente com glicose, aminoácidos e outros solutos. Todavia, na segunda metade do túbulo proximal, resta pouca glicose e aminoácidos para serem reabsorvidos. Nesse local, é principalmente o cloreto que sofre reabsorção com o sódio. A segunda metade do túbulo proximal apresenta concentração relativamente alta de cloreto (cerca de 140 mEq/ℓ) comparada à porção inicial (cerca de 105 mEq/ℓ) porque, quando o sódio é reabsorvido, carreia consigo preferencialmente glicose, bicarbonato e íons orgânicos no início do túbulo proximal, deixando para trás uma solução com maior concentração de cloreto. Na segunda metade do túbulo proximal a alta concentração de cloreto favorece a difusão desse íon a partir do lúmen tubular através das junções intercelulares até o líquido intersticial renal. Quantidades menores de cloreto podem também ser reabsorvidas através de canais específicos de cloreto na membrana da célula tubular renal.

Concentrações de solutos ao longo dos túbulos proximais. A **Figura 28.7** resume as alterações na concentração de diversos solutos ao longo do túbulo proximal. Embora a *quantidade* de sódio do líquido tubular diminua drasticamente ao longo do túbulo proximal (bem como a osmolaridade total), a *concentração* de sódio permanece relativamente constante em virtude da permeabilidade dos túbulos proximais à água, que é alta ao ponto de manter a reabsorção de água no mesmo ritmo da reabsorção de sódio. Certos solutos orgânicos, como glicose, aminoácidos e bicarbonato, são reabsorvidos mais prontamente que a água, o que reduz significativamente suas concentrações ao longo do túbulo proximal. A concentração total de solutos, refletida pela osmolaridade, permanece essencialmente a mesma ao longo desse túbulo, visto que essa parte do néfron é extremamente permeável à água.

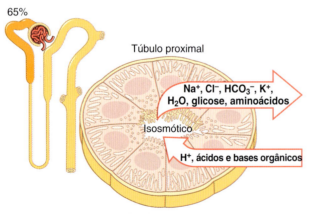

Figura 28.6 Características da ultraestrutura celular e transporte primário do túbulo proximal. Os túbulos proximais reabsorvem cerca de 65% do sódio, cloreto, bicarbonato e potássio filtrados, além de essencialmente toda a glicose e aminoácidos filtrados. Também secretam ácidos e bases orgânicos e íons hidrogênio para o lúmen tubular.

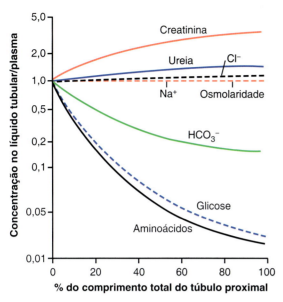

Figura 28.7 Alterações nas concentrações de diferentes substâncias do líquido tubular ao longo do túbulo contorcido proximal, comparadas às concentrações das mesmas substâncias no plasma e filtrado glomerular. O valor de 1,0 indica que a concentração da substância no líquido tubular é igual à sua concentração no plasma. Valores abaixo de 1,0 indicam que a substância é reabsorvida em maior proporção que a água, ao passo que valores acima de 1,0 indicam que a substância é reabsorvida em menor proporção que a água, ou que é secretada para os túbulos.

Secreção de ácidos e bases orgânicas pelos túbulos proximais. O túbulo proximal também é um importante sítio de secreção de ácidos e bases orgânicas, como *sais biliares, oxalato, urato* e *catecolaminas*. Muitas dessas substâncias são produtos do metabolismo que devem ser rapidamente removidas do organismo. A *secreção* dessas substâncias no túbulo proximal, somada à sua *filtração* para dentro desse túbulo pelos capilares glomerulares, combinadas à quase ausência de reabsorção pelos túbulos, contribuem para sua rápida excreção urinária.

Juntamente com resíduos do metabolismo, os rins secretam muitos fármacos ou toxinas potencialmente nocivas para dentro dos túbulos, depurando rapidamente essas substâncias do sangue. No caso de alguns fármacos, como a penicilina e os salicilatos, o rápido *clearance* (depuração) pelos rins constitui um desafio na manutenção de sua concentração terapêutica efetiva.

Outro composto que é rapidamente secretado pelos túbulos proximais é o ácido paramino-hipúrico (PAH). O PAH é secretado tão rapidamente que um indivíduo mediano pode depurar cerca de 90% do PAH plasmático que flui pelos rins, excretando-o na urina. Por essa razão, a taxa de *clearance* do PAH pode ser utilizada para estimar o fluxo plasmático renal (FPR), conforme discutido mais adiante.

TRANSPORTE DE SOLUTOS E ÁGUA NA ALÇA DE HENLE

A alça de Henle é composta por três segmentos de função distinta – o *segmento descendente delgado*, o *segmento ascendente delgado* e o *segmento ascendente espesso*. Os segmentos delgados descendente e ascendente, conforme seus nomes já indicam, possuem membranas epiteliais delgadas sem borda em escova, poucas mitocôndrias e níveis mínimos de atividade metabólica (ver **Figura 28.8**).

A porção descendente do segmento delgado é altamente permeável à água e moderadamente permeável à maioria dos solutos, incluindo ureia e sódio. A função desse segmento do néfron é, principalmente, permitir a simples difusão de substâncias através de suas paredes. Cerca de 20% da água filtrada é reabsorvida na alça de Henle, sendo que quase toda essa reabsorção ocorre no segmento descendente delgado. O segmento ascendente, tanto sua porção delgada quanto a espessa, é praticamente impermeável à água, uma característica importante para a concentração da urina.

O segmento espesso da alça de Henle, que se inicia na metade superior do segmento ascendente, possui células epiteliais espessas com alta atividade metabólica, capazes de reabsorver ativamente sódio, cloreto e potássio (ver **Figura 28.8**). Aproximadamente 25% da carga filtrada de sódio, cloreto e potássio é reabsorvida na alça de Henle, principalmente em seu segmento ascendente espesso.

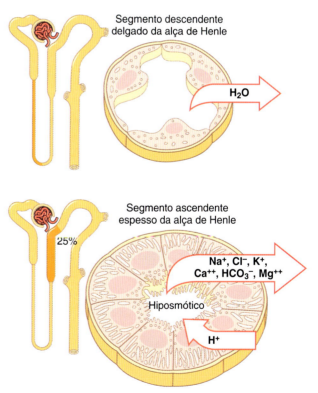

Figura 28.8 Características da ultraestrutura celular e transporte do segmento descendente delgado (*acima*) e do segmento ascendente espesso (*abaixo*) da alça de Henle. A porção descendente do segmento delgado da alça de Henle é altamente permeável à água e moderadamente permeável à maioria dos solutos, porém possui poucas mitocôndrias e pouca ou nenhuma reabsorção ativa. O segmento ascendente espesso da alça de Henle reabsorve cerca de 25% das cargas filtradas de sódio, cloreto e potássio, bem como grandes quantidades de cálcio, bicarbonato e magnésio. Esse segmento também secreta íons hidrogênio no lúmen tubular.

Quantidades consideráveis de outros íons, como cálcio, bicarbonato e magnésio, também sofrem reabsorção nesse segmento da alça de Henle. A capacidade de reabsorção de segmento ascendente delgado é muito menor comparada ao espesso, não ocorrendo reabsorção significativa de nenhum desses solutos nessa região.

Um importante componente da reabsorção de solutos do segmento espesso é a bomba Na^+-K^+ ATPase presente nas membranas basolaterais das células epiteliais. Assim como no túbulo proximal, a reabsorção de outros solutos no segmento ascendente espesso da alça de Henle relaciona-se intimamente com a capacidade de reabsorção da bomba Na^+-K^+ ATPase, que mantém concentração intracelular de sódio baixa. Essa baixa concentração, por sua vez, promove gradiente de concentração favorável ao movimento do sódio do líquido tubular para o interior da célula. *No segmento ascendente espesso, o movimento do sódio através da membrana luminal é mediado primariamente por um cotransportador de um sódio, dois cloretos e um potássio* (NKCC2) (ver **Figura 28.9**). Essa proteína de cotransporte da membrana luminal utiliza a energia potencial liberada pela difusão de sódio a favor da corrente até o interior da célula para promover reabsorção de potássio para a célula contra um gradiente de concentração.

O segmento ascendente espesso da alça de Henle é um sítio de ação dos potentes *diuréticos de alça furosemida, ácido etacrínico* e *bumetanida*, todos fármacos que inibem a ação do cotransportador NKCC2. Esses diuréticos são discutidos no Capítulo 32. O segmento ascendente espesso também apresenta um mecanismo de contratransporte de sódio-hidrogênio na membrana celular luminal que promove reabsorção de sódio e secreção de hidrogênio (ver **Figura 28.9**).

Também ocorre significativa reabsorção paracelular de cátions como Mg^{++}, Ca^{++}, Na^+ e K^+ no segmento ascendente espesso em virtude de uma carga ligeiramente positiva no lúmen tubular em relação ao líquido intersticial. Embora o cotransportador NKCC2 mova quantidades iguais de cátions e ânions para a célula, ocorre um leve retroescoamento de íons potássio para o lúmen, o que gera uma carga positiva de aproximadamente +8 milivolts no lúmen tubular. Essa carga força cátions como o Mg^{++} e o Ca^{++} a se difundirem do lúmen até o líquido intersticial através do espaço paracelular.

O segmento ascendente espesso da alça de Henle é praticamente impermeável à água. Portanto, a maior parte da água que chega até esse segmento permanece no túbulo, mesmo diante da reabsorção de grandes quantidades de soluto. O líquido tubular do segmento ascendente torna-se muito diluído à medida que flui em direção ao túbulo distal, uma importante característica para permitir que os rins concentrem ou diluam a urina sob diferentes condições, que será discutida com maiores detalhes no Capítulo 29.

TÚBULOS DISTAIS

O segmento ascendente espesso da alça de Henle termina no *túbulo distal*. A primeira porção desse túbulo forma a *mácula densa*, um grupo de células epiteliais intimamente agregadas que faz parte do *aparelho justaglomerular* e promove controle da TFG e fluxo sanguíneo por meio de *feedback* nesse mesmo néfron.

A próxima parte do túbulo distal é altamente contorcida e apresenta muitas das mesmas características de reabsorção do segmento ascendente espesso da alça de Henle. Ou seja, promove ampla reabsorção de íons, incluindo sódio, potássio e cloreto, ao passo que é praticamente impermeável à água e à ureia. Por essa razão, recebe o nome de *segmento diluidor*, por contribuir com a diluição do líquido tubular.

Aproximadamente 5% da carga filtrada de cloreto de sódio sofrem reabsorção no início do túbulo distal. O *cotransportador de sódio-cloreto* move cloreto de sódio do lúmen tubular para dentro da célula e a bomba Na^+-K^+ ATPase transporta sódio para fora da célula através da membrana basolateral (ver **Figura 28.10**). O cloreto difunde-se para fora da célula até o líquido intersticial renal através de canais de cloreto presentes na membrana basolateral.

Diuréticos tiazídicos, os quais são amplamente utilizados no tratamento de distúrbios como hipertensão e insuficiência cardíaca, inibem o cotransportador de sódio-cloreto.

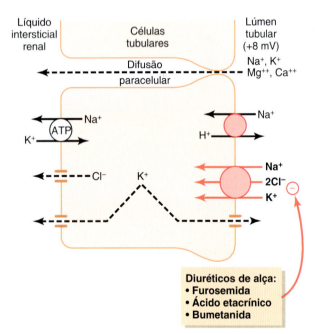

Figura 28.9 Mecanismos de transporte de sódio, cloreto e potássio no segmento ascendente espesso da alça de Henle. A bomba Na^+-K^+ ATPase da membrana celular basolateral mantém concentração baixa de sódio intracelular e potencial elétrico negativo na célula. O cotransportador de um sódio, dois cloretos e um potássio presente na membrana luminal transporta esses três íons do lúmen tubular para dentro das células, utilizando energia potencial liberada pela difusão do sódio ao longo do gradiente eletroquímico para as células. O sódio também é transportado para a célula tubular por meio de contratransporte com hidrogênio. A carga positiva (+8 mV) do lúmen tubular em relação ao líquido intersticial força cátions como Mg^{++} e Ca^{++} a se difundirem do lúmen para o líquido intersticial através do trajeto paracelular.

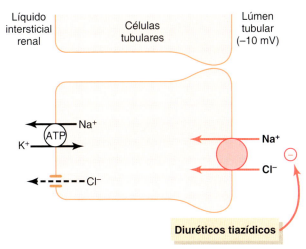

Figura 28.10 Mecanismo de transporte de cloreto de sódio no início do túbulo distal. O sódio e o cloreto são transportados do lúmen tubular para a célula por um cotransportador que é inibido por diuréticos tiazídicos. O sódio é bombeado para fora da célula pela bomba Na⁺-K⁺ ATPase e o cloreto se difunde para o líquido intersticial através de canais de cloreto.

PORÇÃO FINAL DOS TÚBULOS DISTAIS E TÚBULOS COLETORES CORTICAIS

A segunda metade do túbulo distal e o subsequente túbulo coletor cortical apresentam características funcionais similares. Anatomicamente, são compostos por dois tipos distintos de células, as *células principais* e as *células intercalares* (ver **Figura 28.11**). As células principais reabsorvem sódio e água do lúmen e secretam íons potássio para o lúmen. Células intercalares tipo A reabsorvem íons potássio e secretam íons hidrogênio para o lúmen tubular.

Células principais reabsorvem sódio e secretam potássio. A *reabsorção* de sódio e a *secreção* de potássio pelas células principais depende da atividade da bomba Na⁺-K⁺ ATPase na membrana basolateral de cada célula (ver **Figura 28.12**). Essa bomba mantém baixa concentração de sódio dentro da célula e, portanto, favorece difusão do sódio para a célula através de canais específicos. A secreção de potássio por essas células do sangue ao lúmen tubular envolve dois passos: (1) o potássio adentra a célula graças à bomba Na⁺-K⁺ ATPase, que mantém alta concentração intracelular desse íon; e (2) uma vez na célula, o potássio difunde-se a favor de seu gradiente de concentração através da membrana luminal para o líquido tubular.

As células principais são sítios primários de ação dos *diuréticos poupadores de potássio*, incluindo espironolactona (ou espirolactona), eplerenona, amilorida e triantereno. A *espironolactona* e a *eplerenona* são *antagonistas do receptor de mineralocorticoide* que competem com a aldosterona pelos sítios receptores nas células principais e, deste modo, inibem os efeitos estimuladores da aldosterona sobre a reabsorção de sódio e a secreção de potássio. A *amilorida* e o *triantereno* são *bloqueadores de canal de sódio* que inibem diretamente a entrada desse íon nos canais específicos presentes nas membranas luminais e, portanto, reduzem a quantidade de sódio disponível

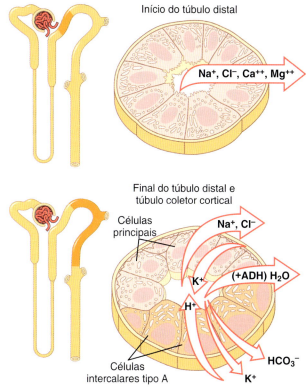

Figura 28.11 Características da ultraestrutura e do transporte das porções inicial e final do túbulo distal e do túbulo coletor. A porção inicial do túbulo distal apresenta muitas características iguais às do segmento ascendente espesso da alça de Henle, promovendo reabsorção de sódio, cloreto, cálcio e magnésio, sendo, porém, praticamente impermeável à água e ureia. A porção final dos túbulos distais e os túbulos coletores corticais são compostos por dois tipos distintos de células, *células principais* e *células intercalares*. As primeiras reabsorvem sódio do lúmen e secretam íons potássio para o lúmen. Células intercalares tipo A reabsorvem íons potássio e bicarbonato do lúmen e secretam hidrogênio para o lúmen. A reabsorção de água nesse segmento tubular é controlada pela concentração do *hormônio antidiurético* (ADH).

para transporte através das membranas basolaterais pela bomba Na⁺-K⁺ ATPase. Isso, por sua vez, diminui o transporte de potássio para as células, o que por fim reduz a secreção de potássio para o líquido tubular. Por essa razão, bloqueadores de canais de sódio, bem como antagonistas de aldosterona, reduzem a excreção urinária de potássio, atuando como *diuréticos poupadores de potássio*.

Células intercalares podem secretar ou reabsorver íons hidrogênio, bicarbonato e potássio. Células intercalares exercem um importante papel na regulação de ácidos e bases e constituem 30 a 40% das células que compõem os túbulos coletores e ductos coletores. Há dois tipos de células intercalares, tipo A e tipo B (ver **Figura 28.13**). Células intercalares tipo A secretam íons hidrogênio através de um transportador hidrogênio ATPase e um hidrogênio-potássio ATPase. O hidrogênio é produzido nessas células pela ação da anidrase carbônica sobre a água e o dióxido de carbono, formando ácido carbônico, que por sua vez se dissocia em íons hidrogênio e bicarbonato. Os íons hidrogênio são então secretados para o lúmen tubular, sendo

PARTE 5 Líquidos Corporais e Rins

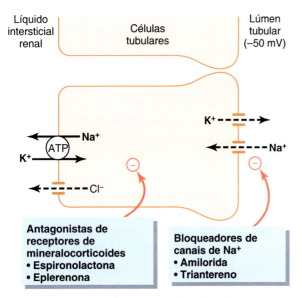

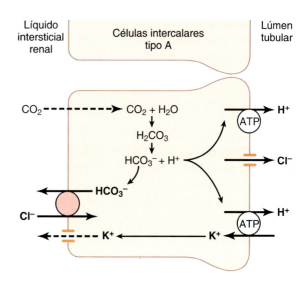

Figura 28.12 Mecanismo de reabsorção de sódio e cloreto e secreção de potássio das células principais da porção final dos túbulos distais e túbulos coletores corticais. O sódio adentra a célula através de canais especiais e é transportado para fora da célula pela bomba Na$^+$-K$^+$ ATPase. Antagonistas de aldosterona competem com esta por sítios de ligação na célula e, portanto, inibem os efeitos da aldosterona de estimulação da reabsorção de sódio e secreção de potássio. Bloqueadores de canais de sódio inibem diretamente a entrada desse íon nos canais.

disponibilizados para reabsorção através da membrana basolateral um íon bicarbonato para cada íon hidrogênio secretado. Células intercalares tipo A são especialmente importantes na eliminação de íons hidrogênio e reabsorção de bicarbonato durante quadros de acidose.

As células intercalares tipo B têm funções opostas às das células tipo A, secretando bicarbonato para o lúmen tubular enquanto absorvem hidrogênio durante a alcalose. As células tipo B possuem transportadores de hidrogênio e bicarbonato dos lados opostos da membrana celular comparadas às células tipo A. O contratransportador cloreto-bicarbonato presente na membrana apical das células intercalares tipo B denomina-se *pendrina* e é diferente do transportador cloreto-bicarbonato das células tipo A. Íons hidrogênio são ativamente transportados para fora da membrana celular pelo transportador hidrogênio ATPase, e o bicarbonato é secretado para o lúmen, o que elimina o excesso de bicarbonato plasmático na alcalose. A indução de alcalose metabólica crônica aumenta o número de células intercalares tipo B, o que contribui para uma excreção aumentada de bicarbonato, ao passo que a acidose aumenta o número de células tipo A.

Uma discussão mais detalhada acerca desse mecanismo é apresentada no Capítulo 31. Células intercalares também podem reabsorver ou secretar íons potássio, conforme demonstrado na **Figura 28.13**.

As características funcionais do *final do túbulo distal* e do *túbulo coletor cortical* podem ser resumidas como segue:

1. As membranas tubulares dos dois segmentos são quase completamente impermeáveis à ureia, o que se assemelha

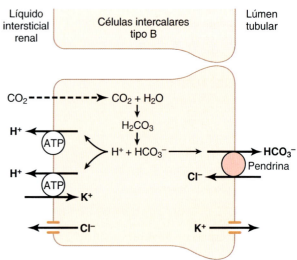

Figura 28.13 Células intercalares tipo A e tipo B do túbulo coletor. Células tipo A contêm transportadores ATPase de hidrogênio e de hidrogênio-potássio na membrana luminal, secretando íons hidrogênio enquanto reabsorvem bicarbonato e potássio na acidose. Nas células tipo B, os transportadores ATPase de hidrogênio e de hidrogênio-potássio localizam-se na membrana basolateral, de forma que essas células reabsorvem íons hidrogênio enquanto secretam íons bicarbonato e potássio na alcalose. O contratransportador cloreto-bicarbonato da membrana apical das células tipo B recebe o nome de *pendrina* e difere do transportador cloreto-bicarbonato das células intercalares tipo A.

ao segmento diluidor do início do túbulo distal. Portanto, praticamente toda a ureia que adentra esses segmentos percorre sua extensão e chega até os ductos coletores para ser excretada na urina, embora ocorra algum grau de reabsorção nos ductos coletores medulares.

2. Tanto o final do túbulo distal quanto o túbulo coletor cortical reabsorvem íons sódio, sendo a taxa de reabsorção controlada por hormônios, especialmente a aldosterona. Ao mesmo tempo, esses segmentos secretam íons potássio do sangue dos capilares peritubulares para o lúmen tubular, em um processo também controlado pela aldosterona e outros fatores, como a concentração de íons potássio dos líquidos corporais.

3. As células intercalares desses segmentos do néfron podem secretar grandes quantidades de íons hidrogênio devido a seu mecanismo hidrogênio ATPase durante a acidose. Esse processo difere da secreção ativa secundária de íons hidrogênio dos túbulos proximais porque é capaz de secretar hidrogênio contra um grande gradiente de concentração, de até 1.000 para 1. Isso contrasta com o gradiente relativamente baixo (4 a 10 vezes) para íons hidrogênio que pode ser atingido por meio da secreção ativa secundária pelo túbulo proximal. Durante a alcalose, células intercalares tipo B secretam bicarbonato e reabsorvem ativamente hidrogênio. Portanto, as células intercalares exercem papel-chave na regulação de ácidos e bases dos líquidos corporais.
4. A permeabilidade do final do túbulo distal e ducto coletor cortical à água é controlada pela concentração de ADH, também conhecido como *vasopressina*. Altos níveis de ADH tornam esses segmentos tubulares permeáveis à água; contudo, a ausência de ADH os torna praticamente impermeáveis a ela. Essa característica especial fornece um importante mecanismo de controle do grau de diluição ou concentração da urina.

DUCTOS COLETORES MEDULARES

Embora os ductos coletores medulares em geral reabsorvam menos que 5% da água e sódio filtrados, trata-se de um sítio final para o processamento da urina, ou seja, exercem um papel crítico na determinação do débito urinário final da água e solutos.

As células epiteliais dos ductos coletores possuem formato aproximadamente cúbico, com superfícies lisas e número de mitocôndrias relativamente baixo (ver **Figura 28.14**). As características especiais desse segmento tubular são:

1. A permeabilidade do ducto coletor medular à água é controlada pelo nível de ADH. Níveis altos de ADH causam intensa reabsorção de água para o interstício medular, reduzindo o volume de urina e concentrando a maioria dos solutos presentes na urina.

2. Diferentemente do túbulo coletor cortical, o ducto coletor medular é permeável à ureia e possui *transportadores de ureia* especiais que facilitam sua difusão através das membranas luminal e basolateral. Portanto, parte da ureia tubular é reabsorvida para o interstício medular, auxiliando no aumento da osmolaridade dessa região dos rins e contribuindo com a capacidade geral dos rins de formar urina concentrada. Esse tópico será discutido no Capítulo 29.

3. O ducto coletor medular é capaz de secretar íons hidrogênio contra um grande gradiente de concentração, assim como o túbulo coletor cortical. Portanto, o ducto coletor medular também exerce um papel-chave na regulação do equilíbrio acidobásico.

RESUMO DAS CONCENTRAÇÕES DE SOLUTOS DISTINTOS EM DIFERENTES SEGMENTOS TUBULARES

A concentração que um dado soluto atingirá no líquido tubular é determinada pelo grau de reabsorção desse soluto e de reabsorção de água. Se ocorrer maior porcentagem de reabsorção de água, a substância torna-se mais concentrada. Se ocorrer maior porcentagem de reabsorção do soluto, a substância torna-se diluída.

A **Figura 28.15** demonstra o grau de concentração de diversas substâncias em diferentes segmentos tubulares.

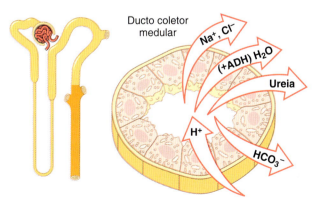

Figura 28.14 Características da ultraestrutura e transporte do ducto coletor medular. Ductos coletores medulares realizam reabsorção ativa de sódio e secretam íons hidrogênio, sendo permeáveis à ureia, que sofre reabsorção nesses segmentos tubulares. A reabsorção de água dos ductos coletores medulares é controlada pela concentração de hormônio antidiurético.

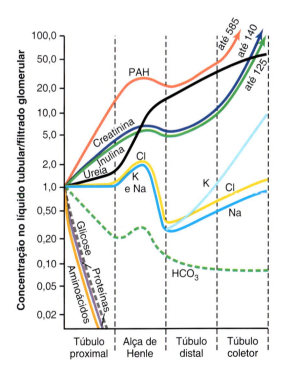

Figura 28.15 Alterações nas concentrações médias de diferentes substâncias em diferentes pontos do sistema tubular em relação à concentração da mesma substância no plasma e no filtrado glomerular. O valor de 1,0 indica que a concentração da substância no líquido tubular é igual à sua concentração no plasma. Valores abaixo de 1,0 indicam que a substância é reabsorvida em maior proporção que a água, ao passo que valores acima de 1,0 indicam que a substância é reabsorvida em menor proporção que a água, ou que é secretada para os túbulos. PAH: ácido paramino-hipúrico.

PARTE 5 Líquidos Corporais e Rins

Todos os valores da figura representam a concentração do líquido tubular dividida pela concentração plasmática da substância em questão. Se a concentração plasmática da substância for admitida como constante, qualquer alteração na relação concentração do líquido tubular/plasma refletirá alterações na concentração do líquido tubular.

Conforme o filtrado se move ao longo do sistema tubular, a relação aumenta progressivamente até mais de 1,0 caso ocorra maior reabsorção de água que de soluto, ou se houver secreção do soluto para o líquido tubular. Se a relação da concentração se tornar progressivamente menor que 1,0, isso significa que houve reabsorção de relativamente mais soluto do que água.

As substâncias representadas no topo da **Figura 28.15**, como a creatinina, tornam-se altamente concentradas na urina. No geral, essas substâncias não são necessárias ao organismo, de forma que os rins se adaptaram para que ocorra baixa ou nenhuma reabsorção, ou que ocorra secreção dessas substâncias para os túbulos, resultando em excreção de grandes quantidades na urina. Por outro lado, as substâncias representadas mais abaixo na figura, como glicose e aminoácidos, são altamente reabsorvidas. Todas essas são substâncias que o organismo necessita preservar, sendo quase nenhuma delas perdida na urina.

A relação da concentração de inulina no líquido tubular/plasma pode ser utilizada para avaliar a reabsorção de água pelos túbulos renais. A inulina, um polissacarídeo utilizado para mensurar a TFG, não é reabsorvida ou secretada pelos túbulos renais. Alterações na concentração de inulina em diferentes pontos ao longo do túbulo renal irão, portanto, indicar mudanças na quantidade de água presente no líquido tubular.

Por exemplo, a relação de concentração do líquido tubular/plasma para inulina aumenta até cerca de 3,0 ao final dos túbulos proximais, indicando que a concentração do líquido tubular é três vezes maior que a do plasma e do filtrado glomerular. Como a inulina não é secretada nem reabsorvida nos túbulos, uma relação de 3,0 significa que somente um terço da água filtrada permanece no túbulo renal e dois terços dessa água filtrada sofreram reabsorção conforme o líquido passou através do túbulo proximal. No final dos ductos coletores, a relação da concentração de inulina no líquido tubular/plasma aumenta para cerca de 125 (ver **Figura 28.15**), indicando que somente 1/125 da água filtrada permaneceu no túbulo e que mais de 99% dela foram reabsorvidos.

REGULAÇÃO DA REABSORÇÃO TUBULAR

Visto que é essencial manter um equilíbrio preciso entre a reabsorção tubular e a filtração glomerular, existem múltiplos mecanismos nervosos, hormonais e locais que regulam a reabsorção tubular, bem como a filtração glomerular. Uma importante característica da reabsorção tubular é que, para alguns solutos, ela pode ser regulada independentemente de outros, especialmente por meio de mecanismos de controle hormonais.

BALANÇO GLOMERULOTUBULAR: A TAXA DE REABSORÇÃO AUMENTA EM RESPOSTA AO AUMENTO DA CARGA TUBULAR

Um dos mecanismos mais básicos de controle da reabsorção tubular é a capacidade intrínseca dos túbulos de aumentar sua taxa de reabsorção em resposta ao aumento da carga tubular (aumento do fluxo de entrada dos túbulos). Esse fenômeno recebe o nome de *balanço glomerulotubular*. Por exemplo, se a TFG aumentar de 125 para 150 mℓ/min, a taxa absoluta de reabsorção do túbulo proximal também aumentará de cerca de 81 mℓ/min (65% da TFG) para aproximadamente 97,5 mℓ/min (65% da TFG). Ou seja, o equilíbrio (balanço) glomerulotubular refere-se ao fato de que a taxa de reabsorção total aumenta conforme aumenta a carga filtrada, ainda que a porcentagem da TFG que é reabsorvida no túbulo proximal permaneça relativamente constante, em cerca de 65%.

Também ocorre algum grau de balanço glomerulotubular em outros segmentos tubulares, especialmente na alça de Henle. Os mecanismos precisos responsáveis por isso não são completamente compreendidos, mas podem se dever, em parte, às alterações nas forças físicas do túbulo e do interstício circunjacente, conforme será discutido mais adiante. O que é certo é que os mecanismos do balanço glomerulotubular podem ocorrer independentemente de hormônios e podem ser demonstrados em rins completamente isolados ou mesmo em segmentos tubulares proximais completamente isolados.

O equilíbrio glomerulotubular auxilia na prevenção da sobrecarga dos segmentos tubulares distais diante de um aumento da TFG. O mecanismo funciona como outra linha de defesa para atenuar os efeitos de mudanças espontâneas na TFG ou no débito urinário (a outra linha de defesa, que foi discutida anteriormente, inclui mecanismos de autorregulação renais, especialmente o *feedback* tubuloglomerular, que previne grandes alterações na TFG). Juntos, os mecanismos de autorregulação e o balanço glomerulotubular previnem que mudanças da pressão arterial ou outros distúrbios que possam prejudicar a homeostase do sódio e do volume provoquem grandes mudanças no fluxo de líquidos dos túbulos distais.

FORÇAS FÍSICAS DOS CAPILARES PERITUBULARES E DO LÍQUIDO INTERSTICIAL RENAL

Forças hidrostáticas e coloidosmóticas regem a taxa de reabsorção através dos capilares peritubulares, assim como controlam a filtração nos capilares glomerulares. Alterações na reabsorção capilar peritubular podem influenciar as pressões hidrostática e coloidosmótica do interstício renal, que por fim influenciarão a reabsorção de água e solutos dos túbulos renais.

Valores normais para forças físicas e taxa de reabsorção. Conforme o filtrado glomerular passa através dos túbulos renais, mais de 99% da água e a maioria dos solutos são normalmente reabsorvidos. O líquido e os eletrólitos são reabsorvidos dos túbulos para o interstício renal e dele para os capilares peritubulares. A taxa normal de reabsorção capilar peritubular aproxima-se de 124 ml/min.

A reabsorção através dos capilares peritubulares pode ser calculada da seguinte maneira:

Reabsorção = K_f × Força resultante de reabsorção

A força resultante de reabsorção representa a soma das forças hidrostáticas e coloidosmóticas que favorecem ou se opõem à reabsorção através dos capilares peritubulares. Essas forças incluem: (1) a pressão hidrostática dentro dos capilares peritubulares (pressão hidrostática capilar peritubular [P_c]), que se opõe à reabsorção; (2) a pressão hidrostática do líquido intersticial renal (P_{li}), externa aos capilares e que favorece a reabsorção; (3) a pressão coloidosmótica das proteínas plasmáticas dos capilares peritubulares (π_c), que favorece a reabsorção; e (4) a pressão coloidosmótica das proteínas do líquido intersticial renal (π_{li}), que se opõe à reabsorção.

A **Figura 28.16** demonstra as forças aproximadas que favorecem ou se opõem à reabsorção peritubular. Como a pressão normal dos capilares tubulares gira em torno de 13 mmHg e a pressão hidrostática do líquido intersticial, em torno de 6 mmHg, existe um gradiente positivo de pressão hidrostática do capilar peritubular para o líquido intersticial de aproximadamente 7 mmHg, que se opõe à reabsorção de líquidos. Essa oposição à reabsorção é contrabalanceada pelas pressões coloidosmóticas que favorecem a reabsorção. A pressão coloidosmótica do plasma, que favorece a reabsorção, é de cerca de 32 mmHg, ao passo que a do interstício, que se opõe à reabsorção, é de aproximadamente 15 mmHg, o que gera uma força resultante osmótica de cerca de 17 mmHg a favor da reabsorção.

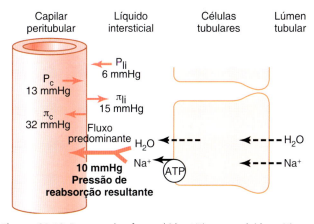

Figura 28.16 Resumo das forças hidrostáticas e coloidosmóticas que determinam a reabsorção de líquidos pelos capilares peritubulares. Os valores numéricos demonstrados são estimativas dos valores normais para humanos. A pressão resultante de reabsorção situa-se normalmente em torno de 10 mmHg, fazendo com que líquidos e solutos sejam reabsorvidos para os capilares peritubulares conforme são transportados através das células tubulares renais. ATP: trifosfato de adenosina; P_c: pressão hidrostática do capilar peritubular; P_{li}: pressão hidrostática do líquido intersticial; π_c: pressão coloidosmótica do capilar peritubular; π_{li}: pressão coloidosmótica do líquido intersticial.

Portanto, ao subtrair a força resultante hidrostática contrária à reabsorção (7 mmHg) da força resultante coloidosmótica favorável à reabsorção (17 mmHg), resta uma força resultante de reabsorção de cerca de 10 mmHg. Esse valor é alto, similar ao encontrado nos capilares glomerulares, embora na direção oposta.

Outro fator que contribui para uma alta taxa de reabsorção de líquidos nos capilares peritubulares é o alto coeficiente de filtração (K_f) gerado pela elevada condutividade hidráulica e pela ampla área de superfície dos capilares. Como a taxa normal de reabsorção gira em torno de 124 ml/min e a pressão final de reabsorção, em torno de 10 mmHg, o K_f em geral se situa próximo de 12,4 ml/min/mmHg.

Regulação das forças físicas nos capilares peritubulares. Os dois determinantes da reabsorção dos capilares peritubulares são as pressões hidrostáticas e coloidosmóticas desses capilares. A *pressão hidrostática do capilar peritubular sofre influência da pressão arterial e da resistência das arteríolas aferente e eferente*, como segue:

1. Aumentos na pressão arterial tendem a elevar a pressão hidrostática dos capilares peritubulares e reduzir a taxa de reabsorção. Esse efeito é atenuado em algum grau pelos mecanismos de autorregulação que mantêm o fluxo sanguíneo renal e as pressões hidrostáticas dos vasos renais relativamente constantes.

2. Um aumento na resistência das arteríolas aferente ou eferente causa redução da pressão hidrostática dos capilares peritubulares e tende a aumentar a taxa de reabsorção. Embora a vasoconstrição das arteríolas eferentes aumente a pressão hidrostática do capilar glomerular, ela reduz a pressão hidrostática do capilar peritubular.

O segundo maior determinante da reabsorção capilar peritubular é a *pressão coloidosmótica* do plasma desses capilares. O aumento da pressão coloidosmótica causa aumento da reabsorção nos capilares peritubulares. *A pressão coloidosmótica dos capilares peritubulares é determinada* pelos seguintes fatores: (1) *pressão coloidosmótica plasmática sistêmica* (o aumento da concentração plasmática sistêmica de proteínas tende a aumentar a pressão coloidosmótica dos capilares peritubulares e, por consequência, a reabsorção); e (2) *fração de filtração* – quanto maior a taxa de filtração, maior a fração do plasma que é filtrada no glomérulo e, consequentemente, mais concentradas a proteínas que permanecem no plasma. Portanto, o aumento da fração de filtração também tende a aumentar a taxa de reabsorção dos capilares peritubulares. Como a fração de filtração se define como uma relação TFG/FPR, o aumento dessa fração de filtração pode ser resultado de um aumento na TFG ou uma redução no FPR. Alguns vasoconstritores renais, como a angiotensina II, aumentam a reabsorção dos capilares peritubulares por meio de uma diminuição do FPR e aumento da fração de filtração, conforme será discutido adiante.

Mudanças no K_f dos capilares peritubulares também influenciam a taxa de reabsorção porque o K_f é uma medida da permeabilidade e área de superfície dos capilares. O aumento desse coeficiente eleva a reabsorção, ao passo que sua diminuição reduz a reabsorção dos capilares peritubulares. O K_f permanece relativamente constante na maioria das condições fisiológicas. A **Tabela 28.2** resume os fatores que podem influenciar a taxa de reabsorção dos capilares peritubulares.

Pressões hidrostática e coloidosmótica do interstício renal. Alterações nas forças físicas dos capilares peritubulares ulteriormente influenciam a reabsorção tubular renal por meio de alterações nas forças físicas do interstício renal que circunda os túbulos. Por exemplo, a diminuição da força de reabsorção através das membranas capilares peritubulares causada pelo aumento da pressão hidrostática ou pela diminuição da pressão coloidosmótica desses capilares irá causar redução na entrada de líquido e solutos do interstício para os capilares peritubulares. Esse fato irá, por sua vez, elevar a pressão hidrostática e reduzir a pressão coloidosmótica do líquido intersticial renal em razão da diluição das proteínas presentes no interstício. Essas alterações resultam na diminuição da reabsorção final de líquido dos túbulos renais para o interstício, especialmente nos túbulos proximais.

Os mecanismos pelos quais as mudanças nas pressões hidrostática e coloidosmótica do líquido intersticial influenciam a reabsorção tubular podem ser compreendidos examinando-se os caminhos de reabsorção dos solutos e da água (ver **Figura 28.17**). Uma vez que os solutos adentram os canais intercelulares ou o interstício renal por meio de transporte ativo ou difusão passiva, a água é atraída do lúmen tubular para o interstício por osmose. Ademais, água e solutos que adentraram os espaços intersticiais podem ser deslocados para os capilares peritubulares ou se difundir novamente através das junções epiteliais para o lúmen. As chamadas junções comunicantes entre as células epiteliais do túbulo proximal não são, na realidade, vedadas, de forma que consideráveis quantidades de sódio podem se difundir nas duas direções através dessas junções. Com a taxa normal de reabsorção dos capilares peritubulares, o movimento final de água e solutos direciona-se

Tabela 28.2 Fatores que podem influenciar a reabsorção nos capilares peritubulares.

↑ P_c → ↓ Reabsorção
 • ↓ R_A → ↑ P_c
 • ↓ R_E → ↑ P_c
 • ↑ Pressão arterial → ↑ P_c

↑ π_c → ↑ Reabsorção
 • ↑ π_A → ↑ π_c
 • ↑ FF → ↑ π_c

↑ K_f → ↑ Reabsorção

FF: fração de filtração; K_f: coeficiente de filtração dos capilares peritubulares; P_c: pressão hidrostática dos capilares peritubulares; π_A: pressão coloidosmótica do plasma arterial; π_c: pressão coloidosmótica dos capilares peritubulares; R_A e R_E: resistência das arteríolas aferente e eferente, respectivamente.

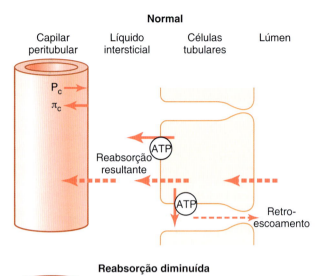

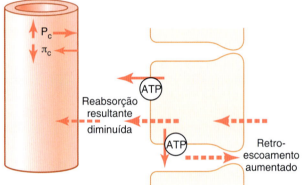

Figura 28.17 Reabsorção tubular proximal e capilar peritubular sob condições normais (*acima*) e durante queda da reabsorção capilar peritubular (*abaixo*) causada por aumento da pressão hidrostática do capilar peritubular (P_c) ou diminuição da pressão coloidosmótica do capilar peritubular (π_c). A diminuição da reabsorção capilar peritubular, por sua vez, reduz a reabsorção resultante de solutos e água por aumentar a quantidade de solutos e água que extravasam de volta para o lúmen tubular através das junções comunicantes das células epiteliais tubulares, especialmente no túbulo proximal.

para dentro dos capilares peritubulares, com pouco retroescoamento de volta ao lúmen tubular. Contudo, quando a reabsorção dos capilares peritubulares diminui, ocorre aumento na pressão hidrostática do líquido intersticial e uma tendência de retroescoamento de quantidades maiores de água e solutos de volta para o lúmen tubular, o que reduz a taxa final de reabsorção (ver **Figura 28.17**).

O contrário é verdadeiro quando a reabsorção dos capilares peritubulares aumenta acima do nível normal. Um aumento inicial nessa reabsorção tende a diminuir a pressão hidrostática do líquido intersticial e aumentar sua pressão coloidosmótica. Ambas as forças favorecem o movimento de líquido e solutos para fora do lúmen e em direção ao interstício. Portanto, o retroescoamento de água e solutos para o lúmen tubular diminui e a reabsorção final aumenta.

Sendo assim, por meio de alterações nas pressões hidrostática e coloidosmótica do interstício renal, a captação de água e solutos pelos capilares peritubulares

CAPÍTULO 28 Reabsorção e Secreção Tubulares Renais

equilibra-se com a reabsorção de água e solutos do lúmen tubular para o interstício. Em geral, *forças que aumentam a reabsorção nos capilares peritubulares também aumentam a reabsorção nos túbulos renais. Da mesma forma, alterações hemodinâmicas que inibem a reabsorção dos capilares peritubulares também inibem a reabsorção tubular de água e solutos.*

EFEITO DA PRESSÃO ARTERIAL SOBRE O DÉBITO URINÁRIO: NATRIURESE E DIURESE POR PRESSÃO

Mesmo pequenas alterações na pressão arterial podem causar aumento significativo na excreção urinária de sódio e água, fenômenos denominados *natriurese por pressão* e *diurese por pressão*. Graças aos mecanismos de autorregulação descritos no Capítulo 27, o aumento da pressão arterial dentro dos limites de 75 a 160 mmHg em geral produz efeito muito pequeno sobre o fluxo sanguíneo renal e a TFG. O discreto aumento da TFG que ocorre contribui em parte com o efeito da pressão arterial aumentada sobre o débito urinário. Quando a regulação da TFG está comprometida, como ocorre frequentemente na doença renal, o aumento da pressão arterial pode causar elevação muito maior da TFG.

Um segundo efeito do aumento da pressão arterial renal que eleva o débito urinário é a diminuição causada na porcentagem de carga filtrada de sódio e água que são reabsorvidos nos túbulos. Embora os mecanismos responsáveis por esse efeito não estejam completamente elucidados, incluem uma cascata de fatores físicos, bem como efeitos parácrinos e hormonais. O aumento da pressão arterial causa ligeiro aumento na pressão hidrostática dos capilares peritubulares, especialmente nos vasos retos da medula renal, com subsequente *aumento da pressão hidrostática do líquido intersticial renal.* Conforme será discutido adiante, o aumento da pressão hidrostática do líquido intersticial renal potencializa o retroescoamento de sódio para o lúmen tubular, o que diminui a reabsorção final de sódio e água, resultando em um aumento do débito urinário diante da elevação da pressão arterial.

Um terceiro fator que contribui com a natriurese e a diurese de pressão é a *diminuição da formação de angiotensina II.* A angiotensina II por si mesma aumenta a reabsorção de sódio nos túbulos e estimula a secreção da aldosterona, que aumenta ainda mais essa reabsorção de sódio. Portanto, a diminuição da formação de angiotensina II contribui para diminuir a reabsorção de sódio tubular que ocorre com o aumento da pressão arterial.

Há ainda um quarto fator que contribui com a natriurese de pressão: a *internalização de proteínas transportadoras de sódio* das membranas apicais para o interior do citoplasma das células tubulares renais, o que resulta na diminuição da quantidade de sódio que será transportada através das membranas celulares. Esse efeito da pressão arterial aumentada pode ser mediado, em parte, pela redução da formação de angiotensina II e outros autacoides ou por sinais parácrinos.

CONTROLE HORMONAL DA REABSORÇÃO TUBULAR

A regulação precisa dos volumes e concentrações de solutos dos líquidos corporais requer que os rins excretem diferentes solutos e água em taxas variadas, algumas vezes de forma independente entre si. Por exemplo, quando ocorre aumento na entrada de potássio no organismo, os rins devem excretar mais potássio ao mesmo tempo que mantêm normal a excreção de sódio e outros eletrólitos. Da mesma forma, quando a entrada de sódio é alterada, os rins devem ajustar a excreção urinária de sódio adequadamente sem grandes alterações na excreção de outros eletrólitos. Diversos hormônios do organismo são responsáveis por essa especificidade da reabsorção tubular de diferentes eletrólitos e água. A **Tabela 28.3** resume alguns dos hormônios mais importantes na regulação da reabsorção tubular, seus principais sítios de ação nos túbulos renais e seus efeitos sobre a excreção de solutos e água. Alguns desses hormônios serão discutidos com maiores detalhes nos Capítulos 29 e 30, e suas ações nos túbulos renais serão brevemente revisadas aqui.

A aldosterona estimula a reabsorção renal de sódio e a secreção renal de potássio. A aldosterona, secretada pela zona glomerulosa das células corticais da adrenal, é um importante regulador da reabsorção e secreção de íons potássio e hidrogênio pelos túbulos renais. *Um dos mais importantes sítios de ação da aldosterona são as células principais do túbulo coletor cortical.* O mecanismo por meio do qual a aldosterona aumenta a reabsorção de sódio e a secreção de potássio é a estimulação da bomba Na^+-K^+ ATPase do lado basolateral da membrana do túbulo coletor cortical. Ela também aumenta a permeabilidade

Tabela 28.3 Hormônios que regulam a reabsorção tubular.

Hormônio	Sítio de ação	Efeitos
Aldosterona	Túbulo e ducto coletor	↑ Reabsorção de NaCl e H_2O; ↑ secreção de K^+; ↑ secreção de H^+
Angiotensina II	Túbulo proximal, segmento ascendente espesso da alça de Henle, túbulo distal, túbulo coletor	↑ Reabsorção de NaCl e H_2O; ↑ secreção de H^+
Hormônio antidiurético	Túbulo distal/ducto e túbulo coletores	↑ Reabsorção de H_2O
Hormônio atrial natriurético	Túbulo distal/túbulo e ducto coletores	↓ Reabsorção de NaCl
Paratormônio (PTH)	Túbulo proximal, segmento ascendente espesso da alça de Henle, túbulo distal	↓ Reabsorção de PO_4^-; ↑ Reabsorção de Ca^{++}

do lado luminal da membrana ao sódio por meio da inserção de canais de sódio epiteliais. Os mecanismos de ação da aldosterona sobre as células encontram-se discutidos no Capítulo 78.

Os estímulos mais importantes para secreção de aldosterona são: (1) aumento da concentração extracelular de potássio; e (2) aumento dos níveis de angiotensina II, que ocorrem normalmente em condições associadas a depleção de volume e de sódio ou pressão arterial baixa. O aumento da secreção de aldosterona associado a essas condições causa retenção renal de sódio e água, auxiliando na restauração do volume de líquido extracelular e da pressão arterial de volta ao normal.

Quando ocorre um déficit da aldosterona, como na insuficiência da glândula adrenal (*doença de Addison*), ocorre drástica perda de sódio do organismo com acúmulo de potássio. Da mesma forma, a secreção excessiva de aldosterona, como ocorre em pacientes com certos tipos de tumores na glândula adrenal (*síndrome de Conn*), está associada a retenção de sódio e redução da concentração plasmática de potássio, devida em parte à excreção excessiva de potássio pelos rins. Embora a regulação diária do equilíbrio do sódio possa ser mantida com níveis mínimos de aldosterona, a incapacidade de ajustar adequadamente a secreção desse hormônio compromete gravemente a regulação da excreção renal de potássio e sua concentração nos líquidos corporais. Portanto, a aldosterona é ainda mais importante como um regulador da concentração de potássio do que de sódio, conforme discutido no Capítulo 30.

A angiotensina II aumenta a reabsorção de sódio e água. A angiotensina II é talvez o mais potente hormônio retentor de sódio do organismo. Conforme discutido no Capítulo 19, a formação de angiotensina II aumenta em circunstâncias associadas à queda da pressão arterial e/ou baixo volume de líquido extracelular, como ocorre na hemorragia ou perda de sais e água por sudorese excessiva ou diarreia grave. O aumento da formação de angiotensina II ajuda a recuperar a pressão arterial e o volume extracelular por meio do aumento da reabsorção de sódio e água dos túbulos renais, o que se dá por três principais efeitos:

1. *A angiotensina II estimula a secreção de aldosterona* que, por sua vez, aumenta a reabsorção de sódio.
2. *A angiotensina II causa vasoconstrição das arteríolas eferentes*, o que promove dois efeitos sobre a dinâmica capilar peritubular que culminam no aumento da reabsorção de sódio e água. Primeiro, a constrição da arteríola eferente reduz a pressão hidrostática dos capilares peritubulares, o que aumenta a reabsorção tubular, especialmente a partir dos túbulos proximais. Segundo, essa vasoconstrição, por reduzir o fluxo sanguíneo dos rins, aumenta a fração de filtração glomerular e eleva a concentração de proteínas e a pressão coloidosmótica dos capilares peritubulares. Esse mecanismo também aumenta a força de reabsorção desses capilares e a reabsorção tubular de sódio e água.
3. *A angiotensina II estimula diretamente a reabsorção de sódio nos túbulos proximais, alça de Henle, túbulos distais e túbulos coletores*. Um dos efeitos diretos da angiotensina II é estimular a bomba Na$^+$-K$^+$ ATPase na membrana basolateral da célula tubular epitelial. Um segundo efeito é a estimulação da troca entre sódio e hidrogênio na membrana luminal, especialmente no túbulo proximal. Um terceiro efeito da angiotensina II, ainda, é o estímulo do cotransporte de sódio-bicarbonato na membrana basolateral (ver **Figura 28.18**).

Portanto, a angiotensina II estimula o transporte de sódio tanto na superfície luminal quanto basolateral da membrana das células epiteliais, na maior parte dos segmentos tubulares. Essas múltiplas ações da angiotensina II causam marcante retenção de sódio e água pelos rins quando seus níveis se elevam no organismo, exercendo um papel crítico em possibilitar que este se adapte a muitas variações de ganho de sódio sem que ocorram grandes mudanças no volume de líquido extracelular e na pressão arterial, conforme discutido no Capítulo 30.

Ao mesmo tempo em que a angiotensina II aumenta a reabsorção tubular de sódio, seu efeito vasoconstrictor sobre as arteríolas eferentes também auxilia na manutenção da excreção normal de resíduos metabólicos, como ureia e creatinina, as quais dependem principalmente de uma adequada TFG para serem excretadas. Desse modo, o aumento da formação de angiotensina II permite aos rins reter sódio e água sem causar retenção de produtos residuais do metabolismo.

O hormônio antidiurético aumenta a reabsorção de água. A mais importante ação do ADH nos rins é aumentar a permeabilidade à água no epitélio do túbulo distal, túbulo coletor e ducto coletor. Esse efeito ajuda o organismo a conservar água em situações como desidratação. Com ausência de ADH, a permeabilidade dos túbulos

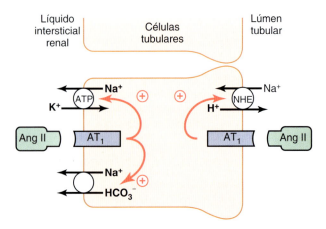

Figura 28.18 Efeitos diretos da angiotensina II (*Ang II*) de aumentar a reabsorção de sódio no túbulo proximal. A Ang II estimula o trocador de sódio e hidrogênio (NHE) na membrana luminal, o transportador Na$^+$-K$^+$ ATPase e o cotransportador sódio-bicarbonato da membrana basolateral. Os mesmos efeitos da Ang II provavelmente ocorrem em diversas outras partes dos túbulos renais, incluindo alça de Henle, túbulo distal e túbulo coletor. AT$_1$: receptor de angiotensina II tipo I.

distais e ductos coletores à água permanece baixa, fazendo com que os rins excretem grandes quantidades de urina diluída, uma condição denominada *diabetes insípido*. Portanto, a ação do ADH exerce um papel-chave no controle do grau de diluição ou concentração da urina, conforme discutido com maiores detalhes nos Capítulos 29 e 76.

O ADH liga-se a *receptores V_2* específicos presentes no fim do túbulo distal, túbulos coletores e ductos coletores, aumentando a formação de monofosfato cíclico de adenosina (AMPc) e ativando proteinoquinases (ver **Figura 28.19**). Essa ação, por sua vez, estimula o movimento de uma proteína intracelular, denominada *aquaporina-2* (AQP-2), no lado luminal das membranas celulares. As moléculas de AQP-2 aglomeram-se e fundem-se à membrana celular por exocitose para formar *canais de água* que permitem a rápida difusão de água através das células. Existem outras aquaporinas, AQP-3 e AQP-4, do lado basolateral da membrana celular, as quais criam uma passagem para que a água deixe rapidamente as células, embora essas aquaporinas não sejam reguladas pelo ADH. O aumento crônico dos níveis de ADH também aumenta a formação de AQP-2 nas células tubulares renais por estimular a transcrição genética de AQP-2. Quando a concentração de ADH diminui, as moléculas de AQP-2 são lançadas de volta no citoplasma, removendo os canais de água da membrana luminal e, consequentemente, reduzindo a permeabilidade da membrana à água. Essas ações do ADH serão discutidas mais profundamente no Capítulos 29 e 76.

O peptídeo atrial natriurético reduz a reabsorção de sódio e água. Quando células específicas dos átrios cardíacos sofrem estiramento devido à expansão do volume de plasma sanguíneo e aumento da pressão arterial, secretam em resposta um peptídeo denominado *peptídeo atrial natriurético* (PAN), atualmente conhecido como *hormônio atrial natriurético* (HAN). Níveis aumentados desse hormônio inibem a reabsorção de sódio e água pelos túbulos renais, especialmente nos ductos coletores. O PAN também inibe a secreção de renina e, por consequência, a formação de angiotensina II, o que reduz a reabsorção tubular renal. Essa diminuição da reabsorção de sódio e água aumenta a excreção urinária, o que auxilia no retorno do volume de sangue ao normal.

Os níveis de PAN se elevam muito na insuficiência cardíaca congestiva, quando os átrios se tornam estirados em virtude do bombeamento comprometido dos ventrículos. Esse alto nível de PAN atenua a retenção de sódio e água nessa doença.

O paratormônio aumenta a reabsorção de cálcio. O paratormônio (PTH) é um dos mais importantes hormônios reguladores de cálcio do organismo. Sua principal ação nos rins envolve aumento da reabsorção tubular de cálcio, especialmente nos *túbulos distais* e *túbulos conectores*, segmentos tubulares que ligam os túbulos distais ao ducto coletor cortical. O paratormônio também apresenta outras ações, incluindo a inibição da reabsorção de fosfato pelo túbulo proximal e estimulação da reabsorção de magnésio pela alça de Henle, conforme discutido no Capítulo 30.

A ATIVAÇÃO DO SISTEMA NERVOSO SIMPÁTICO AUMENTA A REABSORÇÃO DE SÓDIO

A ativação do sistema nervoso simpático, quando intensa, pode diminuir a excreção de sódio e água por meio da vasoconstrição das arteríolas renais, o que reduz a TFG. Mesmo níveis baixos de ativação já podem reduzir a excreção de sódio e água em razão do aumento da reabsorção de sódio pelo túbulo proximal, segmento ascendente espesso da alça de Henle e, talvez, porções mais distais do túbulo renal. Isso ocorre por meio da ativação de receptores alfa-adrenérgicos nas células epiteliais dos túbulos renais.

A estimulação do sistema nervoso simpático também aumenta a liberação de renina e formação de angiotensina II, o que contribui com o efeito geral de aumento de reabsorção tubular e redução da excreção renal de sódio.

UTILIZAÇÃO DE MÉTODOS DE *CLEARANCE* PARA QUANTIFICAR A FUNÇÃO RENAL

As taxas com que diferentes substâncias são depuradas do plasma fornecem um método útil para quantificar a eficácia dos rins em excretar substâncias diversas (**Tabela 28.4**). Por definição, o *clearance* renal de uma

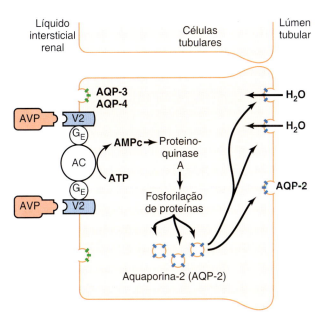

Figura 28.19 Mecanismo de ação da arginina vasopressina (AVP) sobre as células epiteliais do fim dos túbulos distais, túbulos coletores e ductos coletores. A AVP liga-se a seus receptores V_2, os quais são acoplados a proteínas G estimuladoras (G_s) que ativam a adenilato ciclase (AC) e estimulam a formação de monofosfato cíclico de adenosina (AMPc). Isso, por sua vez, ativa a proteinoquinase A e a fosforilação de proteínas intracelulares, causando movimento de aquaporina-2 (AQP-2) para o lado luminal da membrana celular. As moléculas de AQP-2 fundem-se para formar canais de água. No lado basolateral da membrana celular existem outras aquaporinas, AQP-3 e AQP-4, as quais permitem fluxo de água para fora da célula, embora essas aquaporinas não pareçam ser reguladas pela AVP.

PARTE 5 Líquidos Corporais e Rins

Tabela 28.4 Utilização do *clearance* para quantificar a função renal.

Nome	Equação	Unidade de medida
Taxa de *clearance*	$C_s = \dfrac{U_s \times \dot{V}}{P_s}$	mℓ/min
Taxa de filtração glomerular	$TFG = \dfrac{U_{inulina} \times \dot{V}}{P_{inulina}}$	
Razão de *clearance*	Razão de *clearance* = $\dfrac{C_s}{C_{inulina}}$	Nenhuma
Fluxo plasmático renal efetivo	$FPRE = C_{PAH} = \dfrac{U_{PAH} \times \dot{V}}{P_{PAH}}$	mℓ/min
Fluxo plasmático renal	$FPR = \dfrac{C_{PAH}}{E_{PAH}} = \dfrac{(U_{PAH} \times \dot{V}/P_{PAH})}{(P_{PAH} - V_{PAH})/P_{PAH}} = \dfrac{U_{PAH} \times \dot{V}}{P_{PAH} - V_{PAH}}$	mℓ/min
Fluxo sanguíneo renal	$FSR = \dfrac{FPR}{1 - Hematócrito}$	mℓ/min
Taxa de excreção	Taxa de excreção = $U_s \times \dot{V}$	mg/min, mmol/min ou mEq/min
Taxa de reabsorção	Taxa de reabsorção = Carga filtrada – Taxa de excreção = $(TFG \times P_s) - (U \times \dot{V})$	mg/min, mmol/min ou mEq/min
Taxa de secreção	Taxa de secreção = Taxa de excreção – Carga filtrada	mg/min, mmol/min ou mEq/min

C_s: taxa de *clearance* da substância s; E_{PAH}: razão de extração de PAH; FPRE: fluxo plasmático renal efetivo; FPR: fluxo plasmático renal; FSR: fluxo sanguíneo renal; P: concentração plasmática; PAH: ácido paramino-hipúrico; P_{PAH}: concentração arterial renal de PAH; S: uma dada substância; TFG; taxa de filtração glomerular; U: concentração urinária; $\dot{V}$: fluxo urinário; V_{PAH}: concentração venosa renal de PAH.

substância é igual ao volume de plasma do qual foi completamente depurada *a substância pelos rins por unidade de tempo.*

Embora não haja um único volume de plasma que seja *completamente* depurado de uma substância, o *clearance* renal fornece um método útil para quantificar a função excretora dos rins. Pode-se utilizar esse método para quantificar o fluxo sanguíneo renal, a TFG, a reabsorção tubular e a secreção tubular.

A fim de ilustrarmos o princípio do *clearance* renal, consideremos o seguinte exemplo: se o plasma que passa através dos rins contém 1 miligrama de uma substância em cada mililitro, e se 1 miligrama dessa substância também é excretado na urina por minuto, então 1 mℓ/min de plasma está sendo depurado dessa substância. O *clearance* refere-se ao volume de plasma necessário para fornecer a quantidade dessa substância excretada na urina por unidade de tempo. Matematicamente, tem-se:

$$C_s \times P_s = U_s \times V$$

em que C_s é a taxa de *clearance* de uma dada substância s, P_s é a concentração plasmática dessa substância, U_s é a concentração urinária da substância e V é o fluxo urinário. Por meio de um rearranjo da equação, o *clearance* pode ser expresso como:

$$C_s = \frac{U_s \times V}{P_s}$$

Portanto, o *clearance* renal de uma substância é calculada a partir da taxa de excreção urinária ($U_s \times V$) dessa substância dividida por sua concentração plasmática.

O *CLEARANCE* DA INULINA PODE SER UTILIZADO COMO ESTIMATIVA DA TAXA DE FILTRAÇÃO GLOMERULAR

Se uma substância for filtrada livremente (tanto quanto a água) e não sofrer reabsorção ou secreção pelos túbulos renais, a taxa com que ela será excretada na urina ($U_s \times V$) será igual à taxa de filtração pelos rins ($TFG \times P_s$). Ou seja:

$$TFG \times P_s = U_s \times V$$

A TFG, portanto, pode ser calculada como o *clearance* da substância, como segue:

$$TFG = \frac{U_s \times V}{P_s} = C_s$$

Uma substância que se encaixa nesses critérios é a *inulina*, uma molécula de polissacarídeo com peso molecular de aproximadamente 5.200. A inulina, que não é produzida pelo organismo, é encontrada na raiz de algumas plantas, devendo ser administrada por via intravenosa a um paciente com intuito de mensurar sua TFG.

A **Figura 28.20** demonstra a forma como os rins depuram a inulina. Nesse exemplo, a concentração plasmática é de 1 mg/mℓ; a concentração urinária, de 125 mg/mℓ; e o fluxo urinário, de 1 mℓ/min. Portanto, 125 mg/min de inulina passam para a urina. Dessa forma, o *clearance* da inulina é calculado como taxa de excreção de inulina dividida pela concentração plasmática, que resulta no valor de 125 mℓ/min. Ou seja, 125 mililitros de plasma que fluem pelos rins devem ser filtrados para fornecer a inulina que aparece na urina.

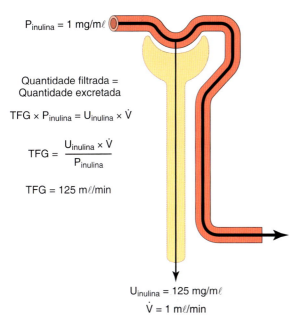

Figura 28.20 Mensuração da taxa de filtração glomerular (*TFG*) a partir do *clearance* renal de inulina. A inulina é filtrada livremente pelos capilares glomerulares, mas não é reabsorvida pelos túbulos renais. P$_{inulina}$: concentração plasmática de inulina; U$_{inulina}$: concentração urinária de inulina; V̇: fluxo urinário.

A inulina não é a única substância que pode ser usada para determinar a TFG. Outras substâncias já utilizadas com essa finalidade incluem o *iotalamato*, o *ácido etilenodiaminotetracético (EDTA) crômico*, a *cistatina C* e a *creatinina*.

O *CLEARANCE* E A CONCENTRAÇÃO PLASMÁTICA DE CREATININA PODEM SER UTILIZADOS PARA ESTIMAR A TAXA DE FILTRAÇÃO GLOMERULAR

A creatinina é um subproduto do metabolismo dos músculos e é depurada dos líquidos corporais quase completamente por meio da filtração glomerular. Portanto, o *clearance* de creatinina pode também ser empregado para avaliar a TFG. Como a mensuração do *clearance* de creatinina não requer infusão intravenosa no paciente, esse método é muito mais amplamente utilizado do que o *clearance* da inulina na estimativa clínica da TFG. Contudo, o *clearance* de creatinina não constitui um marcador perfeito da TFG porque uma pequena quantidade é secretada pelos túbulos, ou seja, a quantidade excretada excede ligeiramente a quantidade filtrada. Existe normalmente um discreto erro de mensuração da creatinina plasmática que leva à superestimação de sua concentração plasmática; felizmente, esses dois erros tendem a se anular. Portanto, o *clearance* da creatinina fornece uma estimativa razoável da TFG.

Em alguns casos, pode não ser prático colher urina de um paciente para mensurar o *clearance* de creatinina (C$_{Cr}$). Uma aproximação das *mudanças* na TFG, contudo, pode ser obtida simplesmente por meio da mensuração da concentração plasmática de creatinina (P$_{Cr}$), a qual é inversamente proporcional à TFG:

$$TFG \approx C_{Cr} = \frac{U_{Cr} \times \dot{V}}{P_{Cr}}$$

Se a TFG de repente cair para 50% de seu valor, os rins filtrarão e excretarão transitoriamente somente metade da creatinina, causando seu acúmulo nos líquidos corporais e aumentando sua concentração plasmática. Essa concentração plasmática continuará a subir até que a carga filtrada (P$_{Cr}$ × TFG) e a excreção (U$_{Cr}$ × V̇) da creatinina retornem ao normal e seja restabelecido o equilíbrio entre sua produção e excreção. Essa resposta ocorrerá quando o nível plasmático de creatinina aumentar até aproximadamente o dobro do normal, conforme demonstrado na **Figura 28.21**.

Se a TFG decair até um quarto do normal, o nível plasmático de creatinina aumentará cerca de quatro vezes acima do normal, da mesma forma que uma queda da TFG para um oitavo do normal aumentará o nível de creatinina plasmática em oito vezes. Portanto, sob condições estáveis, a taxa de excreção de creatinina iguala-se à sua taxa de produção, mesmo diante de reduções na TFG. Entretanto, essa taxa normal de excreção de creatinina ocorre à custa de uma alta concentração plasmática, como demonstrado na **Figura 28.22**.

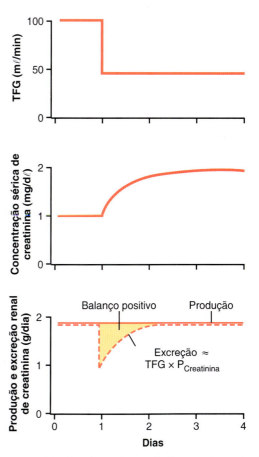

Figura 28.21 Efeito da redução da taxa de filtração glomerular (*TFG*) em 50% sobre a concentração sérica de creatinina e taxa de excreção de creatinina quando a sua taxa de produção permanece constante. P$_{Creatinina}$: concentração plasmática de creatinina.

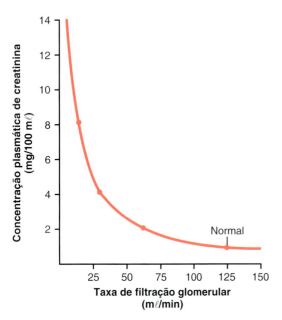

Figura 28.22 Relação aproximada entre a taxa de filtração glomerular (*TFG*) e a concentração plasmática de creatinina sob condições estáveis. A redução da TFG em 50% aumentará o nível de creatinina plasmática duas vezes acima do normal se a produção de creatinina do organismo permanecer constante.

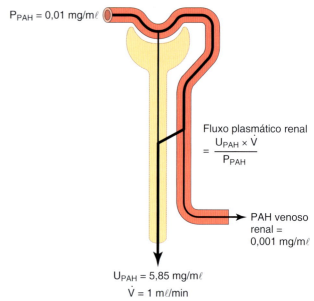

Figura 28.23 Mensuração do fluxo plasmático renal a partir do *clearance* renal do ácido paramino-hipúrico (*PAH*). O PAH é filtrado livremente pelos capilares glomerulares e também é secretado pelos capilares peritubulares do sangue para o lúmen tubular. A quantidade de PAH do plasma da artéria renal é aproximadamente igual à quantidade de PAH excretada na urina. Portanto, o fluxo plasmático renal pode ser calculado a partir do *clearance* do PAH. Para o cálculo ser mais preciso, pode-se corrigi-lo com a porcentagem de PAH que permanece no sangue após sua saída dos rins. P_{PAH}: concentração plasmática arterial de PAH; U_{PAH}: concentração urinária de PAH; $\dot{V}$: fluxo urinário.

O *CLEARANCE* DO ÁCIDO PARAMINO-HIPÚRICO PODE SER UTILIZADO PARA ESTIMAR O FLUXO PLASMÁTICO RENAL

Em teoria, se uma substância for *completamente* depurada do plasma, sua taxa do *clearance* será igual à TFG total. Em outras palavras, a quantidade da substância ofertada aos rins pelo sangue (FPR × P_s) seria igual à quantidade excretada na urina ($U_s × \dot{V}$). Portanto, o FPR poderia ser calculado da seguinte forma:

$$FPR = \frac{U_s \times \dot{V}}{P_s} = C_s$$

Visto que a TFG é de somente cerca de 20% do fluxo plasmático total, para que uma substância fosse completamente depurada do plasma, ela deveria ser excretada não somente por filtração glomerular, mas também por secreção tubular (ver **Figura 28.23**). Não há uma substância conhecida que seja *completamente* depurada pelos rins. Uma substância, o PAH, é depurada do plasma em aproximadamente 90%. Portanto, o *clearance* do PAH pode ser utilizado para estimar a TFG. Para maior precisão, pode-se corrigir a porcentagem de PAH que permanece no sangue quando este deixa os rins. A porcentagem do PAH que é removida do sangue é conhecida como *razão de extração do PAH* e gira em torno de 90% em rins normais. Já em rins doentes, a razão pode se tornar diminuída em virtude da incapacidade dos túbulos lesionados de secretar o PAH para o líquido tubular.

O cálculo do FPR pode ser demonstrado pelo seguinte exemplo: considerando-se a concentração plasmática do PAH como 0,01 mg/mℓ, sua concentração urinária como 5,85 mg/mℓ e o fluxo urinário como 1 mℓ/min, o *clearance* poderá ser calculado como taxa de excreção urinária de PAH (5,85 [mg/mℓ] × 1 [mℓ/min]) dividida pela concentração plasmática de PAH (0,01 mg/mℓ). Portanto, o *clearance* de PAH será de 585 mℓ/min.

Se a razão de extração do PAH for 90%, o real FPR poderá ser calculado dividindo-se 585 mℓ/min por 0,9, o que resultará em 650 mℓ/min. Ou seja, o FPR total pode ser calculado como:

$$\text{Fluxo plasmático renal total} = \frac{\textit{Clearance de PAH}}{\text{Razão de extração de PAH}}$$

A razão de extração (E_{PAH}) é calculada como a diferença entre a concentração arterial renal de PAH (P_{PAH}) e sua concentração venosa renal (V_{PAH}), dividindo-se o resultado pela concentração arterial renal:

$$E_{PAH} = \frac{P_{PAH} - V_{PAH}}{P_{PAH}}$$

É possível calcular o fluxo sanguíneo total que passa pelos rins a partir do FPR e do hematócrito (porcentagem de hemácias no sangue). Se o hematócrito for de 45% e o FPR total 650 mℓ/min, o fluxo sanguíneo total de ambos os rins será 650/(1 − 0,45), ou 1.182 mℓ/min.

A FRAÇÃO DE FILTRAÇÃO É CALCULADA A PARTIR DA TFG DIVIDIDA PELO FPR

A fim de calcular a fração de filtração, que é a fração do plasma filtrada através da membrana glomerular, deve-se primeiro conhecer o FPR (*clearance* de PAH) e a TFG (*clearance* de inulina). Se o FPR for 650 mℓ/min e a TFG 125 mℓ/min, a fração de filtração (FF) poderá ser calculada como:

$$FF = TFG/FPR = 125/650 = 0,19$$

CÁLCULO DA REABSORÇÃO OU SECREÇÃO TUBULAR A PARTIR DOS *CLEARANCES* RENAIS

Se forem conhecidas as taxas de filtração glomerular e a excreção renal de uma substância, é possível calcular se há reabsorção ou secreção resultante dessa substância pelos túbulos renais. Por exemplo, se a taxa de excreção ($U_s \times \dot{V}$) for menor que a carga filtrada dessa mesma substância ($TFG \times P_s$), então uma parte dela deve ter sido reabsorvida pelos túbulos renais. Da mesma forma, se a taxa de excreção da substância for maior que sua carga filtrada, então a taxa com que ela aparece na urina representa a soma da taxa de filtração glomerular e da secreção tubular.

O exemplo a seguir demonstra o cálculo da reabsorção tubular. Admitamos que os seguintes valores laboratoriais tenham sido obtidos para um paciente:

- Fluxo urinário = 1 mℓ/min
- Concentração urinária de sódio (U_{Na}) = 70 mEq/ℓ = 70 µEq/mℓ
- Concentração plasmática de sódio = 140 mEq/ℓ = 140 µEq/mℓ
- TFG (*clearance* de inulina) = 100 mℓ/min.

Nesse exemplo, a carga filtrada de sódio é igual a TFG $\times P_{Na}$, ou 100 mℓ/min $\times$ 140 µEq/mℓ = 14.000 µEq/min. A excreção urinária de sódio ($U_{Na} \times$ fluxo urinário) é igual a 70 µEq/min. Portanto, a reabsorção tubular de sódio será a diferença entre a carga filtrada e a excreção urinária, ou 14.000 µEq/min − 70 µEq/min = 13.930 µEq/min.

Comparação entre o *clearance* da inulina e o *clearance* de diferentes solutos. As generalizações seguintes podem ser realizadas comparando-se o *clearance* de uma substância com a da inulina, o padrão-ouro para a mensuração da TFG: (1) se a taxa de *clearance* da substância for igual à da inulina, essa substância é somente filtrada, sem sofrer reabsorção ou secreção; (2) se a taxa de *clearance* da substância for menor que a da inulina, então é provável que tenha ocorrido reabsorção pelos túbulos do néfron; e (3) se a taxa de *clearance* da substância for maior que a da inulina, então provavelmente houve secreção da substância pelos túbulos. A lista abaixo demonstra o *clearance* aproximado de algumas substâncias normalmente controladas pelos rins:

Substância	Taxa de *clearance* (mℓ/min)
Glicose	0
Sódio	0,9
Cloreto	1,3
Potássio	12,0
Fosfato	25,0
Inulina	125,0
Creatinina	140,0

Bibliografia

Bie P: Natriuretic peptides and normal body fluid regulation. Compr Physiol 8:1211, 2018.

Delpire E, Gagnon KB: Na+ -K+ -2Cl- Cotransporter (NKCC) physiological function in nonpolarized cells and transporting epithelia. Compr Physiol 25;8:871, 2018.

Féraille E, Dizin E: Coordinated control of ENaC and Na+,K+-ATPase in renal collecting duct. J Am Soc Nephrol 27:2554, 2016.

Fromm M, Piontek J, Rosenthal R, Günzel D, Krug SM: Tight junctions of the proximal tubule and their channel proteins. Pflugers Arch 469:877, 2018.

Gonzalez-Vicente A, Saez F, Monzon CM, Asirwatham J, Garvin JL: Thick ascending limb sodium transport in the pathogenesis of hypertension. Physiol Rev 99:235, 2019.

Hall JE, Brands MW: The renin-angiotensin-aldosterone system: renal mechanisms and circulatory homeostasis. In: Seldin DW, Giebisch G (eds): The Kidney—Physiology and Pathophysiology, 3rd ed. New York: Raven Press, 2000.

Hall JE, do Carmo JM, da Silva AA, Wang Z, Hall ME: Obesity-induced hypertension: interaction of neurohumoral and renal mechanisms. Circ Res 116:991, 2015.

Hall JE, Granger JP, do Carmo JM, et al: Hypertension: physiology and pathophysiology. Compr Physiol 2:2393, 2012.

Klein JD, Sands JM: Urea transport and clinical potential of urearetics. Curr Opin Nephrol Hypertens 25:444, 2016.

Knepper MA, Kwon TH, Nielsen S: Molecular physiology of water balance. N Engl J Med 372:1349, 2015.

Ko B: Parathyroid hormone and the regulation of renal tubular calcium transport. Curr Opin Nephrol Hypertens 26:405, 2017.

Makrides V, Camargo SM, Verrey F: Transport of amino acids in the kidney. Compr Physiol 4:367, 2014.

McCormick JA, Ellison DH: Distal convoluted tubule. Compr Physiol 5:45, 2015.

Moe SM: Calcium homeostasis in health and in kidney disease. Compr Physiol 6:1781, 2016.

Mount DB. Thick ascending limb of the loop of Henle. Clin J Am Soc Nephrol 9:1974, 2014.

Nielsen S, Frøkiær J, Marples D, et al: Aquaporins in the kidney: from molecules to medicine. Physiol Rev 82:205, 2002.

Palmer LG, Schnermann J: Integrated control of Na transport along the nephron. Clin J Am Soc Nephrol 10:676, 2015.

Reilly RF, Ellison DH: Mammalian distal tubule: physiology, pathophysiology, and molecular anatomy. Physiol Rev 80:277, 2000.

Rieg T, Vallon V: Development of SGLT1 and SGLT2 inhibitors. Diabetologia 61:2079, 2018.

Rossier BC, Baker ME, Studer RA: Epithelial sodium transport and its control by aldosterone: the story of our internal environment revisited. Physiol Rev 95:297, 2015.

Roy A, Al-bataineh MM, Pastor-Soler NM: Collecting duct intercalated cell function and regulation. Clin J Am Soc Nephrol 10:305, 2015.

Seegmiller JC, Eckfeldt JH, Lieske JC: Challenges in measuring glomerular filtration rate: a clinical laboratory perspective. Adv Chronic Kidney Dis 25:84, 2018.

Staruschenko A: Beneficial effects of high potassium: contribution of renal basolateral K+ channels. Hypertension 71:1015, 2018.

Staruschenko A: Regulation of transport in the connecting tubule and cortical collecting duct. Compr Physiol 2:1541, 2012.

Thomson SC, Blantz RC: Glomerulotubular balance, tubuloglomerular feedback, and salt homeostasis. J Am Soc Nephrol 19:2272, 2008.

Wang K, Kestenbaum B: Proximal tubular secretory clearance: a neglected partner of kidney function. Clin J Am Soc Nephrol 13:1291, 2018.

Wang T, Weinbaum S, Weinstein AM: Regulation of glomerulotubular balance: flow-activated proximal tubule function. Pflugers Arch 469:643, 2017.

Yamazaki O, Ishizawa K, Hirohama D, Fujita T, Shibata S: Electrolyte transport in the renal collecting duct and its regulation by the renin-angiotensin-aldosterone system. Clin Sci (Lond) 133:75, 2019.

CAPÍTULO 29

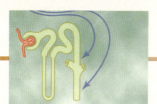

Concentração e Diluição da Urina; Regulação da Osmolaridade e Concentração de Sódio do Líquido Extracelular

Para que as células do organismo funcionem adequadamente, devem estar banhadas por um líquido extracelular com concentração de eletrólitos relativamente constante. A *concentração total* de solutos desse líquido – e, portanto, sua osmolaridade – também precisa ser regulada precisamente a fim de impedir que as células murchem (sequem) ou se edemaciem (inchem). A osmolaridade é determinada pela quantidade de soluto (principalmente o cloreto de sódio) dividida pelo volume do líquido extracelular. Portanto, a osmolaridade e a concentração de cloreto de sódio são, em larga escala, reguladas pela quantidade extracelular de água. A água total do organismo é controlada (1) pela ingestão de líquidos, a qual é regulada por fatores que determinam a sede; e (2) pela excreção renal de água, controlada por múltiplos fatores que influenciam a filtração glomerular e a reabsorção tubular.

Neste capítulo, discutiremos os seguintes pontos: (1) os mecanismos que fazem com que os rins eliminem o excesso de água por meio da excreção de urina diluída; (2) os mecanismos que fazem os rins preservarem água por meio da excreção de urina concentrada; (3) os mecanismos de *feedback* renal que controlam a concentração de sódio e a osmolaridade do líquido extracelular; e (4) os mecanismos da sede e apetite por sal que determinam a ingestão de água e sal, o que também auxilia no controle do volume, osmolaridade e concentração de sódio do líquido extracelular.

OS RINS EXCRETAM O EXCESSO DE ÁGUA POR MEIO DA FORMAÇÃO DE URINA DILUÍDA

Os rins normais têm uma extraordinária capacidade de variar as proporções relativas de solutos e água da urina em resposta a diversos desafios. Quando há excesso de água no organismo, a osmolaridade dos líquidos corporais torna-se reduzida, podendo os rins excretar urina com uma osmolaridade tão baixa quanto 50 mOsm/ℓ, cerca de um sexto da osmolaridade normal do líquido extracelular. Da mesma forma, quando há um déficit de água no organismo e a osmolaridade extracelular é alta, os rins podem excretar urina altamente concentrada com osmolaridade de 1.200 a 1.400 mOsm/ℓ. De forma igualmente importante, os rins podem excretar um grande volume de urina diluída ou um pequeno volume de urina concentrada sem que haja grandes alterações nas taxas de excreção de solutos como sódio e potássio. Essa capacidade de regular a excreção de água independentemente da excreção de solutos é necessária à sobrevivência, especialmente quando a ingestão de líquidos está limitada.

O HORMÔNIO ANTIDIURÉTICO CONTROLA A OSMOLARIDADE URINÁRIA

O organismo apresenta um potente sistema de *feedback* para regular a osmolaridade e a concentração de sódio do plasma, que opera por meio da alteração da excreção renal de água livre (água sem solutos), independentemente da taxa de excreção de solutos. Um controlador primário desse *feedback* é o *hormônio antidiurético* (ADH), também chamado *vasopressina*.[1]

Quando a osmolaridade dos líquidos corporais aumenta acima do normal (*i. e.*, quando os solutos do organismo se tornam muito concentrados), a neuro-hipófise secreta mais ADH, que aumenta a permeabilidade dos túbulos distais e ductos coletores à água, conforme discutido no Capítulo 28. Esse mecanismo aumenta a reabsorção de água e diminui o volume de urina sem, contudo, alterar significativamente a taxa de excreção renal dos solutos.

Quando há excesso de água no organismo e a osmolaridade do líquido extracelular está diminuída, a secreção de ADH pela neuro-hipófise diminui, o que reduz a permeabilidade do túbulo distal e ductos coletores à água, causando excreção de maiores quantidades de urina diluída. Ou seja, a taxa de secreção do ADH determina em larga escala se os rins excretarão urina diluída ou concentrada.

MECANISMOS RENAIS DE EXCREÇÃO DE URINA DILUÍDA

Quando há grande excesso de água no organismo, o rim pode excretar até 20 ℓ/dia de urina diluída, com concentração tão baixa quanto 50 mOsm/ℓ. O rim executa essa

---

[1] N.R.C.: produzido no hipotálamo e armazenado na neuro-hipófise.

impressionante tarefa por meio de uma contínua reabsorção de solutos sem reabsorver grandes quantidades de água nas porções distais do néfron, incluindo o túbulo distal e ductos coletores.

A **Figura 29.1** demonstra as respostas aproximadas dos rins de um humano após ingestão de 1 ℓ de água. Observe que o volume de urina aumentou para cerca de seis vezes o normal dentro de 45 minutos após a ingestão de água. Contudo, a quantidade total de soluto que foi excretada permaneceu relativamente constante em virtude da formação de urina diluída, cuja osmolaridade diminuiu de 600 para cerca de 100 mOsm/ℓ. Portanto, após a ingestão excessiva de água, o rim livra o organismo do excesso sem excretar quantidades excedentes de solutos.

Quando o filtrado glomerular começa a ser formado, sua osmolaridade aproxima-se da osmolaridade plasmática (300 mOsm/ℓ). Para excretar o excesso de água, o filtrado vai sendo diluído conforme percorre os túbulos por meio da reabsorção mais intensa de solutos que de água, conforme demonstrado na **Figura 29.2**. Essa diluição, todavia, ocorre somente em alguns segmentos do sistema tubular, conforme será descrito nas seções que se seguem.

O líquido tubular permanece isosmótico nos túbulos proximais. Conforme o líquido (filtrado) flui através do túbulo proximal, solutos e água são reabsorvidos em igual proporção, de forma que ocorre pouca alteração na osmolaridade. Portanto, o líquido tubular proximal segue isosmótico em relação ao plasma, com osmolaridade de aproximadamente 300 mOsm/ℓ. Conforme o líquido percorre o segmento descendente da alça de Henle, ocorrem reabsorção de água por osmose e um equilíbrio entre líquido tubular e líquido intersticial circunjacente da medula renal, que é bastante hipertônico – com osmolaridade cerca de duas a quatro vezes maior que a do filtrado glomerular original. Assim, o líquido tubular torna-se mais concentrado à medida que flui para as porções mais profundas da medula renal.

O líquido tubular é diluído no segmento ascendente da alça de Henle. No segmento ascendente da alça de Henle, especialmente em sua porção espessa, ocorre intensa reabsorção de sódio, potássio e cloreto. Todavia, essa porção tubular é impermeável à água, mesmo diante da presença de grandes quantidades de ADH. Portanto, o filtrado tubular vai se tornando mais diluído ao fluir pelo segmento ascendente da alça de Henle até o início do túbulo distal, com osmolaridade progressivamente decrescente até cerca de 100 mOsm/ℓ no momento de sua chegada ao segmento tubular distal. *Ou seja, quer haja presença de ADH ou não, o líquido filtrado que deixa o início do segmento tubular distal é hiposmótico, com osmolaridade de cerca de um terço da osmolaridade plasmática.*

Na ausência de ADH, o líquido tubular dos túbulos distais e coletores torna-se mais diluído. Conforme o líquido diluído flui do início do túbulo distal para o final do túbulo contorcido distal, ducto coletor cortical e ducto coletor medular, ocorre mais reabsorção de cloreto de sódio. Na ausência de ADH, essa porção do túbulo também é impermeável à água, de forma que a reabsorção adicional de solutos torna o líquido tubular ainda mais diluído,

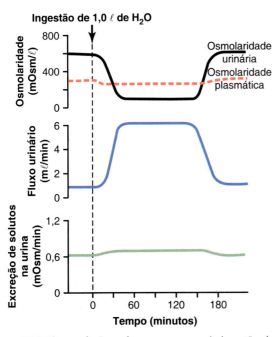

Figura 29.1 Diurese de água de uma pessoa após ingestão de 1 ℓ de água. Observe que, após a ingestão da água, o volume de urina aumenta e a osmolaridade urinária diminui, causando excreção de um grande volume de urina diluída; contudo, a quantidade total de soluto excretada pelos rins permanece relativamente constante. Essas respostas dos rins impedem uma redução significativa da osmolaridade do plasma durante a ingestão excessiva de água.

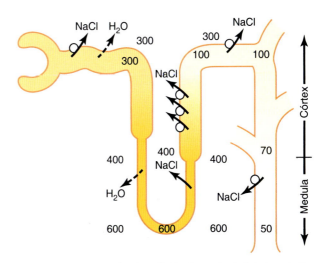

Figura 29.2 Formação de urina diluída diante de níveis baixos de hormônio antidiurético (ADH). Observe que o líquido tubular se torna muito diluído no segmento ascendente da alça de Henle. Nos túbulos distais e túbulos coletores, o líquido tubular é diluído ainda mais pela reabsorção de cloreto de sódio e pela incapacidade de reabsorver água devido aos níveis baixos de ADH. A incapacidade de reabsorção da água e a reabsorção contínua de solutos levam à formação de um grande volume de urina diluída (valores numéricos em miliosmóis por litro).

PARTE 5 Líquidos Corporais e Rins

reduzindo sua osmolaridade para 50 mOsm/ℓ. A não reabsorção de água e a contínua reabsorção de solutos resultam na formação de um grande volume de urina diluída.

Em suma, o mecanismo de formação da urina diluída envolve uma contínua reabsorção de solutos nos segmentos distais do sistema tubular juntamente com a diminuição da reabsorção de água. Em rins saudáveis, o líquido que deixa o segmento ascendente da alça de Henle e o início do túbulo distal sempre é diluído, independentemente do nível de ADH. Na ausência de ADH, a urina será ainda mais diluída no final do túbulo distal e ductos coletores, com excreção de um grande volume de urina diluída.

OS RINS CONSERVAM ÁGUA CORPORAL POR MEIO DA EXCREÇÃO DE URINA CONCENTRADA

A capacidade do rim de formar urina concentrada é essencial à sobrevivência dos mamíferos terrestres, incluindo os humanos. A água é perdida pelo organismo continuamente por diversas vias, incluindo os pulmões por evaporação pelo ar expirado, o trato gastrointestinal por meio das fezes, a pele por evaporação e transpiração e os rins por meio da excreção de urina. É necessário um ganho de líquidos correspondente a essa perda, embora a capacidade dos rins de formarem um pequeno volume de urina concentrada minimize a ingestão necessária para manter a homeostasia, uma função especialmente importante quando o suprimento de água está baixo.

Diante de um déficit de água no organismo, os rins formam urina concentrada por meio da excreção contínua de solutos juntamente com o aumento da reabsorção de água e redução do volume de urina. O rim humano pode produzir uma concentração urinária máxima de 1.200 a 1.400 mOsm/ℓ, quatro a cinco vezes a osmolaridade do plasma.

Alguns animais que habitam desertos, como o roedor australiano *Notomys alexis*, podem concentrar a urina até 10.000 mOsm/ℓ. Essa capacidade permite que esse roedor sobreviva no deserto sem beber água, de forma que uma quantidade suficiente de água pode ser obtida por meio do alimento ingerido e pela produção pelo organismo durante o metabolismo do alimento. Animais adaptados a ambientes com acesso à água geralmente apresentam mínima capacidade de concentrar a urina. Castores, por exemplo, podem concentrar a urina somente até cerca de 500 mOsm/ℓ.

Volume de urina obrigatório

A máxima capacidade de concentrar urina do rim rege o volume de urina que deverá ser excretado por dia para que o organismo elimine os resíduos metabólicos e eletrólitos que foram ingeridos. Um indivíduo médio de 70 kg deve excretar cerca de 600 miliosmóis de soluto a cada dia. Se a capacidade máxima de concentrar urina for de 1.200 mOsm/ℓ, o volume *mínimo* de urina que deverá ser excretado, chamado *volume de urina obrigatório*, poderá ser calculado como:

$$\frac{600 \text{ mOsm/dia}}{1.200 \text{ mOsm/}\ell} = 0,5 \ \ell/\text{dia}$$

Essa perda mínima de volume na urina agrava a desidratação, juntamente com a perda pela pele, trato respiratório e gastrointestinal, em situações de indisponibilidade de água para ingestão.

A capacidade limitada do rim humano de concentrar a urina somente até 1.200 mOsm/ℓ explica por que ocorre desidratação grave quando se tenta ingerir água do mar. A concentração de cloreto de sódio do oceano situa-se em torno de 3,0 a 3,5%, com osmolaridade próxima de 1.000 a 1.200 mOsm/ℓ. Ingerir 1 ℓ de água do mar com concentração de 1.200 mOsm/ℓ promoveria ingestão total de 1.200 miliosmóis de cloreto de sódio. Se a capacidade máxima de concentração da urina é de 1.200 mOsm/ℓ, a quantidade de urina necessária para excretar 1.200 miliosmóis seria de 1,0 ℓ. Por que então a ingestão de água do mar causa desidratação? A resposta é que o rim também precisa excretar outros solutos, especialmente a ureia, que contribui com cerca de 600 mOsm/ℓ na urina em concentração máxima. Portanto, a concentração máxima de cloreto de sódio que pode ser excretada pelos rins é de aproximadamente 600 mOsm/ℓ. Ou seja, para cada litro de água do mar ingerido, 1,5 ℓ de urina seriam necessários para livrar o organismo dos 1.200 miliosmóis de cloreto de sódio ingeridos, juntamente com os 600 miliosmóis de outros solutos, como a ureia. Isso resultaria em uma perda extra de líquidos de 0,5 ℓ para cada litro de água do mar, o que explica a rápida desidratação que ocorre em vítimas de naufrágio que acabam ingerindo água salgada. Contudo, um roedor *Notomys alexis* que naufragasse com essas vítimas poderia ingerir a água do mar sem grandes problemas.

Densidade urinária

A *densidade urinária* é geralmente empregada em situações clínicas para fornecer uma estimativa rápida da concentração de solutos da urina. Quanto mais concentrada a urina, maior sua densidade. Na maior parte dos casos, a densidade aumenta de maneira linear com o aumento da osmolaridade urinária (ver **Figura 29.3**).

A densidade urinária, todavia, mensura a massa de solutos em um determinado volume de urina, sendo, portanto, determinada pelo número e também pelo tamanho das moléculas de soluto. Por outro lado, a osmolaridade é determinada somente pelo número de moléculas de soluto em um determinado volume.

A densidade urinária é em geral expressa em gramas por mililitro (g/mℓ) e gira em torno de 1,002 a 1,028 g/mℓ em humanos, sofrendo um aumento de 0,001 unidade para cada 35 a 40 mOsm/ℓ de aumento na osmolaridade urinária. Essa relação entre densidade e osmolaridade se altera na presença de uma grande quantidade de moléculas grandes na urina, como glicose, contrastes radiográficos utilizados com fins diagnósticos ou alguns antibióticos. Nesses casos, a mensuração da densidade pode sugerir falsamente uma alta concentração urinária, apesar de uma osmolaridade normal.

Existem fitas disponíveis para se mensurar a densidade urinária aproximada, embora a maioria dos laboratórios o faça utilizando um *refratômetro*.

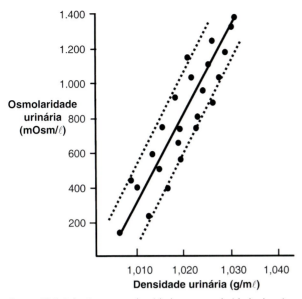

Figura 29.3 Relação entre a densidade e a osmolaridade da urina.

A EXCREÇÃO DE URINA CONCENTRADA REQUER ALTOS NÍVEIS DE ADH E MEDULA RENAL HIPERTÔNICA

Os requisitos básicos para a formação de urina concentrada são (1) *nível alto de ADH*, que aumenta a permeabilidade dos túbulos distais e ductos coletores à água, permitindo que esses segmentos a reabsorvam intensamente; e (2) *alta osmolaridade do líquido intersticial da medula renal*, que proporciona um gradiente osmótico necessário à reabsorção de água na presença de altos níveis de ADH.

O interstício da medula renal que circunda os ductos coletores é normalmente hiperosmótico (hipertônico), ou seja, quando há níveis altos de ADH, a água move-se através da membrana tubular por osmose até o interstício renal. Daí, ela é carreada pelos vasos retos de volta para o sangue. Portanto, a capacidade de concentração da urina limita-se pelo nível de ADH e pelo grau de hiperosmolaridade da medula renal. Discutiremos os fatores que controlam a secreção de ADH mais adiante, mas, por agora, qual seria o processo que torna o líquido intersticial da medula renal hiperosmótico? Esse processo envolve o funcionamento do *mecanismo multiplicador de contracorrente*.

O mecanismo multiplicador de contracorrente depende do arranjo anatômico especial das alças de Henle e dos vasos retos (que nada mais são do que *capilares peritubulares especializados da medula renal*). Em humanos, cerca de 25% dos néfrons são *néfrons justamedulares*, com alças de Henle e vasos retos que penetram profundamente na medula antes de retornarem ao córtex. Algumas alças de Henle atingem as extremidades das papilas renais que se projetam da medula até a pelve renal. Paralelos a essas longas alças estão os vasos retos, que também penetram profundamente na medula antes de retornar ao córtex renal. Por fim, os ductos coletores, os quais carreiam urina através da medula renal hiperosmótica antes de sua excreção, também exercem um papel essencial no mecanismo de contracorrente.

O MECANISMO MULTIPLICADOR DE CONTRACORRENTE PRODUZ UM INTERSTÍCIO MEDULAR RENAL HIPEROSMÓTICO

A osmolaridade do líquido intersticial em quase todas as partes do organismo é de aproximadamente 300 mOsm/ℓ, similar à osmolaridade plasmática (conforme discutido no Capítulo 25, a *atividade osmolar corrigida*, que corresponde à atração molecular, é de cerca de 282 mOsm/ℓ). A osmolaridade do líquido intersticial da medula renal é bastante maior e pode aumentar progressivamente até cerca de 1.200 a 1.400 mOsm/ℓ na extremidade pélvica da medula. Isso significa que o interstício medular acumula mais solutos do que água. Uma vez atingida a alta concentração de solutos dessa região, ela passa a ser mantida por um equilíbrio dos fluxos de entrada e saída de solutos e água na medula.

Os principais fatores que contribuem com a acumulação de solutos na medula renal são:

1. Transporte ativo de íons sódio e cotransporte de potássio, cloreto e outros íons do segmento ascendente espesso da alça de Henle para o interstício medular;
2. Transporte ativo de íons dos ductos coletores para o interstício medular;
3. Difusão facilitada de ureia dos ductos coletores mais profundos da medula para o interstício medular;
4. Difusão de apenas uma pequena quantidade de água dos túbulos medulares para o interstício medular – muito menor que a reabsorção de solutos para o interstício medular.

CARACTERÍSTICAS DA ALÇA DE HENLE QUE CAUSAM APRISIONAMENTO DE SOLUTOS NA MEDULA RENAL

As características de transporte das alças de Henle encontram-se resumidas na **Tabela 29.1**, juntamente com as propriedades dos túbulos proximais, túbulos coletores corticais e parte mais profunda dos ductos coletores medulares.

Um grande fator causador da alta osmolaridade medular é o transporte ativo de sódio e cotransporte de potássio, cloreto e outros íons do segmento ascendente espesso da alça de Henle para o interstício. Essa bomba é capaz de estabelecer um gradiente de concentração de cerca de 200 mOsm/ℓ entre o lúmen tubular e o líquido intersticial. Como o segmento ascendente espesso é praticamente impermeável à água, os solutos bombeados para fora não são acompanhados por um fluxo osmótico de água para o

Tabela 29.1 Resumo das características tubulares: concentração da urina.

Estrutura	Transporte ativo de NaCl	Permeabilidade H₂O	NaCl	Ureia
Túbulo proximal	++	++	+	+
Segmento descendente delgado	0	++	+	+
Segmento ascendente delgado	0	0	+	+
Segmento ascendente espesso	++	0	0	0
Túbulo distal	+	+ADH	0	0
Túbulo coletor cortical	+	+ADH	0	0
Ducto coletor medular profundo	+	+ADH	0	+ADH

ADH: hormônio antidiurético; NaCl: cloreto de sódio; 0: nível mínimo de transporte ativo ou permeabilidade; +: nível moderado de transporte ativo ou permeabilidade; ++: alto nível de transporte ativo ou permeabilidade; +ADH: permeabilidade à água ou ureia aumentada pelo ADH.

interstício. Portanto, o transporte ativo de sódio e outros íons para fora do segmento ascendente espesso adiciona um excesso de solutos à água da medula renal. Também ocorre certo grau de reabsorção passiva de cloreto de sódio do segmento ascendente delgado da alça de Henle, também essencialmente impermeável à água, o que adiciona mais soluto à concentração do interstício medular renal.

O ramo descendente da alça de Henle, ao contrário do ramo ascendente, é altamente permeável à água, de forma que a osmolaridade do líquido tubular rapidamente se iguala à da medula renal. Por essa razão, a água difunde-se para fora do ramo descendente da alça para o interstício e a osmolaridade do líquido tubular aumenta gradativamente conforme este flui até a extremidade da alça de Henle.

Etapas envolvidas no estabelecimento de um interstício medular renal hiperosmótico. Tendo em mente essas características da alça de Henle, podemos agora discutir como a medula renal se torna hiperosmótica (ver Vídeo 29.1). Em primeiro lugar, admitamos que a alça de Henle seja preenchida com líquido de concentração 300 mOsm/ℓ, igual à que deixa o túbulo proximal (ver **Figura 29.4**, etapa 1). Em seguida, a bomba iônica ativa do *segmento ascendente espesso* da alça de Henle reduz a concentração dentro do túbulo e aumenta a concentração intersticial; essa bomba estabelece um gradiente de concentração de 200 mOsm/ℓ entre o líquido tubular e o intersticial (ver **Figura 29.4**, etapa 2). O limite do gradiente é de aproximadamente 200 mOsm/ℓ porque a difusão paracelular de íons para o túbulo contrapõe o transporte iônico para fora do lúmen após ser atingido o gradiente de 200 mOsm/ℓ.

A etapa 3 ocorre quando o líquido tubular do *segmento descendente da alça de Henle* e o líquido intersticial rapidamente atingem equilíbrio osmótico graças à osmose da água para fora do lúmen. A osmolaridade intersticial é mantida em 400 mOsm/ℓ em razão do transporte contínuo de íons para fora do segmento ascendente espesso da alça. Portanto, o transporte ativo de cloreto de sódio do segmento ascendente espesso, por si só, é capaz de estabelecer um gradiente máximo de 200 mOsm/ℓ, que é bastante menor do que o alcançado pelo sistema multiplicador de contracorrente.

A etapa 4 envolve o fluxo adicional de líquido do túbulo proximal para a alça de Henle, o que faz com que o líquido hiperosmótico formado anteriormente no ramo descendente flua para o ramo ascendente. Uma vez no ramo ascendente, íons adicionais são bombeados para o interstício e a água permanece no túbulo até que se estabeleça o gradiente de 200 mOsm/ℓ e a osmolaridade do líquido intersticial chegue até 500 mOsm/ℓ (etapa 5). Então, mais uma vez, o líquido do ramo descendente atinge um equilíbrio com o interstício medular hiperosmótico (etapa 6), e, à medida que esse líquido hiperosmótico do ramo descendente da alça de Henle flui para o ramo ascendente, mais soluto ainda é bombeado continuamente para fora dos túbulos e depositado no interstício medular.

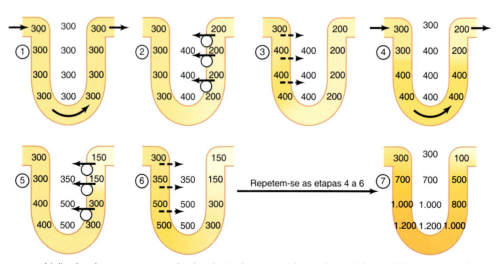

Figura 29.4 Sistema multiplicador de contracorrente da alça de Henle para produção de medula renal hiperosmótica (valores numéricos em miliosmóis por litro).

Essas etapas são repetidas várias vezes, com efeito final de adição de mais e mais soluto à medula do que água. Com o tempo, *esse processo gradualmente aprisiona solutos na medula e multiplica o gradiente estabelecido pelo bombeamento ativo de íons para fora do segmento ascendente espesso da alça de Henle, o que por fim eleva a osmolaridade do líquido intersticial até 1.200 a 1.400 mOsm/ℓ,* conforme demonstrado na etapa 7.

Desse modo, a reabsorção repetitiva de cloreto de sódio pelo segmento ascendente espesso da alça de Henle e o fluxo ininterrupto de novo cloreto de sódio do túbulo proximal para a alça de Henle recebem o nome de mecanismo *multiplicador de contracorrente*. O cloreto de sódio reabsorvido do segmento ascendente da alça continua sendo adicionado ao cloreto de sódio recém-chegado, "multiplicando" sua concentração no interstício medular.

PAPEL DO TÚBULO DISTAL E DOS DUCTOS COLETORES NA EXCREÇÃO DE URINA CONCENTRADA

Quando o líquido tubular deixa a alça de Henle e flui para o túbulo contorcido distal no córtex renal, o líquido está diluído com osmolaridade de aproximadamente 100 a 140 mOsm/ℓ (ver **Figura 29.5**). O início do túbulo distal dilui ainda mais o líquido tubular porque esse segmento, assim como o ramo ascendente da alça de Henle, realiza transporte ativo de cloreto de sódio do túbulo sendo ao mesmo tempo relativamente impermeável à água.

À medida que o líquido flui para o túbulo coletor cortical, a quantidade de água reabsorvida passa a depender criticamente da concentração plasmática de ADH. Na ausência de ADH, esse segmento é praticamente impermeável à água, porém continua a reabsorver solutos, diluindo

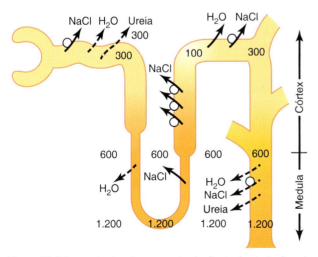

Figura 29.5 Formação de urina concentrada diante de níveis altos do hormônio antidiurético (ADH). Observe que o líquido que deixa a alça de Henle está diluído, porém se torna concentrado conforme a água é reabsorvida nos túbulos distais e túbulos coletores. Com níveis altos de ADH, a osmolaridade da urina aproxima-se da osmolaridade do líquido intersticial da papila medular renal, que é de cerca de 1.200 mOsm/ℓ (valores numéricos em miliosmóis por litro).

mais a urina. No caso de alta concentração de ADH, o túbulo coletor cortical torna-se altamente permeável à água, de forma que grandes quantidades de água são reabsorvidas do túbulo para o interstício cortical e extraídas pelo rápido fluxo dos capilares peritubulares. *Como ocorre reabsorção de grande quantidade de água para o córtex e não para a medula renal, isso auxilia na manutenção da alta osmolaridade do líquido intersticial medular.*

Conforme o líquido tubular flui ao longo dos ductos coletores medulares, ocorre mais reabsorção de água para o interstício, embora a quantidade total seja relativamente pequena comparada à reabsorvida pelo interstício cortical. A água reabsorvida é carreada pelos vasos retos para o sangue venoso. Com níveis altos de ADH, os ductos coletores tornam-se permeáveis à água, de forma que o líquido de sua porção final atinge essencialmente a mesma osmolaridade do líquido intersticial da medula renal – cerca de 1.200 mOsm/ℓ (ver **Figura 29.4**). Portanto, por meio da reabsorção do máximo possível de água, os rins formam urina altamente concentrada, excretando quantidades normais de solutos ao mesmo tempo que devolvem água ao líquido extracelular e compensam seus déficits no organismo.

A UREIA CONTRIBUI PARA MANTER O INTERSTÍCIO MEDULAR RENAL HIPEROSMÓTICO E FORMAR URINA CONCENTRADA

A ureia contribui com cerca de 40 a 50% da osmolaridade (500 a 600 mOsm/ℓ) do interstício medular renal quando os rins formam urina com máxima concentração. Diferentemente do cloreto de sódio, a ureia é reabsorvida pelo túbulo de forma passiva. Quando ocorre déficit de água e a concentração de ADH do sangue aumenta, grandes quantidades de ureia são reabsorvidas passivamente dos ductos coletores medulares profundos para o interstício.

O mecanismo de reabsorção da ureia para a medula renal é como segue: conforme a água flui pelo ramo ascendente da alça de Henle até os túbulos coletores corticais, pouca ureia é reabsorvida, visto que esses segmentos são impermeáveis a ela (ver **Tabela 29.1**). Na presença de altas concentrações de ADH, a água é rapidamente reabsorvida do túbulo coletor cortical e a concentração de ureia sobe rapidamente porque essa região do túbulo não é tão permeável à ureia.

À medida que o líquido tubular flui para os ductos coletores profundos da medula, mais água será reabsorvida, resultando em concentração ainda maior de ureia no líquido. Essa alta concentração de ureia do líquido tubular da região mais profunda do ducto coletor medular causa difusão de ureia do túbulo para o líquido intersticial renal. A difusão é grandemente facilitada por *transportadores de ureia* específicos, *UT-A1* e *UT-A3*. Esses transportadores são ativados pelo ADH, aumentando ainda mais o transporte de ureia do ducto coletor medular quando os níveis de ADH estão aumentados. O movimento simultâneo de água e ureia para fora dos ductos coletores medulares profundos mantém alta concentração de ureia no líquido tubular e, por fim, na urina, mesmo com reabsorção de ureia.

O papel fundamental da ureia em contribuir com a capacidade de concentração da urina é evidenciado pelo fato de que pessoas que ingerem dieta com alto teor de proteínas, gerando grandes quantidades de ureia como um produto nitrogenado do metabolismo, podem concentrar a urina melhor do que pessoas com dietas de teor proteico e produção de ureia mais baixos. A má nutrição é associada a menor concentração de ureia no interstício medular e considerável comprometimento da capacidade de concentração da urina.

A recirculação da ureia do ducto coletor para a alça de Henle contribui para manter a medula renal hiperosmótica. Uma pessoa saudável normalmente excreta 20 a 60% da carga filtrada de ureia, dependendo do fluxo urinário e do estado de hidratação. Em geral, a taxa de excreção de ureia é determinada principalmente pelos seguintes fatores: (1) concentração de ureia do plasma; (2) taxa de filtração glomerular (TFG); e (3) reabsorção tubular renal de ureia. Em pacientes com doença renal e que apresentam grave redução da TFG, a concentração plasmática de ureia aumenta significativamente, retornando a carga filtrada de ureia e sua excreção ao nível normal (igual à taxa de produção de ureia), apesar da TFG diminuída.

No túbulo proximal, 40 a 50% da ureia filtrada sofrem reabsorção, contudo, a concentração de ureia do líquido tubular ainda assim aumenta em razão de a ureia não ser tão permeante quanto a água. A concentração de ureia continua aumentando à medida que o líquido tubular flui para os segmentos delgados da alça de Henle, em parte devido à reabsorção de água do ramo descendente da alça e em parte devido a um grau de *secreção* de ureia para o segmento delgado a partir do interstício medular (ver **Figura 29.6**). A secreção passiva de ureia para os segmentos delgados da alça de Henle é facilitada pelo *transportador de ureia UT-A2*.

O segmento ascendente espesso da alça de Henle, o túbulo distal e o túbulo coletor cortical são menos permeáveis à ureia, sendo somente pequenas quantidades reabsorvidas normalmente nesses segmentos. Quando o rim está formando urina concentrada e os níveis de ADH estão altos, a reabsorção de água do túbulo distal e túbulo coletor cortical aumenta a concentração de ureia no líquido tubular. Conforme essa ureia flui para o ducto coletor medular profundo, a alta concentração e os transportadores UT-A1 e UT-A3 causam difusão da ureia para o interstício medular. Uma considerável parte dessa ureia então se difunde para o segmento delgado da alça de Henle e, em seguida, ascende ao ramo ascendente da alça, túbulo distal e túbulo coletor cortical para posteriormente retornar ao ducto coletor medular. Dessa forma, a ureia pode recircular através dessas porções terminais do sistema tubular por diversas vezes antes de sua excreção. Cada passagem pelo circuito contribui com a manutenção de alta concentração de ureia.

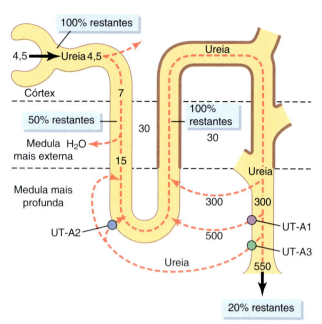

Figura 29.6 Recirculação da ureia absorvida do ducto coletor medular para o líquido intersticial. A ureia difunde-se para a alça de Henle e em seguida passa através dos túbulos distais para, finalmente, retornar ao ducto coletor. A recirculação da ureia auxilia em seu aprisionamento na medula renal e contribui com a hiperosmolaridade desse local. As *linhas espessas*, desde o segmento ascendente espesso da alça de Henle até os ductos coletores medulares, indicam que esses segmentos não são muito permeáveis à ureia. Os transportadores de ureia UT-A1 e UT-A3 facilitam a difusão da ureia para fora dos ductos coletores medulares, ao passo que o UT-A2 facilita sua difusão para o segmento descendente delgado da alça de Henle (valores numéricos em miliosmóis por litro de ureia durante a antidiurese, em que estão presentes grandes quantidades de hormônio antidiurético. As porcentagens de carga filtrada de ureia que permanecem nos túbulos são indicadas nos quadros).

Essa área de recirculação fornece, ainda, um mecanismo de formação da medula renal hiperosmótica. Como a ureia é um dos produtos metabólicos mais abundantes excretados pelos rins, esse mecanismo de concentração de ureia previamente à sua excreção é essencial à preservação de líquido no organismo quando ocorre baixo suprimento de água.

Já no caso de excesso de água no organismo, o fluxo urinário aumenta, o que por conseguinte reduz a concentração de ureia nos ductos coletores medulares profundos, causando menos difusão de ureia para o interstício medular renal. Os níveis de ADH também diminuem em razão do excesso de água, o que acaba por reduzir a permeabilidade desses ductos tanto à água quanto à ureia, causando maior excreção desta última na urina.

A TROCA POR CONTRACORRENTE NOS VASOS RETOS PRESERVA A HIPEROSMOLARIDADE DA MEDULA RENAL

É necessário haver aporte sanguíneo à medula renal a fim de suprir as necessidades metabólicas das células dessa região dos rins. Todavia, sem um sistema especial de fluxo sanguíneo medular, os solutos bombeados para a medula renal pelo mecanismo multiplicador de contracorrente seriam rapidamente dissipados.

Duas características especiais do fluxo sanguíneo da medula renal contribuem para preservar as altas concentrações de solutos:

1. O fluxo sanguíneo na medula renal é baixo, correspondendo a menos que 5% do fluxo sanguíneo renal total. Esse fluxo lento é suficiente para suprir as necessidades metabólicas dos tecidos, minimizando, porém, a perda de solutos do interstício renal.
2. Os *vasos retos* servem como *mediadores de contracorrente*, minimizando também a remoção de solutos do interstício medular renal.

O mecanismo de trocas por contracorrente funciona como segue (ver **Figura 29.7**). O sangue entra e sai da medula através dos vasos retos no limite entre córtex e medula renal. Os vasos retos, assim como outros capilares, são altamente permeáveis a solutos do sangue, exceto pelas proteínas plasmáticas. À medida que o sangue desce pela medula em direção às papilas, torna-se progressivamente mais concentrado, em parte devido à entrada de solutos do interstício e em parte devido à perda de água para o interstício. No momento de sua chegada às extremidades dos vasos retos, sua concentração é de cerca de 1.200 mOsm/ℓ, igual à do interstício medular. Durante sua ascensão de volta ao córtex, o sangue torna-se progressivamente menos concentrado conforme solutos se difundem de volta ao interstício e a água adentra os capilares.

Embora grandes quantidades de líquido e solutos sejam trocadas ao longo dos vasos retos, há pouca diluição final da concentração do líquido intersticial em cada nível da medula renal tendo em vista o formato em "U" desses capilares, que atuam como mediadores do mecanismo de contracorrente. *Portanto, os* vasos retos *não criam a hiperosmolaridade medular, apenas impedem que ela seja dissipada.*

O formato de "U" dos vasos minimiza a perda de solutos do interstício, mas não impede o alto fluxo de líquido e solutos para o sangue em função das usuais pressões hidrostáticas e coloidosmóticas que favorecem a reabsorção nesses capilares. Sob condições estáveis, os *vasos retos* levam embora quantidades de soluto e água próximas daquelas absorvidas dos túbulos medulares, sendo preservada a alta concentração de solutos estabelecida pelo mecanismo de contracorrente.

O aumento do fluxo sanguíneo na medula renal reduz a capacidade de concentração da urina. Alguns vasodilatadores podem aumentar significativamente o fluxo sanguíneo da medula renal, causando remoção de parte dos solutos e redução da capacidade máxima de concentração da urina. Aumentos marcantes na pressão arterial também aumentam o fluxo sanguíneo medular renal até um grau maior que em outras regiões dos rins, gerando uma tendência de diluição do interstício hiperosmótico, o que também reduz a capacidade de concentração da urina. Conforme discutido anteriormente, a capacidade máxima dos rins de concentrar a urina determina-se não só pelo nível de ADH, mas também pela osmolaridade do líquido intersticial da medular renal. Mesmo com níveis máximos de ADH, a capacidade de concentração da urina permanecerá diminuída se o fluxo sanguíneo medular estiver alto o suficiente para reduzir a hiperosmolaridade dessa região.

RESUMO DO MECANISMO DE CONCENTRAÇÃO DA URINA E ALTERAÇÕES NA OSMOLARIDADE EM DIFERENTES SEGMENTOS TUBULARES

As alterações da osmolaridade e volume do líquido tubular ao longo de sua passagem por diferentes partes do néfron encontram-se demonstradas na **Figura 29.8**.

Túbulo proximal. Cerca de 65% da maioria dos eletrólitos filtrados sofrem reabsorção no túbulo proximal. Contudo, as membranas dessa região são altamente permeáveis à água, ou seja, não importa quanto soluto seja reabsorvido, a água também se difundirá através da membrana por osmose. Essa difusão de água através do epitélio tubular proximal é auxiliada pelo canal de água *aquaporina 1* (AQP-1). Portanto, a osmolaridade do líquido permanece praticamente a mesma do filtrado glomerular, cerca de 300 mOsm/ℓ.

Ramo descendente da alça de Henle. Conforme o líquido flui pelo ramo descendente da alça de Henle, ocorre reabsorção de água para a medula renal. Essa porção do néfron é toda delgada, também contém AQP-1 e é altamente permeável à água; porém, muito menos permeável a sódio e ureia. Desse modo, a osmolaridade do líquido

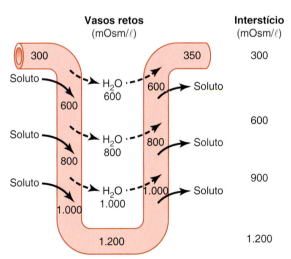

Figura 29.7 Trocas por contracorrente nos vasos retos. O plasma que flui ao longo do segmento descendente dos vasos retos torna-se mais hiperosmótico em virtude da difusão da água para fora do sangue e da difusão de solutos do líquido intersticial renal para o sangue. No segmento ascendente dos vasos retos, os solutos difundem-se de volta para o líquido intersticial, e a água, de volta para o sangue. Grandes quantidades de solutos seriam perdidas da medula renal se não fosse pelo formato em U dos capilares vasos retos (valores numéricos em miliosmóis por litro).

PARTE 5 Líquidos Corporais e Rins

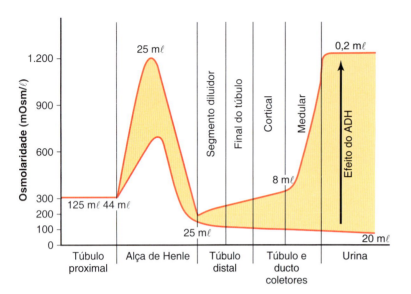

Figura 29.8 Mudanças na osmolaridade do líquido tubular renal conforme ele flui por diferentes segmentos tubulares na presença de altos níveis de hormônio antidiurético (*ADH*) e na ausência de ADH (valores numéricos indicam os volumes aproximados em mililitros por minuto ou osmolaridades em miliosmóis por litro de líquido que flui ao longo dos diferentes segmentos tubulares).

que flui pelo ramo descendente da alça de Henle aumenta gradativamente até se tornar próxima da osmolaridade do interstício circunjacente, aproximadamente 1.200 mOsm/ℓ quando a concentração de ADH do sangue está alta.

Durante a formação de urina diluída em razão de baixos níveis de ADH, a osmolaridade do interstício medular é menor que 1.200 mOsm/ℓ; como consequência, o líquido tubular do ramo descendente também se torna menos concentrado. Essa menor concentração se deve em parte à menor reabsorção de ureia para o interstício medular pelos ductos coletores em virtude dos baixos níveis de ADH, de forma que os rins produzem maior volume de urina diluída.

Segmento ascendente delgado da alça de Henle. O segmento ascendente delgado é essencialmente impermeável à água, mas reabsorve uma parte do cloreto de sódio. Em razão da alta concentração de cloreto de sódio do líquido tubular produzida pela reabsorção da água no ramo descendente da alça de Henle, ocorre certo grau de difusão passiva de cloreto de sódio do segmento ascendente delgado para o interstício medular. Portanto, o líquido tubular vai se tornando mais diluído à medida que o cloreto de sódio se difunde para fora do túbulo e a água permanece nele.

Parte da ureia absorvida para o interstício medular pelos ductos coletores também se difunde para o ramo ascendente, devolvendo ureia ao sistema tubular e auxiliando na prevenção de sua remoção da medula renal. A *reciclagem de ureia* é um mecanismo adicional que contribui com a medula renal hiperosmótica.

Segmento ascendente espesso da alça de Henle. A porção espessa do ramo ascendente da alça de Henle também é praticamente impermeável à água, embora grandes quantidades de sódio, cloreto, potássio e outros íons sejam ativamente transportadas (bombeadas) para o interstício medular nessa região. Portanto, o líquido (filtrado) do segmento ascendente espesso torna-se muito diluído, com sua concentração decaindo até 140 mOsm/ℓ.

Porção inicial do túbulo distal. O início do túbulo distal possui propriedades similares às do segmento ascendente espesso da alça de Henle, de forma que o líquido tubular sofre maior diluição e chega a 100 mOsm/ℓ à medida que os solutos são reabsorvidos e a água permanece no túbulo.

Porção final do túbulo distal e túbulos coletores corticais. No final do túbulo distal e nos túbulos coletores corticais, a osmolaridade do líquido tubular depende dos níveis de ADH. Quando estes estão altos, os túbulos tornam-se altamente permeáveis à água e grandes quantidades de água são reabsorvidas. A ureia, porém, não é um soluto muito permeante nessa região do néfron, o que resulta em alta concentração de ureia à medida que a água é reabsorvida. Esse processo permite que a maior parte da ureia que chega no túbulo distal e túbulo coletor cortical passe para os ductos medulares profundos, a partir dos quais será reabsorvida ou excretada na urina. Na ausência de ADH, pouca água é reabsorvida no final do túbulo distal e no túbulo coletor cortical, resultando em uma diminuição da osmolaridade em razão da contínua reabsorção ativa de íons nesses segmentos.

Ductos coletores medulares profundos. A concentração do líquido dos ductos coletores mais profundos da medula renal também depende dos seguintes fatores: (1) ADH; e (2) osmolaridade do interstício medular circunjacente, estabelecida pelo mecanismo de contracorrente. Na presença de grandes quantidades de ADH, esses ductos se tornam altamente permeáveis à água, ocorrendo difusão de água do túbulo para o interstício até que se atinja um equilíbrio osmótico, em que a concentração do líquido tubular se iguala à do interstício medular renal (1.200 a 1.400 mOsm/ℓ). Desse modo, diante de altos níveis de ADH, produz-se um pequeno volume de urina concentrada. Como a reabsorção de água aumenta a concentração de ureia no líquido tubular e visto que esses ductos coletores possuem transportadores específicos para facilitar a

CAPÍTULO 29 Concentração e Diluição da Urina...

difusão da ureia, uma grande parte da ureia concentrada nos ductos difunde-se do lúmen para o interstício medular. Essa absorção de ureia contribui com a manutenção de alta osmolaridade no interstício e com a capacidade de concentração de urina dos rins.

Muitos pontos importantes que devem ser considerados podem não estar evidentes com essa discussão. Primeiro, embora o cloreto de sódio seja um dos principais solutos que contribui com a hiperosmolaridade do interstício medular, *o rim pode, se necessário, excretar urina altamente concentrada contendo pouco cloreto de sódio.* A hiperosmolaridade urinária nesses casos deve-se à alta concentração de outros solutos, especialmente produtos metabólicos como a ureia. Uma condição para que isso ocorra é a desidratação acompanhada de baixa ingestão de sódio. Conforme discutido no Capítulo 30, a baixa ingestão de sódio estimula a formação dos hormônios angiotensina II e aldosterona, os quais, juntos, causam intensa reabsorção de sódio dos túbulos ao mesmo tempo em que deixam para trás ureia e outros solutos, mantendo alta a concentração da urina.

Segundo, *grandes quantidades de urina diluída podem ser excretadas sem que a excreção de sódio seja aumentada.* Essa característica é possibilitada por meio da redução da secreção de ADH, o que diminui a reabsorção de água nos segmentos tubulares mais distais sem alterar significativamente a reabsorção de sódio.

Por fim, existe um *volume de urina obrigatório*, determinado pela capacidade máxima de concentração dos rins e da quantidade de soluto que deverá ser excretado. Portanto, se for necessário excretar grandes quantidades de soluto, estas deverão ser acompanhadas pela quantidade mínima de água necessária a essa excreção. Por exemplo, se for necessária a excreção de 600 miliosmóis de soluto a cada dia, isso demandará excreção de, *no mínimo*, 0,5 ℓ de urina, dada a capacidade de concentração máxima de 1.200 mOsm/ℓ.

Como quantificar a concentração e a diluição da urina pelos rins: *clearance* (depuração) osmolar e de água livre

O processo de concentração ou diluição da urina requer que os rins excretem água e solutos de forma relativamente independente. Quando a urina está diluída, a água está sendo excretada em maior quantidade que solutos. Da mesma forma, quando a urina está concentrada, os solutos estão sendo excretados em maior quantidade que a água.

O *clearance* total de solutos do sangue pode ser expresso na forma de *clearance osmolar* (C_{osm}). Trata-se do volume de plasma depurado de solutos por minuto, da mesma forma com que se calcula o *clearance* de uma substância qualquer:

$$C_{osm} = \frac{U_{osm} \times \dot{V}}{P_{osm}}$$

em que U_{osm} é a osmolaridade urinária, $\dot{V}$ é o fluxo urinário e P_{osm} é a osmolaridade do plasma. Por exemplo, se a

osmolaridade plasmática for 300 mOsm/ℓ, a urinária 600 mOsm/ℓ e o fluxo urinário for de 1 mℓ/min (0,001 ℓ/min), então a taxa de excreção osmolar será 0,6 mOsm/min (600 mOsm/ℓ × 0,001 ℓ/min) e o *clearance* osmolar será 0,6 mOsm/min divididos por 300 mOsm/ℓ, ou 0,002 ℓ/min (2,0 mℓ/min). Isso significa que 2 mililitros de plasma são depurados do soluto a cada minuto.

Clearance de água livre: taxas relativas com que solutos e água são excretados

O *clearance de água livre* (C_{H_2O}) é calculado como a diferença entre a excreção de água (fluxo urinário) e o *clearance* osmolar:

$$C_{H_2O} = V - C_{osm} = V - \frac{(U_{osm} \times \dot{V})}{P_{osm}}$$

Ou seja, a taxa de *clearance* de água livre representa a taxa com que a água sem solutos é excretada pelos rins. Quando o *clearance* é positivo, entende-se que há excreção de água em excesso pelos rins; quando é negativo, entende-se que solutos estão sendo removidos do sangue em excesso pelos rins, concomitantemente à conservação de água.

Utilizando-se o exemplo anterior, se o fluxo urinário for igual a 1 mℓ/min e o *clearance* osmolar for igual a 2 mℓ/min, o *clearance* de água livre será de −1 mℓ/min. Isso significa que, em vez de os rins estarem eliminando mais água do que solutos, estão na realidade devolvendo água à circulação sistêmica, como ocorre em déficits de água. *Portanto, sempre que a osmolaridade da urina for maior do que a osmolaridade do plasma, o* clearance *de água livre será negativo, indicando que está ocorrendo conservação de água.*

Quando os rins estão formando urina diluída (*i. e.*, urina com osmolaridade < osmolaridade plasmática), o *clearance* de água livre resultará em um valor positivo, indicando que a água está sendo removida do plasma pelos rins em maior quantidade que os solutos. Ou seja, a água sem solutos, denominada *água livre*, está sendo perdida do organismo ao passo que o plasma está sendo concentrado quando o *clearance* de água livre resulta positivo.

Distúrbios da capacidade de concentração da urina

O comprometimento da capacidade dos rins de concentrar ou diluir adequadamente a urina pode ocorrer com uma ou mais das seguintes anormalidades:

1. *Secreção inapropriada de ADH.* Tanto a secreção excessiva quanto a insuficiente de ADH resulta na excreção anormal de água pelos rins.
2. *Comprometimento do mecanismo de contracorrente.* É necessário haver um interstício medular hiperosmótico para que a capacidade de concentração de urina esteja máxima. Não importa a quantidade de ADH presente, a concentração máxima da urina é limitada pelo grau de hiperosmolaridade do interstício medular.
3. *Incapacidade de resposta ao ADH pelos túbulos distais, túbulos coletores e ductos coletores.*

Falha na produção do ADH: diabetes insípido central.
A incapacidade de produzir ADH no hipotálamo ou de liberar o ADH que fica estocado na neuro-hipófise pode ser causada por traumatismos cranianos, infecções, ou por

PARTE 5 Líquidos Corporais e Rins

causas congênitas. Como os segmentos tubulares distais não podem reabsorver água sem a presença de ADH, essa condição, que recebe o nome de *diabetes insípido central*, resulta na formação de um grande volume de urina diluída, que pode exceder 15 ℓ/dia. Os mecanismos da sede, discutidos mais adiante neste capítulo, são ativados quando há perda excessiva de água do organismo. Portanto, contanto que um indivíduo beba água em quantidade suficiente, não ocorrem grandes reduções de sua quantidade no organismo. A anormalidade primária observada clinicamente em portadores dessa condição é a formação de um grande volume de urina diluída. Todavia, se a ingestão de água estiver restrita, como pode ocorrer no cenário hospitalar, em que a ingestão de água pelo paciente é restrita ou o paciente se encontra inconsciente (p. ex., por traumatismo craniano), pode ocorrer desidratação grave de forma rápida.

O tratamento do diabetes insípido central consiste na administração de um análogo sintético do ADH, a *desmopressina* (também conhecida como DDAVP), que age seletivamente em receptores V_2 causando aumento da permeabilidade do final dos túbulos distais e dos túbulos coletores à água. A desmopressina pode ser fornecida por via injetável, *spray* nasal ou por via oral, restabelecendo rapidamente o débito urinário.

Incapacidade de resposta ao ADH pelos rins: diabetes insípido nefrogênico. Em alguns casos, níveis normais ou aumentados de ADH são observados sem que os segmentos tubulares respondam adequadamente. Essa condição recebe o nome de *diabetes insípido nefrogênico*, visto que a anormalidade reside nos rins. O distúrbio pode ser resultado de insucesso do mecanismo de contracorrente em formar um interstício medular renal hiperosmótico ou uma falha na resposta dos túbulos distais, túbulos coletores e ductos coletores ao ADH. Em ambos os casos, são formados grandes volumes de urina diluída, causando desidratação caso não seja aumentada a entrada de líquidos na mesma magnitude do aumento de volume urinário.

Muitos tipos de doença renal podem prejudicar o mecanismo de concentração urinária, especialmente doenças que causam lesão da medula renal (discutidas com mais detalhes no Capítulo 32). Ademais, o comprometimento da função da alça de Henle, como ocorre com diuréticos que inibem a reabsorção de eletrólitos por esse segmento, como a furosemida, podem comprometer a capacidade de concentração de urina. Certos fármacos, como o lítio (utilizado no tratamento de transtorno bipolar e outros transtornos psíquicos) e as tetraciclinas (utilizadas como antibióticos), podem prejudicar a capacidade da região distal do néfron de responder ao ADH.

O diabetes insípido nefrogênico pode ser diferenciado do central pela administração de desmopressina (DDAVP), o análogo sintético do ADH. Dentro de 2 horas após a injeção de desmopressina, a ausência de redução do volume urinário ou o aumento da osmolaridade urinária são fortes indicadores de diabetes insípido nefrogênico. O tratamento adequado do diabetes insípido nefrogênico é a correção da doença renal subjacente, quando possível. A hipernatremia também pode ser atenuada por meio da instituição de uma dieta com baixo teor de sódio e administração de um diurético que aumente a excreção renal de sódio, como os diuréticos tiazídicos.

CONTROLE DA OSMOLARIDADE E CONCENTRAÇÃO DE SÓDIO DO LÍQUIDO EXTRACELULAR

A regulação da osmolaridade e da concentração de sódio do líquido extracelular são intimamente ligadas tendo em vista que o sódio é o íon mais abundante do compartimento extracelular. A concentração plasmática de sódio é normalmente regulada dentro do estreito limite de 140 a 145 mEq/ℓ, com média ao redor de 142 mEq/ℓ. A osmolaridade situa-se em torno de 300 mOsm/ℓ (cerca de 282 mOsm/ℓ após correção para atração interiônica) e raramente se altera em mais que ± 2 a 3%. Conforme discutido no Capítulo 25, essas variáveis devem ser precisamente controladas porque determinam a distribuição de líquidos entre os compartimentos intracelular e extracelular.

Estimativa da osmolaridade plasmática a partir da concentração de sódio

A maioria dos laboratórios clínicos não mensura rotineiramente a osmolaridade do plasma. Todavia, como o sódio e seus ânions associados correspondem a cerca de 94% dos solutos do compartimento extracelular, a osmolaridade plasmática (P_{osm}) pode ser estimada pela concentração plasmática de sódio (P_{Na}^+), como segue:

$$P_{osm} = 2,1 \times P_{Na}^+ \text{ (mmol/}\ell\text{)}$$

Por exemplo, com uma concentração plasmática de sódio de 142 mEq/ℓ, a osmolaridade seria estimada por essa fórmula em cerca de 298 mOsm/ℓ. Para maior precisão, especialmente em condições associadas a uma doença renal, inclui-se a contribuição da concentração plasmática (em mmol/ℓ) de outros dois solutos, glicose e ureia:

$$P_{osm} = 2 \times [P_{Na}^+, \text{ mmol/}\ell] + [P_{glicose}, \text{ mmol/}\ell] + [P_{ureia}, \text{ mmol/}\ell]$$

Essas estimativas da osmolaridade plasmática são em geral precisas dentro de uma pequena faixa de porcentagem em relação à mensuração direta.[2]

Normalmente, íons sódio e ânions associados (primariamente bicarbonato e cloreto) representam aproximadamente 94% dos osmóis extracelulares, com glicose e ureia contribuindo com cerca de 3 a 5% do total. Contudo, visto que a ureia transpõe facilmente a maior parte das membranas celulares, a pressão osmótica por ela exercida é pouco *efetiva* sob condições estáveis. Portanto, os íons sódio e seus ânions associados são os principais determinantes do movimento de líquidos através das membranas celulares. Como consequência, pode-se discutir o controle da osmolaridade e da concentração de sódio de maneira conjunta.

Embora o controle da *quantidade* de sódio e água excretados pelos rins inclua múltiplos mecanismos, dois sistemas primários estão especialmente envolvidos na

---

[2]N.R.C.: Se as medidas laboratoriais de sódio forem fornecidas em mEq/ℓ e as de glicose e ureia em mg/dℓ, então deve ser utilizado o devido fator de conversão de unidades. Essa observação é importante porque os laboratórios brasileiros normalmente não usam o mmol como medida.

regulação da *concentração* de sódio e osmolaridade do líquido extracelular: (1) o sistema osmorreceptor-ADH; e (2) o mecanismo da sede.

SISTEMA DE *FEEDBACK* OSMORRECEPTOR-ADH

A **Figura 29.9** demonstra os componentes básicos do sistema de *feedback* osmorreceptor-ADH para o controle da concentração de sódio e osmolaridade do líquido extracelular. Quando a osmolaridade aumenta acima do normal devido a, por exemplo, um déficit de água livre, esse sistema de *feedback* funciona da seguinte maneira:

1. O aumento na osmolaridade do líquido extracelular (que em termos práticos significa um aumento na concentração plasmática de sódio) causa contração de volume de neurônios especializados denominados *células osmorreceptoras*, localizadas no *hipotálamo anterior*, próximas aos núcleos supraópticos.
2. Ao se retraírem, as células osmorreceptoras deflagram impulsos nervosos para outras células dos núcleos supraópticos, as quais transmitem o sinal pelo pedúnculo da glândula hipófise até a neuro-hipófise.
3. Esses potenciais de ação conduzidos até a neuro-hipófise estimulam a liberação de ADH, que se encontra armazenado em grânulos (ou vesículas) secretórios nas terminações nervosas.
4. O ADH ganha a corrente sanguínea e é transportado até os rins, onde causa aumento da permeabilidade à água nos túbulos distais, túbulos coletores corticais e ductos coletores medulares.
5. O aumento da permeabilidade à água nos segmentos distais do néfron causa aumento da reabsorção de água e excreção de um pequeno volume de urina concentrada.

Portanto, a água é conservada enquanto o sódio e outros solutos continuam sendo excretados na urina. Isso causa diluição dos solutos do líquido extracelular, corrigindo a alta concentração inicial desse líquido.

A sequência oposta de eventos ocorre quando o líquido extracelular está excessivamente diluído (hiposmótico). Por exemplo, com a ingestão excessiva de água e redução na osmolaridade do líquido extracelular, forma-se menos ADH, os túbulos renais reduzem sua permeabilidade à água, menos água é reabsorvida e um grande volume de urina diluída é formado. Isso, por conseguinte, concentra os líquidos corporais e recupera a osmolaridade normal do plasma.

SÍNTESE DE ADH NOS NÚCLEOS SUPRAÓPTICOS E PARAVENTRICULARES DO HIPOTÁLAMO E LIBERAÇÃO DE ADH PELA NEURO-HIPÓFISE

A **Figura 29.10** demonstra a neuroanatomia do hipotálamo e da glândula hipófise, onde ocorrem síntese e liberação de ADH. O hipotálamo contém dois tipos de *neurônios magnocelulares* (grandes) *que sintetizam o ADH nos núcleos supraópticos e paraventriculares hipotalâmicos*, aproximadamente cinco sextos nos primeiros e um sexto nos segundos. Ambos os núcleos possuem axônios que se estendem até a neuro-hipófise. Uma vez sintetizado o ADH, este é transportado pelos axônios dos neurônios até suas extremidades, terminando na glândula neuro-hipófise. Quando os núcleos supraópticos e paraventriculares são estimulados pelo aumento da osmolaridade ou outros fatores, impulsos nervosos passam por esses terminais nervosos, modificando a permeabilidade de sua membrana e aumentando o influxo de cálcio. O ADH armazenado nos grânulos (também chamados *vesículas*) secretórios dos terminais nervosos é liberado em resposta ao aumento da entrada de cálcio. Esse ADH liberado é então carreado pelos capilares sanguíneos da neuro-hipófise até a circulação sistêmica. A secreção do ADH em resposta a um estímulo osmótico ocorre rapidamente, de forma que seus níveis plasmáticos podem aumentar em muitas vezes dentro de minutos, proporcionando um meio rápido de alteração da excreção renal de água.

Uma segunda região importante de controle da osmolaridade e secreção de ADH está localizada na *região anteroventral do terceiro ventrículo*, conhecida pela sigla *região AV3V*. Na porção superior dessa região existe uma estrutura denominada *órgão subfornicial* e, na região inferior, há uma outra estrutura chamada *órgão vascular da lâmina terminal*. Entre os dois órgãos está o *núcleo*

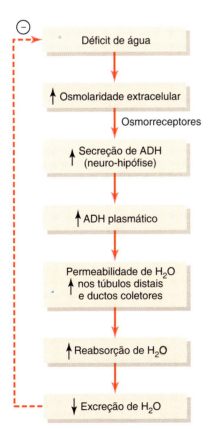

Figura 29.9 Mecanismo de *feedback* osmorreceptor-hormônio antidiurético (*ADH*) para regulação da osmolaridade do líquido extracelular em resposta a um déficit de água.

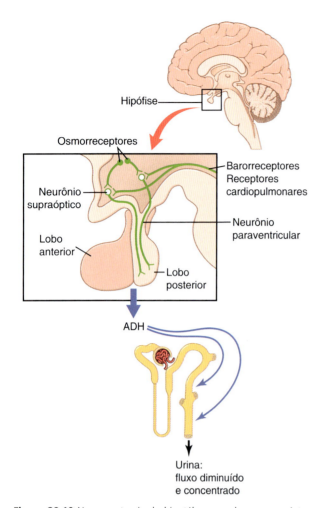

Figura 29.10 Neuroanatomia do hipotálamo, onde ocorre a síntese do hormônio antidiurético (*ADH*), e da neuro-hipófise, onde ocorre sua secreção.

pré-óptico mediano, com múltiplas conexões neurais com ambos os órgãos e também com os núcleos supraópticos e centros de controle da pressão arterial situados no bulbo. Lesões na região AV3V causam múltiplos déficits de controle da secreção de ADH, da sede, do apetite por sódio e da pressão arterial. A estimulação elétrica dessa região ou a estimulação da formação de angiotensina II podem aumentar a secreção de ADH, sede e apetite por sódio.

Próximos à região AV3V e núcleos supraópticos residem neurônios que são excitados por pequenos aumentos da osmolaridade do líquido extracelular – recebendo, por essa razão, o nome de *osmorreceptores*. Essas células enviam sinais nervosos aos núcleos supraópticos para controlar seu disparo e secreção de ADH. É provável que também induzam a sede em resposta ao aumento da osmolaridade do líquido extracelular.

Tanto o órgão subfornicial quanto o órgão vascular da lâmina terminal apresentam aporte vascular desprovido da típica barreira hematencefálica que, se estivesse presente neste local, impediria a difusão da maior parte dos íons do sangue para o tecido neural. Essa característica possibilita que íons e outros solutos se movimentem entre o sangue e o líquido intersticial local dessa região. Como resultado, os osmorreceptores rapidamente respondem a mudanças na osmolaridade do líquido extracelular, exercendo forte controle sobre a secreção de ADH e a sede, conforme discutido mais adiante.

ESTIMULAÇÃO DA LIBERAÇÃO DE ADH PELA DIMINUIÇÃO DA PRESSÃO ARTERIAL E/OU DO VOLUME SANGUÍNEO

A liberação de ADH também é controlada por reflexos cardiovasculares que respondem à diminuição da pressão arterial e/ou do volume sanguíneo, incluindo os seguintes: (1) *reflexos barorreceptores arteriais*; e (2) *reflexos cardiopulmonares*, ambos discutidos no Capítulo 18. Essas vias de reflexo se originam em regiões de alta pressão da circulação, como arco aórtico e seio carotídeo, e também em regiões de baixa pressão, especialmente nos átrios cardíacos. Estímulos aferentes são carreados pelo nervo vago (X) e glossofaríngeo (IX), com sinapses nos núcleos do trato solitário. Projeções a partir desses núcleos transmitem sinais aos núcleos hipotalâmicos que controlam a síntese e secreção de ADH.

Ou seja, além da osmolaridade aumentada, dois outros estímulos aumentam a secreção de ADH: (1) redução da pressão arterial; e (2) redução do volume sanguíneo. Sempre que a pressão arterial e o volume estiverem reduzidos, como durante uma hemorragia, o aumento da secreção de ADH causará aumento da reabsorção de líquidos nos rins, auxiliando na restauração da pressão arterial e volemia ao normal.

Importância quantitativa da osmolaridade e dos reflexos cardiovasculares no estímulo da secreção de ADH

Como demonstrado pela **Figura 29.11**, uma redução do volume efetivo de sangue ou um aumento na osmolaridade do líquido extracelular estimulam a secreção de ADH. Todavia, o ADH é consideravelmente mais sensível a pequenas alterações da osmolaridade do que a alterações de igual porcentagem no volume sanguíneo. Por exemplo, uma alteração de apenas 1% na osmolaridade plasmática é suficiente para aumentar os níveis de ADH. Contudo, após perda sanguínea, os níveis de ADH não se alteram significativamente até que o volume tenha sido alterado em cerca de 10%. Após esse limite, reduções adicionais de volume resultarão em rápido aumento dos níveis de ADH. Portanto, nas reduções graves do volume sanguíneo, os reflexos cardiovasculares exercem um grande papel na estimulação da secreção de ADH. A regulação diária usual da secreção de ADH durante a simples desidratação sofre influência principalmente das alterações da osmolaridade plasmática. Reduções de volume sanguíneo e pressão arterial, porém, potencializam sobremaneira a resposta do ADH ao aumento da osmolaridade.

OUTROS ESTÍMULOS PARA A SECREÇÃO DE ADH

A secreção de ADH também pode aumentar ou diminuir em resposta a outros estímulos ao sistema nervoso central, bem como em razão de vários fármacos e hormônios, conforme demonstrado na **Tabela 29.2**. Por exemplo, a

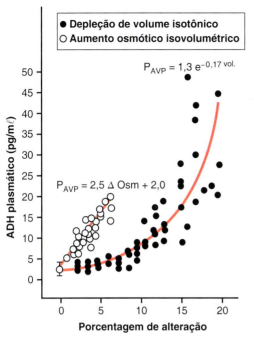

Figura 29.11 Efeito do aumento da osmolaridade plasmática ou diminuição do volume sanguíneo sobre o nível plasmático (*P*) do hormônio antidiurético (*ADH*), também chamado *arginina vasopressina (AVP)*. (Modificada de Dunn FL, Brennan TJ, Nelson AE et al.: The role of blood osmolality and volume in regulating vasopressin secretion in the rat. J Clin Invest 52[12]:3212, 1973.)

náusea serve como um potente estímulo para a liberação de ADH, podendo aumentá-la em até 100 vezes no caso de vômito. Da mesma forma, substâncias como *nicotina* e *morfina* estimulam a liberação de ADH, ao passo que o *álcool* inibe essa liberação. A notável diurese observada após ingestão de álcool deve-se, em parte, à inibição da liberação de ADH.

IMPORTÂNCIA DA SEDE NO CONTROLE DA OSMOLARIDADE E CONCENTRAÇÃO DE SÓDIO EXTRACELULAR

Os rins minimizam a perda de líquidos durante déficits de água por meio do sistema de *feedback* osmorreceptor-ADH.

Tabela 29.2 Controle da secreção do hormônio antidiurético.

Aumentam os níveis de ADH	Diminuem os níveis de ADH
↑ Osmolaridade plasmática	↓ Osmolaridade plasmática
↓ Volume sanguíneo	↑ Volume sanguíneo
↓ Pressão arterial	↑ Pressão arterial
Náuseas	
Hipoxia	
Substâncias	Substâncias
Morfina	Álcool
Nicotina	Clonidina (anti-hipertensivo)
Ciclofosfamida	Haloperidol (antagonista dopaminérgico)

É preciso, contudo, adequada ingestão de líquidos para contrabalançar a perda que ocorre durante a sudorese, a respiração e através do trato gastrointestinal. A ingestão de líquidos é regulada pelo mecanismo da sede, o qual, juntamente com o mecanismo osmorreceptor-ADH, mantém controle preciso da osmolaridade e concentração de sódio do líquido extracelular.

Muitos desses mesmos fatores que estimulam a secreção de ADH também aumentam a sede, definida como um desejo consciente por água.

CENTROS DA SEDE NO SISTEMA NERVOSO CENTRAL

Referindo-se novamente à **Figura 29.10**, a mesma área da parede anteroventral do terceiro ventrículo que promove a liberação de ADH também estimula a sede. Há também uma outra área, localizada na região anterolateral do núcleo pré-óptico, que após estimulada eletricamente induz a ingestão imediata de líquidos, a qual perdura enquanto se mantiver o estímulo. Todas essas áreas juntas recebem o nome de *centro da sede*.

Os neurônios do centro da sede respondem a injeções de solução salina hipertônica com estímulo do comportamento de ingestão de líquidos. Essas células praticamente funcionam como osmorreceptores, ativando o mecanismo da sede da mesma forma com que os osmorreceptores estimulam a liberação de ADH.

O aumento da osmolaridade do líquido cefalorraquidiano no terceiro ventrículo produz essencialmente o mesmo efeito de induzir a ingestão de líquidos. É provável que o *órgão vascular da lâmina terminal*, situado imediatamente abaixo da superfície ventricular na extremidade inferior da região AV3V, esteja intimamente envolvido na mediação dessa resposta.

ESTÍMULOS DA SEDE

A **Tabela 29.3** resume alguns dos conhecidos estímulos da sede.

1. *Um dos mais importantes estímulos é o aumento da osmolaridade do líquido extracelular, que causa desidratação intracelular nos centros da sede*, estimulando a sensação de sede.
   O valor dessa resposta é evidente: auxilia na diluição dos líquidos extracelulares e recupera a osmolaridade normal.
2. *A diminuição do volume de líquido extracelular e da pressão arterial também estimula a sede* por meio de uma via independente do estímulo causado pela osmolaridade plasmática.
   Portanto, a perda de volume sanguíneo nas hemorragias estimula a sede, mesmo que não ocorra alteração na osmolaridade plasmática. Esse estímulo provavelmente ocorre em razão de sinais nervosos advindos de barorreceptores cardiopulmonares e sistêmicos da circulação.
3. *Um terceiro importante estímulo da sede é a angiotensina II.*

PARTE 5 Líquidos Corporais e Rins

Tabela 29.3 Controle da sede.

Aumentam a sede	Diminuem a sede
↑ Osmolaridade plasmática	↓ Osmolaridade plasmática
↓ Volume sanguíneo	↑ Volume sanguíneo
↓ Pressão arterial	↑ Pressão arterial
↑ Angiotensina II	↓ Angiotensina II
Boca seca	Distensão gástrica

Estudos em animais demonstraram que a angiotensina II atua sobre o órgão subfornicial e órgão vascular da lâmina terminal. Essas regiões são desprovidas de barreira hematencefálica, de forma que peptídeos como a angiotensina II podem se difundir para os tecidos. Como a angiotensina II também é estimulada por fatores associados à hipovolemia e hipotensão arterial, seu efeito sobre a sede auxilia na restauração do volume sanguíneo e pressão arterial ao normal, juntamente com suas outras ações nos rins no sentido de reduzir a excreção de líquidos.

4. *A sensação de secura na boca e nas membranas mucosas do esôfago pode provocar a sensação de sede.*

Como resultado, um indivíduo sedento pode sentir alívio de sua sede quase imediatamente após ingerir água, mesmo que a água não tenha sido absorvida pelo trato gastrointestinal e ainda não tenha exercido nenhum efeito sobre a osmolaridade do líquido extracelular.

5. *Estímulos gastrointestinais e faríngeos influenciam a sede.*

Em animais com comunicação do esôfago com o meio externo de forma a impedir que a água seja absorvida para o sangue, ocorre alívio parcial da sede após ingestão de água, ainda que de maneira temporária. Ademais, a distensão gástrica pode aliviar parcialmente a sede. Por exemplo, a simples insuflação de um balão dentro do estômago pode aliviar a sede. Todavia, o alívio gerado por mecanismos gastrointestinais ou faríngeos é de curta duração; o desejo por água somente é completamente satisfeito quando a osmolaridade plasmática e/ou o volume sanguíneo retornam ao normal.

A capacidade dos animais e humanos de "mensurar" sua ingestão de líquidos é importante, pois previne a hiperidratação. Quando uma pessoa bebe água, 30 a 60 minutos podem ser necessários até que a água seja reabsorvida e distribuída ao longo do organismo. Se a sensação de sede não fosse temporariamente aliviada após a ingestão de água, essa pessoa continuaria a beber água incessantemente até que ocorresse hiperidratação e diluição excessiva dos líquidos corporais. Estudos experimentais demonstraram repetidas vezes que animais ingerem quase que exatamente a quantidade de água necessária para recuperar a osmolaridade plasmática e o volume sanguíneo normais.

LIMIAR DO ESTÍMULO OSMOLAR DE INGESTÃO DE LÍQUIDOS

Os rins necessitam excretar continuamente uma quantidade obrigatória de água, mesmo no indivíduo desidratado, a fim de depurar o organismo dos excessos de solutos que são ingeridos ou produzidos pelo metabolismo. A água também é perdida por meio de evaporação e sudorese através da pele. Portanto, há sempre uma tendência de desidratação, com resultante aumento da concentração de sódio e osmolaridade do líquido extracelular.

Quando a concentração de sódio aumenta apenas cerca de 2 mEq/ℓ acima do normal, o mecanismo da sede é ativado, gerando um desejo de beber água. A isso se dá o nome de *limiar de ingestão de líquidos*. Portanto, mesmo pequenos aumentos da osmolaridade plasmática já são normalmente seguidos por ingestão de água, restaurando a osmolaridade e volume do líquido extracelular ao normal. Dessa forma, mantêm-se precisamente controladas a osmolaridade e concentração de sódio do líquido extracelular.

Distúrbios da sede e ingestão de água. Conforme discutido anteriormente, ocorre aumento da sede em diversos distúrbios clínicos que cursam com aumento do volume de urina e diminuição do volume de líquido extracelular, como no diabetes melito ou insípido mal controlado. Nesses casos, o aumento da ingestão de água funciona como uma resposta compensatória para o aumento da osmolaridade plasmática e/ou depleção do volume extracelular. A *polidipsia*, ou sede excessiva, ocorre algumas vezes sem um estímulo fisiológico conhecido da sede. A *polidipsia psicogênica*, por exemplo, pode ser causada por doenças mentais como esquizofrenia ou transtorno obsessivo-compulsivo, podendo causar significativa *hiponatremia diluicional*. Em contrapartida, a *adipsia*, ou ausência de sede mesmo na presença de hipernatremia ou depleção de volume, é rara e geralmente resulta de lesões dos centros da sede hipotalâmicos devidas a traumatismo, infecção ou cirurgia. A deficiência parcial do mecanismo de sede, causando ingestão de água inadequada (*hipodipsia*), ou a incapacidade de acesso a líquidos, pode ocorrer em pacientes vítimas de acidentes vasculares cerebrais, pacientes idosos com demência ou pacientes criticamente enfermos. Na ausência de ingestão adequada de água, ocorrem desidratação e hipernatremia, mesmo com aumentos significativos nos níveis de ADH.

RESPOSTAS INTEGRADAS DOS MECANISMOS OSMORRECEPTOR-ADH E DA SEDE

Em um indivíduo saudável, os mecanismos osmorreceptor-ADH e da sede trabalham em paralelo para regular precisamente a osmolaridade e concentração de sódio do líquido extracelular, apesar dos desafios constantes de desidratação. Mesmo com desafios adicionais, como alta ingestão de sódio, esses sistemas de *feedback* geralmente conseguem manter a osmolaridade plasmática razoavelmente constante. A **Figura 29.12** demonstra que o aumento da ingestão de sódio em até seis vezes o normal produz apenas um pequeno efeito na concentração plasmática de sódio, contanto que o ADH e o mecanismo de sede funcionem corretamente.

Quando ocorre falha ou no mecanismo do ADH ou da sede, em geral um deles ainda consegue controlar a

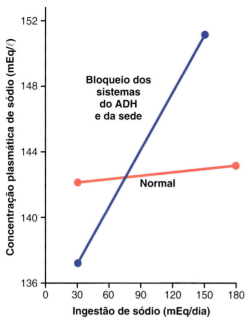

Figura 29.12 Efeito de grandes alterações da ingestão de sódio sobre a concentração de sódio do líquido extracelular em cães sob condições normais (*linha vermelha*) e após bloqueio dos sistemas de *feedback* do hormônio antidiurético (*ADH*) e da sede (*linha azul*). Observe que o controle da concentração de sódio do líquido extracelular era deficiente na ausência desses sistemas de *feedback*. (*Cortesia do Dr. David B. Young.*)

osmolaridade e a concentração de sódio com eficácia razoável contanto que a ingestão de líquidos seja suficiente para equilibrar o volume de urina obrigatório e perdas de água causadas pela respiração, por sudorese ou pelo trato gastrointestinal. Todavia, se tanto o mecanismo do ADH quanto o da sede falharem simultaneamente, haverá pouco controle sobre a osmolaridade e a concentração de sódio do plasma. Portanto, quando a ingestão de sódio aumenta em razão de um bloqueio total do sistema ADH-sede, ocorrem mudanças relativamente grandes na concentração de sódio plasmática. Na ausência dos mecanismos ADH-sede, nenhum outro mecanismo de *feedback* será capaz de regular adequadamente a concentração de sódio e a osmolaridade do plasma.

Papel da angiotensina II e da aldosterona no controle da osmolaridade e concentração de sódio no líquido extracelular

Conforme discutido no Capítulo 28, tanto a angiotensina II quanto a aldosterona exercem um papel importante na regulação da reabsorção de sódio pelos túbulos renais. Quando a ingestão de sódio está baixa, níveis aumentados desses hormônios estimulam sua reabsorção pelos rins e impedem grandes perdas, mesmo que a ingestão de sódio esteja tão baixa quanto 10% de seu normal. Da mesma forma, no caso de alta ingestão de sódio, a diminuição da formação desses hormônios permite que os rins excretem grandes quantidades de sódio.

Em virtude da importância da angiotensina II e da aldosterona na regulação da excreção de sódio pelos rins,

pode-se inferir erroneamente que eles também exercem um papel importante na regulação da concentração de sódio do líquido extracelular. Embora esses hormônios aumentem a *quantidade* de sódio do líquido extracelular, eles aumentam também o volume de líquido extracelular por meio de maior reabsorção de água juntamente com o sódio. Portanto, *a angiotensina II e a aldosterona exercem pouco efeito sobre a concentração de sódio, exceto sob condições extremas*.

Essa relativa falta de importância da aldosterona na regulação da concentração de sódio do líquido extracelular está demonstrada pelo experimento ilustrado na **Figura 29.13**. A figura demonstra o efeito da mudança da quantidade ingerida de sódio em mais de seis vezes sobre a concentração plasmática de sódio, sob duas condições: (1) condições normais; e (2) após bloqueio do mecanismo de *feedback* da aldosterona por meio da remoção das glândulas adrenais e infusão de aldosterona em taxa constante para que os níveis plasmáticos do hormônio não aumentassem nem diminuíssem nos animais. Observe que, quando a entrada de sódio no organismo aumentou seis vezes, sua concentração plasmática alterou-se somente 1 a 2%. Esse achado indica que, mesmo sem um sistema de *feedback* de aldosterona funcional, a concentração plasmática de sódio pode ser regulada adequadamente. O mesmo tipo de experimento foi conduzido com o bloqueio da formação de angiotensina II e obteve o mesmo resultado.

Há duas razões primárias pelas quais as mudanças nos níveis de angiotensina II e aldosterona não produzem efeito significativo na concentração plasmática de sódio. Primeiro, conforme discutido anteriormente, a angiotensina II e a aldosterona aumentam tanto a reabsorção de sódio quanto de água pelos túbulos renais, levando a aumento do volume de líquido extracelular e da *quantidade* de sódio, porém com pouca alteração em sua *concentração*. Segundo, contanto que o mecanismo ADH-sede esteja funcional, qualquer tendência de aumento da concentração plasmática de sódio será compensada por um aumento na ingestão de água ou na secreção plasmática de ADH, o que tende a diluir o líquido extracelular de volta ao normal. O sistema ADH-sede supera

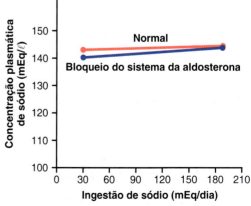

Figura 29.13 Efeito de grandes alterações da ingestão de sódio sobre a concentração de sódio do líquido extracelular em cães sob condições normais (*linha vermelha*) e após bloqueio do sistema de *feedback* da aldosterona (*linha azul*). Observe que o controle da concentração de sódio do líquido extracelular se mantinha relativamente constante nessa ampla faixa de ingestão, com ou sem o controle de *feedback* da aldosterona. (*Cortesia do Dr. David B. Young.*)

PARTE 5 Líquidos Corporais e Rins

grandemente os sistemas da angiotensina II e aldosterona na regulação da concentração de sódio sob condições normais. Mesmo em pacientes com *hiperaldosteronismo primário*, os quais apresentam níveis extremamente altos de aldosterona, a concentração plasmática de sódio normalmente aumenta apenas cerca de 3 a 5 mEq/ℓ acima do normal.

Sob condições extremas causadas pela perda completa da secreção de aldosterona por uma adrenalectomia ou em pacientes com doença de Addison (secreção gravemente comprometida ou ausência total de hormônios do córtex adrenal), ocorre extraordinária perda de sódio pelos rins, o que pode levar a uma significativa redução de sua concentração no plasma. Uma explicação é que grandes perdas de sódio causam grave depleção de volume e diminuição da pressão arterial, o que pode ativar o mecanismo da sede por meio de reflexos cardiovasculares. Essa ativação leva a mais diluição da concentração plasmática de sódio, mesmo que o aumento da ingestão de água ajude a minimizar a redução de volume de líquidos corporais sob essas condições.

Portanto, existem situações extremas nas quais a concentração plasmática de sódio pode sofrer alterações significativas, mesmo com um mecanismo ADH-sede funcional. Ainda assim, esse mecanismo é o mais potente sistema de *feedback* do organismo para o controle da osmolaridade e concentração de sódio do líquido extracelular.

Mecanismo sal-apetite para o controle da concentração de sódio e volume do líquido extracelular

A manutenção de volume extracelular e concentração de sódio normal requer um equilíbrio entre a excreção e a ingestão de sódio. Atualmente, a ingestão de sódio é quase sempre maior que o necessário para a homeostasia. De fato, a ingestão média de indivíduos oriundos de culturas industrializadas que consomem alimentos processados geralmente varia entre 100 e 200 mEq/dia, embora os humanos possam sobreviver e exercer suas funções normais ingerindo apenas 10 a 20 mEq/dia. Portanto, a maioria das pessoas consome muito mais sódio do que o necessário à sua homeostasia, com evidências de uma possível associação entre o alto consumo usual de sódio e a incidência de distúrbios cardiovasculares, como a hipertensão.

O apetite pelo sal deve-se, em parte, ao fato de que animais e humanos apreciam e consomem sal, mesmo que não apresentem deficiência de sais. O apetite pelo sal também apresenta um componente regulatório com uma tendência comportamental de obtenção de sal diante de sua deficiência no organismo. Esse comportamento é particularmente importante em herbívoros, cuja dieta naturalmente tem baixo teor de sal. Contudo, o desejo por sal pode também ser importante em humanos, especialmente naqueles com extrema deficiência de sódio, como portadores de doença de Addison. Nesse caso, ocorre deficiência na secreção de aldosterona, o que provoca perda excessiva de sódio na urina e leva a uma diminuição do volume e da concentração de sódio do líquido extracelular, ambos fatores que despertam o desejo por sal.

Em geral, os estímulos primários para o aumento do apetite por sal são aqueles relacionados a déficits de sódio e redução da volemia ou da pressão arterial, em conjunto com uma insuficiência circulatória.

O mecanismo neuronal do apetite pelo sal é análogo ao da sede. Alguns dos mesmos centros neuronais da região AV3V no encéfalo parecem estar envolvidos, visto que lesões nessa região frequentemente afetam simultaneamente a sede e o apetite por sal em animais. Paralelamente, reflexos circulatórios produzidos tanto pela queda da pressão arterial quanto pela redução da volemia afetam, ao mesmo tempo, a sede e o apetite pelo sal.

Bibliografia

Agre P: The aquaporin water channels. Proc Am Thorac Soc 3:5, 2006.

Begg DP: Disturbances of thirst and fluid balance associated with aging. Physiol Behav 178:28, 2017.

Berl T: Vasopressin antagonists. N Engl J Med 372:2207, 2015.

Bourque CW: Central mechanisms of osmosensation and systemic osmoregulation. Nat Rev Neurosci 9:519, 2008.

Brown D: The discovery of water channels (aquaporins). Ann Nutr Metab 70 (Suppl 1):37, 2017.

Dantzler WH, Layton AT, Layton HE, Pannabecker TL: Urine-concentrating mechanism in the inner medulla: function of the thin limbs of the loops of Henle. Clin J Am Soc Nephrol 9:1781, 2014.

Geerling JC, Loewy AD: Central regulation of sodium appetite. Exp Physiol 93:177, 2008.

Gizowski C, Bourque CW: The neural basis of homeostatic and anticipatory thirst. Nat Rev Nephrol 14:11, 2018.

Harrois A, Anstey JR: Diabetes insipidus and syndrome of inappropriate antidiuretic hormone in critically ill patients. Crit Care Clin 35:187, 2019.

Klein JD, Sands JM: Urea transport and clinical potential of urearetics. Curr Opin Nephrol Hypertens 25:444, 2016.

Knepper MA, Kwon TH, Nielsen S: Molecular physiology of water balance. N Engl J Med 372:1349, 2015.

Koshimizu TA, Nakamura K, Egashira N, et al: Vasopressin V1a and V1b receptors: from molecules to physiological systems. Physiol Rev 92:1813, 2012.

Nawata CM, Pannabecker TL: Mammalian urine concentration: a review of renal medullary architecture and membrane transporters. J Comp Physiol B 188:899, 2018.

Nielsen S, Frøkiær J, Marples D, et al: Aquaporins in the kidney: from molecules to medicine. Physiol Rev 82:205, 2002.

Olesen ET, Fenton RA: Aquaporin-2 membrane targeting: still a conundrum. Am J Physiol

Pallone TL, Edwards A, Mattson DL: Renal medullary circulation. Compr Physiol 2:97, 2012.

Pannabecker TL: Structure and function of the thin limbs of the loop of Henle. Compr Physiol 2:2063, 2012.

Pannabecker TL, Layton AT: Targeted delivery of solutes and oxygen in the renal medulla: role of microvessel architecture. Am J Physiol Renal Physiol 307:F649, 2014.

Sands JM, Klein JD: Physiological insights into novel therapies for nephrogenic diabetes insipidus. Am J Physiol Renal Physiol 311:F1149, 2016.

Sands JM, Layton HE: The physiology of urinary concentration: an update. Semin Nephrol 29:178, 2009.

Weiner ID, Mitch WE, Sands JM: Urea and ammonia metabolism and the control of renal nitrogen excretion. Clin J Am Soc Nephrol 10:1444, 2015.

Zimmerman CA, Huey EL, Ahn JS et al: A gut-to-brain signal of fluid osmolarity controls thirst satiation. Nature 568: 98, 2019.

Zimmerman CA, Leib DE, Knight ZA: Neural circuits underlying thirst and fluid homeostasis. Nat Rev Neurosci 18:459, 2017.

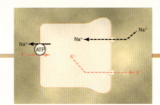

CAPÍTULO 30

Regulação Renal de Potássio, Cálcio, Fosfato e Magnésio; Integração de Mecanismos Renais para o Controle do Volume Sanguíneo e do Líquido Extracelular

REGULAÇÃO DA CONCENTRAÇÃO E EXCREÇÃO DE POTÁSSIO NO LÍQUIDO EXTRACELULAR

A concentração de potássio do líquido extracelular é normalmente regulada em torno de 4,2 mEq/ℓ. Esse controle preciso é necessário tendo em vista que muitas funções celulares são sensíveis a alterações nessa concentração. Por exemplo, um aumento de 3 a 4 mEq/ℓ na concentração plasmática de potássio pode causar arritmias cardíacas, e concentrações maiores podem provocar parada ou fibrilação cardíaca.

Uma dificuldade especial da regulação da concentração de potássio é o fato de que mais de 98% do potássio total do organismo encontram-se dentro das células, com somente 2% no líquido extracelular (ver **Figura 30.1**). Para um adulto de 70 kg, cujo volume intracelular é de aproximadamente 28 litros (40% do peso corporal) e o volume extracelular é de 14 litros (20% do peso corporal), cerca de 3.920 mEq de potássio encontram-se dentro das células e somente 59 mEq encontram-se no líquido extracelular. Ademais, o potássio contido em uma única refeição pode chegar a 50 mEq, fazendo com que a ingestão diária gire em torno de 50 a 200 mEq/dia. Desse modo, a incapacidade de depurar rapidamente o líquido extracelular do potássio ingerido poderia causar *hiperpotassemia* (aumento da concentração plasmática de potássio, chamada também de hipercalemia) potencialmente fatal. Da mesma forma, uma pequena perda de potássio do líquido extracelular poderia causar grave *hipopotassemia* (diminuição da concentração plasmática de potássio, também conhecida por hipocalemia) na ausência de respostas compensatórias rápidas e adequadas.

A manutenção de um equilíbrio entre a ingestão e a eliminação de potássio depende primariamente da excreção renal, visto que a quantidade excretada pelas fezes corresponde a somente 5 a 10% da quantidade ingerida. Portanto, a manutenção do equilíbrio normal do potássio requer que os rins ajustem sua excreção de maneira rápida e precisa em resposta a amplas variações na ingestão, o que também vale para outros eletrólitos.

O controle da distribuição do potássio entre os compartimentos extra e intracelular também tem um papel importante em sua homeostase. Como mais de 98% do potássio total do organismo estão contidos dentro das células, elas podem servir como um sítio de escoamento do excesso de potássio extracelular durante a hiperpotassemia ou como uma fonte de potássio durante a hipopotassemia. A redistribuição do potássio entre os compartimentos intracelular e extracelular, desse modo, proporciona uma primeira linha de defesa contra alterações da concentração de potássio extracelular.

REGULAÇÃO DA DISTRIBUIÇÃO CORPORAL DE POTÁSSIO

Após a ingestão de uma refeição rica em potássio, sua concentração no líquido extracelular aumentaria até níveis perigosos se o potássio ingerido não se movesse rapidamente para dentro das células. Por exemplo, a absorção de 40 mEq de potássio (quantidade presente em uma refeição

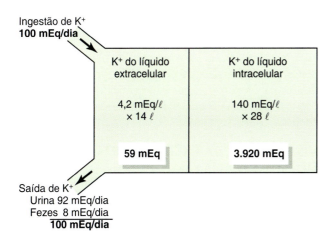

Figura 30.1 Ingestão normal de potássio, distribuição de potássio nos líquidos corporais e saída de potássio do organismo.

PARTE 5 Líquidos Corporais e Rins

rica em vegetais e frutas) em um volume de líquido extracelular de 14 ℓ elevaria sua concentração em cerca de 2,9 mEq/ℓ se todo o potássio permanecesse no compartimento extracelular. Felizmente, a maior parte do potássio ingerido move-se rapidamente para as células até que os rins possam eliminar seu excesso. Entre as refeições, a concentração plasmática de potássio também permanece aproximadamente constante conforme as células o vão liberando para equilibrar sua excreção do líquido extracelular pelos rins. A **Tabela 30.1** resume alguns dos fatores que podem influenciar a distribuição do potássio entre os compartimentos intra e extracelular.

A insulina estimula a captação de potássio pelas células. A insulina estimula a atividade da bomba adenosina trifosfatase (ATPase) de sódio e potássio em muitos tecidos, incluindo o músculo esquelético que, por sua vez, transporta potássio para as células. A insulina é importante por aumentar a captação de potássio pela célula após uma refeição. Em indivíduos com diabetes melito dependente de insulina, o aumento da concentração plasmática de potássio após as refeições é muito maior do que o normal. Injeções de insulina podem, entretanto, auxiliar na correção da hiperpotassemia.

A aldosterona aumenta a captação de potássio pelas células. A ingestão aumentada de potássio também estimula a secreção de aldosterona, que aumenta a captação de potássio pelas células. A secreção excessiva de aldosterona (*síndrome de Conn*) é quase invariavelmente associada à hipopotassemia, em parte devido ao movimento do potássio extracelular para dentro das células. Da mesma forma, pacientes com deficiência na produção de aldosterona (*doença de Addison*), com frequência, apresentam hiperpotassemia clinicamente significativa em virtude do acúmulo de potássio no espaço extracelular, bem como retenção renal de potássio.

A estimulação beta-adrenérgica aumenta a captação de potássio pelas células. O aumento da secreção de catecolaminas, especialmente a adrenalina, pode causar movimento de potássio do líquido extracelular para o intracelular, principalmente pela ativação de receptores beta$_2$-adrenérgicos. De modo oposto, o tratamento da hipertensão com bloqueadores beta-adrenérgicos, como o propranolol, faz com que o potássio se desloque para fora das células e crie uma tendência de hiperpotassemia.

Anormalidades acidobásicas podem causar alterações na distribuição de potássio. A acidose metabólica aumenta a concentração extracelular de potássio, em parte por causar perda de potássio pelas células, ao passo que a alcalose metabólica reduz sua concentração extracelular. Embora os mecanismos responsáveis pelo efeito da concentração de hidrogênio sobre a distribuição interna de potássio não sejam completamente compreendidos, um efeito do aumento da concentração de hidrogênio é a diminuição da atividade da bomba Na^+-K^+ ATPase. Essa diminuição, por sua vez, reduz a captação de potássio pelas células e eleva sua concentração extracelular. A alcalose produz o efeito oposto, deslocando o potássio do líquido extracelular para as células, tendendo a causar hipopotassemia.

A lise celular causa aumento da concentração extracelular de potássio. Conforme as células são destruídas, as grandes quantidades de potássio nelas contidas são liberadas no líquido extracelular. Essa liberação pode causar significativa hiperpotassemia no caso da destruição de uma grande quantidade de tecido, como ocorre na lesão muscular grave ou na hemólise.

O exercício extremo pode causar hiperpotassemia por liberar potássio do músculo esquelético. Durante o exercício prolongado, o potássio é liberado do músculo esquelético para o líquido extracelular. Em geral, ocorre hiperpotassemia discreta, podendo ser clinicamente significativa no exercício extremo, especialmente em pacientes tratados com bloqueadores β-adrenérgicos ou indivíduos com deficiência de insulina. Em casos raros, a hiperpotassemia causada pelo exercício pode ser grave o suficiente ao ponto de causar toxicidade cardíaca.

O aumento da osmolaridade do líquido extracelular causa redistribuição do potássio das células para o líquido extracelular. O aumento da osmolaridade do líquido extracelular causa fluxo osmótico de água para fora das células. A desidratação celular aumenta a concentração intracelular de potássio, promovendo sua difusão para fora das células e aumentando sua concentração extracelular. A redução da osmolaridade extracelular promove o efeito oposto.

VISÃO GERAL DA EXCREÇÃO RENAL DE POTÁSSIO

A excreção renal do potássio é determinada pela soma de três processos: (1) taxa de filtração de potássio (taxa de filtração glomerular [TFG] multiplicada pela concentração plasmática de potássio); (2) taxa de reabsorção de potássio pelos túbulos; e (3) taxa de secreção de potássio pelos

Tabela 30.1 Fatores que podem alterar a distribuição de potássio entre os líquidos intracelular e extracelular.

Fatores que deslocam K^+ para dentro das células (diminuem a [K^+] extracelular)	Fatores que deslocam K^+ para fora das células (aumentam a [K^+] extracelular)
Insulina	Deficiência de insulina (diabetes melito)
Aldosterona	Deficiência de aldosterona (doença de Addison)
Estimulação beta-adrenérgica	Bloqueio beta-adrenérgico
Alcalose	Acidose
	Lise celular
	Exercício extremo
	Aumento da osmolaridade do líquido extracelular

túbulos. A taxa normal de filtração do potássio pelos capilares glomerulares é de aproximadamente 756 mEq/dia (TFG, 180 ℓ/dia, multiplicada pela concentração plasmática de potássio, 4,2 mEq/ℓ). Essa taxa de filtração é relativamente constante em indivíduos saudáveis em razão dos mecanismos de autorregulação da TFG discutidos previamente e da precisão com que é regulada a concentração plasmática de potássio. A diminuição acentuada da TFG que ocorre em algumas doenças renais, todavia, pode causar grave acúmulo e hiperpotassemia.

A **Figura 30.2** resume o *clearance* (depuração) tubular do potássio sob condições normais. Cerca de 65% do potássio filtrado são reabsorvidos no túbulo proximal. Outros 25 a 30% são reabsorvidos na alça de Henle, especialmente em seu segmento ascendente espesso, onde o potássio sofre cotransporte ativo juntamente com sódio e cloro. No túbulo proximal e na alça de Henle, ocorre reabsorção de uma fração relativamente constante da carga filtrada de potássio. Alterações na reabsorção de potássio nesses segmentos podem influenciar sua excreção, embora a maior parte da variação diária da excreção de potássio não se deva a alterações na reabsorção do túbulo proximal ou alça de Henle. Os túbulos e ductos coletores reabsorvem potássio em taxas variáveis, dependendo da ingestão.

A secreção variável de potássio nos túbulos distais e coletores determina a maior parte das alterações diárias na sua excreção. Os sítios mais importantes de regulação da excreção de potássio são as células principais da porção final dos túbulos distais e dos túbulos coletores corticais. Nesses segmentos tubulares, o potássio pode algumas vezes ser reabsorvido ou em outras vezes secretado, dependendo das necessidades do organismo. Com uma ingestão normal de 100 mEq/dia de potássio, os rins necessitam excretar cerca de 92 mEq/dia (os 8 mEq restantes são perdidos pelas fezes). Aproximadamente 60 mEq/dia de potássio são secretados para os túbulos distais e coletores, o que corresponde à maior parte do potássio excretado.

Na dieta com alto teor de potássio, a excreção adicional necessária é conseguida quase completamente pelo aumento da secreção de potássio no final dos túbulos distais e nos túbulos coletores. De fato, em indivíduos que consomem dietas com teor extremamente alto de potássio, a taxa de excreção pode exceder sua quantidade no filtrado glomerular, indicando que existe um potente mecanismo de secreção.

Já no caso de baixa ingestão de potássio, ocorre diminuição de sua secreção nos túbulos distais e túbulos coletores, o que resulta em diminuição de sua excreção urinária. Também ocorre aumento da reabsorção de potássio pelas células intercalares nos segmentos distais do néfron, podendo levar a excreção de potássio a menos que 1% de sua quantidade no filtrado glomerular (< 10 mEq/dia). Se a ingestão for menor que esse nível, pode ocorrer hipopotassemia grave.

Portanto, a maior parte da regulação diária da excreção de potássio ocorre na porção distal do túbulo distal e nos túbulos coletores corticais, onde o potássio pode ser reabsorvido ou secretado, dependendo das necessidades do organismo. Na seção seguinte, serão considerados os mecanismos básicos de secreção de potássio e os fatores que regulam esse processo.

AS CÉLULAS PRINCIPAIS DA PORÇÃO FINAL DOS TÚBULOS DISTAIS E TÚBULOS COLETORES CORTICAIS SECRETAM POTÁSSIO

As células que secretam potássio na porção final dos túbulos distais e nos túbulos coletores corticais denominam-se *células principais* e correspondem à maioria das células epiteliais dessa região. A **Figura 30.3** demonstra os mecanismos celulares básicos de secreção de potássio pelas células principais.

A secreção de potássio do sangue para o lúmen tubular é um processo de duas etapas, iniciando com a captação de potássio do interstício para a célula pela bomba Na^+-K^+ ATPase na membrana basolateral celular. Essa bomba move sódio para fora da célula até o interstício e, ao mesmo tempo, move potássio para dentro da célula.

A segunda etapa do processo é a difusão passiva de potássio do interior da célula para o líquido tubular. A bomba Na^+-K^+ ATPase cria uma concentração intracelular alta de potássio, o que proporciona força de propulsão para a difusão passiva de potássio da célula para o lúmen tubular. A membrana luminal das células principais é

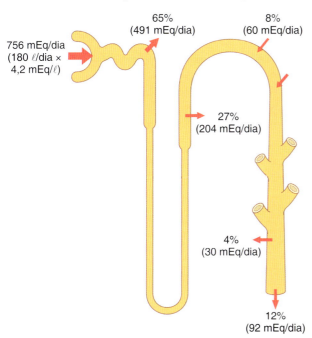

Figura 30.2 Sítios tubulares renais de reabsorção e secreção de potássio. O potássio é reabsorvido no túbulo proximal e ramo ascendente da alça de Henle, de forma que somente 8% da carga filtrada chegam até o túbulo distal. A secreção de potássio pelas células principais do final dos túbulos distais e ductos coletores aumenta essa quantidade, embora ocorra alguma reabsorção adicional pelas células intercalares. Portanto, a excreção diária é de aproximadamente 12% do potássio filtrado pelos capilares glomerulares. As porcentagens indicam quanto da carga filtrada é reabsorvida ou secretada em diferentes segmentos tubulares.

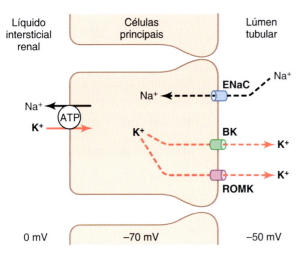

Figura 30.3 Mecanismos de secreção de potássio e reabsorção de sódio pelas células principais da porção final dos túbulos distais e túbulos coletores. ENaC: canal epitelial de sódio; BK: "grande" canal de potássio; ROMK: canal de potássio medular renal externo.

altamente permeável ao potássio por possuir dois tipos especiais de canais que permitem que os íons potássio se difundam rapidamente através da membrana: (1) *canais de potássio da medula renal externa* (ROMK) e (2) *canais "grandes" de potássio* (BK) de alta condutância. Os dois tipos são necessários para uma excreção renal de potássio eficiente, e sua abundância na membrana luminal aumenta com a alta ingestão de potássio.

Controle da secreção de potássio pelas células principais. Os fatores primários que controlam a secreção de potássio pelas células principais do final dos túbulos distais e túbulos coletores corticais são os seguintes: (1) atividade da bomba Na^+-K^+ ATPase; (2) gradiente eletroquímico para secreção de potássio do sangue para o lúmen tubular; e (3) permeabilidade da membrana luminal ao potássio. Esses três determinantes da secreção de potássio são regulados por diversos fatores, os quais serão discutidos mais adiante.

As células intercalares podem reabsorver ou secretar potássio. Em circunstâncias associadas à depleção acentuada de potássio, ocorre interrupção de sua secreção, predominando sua reabsorção no final dos túbulos distais e túbulos coletores. Essa reabsorção ocorre por meio das *células intercalares tipo A*. Embora esse processo de reabsorção não seja completamente compreendido, um mecanismo que se acredita contribuir com o processo é o transportador *hidrogênio-potássio ATPase* presente na membrana luminal (Capítulo 28, **Figura 28.13**). Esse transportador reabsorve potássio em troca de íons hidrogênio secretados no lúmen tubular, promovendo sua difusão através dos canais de potássio da membrana basolateral para o líquido intersticial. Essa abundância de transportadores hidrogênio-potássio ATPase das células intercalares é potencializada na depleção de potássio e hipopotassemia, cursando com aumento da secreção de hidrogênio e alcalose. Sob condições normais, todavia, a reabsorção de potássio pelas células intercalares exerce somente um pequeno papel no controle de sua excreção.

Quando ocorre excesso de potássio nos líquidos corporais, as *células intercalares tipo B* do final dos túbulos distais e túbulos coletores secretam ativamente potássio para o lúmen tubular e apresentam função oposta à das células tipo A (Capítulo 28, **Figura 28.13**). O potássio é bombeado para dentro da célula intercalar tipo B por um transportador hidrogênio-potássio ATPase presente na membrana basolateral e, em seguida, difunde-se para o lúmen tubular através de canais de potássio.

RESUMO DOS PRINCIPAIS FATORES QUE REGULAM A SECREÇÃO DE POTÁSSIO

Como a regulação normal da excreção de potássio ocorre principalmente como resultado de alterações de sua secreção pelas células principais do final dos túbulos distais e túbulos coletores, neste capítulo serão discutidos os principais fatores que influenciam a secreção de potássio pelas células. Os fatores mais importantes que *estimulam* a secreção de potássio pelas células principais incluem: (1) aumento da concentração de potássio do líquido extracelular; (2) aumento da aldosterona; e (3) aumento do fluxo tubular.

Um fator que *diminui* a secreção de potássio é o aumento da concentração de hidrogênio (acidose).

O aumento da concentração de potássio do líquido extracelular estimula sua secreção tubular. A taxa de secreção de potássio no final do túbulo distal e nos túbulos coletores corticais é diretamente estimulada pelo aumento da concentração de potássio do líquido extracelular, levando a um aumento em sua excreção, conforme demonstrado na **Figura 30.4**. Esse efeito é

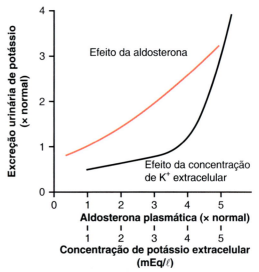

Figura 30.4 Efeito da concentração plasmática de aldosterona (*linha vermelha*) e concentração de potássio extracelular (*linha preta*) sobre a taxa de excreção urinária de potássio. Esses fatores estimulam a secreção de potássio pelas células principais dos túbulos coletores corticais. (Dados de Young DB, Paulsen AW: Interrelated effects of aldosterone and plasma potassium on potassium excretion. Am J Physiol 244:F28, 1983.)

especialmente pronunciado quando a concentração extracelular de potássio aumenta acima de 4,1 mEq/ℓ, pouco menos que sua concentração normal. O aumento da concentração plasmática de potássio, portanto, funciona como um dos mais importantes mecanismos de aumento de sua secreção e regulação de sua concentração no líquido extracelular.

O aumento da ingestão diária de potássio e de sua concentração no líquido extracelular estimulam a secreção de potássio por meio de ao menos quatro mecanismos:

1. O aumento da concentração de potássio do líquido extracelular estimula a bomba Na^+-K^+ ATPase, aumentando a captação de potássio através da membrana basolateral. Esse aumento na captação de potássio, por sua vez, eleva sua concentração no líquido extracelular, causando sua difusão através da membrana luminal para o túbulo.
2. O aumento da concentração extracelular de potássio aumenta o gradiente de potássio do interstício renal para o interior da célula epitelial, o que reduz o retroescoamento de potássio através da membrana basolateral para fora das células.
3. O aumento da ingestão de potássio estimula a síntese e a translocação de canais de potássio do citosol para a membrana luminal, o que por sua vez facilita a difusão de potássio através da membrana.
4. O aumento da concentração de potássio estimula a secreção de aldosterona pelo córtex da adrenal, o que estimula maior secreção de potássio, conforme discutido adiante.

A aldosterona estimula a secreção de potássio. A aldosterona estimula a reabsorção ativa de íons sódio pelas células principais do final do túbulo distal e do ducto coletor (Capítulo 28). Esse efeito é mediado por uma bomba Na^+-K^+ ATPase que transporta sódio para o interstício renal através da membrana basolateral da célula e íons potássio para dentro da célula. Desse modo, a aldosterona também produz um potente efeito sobre o controle da taxa com que as células principais secretam potássio e reabsorvem sódio.

Um segundo efeito da aldosterona é o aumento do número de canais de potássio na membrana luminal e, consequentemente, da permeabilidade a esse íon, o que contribui com a eficácia da aldosterona em estimular sua secreção. Portanto, a aldosterona também tem um potente efeito sobre a excreção de potássio, como demonstrado pela **Figura 30.4**.

O aumento da concentração extracelular de potássio estimula a secreção de aldosterona. Em sistemas de controle por *feedback* negativo, o fator controlado geralmente produz um efeito de *feedback* sobre o controlador. No caso do sistema de controle aldosterona-potássio, a taxa de secreção da aldosterona pela glândula adrenal é fortemente controlada pela concentração do íon potássio no líquido extracelular. A **Figura 30.5** demonstra que um aumento na concentração plasmática de potássio de

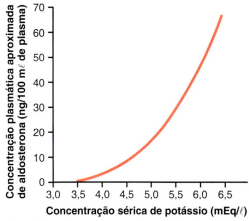

Figura 30.5 Efeito da concentração de potássio do líquido extracelular sobre a concentração plasmática de aldosterona. Observe que pequenas alterações na concentração de potássio causam grandes mudanças na concentração da aldosterona.

aproximadamente 3 mEq/ℓ pode aumentar a concentração plasmática da aldosterona desde praticamente 0 até 60 ng/100 mℓ, quase 10 vezes acima do normal.

O efeito da concentração de potássio em estimular a secreção de aldosterona é parte de um potente sistema de *feedback* que regula a excreção de potássio, conforme demonstrado pela **Figura 30.6**. Nesse sistema de *feedback*, um aumento na concentração plasmática de potássio estimula a secreção de aldosterona e, portanto, aumenta a concentração plasmática da mesma (bloco 1). O aumento da aldosterona causa um notável aumento na excreção de potássio pelos rins (bloco 2). Isso, por sua vez, reduz a concentração de potássio no líquido extracelular, trazendo-a de volta ao normal (círculo 3 a bloco 4). Portanto, esse mecanismo de *feedback* atua de forma sinérgica com efeito direto da alta concentração extracelular de potássio em elevar a excreção de potássio diante de um aumento da sua ingestão (ver **Figura 30.7**).

O bloqueio do sistema de *feedback* da aldosterona prejudica sobremaneira a regulação de potássio. Na ausência de secreção de aldosterona, como ocorre em pacientes portadores de doença de Addison, a secreção renal de potássio é prejudicada, resultando em aumento

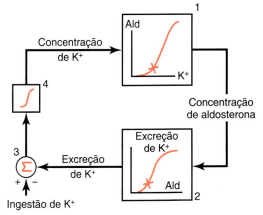

Figura 30.6 Mecanismo básico de *feedback* para controle da concentração de potássio do líquido extracelular pela aldosterona (*Ald*).

PARTE 5 Líquidos Corporais e Rins

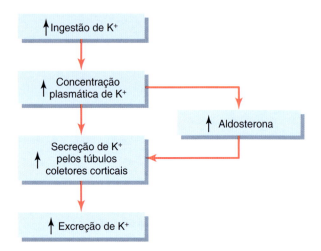

Figura 30.7 Mecanismos primários de aumento da excreção de potássio diante da ingestão de potássio. Observe que o aumento da concentração plasmática de potássio eleva diretamente sua secreção pelos túbulos coletores corticais e aumenta indiretamente a secreção por meio da elevação da concentração plasmática de aldosterona.

de sua concentração extracelular até níveis perigosos. Da mesma forma, com excesso de secreção de aldosterona (aldosteronismo primário), a secreção de potássio torna-se muito aumentada, causado perda pelos rins e, consequentemente, hipopotassemia.

Juntamente com o efeito estimulante sobre a secreção renal de potássio, a aldosterona também aumenta sua captação pelas células. Isso contribui com o potente sistema de *feedback* aldosterona-potássio, como discutido anteriormente.

A importância quantitativa especial do sistema de *feedback* da aldosterona no controle da concentração de potássio é demonstrada na **Figura 30.8**. Nesse experimento, a ingestão de potássio foi aumentada em quase sete vezes em cães, sob duas condições: (1) condições normais; e (2) após bloqueio do sistema de *feedback* da aldosterona por meio da remoção das glândulas adrenais e administração de uma infusão contínua com taxa fixa de aldosterona, de forma a manter a concentração plasmática em um nível normal, porém incapaz de sofrer aumento ou diminuição com a alteração da ingestão de potássio.

Observe que, nos animais normais, o aumento da ingestão de potássio em sete vezes causou somente um leve aumento na concentração plasmática de potássio, de 4,2 a 4,3 mEq/ℓ. Portanto, quando o sistema de *feedback* da aldosterona funciona normalmente, a concentração de potássio é controlada de forma precisa, independentemente de grandes alterações na sua ingestão.

Já no caso do bloqueio do sistema de *feedback* da aldosterona, os mesmos aumentos na ingestão de potássio causaram um aumento muito maior em sua concentração plasmática, de 3,8 até quase 4,7 mEq/ℓ. Ou seja, o controle da concentração de potássio é gravemente comprometido quando o sistema de *feedback* da aldosterona se encontra bloqueado. Algo similar ocorre em indivíduos com mau funcionamento desse sistema de *feedback*, como pacientes portadores de aldosteronismo primário (excesso de aldosterona) ou doença de Addison (falta de aldosterona).

O aumento do fluxo tubular distal estimula a secreção de potássio. Um aumento no fluxo tubular distal, como ocorre na expansão volêmica, na alta ingestão de sódio ou no tratamento com emprego de diuréticos, estimula a secreção de potássio (ver **Figura 30.9**).

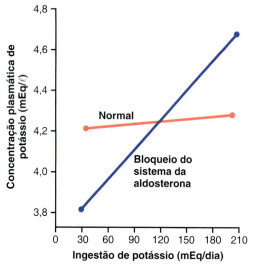

Figura 30.8 Efeito de grandes alterações da ingestão de potássio sobre sua concentração plasmática sob condições normais (*linha vermelha*) e após bloqueio do mecanismo de *feedback* da aldosterona (*linha azul*). Observe que, após o bloqueio do sistema da aldosterona, a regulação da concentração de potássio torna-se bastante comprometida (Cortesia do Dr. David B. Young).

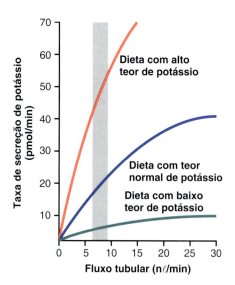

Figura 30.9 Relação entre o fluxo nos túbulos coletores corticais e secreção de potássio, e efeitos da mudança na ingestão de potássio. Observe que uma dieta com alto teor de potássio aumenta sobremaneira o efeito do fluxo tubular aumentado em elevar a secreção de potássio. A *barra sombreada* demonstra o fluxo tubular normal aproximado sob a maioria das condições fisiológicas. (Dados de Malic G, Berliner RW, Giebisch G: Flow dependence of K+ secretion in cortical distal tubes of the rat. Am J Physiol 256:F932, 1989.)

Há dois efeitos principais de um fluxo de alto volume que provocam o aumento da secreção de potássio:

1. Quando o potássio é secretado para o líquido tubular, sua concentração luminal aumenta, o que diminui a força de propulsão para a difusão de potássio através da membrana luminal. Já no caso de fluxo tubular aumentado, o potássio secretado escoa do túbulo continuamente, minimizando o aumento de sua concentração tubular e aumentando a secreção total de potássio.
2. Um alto fluxo tubular também aumenta o número de canais BK de alta condutância da membrana luminal. Embora esses canais permaneçam normalmente quiescentes, tornam-se ativos em resposta ao aumento do fluxo, o que aumenta sobremaneira a condutância de potássio através da membrana luminal.

O efeito do aumento do fluxo tubular é especialmente importante em auxiliar na preservação da excreção normal de potássio durante alterações na ingestão de sódio. Por exemplo, com a alta ingestão de sódio, ocorre diminuição da secreção de aldosterona, o que tenderia a reduzir a taxa de secreção de potássio e, portanto, sua excreção urinária. Todavia, o alto fluxo tubular distal que ocorre com a alta ingestão de sódio tende a aumentar a secreção de potássio (ver **Figura 30.10**). Dessa forma, os dois efeitos de uma alta ingestão de sódio – redução da secreção de aldosterona e alto fluxo tubular se compensam, ocorrendo pouca mudança na excreção de potássio. Similarmente, com a baixa ingestão de sódio, ocorre pouca alteração na excreção de potássio em virtude dos efeitos equilibrados do aumento da secreção de aldosterona e redução do fluxo tubular sobre a taxa de secreção de potássio.

A acidose aguda reduz a secreção de potássio.

Aumentos agudos na concentração de íons hidrogênio do líquido extracelular (acidose) reduzem a secreção de potássio, ao passo que a redução da concentração de hidrogênio (alcalose) aumenta a secreção de potássio. O mecanismo primário por meio do qual a concentração do íon hidrogênio inibe a secreção de potássio é a redução da atividade da bomba Na^+-K^+ ATPase. Essa redução, por sua vez, diminui a concentração intracelular de potássio e sua subsequente difusão passiva através da membrana luminal para o túbulo. A acidose pode também reduzir o número de canais de potássio da membrana luminal.

Na acidose mais prolongada, que perdura por vários dias, ocorre aumento na excreção urinária de potássio. O mecanismo desse aumento deve-se, em parte, a um efeito da acidose crônica de inibir a reabsorção tubular proximal de cloreto de sódio e de água, o que aumenta a chegada de volume na porção distal, estimulando a secreção de potássio. Isso se sobrepõe ao efeito inibitório do hidrogênio sobre a bomba Na^+-K^+ ATPase. *Portanto, a acidose crônica leva a uma perda de potássio, ao passo que a acidose aguda leva a uma redução da excreção de potássio.*

Efeitos benéficos da dieta com alto teor de potássio e baixo teor de sódio

Ao longo da maior parte da história da humanidade, a dieta típica apresentava baixo teor de sódio e alto teor de potássio, comparada à típica dieta moderna. Em populações isoladas que ainda não experimentaram a industrialização, como a tribo Yanomami da região amazônica do norte do Brasil, a ingestão de sódio pode ser tão baixa quanto 10 a 20 mmol/dia e a de potássio tão alta quanto 200 mmol/dia. Isso se deve ao consumo de uma dieta contendo grande quantidade de frutas e vegetais e nenhum alimento processado. Populações que consomem essa dieta em geral não demonstram aumento da pressão arterial nem doenças cardiovasculares relacionadas à idade.

Com a industrialização e o aumento do consumo de alimentos processados, que frequentemente apresentam alto teor de sódio e baixo teor de potássio, têm-se observado expressivos aumentos na ingestão de sódio e diminuições na ingestão de potássio. Na maioria dos países industrializados, o consumo de potássio médio aproxima-se de apenas 30 a 70 mmol/dia e o de sódio gira em torno de 140 a 180 mmol/dia.

Estudos experimentais e clínicos demonstraram que a dieta contendo uma combinação de alto teor de sódio com baixo teor de potássio aumenta o risco de hipertensão e doenças cardiovasculares e renais associadas. Uma dieta rica em potássio, entretanto, parece oferecer proteção contra os efeitos adversos da dieta com alto teor de sódio, reduzindo a pressão arterial e o risco de acidentes vasculares, doença coronariana e doença renal. Os efeitos benéficos do aumento da ingestão de potássio são espe-

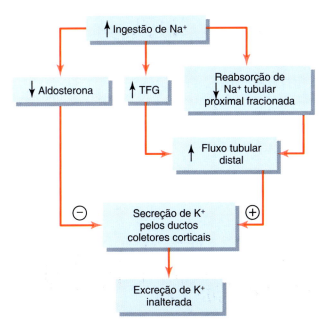

Figura 30.10 Efeito da alta ingestão de sódio sobre a excreção renal de potássio. Observe que a dieta com alto teor de sódio diminui a aldosterona plasmática, o que tende a diminuir a secreção de potássio pelos túbulos coletores corticais. Todavia, a dieta com alto teor de sódio simultaneamente aumenta a chegada de líquido ao ducto coletor cortical, o que tende a diminuir a secreção de potássio. Os efeitos opostos dessa dieta se compensam, de forma a promover pouca alteração na excreção de potássio. TFG: taxa de filtração glomerular.

cialmente visíveis quando esse aumento é combinado com baixa ingestão de sódio.

As diretrizes dietéticas publicadas por diversas organizações têm recomendado uma redução na ingestão de cloreto de sódio para cerca de 65 a 100 mmol/dia (correspondendo a 1,5 a 2,3 g/dia de sódio ou 3,8 a 5,8 g/dia de cloreto de sódio) e um aumento na ingestão de potássio para cerca de 120 mmol/dia (4,7 g/dia) em adultos saudáveis.

REGULAÇÃO RENAL DA EXCREÇÃO E CONCENTRAÇÃO EXTRACELULAR DE CÁLCIO

Os mecanismos que regulam a concentração do íon cálcio serão discutidos no Capítulo 80, juntamente com a endocrinologia dos hormônios reguladores do cálcio, paratormônio (PTH) e calcitonina. Sendo assim, a regulação do íon cálcio será discutida somente de forma breve neste capítulo.

A concentração de cálcio do líquido extracelular normalmente permanece controlada de forma estrita com pouca variação do seu normal, 2,4 mEq/ℓ. Quando essa concentração decai a níveis mais baixos (*hipocalcemia*), a excitabilidade das fibras nervosas e musculares aumenta notavelmente, podendo, em casos extremos, resultar em *tetania hipocalcêmica*. Essa condição se caracteriza por contrações espásticas da musculatura esquelética. A *hipercalcemia* (aumento da concentração de cálcio) deprime a excitabilidade neuromuscular e pode levar a arritmias cardíacas.

Cerca de 50% do cálcio plasmático *total* (5 mEq/ℓ) encontram-se na forma ionizada, que é a forma com atividade biológica nas membranas celulares. O restante encontra-se ligado a proteínas plasmáticas (cerca de 40%) ou em complexos de sua forma não ionizada com ânions como fosfato e citrato (cerca de 10%).

Alterações na concentração plasmática de hidrogênio influenciam a ligação do cálcio às proteínas plasmáticas. Na acidose, menos cálcio permanece ligado às proteínas e, da mesma forma, na alcalose, uma maior quantidade de cálcio encontra-se ligada às proteínas plasmáticas. Portanto, *pacientes com alcalose são mais suscetíveis à tetania hipocalcêmica*.

Assim como com outras substâncias do organismo, a ingestão de cálcio deve ser equilibrada com sua perda total a longo prazo. Diferentemente de íons como sódio e cloro, no entanto, grande parte da excreção de cálcio ocorre pelas fezes. A taxa usual de ingestão de cálcio na dieta aproxima-se de 1.000 mg/dia, com cerca de 900 mg/dia excretados nas fezes. Sob determinadas condições, a excreção fecal de cálcio pode exceder sua ingestão, pois o cálcio também pode ser secretado para o lúmen intestinal. Portanto, o trato gastrointestinal e os mecanismos reguladores que influenciam a absorção e secreção intestinal do cálcio exercem um grande papel em sua homeostasia, conforme discutido no Capítulo 80.

Quase todo o cálcio do organismo (99%) encontra-se armazenado nos ossos, com somente cerca de 0,1% presente no líquido extracelular e 1,0% no líquido intracelular e organelas celulares. O osso, dessa forma, atua como um grande reservatório de cálcio e uma fonte desse íon quando sua concentração extracelular tende a um decréscimo.

Um dos mais importantes reguladores da captação e liberação de cálcio dos ossos é o PTH. Quando a concentração de cálcio do líquido extracelular cai abaixo do normal, a atividade de *receptores sensíveis a cálcio* (CSRs) da membrana celular da glândula paratireoide diminui, promovendo um aumento da secreção de PTH. Esse hormônio atua diretamente nos ossos para aumentar a reabsorção de sais de cálcio (liberação de sais dos ossos) e liberar uma grande quantidade de cálcio para o líquido extracelular, recuperando seus níveis normais. Quando a concentração de cálcio aumenta, ocorre estímulo da atividade dos CSRs da paratireoide, causando redução da secreção de PTH, de forma a praticamente cessar a reabsorção óssea. Em vez de reabsorção, ocorre depósito do cálcio excedente nos ossos. Portanto, a regulação diária da concentração de cálcio é mediada em grande parte pelos efeitos do PTH sobre a reabsorção óssea.

Os ossos, entretanto, não possuem um suprimento interminável de cálcio. Ou seja, a longo prazo, a ingestão de cálcio necessita ser balanceada com sua excreção pelo trato gastrointestinal e rins. O mais importante regulador da reabsorção de cálcio nesses dois sítios é o PTH, que mantém a concentração plasmática de cálcio por três principais efeitos: *(1) estímulo da reabsorção óssea; (2) estímulo da ativação da vitamina D, que aumenta a reabsorção intestinal de cálcio; e (3) aumento da reabsorção tubular renal de cálcio* (ver **Figura 30.11**). O controle da reabsorção gastrointestinal de cálcio e da troca de cálcio nos ossos é discutido em outra seção. O restante desta seção se concentra nos mecanismos que controlam a excreção renal de cálcio.

CONTROLE DA EXCREÇÃO DE CÁLCIO PELOS RINS

O cálcio é filtrado e reabsorvido nos rins, porém não é secretado. Portanto, a taxa de excreção renal de cálcio é calculada da seguinte forma:

Excreção renal de cálcio = Cálcio filtrado – Cálcio reabsorvido

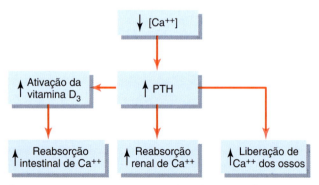

Figura 30.11 Respostas compensatórias à diminuição da concentração plasmática de cálcio ionizado mediada pelo paratormônio (*PTH*) e pela vitamina D.

Somente cerca de 60% do cálcio plasmático estão na forma ionizada, com 40% ligados a proteínas plasmáticas e 10% em complexos com ânions como fosfato. Desse modo, somente cerca de 60% do cálcio plasmático são filtrados pelo glomérulo. Normalmente, aproximadamente 99% do cálcio filtrado são reabsorvidos nos túbulos, sendo excretado somente cerca de 1% na urina. Aproximadamente 65% do cálcio filtrado serão reabsorvidos no túbulo proximal, 25 a 30% na alça de Henle e 4 a 9% nos túbulos distais e coletores. Esse padrão de reabsorção assemelha-se ao do sódio.

Como no caso de outros íons, a excreção de cálcio é ajustada para se adequar às necessidades do organismo. Com um aumento na ingestão de cálcio, há também um aumento em sua excreção renal, embora grande parte desse excesso ingerido será excretada nas fezes. Na depleção de cálcio, sua excreção pelos rins diminui em razão do aumento da reabsorção tubular.

Reabsorção tubular proximal de cálcio. A maior parte da reabsorção de cálcio do túbulo proximal ocorre por meio do trajeto paracelular; o cálcio é dissolvido em água e carreado com o líquido reabsorvido ao longo de seu fluxo entre as células. Somente cerca de 20% da reabsorção tubular proximal de cálcio ocorrem por meio da via transcelular, a qual se dá por dois passos:

1. O cálcio difunde-se do lúmen tubular para a célula ao longo de um gradiente eletroquímico devido à sua concentração muito mais alta no lúmen em comparação com o citoplasma da célula epitelial, além da carga negativa do interior da célula comparado ao lúmen tubular.
2. O cálcio deixa a célula através da membrana basolateral devido a uma bomba ATPase de cálcio e contratransporte com sódio (ver **Figura 30.12**).

Reabsorção de cálcio na alça de Henle e no túbulo distal. Na alça de Henle, a reabsorção do cálcio restringe-se a seu segmento ascendente espesso. Aproximadamente 50% da reabsorção de cálcio desse segmento ocorrem pelo trajeto paracelular por difusão passiva em razão de uma carga ligeiramente mais positiva do lúmen tubular em relação ao líquido intersticial. Os outros 50% ocorrem pelo trajeto transcelular em um processo mediado pelo PTH.

No túbulo distal, a reabsorção de cálcio ocorre quase completamente por meio de transporte ativo através da membrana celular. O mecanismo desse transporte assemelha-se ao do túbulo proximal e do segmento ascendente espesso. Envolve a difusão através de canais de cálcio presentes na membrana luminal e saída através da membrana basolateral pela ação da bomba ATPase de cálcio e contratransporte com sódio. Nesse segmento, assim como na alça de Henle, o PTH estimula a reabsorção de cálcio. A $1,25(OH)_2$vitamina D (calcitriol) e a calcitonina também estimulam reabsorção de cálcio no segmento ascendente espesso da alça de Henle e no túbulo distal, porém não de forma quantitativamente importante como o PTH para promover redução da excreção renal de cálcio.

Regulação da reabsorção tubular de cálcio. Um dos controladores primários da reabsorção tubular renal de cálcio é o PTH. Níveis aumentados de PTH estimulam a reabsorção de cálcio no segmento ascendente espesso da alça de Henle e túbulos distais, o que reduz sua excreção urinária. Da mesma forma, a diminuição dos níveis de PTH promove excreção de cálcio por reduzir sua reabsorção na alça de Henle e túbulos distais.

O aumento da concentração de cálcio do líquido extracelular também estimula diretamente os CSRs, os quais inibem a reabsorção de cálcio no segmento ascendente espesso da alça de Henle. Em contrapartida, a diminuição da concentração de cálcio reduz a atividade dos CSRs e aumenta sua reabsorção nesse local.

No túbulo proximal, a reabsorção de cálcio geralmente ocorre de forma paralela com a do sódio e da água, sem dependência do PTH. Ou seja, em casos de expansão do volume extracelular ou aumento da pressão arterial – ambas situações que diminuem a reabsorção proximal de sódio e água – ocorrem também redução na reabsorção de cálcio e, consequentemente, aumento de sua excreção na urina. Da mesma forma, na situação de redução do volume extracelular ou da pressão arterial, a excreção de cálcio diminui principalmente por causa do aumento da sua reabsorção tubular proximal.

Outro fator que influencia a reabsorção de cálcio é a concentração plasmática de fosfato. O aumento do fosfato plasmático estimula o PTH, que aumenta a reabsorção de cálcio pelos túbulos renais, diminuindo sua excreção. O efeito oposto ocorre na diminuição da concentração plasmática de fosfato.

A reabsorção de cálcio também pode ser estimulada pela alcalose metabólica e inibida pela acidose metabólica. Ou seja, a acidose tende a aumentar a excreção de cálcio e a alcalose tende a diminuí-la. A maior parte do efeito da concentração de hidrogênio sobre a excreção de cálcio resulta de alterações em sua reabsorção pelo túbulo distal.

A **Tabela 30.2** apresenta um resumo dos fatores conhecidos que influenciam a excreção de cálcio.

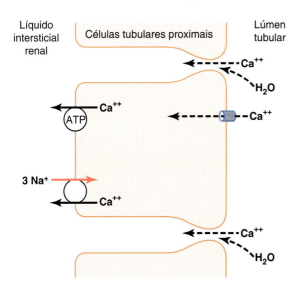

Figura 30.12 Mecanismos de reabsorção de cálcio pelas vias paracelular e transcelular nas células tubulares proximais.

PARTE 5 Líquidos Corporais e Rins

Tabela 30.2 Fatores que alteram a excreção renal de cálcio.

↓ Excreção de cálcio	↑ Excreção de cálcio
↑ Paratormônio	↓ Paratormônio
↓ Volume de líquido extracelular	↑ Volume de líquido extracelular
↓ Pressão arterial	↑ Pressão arterial
↑ Concentração plasmática de fosfato	↓ Concentração plasmática de fosfato
Alcalose metabólica	Acidose metabólica
1,25(OH)$_2$Vitamina D$_3$	

REGULAÇÃO DA EXCREÇÃO RENAL DE FOSFATO

A excreção de fosfato pelos rins é controlada primariamente por um mecanismo de escoamento que pode ser explicado como segue. Os túbulos renais apresentam um transporte máximo normal para reabsorção de fosfato de aproximadamente 0,1 mmol/min. Quando a quantidade de fosfato presente no filtrado glomerular é menor do que essa, essencialmente *todo* o fosfato filtrado é reabsorvido. Quando é maior que essa quantidade, o *excesso* é excretado. Ou seja, o fosfato normalmente começa a aparecer na urina quando sua concentração no líquido extracelular aumenta acima do limiar de 0,8 mM/ℓ, o que significa uma carga tubular de fosfato de cerca de 0,1 mmol/min, admitindo-se TFG de 125 mℓ/min. Como a maioria das pessoas ingere grandes quantidades de fosfato nos laticínios e na carne, essa concentração normalmente é mantida acima de 1 mM/ℓ. Nesse nível, há contínua excreção de fosfato na urina.

O túbulo proximal normalmente reabsorve 75 a 80% do fosfato filtrado. O túbulo distal reabsorve cerca de 10% da carga filtrada e somente pequenas quantidades são reabsorvidas na alça de Henle, túbulos coletores e ductos coletores. Aproximadamente 10% do fosfato filtrado são excretados na urina.

No túbulo proximal, a reabsorção do fosfato ocorre principalmente por meio do trajeto transcelular. O fosfato adentra a célula a partir do lúmen por cotransporte com sódio e deixa a célula através da membrana basolateral por um processo ainda não totalmente compreendido, mas que pode envolver um mecanismo de contratransporte com algum ânion.

Alterações na capacidade de reabsorção tubular de fosfato também podem ocorrer em diferentes condições e podem influenciar sua excreção. Por exemplo, uma dieta com baixo teor de fosfato pode, com o tempo, aumentar o transporte máximo de reabsorção de fosfato, diminuindo a tendência de seu escoamento para a urina.

O PTH pode exercer um papel significativo na regulação da concentração de fosfato de duas maneiras: (1) o PTH promove reabsorção óssea, o que libera grandes quantidades de fosfato dos sais ósseos no líquido extracelular; e (2) o PTH reduz a abundância de cotransportadores de sódio

e fosfato da membrana apical, o que consequentemente reduz a reabsorção de fosfato pelos túbulos renais. *Portanto, sempre que ocorrer um aumento dos níveis de PTH, a reabsorção tubular de fosfato diminuirá e mais fosfato será excretado.* Essas relações entre fosfato, PTH e cálcio serão discutidas com maiores detalhes no Capítulo 80.

A **Tabela 30.3** resume alguns dos fatores que influenciam a excreção renal de fosfato.

REGULAÇÃO DA EXCREÇÃO RENAL E DA CONCENTRAÇÃO EXTRACELULAR DE MAGNÉSIO

Mais da metade do magnésio do organismo encontra-se armazenada nos ossos. A maior parte do magnésio restante situa-se dentro das células, com menos de 1% localizado no líquido extracelular. Embora a concentração plasmática total de magnésio seja cerca de 1,8 mEq/ℓ, mais da metade desta está ligada a proteínas plasmáticas. Portanto, a fração ionizada livre é de somente cerca de 0,8 mEq/ℓ.

A ingestão diária normal de magnésio é de aproximadamente 250 a 300 mg/dia, porém somente cerca de metade dessa ingestão é reabsorvida no trato gastrointestinal. A fim de manter um equilíbrio normal de magnésio, os rins precisam excretar o magnésio absorvido, correspondente à metade do magnésio ingerido, ou 125 a 125 mg/dia. Os rins normalmente excretam ao redor de 10 a 15% desse magnésio por meio da filtração glomerular.

A excreção renal de magnésio pode aumentar sobremaneira diante de excessos no organismo, ou diminuir até quase zero no caso de depleção. Como o magnésio é envolvido em muitos processos bioquímicos do organismo, incluindo ativação de muitas enzimas, sua concentração deve ser regulada de forma precisa.

A regulação da excreção de magnésio é conseguida principalmente pela modificação de sua reabsorção tubular. O túbulo proximal em geral reabsorve somente cerca de 25% do magnésio filtrado. O sítio primário de reabsorção é a alça de Henle, em que aproximadamente 65% da carga filtrada de magnésio serão reabsorvidos. Somente uma pequena quantidade (em geral < 5%) do magnésio filtrado será reabsorvida nos túbulos distais e coletores.

Os mecanismos que regulam a reabsorção de magnésio não são completamente compreendidos. Todavia, a **Tabela 30.4** resume alguns dos fatores que influenciam sua excreção renal. Observe que diversos fatores que

Tabela 30.3 Fatores que alteram a excreção renal de fosfato.

↓ Excreção de fosfato	↑ Excreção de fosfato
↓ Fosfato da dieta	↑ Fosfato da dieta
1,25(OH)$_2$ Vitamina D$_3$	Paratormônio
Alcalose metabólica	Acidose metabólica
Hormônios da tireoide	Hipertensão

CAPÍTULO 30 Regulação Renal de Potássio, Cálcio, Fosfato e Magnésio...

Tabela 30.4 Fatores que alteram a excreção renal de magnésio.

↓ Excreção de magnésio	↑ Excreção de magnésio
↓ Concentração extracelular de Mg^{++}	↑ Concentração extracelular de Mg^{++}
↓ Concentração extracelular de Ca^{++}	↑ Concentração extracelular de Ca^{++}
↑ Paratormônio	↓ Paratormônio
↓ Volume de líquido extracelular	↑ Volume de líquido extracelular
Alcalose metabólica	Acidose metabólica

alteram a excreção renal de cálcio têm efeitos similares sobre a excreção de magnésio.

INTEGRAÇÃO DE MECANISMOS RENAIS PARA O CONTROLE DO LÍQUIDO EXTRACELULAR

O volume do líquido extracelular é determinado principalmente pelo equilíbrio entre entrada e saída de água e sal. Em muitos casos, a ingestão de sais e líquidos é determinada mais pelos hábitos do indivíduo do que por mecanismos de controle fisiológicos. Portanto, o fardo dessa regulação do volume extracelular acaba sendo, na maioria das vezes, depositado sobre os rins, que devem adaptar sua excreção de sal e água à ingestão individual sob condições estáveis.

Quando se discute a regulação do volume do líquido extracelular, consideram-se os fatores que controlam a quantidade de cloreto de sódio do líquido extracelular, tendo em vista que mudanças nesse conteúdo geralmente causam alterações paralelas no volume extracelular, admitindo-se que os mecanismos do hormônio antidiurético (ADH) e da sede estejam funcionais. Quando os mecanismos ADH-sede funcionam normalmente, a mudança da quantidade de cloreto de sódio do líquido extracelular é equilibrada por uma mudança similar na quantidade de água, mantendo-se relativamente constantes a osmolaridade e concentração de sódio nesse compartimento.

A INGESTÃO E A EXCREÇÃO DE SÓDIO SÃO EQUILIBRADAS SOB CONDIÇÕES ESTÁVEIS

Uma importante consideração no controle geral da excreção de sódio – ou, na verdade, da maioria dos eletrólitos – é que, sob condições estáveis, essa excreção pelos rins é determinada pela ingestão. A fim de manter a vida, um organismo necessita, a longo prazo, excretar quase precisamente a quantidade de sódio que foi ingerida. Portanto, mesmo no caso de distúrbios que causam grandes alterações na função renal, o equilíbrio entre a ingestão e eliminação de sódio geralmente é restaurado dentro de poucos dias.

Nos distúrbios da função renal menos graves, o equilíbrio do sódio pode ser alcançado principalmente por ajustes intrarrenais, com mínimas alterações no volume de líquido extracelular ou outros ajustes sistêmicos. Todavia, quando

o distúrbio renal é grave e as compensações intrarrenais são exauridas, são acionados muitas vezes ajustes sistêmicos, como alterações na pressão arterial, hormônios circulantes e atividade do sistema nervoso simpático.

Esses ajustes podem custar caro em termos de homeostasia geral, visto que provocam outras alterações no organismo que podem, a longo prazo, ser nocivas. Por exemplo, o comprometimento da função renal pode levar a um aumento da pressão arterial que, por sua vez, auxilia na manutenção da excreção normal de sódio. Ao longo do tempo, a pressão alta pode lesionar vasos sanguíneos, coração e outros órgãos. Essas compensações, porém, são necessárias pois o desequilíbrio sustentado entre a ingestão e excreção de líquidos e eletrólitos rapidamente causaria acúmulo ou perda de eletrólitos ou líquidos, com graves consequências cardiovasculares dentro de poucos dias. Sendo assim, pode-se compreender os ajustes sistêmicos que ocorrem em resposta às anormalidades da função renal como compensações necessárias que devolvem a excreção de líquidos e eletrólitos de volta a seu equilíbrio com a ingestão.

A EXCREÇÃO DE SÓDIO É CONTROLADA POR MEIO DA ALTERAÇÃO DA TAXA DE FILTRAÇÃO GLOMERULAR OU DA REABSORÇÃO TUBULAR DE SÓDIO

As duas variáveis que influenciam a excreção de sódio e água são as taxas de filtração glomerular e reabsorção tubular:

Excreção = Filtração glomerular – Reabsorção tubular

A TFG normalmente é de aproximadamente 180 ℓ/dia; a reabsorção tubular, de cerca de 178,5 ℓ/dia, e a excreção urinária, em torno de 1,5 ℓ/dia. Portanto, pequenas alterações na TFG ou reabsorção tubular podem potencialmente causar grandes mudanças na excreção renal. Por exemplo, um aumento de 5% na TFG (para 189 ℓ/dia) causaria produção de 9 ℓ/dia de volume de urina se não existissem compensações tubulares; esse aumento rapidamente causaria mudanças catastróficas nos volumes dos líquidos corporais. Da mesma forma, pequenas alterações na reabsorção tubular renal, sem ajustes compensatórios na TFG, também levariam a alterações expressivas no volume de urina e na excreção de sódio. A reabsorção tubular e a TFG são em geral reguladas de forma paralela e precisa, para que a excreção renal corresponda à ingestão de água e eletrólitos.

Mesmo em distúrbios que alteram a TFG ou reabsorção tubular, as mudanças ocorridas na excreção urinária são minimizadas por diversos mecanismos compensatórios. Por exemplo, se os rins se tornarem muito vasodilatados e a TFG sofrer um aumento (como pode ocorrer com alguns fármacos ou na febre alta), essa condição elevará a oferta de cloreto de sódio aos túbulos, o que acaba provocando ao menos duas compensações intrarrenais: (1) aumento da reabsorção tubular da maior parte do cloreto de sódio extra que foi filtrado, denominado *balanço glomerulotubular*; e (2) *feedback tubuloglomerular na mácula densa*, no qual o aumento da oferta de cloreto de sódio ao túbulo distal causa constrição da arteríola aferente e retorno da TFG ao normal. Paralelamente, anormalidades na reabsorção tubular no túbulo proximal ou alça de Henle são compensadas parcialmente pelos mesmos *feedbacks* intrarrenais, conforme discutido no Capítulo 27.

Como nenhum desses dois mecanismos funciona perfeitamente para restaurar a oferta de cloreto de sódio totalmente ao normal, alterações na TFG ou na reabsorção tubular podem levar a significativas mudanças da excreção urinária de sódio e água. Quando isso ocorre, outros mecanismos de *feedback* podem ser acionados, como mudanças na pressão arterial e em diversos hormônios. Esses mecanismos recuperam a excreção de sódio equilibrada com sua ingestão. Nas próximas seções, revisaremos como esses mecanismos atuam em conjunto para controlar o equilíbrio de sódio e água e como, ao fazê-lo, também controlam o volume de líquido extracelular. Todos esses mecanismos controlam a excreção renal de sódio e água por meio da alteração da TFG ou reabsorção tubular.

IMPORTÂNCIA DA NATRIURESE SOB PRESSÃO E DA DIURESE SOB PRESSÃO NA MANUTENÇÃO DO EQUILÍBRIO DE SÓDIO E LÍQUIDOS DO ORGANISMO

Um dos mecanismos mais básicos e potentes para manutenção do equilíbrio entre sódio e líquidos, bem como para controle do volume do sangue e do líquido extracelular, é o efeito da pressão arterial sobre a excreção de sódio e água – a *natriurese por pressão* e a *diurese por pressão*, respectivamente. Conforme discutido no Capítulo 19, esse *feedback* exerce um papel dominante sobre a regulação da pressão arterial a longo prazo.

A **Figura 30.13** demonstra o efeito da pressão arterial sobre o débito urinário de sódio. Observe que o aumento agudo na pressão de 30 a 50 mmHg causa aumento de duas a três vezes no débito urinário de sódio. Esse efeito é independente das mudanças da atividade do sistema nervoso simpático ou de vários hormônios, como a angiotensina II (Ang II), ADH, ou aldosterona, visto que a natriurese de pressão pode ser demonstrada em rins isolados e isentos da influência desses fatores. Com o aumento crônico da pressão arterial, a eficácia da natriurese de pressão aumenta sobremaneira, pois o aumento da pressão arterial, após um pequeno intervalo de tempo, também suprime a liberação de renina e, consequentemente, diminui a formação de Ang II e aldosterona. Conforme discutido anteriormente, a redução nos níveis de Ang II e aldosterona inibe a reabsorção tubular de sódio, potencializando os efeitos diretos da alta pressão arterial em aumentar a excreção de sódio e água.

A NATRIURESE E A DIURESE SOB PRESSÃO: COMPONENTES-CHAVE DE UM *FEEDBACK* RINS-LÍQUIDOS CORPORAIS PARA A REGULAÇÃO DOS VOLUMES DOS LÍQUIDOS CORPORAIS E DA PRESSÃO ARTERIAL

O efeito do aumento da pressão arterial em elevar o débito urinário é parte de um potente sistema de *feedback* que funciona para manter o equilíbrio entre a ingestão e a eliminação de líquidos, conforme demonstrado na **Figura 30.14**. Esse mecanismo é o mesmo discutido no Capítulo 19 para controle da pressão arterial. Volume de líquido extracelular, volemia, débito cardíaco, pressão arterial e débito urinário são todos controlados ao mesmo tempo como partes separadas desse mecanismo básico de *feedback*.

Durante alterações na ingestão de sódio e líquidos, esse mecanismo de *feedback* auxilia na manutenção do equilíbrio hídrico e minimiza alterações na volemia, no volume do líquido extracelular e na pressão arterial, como segue:

1. Um aumento na ingestão de líquidos (e admitindo-se que o sódio acompanhe essa ingestão de líquidos) acima do nível do débito urinário causa acúmulo temporário de líquidos no organismo.
2. Enquanto durar a ingestão de líquidos maior que o débito urinário, ocorrerá acúmulo de líquidos no sangue e espaços intersticiais, causando aumento paralelo da volemia e do volume de líquido extracelular. Como discutido adiante, o aumento real dessas variáveis é geralmente pequeno em virtude da eficácia do *feedback*.
3. O aumento na volemia eleva a pressão de enchimento circulatório média.
4. O aumento na pressão de enchimento circulatório média eleva o gradiente de pressão do retorno venoso.
5. O aumento do gradiente de pressão do retorno venoso eleva o débito cardíaco.
6. O aumento do débito cardíaco eleva a pressão arterial.
7. O aumento da pressão arterial eleva o débito urinário por meio da diurese de pressão. A inclinação da curva normal da natriurese de pressão indica que é necessário

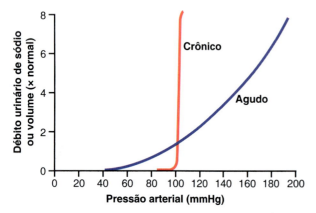

Figura 30.13 Efeitos agudos e crônicos da pressão arterial sobre o débito de sódio dos rins (natriurese de pressão). Observe que o aumento crônico da pressão arterial causa um aumento muito maior na excreção de sódio do que o mensurado em situações agudas de aumento da pressão arterial.

CAPÍTULO 30 Regulação Renal de Potássio, Cálcio, Fosfato e Magnésio...

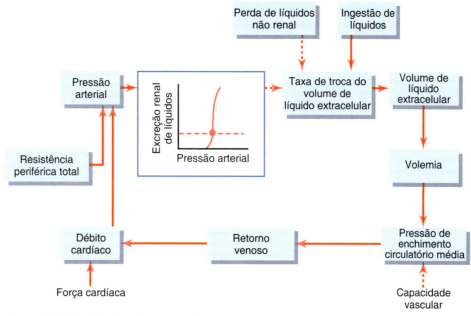

Figura 30.14 Mecanismo de *feedback* rins-líquidos corporais básico para controle da volemia, volume de líquido extracelular e pressão arterial. *Linhas sólidas* indicam efeitos positivos e *linhas tracejadas* indicam efeitos negativos.

apenas um leve aumento na pressão arterial para que a excreção urinária se altere em muitas vezes.

8. O aumento da excreção de líquidos equilibra o aumento da ingestão, impedindo que continue ocorrendo acúmulo.

Portanto, O mecanismo de *feedback* rins-líquidos corporais funciona para prevenir o acúmulo contínuo de sais e água no organismo durante o aumento na ingestão de ambos. Enquanto os rins e os diversos mecanismos neurais e hormonais estiverem funcionando corretamente, grandes alterações na ingestão de sais e água podem ser acomodadas com mínimas alterações na volemia, volume de líquido extracelular, débito cardíaco e pressão arterial.

A sequência de eventos oposta ocorre quando a ingestão decai abaixo do normal. Nesse caso, há uma tendência de redução da volemia e do volume de líquido extracelular, bem como da pressão arterial. Mesmo uma leve diminuição na pressão arterial causa grande redução do débito urinário, permitindo manutenção do equilíbrio de líquidos, com mínimas alterações na pressão arterial, volemia ou volume de líquido extracelular. A eficácia desse mecanismo em prevenir grandes mudanças na volemia encontra-se representada na **Figura 30.15**, que demonstra que alterações da volemia são quase imperceptíveis, mesmo diante de grandes variações na ingestão diária de água e eletrólitos, exceto quando a ingestão é baixa ao ponto de não ser suficiente para compensar as perdas de líquidos causadas pela evaporação ou outras vias de perdas inevitáveis.

Conforme discutido mais adiante, existem sistemas neurais e hormonais além dos mecanismos intrarrenais, os quais podem aumentar a excreção de sódio para adequá-la à sua ingestão, mesmo sem aumentos mensuráveis no débito cardíaco ou na pressão arterial de muitos indivíduos. Outras pessoas com maior "sensibilidade ao sal" apresentam aumentos significativos da pressão arterial até com aumento moderado na ingestão de sódio. Com ingestão prolongada de alto teor de sódio, perdurando por anos, pode ocorrer hipertensão, mesmo em indivíduos que não eram inicialmente sensíveis a sal. Quando ocorre aumento da pressão arterial, a natriurese de pressão proporciona um meio crítico de manutenção do equilíbrio entre ingestão e excreção urinária de sódio.

EFICÁCIA DA REGULAÇÃO DO VOLUME SANGUÍNEO E DO LÍQUIDO EXTRACELULAR

Analisando-se a **Figura 30.14**, podem-se observar as principais razões por que a volemia permanece quase que exatamente constante, mesmo com mudanças extremas na ingestão diária de líquidos: (1) uma ligeira mudança na

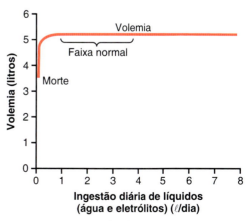

Figura 30.15 Efeito aproximado das alterações na ingestão diária de líquidos sobre a volemia. Observe que a volemia permanece relativamente constante dentro da faixa normal de ingestão diária de líquidos.

volemia causa uma significativa mudança no débito cardíaco; (2) uma ligeira mudança no débito cardíaco causa uma grande mudança na pressão arterial; e (3) uma ligeira mudança na pressão arterial causa uma grande mudança no débito urinário. Esses fatores atuam em conjunto para fornecer eficiente controle da volemia por *feedback*.

Os mesmos mecanismos de controle funcionam sempre que ocorre perda sanguínea por hemorragia. Nesse caso, a queda da pressão arterial juntamente com fatores neurais e hormonais (discutidos mais adiante) causam retenção de líquidos pelos rins. Outros processos paralelos ocorrem para reconstituir hemácias e proteínas plasmáticas no sangue. Se continuar havendo anormalidade do volume de hemácias, como na deficiência de eritropoetina ou outros fatores necessários para estimular a produção de hemácias, o volume plasmático normalmente compensará a diferença e a volemia geral retornará essencialmente a seu normal, mesmo com menor massa de hemácias.

DISTRIBUIÇÃO DO LÍQUIDO EXTRACELULAR ENTRE O ESPAÇO INTERSTICIAL E O SISTEMA VASCULAR

Na **Figura 30.14** é possível observar que a volemia e o volume do líquido extracelular são normalmente controlados paralelamente entre si. O líquido ingerido normalmente adentra o sangue, mas é rapidamente distribuído entre o espaço intersticial e o plasma. Portanto, o controle da volemia e do volume de líquido extracelular é, em geral, realizado de maneira simultânea.

Há circunstâncias, todavia, nas quais a distribuição do líquido extracelular entre o espaço intersticial e o sangue pode variar grandemente. Conforme discutido no Capítulo 25, *os principais fatores que podem causar acúmulo de líquido no espaço intersticial incluem os seguintes: (1) aumento da pressão hidrostática capilar; (2) diminuição da pressão coloidosmótica do plasma; (3) aumento da permeabilidade dos capilares; e (4) obstrução dos vasos linfáticos*. Em todas essas condições, uma proporção anormalmente grande do líquido extracelular é distribuída pelo espaço intersticial.

A **Figura 30.16** demonstra a distribuição normal de líquidos entre o espaço intersticial e o sistema vascular e a distribuição que ocorre nos casos de edema. Quando pequenas quantidades de líquido se acumulam no sangue como resultado de ingestão excessiva ou diminuição do débito urinário de líquidos, cerca de 20 a 30% desse líquido permanecem no sangue e aumentam a volemia. O restante é distribuído para os espaços intersticiais. Quando o volume do líquido extracelular aumenta mais de 30 a 50% acima do normal, quase todo o líquido adicional penetra nos espaços intersticiais, restando pouco no sangue. A partir do momento em que a pressão do líquido intersticial aumenta de seu valor normalmente negativo para um valor positivo, os espaços intersticiais tornam-se complacentes, com grandes quantidades de líquido fluindo para os tecidos sem que a pressão se eleve muito. Em outras palavras, o fator de segurança contra edema, que seria a elevação da pressão do líquido intersticial equilibrando o acúmulo de líquido nos tecidos, é perdido quando esses tecidos se tornam muito complacentes.

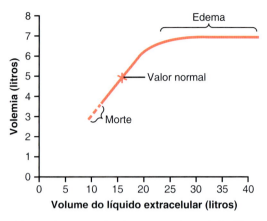

Figura 30.16 Relação aproximada entre o volume de líquido extracelular e o volume sanguíneo (volemia), demonstrando relação aproximadamente linear dentro da faixa normal, porém, ao mesmo tempo, uma incapacidade de se continuar aumentando a volemia quando o volume de líquido extracelular se torna excessivo. Nessa condição, o volume de líquido extracelular adicional reside nos espaços intersticiais, o que resulta em edema.

Portanto, sob condições normais, os espaços intersticiais atuam como um reservatório de escoamento do excesso de líquido, por vezes aumentando seu volume 10 a 30 litros. Essa situação causa edema, conforme explicado no Capítulo 25, porém também atua como uma importante válvula de alívio para o escoamento da circulação, protegendo o sistema cardiovascular de sobrecargas nocivas que poderiam levar a edema pulmonar e insuficiência cardíaca.

Em suma, o volume do líquido extracelular e do sangue são controlados simultaneamente, embora as quantidades distribuídas de líquido entre o interstício e o sangue dependam de propriedades físicas da circulação e dos espaços intersticiais, bem como da dinâmica da troca de líquidos através das membranas dos capilares.

FATORES NEURAIS E HORMONAIS AUMENTAM A EFICÁCIA DO CONTROLE POR *FEEDBACK* RINS-LÍQUIDOS CORPORAIS

Nos Capítulos 27 e 28, discutimos os fatores neurais e hormonais que influenciam a TFG e a reabsorção tubular e, portanto, a excreção renal de sal e água. Esses mecanismos neurais e hormonais geralmente atuam em conjunto com a natriurese e a diurese de pressão, tornando-se mais eficientes em minimizar as alterações da volemia, do volume do líquido extracelular e da pressão arterial que ocorrem em resposta aos desafios diários. Em muitos casos, os mecanismos neurais e hormonais podem regular a excreção renal de sódio e água e manter um equilíbrio entre a ingestão e a eliminação sem que ocorram mudanças significativas na pressão arterial. Todavia, anormalidades na função renal ou nos vários fatores neurais e hormonais que influenciam os rins podem levar a graves mudanças na pressão arterial e nos volumes de líquidos corporais, conforme discutido mais adiante.

CONTROLE DA EXCREÇÃO RENAL PELO SISTEMA NERVOSO SIMPÁTICO: REFLEXO BARORRECEPTOR ARTERIAL E DOS RECEPTORES DE ESTIRAMENTO DE BAIXA PRESSÃO

Como os rins recebem extensa inervação simpática, alterações na atividade simpática podem modificar a excreção renal de sódio e água, bem como a regulação do volume do líquido extracelular, sob algumas condições. Por exemplo, quando a volemia diminui devido a uma hemorragia, ocorre diminuição das pressões dos vasos pulmonares e outras regiões de baixa pressão do tórax, causando ativação reflexa do sistema nervoso simpático. Isso, por sua vez, aumenta a atividade simpática renal, que produz diversos efeitos para reduzir a excreção de sódio e água: (1) vasoconstrição das arteríolas renais, o que diminui a TFG nos casos de ativação simpática grave; (2) aumento da reabsorção tubular de sal e água; e (3) estimulação da liberação de renina e aumento da formação de Ang II e aldosterona, ambas responsáveis por aumentar ainda mais a reabsorção tubular. Se a diminuição da volemia for grave o suficiente para diminuir a pressão arterial sistêmica, ocorrerá maior ativação do sistema nervoso simpático devido à redução do estiramento de barorreceptores arteriais localizados no seio carotídeo e no arco aórtico. Todos esses reflexos, juntos, exercem um importante papel na restituição rápida da volemia que ocorre em situações agudas, como a hemorragia. Ademais, a inibição reflexa da atividade simpática dos rins pode contribuir com a rápida eliminação do excesso de líquido da circulação oriundo da ingestão de uma refeição contendo grandes quantidades de sal e água.

Contudo, a ativação excessiva e inadequada do sistema nervoso simpático pode levar a uma cascata de efeitos, incluindo aumento da secreção de renina, formação de Ang II e reabsorção renal de sódio, ao ponto de elevar a pressão arterial. De fato, a ablação de nervos simpáticos dos rins frequentemente diminui a pressão arterial na hipertensão, especialmente na associada à obesidade.

PAPEL DA ANGIOTENSINA II NO CONTROLE DA EXCREÇÃO RENAL

Um dos mais potentes controladores da excreção de sódio no organismo é a Ang II. Alterações na ingestão de sódio são associadas a mudanças recíprocas na formação de Ang II, o que por sua vez contribui sobremaneira com a manutenção do equilíbrio de sódio do organismo. Quando a ingestão de sódio aumenta acima do normal, ocorrem diminuição da secreção de renina e formação de Ang II. Como a Ang II produz importantes efeitos de aumento da reabsorção tubular de sódio, conforme explicado no Capítulo 28, seu nível diminuído reduz a reabsorção tubular de sódio e água, aumentando a excreção renal de ambos. O resultado final é a minimização do aumento do volume de líquido extracelular e da pressão arterial que poderiam ocorrer após o aumento da ingestão de sódio.

Em contrapartida, quando a ingestão de sódio diminui abaixo do normal, níveis aumentados de Ang II causam retenção de sódio e água, o que se opõe à redução da pressão arterial que poderia advir dessa situação. Portanto, as alterações na atividade do sistema renina-angiotensina funcionam como um potente sistema regulador da excreção de sódio e potencializador do mecanismo da natriurese por pressão para promover manutenção da pressão arterial e do volume dos líquidos corporais.

Importância das alterações na angiotensina II em regular o equilíbrio do sódio e modificar a natriurese de pressão. A importância da Ang II em regular o equilíbrio do sódio e tornar o mecanismo da natriurese por pressão mais eficiente está demonstrada na **Figura 19.13** e **Figura 30.17**. Observe que, quando o controle da natriurese pela angiotensina está completamente funcional, a curva da natriurese por pressão é mais íngreme (curva normal), indicando que aumentos na excreção de sódio são conseguidos com o aumento de sua ingestão produzindo mínimas alterações na pressão arterial.

Em contrapartida, quando os níveis de Ang II não podem ser suprimidos em resposta ao aumento da ingestão de sódio (curva da Ang II alta), como ocorre em pacientes hipertensos com comprometimento da capacidade de reduzir a secreção de renina e a formação de Ang II, a curva da natriurese de pressão já não se apresenta tão íngreme. Ou seja, quando a ingestão de sódio aumenta, são necessários aumentos muito maiores na pressão arterial para promover maior excreção de sódio e manter seu equilíbrio. Por exemplo, na maioria dos indivíduos, um aumento na ingestão de sódio em 10 vezes causa aumento de apenas alguns mmHg na pressão arterial, ao passo que em indivíduos incapazes de suprimir a formação de Ang II adequadamente em resposta ao excesso de sódio, esse

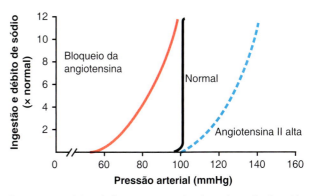

Figura 30.17 Efeitos da formação excessiva de angiotensina II ou bloqueio de sua formação sobre a curva de natriurese de pressão renal. Observe que os níveis altos de formação de Ang II diminuem a inclinação da natriurese de pressão, tornando a pressão arterial muito sensível a mudanças na ingestão de sódio. O bloqueio da formação de Ang II desvia a natriurese de pressão para pressões arteriais mais baixas.

PARTE 5 Líquidos Corporais e Rins

mesmo aumento na ingestão causa elevação da pressão arterial em até 50 mmHg. Portanto, a incapacidade de suprimir a formação de Ang II diante de um excesso de sódio reduz a inclinação da curva de natriurese de pressão e torna a pressão arterial muito sensível ao sódio, conforme discutido no Capítulo 19.

O uso de fármacos que bloqueiam os efeitos da Ang II provou-se clinicamente importante para a melhoria da capacidade dos rins de excretar sais e água. Quando a formação da Ang II é bloqueada por um inibidor da enzima conversora de angiotensina (ECA) (ver **Figuras 19.13** e **30.17**) ou um antagonista de receptores de Ang II, a curva da natriurese sob pressão é desviada para valores de pressão mais baixos, o que indica melhor capacidade dos rins de excretar o sódio, visto que níveis normais de excreção de sódio podem agora ser mantidos com pressão arterial reduzida. Esse desvio da curva da natriurese por pressão proporciona a base dos efeitos crônicos de redução da pressão arterial produzidos por inibidores da ECA e antagonistas da Ang II em pacientes hipertensos.

O excesso de Ang II, em geral, não causa grandes aumentos no volume de líquido extracelular porque o aumento da pressão arterial contrabalança a retenção de sódio mediada pela Ang II. Embora a Ang II seja um dos mais potentes hormônios capazes de reter sódio e água do organismo, nem a diminuição nem o aumento de seus níveis circulantes tem um grande efeito sobre o volume de líquido extracelular ou a volemia, contanto que não haja insuficiência cardíaca ou renal. O motivo desse fenômeno é que, nos casos de grande aumento dos níveis de Ang II, como em tumores renais secretores de renina, os altos níveis inicialmente causam retenção de sódio e água pelos rins e um pequeno aumento do volume de líquido extracelular. Isso também inicia uma elevação da pressão arterial que rapidamente aumenta o débito urinário de sódio e água, superando os efeitos de retenção causados pela Ang II e restabelecendo um equilíbrio entre a ingestão e a eliminação de sódio com pressão arterial alta. Já no caso de bloqueio da formação de Ang II com um inibidor da ECA ou no caso do uso de um antagonista de receptores de Ang II, ocorre perda inicial de sódio e água, mas a queda da pressão arterial rapidamente refreia esse efeito, restaurando a excreção de sódio normal novamente.

Se o coração sofrer um enfraquecimento ou houver doença cardíaca subjacente, sua capacidade de bombeamento poderá não ser grande o suficiente para elevar a pressão arterial e superar os efeitos de retenção de sódio dos altos níveis de Ang II. Nesses casos, a Ang II poderá causar retenção de quantidades muito grandes de sódio e água que poderão progredir para uma *insuficiência cardíaca congestiva*. O bloqueio da formação de Ang II poderá, então, aliviar uma parte dessa retenção e atenuar a grave expansão de volume do líquido extracelular associada à insuficiência cardíaca.

PAPEL DA ALDOSTERONA NO CONTROLE DA EXCREÇÃO RENAL

A aldosterona aumenta a reabsorção tubular de sódio, especialmente nos túbulos e ductos coletores. A maior reabsorção de sódio também é associada a maior reabsorção de água e secreção de potássio. Portanto, o efeito resultante da aldosterona é fazer com que os rins retenham sódio e água e aumentem a excreção urinária de potássio.

A função da aldosterona na regulação do equilíbrio do sódio relaciona-se intimamente com a da Ang II. Ou seja, com ingestão diminuída de sódio, o aumento dos níveis de Ang II estimula a secreção de aldosterona, a qual contribui com a redução da excreção urinária de sódio e, portanto, com a manutenção de seu equilíbrio. Da mesma forma, com ingestão aumentada de sódio, a supressão da formação de aldosterona reduz a reabsorção tubular, permitindo que os rins excretem maiores quantidades de sódio. Sendo assim, alterações na formação de aldosterona também auxiliam o mecanismo de natriurese de pressão para manter o equilíbrio do sódio diante de variações na ingestão de sal.

Durante a secreção excessiva e crônica de aldosterona, os rins apresentam um mecanismo de "escape" na retenção de sódio à medida que a pressão arterial aumenta. Embora a aldosterona produza potentes efeitos sobre a reabsorção de sódio, quando há formação excessiva de aldosterona, como em pacientes com tumores da glândula adrenal (síndrome de Conn), o aumento da reabsorção de sódio e a diminuição de sua excreção pelos rins são transitórios. Após 1 a 3 dias de retenção de sódio e água, o volume do líquido extracelular aumenta em cerca de 10 a 15% e ocorre aumento simultâneo da pressão arterial. Quando esta se eleva o suficiente, os rins apresentam um "escape" na retenção de sódio e água e passam a excretar quantidades de sódio equivalentes à ingestão diária, mesmo diante da presença contínua de níveis elevados de aldosterona. As razões primordiais desse fato são a natriurese e a diurese por pressão que advêm de aumentos da pressão arterial (ver Capítulo 78, **Figura 78.3**).

Em pacientes com insuficiência adrenal incapazes de secretar quantidades suficientes de aldosterona (doença de Addison), ocorrem aumento da excreção de sódio e água, diminuição do volume do líquido extracelular e uma tendência de diminuição da pressão arterial. Na ausência completa de aldosterona, pode ocorrer grave depleção de volume se o paciente não for orientado a ingerir grandes quantidades de sal e água a fim de equilibrar o aumento do débito urinário de ambos.

PAPEL DO HORMÔNIO ANTIDIURÉTICO NO CONTROLE DA EXCREÇÃO RENAL DE ÁGUA

Conforme discutido no Capítulo 29, o ADH exerce um importante papel em permitir que os rins formem urina de baixo volume e alta concentração excretando quantidades normais de sais. Esse efeito é especialmente importante durante a privação de água, que provoca aumento significativo dos níveis plasmáticos de ADH, o qual por sua vez aumenta a reabsorção de água pelos rins e ajuda a minimizar a diminuição do volume de líquido extracelular e da pressão arterial que poderiam ocorrer. A privação de água de 24 a 48 horas normalmente causa somente uma discreta redução do volume de líquido extracelular e da

CAPÍTULO 30 Regulação Renal de Potássio, Cálcio, Fosfato e Magnésio...

pressão arterial. Todavia, se os efeitos do ADH forem bloqueados com um fármaco antagonista que impeça a reabsorção de água nos túbulos distais e túbulos coletores, o mesmo período de privação causará queda significativa do volume de líquido extracelular e da pressão arterial. Da mesma forma, quando há excesso de volume extracelular, níveis *diminuídos* de ADH diminuem a reabsorção de água pelos rins, auxiliando o organismo a eliminar o excesso de volume.

A secreção excessiva de hormônio antidiurético geralmente causa somente um pequeno aumento no volume, porém uma grande diminuição na concentração de sódio do líquido extracelular. Embora o ADH seja importante na regulação do volume de líquido extracelular, níveis excessivos de ADH raramente causarão grandes aumentos na pressão arterial ou nesse volume. A infusão de grandes quantidades de ADH em animais causa inicialmente retenção renal de água e aumento de 10 a 15% no volume do líquido extracelular. À medida que a pressão arterial aumenta em resposta a esse maior volume, grande parte do excesso de volume é excretada devido ao mecanismo de diurese de pressão. Ademais, o aumento da pressão arterial causa natriurese de pressão e perda de sódio do líquido extracelular. Após muitos dias de infusão de ADH, a volemia e o volume do líquido extracelular elevam-se apenas 5 a 10% e a pressão arterial aumenta em menos que 10 mmHg. O mesmo vale para pacientes com *síndrome da secreção inapropriada de ADH (SIADH)*, nos quais os níveis de ADH podem aumentar em várias vezes.

Portanto, níveis altos de ADH não causam grande aumento no volume do líquido extracelular ou na pressão arterial, embora *níveis altos de ADH possam causar grave diminuição na concentração de sódio extracelular*. O motivo é que o aumento da reabsorção de água pelos rins dilui o sódio extracelular e, ao mesmo tempo, o pequeno aumento ocorrido na pressão arterial causa perda de sódio do líquido extracelular para a urina por meio da natriurese de pressão.

Em pacientes cuja capacidade de secretar ADH foi perdida em razão de destruição dos núcleos supraópticos, o volume de urina pode aumentar 5 a 10 vezes. Esse aumento quase sempre é compensado pela ingestão de água o suficiente para manter o equilíbrio hídrico. Se o acesso livre à água for impedido, a incapacidade de secretar ADH poderá causar grave redução da volemia e da pressão arterial.

PAPEL DO PEPTÍDEO ATRIAL NATRIURÉTICO NO CONTROLE DA EXCREÇÃO RENAL

Até agora, foi discutido principalmente o papel de hormônios que causam retenção de sódio e água no controle do volume de líquido extracelular. Entretanto, diversos hormônios natriuréticos podem também contribuir com a regulação desse volume. Um dos mais importantes desses hormônios é um peptídeo denominado *peptídeo atrial natriurético* (PAN) ou *hormônio atrial natriurético* (HAN) liberado pelas fibras musculares atriais cardíacas. Um grande estímulo para a liberação desse peptídeo é o aumento do estiramento dos átrios, o que pode resultar de volume excessivo de sangue. Uma vez liberado pelos átrios cardíacos, o PAN adentra a circulação e atua sobre os rins para causar pequenos aumentos na TFG, diminuição da secreção de renina e formação de Ang II e redução da reabsorção de sódio pelos ductos coletores. Essas ações, em conjunto, levam a aumento da excreção de sal e água, o que auxilia na compensação do excesso de volume de sangue.

Alterações nos níveis de PAN ajudam a minimizar alterações da volemia em diversos distúrbios, como ingestão aumentada de sal e água. Todavia, a produção excessiva de PAN ou uma falta completa de PAN não causam grandes mudanças na volemia porque seus efeitos podem ser superados por pequenas alterações da pressão arterial que atuarão por meio da natriurese de pressão. Por exemplo, a infusão de grandes quantidades de PAN inicialmente causa aumento do débito urinário de sal e água e pequena redução da volemia. Em menos de 24 horas, esse efeito é superado por uma discreta queda da pressão arterial que restabelece o débito urinário normal, mesmo com excesso persistente de PAN.

RESPOSTAS INTEGRADAS A ALTERAÇÕES DA INGESTÃO DE SÓDIO

A integração de diferentes sistemas de controle que regulam o sódio e a excreção de líquidos sob condições normais pode ser resumida por meio da análise das respostas homeostáticas ao aumento gradativo da ingestão dietética de sódio. Conforme denotado previamente, os rins têm uma incrível capacidade de adequar sua excreção de sal e água à ingestão de ambos, o que pode variar desde um décimo do normal até 10 vezes o normal.

O aumento da ingestão de sódio inibe sistemas antinatriuréticos e ativa sistemas natriuréticos. À medida que a ingestão de sódio aumenta, inicialmente ocorre discreto atraso da eliminação de sódio em relação a seu ganho. O atraso resulta de um leve aumento no equilíbrio cumulativo de sódio, que causa um discreto aumento no volume de líquido extracelular. É principalmente esse aumento de volume que deflagra diversos mecanismos do organismo que aumentam a excreção de sódio. Os mecanismos incluem:

1. *Ativação de reflexos de receptores de baixa pressão* que se originam dos receptores de estiramento do átrio direito e vasos pulmonares. Sinais dos receptores de estiramento chegam ao tronco encefálico e inibem a atividade simpática dos rins para reduzir a reabsorção tubular de sódio. Esse mecanismo é mais importante nas primeiras horas – ou talvez no primeiro dia – após um grande aumento na ingestão de sal e água.

2. *Supressão da formação de Ang II e aldosterona*, causada pelo aumento da pressão arterial e expansão do volume de líquido extracelular, que diminui a reabsorção tubular de sódio por eliminar o efeito normal da Ang II e da aldosterona de aumentar essa reabsorção.

PARTE 5 Líquidos Corporais e Rins

3. *Estimulação de sistemas natriuréticos*, especialmente do PAN, que contribui ainda mais com o aumento da excreção de sódio. Portanto, a ativação conjunta de sistemas natriuréticos e a inibição de sistemas de retenção de sódio e água leva a um aumento da excreção de sódio quando sua ingestão está aumentada. As alterações opostas ocorrem frente à ingestão de sódio abaixo dos níveis normais.

4. *Pequenos aumentos na pressão arterial*, causados pela expansão volêmica, podem ocorrer com a ingestão aumentada de sódio, especialmente em indivíduos sensíveis a sal. Esse mecanismo eleva a excreção de sódio por meio da natriurese de pressão. Conforme discutido anteriormente, se os mecanismos neurais, hormonais e intrarrenais funcionarem corretamente, pode não ocorrer aumento mensurável da pressão arterial, mesmo diante de grande aumento da ingestão de sódio ao longo de muitos dias. Todavia, se a alta ingestão de sódio for sustentada por meses ou anos, os rins poderão ser lesionados e se tornar menos eficientes na excreção de sódio, necessitando de aumento da pressão arterial a fim de manter o equilíbrio do sódio por meio do mecanismo da natriurese de pressão.

CONDIÇÕES QUE CAUSAM GRANDE AUMENTO DA VOLEMIA E DO VOLUME DE LÍQUIDO EXTRACELULAR

Mesmo com potentes mecanismos de regulação que mantêm a volemia e o volume de líquido extracelular razoavelmente constantes, existem condições anormais que podem causar grandes aumentos em ambas as variáveis. Quase todas essas condições resultam de anormalidades circulatórias.

AUMENTO DA VOLEMIA E DO VOLUME DE LÍQUIDO EXTRACELULAR CAUSADO POR DOENÇAS CARDÍACAS

Em indivíduos com insuficiência cardíaca congestiva, a volemia pode aumentar em 15 a 20% e o volume do líquido extracelular por vezes aumenta 200% ou mais. O motivo desses aumentos pode ser compreendido reavaliando-se a **Figura 30.14**. Inicialmente, a insuficiência cardíaca reduz o débito cardíaco e, consequentemente, a pressão arterial. Esse efeito ativa múltiplos sistemas de retenção de sódio, especialmente o sistema renina-angiotensina-aldosterona (SRAA) e o sistema nervoso simpático. Ademais, a pressão arterial baixa por si mesma faz com que os rins retenham sal e água. Sendo assim, os rins retêm volume na tentativa de restabelecer a pressão arterial e o débito cardíaco normais.

Se a insuficiência cardíaca não for muito grave, o aumento da volemia poderá muitas vezes recuperar o débito cardíaco e a pressão arterial praticamente normais e a excreção de sódio aumentará até seu normal, embora o aumento dos volumes extracelular e do sangue

possa permanecer para manter o coração enfraquecido bombeando corretamente. Contudo, se o coração estiver muito enfraquecido, a pressão arterial poderá não se elevar o suficiente para restaurar o débito urinário normal. Quando isso ocorre, os rins continuam a reter volume até que se desenvolva uma congestão circulatória grave, podendo o indivíduo morrer por edema pulmonar se não forem tomadas medidas corretivas.

Nas condições cardíacas como insuficiência do miocárdio, doença valvar e anormalidades congênitas, o aumento da volemia funciona como uma importante compensação circulatória que auxilia no restabelecimento do débito cardíaco e da pressão arterial próximos do normal. Essa compensação permite que até um coração enfraquecido mantenha um nível de débito cardíaco suficiente para sustentar a vida.

AUMENTO DA VOLEMIA CAUSADO POR AUMENTO DA CAPACIDADE VASCULAR

Qualquer condição que aumente a capacidade vascular também causa aumento da volemia para preencher essa capacidade extra. Um aumento na capacidade vascular inicialmente reduz a pressão média de enchimento circulatório (ver **Figura 30.14**), o que leva a uma redução do débito cardíaco e da pressão arterial. Essa queda da pressão arterial causa retenção de sal e água nos rins até que ocorra aumento da volemia em grau suficiente para preencher a capacidade extra.

Durante a gestação, o aumento da capacidade vascular do útero, placenta e outros órgãos aumentados do organismo da mulher geralmente elevam a volemia em 15 a 25%. Da mesma forma, pacientes com grandes varizes nas pernas, as quais podem em casos raros aprisionar até 1 litro extra de sangue, apresentam aumento da volemia para preencher a capacidade vascular extra. Nesses casos, sal e água são retidos pelos rins até que o leito vascular seja totalmente preenchido para que a pressão arterial atinja o nível necessário para equilibrar o débito urinário com a ingestão diária de líquidos.

CONDIÇÕES QUE CAUSAM GRANDE AUMENTO DO VOLUME DE LÍQUIDO EXTRACELULAR COM VOLEMIA NORMAL OU DIMINUÍDA

Em muitas condições, o volume do líquido extracelular torna-se significativamente aumentado, porém com volemia normal ou até mesmo ligeiramente diminuída. Tratam-se de condições geralmente iniciadas pelo extravasamento de líquido e proteínas para o interstício, o que tende a diminuir a volemia. A resposta dos rins a essas condições assemelha-se à resposta à hemorragia – ou seja, os rins retêm sal e água na tentativa de restaurar a volemia normal. Grande parte do líquido extra, contudo, extravasa para o interstício, provocando mais edema.

SÍNDROME NEFRÓTICA: PERDA DE PROTEÍNAS PLASMÁTICAS NA URINA E RETENÇÃO DE SÓDIO PELOS RINS

Os mecanismos gerais que levam ao edema extracelular foram revisados no Capítulo 25. Uma importante causa clínica do edema é a *síndrome nefrótica*. Nessa síndrome, os capilares glomerulares deixam extravasar grandes quantidades de proteínas para o filtrado e para a urina devido ao aumento patológico de sua permeabilidade. Por dia, pode ocorrer perda de 30 a 50 gramas de proteínas na urina, por vezes causando queda da concentração plasmática de proteínas até menos que um terço de seu normal e diminuindo sobremaneira a pressão coloidosmótica do plasma. Esse efeito faz com que os capilares de todo o organismo filtrem grandes quantidades de líquido para os diversos tecidos, o que causa edema e reduz o volume plasmático.

A retenção renal de sódio da síndrome nefrótica ocorre por meio de múltiplos mecanismos ativados pelo extravasamento de proteína e líquido do plasma para o interstício, incluindo a estimulação de diversos sistemas de retenção de sódio, como o SRAA e o sistema nervoso simpático. Os rins continuam retendo sódio e água até que o volume plasmático seja restaurado para próximo do normal. Todavia, em virtude da grande quantidade de sódio e água retidos, a concentração plasmática de proteínas se dilui ainda mais, causando mais extravasamento de líquido para os tecidos do organismo. O resultado final é uma retenção massiva de líquidos pelos rins até culminar em edema extracelular muito grave se não for instituído um tratamento para restabelecer as proteínas plasmáticas.

CIRROSE HEPÁTICA: DIMINUIÇÃO DA SÍNTESE DE PROTEÍNAS PLASMÁTICAS PELO FÍGADO E RETENÇÃO DE SÓDIO PELOS RINS

Na cirrose hepática, a diminuição da concentração plasmática de proteínas resulta da destruição dos hepatócitos, diminuindo a capacidade do fígado de sintetizar proteínas plasmáticas em quantidade suficiente. A cirrose também é associada à presença de grandes quantidades de tecido fibroso na estrutura hepática, o que impede sobremaneira o fluxo sanguíneo portal através do fígado. Essa resistência, por sua vez, aumenta a pressão capilar no leito vascular portal, o que também contribui com o extravasamento de líquido e proteínas para a cavidade peritoneal, condição que recebe o nome de *ascite*.

Ocorrendo perda de líquido e proteínas da circulação, as respostas renais assemelham-se às observadas em outras condições que cursam com redução de volume plasmático. Ou seja, os rins continuam retendo sal e água até que se restabeleçam o volume plasmático e a pressão arterial normais. Em alguns casos, o volume plasmático pode até aumentar acima do normal devido à elevação da capacidade vascular que ocorre na cirrose. As altas pressões na circulação portal podem distender exageradamente as veias e causar aumento da capacidade vascular.

Bibliografia

Alexander RT, Cordat E, Chambrey R, Dimke H, Eladari D: Acidosis and urinary calcium. J Am Soc Nephrol 27:3511, 2016.

Aronson PS, Giebisch G: Effects of pH on potassium: new explanations for old observations. J Am Soc Nephrol 22:1981, 2011.

Biber J, Murer H, Mohebbi N, Wagner CA: Renal handling of phosphate and sulfate Compr Physiol 4:771, 2014.

Bie P: Natriuretic peptides and normal body fluid regulation. Compr Physiol 8:1211, 2018.

Blaine J, Chonchol M, Levi M: Renal control of calcium, phosphate, and magnesium homeostasis. Clin J Am Soc Nephrol 10:1257, 2015.

Cowley AW Jr: Long-term control of arterial pressure. Physiol Rev 72:231, 1992.

Curry JN, Yu ASL: Magnesium handling in the kidney. Adv Chronic Kidney Dis 25:236, 2018.

de Baaij JH, Hoenderop JG, Bindels RJ. Magnesium in man: implications for health and disease. Physiol Rev 95:1, 2015.

DuBose TD Jr: Regulation of potassium homeostasis in CKD. Adv Chronic Kidney Dis 24:305, 2017.

Ellison DH, Felker GM: Diuretic treatment in heart failure. N Engl J Med 377:1964, 2017.

Ferrè S, Hoenderop JG, Bindels RJ: Sensing mechanisms involved in Ca^{2+} and Mg^{2+} homeostasis. Kidney Int 82:1157, 2012.

Guyton AC: Blood pressure control—special role of the kidneys and body fluids. Science 252:1813, 1991.

Hall JE: The kidney, hypertension, and obesity. Hypertension 41:625, 2003.

Hall JE, do Carmo JM, da Silva AA, Wang Z, Hall ME: Obesity, kidney dysfunction and hypertension: mechanistic links. Nature Reviews Nephrology 15: 367, 2019.

Hall JE, Granger JP, do Carmo JM, et al: Hypertension: physiology and pathophysiology. Compr Physiol 2:2393, 2012.

Hebert SC, Desir G, Giebisch G, Wang W: Molecular diversity and regulation of renal potassium channels. Physiol Rev 85:319, 2005.

Kamel KS, Schreiber M, Halperin ML: Renal potassium physiology: integration of the renal response to dietary potassium depletion. Kidney Int 93:41, 2018.

McDonough AA, Youn JH: Potassium homeostasis: the knowns, the unknowns, and the health benefits. Physiology (Bethesda) 32:100, 2017.

Moe SM: Calcium homeostasis in health and in kidney disease. Compr Physiol 6:1781, 2016.

Mullens W, Verbrugge FH, Nijst P, Tang WHW: Renal sodium avidity in heart failure: from pathophysiology to treatment strategies. Eur Heart J 38:1872, 2017.

Palmer BF: Regulation of potassium homeostasis. Clin J Am Soc Nephrol 10:1050, 2015.

Rossier BC, Baker ME, Studer RA: Epithelial sodium transport and its control by aldosterone: the story of our internal environment revisited. Physiol Rev 95:297, 2015

Staruschenko A: Beneficial effects of high potassium: contribution of renal basolateral K+ channels. Hypertension 71:1015, 2018.

Whelton PK, Appel LJ, Sacco RL, et al: Sodium, blood pressure, and cardiovascular disease: further evidence supporting the American Heart Association sodium reduction recommendations. Circulation 126:2880, 2012.

Young DB: Quantitative analysis of aldosterone's role in potassium regulation. Am J Physiol 255:F811, 1988.

CAPÍTULO 31

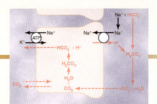

PARTE 5

Equilíbrio Acidobásico

A regulação do equilíbrio do íon hidrogênio (H⁺) assemelha-se, em alguns aspectos, à regulação de outros íons do organismo. Por exemplo, é preciso que haja equilíbrio entre a ingestão ou produção de H⁺ e sua remoção resultante do organismo a fim de se atingir a homeostase. Ademais, como ocorre com outros íons, os rins exercem um papel-chave na regulação da eliminação de H⁺ do organismo. Todavia, o controle preciso da concentração de H⁺ no líquido extracelular envolve muito mais do que sua simples eliminação pelos rins. Múltiplos mecanismos de tamponamento de ácidos e bases envolvendo o sangue, células e pulmões também são essenciais à manutenção de concentrações normais de H⁺ nos líquidos extra e intracelular.

Neste capítulo, consideraremos os mecanismos que regulam a concentração de H⁺, com ênfase especial na secreção renal de H⁺ e na reabsorção, produção e excreção de íons bicarbonato (HCO_3^-), um dos principais componentes dos sistemas de controle acidobásico dos líquidos corporais.

A CONCENTRAÇÃO DO ÍON HIDROGÊNIO É REGULADA COM PRECISÃO

A regulação precisa do íon H⁺ é essencial porque as atividades de quase todos os sistemas enzimáticos do organismo são influenciadas por sua concentração. Portanto, alterações na concentração de H⁺ alteram praticamente todas as funções celulares.

Comparado a outros íons, a concentração de H⁺ nos líquidos corporais normalmente é mantida em nível baixo. Por exemplo, a concentração de sódio do líquido extracelular (142 mEq/ℓ) equivale a cerca de 3,5 milhões de vezes a concentração normal de H⁺, cuja média é de apenas 0,00004 mEq/ℓ. Também é importante denotar que a variação normal da concentração de H⁺ do líquido extracelular equivale a somente um milionésimo da variação normal da concentração de sódio (Na⁺). Desse modo, a precisão com que ocorre regulação de H⁺ enfatiza sua importância às diversas funções celulares.

ÁCIDOS E BASES: DEFINIÇÃO E SIGNIFICADO

Um íon hidrogênio é um próton livre liberado de um átomo de hidrogênio. Moléculas que contêm átomos de hidrogênio e podem liberá-lo em solução são referidas como *ácidos*. Um exemplo é o ácido clorídrico (HCl), que se ioniza em água para formar íons hidrogênio (H⁺) e íons cloreto (Cl⁻). Da mesma forma, o ácido carbônico (H_2CO_3) se ioniza em água para formar H⁺ e íons bicarbonato (HCO_3^-).

Uma *base* é um íon ou molécula que pode aceitar H⁺. Por exemplo, HCO_3^- é uma base porque pode se combinar com H⁺ para formar H_2CO_3. Similarmente, HPO_4^{2-} é uma base porque pode aceitar um H⁺ para formar $H_2PO_4^-$. As proteínas do organismo também funcionam como bases porque alguns dos aminoácidos que as compõem possuem carga negativa receptiva a H⁺. A proteína *hemoglobina* das hemácias e proteínas de outras células estão entre as mais importantes bases do organismo.

Os termos *base* e *álcali* são empregados frequentemente como sinônimos. Um *álcali* é uma molécula formada pela combinação de um ou mais metais alcalinos – como sódio, potássio e lítio – com um íon altamente básico como a hidroxila (OH⁻). A porção básica dessas moléculas reage rapidamente com H⁺ para removê-lo da solução, funcionando, desse modo, como bases típicas. Por motivos semelhantes, o termo *alcalose* refere-se à remoção excessiva de H⁺ dos líquidos corporais, ao contrário de sua adição excessiva, que recebe o nome de *acidose*.

Ácidos e bases podem ser fortes e fracos. Um ácido forte, como o HCl, dissocia-se rapidamente e libera quantidades especialmente grandes de H⁺ em solução. Ácidos fracos como H_2CO_3 são menos propensos a dissociar seus íons e, portanto, liberam H⁺ com menos vigor. Uma base forte reage rápida e fortemente com H⁺, removendo-o rapidamente da solução. Um exemplo típico é a OH⁻, que reage com H⁺ para formar água (H_2O). Uma típica base fraca é o HCO_3^- porque se liga a H⁺ de forma muito mais fraca do que a OH⁻. A maioria dos ácidos e bases do líquido extracelular envolvidos no equilíbrio acidobásico normal são fracos. Os mais importantes discutidos aqui são o ácido carbônico (H_2CO_3) e a base HCO_3^-.

Concentração de H⁺ e pH normal dos líquidos corporais e alterações que ocorrem na acidose e na alcalose. A concentração de H⁺ do sangue é normalmente mantida dentro de limites rígidos ao redor do valor normal de 0,00004 mEq/ℓ (40 nEq/ℓ). Variações normais ocorrem somente entre 3 e 5 nEq/ℓ, porém, em condições extremas, a concentração pode variar de 10 nEq/ℓ a 160 nEq/ℓ sem levar à morte.

Como a concentração de H^+ é normalmente baixa e como esses números muito pequenos são difíceis de trabalhar, costuma-se expressar a concentração de H^+ em uma escala logarítmica utilizando unidades de pH. O pH relaciona-se com a concentração real de H^+ por meio da seguinte fórmula (concentração de H^+ ou $[H^+]$ expressa em *equivalentes* por litro):

$$pH = \log \frac{1}{[H^+]} = -\log [H^+]$$

Por exemplo, a $[H^+]$ normal é de 40 nEq/ℓ (0,00000004 Eq/ℓ). Portanto, o pH normal equivale a:

$$pH = -\log [0,00000004]$$
$$pH = 7,4$$

Com essa fórmula, pode-se observar que o pH é inversamente proporcional à concentração de H^+. Ou seja, um pH baixo corresponde a uma alta concentração de H^+, ao passo que o pH alto corresponde a uma baixa concentração de H^+.

O pH normal do sangue arterial é igual a 7,4, enquanto o pH do sangue venoso e líquidos intersticiais é de cerca de 7,35 em virtude da quantidade extra de dióxido de carbono (CO_2) liberado pelos tecidos para formar H_2CO_3 nesses líquidos (ver **Tabela 31.1**). Como o pH normal do sangue arterial é igual a 7,4, considera-se que um indivíduo esteja em *acidemia* quando o pH cai significativamente abaixo desse valor e que esteja em *alcalemia* quando o pH aumenta acima de 7,4. O limite inferior de pH sob o qual uma pessoa pode viver por mais que algumas horas é 6,8, sendo o limite superior próximo de 8,0.

O pH intracelular é em geral discretamente mais baixo que o pH plasmático, pois o metabolismo celular produz ácido, especialmente H_2CO_3. Dependendo do tipo de células, o pH do líquido intracelular foi estimado entre 6,0 e 7,4. A hipóxia tecidual e o mau aporte sanguíneo aos tecidos podem causar acúmulo de ácidos e diminuição do pH intracelular. Os termos *acidose* e *alcalose* descrevem os processos que levam a acidemia e alcalemia, respectivamente.

Tabela 31.1 pH e concentração de H^+ dos líquidos corporais.

	Concentração de H^+ (mEq/ℓ)	pH
Líquido extracelular		
• Sangue arterial	• $4,0 \times 10^{-5}$	• 7,40
• Sangue venoso	• $4,5 \times 10^{-5}$	• 7,35
• Líquido intersticial	• $4,5 \times 10^{-5}$	• 7,35
Líquido intracelular	1×10^{-3} a 4×10^{-5}	6,0 a 7,4
Urina	3×10^{-2} a 1×10^{-5}	4,5 a 8,0
HCl gástrico	160	0,8

O pH da urina pode variar de 4,5 a 8,0, dependendo do estado acidobásico do líquido extracelular. Conforme discutido mais adiante, os rins exercem um papel fundamental na correção de anormalidades da concentração extracelular de H^+ por meio da excreção de ácidos ou bases em taxas variáveis.

Um exemplo extremo de líquido corporal ácido é o HCl secretado no estômago pelas células *oxínticas (parietais)* da mucosa gástrica, conforme discutido no Capítulo 65. A concentração de H^+ dessas células é aproximadamente 4 milhões de vezes maior do que a do sangue, com pH igual a 0,8. No restante deste capítulo, discutiremos a regulação da concentração de H^+ do líquido extracelular.

DEFESA CONTRA MUDANÇAS NA CONCENTRAÇÃO DE H^+: TAMPÕES, PULMÕES E RINS

Três sistemas primários regulam a concentração de H^+ dos líquidos corporais: (1) os *sistemas tampão acidobásico químicos dos líquidos corporais*, que imediatamente se combinam com um ácido ou uma base para impedir mudanças excessivas na concentração de H^+; (2) o *centro respiratório*, que regula a remoção de CO_2 (e, portanto, H_2CO_3) do líquido extracelular; e (3) os *rins*, que podem excretar urina ácida ou alcalina, reajustando, dessa forma, a concentração normal de H^+ do líquido extracelular durante a acidose ou alcalose.

Quando ocorre uma mudança na concentração de H^+, os *sistemas tampão* dos líquidos corporais reagem dentro de segundos para minimizar essas alterações. Sistemas tampão não eliminam nem adicionam H^+ no organismo, somente o mantêm aprisionado até que o equilíbrio seja restabelecido.

A segunda linha de defesa, o *sistema respiratório*, atua dentro de alguns minutos para eliminar CO_2 e, consequentemente, H_2CO_3 do organismo.

Essas duas primeiras linhas de defesa impedem que a concentração de H^+ se altere exageradamente até que a terceira e mais lenta linha de defesa, os *rins*, possam eliminar o excesso de ácidos ou bases do organismo. Embora os rins sejam relativamente lentos em sua resposta comparados às demais defesas, atuando ao longo de horas até vários dias, são, certamente, o mais poderoso dos sistemas de regulação de ácidos e bases.

TAMPONAMENTO DO ÍON HIDROGÊNIO (H^+) NOS LÍQUIDOS CORPORAIS

Um tampão é qualquer substância que pode se ligar ao H^+ de forma reversível. A fórmula geral da reação de tamponamento é a seguinte:

$$Tampão + H^+ \rightleftharpoons H \, Tampão$$

Nesse exemplo, um H^+ livre combina-se com o tampão para formar um ácido fraco (H tampão), o qual pode permanecer na forma de molécula indissociada ou

PARTE 5 Líquidos Corporais e Rins

dissociar-se novamente em tampão e H^+. Quando a concentração de H^+ aumenta, a reação é forçada para a direita, com mais H^+ se ligando ao tampão, enquanto este estiver disponível. Ao contrário, quando a concentração de H^+ diminui, a reação desvia-se para a esquerda, ocorrendo liberação de H^+ do tampão. Dessa forma são minimizadas as alterações na concentração de H^+.

A importância dos tampões dos líquidos corporais pode ser rapidamente percebida quando se consideram a baixa concentração de H^+ dos líquidos corporais e as quantidades relativamente grandes de ácidos produzidos pelo organismo a cada dia. Cerca de 80 miliequivalentes de H^+ são ingeridos ou produzidos diariamente pelo metabolismo, ao passo que a concentração de H^+ dos líquidos corporais é de apenas 0,00004 mEq/ℓ. Sem tamponamento, a produção e ingestão diária de ácidos causaria alterações letais na concentração de H^+ dos líquidos corporais.

A ação dos tampões pode talvez ser mais bem explicada considerando-se o sistema tampão quantitativamente mais importante do líquido extracelular – o sistema tampão bicarbonato.

SISTEMA TAMPÃO BICARBONATO

O sistema tampão bicarbonato consiste em uma solução aquosa contendo dois ingredientes: (1) um ácido fraco, H_2CO_3; e (2) um sal de bicarbonato, como o bicarbonato de sódio ($NaHCO_3$).

O H_2CO_3 é formado no organismo por meio da reação do CO_2 com H_2O:

$$CO_2 + H_2O \xrightleftharpoons[\text{carbônica}]{\text{anidrase}} H_2CO_3$$

Essa reação é lenta, formando quantidades muito pequenas de H_2CO_3 sem a presença da enzima *anidrase carbônica*. Essa enzima é especialmente abundante nas paredes dos alvéolos pulmonares, onde ocorre liberação de CO_2, e também nas células epiteliais dos túbulos renais, onde o CO_2 reage com H_2O para formar H_2CO_3.

O H_2CO_3 se ioniza fracamente formando pequenas quantidades de H^+ e HCO_3^-:

$$H_2CO_3 \rightleftharpoons H^+ + HCO_3^-$$

O segundo componente do sistema, o sal de bicarbonato, existe predominantemente como $NaHCO_3$ no líquido extracelular. O $NaHCO_3$ é quase completamente ionizado em HCO_3^- e Na^+, como segue:

$$NaHCO_3 \rightleftharpoons Na^+ + HCO_3^-$$

Agora, completando o sistema, tem-se o seguinte:

$$CO_2 + H_2O \rightleftharpoons H_2CO_3 \rightleftharpoons H^+ + \underset{\underset{Na^+}{+}}{HCO_3^-}$$

Em razão da fraca dissociação do H_2CO_3, a concentração de H^+ é extremamente baixa.

Quando um ácido forte, como o HCl, é adicionado à solução de tampão bicarbonato, o aumento da liberação de H^+ do ácido (HCl → H^+ + Cl^-) é tamponado pelo HCO_3^-:

$$\uparrow H^+ + HCO_3^- \rightarrow H_2CO_3 \rightarrow CO_2 + H_2O$$

Como resultado, forma-se mais H_2CO_3, causando aumento da produção de CO_2 e H_2O. A partir dessas reações, percebe-se que o H^+ do ácido forte HCl reage com o HCO_3^- para formar o ácido muito fraco H_2CO_3 que, por sua vez, forma CO_2 e H_2O. O excesso de CO_2 estimula sobremaneira a respiração, que o elimina do líquido extracelular.

As reações opostas ocorrem quando uma base forte, como hidróxido de sódio (NaOH), é adicionada à solução de tampão bicarbonato:

$$NaOH + H_2CO_3 \rightarrow NaHCO_3 + H_2O$$

Nesse caso, a OH^- da base NaOH combina-se com o H_2CO_3 para formar mais HCO_3^-. Portanto, a base fraca $NaHCO_3$ substitui a base forte NaOH. Ao mesmo tempo, ocorre diminuição da concentração de H_2CO_3 (decorrente da sua reação com NaOH), fazendo com que mais CO_2 se combine com H_2O para substituir o H_2CO_3:

$$CO_2 + H_2O \longrightarrow H_2CO_3 \longrightarrow \uparrow HCO_3^- + H^+$$
$$+ \qquad\qquad\qquad +$$
$$NaOH \qquad\qquad\qquad Na$$

O resultado, portanto, é uma tendência de redução dos níveis de CO_2 do sangue, embora essa redução cause inibição da respiração e diminua a taxa de expiração de CO_2. O aumento ocorrido na concentração de HCO_3^- do sangue é compensado pelo aumento de sua excreção renal.

Dinâmica quantitativa do sistema tampão bicarbonato

Todos os ácidos, incluindo o H_2CO_3, ionizam-se em algum grau. A partir de considerações de equilíbrio das massas, as concentrações de H^+ e HCO_3^- são proporcionais à concentração de H_2CO_3:

$$H_2CO_3 \rightleftharpoons H^+ + HCO_3^-$$

Para qualquer ácido, a concentração do ácido em relação a seus íons dissociados define-se pela *constante de dissociação, K'*.

$$K' = \frac{H^+ \times HCO_3^-}{H_2CO_3} \qquad \textbf{(1)}$$

Essa equação indica que, em uma solução de H_2CO_3, a quantidade de H^+ livre é igual a

$$H^+ = K' \times \frac{H_2CO_3}{HCO_3^-} \qquad \textbf{(2)}$$

A concentração de H_2CO_3 indissociado não pode ser mensurada, pois ele rapidamente se dissocia em CO_2 e H_2O ou em H^+ e HCO_3^-. Todavia, o CO_2 dissolvido no sangue é diretamente proporcional à quantidade de H_2CO_3 indissociada. Desse modo, a equação 2 pode ser reescrita como:

$$H^+ = K \times \frac{CO_2}{HCO_3^-} \quad (3)$$

A constante de dissociação (K) da equação 3 equivale a apenas 1/400 da constante de dissociação (K′) da equação 2, visto que a razão da proporção entre H_2CO_3 e CO_2 é de 1:400.

A equação 3 está redigida em termos da quantidade total de CO_2 dissolvida em solução. Todavia, a maioria dos laboratórios clínicos mensura a pressão parcial de CO_2 do sangue (P_{CO_2}) em vez da quantidade real de CO_2. Felizmente, a quantidade de CO_2 presente no sangue é uma função linear da P_{CO_2} multiplicada pelo coeficiente de solubilidade do CO_2. Sob condições fisiológicas, o coeficiente de solubilidade do CO_2 é igual a 0,03 mmol/mmHg em temperatura corporal. Isso significa que 0,03 milimol de H_2CO_3 está presente no sangue para cada mmHg mensurado de P_{CO_2}. Portanto, pode-se reescrever a equação 3 da seguinte forma:

$$H^+ = K \times \frac{(0,03 \times P_{CO_2})}{HCO_3^-} \quad (4)$$

Equação de Henderson-Hasselbalch. Conforme discutido anteriormente, é costumeiro expressar a concentração de H^+ em unidades de pH em vez de sua concentração real. É válido lembrar que $pH = -\log H^+$.

A constante de dissociação (pK) pode ser expressa de forma similar.

$$pK = -\log K$$

Portanto, pode-se expressar a concentração de H^+ da equação 4 em unidades de pH removendo-se o logaritmo negativo da equação, o que resulta na seguinte fórmula:

$$-\log H^+ = -\log pK - \log \frac{(0,03 \times P_{CO_2})}{HCO_3^-} \quad (5)$$

Sendo assim,

$$pH = pK - \log \frac{(0,03 \times P_{CO_2})}{HCO_3^-} \quad (6)$$

Em lugar de trabalhar com um logaritmo negativo, pode-se alterar o sinal do logaritmo e inverter numerador e denominador no último termo, utilizando a lei dos logaritmos, para chegar à seguinte fórmula:

$$pH = pK + \log \frac{HCO_3^-}{(0,03 \times P_{CO_2})} \quad (7)$$

Para o sistema tampão bicarbonato, o pK equivale a 6,1 e a equação 7 pode ser reescrita como segue:

$$pH = 6,1 + \log \frac{HCO_3^-}{0,03 \times P_{CO_2}} \quad (8)$$

A equação 8 é a equação de Henderson-Hasselbalch, que permite o cálculo do pH de uma solução a partir do conhecimento da concentração molar de HCO_3^- e da P_{CO_2}.

Com a equação de Henderson-Hasselbalch, fica evidente que um aumento na concentração de HCO_3^- causa elevação do pH, desviando o equilíbrio acidobásico para a alcalose. Já o aumento na P_{CO_2} causa redução do pH, desviando o equilíbrio acidobásico para a acidose.

A equação de Henderson-Hasselbalch, além de definir os determinantes da regulação normal do pH e do equilíbrio acidobásico do líquido extracelular, fornece uma visão geral do controle fisiológico da composição de ácidos e bases do líquido extracelular. Conforme discutido mais adiante, *a concentração de HCO_3^- é regulada principalmente pelos rins, ao passo que a P_{CO_2} do líquido extracelular é controlada pela frequência respiratória.* O aumento da frequência respiratória permite aos pulmões remover CO_2 do plasma, enquanto a diminuição da respiração permite que a P_{CO_2} aumente. A homeostase fisiológica normal dos ácidos e bases resulta dos esforços coordenados dos pulmões e rins, ocorrendo distúrbios sempre que um ou ambos os mecanismos de controle estiverem comprometidos, alterando ou a concentração de HCO_3^- ou a P_{CO_2} do líquido extracelular.

Quando distúrbios do equilíbrio acidobásico resultam de uma alteração primária na concentração de HCO_3^- do líquido extracelular, recebem o nome de distúrbios acidobásicos *metabólicos*. Portanto, a acidose causada por uma diminuição primária da concentração de HCO_3^- denomina-se *acidose metabólica*, ao passo que a alcalose causada por aumento primário da concentração de HCO_3^- denomina-se *alcalose metabólica*. Já a acidose causada por aumento da P_{CO_2} recebe o nome de *acidose respiratória*, ao passo que a alcalose causada por diminuição da P_{CO_2} recebe o nome de *alcalose respiratória*.

Curva de titulação do sistema tampão bicarbonato. A **Figura 31.1** demonstra as mudanças do pH do líquido extracelular quando a razão entre HCO_3^- e CO_2 desse compartimento sofre alteração. Quando as concentrações desses dois componentes se igualam, o lado direito da equação 8 torna-se o log de 1, que é igual a 0. Portanto, quando os dois componentes do sistema tampão são iguais, o pH da solução será igual ao pK (6,1) do sistema tampão bicarbonato. Quando se adiciona base ao sistema, parte do CO_2 dissolvido converte-se em HCO_3^-, causando aumento na razão entre HCO_3^- e CO_2 e elevando o pH, conforme evidenciado pela equação de Henderson-Hasselbalch. Já no caso da adição de ácido, ocorre tamponamento pelo HCO_3^-, que será convertido em CO_2 dissolvido, diminuindo a razão entre HCO_3^- e CO_2 e reduzindo o pH do líquido extracelular.

Poder de tamponamento determinado pela quantidade e concentração relativa dos componentes do tampão. A partir da curva de titulação da **Figura 31.1**, diversos pontos tornam-se aparentes. Primeiro, o pH do sistema é igual ao pK quando cada um dos componentes (HCO_3^- e CO_2) equivale a 50% da concentração total do

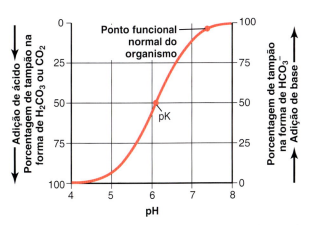

Figura 31.1 Curva de titulação do sistema tampão bicarbonato demonstrando o pH do líquido extracelular quando as porcentagens de tampão na forma de HCO_3^- e CO_2 (ou H_2CO_3) se alteram.

PARTE 5 Líquidos Corporais e Rins

sistema tampão. Segundo, o sistema tampão é mais eficiente na parte central da curva, onde o pH se aproxima do pK do sistema. Esse fenômeno significa que a alteração do pH para qualquer quantidade de ácido ou base adicionada ao sistema será menor quando o pH estiver próximo do pK do sistema. O sistema tampão continua sendo razoavelmente eficiente para 1,0 unidade de pH de cada lado o pK que, para o caso do bicarbonato, será de aproximadamente 5,1 a 7,1 unidades. Além desses limites, o poder de tamponamento rapidamente diminui. Ademais, quando todo o CO_2 houver sido convertido em HCO_3^- ou quando o HCO_3^- houver sido convertido em CO_2, o sistema não terá mais poder de tamponamento.

A concentração absoluta dos tampões também constitui um importante fator na determinação do poder de tamponamento de um dado sistema. Com concentrações baixas de tampão, basta adicionar à solução uma pequena quantidade de ácido ou base para alterar consideravelmente seu pH.

O sistema tampão bicarbonato é o mais importante tampão extracelular. A partir da curva de titulação demonstrada na **Figura 31.1**, não se esperaria que o sistema tampão bicarbonato fosse tão potente, por duas razões. Primeiro, o pH do líquido extracelular equivale a cerca de 7,4, ao passo que o pK do sistema tampão bicarbonato é 6,1, o que significa que há aproximadamente 20 vezes mais tampão bicarbonato na forma de HCO_3^- do que na forma de CO_2 dissolvido. Por essa razão, esse sistema funciona na porção da curva onde a inclinação é mais baixa, com baixo poder de tamponamento. Segundo, as concentrações dos dois elementos do sistema bicarbonato, CO_2 e HCO_3^-, não são altas.

Apesar dessas características, o sistema tampão bicarbonato é o mais potente tampão extracelular do organismo. Esse aparente paradoxo se deve principalmente ao fato de os dois elementos do sistema, HCO_3^- e CO_2, serem regulados, respectivamente, pelos rins e pulmões, conforme discutido mais adiante. Como resultado dessa regulação, o pH do líquido extracelular pode ser controlado de forma precisa pela taxa relativa de remoção do excesso de HCO_3^- pelos rins e pela taxa de remoção do CO_2 pelos pulmões.

SISTEMA TAMPÃO FOSFATO

Embora o sistema tampão fosfato não seja o principal tampão do líquido extracelular, ele exerce um importante papel no tamponamento do líquido tubular renal e líquidos intracelulares.

Os principais elementos do sistema tampão fosfato são o $H_2PO_4^-$ e o HPO_4^{2-}. Quando um ácido forte como o HCl é adicionado à mistura dessas duas substâncias, o hidrogênio se liga à base HPO_4^{2-} para convertê-la em $H_2PO_4^-$.

$$HCl + Na_2HPO_4 \rightarrow NaH_2PO_4 + NaCl$$

O resultado dessa reação é a substituição do ácido forte, HCl, por uma quantidade adicional de ácido fraco, NaH_2PO_4, minimizando a diminuição do pH.

Quando uma base forte, como NaOH, é adicionada ao sistema tampão, a OH^- é tamponada pelo $H_2PO_4^-$ para formar quantidades adicionais de $HPO_4^{2-} + H_2O$:

$$NaOH + NaH_2PO_4 \rightarrow Na_2HPO_4 + H_2O$$

Nesse caso, a base forte NaOH é substituída por uma base fraca, Na_2HPO_4, causando somente um discreto aumento no pH.

O sistema tampão fosfato tem pK igual a 6,8, não tão distante do pH normal de 7,4 dos líquidos corporais, o que permite ao sistema funcionar próximo de seu potencial máximo de tamponamento. Todavia, sua concentração é baixa no líquido extracelular, correspondendo a somente 8% da concentração do tampão bicarbonato. Portanto, o poder de tamponamento total do sistema fosfato no líquido extracelular é muito menor do que o do sistema bicarbonato.

Ao contrário de seu menor papel como tampão extracelular, *o sistema tampão fosfato é especialmente importante nos líquidos tubulares dos rins* por duas razões: (1) o fosfato geralmente se torna muito concentrado nos túbulos, aumentando o poder de tamponamento do sistema; e (2) o líquido tubular geralmente apresenta pH consideravelmente mais baixo que o líquido extracelular, trazendo a faixa funcional do tampão mais próximo de seu pK (6,8).

O sistema tampão fosfato também é importante no tamponamento do líquido intracelular porque sua concentração nesse líquido é muitas vezes mais alta que no líquido extracelular. Ademais, o pH do líquido intracelular é mais baixo que o do líquido extracelular, aproximando-se do pK do tampão fosfato em comparação com o meio extracelular.

PROTEÍNAS SÃO IMPORTANTES TAMPÕES INTRACELULARES

As proteínas estão entre os tampões mais abundantes no organismo em razão de sua alta concentração, especialmente nas células. O pH das células, embora ligeiramente menor do que o do líquido extracelular, modifica-se em proporção aproximada à do pH do líquido extracelular. Ocorre discreta difusão de H^+ e HCO_3^- através da membrana celular, embora esses íons demandem muitas horas para atingir um equilíbrio com o líquido extracelular, exceto quando se trata de hemácias. O CO_2, entretanto, pode se difundir rapidamente através de todas as membranas celulares. *Essa difusão de elementos do sistema tampão bicarbonato altera o pH do líquido intracelular quando o pH extracelular se modifica.* Por esse motivo, os sistemas tampão das células ajudam a prevenir alterações do pH extracelular, embora levem muitas horas para atingir sua máxima eficácia.

Na hemácia, a hemoglobina (Hb) funciona como um importante tampão, como segue:

$$H^+ + Hb \rightleftharpoons HHb$$

Aproximadamente 60 a 70% do tamponamento químico total dos líquidos corporais ocorrem dentro das células, sendo grande parte desse tamponamento resultante de proteínas plasmáticas. Contudo, exceto pelas hemácias, a taxa lenta com que os íons H^+ e HCO_3^- se movem através das membranas celulares em geral retarda por muitas horas a capacidade máxima de tamponamento das proteínas intracelulares frente a anormalidades acidobásicas.

Além da alta concentração de proteínas nas células, outro fator que contribui com seu poder de tamponamento é o fato de que os pHs de muitos desses sistemas de proteínas são próximos do pH intracelular.

Princípio iso-hídrico: todos os tampões de uma solução comum encontram-se em equilíbrio, com a mesma concentração de H⁺

A discussão sobre os sistemas tampão tem sido conduzida como se cada um trabalhasse individualmente nos líquidos corporais. Todavia, todos trabalham em conjunto porque o H⁺ é comum a todas as reações de todos os sistemas. Portanto, sempre que ocorre mudança na concentração de H⁺ do líquido extracelular, o equilíbrio de todos os sistemas tampão se altera ao mesmo tempo. Esse fenômeno recebe o nome de *princípio iso-hídrico* e é ilustrado pela seguinte fórmula:

$$H^+ = K_1 \times \frac{HA_1}{A_1} = K_2 \times \frac{HA_2}{A_2} = K_3 \times \frac{HA_3}{A_3}$$

K_1, K_2 e K_3 são as constantes de dissociação de três respectivos ácidos – HA_1, HA_2 e HA_3 – e A_1, A_2 e A_3 são as concentrações dos íons negativos livres que constituem a base dos três sistemas tampão.

A implicação desse princípio é que qualquer condição que modifique o equilíbrio de um sistema tampão também irá alterar o equilíbrio de todos os demais, porque os sistemas na realidade tamponam-se entre si, transferindo H⁺ de um para outro.

REGULAÇÃO RESPIRATÓRIA DO EQUILÍBRIO ACIDOBÁSICO

A segunda linha de defesa contra distúrbios do equilíbrio acidobásico é o controle da concentração de CO_2 extracelular pelos pulmões. Um aumento na ventilação elimina CO_2 do líquido extracelular que, por ação de massas, diminui a concentração de H⁺. Da mesma forma, a diminuição da ventilação aumenta a concentração de CO_2 e H⁺ do líquido extracelular.

A EXPIRAÇÃO PULMONAR DE CO₂ EQUILIBRA SUA PRODUÇÃO METABÓLICA

O CO_2 é produzido continuamente no organismo por processos metabólicos intracelulares. Após sua formação, o CO_2 difunde-se das células para os líquidos intersticiais e sangue, sendo transportado pelo fluxo sanguíneo até os pulmões, onde se difunde para os alvéolos e para a atmosfera durante a ventilação pulmonar. Cerca de 1,2 mol/ℓ de CO_2 encontra-se normalmente dissolvido no líquido extracelular, o que corresponde à P_{CO_2} de 40 mmHg.

Se a taxa de produção metabólica de CO_2 aumentar, a P_{CO_2} do líquido extracelular também aumentará. Da mesma forma, a diminuição da taxa metabólica reduzirá a P_{CO_2}. Se a frequência da ventilação pulmonar aumentar, o CO_2 será expelido pelos pulmões, causando redução da P_{CO_2} do líquido extracelular. Portanto, alterações na ventilação pulmonar ou na taxa de produção de CO_2 pelos tecidos podem alterar a P_{CO_2} do líquido extracelular.

O AUMENTO DA VENTILAÇÃO ALVEOLAR REDUZ A CONCENTRAÇÃO DE H⁺ DO LÍQUIDO EXTRACELULAR E AUMENTA O pH

Se a produção metabólica de CO_2 permanecer constante, o único outro fator que afetará a P_{CO_2} do líquido extracelular será a frequência da ventilação alveolar. Quanto maior a frequência, menor a P_{CO_2}. Como discutido anteriormente, quando ocorre aumento da concentração de CO_2, as concentrações de H_2CO_3 e de H⁺ também aumentam, causando queda do pH extracelular.

A **Figura 31.2** demonstra as alterações aproximadas do pH sanguíneo que são causadas pelo aumento ou diminuição da frequência de ventilação alveolar. Observe que o aumento da ventilação alveolar até o dobro de seu normal eleva o pH do líquido extracelular em cerca de 0,23 unidade. Se o pH dos líquidos corporais for igual a 7,4 com ventilação alveolar normal, dobrar a frequência da ventilação elevará o pH até 7,63. Da mesma forma, a diminuição da ventilação para um quarto de seu normal diminuirá o pH em 0,45 unidade. Ou seja, a partir de um pH de 7,4 com ventilação normal, reduzir a ventilação para um quarto do normal causará queda do pH para 6,95. Como a frequência de ventilação alveolar pode se modificar em alto grau, desde 0 até 15 vezes seu normal, pode-se facilmente compreender a magnitude com que o pH dos líquidos corporais pode ser modificado pelo sistema respiratório.

O AUMENTO DA CONCENTRAÇÃO DE H⁺ ESTIMULA A VENTILAÇÃO ALVEOLAR

Não somente a frequência da ventilação influencia a concentração de H⁺ por meio de alterações na P_{CO_2} dos líquidos corporais, como também a própria concentração de H⁺ afeta a frequência da ventilação alveolar. Desse modo, a **Figura 31.3** demonstra que a frequência ventilatória aumenta quatro a cinco vezes em relação ao normal conforme ocorre diminuição do pH desde o normal de 7,4 até o valor bastante ácido de 7,0. Por outro

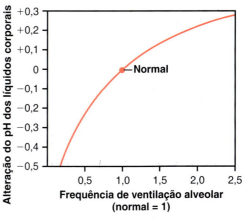

Figura 31.2 Alteração do pH do líquido extracelular causada por aumento ou diminuição na frequência de ventilação alveolar, expressada em múltiplos de seu normal.

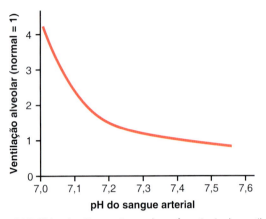

Figura 31.3 Efeito do pH sanguíneo sobre a frequência de ventilação alveolar.

lado, o aumento do pH acima de 7,4 causa diminuição da frequência de ventilação. A alteração da frequência ventilatória por unidade alterada no pH é muito maior em níveis baixos de pH (correspondentes a uma concentração de H^+ alta) comparada a níveis de pH mais altos. O motivo é que, à medida que a frequência de ventilação alveolar diminui como resultado de um aumento do pH (diminuição da concentração de H^+), ocorre diminuição também da quantidade de oxigênio adicionada ao sangue, com consequente redução da pressão parcial de oxigênio (P_{O_2}) sanguínea, o que estimula a ventilação. Portanto, a compensação respiratória para o aumento do pH é muito menos eficiente do que a resposta a uma redução significativa do pH.

Controle da concentração de H^+ pelo sistema respiratório por meio de *feedback*.

Como o aumento da concentração de H^+ estimula a respiração e o aumento desta, por sua vez, reduz a concentração de H^+, o sistema respiratório atua como um controlador da concentração de H^+ típico por *feedback* negativo:

$$\uparrow [H^+] \rightarrow \uparrow \text{Ventilação alveolar}$$
$$\ominus \uparrow \qquad \qquad \downarrow$$
$$\cdots\cdots\cdots\cdots\cdots\cdots\cdots \downarrow P_{CO_2}$$

Ou seja, sempre que a concentração de H^+ aumentar acima do normal, o sistema respiratório será estimulado e ocorrerá aumento da ventilação alveolar. Esse mecanismo reduz a P_{CO_2} do líquido extracelular e restabelece a concentração normal de H^+. Da mesma forma, se a concentração de H^+ cair abaixo do normal, o centro respiratório será deprimido, a ventilação alveolar diminuirá e a concentração de H^+ se elevará de volta até o normal. Embora a alcalose tenda a deprimir os centros respiratórios, a resposta é em geral menos vigorosa e menos previsível do que a resposta à acidose metabólica. A hipoxemia associada à diminuição da ventilação alveolar eventualmente ativa quimiorreceptores sensíveis a oxigênio que tendem a estimular a ventilação e limitar a compensação respiratória da alcalose metabólica.

Eficiência do controle respiratório na concentração de H^+.

O controle respiratório não pode restabelecer a concentração de H^+ normal quando o distúrbio que alterou o pH é externo ao sistema respiratório. Normalmente, o mecanismo respiratório para controle da concentração de H^+ tem eficácia aproximada de 50 a 75%, o que corresponde a um *ganho de feedback* de 1 a 3 para a acidose metabólica. Ou seja, se o pH diminuir abruptamente devido à adição de ácido ao líquido extracelular, indo de 7,4 para 7,0, o sistema respiratório poderá restabelecer o pH a um valor de aproximadamente 7,2 a 7,3. Essa resposta ocorre dentro de 3 a 12 minutos. Conforme discutido anteriormente, as respostas respiratórias à alcalose metabólica são limitadas pela hipoxemia associada à diminuição da ventilação alveolar.

Poder de tamponamento do sistema respiratório.

A regulação respiratória do equilíbrio acidobásico é um tipo de sistema tampão fisiológico porque atua rapidamente, impedindo que a concentração de H^+ se modifique exageradamente até que a resposta lenta dos rins possa eliminar o distúrbio. Em geral, o poder de tamponamento total do sistema respiratório equivale a uma a duas vezes o poder de tamponamento de todos os demais tampões químicos do líquido extracelular juntos. Ou seja, uma quantidade de ácidos ou bases uma a duas vezes maior que a tamponada pelos tampões químicos poderá ser normalmente tamponada por esse mecanismo.

O comprometimento da função pulmonar pode causar acidose respiratória.

Discutiu-se até aqui o papel do mecanismo respiratório *normal* como meio de tamponar alterações na concentração de H^+. Todavia, *anormalidades da respiração* também podem causar alterações nessa concentração. Por exemplo, o comprometimento da função pulmonar, como no enfisema grave, reduz a capacidade pulmonar de eliminar CO_2, o que causa seu acúmulo no líquido extracelular e uma tendência à *acidose respiratória*. Ademais, haverá comprometimento da capacidade de responder à acidose metabólica devido a um impedimento da diminuição compensatória da P_{CO_2} que normalmente ocorreria com o aumento da ventilação. Nessas circunstâncias, os rins representam o único mecanismo fisiológico remanescente para restaurar o pH normal após o tamponamento químico do líquido extracelular.

CONTROLE RENAL DO EQUILÍBRIO ACIDOBÁSICO

Os rins controlam o equilíbrio acidobásico por meio da excreção de urina ácida ou básica. A excreção de urina ácida reduz a quantidade de ácidos no líquido extracelular, enquanto a excreção de urina básica remove bases do líquido extracelular.

O mecanismo geral por meio do qual os rins excretam urina ácida ou básica é descrito a seguir. Grandes quantidades de HCO_3^- são filtradas continuamente para os túbulos e, se forem excretadas na urina, removerão bases do sangue. Grandes quantidades de H^+ também são secretadas no lúmen tubular pelas células epiteliais tubulares, removendo ácidos do sangue. Se ocorrer maior secreção de H^+ do que filtração de HCO_3^-, haverá perda resultante de ácidos do líquido extracelular. Da mesma forma, se ocorrer maior filtração de HCO_3^- do que secreção de H^+, haverá perda resultante de bases.

A cada dia, o organismo produz cerca de 80 mEq de ácidos não voláteis, principalmente a partir do metabolismo proteico. Esses ácidos recebem o nome de *não voláteis* porque não se trata do H_2CO_3 e, portanto, não podem ser excretados pelos pulmões. O mecanismo primário de remoção desses ácidos do organismo é a excreção renal. Os rins também devem impedir a perda de bicarbonato na urina, tarefa quantitativamente mais importante do que a excreção de ácidos não voláteis. Por dia, os rins filtram cerca de 4.320 mEq de HCO_3^- (180 ℓ/dia × 24 mEq/ℓ). Sob condições normais, praticamente todo esse HCO_3^- é reabsorvido dos túbulos, o que preserva o sistema tampão primário do líquido extracelular.

Conforme discutido mais adiante, tanto a reabsorção de HCO_3^- quanto a excreção de H^+ são realizadas por meio do processo de secreção de H^+ pelos túbulos. Visto que o HCO_3^- necessita reagir com um H^+ secretado para formar H_2CO_3 antes de ser reabsorvido, 4.320 mEq de H^+ deverão ser secretados por dia apenas para permitir a reabsorção do HCO_3^- filtrado. Assim, 80 mEq adicionais de H^+ deverão ser secretados a fim de depurar o organismo dos ácidos não voláteis produzidos por dia, totalizando uma secreção diária de 4.400 mEq de H^+ para o líquido tubular.

Quando ocorre redução da concentração de H^+ do líquido extracelular (alcalose), os rins normalmente secretam menos H^+ e deixam de reabsorver todo o HCO_3^- filtrado, o que aumenta a excreção de HCO_3^-. Como o HCO_3^- normalmente tampona o H^+ do líquido extracelular, essa perda equivale à adição de um H^+ ao líquido extracelular. Portanto, na alcalose, a remoção de HCO_3^- eleva a concentração extracelular de H^+ em direção ao normal.

Já na acidose, os rins secretam H^+ adicional e não excretam HCO_3^- na urina, reabsorvendo todo o HCO_3^- filtrado e produzindo novo HCO_3^-, que é devolvido ao líquido extracelular. Essa ação diminui a concentração de H^+ do líquido extracelular em direção ao normal.

Portanto, os rins regulam a concentração de H^+ do líquido extracelular por meio de três mecanismos fundamentais: (1) secreção de H^+; (2) reabsorção do HCO_3^- filtrado; e (3) produção de novo HCO_3^-. Todos esses processos são alcançados por meio dos mesmos mecanismos básicos, conforme será discutido nas seções a seguir.

SECREÇÃO DE H+ E REABSORÇÃO DE HCO₃⁻ PELOS TÚBULOS RENAIS

A secreção do íon H^+ e a reabsorção do íon HCO_3^- ocorrem em praticamente todas as partes dos túbulos, exceto nos segmentos delgados ascendente e descendente da alça de Henle. A **Figura 31.4** resume a reabsorção HCO_3^- ao

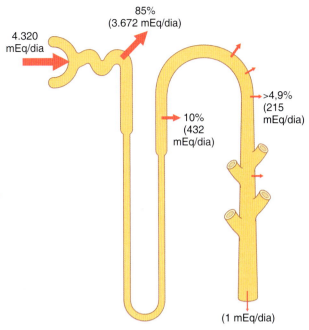

Figura 31.4 Reabsorção de HCO_3^- em diferentes segmentos do túbulo renal. Estão demonstradas as porcentagens da carga filtrada de HCO_3^- que são absorvidas pelos diversos segmentos tubulares, bem como o número de miliequivalentes reabsorvidos por dia sob condições normais.

longo do túbulo. Deve-se ter em mente que, *para cada HCO_3^- reabsorvido, um H^+ necessita ser secretado.*

Aproximadamente 80 a 90% da reabsorção de HCO_3^- (e secreção de H^+) ocorrem no túbulo proximal, de forma que somente uma pequena quantidade de HCO_3^- flui para os túbulos distais e ductos coletores. Conforme discutido anteriormente, o mecanismo de reabsorção de HCO_3^- também envolve secreção tubular de H^+, embora diferentes segmentos tubulares realizem essa tarefa de diferentes formas.

SECREÇÃO DE H+ POR TRANSPORTE ATIVO SECUNDÁRIO NA PORÇÃO INICIAL DOS SEGMENTOS TUBULARES DISTAIS

As células epiteliais do túbulo proximal, segmento ascendente espesso da alça de Henle e início do túbulo distal secretam H^+ para o líquido tubular por meio de um contratransporte entre sódio e hidrogênio, conforme demonstrado pela **Figura 31.5**. Essa secreção ativa secundária de H^+ é acoplada ao transporte de Na^+ para dentro da célula na membrana luminal por meio da *proteína trocadora de sódio-hidrogênio*, cuja energia para secreção de H^+ contra o gradiente de concentração provém de um gradiente favorável de sódio que promove seu movimento para dentro da célula. Esse gradiente é estabelecido pela bomba de sódio-potássio (Na^+/K^+ ATPase) da membrana basolateral. Cerca de 95% do bicarbonato são reabsorvidos dessa forma, o que requer secreção de aproximadamente 4.000 mEq de H^+ por dia pelos túbulos. Esse mecanismo, contudo, pode estabelecer um pH

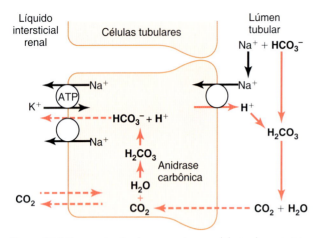

Figura 31.5 Demonstração dos mecanismos celulares das seguintes funções: (1) secreção ativa de H+ para o túbulo renal; (2) reabsorção tubular de HCO$_3^-$ por meio da combinação com H+ para formar H$_2$CO$_3$, que se dissocia em CO$_2$ e H$_2$O; e (3) reabsorção de Na+ em troca de secreção de H+. Esse padrão de secreção de H+ ocorre no túbulo proximal, segmento ascendente espesso da alça de Henle e início do túbulo distal.

mínimo de apenas 6,7. O líquido tubular somente se torna muito ácido nos túbulos coletores e ductos coletores, podendo levar o pH da urina até 4,5.

A **Figura 31.5** demonstra como o processo de secreção de H+ promove reabsorção de HCO$_3^-$. O processo secretório inicia-se com a difusão de CO$_2$ para as células tubulares ou sua produção metabólica por células epiteliais tubulares. Sob a influência da enzima *anidrase carbônica*, o CO$_2$ combina-se com H$_2$O para formar H$_2$CO$_3$, que se dissocia em HCO$_3^-$ e H+. O H+ é secretado da célula para o lúmen tubular por meio de contratransporte sódio-hidrogênio. Ou seja, quando o Na+ se move do lúmen tubular para o interior da célula, ele primeiro se combina com uma proteína carreadora no bordo luminal da membrana celular; ao mesmo tempo, um H+ do interior da célula combina-se com a proteína carreadora. O Na+ move-se para a célula a favor de um gradiente de concentração estabelecido pela bomba Na+/K+ ATPase da membrana basolateral. O gradiente para movimento de Na+ para a célula fornece energia para mover o H+ na direção oposta, de dentro da célula para o lúmen tubular.

O HCO$_3^-$ produzido dentro da célula (quando o H+ se dissocia do H$_2$CO$_3$) move-se através da membrana basolateral para o líquido intersticial e para o sangue do capilar peritubular. O resultado final é que, para cada H+ secretado no lúmen tubular, um HCO$_3^-$ adentra o sangue.

O HCO$_3^-$ FILTRADO É REABSORVIDO POR INTERAÇÃO COM H+ NOS TÚBULOS

Íons HCO$_3^-$ não penetram imediatamente na membrana luminal das células tubulares renais, de forma que o HCO$_3^-$ filtrado pelo glomérulo não pode ser reabsorvido diretamente. Sua reabsorção ocorre por meio de um processo especial em que o HCO$_3^-$ primeiro se combina com H+ para formar H$_2$CO$_3$, o qual eventualmente se torna CO$_2$ e H$_2$O, conforme demonstrado na **Figura 31.5**.

Essa reabsorção de HCO$_3^-$ é iniciada por uma reação nos túbulos entre o HCO$_3^-$ filtrado pelo glomérulo e o H+ secretado pelas células tubulares. O H$_2$CO$_3$ formado, por sua vez, dissocia-se em CO$_2$ e H$_2$O. O CO$_2$ pode mover-se facilmente através da membrana tubular, difundindo-se instantaneamente para a célula tubular, onde ele irá se recombinar com H$_2$O sob a influência da anidrase carbônica, para produzir uma nova molécula de H$_2$CO$_3$. Esse H$_2$CO$_3$ irá se dissociar para formar HCO$_3^-$ e H+ e o primeiro irá então se difundir através da membrana basolateral para o líquido intersticial, onde será transferido para o sangue do capilar peritubular. O transporte de HCO$_3^-$ através da membrana basolateral é facilitado por dois mecanismos: (1) pelo cotransporte Na+-HCO$_3^-$ nos túbulos proximais; e (2) pela troca entre Cl− e HCO$_3^-$ nos segmentos finais do túbulo proximal, segmento ascendente espesso da alça de Henle e nos túbulos e ductos coletores.

Portanto, cada vez que um H+ é formado na célula epitelial tubular, um HCO$_3^-$ também é formado e liberado para o sangue. O efeito final dessas reações é a "reabsorção" de HCO$_3^-$ dos túbulos, embora o HCO$_3^-$ que de fato adentra o líquido extracelular não seja o mesmo que foi filtrado para os túbulos. A reabsorção do HCO$_3^-$ filtrado não resulta em secreção resultante de H+, pois o H+ secretado se combina com o HCO$_3^-$ filtrado, não sendo, portanto, excretado.

O HCO$_3^-$ é titulado em contraposição ao H+ nos túbulos.
Sob condições normais, a taxa de secreção tubular de H+ aproxima-se de 4.400 mEq/dia e a taxa de filtração de HCO$_3^-$ é de cerca de 4.320 mEq/dia. Portanto, esses íons adentram os túbulos em quantidades praticamente iguais, com ambos se combinando para formar CO$_2$ e H$_2$O. Desse modo, diz-se que o HCO$_3^-$ e o H+ normalmente se "titulam" (se quantificam) um ao outro nos túbulos.

O processo de titulação não é precisamente exato porque em geral há um discreto excesso de H+ nos túbulos para ser excretado na urina. Esse excesso (cerca de 80 mEq/dia) depura o organismo de ácidos não voláteis produzidos pelo metabolismo. Conforme já discutido, a maior parte desse H+ não é excretada na forma de H+ livre, mas combinada a outros tampões urinários, especialmente o fosfato e a amônia.

Quando há um excesso de HCO$_3^-$ em relação ao H+ na urina, como ocorre na alcalose metabólica, esse excesso permanece nos túbulos e é eventualmente excretado na urina, o que ajuda a corrigir a alcalose metabólica.

Já na acidose, há excesso de H+ em relação ao HCO$_3^-$, causando reabsorção de todo o HCO$_3^-$. O excesso de H+ passa para a urina em combinação com tampões urinários, especialmente fosfato e amônia, sendo eventualmente excretado na forma de sais. Portanto, o mecanismo básico por meio do qual os rins corrigem a acidose ou a alcalose é a titulação incompleta de H+ contra HCO$_3^-$, deixando um ou outro passar para a urina e ser removido do líquido extracelular.

SECREÇÃO ATIVA PRIMÁRIA DE H+ NAS CÉLULAS INTERCALARES NA PORÇÃO FINAL DOS TÚBULOS DISTAIS E DOS TÚBULOS COLETORES

O epitélio tubular, desde o final dos túbulos distais até todas as demais porções do sistema tubular, secreta H+ por meio de *transporte ativo primário*. As características desse transporte diferem das discutidas para o túbulo proximal, alça de Henle e início do túbulo distal.

O mecanismo da secreção ativa primária de H+ foi discutido no Capítulo 28 e é aqui demonstrado na **Figura 31.6**. Esse mecanismo ocorre na membrana luminal da célula tubular, onde o H+ é transportado diretamente por proteínas específicas, uma *hidrogênio-ATPase* e uma *hidrogênio-potássio ATPase*. A energia necessária para o bombeamento do H+ provém da quebra de ATP em difosfato de adenosina.

A secreção ativa primária de H+ ocorre em tipos especiais de células denominadas *células intercalares tipo A* do final do túbulo distal e túbulos coletores. A secreção de hidrogênio dessas células é realizada em duas etapas: (1) o CO_2 dissolvido na célula combina-se com H_2O para formar H_2CO_3; e (2) o H_2CO_3 dissocia-se em HCO_3^-, que é reabsorvido para o sangue, e H+, que é secretado para o túbulo por ação das bombas hidrogênio-ATPase e hidrogênio-potássio ATPase. Para cada H+ secretado, ocorre reabsorção de um HCO_3^-, de forma similar ao processo dos túbulos proximais. A principal diferença é que o H+ se move através da membrana luminal por ação de uma bomba ativa de H+ em vez de um sistema de contratransporte, como ocorre nas porções iniciais do néfron.

Embora a secreção de H+ do final do túbulo distal e túbulo coletor corresponda a somente cerca de 5% de todo o H+ secretado, esse mecanismo é importante na formação da urina com acidez máxima. Nos túbulos proximais, a concentração de H+ pode ser aumentada até somente três a quatro vezes e o pH pode diminuir até apenas cerca de 6,7, embora grandes *quantidades* de H+ sejam secretadas por esse segmento do néfron. Contudo, a concentração de H+ pode aumentar até 900 vezes nos túbulos coletores. Esse mecanismo reduz o pH do líquido tubular para cerca de 4,5, limite inferior de pH que pode ser atingido em rins normais.

A COMBINAÇÃO DO EXCESSO DE H+ COM OS TAMPÕES FOSFATO E AMÔNIA NO TÚBULO GERA NOVOS ÍONS HCO_3^-

Quando o H+ é secretado em proporção maior do que a de HCO_3^- filtrado para o líquido tubular, somente uma pequena parte do excesso de H+ poderá ser excretada em sua forma iônica (H+) na urina. Isso ocorre porque o pH mínimo da urina situa-se ao redor de 4,5, que corresponde a uma concentração de H+ de $10^{-4,5}$ mEq/ℓ, ou 0,03 mEq/ℓ. Portanto, para cada litro de urina formada, pode ser excretado no máximo 0,03 mEq/ℓ de H+ livre. Para excretar os 80 mEq de ácidos não voláteis formados pelo metabolismo por dia, seriam necessários cerca de 2.667 ℓ de urina se o H+ permanecesse livre em solução.

A excreção de grandes quantidades de H+ (ocasionalmente podendo chegar até 500 mEq/dia) na urina é realizada primariamente por meio da combinação de H+ com tampões do líquido tubular. Os mais importantes são o tampão fosfato e a amônia. Outros sistemas tampão mais fracos, como urato e citrato, possuem menor importância.

Quando o H+ é titulado contra HCO_3^- no líquido tubular, ocorre reabsorção de um HCO_3^- para cada H+ secretado, conforme já discutido. Todavia, quando há excesso de H+ no líquido tubular, esse H+ se combina com tampões que não HCO_3^-, o que leva à produção de novos HCO_3^- também capazes de adentrar a corrente sanguínea. Portanto, quando o H+ está presente em excesso no líquido tubular, os rins não somente reabsorvem todo o HCO_3^- filtrado, como também produzem novo HCO_3^-, auxiliando na reposição do HCO_3^- perdido do líquido extracelular durante a acidose. Nas próximas duas seções, serão discutidos os mecanismos por meio dos quais os tampões fosfato e amônia contribuem com a produção de novos HCO_3^-.

O TAMPÃO FOSFATO CARREIA EXCESSO DE H+ PARA A URINA E PRODUZ NOVOS HCO_3^-

O sistema tampão fosfato é composto por HPO_4^{2-} e $H_2PO_4^-$. Ambos se tornam concentrados no líquido tubular porque a água é normalmente reabsorvida em maior grau que o fosfato pelos túbulos. Portanto, embora o fosfato não seja um importante tampão do líquido extracelular, é um tampão muito mais eficiente no líquido tubular.

Outro fator que torna o fosfato importante como tampão tubular é o fato de o pK desse sistema ser ligeiramente

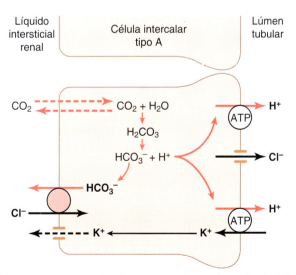

Figura 31.6 Secreção ativa de H+ através da membrana luminal das células epiteliais intercalares tipo A do final dos túbulos distais e túbulos coletores. Células tipo A contêm uma bomba hidrogênio-trifosfatase de adenosina (ATPase) e uma hidrogênio-potássio ATPase na membrana luminal, secretando H+ ao mesmo tempo que reabsorvem HCO_3^- e K+ na acidose. Observe que um HCO_3^- é reabsorvido para cada H+ secretado e um Cl- é passivamente secretado juntamente com o H+.

ácido e o pH urinário ser próximo do pK do sistema. Sendo assim, nos túbulos, o tampão fosfato normalmente funciona próximo de sua faixa de pH mais eficiente.

A **Figura 31.7** demonstra a sequência de eventos por meio dos quais o H$^+$ é excretado combinado com o tampão fosfato e o mecanismo de adição de novo HCO$_3^-$ ao sangue. O processo de secreção de H$^+$ para os túbulos é o mesmo já descrito anteriormente. Contanto que exista um excesso de HCO$_3^-$ no líquido tubular, a maior parte do H$^+$ secretado se combinará com o HCO$_3^-$. Todavia, uma vez que todo o HCO$_3^-$ tenha sido reabsorvido e já não esteja mais disponível para se combinar com H$^+$, qualquer excesso de H$^+$ passará a se combinar com HPO$_4^{2-}$ e com outros tampões tubulares. Após a formação de H$_2$PO$_4^-$ pela combinação entre H$^+$ e HPO$_4^{2-}$ ocorrerá sua excreção na urina como um sal (NaH$_2$PO$_4$), que carreará consigo o excesso de H$^+$.

Existe uma importante diferença nessa sequência da excreção de H$^+$ em relação à discutida previamente. Neste último caso, o HCO$_3^-$ produzido pela célula tubular e que adentra o sangue peritubular representa um ganho resultante de HCO$_3^-$ pelo sangue, em vez de um simples substituto do HCO$_3^-$ filtrado. *Portanto, sempre que um H$^+$ secretado para o lúmen do túbulo se combina com um tampão que não o HCO$_3^-$, o efeito resultante é a adição de um novo HCO$_3^-$ ao sangue.* Esse processo demonstra um dos mecanismos com que os rins conseguem repor os estoques de HCO$_3^-$ do líquido extracelular.

Sob condições normais, grande parte do fosfato filtrado é reabsorvida, com somente 30 a 40 mEq/dia permanecendo disponíveis para tamponar o H$^+$. Ou seja, grande parte do tamponamento do excesso de H$^+$ do líquido tubular na acidose ocorre por ação do sistema tampão amônia.

EXCREÇÃO DO EXCESSO DE H$^+$ E PRODUÇÃO DE NOVO HCO$_3^-$ PELO SISTEMA TAMPÃO AMÔNIA

Um segundo sistema tampão do líquido tubular que é ainda mais importante quantitativamente do que o tampão fosfato é composto pela amônia (NH$_3$) e o íon amônio (NH$_4^+$). O íon amônio é sintetizado a partir da glutamina, que advém principalmente do metabolismo de aminoácidos no fígado. A glutamina que chega aos rins é transportada para as células epiteliais dos túbulos proximais, segmento ascendente espesso da alça de Henle e túbulos distais (**Figura 31.8**). Uma vez dentro da célula, cada molécula de glutamina é metabolizada em uma série de reações para formar dois NH$_4^+$ e dois HCO$_3^-$. O NH$_4^+$ é secretado para o lúmen tubular por um mecanismo de contratransporte em troca de sódio, que é reabsorvido. O HCO$_3^-$ é transportado através da membrana basolateral juntamente com o Na$^+$ reabsorvido para o líquido intersticial, de onde será captado pelos capilares peritubulares. Sendo assim, para cada molécula de glutamina metabolizada nos túbulos proximais, dois NH$_4^+$ serão secretados para a urina e dois HCO$_3^-$ serão reabsorvidos para o sangue. *O HCO$_3^-$ produzido nesse processo consiste em um novo HCO$_3^-$.*

Nos túbulos coletores, a adição de NH$_4^+$ ao líquido tubular ocorre por meio de um mecanismo diferente (**Figura 31.9**). Aqui, o H$^+$ é secretado ativamente pela membrana tubular para o lúmen, onde se combina com NH$_3$ para formar NH$_4^+$, que será excretado. Os ductos coletores são permeáveis à NH$_3$, que pode se difundir facilmente para o lúmen. Todavia, a membrana luminal dessa porção dos túbulos é muito menos permeável ao NH$_4^+$. Portanto, após a reação entre H$^+$ e NH$_3$ para formar NH$_4^+$, este último permanece aprisionado no lúmen tubular e é eliminado na urina. *Para cada NH$_4^+$ excretado, um novo HCO$_3^-$ é produzido e adicionado ao sangue.*

A acidose crônica aumenta a excreção de NH$_4^+$.

Uma das características mais importantes do sistema tampão renal amônio-amônia é que ele está sujeito a controle fisiológico. Um aumento na concentração de H$^+$ do líquido extracelular estimula o metabolismo da glutamina e, portanto, aumenta a formação de NH$_4^+$ e novo

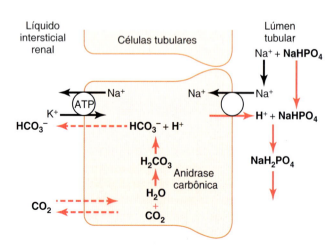

Figura 31.7 Tamponamento do H$^+$ secretado pelo fosfato filtrado (NaHPO$_4$). Observe que um novo HCO$_3^-$ retorna ao sangue para cada NaHPO$_4$ que reage com o H$^+$ secretado.

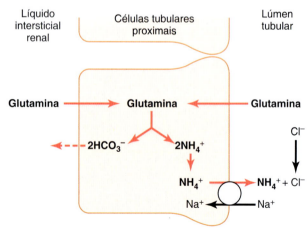

Figura 31.8 Produção e secreção do íon amônio (NH$_4^+$) pelas células tubulares proximais. A glutamina é metabolizada na célula, gerando NH$_4^+$ e HCO$_3^-$. O NH$_4^+$ é secretado para o lúmen por um trocador Na$^+$-NH$_4^+$. Para cada molécula de glutamina metabolizada, dois NH$_4^+$ são produzidos e secretados e dois HCO$_3^-$ são devolvidos ao sangue.

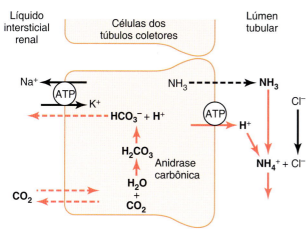

Figura 31.9 Tamponamento da secreção de H⁺ pela amônia (NH₃) nos túbulos coletores. A NH₃ difunde-se para o lúmen tubular, onde reage com o H⁺ secretado para formar NH₄⁺, que é excretado na urina. Para cada NH₄⁺ excretado, um novo HCO₃⁻ é formado nas células tubulares e devolvido para o sangue.

HCO₃⁻ que será usado para tamponar H⁺. A diminuição na concentração de H⁺ tem efeito oposto.

Sob *condições normais*, a quantidade de H⁺ eliminado pelo sistema tampão amônia corresponde a cerca de 50% dos ácidos excretados e 50% do HCO₃⁻ novo formado pelos rins. Contudo, na *acidose crônica*, a taxa de excreção de NH₄⁺ pode aumentar até 500 mEq/dia. *Portanto, na acidose crônica, o mecanismo dominante de eliminação de ácidos é a excreção de NH₄⁺.* Esse processo também proporciona o mais importante mecanismo de produção de novo bicarbonato durante a acidose crônica.

QUANTIFICAÇÃO DA EXCREÇÃO RENAL DE ÁCIDOS E BASES

Com base nos princípios discutidos anteriormente, podemos quantificar a excreção resultante de ácido pelos rins ou o acréscimo total ou a eliminação de HCO₃⁻ do sangue como detalhado a seguir.

A *excreção de bicarbonato* é calculada em função da multiplicação do fluxo urinário pela concentração urinária de HCO₃⁻, indicando quão rápido os rins removem HCO₃⁻ do sangue, que seria o mesmo que adicionar um H⁺ ao sangue. Na alcalose, a perda de HCO₃⁻ ajuda a restabelecer o pH normal do plasma.

A quantidade de HCO₃⁻ novo adicionado ao sangue em qualquer momento equivale à quantidade de H⁺ secretado que permanece no lúmen tubular com tampões urinários não bicarbonato. Conforme discutido previamente, as fontes primárias de tampões urinários não bicarbonato são o NH₄⁺ e o fosfato. Ou seja, parte do HCO₃⁻ adicionado ao sangue (e do H⁺ excretado pelo NH₄⁺) é calculada por meio da mensuração da excreção de NH₄⁺ (fluxo urinário multiplicado pela concentração de NH₄⁺ da urina).

O restante de tampão não bicarbonato e não NH₄⁺ excretado na urina é mensurado determinando-se um valor conhecido como *ácido titulável*. A quantidade de ácido titulável da urina é mensurada titulando-se a urina com uma base forte, como NaOH, até um pH de 7,4, que é o pH normal do plasma e do filtrado glomerular. Esse processo reverte os eventos que ocorreram no lúmen tubular quando o líquido tubular foi titulado pelo H⁺ secretado. Ou seja, o número de miliequivalentes de NaOH necessários para devolver o pH a 7,4 equivale ao número de miliequivalentes de H⁺ que foram adicionados ao líquido tubular e se combinaram com o fosfato e outros tampões orgânicos. A mensuração do ácido titulável não inclui o H⁺ associado ao NH₄⁺ porque o pK da reação amônia-amônio é igual a 9,2, fazendo com que a titulação com NaOH até um pH 7,4 não remova o H⁺ do NH₄⁺.

Portanto, a *excreção resultante de ácidos* pelos rins pode ser avaliada da seguinte forma:

Excreção resultante de ácidos = Excreção de NH₄⁺ + Ácido titulável urinário − Excreção de HCO₃⁻

A razão para a subtração da excreção de HCO₃⁻ é que a perda de HCO₃⁻ equivale à adição de H⁺ ao sangue. A fim de manter o equilíbrio acidobásico, a excreção resultante de ácidos deve se igualar à produção de ácidos não voláteis do organismo.

Na acidose, a excreção resultante de ácidos aumenta significativamente, especialmente em razão do aumento da excreção de NH₄⁺, que remove ácidos do sangue. A excreção resultante também se iguala à taxa de adição resultante de HCO₃⁻ ao sangue. *Ou seja, na acidose, há adição resultante de HCO₃⁻ ao sangue conforme ocorre excreção de mais NH₄⁺ e ácido titulável na urina.*

Já na alcalose, o ácido titulável e a excreção de NH₄⁺ decaem a zero, ao passo que ocorre aumento da excreção de HCO₃⁻. Portanto, na alcalose, há uma secreção resultante negativa de ácidos, o que significa que há perda resultante de HCO₃⁻ do sangue, que equivale à adição de H⁺ ao sangue, com nenhuma produção de novo HCO₃⁻ pelos rins.

REGULAÇÃO DA SECREÇÃO TUBULAR RENAL DE H⁺

Conforme discutido previamente, a secreção de H⁺ pelo epitélio tubular é necessária para que ocorra reabsorção de HCO₃⁻ e produção de novo HCO₃⁻ associado à formação de ácido titulável. Portanto, a taxa de secreção de H⁺ deve ser cuidadosamente regulada para permitir aos rins exercer sua função na homeostase acidobásica de forma eficiente. Sob condições normais, os túbulos renais devem secretar no mínimo uma quantidade de H⁺ suficiente para reabsorver todo o HCO₃⁻ filtrado e ainda restar H⁺ suficiente para ser excretado como ácido titulável ou NH₄⁺, a fim de depurar o organismo dos ácidos não voláteis produzidos diariamente pelo metabolismo.

Na alcalose, a secreção tubular de H⁺ diminui até um nível tão baixo que a reabsorção de HCO₃⁻ deixa de ser completa, permitindo que os rins aumentem a excreção de HCO₃⁻. O ácido titulável e a amônia não são excretados na alcalose pois não há excesso de H⁺ disponível para ser

PARTE 5 Líquidos Corporais e Rins

combinado com tampões não bicarbonato. Sendo assim, não ocorre adição de novo HCO_3^- ao sangue na alcalose.

Já no caso da acidose, a secreção tubular de H^+ aumenta o suficiente para reabsorver todo o HCO_3^- filtrado e ainda restar H^+ suficiente para excretar grandes quantidades de NH_4^+ e ácido titulável, contribuindo com a adição de grandes quantidades de novo HCO_3^- ao líquido extracelular total do organismo. *Os estímulos mais importantes para o aumento da secreção de H^+ pelos túbulos durante a acidose são: (1) o aumento na Pco_2 do líquido extracelular durante a acidose respiratória; e (2) o aumento da concentração de H^+ do líquido extracelular (redução do pH) durante a acidose respiratória ou metabólica.*

As células tubulares respondem diretamente ao aumento da Pco_2 do sangue, como ocorre na acidose respiratória, com um aumento na taxa de secreção de H^+. O aumento da Pco_2 sistêmica leva ao aumento da Pco_2 das células tubulares, causando aumento da formação de H^+ nessas células, as quais, por sua vez, estimularão a secreção de H^+. O segundo fator que estimula a secreção de H^+ é o aumento de sua concentração no líquido tubular (redução do pH).

Um fator especial que pode aumentar a secreção de H^+ em algumas condições fisiopatológicas é o excesso da secreção de aldosterona. A aldosterona estimula a secreção de H^+ pelas células intercalares tipo A dos túbulos e ductos coletores. Sendo assim, com secreção excessiva de aldosterona, como no caso de pacientes com síndrome de Conn, ocorre aumento da secreção de H^+ para o líquido tubular, consequentemente, aumentando a quantidade de HCO_3^- que será adicionada ao sangue. Essa ação geralmente causa alcalose em pacientes com secreção excessiva de aldosterona.

As células tubulares em geral respondem à redução da concentração de H^+ (alcalose) com diminuição de sua secreção. Essa diminuição na secreção resulta da Pco_2 baixa no meio extracelular, como ocorre na alcalose respiratória, ou de uma redução na concentração de H^+, como ocorre na alcalose tanto respiratória quanto metabólica.

A **Tabela 31.2** resume os principais fatores que influenciam a secreção de H^+ e a reabsorção de HCO_3^-. Alguns desses fatores não se relacionam diretamente com a regulação do equilíbrio acidobásico. Por exemplo, a secreção de H^+ é acoplada à reabsorção de Na^+ pelo trocador Na^+/H^+ do túbulo proximal e segmento ascendente espesso da alça de Henle. Portanto, fatores que estimulam a reabsorção de Na^+, como redução do volume de líquido extracelular e aumento dos níveis de angiotensina II (Ang II), podem também aumentar a secreção de H^+ e a reabsorção de HCO_3^- de forma secundária.

A depleção do volume do líquido extracelular estimula a reabsorção de sódio pelos túbulos renais e aumenta tanto a secreção de H^+ quanto a reabsorção de HCO_3^- por meio de múltiplos mecanismos, incluindo os seguintes: (1) aumento dos níveis de Ang II, que estimula diretamente a atividade da troca entre Na^+ e H^+ nos túbulos renais; e (2) aumento dos níveis de aldosterona, que estimula a secreção de H^+ pelas células intercalares dos túbulos coletores corticais. Ou seja, a depleção de volume do líquido extracelular tende a provocar alcalose em virtude do excesso de secreção de H^+ e reabsorção de HCO_3^-.

Alterações na concentração plasmática de potássio também podem influenciar a secreção de H^+, sendo que a hipopotassemia estimula essa secreção no túbulo proximal e a hiperpotassemia a inibe. A diminuição da concentração plasmática de potássio tende a aumentar a concentração de H^+ nas células tubulares renais. Isso, por sua vez, estimula a secreção de H^+ e a reabsorção de HCO_3^-, causando alcalose. Já a hiperpotassemia reduz a secreção de H^+ e a reabsorção de HCO_3^-, tendendo a causar acidose.

CORREÇÃO RENAL DA ACIDOSE: AUMENTO DA EXCREÇÃO DE H^+ E ADIÇÃO DE HCO_3^- AO LÍQUIDO EXTRACELULAR

Agora que já estão descritos os mecanismos de secreção de H^+ e reabsorção de HCO_3^- pelos rins, podemos explicar como os rins reajustam o pH do líquido extracelular quando ocorre anormalidade de seus valores.

Referindo-se à equação 8, a equação de Henderson-Hasselbalch, pode-se observar que a acidose ocorre quando a razão de HCO_3^- em relação ao CO_2 do líquido extracelular diminui, reduzindo o pH. Se essa razão decair em função de uma queda do HCO_3^-, a acidose receberá o nome de *acidose metabólica*. Se o pH diminuir em função de um aumento da Pco_2, a acidose receberá o nome de *acidose respiratória*.

A ACIDOSE DIMINUI A RELAÇÃO HCO_3^-/H^+ DO LÍQUIDO TUBULAR RENAL

Tanto a acidose respiratória quanto a metabólica causam redução da relação HCO_3^-/H^+ do líquido tubular renal. O resultado é um excesso de H^+ nos túbulos renais, causando reabsorção completa de HCO_3^- com H^+ adicional ainda disponível para se combinar com os tampões urinários NH_4^+ e HPO_4^{2-}. Portanto, na acidose, os rins reabsorvem todo o HCO_3^- filtrado e contribuem formando novo HCO_3^- e ácido titulável.

Na acidose metabólica, ocorre excesso de H^+ em relação ao HCO_3^- no líquido tubular, primariamente em razão da diminuição da concentração de HCO_3^- do líquido extracelular, com consequente redução da filtração glomerular de HCO_3^-.

Tabela 31.2 Fatores do plasma ou do líquido extracelular que aumentam ou diminuem a secreção de H^+ e a reabsorção de HCO_3^- pelos túbulos renais.

Aumentam a secreção de H^+ e a reabsorção de HCO_3^-	Diminuem a secreção de H^+ e a reabsorção de HCO_3^-
↑ Pco_2	↓ Pco_2
↑ H^+, ↓ HCO_3^-	↓ H^+, ↑ HCO_3^-
↓ Volume do líquido extracelular	↑ Volume do líquido extracelular
↑ Angiotensina II	↓ Angiotensina II
↑ Aldosterona	↓ Aldosterona
Hipopotassemia	Hiperpotassemia

Já na acidose respiratória, o excesso de H^+ do líquido tubular deve-se principalmente ao aumento da P_{CO_2} do líquido extracelular, que estimula a secreção de H^+.

Conforme discutido previamente, na acidose crônica, seja ela respiratória ou metabólica, ocorre aumento da produção de NH_4^+, que contribui para aumentar a excreção de H^+ e adicionar novo HCO_3^- ao líquido extracelular. Em caso de acidose crônica grave, pode ocorrer excreção de até 500 mEq/dia de H^+ na urina, principalmente na forma de NH_4^+. Essa excreção, por sua vez, contribui com a adição de até 500 mEq/dia de novo HCO_3^- ao sangue.

Portanto, na acidose crônica, o aumento da secreção de H^+ pelos túbulos ajuda a eliminar seu excesso do organismo e aumenta a quantidade de HCO_3^- do líquido extracelular. Esse processo aumenta a porção HCO_3^- do sistema tampão bicarbonato, o que, segundo a equação de Henderson-Hasselbalch, auxilia na elevação do pH e corrige a acidose. Se a acidose for mediada metabolicamente, a compensação adicional dos pulmões causará diminuição da P_{CO_2}, também participando da correção do quadro.

A **Tabela 31.3** resume as características do líquido extracelular associadas à acidose respiratória e metabólica, bem como à alcalose respiratória e metabólica, que serão discutidas na próxima seção. Observe que, na *acidose respiratória*, ocorrem redução do pH, aumento da concentração extracelular de H^+ e aumento da P_{CO_2}, que constitui a causa base da acidose. *A resposta compensatória é o aumento do HCO_3^- plasmático causado pela adição de novo HCO_3^- ao líquido extracelular pelos rins.* O aumento do HCO_3^- ajuda a atenuar o aumento da P_{CO_2}, restabelecendo o pH normal do plasma.

Na *acidose metabólica*, também ocorrem redução do pH e aumento da concentração de H^+ do líquido extracelular. Porém, nesse caso, a anormalidade primária é a diminuição do HCO_3^- plasmático. *A compensação primária inclui o aumento da frequência ventilatória, que diminui a P_{CO_2} e compensação renal, que ajuda a minimizar a queda inicial da concentração de HCO_3^- por meio da adição de novo HCO_3^- ao líquido extracelular.*

Tabela 31.3 Características do líquido extracelular nos distúrbios acidobásicos primários.[a]

	pH	H^+	P_{CO_2}	HCO_3^-
Normal	7,4	40 mEq/ℓ	40 mmHg	24 mEq/ℓ
Acidose respiratória	↓	↑	↑↑	↑
Alcalose respiratória	↑	↓	↓↓	↓
Acidose metabólica	↓	↑	↓	↓↓
Alcalose metabólica	↑	↓	↑	↑↑

[a]O evento primário está indicado pelas setas duplas (↑↑ ou ↓↓). Observe que os distúrbios acidobásicos respiratórios são iniciados por aumento ou diminuição na P_{CO_2}, ao passo que os distúrbios metabólicos são iniciados por aumento ou diminuição do HCO_3^-.

CORREÇÃO RENAL DA ALCALOSE: REDUÇÃO DA SECREÇÃO TUBULAR DE H^+ E AUMENTO DA EXCREÇÃO DE HCO_3^-

As respostas compensatórias à alcalose são basicamente opostas às que ocorrem na acidose. Na alcalose, ocorre aumento da proporção de HCO_3^- em relação ao CO_2 no líquido extracelular, causando elevação do pH (redução da concentração de H^+), como evidenciado pela equação de Henderson-Hasselbalch.

A ALCALOSE AUMENTA A RELAÇÃO HCO_3^-/H^+ NO FILTRADO TUBULAR RENAL

Seja a alcalose causada por anormalidades metabólicas ou respiratórias, ela está associada a um aumento na relação HCO_3^-/H^+ do líquido tubular renal. O efeito resultante disso é um excesso de HCO_3^- que não pode ser reabsorvido pelos túbulos, sendo, portanto, excretado na urina. Desse modo, a excreção renal remove o HCO_3^- do líquido extracelular na alcalose, o que seria o mesmo efeito de adicionar um H^+ ao líquido extracelular. Esse processo ajuda a restabelecer a concentração de H^+ e o pH normais.

A **Tabela 31.3** demonstra as características gerais do líquido extracelular na alcalose respiratória e metabólica. Na *alcalose respiratória*, ocorre aumento do pH e diminuição da concentração de H^+ do líquido extracelular. *A causa da alcalose é a diminuição da P_{CO_2} plasmática, causada pela hiperventilação.* A diminuição da P_{CO_2} leva à redução da secreção tubular de H^+ nos rins. Consequentemente, não há H^+ suficiente no líquido tubular para reagir com todo o HCO_3^- filtrado. Portanto, o HCO_3^- que não reagir com H^+ não será reabsorvido, sendo excretado na urina. Isso resulta na redução da concentração plasmática de HCO_3^- e correção da alcalose. *Ou seja, a resposta compensatória a uma diminuição primária da P_{CO_2} na alcalose respiratória é a redução da concentração plasmática de HCO_3^-, causada pelo aumento da excreção renal de HCO_3^-.*

Na *alcalose metabólica*, também há diminuição da concentração plasmática de H^+ e aumento do pH. *A causa da alcalose metabólica, porém, é o aumento da concentração de HCO_3^- do líquido extracelular.* Esse aumento é parcialmente compensado por uma redução da frequência respiratória, que eleva a P_{CO_2} e auxilia no restabelecimento do pH do líquido extracelular. Ademais, o aumento da concentração de HCO_3^- do líquido extracelular aumenta a carga filtrada de HCO_3^- que, por sua vez, causa um excesso de HCO_3^- em relação ao H^+ secretado no líquido tubular renal. Esse excesso acaba não sendo reabsorvido porque não há H^+ disponível para reagir com o HCO_3^-, ocorrendo sua excreção urinária. *Na alcalose metabólica, a compensação primária é a diminuição da ventilação, que eleva a P_{CO_2} e aumenta a excreção renal de HCO_3^-, o que ajuda a compensar o aumento inicial da concentração de HCO_3^- do líquido extracelular.*

PARTE 5 Líquidos Corporais e Rins

Causas clínicas dos distúrbios acidobásicos

A acidose respiratória resulta de diminuição da ventilação e aumento da P_{CO_2}

A partir da discussão anterior, torna-se óbvio que qualquer fator que reduza a frequência respiratória também aumenta a P_{CO_2} do líquido extracelular. Isso causa um aumento das concentrações de H_2CO_3 e H^+, resultando em acidose. Como a acidose é causada por uma anormalidade respiratória, denomina-se *acidose respiratória.*

A acidose respiratória pode ocorrer por condições patológicas que lesionem os centros respiratórios ou que diminuam a capacidade pulmonar de eliminar CO_2. Por exemplo, a lesão do centro respiratório no bulbo pode causar acidose respiratória. A obstrução das vias de passagem do trato respiratório, pneumonia, enfisema ou redução da área de superfície pulmonar, bem como qualquer fator que interfira com a troca de gases entre sangue e ar alveolar, pode causar acidose respiratória.

Na acidose respiratória, as respostas compensatórias disponíveis incluem: (1) os tampões dos líquidos corporais; e (2) os rins, que requerem muitos dias para compensar o distúrbio.

A alcalose respiratória resulta de aumento da ventilação e redução da P_{CO_2}

A alcalose respiratória é causada pela ventilação pulmonar excessiva. Isso raramente ocorre em condições físicas patológicas. Todavia, uma pessoa com psiconeurose pode ocasionalmente aumentar sua respiração ao ponto de provocar alcalose.

Um tipo fisiológico de alcalose respiratória ocorre quando um indivíduo ascende até altitudes elevadas. O conteúdo de oxigênio mais baixo estimula a respiração, que causa perda de CO_2 e desenvolvimento de discreta alcalose respiratória. Os principais meios de compensação são também os tampões químicos dos líquidos corporais e a capacidade dos rins de aumentar a excreção de HCO_3^-.

A acidose metabólica resulta da diminuição da concentração de HCO_3^- do líquido extracelular

A denominação *acidose metabólica* refere-se a todos os tipos de acidose que não aquela causada pelo excesso de CO_2 nos líquidos corporais. A acidose metabólica pode resultar de diversas causas gerais: (1) incapacidade dos rins de excretar ácidos metabólicos produzidos normalmente no organismo; (2) formação de quantidades excessivas de ácidos metabólicos no organismo; (3) adição de ácidos metabólicos ao organismo por meio de ingestão ou infusão de ácidos; e (4) perda de bases dos líquidos corporais, cujo efeito é o mesmo da adição de ácidos aos líquidos corporais. Algumas condições específicas que podem causar acidose metabólica encontram-se descritas nas seções que seguem.

Acidose tubular renal. A acidose tubular renal resulta de um defeito na secreção renal de H^+, na reabsorção de HCO_3^-, ou em ambas. Esses distúrbios são, em geral, de dois tipos: (1) comprometimento da reabsorção tubular renal de HCO_3^-, causando perda de HCO_3^- na urina; ou (2) incapacidade do mecanismo tubular de secreção de H^+ de estabelecer uma urina ácida normal, causando excreção de urina alcalina. Nesses casos, são excretadas quantidades inadequadas de ácido titulável e NH_4^+, resultando em acúmulo de ácidos nos líquidos corporais. Algumas causas de acidose tubular renal incluem *insuficiência renal crônica, insuficiência da secreção de aldosterona* (doença de Addison) e muitos distúrbios hereditários ou adquiridos que prejudicam a função tubular, como a *síndrome de Fanconi* (Capítulo 32).

Diarreia. A diarreia grave é provavelmente a causa mais frequente de acidose metabólica. *A causa dessa acidose é a perda de grandes quantidades de bicarbonato de sódio nas fezes.* As secreções gastrointestinais normalmente contêm grandes quantidades de bicarbonato, de forma que a diarreia resulta em perda de HCO_3^- do organismo, cujo efeito é o mesmo da perda de grandes quantidades de bicarbonato pela urina. Essa forma de acidose metabólica pode ser grave e levar à morte, especialmente em crianças pequenas.

Vômito de conteúdo intestinal. O vômito de somente conteúdo gástrico causaria perda de ácidos e tendência de alcalose, visto que as secreções gástricas são muito ácidas. Todavia, quando se vomitam grandes quantidades de conteúdo mais profundo do trato gastrointestinal, ocorre perda de bicarbonato, resultando em acidose metabólica da mesma maneira que ocorre na diarreia.

Diabetes melito. O diabetes melito é causado pela falta de secreção de insulina pelo pâncreas (diabetes tipo 1) ou insuficiência da secreção de insulina em compensar a diminuição da sensibilidade a seus efeitos (diabetes tipo 2). Na ausência de insulina suficiente, o metabolismo normal da glicose torna-se prejudicado. Isso causa quebra de parte da gordura em ácido acetoacético, que é metabolizado pelos tecidos para servir como fonte energética em lugar da glicose. No diabetes melito grave, os níveis sanguíneos de ácido acetoacético podem se tornar muito altos, causando grave acidose metabólica. Na tentativa de compensar essa acidose, grandes quantidades de ácidos são excretadas na urina – por vezes chegando até 500 mmol/dia.

Ingestão de ácidos. É raro ingerir grandes quantidades de ácidos em alimentos normais. Todavia, pode ocorrer acidose metabólica grave com a ingestão de alguns compostos tóxicos ácidos. Algumas dessas substâncias incluem compostos acetilsalicílicos (p. ex., ácido acetilsalicílico) e álcool metílico (ou etanol), que forma ácido fórmico após ser metabolizado.

Insuficiência renal crônica. Quando a função renal se encontra significativamente reduzida, ocorre acúmulo de ânions de ácidos fracos nos líquidos corporais, os quais deveriam ser excretados pelos rins. Ademais, a taxa de filtração glomerular reduzida diminui a excreção de fosfatos e NH_4^+, o que reduz a quantidade de HCO_3^- que é devolvida aos líquidos corporais. Portanto, a insuficiência renal crônica pode ocorrer associada a uma acidose metabólica grave.

A alcalose metabólica resulta do aumento da concentração de HCO_3^- no líquido extracelular

A retenção excessiva de HCO_3^- ou a perda de H^+ do organismo causa alcalose metabólica. A alcalose metabólica não é tão comum quanto a acidose metabólica, mas algumas de suas causas estão descritas nas seções seguintes.

Administração de diuréticos (exceto inibidores da anidrase carbônica). Todos os diuréticos causam aumento do fluxo de líquidos pelos túbulos, geralmente nos túbulos distais e coletores. Esse efeito leva a um aumento na reabsorção de Na⁺ nessas porções do néfron. Como a reabsorção de sódio nessa região é acoplada à secreção de H⁺, seu aumento também eleva a secreção de H⁺ e a reabsorção de bicarbonato. A diminuição do volume do líquido extracelular associada ao uso de diuréticos também está associada ao aumento da formação de Ang II e aldosterona, ambas responsáveis por estimular a secreção de H⁺ e a reabsorção de HCO_3^-. Essas alterações levam ao desenvolvimento de alcalose, caracterizada pelo aumento da concentração de bicarbonato no líquido extracelular.

Excesso de aldosterona. Quando ocorre secreção de grandes quantidades de aldosterona pelas glândulas adrenais, desenvolve-se um leve quadro de alcalose metabólica. Conforme discutido anteriormente, a aldosterona promove extensa reabsorção de Na⁺ nos túbulos distais e coletores, ao mesmo tempo que estimula a secreção de H⁺ e a reabsorção de HCO_3^- pelas células intercaladas dos túbulos coletores. Esse aumento da secreção de H⁺ e da reabsorção de HCO_3^- leva a um quadro de alcalose metabólica.

Vômito de conteúdo gástrico. O vômito de conteúdo somente gástrico, sem perda de conteúdo gastrointestinal mais baixo, causa perda do HCl secretado pela mucosa gástrica. O resultado final é a perda de ácidos do líquido extracelular e o desenvolvimento de alcalose metabólica. Esse tipo de alcalose ocorre especialmente em neonatos com estenose de piloro causada por hipertrofia do esfíncter pilórico.

Ingestão de fármacos alcalinos. Uma causa comum de alcalose metabólica é a ingestão de fármacos alcalinos, como o bicarbonato de sódio, durante o tratamento de gastrite ou úlcera péptica.

Tratamento da acidose ou da alcalose

O melhor tratamento para a acidose ou alcalose é a correção da condição que causou a anormalidade. Isso com frequência é difícil, especialmente em doenças crônicas que comprometem a função pulmonar ou renal. Nessas circunstâncias, diversos agentes podem ser utilizados para neutralizar o excesso de ácidos ou bases no líquido extracelular.

A fim de neutralizar o excesso de ácidos, pode-se ingerir por via oral uma grande quantidade de *bicarbonato de sódio*. O bicarbonato de sódio é absorvido pelo trato gastrointestinal para o sangue, aumentando a porção HCO_3^- do sistema tampão bicarbonato, o que causa aumento do pH em direção ao normal. Também é possível fornecer bicarbonato de sódio por infusão intravenosa, embora se utilizem normalmente outras substâncias em vista dos riscos de efeitos fisiológicos perigosos desse tratamento, como *lactato de sódio* e *gliconato de sódio*. As porções lactato e gliconato das moléculas são metabolizadas pelo organismo, deixando o sódio do líquido extracelular na forma de bicarbonato de sódio e aumentando o pH extracelular em direção a seu normal.

Para o tratamento da alcalose, pode-se administrar *cloreto de amônio* por via oral. Após sua absorção para o sangue, a porção amônia é convertida no fígado em ureia. Essa reação libera HCl, que imediatamente reage com os tampões dos líquidos corporais para desviar a concentração de H⁺ na direção acidificante. O cloreto de amônio pode ser ocasionalmente infundido por via intravenosa, embora o NH_4^+ seja muito tóxico, o que torna esse procedimento perigoso. O tratamento mais adequado é reverter a causa base da alcalose.

Por exemplo, se a alcalose metabólica está associada a uma depleção de volume do líquido extracelular sem insuficiência cardíaca, a reposição do volume por meio de infusão de solução salina isotônica será benéfica em corrigir a alcalose.

Mensurações clínicas e análise dos distúrbios acidobásicos

A terapia adequada para os distúrbios acidobásicos requer um diagnóstico correto. Os distúrbios acidobásicos simples descritos anteriormente podem ser diagnosticados por meio da análise de três mensurações do sangue arterial: pH, concentração plasmática de HCO_3^- e P_{CO_2}.

O diagnóstico dos distúrbios acidobásicos simples envolve diversos passos, conforme demonstrado na **Figura 31.10**. Pela análise do pH, pode-se determinar se o distúrbio é uma acidose ou alcalose. O pH menor que 7,4 indica acidose e o pH maior que 7,4 indica alcalose.

O segundo passo é examinar a P_{CO_2} plasmática e as concentrações de HCO_3^-. O valor normal da P_{CO_2} gira em torno de 40 mmHg e do HCO_3^- em torno de 24 mEq/ℓ. Se o distúrbio foi caracterizado como uma acidose e a P_{CO_2} plasmática estiver aumentada, deve haver um componente respiratório nessa acidose. Após a compensação renal, a concentração plasmática de HCO_3^- na acidose respiratória tenderia a aumentar acima do normal. *Portanto, os valores esperados para uma acidose respiratória simples seriam diminuição do pH, aumento da P_{CO_2} e aumento da concentração de HCO_3^- do plasma após compensação parcial pelos rins.*

Já para a acidose metabólica, haveria também diminuição do pH do plasma. Todavia, a anormalidade primária seria a diminuição da concentração plasmática de HCO_3^-. Portanto, se o pH baixo estiver associado a uma concentração baixa de HCO_3^-, deve haver um componente metabólico na acidose. Na acidose metabólica simples, a P_{CO_2} diminui em razão da compensação parcial respiratória, ao contrário da acidose respiratória, em que a P_{CO_2} se apresenta aumentada. *Ou seja, na acidose metabólica simples, deve-se esperar pH baixo, concentração plasmática de*

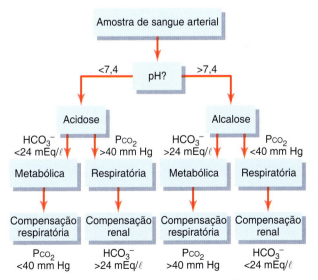

Figura 31.10 Análise de distúrbios acidobásicos simples. Se as respostas compensatórias forem notavelmente diferentes das demonstradas na parte inferior da figura, deve-se suspeitar de um distúrbio acidobásico misto.

HCO_3^- *diminuída e redução da P_{CO_2} após compensação respiratória parcial.*

Os procedimentos para se categorizarem os tipos de alcalose envolvem os mesmos passos básicos. Primeiro, a alcalose implica um aumento no pH do plasma. Se esse aumento estiver associado à diminuição da P_{CO_2}, deve haver um componente respiratório na alcalose. Se o aumento do pH ocorrer associado ao aumento do HCO_3^-, deve haver um componente metabólico na alcalose. *Portanto, na alcalose respiratória simples, espera-se encontrar aumento do pH, diminuição da P_{CO_2} e diminuição da concentração de HCO_3^- do plasma. Já na alcalose metabólica simples, espera-se encontrar aumento do pH, aumento do HCO_3^- e aumento da P_{CO_2} do plasma.*

Distúrbios acidobásicos complexos e emprego do nomograma ácido-base para seu diagnóstico

Em alguns casos, os distúrbios não vêm acompanhados de respostas compensatórias adequadas. Quando essa situação ocorre, a anormalidade recebe o nome de *distúrbio acidobásico misto*, o que significa que há duas ou mais causas base para o distúrbio. Por exemplo, um paciente com pH baixo seria categorizado como um quadro de acidose. Se o distúrbio for mediado por via metabólica, também haveria baixa concentração plasmática de HCO_3^- e, após compensação respiratória adequada, baixa P_{CO_2}. Contudo, se o pH diminuído e a concentração de HCO_3^- baixa estiverem associados a um aumento da P_{CO_2}, suspeitar-se-ia de um componente respiratório e também um componente metabólico na acidose. Portanto, esse distúrbio seria categorizado como acidose mista. Pode ser o caso, por exemplo, de um paciente com perda aguda de HCO_3^- pelo trato gastrointestinal em razão de diarreia (acidose metabólica) e com enfisema (acidose respiratória).

Um método conveniente para se diagnosticarem distúrbios acidobásicos é o nomograma ácido-base, conforme demonstrado na **Figura 31.11**. Esse diagrama pode ser empregado para determinar o tipo de acidose ou alcalose, bem como sua gravidade. Nesse diagrama, o pH, a concentração de HCO_3^- e a P_{CO_2} se intersectam de acordo com a equação de Henderson-Hasselbalch. O círculo aberto central demonstra os valores normais e os desvios que podem ser considerados dentro de uma faixa normal. As áreas sombreadas demonstram o intervalo de confiança de 95% para os limites das compensações normais que ocorrem em distúrbios metabólicos e respiratórios simples.

Ao utilizar esse diagrama, deve-se admitir haver decorrido tempo suficiente para uma resposta compensatória completa, que corresponde a cerca de 6 a 12 horas para as compensações respiratórias dos distúrbios metabólicos primários e 3 a 5 dias para as compensações metabólicas dos distúrbios respiratórios primários. Se um valor estiver dentro da área sombreada, isso sugere que existe um distúrbio acidobásico simples. Já os valores de pH, bicarbonato ou P_{CO_2} fora da área sombreada sugerem que o paciente possa apresentar um distúrbio acidobásico misto.

É importante reconhecer que o valor dentro da área sombreada nem *sempre* significa que haja um distúrbio acidobásico simples. Com isso em mente, os diagramas ácido-base podem ser utilizados como meio rápido de determinar o tipo específico e a gravidade do distúrbio acidobásico.

Por exemplo, admita-se que o plasma arterial de um paciente demonstre os seguintes valores: pH = 7,30; concentração plasmática de HCO_3^- = 12,0 mEq/ℓ; e P_{CO_2} plasmática = 25 mmHg. Com esses valores, pode-se olhar para o diagrama e descobrir que o paciente apresenta uma acidose metabólica simples, com resposta compensatória adequada que diminui a P_{CO_2} de seu valor normal de 40 para 25 mmHg.

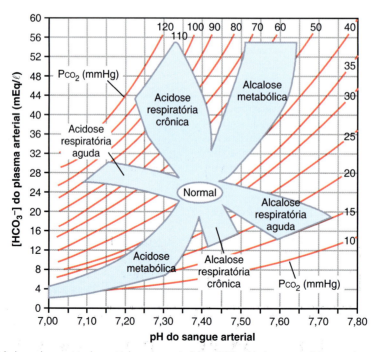

Figura 31.11 Nomograma ácido-base demonstrando o pH do sangue arterial, o HCO_3^- do plasma arterial e os valores de P_{CO_2}. O *círculo aberto central* demonstra os limites aproximados do estado acidobásico de um indivíduo normal. As *áreas sombreadas* demonstram os limites aproximados das compensações normais causadas por distúrbios metabólicos e respiratórios simples. Com valores situados fora das áreas sombreadas, deve-se suspeitar de distúrbio acidobásico misto. (*Modificada de Cogan MG, Rector FC Jr: Acid-Base Disorders in the Kidney, 3rd ed. Philadelphia: WB Saunders, 1986.*)

Um segundo exemplo seria um paciente com os seguintes valores: pH = 7,15; concentração plasmática de HCO_3^- = 17 mEq/ℓ; e P_{CO_2} = 50 mmHg. Nesse exemplo, o paciente apresenta acidose e parece haver um componente metabólico porque a concentração plasmática de HCO_3^- é menor que o normal de 24 mEq/ℓ. Todavia, a compensação respiratória que normalmente diminuiria a P_{CO_2} está ausente, com P_{CO_2} ligeiramente aumentada acima de seu normal de 40 mmHg. Esse achado é consistente com um distúrbio misto que inclui acidose metabólica com componente também respiratório.

O nomograma ácido-base serve como um meio rápido de avaliar o tipo e a gravidade dos distúrbios que podem contribuir com valores anormais de pH, P_{CO_2} e concentração plasmática de bicarbonato. No cenário clínico, a história do paciente e outros achados físicos também fornecem importantes pistas para as causas e tratamento dos distúrbios acidobásicos.

Utilização do hiato aniônico (anion gap) para diagnosticar distúrbios acidobásicos

As concentrações de ânions e cátions do plasma devem se igualar a fim de manter neutralidade elétrica. Portanto, não há um real hiato aniônico no plasma. Todavia, somente alguns cátions e ânions podem ser mensurados rotineiramente no laboratório clínico. O cátion normalmente mensurado é o Na^+ e os ânions normalmente mensurados são o Cl^- e o HCO_3^-. O hiato aniônico – que consiste em apenas um conceito diagnóstico – é a diferença entre os ânions não mensurados e os cátions não mensurados, que pode ser estimada da seguinte forma:

$$\text{Hiato aniônico do plasma} = [Na^+] - [HCO_3^-] - [Cl^-]$$
$$= 144 - 24 - 108 = 12 \text{ mEq/}\ell$$

O hiato aniônico aumentará se os ânions não mensurados aumentarem ou se os cátions não mensurados diminuírem. Os mais importantes cátions não mensurados incluem cálcio, magnésio e potássio. Já os mais importantes ânions não mensurados incluem albumina, fosfato, sulfato e outros ânions orgânicos. Em geral, os ânions não mensurados excedem os cátions não mensurados, de forma que o hiato aniônico resulta em 8 a 16 mEq/ℓ.

O hiato aniônico do plasma é utilizado principalmente no diagnóstico de diferentes causas de acidose metabólica. Na acidose metabólica, a concentração plasmática de HCO_3^- está diminuída. Se a concentração plasmática de sódio não se alterar, os ânions (Cl^- ou um ânion não mensurado) aumentarão para manter a neutralidade elétrica. Se o Cl^- plasmático aumentar proporcionalmente à queda do HCO_3^- plasmático, o hiato aniônico permanecerá normal. Isso em geral recebe a denominação de acidose metabólica hiperclorêmica.

Se a redução do HCO_3^- plasmático não for acompanhada pelo aumento do Cl^-, os níveis de ânions não mensurados deverão estar aumentados, havendo, dessa forma, um aumento no hiato aniônico calculado. A acidose metabólica causada por excesso de ácidos não voláteis (exceto HCl), como a acidose láctica ou a cetoacidose, é associada ao aumento do hiato aniônico plasmático em vista de uma queda do HCO_3^- não correspondida por um igual aumento no Cl^-. Alguns exemplos de acidose metabólica associada a hiato aniônico normal ou aumentado encontram-se demonstrados na **Tabela 31.4**. Por meio do cálculo do hiato aniônico, podem-se limitar o espectro de algumas das potenciais causas de acidose metabólica.

Tabela 31.4 Acidose metabólica associada a hiato aniônico plasmático normal ou aumentado.

Aumento do hiato aniônico (normocloremia)	Hiato aniônico normal (hipercloremia)
Diabetes melito (cetoacidose)	Diarreia
Acidose láctica	Acidose tubular renal
Insuficiência renal crônica	Inibidores de anidrase carbônica
Intoxicação por ácido acetilsalicílico	Doença de Addison
Intoxicação por metanol	
Intoxicação por etilenoglicol	
Inanição	

Bibliografia

Batlle D, Arruda J: Hyperkalemic forms of renal tubular acidosis: clinical and pathophysiological aspects. Adv Chronic Kidney Dis 25:321, 2018.

Breton S, Brown D: Regulation of luminal acidification by the V-ATPase. Physiology (Bethesda) 28:318, 2013.

Brown D, Wagner CA: Molecular mechanisms of acid-base sensing by the kidney. J Am Soc Nephrol 23:774, 2012.

Curthoys NP, Moe OW: Proximal tubule function and response to acidosis. Clin J Am Soc Nephrol 9:1627, 2014.

DeCoursey TE: Voltage-gated proton channels: molecular biology, physiology, and pathophysiology of the H(V) family. Physiol Rev 93:599, 2013.

Hamm LL, Nakhoul N, Hering-Smith KS: Acid-base homeostasis. Clin J Am Soc Nephrol 10:2232, 2015.

Kamel KS, Halperin ML: Acid-base problems in diabetic ketoacidosis. N Engl J Med 372:546, 2015.

Kraut JA, Madias NE: Differential diagnosis of nongap metabolic acidosis: value of a systematic approach. Clin J Am Soc Nephrol 7:671, 2012.

Kurtz I: Renal tubular acidosis: H+/base and ammonia transport abnormalities and clinical syndromes. Adv Chronic Kidney Dis 25:334, 2018.

Kurtz I: Molecular mechanisms and regulation of urinary acidification. Compr Physiol 4:1737, 2014.

Nagami GT, Hamm LL: Regulation of acid-base balance in chronic kidney disease. Adv Chronic Kidney Dis 24:274, 2017.

Palmer BF, Clegg DJ: Electrolyte and acid-base disturbances in patients with diabetes mellitus. N Engl J Med 373:548, 2015.

Purkerson JM, Schwartz GJ: The role of carbonic anhydrases in renal physiology. Kidney Int 71:103, 2007.

Roy A, Al-bataineh MM, Pastor-Soler NM: Collecting duct intercalated cell function and regulation. Clin J Am Soc Nephrol 10:305, 2015.

Seifter JL: Integration of acid-base and electrolyte disorders. N Engl J Med 371:1821, 2014.

Seifter JL, Chang HY: Extracellular acid-base balance and ion transport between body fluid compartments. Physiology (Bethesda) 32:367, 2017.

Uduman J, Yee J: Pseudo-renal tubular acidosis: conditions mimicking renal tubular acidosis. Adv Chronic Kidney Dis 25:358, 2018.

Vallés PG, Batlle D: Hypokalemic distal renal tubular acidosis. Adv Chronic Kidney Dis 25:303, 2018.

Vandenberg RJ, Ryan RM: Mechanisms of glutamate transport. Physiol Rev 93:1621, 2013.

Weiner ID, Verlander JW: Ammonia transporters and their role in acid-base balance. Physiol 97:465, 2017.

CAPÍTULO 32

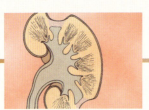

Diuréticos e Doenças Renais

DIURÉTICOS E SEUS MECANISMOS DE AÇÃO

Como o seu nome indica, os diuréticos aumentam o débito urinário. A maioria dos diuréticos também aumenta a excreção urinária de solutos, especialmente sódio e cloreto. De fato, grande parte dos diuréticos utilizados clinicamente atua por meio da diminuição da reabsorção tubular renal de sódio, causando natriurese (aumento do débito urinário de sódio), o que, por sua vez, causa aumento da diurese (volume urinário). Ou seja, na maioria dos casos, ocorre aumento da excreção de água de forma secundária à inibição da reabsorção tubular de sódio, visto que o sódio que permanece nos túbulos atua por osmose para diminuir a reabsorção de água. Como a reabsorção tubular renal de muitos solutos, como potássio, cloreto, magnésio e cálcio, também sofre influência secundária da reabsorção de sódio, muitos diuréticos também aumentam a excreção renal total desses solutos.

O uso clínico mais comum dos diuréticos se dá pelo intuito de diminuir o volume do líquido extracelular, especialmente em doenças associadas a edema e na hipertensão. Conforme discutido no Capítulo 25, a perda de sódio do organismo diminui principalmente o volume do líquido extracelular. Portanto, os diuréticos são, em geral, administrados em condições clínicas nas quais o volume extracelular se encontra expandido.

Alguns diuréticos podem aumentar o débito urinário em mais de 20 vezes dentro de poucos minutos após sua administração. Todavia, o efeito da maioria dos diuréticos sobre o débito urinário de sal e água termina em alguns dias em virtude da ativação de mecanismos compensatórios iniciados pela diminuição do volume extracelular (**Figura 32.1**). Por exemplo, diminuição no volume do líquido extracelular pode reduzir a pressão arterial e a taxa de filtração glomerular (TFG) e aumentar a secreção de renina e a formação de angiotensina II (Ang II). Todas essas respostas em conjunto acabam ultrapassando os efeitos crônicos do diurético sobre o débito urinário. Ou seja, em condições estáveis, o débito urinário iguala-se aos ganhos, porém somente após a diminuição da pressão arterial e do volume de líquido extracelular, aliviando a hipertensão ou edema que constituíam motivo inicial do uso do diurético.

Os diversos diuréticos disponíveis para uso clínico apresentam diferentes mecanismos de ação, inibindo a reabsorção tubular em diferentes pontos do trajeto do néfron. As classes gerais de diuréticos, os seus mecanismos de ação e os seus sítios de ação tubular são demonstrados na **Tabela 32.1**.

Diuréticos osmóticos diminuem a reabsorção de água por meio do aumento da pressão osmótica do líquido tubular

A injeção de substâncias na corrente sanguínea que serão filtradas pelos capilares glomerulares, porém não facilmente reabsorvidas pelos túbulos renais, como ureia, manitol e sacarose, causa significativo aumento da concentração de moléculas osmoticamente ativas nos túbulos.

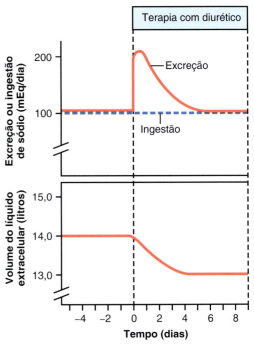

Figura 32.1 Excreção de sódio e volume do líquido extracelular durante a administração de um diurético. O aumento imediato da excreção de sódio é acompanhado por diminuição do volume de líquido extracelular. Se a ingestão de sódio se mantiver constante, os mecanismos compensatórios eventualmente devolverão a excreção de sódio a um nível correspondente à ingestão, restabelecendo o equilíbrio do sódio.

CAPÍTULO 32 Diuréticos e Doenças Renais

Tabela 32.1 Classes de diuréticos, mecanismos de ação e sítios de ação nos túbulos.

Classe de diuréticos (exemplos)	Mecanismo de ação	Sítio de ação nos túbulos
Diuréticos osmóticos (manitol)	Inibição da reabsorção de água e solutos por meio da elevação da osmolaridade do líquido tubular	Principalmente túbulos proximais
Diuréticos de alça (furosemida, bumetanida)	Inibição do cotransporte $Na^+/K^+/Cl^-$ na membrana luminal	Segmento ascendente espesso da alça de Henle
Diuréticos tiazídicos (hidroclorotiazida, clortalidona)	Inibição do cotransporte Na^+/Cl^- na membrana luminal	Porção inicial dos túbulos distais
Inibidores da anidrase carbônica (acetazolamida)	Inibição da secreção de H^+ e reabsorção de HCO_3^-, o que diminui a reabsorção de Na^+	Principalmente nos túbulos proximais
Antagonistas de aldosterona (espironolactona, eplerenona)	Inibição da ação da aldosterona sobre receptores tubulares, diminuição da reabsorção de Na^+, diminuição da secreção de K^+	Túbulos coletores
Bloqueadores de canais de sódio (triantereno, amilorida)	Bloqueio da entrada de Na^+ em canais de Na^+ da membrana luminal, diminuição da reabsorção de Na^+, diminuição da secreção de K^+	Túbulos coletores

A pressão osmótica desses solutos reduz a reabsorção de água, permitindo excreção de grandes quantidades de líquido na urina.

Também ocorre formação de grande volume de urina em algumas doenças associadas a excesso de solutos que não são reabsorvidos do líquido tubular. Por exemplo, quando a concentração de glicose sanguínea atinge níveis altos no diabetes melito, o aumento da carga filtrada de glicose para os túbulos excede sua capacidade de reabsorção da glicose (*i. e.*, excede seu *transporte máximo* para glicose). Acima da concentração plasmática de aproximadamente 250 mg/dℓ, pouca quantidade de glicose extra é reabsorvida pelos túbulos. O excesso acaba permanecendo nos túbulos e atuando como diurético osmótico, aumentando o fluxo urinário. Portanto, um dos sinais do diabetes melito não controlado é a *poliúria* (aumento do volume e frequência urinários), que é equilibrada por um alto nível de ingestão de líquidos (*polidipsia*) secundário a desidratação, aumento da osmolaridade do líquido extracelular e ativação do mecanismo da sede.

Diuréticos de alça diminuem a reabsorção de sódio-cloreto-potássio no segmento ascendente espesso da alça de Henle

A *furosemida*, o *ácido etacrínico* e a *bumetanida* são potentes diuréticos que diminuem a reabsorção do segmento ascendente espesso da alça de Henle por meio de bloqueio do cotransportador de um sódio, dois cloretos e um potássio situado na membrana luminal das células epiteliais (ver **Figura 28.9**, no Capítulo 28). Esses diuréticos estão entre os mais potentes diuréticos utilizados clinicamente.

Por meio do bloqueio do cotransporte de sódio-cloreto-potássio na membrana luminal da alça de Henle, diuréticos de alça aumentam o débito urinário de sódio, cloreto e potássio e outros eletrólitos, bem como água, por duas razões: (1) aumentam em alto grau a quantidade de solutos que chega às porções distais dos néfrons, de forma que esses solutos atuam como agentes osmóticos para impedir

a reabsorção de água; e (2) interrompem o sistema multiplicador de contracorrente por meio da diminuição da absorção de íons na alça de Henle para o interstício medular, reduzindo a osmolaridade do líquido intersticial medular. Portanto, diuréticos de alça prejudicam a capacidade renal de concentrar ou diluir a urina. A diluição da urina é prejudicada porque a inibição da reabsorção de sódio e cloreto na alça de Henle causa maior excreção desses íons, juntamente com aumento da excreção de água. Já a capacidade de concentração da urina se torna prejudicada porque a concentração de íons no líquido intersticial medular e, consequentemente, a osmolaridade medular, estão diminuídas. A consequência é a diminuição na reabsorção de líquido pelos ductos coletores, com redução da capacidade máxima de concentração da urina pelos rins. Ademais, a diminuição da osmolaridade do interstício medular reduz a reabsorção de água pelo ramo descendente da alça de Henle. Em vista desses efeitos múltiplos, 20 a 30% do filtrado glomerular podem ser excretados na urina, causando débito urinário até 25 vezes maior que o normal em condições agudas, pelo menos durante alguns minutos.

Diuréticos tiazídicos inibem a reabsorção de sódio-cloreto no início do túbulo distal

Os derivados tiazídicos, como a clorotiazida, atuam principalmente na porção inicial dos túbulos distais, bloqueando o cotransporte de sódio e cloreto na membrana luminal das células tubulares (ver **Figura 28.10**, no Capítulo 28). Sob condições favoráveis, esses agentes podem causar passagem de no máximo 5 a 10% do filtrado glomerular para a urina, que é aproximadamente a mesma quantidade de sódio reabsorvida normalmente pelos túbulos distais.

Inibidores da anidrase carbônica bloqueiam a reabsorção de sódio e bicarbonato

A *acetazolamida* inibe a enzima *anidrase carbônica*, que é crucial à reabsorção de bicarbonato (HCO_3^-) nos túbulos renais, conforme discutido no Capítulo 31. A anidrase

PARTE 5 Líquidos Corporais e Rins

carbônica é especialmente abundante no túbulo proximal, sítio primário de ação de seus inibidores. Há também anidrase carbônica em outras células tubulares, como nas células intercalares do túbulo coletor.

Visto que a secreção de hidrogênio (H^+) e a reabsorção de HCO_3^- dos túbulos proximais está acoplada à reabsorção de sódio por meio do mecanismo de contratransporte sódio-hidrogênio da membrana luminal, diminuir a reabsorção de HCO_3^- também reduz a reabsorção de sódio. O bloqueio da reabsorção de sódio e HCO_3^- do líquido tubular faz com que esses íons permaneçam nos túbulos e atuem como diuréticos osmóticos. Uma desvantagem previsível dos inibidores da anidrase carbônica é que causam certo grau de acidose devido à perda excessiva de HCO_3^- na urina.

Antagonistas de receptores de mineralocorticoides reduzem a reabsorção de sódio e a secreção de potássio nos túbulos coletores

A *espironolactona* e a *eplerenona* são antagonistas de receptores de mineralocorticoides que competem com a aldosterona pelos sítios de ligação dos receptores presentes nas células epiteliais do túbulo coletor e ducto coletor, sendo, portanto, capazes de diminuir a reabsorção de sódio e a secreção de potássio desses segmentos tubulares (ver **Figura 28.12**, no Capítulo 28). Como consequência, o sódio permanece nos túbulos e atua como um diurético osmótico, causando aumento da excreção de água e também do próprio sódio. Como esses fármacos também bloqueiam o efeito da aldosterona de promover secreção de potássio nos túbulos, ocorre diminuição de sua excreção.

Antagonistas de receptores de mineralocorticoides também causam movimento de íons potássio das células para o líquido extracelular. Em alguns casos, o movimento causa aumento excessivo da concentração de potássio do líquido extracelular. Por isso, a espironolactona e outros antagonistas de mineralocorticoides recebem o nome de *diuréticos poupadores de potássio*. Muitos dos outros diuréticos causam perda de potássio na urina, ao contrário dos antagonistas de receptores de mineralocorticoides, os quais poupam a perda de potássio.

Bloqueadores de canais de sódio diminuem a reabsorção de sódio nos túbulos coletores

A *amilorida* e o *triantereno* também inibem a reabsorção de sódio e a secreção de potássio nos túbulos coletores, similarmente aos efeitos da espironolactona. Todavia, em nível celular, esses fármacos atuam diretamente no bloqueio da entrada de sódio nos canais de sódio da membrana luminal das células epiteliais de túbulos coletores (ver **Figura 28.12**, no Capítulo 28). Em virtude dessa diminuição da entrada de sódio nas células, ocorre também diminuição do transporte de sódio através das membranas basolaterais celulares, o que causa diminuição da atividade da bomba de sódio-potássio adenosina trifosfatase (bomba Na^+/K^+ ATPase). Isso reduz o transporte de potássio para dentro das células, culminando com a redução de sua secreção para o líquido tubular. Por essa razão, bloqueadores de canais de sódio também são diuréticos poupadores de potássio, diminuindo sua taxa de excreção urinária.

DOENÇAS RENAIS

As doenças renais estão entre as causas mais importantes de morte e morbidade em muitos países do mundo. Por exemplo, em 2018, estimou-se em mais de 14% dos adultos dos EUA, ou mais de 30 milhões de pessoas, os portadores de doença renal crônica, com muitos outros milhões de portadores de lesão renal aguda ou formas menos graves de disfunção renal.

As doenças renais graves podem ser divididas em duas principais categorias:

1. *Lesão renal aguda* (LRA), na qual ocorre perda súbita da função renal dentro de alguns dias. A denominação *insuficiência renal aguda* (IRA) é reservada em geral para a lesão renal aguda grave, na qual os rins podem, subitamente, cessar completamente ou quase completamente a sua atividade, necessitando de terapia de reposição renal como diálise, conforme discutido mais adiante neste capítulo. Em alguns casos, pacientes com LRA podem recuperar a função renal quase normal.
2. *Doença renal crônica* (DRC), na qual ocorre perda progressiva da função de mais e mais néfrons, diminuindo gradualmente a função geral dos rins.

Dentro dessas duas categorias gerais, existem muitas doenças renais específicas que podem acometer os vasos sanguíneos renais, glomérulos, túbulos, interstício renal e partes do trato urinário extrarrenais, incluindo ureteres e bexiga. Neste capítulo, discutiremos anormalidades fisiológicas específicas que ocorrem em alguns dos mais importantes tipos de doenças renais.

LESÃO RENAL AGUDA

As causas de LRA são frequentemente divididas em três categorias principais:

1. LRA resultante da diminuição do fluxo sanguíneo para os rins. Essa condição com frequência recebe o nome de *LRA pré-renal*, refletindo uma anormalidade originada antes da chegada do sangue aos rins. Por exemplo, a LRA pré-renal pode ser causada por insuficiência cardíaca com diminuição do débito cardíaco e pressão arterial diminuída ou condições associadas à diminuição da volemia e hipotensão, como hemorragia grave.
2. *LRA intrarrenal*, resultante de anormalidades dentro do próprio parênquima renal, incluindo as que acometem vasos sanguíneos intrarrenais, glomérulos ou túbulos.
3. *LRA pós-renal*, resultante de obstrução do sistema coletor urinário em qualquer região desde os cálices até a região de saída da bexiga. As causas mais comuns de obstrução do trato urinário fora dos rins são cálculos urinários, causados pela precipitação de cálcio, ácido úrico ou cistina.

Em algumas causas importantes de LRA, como a sepse, podem ocorrer simultaneamente anormalidades pré-renais (p. ex., diminuição da pressão arterial) e intrarrenais (lesão endotelial e tubular).

LESÃO RENAL AGUDA PRÉ-RENAL CAUSADA PELA DIMINUIÇÃO DO APORTE SANGUÍNEO PARA OS RINS

Os rins normalmente recebem um fluxo sanguíneo abundante de aproximadamente 1.100 mℓ/min, ou cerca de 20 a 25% do débito cardíaco. O principal propósito desse alto fluxo para os rins é fornecer plasma suficiente para as altas taxas de filtração glomerular necessárias à regulação efetiva dos volumes de líquidos corporais e concentrações de solutos. Portanto, a diminuição do fluxo sanguíneo renal é em geral acompanhada por diminuição da TFG e do débito urinário de água e solutos. Consequentemente, condições que diminuem o fluxo sanguíneo renal de forma aguda geralmente causam *oligúria*, que se refere à diminuição do débito urinário abaixo do nível de ingestão de água e solutos. Essa condição causa acúmulo de água e solutos nos líquidos corporais. Se o fluxo sanguíneo renal estiver significativamente diminuído, poderá ocorrer cessação total do débito urinário, condição denominada *anúria*.

Contanto que o fluxo renal não decaia abaixo de 20 a 25% de seu normal, a LRA pode, em geral, ser revertida se a causa da isquemia for corrigida antes que tenha ocorrido lesão das células renais. Diferentemente de alguns tecidos, o rim pode suportar uma redução relativamente grande do fluxo sanguíneo antes que ocorra lesão grave de suas células. O motivo desse fenômeno é que, à medida que o fluxo sanguíneo renal diminui, ocorre diminuição da TFG e da quantidade de cloreto de sódio que é filtrada pelos glomérulos (bem como a taxa de filtração de água e outros eletrólitos). Isso reduz a quantidade de cloreto de sódio que deverá ser reabsorvida pelos túbulos, que é a função de maior consumo energético e de oxigênio do rim normal. Portanto, conforme o fluxo sanguíneo renal diminui e a TFG decai, o consumo de oxigênio dos rins também diminui. À medida que a TFG se aproxima de zero, o consumo de oxigênio dos rins se aproxima da taxa necessária para manter as células tubulares vivas quando não estão reabsorvendo sódio. Quando o fluxo sanguíneo é menor que esse requerimento basal, que em geral é menor que 20 a 25% do fluxo sanguíneo renal normal, as células renais tornam-se hipóxicas, de forma que reduções adicionais do fluxo sanguíneo, se prolongadas, causam lesão ou mesmo morte das células renais, especialmente células do epitélio tubular.

Se a causa da LRA pré-renal não for corrigida e a isquemia renal persistir por mais do que algumas horas, esse tipo de insuficiência renal poderá se desenvolver em uma LRA intrarrenal, conforme discutido adiante. A redução aguda do fluxo sanguíneo renal é uma causa comum de LRA em pacientes hospitalizados, especialmente pacientes que passaram por traumatismos graves. A **Tabela 32.2** demonstra algumas das causas comuns de diminuição do fluxo sanguíneo renal e LRA pré-renal.

LESÃO RENAL AGUDA INTRARRENAL CAUSADA POR ANORMALIDADES DO RIM

Anormalidades que se originam no rim e diminuem subitamente o débito urinário entram na categoria geral de *LRA intrarrenal*. Essa categoria de LRA pode ser subdividida nas seguintes: (1) condições que lesionam os capilares glomerulares ou outros vasos renais menores; (2) condições que lesionam o epitélio tubular renal; e (3) condições que causam lesão do interstício renal. Esse tipo de classificação refere-se ao sítio primário da lesão. Contudo, como a vasculatura renal e o sistema tubular são funcionalmente interdependentes, a lesão dos vasos sanguíneos renais pode levar a uma lesão tubular e a lesão tubular primária pode levar à lesão dos vasos sanguíneos renais. Algumas causas de LRA intrarrenal estão listadas na **Tabela 32.3**.

Tabela 32.2 Algumas causas de lesão renal aguda pré-renal.

Depleção de volume intravascular

Hemorragia (p. ex., traumatismo, cirurgia, pós-parto, gastrointestinal

Diarreia ou vômito

Queimaduras

Insuficiência cardíaca

Infarto do miocárdio

Lesão valvar

Vasodilatação periférica e hipotensão resultante

Choque anafilático

Anestesia

Sepse, infecções graves

Anormalidades hemodinâmicas renais primárias

Estenose arterial renal, embolismo ou trombose da artéria ou veia renal

Tabela 32.3 Algumas causas de lesão renal aguda intrarrenal.

Lesão de vasos pequenos e/ou glomerular

Vasculite (poliarterite nodosa)

Êmbolo gorduroso

Hipertensão maligna

Glomerulonefrite aguda

Lesão epitelial tubular (necrose tubular)

Necrose tubular aguda devido à isquemia

Necrose tubular aguda por toxinas (p. ex., metais pesados, etilenoglicol, inseticidas, cogumelos venenosos, tetracloreto de carbono)

Lesão intersticial renal

Pielonefrite aguda

Nefrite intersticial alérgica aguda

PARTE 5 Líquidos Corporais e Rins

Lesão renal aguda causada por glomerulonefrite

A glomerulonefrite aguda é um tipo de *LRA intrarrenal* geralmente causada por uma reação imunológica anormal que lesiona os glomérulos. Em cerca de 95% dos pacientes com essa doença, a lesão glomerular ocorre 1 a 3 semanas após uma infecção em outro local do organismo, em geral causada por certos tipos de estreptococos beta-hemolíticos do grupo A. A infeção pode ter sido uma faringite estreptocócica, amigdalite estreptocócica ou mesmo uma infecção de pele estreptocócica. Não é a infecção em si que lesiona os rins. Na realidade, ao longo de algumas semanas, à medida que se desenvolvem anticorpos contra o antígeno estreptocócico, anticorpos e antígeno reagem formando um imunocomplexo que fica aprisionado nos glomérulos, especialmente em sua membrana basal.

Com o depósito de imunocomplexos nos glomérulos, muitas células glomerulares começam a proliferar, principalmente as células mesangiais situadas entre o endotélio e o epitélio. Ademais, um grande número de hemácias torna-se aprisionado nos glomérulos. Muitos glomérulos ficam bloqueados por essa reação inflamatória, com os glomérulos não bloqueados tornando-se excessivamente permeáveis, permitindo extravasamento de proteínas e hemácias dos capilares glomerulares para o filtrado glomerular. Em casos graves, ocorre falência renal total ou quase completa.

A inflamação aguda dos glomérulos em geral regride dentro de 2 semanas e, na maioria dos pacientes, os rins recuperam sua função quase normal nas próximas semanas a alguns meses. Por vezes, contudo, muitos glomérulos são destruídos sem possibilidade de reparo e, em uma pequena porcentagem de pacientes, a deterioração renal progressiva continua por tempo indeterminado, levando à DRC, conforme descrito neste capítulo.

Necrose tubular como causa de lesão renal aguda

Outra causa de lesão renal aguda é a *necrose tubular*, que significa destruição de células epiteliais dos túbulos. Algumas causas comuns dessa lesão incluem: (1) isquemia grave e aporte de oxigênio e nutrientes inadequado às células epiteliais tubulares; e (2) venenos, toxinas ou medicamentos que destroem as células epiteliais tubulares.

Necrose tubular aguda causada por isquemia renal grave. A isquemia grave do rim pode resultar de um choque circulatório ou outros distúrbios que comprometam gravemente o aporte sanguíneo renal. Se a isquemia for grave o suficiente para comprometer a entrega de nutrientes e oxigênio às células do epitélio tubular renal e se a lesão for prolongada, pode ocorrer dano ou eventual destruição das células epiteliais. Quando isso ocorre, as células tubulares se desprendem e obstruem muitos néfrons de forma que deixa de haver débito urinário nesses néfrons bloqueados. Os néfrons acometidos em geral deixam de excretar urina enquanto os túbulos permanecerem obstruídos, mesmo quando o fluxo sanguíneo renal

retorna ao normal. As causas mais comuns de lesão isquêmica do epitélio tubular são as causas de LRA pré-renal associadas a choque circulatório, conforme discutido anteriormente neste capítulo.

Necrose tubular aguda causada por toxinas ou medicamentos. Existe uma longa lista de venenos e medicamentos renais que podem lesionar o epitélio tubular e causar LRA. Algumas dessas substâncias incluem o *tetracloreto de carbono*, *metais pesados* (p. ex., mercúrio e chumbo), *etilenoglicol* (um componente principal de anticongelamento), muitos *inseticidas*, alguns *medicamentos* (p. ex., tetraciclinas) utilizados como antibióticos e a *cisplatina*, utilizada no tratamento de certos tipos de câncer. Cada uma dessas substâncias tem uma ação tóxica específica sobre as células epiteliais tubulares, causando morte de muitas dessas células. Como resultado, as células epiteliais se desprendem da membrana basal e obstruem os túbulos. Em alguns casos, também ocorre destruição da membrana basal. Se a membrana permanecer intacta, novas células epiteliais podem crescer em sua superfície e o túbulo pode se regenerar dentro de 10 a 20 dias.

LESÃO RENAL AGUDA PÓS-RENAL CAUSADA POR ANORMALIDADES DO TRATO URINÁRIO INFERIOR

Múltiplas anormalidades do trato urinário inferior podem bloquear total ou parcialmente o fluxo urinário, levando a uma LRA, mesmo quando o aporte sanguíneo e outras funções dos rins estão inicialmente normais. Se o débito urinário de apenas um rim sofrer redução, não ocorrerá uma grande mudança na composição dos líquidos corporais, visto que o rim contralateral pode aumentar seu débito urinário o suficiente para manter níveis relativamente normais de eletrólitos e solutos extracelulares, bem como o volume do líquido extracelular. Nesse tipo de lesão renal, a função normal dos rins pode ser recuperada se a causa base do problema for corrigida dentro de algumas horas. Todavia, uma obstrução crônica do trato urinário que perdure por muitos dias ou semanas pode levar a uma lesão irreversível dos rins. Algumas causas de LRA pós-renal incluem: (1) obstrução bilateral dos ureteres ou pelves renais causada por cálculos ou coágulos grandes; (2) obstrução vesical; e (3) obstrução uretral.

EFEITOS FISIOLÓGICOS DA LESÃO RENAL AGUDA

Um efeito fisiológico principal da LRA é a retenção de água, produtos residuais do metabolismo e eletrólitos no sangue e líquido extracelular. Isso pode levar a uma sobrecarga de líquidos e sais que, por sua vez, pode levar a edema e hipertensão. A retenção excessiva de potássio, todavia, é uma ameaça ainda mais grave aos pacientes com LRA, pois aumentos na concentração plasmática de potássio (hiperpotassemia) acima de 8 mEq/ℓ (somente 2 vezes o normal) já podem ser fatais. Visto que os rins também deixam de excretar quantidades suficientes de íons hidrogênio, pacientes com LRA podem apresentar acidose metabólica, que em si pode ser letal ou pode agravar a hiperpotassemia.

Em casos mais graves de LRA, ocorre anúria completa. O paciente morrerá em 8 a 14 dias a não ser que se restaure a função renal ou se utilize um rim artificial para depurar o organismo do excesso de água, eletrólitos e produtos residuais metabólicos retidos. Outros efeitos da redução do débito urinário, bem como o tratamento com rim artificial, serão discutidos na próxima seção relacionada à DRC.

A DOENÇA RENAL CRÔNICA É FREQUENTEMENTE ASSOCIADA À PERDA IRREVERSÍVEL DE NÉFRONS FUNCIONAIS

A *DRC* em geral se define pela presença de lesão renal ou redução da função renal que persiste por ao menos 3 meses. A DRC é frequentemente associada à perda progressiva e irreversível de um grande número de néfrons funcionais. Sintomas clínicos graves geralmente não ocorrem até que o número de néfrons funcionais caia ao menos 70 a 75% abaixo do normal. De fato, concentrações relativamente normais da maioria dos eletrólitos ainda podem ser mantidas no sangue até que o número de néfrons funcionais esteja 20 a 25% abaixo do normal.

A **Tabela 32.4** lista algumas das causas mais importantes de DRC. Geralmente, a DRC, assim como a LRA, pode

Tabela 32.4 Algumas causas de doença renal crônica.

Distúrbios metabólicos
  Diabetes melito
  Obesidade
  Amiloidose
Hipertensão
Distúrbios vasculares renais
  Aterosclerose
  Nefrosclerose hipertensiva
Distúrbios imunológicos
  Glomerulonefrite
  Poliarterite nodosa
  Lúpus eritematoso
Infecções
  Pielonefrite
  Tuberculose
Distúrbios tubulares primários
  Nefrotoxinas (analgésicos, metais pesados)
Obstrução do trato urinário
  Cálculos renais
  Hipertrofia prostática
  Estenose de uretra
Distúrbios congênitos
  Doença policística
  Ausência congênita de tecido renal (hipoplasia renal)

ocorrer por distúrbios dos vasos sanguíneos, glomérulos, túbulos, interstício renal e trato urinário inferior. Apesar da grande variedade de doenças que podem levar à DRC, o resultado final é essencialmente o mesmo – redução do número de néfrons funcionais.

CICLO VICIOSO DA DOENÇA RENAL CRÔNICA LEVANDO À DOENÇA RENAL TERMINAL

Em alguns casos, um insulto inicial ao rim leva à deterioração progressiva da função renal e perda de néfrons até um ponto em que o indivíduo necessite de tratamento com diálise ou transplante com um rim funcional para sobreviver. Essa condição recebe o nome de *doença renal terminal (DRT)*.

Estudos experimentais demonstraram que a remoção cirúrgica de grandes porções do rim inicialmente causa mudanças adaptativas nos néfrons remanescentes, o que leva a um aumento do fluxo sanguíneo, aumento da TFG e do débito urinário desses néfrons sobreviventes. Os mecanismos exatos responsáveis por essas alterações não são bem compreendidos, mas envolvem hipertrofia (crescimento das diversas estruturas que compõem os néfrons sobreviventes) e mudanças funcionais que reduzem a resistência vascular e a reabsorção tubular dos néfrons remanescentes. Essas mudanças adaptativas permitem que um indivíduo excrete quantidades normais de água e solutos, mesmo com massa renal reduzida a 20 a 25% de seu normal. Ao longo de muitos anos, entretanto, as mudanças podem continuar lesionando os néfrons remanescentes, particularmente seus glomérulos.

Essa lesão progressiva pode ser relacionada em parte ao aumento da pressão ou estiramento dos glomérulos remanescentes, o que ocorre como resultado de vasodilatação funcional de diferentes arteríolas ou aumento da pressão arterial. Acredita-se que o aumento crônico da pressão e o estiramento das pequenas arteríolas e glomérulos causem lesão e esclerose desses vasos (substituição do tecido normal por tecido conjuntivo). Essas lesões esclerosantes podem obstruir o glomérulo, levando a uma redução ainda mais significativa da função renal, a maiores mudanças adaptativas dos néfrons remanescentes e a um ciclo vicioso de progressão lenta que termina na DRT (ver **Figura 32.2**). O método mais eficaz para se retardar a perda progressiva da função renal é diminuir a pressão arterial e a pressão hidrostática glomerular, especialmente com emprego de fármacos como inibidores da enzima conversora de angiotensina (ECA) ou antagonistas de receptores de Ang II.

A **Tabela 32.5** lista as causas mais comuns de DRT. No início da década de 1980, acreditava-se que a *glomerulonefrite* em todas as suas formas fosse a causa inicial mais comum da DRT. Mais recentemente, o *diabetes melito* e a *hipertensão arterial sistêmica* foram reconhecidos como causas principais de DRT, correspondendo juntos a mais de 70% dos casos de DRT.

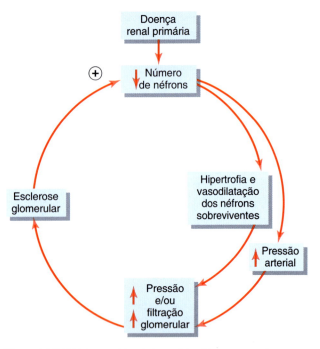

Figura 32.2 Está bem evidenciado o ciclo vicioso que pode ocorrer na doença renal primária. A perda de néfrons decorrente da doença pode causar aumento da pressão e fluxo dos capilares glomerulares sobreviventes, o que pode lesionar também esses capilares normais, causando esclerose progressiva e eventual perda desses glomérulos.

O ganho excessivo de peso (obesidade) parece ser o fator de risco mais importante para as duas causas de DRT – diabetes e hipertensão. Conforme discutido no Capítulo 79, o diabetes tipo 2, que está intimamente relacionado à obesidade, corresponde a mais de 90% de todos os casos de diabetes melito. O ganho de peso excessivo também é uma importante causa de hipertensão essencial, correspondendo a 65 a 75% do risco de desenvolvimento de hipertensão em adultos. Além de causar lesão renal pelo diabetes e pela hipertensão, a obesidade pode produzir efeitos aditivos ou sinergísticos para piorar a função renal em pacientes com doença renal preexistente.

LESÃO DE VASOS RENAIS COMO CAUSA DE DOENÇA RENAL CRÔNICA

Muitos tipos de lesões vasculares podem levar a isquemia renal e morte do tecido renal. As mais comuns dessas lesões são: (1) *aterosclerose* das artérias renais maiores,

Tabela 32.5 Causas mais comuns de doença renal em estágio terminal (DRT).

Causa	Número total de pacientes com DRT (%)
Diabetes melito	45
Hipertensão	27
Glomerulonefrite	8
Doença do rim policístico	2
Outra, desconhecida	18

com constrição progressiva esclerosante dos vasos; (2) *hiperplasia fibromuscular* de uma ou mais artérias maiores, o que também causa oclusão vascular; e (3) *nefrosclerose*, causada por lesões esclerosantes de artérias menores, arteríolas e glomérulos.

Lesões ateroscleróticas ou hiperplásicas de grandes artérias acometem com frequência um rim mais do que o outro, causando, portanto, diminuição unilateral da função renal. Conforme discutido no Capítulo 19, a hipertensão geralmente ocorre quando a artéria de um rim está em vasoconstrição e a artéria contralateral está normal, uma condição análoga à chamada hipertensão renovascular de dois rins de Goldblatt.

A *nefrosclerose benigna*, forma mais comum de doença renal, é encontrada até certo grau em cerca de 70% dos exames *post mortem* de indivíduos que morreram após os 60 anos de idade. Esse tipo de lesão vascular ocorre nas artérias interlobulares menores e arteríolas aferentes renais. Acredita-se que a lesão se inicie com extravasamento de plasma através da membrana íntima desses vasos. Esse extravasamento causa depósito fibrinoide nas camadas médias dos vasos, seguido de espessamento progressivo da parede vascular, que eventualmente promove constrição dos vasos e, em alguns casos, oclusão. Como essencialmente não existe circulação colateral em meio às artérias renais menores, a oclusão de uma ou mais artérias causa destruição de um número comparável de néfrons. Portanto, grande parte do tecido renal é substituída por pequenas quantidades de tecido fibroso. Quando a esclerose ocorre nos glomérulos, a lesão recebe o nome de *glomerulosclerose*.

Tanto a nefrosclerose quanto a glomerulosclerose ocorrem em algum grau na maioria das pessoas após a quarta década de vida, causando redução de aproximadamente 10% no número de néfrons funcionais para cada 10 anos de idade após os 40 anos (ver **Figura 32.3**). Essa perda de glomérulos e função geral dos néfrons é refletida por uma redução progressiva no fluxo sanguíneo renal e na TFG. Mesmo em indivíduos saudáveis sem hipertensão ou diabetes subjacente, o fluxo plasmático renal e a TFG podem diminuir em 40 a 50% até os 80 anos de idade.

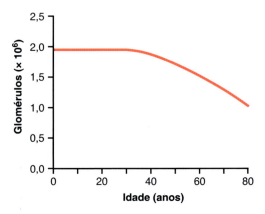

Figura 32.3 Efeito do envelhecimento sobre o número de glomérulos funcionais.

CAPÍTULO 32 Diuréticos e Doenças Renais

A frequência e gravidade da nefrosclerose e glomerulosclerose aumentam acentuadamente com *hipertensão* ou *diabetes melito* concomitante. Portanto, a nefrosclerose benigna associada a uma hipertensão grave pode rapidamente progredir para uma *nefrosclerose maligna*. As características histológicas típicas da nefrosclerose maligna incluem grandes quantidades de depósitos fibrinoides nas arteríolas e espessamento progressivo dos vasos, com isquemia grave dos néfrons acometidos. Por motivos desconhecidos, a incidência da nefrosclerose maligna e da glomerulosclerose grave é significativamente maior em indivíduos negros comparados a brancos de idade similar e com graus similares de gravidade da hipertensão ou do diabetes.

LESÃO GLOMERULAR COMO CAUSA DE DOENÇA RENAL CRÔNICA: GLOMERULONEFRITE

A glomerulonefrite crônica pode ser causada por diversas doenças que cursam com inflamação e lesão de capilares glomerulares renais. Ao contrário da forma aguda dessa doença, a glomerulonefrite crônica é uma doença de progressão lenta que em geral leva à insuficiência renal irreversível. Pode ocorrer na forma de uma doença renal primária após uma glomerulonefrite aguda ou pode ser secundária a uma doença sistêmica, como *lúpus eritematoso sistêmico*.

Na maior parte dos casos, a glomerulonefrite crônica inicia-se com acúmulo de complexos antígeno-anticorpo precipitados na membrana glomerular. Ao contrário da glomerulonefrite aguda, infecções estreptocócicas correspondem a somente uma pequena porcentagem dos pacientes com a forma crônica de glomerulonefrite. O acúmulo de complexos antígeno-anticorpo nas membranas glomerulares provoca inflamação, espessamento progressivo das membranas e eventual invasão dos glomérulos por tecido fibroso. Nos estágios avançados da doença, o coeficiente de filtração dos capilares glomerulares torna-se muito diminuído em virtude da redução do número de capilares capazes de realizar filtração nos grupos de glomérulos e do espessamento das membranas glomerulares. Nos estágios finais da doença, muitos glomérulos são substituídos por tecido fibroso e perdem sua capacidade de filtrar líquidos.

LESÃO DO INTERSTÍCIO RENAL COMO CAUSA DE DOENÇA RENAL CRÔNICA: NEFRITE INTERSTICIAL

A doença primária ou secundária do interstício renal é denominada *nefrite intersticial*. Em geral, essa condição pode resultar de lesão vascular, glomerular ou tubular que destrói néfrons individuais, ou pode envolver lesão primária do interstício renal por venenos, fármacos e infecções bacterianas.

A lesão intersticial renal causada por infecção bacteriana chama-se *pielonefrite*. A infecção pode resultar de diferentes tipos de bactérias, porém especialmente *Escherichia coli*, que advém de contaminação fecal do trato urinário. Essas bactérias atingem os rins pela circulação sanguínea ou, mais comumente, por via ascendente, a partir do trato urinário inferior, passando pelos ureteres e acometendo os rins.

Embora a bexiga normal seja capaz de depurar bactérias de forma imediata, há duas condições clínicas gerais que podem interferir no *clearance* (depuração) normal de bactérias da bexiga: (1) incapacidade da bexiga de se esvaziar completamente, deixando urina residual em seu interior; e (2) obstrução do fluxo urinário. Quando a capacidade de *clearance* de bactérias da bexiga se encontra comprometida, essas bactérias se multiplicam e causam inflamação da bexiga, condição denominada *cistite*. A cistite pode permanecer localizada sem ascensão ao rim ou, em alguns indivíduos, bactérias da bexiga podem alcançar a pelve renal em razão de uma condição patológica na qual a urina é propulsionada para cima por um ou ambos os ureteres durante a micção. Essa condição se chama *refluxo vesicoureteral* e ocorre pela incapacidade da parede vesical de ocluir o ureter durante a micção. Como resultado, parte da urina é propulsionada até o rim, levando bactérias que podem atingir a pelve renal e a medula renal, onde iniciam infecção e inflamação associadas, produzindo a pielonefrite.

A pielonefrite começa na medula renal, acometendo em geral a função da medula mais do que a do córtex, pelo menos em seus estágios iniciais. Como uma das funções primárias da medula renal é promover o mecanismo de contracorrente para concentrar a urina, pacientes com pielonefrite frequentemente apresentam comprometimento da capacidade de concentrar urina.

Quando a pielonefrite perdura por maior tempo, a invasão dos rins por bactérias não apenas lesiona o interstício medular, mas também lesiona progressivamente os túbulos, glomérulos e outras estruturas do rim. Consequentemente, grandes partes de tecido funcional renal são perdidas, podendo ocorrer o desenvolvimento de DRC.

SÍNDROME NEFRÓTICA: EXCREÇÃO DE PROTEÍNAS NA URINA

A *síndrome nefrótica*, caracterizada pela perda de grandes quantidades de proteínas plasmáticas na urina, desenvolve-se em muitos pacientes com doença renal crônica. Em alguns casos, essa síndrome ocorre sem evidência de outras anormalidades maiores na função renal, embora esteja, em geral, associada a algum grau de DRC.

A causa da perda de proteínas na urina geralmente envolve o aumento da permeabilidade da membrana glomerular. Portanto, qualquer doença que aumente a permeabilidade dessa membrana pode causar síndrome nefrótica. Tais doenças incluem: (1) *glomerulonefrite crônica*, que acomete primariamente os glomérulos e frequentemente causa aumento marcante da permeabilidade da membrana glomerular; (2) *amiloidose*, que resulta do depósito de uma substância proteinoide (amiloide) anormal nas paredes dos vasos sanguíneos e lesiona gravemente a membrana basal dos glomérulos; e (3) *síndrome nefrótica por lesões mínimas*, que não está associada a nenhuma anormalidade muito notável da membrana capilar glomerular que possa ser detectada por meio de microscopia óptica. Conforme discutido no Capítulo 27, a nefropatia por lesões mínimas foi associada a uma resposta imunológica anormal e aumento da secreção de citocinas por células T, que podem causar lesão de podócitos e aumento da permeabilidade a proteínas de baixo peso molecular, como albumina.

A nefropatia por lesões mínimas pode ocorrer em adultos, porém ocorre com maior frequência em crianças de idade entre 2 e 6 anos. O aumento da permeabilidade da membrana capilar glomerular em alguns casos permite perda de até 40 gramas de proteínas na urina por dia, quantidade extremamente grande para uma criança. Com isso, a concentração plasmática de proteínas da criança pode cair até menos que 2 g/dℓ e a pressão coloidosmótica pode cair de seu valor normal de 28 mmHg para até 10 mmHg. A consequência dessa baixa pressão coloidosmótica do plasma é o extravasamento de grandes quantidades de líquido dos capilares de todo o organismo na maioria dos tecidos, causando edema grave, conforme discutido no Capítulo 25.

FUNÇÃO DO NÉFRON NA DOENÇA RENAL CRÔNICA

A perda da função de néfrons demanda dos néfrons sobreviventes maior excreção de água e solutos.
Seria razoável suspeitar que a redução do número de néfrons funcionais, o que causa redução da TFG, também provocaria diminuições marcantes na excreção renal de água e solutos. Porém, pacientes que perderam até 75 a 80% de seus néfrons continuam excretando quantidades normais de água e eletrólitos sem acúmulo importante de líquido ou da maior parte dos eletrólitos nos líquidos corporais. Uma perda maior de néfrons, todavia, causa retenção de líquidos e eletrólitos, geralmente culminando em morte quando esse número chega a 5 a 10% de seu normal.

Ao contrário dos eletrólitos, muitos produtos residuais do metabolismo, como a ureia e a creatinina, acumulam-se em proporção praticamente igual ao número de néfrons destruídos. O motivo é que substâncias como creatinina e ureia dependem amplamente da filtração glomerular para sua excreção, não sendo reabsorvidas tão intensamente quanto eletrólitos. A creatinina, por exemplo, não sofre nenhuma reabsorção, sendo sua taxa de excreção aproximadamente igual à taxa com que é filtrada (negligenciando-se a pequena quantidade secretada):

Taxa de filtração de creatinina
= TFG × Concentração plasmática de creatinina
= Taxa de excreção de creatinina

Portanto, se ocorrer diminuição da TFG, a taxa de excreção de creatinina também diminuirá gradativamente, causando acúmulo de creatinina nos líquidos corporais e aumentando sua concentração plasmática até que sua excreção retorne ao normal – a mesma taxa da produção de creatinina no organismo (ver **Figura 32.4**). Sendo assim, sob condições estáveis, a taxa de excreção de creatinina iguala-se à sua taxa de produção, mesmo diante de diminuições na TFG. Contudo, essa taxa normal de excreção de creatinina ocorre à custa de um aumento de sua concentração plasmática, conforme demonstrado pela curva A na **Figura 32.5**.

Alguns solutos, como o fosfato, urato e os íons hidrogênio, são em geral mantidos próximo de seu normal até que a TFG atinja 20 a 30% de seu normal. Com isso, elevam-se as concentrações plasmáticas dessas substâncias, porém não proporcionalmente à queda da TFG, conforme demonstrado pela curva B da **Figura 32.5**. A manutenção de concentrações plasmáticas relativamente constantes desses solutos à medida que ocorre diminuição da TFG é realizada por meio da excreção de frações progressivamente maiores de tais solutos filtrados nos capilares glomerulares. Isso ocorre em razão da diminuição da taxa de reabsorção tubular ou, em alguns casos, por meio do aumento da secreção tubular.

No caso do sódio e do cloreto, suas concentrações plasmáticas são mantidas praticamente constantes, mesmo em casos de redução grave da TFG (curva C da **Figura 32.5**). Essa manutenção é conseguida reduzindo-se significativamente a reabsorção tubular desses eletrólitos.

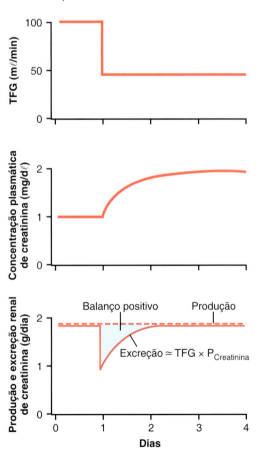

Figura 32.4 Efeito da redução da taxa de filtração glomerular (TFG) em 50% sobre a concentração sérica de creatinina e taxa de excreção de creatinina com a sua taxa de produção constante.

CAPÍTULO 32 Diuréticos e Doenças Renais

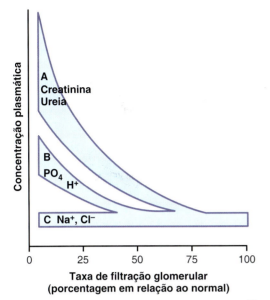

Figura 32.5 Padrões de adaptação representativos para diferentes tipos de solutos na insuficiência renal crônica. A *curva A* demonstra as alterações aproximadas nas concentrações plasmáticas de solutos como creatinina e ureia, que são filtradas porém pouco reabsorvidas. A *curva B* demonstra as concentrações aproximadas de solutos como fosfato, urato e hidrogênio. A *curva C* demonstra as concentrações aproximadas de solutos como sódio e cloreto.

Por exemplo, com a perda de 75% dos néfrons funcionais, cada néfron sobrevivente deverá excretar quatro vezes a quantidade de sódio e volume sob condições normais (**Tabela 32.6**). Parte dessa adaptação ocorre devido ao aumento do fluxo sanguíneo e da TFG em cada néfron sobrevivente em razão da hipertrofia dos vasos sanguíneos e glomérulos, bem como alterações funcionais que provocam vasodilatação. Mesmo com redução significativa na TFG total, ainda se mantêm taxas de excreção renal normais por meio da diminuição da taxa com que os túbulos reabsorvem água e solutos.

Isostenúria: incapacidade dos rins de concentrar ou diluir a urina.
Um importante efeito do fluxo tubular rápido que ocorre nos néfrons remanescentes de rins doentes é a perda da capacidade tubular de concentrar ou diluir a urina completamente. A capacidade de concentração da urina pelos rins é comprometida principalmente devido aos seguintes fatores: (1) o fluxo rápido do líquido tubular através dos ductos coletores impede a reabsorção adequada de água; (2) e o fluxo rápido através da alça de Henle e ductos coletores impede que o mecanismo de contracorrente funcione corretamente para concentrar os solutos do líquido intersticial medular. Portanto, à medida que mais néfrons são destruídos, ocorre diminuição da capacidade máxima de concentração da urina pelos rins e a osmolaridade e densidade urinárias se aproximam das do filtrado glomerular, conforme demonstrado na **Figura 32.6**.

O mecanismo de diluição do rim também se torna comprometido quando o número de néfrons diminui significativamente, visto que o escoamento rápido através das alças de Henle e as altas cargas de solutos, como ureia, produzem uma concentração de solutos relativamente alta no líquido tubular nessa região do néfron. A consequência é o comprometimento da capacidade de diluição da urina pelos rins e a aproximação da osmolaridade e densidade entre urina e filtrado glomerular. Como na DRC ocorre maior comprometimento do mecanismo de concentração do que diluição da urina, um importante exame clínico da função renal é a determinação de quão efetivamente os rins concentram a urina quando a ingestão de água de um indivíduo é restringida por 12 horas ou mais.

Efeitos da insuficiência renal sobre os líquidos corporais: uremia

O efeito da DRC sobre os líquidos corporais depende do seguinte: (1) ingestão de água e alimento; e (2) grau de comprometimento da função renal. Admitindo-se que um indivíduo com insuficiência renal completa continue ingerindo a mesma quantidade de água e alimento, as concentrações de diferentes substâncias se alterariam no líquido extracelular, conforme demonstrado na **Figura 32.7**. Entre os efeitos importantes estão: (1) *edema generalizado* resultante da retenção de água e sais; (2) *acidose* resultante da incapacidade dos rins de excretar produtos ácidos normais do organismo; (3) *alta concentração de nitrogênios não proteicos*

Tabela 32.6 Excreção renal total e excreção por néfron na doença renal.

	Normal	Perda de 75% dos néfrons
Número de néfrons	2.000.000	500.000
Taxa de filtração glomerular total (TFG, mℓ/min)	125	40
TFG de um único néfron (nℓ/min)	62,5	80
Volume excretado de todos os néfrons (mℓ/min)	1,5	1,5
Volume excretado por néfron (nℓ/min)	0,75	3,0

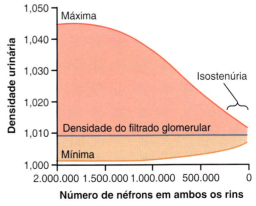

Figura 32.6 Desenvolvimento de isostenúria em um paciente com diminuição do número de néfrons funcionais.

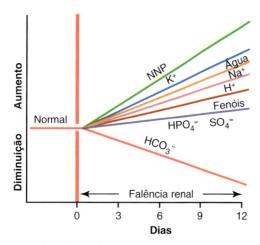

Figura 32.7 Efeito da insuficiência renal sobre os constituintes do líquido extracelular. NNP: nitrogênios não proteicos.

– especialmente ureia, creatinina e ácido úrico – resultante da incapacidade do organismo de excretar produtos residuais do metabolismo de proteínas; e (4) *alta concentração de outras substâncias* excretadas pelo rim, incluindo *fenóis, sulfatos, fosfatos, potássio* e *guanidinas*. Essa condição total recebe o nome de *uremia*, devido à alta concentração de ureia nos líquidos corporais.

Retenção de água e desenvolvimento de edema na doença renal crônica. Se a ingestão de água for restringida imediatamente após o início da lesão renal aguda, o conteúdo total de líquidos corporais poderá aumentar apenas discretamente. Se a ingestão de líquidos não for limitada e o paciente ingerir líquidos em resposta aos mecanismos normais da sede, os líquidos corporais passarão a aumentar rapidamente.

Contanto que a ingestão de sais e líquidos não seja excessiva, o acúmulo de líquidos na DRC poderá não ser grave até que a função renal caia para 25% de seu normal ou menos. O motivo é que, conforme discutido previamente, néfrons sobreviventes excretam grandes quantidades de sais e água. Mesmo a pequena retenção de líquido que ocorre na doença, juntamente com o aumento da secreção de renina e formação de Ang II que acompanha a doença renal isquêmica, frequentemente causa hipertensão grave. Quando a função renal decair tanto que seja necessária diálise para preservar a vida, quase que invariavelmente se desenvolverá hipertensão. Em muitos desses pacientes, a redução grave da ingestão de sal ou a remoção do líquido extracelular por meio de diálise podem controlar a hipertensão. Alguns pacientes permanecem hipertensos mesmo após remoção do excesso de sódio por diálise. Nesse grupo de pacientes, a ressecção dos rins isquêmicos em geral corrige a hipertensão (contanto que a retenção de líquidos seja prevenida com diálise) porque remove a fonte da secreção excessiva de renina e subsequente aumento da formação de Ang II.

Aumento de ureia e outros nitrogênios não proteicos (azotemia). Os nitrogênios não proteicos incluem a ureia, ácido úrico, creatinina e alguns outros compostos de menor importância. Esses nitrogênios são em geral produtos residuais do metabolismo proteico que necessitam ser removidos do organismo a fim de garantir a manutenção do metabolismo proteico normal das células. As concentrações desses nitrogênios não proteicos, particularmente a ureia, podem aumentar até 10 vezes seu normal ao longo de 1 a 2 semanas de insuficiência renal total. Na DRC, as concentrações aumentam em proporção aproximada ao grau de redução da TFG. Por essa razão, a mensuração dessas substâncias, especialmente ureia e creatinina, constitui um importante meio de se avaliar a gravidade da DRC.

Acidose na DRC. A cada dia, o organismo normalmente produz cerca de 50 a 80 mmol a mais de ácidos do que álcalis durante o metabolismo. Portanto, quando a função renal está comprometida, ocorre acúmulo de ácidos nos líquidos corporais. Os tampões dos líquidos corporais normalmente conseguem tamponar 500 a 1.000 mmols de ácido sem aumento letal na concentração de H⁺ do líquido extracelular e os fosfatos ósseos podem tamponar alguns milhares de milimoles adicionais de H⁺. Todavia, quando esse poder de tamponamento se torna exaurido, o pH sanguíneo cai drasticamente e o paciente se torna comatoso, chegando a morrer se o pH atingir valores menores que 6,8.

Anemia na doença renal crônica causada por redução da secreção de eritropoetina. Quase sempre ocorre o desenvolvimento de anemia em pacientes com DRC grave. A causa mais importante dessa anemia é a diminuição da secreção renal de *eritropoetina*, que estimula a medula óssea a produzir hemácias. Se os rins estiverem gravemente lesionados, serão incapazes de formar quantidades adequadas de eritropoetina, o que leva a uma diminuição na produção de hemácias e consequente anemia.

Desde 1989, contudo, a disponibilidade da eritropoetina recombinante forneceu um meio de se tratar a anemia de pacientes com insuficiência renal crônica.

Osteomalacia na doença renal crônica causada por redução da produção de vitamina D ativa e retenção de fosfato pelos rins. A DRC prologada também causa *osteomalacia*, uma condição na qual os ossos são parcialmente absorvidos, tornando-se, portanto, significativamente mais fracos. Uma importante causa de osteomalacia é que a vitamina D necessita ser convertida por um processo de duas etapas, primeiro no fígado e depois nos rins, em 1,25-di-hidroxicolecalciferol (*calcitriol*), antes que se torne capaz de promover a absorção de cálcio no intestino. Portanto, a lesão grave dos rins reduz significativamente a concentração de calcitriol (vitamina D *ativa*), o que, por sua vez, reduz a absorção intestinal de cálcio, diminuindo, por conseguinte, a sua disponibilidade para a formação dos ossos.

Outra importante causa de desmineralização do esqueleto na DRC é o aumento da concentração sérica de fosfato, que passa a ser menos excretado por causa da redução da TFG. Esse aumento dos níveis séricos de fosfato eleva sua ligação com cálcio no plasma, diminuindo a concentração sérica do cálcio *ionizado*. Isso, por sua vez, estimula a secreção de *paratormônio*. Esse hiperparatireoidismo secundário estimula a reabsorção de cálcio dos ossos, agravando a desmineralização óssea.

Hipertensão e doença renal

Conforme discutido anteriormente neste capítulo, a hipertensão pode exacerbar a lesão de glomérulos e vasos sanguíneos

CAPÍTULO 32 Diuréticos e Doenças Renais

dos rins, sendo uma causa principal de DRT. Anormalidades da função renal podem também causar hipertensão, conforme discutido no Capítulo 19. Ou seja, a relação entre a hipertensão e a doença renal pode, em alguns casos, propagar um ciclo vicioso – a doença renal primária leva ao aumento da pressão arterial, que causa maior lesão renal e maior aumento da pressão arterial, até que se desenvolva a DRT.

Nem todos os tipos de doença renal provocam hipertensão, pois a lesão de determinadas porções do rim causa uremia sem hipertensão. Alguns tipos de lesão renal são, todavia, particularmente propensas a causar hipertensão. Uma classificação das doenças renais relacionadas a efeitos hipertensivos ou não hipertensivos é fornecida nas seções seguintes.

Lesões renais que diminuem a capacidade dos rins de excretar sódio e água produzem hipertensão.

Lesões renais que reduzem a capacidade dos rins de excretar sódio e água quase invariavelmente causam hipertensão. Portanto, lesões que *diminuem a TFG* ou *aumentam a reabsorção tubular* geralmente causam hipertensão de graus variáveis. Alguns tipos específicos de anormalidades renais que podem causar hipertensão são:

1. *Aumento da resistência vascular renal*, que diminui o fluxo sanguíneo renal e a TFG. Um exemplo é a hipertensão causada por estenose da artéria renal.
2. *Diminuição do coeficiente de filtração do capilar glomerular, que diminui a TFG.* Um exemplo é a glomerulonefrite crônica, que causa inflamação e espessamento das membranas capilares glomerulares, reduzindo o coeficiente de filtração do capilar glomerular.
3. *Reabsorção tubular excessiva de sódio.* Um exemplo é a hipertensão causada por secreção excessiva de aldosterona, que aumenta a reabsorção de sódio principalmente nos túbulos coletores corticais.

Uma vez desenvolvida a hipertensão, a excreção renal de sódio e água retorna ao normal porque a alta pressão arterial causa natriurese e diurese de pressão, de forma que a ingestão e a eliminação de sódio e água se equilibram novamente. Mesmo quando ocorrem aumentos significativos da resistência vascular renal ou diminuição do coeficiente capilar glomerular, a TFG pode ainda retornar a níveis próximos do normal após o aumento da pressão arterial. Da mesma forma, quando ocorre aumento da reabsorção tubular, como no caso da secreção excessiva de aldosterona, a taxa de excreção urinária inicialmente diminui, porém retorna ao normal à medida que a pressão arterial aumenta. Assim, após desenvolvimento da hipertensão, pode não existir um sinal óbvio de comprometimento da excreção de sódio e água exceto pela hipertensão. Conforme explicado no Capítulo 19, a excreção normal de sódio e água com pressão arterial alta significa que a natriurese e a diurese de pressão foram reajustadas para uma pressão arterial mais alta.

Hipertensão causada por lesão renal irregular e aumento da secreção renal de renina.

Se houver isquemia em uma parte do rim, com o restante do rim não isquêmico, como ocorre na constrição grave de uma artéria renal, os tecidos renais isquêmicos passarão a secretar grandes quantidades de renina. Essa secreção leva ao aumento da formação de Ang II, que pode causar hipertensão. A sequência mais provável de eventos que leva a essa hipertensão, como discutido no Capítulo 19, é a seguinte:

(1) o tecido renal isquêmico excreta quantidades de água e sais menores que o normal; (2) a renina secretada pelo rim isquêmico, bem como o aumento subsequente da formação de Ang II, afeta o tecido renal não isquêmico, fazendo com que este também retenha sais e água; e (3) o excesso de sais e água causa, em geral, hipertensão.

Um tipo similar de hipertensão pode resultar quando áreas irregulares de um ou ambos os rins se tornam isquêmicas devido a uma arteriosclerose ou lesão vascular em porções específicas dos rins. Quando isso ocorre, os néfrons isquêmicos passam a excretar menos sal e água, porém maior quantidade de renina, que causa aumento da formação de Ang II. Os altos níveis de Ang II comprometem a capacidade dos néfrons circunjacentes, até então normais, de excretar sódio e água. Disso resulta o desenvolvimento de hipertensão, que restaura a excreção geral de sódio e água pelos rins, de forma que o equilíbrio entre a ingestão e a eliminação de sais e água seja mantido, porém à custa de uma alta pressão arterial.

Doenças renais que causam perda de néfrons inteiros levam à doença renal crônica, mas podem não causar hipertensão

A perda de grandes números de néfrons inteiros, como ocorre com a perda de um rim e parte do outro rim, quase sempre leva à DRC se o tecido renal perdido for amplo o suficiente. Se os néfrons remanescentes estiverem normais e a ingestão de sais não estiver excessiva, essa condição poderá não causar hipertensão clinicamente significativa. Isso se deve ao fato de que mesmo um aumento discreto da pressão arterial já causará elevação da TFG e redução da reabsorção tubular de sódio nos néfrons sobreviventes, de forma suficiente para promover excreção de água e sais na urina, mesmo com os poucos néfrons que ficaram intactos. Todavia, um paciente com esse tipo de anormalidade pode se tornar gravemente hipertenso se sofrer estresses adicionais, como ingestão de uma grande quantidade de sal. Nesse caso, os rins simplesmente não conseguem depurar quantidades adequadas de sais sob pressão arterial normal com o pequeno número de néfrons funcionais que restaram. O aumento da pressão arterial restaura a excreção de sais e água de forma a equilibrá-la com a ingestão sob condições estáveis.

O tratamento efetivo da hipertensão requer uma otimização da capacidade dos rins de excretar sais e água por meio do aumento da TFG ou redução da reabsorção tubular, de forma que o equilíbrio entre a ingestão e a excreção renal de sais e água possa ser mantido com pressão arterial mais baixa. Esse efeito pode ser obtido utilizando-se fármacos que bloqueiem os efeitos de sinais neurais e hormonais que fazem com que os rins retenham sais e água (p. ex., bloqueadores beta-adrenérgicos, antagonistas de receptores de Ang II ou inibidores da ECA), fármacos que vasodilatem os rins e aumentem a TFG (p. ex., bloqueadores de canais de cálcio), ou diuréticos que iniham diretamente a reabsorção tubular de sais e água.

Distúrbios tubulares específicos

No Capítulo 28, foram discutidos diversos mecanismos responsáveis pelo transporte de diferentes substâncias individuais através das membranas epiteliais tubulares. No Capítulo 3, também foi apontado que cada enzima celular e cada proteína carreadora se forma em resposta a um gene

PARTE 5 Líquidos Corporais e Rins

específico do núcleo. Se algum gene necessário estiver ausente ou anormal, os túbulos poderão ter deficiência em uma das proteínas carreadoras adequadas ou uma das enzimas necessárias para o transporte de solutos pelas células epiteliais tubulares do rim. Em outros casos, produz-se quantidade muito grande da enzima ou proteína carreadora. Sendo assim, muitos distúrbios tubulares hereditários ocorrem em razão de transporte anormal de substâncias ou grupos de substâncias específicos através da membrana tubular. Ademais, a lesão da membrana epitelial tubular por toxinas ou isquemia pode causar importantes distúrbios tubulares renais.

Glicosúria renal: incapacidade dos rins de reabsorver glicose.
Na glicosúria renal, a glicemia pode estar normal, mas o mecanismo de transporte para reabsorção tubular da glicose se encontra gravemente limitado ou ausente. Consequentemente, mesmo com níveis normais no sangue, grandes quantidades de glicose passam para a urina todos os dias. Como o diabetes melito também está associado à presença de glicose na urina, a glicosúria renal, que é uma condição relativamente benigna, deve ser descartada antes de se fechar um diagnóstico de diabetes melito.

Aminoacidúria: incapacidade dos rins de reabsorver aminoácidos.
Alguns aminoácidos compartilham sistemas de transporte mútuos para sua reabsorção, ao passo que outros possuem sistemas de transporte distintos. Em casos raros, uma condição denominada *aminoacidúria generalizada* resulta da deficiência de reabsorção de todos os aminoácidos. Mais frequentemente, deficiências em sistemas de carreadores específicos podem resultar nas seguintes condições: (1) *cistinúria essencial*, em que grandes quantidades de cistina deixam de ser reabsorvidas e muitas vezes se cristalizam na urina, formando cálculos renais; (2) *glicinúria simples*, em que a glicina deixa de ser reabsorvida; ou (3) *beta-aminoisobutiricoacidúria*, que ocorre em cerca de 5% da população, aparentemente sem sinais clínicos relevantes.

Hipofosfatemia renal: incapacidade dos rins de reabsorver fosfato.
Na hipofosfatemia renal, os túbulos deixam de reabsorver íons fosfato em quantidade suficiente quando sua concentração nos líquidos corporais se torna muito baixa. Essa condição em geral não causa anormalidades graves imediatas, visto que a concentração de fosfato do líquido extracelular pode variar amplamente sem causar grande disfunção celular. Após um longo período de tempo, todavia, o nível baixo de fosfato causa diminuição da calcificação dos ossos, levando ao desenvolvimento de *raquitismo*. Esse tipo de raquitismo é refratário à terapia com vitamina D, ao contrário da resposta rápida obtida com o raquitismo usual, conforme discutido no Capítulo 80.

Acidose tubular renal: diminuição da secreção tubular de íons hidrogênio.
Na acidose tubular renal, os túbulos são incapazes de secretar quantidades adequadas de íons hidrogênio. Como resultado, grandes quantidades de bicarbonato de sódio são continuamente perdidas na urina. Essa perda causa um estado persistente de acidose metabólica, conforme discutido no Capítulo 31. Esse tipo de anormalidade renal pode ser causado por distúrbios hereditários ou resultar de lesão generalizada de túbulos renais.

Diabetes insípido nefrogênico: incapacidade dos rins de responder ao hormônio antidiurético.
Ocasionalmente, os túbulos renais deixam de responder ao hormônio antidiurético, causando excreção de grandes quantidades de urina diluída. Contanto que o indivíduo seja suprido com água em abundância, essa condição raramente causa grande dificuldade. Contudo, quando não estão disponíveis quantidades adequadas de água, rapidamente ocorre desidratação.

Síndrome de Fanconi: defeito generalizado da reabsorção dos túbulos renais.
A síndrome de Fanconi está geralmente associada ao aumento da excreção urinária de praticamente todos os aminoácidos, glicose e fosfato. Em casos graves, observam-se também outras manifestações, como (1) incapacidade de reabsorver bicarbonato de sódio, o que resulta em acidose metabólica; (2) aumento da excreção de potássio e algumas vezes de cálcio; e (3) diabetes insípido nefrogênico.

Existem múltiplas causas para a síndrome de Fanconi, que resulta de uma incapacidade generalizada das células tubulares renais de transportar diversas substâncias. Algumas causas são: (1) defeitos hereditários nos mecanismos de transporte celular; (2) toxinas ou fármacos que lesionam as células epiteliais tubulares renais; e (3) lesão das células tubulares devidas a isquemia. As células dos túbulos proximais são especialmente afetadas na síndrome de Fanconi causada por lesão tubular, pois essas células reabsorvem e secretam muitos dos fármacos e toxinas que causam lesão.

Síndrome de Bartter: redução da reabsorção de sódio, cloreto e potássio nas alças de Henle.
A *síndrome de Bartter* é um grupo raro de distúrbios renais causados por mutações que comprometem a função do cotransportador de um sódio, dois cloretos e um potássio, ou por defeitos em canais de potássio da membrana luminal ou de cloreto da membrana basolateral do segmento ascendente espesso da alça de Henle. Foram encontradas ao menos cinco mutações na síndrome, em geral herdadas por meio de um gene autossômico recessivo. Esses distúrbios resultam no aumento da excreção de água, sódio, cloreto, potássio e cálcio pelos rins. A perda de sais e água leva a uma discreta depleção de volume, resultando na ativação do sistema renina-angiotensina-aldosterona (SRAA). O aumento da aldosterona e o alto fluxo tubular distal oriundo do comprometimento da reabsorção na alça de Henle estimulam a secreção de potássio e hidrogênio nos túbulos coletores, causando hipopotassemia e alcalose metabólica.

Síndrome de Gitelman: redução da reabsorção de cloreto de sódio nos túbulos distais.
A *síndrome de Gitelman* é um distúrbio autossômico recessivo do cotransportador de cloreto de sódio sensível à tiazida presente nos túbulos distais. Pacientes com essa síndrome apresentam algumas características iguais às de pacientes com síndrome de Bartter – perda de sais e água, discreta depleção de volume e ativação do sistema renina-angiotensina-aldosterona –, embora essas anormalidades sejam em geral menos graves do que em indivíduos com síndrome de Bartter.

Como os defeitos tubulares presentes nas síndromes de Bartter ou de Gitelman ainda não têm correção, o tratamento é focado geralmente na reposição das perdas de cloreto de sódio e potássio. Alguns estudos sugeriram que o bloqueio da síntese de prostaglandinas utilizando anti-inflamatórios não esteroides (AINEs) e a administração de antagonistas de aldosterona, como a espironolactona, podem ser úteis na correção da hipopotassemia.

Síndrome de Liddle: aumento da reabsorção de sódio.

A *síndrome de Liddle* é um distúrbio autossômico dominante raro que resulta de várias mutações no canal de sódio epitelial (CNaE) sensível à amilorida presente nos túbulos distais e coletores. Essas mutações induzem atividade excessiva do CNaE, resultando em aumento da reabsorção de sódio e água, hipertensão e alcalose metabólica similar à que ocorre com secreção excessiva de aldosterona (aldosteronismo primário).

Pacientes com síndrome de Liddle apresentam, entretanto, retenção de sódio e diminuição da secreção de renina e dos níveis de Ang II, o que, por sua vez, reduz a secreção adrenal de aldosterona. Felizmente, essa síndrome pode ser tratada utilizando-se o diurético amilorida, que bloqueia a atividade excessiva do CNaE.

Tratamento da insuficiência renal utilizando transplante ou diálise com rim artificial

A perda grave da função renal, seja aguda ou crônica, representa uma ameaça à vida e requer remoção dos produtos residuais tóxicos e restauração do volume e composição dos líquidos corporais normais. Isso pode ser obtido por meio de um transplante de rim ou diálise utilizando um rim artificial. Mais de 700.000 pacientes nos EUA estão atualmente recebendo alguma forma de terapia para DRT.

O transplante bem-sucedido de um único rim do doador para um paciente com DRT pode restaurar a função renal em nível suficiente para manter a homeostasia essencialmente normal dos líquidos corporais e eletrólitos. Aproximadamente 19.000 transplantes de rim são realizados por ano nos EUA, embora mais de 100.000 pacientes ainda aguardem por um transplante. Pacientes que receberam transplantes de rim tipicamente vivem mais tempo e com menos problemas de saúde do que pacientes mantidos em diálise. A manutenção de uma terapia imunossupressora é necessária em quase todos os pacientes, a fim de impedir rejeição aguda e perda do rim transplantado. Os efeitos adversos de fármacos que suprimem o sistema imunológico incluem risco de infecções e alguns tipos de câncer, embora a terapia imunossupressora possa ser reduzida com o tempo, o que diminui sobremaneira esses riscos.

Mais de 475.000 pessoas com insuficiência renal irreversível ou remoção total de rim são mantidas cronicamente sob diálise com rins artificiais nos EUA. A diálise também é utilizada em alguns tipos de LRA para manter os pacientes estáveis até que seus rins recuperem a função. Se a perda da função renal ocorrer de forma irreversível, será necessário realizar diálise cronicamente para manter a vida. Como a diálise não pode manter completamente a composição normal dos líquidos corporais e não substitui todas as múltiplas funções que são realizadas pelos rins, a saúde de pacientes mantidos com uso de rins artificiais geralmente permanece significativamente comprometida.

Princípios básicos da diálise

O princípio básico do rim artificial é conduzir o sangue através de pequenos canais revestidos por uma membrana delgada. Do lado oposto da membrana existe um *líquido dialisador* para o qual as substâncias indesejáveis do sangue passam por meio de difusão.

A **Figura 32.8** demonstra os componentes de um tipo de rim artificial no qual o sangue flui continuamente entre duas membranas delgadas de celofane. Fora da membrana existe um líquido dialisador. O celofane é poroso o suficiente para permitir que os constituintes do plasma, exceto proteínas plasmáticas, difundam-se nas duas direções – do plasma para o dialisador e do dialisador de volta para o plasma. Se a concentração de uma substância estiver maior no plasma do que no líquido dialisador, ocorrerá efeito *resultante* de transferência da substância do plasma para o líquido dialisador.

A taxa de movimentação de solutos através da membrana dialisadora depende dos seguintes fatores: (1) gradiente de concentração de soluto entre as duas soluções; (2) permeabilidade da membrana ao soluto; (3) área de superfície da membrana; e (4) período de tempo durante o qual o sangue e o líquido permanecem em contato com a membrana.

Ou seja, a taxa máxima de transferência de soluto ocorre inicialmente quando o gradiente de concentração é maior (quando a diálise é iniciada) e vai se tornando mais lenta à medida que o gradiente de concentração se atenua. Em um sistema de fluxo, como é o caso da hemodiálise, no qual o sangue e o líquido dialisado fluem através do rim artificial, a atenuação do gradiente de concentração pode ser diminuída por meio do aumento do fluxo de sangue ou de líquido dialisado, ou ambos, otimizando a difusão de solutos através da membrana.

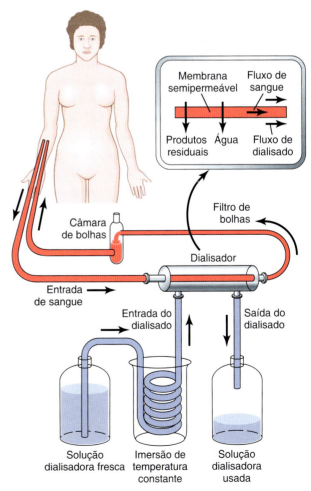

Figura 32.8 Princípios da diálise utilizando um rim artificial.

PARTE 5 Líquidos Corporais e Rins

No funcionamento normal do rim artificial, o sangue flui continuamente ou intermitentemente de volta para a veia. A quantidade total de sangue presente no rim artificial em um dado tempo é em geral menor que 500 mililitros, porém com fluxo de centenas de mililitros por minuto e área de difusão total entre 0,6 e 2,5 m². A fim de prevenir coagulação do sangue no rim artificial, uma pequena quantidade de heparina é adicionada ao sangue conforme este adentra o rim artificial. Além da difusão de solutos, é possível promover transferência massiva de solutos e água aplicando-se uma pressão hidrostática para forçar o líquido e os solutos através das membranas do dialisador. Esse tipo de filtração recebe o nome de *fluxo predominante* ou *hemofiltração*.

Líquido dialisador

A **Tabela 32.7** compara os constituintes do líquido dialisador típico ao plasma normal e urêmico. Observe que as concentrações de íons e outras substâncias presentes no líquido dialisador não são iguais às concentrações do plasma normal ou do plasma urêmico. Na realidade, são ajustadas a níveis necessários para causar o movimento adequado de água e solutos através da membrana durante a diálise.

Observe, ainda, que não há fosfato, ureia, ácido úrico, sulfato ou creatinina no líquido dialisador. Todavia, essas substâncias estão presentes em grandes quantidades no sangue urêmico. Portanto, quando um paciente urêmico é submetido à diálise, essas substâncias são perdidas em grandes quantidades para o líquido dialisador.

A eficiência do rim artificial pode ser expressa em função da quantidade de plasma que é depurado de diferentes substâncias por minuto, que é o método primário para se mensurar a eficiência dos próprios rins de depurar o organismo de substâncias indesejadas, conforme discutido no Capítulo 28. A maioria dos rins artificiais pode depurar ureia do plasma em taxa igual a 100 a 225 mℓ/min, o que demonstra que, ao menos para a excreção de ureia, o rim

artificial funciona cerca de duas vezes mais rápido que dois rins normais juntos, cujo *clearance* de ureia chega a somente 70 mℓ/min. Contudo, o rim artificial somente é utilizado 4 a 6 horas/dia, 3 vezes/semana. Portanto, o *clearance* plasmático geral é consideravelmente limitado quando rins normais são substituídos por rins artificiais. Ademais, é importante ter em mente que o rim artificial não substitui algumas outras funções dos rins, como a secreção de eritropoetina, necessária à produção de hemácias.

Bibliografia

Anders HJ, Huber TB, Isermann B, Schiffer M: CKD in diabetes: diabetic kidney disease versus nondiabetic kidney disease. Nat Rev Nephrol 14:361, 2018.

Cornec-Le Gall E, Alam A, Perrone RD: Autosomal dominant polycystic kidney disease. Lancet 393:919, 2019.

Docherty MH, O'Sullivan ED, Bonventre JV, Ferenbach DA: Cellular senescence in the kidney. J Am Soc Nephrol 30:726, 2019.

Ellison DH, Felker GM: Diuretic treatment in heart failure. N Engl J Med 377:1964, 2017.

Ernst ME, Moser M: Use of diuretics in patients with hypertension. N Engl J Med 361:2153, 2009.

Gonzalez-Vicente A, Saez F, Monzon CM, Asirwatham J, Garvin JL: Thick ascending limb sodium transport in the pathogenesis of hypertension. Physiol Rev 99:235, 2019.

Griffin KA: Hypertensive kidney injury and the progression of chronic kidney disease. Hypertension 70:687, 2017.

Hall JE, do Carmo JM, da Silva AA, Wang Z, Hall ME: Obesity, kidney dysfunction and hypertension: mechanistic links. Nature Reviews Nephrology 15:367, 2019.

Hall JE, Granger JP, do Carmo JM, da Silva AA, et al: Hypertension: physiology and pathophysiology. Compr Physiol 2:2393, 2012.

Hall ME, do Carmo JM, da Silva AA, et al: Obesity, hypertension, and chronic kidney disease. Int J Nephrol Renovasc Dis 7:75, 2014.

Hommos MS, Glassock RJ, Rule AD: structural and functional changes in human kidneys with healthy aging. J Am Soc Nephrol 28:2838, 2017.

Hoste EAJ, Kellum JA, Selby NM, Zarbock A, et al: Global epidemiology and outcomes of acute kidney injury. Nat Rev Nephrol 14:607, 2018.

Jourde-Chiche N, Fakhouri F, Dou L, Bellien J, et al: Endothelium structure and function in kidney health and disease. Nat Rev Nephrol 15:87, 2019.

Kellum JA, Prowle JR: Paradigms of acute kidney injury in the intensive care setting. Nat Rev Nephrol 14:217, 2018.

Kumar S: Cellular and molecular pathways of renal repair after acute kidney injury. Kidney Int 93:27, 2018.

Mattson DL: Immune mechanisms of salt-sensitive hypertension and renal end-organ damage. Nat Rev Nephrol 15:290, 2019.

Romagnani P, Remuzzi G, Glassock R, Levin A, et al: Chronic kidney disease. Nat Rev Dis Primers 2017 Nov 23;3:17088. doi: 10.1038/nrdp.2017.88

Rossier BC, Baker ME, Studer RA: Epithelial sodium transport and its control by aldosterone: the story of our internal environment revisited. Physiol Rev 95:297, 2015.

Sethi S, Fervenza FC: Membranoproliferative glomerulonephritis—a new look at an old entity. N Engl J Med 366:1119, 2012.

Smith RJH, Appel GB, Blom AM, Cook HT, et al: C3 glomerulopathy - understanding a rare complement-driven renal disease. Nat Rev Nephrol 15:129, 2019.

Thomas MC, Cooper ME, Zimmet P: Changing epidemiology of type 2 diabetes mellitus and associated chronic kidney disease. Nat Rev Nephrol 12:73, 2016.

Tolwani A: Continuous renal-replacement therapy for acute kidney injury. N Engl J Med 367:2505, 2012.

USRDS Coordinating Center. United States Renal Data System. http://www.usrds.org/.

Vivarelli M, Massella L, Ruggiero B, Emma F: Minimal change disease. Clin J Am Soc Nephrol 12:332, 2017.

Tabela 32.7 Comparação do líquido dialisador com o plasma normal e o plasma urêmico.

Constituinte	Plasma normal	Líquido dialisador	Plasma urêmico
Eletrólitos (mEq/ℓ)			
Na^+	142	133	142
K^+	5	1,0	7
Ca^{++}	3	3,0	2
Mg^{++}	1,5	1,5	1,5
Cl^-	107	105	107
HCO_3^-	24	35,7	14
$Lactato^-$	1,2	1,2	1,2
HPO_4^{2-}	3	0	9
$Urato^-$	0,3	0	2
$Sulfato^{2-}$	0,5	0	3
Não eletrólitos			
Glicose	100	125	100
Ureia	26	0	200
Creatinina	1	0	6

Células Sanguíneas, Imunidade e Coagulação Sanguínea

PARTE 6

RESUMO DA PARTE

33 Hemácias, Anemia e Policitemia, *434*

34 Resistência do Corpo a Infecções:
I. Leucócitos, Granulócitos, Sistema
Mononuclear Fagocitário e Processo
Inflamatório, *444*

35 Resistência do Corpo a Infecções:
II. Imunidade e Alergia, *454*

36 Tipos Sanguíneos, Transfusão e Transplante
de Tecidos e de Órgãos, *467*

37 Hemostasia e Coagulação Sanguínea, *473*

CAPÍTULO 33

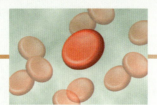

Hemácias, Anemia e Policitemia

Neste capítulo, começamos a discutir as *células sanguíneas*. Primeiro, apresentamos as funções das hemácias, que são as células mais abundantes do sangue e são as responsáveis pelo fornecimento de oxigênio aos tecidos.

HEMÁCIAS (ERITRÓCITOS)

Uma das principais funções das hemácias, também conhecidas como *eritrócitos*, é transportar a *hemoglobina*, que, por sua vez, carrega o oxigênio dos pulmões para os tecidos. Em alguns animais – incluindo muitos invertebrados –, a hemoglobina circula como proteína livre no líquido circulatório e não é incluída nas hemácias. Quando está livre no plasma humano, cerca de 3% dela extravasam da membrana dos capilares para os espaços intersticiais ou da membrana glomerular do rim para o filtrado glomerular, a cada vez que o sangue passa pelos capilares. Portanto, a hemoglobina deve permanecer dentro das hemácias para desempenhar suas funções de forma eficaz em seres humanos.

As hemácias têm outras funções além do transporte de hemoglobina. Por exemplo, elas contêm uma grande quantidade de *anidrase carbônica*, uma enzima que catalisa a reação reversível entre o dióxido de carbono (CO_2) e a água para formar ácido carbônico (H_2CO_3), aumentando a taxa dessa reação em milhares de vezes. A rapidez dessa reação permite que a água do sangue transporte quantidades enormes de CO_2 sob a forma de íon bicarbonato (HCO_3^-) dos tecidos para os pulmões, onde ele é reconvertido em CO_2 e expelido na atmosfera como um produto do metabolismo corporal. A hemoglobina nas células é um excelente *tampão acidobásico* (como acontece com a maioria das proteínas), de modo que as hemácias são responsáveis pela maior parte do poder de tamponamento acidobásico do sangue total.

Forma e tamanho das hemácias. Hemácias normais, mostradas na **Figura 33.3**, são discos bicôncavos com um diâmetro médio de cerca de 7,8 micrômetros e uma espessura de 2,5 micrômetros no ponto mais espesso e até 1 micrômetro no centro. O volume médio das hemácias é de 90 a 95 micrômetros cúbicos.

A forma das hemácias pode mudar notavelmente à medida que as células se comprimem pelos capilares. Na verdade, a hemácia se parece com um saco que pode ser deformado em quase qualquer formato. Além disso, como a célula normal possui um grande excesso de membrana celular para a quantidade de material em seu interior, a deformação não estica muito a membrana e, consequentemente, não rompe a célula, como seria o caso com muitas outras células.

Concentração de hemácias no sangue. Em homens saudáveis, o número médio de hemácias por milímetro cúbico é de 5.200.000 ± 300 mil; em mulheres saudáveis é de 4.700.000 ± 300 mil. Pessoas que vivem em grandes altitudes têm um maior número de hemácias, como discutido posteriormente.

Concentração de hemoglobina nas células. As hemácias podem concentrar a hemoglobina no líquido celular até cerca de 34 g/100 mℓ de células. A concentração não sobe acima desse valor, porque esse é o limite metabólico do mecanismo de formação de hemoglobina da célula. Além disso, em pessoas normais, a porcentagem de hemoglobina está quase sempre próxima do máximo em cada célula. No entanto, quando a formação de hemoglobina é deficiente, a porcentagem de hemoglobina nas células pode cair consideravelmente abaixo desse valor, e o volume das hemácias também pode diminuir, devido à diminuição da hemoglobina para preencher a célula.

Quando o hematócrito (a porcentagem de sangue que é composta por células – normalmente, de 40 a 45%) e a quantidade de hemoglobina em cada célula respectiva são normais, o sangue total dos homens contém em média 15 g de hemoglobina/100 mℓ, enquanto o das mulheres contém em média 14 g de hemoglobina/100 mℓ.

Conforme discutido no Capítulo 41, em relação ao transporte de oxigênio pelo sangue, cada grama de hemoglobina pode combinar-se com 1,34 mℓ de oxigênio, se a hemoglobina estiver 100% saturada. Portanto, no homem médio, um máximo de cerca de 20 mℓ de oxigênio pode ser transportado em combinação com a hemoglobina em cada 100 mℓ de sangue, e na mulher 19 mℓ de oxigênio podem ser transportados.

PRODUÇÃO DE HEMÁCIAS

Locais do organismo que produzem hemácias. Nas primeiras semanas da vida embrionária, as hemácias nucleadas primitivas são produzidas no *saco vitelino*. Durante o segundo trimestre da gestação, o *fígado* é o principal órgão para a produção de hemácias, mas um número razoável também é produzido no *baço* e nos *linfonodos*. Então, durante o último mês de gestação e após o nascimento, as hemácias são produzidas exclusivamente na *medula óssea*.

Conforme ilustrado na **Figura 33.1**, a medula de essencialmente todos os ossos produz hemácias até a pessoa ter cerca de 5 anos. A medula dos ossos longos, exceto as porções proximais dos úmeros e das tíbias, torna-se gordurosa e não produz mais hemácias depois, aproximadamente, dos 20 anos de idade. Após essa idade, a maioria das hemácias continua a ser produzida na medula óssea dos ossos membranosos, como vértebras, esterno, costelas e bacia (ílio). Mesmo nesses ossos, a medula se torna menos produtiva com o aumento da idade.

Formação das células sanguíneas

Células-tronco hematopoéticas multipotentes; indutores de crescimento e indutores de diferenciação.

As células sanguíneas começam suas vidas na medula óssea a partir de um único tipo de célula, chamada de *célula-tronco hematopoética multipotente*, da qual todas as células do sangue circulante são eventualmente derivadas. A **Figura 33.2** mostra as divisões sucessivas das células multipotentes para formar as diferentes células do sangue circulante. À medida que essas células se reproduzem, uma pequena porção delas permanece exatamente como as células multipotentes originais e é retida na medula óssea para manter seu suprimento, embora seu número diminua com a idade. A maioria das células reproduzidas, no entanto, diferencia-se para formar os outros tipos de células, mostradas à direita na **Figura 33.2**. As células em estágio intermediário são muito parecidas com as células-tronco multipotentes, embora já tenham se comprometido com uma linhagem específica de células; estas são chamadas de *células-tronco comprometidas*.

As diferentes células-tronco comprometidas, quando crescem em cultura, produzirão colônias de tipos específicos de células sanguíneas. Uma célula-tronco

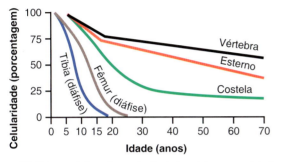

Figura 33.1 Taxas relativas de produção de hemácias na medula óssea de diferentes ossos em diferentes idades.

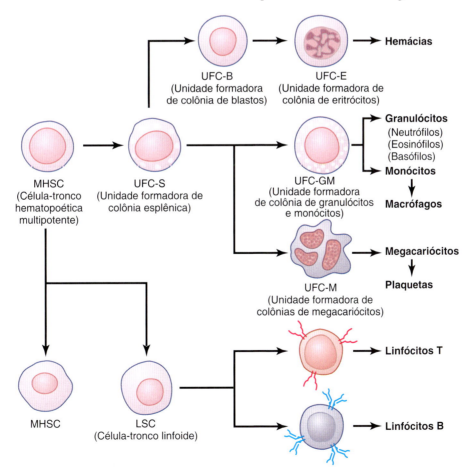

Figura 33.2 Formação de várias células sanguíneas diferentes a partir da célula-tronco hematopoética multipotente original na medula óssea.

comprometida que produz hemácias é chamada de *unidade formadora de colônias de eritrócitos*, e a abreviatura UFC-E é usada para designar esse tipo de célula-tronco. Da mesma forma, as unidades formadoras de colônias que constituem granulócitos e macrófagos têm a designação UFC-GM, e assim por diante.

O crescimento e a reprodução das diferentes células-tronco são controlados por várias proteínas, chamadas de *fatores indutores de crescimento*. Foram descritos pelo menos quatro indutores de crescimento principais, cada um com características diferentes. Um deles, a *interleucina-3*, promove o crescimento e a reprodução de praticamente todos os diferentes tipos de células-tronco comprometidas, enquanto os outros induzem o crescimento apenas de tipos específicos de células.

Os indutores de crescimento promovem o crescimento das células, mas não a diferenciação delas, o que é função de outro conjunto de proteínas, chamadas de *fatores indutores de diferenciação*. Cada um desses indutores de diferenciação faz com que um tipo de célula-tronco comprometida se diferencie uma ou mais etapas em direção a uma célula sanguínea adulta final.

A formação dos indutores de crescimento e dos indutores de diferenciação é controlada por fatores externos à medula óssea. Por exemplo, no caso das hemácias, a exposição do sangue a um baixo nível de oxigênio por um longo período causa a indução do crescimento, da diferenciação e da produção de um número muito aumentado de hemácias, conforme discutido posteriormente neste capítulo. No caso de alguns leucócitos, as doenças infecciosas causam seu crescimento, sua diferenciação e a eventual formação de tipos específicos deles, necessários para combater cada infecção.

Estágios da diferenciação das hemácias

A primeira célula que pode ser identificada como pertencente à série eritrocítica é o *proeritroblasto*, mostrado no ponto de partida na **Figura 33.3**. Sob estimulação apropriada, um grande número dessas células é formado a partir das células-tronco da UFC-E.

Uma vez que o proeritroblasto foi formado, ele se divide várias vezes, formando, por fim, muitas hemácias maduras. As células de primeira geração são chamadas de *eritroblastos basófilos*, porque se coram com corantes básicos. A hemoglobina aparece pela primeira vez nos *eritroblastos policromatófilos*. Nas gerações seguintes, conforme mostrado na **Figura 33.3**, as células ficam cheias de hemoglobina a uma concentração de cerca de 34%, o núcleo se condensa a um tamanho pequeno e seu remanescente final é absorvido ou expulso da célula. Ao mesmo tempo, o retículo endoplasmático também é reabsorvido. Nesse estágio, a célula é chamada de *reticulócito*, porque ainda contém uma pequena quantidade de material basofílico, consistindo de remanescentes do complexo de Golgi, de mitocôndrias e de algumas outras organelas citoplasmáticas. Durante esse estágio de reticulócito, as células passam da medula óssea para os capilares sanguíneos por *diapedese* (comprimindo-se para passar através dos poros da membrana capilar).

O material basofílico remanescente no reticulócito normalmente desaparece em 1 a 2 dias, e a célula torna-se, então, uma *hemácia madura*. Devido à curta vida dos

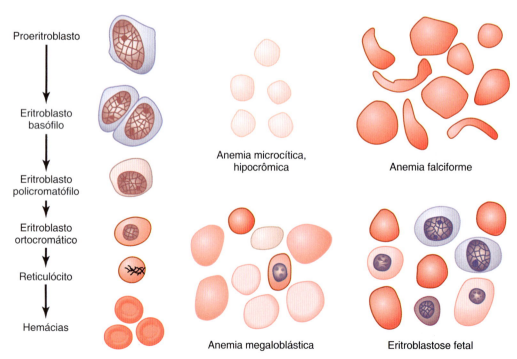

Figura 33.3 Gênese das hemácias normais e características das hemácias em diferentes tipos de anemias.

reticulócitos, sua concentração entre todas as hemácias, em geral, é ligeiramente inferior a 1%.

A eritropoetina regula a produção de hemácias

A massa total de hemácias no sistema circulatório é regulada dentro de limites estreitos, e, portanto, (1) um número adequado de hemácias está sempre disponível para fornecer transporte suficiente de oxigênio dos pulmões para os tecidos, mas (2) as células não se tornam tão numerosas a ponto de impedirem o fluxo sanguíneo. Esse mecanismo de controle é esquematizado na **Figura 33.4** e é descrito nas seções a seguir.

Oxigenação tecidual: regulador essencial da produção de hemácias.
Condições que diminuem a quantidade de oxigênio transportado para os tecidos geralmente aumentam a taxa de produção de hemácias. Portanto, quando uma pessoa se torna extremamente *anêmica*, como resultado de uma hemorragia ou de qualquer outra condição, a medula óssea começa a produzir grandes quantidades de hemácias. Além disso, a destruição de grandes porções da medula óssea, em particular pela terapia de raios X, causa a hiperplasia da medula óssea remanescente, em uma tentativa de suprir a necessidade de hemácias do corpo.

Em *grandes altitudes*, em que a quantidade de oxigênio no ar é bastante diminuída, não é transportado oxigênio suficiente para os tecidos, e a produção de hemácias aumenta muito. Nesse caso, não é a concentração de hemácias no sangue que controla a sua própria produção, mas a quantidade de oxigênio transportado para os tecidos em relação à demanda tecidual por ele.

Várias doenças circulatórias que diminuem o fluxo sanguíneo tecidual, em particular aquelas que causam insuficiência na absorção de oxigênio pelo sangue quando ele passa pelos pulmões, também podem aumentar a taxa de produção de hemácias. Esse resultado é especialmente aparente na *insuficiência cardíaca* prolongada e em muitas *doenças pulmonares*, porque a hipóxia tecidual resultante dessas condições aumenta a produção de hemácias, com um aumento resultante no hematócrito e, geralmente, no volume total de sangue.

A hipóxia aumenta a formação de eritropoetina, o que estimula a produção de hemácias.
O principal estímulo para a produção de hemácias em um estado de baixa oxigenação é um hormônio circulante chamado de *eritropoetina*, uma glicoproteína com peso molecular de cerca de 34 mil. Na ausência de eritropoetina, a hipóxia tem pouco ou nenhum efeito para estimular a produção de hemácias. No entanto, quando o sistema da eritropoetina está funcional, a hipóxia causa um aumento acentuado na produção de eritropoetina, e a eritropoetina, por sua vez, aumenta a produção de hemácias até que a hipóxia seja aliviada.

A eritropoetina é formada, principalmente, nos rins.
Normalmente, cerca de 90% de toda a eritropoetina é formada nos rins, e o restante é formado principalmente no fígado. Não se sabe exatamente em que parte dos rins a eritropoetina é formada. Alguns estudos sugeriram que a eritropoetina é secretada, principalmente, por células intersticiais semelhantes a fibroblastos, que ficam ao redor dos túbulos do córtex e da medula externa, onde ocorre uma grande parte do consumo renal de oxigênio. É provável que outras células, incluindo as células epiteliais renais, também secretem eritropoetina em resposta à hipóxia.

A hipóxia do tecido renal leva ao aumento dos níveis teciduais do *fator induzido por hipóxia-1* (HIF-1), que atua como um fator de transcrição para um grande número de genes induzíveis por hipóxia, incluindo o gene da eritropoetina. O HIF-1 liga-se a um *elemento de resposta à hipóxia* no gene da eritropoetina, induzindo a transcrição do RNA mensageiro e, em última instância, aumentando a síntese dela.

Às vezes, a hipóxia em outras partes do corpo, mas não nos rins, estimula a secreção renal de eritropoetina, o que sugere que pode haver algum sensor não renal que envia um sinal adicional aos rins para produzir esse hormônio. Em particular, a noradrenalina e a adrenalina, e várias das prostaglandinas, estimulam a produção de eritropoetina.

Quando ambos os rins são removidos de uma pessoa, ou quando os rins são destruídos por doença renal, a pessoa invariavelmente se torna muito anêmica. Isso ocorre porque 10% da eritropoetina normal formada em outros tecidos (principalmente no fígado) são suficientes para causar apenas de um terço à metade da formação de hemácias necessária ao corpo.

A eritropoetina estimula a produção de proeritroblastos a partir de células-tronco hematopoéticas.
Quando um animal, ou uma pessoa, é colocado em uma atmosfera de baixa concentração de oxigênio, a

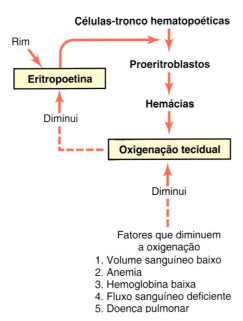

Figura 33.4 Função do mecanismo da eritropoetina para aumentar a produção de hemácias quando a oxigenação tecidual diminui.

PARTE 6 Células Sanguíneas, Imunidade e Coagulação Sanguínea

eritropoetina começa a se formar dentro de minutos a horas, e atinge a produção máxima dentro de 24 horas. No entanto, quase nenhuma nova hemácia aparece no sangue circulante até cerca de 5 dias depois. A partir disso, assim como sabe-se por outros estudos, foi determinado que o importante efeito da eritropoetina é estimular a produção de proeritroblastos a partir de células-tronco hematopoéticas na medula óssea. Além disso, uma vez formados os proeritroblastos, a eritropoetina faz com que essas células passem mais rapidamente pelos diferentes estágios eritroblásticos do que normalmente o fazem, acelerando ainda mais a produção de novas hemácias. A rápida produção de células continua enquanto a pessoa permanecer em um estado de baixa concentração de oxigênio ou até que sejam produzidas hemácias suficientes para transportar quantidades adequadas de oxigênio para os tecidos, apesar do baixo nível de oxigênio; nesse momento, a taxa de produção de eritropoetina diminui a um nível que manterá o número necessário de hemácias, mas não um excesso.

Na ausência de eritropoetina, poucas hemácias são formadas pela medula óssea. No outro extremo, quando grandes quantidades de eritropoetina são formadas, e, se muito ferro e outros nutrientes necessários estiverem disponíveis, a taxa de produção de hemácias pode aumentar para talvez 10 ou mais vezes o normal. Portanto, o mecanismo da eritropoetina para controlar a produção de hemácias é muito potente.

A maturação das hemácias requer vitamina B$_{12}$ (cianocobalamina) e ácido fólico

Devido à necessidade contínua de reposição das hemácias, as células eritropoéticas da medula óssea estão entre as células de crescimento e reprodução mais rápidos em todo o corpo. Portanto, como seria esperado, sua maturação e sua taxa de produção são muito afetadas pelo estado nutricional de uma pessoa.

Especialmente importantes para a maturação final das hemácias são duas vitaminas, a *vitamina B$_{12}$* e o *ácido fólico (vitamina B$_9$)*. Ambas as vitaminas são essenciais para a síntese de DNA, porque cada uma, de uma maneira diferente, é necessária para a formação do *timidina trifosfato*, uma das unidades estruturais essenciais do DNA. Portanto, a deficiência de vitamina B$_{12}$ ou de ácido fólico resulta em um DNA anormal e diminuído, e, consequentemente, na falha da maturação nuclear e da divisão celular. Além disso, as células eritroblásticas da medula óssea, além de não se proliferarem rapidamente, produzem principalmente hemácias maiores do que o normal, chamadas de *macrócitos*, que têm uma membrana frágil e costumam ser irregulares, grandes e ovais, em vez do disco bicôncavo usual. Essas células malformadas, após entrarem no sangue circulante, são capazes de transportar oxigênio normalmente, mas sua fragilidade faz com que tenham uma vida curta, de metade a um terço do normal. Portanto, a deficiência de vitamina B$_{12}$ ou de ácido fólico causa a *falha de maturação* no processo de eritropoese.

Anemia por falha de maturação, causada por má absorção de vitamina B$_{12}$ no tubo gastrointestinal: anemia perniciosa. Uma causa comum de falha de maturação nas hemácias é a incapacidade de absorver vitamina B$_{12}$ pelo tubo gastrointestinal. Essa situação ocorre frequentemente na doença *anemia perniciosa*, na qual a anormalidade básica é uma *mucosa gástrica atrófica*, que não produz secreções gástricas normais. As células parietais das glândulas gástricas secretam uma glicoproteína chamada de *fator intrínseco*, que se combina com a vitamina B$_{12}$ dos alimentos e a torna disponível para absorção pelo intestino, da seguinte maneira:

1. O fator intrínseco se liga fortemente à vitamina B$_{12}$. Nesse estado ligado, a vitamina B$_{12}$ é protegida da digestão pelas secreções gastrointestinais.
2. Ainda no estado ligado, o fator intrínseco liga-se a sítios de receptores específicos nas membranas da borda em escova das células da mucosa do ílio.
3. A vitamina B$_{12}$ é então transportada para o sangue durante as horas seguintes pelo processo de pinocitose, carregando o fator intrínseco e a vitamina juntos através da membrana.

A falta de fator intrínseco, portanto, diminui a disponibilidade de vitamina B$_{12,}$ por causa da absorção deficiente da vitamina.

Uma vez que a vitamina B$_{12}$ tenha sido absorvida pelo tubo gastrointestinal, ela é primeiramente armazenada em grandes quantidades no fígado e, então, liberada lentamente conforme a necessidade da medula óssea. A quantidade mínima de vitamina B$_{12}$ necessária a cada dia para manter a maturação normal das hemácias é de apenas 1 a 3 microgramas, e o armazenamento normal no fígado e em outros tecidos do corpo é cerca de 1.000 vezes essa quantidade. Portanto, geralmente são necessários de 3 a 4 anos de absorção deficiente de vitamina B$_{12}$ para causar anemia por falha de maturação.

Anemia por falha de maturação, causada pela deficiência de ácido fólico. O ácido fólico (também chamado de ácido pteroilglutâmico, ou de vitamina B$_9$) é constituinte de vegetais verdes, de algumas frutas e carnes (especialmente fígado). No entanto, ele é facilmente destruído durante o cozimento. Além disso, pessoas com anormalidades de absorção gastrointestinal, como as que têm a doença do intestino delgado de ocorrência frequente, chamada de *espru*, geralmente têm sérias dificuldades para absorver o ácido fólico e a vitamina B$_{12}$. Portanto, em muitos casos de falha de maturação, a causa é a deficiência de absorção intestinal de ácido fólico e de vitamina B$_{12}$.

FORMAÇÃO DA HEMOGLOBINA

A síntese de hemoglobina começa nos eritroblastos policromatófilos e continua até mesmo no estágio de reticulócito das hemácias. Portanto, quando os reticulócitos deixam a medula óssea e passam para a corrente sanguínea, eles continuam a formar quantidades mínimas de hemoglobina por 1 dia ou mais, até se tornarem hemácias maduras.

A **Figura 33.5** mostra as etapas químicas básicas para a formação da hemoglobina. Primeiro, o succinil-CoA, que é formado no ciclo metabólico de Krebs (conforme explicado no Capítulo 68), liga-se à glicina para formar uma molécula de pirrol. Por sua vez, quatro pirróis se combinam para formar a protoporfirina IX, que então se combina com o ferro para formar a molécula do *heme*. Por fim, cada molécula do heme se combina com uma longa cadeia polipeptídica, uma *globina* sintetizada pelos ribossomos, formando uma subunidade de hemoglobina chamada de *cadeia de hemoglobina* (ver **Figura 33.6**). Cada cadeia tem um peso molecular de cerca de 16 mil; quatro dessas cadeias, por sua vez, ligam-se frouxamente para formar a molécula inteira de hemoglobina.

Existem diversas pequenas variações nas diferentes subunidades das cadeias de hemoglobina, dependendo da composição de aminoácidos da porção polipeptídica. Os diferentes tipos de cadeias são designados como *cadeias alfa (α), cadeias beta (β), cadeias gama (γ)* e *cadeias delta (δ)*. A forma mais comum de hemoglobina em adultos, a *hemoglobina A*, é uma combinação de *duas cadeias alfa* e de *duas cadeias beta*. A hemoglobina A tem um peso molecular de 64.458.

Como cada cadeia de hemoglobina possui um grupo prostético heme contendo um átomo de ferro, e como existem quatro cadeias de hemoglobina em cada molécula dela, encontramos quatro átomos de ferro em cada molécula de hemoglobina. Cada um deles pode se ligar frouxamente a uma molécula de oxigênio, perfazendo um total de quatro moléculas de oxigênio (ou oito átomos de oxigênio), que podem ser transportadas pelas moléculas de hemoglobina.

Os tipos de cadeias de hemoglobina na molécula de hemoglobina determinam a afinidade de ligação da hemoglobina pelo oxigênio. Anormalidades nas cadeias também podem alterar as características físicas da molécula de hemoglobina. Por exemplo, na *anemia falciforme*, o aminoácido *valina* é substituído pelo *ácido glutâmico* em um ponto em cada uma das duas cadeias beta. Quando esse tipo de hemoglobina é exposto a baixos teores de oxigênio, formam-se cristais alongados no interior das hemácias, que às vezes têm 15 micrômetros de comprimento. Esses cristais dificultam que as células passem por muitos pequenos capilares, e as extremidades pontiagudas dos cristais provavelmente rompem as membranas celulares, levando à anemia falciforme.

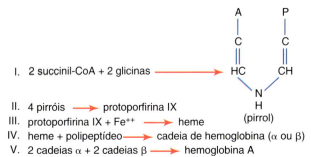

Figura 33.5 Formação da hemoglobina.

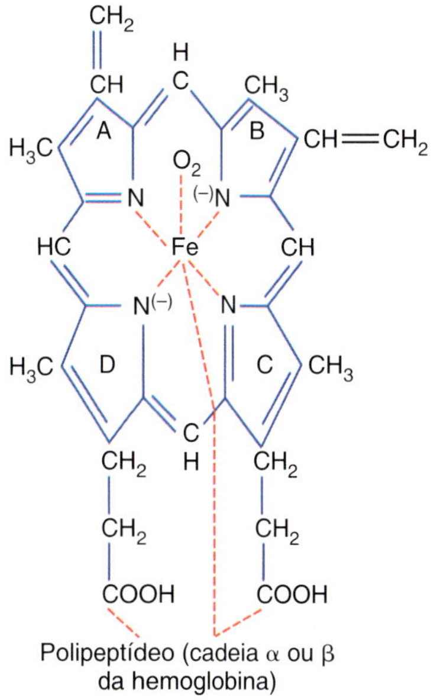

Figura 33.6 Estrutura básica da porção heme, mostrando uma das quatro cadeias heme, que, junto com o polipeptídeo globina, une-se para formar a molécula de hemoglobina.

A hemoglobina se combina reversivelmente com o oxigênio. A característica mais importante da molécula de hemoglobina é a sua capacidade de se combinar de forma frouxa e reversível com o oxigênio. Essa capacidade é discutida em detalhes no Capítulo 41, em relação à respiração, porque a função primária da hemoglobina no corpo é se combinar com o oxigênio nos pulmões e, em seguida, liberá-lo prontamente nos capilares do tecido periférico, onde a tensão gasosa do oxigênio é muito mais baixa do que nos pulmões.

O oxigênio *não* se combina com as duas ligações positivas do ferro na molécula de hemoglobina. Em vez disso, ele se liga frouxamente a uma das chamadas ligações de coordenação do átomo de ferro. Essa ligação é extremamente frouxa, portanto, a combinação é facilmente reversível. Além disso, o oxigênio não se torna oxigênio iônico, mas é transportado como oxigênio molecular (composto de dois átomos de oxigênio) para os tecidos, onde, por causa da combinação frouxa e facilmente reversível, é liberado nos líquidos teciduais ainda na forma de oxigênio molecular, em vez de oxigênio iônico.

METABOLISMO DO FERRO

Como o ferro é importante para a formação não apenas da hemoglobina, mas também de outros elementos essenciais do corpo (p. ex., *mioglobina, citocromos, citocromo oxidase, peroxidase* e *catalase*), é importante compreender as formas como o ferro é usado no corpo. A quantidade total de ferro no corpo é em média de 4 a 5 gramas, dos quais cerca de 65% estão na forma de hemoglobina. Cerca de 4% estão na forma de mioglobina, 1% está na forma dos vários compostos heme que promovem a oxidação intracelular, 0,1% está combinado com a proteína transferrina no plasma sanguíneo e de 15 a 30% estão armazenados para uso posterior, principalmente no sistema reticuloendotelial e nas células do parênquima hepático, principalmente na forma de ferritina.

Transporte e armazenamento de ferro. O transporte, o armazenamento e o metabolismo do ferro no corpo estão representados no diagrama da **Figura 33.7** e são explicados a seguir. Quando o ferro é absorvido pelo intestino delgado, ele imediatamente se combina no plasma sanguíneo com uma betaglobulina, a *apotransferrina*, para formar a *transferrina*, que é então transportada no plasma. O ferro é ligado fracamente à transferrina e, consequentemente, pode ser liberado para qualquer célula do tecido em qualquer ponto do corpo. O excesso de ferro no sangue é depositado *especialmente* nos hepatócitos e, em menor quantidade, nas células reticuloendoteliais da medula óssea.

No citoplasma da célula, o ferro se combina principalmente com uma proteína, a *apoferritina*, para formar a *ferritina*. A apoferritina tem um peso molecular de cerca de 460 mil, e quantidades variáveis de ferro podem se combinar em grupos de radicais de ferro com essa grande molécula; portanto, a ferritina pode conter apenas uma determinada quantidade de ferro, grande ou pequena. Esse ferro armazenado como ferritina é denominado de *ferro de armazenamento*.

Pequenas quantidades de ferro no reservatório de armazenamento estão em uma forma extremamente insolúvel, chamada de *hemossiderina*. Isso é especialmente verdadeiro quando a quantidade total de ferro no corpo é maior do que o reservatório de armazenamento de apoferritina pode acomodar. A hemossiderina se acumula nas células na forma de grandes aglomerados, que podem ser observados microscopicamente como grandes partículas. Em contraste, as partículas de ferritina são tão pequenas e dispersas que geralmente podem ser vistas no citoplasma da célula apenas com um microscópio eletrônico.

Quando a quantidade de ferro no plasma diminui, parte do ferro no reservatório de armazenamento de ferritina é removido facilmente e transportado na forma de transferrina no plasma para as áreas do corpo nas quais ele é necessário. Uma característica única da molécula de transferrina é que ela se liga fortemente a receptores nas membranas celulares dos eritroblastos na medula óssea. Então, junto com o ferro ligado, ela é ingerida nos eritroblastos por endocitose. Nos eritroblastos, a transferrina entrega o ferro diretamente à mitocôndria, onde o heme é sintetizado. Em pessoas que não têm quantidades adequadas de transferrina no sangue, a deficiência no transporte de ferro para os eritroblastos, dessa maneira, pode causar *anemia hipocrômica* grave (ou seja, quando as hemácias contêm muito menos hemoglobina do que o normal).

Quando as hemácias completam sua expectativa de vida de cerca de 120 dias e são destruídas, a hemoglobina liberada das células é fagocitada pelas células do sistema mononuclear fagocitário. O ferro é então liberado e é armazenado principalmente no reservatório de ferritina, para ser usado conforme for necessário para a formação de nova hemoglobina.

Perda diária de ferro. Um homem excreta em média cerca de 0,6 mg de ferro por dia, principalmente nas fezes. Quantidades adicionais de ferro são perdidas quando ocorre uma hemorragia. Para uma mulher, a perda menstrual adicional de sangue leva à perda de ferro, em longo prazo, a uma média de cerca de 1,3 mg/dia.

Absorção de ferro no trato intestinal

O ferro é absorvido em todas as partes do intestino delgado, principalmente pelo mecanismo explicitado a seguir. O fígado secreta quantidades moderadas de *apotransferrina* na bile, que flui do ducto biliar para o duodeno. Aqui, a apotransferrina se liga ao ferro livre e também a certos compostos férricos, como a hemoglobina e a mioglobina da carne, duas das fontes mais importantes de ferro na dieta. Essa combinação é chamada de *transferrina*. Ela, por sua vez, é atraída e se liga a receptores nas membranas das células epiteliais intestinais. Então, por pinocitose, a molécula de transferrina, carregando seu estoque de ferro, é absorvida pelas células epiteliais e posteriormente liberada nos capilares sanguíneos situados abaixo dessas células, na forma de *transferrina plasmática*.

A absorção do ferro pelo intestino é extremamente lenta, a uma taxa máxima de apenas alguns miligramas por dia. Essa lenta taxa de absorção significa que, mesmo quando grandes quantidades de ferro estão presentes nos alimentos, apenas pequenas proporções podem ser absorvidas.

Regulação do ferro corporal total pelo controle da taxa de absorção. Quando o corpo fica saturado com ferro, de forma que praticamente toda a apoferritina nas áreas de armazenamento de ferro já esteja combinada com ele, a taxa de absorção de ferro adicional pelo trato intestinal diminui acentuadamente. Por outro lado, quando os estoques de ferro se esgotam, a taxa de absorção pode provavelmente acelerar cinco ou mais vezes o normal. Assim, o ferro corporal total é regulado principalmente pela alteração da taxa de absorção.

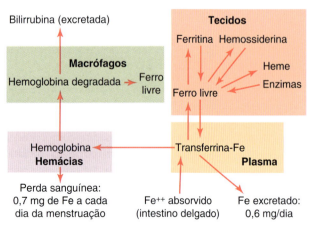

Figura 33.7 Transporte e metabolismo do ferro.

O TEMPO DE VIDA DAS HEMÁCIAS É DE CERCA DE 120 DIAS

Quando as hemácias são liberadas da medula óssea para o sistema circulatório, normalmente elas circulam em média por 120 dias antes de serem destruídas. Mesmo que as hemácias maduras não tenham núcleo, mitocôndria ou retículo endoplasmático, têm enzimas citoplasmáticas que são capazes de metabolizar a glicose e de formar pequenas quantidades de ATP. Essas enzimas também fazem o seguinte: (1) mantêm a flexibilidade da membrana celular; (2) mantêm o transporte de íons pela membrana; (3) mantêm o ferro da hemoglobina das células na forma ferrosa, em vez de na forma férrica; e (4) previnem a oxidação das proteínas nas hemácias. Mesmo assim, os sistemas metabólicos das hemácias antigas tornam-se progressivamente menos ativos, e as células tornam-se cada vez mais frágeis, provavelmente porque seus processos vitais se desgastam.

Uma vez que a membrana das hemácias se torna frágil, a célula se rompe durante a passagem por algum ponto estreito da circulação. Muitas das hemácias se autodestroem no baço, onde se espremem pela polpa vermelha do órgão. Nele, os espaços entre as trabéculas estruturais da polpa vermelha, por onde a maioria das células deve passar, têm apenas 3 micrômetros de largura, em comparação com o diâmetro de 8 micrômetros das hemácias. Quando o baço é removido (esplenectomia), o número de hemácias anormais antigas que circulam no sangue aumenta consideravelmente.

Destruição da hemoglobina pelos macrófagos.

Quando as hemácias se rompem e liberam sua hemoglobina, ela é fagocitada quase imediatamente por macrófagos em muitas partes do corpo, mas especialmente pelas células de Kupffer, do fígado, e pelos macrófagos do baço e da medula óssea. Durante as próximas horas a dias, os macrófagos liberam o ferro da hemoglobina e o passam de volta para o sangue, para ser transportado pela transferrina para a medula óssea, a fim de produzir novas hemácias, ou para o fígado e outros tecidos, a fim de ser armazenado na forma de ferritina. A porção porfirina da molécula de hemoglobina é convertida pelos macrófagos, por meio de uma série de etapas, no pigmento biliar *bilirrubina*, que é liberada no sangue e posteriormente removida do corpo por secreção do fígado para a bile. Esse processo é discutido no Capítulo 71, em relação à função hepática.

ANEMIAS

Anemia significa deficiência de hemoglobina no sangue, que pode ser causada por poucas hemácias ou por hemoglobina insuficiente nas células. Alguns tipos de anemia e suas causas fisiológicas são descritos nas seções a seguir.

Anemia por perda sanguínea. Após uma rápida hemorragia, o corpo substitui a porção líquida do plasma em 1 a 3 dias, mas essa resposta resulta em uma baixa concentração de hemácias. Se uma segunda hemorragia não ocorrer, a concentração de hemácias geralmente retorna ao normal dentro de 3 a 6 semanas.

Quando ocorre uma perda crônica de sangue, a pessoa não consegue absorver ferro suficiente no intestino para formar hemoglobina com a mesma rapidez com que ela é perdida. As hemácias produzidas são, então, muito menores do que o normal e têm pouca hemoglobina dentro delas, o que dá origem à *anemia microcítica hipocrômica*, mostrada na **Figura 33.3**.

Anemia aplásica causada por disfunção da medula óssea. Aplasia da medula óssea significa falta de medula óssea funcional. Por exemplo, a exposição a altas doses de radiação ou à quimioterapia, para o tratamento do câncer, pode danificar as células-tronco da medula óssea, o que, em algumas semanas, acarreta anemia. Da mesma forma, altas doses de certos produtos químicos tóxicos, como inseticidas ou benzeno na gasolina, podem causar o mesmo efeito. Em doenças autoimunes, como lúpus eritematoso, o sistema imunológico começa a atacar células saudáveis, como células-tronco da medula óssea, o que pode levar à anemia aplásica. Em cerca de metade dos casos de anemia aplásica, a causa é desconhecida, uma condição chamada de *anemia aplásica idiopática*.

Pessoas com anemia aplásica grave geralmente morrem, a menos que sejam tratadas com transfusões de sangue – o que pode aumentar temporariamente o número de hemácias – ou com transplante de medula óssea.

Anemia megaloblástica. Com base nas discussões anteriores, sobre vitamina B_{12}, ácido fólico e fator intrínseco da mucosa gástrica, compreende-se prontamente que a perda de qualquer um deles leva a uma reprodução lenta dos eritroblastos na medula óssea. Como resultado, as hemácias ficam muito grandes, com formas estranhas e são chamadas de *megaloblastos*. Assim, a atrofia da mucosa gástrica, como ocorre na *anemia perniciosa*, ou a perda de todo o estômago após cirurgia de *gastrectomia* total, pode levar à anemia megaloblástica. Além disso, a anemia megaloblástica geralmente se desenvolve em pacientes que têm *espru intestinal*, em que o ácido fólico, a vitamina B_{12} e outros compostos da vitamina B são mal absorvidos. Como os eritroblastos nesses estados não proliferam com rapidez suficiente para formar um número normal de hemácias, as hemácias formadas são em sua maioria grandes demais, têm formas bizarras e membranas frágeis. Essas células se rompem facilmente, deixando a pessoa com uma extrema necessidade de um número adequado de hemácias.

Anemia hemolítica. Diferentes anormalidades nas hemácias, muitas das quais adquiridas por via hereditária, tornam as células frágeis, de modo que elas se rompem facilmente ao passar pelos capilares, em particular através do baço. Mesmo que o número de hemácias formadas seja normal, ou até muito maior do que o normal em algumas doenças hemolíticas, o tempo de vida das hemácias frágeis é tão curto que as células são destruídas mais rápido do que podem ser formadas, resultando em anemia grave.

PARTE 6 Células Sanguíneas, Imunidade e Coagulação Sanguínea

Na *esferocitose hereditária*, as hemácias são muito pequenas e *esféricas*, em vez de serem discos bicôncavos. Essas células não conseguem resistir às forças de compressão, porque não têm a estrutura frouxa normal, semelhante a um saco, da membrana celular dos discos bicôncavos. Ao passar pela polpa esplênica e por alguns outros leitos vasculares estreitos, elas são facilmente rompidas, mesmo por uma leve compressão.

Na *anemia falciforme*, que está presente em 0,3 a 1% dos negros da África ocidental e dos afro-americanos, as células têm um tipo anormal de hemoglobina, chamada de *hemoglobina S*, contendo cadeias beta defeituosas na molécula de hemoglobina, conforme explicado anteriormente neste capítulo. Quando essa hemoglobina é exposta a baixas concentrações de oxigênio, ela se precipita em longos cristais no interior da hemácia. Esses cristais alongam a célula e lhe dão a aparência de uma foice, em vez de um disco bicôncavo. A hemoglobina precipitada também danifica a membrana celular, de modo que as células se tornam altamente frágeis, levando a uma anemia grave. Esses pacientes frequentemente sofrem um ciclo vicioso de eventos denominado de *crise da doença falciforme*, em que a baixa tensão de oxigênio nos tecidos causa afoiçamento, o que leva ao rompimento das hemácias, causa uma diminuição ainda maior na tensão de oxigênio, e ainda mais afoiçamento e destruição de hemácias. Uma vez que o processo começa, ele progride rapidamente, resultando em uma diminuição grave das hemácias dentro de poucas horas e, em alguns casos, em morte.

Na *eritroblastose fetal*, as hemácias Rh-positivas no feto são atacadas por anticorpos da mãe Rh-negativa. Esses anticorpos fragilizam as células Rh-positivas, levando ao rompimento rápido e fazendo com que a criança nasça com um caso grave de anemia. Essa condição é discutida no Capítulo 36, em relação ao fator Rh do sangue. A formação extremamente rápida de novas hemácias, para compensar as células destruídas na eritroblastose fetal, faz com que um grande número de formas *blásticas* iniciais das hemácias seja liberado da medula óssea para o sangue.[1]

EFEITOS DA ANEMIA NA FUNÇÃO DO SISTEMA CIRCULATÓRIO

A viscosidade do sangue, que foi discutida no Capítulo 14, depende muito da concentração de hemácias nele. Em pessoas com anemia grave, a viscosidade do sangue pode cair para até 1,5 vezes a da água, em vez do valor normal, de cerca de 3. Essa mudança diminui a resistência ao fluxo sanguíneo nos vasos sanguíneos periféricos, de modo que uma quantidade de sangue muito maior do que o normal flui através dos tecidos e retorna ao coração, aumentando, assim, o débito cardíaco. Além disso, a hipóxia resultante da diminuição do transporte de oxigênio pelo sangue faz

com que os vasos sanguíneos do tecido periférico se dilatem, ocasionando um aumento no retorno do sangue ao coração e aumentando o débito cardíaco para um nível ainda mais alto – às vezes de três a quatro vezes o normal. Portanto, um dos principais efeitos da anemia é o grande *aumento do débito cardíaco*, bem como o *aumento da sobrecarga da contratilidade cardíaca*.

O aumento do débito cardíaco em pessoas com anemia compensa parcialmente o efeito da redução do transporte de oxigênio nessa condição, porque, embora cada quantidade unitária de sangue carregue apenas pequenas quantidades de oxigênio, a taxa do fluxo sanguíneo pode ser aumentada o suficiente para que quantidades quase normais de oxigênio sejam entregues aos tecidos. No entanto, quando uma pessoa com anemia começa a se exercitar, o coração não é capaz de bombear quantidades muito maiores de sangue do que já o faz. Em consequência, durante o exercício, que aumenta muito a demanda tecidual por oxigênio, podem ocorrer resultados extremos de hipóxia tecidual e de *insuficiência cardíaca aguda*.

POLICITEMIA

Policitemia secundária. Sempre que os tecidos ficam em hipóxia por causa da baixa tensão de oxigênio no ar inspirado, como ocorre em grandes altitudes, ou por causa da falha no fornecimento de oxigênio aos tecidos, como ocorre na insuficiência cardíaca, os órgãos hematopoéticos produzem automaticamente grandes quantidades de hemácias extras. Essa condição é chamada de *policitemia secundária*, e a contagem de hemácias comumente aumenta para 6 a 7 milhões/mm³, cerca de 30% acima do normal.

Um tipo comum de policitemia secundária, chamada de *policitemia fisiológica*, ocorre em pessoas que vivem em altitudes de 4.267 a 5.181 metros, onde a pressão do oxigênio atmosférico é muito baixa. A contagem de hemácias é geralmente de 6 a 7 milhões/mm³, o que permite que essas pessoas realizem níveis razoavelmente elevados de trabalho contínuo, mesmo em uma atmosfera rarefeita.

Policitemia vera (eritremia). Além da policitemia fisiológica, existe uma condição patológica conhecida como *policitemia vera*, na qual a contagem de hemácias pode ser de 7 a 8 milhões/mm³, e o hematócrito pode ser de 60 a 70%, em vez dos 40 a 45% normais. A policitemia vera é causada por uma alteração genética nas células hemocitoblásticas, que produzem as células sanguíneas. As células blásticas não param mais de produzir hemácias quando muitas células já estão presentes. Isso causa a produção excessiva de hemácias, da mesma maneira que um tumor de mama causa a produção excessiva de um tipo específico de célula mamária. Geralmente também causa a produção excessiva de leucócitos (leucocitose) e de plaquetas (trombocitose).

Na policitemia vera, não apenas o hematócrito aumenta, mas o volume total de sangue também, às vezes, até quase o dobro do normal. Como resultado, todo o sistema vascular

---

[1] N.R.C.: A anemia hemolítica também ocorre por causas autoimunes e por reações medicamentosas.

CAPÍTULO 33 Hemácias, Anemia e Policitemia

torna-se intensamente ingurgitado. Além disso, muitos capilares sanguíneos ficam obstruídos pelo sangue viscoso; a viscosidade do sangue na policitemia vera às vezes aumenta do seu valor normal de 3 para 10 vezes a viscosidade da água.

EFEITOS DA POLICITEMIA NA FUNÇÃO DO SISTEMA CIRCULATÓRIO

Devido ao grande aumento da viscosidade do sangue na policitemia, o fluxo sanguíneo pelos vasos sanguíneos periféricos costuma ser muito lento. De acordo com os fatores que regulam o retorno do sangue ao coração, conforme discutido no Capítulo 20, o aumento da viscosidade do sangue *diminui* a taxa de retorno venoso ao coração. Por outro lado, o volume de sangue está muito aumentado na policitemia, o que tende a *aumentar* o retorno venoso. Na verdade, o débito cardíaco na policitemia não está longe do normal, porque esses dois fatores mais ou menos se neutralizam.

A pressão arterial também é normal na maioria das pessoas com policitemia, embora, em cerca de um terço delas, fique elevada. Isso significa que os mecanismos reguladores da pressão arterial geralmente compensam a tendência de aumento da viscosidade do sangue para aumentar a resistência periférica e, portanto, aumentam a pressão arterial. Além de certos limites, entretanto, esses reguladores falham, e a hipertensão se desenvolve.

A coloração da pele depende, em grande parte, da quantidade de sangue no plexo venoso subpapilar cutâneo. Na policitemia vera, a quantidade de sangue nesse plexo fica muito aumentada. Além disso, como o sangue passa vagarosamente pelos capilares cutâneos, antes de entrar no plexo venoso, uma quantidade de hemoglobina maior do que o normal é desoxigenada. A coloração azulada de toda essa hemoglobina desoxigenada mascara a coloração vermelha da hemoglobina oxigenada. Portanto, uma pessoa com policitemia vera geralmente tem uma aparência corada, com uma tonalidade azulada (cianótica) da pele.

Bibliografia

Bizzaro N, Antico A: Diagnosis and classification of pernicious anemia. Autoimmun Rev 13:565, 2014.

Franke K, Gassmann M, Wielockx B: Erythrocytosis: the HIF pathway in control. Blood 122:1122, 2013.

Green R: Vitamin B_{12} deficiency from the perspective of a practicing hematologist. Blood 129:2603, 2017.

Kato GJ, Piel FB, Reid CD, Gaston MH et al: Sickle cell disease. Nat Rev Dis Primers 2018 Mar 15;4:18010. doi: 10.1038/nrdp.2018.10

Kato GJ, Steinberg MH, Gladwin MT: Intravascular hemolysis and the pathophysiology of sickle cell disease. J Clin Invest 127:750, 2017

Koury MJ, Haase VH: Anaemia in kidney disease: harnessing hypoxia responses for therapy. Nat Rev Nephrol 11:394, 2015.

Muckenthaler MU, Rivella S, Hentze MW, Galy B: A red carpet for iron metabolism. Cell 168:344, 2017.

Nolan KA, Wenger RH: Source and microenvironmental regulation of erythropoietin in the kidney. Curr Opin Nephrol Hypertens 27:277, 2018.

Piel FB, Steinberg MH, Rees DC: Sickle cell disease. N Engl J Med 376:1561, 2017.

Renassia C, Peyssonnaux C: New insights into the links between hypoxia and iron homeostasis. Curr Opin Hematol. 26:125, 2019.

Stabler SP: Clinical practice. Vitamin B_{12} deficiency. N Engl J Med 368:149, 2013.

Telen MJ, Malik P, Vercellotti GM: Therapeutic strategies for sickle cell disease: towards a multi-agent approach. Nat Rev Drug Discov 18:139, 2019.

Wang CY, Babitt JL: Liver iron sensing and body iron homeostasis. Blood 133:18, 2019.

Weiss G, Ganz T, Goodnough LT: Anemia of inflammation. Blood 133:40, 2019.

CAPÍTULO 34

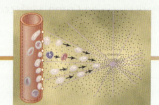

Resistência do Corpo a Infecções: I. Leucócitos, Granulócitos, Sistema Mononuclear Fagocitário e Processo Inflamatório

Nossos corpos estão constantemente expostos a bactérias, vírus, fungos e parasitos, presentes o tempo todo e em vários graus, na pele, na boca, nas vias respiratórias, no trato intestinal, nas membranas de revestimento dos olhos e até mesmo no trato urinário. Muitos desses agentes infecciosos são capazes de causar anormalidades graves nas funções fisiológicas ou mesmo a morte se invadirem os tecidos mais profundos. Também estamos expostos intermitentemente a outras bactérias e vírus altamente infecciosos, além daqueles que normalmente estão presentes, e esses agentes podem causar doenças agudas letais, como pneumonia, infecção estreptocócica e febre tifoide.

Nosso organismo possui um sistema especial de combate aos diversos agentes infecciosos e tóxicos. Esse sistema é composto por leucócitos sanguíneos e células teciduais derivadas dos leucócitos. Essas células trabalham juntas, de duas maneiras, para prevenir doenças: (1) pela destruição de fato das bactérias ou dos vírus invasores por *fagocitose*; e (2) pela formação de *anticorpos* e de *linfócitos sensibilizados* que podem destruir ou inativar o invasor. Este capítulo discute o primeiro desses métodos, e o Capítulo 35, o segundo.

LEUCÓCITOS

Os leucócitos, também chamados de *glóbulos brancos*, são as *unidades móveis* do sistema protetor do corpo. Parte deles é formada na medula óssea (*granulócitos e monócitos*, e alguns *linfócitos*), e outra parte, no tecido linfoide (*linfócitos e plasmócitos*). Após a formação, eles são transportados no sangue para diferentes partes do corpo nas quais são necessários.

O verdadeiro valor dos leucócitos é que a maioria deles é transportada especificamente para áreas de infecção e de processos inflamatórios graves, proporcionando, assim, uma defesa rápida e potente contra agentes infecciosos. Como veremos adiante, os granulócitos e os monócitos têm uma habilidade especial para procurar e destruir um invasor estranho.

CARACTERÍSTICAS GERAIS DOS LEUCÓCITOS

Tipos de leucócitos. Seis tipos de leucócitos estão normalmente presentes no sangue: *neutrófilos* (polimorfonucleares), *eosinófilos* (polimorfonucleares), *basófilos* (polimorfonucleares), *monócitos*, *linfócitos* e, ocasionalmente, *plasmócitos*. Além disso, há um grande número de *plaquetas*, que são fragmentos de outro tipo de célula, semelhante aos leucócitos, encontrado na medula óssea, o *megacariócito*. Os três primeiros tipos de células, as células polimorfonucleares, têm uma aparência granular, conforme demonstrado pelas células de números 7, 10 e 12 na **Figura 34.1**, e, por esse motivo, são chamados de *granulócitos*.

Os granulócitos e os monócitos protegem o corpo contra organismos invasores pela sua ingestão (por *fagocitose*) ou pela liberação de substâncias antimicrobianas ou inflamatórias que têm vários efeitos que ajudam a destruir o organismo agressor. Os linfócitos e os plasmócitos funcionam principalmente em conexão com o sistema imunológico, conforme discutido no Capítulo 35. Por fim, a função das plaquetas é especificamente ativar o mecanismo de coagulação sanguínea, discutido no Capítulo 37.

Contagem dos diferentes leucócitos no sangue. Um ser humano adulto tem cerca de 7 mil leucócitos por *microlitro* de sangue (em comparação com os 5 milhões de hemácias por microlitro). Do total de leucócitos, as porcentagens normais dos diferentes tipos são aproximadamente as seguintes:

- Neutrófilos: 62%
- Eosinófilos: 2,3%
- Basófilos: 0,4%
- Monócitos: 5,3%
- Linfócitos: 30%.

O número de plaquetas, que são apenas fragmentos de células, em cada microlitro de sangue normalmente fica entre 150 mil e 450 mil; em média, cerca de 300 mil.

FORMAÇÃO DOS LEUCÓCITOS

A diferenciação inicial da célula-tronco hematopoética multipotente nos diferentes tipos de células-tronco

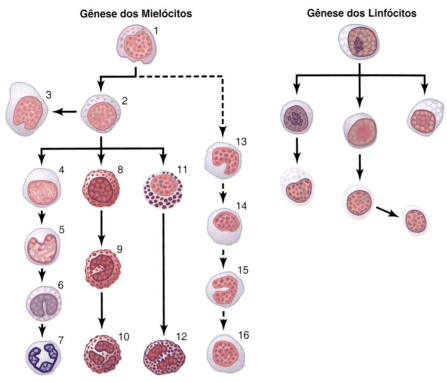

Figura 34.1 Formação dos leucócitos. As diferentes células da série dos mielócitos são mostradas: 1, mieloblasto; 2, promielócito; 3, megacariócito; 4, mielócito neutrófilo; 5, metamielócito neutrófilo jovem; 6, metamielócito neutrófilo em bastão; 7, neutrófilo; 8, mielócito eosinófilo; 9, metamielócito eosinófilo; 10, eosinófilo; 11, mielócito basófilo; 12, basófilo; 13-16, estágios de formação do monócito.

comprometidas foi mostrada na **Figura 33.2** no capítulo anterior. Além das células comprometidas com a formação das hemácias, duas linhagens principais de leucócitos são formadas: a mielocítica e a linfocítica. O lado esquerdo da **Figura 34.1** mostra a *linhagem mielocítica*, começando com o *mieloblasto*; o lado direito, a *linfocítica*, começando com o *linfoblasto*.

Os granulócitos e os monócitos são formados apenas na medula óssea. Os linfócitos e os plasmócitos são produzidos principalmente nos vários tecidos linfoides – especialmente nos linfonodos, no baço, no timo, nas tonsilas e nos vários bolsões de tecido linfoide em outras partes do corpo, como na medula óssea e nas *placas de Peyer*, que fica sob o epitélio da parede intestinal.

Os leucócitos formados na medula óssea são nela armazenados até que sejam necessários no sistema circulatório. Então, quando surge a necessidade, vários fatores (discutidos adiante) fazem com que eles sejam liberados. Normalmente, cerca de três vezes mais leucócitos são armazenados na medula óssea do que circulam no sangue total. Essa quantidade representa um suprimento para cerca de 6 dias dessas células.

Os linfócitos são armazenados principalmente nos vários tecidos linfoides, exceto por um pequeno número que é temporariamente transportado pelo sangue.

Como mostrado na **Figura 34.1**, os megacariócitos (célula 3) também são formados na medula óssea. Esses megacariócitos se fragmentam na medula óssea, e os pequenos fragmentos, conhecidos como *plaquetas*

(ou *trombócitos*), passam para o sangue. Elas são muito importantes no início da coagulação sanguínea.

TEMPO DE VIDA DOS LEUCÓCITOS

A vida dos granulócitos, após serem liberados da medula óssea, é normalmente de 4 a 8 horas circulando no sangue e outros 4 a 5 dias nos tecidos nos quais são necessários. Durante as infecções teciduais graves, esse tempo de vida total costuma ser reduzido para algumas horas, porque os granulócitos avançam ainda mais rapidamente para a área infectada, realizam suas funções e, no processo, são destruídos.

Os monócitos também têm um curto tempo de trânsito, de 10 a 20 horas no sangue, antes de atravessarem as membranas dos capilares em direção aos tecidos. Uma vez nos tecidos, eles aumentam de tamanho para se tornarem *macrófagos teciduais* e, nessa forma, podem viver por meses, a menos que sejam destruídos durante a realização de suas funções fagocíticas. Esses macrófagos teciduais são a base do *sistema dos macrófagos teciduais* (discutido em maiores detalhes posteriormente), que fornece defesa contínua contra as infecções.

Os linfócitos entram no sistema circulatório constantemente, junto com a drenagem da linfa dos linfonodos e de outros tecidos linfoides. Após algumas horas, eles passam do sangue de volta aos tecidos por *diapedese* ou *extravasamento*. Então, eles entram novamente na linfa e retornam ao sangue repetidamente; assim, há circulação contínua de linfócitos pelo corpo. Os linfócitos têm tempo de vida de semanas ou meses, dependendo da necessidade do corpo por essas células.

As plaquetas no sangue são substituídas cerca de uma vez a cada 10 dias. Em outras palavras, cerca de 30 mil plaquetas são formadas a cada dia para cada microlitro de sangue.

OS NEUTRÓFILOS E OS MACRÓFAGOS ATACAM OS AGENTES INFECCIOSOS

São principalmente os neutrófilos e os macrófagos teciduais que atacam e destroem as bactérias, os vírus e os outros agentes prejudiciais invasores. Os neutrófilos são células maduras que podem atacar e destruir bactérias, mesmo no sangue circulante. Por outro lado, os macrófagos teciduais começam a vida como monócitos sanguíneos, que são células imaturas enquanto ainda estão no sangue e têm pouca capacidade de combater os agentes infecciosos naquele momento. No entanto, uma vez que entram nos tecidos, eles começam a aumentar de volume – às vezes, aumentando seus diâmetros em até cinco vezes – para até 60 a 80 micrômetros, um tamanho que mal pode ser visto a olho nu. Essas células são agora chamadas de *macrófagos* e são extremamente capazes de combater os agentes patológicos nos tecidos.

Os leucócitos entram nos espaços teciduais por diapedese. Os neutrófilos e os monócitos podem se espremer através dos poros entre as células endoteliais dos capilares sanguíneos e das vênulas pós-capilares por *diapedese*. Embora os poros intercelulares sejam muito menores do que uma célula, uma pequena porção da célula desliza pelo poro de cada vez; a porção que desliza fica momentaneamente restrita ao tamanho do poro, conforme mostrado na **Figura 34.2** (ver também a **Figura 34.6**).

Os leucócitos se deslocam pelos espaços teciduais por movimento ameboide. Tanto os neutrófilos quanto os macrófagos podem se mover através dos tecidos por movimento ameboide, descrito no Capítulo 2. Algumas células se movem a velocidades de até 40 μm/min, uma distância tão grande quanto seu próprio comprimento a cada minuto.

Os leucócitos são atraídos para áreas de tecido inflamado por quimiotaxia. Muitas substâncias químicas diferentes nos tecidos fazem com que os neutrófilos e os macrófagos se movam em direção à fonte da substância química. Esse fenômeno, mostrado na **Figura 34.2**, é conhecido como *quimiotaxia*. Quando um tecido fica inflamado, é formada pelo menos uma dúzia de produtos diferentes que podem causar quimiotaxia em direção à área inflamada (ver Vídeo 34.1). Eles incluem o seguinte: (1) algumas das toxinas bacterianas ou virais; (2) produtos degenerativos dos tecidos inflamados; (3) vários produtos de reação do complexo do complemento (discutido no Capítulo 35) ativados nos tecidos inflamados; e (4) vários produtos de reação causados pela coagulação sanguínea na área inflamada, bem como outras substâncias.

Como mostrado na **Figura 34.2**, a quimiotaxia depende do gradiente de concentração da substância quimiotática. A concentração é maior próximo à fonte, o que direciona o movimento unidirecional dos leucócitos. A quimiotaxia é eficaz a até 100 micrômetros de distância de um tecido inflamado. Portanto, como quase nenhuma área de tecido está a mais de 50 micrômetros de distância de um capilar, o sinal quimiotático pode mover facilmente hordas de leucócitos dos capilares para a área inflamada.

FAGOCITOSE

A principal função dos neutrófilos e dos macrófagos é realizar a *fagocitose*, que representa a ingestão celular do agente agressor. Os fagócitos devem ser seletivos quanto ao material que é fagocitado; caso contrário, células e estruturas normais do corpo podem ser ingeridas. A ocorrência da fagocitose depende principalmente de três procedimentos seletivos (ver **Figura 34.3**).

Primeiro, a maioria das estruturas naturais dos tecidos tem superfícies lisas, que resistem à fagocitose. No entanto, se a superfície for rugosa, a probabilidade de a fagocitose ocorrer aumenta.

Segundo, a maioria das substâncias naturais do corpo tem revestimentos proteicos protetores, que repelem os fagócitos. Por outro lado, a maioria dos tecidos mortos e das partículas estranhas não têm revestimentos protetores, o que os torna sujeitos à fagocitose.

Terceiro, o sistema imunológico do corpo (descrito no Capítulo 35) desenvolve *anticorpos* contra os agentes infecciosos, como as bactérias. Os anticorpos então aderem às membranas bacterianas e, assim, tornam as bactérias especialmente suscetíveis à fagocitose. Para fazer isso, a molécula de anticorpo também se combina com o produto C3 da *cascata do sistema complemento*, que é uma

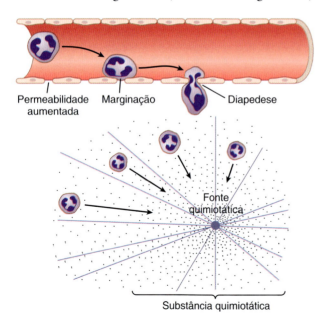

Figura 34.2 Movimento dos neutrófilos por *diapedese*, ou *extravasamento*, pelos poros dos capilares e por *quimiotaxia* em direção a uma área de dano tecidual.

CAPÍTULO 34 Resistência do Corpo a Infecções: I. Leucócitos, Granulócitos...

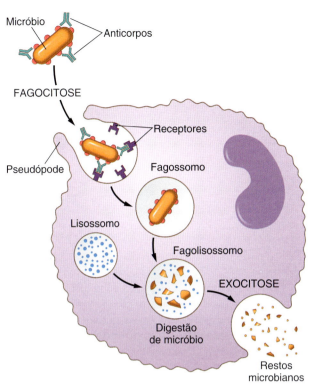

Figura 34.3 Fagocitose de patógenos, como bactérias, por uma célula fagocítica, como um macrófago. Os anticorpos revestem as bactérias, tornando-as mais suscetíveis à fagocitose pelo macrófago que engolfa a bactéria, levando-a para a célula e formando um *fagossomo*. Os lisossomos se ligam ao fagossomo para formar um *fagolisossomo*, que digere o patógeno invasor. A célula fagocítica então libera os produtos digeridos por *exocitose*.

parte adicional do sistema imunológico, discutido no próximo capítulo. As moléculas C3, por sua vez, ligam-se a receptores na membrana dos fagócitos, iniciando, assim, a fagocitose. Esse processo pelo qual um patógeno é selecionado para a fagocitose e, então, destruído, é denominado de *opsonização*.

Fagocitose pelos neutrófilos. Os neutrófilos que entram nos tecidos já são células maduras, que podem começar a fagocitose imediatamente. Ao se aproximar de uma partícula a ser fagocitada, o neutrófilo primeiro se liga a ela e, então, projeta seus *pseudópodes* em todas as direções ao redor dela. Os pseudópodes se encontram no lado oposto e se fundem. Essa ação cria uma câmara fechada, que contém a partícula fagocitada. Em seguida, a câmara invagina para o interior da cavidade citoplasmática e se separa da membrana celular externa para formar uma *vesícula fagocítica* flutuante (também chamada de *fagossomo*) dentro do citoplasma. Um único neutrófilo pode fagocitar de 3 a 20 bactérias antes que se torne inativo e morra.

Fagocitose pelos macrófagos. Os macrófagos são o produto final dos monócitos que entram nos tecidos a partir do sangue. Quando ativados pelo sistema imunológico, conforme descrito no Capítulo 35, eles são fagócitos muito mais poderosos do que os neutrófilos, muitas vezes capazes de fagocitar até 100 bactérias. Eles também têm a capacidade de engolfar partículas muito maiores, até mesmo hemácias inteiras ou, ocasionalmente, parasitos da malária, enquanto os neutrófilos não são capazes de fagocitar partículas muito maiores do que as bactérias. Além disso, após digerir as partículas, os macrófagos podem expulsar os produtos residuais e, frequentemente, sobrevivem e funcionam por muitos mais meses.

Uma vez fagocitada, a maioria das partículas é digerida por enzimas intracelulares. Uma vez que uma partícula estranha foi fagocitada, os lisossomos e os outros grânulos citoplasmáticos no neutrófilo ou no macrófago entram imediatamente em contato com a vesícula fagocítica e suas membranas se fundem, despejando muitas enzimas digestivas e agentes bactericidas na vesícula. Assim, a vesícula fagocítica torna-se uma *vesícula digestiva*, e a digestão da partícula fagocitada começa de imediato.

Tanto os neutrófilos quanto os macrófagos contêm uma abundância de lisossomos cheios de *enzimas proteolíticas* especialmente voltadas para a digestão de bactérias e de outras matérias proteicas estranhas. Os lisossomos dos macrófagos (mas não dos neutrófilos) também contêm grandes quantidades de *lipases*, que digerem as espessas membranas lipídicas de algumas bactérias, como o bacilo da tuberculose.

Os neutrófilos e os macrófagos podem matar bactérias. Além da digestão das bactérias ingeridas nos fagossomos, os neutrófilos e os macrófagos contêm *agentes bactericidas* que matam a maioria das bactérias, mesmo quando as enzimas lisossômicas não conseguem digeri-las. Essa característica é especialmente importante porque algumas bactérias têm revestimentos protetores ou outros fatores que impedem a sua destruição por enzimas digestivas. A maior parte do efeito mortal resulta de vários *agentes oxidantes* poderosos formados por enzimas na membrana do fagossomo, ou por uma organela especial chamada de *peroxissomo*. Esses agentes oxidantes incluem grandes quantidades de *superóxido* (O_2^-), *peróxido de hidrogênio* (H_2O_2) e *radical hidroxila* (OH^-), que são letais para a maioria das bactérias, mesmo em pequenas quantidades. Além disso, uma das enzimas lisossômicas, a mieloperoxidase, catalisa a reação entre o H_2O_2 e os íons cloro para formar hipoclorito, que é extremamente bactericida.

Algumas bactérias, notadamente o bacilo da tuberculose, têm revestimentos que são resistentes à digestão lisossômica e também secretam substâncias que resistem parcialmente aos efeitos mortíferos dos neutrófilos e dos macrófagos. Essas bactérias são responsáveis por muitas doenças crônicas, como a tuberculose.

SISTEMA MONONUCLEAR FAGOCITÁRIO (SISTEMA RETICULOENDOTELIAL)

Nos parágrafos anteriores, descrevemos os macrófagos principalmente como células móveis capazes de vagar pelos tecidos. No entanto, após entrar nos tecidos e se tornar macrófagos, outra grande parte de monócitos se liga aos tecidos e permanece por meses ou mesmo anos, até que sejam chamados a desempenhar funções protetoras locais específicas. Eles têm as mesmas capacidades dos macrófagos móveis para fagocitar grandes quantidades de bactérias, vírus, tecido necrótico ou outras partículas estranhas no tecido. Além disso, quando estimulados de forma adequada, eles podem romper suas ligações e, mais uma vez, tornar-se macrófagos móveis que respondem à quimiotaxia e a todos os outros estímulos relacionados ao processo inflamatório. Assim, o corpo tem um sistema mononuclear fagocitário difundido em praticamente todas as áreas do tecido.

A combinação total de monócitos, macrófagos móveis, macrófagos teciduais fixos (*histiócitos*) e algumas células endoteliais especializadas na medula óssea, no baço e nos linfonodos é chamada de *sistema reticuloendotelial*. No entanto, todas ou quase todas essas células se originam de células-tronco monocíticas; portanto, o sistema reticuloendotelial é praticamente sinônimo de sistema mononuclear fagocitário. Como o termo *sistema reticuloendotelial* é utilizado na literatura médica como sinônimo do termo *sistema mononuclear fagocitário*, ele deve ser lembrado como um sistema fagocítico generalizado localizado em todos os tecidos, especialmente nas áreas teciduais nas quais grandes quantidades de partículas, toxinas e outras substâncias indesejadas devem ser destruídas.

Macrófagos teciduais na pele e nos tecidos subcutâneos (histiócitos). A pele é principalmente impregnável aos agentes infecciosos, exceto quando a sua integridade é rompida. Quando a infecção começa em um tecido subcutâneo e ocorre um processo inflamatório local, os macrófagos teciduais locais podem se dividir *in situ* e formar ainda mais macrófagos. Em seguida, eles desempenham as funções usuais de atacar e destruir os agentes infecciosos, conforme descrito anteriormente.

Macrófagos presentes nos linfonodos. Essencialmente, nenhuma partícula que entra nos tecidos, como bactérias, pode ser absorvida diretamente através das membranas dos capilares para o sangue. Em vez disso, se as partículas não forem destruídas localmente nos tecidos, elas entram na linfa e fluem para os linfonodos localizados de forma intermitente ao longo do curso do fluxo linfático. As partículas estranhas são então aprisionadas nesses linfonodos em malha de seios revestidos por *macrófagos teciduais*.

A **Figura 34.4** ilustra a organização geral do linfonodo, mostrando a linfa entrando através da cápsula do linfonodo pelos *vasos linfáticos aferentes*, fluindo pelos *seios medulares do linfonodo* e, finalmente, saindo do *hilo* pelos *vasos linfáticos eferentes*, que deságuam no sangue venoso.

Um grande número de macrófagos reveste os seios linfáticos e, se alguma partícula entra nos seios pela linfa, os macrófagos a fagocitam e evitam a sua disseminação geral por todo o corpo.

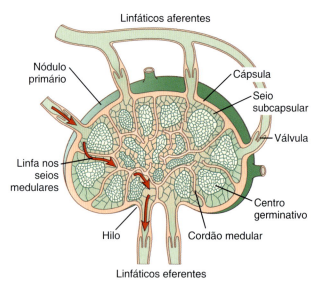

Figura 34.4 Diagrama funcional de um linfonodo.

Macrófagos alveolares nos pulmões. Outra rota pela qual os organismos invasores frequentemente entram no corpo é pelos pulmões. Um grande número de macrófagos teciduais está presente como componentes integrais das paredes alveolares. Eles podem fagocitar partículas que ficam presas nos alvéolos. Se as partículas forem digeríveis, os macrófagos também podem digeri-las e liberar os produtos digestivos na linfa. Se não o forem, os macrófagos costumam formar uma cápsula de célula gigante ao redor delas até o momento – se é que isso acontece – em que serão dissolvidas lentamente. Essas cápsulas são frequentemente formadas em torno de bacilos da tuberculose, partículas de poeira de sílica e até mesmo partículas de carbono.

Macrófagos (células de Kupffer) nos sinusoides hepáticos. Outra rota pela qual as bactérias invadem o corpo é através do sistema digestório. Um grande número de bactérias provenientes dos alimentos ingeridos passa constantemente através da mucosa gastrointestinal para o sangue portal. Antes de entrar na circulação geral, esse sangue passa pelos sinusoides hepáticos, que são revestidos por macrófagos teciduais chamados de *células de Kupffer*, mostradas na **Figura 34.5**. Essas células formam um sistema de filtração de partículas tão eficaz que quase nenhuma bactéria do sistema digestório passa do sangue portal para a circulação sistêmica geral. De fato, vídeos de fagocitose pelas células de Kupffer demonstraram fagocitose de uma única bactéria em menos de 0,01 segundo.

Macrófagos do baço e da medula óssea. Se um organismo invasor consegue entrar na circulação geral, existem outras linhas de defesa pelo sistema de macrófagos teciduais, especialmente pelos macrófagos do baço e pelos da medula óssea. Em ambos os tecidos, os macrófagos ficam presos pela malha reticular dos dois órgãos e, quando partículas estranhas entram em contato com esses macrófagos, elas são fagocitadas.

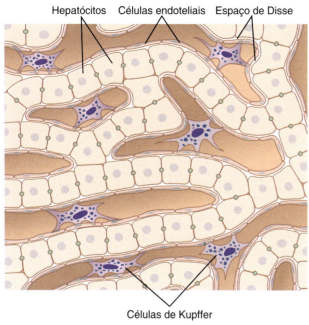

Figura 34.5 Células de Kupffer que revestem os sinusoides hepáticos, mostrando a fagocitose de partículas de tinta nanquim no citoplasma das células de Kupffer.

O baço é semelhante aos linfonodos, exceto que o sangue, em vez da linfa, flui pelos espaços teciduais esplênicos. A **Figura 34.6** mostra um pequeno segmento periférico de tecido esplênico. Observe que uma pequena artéria penetra através da cápsula esplênica na *polpa esplênica* e termina em pequenos capilares. Os capilares são altamente porosos, permitindo que o sangue total saia dos capilares para os *cordões da polpa vermelha*. O sangue então se *espreme* gradualmente pela malha trabecular desses cordões até retornar à circulação por meio das paredes endoteliais dos *seios venosos*. As trabéculas da polpa vermelha e os seios venosos são revestidos por um grande número de macrófagos. Essa passagem peculiar de sangue pelos cordões da polpa vermelha fornece um meio excepcional de fagocitose dos resíduos indesejados no sangue, incluindo especialmente as hemácias velhas e anormais.

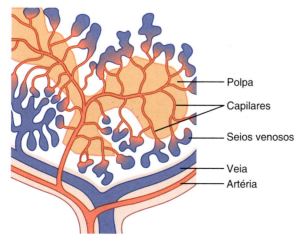

Figura 34.6 Estruturas funcionais do baço.

PROCESSO INFLAMATÓRIO: PAPEL DOS NEUTRÓFILOS E DOS MACRÓFAGOS

PROCESSO INFLAMATÓRIO

Quando ocorre uma lesão tecidual – causada por bactérias, trauma, produtos químicos, calor ou por qualquer outro fenômeno –, várias substâncias são liberadas pelos tecidos lesados e causam mudanças secundárias drásticas nos tecidos circundantes não lesados. Todo esse complexo de alterações teciduais é chamado de *processo inflamatório*.

O processo inflamatório é caracterizado por: (1) vasodilatação dos vasos sanguíneos locais, com o consequente aumento do fluxo sanguíneo local; (2) aumento da permeabilidade dos capilares, gerando um extravasamento de grandes quantidades de líquido para os espaços intersticiais; (3) frequentemente, coagulação do líquido nos espaços intersticiais devido ao aumento da quantidade de fibrinogênio e de outras proteínas que extravasaram dos capilares; (4) migração de um grande número de granulócitos e de monócitos para o tecido; e (5) dilatação das células teciduais. Alguns dos muitos produtos teciduais que causam essas reações são a *histamina*, a *bradicinina*, a *serotonina*, as *prostaglandinas*, vários diferentes produtos relacionados ao *sistema complemento* (descrito no Capítulo 35), produtos relacionados ao *sistema de coagulação sanguínea* e várias substâncias chamadas de *linfocinas*, que são liberadas por células T sensibilizadas (parte do sistema imunológico; também discutido no Capítulo 35). Várias dessas substâncias ativam fortemente o sistema macrofágico, e, em poucas horas, os macrófagos começam a fagocitar os tecidos destruídos. Às vezes, no entanto, os macrófagos também podem causar danos adicionais às células do tecido ainda vivo.

Efeito de isolamento do processo inflamatório. Um dos primeiros resultados do processo inflamatório é isolar a área lesada dos tecidos remanescentes. Os espaços teciduais e os vasos linfáticos da área inflamada são bloqueados por coágulos de fibrinogênio, de modo que, depois de um tempo, o líquido quase não flui pelos espaços. Esse processo de isolamento retarda a disseminação de bactérias e de produtos tóxicos.

A intensidade do processo inflamatório é geralmente proporcional ao grau de lesão tecidual. Por exemplo, quando os *estafilococos* invadem os tecidos, eles liberam toxinas celulares extremamente letais. Como resultado, o processo inflamatório se desenvolve rapidamente – na verdade, muito mais rapidamente do que os estafilococos podem se multiplicar e se espalhar. Portanto, a infecção estafilocócica local é isolada rapidamente, de forma específica, e impedida de se espalhar pelo corpo. Os estreptococos, ao contrário, não causam uma destruição tecidual local tão intensa. Portanto, o processo de isolamento se desenvolve lentamente ao longo de muitas horas, enquanto muitos estreptococos se reproduzem e migram. Como resultado, os estreptococos costumam ter uma tendência muito maior de se disseminarem pelo corpo e de causarem a morte do que os estafilococos, embora os estafilococos sejam muito mais destrutivos para os tecidos.

RESPOSTAS DOS MACRÓFAGOS E DOS NEUTRÓFILOS DURANTE O PROCESSO INFLAMATÓRIO

Os macrófagos teciduais fornecem a primeira linha de defesa contra as infecções. Poucos minutos após o início do processo inflamatório, os macrófagos já presentes nos tecidos – histiócitos nos tecidos subcutâneos, macrófagos alveolares nos pulmões, micróglia no cérebro ou outros – iniciam de imediato as suas ações fagocíticas. Quando ativados pelos produtos da infecção e do processo inflamatório, o primeiro efeito é o rápido aumento do tamanho de cada uma dessas células. Em seguida, muitos dos macrófagos anteriormente sésseis se desprendem de suas ligações e tornam-se móveis, formando a primeira linha de defesa contra as infecções durante aproximadamente a primeira hora. O número desses macrófagos mobilizados inicialmente não costuma ser grande, mas salva vidas.

A invasão da área inflamada por neutrófilos constitui a segunda linha de defesa. Aproximadamente na primeira hora após o início do processo inflamatório, um grande número de neutrófilos começa a invadir a área inflamada a partir do sangue. Essa invasão é causada por citocinas inflamatórias (p. ex., fator de necrose tumoral e interleucina-1) e por outros produtos bioquímicos gerados pelos tecidos inflamados, que iniciam as seguintes reações:

1. Eles causam o aumento da expressão de *moléculas de adesão*, como *selectinas* e *molécula de adesão intercelular-1* (ICAM-1) na superfície das células endoteliais, nos capilares e nas vênulas. Essas moléculas de adesão, reagindo com moléculas de *integrinas* complementares nos neutrófilos, fazem com que os neutrófilos grudem nas paredes dos capilares e das vênulas na área inflamada. Esse efeito é chamado de *marginação* e é mostrado na **Figura 34.2**, e com mais detalhes na **Figura 34.7**.
2. Eles também fazem com que as ligações intercelulares entre as células endoteliais dos capilares e das pequenas vênulas se afrouxem, permitindo aberturas grandes o suficiente para os neutrófilos rastejarem por meio dos capilares por diapedese para os espaços teciduais.
3. Eles então causam a *quimiotaxia* dos neutrófilos em direção aos tecidos lesados, como explicado anteriormente. Todo o processo de translocação de neutrófilos (ou de outras substâncias e células, como monócitos) por meio dos capilares para os tecidos que os circundam é denominado de *extravasamento*; a passagem específica de células sanguíneas pelas paredes intactas dos capilares é chamada de *diapedese*, embora esse termo seja frequentemente usado de forma intercambiável com extravasamento ao se discutir o movimento das células sanguíneas pelos capilares para os tecidos.

Assim, várias horas após o início do dano tecidual, a área fica bem suprida de neutrófilos. Como os neutrófilos sanguíneos já são células maduras, eles estão prontos para começar de imediato as suas funções de limpeza de matar bactérias e remover corpos estranhos.

Aumento agudo no número de neutrófilos no sangue: neutrofilia. Também, algumas horas após o início do processo inflamatório agudo grave, o número de neutrófilos no sangue às vezes aumenta de quatro a cinco vezes – de um normal de 4 mil a 5 mil para 15 mil a 25 mil neutrófilos/$\mu\ell$. Isso é chamado de *neutrofilia*, que significa um aumento no número de neutrófilos no sangue. A neutrofilia é causada por produtos do processo inflamatório

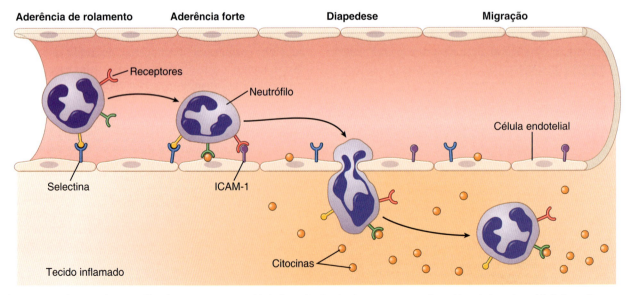

Figura 34.7 Migração de neutrófilos do sangue para o tecido inflamado. As citocinas e outros produtos bioquímicos do tecido inflamado causam o aumento da expressão de selectinas e da molécula de adesão intercelular-1 (*ICAM-1*) na superfície das células endoteliais. Essas moléculas de adesão se ligam a moléculas ou receptores complementares no neutrófilo, fazendo com que ele fique aderido à parede do capilar ou da vênula. O neutrófilo então migra por meio da parede do vaso por diapedese ou por extravasamento em direção ao local da lesão tecidual.

que entram na corrente sanguínea, são transportados para a medula óssea e atuam sobre os neutrófilos armazenados na medula para mobilizá-los para o sangue circulante. Isso deixa ainda mais neutrófilos disponíveis para a área do tecido inflamado.

A segunda invasão de macrófagos no tecido inflamado constitui a terceira linha de defesa. Junto com a invasão de neutrófilos, os monócitos do sangue entram no tecido inflamado e aumentam de tamanho para se tornarem macrófagos. No entanto, o número de monócitos no sangue circulante é baixo. Além disso, a reserva de armazenamento de monócitos na medula óssea é muito menor do que a de neutrófilos. Portanto, o acúmulo de macrófagos na área do tecido inflamado é muito mais lento do que o de neutrófilos, levando vários dias para se tornar efetivo. Além disso, mesmo depois de invadir o tecido inflamado, os monócitos ainda são células imaturas, precisando de, pelo menos, 8 horas para aumentar para tamanhos muito maiores e desenvolver quantidades enormes de lisossomos. Só então eles adquirem a capacidade total dos *macrófagos teciduais* para a fagocitose. Depois de vários dias a várias semanas, os macrófagos finalmente passam a dominar as células fagocíticas da área inflamada devido ao grande aumento da produção de novos monócitos na medula óssea, como explicado posteriormente.

Como já observado, os macrófagos podem fagocitar muito mais bactérias (cerca de cinco vezes mais) e partículas muito maiores, incluindo até mesmo neutrófilos e grandes quantidades de tecido necrótico, do que os neutrófilos. Além disso, os macrófagos desempenham um papel importante no início do desenvolvimento de anticorpos, conforme discutido no Capítulo 35.

O aumento da produção de granulócitos e de monócitos pela medula óssea constitui a quarta linha de defesa. A quarta linha de defesa é a produção muito aumentada de granulócitos e de monócitos pela medula óssea. Essa ação resulta da estimulação das células progenitoras granulocíticas e monocíticas da medula. No entanto, leva de 3 a 4 dias para que os granulócitos e os monócitos recém-formados atinjam o estágio de saída da medula óssea. Se o estímulo do tecido inflamado continuar, a medula óssea pode continuar a produzir essas células em grandes quantidades por meses e até anos, às vezes a uma taxa de 20 a 50 vezes o normal.

Controle por *feedback* das respostas dos macrófagos e dos neutrófilos

Embora mais de duas dúzias de fatores sejam implicados no controle da resposta dos macrófagos ao processo inflamatório, acredita-se que cinco deles desempenhem papéis dominantes. Eles são mostrados na **Figura 34.8** e consistem nos seguintes: (1) *fator de necrose tumoral* (TNF); (2) *interleucina-1* (IL-1), (3) *fator estimulador de colônias de granulócitos-monócitos* (GM-CSF); (4) *fator estimulador de colônias de granulócitos* (G-CSF); e (5) *fator estimulador de colônias de monócitos* (M-CSF). Esses fatores são

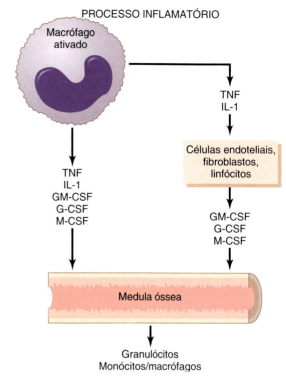

Figura 34.8 Controle da produção de granulócitos e de monócitos-macrófagos na medula óssea em resposta a múltiplos fatores de crescimento liberados por macrófagos ativados em um tecido inflamado. G-CSF: fator estimulador de colônias de granulócitos; GM-CSF: fator estimulador de colônias de granulócitos-monócitos; IL-1: interleucina-1; M-CSF: fator estimulador de colônias de monócitos; TNF: fator de necrose tumoral.

formados pelos macrófagos ativados nos tecidos inflamados e, em menor quantidade, por outras células do tecido inflamado.

A causa do aumento da produção de granulócitos e de monócitos pela medula óssea se deve principalmente aos três fatores estimuladores de colônias; um deles, o GM-CSF, estimula a produção de granulócitos e de monócitos; os outros dois, o G-CSF e o M-CSF, estimulam a produção de granulócitos e de monócitos, respectivamente. Essa combinação de TNF, IL-1 e de fatores estimuladores de colônias fornece um poderoso mecanismo de *feedback*, que começa com o processo inflamatório tecidual e prossegue para a formação de um grande número de leucócitos defensivos que ajudam a remover a causa do processo inflamatório.

Formação de pus

Quando os neutrófilos e os macrófagos engolfam um grande número de bactérias e de tecido necrótico, essencialmente todos os neutrófilos e muitos, senão a maioria, dos macrófagos morrem. Após vários dias, uma cavidade é escavada nos tecidos inflamados. Essa cavidade contém porções variáveis de tecido necrótico, neutrófilos mortos, macrófagos mortos e líquido tecidual. Essa mistura é comumente conhecida como *pus*. Depois que a infecção é suprimida, as células mortas e o tecido necrótico no pus

PARTE 6 Células Sanguíneas, Imunidade e Coagulação Sanguínea

passam gradualmente por autólise ao longo de alguns dias, e os produtos finais são absorvidos pelos tecidos circundantes e pela linfa até que a maior parte das evidências de dano tecidual desapareça.

EOSINÓFILOS

Os eosinófilos normalmente constituem cerca de 2% de todos os leucócitos do sangue. Os eosinófilos são fagócitos fracos e exibem quimiotaxia; mas, em comparação com os neutrófilos, é pouco provável que os eosinófilos sejam significativos na proteção contra os tipos usuais de infecção.

Os eosinófilos, entretanto, são frequentemente produzidos em grande número em pessoas com infecções parasitárias e migram para os tecidos acometidos pelos parasitos. Embora a maioria dos parasitos seja grande demais para ser fagocitado pelos eosinófilos ou por qualquer outra célula fagocítica, os eosinófilos se ligam aos parasitos por meio de moléculas de superfície especiais e liberam substâncias que matam muitos deles. Por exemplo, uma das infecções mais comuns é a *esquistossomose*, uma infecção parasitária encontrada em até um terço da população de alguns países em desenvolvimento na África, na Ásia e na América do Sul. Estima-se que 85 a 90% dos casos mundiais de esquistossomose ocorram na África.

Os vermes parasitos da esquistossomose podem invadir qualquer parte do corpo. Os eosinófilos se ligam às formas juvenis do parasito e matam muitas delas. Eles fazem isso de várias maneiras: (1) pela liberação de enzimas hidrolíticas de seus grânulos, que são lisossomos modificados; (2) provavelmente também pela liberação de formas altamente reativas de oxigênio que são especialmente letais para os parasitos; e (3) pela liberação dos grânulos de um polipeptídeo altamente larvicida denominado *proteína básica principal*.

Em algumas áreas do mundo, outra doença parasitária que causa a eosinofilia é a *triquinose*. Essa doença resulta da invasão dos músculos do corpo pelo parasito *Trichinella spiralis* (verme de suínos) depois que uma pessoa come alimentos de origem suína infectados e malcozidos.

Os eosinófilos também têm uma propensão especial para se acumularem em tecidos nos quais ocorrem reações alérgicas, como nos tecidos peribrônquicos dos pulmões em pessoas com asma e na pele após uma reação alérgica cutânea. Essa ação é causada, pelo menos em parte, pelo fato de que muitos mastócitos e basófilos participam nas reações alérgicas, conforme discutido a seguir. Os mastócitos e os basófilos liberam um *fator quimiotáxico de eosinófilos* que faz com que os eosinófilos migrem em direção ao tecido alérgico inflamado. Acredita-se que os eosinófilos realizem a destoxificação de algumas das substâncias indutoras do processo inflamatório, liberadas pelos mastócitos e pelos basófilos, e provavelmente também fagocitem e destruam os complexos alergênio-anticorpo, evitando, assim, a disseminação excessiva do processo inflamatório local.

BASÓFILOS

Os basófilos no sangue circulante são semelhantes aos grandes *mastócitos* teciduais localizados imediatamente por fora de muitos dos capilares no corpo. Tanto os mastócitos quanto os basófilos liberam *heparina* no sangue. A heparina é uma substância que previne a coagulação sanguínea.

Os mastócitos e os basófilos também liberam *histamina*, bem como pequenas quantidades de *bradicinina* e de *serotonina*. São principalmente os mastócitos nos tecidos inflamados que liberam essas substâncias durante o processo inflamatório.

Os mastócitos e os basófilos desempenham um papel importante em alguns tipos de reações alérgicas, porque o tipo de anticorpo que causa as reações alérgicas, a imunoglobulina E (IgE), tem uma propensão especial para se ligar aos mastócitos e aos basófilos. Então, quando o antígeno específico para o anticorpo IgE reage com ele, a ligação resultante do antígeno ao anticorpo faz com que o mastócito ou o basófilo libere quantidades aumentadas de *histamina, bradicinina, serotonina, heparina, substância de reação lenta da anafilaxia (SRS-A* [mistura de três *leucotrienos*]) e de várias *enzimas lisossômicas*. Essas substâncias causam reações vasculares e teciduais locais que medeiam muitas, senão a maioria, das manifestações alérgicas. Essas reações são discutidas em mais detalhes no Capítulo 35.

LEUCOPENIA

Ocasionalmente, ocorre uma condição clínica conhecida como *leucopenia*, na qual a medula óssea produz poucos leucócitos. Essa condição deixa o corpo desprotegido contra muitas bactérias e outros agentes que podem invadir os tecidos.

Normalmente, o corpo humano vive em simbiose com muitas bactérias porque as membranas mucosas do corpo estão constantemente expostas a um grande número delas. A boca quase sempre contém várias bactérias espiroquetas, pneumocócicas e estreptocócicas, e essas mesmas bactérias estão presentes em menor grau em todo o sistema respiratório. O tubo gastrointestinal distal é especialmente carregado com bacilos do cólon. Além disso, sempre é possível encontrar bactérias nas superfícies dos olhos, da uretra e da vagina. Qualquer diminuição no número de leucócitos permite imediatamente a invasão de tecidos adjacentes por bactérias que já estão presentes.

Dentro de 2 dias após a medula óssea parar de produzir leucócitos, podem aparecer úlceras na boca e no cólon, ou pode desenvolver-se alguma forma de infecção respiratória grave. As bactérias das úlceras invadem rapidamente os tecidos circundantes e o sangue. Sem tratamento, a morte geralmente ocorre em menos de 1 semana após o início da leucopenia aguda total.

A irradiação do corpo por raios X ou por raios gama, ou a exposição a fármacos e a produtos químicos que contenham núcleos benzeno ou de antraceno, pode causar aplasia da medula óssea. Alguns medicamentos comuns, como cloranfenicol (um antibiótico), propiltiouracila (usado para tratar hipertireoidismo) e até mesmo vários hipnóticos barbitúricos, em raras ocasiões, causam leucopenia, desencadeando toda a sequência infecciosa desse distúrbio.

Após lesão de irradiação moderada na medula óssea, algumas células-tronco, mieloblastos e hemocitoblastos podem permanecer inalterados na medula e são capazes de regenerá-la, desde que haja tempo suficiente. Um paciente tratado adequadamente com transfusões, além de antibióticos e outros medicamentos para evitar infecções, geralmente desenvolve medula óssea nova o suficiente, em semanas a meses, para que as concentrações de células sanguíneas voltem ao normal.

LEUCEMIAS

A produção descontrolada de leucócitos pode ser causada por mutação cancerosa de uma célula mieloide ou linfoide. Esse processo causa *leucemia*, que é caracterizada por um grande aumento no número de leucócitos anormais no sangue circulante.

Existem dois tipos gerais de leucemia, linfoide e mieloide. As *leucemias linfoides* são causadas pela produção cancerosa de células linfoides, geralmente começando em um linfonodo ou em outro tecido linfoide e se espalhando para outras áreas do corpo. O segundo tipo de leucemia, a *leucemia mieloide*, começa pela produção cancerosa de células mieloides jovens na medula óssea e, em seguida, espalha-se por todo o corpo, de modo que os leucócitos são produzidos em muitos tecidos extramedulares – especialmente nos linfonodos, no baço e no fígado.

Na leucemia mieloide, o processo canceroso ocasionalmente produz células parcialmente diferenciadas, resultando no que pode ser chamado de *leucemia neutrofílica*, *leucemia eosinofílica*, *leucemia basofílica* ou *leucemia monocítica*. Mais frequentemente, no entanto, as células leucêmicas são bizarras e indiferenciadas, e não idênticas a nenhum dos leucócitos normais. Normalmente, quanto mais indiferenciada a célula, mais *aguda* é a leucemia, geralmente levando à morte em alguns meses se não for tratada. Com algumas das células mais diferenciadas, o processo pode ser *crônico*, às vezes se desenvolvendo lentamente ao longo de 10 a 20 anos. As células leucêmicas, especialmente as muito indiferenciadas, não são funcionais para fornecer a proteção normal contra as infecções.

Efeitos da leucemia no corpo

O primeiro efeito da leucemia é o crescimento metastático de células leucêmicas em áreas anormais do corpo. As células leucêmicas da medula óssea podem se reproduzir tanto a ponto de invadirem o osso circundante, causando dor e, eventualmente, uma tendência para os ossos sofrerem fraturas facilmente.

Quase todas as leucemias eventualmente se disseminam para o baço, linfonodos, fígado e para outras regiões vasculares, independentemente de terem se originado na medula óssea ou nos linfonodos. Os efeitos comuns da leucemia são o desenvolvimento de infecção, anemia grave e tendência a hemorragia causada por *trombocitopenia* (redução de plaquetas). Esses efeitos resultam principalmente da substituição da medula óssea normal e das células linfoides pelas células leucêmicas não funcionais.

Por fim, um efeito importante da leucemia no corpo é o uso excessivo de substratos metabólicos pelas células cancerosas em crescimento. Os tecidos leucêmicos reproduzem novas células tão rapidamente que demandas enormes são feitas nas reservas corporais por nutrientes, aminoácidos específicos e vitaminas. Em consequência, a energia do paciente é muito esgotada, e a utilização excessiva de aminoácidos pelas células leucêmicas causa uma deterioração rápida dos tecidos proteicos normais do corpo. Assim, enquanto os tecidos leucêmicos crescem, outros tecidos tornam-se debilitados. Depois que a inanição metabólica continua por tempo suficiente, esse fator sozinho é suficiente para causar a morte.

Bibliografia

David BA, Kubes P: Exploring the complex role of chemokines and chemoattractants in vivo on leukocyte dynamics. Immunol Rev 289:9, 2019.

DeNardo DG, Ruffell B: Macrophages as regulators of tumour immunity and immunotherapy. Nat Rev Immunol 19:369, 2019.

Hallek M, Shanafelt TD, Eichhorst B: Chronic lymphocytic leukaemia. Lancet 391:1524, 2018.

Honda M, Kubes P: Neutrophils and neutrophil extracellular traps in the liver and gastrointestinal system. Nat Rev Gastroenterol Hepatol 15:206, 2018.

Lemke G: How macrophages deal with death. Nat Rev Immunol 19: 539, 2019.

Liew PX, Kubes P: The neutrophil's role during health and disease. Physiol Rev 99:1223, 2019.

Medzhitov R: Origin and physiological roles of inflammation. Nature 454:428, 2008.

Ng LG, Ostuni R, Hidalgo A: Heterogeneity of neutrophils. Nat Rev Immunol 19:255, 2019.

Papayannopoulos V: Neutrophil extracellular traps in immunity and disease. Nat Rev Immunol 18:134, 2018.

Phillipson M, Kubes P: The healing power of neutrophils. Trends Immunol 2019 May 31. pii: S1471-4906(19)30103-30106.

Pinho S, Frenette PS: Haematopoietic stem cell activity and interactions with the niche. Nat Rev Mol Cell Biol 20:303, 2019.

Russell DG, Huang L, VanderVen BC: Immunometabolism at the interface between macrophages and pathogens. Nat Rev Immunol 19:291, 2019.

Short NJ, Rytting ME, Cortes JE: Acute myeloid leukaemia. Lancet 392:593, 2018.

Spivak JL: Myeloproliferative neoplasms. N Engl J Med 376:2168, 2017.

Watanabe S, Alexander M, Misharin AV, Budinger GRS: The role of macrophages in the resolution of inflammation. J Clin Invest 129: 2619, 2019.

Werner S, Grose R: Regulation of wound healing by growth factors and cytokines. Physiol Rev 83:835, 2003.

CAPÍTULO 35

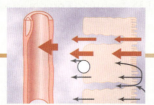

Resistência do Corpo a Infecções: II. Imunidade e Alergia

O corpo humano tem a capacidade de resistir a quase todos os tipos de organismos ou toxinas que tendam a danificar os tecidos e os órgãos. Essa capacidade é chamada de *imunidade*. Grande parte dela é a *imunidade adquirida*, que não se desenvolve até o corpo ser atacado pela primeira vez por uma bactéria, um vírus ou uma toxina; e frequentemente, são necessárias semanas ou meses para que a imunidade se desenvolva. No entanto, em vez de processos direcionados a organismos patológicos específicos, existe um elemento adicional da imunidade que resulta de processos gerais. Trata-se da *imunidade inata*, que inclui os seguintes aspectos:

1. Fagocitose de bactérias e outros invasores pelos leucócitos e pelas células do sistema dos macrófagos teciduais, conforme descrito no Capítulo 34.
2. Destruição de organismos deglutidos pelas secreções ácidas do estômago e pelas enzimas digestivas.
3. Resistência da pele à invasão por organismos.
4. Presença de certos produtos químicos e células no sangue, os quais se ligam a organismos estranhos ou toxinas e os destroem. Alguns deles são: (1) *lisozima*, um polissacarídeo mucolítico que ataca bactérias e faz com que elas se dissolvam; (2) *polipeptídeos básicos*, que reagem e inativam certos tipos de bactérias gram-positivas; (3) o *sistema complemento*, descrito posteriormente, o qual contém cerca de 20 proteínas e pode ser ativado de várias maneiras para destruir bactérias; e (4) *células natural killer (células NK)*, as quais são capazes de reconhecer e destruir células estranhas, células tumorais e até mesmo algumas células infectadas.

Essa imunidade inata torna o corpo humano resistente a doenças como algumas infecções virais paralíticas de animais, cólera suína, peste bovina e cinomose – uma doença viral que mata grande porcentagem de cães acometidos por ela. Da mesma maneira, muitos animais são resistentes ou mesmo imunes a diversas doenças humanas, como poliomielite, caxumba, cólera humana, sarampo e sífilis, que são bastante prejudiciais ou até letais para os seres humanos.

IMUNIDADE ADQUIRIDA

Além da imunidade inata generalizada, o corpo humano desenvolve uma imunidade específica extremamente potente contra agentes invasores individuais, como bactérias letais, vírus, toxinas e até mesmo tecidos estranhos de outros animais. Essa capacidade é chamada de *imunidade adquirida* ou *adaptativa*, a qual é causada por um sistema imunológico especial que forma anticorpos e/ou linfócitos ativados que atacam e destroem o organismo invasor específico ou a toxina.

A imunidade adquirida, muitas vezes, pode conferir um grau extremo de proteção. Por exemplo, é possível que certas toxinas, como a toxina botulínica paralisante (do botulismo) ou a toxina tetânica (do tétano), sejam inativadas em doses tão altas quanto 100.000 vezes a quantidade que seria letal sem a imunidade. Por isso, o processo de tratamento conhecido como *imunização* é tão importante na proteção das pessoas contra doenças e contra toxinas, conforme explicado posteriormente neste capítulo.

TIPOS BÁSICOS DE IMUNIDADE ADQUIRIDA | IMUNIDADE HUMORAL E IMUNIDADE CELULAR

Dois tipos básicos, mas intimamente relacionados, de imunidade adquirida ocorrem no corpo. Em um deles, o corpo desenvolve anticorpos circulantes, que são moléculas de globulina no plasma sanguíneo capazes de atacar o agente invasor. Esse tipo de imunidade é chamado de *imunidade humoral* ou *imunidade dos linfócitos B*, porque os linfócitos B produzem os anticorpos. O segundo tipo de imunidade adquirida é obtido com a formação de um grande número de *linfócitos T* ativados, produzidos especificamente nos linfonodos para destruir o agente estranho. Essa é a chamada *imunidade celular* ou *imunidade dos linfócitos T*, pois os linfócitos ativados são linfócitos T. Tanto os anticorpos quanto os linfócitos ativados são formados nos tecidos linfoides do corpo.

AMBOS OS TIPOS DE IMUNIDADE ADQUIRIDA SÃO PROVOCADOS POR EXPOSIÇÃO A ANTÍGENOS

Uma vez que a imunidade adquirida não se desenvolve antes da invasão por um organismo estranho ou toxina, está claro que o corpo deve ter algum mecanismo para reconhecer essa invasão. Cada toxina ou organismo quase sempre contém um ou mais compostos químicos específicos em sua formação diferente(s) de todos os outros

CAPÍTULO 35 Resistência do Corpo a Infecções: II. Imunidade e Alergia

compostos. Em geral, são proteínas ou grandes polissacarídeos que iniciam a imunidade adquirida; essas substâncias são chamadas de *antígenos* (do inglês, *antibody generators*, geradores de anticorpos).

Para uma substância ser antigênica, geralmente deve ter um alto peso molecular de 8.000 ou mais. Além disso, o processo de antigenicidade costuma depender da regularidade de grupos moleculares recorrentes, chamados de *determinantes antigênicos* (ou *epítopos*), na superfície da grande molécula. Esse fator também explica por que as proteínas e os grandes polissacarídeos são quase sempre antigênicos, pois ambas as substâncias têm essa característica de conformação química espacial.

OS LINFÓCITOS SÃO RESPONSÁVEIS PELA IMUNIDADE ADQUIRIDA

A imunidade adquirida é o produto dos linfócitos do corpo. Em pessoas com deficiência genética de linfócitos ou cujos linfócitos tenham sido destruídos por produtos químicos ou radiação, não é possível se desenvolver nenhuma imunidade adquirida. Poucos dias após o nascimento, essa pessoa morre de infecção bacteriana fulminante, a menos que seja tratada com medidas heroicas. Portanto, está claro que os linfócitos são essenciais à sobrevivência dos seres humanos.

Os linfócitos estão localizados mais extensivamente nos linfonodos, mas também são encontrados em tecidos linfoides especiais, como no baço, nas áreas submucosas do tubo gastrointestinal, no timo e na medula óssea. O tecido linfoide é distribuído com vantagem pelo corpo para interceptar organismos invasores ou toxinas antes que possam disseminar-se amplamente.

Na maioria dos casos, o agente invasor entra primeiro nos líquidos teciduais e, em seguida, é transportado pelos vasos linfáticos para o linfonodo ou outro tecido linfoide. Por exemplo, o tecido linfoide das paredes gastrointestinais é exposto imediatamente aos antígenos que invadem o intestino. O tecido linfoide da garganta e da faringe (incluindo as amígdalas e as adenoides) está bem localizado para interceptar os antígenos que entram pelo trato respiratório superior. O tecido linfoide nos linfonodos é exposto a antígenos que invadem os tecidos periféricos do corpo, e o tecido linfoide do baço, do timo e da medula óssea desempenha o papel específico de interceptar agentes antigênicos que conseguirem atingir o sangue circulante.

Linfócitos T e B promovem, respectivamente, a imunidade celular e a imunidade humoral. Embora a maioria dos linfócitos no tecido linfoide normal sejam parecidos quando estudados ao microscópio, essas células são claramente divididas em duas populações principais: uma delas (os *linfócitos T*) é responsável pela formação dos linfócitos ativados que fornecem a imunidade mediada por células; e à outra (os *linfócitos B*) cabe formar os anticorpos que fornecem a imunidade humoral.

Ambos os tipos de linfócitos são derivados originalmente no embrião de *células-tronco hematopoéticas multipotentes* que formam *células progenitoras linfoides*

comuns como uma de suas linhagens descendentes mais importantes, à medida que se diferenciam. Quase todos os linfócitos formados acabam, eventualmente, no tecido linfoide, mas, antes disso, eles são ainda mais diferenciados ou pré-processados das seguintes maneiras.

As células progenitoras linfoides eventualmente destinadas a formar linfócitos T ativados migram, a princípio, para o timo, onde são pré-processadas. Chamadas de linfócitos *T* (a fim de se designar o papel do timo), elas são responsáveis pela imunidade mediada por células.

A outra população de linfócitos – os linfócitos B destinados a formar anticorpos – é pré-processada no fígado durante a metade da vida fetal e na medula óssea no final da vida fetal e após o nascimento. Essa população de células foi descoberta inicialmente em aves, que têm um órgão especial de pré-processamento chamado *bursa de Fabricius*. Por esse motivo, esses linfócitos são chamados de linfócitos *B* (para se designar o papel da bursa) e responsáveis pela imunidade humoral. A **Figura 35.1** mostra os dois sistemas de linfócitos para a formação, respectivamente, de (1) linfócitos T ativados e (2) anticorpos.

PRÉ-PROCESSAMENTO DOS LINFÓCITOS T E B

Embora todos os linfócitos no corpo se originem de *células-tronco linfoides* do embrião, estas são incapazes de formar diretamente linfócitos T ativados ou anticorpos. Antes que possam fazer isso, elas devem ser ainda mais diferenciadas em áreas de processamento apropriadas, como as apresentadas a seguir.

Timo pré-processa os linfócitos T. Os linfócitos T, após sua origem na medula óssea, migram a princípio para o timo, onde eles se dividem rapidamente e, ao mesmo tempo, desenvolvem extrema diversidade para reagir contra diferentes antígenos específicos. Ou seja, um linfócito tímico desenvolve reatividade específica contra um antígeno, e, então, o próximo linfócito desenvolve especificidade contra outro antígeno. Esse processo continua até que haja milhares de tipos diferentes de linfócitos tímicos com reatividades específicas contra muitos milhares de antígenos diferentes. Esses diversos tipos de linfócitos T pré-processados em seguida deixam o timo e se disseminam pelo sangue por todo o corpo, alojando-se no tecido linfoide de todos os lugares.

O timo também garante que qualquer linfócito T que o deixe não irá reagir contra proteínas ou outros antígenos presentes nos tecidos do próprio corpo; caso contrário, os linfócitos T seriam letais para o próprio corpo em apenas alguns dias. O timo seleciona quais linfócitos T serão liberados, misturando-os primeiramente com quase todos os *autoantígenos* específicos dos próprios tecidos do corpo. Se um linfócito T reage, ele é destruído e fagocitado em vez de ser liberado, o que acontece com até 90% das células. Assim, as únicas células, por fim, liberadas são aquelas não reativas contra os antígenos do próprio corpo – elas reagem apenas contra antígenos de uma fonte externa, como de uma bactéria, toxina ou mesmo com tecido transplantado de outra pessoa.

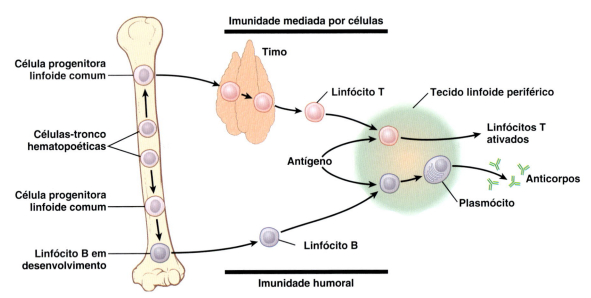

Figura 35.1 Formação de anticorpos e linfócitos sensibilizados por um linfonodo em resposta a antígenos. Esta figura também mostra a origem dos linfócitos tímicos (*T*) e bursais (*B*), que, respectivamente, são responsáveis pelos processos imunológicos mediados por células e humorais.

A maior parte do pré-processamento dos linfócitos T no timo ocorre pouco antes do nascimento de um neonato e por alguns meses após o nascimento. Além desse período, a remoção do timo diminui (mas não elimina) a resposta imunológica dos linfócitos T. No entanto, a remoção do timo vários meses antes do nascimento pode impedir o desenvolvimento de toda a imunidade mediada por células, incluindo a rejeição de órgãos transplantados.

Fígado e medula óssea pré-processam os linfócitos B. Em seres humanos, os linfócitos B são pré-processados no fígado, durante a metade da vida fetal, e na medula óssea durante o final da vida fetal e após o nascimento. Os linfócitos B são diferentes dos linfócitos T de duas maneiras:

1. Em vez de todas as células desenvolverem reatividade contra o antígeno, como ocorre com os linfócitos T, os linfócitos B secretam ativamente *anticorpos* que são os agentes reativos. Esses agentes são grandes proteínas capazes de se combinar com a substância antigênica e destruí-la, como explicado em outras partes deste capítulo e no Capítulo 34.
2. Os linfócitos B têm uma diversidade ainda maior do que os linfócitos T, formando, assim, muitos milhões de tipos de anticorpos dos linfócitos B com diferentes reatividades específicas. Após o pré-processamento, os linfócitos B, assim como os linfócitos T, migram para o tecido linfoide por todo o corpo, se alojam próximo, mas ligeiramente afastados, das áreas de linfócitos T.

LINFÓCITOS T E ANTICORPOS PRODUZIDOS POR LINFÓCITOS B REAGEM CONTRA ANTÍGENOS ESPECÍFICOS | PAPEL DOS CLONES DE LINFÓCITOS

Quando antígenos específicos entram em contato com os linfócitos T e B no tecido linfoide, alguns dos linfócitos T sofrem ativação causada pela exposição aos antígenos, tornando-se linfócitos T ativados, e certos linfócitos B são ativados, passando a produzir anticorpos. Os linfócitos T ativados e os anticorpos, por sua vez, reagem muito especificamente contra os tipos particulares de antígenos que iniciaram seu processo de desenvolvimento. O mecanismo dessa especificidade é descrito a seguir.

Milhões de tipos específicos de linfócitos são armazenados no tecido linfoide. Milhões de tipos diferentes de linfócitos B pré-formados e de linfócitos T pré-formados capazes de originar tipos altamente específicos de anticorpos ou linfócitos T estão armazenados no tecido linfático, como explicado. Cada um desses linfócitos pré-formados é capaz de criar apenas um tipo de anticorpo ou um tipo de linfócito T, com um único tipo de especificidade, e apenas o tipo específico de antígeno pode ativá-lo. Uma vez que o linfócito específico é ativado por seu antígeno, ele se reproduz amplamente, formando um número enorme de linfócitos duplicados (ver **Figura 35.2**). Se for um linfócito B, seus descendentes irão, eventualmente, secretar um tipo específico de anticorpo que então circulará por todo o organismo. Se for um linfócito T, seus descendentes (linfócitos T sensibilizados) serão liberados na linfa e transportados para o sangue, passando, em seguida, a circular por todos os líquidos teciduais e a retornar para a linfa, repetindo esse circuito por meses ou anos.

Todos os diferentes linfócitos capazes de formar anticorpos ou linfócitos T específicos são chamados de um *clone de linfócitos*. Ou seja, os linfócitos em cada clone são idênticos, derivados originalmente de um ou de alguns linfócitos iniciais, de seu tipo específico.

ORIGEM DA ENORME MULTIPLICIDADE DOS CLONES DE LINFÓCITOS

Apenas várias centenas a alguns milhares de genes codificam os milhões de tipos diferentes de anticorpos e de linfócitos T. No início, não se sabia como era possível que

CAPÍTULO 35 Resistência do Corpo a Infecções: II. Imunidade e Alergia

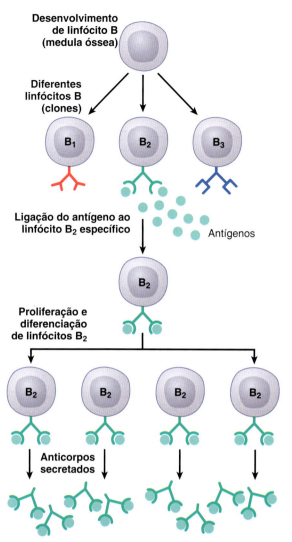

Figura 35.2 Um antígeno ativa apenas os linfócitos que têm receptores de superfície celular complementares e reconhecem um antígeno específico. Existem milhões de diferentes clones de linfócitos (mostrados como B_1, B_2 e B_3). Quando o clone de linfócito (B_2 neste exemplo) é ativado por seu antígeno, ele se reproduz para formar um grande número de linfócitos duplicados, que então secretam anticorpos.

tão poucos genes codificassem os milhões de anticorpos ou linfócitos T de especificidades diferentes produzidos pelo tecido linfoide. Agora, no entanto, esse mistério foi esclarecido.

O gene completo para formar cada tipo de linfócito T ou linfócito B nunca está presente nas células-tronco originais a partir das quais as células imunes funcionais são formadas. Em vez disso, existem apenas segmentos gênicos – na verdade, centenas de tais segmentos –, mas não genes inteiros. Durante o pré-processamento dos respectivos linfócitos T e B, esses segmentos gênicos se misturam entre si em combinações aleatórias, formando, então, os genes completos.

Uma vez que existem várias centenas de tipos de segmentos de genes, bem como milhões de combinações diferentes nas quais os segmentos podem ser arranjados em células individuais, é possível entender os milhões de células com tipos de genes diferentes que podem ocorrer. Para cada linfócito T ou B funcional que é finalmente formado, a estrutura do gene que o codifica confere a ele sua peculiar especificidade antigênica. Essas células maduras se tornam então os linfócitos T e B altamente específicos que se espalham e povoam o tecido linfoide.

MECANISMO DE ATIVAÇÃO DOS CLONES DE LINFÓCITOS

Cada clone de linfócitos responde a apenas um único tipo de antígeno (ou a vários antígenos semelhantes que têm quase exatamente as mesmas características estereoquímicas). A razão para isso é a seguinte. No caso dos linfócitos B, cada um deles contém, na superfície de sua membrana celular, cerca de 100.000 moléculas de anticorpos que irão reagir de maneira muito específica com apenas um tipo de antígeno. Portanto, quando o antígeno apropriado surge, ele imediatamente se liga ao anticorpo na membrana celular; isso leva ao processo de ativação, descrito em mais detalhes adiante. No caso dos linfócitos T, moléculas semelhantes a anticorpos, chamadas *proteínas receptoras de superfície* (ou *receptores de linfócitos T*), estão na superfície da membrana dos linfócitos T e também são altamente específicas para um antígeno ativador específico. Um antígeno, portanto, estimula apenas as células que têm receptores complementares para o antígeno e já estão comprometidas a responder a ele.

Papel dos macrófagos no processo de ativação. Além dos linfócitos nos tecidos linfoides, literalmente milhões de macrófagos também estão presentes nos mesmos tecidos. Esses macrófagos revestem os sinusoides dos linfonodos, do baço e de outros tecidos linfoides, estando em aposição a muitos dos linfócitos dos linfonodos. A maioria dos organismos invasores é fagocitada primeiro e parcialmente digerida pelos macrófagos, e os produtos antigênicos são liberados no citosol do macrófago. Os macrófagos então passam esses antígenos por contato de célula a célula diretamente para os linfócitos, levando assim à ativação dos clones linfocíticos especificados. Os macrófagos, além disso, secretam uma substância ativadora especial, a *interleucina-1*, que promove ainda mais o crescimento e a reprodução dos linfócitos específicos.

Papel dos linfócitos T na ativação dos linfócitos B. A maioria dos antígenos ativa os linfócitos T e os linfócitos B ao mesmo tempo. Alguns dos linfócitos T formados, chamados *linfócitos T auxiliares* (do inglês *helper* – daí os linfócitos T auxiliares serem também conhecidos como *células Th*), secretam substâncias específicas (conhecidas, coletivamente, como *linfocinas*) que ativam os linfócitos B específicos. De fato, sem a ajuda desses linfócitos T auxiliares, a quantidade de anticorpos formados pelos linfócitos B tende a ser pequena. Discutiremos essa relação cooperativa entre os linfócitos T auxiliares e os linfócitos B após descrever os mecanismos do sistema de imunidade dos linfócitos T.

ATRIBUTOS ESPECÍFICOS DOS LINFÓCITOS B: IMUNIDADE HUMORAL E ANTICORPOS

Formação de anticorpos pelos plasmócitos. Antes da exposição a um antígeno específico, os clones de linfócitos B permanecem latentes no tecido linfoide. Com a entrada de um antígeno estranho, os macrófagos do tecido linfoide fagocitam o antígeno e o apresentam aos linfócitos B adjacentes. Além disso, o antígeno é apresentado aos linfócitos T ao mesmo tempo, sendo então formados os linfócitos T auxiliares ativados, que também contribuem para a ativação extrema dos linfócitos B, conforme discutido adiante.

Os linfócitos B específicos para o antígeno aumentam imediatamente e assumem a aparência de *linfoblastos*. Alguns linfoblastos se diferenciam ainda mais para formar *plasmoblastos*, que são precursores dos plasmócitos. Nos plasmoblastos, o citoplasma expande-se e o retículo endoplasmático granular prolifera amplamente. Os plasmoblastos então começam a dividir-se a uma taxa de aproximadamente uma vez a cada 10 horas, por cerca de nove divisões, dando uma população total em torno de 500 células para cada plasmoblasto original em 4 dias. O plasmócito maduro então produz anticorpos gamaglobulina a uma taxa extremamente rápida – cerca de 2.000 moléculas por segundo para cada plasmócito. Por sua vez, os anticorpos são secretados na linfa e transportados para o sangue circulante. Esse processo continua por vários dias ou semanas até que, por fim, ocorram a exaustão e a morte dos plasmócitos.

Formação das células de memória aumenta a resposta do anticorpo quando houver exposição subsequente ao antígeno. Alguns dos linfoblastos derivados da ativação de um clone de linfócitos B não passam a formar plasmócitos, mas, em vez disso, originam um número moderado de novos linfócitos B semelhantes ao do clone original. Em outras palavras, a população de linfócitos B do clone especificamente ativado aumenta muito, e os novos linfócitos B são adicionados aos linfócitos originais do mesmo clone. Eles também circulam pelo corpo inteiro para fazer parte da população de todo o tecido linfoide; entretanto, imunologicamente, permanecem dormentes até serem reativados por uma nova quantidade do mesmo antígeno. Esses linfócitos são chamados de *células de memória*. A exposição subsequente ao mesmo antígeno causará uma resposta desses anticorpos bem mais rápida e potente nessa segunda vez, pois há muito mais células de memória do que linfócitos B originais do clone específico.

A **Figura 35.3** mostra as diferenças entre a resposta primária para a formação de anticorpos, que ocorre na primeira exposição a um antígeno específico, e a resposta secundária, a qual acontece após a segunda exposição ao mesmo antígeno. Observe o atraso de 1 semana no aparecimento da resposta primária, sua baixa potência e sua curta duração. A resposta secundária, ao contrário, inicia-se logo após a exposição ao antígeno (geralmente em algumas horas), é bem mais potente e forma anticorpos

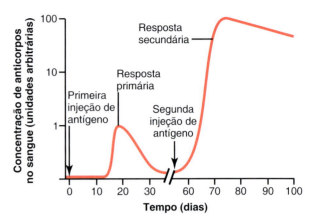

Figura 35.3 Curso de tempo da resposta dos anticorpos no sangue circulante a uma injeção primária de antígeno e a uma injeção secundária várias semanas depois.

por muitos meses, em vez de apenas algumas semanas. O aumento da potência e da duração da resposta secundária explica por que a imunização costuma ser realizada pela injeção do antígeno em doses múltiplas, com períodos de várias semanas ou vários meses entre as injeções.

Promoção de imunidade vitalícia pelos plasmócitos. Quando os linfócitos B imaturos encontram seus antígenos associados e se tornam ativados, sofrendo então expansão clonal, eles se diferenciam entre *plasmócitos de vida curta* ou *plasmócitos de vida longa* que produzem grandes quantidades de anticorpos. Os plasmócitos de vida curta fornecem proteção rápida, mas sofrem apoptose após alguns dias de intensa secreção de anticorpos. No entanto, os plasmócitos de vida longa residem em tecidos, como a medula óssea e o tecido linfoide associado ao intestino, e podem continuar produzindo anticorpos por muitos anos, fornecendo imunidade vitalícia contra doenças infecciosas, como sarampo e varíola. Altos títulos de anticorpos específicos para varíola, por exemplo, foram detectados no sangue de indivíduos vacinados na infância, 70 anos antes. Além disso, os sobreviventes mais velhos da pandemia do vírus da gripe H1N1 (*gripe espanhola*) de 1918 mostraram ter anticorpos neutralizantes do vírus, altamente funcionais para esse vírus, 90 anos depois de serem infectados. Assim, os plasmócitos que produzem anticorpos neutralizantes de vírus podem ser mantidos por muitas décadas após a exposição, mesmo na décima década de vida em seres humanos.

Natureza dos anticorpos

Os anticorpos são gamaglobulinas chamadas *imunoglobulinas*, que têm pesos moleculares entre 160.000 e 970.000 e constituem cerca de 20% de todas as proteínas plasmáticas. Todas as imunoglobulinas são compostas por combinações de *cadeias polipeptídicas leves* e *pesadas*. A maioria é uma combinação de duas cadeias leves e duas cadeias pesadas, conforme mostrado na **Figura 35.4**. No entanto, algumas imunoglobulinas têm combinações de até 10 cadeias pesadas e 10 cadeias leves, que dão origem

CAPÍTULO 35 Resistência do Corpo a Infecções: II. Imunidade e Alergia

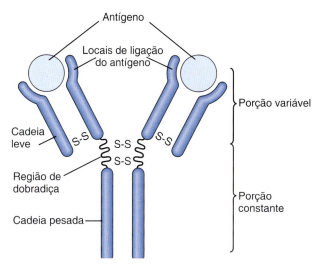

Figura 35.4 Estrutura do anticorpo IgG típico, mostrando que é composto por duas cadeias polipeptídicas pesadas e duas cadeias polipeptídicas leves. O antígeno liga-se em dois locais diferentes nas porções variáveis das cadeias.

$$K_a = \frac{\text{Concentração de anticorpo-antígeno ligado}}{\text{Concentração de anticorpo} \times \text{Concentração de antígeno}}$$

K_a, chamada de *constante de afinidade*, é a medida de quão fortemente o anticorpo se liga ao antígeno.

Observe, sobretudo na **Figura 35.4**, que existem dois locais variáveis no anticorpo ilustrado para a ligação de antígenos, tornando esse tipo de anticorpo *bivalente*. Uma pequena proporção dos anticorpos (os quais consistem em combinações de até 10 cadeias leves e 10 cadeias pesadas) tem até 10 locais de ligação.

Cinco classes gerais de anticorpos. Existem cinco classes gerais de anticorpos, respectivamente denominadas *IgM*, *IgG*, *IgA*, *IgD* e *IgE*. "Ig" significa imunoglobulina, e as outras cinco letras, as respectivas classes.

Para o propósito de nossa discussão limitada, duas dessas classes de anticorpos são de importância particular: IgG (que é um anticorpo bivalente e constitui cerca de 75% dos anticorpos da pessoa normal) e IgE (que compõe apenas uma pequena porcentagem dos anticorpos, mas está especialmente envolvida nas alergias). A classe IgM também é interessante porque grande parte dos anticorpos formados durante a resposta primária são desse tipo. Esses anticorpos têm 10 locais de ligação que os tornam extremamente eficazes na proteção do corpo contra invasores, embora não haja muitos anticorpos IgM.

Mecanismos de ação dos anticorpos

Os anticorpos atuam principalmente de duas maneiras para proteger o corpo contra agentes invasores: (1) pelo ataque direto ao invasor; e (2) pela ativação do sistema complemento, que então tem múltiplos meios próprios para destruir o invasor.

Ação direta dos anticorpos sobre os agentes invasores. A **Figura 35.5** mostra anticorpos (designados pelas barras vermelhas em forma de Y) reagindo com antígenos

a imunoglobulinas de alto peso molecular. Além disso, em todas as imunoglobulinas, cada cadeia pesada é paralela a uma cadeia leve em uma de suas extremidades, formando, assim, um par pesado-leve; sempre há pelo menos dois e até 10 desses pares em cada molécula de imunoglobulina.

A **Figura 35.4** mostra uma extremidade designada de cada cadeia leve e pesada, chamada de *porção variável*; o restante de cada cadeia é chamado de *porção constante*. A porção variável é diferente para cada anticorpo específico, e é essa porção que se liga especificamente a um tipo particular de antígeno. A porção constante determina outras propriedades do anticorpo, estabelecendo fatores como difusividade do anticorpo nos tecidos, aderência a estruturas específicas nos tecidos, fixação ao sistema complemento, facilidade com que os anticorpos passam através das membranas e outras propriedades biológicas do anticorpo. Uma combinação de ligações não covalentes e covalentes (pontes dissulfeto) mantém juntas as cadeias leves e pesadas.

Especificidade dos anticorpos. Cada anticorpo é específico para determinado antígeno; essa característica é resultado da organização estrutural única dos aminoácidos nas porções variáveis das cadeias leve e pesada. A organização do aminoácido tem uma forma espacial diferente para cada especificidade antigênica; então, quando um antígeno entra em contato com ele, vários grupos prostéticos do antígeno encaixam-se como uma imagem no espelho com os do anticorpo, possibilitando, assim, uma ligação rápida e firme entre o anticorpo e o antígeno. Quando o anticorpo é altamente específico, há tantos locais de ligação que o acoplamento anticorpo-antígeno é muitíssimo forte, mantido junto por: (1) ligação hidrofóbica; (2) ponte de hidrogênio; (3) atrações iônicas; e (4) forças de van der Waals. Ele também obedece à lei físico-química de ação das massas:

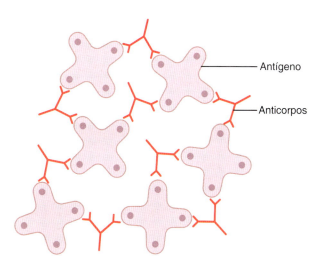

Figura 35.5 Ligação de moléculas de antígeno umas às outras por intermédio de anticorpos bivalentes.

(designados pelos objetos sombreados). Devido à natureza bivalente dos anticorpos e aos vários locais antigênicos na maioria dos agentes invasores, os anticorpos podem inativar o agente invasor de uma das várias maneiras, como se segue:

1. Aglutinação, na qual várias partículas grandes com antígenos em suas superfícies (p. ex., bactérias ou hemácias) são unidas formando grumos.
2. Precipitação, na qual o complexo molecular de antígeno solúvel (p. ex., toxina do tétano) e anticorpo fica tão grande que se torna insolúvel e se precipita.
3. Neutralização, na qual os anticorpos cobrem os sítios tóxicos do agente antigênico.
4. Lise, na qual alguns anticorpos potentes são, em certas ocasiões, capazes de atacar diretamente as membranas de agentes celulares e, assim, causar a ruptura do agente.

Essas ações diretas dos anticorpos muitas vezes não são fortes o suficiente para desempenhar um papel importante na proteção do corpo contra o invasor. A maior parte da proteção ocorre por meio dos efeitos amplificadores do sistema complemento, descritos a seguir.

O SISTEMA COMPLEMENTO AMPLIFICA A AÇÃO DOS ANTICORPOS

A principal função do sistema complemento é aumentar (complementar) as ações dos anticorpos e das células fagocitárias na neutralização e destruição de patógenos, remoção de células danificadas do corpo e estimulação da inflamação. *Complemento* é um termo coletivo que descreve um sistema de cerca de 20 proteínas, muitas das quais são precursoras de enzimas. Os principais atores nesse sistema são 11 proteínas designadas de C1 a C9, B e D, mostradas na **Figura 35.6**. Todas elas estão presentes normalmente entre as proteínas plasmáticas do sangue, bem como entre as proteínas que extravasam dos capilares para os espaços teciduais. As precursoras da enzima tendem a ser inativas, mas podem ser ativadas pela chamada *via clássica*.

Via clássica. A via clássica é iniciada por uma reação antígeno-anticorpo. Ou seja, quando um anticorpo se liga a um antígeno, um local reativo específico na porção constante do anticorpo torna-se descoberto, ou ativado, e este, por sua vez, liga-se diretamente à molécula C1 do sistema complemento. Isso coloca em movimento uma cascata de reações sequenciais, mostradas na **Figura 35.6**, começando com a ativação da proenzima C1. As enzimas C1 formadas ativam, em seguida, quantidades sucessivamente crescentes de enzimas nos estágios posteriores do sistema, de modo que, a partir de um pequeno começo, ocorre uma reação extremamente grande e amplificada. Diversos produtos finais são formados, conforme mostrado à direita na figura, e vários deles têm efeitos importantes que ajudam a evitar danos aos tecidos corporais causados pelo organismo invasor ou pela toxina. Entre os efeitos mais importantes estão os seguintes:

1. *Opsonização e fagocitose.* Um dos produtos da cascata do complemento, o C3b, ativa fortemente a fagocitose pelos neutrófilos e macrófagos, fazendo com que essas células engolfem as bactérias às quais os complexos antígeno-anticorpo estão ligados. Esse processo, denominado *opsonização*, frequentemente aumenta por centenas de vezes o número de bactérias que podem ser destruídas.
2. *Lise.* Um dos mais importantes de todos os produtos da cascata do complemento é o *complexo de ataque à membrana* (também chamado de *complexo citolítico*), que é uma combinação de múltiplos fatores do complemento designados como C5b6789. Esse complexo de ataque à membrana se insere na bicamada lipídica da membrana celular, criando poros permeáveis aos íons e

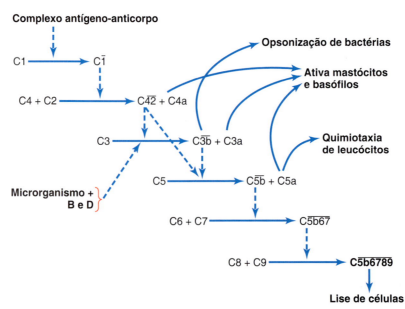

Figura 35.6 Cascata de reações durante a ativação da via clássica do complemento.

causando a ruptura osmótica das membranas celulares de bactérias ou de outros organismos invasores.
3. *Aglutinação.* Os produtos do complemento também alteram as superfícies dos organismos invasores, fazendo com que fiquem aderidos uns aos outros, promovendo assim a aglutinação.
4. *Neutralização de vírus.* As enzimas do complemento e outros produtos do complemento podem atacar as estruturas de alguns vírus e, assim, torná-los não virulentos.
5. *Quimiotaxia.* O fragmento C5a inicia a quimiotaxia de neutrófilos e macrófagos, fazendo com que um grande número desses fagócitos migre para a área tecidual adjacente ao agente antigênico.
6. *Ativação de mastócitos e basófilos.* Os fragmentos C3a, C4a e C5a ativam mastócitos e basófilos, fazendo com que eles liberem histamina, heparina e várias outras substâncias nos líquidos locais. Essas substâncias, por sua vez, aumentam o fluxo sanguíneo local e o extravasamento de líquido e proteínas plasmáticas para o tecido, além de desencadearem outras reações teciduais locais que ajudam a inativar ou a imobilizar o agente antigênico. Esses mesmos fatores desempenham um papel importante na inflamação (discutida no Capítulo 34) e na alergia, abordada posteriormente.
7. *Efeitos inflamatórios.* Além dos efeitos inflamatórios causados pela ativação dos mastócitos e dos basófilos, vários outros produtos do complemento contribuem para a inflamação local, fazendo com que: (1) o fluxo sanguíneo já elevado aumente ainda mais; (2) o extravasamento capilar de proteínas seja aumentado; e (3) as proteínas do líquido intersticial coagulem nos espaços teciduais, evitando assim o movimento do organismo invasor através dos tecidos.

ATRIBUTOS ESPECIAIS DOS LINFÓCITOS T: LINFÓCITOS T ATIVADOS E IMUNIDADE CELULAR

Liberação de linfócitos T ativados do tecido linfoide e formação de células de memória. Na exposição ao antígeno apropriado, conforme apresentado pelos macrófagos adjacentes, os linfócitos T de um clone de linfócito específico proliferam e liberam um grande número de linfócitos T ativados, especificamente reativos, de maneira paralela à liberação de anticorpos pelos linfócitos B ativados. A principal diferença é que, em vez de liberar anticorpos, são formados linfócitos T totalmente ativados e liberados na linfa. Estes, por sua vez, passam então para a circulação, são distribuídos por todo o corpo, atravessam as paredes dos capilares para os espaços teciduais, voltam para a linfa e para o sangue outra vez e circulam repetidamente por todo o corpo, às vezes durante meses ou até anos.

Além disso, os *linfócitos T de memória* são formados da mesma maneira que os linfócitos B de memória no sistema de anticorpos. Ou seja, quando um clone de linfócitos T é ativado por um antígeno, muitos dos linfócitos recém-formados são preservados no tecido linfoide para se tornarem linfócitos T adicionais daquele clone específico; na verdade, essas células de memória até se espalham por todo o tecido linfoide do corpo inteiro. Portanto, na exposição subsequente ao mesmo antígeno em qualquer parte do corpo, a liberação de linfócitos T ativados ocorre de maneira muito mais rápida e potente do que durante a primeira exposição.

Células apresentadoras de antígeno, proteínas do complexo de histocompatibilidade principal (MHC) e receptores de antígeno nos linfócitos T. As respostas dos linfócitos T são extremamente específicas para o antígeno, como as respostas dos anticorpos dos linfócitos B, e são pelo menos tão importantes quanto os anticorpos na defesa contra infecções. Na verdade, as respostas imunológicas adquiridas costumam requerer a assistência dos linfócitos T para iniciar o processo, e os linfócitos T desempenham um papel essencial na eliminação de patógenos invasores.

Embora os linfócitos B reconheçam antígenos intactos, os linfócitos T respondem aos antígenos apenas quando estão ligados a moléculas específicas, chamadas *proteínas MHC*, na superfície das *células apresentadoras de antígenos (APC)* nos tecidos linfoides (ver **Figura 35.7**). Os três principais tipos de células apresentadoras de antígenos são *macrófagos*, *linfócitos B* e *células dendríticas*. As células dendríticas (também conhecidas como *células acessórias*), as mais potentes das células apresentadoras de antígenos, estão localizadas por todo o corpo e têm como principal função apresentar antígenos aos linfócitos T. A interação das proteínas de adesão celular é crítica para possibilitar que os linfócitos T se liguem às células apresentadoras de antígenos por tempo suficiente a fim de se tornarem ativadas.

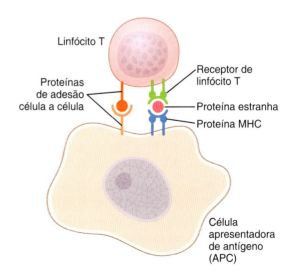

Figura 35.7 A ativação dos linfócitos T requer a interação dos receptores de linfócitos T com um antígeno (proteína estranha) que é transportado para a superfície da célula apresentadora de antígeno por uma proteína do complexo de histocompatibilidade principal (*MHC*). As proteínas de adesão célula a célula tornam possível a ligação do linfócito T à célula apresentadora de antígeno por tempo suficiente para se tornar ativada.

As proteínas MHC são codificadas por um grande grupo de genes denominado *complexo de histocompatibilidade principal* (MHC). As proteínas MHC ligam-se a fragmentos de peptídeos das proteínas dos antígenos, que são degradados dentro das células apresentadoras de antígenos e, em seguida, transportados para a superfície celular. Existem dois tipos de proteínas MHC: (1) *proteínas MHC classe I*, que apresentam antígenos para os *linfócitos T citotóxicos*; e (2) *proteínas MHC classe II*, que apresentam antígenos para os *linfócitos T auxiliares*. As funções específicas dos linfócitos T citotóxicos e dos linfócitos T auxiliares são discutidas posteriormente.

Os antígenos na superfície das células apresentadoras de antígenos ligam-se às moléculas receptoras nas superfícies dos linfócitos T da mesma maneira que se ligam aos anticorpos das proteínas plasmáticas. Essas moléculas receptoras são compostas por uma parte variável semelhante à porção variável do anticorpo humoral, mas sua parte principal está firmemente ligada à membrana celular do linfócito T. Existem cerca de 100.000 locais receptores em um único linfócito T.

DIFERENTES TIPOS DE LINFÓCITOS T E SUAS FUNÇÕES

Já está claro que existem vários tipos de linfócitos T, classificados em três grupos principais: (1) *linfócitos T auxiliares*; (2) *linfócitos T citotóxicos*; e (3) *linfócitos T reguladores* (também chamados de *linfócitos T supressores*). As funções de cada um desses linfócitos T são distintas.

Linfócitos T auxiliares são mais numerosos que os citotóxicos e que os reguladores

Os linfócitos T auxiliares são os mais numerosos dos linfócitos T, geralmente constituindo mais de 75% de todos eles. Como o seu nome indica, eles ajudam nas funções do sistema imunológico de várias maneiras: atuam como o principal regulador de praticamente todas as funções imunológicas, conforme mostrado na **Figura 35.8**, e fazem isso formando uma série de proteínas mediadoras, denominadas *linfocinas*, que agem sobre outras células do sistema imunológico, bem como sobre as células da medula óssea.

Quando estimulados, os linfócitos T auxiliares CD4+ primitivos podem diferenciar-se em subgrupos que produzem diferentes linfocinas e desempenham diversas funções. A **Tabela 35.1** resume os principais subgrupos de linfócitos T auxiliares, as linfocinas que induzem cada subgrupo, as linfocinas produzidas pelos subgrupos e as reações imunológicas que cada subgrupo desencadeia.

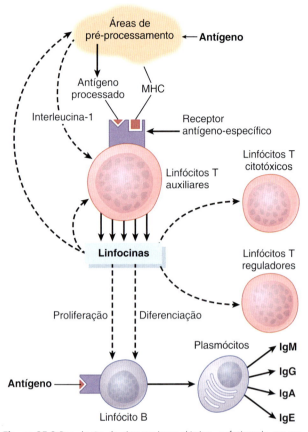

Figura 35.8 Regulação do sistema imunológico, enfatizando um papel central dos linfócitos T auxiliares. MHC: complexo de histocompatibilidade principal.

Funções regulatórias específicas das linfocinas. Na ausência das linfocinas produzidas pelos linfócitos T auxiliares, o restante do sistema imunológico fica quase paralisado. Na verdade, os linfócitos T auxiliares são inativados ou destruídos pelo *vírus da imunodeficiência humana* (HIV), que deixa o corpo quase totalmente desprotegido contra doenças infecciosas, levando, portanto, aos já bem conhecidos efeitos debilitantes e letais da *síndrome da imunodeficiência adquirida* (AIDS). Algumas das funções regulatórias específicas são descritas nas seções a seguir.

Estimulação do crescimento e da proliferação dos linfócitos T citotóxicos e dos linfócitos T reguladores. Na ausência de linfócitos T auxiliares, os clones para a

Tabela 35.1 Subgrupos de linfócitos T auxiliares.

	T_H1	T_H2	T_H17
Linfocinas que induzem o subgrupo	IFN-γ, IL-12	IL-4	TGF-β, IL-1, IL-6, IL-23
Principais linfocinas/fatores produzidos	IFN-γ, IL-2 TNF-α, GM-CSF	IL-4, IL-5, IL-6, IL-10, IL-13	IL-17, IL-22
Principais reações imunológicas	Ativação de macrófagos Estímulo à produção de anticorpos IgG	Estímulo à produção de IgE Ativação de mastócitos e eosinófilos	Recrutamento de neutrófilos e monócitos

produção de linfócitos T citotóxicos e linfócitos T reguladores são apenas ligeiramente ativados pela maioria dos antígenos. A linfocina *interleucina-2* tem um efeito estimulador especialmente intenso em causar o crescimento e a proliferação dos linfócitos T citotóxicos e reguladores. Além disso, várias das outras linfocinas têm efeitos menos potentes.

Estimulação do crescimento e da diferenciação dos linfócitos B para formar plasmócitos e anticorpos.

As ações diretas dos antígenos para causar o crescimento dos linfócitos B, a proliferação, a formação de plasmócitos e a secreção de anticorpos também são pouco intensas sem o auxílio dos linfócitos T auxiliares. Quase todas as interleucinas participam da resposta dos linfócitos B, mas especialmente as *interleucinas 4, 5 e 6*. Essas três têm efeitos tão potentes sobre os linfócitos B que foram chamadas de *fatores estimuladores dos linfócitos B* ou *fatores de crescimento dos linfócitos B*.

Ativação dos macrófagos.

As linfocinas também afetam os macrófagos. Em primeiro lugar, elas retardam ou interrompem a migração dos macrófagos após terem sido atraídos por quimiotaxia para a área do tecido inflamado, causando, assim, grande acúmulo de macrófagos. Em segundo lugar, elas ativam os macrófagos para causar uma fagocitose mais eficiente, possibilitando que ataquem e destruam um número crescente de bactérias invasoras ou outros agentes destruidores dos tecidos.

Efeito de *feedback* estimulante sobre os linfócitos T auxiliares.

Algumas das linfocinas, em especial a interleucina-2, têm um efeito de *feedback* positivo direto na estimulação da ativação dos linfócitos T auxiliares. Isso atua como um amplificador, aumentando ainda mais a resposta das células auxiliares, bem como toda a resposta imunológica a um antígeno invasor.

Linfócitos T citotóxicos são células exterminadoras

Os linfócitos T citotóxicos são células de ataque direto, capazes de matar microrganismos e, às vezes, até algumas das células do próprio corpo. Portanto, eles agem de maneira semelhante às células NK (*natural killer*). As proteínas receptoras nas superfícies das células citotóxicas CD8+ fazem com que elas se liguem fortemente aos organismos ou às células que contêm o antígeno de ligação específico apropriado. Elas então matam a célula atacada, como se observa na **Figura 35.9**. Após a ligação, o linfócito T citotóxico secreta proteínas formadoras de poros, chamadas *perforinas*, que literalmente perfuram poros redondos na membrana da célula atacada. O líquido então flui com rapidez para a célula a partir do espaço intersticial. Além disso, o linfócito T citotóxico libera substâncias citotóxicas direto na célula atacada. Quase imediatamente, a célula atacada fica muito inchada e tende a dissolver-se logo em seguida.

É de especial importância que esses linfócitos T citotóxicos possam desprender-se das células vitimadas após

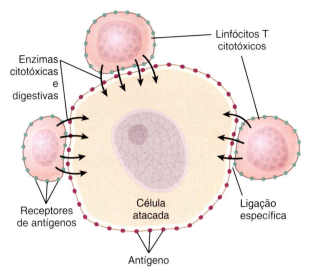

Figura 35.9 Destruição direta de uma célula invasora pelos linfócitos sensibilizados (linfócitos T citotóxicos).

terem perfurado poros e liberado substâncias citotóxicas e, em seguida, seguir em frente para matar mais células. Algumas dessas células persistem por meses nos tecidos.

Certos linfócitos T citotóxicos são especialmente letais para as células do tecido que foram invadidas por vírus, pois muitas partículas virais ficam presas nas membranas das células teciduais e atraem linfócitos T em resposta à antigenicidade viral. As células citotóxicas também desempenham um papel importante na destruição de células cancerosas, células cardíacas transplantadas ou outros tipos de células estranhas ao corpo da própria pessoa.

Linfócitos T reguladores

Muito menos se sabe sobre os linfócitos T reguladores (supressores) do que sobre as outras células, mas eles são capazes de suprimir as funções dos linfócitos T citotóxicos e dos linfócitos T auxiliares. Acredita-se que essas funções supressoras dos linfócitos T reguladores CD4+ evitem que as células citotóxicas causem reações imunológicas excessivas capazes de danificar os próprios tecidos do corpo. É provável que o sistema dos linfócitos T supressores desempenhe um papel importante na limitação da capacidade do sistema imunológico de atacar os tecidos do próprio corpo de um indivíduo, chamada de *tolerância imunológica*, conforme discutido na próxima seção.

TOLERÂNCIA DO SISTEMA DE IMUNIDADE ADQUIRIDA AOS TECIDOS DO PRÓPRIO CORPO: PAPEL DO PRÉ-PROCESSAMENTO NO TIMO E NA MEDULA ÓSSEA

O processo de imunidade adquirida destruiria o próprio corpo da pessoa se ela se tornasse imune aos seus próprios tecidos. O mecanismo imunológico normalmente reconhece os próprios tecidos de um indivíduo como sendo distintos de bactérias ou vírus, e o sistema de imunidade dele forma poucos anticorpos ou linfócitos T ativados contra seus próprios antígenos.

PARTE 6 Células Sanguíneas, Imunidade e Coagulação Sanguínea

Maior parte da tolerância resulta da seleção clonal durante o pré-processamento. Acredita-se que a maior parte da tolerância se desenvolva durante o pré-processamento dos linfócitos T no timo e dos linfócitos B na medula óssea. Isso ocorre porque a injeção de um antígeno potente em um feto, enquanto os linfócitos estão sendo pré-processados nessas duas áreas, evita o desenvolvimento de clones de linfócitos no tecido linfoide que são específicos para o antígeno injetado. Experimentos mostraram que linfócitos imaturos específicos no timo, quando expostos a um antígeno potente, tornam-se linfoblastos, proliferam consideravelmente e, em seguida, combinam-se com o antígeno estimulante. Considera-se que tal efeito possa fazer essas células serem destruídas pelas células epiteliais tímicas, antes que sejam capazes de migrar e colonizar todo o tecido linfoide do corpo.

Durante o pré-processamento dos linfócitos no timo e na medula óssea, todos ou a maioria dos clones de linfócitos específicos para danificar os próprios tecidos do corpo parecem ser autodestruídos por causa de sua exposição contínua aos antígenos do corpo.

Falha do mecanismo de tolerância imunológica causa doenças autoimunes. Às vezes, as pessoas perdem a tolerância imunológica de seus próprios tecidos. Esse fenômeno ocorre em maior extensão à medida que o indivíduo envelhece. Geralmente ocorre após a destruição de alguns dos próprios tecidos do corpo, o que libera quantidades consideráveis de *autoantígenos* circulando no corpo e, presumivelmente, causam imunidade adquirida na forma de linfócitos T ativados ou anticorpos.

Mais de 100 doenças que resultam de autoimunidade foram descritas e incluem: (1) *febre reumática*, na qual o corpo se torna imunizado contra os tecidos das articulações e do coração, especialmente as valvas cardíacas, após a exposição a um tipo específico de toxina estreptocócica que contém um epítopo em sua estrutura molecular semelhante à estrutura de alguns dos autoantígenos do próprio corpo; (2) um tipo de *glomerulonefrite*, na qual a pessoa fica imunizada contra as membranas basais dos glomérulos; (3) *miastenia gravis*, na qual se desenvolve imunidade contra as proteínas receptoras de acetilcolina da junção neuromuscular, causando paralisia; (4) *esclerose múltipla* (EM), na qual o sistema imunológico ataca a mielina que reveste as fibras nervosas, interrompendo a comunicação do sistema nervoso; e (5) *lúpus eritematoso sistêmico* (LES), no qual a pessoa se torna imunizada contra diversos tecidos corporais diferentes ao mesmo tempo, uma doença que causa danos extensos e até a morte quando o LES é grave.

IMUNIZAÇÃO PELA INJEÇÃO DE ANTÍGENOS

A imunização tem sido usada por muitos anos para produzir imunidade adquirida contra doenças específicas. Uma pessoa pode ser imunizada pela injeção de organismos mortos que não são mais capazes de causar doenças, mas que ainda contêm alguns de seus antígenos químicos. Esse tipo de imunização é usado para proteger contra febre tifoide, coqueluche, difteria e muitos outros tipos de doenças bacterianas.

A imunidade pode ser alcançada contra toxinas que foram tratadas com produtos químicos, de modo que a sua natureza tóxica seja destruída, muito embora seus antígenos responsáveis pela imunidade ainda estejam intactos. Esse procedimento é usado na imunização contra o tétano, botulismo e outras doenças tóxicas semelhantes.

Por fim, uma pessoa pode ser imunizada ao ser infectada com organismos vivos que foram atenuados. Ou seja, esses organismos foram cultivados em meios de cultura especiais ou passaram por uma série de animais até que sofreram mutação o suficiente para não causar doenças, mas ainda carregam antígenos específicos necessários à imunização. Esse procedimento é usado para proteger contra varíola, febre amarela, poliomielite, sarampo e muitas outras doenças virais.

IMUNIDADE PASSIVA

Até agora, toda a imunidade adquirida que discutimos tem sido *imunidade ativa* – ou seja, o próprio corpo da pessoa desenvolve anticorpos ou linfócitos T ativados em resposta à invasão do corpo por um antígeno estranho. No entanto, a imunidade temporária pode ser alcançada em um indivíduo sem que se injete qualquer antígeno, mas pela infusão de anticorpos, linfócitos T ativados ou ambos, obtidos do sangue de outra pessoa ou de algum outro animal que tenha sido ativamente imunizado contra o antígeno.

Os anticorpos permanecem no corpo do receptor por 2 a 3 semanas, e, durante esse tempo, a pessoa fica protegida contra a doença invasora. Os linfócitos T ativados duram algumas semanas se transfundidos de outra pessoa, mas apenas por algumas horas a alguns dias se transfundidos de um animal. Essa transfusão de anticorpos ou de linfócitos T para conferir imunidade é chamada de *imunidade passiva*.

ALERGIA E HIPERSENSIBILIDADE

Um importante efeito colateral indesejável da imunidade é o desenvolvimento, sob algumas condições, de uma *alergia* ou outro tipo de *hipersensibilidade imunológica*.[1] Existem vários tipos de alergias e de hipersensibilidades, algumas das quais ocorrem apenas em pessoas com uma tendência alérgica específica.

HIPERSENSIBILIDADE MEDIADA POR LINFÓCITOS T ATIVADOS: REAÇÃO DE HIPERSENSIBILIDADE TARDIA

A reação de hipersensibilidade tardia é mediada por células (linfócitos T ativados) e não por anticorpos. No caso da hera venenosa (*Toxicodendron radicans*), sua toxina,

---

[1]N.R.C.: Formalmente, *hipersensibilidade* é um termo genérico que designa qualquer distúrbio causado por respostas imunes inapropriadas, de qualquer natureza. *Alergia* é um tipo específico de reação de hipersensibilidade mediada por IgE. *Atopia* é a predisposição genética (níveis exacerbados de IgE) à alergia. Alergia é o distúrbio; atopia, a tendência.

CAPÍTULO 35 Resistência do Corpo a Infecções: II. Imunidade e Alergia

por si só, não causa muitos danos aos tecidos. No entanto, na exposição repetida, forma linfócitos T auxiliares e citotóxicos ativados. Então, após a exposição subsequente à toxina da hera venenosa, em 1 dia ou mais, os linfócitos T ativados difundem-se, em grande número, do sangue circulante para a pele a fim de responder à toxina da hera venenosa. Ao mesmo tempo, esses linfócitos T induzem um tipo de reação imunológica mediada por células. Lembrando que esse tipo de imunidade pode causar a liberação de muitas substâncias tóxicas dos linfócitos T ativados, bem como a extensa invasão dos tecidos por macrófagos, juntamente com seus efeitos subsequentes, o que nos leva a entender que o eventual resultado de algumas alergias de reação tardia pode causar graves danos aos tecidos. A deterioração normalmente ocorre na área tecidual onde o antígeno instigante está presente, como na pele, no caso da hera venenosa, ou nos pulmões, causando edema pulmonar ou *crises asmáticas*, no caso de alguns antígenos transportados pelo ar.

ALERGIAS ATÓPICAS SÃO ASSOCIADAS AO EXCESSO DE ANTICORPOS IgE

Algumas pessoas têm tendência alérgica (*atopia*). Suas alergias são chamadas de *alergias atópicas* por serem causadas por uma resposta incomum e exacerbada do sistema imunológico. A atopia é transmitida geneticamente dos pais para os filhos e caracterizada pela presença de grandes quantidades de anticorpos IgE no sangue. Esses anticorpos são chamados de *reaginas* ou *anticorpos sensibilizantes* para distingui-los dos anticorpos IgG mais comuns. Quando um *alergênio* (definido como um antígeno que reage especificamente com um tipo específico de anticorpo reagina IgE) entra no corpo, uma reação alergênio-reagina ocorre, levando a uma reação alérgica subsequente.

Uma característica especial dos anticorpos IgE (as reaginas) é a forte propensão para ligar-se a mastócitos e basófilos. Na verdade, um único mastócito ou basófilo pode ligar-se a até meio milhão de moléculas de anticorpos IgE. Então, quando um antígeno (um alergênio) que tem vários locais de ligação se liga a vários anticorpos IgE, que já estão ligados a um mastócito ou basófilo, há mudança imediata na membrana do mastócito ou do basófilo, talvez resultante de um efeito físico das moléculas de anticorpo para deformar a membrana celular. De qualquer modo, muitos dos mastócitos e basófilos se rompem; outros liberam agentes especiais imediatamente ou logo em seguida, incluindo *histamina, protease, substância de reação lenta da anafilaxia* (uma mistura de leucotrienos tóxicos), *substância quimiotática de eosinófilos, substância quimiotática de neutrófilos, heparina* e *fatores ativadores de plaquetas*. Essas substâncias causam efeitos como dilatação dos vasos sanguíneos locais, atração de eosinófilos e neutrófilos para o local reativo, aumento da permeabilidade dos capilares com perda de líquido para os tecidos e contração das células musculares lisas locais.

Portanto, várias respostas teciduais diferentes podem ocorrer, dependendo do tipo de tecido em que se dê a reação alergênio-reagina. Alguns dos diferentes tipos de reações alérgicas causadas dessa maneira são descritos a seguir.

Anafilaxia: reação alérgica generalizada. Um alergênio específico, quando injetado diretamente na circulação, pode reagir com basófilos do sangue e com mastócitos nos tecidos localizados imediatamente fora dos pequenos vasos sanguíneos, se os basófilos e os mastócitos tiverem sido sensibilizados pela ligação de reaginas IgE. Portanto, uma reação alérgica generalizada ocorre por todo o sistema vascular e nos tecidos intimamente associados. Essa reação é chamada de *anafilaxia*. A histamina é liberada na circulação e causa vasodilatação por todo o corpo, bem como aumento da permeabilidade dos capilares, com resultante perda acentuada de plasma da circulação. Ocasionalmente, uma pessoa que sofra essa reação morre de choque circulatório em poucos minutos, a menos que seja tratada com adrenalina para neutralizar os efeitos da histamina.

Também liberada pelos basófilos e mastócitos ativados está uma mistura de leucotrienos, chamada *substância de reação lenta de anafilaxia (SRS-A)*. Esses leucotrienos podem causar espasmos da musculatura lisa dos bronquíolos, provocando uma crise semelhante à da asma e, às vezes, causando a morte por asfixia.

Urticária: reações anafilactoides localizadas. A urticária resulta da penetração do antígeno em áreas específicas da pele e causa reações anafilactoides localizadas. A histamina liberada localmente ocasiona: (1) vasodilatação, que induz uma vermelhidão imediata; e (2) aumento da permeabilidade local dos capilares, que leva a áreas circunscritas locais de edema da pele dentro de alguns minutos. As áreas de edema são comumente chamadas de *urticária*. A administração de fármacos anti-histamínicos a uma pessoa antes da exposição evita a ocorrência de urticária.

Febre do feno. Nesse caso, a reação alergênio-reagina ocorre no nariz. A histamina liberada em resposta à reação causa dilatação vascular intranasal local, resultando em aumento da pressão capilar e da permeabilidade capilar. Ambos os efeitos causam extravasamento rápido de líquido nas cavidades nasais e nos tecidos mais profundos associados do nariz, e os revestimentos nasais tornam-se edemaciados e secretores. Aqui, mais uma vez, o uso de fármacos anti-histamínicos pode evitar essa reação edematosa. No entanto, outros produtos da reação alergênio-reagina ainda são capazes de causar irritação no nariz, provocando a típica síndrome do espirro.

Asma. Ocorre, frequentemente, em pessoas alérgicas hipersensíveis. Nesses indivíduos, a reação alergênio-reagina ocorre nos bronquíolos dos pulmões. Aqui, acredita-se que um importante produto liberado pelos mastócitos seja a *substância de reação lenta de anafilaxia* (uma mistura de três leucotrienos), que causa espasmos da musculatura

PARTE 6 Células Sanguíneas, Imunidade e Coagulação Sanguínea

lisa dos bronquíolos. Como consequência, a pessoa tem dificuldade para respirar até que os produtos reativos da reação alérgica tenham sido removidos. A administração de fármacos anti-histamínicos tem menos efeito no curso da asma porque a histamina não parece ser o principal fator que desencadeia a reação asmática.

Bibliografia

Biglarnia AR, Huber-Lang M, Mohlin C, Ekdahl KN, Nilsson B: The multifaceted role of complement in kidney transplantation. Nat Rev Nephrol 14:767, 2018.

Brynjolfsson SF, Persson Berg L, Olsen Ekerhult T, et al: Long-lived plasma cells in mice and men. Front Immunol 2018 Nov 16;9:2673. https://www.org.doi.10.3389/fimmu.2018.02673.

Chiossone L, Dumas PY, Vienne M, Vivier E: Natural killer cells and other innate lymphoid cells in cancer. Nat Rev Immunol 18:671, 2018.

Crosby CM, Kronenberg M: Tissue-specific functions of invariant natural killer T cells. Nat Rev Immunol 18:559, 2018.

Cyster JG, Allen CDC: B cell responses: cell interaction dynamics and decisions. Cell 177:524, 2019.

DeNardo DG, Ruffell B: Macrophages as regulators of tumour immunity and immunotherapy. Nat Rev Immunol 19:369, 2019.

Eisenbarth SC: Dendritic cell subsets in T cell programming: location dictates function. Nat Rev Immunol 19:89, 2019.

Gattinoni L, Speiser DE, Lichterfeld M, Bonini C: T memory stem cells in health and disease. Nat Med 23:18, 2017.

Georg P, Sander LE: Innate sensors that regulate vaccine responses. Curr Opin Immunol 59:31, 2019.

Heath WR, Kato Y, Steiner TM, Caminschi I: Antigen presentation by dendritic cells for B cell activation. Curr Opin Immunol 58:44, 2019.

Ho AW, Kupper TS: T cells and the skin: from protective immunity to inflammatory skin disorders. Nat Rev Immunol 19:490, 2019.

Husebye ES, Anderson MS, Kämpe O: Autoimmune polyendocrine syndromes. N Engl J Med 378:1132, 2018.

Israel E, Reddel HK: Severe and difficult-to-treat asthma in adults. N Engl J Med 377:965, 2017.

Papi A, Brightling C, Pedersen SE, Reddel HK: Asthma. Lancet 391:783, 2018.

Reis ES, Mastellos DC, Hajishengallis G, Lambris JD: New insights into the immune functions of complement. Nat Rev Immunol 19:503, 2019.

Robson KJ, Ooi JD, Holdsworth SR, Rossjohn J, Kitching AR: HLA and kidney disease: from associations to mechanisms. Nat Rev Nephrol 14:636, 2018.

Theofilopoulos AN, Kono DH, Baccala R: The multiple pathways to autoimmunity. Nat Immunol 18:716, 2017.

Yatim N, Cullen S, Albert ML: Dying cells actively regulate adaptive immune responses. Nat Rev Immunol 17:262, 2017.

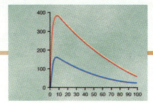

CAPÍTULO 36

Tipos Sanguíneos, Transfusão e Transplante de Tecidos e de Órgãos

PARTE 6

ANTIGENICIDADE CAUSA REAÇÕES IMUNOLÓGICAS NO SANGUE

Quando as transfusões de sangue de uma pessoa para outra foram tentadas pela primeira vez, a aglutinação imediata ou tardia e a hemólise das hemácias ocorreram com frequência, resultando em reações transfusionais típicas que, em muitos casos, levavam à morte. Logo foi descoberto que os tipos sanguíneos de diferentes pessoas têm diversas propriedades antigênicas e imunológicas, de modo que os anticorpos no plasma de um tipo sanguíneo reagem com os antígenos nas superfícies das hemácias de outro tipo sanguíneo. Se forem tomadas as devidas precauções, pode-se determinar com antecedência se os anticorpos e os antígenos presentes no sangue do doador e do receptor causarão uma reação transfusional.

Multiplicidade de antígenos nas hemácias

Nas superfícies das membranas celulares das hemácias humanas, foram encontrados pelo menos 30 antígenos de ocorrência comum e centenas de outros antígenos raros, cada um dos quais podendo ocasionalmente causar reações antígeno-anticorpo. Todavia, a maioria desses antígenos é fraca e, portanto, não produz impacto clínico, embora seu conhecimento seja importante, sobretudo para estudar a herança de genes com a finalidade de se estabelecer parentesco.

Com efeito, dois tipos particulares de antígenos têm muito mais probabilidade do que outros de causar reações às transfusões sanguíneas. São eles o sistema *ABO* e o sistema *Rh*.

TIPOS SANGUÍNEOS: SISTEMA ABO

ANTÍGENOS A E B | AGLUTINÓGENOS

Dois antígenos – tipo A e tipo B – ocorrem nas superfícies das hemácias em uma grande proporção de pessoas. Também chamados de *aglutinógenos* (ou aglutinogênios) por costumarem causar aglutinação de hemácias, são esses antígenos que ocasionam a maioria das reações às transfusões sanguíneas. Devido à maneira como esses aglutinogênios são herdados, as pessoas podem não ter nenhum deles em suas células, ter somente um ou os dois simultaneamente.

Principais tipos sanguíneos do sistema ABO. Na transfusão de sangue de uma pessoa para outra, o sangue de doadores e de receptores é normalmente classificado em quatro principais tipos sanguíneos no sistema ABO, conforme mostrado na **Tabela 36.1**, dependendo da presença ou da ausência dos dois aglutinógenos: A e B. Quando ambos os aglutinógenos A e B estão ausentes, o sangue é do *tipo O*. Quando apenas o aglutinógeno do tipo A está presente, o sangue é do *tipo A*. Quando apenas o aglutinógeno do tipo B está presente, o sangue é do *tipo B*. Quando ambos os aglutinógenos A e B estão presentes, o sangue é do *tipo AB*.

Determinação genética dos aglutinógenos. O *locus* gênico do grupo sanguíneo ABO tem três *alelos*, o que significa três formas diferentes do mesmo gene. Esses três alelos – I^A, I^B e I^O – determinam os três tipos sanguíneos. Normalmente chamamos esses alelos de *A, B e O*, mas os geneticistas costumam representar os alelos de um gene por variações do mesmo símbolo. Nesse caso, o símbolo comum é a letra "I", derivada de *imunoglobulina*.

O alelo do tipo O é sem função ou quase sem função; portanto, não causa aglutinógeno do tipo O significativo nas células. Por outro lado, os alelos do tipo A e do tipo B ocasionam aglutinógenos potentes nas células. Assim, o alelo O é recessivo para ambos os alelos A e B, que mostram *codominância*.

Uma vez que cada pessoa tem apenas dois conjuntos de cromossomos, apenas um desses alelos está presente em cada um dos dois cromossomos em qualquer indivíduo. No entanto, a presença de três alelos diferentes significa que há seis combinações possíveis de alelos, conforme mostrado na **Tabela 36.1**: OO, OA, OB, AA, BB e AB.

Tabela 36.1 Tipos sanguíneos com seus genótipos e seus aglutinógenos e aglutininas constituintes.

Genótipo(s)	Tipo sanguíneo	Aglutinógeno(s)	Aglutinina(s)
OO	O	-	Anti-A e anti-B
OA ou AA	A	A	Anti-B
OB ou BB	B	B	Anti-A
AB	AB	A e B	-

Cada pessoa tem uma dessas seis combinações de alelos, conhecidas como *genótipos*.

Também se pode observar na **Tabela 36.1** que uma pessoa com genótipo OO não produz aglutinógenos, e, portanto, o tipo sanguíneo é O. Um indivíduo com genótipo OA ou AA produz aglutinógenos do tipo A e, portanto, tem tipo sanguíneo A. Os genótipos OB e BB fornecem sangue do tipo B, e o genótipo AB fornece sangue do tipo AB.

Frequência relativa dos diferentes tipos sanguíneos. A prevalência dos diferentes tipos sanguíneos entre um grupo de pessoas estudadas foi aproximadamente a seguinte:

- O: 47%
- A: 41%
- B: 9%
- AB: 3%.

Obviamente, a partir dessas porcentagens, os genes O e A ocorrem com frequência, enquanto o gene B ocorre com pouca frequência.[1]

AGLUTININAS

Quando o aglutinógeno do tipo A *não está presente* nas hemácias de uma pessoa, anticorpos conhecidos como *aglutininas anti-A* se desenvolvem no plasma. Além disso, quando o aglutinógeno do tipo B *não está presente* nas hemácias, anticorpos conhecidos como *aglutininas anti-B* se desenvolvem no plasma. Portanto, aglutininas nada mais são do que anticorpos contra aglutinógenos.

Referindo-se mais uma vez à **Tabela 36.1**, observe que o sangue do tipo O, embora não contenha aglutinógenos, contém *aglutininas anti-A* e *anti-B*. O sangue do tipo A contém aglutinógenos do tipo A e aglutininas anti-B, e o sangue do tipo B contém aglutinógenos do tipo B e aglutininas do anti-A. Por fim, o sangue do tipo AB contém aglutinógenos A e B, mas não contém aglutininas.

Titulação das aglutininas em diferentes idades. Imediatamente após o nascimento, a quantidade de aglutininas no plasma é quase zero. De 2 a 8 meses após o nascimento, um lactente começa a produzir aglutininas – aglutininas anti-A quando os aglutinógenos do tipo A não estão presentes nas células e aglutininas anti-B quando os aglutinógenos do tipo B não estão nas células. A **Figura 36.1** mostra a alteração da titulação das aglutininas anti-A e anti-B em diferentes idades. Dos 8 aos 10 anos de idade, geralmente se alcança uma titulação máxima, a qual diminui de maneira gradual ao longo dos anos restantes de vida.

Origem das aglutininas no plasma. As aglutininas são gamaglobulinas (como quase todos os anticorpos) e produzidas pelas mesmas células da medula óssea e dos

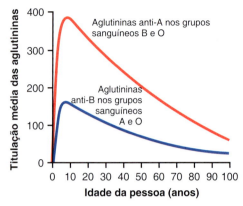

Figura 36.1 Titulações médias das aglutininas anti-A e anti-B no plasma de pessoas com diferentes tipos sanguíneos.

órgãos linfáticos que produzem anticorpos para qualquer outro antígeno. A maioria delas são moléculas de imunoglobulina IgM e IgG.

No entanto, por que essas aglutininas são produzidas nas pessoas que não têm os respectivos aglutinógenos em suas hemácias? Uma possível resposta a essa pergunta é que pequenas quantidades de antígenos do tipo A e do tipo B entram no corpo por meio de alimentos, bactérias ou outras formas, e essas substâncias iniciam o desenvolvimento das aglutininas anti-A e anti-B.

Por exemplo, a infusão de antígeno do grupo A em um receptor com um tipo sanguíneo não A causa uma resposta imunológica típica, com formação de mais aglutininas anti-A do que nunca. Além disso, o recém-nascido tem pouca ou nenhuma aglutinina, mostrando que a formação das aglutininas ocorre, quase inteiramente, após o nascimento.

PROCESSO DE AGLUTINAÇÃO NAS REAÇÕES DE TRANSFUSÃO

Quando os sangues são incompatíveis, de modo que as aglutininas plasmáticas anti-A ou anti-B são misturadas com hemácias que contêm aglutinógenos A ou B, respectivamente, as hemácias aglutinam-se como resultado das aglutininas que se ligam às hemácias. Em razão de as aglutininas terem dois locais de ligação (tipo IgG) ou 10 locais de ligação (tipo IgM), uma única aglutinina pode ligar-se a duas ou mais hemácias ao mesmo tempo, fazendo com que as células fiquem unidas pela aglutinina. Essa ligação faz com que as células formem grumos, que é o processo de *aglutinação*. Em seguida, esses grumos obstruem os pequenos vasos sanguíneos em todo o sistema circulatório. Durante as horas ou os dias seguintes, a distorção física das células ou o ataque pelos leucócitos fagocíticos destrói as membranas das hemácias aglutinadas, liberando hemoglobina no plasma, processo chamado de *hemólise das hemácias*.

Hemólise aguda ocorre em algumas reações transfusionais. Às vezes, quando os sangues do receptor e do doador são incompatíveis, ocorre hemólise imediata das

---

[1] N.R.C.: No Brasil, os tipos sanguíneos mais comuns são o O e o A, que correspondem a 87% da população. O tipo B responde por 10%, e o AB, por apenas 3%.

CAPÍTULO 36 Tipos Sanguíneos, Transfusão e Transplante de Tecidos e de Órgãos

hemácias no sangue circulante. Nesse caso, os anticorpos causam a lise das hemácias ao ativarem o sistema complemento e formarem um *complexo de ataque à membrana* (também chamado de *complexo citolítico*), que se insere na bicamada lipídica das membranas celulares; essa inserção cria na membrana poros que são permeáveis a íons e causam lise osmótica das células, conforme descrito no Capítulo 35. A hemólise intravascular *imediata* é muito menos comum do que a aglutinação seguida por hemólise *tardia*, porque não apenas deve haver uma alta titulação de anticorpos para quc a lise ocorra, mas também um tipo diferente de anticorpo parece ser necessário, principalmente anticorpos da classe das IgM; esses anticorpos são chamados de *hemolisinas*.

TIPAGEM SANGUÍNEA

Antes de fazer a transfusão em uma pessoa, é necessário determinar os tipos sanguíneos do receptor e do doador para que os sangues sejam adequadamente compatíveis. Esses processos são denominados *tipagem sanguínea* e *compatibilidade sanguínea*, e esses procedimentos são realizados da maneira descrita a seguir. As hemácias são primeiro separadas do plasma e diluídas com solução salina. Uma parte é então misturada com aglutinina anti-A, e outra, misturada com aglutinina anti-B. Após vários minutos, as misturas são observadas ao microscópio. Se as hemácias tiverem formado grumos – ou seja, *aglutinado-se* – então o resultado foi uma reação antígeno-anticorpo.

A **Tabela 36.2** lista a presença (+) ou a ausência (−) de aglutinação dos quatro tipos de hemácias. As hemácias do tipo O não têm aglutinógenos e, portanto, não reagem com as aglutininas anti-A ou anti-B. O sangue do tipo A contém aglutinógenos A e, portanto, aglutina-se com as aglutininas anti-A. O sangue do tipo B contém aglutinógenos B e aglutina-se com as aglutininas anti-B. O sangue do tipo AB contém aglutinógenos A e B e aglutina-se com ambos os tipos de aglutininas.

TIPOS SANGUÍNEOS DO SISTEMA Rh

Juntamente com o sistema do tipo sanguíneo ABO, o sistema do tipo sanguíneo Rh também é importante nas transfusões sanguíneas. A principal diferença entre o sistema ABO e o sistema Rh[2] é a seguinte. No sistema ABO, as aglutininas plasmáticas responsáveis pelas reações transfusionais desenvolvem-se espontaneamente, enquanto no sistema Rh as aglutininas espontâneas quase nunca ocorrem. Em vez disso, a pessoa deve, em primeiro lugar, ser exposta massivamente a um antígeno Rh – por exemplo, por transfusão de sangue contendo o antígeno Rh – antes que se desenvolvam aglutininas suficientes para ocasionar uma reação transfusional significativa.

---

[2]N.R.C.: O fator Rh recebeu esse nome porque sua descoberta, em 1940, aconteceu a partir de experimentos feitos no sangue de macacos do gênero *Rhesus*.

Tabela 36.2 Tipagem sanguínea: aglutinação das células dos diferentes tipos sanguíneos com as aglutininas anti-A ou anti-B no soro.

Tipo de hemácia	Soro	
	Anti-A	Anti-B
O	−	−
A	+	−
B	−	+
AB	+	+

Antígenos Rh: Rh-positivo e Rh-negativo. Existem seis tipos comuns de antígenos Rh, cada um dos quais é chamado de *fator Rh*. Esses tipos são designados C, D, E, c, d e e. Uma pessoa que tem um antígeno C não tem o antígeno c, mas a pessoa sem o antígeno C sempre tem o antígeno c. O mesmo é verdadeiro para os antígenos D-d e E-e. Além disso, devido ao modo de herança desses fatores, cada pessoa contém três pares de antígenos, um de cada tipo.

O antígeno do tipo D é amplamente prevalente na população, sendo considerado mais antigênico do que os outros antígenos Rh. Qualquer pessoa com esse tipo de antígeno é considerada *Rh-positiva*, enquanto uma que não abriga o antígeno do tipo D é considerada *Rh-negativa*. No entanto, deve-se notar que, mesmo em pessoas Rh-negativas, alguns dos outros antígenos Rh ainda podem causar reações transfusionais, embora estas sejam, em geral, muito mais leves.

Cerca de 85% da população branca são Rh-positivos e 15% são Rh-negativos. Em afro-americanos, a porcentagem de Rh-positivos é de aproximadamente 95%, enquanto em negros africanos é de quase 100%. Mais de 95% dos nativos americanos e asiáticos que vivem na China, no Japão e na Coreia também são Rh-positivos, e estima-se que as frequências mundiais de tipos sanguíneos Rh-positivo e Rh-negativo sejam de 95% e 5%, respectivamente.

RESPOSTA IMUNOLÓGICA AO FATOR Rh

Formação de aglutininas anti-Rh. Quando hemácias contendo fator Rh são injetadas em uma pessoa cujo sangue não contém o fator Rh – ou seja, em uma pessoa Rh-negativa –, as aglutininas anti-Rh desenvolvem-se lentamente, alcançando uma concentração máxima de aglutininas cerca de 2 a 4 meses depois. Essa resposta imunológica ocorre em uma extensão muito maior em alguns indivíduos do que em outros. De maneira ocasional, uma pessoa Rh-negativa com múltiplas exposições ao fator Rh torna-se fortemente sensibilizada a ele.

Características das reações transfusionais ao fator Rh. Se um indivíduo Rh-negativo nunca foi exposto a sangue Rh-positivo, a transfusão de sangue Rh-positivo nessa pessoa provavelmente não causará nenhuma reação imediata. No entanto, os anticorpos anti-Rh podem desenvolver-se em quantidades suficientes, durante

PARTE 6 Células Sanguíneas, Imunidade e Coagulação Sanguínea

as próximas 2 a 4 semanas, para ocasionar a aglutinação das células transfundidas que ainda estão circulando no sangue. Essas células são então hemolisadas pelo sistema de macrófagos teciduais. Assim, ocorre uma reação transfusional *tardia*, embora geralmente leve. Na transfusão subsequente de sangue Rh-positivo na mesma pessoa, agora já imunizada contra o fator Rh, a reação transfusional é bastante intensificada e pode ser imediata e tão grave quanto uma reação transfusional causada por incompatibilidade de sangue tipo A ou B.

Eritroblastose fetal

Também conhecida como DHRN (*doença hemolítica do recém-nascido*), a *eritroblastose fetal* é uma doença do feto ou do recém-nascido caracterizada pela aglutinação e fagocitose das hemácias fetais. Na maioria dos casos de eritroblastose fetal, a mãe é Rh-negativa, e o pai, Rh-positivo. O recém-nascido herdou o antígeno Rh-positivo do pai, e a mãe desenvolve aglutininas anti-Rh pela exposição ao antígeno Rh do feto. Por sua vez, as aglutininas da mãe difundem-se através da placenta para o feto e causam a aglutinação das hemácias.

Incidência da eritroblastose fetal. A mãe Rh-negativa, que tem seu primeiro filho Rh-positivo, geralmente não desenvolve aglutininas anti-Rh suficientes para causar qualquer dano. No entanto, cerca de 3% dos segundos filhos com fator Rh-positivo exibem alguns sinais de eritroblastose fetal, aproximadamente 10% dos terceiros filhos apresentam a doença, e a incidência aumenta de maneira progressiva com as gestações subsequentes.

Efeito dos anticorpos maternos sobre o feto. Após a formação de anticorpos anti-Rh na mãe, eles se difundem lentamente através da membrana placentária para o sangue fetal. No feto, eles causam a aglutinação do sangue fetal. As hemácias aglutinadas subsequentemente sofrem hemólise, liberando hemoglobina no sangue. Os macrófagos fetais então convertem a hemoglobina em bilirrubina, o que faz com que a pele e a esclera dos olhos do recém-nascido fiquem amarelas (icterícia). Os anticorpos também podem atacar e lesar outras células do corpo.

Quadro clínico da eritroblastose fetal. O recém-nascido ictérico e eritroblastótico costuma ser anêmico ao nascer, e as aglutininas anti-Rh da mãe geralmente circulam no sangue do recém-nascido por mais 1 a 2 meses após o nascimento, destruindo cada vez mais hemácias.

Os tecidos hematopoéticos do recém-nascido tentam substituir as hemácias hemolisadas. O fígado e o baço aumentam de tamanho e produzem hemácias da mesma maneira que normalmente faziam durante o terço médio da gestação. Em razão da rápida produção de hemácias, muitas formas iniciais de hemácias, incluindo diversas *formas blásticas nucleadas*, passam da medula óssea para o sistema circulatório do recém-nascido. Devido à presença dessas hemácias blásticas nucleadas, a doença é chamada de *eritroblastose fetal*.

Embora a anemia grave da eritroblastose fetal seja geralmente causa de morte, muitas crianças que sobrevivem à anemia apresentam deficiência mental permanente ou danos às áreas motoras do cérebro em razão da precipitação da bilirrubina nas células neuronais, levando à destruição de muitas dessas células, uma condição chamada *kernicterus*.

Tratamento dos recém-nascidos com eritroblastose fetal. Um tratamento para a eritroblastose fetal é substituir o sangue do recém-nascido por sangue Rh-negativo. O sangue Rh-negativo é infundido por um período de 1,5 hora ou mais, enquanto o sangue Rh-positivo do próprio recém-nascido é removido. Esse procedimento pode ser repetido várias vezes durante as primeiras semanas de vida, principalmente para manter o nível de bilirrubina baixo e, assim, prevenir o *kernicterus*. No momento em que essas células Rh-negativas transfundidas são substituídas pelas células Rh-positivas do próprio recém-nascido, um processo que requer 6 semanas ou mais, as aglutininas anti-Rh que vieram da mãe terão sido destruídas.

Prevenção da eritroblastose fetal. O antígeno D do sistema de grupo sanguíneo Rh é o principal culpado por imunizar a mãe Rh-negativa contra seu feto Rh-positivo. Na década de 1970, uma redução dramática na incidência de eritroblastose fetal foi alcançada com o desenvolvimento da *imunoglobulina Rh*, *um anticorpo anti-D* que é administrado à gestante a partir de 28 a 30 semanas de gestação. O anticorpo anti-D também é administrado a mulheres Rh-negativas que dão à luz recém-nascidos Rh-positivos para evitar a sensibilização das mães ao antígeno D. Essa etapa reduz muito o risco de desenvolver grandes quantidades de anticorpos D durante a segunda gravidez.

O mecanismo pelo qual a imunoglobulina Rh evita a sensibilização contra o antígeno D não é completamente compreendido, mas um efeito do anticorpo anti-D é inibir a produção de anticorpos pelos linfócitos B induzida pelo antígeno na gestante. O anticorpo anti-D administrado também se liga aos locais do antígeno D nas hemácias fetais Rh-positivas que podem atravessar a placenta e entrar na circulação da gestante, interferindo, assim, na resposta imunológica ao antígeno D.

REAÇÕES TRANSFUSIONAIS RESULTANTES DA INCOMPATIBILIDADE DE TIPOS SANGUÍNEOS

Se o sangue de um doador de determinado tipo sanguíneo for transfundido para um receptor que tenha outro tipo sanguíneo, é provável que ocorra uma reação transfusional na qual as hemácias *do sangue do doador* são aglutinadas. É raro que o sangue transfundido cause aglutinação *das células do receptor* pelo seguinte motivo: a porção plasmática do sangue do doador imediatamente se dilui por todo o plasma do receptor, diminuindo, assim, a titulação das aglutininas infundidas a um nível, em geral, muito baixo para causar aglutinação. No entanto, a pequena

CAPÍTULO 36 Tipos Sanguíneos, Transfusão e Transplante de Tecidos e de Órgãos

quantidade de sangue infundido não dilui, de maneira significativa, as aglutininas no plasma do receptor. Portanto, as aglutininas do receptor ainda podem aglutinar as células do doador incompatível.

Conforme explicado, todas as reações transfusionais eventualmente causam hemólise imediata, resultante de hemolisinas, ou hemólise tardia, oriunda da fagocitose de células aglutinadas. A hemoglobina liberada das hemácias é então convertida pelos fagócitos em bilirrubina e, posteriormente, excretada na bile pelo fígado, conforme discutido no Capítulo 71. A concentração de bilirrubina nos líquidos corporais costuma aumentar o suficiente para causar *icterícia* – ou seja, os tecidos internos e a pele da pessoa ficam *corados com o pigmento amarelo da bile*. Contudo, se a função hepática estiver normal, o pigmento biliar será excretado pelos intestinos por meio da bile hepática; portanto, a icterícia geralmente não aparece em um adulto, a menos que mais de 400 mililitros de sangue sejam hemolisados em menos de um dia.

Insuficiência renal aguda após reações transfusionais.
Um dos efeitos mais letais das reações transfusionais é a *insuficiência renal*, que pode começar dentro de alguns minutos a algumas horas e continuar até que a pessoa morra de insuficiência renal aguda.

A insuficiência parece ter três causas:

1. A reação antígeno-anticorpo da reação transfusional libera substâncias tóxicas do sangue hemolisado que levam à vasoconstrição renal intensa.
2. A perda de hemácias circulantes no receptor e a produção de substâncias tóxicas pelas células hemolisadas e pela reação imunológica costumam causar choque circulatório. A pressão arterial cai muito, e o fluxo sanguíneo renal e o débito urinário diminuem.
3. Se o total de hemoglobina livre liberada no sangue circulante for maior do que a quantidade que pode ligar-se à *haptoglobina* (uma proteína plasmática que se liga a pequenas quantidades de hemoglobina), a maior parte do excesso extravasa através das membranas glomerulares para os túbulos renais.

Se essa quantidade ainda for pequena, ela poderá ser reabsorvida pelo epitélio tubular para o sangue e não causar nenhum dano; se for grande, então apenas uma pequena porcentagem será reabsorvida. Ainda assim, a água continua a ser reabsorvida, fazendo com que a concentração de hemoglobina tubular suba tanto que a hemoglobina precipite e bloqueie muitos dos túbulos renais. Assim, a vasoconstrição renal, o choque circulatório e o bloqueio dos túbulos renais, juntos, causam a insuficiência renal aguda. Se a falência for completa e não resolvida, o paciente morre dentro de 7 a 12 dias, conforme explicado no Capítulo 32, a menos que seja tratado com um rim artificial.

TRANSPLANTE DE TECIDOS E DE ÓRGÃOS

A maioria dos diferentes antígenos das hemácias que causam reações transfusionais também está amplamente presente em outras células do corpo, e cada tecido corporal tem seu próprio complemento adicional de antígenos. Como consequência, as células estranhas transplantadas em qualquer parte do corpo de um receptor podem produzir uma reação imunológica. Em outras palavras, a maioria dos receptores é capaz de resistir à invasão tanto de células de tecido estranho quanto de bactérias ou hemácias estranhas.

Autoenxertos, isoenxertos, aloenxertos e xenoenxertos. O transplante de um tecido ou órgão inteiro de uma parte do mesmo animal para outra parte é denominado *autoenxerto*; de um gêmeo idêntico para outro, um *isoenxerto*; de uma pessoa para outra ou de um animal para outro animal da mesma espécie, um *aloenxerto*; e de um animal não humano para um humano ou de um animal de uma espécie para um de outra espécie, um *xenoenxerto*.

Transplante de tecidos. No caso de *autoenxertos* e *isoenxertos*, as células do transplante contêm praticamente os mesmos tipos de antígenos que os tecidos do receptor e, quase sempre, continuarão a viver normal e indefinidamente se um suprimento sanguíneo adequado for fornecido. No outro extremo, as reações imunológicas quase sempre ocorrem nos *xenoenxertos*, causando a morte das células do enxerto dentro de 1 dia a 5 semanas após o transplante, a menos que algum tratamento específico seja usado para evitar as reações imunológicas.

Pele, rim, coração, fígado, tecido glandular, medula óssea e pulmão são alguns dos diferentes tecidos e órgãos transplantados de uma pessoa para outra como aloenxertos, tanto experimentalmente quanto para fins terapêuticos. Com a compatibilidade adequada de tecidos entre as pessoas, muitos aloenxertos renais foram bem-sucedidos por pelo menos 5 a 15 anos, e aloenxertos hepáticos e cardíacos por 1 a 15 anos.

TENTATIVAS DE SUPERAR AS REAÇÕES IMUNOLÓGICAS NO TECIDO TRANSPLANTADO

Devido à extrema importância potencial do transplante de certos tecidos e órgãos, sérias tentativas têm sido feitas para evitar as reações antígeno-anticorpo associadas ao transplante. Os procedimentos específicos a seguir obtiveram algum grau de sucesso clínico ou experimental.

Tipagem tecidual | Complexo do antígeno leucocitário humano. Os antígenos mais importantes para causar a rejeição do enxerto formam um complexo denominado *antígeno leucocitário humano* (HLA). Seis desses antígenos estão presentes nas membranas celulares dos tecidos de cada pessoa, mas existem cerca de 150 antígenos HLA diferentes para selecionar, representando mais de 1 trilhão de combinações possíveis. Consequentemente, é quase impossível para duas pessoas, exceto no caso de gêmeos idênticos, ter os mesmos seis antígenos HLA. O desenvolvimento de imunidade significativa contra qualquer um desses antígenos pode ocasionar a rejeição do enxerto.

PARTE 6 Células Sanguíneas, Imunidade e Coagulação Sanguínea

Os antígenos HLA estão nos leucócitos, bem como nas células dos tecidos. Portanto, a tipagem tecidual para esses antígenos é feita nas membranas dos linfócitos que foram separados do sangue da pessoa. Os linfócitos são misturados com antissoro e complemento apropriados; após a incubação, as células são testadas quanto a danos na membrana, geralmente determinando a taxa de captação transmembrana pelas células linfocíticas de um corante especial.

Alguns dos antígenos HLA não são gravemente antigênicos. Portanto, a compatibilidade precisa de alguns antígenos entre doador e receptor nem sempre é essencial para possibilitar a aceitação do aloenxerto. Ao usar um método mais avançado de teste genético e obter a melhor combinação possível entre doador e receptor, o procedimento do enxerto tornou-se bem menos perigoso. O melhor sucesso tem sido com combinações de tipos de tecidos entre irmãos e entre pais e filhos. A compatibilidade em gêmeos idênticos é exata; então, os transplantes entre eles quase nunca são rejeitados por conta de uma reação imunológica.

Prevenção da rejeição do enxerto pela supressão do sistema imunológico

Se o sistema imunológico fosse completamente suprimido, a rejeição do enxerto não ocorreria. Na verdade, em uma pessoa com grave depressão do sistema imunológico, os enxertos podem ser bem-sucedidos sem o uso de tratamento significativo para evitar a rejeição. No entanto, na pessoa com um sistema imunológico saudável, mesmo com a melhor tipagem tecidual possível, os aloenxertos raramente resistem à rejeição por mais do que alguns dias ou semanas sem o uso de tratamento específico para suprimir o sistema imunológico. Além disso, uma vez que as células T representam a principal parte do sistema imunológico importante para a destruição das células enxertadas, sua supressão é muito mais importante do que a supressão dos anticorpos plasmáticos. Alguns dos agentes terapêuticos que têm sido utilizados para essa finalidade incluem os seguintes:

1. *Hormônios glicocorticoides* do córtex das glândulas adrenais (ou fármacos com atividade semelhante à dos glicocorticoides). Esses fármacos inibem genes que codificam várias citocinas, especialmente a interleucina-2 (IL-2). A IL-2 é um fator essencial que induz a proliferação das células T e a formação de anticorpos.
2. Vários fármacos que têm efeito tóxico no sistema linfoide e, portanto, bloqueiam a formação de anticorpos e de células T, especialmente o fármaco *azatioprina*.
3. *Ciclosporina e tacrolimo*, que inibem a formação de células T auxiliares e, portanto, são muito eficazes no bloqueio da reação de rejeição das células T. Esses agentes provaram ser fármacos altamente valiosos porque não deprimem algumas outras partes do sistema imunológico.
4. *Terapia imunossupressora de anticorpos*, incluindo antilinfócitos específicos ou anticorpos do receptor de IL-2.

O uso desses agentes tende a deixar a pessoa desprotegida contra doenças infecciosas; portanto, às vezes as infecções bacterianas e virais tornam-se descontroladas. Além disso, a incidência de câncer é várias vezes maior em uma pessoa imunossuprimida, presumivelmente porque o sistema imunológico é importante na destruição de muitas células cancerosas iniciais, antes que elas comecem a proliferar.

O transplante de tecidos vivos em pessoas tem tido sucesso sobretudo devido ao desenvolvimento de fármacos que suprimem as respostas do sistema imunológico. Com a introdução de agentes imunossupressores aprimorados, o transplante bem-sucedido de órgãos tornou-se muito mais comum. A abordagem atual para a terapia imunossupressora tenta equilibrar as taxas aceitáveis de rejeição com a moderação dos efeitos adversos dos fármacos imunossupressores.

Bibliografia

Branch DR: Anti-A and anti-B: what are they and where do they come from? Transfusion 55 Suppl 2:S74, 2015.

Burton NM, Anstee DJ: Structure, function and significance of Rh proteins in red cells. Curr Opin Hematol 15:625, 2008.

Dierickx D, Habermann TM: Post-transplantation lymphoproliferative disorders in adults. N Engl J Med 378:549, 2018. .

Ezekian B, Schroder PM, Freischlag K, et al: Contemporary strategies and barriers to transplantation tolerance. Transplantation 102:1213, 2018.

Flegel WA: Pathogenesis and mechanisms of antibody-mediated hemolysis. Transfusion 55 Suppl 2:S47, 2015.

Kramer CSM, Israeli M, Mulder A, et al: The long and winding road towards epitope matching in clinical transplantation. Transpl Int 32:16, 2019.

Loupy A, Lefaucheur C: Antibody-mediated rejection of solid-organ allografts. N Engl J Med 379:1150, 2018.

MacDonald KP, Blazar BR, Hill GR: Cytokine mediators of chronic graft-versus-host disease. J Clin Invest 127:2452, 2017.

Montgomery RA, Tatapudi VS, Leffell MS, Zachary AA: HLA in transplantation. Nat Rev Nephrol 14:558, 2018.

Watchko JF, Tiribelli C: Bilirubin-induced neurologic damage—mechanisms and management approaches. N Engl J Med 369:2021, 2013.

Webb J, Delaney M: Red blood cell alloimmunization in the pregnant patient. Transfus Med Rev 32:213, 2018.

Westhoff CM: Blood group genotyping. Blood. 133:1814, 2019

Westhoff CM: The structure and function of the Rh antigen complex. Semin Hematol 44:42, 2007.

Yazer MH, Seheult J, Kleinman S, Sloan SR, Spinella PC: Who's afraid of incompatible plasma? A balanced approach to the safe transfusion of blood products containing ABO-incompatible plasma. Transfusion 58:532, 2018.

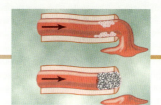

CAPÍTULO 37

Hemostasia e Coagulação Sanguínea

EVENTOS DA HEMOSTASIA

O termo *hemostasia* significa prevenção da perda de sangue. Sempre que um vaso sanguíneo é seccionado ou rompido, a hemostasia é obtida por vários mecanismos: (1) constrição vascular; (2) formação de um tampão plaquetário; (3) formação de um coágulo sanguíneo, como resultado da coagulação do sangue; e (4) eventual crescimento de tecido fibroso no coágulo sanguíneo para fechar permanentemente o orifício no vaso.

ESPASMO VASCULAR

Imediatamente após um vaso sanguíneo ter sido cortado ou rompido, o traumatismo na parede do vaso faz com que o músculo liso na parede se contraia; isso reduz, de maneira instantânea, o fluxo de sangue no vaso rompido. A contração resulta de: (1) espasmo miogênico local; (2) fatores locais (autacoides) provenientes dos tecidos traumatizados, do endotélio vascular e das plaquetas sanguíneas; e (3) reflexos nervosos. Os reflexos nervosos são iniciados por impulsos nervosos de dor ou por outros impulsos sensoriais que se originam do vaso traumatizado ou dos tecidos próximos. No entanto, ainda mais vasoconstrição provavelmente resulta da *contração miogênica* local dos vasos sanguíneos, iniciada pelo dano direto à parede vascular. E, para os vasos menores, as plaquetas são responsáveis por grande parte da vasoconstrição, liberando uma substância vasoconstritora, o *tromboxano A_2*.

Quanto mais gravemente um vaso é traumatizado, maior é o grau de espasmo vascular. O espasmo pode durar muitos minutos ou até horas, tempo no qual podem ocorrer os processos de formação do tampão plaquetário e coagulação sanguínea.

FORMAÇÃO DO TAMPÃO PLAQUETÁRIO

Vários orifícios vasculares muito pequenos se desenvolvem por todo o corpo a cada dia. Se o corte no vaso sanguíneo for minúsculo, ele geralmente é selado por um *tampão plaquetário*, e não por um coágulo sanguíneo. Para entender esse processo, é importante que primeiro se discuta a natureza das próprias plaquetas.

Características físicas e químicas das plaquetas

As plaquetas (também chamadas de *trombócitos*) são discos minúsculos de 1 a 4 micrômetros de diâmetro. Elas são formadas na medula óssea a partir de *megacariócitos*, que são células hematopoéticas extremamente grandes na medula; os megacariócitos fragmentam-se nas diminutas plaquetas na medula óssea ou logo após entrarem no sangue, sobretudo quando se comprimem através dos capilares. A concentração normal de plaquetas no sangue está entre 150.000 e 450.000/$\mu\ell$.

As plaquetas têm muitas características funcionais de células completas, embora não tenham núcleos nem possam reproduzir-se. Seu citoplasma é composto por: (1) *moléculas de actina* e *de miosina*, que são proteínas contráteis semelhantes às encontradas nas células musculares, e ainda outra proteína contrátil, a *trombostenina*, que pode causar a contração das plaquetas; (2) resíduos do *retículo endoplasmático* e do *complexo de Golgi* que sintetizam várias enzimas e, especialmente, armazenam grandes quantidades de íons cálcio; (3) mitocôndrias e sistemas enzimáticos capazes de formar *trifosfato de adenosina* (ATP) e *difosfato de adenosina* (ADP); (4) sistemas enzimáticos que sintetizam *prostaglandinas*, que são hormônios locais causadores de várias reações vasculares e outras reações teciduais locais; (5) uma proteína importante, chamada *fator estabilizador da fibrina*, sobre a qual discutiremos posteriormente em relação à coagulação sanguínea; e (6) um *fator de crescimento* que faz as células endoteliais vasculares, as células musculares lisas vasculares e os fibroblastos se multiplicarem e crescerem, ocasionando, assim, o crescimento celular que eventualmente ajuda a reparar as paredes vasculares danificadas.

Na superfície da membrana celular das plaquetas há uma camada de *glicoproteínas* que impede a aderência ao endotélio normal e ainda causa aderência às áreas *lesionadas* da parede do vaso, especialmente às células endoteliais que sofreram lesão e, ainda mais, a qualquer colágeno exposto na profundidade da parede do vaso. Além disso, a membrana plaquetária contém grandes quantidades de *fosfolipídios* que ativam vários estágios no processo de coagulação sanguínea, conforme discutido posteriormente.

Assim, a plaqueta é uma estrutura ativa. Tem meia-vida no sangue de apenas 8 a 12 dias, e, portanto, ao longo de várias semanas, seus processos funcionais esgotam-se, sendo então eliminada da circulação principalmente pelo sistema de macrófagos teciduais. Mais da metade das plaquetas é removida pelos macrófagos no baço, onde o sangue passa por malha de trabéculas compactas.

Mecanismo de formação do tampão plaquetário

O reparo plaquetário das aberturas vasculares é baseado em várias funções importantes das plaquetas. Estas, quando entram em contato com uma superfície vascular danificada – especialmente com as fibras de colágeno na parede vascular –, mudam rapidamente suas próprias características de forma drástica (ver **Figura 37.1**). As plaquetas começam a dilatar-se, assumem formas irregulares com numerosos *pseudópodos* irradiando e projetando-se de suas superfícies, suas proteínas contráteis se contraem de maneira intensa e causam a liberação de grânulos contendo múltiplos fatores ativos. Estes, por sua vez, tornam-se viscosos, de modo que aderem ao colágeno nos tecidos e a uma proteína chamada *fator de von Willebrand* (FvW), que extravasa do plasma para o tecido traumatizado. As *glicoproteínas da superfície plaquetária* ligam-se ao FvW na matriz exposta abaixo do endotélio danificado. As plaquetas então secretam quantidades aumentadas de *ADP* e de *fator ativador de plaquetas* (PAF), e suas enzimas formam o *tromboxano* A_2. O tromboxano é um vasoconstritor e, juntamente com o ADP e o PAF, atua nas plaquetas próximas para ativá-las também; a viscosidade dessas plaquetas adicionais ativadas faz com que elas sejam aderidas às plaquetas originalmente ativadas.

Portanto, no local de uma perfuração na parede de um vaso sanguíneo, a parede vascular danificada ativa um número cada vez maior de plaquetas que atraem mais e mais plaquetas adicionais, formando assim um *tampão plaquetário*. Esse tampão está solto no início, mas, em geral, consegue bloquear a perda de sangue se a abertura vascular for pequena. Então, durante o processo subsequente de coagulação sanguínea, formam-se *filamentos de fibrina* que compõem a *rede de fibrina*. Esses filamentos se prendem firmemente às plaquetas que aderem à rede de fibrina, construindo, assim, um tampão compacto.

Importância do mecanismo plaquetário para o fechamento de orifícios vasculares. O mecanismo de formação dos tampões plaquetários é de extrema importância para fechar diminutas rupturas nos vasos sanguíneos muito pequenos que ocorrem milhares de vezes ao dia. Na verdade, vários pequenos orifícios, através das próprias células endoteliais, costumam ser fechados pelas plaquetas que, de fato, fundem-se com as células endoteliais para formar membranas celulares endoteliais adicionais. Literalmente, milhares de pequenas áreas hemorrágicas desenvolvem-se a cada dia sob a pele (*petéquias*, que aparecem como pontos roxos ou vermelhos na pele) e ao longo dos tecidos internos de uma pessoa com poucas plaquetas sanguíneas. Esse fenômeno não ocorre em pessoas com número normal de plaquetas.

FORMAÇÃO DO COÁGULO NO VASO ROMPIDO

O terceiro mecanismo de hemostasia é a formação do coágulo sanguíneo. Este começa a desenvolver-se em 15 a 20 segundos, se o traumatismo na parede vascular for grave, e em 1 a 2 minutos, se o traumatismo for leve. Substâncias ativadoras da parede vascular traumatizada, das plaquetas e das proteínas sanguíneas que aderem à parede vascular traumatizada iniciam o processo de coagulação. Os eventos físicos desse processo são mostrados na **Figura 37.2**; a **Tabela 37.1** lista os fatores de coagulação mais importantes.

Dentro de 3 a 6 minutos após a ruptura de um vaso, toda a abertura ou extremidade rompida do vaso é preenchida com o coágulo, se a abertura do vaso não for muito grande. Após 20 a 60 minutos, o coágulo retrai-se, fechando ainda mais o vaso. As plaquetas também desempenham um papel importante nessa retração do coágulo, como será discutido posteriormente.

FIBROSE OU DISSOLUÇÃO DOS COÁGULOS SANGUÍNEOS

Depois de formado, o coágulo sanguíneo pode seguir um de dois cursos: ou (1) ser invadido por *fibroblastos*, que

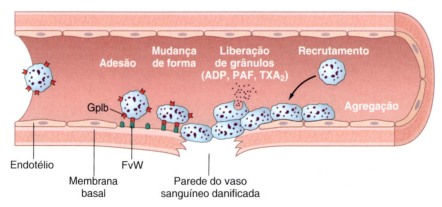

Figura 37.1 Formação de um tampão plaquetário em um vaso sanguíneo rompido. A lesão endotelial e a exposição da matriz extracelular vascular facilitam a adesão e a ativação plaquetária, que muda sua forma e causa liberação de difosfato de adenosina (ADP), tromboxano A_2 (TXA$_2$) e fator ativador de plaquetas (PAF). Esses fatores secretados pelas plaquetas recrutam plaquetas adicionais (agregação) para formar um tampão hemostático. O fator de von Willebrand (FvW) atua como uma ponte de adesão entre o colágeno subendotelial e o receptor de plaquetas da glicoproteína Ib (GpIb).

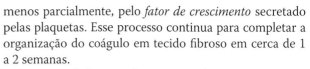

Figura 37.2 Processo de coagulação em um vaso sanguíneo traumatizado. (*Modificada de Seegers WH: Hemostatic Agents. Springfield, IL: Charles C Thomas, 1948.*)

Tabela 37.1 Fatores de coagulação no sangue e seus sinônimos.[a]

Fator de coagulação	Sinônimo(s)
Fibrinogênio	Fator I
Protrombina	Fator II
Fator tecidual	Fator III; tromboplastina tecidual
Cálcio	Fator IV
Fator V[b]	Proacelerina; fator lábil; Ac-globulina (Ac-G)
Fator VII	Acelerador da conversão da protrombina sérica (ACPS); proconvertina; fator estável
Fator VIII	Fator anti-hemofílico (FAH); globulina anti-hemofílica (GAH); fator anti-hemofílico A
Fator IX	Componente da tromboplastina plasmática (CTP); fator de Christmas; fator anti-hemofílico B
Fator X	Fator de Stuart; fator de Stuart-Prower
Fator XI	Antecedente da tromboplastina plasmática; fator anti-hemofílico C
Fator XII	Fator de Hageman
Fator XIII	Fator estabilizador da fibrina
Pré-calicreína	Fator de Fletcher
Cininogênio de alto peso molecular	Fator de Fitzgerald; cininogênio de alto peso molecular (CAPM)
Plaquetas	

[a] Os sinônimos são listados aqui principalmente por seu interesse histórico. [b] N.R.C.: O fator VI não aparece na tabela porque se descobriu que ele e o fator V são a mesma molécula (proacelerina).

subsequentemente formam tecido conjuntivo por todo o coágulo; ou (2) dissolver-se. O curso usual para um coágulo formado em um pequeno orifício da parede de um vaso é a invasão pelos fibroblastos, começando algumas horas após a formação do coágulo, que é promovida, pelo menos parcialmente, pelo *fator de crescimento* secretado pelas plaquetas. Esse processo continua para completar a organização do coágulo em tecido fibroso em cerca de 1 a 2 semanas.

Por outro lado, quando o excesso de sangue extravasa para os tecidos e coágulos teciduais se formam onde não são necessários, geralmente são ativadas substâncias especiais nos coágulos, as quais funcionam como enzimas para dissolvê-los, conforme discutiremos neste capítulo.

MECANISMO DA COAGULAÇÃO SANGUÍNEA

MECANISMO GERAL

Foram encontradas no sangue e nos tecidos mais de 50 substâncias importantes que causam ou afetam a coagulação sanguínea – algumas que promovem a coagulação, chamadas *pró-coagulantes*, e outras que inibem a coagulação, chamadas *anticoagulantes*. A coagulação do sangue depende do equilíbrio entre esses dois grupos de substâncias. Na corrente sanguínea, os anticoagulantes normalmente predominam; assim, o sangue não coagula enquanto está circulando nos vasos sanguíneos. No entanto, quando um vaso é rompido, os pró-coagulantes da área do tecido lesionado são ativados e ultrapassam os anticoagulantes, e então um coágulo se desenvolve.

A coagulação ocorre em três etapas essenciais:

1. Em resposta ao rompimento do vaso ou a dano ao próprio sangue, uma cascata complexa de reações químicas ocorre no sangue, envolvendo mais de 12 fatores de coagulação sanguínea. O resultado efetivo é a formação de um complexo de substâncias ativadas, chamadas coletivamente de *ativador da protrombina*.
2. O ativador da protrombina catalisa a conversão da protrombina em trombina.
3. A trombina atua como uma enzima para converter o fibrinogênio em fibras de fibrina, que formam um emaranhado de plaquetas, células sanguíneas e plasma para originar o coágulo.

Discutiremos primeiro o mecanismo pelo qual o coágulo sanguíneo é formado, começando com a conversão da protrombina em trombina; em seguida, voltaremos aos estágios iniciais do processo de coagulação em que o ativador da protrombina é formado.

CONVERSÃO DA PROTROMBINA EM TROMBINA

1. O ativador da protrombina é formado como resultado ou da ruptura de um vaso sanguíneo ou de danos a substâncias especiais no sangue.
2. O ativador da protrombina, na presença de quantidades suficientes de cálcio iônico (Ca^{2+}), ocasiona a conversão da protrombina em trombina (ver **Figuras 37.3** e **37.4**).
3. A trombina causa polimerização das moléculas de fibrinogênio em fibras de fibrina dentro de 10 a 15 segundos.

PARTE 6 Células Sanguíneas, Imunidade e Coagulação Sanguínea

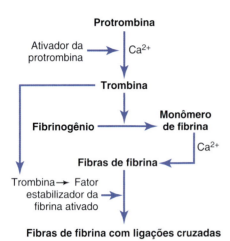

Figura 37.3 Esquema para a conversão da protrombina em trombina e polimerização do fibrinogênio para formar as fibras de fibrina.

Assim, o fator limitante da taxa de coagulação sanguínea é geralmente a formação do ativador da protrombina, e não as reações subsequentes além desse ponto, pois essas etapas terminais costumam ocorrer rapidamente para formar o coágulo.

As plaquetas também desempenham um papel importante na conversão da protrombina em trombina, porque grande parte da protrombina se liga primeiramente aos receptores de protrombina nas plaquetas, que já estão ligadas ao tecido danificado.

Protrombina e trombina. A protrombina é uma proteína plasmática, uma α_2-globulina, com peso molecular de 68.700. Está presente no plasma normal em uma concentração de cerca de 15 mg/dℓ. É uma proteína instável, que pode dividir-se facilmente em compostos menores, um dos quais é a *trombina*, cujo peso molecular é de 33.700, quase metade do da protrombina.

Continuamente, a protrombina é formada pelo fígado e usada em todo o corpo para a coagulação sanguínea. Se o fígado não consegue produzi-la, em 1 dia ou mais a concentração de protrombina no plasma cai muito, a ponto de não ser suficiente para proporcionar a coagulação normal do sangue.

A *vitamina K* é necessária ao fígado para a ativação normal da protrombina, bem como de alguns outros fatores da coagulação. Portanto, a falta de vitamina K ou a presença de doença hepática, que impeça a formação normal da protrombina, pode diminuir os níveis de protrombina a ponto de causar uma tendência à hemorragia.

CONVERSÃO DE FIBRINOGÊNIO EM FIBRINA | FORMAÇÃO DO COÁGULO

Fibrinogênio formado no fígado é essencial para a formação do coágulo. O fibrinogênio é uma proteína de alto peso molecular (aproximadamente 340.000) que ocorre no plasma em quantidades de 100 a 700 mg/dℓ. Ele é formado no fígado; no entanto, a doença hepática pode diminuir tanto a concentração de fibrinogênio circulante como a de protrombina, observada anteriormente.

Devido ao seu grande tamanho molecular, pouco fibrinogênio normalmente extravasa dos vasos sanguíneos para os líquidos intersticiais; estes, por sua vez, não tendem a coagular em razão de o fibrinogênio ser um dos fatores essenciais no processo de coagulação. No entanto, quando a permeabilidade dos capilares aumenta patologicamente, o fibrinogênio extravasa para os líquidos teciduais em quantidades suficientes para possibilitar a coagulação desses líquidos, da mesma maneira com que o plasma e o sangue total podem coagular.

Ação da trombina sobre o fibrinogênio para formar a fibrina. A trombina é uma *enzima* proteica com fraca capacidade proteolítica. Ela atua no fibrinogênio para remover quatro peptídeos de baixo peso molecular de cada molécula de fibrinogênio, formando uma molécula de *monômero de fibrina*, que tem a capacidade automática de polimerizar com outras moléculas de monômero de fibrina para formar os filamentos de fibrina. Portanto, muitas moléculas de monômero de fibrina polimerizam em segundos em *longos filamentos de fibrina* que constituem a *rede de fibrina*.

Nos estágios iniciais da polimerização, as moléculas de monômero de fibrina são mantidas juntas por fracas ligações de hidrogênio não covalentes, e as fibras

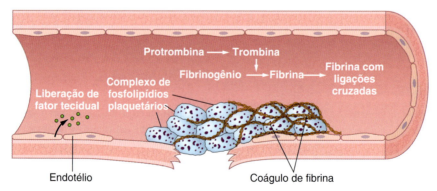

Figura 37.4 Cascata de coagulação após lesão vascular. A exposição do sangue à parede vascular causa liberação do fator tecidual (também chamado de fator III ou tromboplastina) pelas células endoteliais, expressão de fosfolipídios, ativação da trombina, que atua sobre o fibrinogênio para formar fibrina, e polimerização da fibrina, para criar uma rede que estabiliza o tampão plaquetário.

recém-formadas não têm ligações cruzadas umas com as outras. Portanto, o coágulo resultante é fraco e pode ser rompido facilmente. No entanto, outro processo ocorre durante os próximos minutos e fortalece muito a rede de fibrina: trata-se de uma substância chamada *fator estabilizador da fibrina*, que está presente em pequenas quantidades nas globulinas plasmáticas normais, mas também é liberada pelas plaquetas aprisionadas no coágulo. Antes que o fator estabilizador da fibrina possa ter um efeito sobre os filamentos de fibrina, ele deve ser ativado. A mesma trombina que causa a formação da fibrina também ativa o fator estabilizador da fibrina. Essa substância ativada então opera como uma enzima para formar *ligações covalentes* entre mais e mais moléculas de monômero de fibrina, bem como múltiplas ligações cruzadas entre os filamentos de fibrina adjacentes, adicionando, assim, muita força à malha tridimensional de fibrina.

Coágulo sanguíneo. O coágulo é composto de uma rede de filamentos de fibrina que corre em todas as direções e aprisiona células sanguíneas, plaquetas e plasma (ver **Figura 37.4**). Os filamentos de fibrina também aderem às superfícies danificadas dos vasos sanguíneos; portanto, o coágulo sanguíneo torna-se aderente a qualquer abertura vascular e, assim, evita mais perda de sangue.

Retração do coágulo e expulsão do soro. Alguns minutos após a formação de um coágulo, ele começa a contrair-se e geralmente expele a maior parte do seu líquido em 20 a 60 minutos. O líquido expelido é chamado de *soro*, porque todo o seu fibrinogênio e a maioria dos outros fatores de coagulação foram removidos; dessa forma, o soro difere do plasma e não pode coagular, pois não possui esses fatores, ou seja, o soro é o plasma sem o fibrinogênio.

As plaquetas são necessárias para que ocorra a retração do coágulo. Portanto, quando isso não acontece, é possível que o número de plaquetas no sangue circulante esteja baixo. Micrografias eletrônicas de plaquetas em coágulos sanguíneos mostram que elas se ligam às fibras de fibrina de tal modo que, na verdade, unem fibras diferentes. Além disso, as plaquetas aprisionadas no coágulo continuam a liberar substâncias pró-coagulantes, sendo uma das mais importantes o *fator estabilizador da fibrina*, que ocasiona cada vez mais ligações cruzadas entre as fibras de fibrina adjacentes. Além disso, as plaquetas contribuem diretamente para a contração do coágulo, ativando as moléculas de trombostenina, actina e miosina plaquetárias, que são todas proteínas contráteis das plaquetas; elas causam forte contração das espículas plaquetárias aderidas à fibrina. Essa ação também ajuda a comprimir a malha de fibrina em massa menor. A contração é ativada e acelerada pela trombina e por íons cálcio liberados dos estoques de cálcio nas mitocôndrias, no retículo endoplasmático e no complexo de Golgi das plaquetas.

À medida que o coágulo se retrai, as bordas do vaso sanguíneo rompido são unidas, contribuindo ainda mais para a hemostasia.

FEEDBACK POSITIVO DA FORMAÇÃO DO COÁGULO

O coágulo sanguíneo, quando começa a desenvolver-se, normalmente se estende dentro de minutos no sangue circundante – isto é, o coágulo inicia um *feedback* positivo para promover mais coagulação. Uma das causas mais importantes desse progresso do coágulo é que a ação proteolítica da trombina permite que ela atue sobre muitos dos outros fatores de coagulação sanguínea, além do fibrinogênio. Por exemplo, a trombina tem um efeito proteolítico direto sobre a protrombina, tendendo a convertê-la em ainda mais trombina, e atua sobre alguns dos fatores de coagulação sanguínea responsáveis pela formação do ativador da protrombina. Esses efeitos, discutidos nos parágrafos subsequentes, incluem a aceleração das ações dos fatores VIII, IX, X, XI e XII e a agregação plaquetária. Uma vez que uma quantidade crítica de trombina é formada, um *feedback* positivo desenvolve-se, causando ainda mais coagulação sanguínea e mais e mais trombina a ser formada; assim, o coágulo sanguíneo continua a crescer até que cesse o extravasamento de sangue.

INÍCIO DA COAGULAÇÃO: FORMAÇÃO DO ATIVADOR DA PROTROMBINA

Agora que discutimos o processo de coagulação, serão descritos os mecanismos mais complexos que iniciam a coagulação. Eles são acionados da seguinte maneira: (1) traumatismo à parede vascular e aos tecidos adjacentes; (2) traumatismo ao sangue; ou (3) contato do sangue com células endoteliais danificadas ou com o colágeno e outros elementos teciduais fora do vaso sanguíneo. Em cada caso, isso leva à formação do *ativador da protrombina*, que então causa a conversão da protrombina em trombina e todas as etapas subsequentes da coagulação.

Em geral, o ativador da protrombina é considerado como sendo formado de duas maneiras, embora, na realidade, ambas interajam constantemente entre si: (1) pela *via extrínseca* que começa com o traumatismo da parede vascular e dos tecidos circundantes; e (2) pela *via intrínseca* que começa no sangue.

Tanto na via extrínseca quanto na intrínseca, uma série de diferentes proteínas plasmáticas chamadas *fatores de coagulação sanguínea* desempenham um papel importante. A maioria dessas proteínas tem formas *inativas* de enzimas proteolíticas. Quando convertidas em suas formas ativas, suas ações enzimáticas causam as sucessivas reações em cascata do processo de coagulação.

A maioria dos fatores de coagulação listados na **Tabela 37.1** é designada por algarismos romanos. Para indicar a forma ativada do fator, uma letra minúscula "a" é adicionada após o algarismo romano, como o fator VIIIa para indicar o estado ativado do fator VIII.

Via extrínseca da coagulação sanguínea

A via extrínseca para iniciar a formação do ativador da protrombina começa com uma parede vascular traumatizada ou tecidos extravasculares traumatizados que entram em contato com o sangue. Essa condição leva às seguintes etapas, conforme mostrado na **Figura 37.4** e na **Figura 37.5**:

1. *Liberação do fator tecidual.* O tecido traumatizado libera um complexo de vários fatores denominado *fator tecidual* ou *tromboplastina tecidual*. Esse fator é composto principalmente por *fosfolipídios* das membranas do tecido mais um *complexo lipoproteico* que funciona sobretudo como uma *enzima proteolítica*.
2. *Ativação do fator X – papel do fator VII e do fator tecidual.* O complexo lipoproteico do fator tecidual ainda se combina com o fator VII da coagulação sanguínea e, na presença de íons cálcio, atua enzimaticamente no fator X para formar o *fator X ativado* (Xa).
3. *Efeito do fator X ativado (Xa) para formar o ativador da protrombina – papel do fator V.* O fator X ativado combina-se imediatamente com os fosfolipídios teciduais que fazem parte dos fatores teciduais ou com os fosfolipídios adicionais liberados pelas plaquetas, bem como com o fator V, para formar o complexo denominado *ativador da protrombina*. Em poucos segundos, na presença de Ca^{2+}, a protrombina é clivada para formar trombina, e o processo de coagulação prossegue conforme já explicado. A princípio, o fator V no complexo ativador da protrombina é inativo, mas, uma vez que a coagulação se inicie e a trombina comece a formar-se, a ação proteolítica da trombina ativa o fator V. Essa ativação então se torna um forte acelerador adicional da ativação da protrombina. Assim, no complexo final do ativador da protrombina, o fator X ativado é a verdadeira protease que causa a clivagem da protrombina para formar a trombina. O fator V ativado acelera muito a atividade dessa protease, e os fosfolipídios plaquetários agem como um veículo que acelera ainda mais o processo. Observe especialmente o efeito de *feedback positivo* da trombina, agindo por meio do fator V, para acelerar todo o processo uma vez que ele seja iniciado.

Via intrínseca da coagulação sanguínea

O segundo mecanismo para iniciar a formação do ativador da protrombina e, portanto, iniciar a coagulação *começa com o traumatismo ao próprio sangue ou com a exposição do sangue ao colágeno* de uma parede de vaso sanguíneo traumatizada. Em seguida, o processo continua por meio da série de reações em cascata mostradas na **Figura 37.6**.

1. *O traumatismo sanguíneo causa (1) ativação do fator XII e (2) liberação de fosfolipídios plaquetários.* O traumatismo ao sangue ou a exposição sanguínea ao colágeno da parede vascular altera dois importantes fatores de coagulação no sangue: o fator XII e as plaquetas. O fator XII, quando perturbado, por exemplo, ao entrar em contato com o colágeno ou com uma superfície molhável, como o vidro, assume uma nova configuração molecular que o converte em uma enzima proteolítica chamada *fator XII ativado*. Simultaneamente, o traumatismo sanguíneo também danifica as plaquetas por causa da aderência ao colágeno ou a uma superfície molhável (ou por danos de outros tipos); isso libera os fosfolipídios plaquetários contendo a lipoproteína chamada *fator plaquetário 3*, que também desempenha um papel nas reações subsequentes de coagulação.
2. *Ativação do fator XI.* O fator XII ativado também atua enzimaticamente sobre o fator XI para ativar esse fator, que é a segunda etapa da via intrínseca. Essa reação também requer *cininogênio de alto peso molecular* e é acelerada pela pré-calicreína.
3. *Ativação do fator IX pelo fator XI ativado.* O fator XI ativado então age enzimaticamente no fator IX para ativar esse fator também.
4. *Ativação do fator X – papel do fator VIII.* O fator IX ativado, agindo em conjunto com o fator VIII ativado e com os fosfolipídios plaquetários e com o fator III das plaquetas traumatizadas, ativa o fator X. Naturalmente, quando o fator VIII ou as plaquetas estão em falta, essa etapa é deficiente. O fator VIII é o que está ausente em uma pessoa com *hemofilia* clássica, sendo, por isso, chamado de *fator anti-hemofílico*. As plaquetas são o fator de coagulação ausente na doença hemorrágica chamada *trombocitopenia*.
5. *Ação do fator X ativado para formar o ativador da protrombina – papel do fator V.* Essa etapa da via intrínseca é igual à última da via extrínseca. Ou seja, o fator X ativado combina-se com o fator V e com os fosfolipídios plaquetários ou teciduais para originar o complexo denominado *ativador da protrombina*. O ativador da protrombina, por sua vez, inicia a clivagem da protrombina para formar trombina em segundos, colocando em movimento o processo final de coagulação, conforme descrito anteriormente.

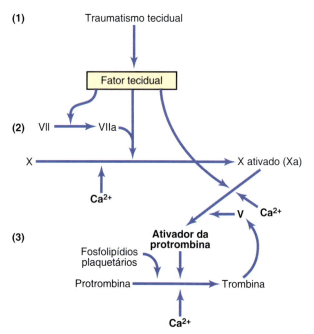

Figura 37.5 Via extrínseca para iniciar a coagulação sanguínea.

CAPÍTULO 37 Hemostasia e Coagulação Sanguínea

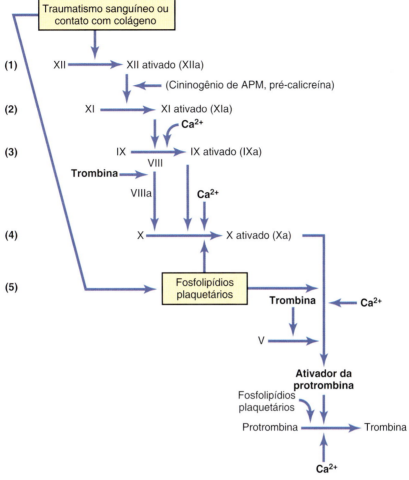

Figura 37.6 Via intrínseca para iniciar a coagulação sanguínea. APM: alto peso molecular.

Papel do cálcio nas vias intrínseca e extrínseca

Exceto para as duas primeiras etapas da via intrínseca, os íons cálcio são necessários para o progresso ou a aceleração de todas as reações da coagulação sanguínea. Portanto, na ausência de íons cálcio, a coagulação sanguínea não ocorre por qualquer uma das vias.

No organismo, a concentração de íons cálcio raramente cai o suficiente para afetar de maneira significativa a cinética da coagulação sanguínea. No entanto, quando o sangue é removido de alguém, ele pode ser impedido de coagular, reduzindo a concentração de íons cálcio para abaixo do nível limiar para a coagulação, por meio da descalcificação, fazendo com que o cálcio iônico reaja com substâncias como o *íon citrato* ou precipitando o cálcio com substâncias como o *íon oxalato*.

Interação das vias extrínseca e intrínseca | Resumo do processo de coagulação sanguínea

Está claro a partir dos esquemas dos sistemas intrínseco e extrínseco que, após o rompimento dos vasos sanguíneos, a coagulação ocorre por ambas as vias simultaneamente. O fator tecidual inicia a via extrínseca, enquanto o contato do fator XII e das plaquetas com o colágeno na parede vascular inicia a via intrínseca.

Uma diferença especialmente importante entre as vias extrínseca e intrínseca é que *a via extrínseca* pode ser explosiva; uma vez iniciada, sua velocidade de conclusão até o coágulo final é limitada apenas pela quantidade de fator tecidual liberado dos tecidos traumatizados e pelas quantidades dos fatores X, VII e V no sangue. Com traumatismos teciduais graves, a coagulação pode ocorrer em apenas 15 segundos. A via intrínseca é muito mais lenta para prosseguir, geralmente levando de 1 a 6 minutos para causar a coagulação.

Anticoagulantes intravasculares evitam a coagulação sanguínea no sistema vascular normal

Fatores relacionados à superfície endotelial. Provavelmente, estes são os fatores mais importantes para prevenir a coagulação no sistema vascular normal: (1) a *uniformidade* da superfície da célula endotelial, que impede a ativação por contato do sistema de coagulação intrínseco; (2) uma camada de *glicocálice* no endotélio (o glicocálice é um mucopolissacarídeo adsorvido às superfícies das células endoteliais), que repele os fatores de coagulação e

PARTE 6 Células Sanguíneas, Imunidade e Coagulação Sanguínea

as plaquetas, evitando, assim, a ativação da coagulação; e (3) uma proteína ligada à membrana endotelial, a *trombomodulina*, que se liga à trombina. Não apenas a ligação da trombina com a trombomodulina desacelera o processo de coagulação pela remoção da trombina, mas também o complexo trombomodulina-trombina ativa uma proteína plasmática, a *proteína C*, que atua como um anticoagulante ao *inativar* os fatores V e VIII ativados.

Quando a parede endotelial é lesada, sua uniformidade e sua camada de glicocálice-trombomodulina são perdidas, o que ativa tanto o fator XII quanto as plaquetas, desencadeando, assim, a via intrínseca de coagulação. Se o fator XII e as plaquetas entrarem em contato com o colágeno subendotelial, a ativação é ainda mais intensa.

As células endoteliais intactas também produzem outras substâncias, como a *prostaciclina* e o *óxido nítrico* (NO), que inibem a agregação plaquetária e o início da coagulação sanguínea. A prostaciclina, também chamada de prostaglandina I_2 (PGI_2), é um membro da família eicosanoide de lipídios e um vasodilatador, bem como um inibidor da agregação plaquetária. Conforme discutido no Capítulo 17, o NO é um vasodilatador potente, liberado pelas células endoteliais vasculares saudáveis por todo o corpo, além de ser um importante inibidor da agregação plaquetária. Quando as células endoteliais são danificadas, sua produção de prostaciclina e de NO é intensamente diminuída.

Ação antitrombina da fibrina e da antitrombina III.

Entre os *anticoagulantes* mais importantes no sangue estão aqueles que removem a trombina do sangue. Os mais potentes desses agentes são: (1) os *filamentos de fibrina* formados durante o processo de coagulação; e (2) uma α-globulina denominada *antitrombina III* ou *cofator antitrombina-heparina*.

Enquanto um coágulo está formando-se, cerca de 85 a 90% da trombina formada a partir da protrombina são adsorvidos pelos filamentos de fibrina, conforme eles se desenvolvem. Essa adsorção ajuda a evitar a propagação da trombina para o restante do sangue e, portanto, a propagação excessiva do coágulo.

A trombina não adsorvida nos filamentos de fibrina logo se combina com a antitrombina III, bloqueando ainda mais o efeito da trombina sobre o fibrinogênio e, então, também inativando a própria trombina durante os próximos 12 a 20 minutos.

Heparina.

A heparina é outro potente anticoagulante, mas, pelo fato de sua concentração no sangue ser normalmente baixa, ela tem efeitos anticoagulantes significativos apenas em condições fisiológicas especiais. No entanto, a heparina é amplamente utilizada como um agente farmacológico na prática médica, em concentrações muito mais altas, para evitar a coagulação intravascular.

A molécula de heparina é um polissacarídeo conjugado muito carregado negativamente. Por si só, tem pouca ou nenhuma propriedade anticoagulante, mas, quando se combina com a antitrombina III, a eficácia da antitrombina

III para a remoção da trombina aumenta de cem a mil vezes e, dessa maneira, atua como um anticoagulante. Portanto, havendo excesso de heparina, a remoção da trombina livre do sangue circulante pela antitrombina III é quase instantânea.

O complexo de heparina e antitrombina III remove vários outros fatores de coagulação ativados além da trombina, aumentando ainda mais a eficácia da anticoagulação – entre eles, os fatores IX, X, XI e XII ativados.

A heparina é produzida por muitas células diferentes do corpo, mas as maiores quantidades são formadas pelos *mastócitos* basofílicos localizados no tecido conjuntivo pericapilar em todo o corpo. De maneira contínua, essas células secretam pequenas quantidades de heparina, que se difunde no sistema circulatório. Os *basófilos* do sangue, funcionalmente quase idênticos aos mastócitos, liberam pequenas quantidades de heparina no plasma.

Os mastócitos são abundantes nos tecidos que circundam os capilares dos pulmões e, em menor extensão, os capilares do fígado. É fácil entender por que grandes quantidades de heparina podem ser necessárias nessas áreas, porque os capilares dos pulmões e do fígado recebem muitos coágulos embólicos que se formaram no fluxo lento do sangue venoso; a produção suficiente de heparina impede o crescimento dos coágulos.

PLASMINA CAUSA LISE DOS COÁGULOS SANGUÍNEOS

As proteínas plasmáticas contêm uma globulina chamada *plasminogênio* (*pró-fibrinolisina*), que, quando ativada, torna-se uma substância chamada *plasmina* (*fibrinolisina*). A plasmina é uma enzima proteolítica que se assemelha à tripsina, a enzima digestiva proteolítica mais importante da secreção pancreática. A plasmina digere as fibras de fibrina e algumas outras proteínas coagulantes, como fibrinogênio, fator V, fator VIII, protrombina e fator XII. Portanto, sempre que a plasmina é formada, ela pode causar a lise de um coágulo, destruindo muitos dos fatores de coagulação, às vezes até ocasionando hipocoagulabilidade do sangue.

Ativação do plasminogênio para formar a plasmina e promover a lise dos coágulos.

Quando um coágulo é formado, uma grande quantidade de plasminogênio é aprisionada no coágulo, junto com outras proteínas plasmáticas. O plasminogênio não irá tornar-se plasmina ou causar lise do coágulo até que seja ativado. Os tecidos lesados e o endotélio vascular liberam, de maneira muito lenta, um potente ativador denominado *ativador do plasminogênio tecidual* (t-PA); alguns dias mais tarde, depois que o coágulo tiver interrompido o sangramento, o t-PA eventualmente converterá o plasminogênio em plasmina, que, por sua vez, removerá o restante do coágulo sanguíneo desnecessário. Na verdade, muitos pequenos vasos sanguíneos, nos quais o fluxo sanguíneo foi bloqueado por coágulos, são reabertos por esse mecanismo. Assim, uma função especialmente importante do sistema da plasmina

CAPÍTULO 37 Hemostasia e Coagulação Sanguínea

é remover pequenos coágulos de milhões de minúsculos vasos periféricos que eventualmente ficariam ocluídos se não houvesse como eliminá-los.

CONDIÇÕES CAUSADORAS DE SANGRAMENTO EXCESSIVO EM HUMANOS

O sangramento excessivo pode resultar de uma deficiência de qualquer um dos muitos fatores de coagulação sanguínea. Três tipos específicos de tendências hemorrágicas estudados ao máximo são discutidos aqui – hemorragia ocasionada por: (1) deficiência de vitamina K, (2) hemofilia e (3) trombocitopenia (deficiência de plaquetas).

DIMINUIÇÃO DE PROTROMBINA, FATOR VII, FATOR IX E FATOR X CAUSADA PELA DEFICIÊNCIA DE VITAMINA K

Com poucas exceções, quase todos os fatores de coagulação sanguínea são formados pelo fígado. Portanto, doenças hepáticas como *hepatite, cirrose* e *insuficiência hepática fulminante* (degeneração do fígado causada por toxinas, infecções ou outros agentes) podem, às vezes, deprimir tanto o sistema de coagulação que o paciente desenvolve uma grave tendência à hemorragia.

A deficiência de vitamina K é outra causa da formação deprimida dos fatores de coagulação pelo fígado. A vitamina K é um fator essencial para uma carboxilase hepática que adiciona um grupo carboxila aos resíduos de ácido glutâmico em cinco importantes fatores de coagulação – *protrombina* (*fator II*), *fator VII*, *fator IX*, *fator X* e *proteína C*. Ao adicionar o grupo carboxila aos resíduos de ácido glutâmico nos fatores de coagulação imaturos, a vitamina K é oxidada e se torna inativa. Outra enzima, a *subunidade 1 do complexo epóxido redutase da vitamina K* (VKORC1), reduz a vitamina K de volta à sua forma ativa. Na ausência de vitamina K ativa, a insuficiência subsequente desses fatores de coagulação no sangue pode levar a tendências hemorrágicas graves.

De maneira contínua, a vitamina K é sintetizada no trato intestinal por bactérias, de modo que sua deficiência raramente ocorre em pessoas saudáveis, como resultado da ausência de vitamina K na dieta (exceto em neonatos, antes do estabelecimento de sua flora bacteriana intestinal). No entanto, em pessoas com doenças gastrointestinais, a deficiência de vitamina K tende a resultar da má absorção de gorduras pelo tubo gastrointestinal, porque a vitamina K é lipossolúvel e normalmente absorvida pelo sangue junto com os lipídios.

Uma das causas mais prevalentes da deficiência de vitamina K é a insuficiência hepática para secretar bile no tubo gastrointestinal, decorrente da obstrução dos ductos biliares ou de doença hepática. A ausência de bile impede a digestão e a absorção adequadas de gorduras e, portanto, também deprime a absorção de vitamina K. Assim, a doença hepática frequentemente diminui a produção de protrombina e de alguns outros fatores de coagulação, em razão da má absorção de vitamina K e da doença das células hepáticas. Como resultado, a vitamina K é injetada em pacientes cirúrgicos com doença hepática ou com ductos biliares obstruídos antes da realização de procedimentos cirúrgicos. Em geral, se a vitamina K for administrada em um paciente deficiente, 4 a 8 horas antes do procedimento cirúrgico, e as células do parênquima hepático estiverem com pelo menos metade da sua função normal, fatores de coagulação suficientes serão produzidos para evitar o sangramento excessivo durante a cirurgia.

HEMOFILIA

A hemofilia é uma doença hemorrágica que ocorre quase exclusivamente em homens. Em 85% dos casos, é originada pela *ausência ou anormalidade do fator VIII*; esse tipo de hemofilia é denominado *hemofilia A* ou *hemofilia clássica*. Cerca de 1 em cada 10.000 homens nos EUA tem hemofilia clássica. Nos outros 15% dos pacientes com *hemofilia B*, a tendência ao sangramento é causada pela deficiência do fator IX. Ambos os fatores são transmitidos geneticamente por meio do cromossomo feminino (X) e são recessivos em sua herança. Portanto, é raro uma mulher ter hemofilia porque pelo menos um de seus dois cromossomos X tem os genes apropriados. Se um de seus cromossomos X for deficiente, ela será *portadora de hemofilia*; seus descendentes do sexo masculino terão 50% de chance de herdar a doença, e seus descendentes do sexo feminino terão 50% de chance de herdar a condição de portadores.

Embora as portadoras do sexo feminino tenham um alelo normal e geralmente não desenvolvam a hemofilia sintomática, algumas podem apresentar um traço de sangramento leve. Também é possível que portadoras do sexo feminino desenvolvam a hemofilia leve devido à perda de parte ou de todo o cromossomo X normal (como na *síndrome de Turner*) ou à inativação (*lyonização*)[1] dos cromossomos X. Para a mulher herdar a hemofilia sintomática A ou B desenvolvida, ela tem de receber dois cromossomos X deficientes, um de sua mãe portadora e o outro de seu pai, que deve ter hemofilia. A maioria dos casos de hemofilia é hereditária, mas cerca de um terço dos pacientes hemofílicos não tem uma história familiar da doença, que parece ser ocasionada por novos eventos de mutação.

O traço hemorrágico na hemofilia pode ter vários graus de gravidade, dependendo da deficiência genética. O sangramento geralmente não ocorre, exceto após o traumatismo, mas, em alguns pacientes, o grau de traumatismo necessário para causar um sangramento grave e prolongado pode ser tão leve que dificilmente é perceptível. Por exemplo, é possível o sangramento durar dias após a extração de um dente.

O fator VIII tem dois componentes ativos, um grande componente com um peso molecular na casa dos milhões e um componente menor com um peso molecular de

---

[1]N.R.C.: O nome se refere a uma homenagem à geneticista britânica Mary F. Lyon, que descobriu esse processo de inativação do cromossomo X.

PARTE 6 Células Sanguíneas, Imunidade e Coagulação Sanguínea

cerca de 230.000. O componente menor é o mais importante na via intrínseca da coagulação, sendo a deficiência dessa parte do fator VIII a causadora da hemofilia clássica. Outra doença hemorrágica com características um tanto diferentes, chamada *doença de von Willebrand*, resulta da perda do componente grande.

Quando uma pessoa com hemofilia clássica apresenta sangramento prolongado e grave, a única terapia verdadeiramente eficaz é a injeção de fator VIII purificado ou fator IX. Ambos os fatores de coagulação estão disponíveis como proteínas recombinantes, embora tenham um custo alto e suas meias-vidas sejam, de certo modo, curtas; portanto, esses produtos não estão prontamente disponíveis para muitos pacientes com hemofilia, sobretudo em países desfavorecidos do ponto de vista econômico.

TROMBOCITOPENIA

Trombocitopenia significa a presença de um número muito baixo de plaquetas no sangue circulante. Assim como os hemofílicos, pessoas com trombocitopenia têm tendência hemorrágica, embora, nestas, o sangramento seja geralmente em muitas vênulas ou capilares pequenos – e não nos grandes vasos, como ocorre em indivíduos com hemofilia. Consequentemente, há pequenas hemorragias puntiformes em todos os tecidos do corpo. A pele dessas pessoas exibe um grande número de pequenas *petéquias* (pontos hemorrágicos), *púrpuras* (pequenas manchas hemorrágicas) e *equimoses* (manchas vermelhas ou arroxeadas), dando à doença o nome de *púrpura trombocitopênica*. Conforme observado, as plaquetas são muito especialmente importantes para o reparo de rupturas minúsculas em capilares e outros pequenos vasos.

A contagem de plaquetas abaixo de 30.000/$\mu\ell$, em comparação com o valor normal de 150.000 a 450.000/$\mu\ell$, aumenta o risco de sangramento excessivo após cirurgia ou lesão. O sangramento espontâneo, entretanto, normalmente não ocorrerá até que o número de plaquetas no sangue caia, ficando abaixo de 30.000/$\mu\ell$. Níveis tão baixos quanto 10.000/$\mu\ell$ costumam ser letais.

Mesmo sem determinar a contagem de plaquetas específicas no sangue, às vezes pode-se suspeitar da existência de trombocitopenia se o coágulo sanguíneo da pessoa não se retrair. Como já observado, é normal a retração do coágulo depender da liberação de múltiplos fatores de coagulação do grande número de plaquetas aprisionadas na malha de fibrina do coágulo.

As principais causas de trombocitopenia incluem: (1) diminuição da produção de plaquetas na medula óssea devido a infecções ou sepse, deficiência de nutrientes ou distúrbios mielodisplásicos, que geralmente também reduzem a produção de outras células (hemácias e leucócitos); (2) destruição de plaquetas periféricas por anticorpos; (3) sequestro (acúmulo) de plaquetas no baço, sobretudo em indivíduos com hipertensão portal e baço excessivamente grande (esplenomegalia); (4) consumo de plaquetas em trombos; e (5) diluição do sangue devido a reanimação com líquidos ou transfusão maciça.

A maioria das pessoas com trombocitopenia tem a doença conhecida como *púrpura trombocitopênica idiopática (PTI)*, que significa trombocitopenia de causa desconhecida. Na maioria dessas pessoas, descobriu-se que, por motivos desconhecidos, anticorpos específicos formaram-se e reagem contra as plaquetas para destruí-las. O alívio do sangramento por 1 a 4 dias pode frequentemente ser obtido em paciente com trombocitopenia por meio de *transfusões de sangue total fresco* que contém um grande número de plaquetas. Além disso, é possível a *esplenectomia* (remoção cirúrgica do baço) ser útil, às vezes resultando na cura quase completa, porque o baço tende a remover muitas plaquetas do sangue.

CONDIÇÕES TROMBOEMBÓLICAS

Trombos e êmbolos. Um coágulo anormal que se desenvolve em um vaso sanguíneo é chamado de *trombo*. Depois que o coágulo se desenvolve, o fluxo contínuo de sangue que passa pelo coágulo provavelmente o separa de sua fixação e faz com que o coágulo flua com o sangue; esses coágulos de fluxo livre são conhecidos como *êmbolos*. Além disso, os êmbolos que se originam em grandes artérias ou no lado esquerdo do coração podem fluir perifericamente e obstruir artérias ou arteríolas no cérebro, nos rins ou em outro lugar. Os êmbolos que se originam no sistema venoso ou no lado direito do coração tendem a fluir para os pulmões e causar embolia arterial pulmonar.

Causas das condições tromboembólicas. As causas das condições tromboembólicas em pessoas geralmente são duplas: (1) uma *superfície endotelial áspera ou irregular* de um vaso – como a que pode ser ocasionada por aterosclerose, infecção ou trauma – é provável que inicie o processo de coagulação; e (2) o sangue frequentemente coagula *quando flui muito de maneira muito lenta* através dos vasos sanguíneos, onde pequenas quantidades de trombina e outros pró-coagulantes estão sempre sendo formados.

Uso do ativador do plasminogênio tecidual no tratamento de coágulos intravasculares. O *ativador do plasminogênio tecidual* (t-PA) geneticamente modificado está disponível. Quando administrado por meio de um cateter a uma área com trombo, é eficaz na ativação do plasminogênio em plasmina, que, por sua vez, pode dissolver alguns coágulos intravasculares. Por exemplo, se usado dentro de 1 ou 2 horas após a oclusão trombótica de uma artéria coronária, poupa frequentemente o coração de danos mais graves.

TROMBOSE VENOSA PROFUNDA E EMBOLIA PULMONAR MACIÇA

Uma vez que a coagulação quase sempre ocorre quando o fluxo sanguíneo é bloqueado por muitas horas em qualquer vaso do corpo, a imobilidade dos pacientes confinados ao leito, somada à prática de apoiar os joelhos em travesseiros, muitas vezes causa coagulação intravascular devido à estase sanguínea em uma ou mais veias da perna por horas a fio. Em seguida, o coágulo cresce, sobretudo na direção do fluxo do sangue venoso – que se move lentamente –, às vezes crescendo em toda a extensão das veias profundas da perna, levando a um quadro de *trombose venosa profunda* (TVP), que, em determinadas ocasiões, pode acometer até a veia ilíaca comum e a veia cava inferior. Cerca de 10% das vezes, grande parte do coágulo desprende-se de suas ligações à parede do vaso e flui livremente com o sangue venoso através do lado direito do coração e para as artérias pulmonares, causando o bloqueio maciço dos ramos das artérias pulmonares, chamado de *embolia pulmonar maciça*. Se o coágulo for grande o suficiente para ocluir ambas as artérias pulmonares ao mesmo tempo, ocorre a morte imediata. Se apenas uma artéria pulmonar for bloqueada, é possível que a morte não ocorra ou que a embolia leve à morte em algumas horas a vários dias depois, devido ao crescimento do coágulo nos vasos pulmonares. No entanto, mais uma vez, a terapia com t-PA pode salvar vidas.

COAGULAÇÃO INTRAVASCULAR DISSEMINADA

Ocasionalmente, o mecanismo de coagulação é ativado em áreas disseminadas da circulação, dando origem à condição denominada *coagulação intravascular disseminada* (CIVD). Essa condição, em geral, resulta da presença de grandes quantidades de tecido traumatizado ou necrótico no corpo, que libera grandes quantidades de fator tecidual no sangue. Frequentemente, os coágulos são pequenos, mas numerosos, e obstruem grande parte dos pequenos vasos sanguíneos periféricos. Esse processo ocorre sobretudo em pacientes com *septicemia* disseminada, em que bactérias ou toxinas bacterianas circulantes – especialmente *endotoxinas* – ativam os mecanismos de coagulação. A obstrução de pequenos vasos periféricos diminui muito o fornecimento de oxigênio e de outros nutrientes aos tecidos, uma situação que leva ao choque circulatório ou o agrava. Em parte, é por essa razão que o *choque séptico* é letal em 35 a 50% dos pacientes.

Um efeito peculiar da coagulação intravascular disseminada é que o paciente, ocasionalmente, começa a sangrar. O motivo para esse sangramento é que muitos dos fatores de coagulação são removidos pela coagulação disseminada, fazendo com que sobrem poucos pró-coagulantes para possibilitar a hemostasia normal do restante do sangue.

ANTICOAGULANTES PARA USO CLÍNICO

Em algumas condições tromboembólicas, é desejável atrasar o processo de coagulação. Vários anticoagulantes foram desenvolvidos para esse fim. Os mais úteis clinicamente são a *heparina* e os *cumarínicos*.

HEPARINA | ANTICOAGULANTE INTRAVENOSO

A heparina comercial é extraída de vários tecidos animais diferentes e preparada em forma quase pura. A injeção de quantidades relativamente pequenas, cerca de 0,5 a 1 mg/kg de peso corporal, faz com que o tempo de coagulação sanguínea aumente de um normal de cerca de 6 minutos para 30 minutos ou mais. Além disso, essa mudança no tempo de coagulação ocorre de maneira instantânea, impedindo ou retardando imediatamente o desenvolvimento de uma condição tromboembólica.

A ação da heparina dura cerca de 1,5 a 4 horas. A heparina injetada é destruída por uma enzima no sangue conhecida como *heparinase*.

CUMARÍNICOS COMO ANTICOAGULANTES

Quando um cumarínico (como a *varfarina*) é administrado a um paciente, começam a diminuir as quantidades de protrombina ativa e dos fatores VII, IX e X, todos formados pelo fígado. A varfarina causa esse efeito ao inibir a enzima *VKORC1*. Conforme discutido anteriormente, essa enzima converte a forma oxidada e inativa da vitamina K em sua forma reduzida e ativa. Ao inibir o VKORC1, a varfarina diminui a disponibilidade da forma ativa da vitamina K nos tecidos. Quando essa diminuição ocorre, os fatores de coagulação não são mais carboxilados e se tornam biologicamente inativos. Ao longo de vários dias, os estoques corporais dos fatores de coagulação ativos degradam-se e são substituídos por fatores inativos. Embora os fatores de coagulação continuem a ser produzidos, eles diminuíram muito a atividade coagulante.

Após a administração de uma dose eficaz de varfarina, a atividade coagulante do sangue diminui para cerca de 50% do normal ao final de 12 horas e para cerca de 20% do normal ao final de 24 horas. Em outras palavras, o processo de coagulação não é bloqueado de imediato, mas deve aguardar a degradação da protrombina ativa e dos demais fatores de coagulação afetados já presentes no plasma. Em geral, a coagulação normal retorna 1 a 3 dias após a interrupção da terapia com cumarínicos.

PREVENÇÃO DA COAGULAÇÃO SANGUÍNEA FORA DO CORPO

Embora o sangue removido do corpo e mantido em um tubo de ensaio de vidro costume coagular em cerca de 6 minutos, o sangue coletado em *recipientes siliconizados* geralmente não coagula por 1 hora ou mais. O motivo dessa demora é que o preparo das superfícies dos recipientes com silicone evita a ativação por contato das plaquetas e do fator XII, os dois fatores principais que iniciam o mecanismo intrínseco de coagulação. Por outro lado, os recipientes de vidro não tratados possibilitam ativação por contato das plaquetas e do fator XII, com rápido desenvolvimento dos coágulos.

A *heparina* pode ser usada para evitar a coagulação do sangue fora do corpo, bem como no corpo, sendo especialmente usada em procedimentos cirúrgicos nos quais o sangue deve passar por uma máquina coração-pulmão ou por uma máquina de rim artificial e, em seguida, retornar ao paciente.

Várias substâncias que *diminuem a concentração de íons cálcio* no sangue também podem ser usadas para evitar a coagulação sanguínea *fora* do corpo. Por exemplo, um composto solúvel de *oxalato* misturado em quantidade muito pequena com uma amostra de sangue causa precipitação de oxalato de cálcio do plasma e, assim, diminui tanto o nível de cálcio iônico que a coagulação sanguínea é bloqueada.

Qualquer substância que remova o cálcio iônico (Ca^{2+}) do sangue impede a coagulação. O *íon citrato* carregado negativamente é bastante valioso para esse propósito; ele é misturado com sangue, em geral, na forma de *citrato de sódio*, *citrato de amônio* ou *citrato de potássio*. O íon citrato combina-se com o cálcio no sangue para produzir um composto de cálcio não ionizado, e a falta de cálcio *iônico* impede a coagulação. Os anticoagulantes à base de citrato têm uma vantagem importante sobre os anticoagulantes de oxalato, porque o oxalato é tóxico para o corpo, enquanto quantidades moderadas de citrato podem ser injetadas por via intravenosa. Após a injeção, o íon citrato é removido do sangue em alguns minutos pelo fígado e polimerizado em glicose ou metabolizado diretamente para obter energia. Por conseguinte, 500 mililitros de sangue que ficaram incoaguláveis pelo citrato podem normalmente ser transfundidos para um receptor em alguns minutos, sem consequências terríveis. No entanto, se o fígado estiver danificado, ou se grandes quantidades de sangue ou plasma com citrato forem administradas muito rapidamente (em frações de minuto), o íon citrato pode não ser removido com a velocidade necessária, sendo possível que o citrato, sob essas condições, deprima muito o nível de íon cálcio no sangue, capaz de resultar em tetania e morte convulsiva.

TESTES DE COAGULAÇÃO SANGUÍNEA

TEMPO DE SANGRAMENTO

Quando um instrumento pontiagudo é usado para furar a ponta do dedo ou o lóbulo da orelha, o sangramento normalmente dura de 1 a 6 minutos. Esse tempo depende muito da profundidade da lesão e do grau de hiperemia no dedo ou no lóbulo da orelha no momento do teste. A falta de qualquer um dos vários fatores de coagulação pode prolongar o tempo de sangramento, mas ele é especialmente prolongado pela falta de plaquetas.

TEMPO DE COAGULAÇÃO

Muitos métodos foram desenvolvidos para determinar o tempo de coagulação sanguínea. O mais usado é coletar o sangue em um tubo de ensaio de vidro quimicamente limpo e, em seguida, inclinar o tubo para frente e para trás a cada 30 segundos, até que o sangue coagule. Por este método, o tempo normal de coagulação é de 6 a 10 minutos. Procedimentos usando vários tubos de ensaio também foram desenvolvidos para determinar o tempo de coagulação com mais precisão.

Infelizmente, o tempo de coagulação varia muito, dependendo do método usado para medi-lo; por isso, não é mais usado em muitas clínicas. Em vez disso, são feitas as dosagens dos próprios fatores de coagulação, usando procedimentos químicos sofisticados.

TEMPO DE PROTROMBINA E RNI (RELAÇÃO NORMATIZADA INTERNACIONAL)

O tempo de atividade de protrombina (TAP) indica a concentração de protrombina no sangue. A **Figura 37.7** mostra a relação entre a concentração de protrombina e o tempo de protrombina. O método para determiná-lo é descrito a seguir.:

O sangue removido do paciente é imediatamente misturado com oxalato para que nenhuma protrombina possa transformar-se em trombina. Então, uma grande quantidade de íon cálcio e de fator tecidual é rapidamente misturada ao sangue com oxalato. O excesso de cálcio anula o efeito do oxalato, e o fator tecidual ativa a reação da protrombina à trombina por meio da via extrínseca da coagulação. O tempo necessário para coagulação é conhecido como *tempo de protrombina* ou tempo de atividade de protrombina. A *duração do tempo* é determinada principalmente pela concentração de protrombina. O tempo de protrombina normal é de cerca de 12 segundos. Em cada laboratório, uma curva relacionando a concentração de protrombina ao tempo de protrombina, como a mostrada na **Figura 37.7**, é traçada para o método usado, de modo a que a protrombina no sangue possa ser quantificada.

Os resultados obtidos para o tempo de protrombina podem variar consideravelmente, inclusive no mesmo indivíduo, se houver diferenças na atividade do fator tecidual e do sistema analítico utilizado para realizar o teste. O fator tecidual é isolado de tecidos humanos, como o tecido da placenta, e lotes diferentes podem ter atividades

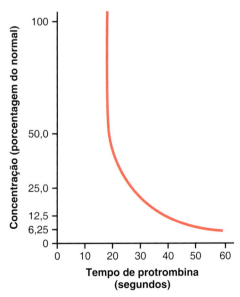

Figura 37.7 Relação da concentração de protrombina no sangue com o tempo de protrombina.

CAPÍTULO 37 Hemostasia e Coagulação Sanguínea

diferentes. A *relação normatizada internacional* (RNI) foi elaborada como um meio de padronizar as medidas do tempo de protrombina. Para cada lote de fator tecidual, o fabricante atribui um *índice de sensibilidade internacional* (ISI), que indica a atividade do fator tecidual com uma amostra padronizada. O ISI geralmente varia entre 1,0 e 2,0. A RNI é a razão entre o tempo de protrombina (TAP) da pessoa e o da amostra de controle normal elevada à potência do ISI:

$$RNI = \left(\frac{TAP_{teste}}{TAP_{normal}} \right)^{ISI}$$

O intervalo normal da RNI em uma pessoa saudável é de 0,9 a 1,3. Um nível alto da RNI (p. ex., 4 ou 5) indica alto risco de sangramento, enquanto uma RNI baixa (p. ex., 0,5) sugere que há uma chance de ter um coágulo. Pacientes em terapia com varfarina geralmente apresentam RNI de 2,0 a 3,0.

Testes semelhantes aos do tempo de protrombina e da RNI foram desenvolvidos para determinar as quantidades de outros fatores de coagulação sanguínea. Em cada um desses testes, excessos de íons cálcio e de todos os outros fatores, *além daquele que está sendo testado*, são adicionados de uma só vez ao sangue com oxalato. Em seguida, o tempo necessário para a coagulação é estabelecido da mesma maneira que para o tempo de protrombina. Se o fator testado for deficiente, o tempo de coagulação será prolongado. O próprio tempo pode então ser usado para quantificar a concentração do fator.

Bibliografia

Becker RC, Sexton T, Smyth SS: Translational implications of platelets as vascular first responders. Circ Res 122:506, 2018.

Furie B, Furie BC: Mechanisms of thrombus formation. N Engl J Med 359:938, 2008.

Gupta S, Shapiro AD: Optimizing bleed prevention throughout the lifespan: womb to tomb. Haemophilia 24 Suppl 6:76, 2018.

Hess CN, Hiatt WR: Antithrombotic therapy for peripheral artery disease in 2018. JAMA 319:2329, 2018.

Hunt BJ: Bleeding and coagulopathies in critical care. N Engl J Med 370:847, 2014.

Koupenova M, Clancy L, Corkrey HA, Freedman JE: Circulating platelets as mediators of immunity, inflammation, and thrombosis. Circ Res 122:337, 2018.

Kucher N: Clinical practice. Deep-vein thrombosis of the upper extremities. N Engl J Med 364:861, 2011.

Leebeek FW, Eikenboom JC: Von Willebrand's disease. N Engl J Med 375:2067, 2016.

Luyendyk JP, Schoenecker JG, Flick MJ: The multifaceted role of fibrinogen in tissue injury and inflammation. Blood 133:511, 2019.

Maas C, Renné T: Coagulation factor XII in thrombosis and inflammation. Blood 131:1903, 2018.

McFadyen JD, Schaff M, Peter K: Current and future antiplatelet therapies: emphasis on preserving haemostasis. Nat Rev Cardiol 15:181, 2018.

Mohammed BM, Matafonov A, Ivanov I, et al: An update on factor XI structure and function. Thromb Res 161:94, 2018.

Nachman RL, Rafii S: Platelets, petechiae, and preservation of the vascular wall. N Engl J Med 359:1261, 2008.

Negrier C, Shima M, Hoffman M: The central role of thrombin in bleeding disorders. Blood Rev 2019 May 22. pii: S0268-960X(18)30097-3. https://www.doi.org/10.1016/j.blre.2019.05.006

Peters R, Harris T: Advances and innovations in haemophilia treatment. Nat Rev Drug Discov 17:493, 2018.

Samuelson Bannow B, Recht M, Négrier C, et al: Factor VIII: longestablished role in haemophilia A and emerging evidence beyond haemostasis. Blood Rev 35:43, 2019.

Tillman BF, Gruber A, McCarty OJT, Gailani D: Plasma contact factors as therapeutic targets. Blood Rev 32:433, 2018.

van der Meijden PEJ, Heemskerk JWM: Platelet biology and functions: new concepts and clinical perspectives. Nat Rev Cardiol 16:166, 2019.

Wells PS, Forgie MA, Rodger MA: Treatment of venous thromboembolism. JAMA 311:717, 2014.

Weyand AC, Pipe SW: New therapies for hemophilia. Blood 133:389, 2019.

PARTE 7

Respiração

RESUMO DA PARTE

38 Ventilação Pulmonar, *488*

39 Circulação Pulmonar, Edema Pulmonar e Líquido Pleural, *500*

40 Princípios da Troca Gasosa; Difusão de Oxigênio e Dióxido de Carbono pela Membrana Respiratória, *508*

41 Transporte de Oxigênio e Dióxido de Carbono no Sangue e Líquidos Teciduais, *518*

42 Regulação da Respiração, *528*

43 Insuficiência Respiratória: Fisiopatologia, Diagnóstico, Oxigenoterapia, *538*

CAPÍTULO 38

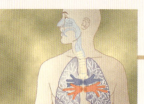

Ventilação Pulmonar

As principais funções da respiração são fornecer oxigênio aos tecidos e remover dióxido de carbono. Os quatro componentes principais da respiração são: (1) *ventilação pulmonar*, que significa a entrada e a saída de ar entre a atmosfera e os alvéolos pulmonares; (2) *difusão de oxigênio* (O_2) *e dióxido de carbono* (CO_2) *entre os alvéolos e o sangue;* (3) *transporte de oxigênio e dióxido de carbono pelo sangue e líquidos corporais* até as células teciduais e de volta aos pulmões; e (4) *regulação da ventilação* e outros aspectos da respiração. Este capítulo consiste em uma discussão acerca da ventilação pulmonar e os próximos cinco capítulos abrangem outras funções respiratórias e a fisiologia de anormalidades respiratórias específicas.

MECÂNICA DA VENTILAÇÃO PULMONAR

MÚSCULOS QUE PROMOVEM EXPANSÃO E CONTRAÇÃO DOS PULMÕES

Os pulmões podem ser expandidos e contraídos de duas formas: (1) pelo movimento do diafragma para cima e para baixo, o que alonga ou encurta a cavidade torácica; e (2) pela elevação ou depressão das costelas, aumentando ou diminuindo o diâmetro anteroposterior da cavidade torácica. A **Figura 38.1** demonstra esses dois métodos.

A respiração normal silenciosa é realizada quase completamente pelo movimento do diafragma. Durante a inspiração, a contração do diafragma traciona as superfícies inferiores dos pulmões para baixo. Em seguida, na expiração, o diafragma simplesmente relaxa e a *retração elástica* dos pulmões, parede torácica e estruturas abdominais comprime o interior dos pulmões, expelindo o ar. Durante o esforço respiratório, entretanto, as forças elásticas não são potentes o suficiente para causar a expiração rápida necessária, de forma que a força extra é obtida principalmente com a contração dos *músculos abdominais*, o que pressiona o conteúdo abdominal para cima contra o diafragma, comprimindo os pulmões.

O segundo método de expansão dos pulmões é a elevação do gradil costal. Essa elevação das costelas expande os pulmões pois, na posição natural de repouso, as costelas inclinam-se para baixo, conforme demonstrado na imagem esquerda da **Figura 38.1**, permitindo que o esterno se rebaixe em direção à coluna vertebral. Quando o gradil costal se eleva, porém, as costelas projetam-se quase diretamente para frente, movendo o esterno para frente e

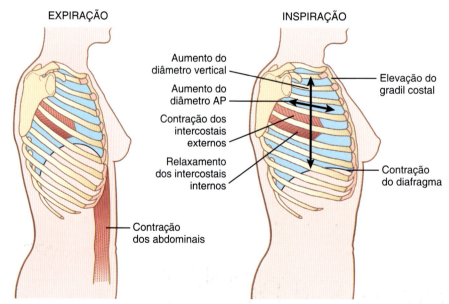

Figura 38.1 Contração e expansão da caixa torácica durante a expiração e a inspiração, demonstrando a contração do diafragma, a função dos músculos intercostais e a elevação e a depressão do gradil costal. AP: anteroposterior.

para longe da coluna, o que aumenta a espessura anteroposterior do tórax em cerca de 20% durante a inspiração máxima comparada à expiração. *Portanto, todos os músculos que elevam a caixa torácica são classificados como músculos da inspiração, ao passo que os músculos que deprimem a caixa torácica são classificados como músculos da expiração.*

Os músculos mais importantes que elevam a caixa torácica são os *intercostais externos*, sendo outros auxiliares os seguintes: (1) músculos *esternocleidomastóideos*, que se elevam a partir do esterno; (2) *serrátil anterior*, que eleva a maioria das costelas; e (3) *escaleno*, que eleva as duas primeiras costelas.

Os músculos que tracionam o gradil costal para baixo durante a expiração são principalmente os seguintes: (1) *retos abdominais*, com o seu potente efeito de tracionar as costelas inferiores ao mesmo tempo que comprimem o conteúdo abdominal para cima contra o diafragma juntamente com a ação de outros músculos abdominais; e (2) *intercostais internos*.

A **Figura 38.1** também demonstra o mecanismo com que os intercostais externos e internos atuam promovendo a inspiração e a expiração. Na esquerda, as costelas estão anguladas para baixo durante a expiração e os intercostais externos estão alongados para frente e para baixo. Conforme esses músculos se contraem, tracionam as costelas superiores para frente em relação às costelas inferiores, o que causa alavancagem das costelas para cima, promovendo a inspiração. Os intercostais internos funcionam da maneira oposta, como músculos expiratórios, pois se angulam entre as costelas na direção oposta e promovem alavancagem oposta.

PRESSÕES QUE CAUSAM MOVIMENTO DO AR PARA DENTRO E PARA FORA DOS PULMÕES

Ver Vídeo 38.1. O pulmão é uma estrutura elástica que colaba como um balão e expele todo o seu ar através da traqueia quando não existe uma força que o mantenha inflado. Ademais, não há aderências entre o pulmão e as paredes da caixa torácica, exceto no ponto de suspensão da região do hilo a partir do *mediastino*, região mediana da cavidade torácica. Ou seja, os pulmões "flutuam" na cavidade torácica, circundados por uma delgada camada de *líquido pleural* que lubrifica seu movimento dentro da cavidade. A sucção contínua do excesso de líquido para canais linfáticos ainda mantém ligeira pressão de sucção (pressão negativa) entre as pleuras parietal e visceral; a pleura parietal (folheto parietal da pleura) está aderida à fáscia da parede torácica, a pleura visceral (folheto visceral da pleura) está aderida ao parênquima pulmonar; os dois folhetos delimitam a cavidade pleural. Portanto, mesmo sendo fixados firmemente à parede torácica, os pulmões são bem lubrificados e podem deslizar livremente conforme ocorrem expansão e contração do tórax.

Pressão intrapleural e suas alterações durante a respiração. A *pressão intrapleural* é a pressão do líquido presente no delgado espaço entre a pleura visceral e a pleura parietal. Essa pressão consiste em uma leve sucção, o que significa se tratar de uma pressão *negativa*. A pressão intrapleural normal, no início da inspiração, é de, aproximadamente −5 centímetros de água (cmH$_2$O), que é a quantidade de sucção necessária para manter os pulmões abertos em nível de repouso. Durante a inspiração normal, a expansão da caixa torácica traciona os pulmões para fora com uma força maior e cria uma pressão mais negativa, chegando à média de −7,5 cmH$_2$O.

Essas relações entre a pressão intrapleural e a alteração do volume pulmonar são demonstradas na **Figura 38.2**; o painel inferior demonstra a crescente negatividade da pressão intrapleural desde −5 a −7,5 cmH$_2$O durante a inspiração, e o painel superior demonstra um aumento no volume pulmonar em 0,5 ℓ. Em seguida, durante a expiração, os eventos essencialmente se revertem.

Pressão intra-alveolar: pressão do ar dentro dos alvéolos pulmonares. Quando a glote se abre sem que ocorra fluxo de ar para dentro ou para fora dos pulmões, as pressões de todas as partes da árvore respiratória, até os alvéolos, estão iguais à pressão atmosférica, que é considerada como referência zero nas vias respiratórias – ou seja, 0 cmH$_2$O de pressão. Para causar influxo de ar até os alvéolos durante a inspiração, a pressão intra-alveolar precisa cair até um valor ligeiramente menor que a pressão atmosférica (abaixo de 0). A segunda curva (denominada "pressão intra-alveolar") da **Figura 38.2** demonstra esse evento na inspiração normal, com a pressão intra-alveolar

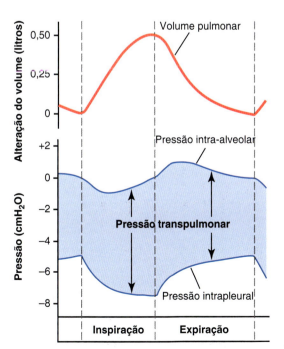

Figura 38.2 Mudanças no volume pulmonar, pressão intra-alveolar, pressão intrapleural e pressão transpulmonar durante a respiração normal.

decaindo para aproximadamente –1 cmH$_2$O. Essa pressão ligeiramente negativa é suficiente para propulsionar 0,5 ℓ de ar para dentro dos pulmões nos 2 segundos necessários para uma inspiração normal de repouso.

Durante a expiração, a pressão intra-alveolar aumenta para cerca de +1 cmH$_2$O, o que força 0,5 ℓ de ar inspirado para fora dos pulmões durante os 2 a 3 segundos da expiração.

Pressão transpulmonar: diferença entre as pressões intra-alveolar e intrapleural. Observe que a *pressão transpulmonar* da **Figura 38.2** é a diferença entre a pressão dos alvéolos (pressão intra-alveolar) e a pressão das superfícies externas dos pulmões (pressão intrapleural). Trata-se de uma medida das forças elásticas dos pulmões, que tendem a colapsá-los a cada instante da respiração, recebendo o nome de *pressão de retração*.

Complacência pulmonar

A extensão até a qual os pulmões irão se expandir para cada unidade de aumento na pressão transpulmonar (caso haja decorrido tempo suficiente para se atingir o equilíbrio) recebe o nome de *complacência pulmonar*. A complacência total de ambos os pulmões juntos de um adulto normal gira em torno de 200 mℓ de ar/cmH$_2$O de pressão transpulmonar. Ou seja, cada vez que a pressão transpulmonar aumenta em 1 cmH$_2$O, o volume pulmonar, após 10 a 20 segundos, se expande em 200 mℓ.

Diagrama de complacência pulmonar. A **Figura 38.3** mostra um diagrama que relaciona as alterações do volume pulmonar às alterações da pressão intrapleural que, por sua vez, modifica a pressão transpulmonar. Observe que a relação é diferente para a inspiração e para a expiração. Cada curva é registrada alterando-se a pressão intrapleural em pequenos passos e permitindo-se que o volume pulmonar atinja um nível estável entre passos sucessivos. As duas curvas são chamadas, respectivamente, de *curva de complacência inspiratória* e *curva de complacência expiratória*, sendo o diagrama completo denominado *diagrama de complacência pulmonar*.

As características do diagrama de complacência são determinadas pelas forças elásticas dos pulmões. Essas forças podem ser divididas em duas partes: (1) *forças elásticas do tecido pulmonar*; e (2) *forças elásticas causadas pela tensão superficial do líquido que reveste as paredes internas dos alvéolos* e outros espaços pulmonares de ar.

As forças elásticas do tecido pulmonar são determinadas principalmente pelas fibras de *elastina* e *colágeno* entremeadas ao longo do parênquima pulmonar. Em pulmões vazios, essas fibras permanecem em um estado elasticamente contraído e retorcido. Após insuflação dos pulmões, as fibras tornam-se estiradas e retilíneas, alongando-se e exercendo maior força elástica.

Já as forças elásticas causadas pela tensão superficial são muito mais complexas. O significado da tensão superficial é demonstrado na **Figura 38.4**, que compara o diagrama de complacência pulmonar quando os pulmões estão preenchidos por solução salina ou por ar. Quando os pulmões estão preenchidos por ar, existe uma interface entre o líquido alveolar e o ar presente nos alvéolos. Nos pulmões preenchidos com solução salina, não há interface ar-líquido e, portanto, não ocorre efeito de tensão superficial; somente as forças elásticas do tecido pulmonar atuam em um pulmão preenchido por solução salina.

Observe que as pressões transpleurais necessárias para expandir um pulmão preenchido por ar são aproximadamente três vezes maiores do que as necessárias para expandir pulmões preenchidos por solução salina. Portanto, pode-se concluir que *as forças elásticas do tecido pulmonar que tendem a causar colapso do pulmão preenchido por ar representam somente cerca de um terço da elasticidade total do pulmão, ao passo que as forças da tensão superficial na interface líquido-ar dos alvéolos representam cerca de dois terços*.

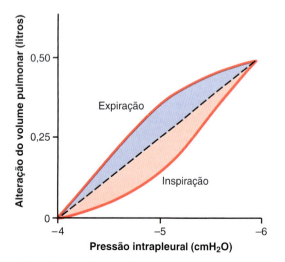

Figura 38.3 Diagrama de complacência de um indivíduo normal. Esse diagrama representa alterações no volume pulmonar durante alterações da pressão transpulmonar (pressão intra-alveolar menos pressão intrapleural).

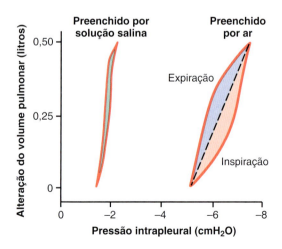

Figura 38.4 Comparação dos diagramas de complacência de pulmões preenchidos por solução salina ou por ar quando a pressão intra-alveolar é mantida igual à pressão atmosférica (0 cmH$_2$O) e após sua modificação para alterar a pressão transpulmonar.

As forças elásticas de tensão superficial líquido-ar dos pulmões também aumentam sobremaneira quando há *ausência* de uma substância chamada *surfactante* no líquido alveolar.

Surfactante, tensão superficial e colapso alveolar

Princípio da tensão superficial. Quando a água forma uma superfície com o ar, moléculas de água da superfície apresentam uma atração especialmente forte entre si. Como resultado, a superfície da água está sempre tentando se contrair. É isso que mantém gotas de chuva estáveis – uma membrana contrátil firme de moléculas de água ao redor de toda a gota de chuva. Agora, tendo em mente esses princípios, vejamos o que ocorre nas superfícies internas dos alvéolos. Aqui, a superfície da água também está tentando se contrair. Isso tende a forçar o ar para fora dos alvéolos através dos brônquios e, ao fazê-lo, leva os alvéolos a uma tendência de colapso. O efeito resultante é a produção de uma força contrátil elástica de todo o pulmão, denominada *força elástica da tensão superficial*.

Surfactante e seu efeito sobre a tensão superficial. O surfactante é um *agente ativo de superfície na água*, o que significa que ele diminui sobremaneira a tensão superficial da água. Sua secreção é realizada por células epiteliais especiais denominadas *células epiteliais alveolares tipo II (pneumócitos tipo II)*, que constituem cerca de 10% de toda a área de superfície alveolar. Essas células são granulares, contendo inclusões lipídicas que são secretadas no surfactante para dentro dos alvéolos.

O surfactante é uma mistura complexa de diversos fosfolipídios, proteínas e íons. Os componentes mais importantes são os fosfolipídios *dipalmitoil fosfatidilcolina*, *apoproteínas surfactantes* e *íons cálcio*. O dipalmitoil fosfatidilcolina e muitos outros fosfolipídios menos importantes são responsáveis por diminuir a tensão superficial. Realizam essa função ao não se dissolverem uniformemente no líquido que reveste a superfície alveolar. Em vez disso, parte da molécula se dissolve e o restante se distribui sobre a superfície da água nos alvéolos. Essa superfície apresenta de 1/12 à metade da tensão superficial da superfície da água pura.

Quantitativamente, as tensões superficiais de diferentes líquidos aquosos são aproximadamente as seguintes: água pura, 72 dinas/cm; líquidos normais que revestem os alvéolos sem surfactante, 50 dinas/cm; líquidos normais que revestem os alvéolos *com* quantidades normais de surfactante incluído, entre 5 e 30 dinas/cm.

Pressão de alvéolos ocluídos causada pela tensão superficial. Se as passagens que conduzem o ar a partir dos alvéolos pulmonares forem bloqueadas, a tensão superficial alveolar tenderá a colapsar os alvéolos. Esse colapso cria pressão positiva nos alvéolos, tentando expelir o ar. A intensidade da pressão gerada desse modo em um alvéolo pode ser calculada a partir da seguinte fórmula:

$$\text{Pressão} = \frac{2 \times \text{Tensão superficial}}{\text{Raio do alvéolo}}$$

Para um alvéolo de tamanho médio com raio de aproximadamente 100 micrômetros e revestido com *surfactante normal*, esse cálculo resulta em pressão de cerca de 4 cmH_2O (3 mmHg). Se os alvéolos fossem revestidos com água pura sem qualquer surfactante, a pressão seria calculada em cerca de 18 cmH_2O (4,5 vezes mais alta). Portanto, vê-se quão importante é o surfactante em diminuir a tensão superficial alveolar e, portanto, reduzir também o esforço necessário para que os músculos respiratórios expandam os pulmões.

A pressão causada pela tensão superficial relaciona-se inversamente com o raio alveolar. Note a partir da fórmula anterior que, quanto menor for o alvéolo, maior será a pressão intra-alveolar causada pela tensão superficial. Ou seja, quando os alvéolos apresentam metade de seu raio normal (50 micrômetros em vez de 100 micrômetros), as pressões notadas anteriormente são dobradas. Esse fenômeno é especialmente significativo em bebês lactentes prematuros, cujos alvéolos muitas vezes apresentam raio menor que 25% o de um adulto. Ademais, o surfactante normalmente não começa a ser secretado nos alvéolos até o período entre o sexto e sétimo mês de gestação, podendo ser mais tarde ainda em alguns casos. Portanto, muitos bebês prematuros possuem pouco ou nenhum surfactante em seus alvéolos ao nascimento, apresentando pulmões com forte tendência de colapso, algumas vezes seis a oito vezes mais que um pulmão adulto. Essa situação causa *síndrome da angústia respiratória do neonato*. Trata-se de uma síndrome fatal se não tratada com medidas vigorosas, especialmente ventilação com pressão positiva adequada.

EFEITO DA CAIXA TORÁCICA SOBRE A EXPANSIBILIDADE PULMONAR

Até agora, discutimos a expansibilidade dos pulmões isolados, sem considerar a caixa torácica. A caixa torácica tem suas próprias características elásticas e viscosas, de forma que, mesmo se não houvesse pulmões no tórax, ainda seria necessário esforço muscular para expandi-la.

Complacência do tórax e pulmões juntos

A complacência de todo o sistema pulmonar (pulmões e caixa torácica juntos) é mensurada durante a expansão dos pulmões em um indivíduo completamente relaxado ou paralisado. Para medir a complacência, o ar é forçado para dentro dos pulmões pouco a pouco enquanto se registram as pressões e volumes pulmonares. É necessário quase o dobro da pressão para insuflar todo esse sistema pulmonar em comparação com os mesmos pulmões fora da caixa torácica. Portanto, a complacência do sistema conjunto pulmões-tórax é quase exatamente a metade da dos pulmões isolados (110 mℓ/cmH_2O de pressão para o sistema conjunto, comparados a 200 mℓ/cmH_2O dos pulmões isolados). Ademais, quando os pulmões são expandidos até altos volumes ou comprimidos até baixos volumes, as limitações do tórax atingem graus extremos. Perto desses limites, a complacência do sistema pulmões-tórax pode ser menor que 20% do valor de pulmões isolados.

Trabalho respiratório

Já foi apontado que, durante a respiração normal em repouso, toda a contração muscular respiratória ocorre na inspiração, com a expiração sendo um processo quase completamente passivo causado pelo recuo elástico dos pulmões e caixa torácica. Portanto, sob condições de repouso, os músculos respiratórios normalmente realizam "trabalho" para promover a inspiração, porém não para promover expiração.

O trabalho inspiratório pode ser dividido em três frações: (1) uma necessária para expandir os pulmões contra as forças elásticas dos pulmões e tórax, denominada *trabalho de complacência* ou *trabalho elástico*; (2) uma necessária para vencer a viscosidade do pulmão e estruturas da parede torácica, denominada *trabalho de resistência tecidual*; e (3) uma necessária para vencer a resistência das vias respiratórias ao movimento de ar para os pulmões, denominada *trabalho de resistência das vias respiratórias*.

Energia necessária para a respiração. Durante a respiração normal de repouso, somente 3 a 5% de toda a energia gasta pelo organismo são necessários para a ventilação pulmonar. Todavia, durante o exercício extenuante, a quantidade de energia necessária pode aumentar até 50 vezes, especialmente se o indivíduo apresentar algum grau de aumento da resistência das vias respiratórias ou diminuição da complacência pulmonar. Portanto, uma das maiores limitações da intensidade de exercício que pode ser realizado é a capacidade do indivíduo de promover energia muscular suficiente somente para o processo respiratório.

VOLUMES E CAPACIDADES PULMONARES

REGISTRO DAS ALTERAÇÕES NO VOLUME PULMONAR: ESPIROMETRIA

A ventilação pulmonar pode ser estudada por meio do registro do movimento de volume de ar para dentro e para fora dos pulmões, método denominado *espirometria*. Um espirômetro básico típico é demonstrado na **Figura 38.5**. Trata-se de um cilindro invertido sobre uma câmara de água, com um contrapeso. O cilindro contém um gás respiratório, em geral ar ou oxigênio, e um tubo conecta a boca à câmara do gás. Quando o indivíduo respira para dentro e fora da câmara, o cilindro sobe e desce, permitindo um registro correto.

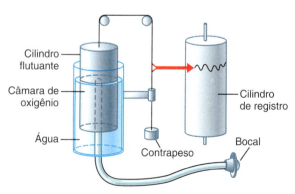

Figura 38.5 Espirômetro.

A **Figura 38.6** demonstra uma espirometria indicando alterações no volume pulmonar sob diferentes condições respiratórias. A fim de facilitar a descrição dos eventos da ventilação pulmonar, o ar dos pulmões foi subdividido nesse diagrama em quatro *volumes* e quatro *capacidades*, que correspondem à média de um *adulto jovem do sexo masculino*. A **Tabela 38.1** resume os volumes e capacidades médios de homens e mulheres saudáveis.

Volumes pulmonares

A **Figura 38.6** lista quatro volumes pulmonares que, juntos, igualam-se ao volume máximo de expansão dos pulmões. Os volumes demonstrados correspondem a indivíduos médios do sexo masculino, embora os pulmões variem consideravelmente dependendo de tipo físico, idade, peso, sexo e outros fatores, como a altitude onde reside o indivíduo. A significância de cada volume pulmonar é a seguinte:

1. O *volume corrente* é o volume de ar inspirado ou expirado a cada respiração normal; corresponde a cerca de 500 mℓ no homem saudável médio.

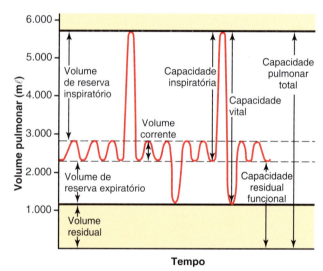

Figura 38.6 Mudanças pulmonares durante a respiração normal e durante inspiração e expiração máximas.

Tabela 38.1 Volumes e capacidades pulmonares médios de homens e mulheres jovens e saudáveis.

Volumes e capacidades pulmonares	Homens	Mulheres
Volume (mℓ)		
Volume corrente	500	400
Volume de reserva inspiratório	3.000	1.900
Volume expiratório	1.100	700
Volume residual	1.200	1.100
Capacidades (mℓ)		
Capacidade inspiratória	3.500	2.400
Capacidade residual funcional	2.300	1.800
Capacidade vital	4.600	3.100
Capacidade pulmonar total	5.800	4.200

CAPÍTULO 38 Ventilação Pulmonar

2. O *volume de reserva inspiratório* é o volume extra de ar que pode ser inspirado acima do volume corrente normal quando o indivíduo inspira com força máxima; geralmente equivale a cerca de 3.000 mℓ.

3. O *volume de reserva expiratório* é o volume extra máximo de ar que pode ser expirado durante expiração forçada após o término de uma expiração corrente normal; normalmente gira em torno de 1.100 mℓ em homens.

4. O *volume residual* é o volume de ar que permanece nos pulmões após a expiração forçada máxima; gira em torno da média de 1.200 mℓ.

Capacidades pulmonares

Ao descrever os eventos do ciclo pulmonar, por vezes é útil considerar dois ou mais volumes juntos. Algumas combinações recebem o nome de *capacidades pulmonares*. À direita da **Figura 38.6** estão listadas as capacidades pulmonares importantes, que podem ser descritas como segue:

1. A *capacidade inspiratória* é a soma do *volume corrente* e o *volume de reserva inspiratório*. Trata-se da quantidade de ar (cerca de 3.500 mℓ) que um indivíduo pode inspirar, desde o início do nível expiratório normal até a distensão máxima dos pulmões.

2. A *capacidade residual funcional* é igual à soma do *volume de reserva expiratório* e o *volume residual*. Representa a quantidade de ar que permanece nos pulmões ao final da expiração normal (cerca de 2.300 mℓ).

3. A *capacidade vital* equivale à soma entre o *volume de reserva inspiratório*, o *volume corrente* e o *volume de reserva expiratório*. Trata-se da quantidade máxima de ar que uma pessoa pode expelir dos pulmões após os haver preenchido até o máximo, expirando em seguida até seu máximo (cerca de 4.600 mℓ).

4. A *capacidade pulmonar total* é o volume máximo até o qual os pulmões podem ser expandidos com o máximo esforço possível (cerca de 5.800 mℓ); equivale à soma da *capacidade vital* com o *volume residual*.

A maior parte dos volumes e capacidades pulmonares são 20 a 30% menores em mulheres comparadas a homens, sendo maiores em indivíduos grandes e atléticos e menores em indivíduos pequenos e astênicos.

ABREVIAÇÕES E SÍMBOLOS UTILIZADOS EM ESTUDOS DE FUNÇÃO PULMONAR

A espirometria é apenas um dos muitos procedimentos de mensuração utilizados diariamente por médicos pneumologistas. Muitos desses procedimentos dependem fortemente de computação matemática. A fim de simplificar tais cálculos, bem como a apresentação dos dados da função pulmonar, diversas abreviações e símbolos se tornaram padronizados. Os mais importantes são fornecidos na **Tabela 38.2**. Utilizando esses símbolos, apresentamos aqui algumas equações algébricas simples demonstrando algumas das inter-relações dos volumes e capacidades pulmonares.

Tabela 38.2 Abreviações e símbolos da função pulmonar.

Abreviação	Função
VC	Volume corrente
CRF	Capacidade residual funcional
VRE	Volume de reserva expiratório
VR	Volume residual
CI	Capacidade inspiratória
VRI	Volume de reserva inspiratório
CPT	Capacidade pulmonar total
CV	Capacidade vital
Rva	Resistência das vias respiratórias ao fluxo de ar para dentro dos pulmões
C	Complacência
V_{EM}	Volume de gás no espaço morto
V_A	Volume de gás alveolar
$\dot{V}_I$	Volume inspirado na ventilação por minuto
$\dot{V}_E$	Volume expirado na ventilação por minuto
$\dot{V}_D$	Fluxo desviado
$\dot{V}_A$	Ventilação alveolar por minuto
$\dot{V}O_2$	Taxa de extração de oxigênio por minuto
$\dot{V}CO_2$	Quantidade de dióxido de carbono eliminado por minuto
$\dot{V}CO$	Taxa de extração de monóxido de carbono por minuto
DPO_2	Capacidade pulmonar de difusão de oxigênio
$DPCO_2$	Capacidade pulmonar de difusão de monóxido de carbono
P_{ATM}	Pressão atmosférica
PIA	Pressão intra-alveolar
PIP	Pressão intrapleural
PO_2	Pressão parcial de oxigênio
PCO_2	Pressão parcial de dióxido de carbono
PN_2	Pressão parcial de nitrogênio
PaO_2	Pressão parcial de oxigênio do sangue arterial
$PaCO_2$	Pressão parcial de dióxido de carbono do sangue arterial
PAO_2	Pressão parcial de oxigênio do gás alveolar
$PACO_2$	Pressão parcial de dióxido de carbono do gás alveolar
PAH_2O	Pressão parcial de água do gás alveolar
R	Taxa de troca respiratória
$\dot{Q}$	Débito cardíaco
$[O_2]a$	Concentração de oxigênio do sangue arterial
$[O_2]\bar{V}$	Concentração de oxigênio do sangue venoso misto
SO_2	Porcentagem de saturação de hemoglobina com oxigênio
SaO_2	Porcentagem de saturação de hemoglobina com oxigênio no sangue arterial

O estudante deve refletir a respeito delas e verificar essas relações.

$$CV = VRI + V_C + VRE$$
$$CV = CI + VRE$$
$$CPT = CV + VR$$
$$CPT = CI + CRF$$
$$CRF = VRE + VR$$

DETERMINAÇÃO DA CAPACIDADE RESIDUAL FUNCIONAL, VOLUME RESIDUAL E CAPACIDADE PULMONAR TOTAL: MÉTODO DE DILUIÇÃO COM HÉLIO

A capacidade residual funcional (CRF), que corresponde ao volume de ar que permanece nos pulmões ao final de cada expiração normal, é importante para a determinação da função pulmonar. Como seu valor se altera significativamente em alguns tipos de doença pulmonar, em geral é desejável mensurá-la. O espirômetro não pode ser utilizado para mensurar a CRF diretamente porque o ar do volume residual dos pulmões não pode ser expirado para o aparelho. Esse volume constitui cerca de metade da CRF. Para se mensurar a CRF, o espirômetro deve ser utilizado de forma indireta, em geral com um método de diluição com hélio, como segue.

Um espirômetro de volume conhecido é preenchido com ar misturado com hélio em concentração conhecida. Antes de respirar com o espirômetro, o indivíduo irá expirar normalmente. Ao final dessa expiração, o volume que resta nos pulmões é a CRF. Nesse ponto, o indivíduo imediatamente inicia uma inspiração a partir do espirômetro, e os gases do espirômetro irão se misturar com os gases pulmonares. Como resultado, o hélio irá se diluir pelos gases da CRF e o volume da CRF poderá ser calculado pelo grau de diluição do hélio, utilizando a seguinte fórmula:

$$CRF = \left(\frac{[He]i}{[He]f} - 1\right) Vi_{Esp}$$

em que *CRF* é a capacidade residual funcional, *[He]i* é a concentração inicial de hélio no espirômetro, *[He]f* é a concentração final de hélio no espirômetro e Vi_{Esp} é o volume inicial do espirômetro.

Uma vez determinada a CRF, o volume residual (VR) poderá ser determinado subtraindo-se dela o volume de reserva expiratório (VRE), conforme mensurado na espirometria normal. Ademais, a capacidade pulmonar total (CPT) poderá ser determinada somando-se a capacidade inspiratória (CI) com a CRF. Isto é:

$$VR = CRF - VRE$$

e

$$CPT = CRF + CI$$

O VOLUME MINUTO É IGUAL À FREQUÊNCIA RESPIRATÓRIA MULTIPLICADA PELO VOLUME CORRENTE

O *volume minuto* é a quantidade total de ar novo que adentra as passagens respiratórias a cada minuto e equivale ao *volume corrente* multiplicado pela *frequência respiratória* (número de incursões respiratórias por minuto). O volume corrente normal é de cerca de 500 mℓ e a frequência respiratória normal é de aproximadamente 12 respirações/min. Portanto, o *volume minuto aproxima-se de 6 ℓ/min*. Um indivíduo pode viver por um curto período de tempo com volume minuto tão baixo quanto 1,5 ℓ/min e frequência respiratória de apenas 2 a 4 respirações/min.

A frequência respiratória, em algumas ocasiões, aumenta até 40 a 50 respirações/min, com volume corrente chegando próximo da capacidade vital, em cerca de 4.600 mℓ em um homem jovem. Isso pode gerar volume minuto maior que 200 ℓ/min, ou mais que 30 vezes o normal. A maioria das pessoas não consegue sustentar mais que metade a dois terços desses valores por mais do que 1 minuto.

VENTILAÇÃO ALVEOLAR

A principal importância da ventilação pulmonar é renovar de maneira contínua o ar das áreas de troca gasosa dos pulmões, onde há proximidade com o sangue pulmonar. Essas áreas incluem alvéolos, sacos alveolares, ductos alveolares e bronquíolos respiratórios. A taxa com que ar novo atinge essas áreas recebe o nome de *ventilação alveolar*.

ESPAÇO MORTO E SEU EFEITO SOBRE A VENTILAÇÃO ALVEOLAR

Parte do ar que uma pessoa respira nunca chega até as áreas de troca gasosa, apenas preenche as passagens respiratórias, como cavidade nasal, faringe e traqueia, onde não ocorre troca gasosa. Esse ar recebe o nome de *ar do espaço morto* porque não tem utilidade na troca gasosa.

Na expiração, o ar do espaço morto é expirado primeiro, antes que qualquer ar alveolar alcance a atmosfera. Portanto, o espaço morto constitui uma desvantagem à remoção de gases expiratórios dos pulmões.

Mensuração do volume do espaço morto. Um método simples para se mensurar o volume do espaço morto é demonstrado no gráfico da **Figura 38.7**. Ao se realizar essa mensuração, o indivíduo inicia subitamente uma inspiração profunda de O_2 100%, que preenche todo o espaço morto com oxigênio puro. Parte desse oxigênio também se misturará com o ar alveolar, mas não o substituirá completamente. Em seguida, o indivíduo expira através de um

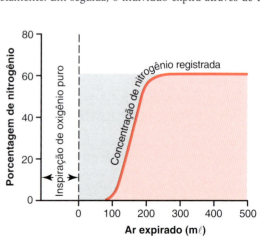

Figura 38.7 Registro das alterações na concentração de nitrogênio do ar expirado após uma única inspiração prévia de oxigênio puro. Esse registro pode ser utilizado para calcular o espaço morto, conforme discutido no texto.

CAPÍTULO 38 Ventilação Pulmonar

medidor de nitrogênio de registro rápido, o que resulta na curva demonstrada na figura. A primeira porção de ar expirado vem de regiões de espaço morto das vias respiratórias, onde o ar foi completamente substituído por O_2. Portanto, na parte inicial do registro, aparece somente O_2, com concentração de nitrogênio igual a 0. Posteriormente, quando o ar alveolar começa a chegar até o medidor de nitrogênio, a concentração de nitrogênio rapidamente se eleva porque o ar contendo alta quantidade de nitrogênio passa a se misturar com o ar do espaço morto. Após expiração de mais ar, todo o ar do espaço morto terá sido removido das vias respiratórias e restará somente ar alveolar. Sendo assim, a concentração registrada de nitrogênio atinge um platô equivalente à sua concentração alveolar, conforme demonstrado do lado direito da figura. A área cinza representa o ar que não contém nitrogênio e constitui a mensuração do volume de ar do espaço morto. Para a quantificação exata, utiliza-se a seguinte equação:

$$V_{EM} = \frac{\text{Área cinza} \times V_E}{\text{Área rosa} + \text{Área cinza}}$$

em que V_{EM} é o ar do espaço morto e V_E é o volume total de ar expirado.

Admita-se, por exemplo, que a área cinza do gráfico equivalha a 30 centímetros quadrados, a área rosa a 70 centímetros quadrados e o volume total expirado seja de 500 mℓ. O espaço morto seria igual a

$$\frac{30}{30 + 70} \times 500 = 150 \text{ m}\ell$$

Volume do espaço morto normal. O ar do espaço morto normal de um indivíduo jovem do sexo masculino é de aproximadamente 150 mℓ. Esse valor aumenta ligeiramente com a idade.

Espaço morto anatômico *versus* espaço morto fisiológico. O método descrito para mensuração do espaço morto fornece o volume de todo o espaço morto do sistema respiratório, exceto alvéolos e outras áreas intimamente relacionadas de troca gasosa. Esse espaço recebe o nome de *espaço morto anatômico*. Ocasionalmente, alguns alvéolos estão não funcionais ou parcialmente funcionais em razão de fluxo sanguíneo ausente ou muito baixo nos capilares pulmonares adjacentes. Portanto, esses alvéolos também são considerados espaço morto. Quando o espaço morto alveolar é incluído na mensuração do espaço morto total, recebe o nome de *espaço morto fisiológico*, contrapondo-se ao espaço morto anatômico. Em um indivíduo com pulmões saudáveis, os espaços mortos anatômico e fisiológico são aproximadamente iguais, visto que todos os alvéolos são funcionais no pulmão normal. Contudo, no indivíduo com alvéolos parcialmente funcionais ou não funcionais em algumas regiões pulmonares, o espaço morto fisiológico pode apresentar volume 10 vezes maior do que o volume de espaço morto anatômico, ou 1 a 2 ℓ. Esses problemas serão discutidos no Capítulo 40, com relação à troca gasosa pulmonar, e no Capítulo 43, com relação a algumas doenças pulmonares.

FREQUÊNCIA DA VENTILAÇÃO ALVEOLAR

A ventilação alveolar por minuto equivale ao volume total de ar novo que adentra os alvéolos e áreas adjacentes de troca gasosa a cada minuto, ou seja, à frequência respiratória multiplicada pela quantidade de ar novo que adentra essas áreas em cada respiração:

$$\dot{V}_A = \text{Freq} \times (V_C - V_{EM})$$

em que $\dot{V}_A$ é o volume de ventilação alveolar por minuto, *Freq* é a frequência respiratória por minuto, V_C é o volume corrente e V_{EM} é o volume de espaço morto fisiológico.

Sendo assim, com um volume corrente normal de 500 mℓ, espaço morto normal de 150 mℓ e frequência respiratória de 12 respirações/min, a ventilação alveolar será de $12 \times (500 - 150)$, ou 4.200 mℓ/min.

A ventilação alveolar é um dos principais fatores que determinam as concentrações de oxigênio e dióxido de carbono dos alvéolos. Portanto, quase todas as discussões relacionadas às trocas gasosas dos próximos capítulos sobre sistema respiratório são concentradas na ventilação alveolar.

Funções das vias respiratórias

Traqueia, brônquios e bronquíolos

A **Figura 38.8** destaca as vias respiratórias. O ar distribui-se para os pulmões através da traqueia, brônquios e bronquíolos.

Um dos mais importantes desafios das vias respiratórias é se manterem abertas e permitirem passagem fácil do ar até os alvéolos e de volta. Para que a traqueia não colapse, múltiplos anéis cartilaginosos estendem-se por cerca de cinco sextos de seu entorno. Nas paredes dos brônquios, placas cartilaginosas curvas menos extensas também mantêm rigidez razoável, embora permitam movimento suficiente para que os pulmões se expandam e contraiam. Essas placas se tornam progressivamente menos extensas nos brônquios de gerações maiores, desaparecendo nos bronquíolos, que em geral apresentam diâmetro menor que 1,5 milímetro. Os bronquíolos não são impedidos de colapsar pela rigidez de sua parede. Na realidade, são mantidos expandidos principalmente pelas mesmas pressões transpulmonares que expandem os alvéolos. Ou seja, à medida que os alvéolos se alargam, os bronquíolos também se alargam, porém em menor grau.

Parede muscular dos brônquios e bronquíolos. Em todas as áreas da *traqueia* e dos *brônquios* não ocupadas por placas cartilaginosas, as paredes são compostas principalmente por músculo liso. As paredes dos *bronquíolos* também são revestidas quase completamente por músculo liso, exceto pelos bronquíolos mais terminais, denominados *bronquíolos respiratórios*, que consistem principalmente em epitélio pulmonar e tecido conjuntivo subjacente com poucas fibras musculares lisas. Muitas doenças pulmonares obstrutivas resultam do estreitamento de brônquios e bronquíolos menores, geralmente pela contração excessiva do músculo liso.

Resistência ao fluxo de ar na árvore brônquica. Sob *condições respiratórias normais*, o ar flui através das vias respiratórias de forma tão fácil que um gradiente entre atmosfera e alvéolos menor que 1 cmH_2O é suficiente para causar fluxo de ar na respiração em repouso. A maior

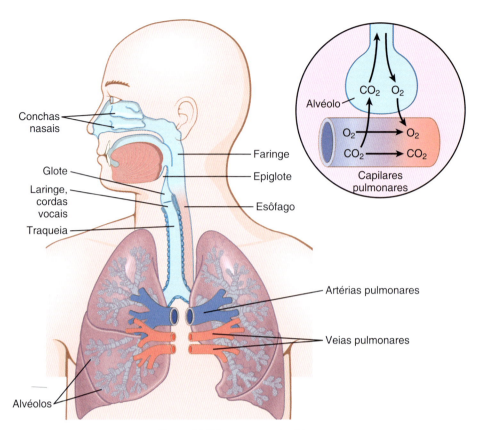

Figura 38.8 Passagens respiratórias.

quantidade de resistência ao fluxo de ar ocorre não nas passagens menores de bronquíolos terminais, mas em alguns dos bronquíolos maiores e brônquios próximos à traqueia. O motivo dessa alta resistência é que existe relativamente menor número desses brônquios maiores em comparação com aproximadamente 65.000 bronquíolos terminais paralelos, através dos quais deve passar apenas uma ínfima quantidade de ar.

Em algumas doenças, os bronquíolos menores exercem papel muito maior na determinação da resistência ao fluxo de ar em razão de seu menor tamanho e por serem facilmente obstruídos pelos seguintes fatores: (1) contração muscular de suas paredes; (2) edema das paredes; ou (3) acúmulo de muco em seu lúmen.

Controle neural e local da musculatura bronquiolar: dilatação simpática dos bronquíolos. O controle direto dos bronquíolos por fibras nervosas simpáticas é relativamente fraco, pois poucas dessas fibras penetram até as porções centrais do pulmão. Todavia, a árvore brônquica é muito mais exposta a *noradrenalina* e *adrenalina* liberadas no sangue pela estimulação simpática da medula adrenal. Ambos os hormônios, especialmente a adrenalina por sua maior estimulação de *receptores* beta-adrenérgicos, causam dilatação da árvore brônquica.

Constrição parassimpática dos bronquíolos. Algumas fibras parassimpáticas oriundas do nervo vago penetram no parênquima pulmonar. Esses nervos secretam *acetilcolina* e, quanto ativados, causam constrição leve a moderada dos bronquíolos. Quando uma doença como a asma já provocou constrição bronquiolar, a sobreposição de um estímulo nervoso parassimpático em geral piora a condição. Diante dessa situação, a administração de fármacos que bloqueiem os efeitos da acetilcolina, como a *atropina*, pode algumas vezes relaxar as passagens respiratórias o suficiente para aliviar a obstrução.

Eventualmente, os nervos parassimpáticos também são ativados por reflexos originados nos pulmões. A maior parte desses reflexos se inicia com a irritação da membrana epitelial das vias respiratórias por gases nocivos, poeira, fumaça de cigarro ou infecção bronquial. Ademais, frequentemente ocorre reflexo constritor bronquiolar após oclusão de pequenas artérias pulmonares por microêmbolos.

Fatores secretórios locais que podem causar constrição bronquiolar. Diversas substâncias produzidas nos pulmões em geral são ativas em causar constrição bronquiolar. Duas das mais importantes são a *histamina* e a *substância de reação lenta da anafilaxia (SRS-A)*. Ambas são liberadas no tecido pulmonar por *mastócitos* durante reações alérgicas, especialmente causadas pelo pólen em suspensão no ar. Portanto, exercem papel-chave em causar obstrução das vias respiratórias na asma alérgica, o que é especialmente verdadeiro sobre a substância de reação lenta da anafilaxia.

Os mesmos compostos irritantes que causam reflexos constritores parassimpáticos das vias respiratórias – fumaça, poeira, dióxido de enxofre e alguns elementos ácidos da poluição – também podem atuar diretamente sobre o tecido pulmonar iniciando reações locais não neurais que causam constrição obstrutiva das vias respiratórias.

CAPÍTULO 38 Ventilação Pulmonar

Revestimento por muco e ação dos cílios na limpeza das vias respiratórias

Todas as vias respiratórias, desde a cavidade nasal até os bronquíolos terminais, são mantidas úmidas por uma camada de muco que reveste toda a superfície. O muco é secretado, em parte, pelas *células mucosas caliciformes* do epitélio de revestimento das vias respiratórias e, em parte, por pequenas glândulas submucosas. Além de manter as superfícies úmidas, o muco aprisiona pequenas partículas do ar inspirado e as impede de chegar até os alvéolos. O muco é removido das vias respiratórias da maneira explicada a seguir.

Toda a superfície das passagens respiratórias, na cavidade nasal e vias inferiores até os bronquíolos terminais, é revestida por epitélio ciliado, com cerca de 200 cílios em cada célula epitelial. Esses cílios vibram continuamente em frequência de 10 a 20 vezes/segundo por um mecanismo explicado no Capítulo 2, com a direção de seus batimentos sempre apontada para a faringe. Ou seja, os cílios dos pulmões golpeiam para cima e os da cavidade nasal para baixo. Esses batimentos contínuos produzem um lento fluxo de muco, cuja velocidade é igual a alguns milímetros por minuto, em direção à faringe. Assim, o muco e as partículas nele aprisionadas são deglutidos ou tossidos para o exterior.

Reflexo da tosse

Os brônquios e a traqueia são tão sensíveis ao toque suave que pequenas quantidades de matéria estranha ou outras causas de irritação já iniciam um reflexo de tosse. A laringe e a carina (ponto de bifurcação da traqueia nos brônquios) são especialmente sensíveis, sendo os bronquíolos terminais e mesmo os alvéolos sensíveis a estímulos químicos corrosivos como a presença do gás dióxido de enxofre ou cloro. Impulsos nervosos aferentes seguem das vias respiratórias principalmente pelo nervo vago até o bulbo no encéfalo. Lá, uma sequência automática de eventos é deflagrada pelos circuitos neuronais do bulbo, causando os efeitos a seguir:

1. Até 2,5 ℓ de ar são inspirados rapidamente.
2. A epiglote fecha-se e as cordas vocais se travam firmemente para segurar o ar nos pulmões.
3. Os músculos abdominais se contraem fortemente, pressionando contra o diafragma enquanto outros músculos respiratórios, como intercostais internos, também se contraem com força. Consequentemente, a pressão pulmonar eleva-se rapidamente, para até 100 mmHg ou mais.
4. As cordas vocais e a epiglote abrem-se súbita e amplamente, de forma que o ar sob alta pressão dos pulmões *exploda* para fora. Algumas vezes, esse ar é expelido a uma velocidade de 120 a 160 km/h.

É importante frisar que a forte compressão dos pulmões colaba os brônquios e a traqueia por causar invaginação de sua porção não cartilaginosa para dentro, de forma que o ar, no momento da explosão, passe através de *fendas brônquicas* e *traqueais*. O ar em rápido movimento em geral carreia consigo qualquer material estranho que esteja presente nos brônquios ou na traqueia.

Reflexo do espirro

O reflexo do espirro é muito similar ao da tosse, exceto por dizer respeito ao nariz em vez das vias respiratórias inferiores. O estímulo que inicia o reflexo do espirro é uma irritação das passagens aéreas nasais. Impulsos aferentes passam pelo quinto nervo craniano para o bulbo, onde o reflexo é deflagrado. Uma série de reações similares às que ocorrem na tosse se iniciam, porém com depressão da úvula, de forma que grandes quantidades de ar passem rapidamente através do nariz, auxiliando na remoção de materiais estranhos nessa região.

Funções respiratórias normais do nariz

À medida que o ar passa através do nariz, três funções respiratórias normais distintas são realizadas pela cavidade nasal: (1) o ar é *aquecido* pela extensa superfície das conchas e septo, com área total de cerca de 160 centímetros quadrados (ver **Figura 38.8**); (2) o ar é *umedecido quase completamente*, mesmo antes de passar para além do nariz; e (3) o ar é *parcialmente filtrado*. Essas funções, juntas, recebem o nome de *função de condicionamento do ar* das passagens aéreas superiores. Normalmente, a temperatura do ar inspirado aumenta até uma faixa distante 0,5°C da temperatura corporal e 2 a 3% da saturação completa antes de chegar na traqueia. Quando uma pessoa respira através de um tubo que vai diretamente para a traqueia (como ocorre com uma traqueostomia), o efeito de resfriamento e especialmente de ressecamento do pulmão pode causar grave formação de crostas e infecção.

Função de filtração do nariz. Os pelos presentes na entrada das narinas são importantes para a filtração de partículas grandes. Muito mais importante, todavia, é a remoção de partículas por *precipitação turbulenta*. O ar que passa através das vias respiratórias atinge várias abas obstrutoras – as *conchas nasais* (que produzem turbulência do ar), o septo e a parede da faringe. Cada vez que o ar se choca com cada uma dessas obstruções, precisa mudar a direção de seu movimento. As partículas suspensas no ar, cujas massa e propulsão são muito maiores que as do ar, não conseguem mudar sua direção de movimento tão rápido quanto o ar. Portanto, continuam se movendo para frente, chocando-se contra as superfícies das obstruções e tornando-se aprisionadas no revestimento de muco, para serem transportadas pelos cílios até a faringe e serem deglutidas.

Tamanho das partículas aprisionadas nas passagens respiratórias. O mecanismo de turbulência nasal para remoção de partículas do ar é tão eficiente que quase nenhuma partícula com diâmetro maior que 6 micrômetros chega aos pulmões através do nariz. Esse tamanho é menor que o de uma hemácia.

Dentre as demais partículas, muitas com diâmetro entre 1 e 5 micrômetros *depositam-se* sobre os bronquíolos menores em virtude da *precipitação gravitacional*. Por exemplo, é comum ocorrer doença bronquiolar terminal em mineiros de carvão devida ao depósito de partículas de poeira. Algumas partículas ainda menores (com diâmetro < 1 micrômetro) *difundem-se* nas paredes dos alvéolos e aderem ao líquido alveolar. Todavia, muitas partículas de diâmetro menor que 0,5 micrômetro permanecem suspensas no ar alveolar e são expelidas na expiração. Por exemplo, partículas de fumaça de cigarro têm cerca de 0,3 micrômetro de diâmetro. Quase nenhuma dessas partículas se precipita nas vias respiratórias antes de chegarem aos alvéolos. Infelizmente, até um terço delas se precipita nos alvéolos pelo processo de difusão, com as demais permanecendo suspensas para serem expelidas no ar expirado.

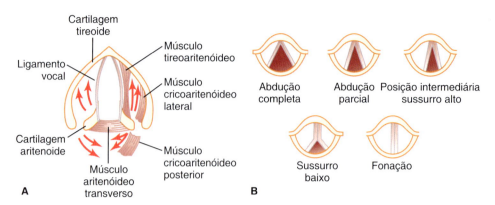

Figura 38.9 A. Anatomia da laringe. **B.** Função da laringe durante a fonação, demonstrando as posições das cordas vocais em diferentes tipos de fonação. (*Modificada de Greene MC: The Voice and Its Disorders, 4th ed. Philadelphia: JB Lippincott, 1980.*)

Muitas partículas aprisionadas nos alvéolos são removidas por *macrófagos alveolares*, conforme explicado no Capítulo 34, sendo outras carreadas pela circulação linfática pulmonar. Um excesso de partículas pode causar crescimento de tecido fibroso no septo alveolar, levando a uma debilidade permanente.

Vocalização

A fala envolve não apenas o sistema respiratório, mas também: (1) centros de controle nervosos de fala específicos situados no córtex do encéfalo, discutidos no Capítulo 58; (2) centros de controle respiratório do encéfalo; e (3) estruturas de articulação e ressonância das cavidades oral e nasal. A fala é composta por duas funções mecânicas: (1) *fonação*, que é promovida pela laringe; e (2) *articulação*, que é promovida pelas estruturas da boca.

Fonação. A laringe, demonstrada na **Figura 38.9 A**, é especialmente adaptada para atuar como um dispositivo de vibração. Os elementos vibratórios são as *pregas vocais*, comumente chamadas *cordas vocais*. As cordas vocais se protraem a partir das paredes laterais da laringe em direção ao centro da glote. Encontram-se tensionadas por diversos músculos específicos da própria laringe.

A **Figura 38.9 B** demonstra as cordas vocais como são visualizadas quando se inspeciona a glote com um laringoscópio. Durante a respiração normal, as cordas ficam bem abertas para permitir fácil passagem de ar. Durante a fonação, as cordas movem-se juntas para que a passagem de ar entre elas produza vibração. O tom da vibração é determinado principalmente pelo grau de estiramento das cordas, mas também por quão firmemente elas se aproximam uma da outra e pela massa de seus bordos.

A **Figura 38.9 A** demonstra uma visualização dissecada das pregas vocais após remoção do epitélio de revestimento mucoso. Imediatamente dentro de cada corda existe um forte ligamento elástico denominado *ligamento vocal*. Esse ligamento se insere anteriormente na grande *cartilagem tireoide*, que é a cartilagem que se projeta para frente a partir da superfície anterior do pescoço e recebe o nome de *pomo de Adão*. Posteriormente, o ligamento vocal se insere nos *processos vocais* de duas *cartilagens aritenoides*. A cartilagem tireoide e as cartilagens aritenoides articulam-se por baixo com outra cartilagem (não demonstrada na **Figura 38.9**), chamada *cartilagem cricoide*.

As cordas vocais podem ser estiradas por meio de rotação anterior da cartilagem tireoide ou rotação posterior das cartilagens aritenoides, ativada por músculos que se estendem das cartilagens tireoide e aritenoides até a cartilagem cricoide. Músculos localizados nas cordas vocais laterais aos ligamentos vocais, chamados músculos tireoaritenóideos, podem tracionar as aritenoides em direção à cartilagem tireoide, afrouxando as cordas vocais. Ademais, projeções desses músculos *dentro* das cordas vocais podem modificar *a forma e a massa das bordas das cordas vocais*, aguçando-as para produzir sons agudos ou atenuando-as para produzir sons mais graves.

Diversos outros grupos de pequenos músculos laríngeos estão situados entre as cartilagens aritenoides e a cartilagem cricoide, podendo rotacioná-las para dentro ou para fora, ou tracionar suas bases uma em direção à outra ou para longe uma da outra, resultando nas diversas configurações das cordas vocais demonstradas na **Figura 38.9 B**.

Articulação e ressonância. Os três principais órgãos de articulação da fala são os *lábios*, a *língua* e o *palato mole*. Esses órgãos não necessitam ser discutidos com detalhes aqui pois todos já somos familiarizados com seu movimento durante a fala e outras vocalizações.

Os elementos ressonadores incluem a *boca*, o *nariz* e os *seios nasais associados*, a *faringe* e até mesmo a *cavidade torácica*. Mais uma vez, todos já somos familiarizados com as qualidades de ressonância dessas estruturas. Por exemplo, a função dos ressonadores nasais é demonstrada pela alteração da qualidade da voz quando uma pessoa apresenta um grave resfriado que bloqueia as passagens de ar desses ressonadores.

Bibliografia

Driessen AK, McGovern AE, Narula M, et al: Central mechanisms of airway sensation and cough hypersensitivity. Pulm Pharmacol Ther 47:9, 2017.

Fahy JV, Dickey BF: Airway mucus function and dysfunction. N Engl J Med 363:2233, 2010.

Hogg JC, Paré PD, Hackett TL: The contribution of small airway obstruction to the pathogenesis of chronic obstructive pulmonary disease. Physiol Rev 97:529, 2017.

Keller JA, McGovern AE, Mazzone SB: Translating cough mechanisms into better cough suppressants. Chest 152:833, 2017.

Lai-Fook SJ: Pleural mechanics and fluid exchange. Physiol Rev 84:385, 2004.

Levin DL, Schiebler ML, Hopkins SR: Physiology for the pulmonary functional imager. Eur J Radiol 86:308, 2017.

Lopez-Rodriguez E, Pérez-Gil J: Structure-function relationships in pulmonary surfactant membranes: from biophysics to therapy. Biochim Biophys Acta 1838:1568, 2014.

Ma J, Rubin BK, Voynow JA: Mucins, mucus, and goblet cells. Chest 154:169, 2018.

Mazzone SB, Undem BJ: Vagal afferent innervation of the airways in health and disease. Physiol Rev 96:975, 2016.

Prakash YS: Emerging concepts in smooth muscle contributions to airway structure and function: implications for health and disease. Am J Physiol Lung Cell Mol Physiol 311:L1113, 2016.

Strohl KP, Butler JP, Malhotra A: Mechanical properties of the upper airway. Compr Physiol 2:1853, 2012.

Suki B, Sato S, Parameswaran H, et al: Emphysema and mechanical stress-induced lung remodeling. Physiology (Bethesda) 28:404, 2013.

Whitsett JA, Kalin TV, Xu Y, Kalinichenko VV: Building and regenerating the lung cell by cell. Physiol Rev 99:513, 2019.

Widdicombe JH, Wine JJ: Airway gland structure and function. Physiol Rev 95:1241, 2015.

CAPÍTULO 39

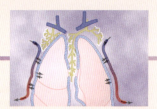

Circulação Pulmonar, Edema Pulmonar e Líquido Pleural

PARTE 7

O pulmão apresenta duas circulações, uma *circulação de baixo fluxo e alta pressão* e uma *circulação de alto fluxo e baixa pressão*. A *circulação de baixo fluxo e alta pressão* conduz sangue arterial sistêmico até a traqueia, árvore brônquica (incluindo os bronquíolos terminais), tecidos de suporte do pulmão e revestimentos externos (adventícia) das artérias e veias pulmonares. As *artérias brônquicas*, que são ramos da aorta torácica, fornecem a maior parte desse sangue arterial sistêmico em pressão apenas ligeiramente menor que a pressão aórtica.

A *circulação de alto fluxo e baixa pressão* fornece sangue venoso de todas as partes do organismo para os capilares alveolares, onde o oxigênio (O_2) será adicionado e o dióxido de carbono (CO_2) será removido do sangue. A *artéria pulmonar*, que recebe sangue do ventrículo direito, carreia sangue até os capilares alveolares juntamente com seus ramos arteriais para permitir a troca gasosa. Em seguida, as veias pulmonares retornam o sangue até o átrio esquerdo para ser bombeado pelo ventrículo esquerdo para a circulação sistêmica.

Neste capítulo discutiremos os aspectos especiais da circulação pulmonar que são importantes para a troca gasosa nos pulmões.

ANATOMIA FISIOLÓGICA DO SISTEMA CIRCULATÓRIO PULMONAR

Vasos pulmonares. A artéria pulmonar estende-se somente 5 centímetros além do ápice do ventrículo direito, dividindo-se em seguida nos ramos principais direito e esquerdo que conduzem sangue até os respectivos pulmões.

A espessura da parede da artéria pulmonar equivale a um terço da espessura da aorta. Os ramos arteriais pulmonares são curtos e todas as artérias pulmonares, mesmo as artérias menores e arteríolas, têm o diâmetro maior do que suas correspondentes sistêmicas. Essa característica, combinada ao fato de que os vasos são mais finos e distensíveis, confere à árvore arterial pulmonar uma *alta complacência*, com média próxima de 7 mℓ/mmHg, similar à de toda a árvore arterial sistêmica. Essa alta complacência permite que as artérias pulmonares acomodem o volume sistólico bombeado pelo ventrículo direito.

As veias pulmonares, assim como as artérias pulmonares, também são curtas. Seu sangue efluente drena imediatamente para o átrio esquerdo.

Vasos brônquicos. O sangue também flui até os pulmões através de pequenas artérias brônquicas que se originam da circulação sistêmica e correspondem a 1 a 2% de todo o débito cardíaco. Esse sangue arterial brônquico contém sangue *oxigenado*, ao contrário do sangue parcialmente desoxigenado das artérias pulmonares. Ele irriga os tecidos de suporte dos pulmões, incluindo tecido conjuntivo, septos e brônquios maiores e menores. Após a passagem desse sangue arterial pelos tecidos de suporte, ocorre sua drenagem para as veias pulmonares para *adentrar o átrio esquerdo*, em vez de retornar para o átrio direito. Portanto, o fluxo que chega ao átrio esquerdo e o débito ventricular esquerdo são cerca de 1 a 2% maiores que o débito ventricular direito.

Circulação linfática. Vasos linfáticos estão presentes em todos os tecidos de suporte dos pulmões, iniciando-se nos espaços de tecido conjuntivo que circundam os bronquíolos terminais e cursando até o hilo pulmonar para chegar principalmente até o *ducto linfático torácico direito*. Partículas que adentram os alvéolos são parcialmente removidas por esses vasos linfáticos, bem como proteínas que extravasam dos capilares pulmonares, o que ajuda a prevenir o edema pulmonar.

PRESSÕES NO SISTEMA PULMONAR

Pressões do ventrículo direito. As curvas de pressão do ventrículo direito e artéria pulmonar são demonstradas na porção inferior da **Figura 39.1**. Essas curvas contrastam com a curva de pressão muito mais alta da aorta, demonstrada na porção superior da figura. A pressão sistólica normal do ventrículo direito gira em torno de 25 mmHg, ao passo que a pressão diastólica é de aproximadamente 0 a 1 mmHg, valores equivalentes a apenas um quinto das pressões registradas no ventrículo esquerdo.

Pressões da artéria pulmonar. Durante a *sístole*, a pressão da artéria pulmonar essencialmente se iguala à pressão do ventrículo direito, como também demonstrado na **Figura 39.1**. Todavia, após o fechamento da valva pulmonar ao

CAPÍTULO 39 Circulação Pulmonar, Edema Pulmonar e Líquido Pleural

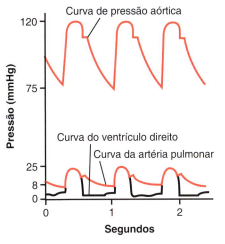

Figura 39.1 Curvas de pressão do ventrículo direito, artéria pulmonar e aorta.

final da sístole, a pressão ventricular cai abruptamente, ao passo que a pressão da artéria pulmonar cai mais lentamente à medida que o sangue flui pelos pulmões.

Conforme demonstrado na **Figura 39.2**, em humanos, a *pressão arterial pulmonar sistólica* normalmente gira em torno de 25 mmHg, a *pressão arterial pulmonar diastólica*, em torno de 8 mmHg; e a *pressão arterial pulmonar média*, em torno de 15 mmHg.

Pressão capilar pulmonar. A pressão capilar pulmonar média, conforme demonstrado na **Figura 39.2**, é de aproximadamente 7 mmHg. A importância dessa baixa pressão capilar é discutida com detalhes mais adiante no capítulo com relação às funções de trocas de líquidos dos capilares pulmonares.

Pressões do átrio esquerdo e das veias pulmonares. A pressão média do átrio esquerdo e principais veias pulmonares situa-se em torno de 2 mmHg no indivíduo em decúbito, variando de 1 a 5 mmHg. Em geral, não é viável mensurar a pressão atrial esquerda utilizando método direto, dada a dificuldade de se passar um cateter através das câmaras cardíacas até o átrio esquerdo. Todavia, a pressão do átrio esquerdo pode ser estimada com precisão moderada por meio da mensuração da chamada *pressão de oclusão da artéria pulmonar*. Esta é mensurada por meio da inserção de um cateter especial (cateter de *Swan-Ganz*) ao longo de uma veia periférica, até o átrio direito. No átrio, se insufla um balonete com ar que vai progredindo pelo tronco pulmonar e artéria pulmonar, até que o balonete fique ancorado em algum ramo arterial, onde não consiga passar, ou seja, até que ele provoque *oclusão desse ramo arterial*. Nesse ponto a pressão é medida.

A pressão mensurada pelo cateter, denominada *pressão de oclusão*, é de cerca de 5 mmHg. Como todo o fluxo sanguíneo foi cessado nessa pequena artéria ocluída, e tendo em vista que os vasos que se estendem além dessa artéria têm ligação direta com os capilares pulmonares, essa pressão de oclusão é, em geral, somente 2 a 3 mmHg mais alta que a pressão do átrio esquerdo. Quando a pressão do átrio esquerdo atinge valores mais altos, a pressão de oclusão pulmonar também aumenta. Portanto, a mensuração da pressão de oclusão pode ser utilizada para estimar mudanças na pressão capilar pulmonar e pressão do átrio esquerdo em pacientes com insuficiência cardíaca congestiva e em diversas avaliações hemodinâmicas.

VOLUME SANGUÍNEO DOS PULMÕES

O volume de sangue dos pulmões é de aproximadamente 450 mℓ, cerca de 9% da volemia total de todo o sistema circulatório. Aproximadamente 70 mℓ desse volume de sangue pulmonar situa-se nos capilares. O restante divide-se quase igualmente entre as artérias e as veias pulmonares.

Os pulmões funcionam como um reservatório de sangue. Sob diversas condições fisiológicas e patológicas, a quantidade de sangue dos pulmões pode variar desde a metade até o dobro do normal. Por exemplo, quando um indivíduo assopra ar com força, criando uma pressão alta nos pulmões, como quando se toca trompete, até 250 mℓ de sangue podem ser expelidos da circulação pulmonar para a circulação sistêmica. Ademais, a perda de sangue da circulação sistêmica por hemorragia pode ser parcialmente compensada pelo desvio automático de sangue dos pulmões aos vasos sistêmicos.

Doença cardíaca pode desviar sangue da circulação sistêmica para a circulação pulmonar. A insuficiência cardíaca esquerda ou o aumento de resistência ao fluxo sanguíneo através da valva mitral devido a uma estenose ou regurgitação mitral causa estagnação de sangue na circulação pulmonar, por vezes levando a aumento significativo do volume sanguíneo pulmonar em até 100%, o que eleva sobremaneira a pressão vascular pulmonar. Como o volume da circulação sistêmica equivale a cerca de nove vezes o volume da circulação pulmonar, um desvio de sangue de um sistema a outro afeta significativamente o sistema pulmonar, porém tem efeito apenas discreto na circulação sistêmica.

FLUXO SANGUÍNEO E SUA DISTRIBUIÇÃO ATRAVÉS DOS PULMÕES

O fluxo sanguíneo através dos pulmões é essencialmente igual ao débito cardíaco. Portanto, os fatores que

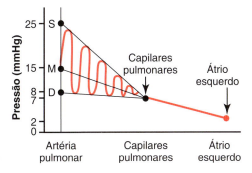

Figura 39.2 Pressões nos diferentes vasos pulmonares. A *curva vermelha* denota pulsos arteriais. D: diastólica; M: média; S: sistólica.

controlam o débito cardíaco – principalmente fatores periféricos, conforme discutido no Capítulo 20 – também controlam o fluxo sanguíneo pulmonar. Sob a maioria das condições, os vasos pulmonares atuam como tubos distensíveis que se alargam com o aumento da pressão e se estreitam com a diminuição da pressão. Para que ocorra aeração adequada do sangue, deve haver distribuição para os segmentos pulmonares cujos alvéolos estejam mais bem oxigenados. Essa distribuição é conseguida por meio do mecanismo descrito a seguir.

A diminuição do oxigênio alveolar reduz o fluxo sanguíneo local alveolar e regula a distribuição do fluxo sanguíneo pulmonar. Quando a concentração de O_2 do ar alveolar diminui abaixo do normal, especialmente quando atinge 70% do normal (ou seja, $P_{O_2} < 73$ mmHg), os vasos sanguíneos adjacentes a esse alvéolo sofrem constrição (ver **Figura 39.3**), podendo aumentar a resistência vascular mais que cinco vezes em níveis de O_2 muito baixos.

Esse efeito é *oposto ao efeito observado nos vasos sistêmicos*, os quais se dilatam em vez de se contraírem em resposta a níveis baixos de O_2. Embora os mecanismos que promovem vasoconstrição pulmonar durante a hipóxia não sejam completamente compreendidos, a baixa concentração de O_2 pode ter os seguintes efeitos: (1) estímulo da liberação ou aumento da sensibilidade a substâncias vasoconstritoras, como endotelina ou espécies reativas de oxigênio; ou (2) redução da liberação de um vasodilatador, como óxido nítrico, do tecido pulmonar.

Alguns estudos sugeriram que a hipóxia pode induzir diretamente vasoconstrição por meio da inibição de canais de potássio sensíveis a oxigênio na membrana celular do músculo liso vascular pulmonar. Com baixas pressões parciais de oxigênio, esses canais são bloqueados, levando a despolarização da membrana celular e ativação de canais de cálcio, o que resulta em influxo de cálcio na célula. O aumento da concentração de cálcio promove vasoconstrição de pequenas artérias e arteríolas.

O aumento da resistência vascular pulmonar resultante da baixa concentração de O_2 tem a importante função de distribuir o fluxo de sangue para onde ele será mais eficiente. Ou seja, se alguns alvéolos estiverem mal ventilados com concentração de O_2 baixa, seus vasos locais sofrerão constrição. Isso desvia o sangue para outras áreas dos pulmões que estejam mais bem aeradas, promovendo um controle automático de distribuição do fluxo sanguíneo para as áreas pulmonares de forma proporcional à sua pressão alveolar de O_2.

EFEITO DOS GRADIENTES DE PRESSÃO HIDROSTÁTICA NOS PULMÕES SOBRE O FLUXO SANGUÍNEO PULMONAR REGIONAL

No Capítulo 15, foi apontado que a pressão do sangue do pé de uma pessoa que está de pé pode apresentar valor 90 mmHg maior que a pressão no nível do coração. Essa diferença é causada pela *pressão hidrostática* – ou seja, pelo peso do próprio sangue nos vasos sanguíneos. O mesmo efeito, porém em menor grau, é observado nos pulmões. No adulto em posição ortostática, o ponto mais baixo dos pulmões normalmente se situa 30 cm abaixo do ponto mais alto, o que representa uma diferença de pressão de 23 mmHg, com cerca de 15 desses 23 mmHg acima do coração e 8 mmHg abaixo dele. Ou seja, a pressão arterial pulmonar na porção mais superior do pulmão de alguém que está de pé tem valor aproximadamente 15 mmHg mais baixo do que a pressão pulmonar no nível do coração, ao passo que a pressão na porção mais inferior dos pulmões tem valor aproximadamente 8 mmHg maior.

Essas diferenças de pressão têm um profundo efeito no fluxo sanguíneo em diferentes áreas pulmonares. Esse efeito é demonstrado pela curva inferior da **Figura 39.4**, que representa o fluxo sanguíneo por unidade de tecido pulmonar em diferentes níveis do pulmão de um indivíduo de pé. Observe que, em uma pessoa de pé em repouso, há pouco fluxo na parte superior dos pulmões, porém cerca de cinco vezes mais fluxo na parte inferior. A fim de explicar essas diferenças, o pulmão é geralmente descrito com uma divisão em três zonas, conforme demonstrado na **Figura 39.5**. Em cada zona, os padrões de fluxo sanguíneo são bastante diferentes.

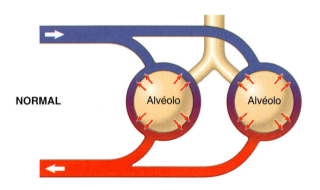
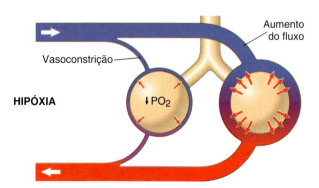

Figura 39.3 Regulação do fluxo sanguíneo pulmonar durante a hipóxia tecidual local. O fluxo sanguíneo tecidual local e a ventilação alveolar normalmente se equilibram para que ocorra troca gasosa efetiva (*painel superior*). A diminuição da P_{O_2} no tecido situado ao redor de alvéolos causa vasoconstrição de arteríolas adjacentes e desvia o fluxo sanguíneo para alvéolos que estão bem ventilados (*painel inferior*).

CAPÍTULO 39 Circulação Pulmonar, Edema Pulmonar e Líquido Pleural

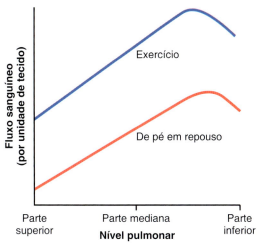

Figura 39.4 Fluxo sanguíneo em diferentes níveis do pulmão de um indivíduo adulto de pé em repouso (*curva vermelha*) e durante exercício (*curva azul*). Observe que, durante o repouso, o fluxo sanguíneo é muito baixo na parte superior dos pulmões; a maior parte do fluxo está distribuída na parte inferior dos pulmões.

Zonas 1, 2 e 3 do fluxo sanguíneo pulmonar

Os capilares das paredes alveolares são distendidos pela pressão do sangue que passa em seu interior e simultaneamente comprimidos pela pressão do ar alveolar em seu exterior. Portanto, sempre que a pressão do ar alveolar estiver maior que a pressão do sangue capilar, os capilares permanecerão fechados, sem fluxo sanguíneo. Sob diferentes condições pulmonares normais e patológicas, pode-se observar qualquer uma das três possíveis zonas (padrões) de fluxo sanguíneo pulmonar (zonas de West), como segue:

1. Zona 1: *Sem fluxo sanguíneo durante todas as partes do ciclo cardíaco* porque a pressão capilar alveolar dessa área do pulmão nunca se eleva acima da pressão do ar alveolar durante nenhuma parte do ciclo cardíaco.
2. Zona 2: *Fluxo sanguíneo intermitente* somente durante picos de pressão arterial pulmonar porque a pressão sistólica é maior que a pressão do ar alveolar, porém a pressão diastólica é menor que a pressão do ar alveolar.
3. Zona 3: *Fluxo sanguíneo contínuo* porque a pressão capilar alveolar permanece maior que a pressão do ar alveolar durante todo o ciclo cardíaco.

Normalmente, os pulmões só demonstram fluxo sanguíneo de zonas 2 e 3 – zona 2 (fluxo intermitente) nos ápices e zona 3 (fluxo contínuo) em todas as regiões inferiores. Por exemplo, quando um indivíduo está de pé, a pressão arterial pulmonar do ápice pulmonar é cerca de 15 mmHg menor que a pressão no nível do coração. Ou seja, a pressão sistólica apical é de apenas 10 mmHg (25 mmHg no nível do coração menos 15 mmHg de diferença na pressão hidrostática). Esses 10 mmHg de pressão do sangue apical superam 0 mmHg de pressão do ar alveolar, permitindo fluxo sanguíneo pelos capilares apicais pulmonares durante a sístole cardíaca. Em contrapartida, durante a diástole, os 8 mmHg de pressão diastólica no nível do coração não são suficientes para pressionar o sangue contra o gradiente de pressão hidrostática de 15 mmHg necessários para promover fluxo capilar na diástole. Portanto, o fluxo de sangue ao longo da porção apical do pulmão ocorre de forma intermitente, havendo fluxo na sístole e cessação do fluxo na diástole; isso constitui um *fluxo sanguíneo de zona 2*. O fluxo sanguíneo da zona 2 inicia-se em pulmões normais cerca de 10 cm acima do nível médio do coração e se estende até o topo dos pulmões.

Nas regiões inferiores dos pulmões, a partir de cerca de 10 cm acima do nível do coração até o ponto mais baixo dos pulmões, a pressão arterial pulmonar tanto durante a sístole quanto durante a diástole permanece maior que a pressão 0 do ar alveolar. Portanto, ocorre fluxo contínuo nesses capilares alveolares, ou fluxo de zona 3. Ainda, quando a pessoa está em decúbito, nenhuma região pulmonar está situada acima de mais que alguns centímetros em relação ao nível do coração. Nesse caso, o fluxo sanguíneo será completamente de zona 3, incluindo as regiões apicais.

O fluxo sanguíneo da zona 1 ocorre somente sob condições anormais. O fluxo sanguíneo de zona 1, que corresponde à ausência de fluxo sanguíneo em qualquer parte do ciclo cardíaco, ocorre quando a pressão arterial pulmonar sistólica está muito baixa ou a pressão alveolar está muito alta para permitir fluxo. Por exemplo, se uma pessoa que está de pé respira contra uma pressão positiva de ar, fazendo com que a pressão de seu ar alveolar fique

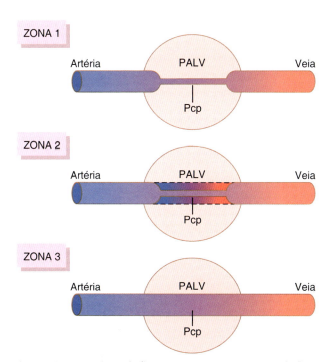

Figura 39.5 Mecanismo de fluxo sanguíneo nas três zonas de fluxo do pulmão: *zona 1, sem fluxo* – pressão do ar alveolar (*PALV*) maior que a pressão arterial; *zona 2, fluxo intermitente* – pressão arterial sistólica maior que a pressão do ar alveolar, porém pressão arterial diastólica menor que a do ar alveolar; e *zona 3, fluxo contínuo* – pressão arterial e pressão capilar pulmonar (*Pcp*) sempre maiores que a pressão do ar alveolar.

ao menos 10 mmHg mais alta que o normal, porém com pressão arterial pulmonar sistólica normal, espera-se um fluxo sanguíneo de zona 1 – ausência de fluxo – nos ápices pulmonares. Outro caso em que ocorre fluxo de zona 1 é o de um indivíduo de pé com pressão arterial pulmonar sistólica muito baixa, como pode ocorrer após uma hemorragia grave.

O exercício aumenta o fluxo sanguíneo por todas as regiões dos pulmões. Com referência novamente à **Figura 39.4**, vê-se que o fluxo sanguíneo de todas as partes do pulmão aumenta durante o exercício. Uma razão primordial para esse alto fluxo é que as pressões vasculares pulmonares aumentam durante o exercício de forma suficiente para converter os ápices pulmonares de um padrão zona 2 para um padrão zona 3.

O aumento do débito cardíaco durante o exercício intenso é normalmente assimilado pela circulação pulmonar sem grandes aumentos na pressão arterial pulmonar

Durante o exercício intenso, o fluxo sanguíneo dos pulmões pode aumentar quatro a sete vezes. Esse fluxo extra é acomodado pelos pulmões de três formas: (1) por meio do aumento do número de capilares abertos, algumas vezes chegando a três vezes; (2) por meio da distensão de todos os capilares e aumento do fluxo através de cada capilar em mais de duas vezes; e (3) por meio do aumento da pressão arterial pulmonar. Normalmente, as duas primeiras alterações reduzem a resistência vascular tão significativamente que a pressão arterial sofre apenas um pequeno aumento, mesmo durante o exercício máximo. Esse efeito está demonstrado na **Figura 39.6**.

A capacidade dos pulmões de acomodar o fluxo sanguíneo aumentado durante o exercício sem que ocorra aumento da pressão arterial pulmonar conserva a energia do coração direito. Isso também impede um aumento grave da pressão capilar pulmonar e o desenvolvimento de edema pulmonar.

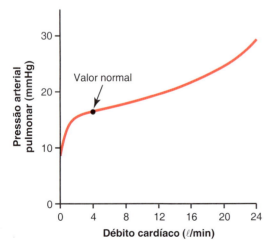

Figura 39.6 Efeito causado pelo aumento do débito cardíaco sobre a pressão arterial pulmonar média durante o exercício.

Função da circulação pulmonar quando a pressão do átrio esquerdo aumenta por insuficiência cardíaca esquerda

A pressão do átrio esquerdo de um indivíduo saudável quase nunca se eleva acima de 6 mmHg, mesmo durante o exercício mais extenuante. Essas pequenas alterações na pressão do átrio esquerdo não têm praticamente nenhum efeito sobre a função circulatória pulmonar porque elas, no máximo, expandem as vênulas pulmonares e abrem mais capilares, a fim de permitir que o sangue flua com quase a mesma facilidade a partir das artérias pulmonares.

Entretanto, quando ocorre insuficiência do lado esquerdo do coração, o sangue começa a se acumular no átrio esquerdo. Como resultado, a pressão do átrio esquerdo pode aumentar ocasionalmente de seu valor normal de 1 a 5 mmHg até 40 a 50 mmHg. O aumento inicial da pressão, até cerca de 7 mmHg, tem pouco efeito sobre a função circulatória pulmonar. Todavia, a partir do momento em que a pressão do átrio esquerdo atinge 7 a 8 mmHg, qualquer aumento adicional causa aumento quase igual na pressão arterial pulmonar, com concomitante elevação da carga exercida sobre o coração direito. Qualquer aumento da pressão do átrio esquerdo até mais que 7 ou 8 mmHg aumenta também a pressão capilar de forma praticamente igual. Quando essa pressão atinge 30 mmHg, elevando também a pressão capilar, é provável que ocorra edema pulmonar, conforme discutido mais adiante neste capítulo.

DINÂMICA CAPILAR PULMONAR

As trocas gasosas entre o ar alveolar e o sangue dos capilares pulmonares serão discutidas no próximo capítulo. Contudo, é importante denotar que as paredes dos alvéolos são circundadas por tantos capilares que, na maioria dos lugares, os capilares quase tocam suas laterais uns com os outros. Portanto, frequentemente se diz que o sangue capilar flui pelas paredes alveolares como um "fluxo em bloco", em vez de capilares individuais.

Pressão capilar pulmonar. Embora não tenha sido relatada a mensuração direta da pressão capilar pulmonar, estimativas indiretas sugerem que seu valor seja de aproximadamente 7 mmHg. Esse valor é provavelmente uma aproximação do valor correto, visto que a pressão média do átrio esquerdo é de cerca de 2 mmHg e a pressão arterial pulmonar média gira em torno de 15 mmHg, de forma que a pressão capilar pulmonar média esteja situada entre esses valores.

Período no qual o sangue permanece nos capilares pulmonares. Com base em estudos histológicos da área de seção transversa total de todos os capilares pulmonares, pode-se calcular que, com débito cardíaco normal, o sangue passa através dos capilares pulmonares em aproximadamente 0,8 segundo. Quando ocorre aumento do débito cardíaco, esse tempo pode diminuir até 0,3 segundo. O tempo mais curto na realidade seria maior, não fosse pelo fato de capilares adicionais, que normalmente

CAPÍTULO 39 Circulação Pulmonar, Edema Pulmonar e Líquido Pleural

permanecem fechados, se abrirem para acomodar o fluxo aumentado. Portanto, em apenas uma fração de segundo, o sangue que passa através dos capilares alveolares torna-se oxigenado e perde seu excesso de dióxido de carbono.

Troca de líquidos nos capilares pulmonares e dinâmica do líquido intersticial pulmonar

A dinâmica da troca de líquidos através das membranas capilares pulmonares é *qualitativamente* igual à dos tecidos periféricos. Todavia, *quantitativamente*, há importantes diferenças, como:

1. A pressão capilar pulmonar é baixa, cerca de 7 mmHg, comparada à pressão consideravelmente maior dos capilares funcionais de muitos tecidos periféricos, cujo valor gira em torno de 17 mmHg.
2. A pressão do líquido intersticial dos pulmões é ligeiramente mais negativa do que do tecido subcutâneo periférico (essa pressão foi mensurada de duas formas – por meio da inserção de uma micropipeta no interstício pulmonar, resultando em valor de –5 mmHg, e por meio da mensuração da pressão de absorção de líquido pelos alvéolos, cujo valor é de cerca de –8 mmHg).
3. A pressão coloidosmótica do líquido intersticial pulmonar é de aproximadamente 14 mmHg, comparada ao valor da maioria dos tecidos periféricos, que é menor que a metade.
4. As paredes dos alvéolos são extremamente delgadas, e o epitélio que reveste os alvéolos é tão frágil que pode se romper diante de qualquer pressão positiva presente no espaço intersticial que supere a pressão do ar alveolar (> 0 mmHg), o que acaba por permitir acúmulo de líquido do espaço intersticial dentro dos alvéolos. Agora, verificaremos como essas diferenças quantitativas afetam a dinâmica dos líquidos pulmonares.

Inter-relações da pressão do líquido intersticial e outras pressões pulmonares. A **Figura 39.7** demonstra

um capilar pulmonar, um alvéolo pulmonar e os capilares linfáticos que drenam líquido do espaço intersticial entre o capilar sanguíneo e o alvéolo. Observe o equilíbrio de forças na membrana do capilar sanguíneo:

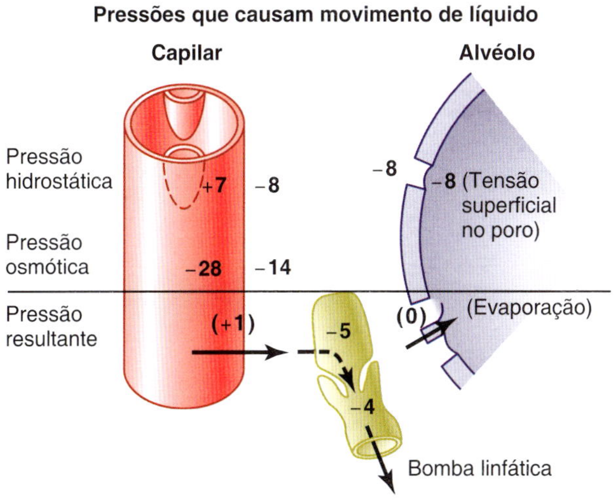

Forças que tendem a causar movimento de líquido para fora dos capilares em direção ao interstício pulmonar:	mmHg
• Pressão capilar	7
• Pressão coloidosmótica do líquido intersticial	14
• Pressão negativa do líquido intersticial	8
FORÇA TOTAL PARA FORA	29

Forças que tendem a causar absorção de líquido para dentro dos capilares:	
• Pressão coloidosmótica do plasma	28
FORÇA TOTAL PARA DENTRO	28

Ou seja, as forças normais que tendem à saída de líquido são ligeiramente maiores que as forças que tendem à entrada, resultando em pressão de filtração média na membrana capilar pulmonar calculada como +29 –28 mmHg = +1 mmHg.

Essa pressão de filtração causa um discreto fluxo contínuo de líquido dos capilares pulmonares para os espaços intersticiais de forma que, exceto por uma pequena quantidade que evapora nos alvéolos, ocorra bombeamento desse líquido de volta à circulação por meio do sistema linfático pulmonar.

Pressão intersticial pulmonar negativa e mecanismo que mantém os alvéolos secos. O que impede que os alvéolos se preencham com líquido sob condições normais? Os capilares pulmonares e o sistema linfático pulmonar normalmente mantêm uma discreta *pressão negativa* nos espaços intersticiais. Sempre que surge líquido extra nos alvéolos, ocorre sucção mecânica desse líquido para o interstício pulmonar através de pequenas aberturas entre as células epiteliais alveolares. O excesso de líquido é drenado pelos vasos linfáticos pulmonares. Portanto, sob condições normais, os alvéolos são mantidos "secos", exceto por uma pequena quantidade de líquido que escoa do epitélio para as superfícies de revestimento dos alvéolos a fim de mantê-los umedecidos.

Edema pulmonar

O edema pulmonar ocorre da mesma forma como em qualquer outra parte do organismo. Qualquer fator que aumente a filtração de líquido dos capilares pulmonares ou que impeça a função linfática pulmonar, aumentando a pressão normalmente negativa do líquido intersticial pulmonar até uma faixa positiva, tende a causar preenchimento dos espaços intersticiais pulmonares e alvéolos com líquido livre.

As causas mais comuns de edema pulmonar são:

1. Insuficiência cardíaca esquerda ou doença da valva mitral, com consequente aumento grave da pressão venosa pulmonar e pressão capilar pulmonar, o que permite extravasamento de líquido para espaços intersticiais e alvéolos.

Pressões que causam movimento de líquido

Figura 39.7 Forças hidrostáticas e osmóticas, em mmHg, na membrana capilar (*à esquerda*) e alveolar (*à direita*) dos pulmões. Também está demonstrada a extremidade de um vaso linfático (*ao centro*) bombeando líquido dos espaços intersticiais pulmonares.

2. Lesão das membranas dos capilares sanguíneos pulmonares causada por infecções, como pneumonia, ou por inalação de substâncias nocivas, como gás cloro ou dióxido de enxofre.

Cada um desses mecanismos causa rápido extravasamento de proteínas plasmáticas e líquido para fora dos capilares até os espaços intersticiais e alvéolos.

Fator de segurança do edema pulmonar. Experimentos em animais demonstraram que a pressão capilar pulmonar normalmente precisa atingir um valor ao menos igual ao da pressão coloidosmótica do plasma situado nos capilares antes que ocorra edema pulmonar significativo. Como exemplo, a **Figura 39.8** demonstra de que maneira níveis diferentes de pressão do átrio esquerdo aumentam a taxa de formação de edema pulmonar em cães.

Vale lembrar que, sempre que a pressão do átrio esquerdo atinge valores altos, a pressão capilar pulmonar aumenta até um nível 1 a 2 mmHg maior que a pressão do átrio esquerdo. Nesses experimentos, assim que a pressão do átrio esquerdo se elevou acima de 23 mmHg (causando aumento da pressão capilar pulmonar para mais que 25 mmHg), começou a ocorrer acúmulo de líquido nos pulmões. Esse acúmulo aumentou ainda mais com elevações maiores na pressão capilar. A pressão coloidosmótica do plasma durante esses experimentos foi igual a esses 25 mmHg de nível crítico de pressão. Portanto, em um indivíduo cuja pressão coloidosmótica do plasma for igual a 28 mmHg, pode-se predizer um aumento da pressão capilar pulmonar de seus 7 mmHg normais até mais que 28 mmHg antes que ocorra edema pulmonar significativo, o que significa um *fator de segurança contra edema pulmonar agudo* igual a 21 mmHg.

Fator de segurança em condições crônicas. Quando a pressão capilar pulmonar permanece elevada de forma crônica (por no mínimo 2 semanas), os pulmões tornam-se ainda mais resistentes ao edema pulmonar devido a maior expansão dos vasos linfáticos, que aumentam sua capacidade de carrear líquido dos espaços intersticiais talvez em até 10 vezes. Sendo assim, em pacientes com estenose crônica da mitral, pressões capilares pulmonares de 40 a 45 mmHg foram encontradas sem que houvesse desenvolvimento de edema letal.

Velocidade com que o edema pulmonar agudo causa morte. Quando a pressão dos capilares pulmonares aumenta ligeiramente acima do fator de segurança, pode ocorrer edema pulmonar letal dentro de horas, ou mesmo dentro de 20 a 30 minutos se a pressão se elevar 25 a 30 mmHg acima do nível do fator de segurança. Portanto, na insuficiência cardíaca aguda do lado esquerdo, na qual a pressão capilar pulmonar algumas vezes atinge 50 mmHg, pode ocorrer morte em menos de 30 minutos, resultante de edema pulmonar agudo.

LÍQUIDO NA CAVIDADE PLEURAL

Durante sua expansão e contração na respiração normal, os pulmões deslizam para um lado e outro dentro da cavidade pleural. A fim de tornar esse movimento mais fácil, uma fina camada de líquido mucoide está presente entre as pleuras parietal e visceral.

A **Figura 39.9** demonstra a dinâmica de troca de líquidos no espaço pleural. A membrana pleural é de natureza mesenquimal serosa e porosa, permitindo transudação contínua de pequenas quantidades de líquido intersticial para o espaço pleural. Esse líquido carreia consigo proteínas teciduais, as quais conferem ao líquido pleural uma característica mucoide, que permite deslizamento extremamente fácil dos pulmões em movimento.

A quantidade total de líquido em cada cavidade pleural é em geral pequena – poucos mililitros. Sempre que essa quantidade supera um volume suficiente apenas para permitir fluxo do líquido na cavidade pleural, seu excesso é bombeado pelos vasos linfáticos, os quais se abrem da

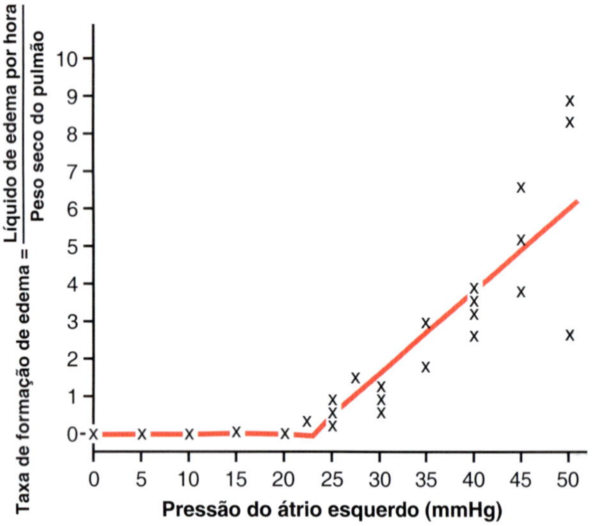

Figura 39.8 Taxa de perda de líquido para os tecidos pulmonares quando a pressão do átrio esquerdo (e a pressão capilar pulmonar) está aumentada. (De Guyton AC, Lindsey AW: Effect of elevated left atrial pressure and decreased plasma protein concentration on the development of pulmonary edema. Circ Res 7:649, 1959.)

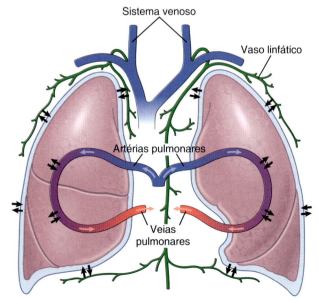

Figura 39.9 Dinâmica da troca de líquidos no espaço intrapleural.

CAPÍTULO 39 Circulação Pulmonar, Edema Pulmonar e Líquido Pleural

cavidade diretamente para: (1) o mediastino; (2) a superfície superior do diafragma; e (3) as superfícies laterais da pleura parietal. Portanto, o *espaço pleural* – espaço situado entre as pleuras parietal e visceral – é considerado um *espaço potencial*, por ser tão estreito que não chega a ser um espaço físico aparente.

Pressão negativa do espaço pleural. A fim de manter os pulmões expandidos, sempre se faz necessária uma força negativa. Essa força é proporcionada pela pressão negativa do espaço pleural normal. A causa base dessa pressão negativa é o bombeamento de líquido do espaço pelos vasos linfáticos, que também constitui a base da pressão negativa encontrada na maioria dos espaços do organismo. Como a tendência normal de colapso dos pulmões equivale a -4 mmHg, a pressão do líquido pleural deve ser sempre tão negativa quanto -4 mmHg a fim de que os pulmões permaneçam expandidos. Mensurações reais demonstraram que a pressão geralmente gira em torno de -7 mmHg, que é um valor um pouco mais negativo que a pressão de colapso dos pulmões. Desse modo, a negatividade da pressão do líquido pleural mantém os pulmões normais pressionados contra a pleura parietal da cavidade torácica, exceto por uma camada extremamente delgada de líquido mucoide que atua como lubrificante.

Derrame pleural: coleção de grandes quantidades de líquido livre no espaço pleural. O derrame pleural (efusão pleural) é análogo ao acúmulo de líquido no edema tecidual, podendo ser considerado um *edema da cavidade pleural*. As causas da efusão são as mesmas causas do edema em outros tecidos (discutidas no Capítulo 25), incluindo as seguintes: (1) bloqueio da drenagem linfática da cavidade pleural; (2) insuficiência cardíaca, que causa aumento excessivo das pressões capilares periféricas e pulmonares, levando à transudação excessiva de líquido para a cavidade pleural; (3) pressão coloidosmótica plasmática gravemente diminuída, permitindo transudação excessiva de líquido; e (4) infecção ou qualquer outra causa de inflamação das superfícies da cavidade pleural, o que aumenta a permeabilidade das membranas capilares e permite rápido depósito de proteínas plasmáticas e líquido dentro da cavidade.

Bibliografia

Dunham-Snary KJ, Wu D, Sykes EA, et al: Hypoxic pulmonary vasoconstriction: from molecular mechanisms to medicine. Chest 151:181, 2017.

Effros RM, Parker JC: Pulmonary vascular heterogeneity and the Starling hypothesis. Microvasc Res 78:71, 2009.

Frise MC, Robbins PA: The pulmonary vasculature--lessons from Tibetans and from rare diseases of oxygen sensing. Exp Physiol 100:1233, 2015.

Guyton AC, Lindsey AW: Effect of elevated left atrial pressure and decreased plasma protein concentration on the development of pulmonary edema. Circ Res 7:649, 1959.

Hughes M, West JB: Gravity is the major factor determining the distribution of blood flow in the human lung. J Appl Physiol 104:1531, 2008.

Jaitovich A, Jourd'heuil D: A Brief overview of nitric oxide and reactive oxygen species signaling in hypoxia-induced pulmonary hypertension. Adv Exp Med Biol 967:71, 2017.

Lumb AB, Slinger P: Hypoxic pulmonary vasoconstriction: physiology and anesthetic implications. Anesthesiology 122:932, 2015.

Parker JC: Hydraulic conductance of lung endothelial phenotypes and Starling safety factors against edema. Am J Physiol Lung Cell Mol Physiol 292:L378, 2007.

Stickland MK, Lindinger MI, Olfert IM, Heigenhauser GJ, Hopkins SR: Pulmonary gas exchange and acid-base balance during exercise. Compr Physiol 3:693, 2013.

Suresh K, Shimoda LA: Lung circulation. Compr Physiol 6:897, 2018.

Sylvester JT, Shimoda LA, Aaronson PI, Ward JP: Hypoxic pulmonary vasoconstriction. Physiol Rev 92:367, 2012.

Tabima DM, Philip JL, Chesler NC: Right ventricular-pulmonary vascular interactions. Physiology (Bethesda) 32:346, 2017.

Townsley MI: Structure and composition of pulmonary arteries, capillaries, and veins. Compr Physiol 2:675, 2012.

Zielinska-Krawczyk M, Krenke R, Grabczak EM, Light RW: Pleural manometry-historical background, rationale for use and methods of measurement. Respir Med 136:21, 2018.

CAPÍTULO 40

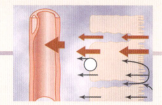

Princípios da Troca Gasosa; Difusão de Oxigênio e Dióxido de Carbono pela Membrana Respiratória

Após os alvéolos serem ventilados com ar fresco, o próximo passo da respiração é a *difusão* do oxigênio (O_2) dos alvéolos para o sangue pulmonar e do dióxido de carbono (CO_2), na direção oposta, isto é, do sangue para os alvéolos. O processo de difusão é simplesmente o movimento aleatório de moléculas em todas as direções através da membrana respiratória e dos líquidos adjacentes. Todavia, a fisiologia respiratória preocupa-se não somente com o mecanismo pelo qual ocorre a difusão, mas também com a *taxa* em que ela ocorre, que é um assunto muito mais complexo e requer compreensão aprofundada da física da difusão e da troca gasosa.

Física da difusão dos gases e suas pressões parciais

Base molecular da difusão dos gases

Todos os gases de interesse da fisiologia respiratória são moléculas livres para se mover entre si por meio da difusão. Isso também é verdadeiro para os gases dissolvidos nos líquidos e nos tecidos do organismo.

Para que ocorra difusão, deve existir uma fonte de energia, que é fornecida pelo movimento cinético das moléculas, exceto na temperatura de zero absoluto, em que todas as moléculas de todas as matérias se encontram em movimento constante. Para as moléculas livres que não estão ligadas fisicamente a outras, isso implica movimento linear de alta velocidade até que ocorra seu choque com outras moléculas. Ocorrendo o choque, as moléculas ricocheteiam em uma nova direção e seguem se movendo até se chocarem novamente com outras moléculas. Ou seja, as moléculas se movem rápida e aleatoriamente entre si.

Difusão resultante de um gás em uma direção | efeito do gradiente de concentração

Se uma câmara de gás ou uma solução contiver concentração alta de um gás em particular em uma de suas extremidades e concentração baixa, na outra extremidade, conforme demonstrado na **Figura 40.1**, ocorrerá a difusão resultante desse gás da área de alta concentração para a área de baixa concentração. O motivo é evidente. Há muito mais moléculas na extremidade A da câmara para se difundirem até a extremidade B, comparadas ao número de moléculas que podem se difundir na direção oposta. Portanto, as taxas de difusão em cada direção são proporcionalmente diferentes, como demonstrado pelo comprimento das setas na figura anterior.

Pressões dos gases em uma mistura de gases | pressões parciais de gases individuais

A pressão é causada pelos múltiplos impactos das moléculas em movimento contra uma superfície. Por isso, a pressão exercida por um gás nas superfícies das passagens respiratórias e dos alvéolos será proporcional à soma da força de impacto de todas as moléculas desse gás que se chocam contra a superfície em um dado instante. Isso significa que *a pressão é diretamente proporcional à concentração das moléculas de gás*.

Na fisiologia respiratória, lida-se com misturas de gases, como, principalmente, *oxigênio, nitrogênio* e *dióxido de carbono*. A taxa de difusão de cada gás é diretamente proporcional à pressão causada por esse gás isolado, que recebe o nome de *pressão parcial* do gás. O conceito de pressão parcial pode ser explicado como se segue.

Considere o ar, composto de aproximadamente 79% de nitrogênio e 21% de oxigênio. A pressão total dessa mistura, ao nível do mar, situa-se em torno de 760 mmHg. Torna-se claro, por meio dessa descrição sobre a base molecular das pressões, que cada gás contribui com a pressão total da mistura em proporção igual à sua concentração. Desse modo, 79% do total de 760 mmHg são produzidos pelo nitrogênio (600 mmHg) e 21%, pelo oxigênio (160 mmHg). Assim, a pressão parcial de nitrogênio na mistura equivale a 600 mmHg e a pressão parcial

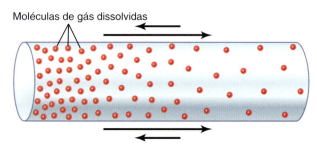

Figura 40.1 Difusão do oxigênio de uma extremidade de uma câmara até a outra. A diferença nos comprimentos das setas representa a *difusão resultante*.

CAPÍTULO 40 Princípios da Troca Gasosa; Difusão de Oxigênio e Dióxido de Carbono pela Membrana Respiratória

de oxigênio, a 160 mmHg, sendo a pressão total de 760 mmHg ou a soma das pressões parciais individuais. As pressões parciais de gases individuais em uma mistura são designadas pelos símbolos PO_2, PCO_2, PN_2, PHe etc.

Pressões dos gases dissolvidos na água e nos tecidos

Gases dissolvidos em água ou nos tecidos corporais também exercem pressão, visto que as moléculas do gás dissolvido estão se movendo aleatoriamente e possuem energia cinética. Ademais, quando o gás dissolvido no líquido encontra uma superfície, como a membrana celular, sua pressão parcial é exercida sobre a membrana da mesma forma que ocorre na fase gasosa. As pressões parciais separadas dos gases dissolvidos são designadas de forma igual às pressões parciais em estado gasoso, ou seja, PO_2, PCO_2, PN_2, PHe etc.

Fatores que determinam a pressão parcial de um gás dissolvido em um líquido. A pressão parcial de um gás em uma solução é determinada não somente por sua concentração, mas também pelo *coeficiente de solubilidade* desse gás. Em outras palavras, alguns tipos de moléculas, especialmente as de dióxido de carbono, atraem física ou quimicamente outras moléculas, ao passo que outros tipos de moléculas sofrem repulsão. Quando as moléculas se atraem, uma quantidade muito maior delas pode ser dissolvida sem que haja acúmulo de pressão parcial excessiva na solução. Em contraste, no caso de moléculas que se repelem, desenvolver-se-á uma alta pressão parcial com menos moléculas dissolvidas. Essas relações são expressas pela seguinte fórmula, conhecida como a *lei de Henry*:

$$\text{Pressão parcial} = \frac{\text{Concentração do gás dissolvido}}{\text{Coeficiente de solubilidade}}$$

Quando a pressão parcial estiver expressa em atmosferas (1 atmosfera ou 1 atm equivale a 760 mmHg) e a concentração estiver expressa em volume do gás, dissolvido por volume de água, os coeficientes de solubilidade de importantes gases respiratórios em temperatura corporal serão:

Oxigênio	0,024
Dióxido de carbono	0,57
Monóxido de carbono	0,018
Nitrogênio	0,012
Hélio	0,008

A partir dessa lista, pode-se observar que o CO_2 é mais solúvel que o O_2 em proporção maior que 20 vezes. Logo, a pressão parcial de CO_2 para uma determinada concentração será sempre menor que um vigésimo (5%) da pressão exercida pelo O_2.

Difusão de gases entre os alvéolos e o sangue pulmonar. A pressão parcial de cada gás que compõe a mistura de gases alveolares respiratórios tende a forçar moléculas desse gás a se dissolver no sangue dos capilares alveolares. Da mesma forma, as moléculas do gás que já estão dissolvidas no sangue ficam se chocando umas com as outras no líquido do sangue, de forma que algumas acabem por escapar de volta para os alvéolos. A taxa com que elas escapam é diretamente proporcional à sua pressão parcial no sangue.

No entanto, em que direção ocorrerá a *difusão resultante* do gás? A resposta é que ela é determinada pela diferença entre as duas pressões parciais. Se a pressão parcial for maior na fase gasosa dentro do alvéolo, como ocorre normalmente com o oxigênio, mais moléculas se difundirão pelo sangue do que pelo alvéolo. Em contrapartida, se a pressão parcial do gás for maior no estado dissolvido no sangue, o que normalmente ocorre com o CO_2, então a difusão ocorrerá em direção à fase gasosa alveolar.

Pressão de vapor d'água

Quando o ar não umidificado é inspirado para as vias respiratórias, a água imediatamente evapora da superfície dessas vias e umidifica esse ar. Isso resulta do fato de que as moléculas de água, como diferentes moléculas de um gás dissolvido, estão constantemente escapando da superfície da água para a fase gasosa. A pressão parcial exercida pelas moléculas de água que escapam da superfície é denomina *pressão de vapor* d'água. Em temperatura corporal normal de 37°C, essa pressão de vapor equivale a 47 mmHg. Por isso, após a umidificação total da mistura de gases, ou seja, uma vez atingido um equilíbrio com a água, a pressão parcial de vapor de água na mistura será de 47 mmHg. Assim como outras pressões, essa pressão é designada como PH_2O.

A pressão de vapor d'água depende completamente de sua temperatura, isto é, quanto maior a temperatura, maior a atividade cinética das moléculas e, portanto, maior a probabilidade de moléculas de água escaparem da superfície para a fase gasosa. Por exemplo, a pressão de vapor da água a 0°C corresponde a 5 mmHg, ao passo que a 100°C corresponde a 760 mmHg. O valor mais importante para se memorizar é o valor em temperatura corporal, 47 mmHg. Esse valor aparecerá em muitas de nossas discussões futuras.

A diferença de pressão causa difusão resultante de gases por meio de líquidos

A partir da discussão realizada anteriormente, torna-se claro que, quando a pressão parcial de um gás é maior em uma área do que em outra, haverá difusão resultante da área de maior pressão para a área de menor pressão. Por exemplo, retomando a **Figura 40.1**, é possível perceber que as moléculas da área de maior pressão, devido ao seu maior número, têm maiores chances de se mover aleatoriamente até a área de menor pressão do que as moléculas que tentam se mover em sentido contrário. Todavia, algumas se moverão aleatoriamente da área de menor para a de maior pressão. Por essa razão, a *difusão resultante* de um gás desde a área de maior pressão até a área de menor pressão é igual ao número de moléculas que se movem nessa direção *menos* o número de moléculas se movendo em direção oposta, que é proporcional à diferença entre as pressões parciais de cada área. Isso lhe confere o nome de *diferença de pressão para promover difusão*.

Quantificação da taxa de difusão resultante em líquidos. Juntamente com a diferença de pressão, diversos outros fatores afetam a taxa de difusão de um gás em um líquido: (1) a solubilidade do gás no líquido; (2) a área de seção transversal do líquido; (3) a distância pela qual o gás se difundirá; (4) o peso molecular do gás; e (5) a temperatura do líquido.

PARTE 7 Respiração

No organismo, a temperatura permanece razoavelmente constante, sendo, em geral, desconsiderada.

Quanto maior a solubilidade do gás, maior o número de moléculas disponíveis para se difundir com qualquer diferença de pressão parcial. Quanto maior a área de seção transversal do trajeto de difusão, maior o número total de moléculas que se difundirão. Todavia, quanto maior a distância a ser percorrida pelas moléculas, maior o tempo necessário para que elas se difundam nessa distância. Finalmente, quanto maior a velocidade de movimento cinético das moléculas, que é inversamente proporcional à raiz quadrada do peso molecular, maior a taxa de difusão do gás. Todos esses fatores podem ser expressos por uma fórmula:

$$D \propto \frac{\Delta P \times A \times S}{d \times \sqrt{PM}}$$

Nela, D é a taxa de difusão, ΔP é a diferença de pressão parcial entre as duas extremidades do trajeto de difusão, A é a área de seção transversal do trajeto, S é a solubilidade do gás, d é a distância de difusão e PM é o peso molecular do gás.

Essa fórmula demonstra que as características do gás determinam dois fatores nela contidos: a solubilidade e o peso molecular. Juntos, esses fatores determinam o *coeficiente de difusão do gás*, que é proporcional a $S/\sqrt{PM}$, ou seja, as taxas relativas com que se difundem os gases com mesmo nível de pressão parcial são proporcionais aos seus coeficientes de difusão.

Admitindo-se o coeficiente de difusão de O_2 igual a 1, os coeficientes de difusão *relativos* para diferentes gases de importância respiratória nos líquidos corporais são:

Oxigênio	1,0
Dióxido de carbono	20,3
Monóxido de carbono	0,81
Nitrogênio	0,53
Hélio	0,95

Difusão de gases através dos tecidos

Os gases que têm importância na respiração são todos altamente solúveis em lipídios e, consequentemente, nas membranas celulares. Por isso, a maior limitação ao movimento de gases nos tecidos é a taxa com que esses gases podem se difundir pela água presente nos tecidos – mais do que a membrana celular. Assim, a difusão de gases através dos tecidos, incluindo a membrana respiratória, é quase igual à difusão de gases na água, conforme a lista fornecida anteriormente.

AS COMPOSIÇÕES DO AR ALVEOLAR E DO AR ATMOSFÉRICO SÃO DIFERENTES

O ar alveolar não apresenta as mesmas concentrações de gases do ar atmosférico (**Tabela 40.1**). Existem diversas razões para essas diferenças, divididas em quatro passos. No primeiro, o ar alveolar é só parcialmente substituído pelo ar atmosférico a cada respiração. No segundo, o O_2 está constantemente sendo absorvido para o sangue pulmonar a partir do ar alveolar. No terceiro, o CO_2 está constantemente se difundindo do sangue pulmonar para

Tabela 40.1 Pressões parciais (em mmHg) e composição (em porcentagem) dos gases respiratórios à medida que entram e saem dos pulmões.[a]

	Ar atmosférico	Ar umidificado	Ar alveolar	Ar expirado
N_2	597 (78,62)	563,4 (74,09)	569 (74,9)	566 (74,5)
O_2	159 (20,84)	149,3 (19,67)	104 (13,6)	120 (15,7)
CO_2	0,3 (0,04)	0,3 (0,04)	40 (5,3)	27 (3,6)
H_2O	3,7 (0,50)	47 (6,20)	47 (6,2)	47 (6,2)
Total	760 (100)	760 (100)	760 (100)	760 (100)

[a]Ao nível do mar.

os alvéolos. E quarto, o ar atmosférico seco que adentra as vias respiratórias é umidificado antes mesmo de chegar aos alvéolos.

O ar é umidificado nas vias respiratórias

A **Tabela 40.1** demonstra que o ar atmosférico é composto quase completamente por nitrogênio e por O_2, contendo praticamente nenhum CO_2 e pouco vapor d'água. Todavia, assim que esse ar adentra as vias respiratórias, ele é exposto aos líquidos que recobrem as superfícies respiratórias e, antes mesmo de atingir os alvéolos, o ar se torna quase totalmente umidificado.

A pressão parcial de vapor d'água em temperatura corporal normal, de 37°C, é igual a 47 mmHg, sendo, portanto, essa a pressão parcial de vapor de água do ar alveolar. Como a pressão total dos alvéolos não pode superar a pressão do ar atmosférico (760 mmHg ao nível do mar), esse vapor de água simplesmente *dilui* todos os demais gases do ar inspirado. A **Tabela 40.1** também demonstra que a umidificação do ar dilui a pressão parcial de oxigênio ao nível do mar, de uma média de 159 mmHg no ar atmosférico para 149 mmHg no ar umidificado, bem como a pressão parcial de nitrogênio, de 597 para 563 mmHg.

O ar alveolar é lentamente renovado pelo ar atmosférico

No Capítulo 38, foi apontado que a *capacidade residual funcional* média dos pulmões – volume de ar que permanece nos pulmões ao final de uma respiração normal – é de aproximadamente 2.300 mℓ em homens. Entretanto, somente 350 mℓ de ar novo chegam aos alvéolos com cada inspiração normal e esse mesmo volume de ar alveolar velho é expirado. Desse modo, o volume de ar alveolar substituído por novo ar atmosférico a cada respiração equivale somente a um sétimo do total, ou seja, múltiplas respirações são necessárias para promover a troca da maior parte do ar alveolar. A **Figura 40.2** demonstra essa lenta taxa de renovação do ar alveolar. No primeiro alvéolo da figura, há gás em excesso. No entanto, note que, mesmo ao final de 16 respirações, o excesso do gás ainda não foi completamente removido dos alvéolos.

CAPÍTULO 40 Princípios da Troca Gasosa; Difusão de Oxigênio e Dióxido de Carbono pela Membrana Respiratória

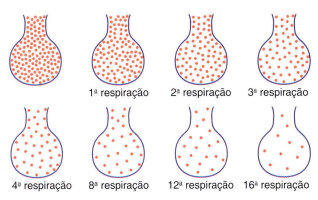

Figura 40.2 Expiração de um gás de um alvéolo ao longo de sucessivas respirações.

A **Figura 40.3** representa graficamente a taxa com que o excesso de gás dos alvéolos é normalmente removido, demonstrando que, com a ventilação alveolar normal, cerca de metade do gás é removida em 17 segundos. Quando a frequência de ventilação do indivíduo equivale a somente metade do normal, metade desse gás será removida em 34 segundos. Quando a frequência de ventilação equivale ao dobro do normal, a metade será removida em cerca de 8 segundos.

A substituição lenta do ar alveolar auxilia a estabilização do controle respiratório. A substituição lenta do ar alveolar é de particular importância na prevenção de mudanças súbitas nas concentrações de gases do sangue. Isso torna o mecanismo de controle da respiração muito mais estável e auxilia a prevenção de aumentos e diminuições excessivos na oxigenação, bem como na concentração de CO_2 e pH dos tecidos quando ocorre uma interrupção temporária na respiração.

Concentração e pressão parcial de oxigênio nos alvéolos

O oxigênio é constantemente absorvido dos alvéolos para o sangue pulmonar e o novo oxigênio, inspirado para os alvéolos a partir da atmosfera. Quanto mais rapidamente ocorre a absorção de O_2, menor sua concentração alveolar; em contrapartida, quanto mais rapidamente chega novo O_2 aos alvéolos a partir da atmosfera, maior se torna sua concentração. Portanto, assim como sua pressão parcial, a concentração alveolar de oxigênio é controlada pelos seguintes fatores: (1) taxa de absorção de O_2 para o sangue; e (2) taxa de entrada de novo O_2 nos pulmões por meio do processo de ventilação.

A **Figura 40.4** demonstra o efeito da ventilação alveolar e da taxa de absorção de oxigênio para o sangue sobre a PO_2 alveolar. Uma curva representa a absorção de O_2 em uma taxa de 250 mℓ/min e a outra curva representa absorção de O_2 em uma taxa de 1.000 mℓ/min. Com taxa de ventilação normal de 4,2 ℓ/min e consumo de O_2 de 250 mℓ/min, o ponto de funcionamento normal da **Figura 40.4** é o ponto A. A figura também demonstra que, quando ocorre absorção de 1.000 mℓ de O_2 por minuto, como durante um exercício moderado, a ventilação alveolar necessita ser aumentada em quatro vezes a fim de manter a PO_2 alveolar em seu valor normal, de 104 mmHg.

Outro efeito demonstrado na **Figura 40.4** é que mesmo um aumento extremo na ventilação alveolar nunca poderá aumentar a PO_2 alveolar acima de 149 mmHg, contanto que o indivíduo esteja respirando ar atmosférico normal ao nível do mar, pois 149 mmHg é a PO_2 máxima do ar umidificado nessa pressão. Se o indivíduo respirar gases que contenham pressões parciais de O_2 maiores que 149 mmHg, a PO_2 alveolar poderá se aproximar dessas pressões altas quando a ventilação estiver aumentada.

Concentração e pressão parcial de CO_2 nos alvéolos

O dióxido de carbono é constantemente formado no organismo e carreado pelo sangue até os alvéolos, sendo constantemente removido dos alvéolos por meio da ventilação. A **Figura 40.5** demonstra os efeitos da pressão parcial alveolar de CO_2 da ventilação alveolar e de duas taxas de excreção de CO_2, de 200 e 800 mℓ/min. Uma curva representa uma taxa normal de excreção de CO_2 de 200 mℓ/min. Com ventilação alveolar normal de 4,2 ℓ/min,

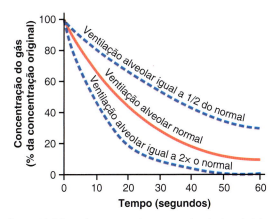

Figura 40.3 Taxa de remoção do excesso de gás dos alvéolos.

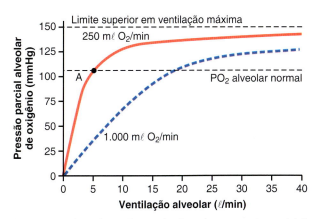

Figura 40.4 Efeito da ventilação alveolar sobre a pressão parcial de oxigênio (PO_2) sob duas taxas de absorção de oxigênio dos alvéolos – 250 mℓ/min e 1.000 mℓ/min. O ponto A é o ponto de funcionamento normal.

PARTE 7 Respiração

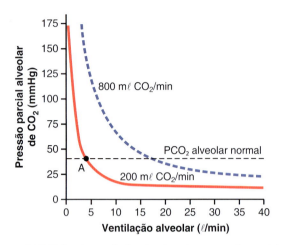

Figura 40.5 Efeito da ventilação alveolar sobre a pressão parcial de dióxido de carbono (PCO$_2$) sob duas taxas de excreção de dióxido de carbono dos alvéolos, de 800 ml/min e 200 ml/min. O ponto A é o ponto de funcionamento normal.

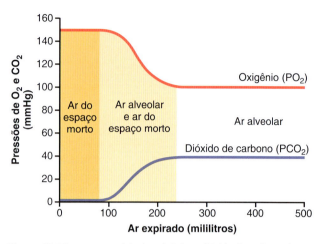

Figura 40.6 Pressões parciais de oxigênio e dióxido de carbono (PO$_2$ e PCO$_2$) nas diversas porções do ar expirado normal.

o ponto funcional para a PCO$_2$ alveolar é o ponto A da **Figura 40.5**, ou seja, 40 mmHg.

Dois outros fatores também são evidentes na **Figura 40.5**. O primeiro é que *a PCO$_2$ alveolar aumenta de forma diretamente proporcional à taxa de excreção de CO$_2$*, conforme representado pela elevação da curva em quatro vezes, quando são excretados por minuto 800 ml de CO$_2$. O segundo é que *a PCO$_2$ diminui de forma inversamente proporcional à ventilação alveolar*. Logo, as concentrações e pressões parciais tanto de O$_2$ quanto de CO$_2$ nos alvéolos são determinadas pelas taxas de absorção ou de excreção dos dois gases, assim como pela intensidade da ventilação alveolar.

O ar expirado é uma combinação entre o ar do espaço morto e o ar alveolar

A composição geral do ar expirado é determinada pelos seguintes fatores: (1) a quantidade de ar expirado que consiste em ar de espaço morto; e (2) a quantidade que consiste em ar alveolar. A **Figura 40.6** demonstra a mudança progressiva das pressões parciais de O$_2$ e de CO$_2$ no ar expirado durante o curso da expiração. A primeira porção desse ar, do espaço morto das vias respiratórias, consiste normalmente em ar umidificado, conforme demonstrado na **Tabela 40.1**. Posteriormente, cada vez mais, o ar alveolar se torna misturado gradativamente com o ar de espaço morto, até que todo o ar de espaço morto tenha sido eliminado e não reste nada além de ar alveolar sendo expirado ao final da expiração. Portanto, o método de se colher ar alveolar para estudo envolve simplesmente coletar uma amostra da última porção do ar expirado, após remoção de todo o ar do espaço morto, por meio de expiração forçada.

O ar expirado normal, contendo tanto ar do espaço morto quanto ar alveolar, possui concentrações e pressões parciais de gases aproximadas, isto é, concentrações situadas entre as do ar alveolar e as do ar atmosférico umidificado. Elas estão demonstradas na **Tabela 40.1**.

DIFUSÃO DE GASES PELA MEMBRANA RESPIRATÓRIA

Unidade respiratória. A **Figura 40.7** demonstra a *unidade respiratória*, também denominada *lóbulo respiratório*, composta por um *bronquíolo respiratório*, *ductos alveolares* e *alvéolos*. Existem cerca de 300 milhões de alvéolos nos dois pulmões, cada qual com um diâmetro médio de aproximadamente 0,2 milímetro. As paredes dos alvéolos são extremamente delgadas e, entre os alvéolos, existe uma rede praticamente sólida de capilares interconectados, demonstrados na **Figura 40.8**. Devido

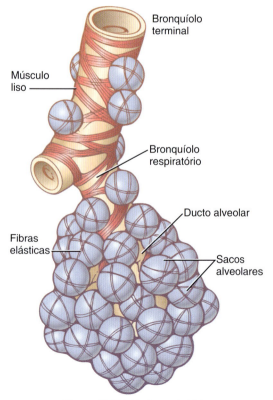

Figura 40.7 Unidade respiratória.

CAPÍTULO 40 Princípios da Troca Gasosa; Difusão de Oxigênio e Dióxido de Carbono pela Membrana Respiratória

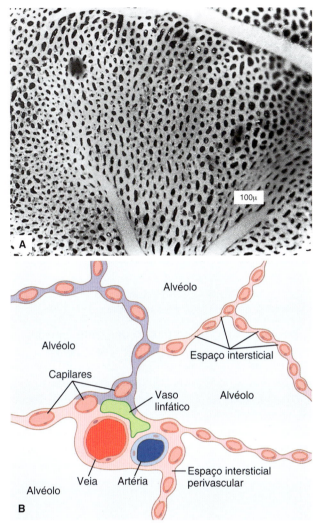

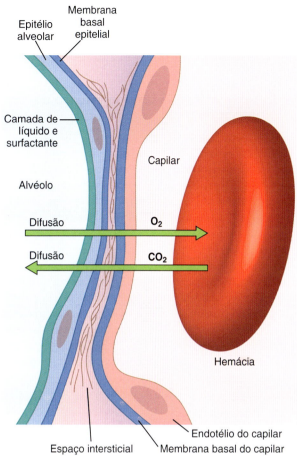

Figura 40.8 A. Vista da superfície dos capilares na parede alveolar. **B.** Seção transversa das paredes alveolares e seu suprimento vascular (**A.** De Maloney J. E; Castle B. L. Pressure-diameter relations of capillaries and small blood vessels in frog lung. Respir Physiol 7; 150:1969.)

Figura 40.9 Ultraestrutura da membrana respiratória alveolar, demonstrada em seção transversa.

à extensão do plexo capilar, o fluxo sanguíneo através da parede alveolar foi descrito como sendo uma cascata de sangue. Ou seja, fica evidente que os gases alveolares estão em íntima proximidade com o sangue dos capilares pulmonares. Ademais, a troca gasosa entre o ar alveolar e o sangue pulmonar ocorre por meio das membranas de todas as porções terminais dos pulmões, não apenas dos alvéolos. Todas essas membranas são coletivamente conhecidas como *membrana respiratória*, também denominada *membrana pulmonar*.

Membrana respiratória. A **Figura 40.9** demonstra a ultraestrutura da membrana respiratória desenhada em seção transversa à esquerda e uma hemácia, à direita. A figura também demonstra a difusão de O_2 do alvéolo para a hemácia e a de CO_2 na direção oposta. Observe as seguintes diferentes camadas da membrana respiratória:

1. Uma camada de líquido contendo surfactante, que reveste o alvéolo e diminui a tensão superficial do líquido alveolar
2. Epitélio alveolar, composto por uma fina camada de células epiteliais
3. Uma membrana basal epitelial
4. Um espaço intersticial delgado situado entre o epitélio alveolar e a membrana capilar
5. Uma membrana basal do capilar que, em muitos pontos, funde-se com a membrana basal epitelial
6. Membrana endotelial do capilar.

Apesar do grande número de camadas, a espessura total da membrana respiratória em alguns pontos não chega a 0,2 micrômetro, sendo a média de 0,6 micrômetro, exceto onde estão os núcleos das células. A partir de estudos histológicos, foi estimado que a área de superfície total da membrana respiratória possua cerca de 70 metros quadrados em homens saudáveis, o que corresponde a uma sala de 10 × 7 metros. A quantidade total de sangue dos capilares pulmonares em um dado instante é igual a 60 a 140 mℓ. Agora, imagine essa pequena quantidade de sangue distribuída sobre toda a superfície do chão dessa sala de 10 × 7 metros e será mais fácil compreender a velocidade com que ocorre a troca gasosa de O_2 e CO_2.

O diâmetro médio dos capilares pulmonares tem cerca de 5 micrômetros apenas, o que significa que as hemácias precisam passar apertadas pelos capilares. A membrana

PARTE 7 Respiração

da hemácia, em geral, toca a parede do capilar de forma que o O_2 e o CO_2 não necessitam atravessar quantidades significativas de plasma no curso de sua difusão do alvéolo até a hemácia, o que também aumenta a velocidade de difusão.

Fatores que afetam a taxa de difusão de gases pela membrana respiratória

Com referência à discussão prévia sobre a difusão de gases em água, os mesmos princípios podem ser aplicados à difusão de gases pela membrana respiratória. Desse modo, os fatores que determinam quão rapidamente um gás passará pela membrana são: (1) a *espessura da membrana;* (2) a *área de superfície da membrana;* (3) o *coeficiente de difusão* do gás na substância da membrana; e (4) a *diferença de pressão parcial* do gás entre os dois lados da membrana.

A *espessura da membrana respiratória* aumenta em algumas ocasiões – por exemplo, com a presença de líquido de edema no espaço intersticial da membrana e nos alvéolos – fazendo com que os gases respiratórios necessitem se difundir, não apenas através da membrana, como também por meio desse líquido. Ademais, algumas doenças pulmonares causam fibrose pulmonar, o que pode aumentar a espessura de algumas partes da membrana respiratória. Como a taxa de difusão pela da membrana é inversamente proporcional à sua espessura, qualquer fator que aumente essa espessura em mais do que duas a três vezes pode interferir significativamente na troca gasosa normal.

A *área de superfície da membrana respiratória* pode diminuir bastante em muitas condições. Por exemplo, a remoção de um pulmão inteiro diminui a área de superfície total pela metade. Também no *enfisema,* muitos alvéolos coalescem, ocorrendo dissolução de muitas paredes alveolares. Portanto, as novas câmaras alveolares são muito maiores do que os alvéolos originais, embora a superfície total da membrana respiratória esteja reduzida em até cinco vezes devido à perda das paredes alveolares. Quando a área de superfície total diminui até cerca de um terço a um quarto de seu normal, a troca gasosa pela membrana sofre um significativo impedimento, *mesmo sob condições de repouso.* Durante esportes competitivos e outros exercícios extenuantes, mesmo uma pequena redução na área de superfície pulmonar pode ser um déficit grave para a troca gasosa respiratória.

O *coeficiente de difusão* para a transferência de cada gás através da membrana respiratória depende da *solubilidade* desse gás na membrana e, inversamente, da *raiz quadrada* do *peso molecular* do gás. A taxa de difusão na membrana respiratória é quase exatamente a mesma taxa de difusão na água, pelos motivos já explicados anteriormente. Portanto, para uma determinada diferença de pressão, o CO_2 se difunde cerca de 20 vezes mais rápido do que o O_2. Já o oxigênio se difunde em torno de duas vezes mais rápido do que o nitrogênio.

A *diferença de pressão* pela membrana respiratória corresponde à diferença de pressão entre os alvéolos e o gás presente no sangue dos capilares pulmonares. Ou seja, a diferença

entre essas duas pressões determina o *sentido resultante* do movimento das moléculas de gás pela membrana.

Quando a pressão parcial de um gás nos alvéolos é maior do que a pressão desse gás no sangue, como ocorre com o O_2, a difusão resultante será dos alvéolos para o sangue. Já no caso de a pressão parcial do gás estar maior no sangue do que nos alvéolos, como ocorre com o CO_2, a difusão resultante será do sangue para os alvéolos.

Capacidade de difusão da membrana respiratória

A capacidade da membrana respiratória de trocar gases entre os alvéolos e o sangue pulmonar é expressa em termos quantitativos pela *capacidade de difusão da membrana respiratória,* definida como *volume de gás que se difundirá pela membrana, a cada minuto, para uma diferença de pressão parcial de 1 mmHg.* Todos os fatores discutidos anteriormente que afetam a difusão pela membrana respiratória podem afetar essa capacidade de difusão.

Capacidade de difusão para o oxigênio. Em um homem jovem médio, a *capacidade de difusão para o O_2* sob condição de repouso gira em torno da média de *21 mℓ/ min por mmHg.* Em termos funcionais, o que isso significa? A diferença de pressão média de O_2 pela membrana respiratória durante a respiração normal tranquila é de aproximadamente 11 mmHg. Multiplicando-se essa pressão pela capacidade de difusão (11 × 21), tem-se um total de 230 mℓ de oxigênio se difundindo pela membrana por minuto, o que é igual à taxa com que o organismo em repouso utiliza O_2.

Aumento da capacidade de difusão de oxigênio durante o exercício. Durante o exercício extenuante ou outras condições que aumentem significativamente o fluxo sanguíneo pulmonar e a ventilação alveolar, a capacidade de difusão para o O_2 aumenta em até cerca de três vezes, comparada à capacidade em repouso. Esse aumento é causado por diversos fatores, incluindo os seguintes: (1) abertura de capilares pulmonares que estavam inativos ou dilatação extra dos capilares já abertos, aumento da área de superfície do sangue para o qual o O_2 poderá se difundir; e (2) melhor equilíbrio entre a ventilação dos alvéolos e a perfusão dos capilares alveolares com sangue, denominado *relação ventilação-perfusão,* que será explicada mais adiante neste capítulo. Portanto, durante o exercício, a oxigenação do sangue aumenta não somente por meio do aumento da ventilação alveolar, mas também pela maior capacidade de difusão da membrana respiratória para transportar O_2 para o sangue.

Capacidade de difusão para o dióxido de carbono. A capacidade de difusão para o CO_2 nunca foi mensurada, visto que o CO_2 se difunde pela membrana respiratória de maneira tão rápida que a PCO_2 média no sangue pulmonar não chega a diferir tanto da PCO_2 alveolar – sendo a diferença média menor do que 1 mmHg. Com as técnicas

CAPÍTULO 40 Princípios da Troca Gasosa; Difusão de Oxigênio e Dióxido de Carbono pela Membrana Respiratória

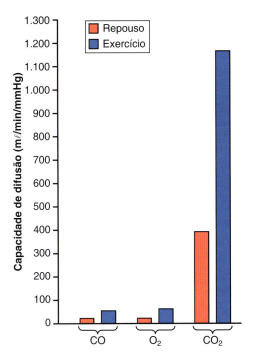

Figura 40.10 *Capacidades de difusão* para monóxido de carbono, oxigênio e dióxido de carbono em pulmões normais durante condição de repouso e de exercício.

disponíveis atualmente, essa diferença é muito pequena para ser mensurada.

De qualquer forma, a mensuração da difusão de outros gases demonstrou que a capacidade de difusão varia diretamente conforme o coeficiente de difusão do gás. Como o coeficiente de difusão do CO_2 é ligeiramente maior do que 20 vezes o coeficiente do O_2, esperar-se-ia uma capacidade de difusão para CO_2 sob condição normal de repouso em torno de 400 a 450 mℓ/min por mmHg e, durante exercício, cerca de 1.200 a 1.300 mℓ/min por mmHg. A **Figura 40.10** compara as capacidades de difusão mensuradas ou calculadas para o monóxido de carbono, O_2 e CO_2 no repouso e no exercício, demonstrando a extrema capacidade de difusão do CO_2 e o efeito do exercício sobre a capacidade de difusão de cada um desses gases.

Mensuração da capacidade de difusão: método do monóxido de carbono

A capacidade de difusão do O_2 pode ser calculada a partir da mensuração das seguintes variáveis: (1) PO_2 alveolar; (2) PO_2 do sangue capilar pulmonar; e (3) taxa de extração de O_2 pelo sangue. Todavia, a mensuração da PO_2 do sangue dos capilares pulmonares é tão dificultosa e imprecisa que deixa de ser prático mensurar a capacidade de difusão do oxigênio por meio de um procedimento tão direto, exceto com finalidade experimental.

A fim de amenizar as dificuldades encontradas na mensuração direta da capacidade de difusão do oxigênio, fisiologistas, geralmente, mensuram a capacidade de difusão do monóxido de carbono (CO) e, a partir dela, calculam a do O_2. O princípio do método de CO acontece da seguinte maneira. Uma pequena quantidade de CO é inspirada para os alvéolos e sua pressão parcial alveolar é mensurada em amostras adequadas de ar alveolar. A pressão do CO no sangue é essencialmente zero, pois a hemoglobina se combina com esse gás tão rapidamente que sua pressão não tem tempo de aumentar. Portanto, a diferença de pressão do CO pela membrana respiratória é igual à sua pressão parcial na amostra de ar alveolar. Em seguida, mensurando-se o volume de CO absorvido em um curto período de tempo e dividindo-se esse volume pela pressão parcial alveolar de CO, pode-se determinar precisamente sua capacidade de difusão.

A conversão da capacidade de difusão do CO para a do O_2 se faz por meio da multiplicação do valor por um fator de 1,23, visto que o coeficiente de difusão do O_2 equivale a 1,23 vez o do CO. Portanto, se a capacidade de difusão média do CO em homens jovens saudáveis em repouso é de 17 mℓ/min por mmHg, a do O_2 equivale a 1,23 vez esse valor ou 21 mℓ/min por mmHg.

Efeito da relação ventilação-perfusão sobre a concentração de gás alveolar

Aprendemos anteriormente, neste capítulo, que dois fatores determinam a PO_2 e a PCO_2 nos alvéolos: (1) a frequência da ventilação alveolar; e (2) a taxa de transferência de O_2 e CO_2 pela membrana respiratória. Essa discussão admite que todos os alvéolos sejam ventilados de forma igual e que o sangue que flui através dos capilares alveolares seja o mesmo para cada alvéolo. Todavia, mesmo em condições normais, até certo grau, mas especialmente em muitas doenças pulmonares, algumas áreas do pulmão são bem ventiladas, ainda que recebam quase nenhum fluxo sanguíneo – ao passo que outras podem ter excelente aporte sanguíneo com pouca ou nenhuma ventilação. Em qualquer uma dessas condições, a troca gasosa pela membrana respiratória se torna gravemente comprometida e o indivíduo pode sofrer grave angústia respiratória, mesmo com ventilação *total* e fluxo sanguíneo pulmonar *total* normais em diferentes partes dos pulmões. Desse modo, um conceito altamente quantitativo foi desenvolvido a fim de auxiliar a compreensão acerca da troca respiratória quando ocorre desequilíbrio entre a ventilação alveolar e o fluxo sanguíneo alveolar. Esse conceito recebe o nome de *relação ventilação-perfusão*.

Em termos quantitativos, a relação ventilação-perfusão é expressa como $\dot{V}_A/\dot{Q}$. Quando a $\dot{V}_A$ (ventilação alveolar) em um determinado alvéolo e o $\dot{Q}$ (fluxo sanguíneo) nesse alvéolo estiverem normais, a relação ventilação-perfusão ($\dot{V}_A/\dot{Q}$) também estará normal. Quando a ventilação ($\dot{V}_A$) for próxima de zero, mas ainda houver perfusão ($\dot{Q}$) do alvéolo, a $\dot{V}_A/\dot{Q}$ será zero. Ou, no outro extremo, quando a ventilação ($\dot{V}_A$) estiver adequada, mas não houver perfusão ($\dot{Q}$), a relação $\dot{V}_A/\dot{Q}$ será infinita. Seja na relação igual a zero ou infinito, não ocorrerá troca gasosa pela membrana respiratória do alvéolo acometido. Portanto, explicaremos as consequências respiratórias desses dois extremos.

Pressões parciais alveolares de oxigênio e dióxido de carbono quando a $\dot{V}_A/\dot{Q}$ é igual a zero (efeito *shunt*).

Quando a $\dot{V}_A/\dot{Q}$ é igual a zero, ou seja, na ausência de qualquer ventilação alveolar, o ar presente no alvéolo atinge o equilíbrio com o O_2 e o CO_2 do sangue porque esses gases se difundem entre o sangue e o ar alveolar. Como o sangue que perfunde os capilares é um sangue venoso que retornou aos pulmões a partir da circulação sistêmica, será com esse sangue que os gases alveolares atingirão o equilíbrio. No Capítulo 41, descreve-se que o sangue venoso normal ($\bar{V}$) possui PO_2 de 40 mmHg e PCO_2 de 45 mmHg. Desse modo, serão também essas as pressões parciais normais dos alvéolos que recebem fluxo sanguíneo, porém nenhuma ventilação.

Pressões parciais alveolares de oxigênio e dióxido de carbono quando a $\dot{V}_A/\dot{Q}$ é igual a infinito (efeito espaço morto). O efeito da $\dot{V}_A/\dot{Q}$ igual a infinito sobre as pressões parciais dos gases alveolares é completamente diferente do efeito de quando a relação é igual a zero, pois, agora, não há sangue capilar fluindo para carrear O_2 ou trazer CO_2 aos alvéolos. Por isso, em vez de os gases alveolares atingirem o equilíbrio com o sangue venoso, o ar alveolar se torna igual ao ar inspirado umidificado, isto é, o ar inspirado não perde O_2 para o sangue e não recebe nenhum CO_2 do sangue. Ainda, visto que o ar inspirado normal possui PO_2 igual a 149 mmHg e PCO_2 igual a 0 mmHg, essas serão as pressões parciais dos dois gases nos alvéolos.

Pressões parciais alveolares de oxigênio e dióxido de carbono quando a $\dot{V}_A/\dot{Q}$ é normal. Quando há tanto ventilação alveolar normal quanto fluxo sanguíneo normal nos capilares alveolares (perfusão alveolar normal), a troca de O_2 e CO_2 pela membrana respiratória se aproxima do nível ideal, resultando em PO_2 alveolar de aproximadamente 104 mmHg, a qual se situa entre a do ar inspirado (149 mmHg) e a do sangue venoso (40 mmHg). Similarmente, a PCO_2 alveolar se situa entre dois extremos, normalmente com valor de 40 mmHg, em contraste com 45 mmHg no sangue venoso e 0 mmHg no ar inspirado. Assim, sob condições normais, a PO_2 do ar alveolar gira em torno da média de 104 mmHg e a PCO_2, cerca de 40 mmHg.

Diagrama PO_2-PCO_2, $\dot{V}_A/\dot{Q}$

Os conceitos apresentados nas seções anteriores estão demonstrados na forma de um gráfico na **Figura 40.11**, denominado diagrama PO_2-PCO_2, $\dot{V}_A/\dot{Q}$. A curva do diagrama representa todas as possíveis combinações de PO_2 e PCO_2 entre os limites de $\dot{V}_A/\dot{Q}$ próximos a zero e a infinito, quando as pressões de gases no sangue venoso estão normais e o indivíduo está respirando ar em pressão atmosférica ao nível do mar. Portanto, o primeiro ponto de $\dot{V}_A/\dot{Q}$ na curva é a relação entre PO_2 e PCO_2 quando a $\dot{V}_A/\dot{Q}$ tende a zero. Nesse ponto, a PO_2 equivale a 40 mmHg e a PCO_2, a 45 mmHg, ou seja, são valores normais do sangue venoso.

Na outra extremidade da curva, quando a $\dot{V}_A/\dot{Q}$ tende a infinito, o ponto I representa o ar inspirado, demonstrando PO_2 de 149 mmHg e PCO_2 igual a zero. A curva também demonstra o ponto que representa o ar alveolar normal com $\dot{V}_A/\dot{Q}$ normal. Nesse ponto, a PO_2 é igual a 104 mmHg e a PCO_2, a 40 mmHg.

Conceito de *shunt* fisiológico (quando a $\dot{V}_A/\dot{Q}$ está abaixo do normal)

Sempre que a $\dot{V}_A/\dot{Q}$ estiver menor que o normal, a ventilação será inadequada para fornecer O_2 o suficiente para oxigenar completamente o sangue que flui através dos capilares alveolares. Desse modo, uma certa fração do sangue venoso que passa através desses capilares não se torna oxigenada. Essa fração recebe o nome de *sangue de shunt (desvio) ou desviado*. Além de uma parte de sangue adicional fluir através de vasos bronquiais em vez dos capilares alveolares – normalmente cerca de 2% do débito cardíaco –, esse sangue também é não oxigenado ou desviado.

A quantidade total de sangue desviado por minuto se denomina *shunt fisiológico*, o qual é mensurado em laboratórios clínicos que avaliam a função pulmonar por meio da análise da concentração de O_2 tanto em sangue venoso misto quanto em sangue arterial, juntamente com a mensuração simultânea do débito cardíaco. A partir desses valores, o *shunt* fisiológico pode ser calculado pela seguinte equação:

$$\frac{\dot{Q}_{SF}}{\dot{Q}_T} = \frac{[O_2]i - [O_2]a}{[O_2]i - [O_2]\bar{v}}$$

Nela, $\dot{Q}_{SF}$ corresponde ao fluxo de sangue de *shunt* fisiológico por minuto, $\dot{Q}_T$ corresponde ao débito cardíaco por minuto, $[O_2]i$ é a concentração de oxigênio no sangue arterial quando há uma relação ventilação-perfusão "ideal", $[O_2]$ é a concentração de oxigênio mensurada no sangue arterial e $[O_2]\bar{v}$ é a concentração de oxigênio mensurada no sangue venoso misto.

Quanto maior for o *shunt* fisiológico, maior será *a quantidade de sangue que deixa de ser oxigenado* à medida que passa pelos pulmões.

Conceito de espaço morto fisiológico quando a relação $\dot{V}_A/\dot{Q}$ é maior que o normal

Quando a ventilação de alguns alvéolos está adequada, porém o fluxo sanguíneo está baixo, há muito mais oxigênio disponível nos alvéolos do que a quantidade possível de ser transportada pelo sangue que passa pelos alvéolos. Por isso, assim como a ventilação das áreas de espaço morto anatômico das vias respiratórias, a ventilação desses alvéolos é considerada *desperdiçada*. A soma desses dois tipos de ventilação desperdiçada recebe o nome de *espaço morto fisiológico*, que é mensurado em laboratórios clínicos de função pulmonar por meio de mensurações adequadas do sangue e do gás expirado, bem como utilizando a seguinte equação, chamada *equação de Bohr*:

$$\frac{\dot{V}_{EMfis}}{\dot{V}_C} = \frac{Paco_2 - P\bar{e}co_2}{Paco_2}$$

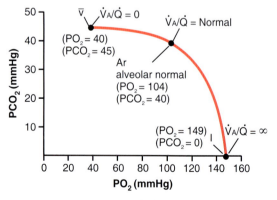

Figura 40.11 Diagrama PO_2-PCO_2, $\dot{V}_A/\dot{Q}$ normal, mostrando o comportamento das pressões alveolares de O_2 e de CO_2 em diferentes valores da relação ventilação/perfusão.

CAPÍTULO 40 Princípios da Troca Gasosa; Difusão de Oxigênio e Dióxido de Carbono pela Membrana Respiratória

Nela, $\dot{V}_{EMfis}$ é o espaço morto fisiológico, $\dot{V}_C$, o volume corrente, $PaCO_2$, a pressão parcial de CO_2 no sangue arterial e $P\bar{e}CO_2$, a pressão parcial média de CO_2 em todo o ar expirado.

Quando o espaço morto fisiológico é grande, a maior parte do *trabalho da ventilação* representa um esforço desperdiçado, visto que grande parte do ar que está ventilando nunca chega até o sangue.

Anormalidades da relação ventilação-perfusão

Relação $\dot{V}_A/\dot{Q}$ anormal nas regiões superior e inferior do pulmão normal. Em um indivíduo saudável em posição ortostática, tanto o fluxo sanguíneo dos capilares pulmonares quanto a ventilação alveolar são consideravelmente menores na porção superior do pulmão do que na porção inferior. Todavia, a diminuição do fluxo sanguíneo é consideravelmente maior do que a diminuição da ventilação. Portanto, na parte superior do pulmão, a $\dot{V}_A/\dot{Q}$ chega a ser 2,5 vezes maior do que o valor ideal, o que causa um grau moderado de *espaço morto fisiológico* nessa área do pulmão.

No outro extremo, na parte inferior do pulmão, há pouca ventilação em relação ao fluxo sanguíneo, com $\dot{V}_A/\dot{Q}$ equivalente a 60% do valor ideal. Nessa área, uma pequena fração do sangue deixa de ser oxigenada, o que representa um *shunt fisiológico*.

Em ambos os extremos, as desigualdades da ventilação e da perfusão diminuem discretamente a eficiência dos pulmões para a troca de O_2 e CO_2. Contudo, durante o exercício, o fluxo sanguíneo na porção superior do pulmão aumenta significativamente, de forma que ocorre muito menos espaço morto fisiológico e a eficiência da troca gasosa passa a se aproximar do ideal.

Relação $\dot{V}_A/\dot{Q}$ anormal na doença pulmonar obstrutiva crônica. A maioria dos indivíduos que fumam por muitos anos desenvolve diversos graus de obstrução brônquica. Em muitos desses indivíduos, essa condição eventualmente se torna tão grave que ocorre sério aprisionamento de ar, resultando em *enfisema*. O enfisema, por sua vez, faz com que muitas paredes alveolares sejam destruídas. Portanto, duas anormalidades ocorrem em fumantes para causar $\dot{V}_A/\dot{Q}$ anormal. Na primeira, como muitos dos bronquíolos menores estão obstruídos, os alvéolos situados além das obstruções não são ventilados, gerando $\dot{V}_A/\dot{Q}$ próxima de zero. Na segunda, nas áreas pulmonares onde as paredes alveolares foram destruídas, mas que ainda recebem ventilação alveolar, grande parte dessa ventilação é desperdiçada, visto que o fluxo sanguíneo para transportar os gases no sangue está inadequado.

Desse modo, na doença pulmonar obstrutiva crônica, algumas áreas do pulmão apresentam um *grave shunt fisiológico*, ao passo que outras áreas apresentam um *grave espaço morto fisiológico*. Ambas as condições diminuem gravemente a eficiência dos pulmões como órgãos de troca gasosa, por vezes, reduzindo essa eficiência até um décimo do normal. De fato, essa condição é a causa mais prevalente de insuficiência respiratória da atualidade.

Bibliografia

Clark A, Tawhai M: Pulmonary vascular dynamics. Compr Physiol 9:1081, 2019.

Del Buono MG, Arena R, Borlaug BA, Carbone S, et al: Exercise intolerance in patients with heart failure: JACC state-of-the-art review. J Am Coll Cardiol 73:2209, 2019.

Dempsey TM, Scanlon PD: Pulmonary function tests for the generalist: a brief review. Mayo Clin Proc 93:763, 2018.

Glenny RW, Robertson HT: Spatial distribution of ventilation and perfusion: mechanisms and regulation. Compr Physiol 1:375, 2011.

Hsia CC, Hyde DM, Weibel ER: Lung structure and the intrinsic challenges of gas exchange. Compr Physiol 6:827, 2016.

Molgat-Seon Y, Schaeffer MR, Ryerson CJ, Guenette JA: Exercise pathophysiology in interstitial lung disease. Clin Chest Med 40:405, 2019.

Naeije R, Chesler N: Pulmonary circulation at exercise. Compr Physiol 2:711, 2012.

Neder JA, Berton DC, Muller PT, O'Donnell DE: Incorporating lung diffusing capacity for carbon monoxide in clinical decision making in chest medicine. Clin Chest Med 40:285, 2019.

O'Donnell DE, James MD, Milne KM, Neder JA: the pathophysiology of dyspnea and exercise intolerance in chronic obstructive pulmonary disease. Clin Chest Med 40:343, 2019.

Rahn H, Farhi EE: Ventilation, perfusion, and gas exchange—the Va/Q concept. In: Fenn WO, Rahn H (eds): Handbook of Physiology. Sec 3, Vol 1. Baltimore: Williams & Wilkins, 1964, p 125.

Robertson HT: Dead space: the physiology of wasted ventilation. Eur Respir J 45:1704, 2015.

Skloot GS: The Effects of aging on lung structure and function. Clin Geriatr Med 33:447, 2017.

Stickland MK, Lindinger MI, Olfert IM, Heigenhauser GJ, Hopkins SR: Pulmonary gas exchange and acid-base balance during exercise. Compr Physiol 3:693, 2013.

Wagner PD: The physiological basis of pulmonary gas exchange: implications for clinical interpretation of arterial blood gases. Eur Respir J 45:227, 2015

Weibel ER: Lung morphometry: the link between structure and function. Cell Tissue Res 367:413, 2017.

West JB: Role of the fragility of the pulmonary blood-gas barrier in the evolution of the pulmonary circulation. Am J Physiol Regul Integr Comp Physiol 304:R171, 2013.

PARTE 7

CAPÍTULO 41

Transporte de Oxigênio e Dióxido de Carbono no Sangue e Líquidos Teciduais

Uma vez que o *oxigênio* (O_2) tenha se difundido dos alvéolos para o sangue pulmonar, ele será transportado aos capilares dos tecidos quase completamente em combinação com a hemoglobina. A presença da hemoglobina nas hemácias permite que o sangue transporte de 30 a 100 vezes mais O_2 do que poderia transportar na forma de O_2 dissolvido na água do plasma.

Nas células dos tecidos, o O_2 reage com diversos nutrientes para formar grandes quantidades de *dióxido de carbono* (CO_2), que adentra os capilares dos tecidos e é transportado de volta aos pulmões. O dióxido de carbono, assim como o O_2, também se combina com substâncias químicas do sangue que aumentam seu transporte em 15 a 20 vezes.

Este capítulo apresenta os princípios físicos e químicos do transporte de O_2 e de CO_2 no sangue e de líquidos teciduais de forma quantitativa e qualitativa.

TRANSPORTE DE OXIGÊNIO DOS PULMÕES ATÉ OS TECIDOS DO ORGANISMO

No Capítulo 40, foi apontado que os gases podem se mover de um ponto a outro por meio de difusão, sendo a causa desse movimento sempre uma diferença de pressão parcial entre os pontos. Portanto, o O_2 se difunde dos alvéolos para o sangue dos capilares pulmonares porque a pressão parcial de oxigênio (PO_2) dos alvéolos é maior que a PO_2 do sangue dos capilares pulmonares. Em outros tecidos do organismo, a PO_2 mais alta no capilar em comparação aos tecidos causa difusão de O_2 para as células circunjacentes.

Em contrapartida, após a metabolização do O_2 nas células para formar CO_2, a pressão parcial intracelular de CO_2 (PCO_2) aumenta, causando sua difusão para os capilares teciduais. Quando o sangue flui para os pulmões, o CO_2 difunde-se para os alvéolos porque a PCO_2 do sangue dos capilares pulmonares supera a dos alvéolos. Portanto, o transporte de O_2 e CO_2 pelo sangue depende tanto da difusão quanto do fluxo sanguíneo. Agora, consideraremos quantitativamente os fatores responsáveis por esses efeitos.

DIFUSÃO DE OXIGÊNIO DOS ALVÉOLOS PARA O SANGUE DOS CAPILARES PULMONARES

A parte superior da **Figura 41.1** representa um alvéolo pulmonar adjacente a um capilar pulmonar, demonstrando a difusão de O_2 entre o ar alveolar e o sangue pulmonar. A PO_2 do gás presente no alvéolo gira em torno de 104 mmHg, ao passo que a PO_2 do sangue venoso que adentra o capilar pulmonar em sua extremidade arterial gira em torno de apenas 40 mmHg, visto que uma grande quantidade de O_2 foi removida desse sangue pelos tecidos periféricos. Portanto, a diferença de pressão *inicial* capaz de causar difusão de O_2 para o capilar pulmonar é igual a 104 – 40 mmHg ou 64 mmHg. No gráfico, na parte inferior da figura, a curva demonstra o rápido aumento na PO_2 do sangue à medida que o sangue flui através do capilar. A PO_2 do sangue se aproxima da PO_2 do ar alveolar quando o sangue já percorreu um terço da distância pelo capilar, chegando a quase 104 mmHg.

Captação de oxigênio pelo sangue pulmonar durante o exercício. Durante o exercício extenuante, o organismo de um indivíduo pode demandar quase 20 vezes mais oxigênio do que o normal. Ademais, devido ao aumento do débito cardíaco durante o exercício, o tempo durante o qual o sangue permanece no capilar pulmonar pode ser diminuído em até menos do que a metade de seu normal. Ainda assim, graças ao significativo *fator de segurança* para difusão de O_2 pela membrana pulmonar,

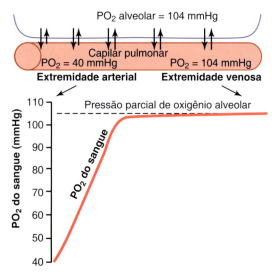

Figura 41.1 Captação de oxigênio pelo sangue do capilar pulmonar. (*Dados de Milhorn HT Jr, Pulley PE Jr: A theoretical study of pulmonary capillary gas exchange and venous admixture. Biophys J 8:337, 1968.*)

o sangue ainda se torna *praticamente saturado* com O_2 no momento em que deixa os capilares pulmonares. Isso pode ser explicado da seguinte maneira, em duas partes.

Na primeira, no Capítulo 40, foi apontado que a capacidade de difusão para o O_2 aumenta em quase três vezes durante o exercício, o que resulta principalmente do aumento da área de superfície dos capilares que participam da difusão, além de uma relação ventilação-perfusão próxima do ideal na parte superior dos pulmões.

Na segunda, na curva da **Figura 41.1**, note que, na condição sem exercício, o sangue se torna quase saturado com O_2 no momento em que passou por um terço do capilar pulmonar e com entrada de pouco O_2 adicional durante os próximos dois terços de seu curso. Ou seja, o sangue normalmente permanece nos pulmões por um tempo três vezes mais longo do que o necessário para a oxigenação completa. Desse modo, durante o exercício, mesmo com menor tempo de exposição nos capilares, o sangue ainda pode se tornar quase completamente oxigenado.

TRANSPORTE DE OXIGÊNIO NO SANGUE ARTERIAL

Cerca de 98% do sangue que adentra o átrio esquerdo a partir dos pulmões acabaram de passar através dos capilares alveolares e foi oxigenado até uma PO_2 próxima de 104 mmHg. Os outros 2% do sangue passaram da aorta para a circulação brônquica, que irriga principalmente os tecidos profundos dos pulmões e não é exposta ao ar pulmonar. Esse fluxo sanguíneo recebe o nome de *fluxo desviado*, que significa que o sangue se desviou das áreas de troca gasosa. Ao deixar os pulmões, a PO_2 do sangue desviado é aproximadamente igual à do sangue venoso sistêmico normal, cerca de 40 mmHg. Quando esse sangue se combina com o sangue oxigenado dos capilares alveolares nas veias pulmonares, essa *mistura de sangue venoso* reduz para 95 mmHg a PO_2 do sangue que adentra átrio esquerdo para ser bombeado à aorta. Essas alterações na PO_2 do sangue em diferentes pontos do sistema circulatório estão demonstradas na **Figura 41.2**.

DIFUSÃO DO OXIGÊNIO DOS CAPILARES PERIFÉRICOS PARA O LÍQUIDO INTERSTICIAL DOS TECIDOS

Quando o sangue arterial chega aos tecidos periféricos, a PO_2 dos capilares ainda é igual a 95 mmHg. No entanto, conforme demonstrado na **Figura 41.3**, a PO_2 do *líquido intersticial* que circunda as células teciduais gira em torno de apenas 40 mmHg. Portanto, existe uma grande diferença de pressão inicial, que causa rápida difusão de O_2 do sangue capilar para os tecidos, tão rápida que a PO_2 do capilar decai para até quase o mesmo valor da pressão intersticial de 40 mmHg. Desse modo, a PO_2 do sangue que deixa os capilares teciduais e ganha a circulação venosa sistêmica é de aproximadamente 40 mmHg.

O aumento do fluxo sanguíneo eleva a PO_2 do líquido intersticial. Se o fluxo sanguíneo através de um dado tecido for aumentado, quantidades maiores de O_2 serão transportadas até o tecido e a PO_2 do tecido se tornará proporcionalmente mais alta. Esse efeito está demonstrado na **Figura 41.4**. Note que um aumento do fluxo equivalente a 400% em relação ao normal eleva a PO_2 de 40 mmHg (ponto A da figura) para 66 mmHg (ponto B da figura). Todavia, o limite superior até o qual a PO_2 poderá ser elevada é de 95 mmHg, mesmo com fluxo máximo, pois essa é a pressão de O_2 do sangue arterial. Da mesma forma, se o fluxo sanguíneo de um tecido diminuir, a PO_2 também diminuirá, conforme demonstrado pelo ponto C da figura.

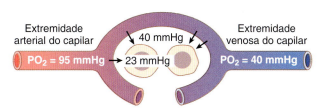

Figura 41.3 Difusão do oxigênio do capilar periférico para as células teciduais (PO_2 do líquido intersticial = 40 mmHg; PCO_2 das células teciduais = 23 mmHg).

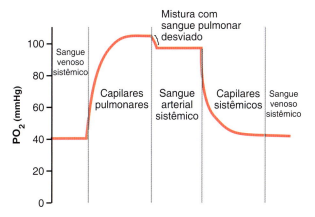

Figura 41.2 Alterações na PO_2 do sangue dos capilares pulmonares, sangue arterial sistêmico e sangue dos capilares sistêmicos demonstrando o efeito da mistura venosa.

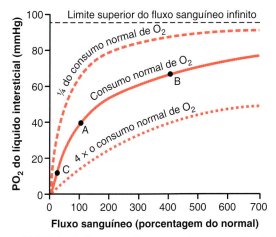

Figura 41.4 Efeito do fluxo sanguíneo e taxa de consumo de oxigênio sobre a PO_2 *tecidual*.

O aumento do metabolismo tecidual reduz a PO₂ do líquido intersticial. Se as células utilizarem mais O₂ do que o normal para o metabolismo, a PO₂ do líquido intersticial será reduzida. A **Figura 41.4** também demonstra esse efeito, com diminuição da PO₂ do líquido intersticial quando o consumo de oxigênio celular aumenta, bem como o aumento da PO₂ quando o consumo diminui.

Em suma, a PO₂ dos tecidos é determinada por um equilíbrio entre (1) a taxa de transporte de O₂ até os tecidos pelo sangue; e (2) a taxa com que o O₂ é utilizado pelos tecidos.

DIFUSÃO DO OXIGÊNIO DOS CAPILARES PERIFÉRICOS PARA AS CÉLULAS TECIDUAIS

O oxigênio está sempre sendo utilizado pelas células. Portanto, a PO₂ intracelular dos tecidos periféricos permanece mais baixa que a PO₂ dos capilares periféricos. Ademais, em muitos casos, existe uma considerável distância física entre capilares e células. Por isso, a PO₂ intracelular normal varia de 5 a 40 mmHg, com média – obtida por meio de mensuração direta em experimentos com animais – de 23 mmHg. Como são normalmente necessários apenas de 1 a 3 mmHg de pressão de O₂ para sustentar os processos químicos envolvendo oxigênio na célula, mesmo uma PO₂ intracelular tão baixa quanto a de 23 mmHg é mais do que o necessário para proporcionar um amplo fator de segurança.

DIFUSÃO DO CO₂ DAS CÉLULAS TECIDUAIS PERIFÉRICAS PARA OS CAPILARES, E DOS CAPILARES PULMONARES PARA OS ALVÉOLOS

Quando o O₂ é utilizado pelas células, ocorre conversão de praticamente todo esse O₂ em CO₂, o que aumenta a PCO₂ intracelular. Devido a esse aumento da PCO₂ tecidual, ocorre difusão de CO₂ das células para os capilares para que ele seja transportado pelo sangue até os pulmões. Nos pulmões, o CO₂ se difunde dos capilares para os alvéolos e é eliminado na expiração.

Portanto, a cada ponto da corrente de transporte de gases, o CO₂ se difunde na direção exatamente oposta à difusão do O₂. Contudo, existe uma grande diferença entre a difusão de CO₂ e a de O₂: *o CO₂ pode se difundir cerca de 20 vezes mais rapidamente do que o O₂*. Assim, a diferença de pressão necessária para causar a difusão de CO₂ é, para cada caso, muito menor do que a necessária para difusão de O₂. As pressões de CO₂ são aproximadamente as seguintes:

1. PCO₂ intracelular = 46 mmHg; PCO₂ intersticial = 45 mmHg. Ou seja, há uma diferença de apenas 1 mmHg, conforme demonstrado na **Figura 41.5**.
2. PCO₂ do sangue arterial que adentra os tecidos = 40 mmHg; PCO₂ do sangue venoso que deixa os tecidos = 45 mmHg. Ou seja, conforme demonstrado na **Figura 41.5**, o sangue dos capilares dos tecidos torna-se quase exatamente equilibrado com a PCO₂ intersticial de 45 mmHg.

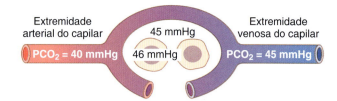

Figura 41.5 Captação de dióxido de carbono pelo sangue nos capilares teciduais (PCO₂ dos tecidos = 46 mmHg; PCO₂ do líquido intersticial = 45 mmHg).

3. PCO₂ do sangue que adentra os capilares pulmonares na extremidade arterial = 45 mmHg; PCO₂ do ar alveolar = 40 mmHg. Ou seja, uma diferença de pressão de apenas 5 mmHg causa toda a difusão necessária de CO₂ para fora dos capilares pulmonares e para dentro dos alvéolos. Ademais, conforme demonstrado na **Figura 41.6**, a PCO₂ do sangue dos capilares pulmonares cai para quase exatamente o valor alveolar de 40 mmHg antes de passar por mais de um terço da distância que será percorrida dentro dos capilares. Esse efeito é o mesmo observado anteriormente para a difusão de O₂, exceto por ocorrer na direção oposta.

Efeito do metabolismo e do fluxo sanguíneo dos tecidos sobre a PCO₂ intersticial. O fluxo sanguíneo dos capilares teciduais e o metabolismo dos tecidos afetam a PCO₂ de forma exatamente oposta ao seu efeito sobre a PO₂ tecidual. A **Figura 41.7** demonstra exatamente esses efeitos, como segue:

1. Uma diminuição do fluxo sanguíneo de seu normal (ponto A) até um quarto do normal (ponto B) aumenta a PCO₂ tecidual do normal de 45 mmHg até um nível alto de 60 mmHg. Em contrapartida, o aumento do fluxo sanguíneo em 6 vezes (ponto C) reduz a PCO₂ intersticial do normal de 45 para 41 mmHg, quase o mesmo valor da PCO₂ do sangue arterial (40 mmHg) que adentra os capilares teciduais.

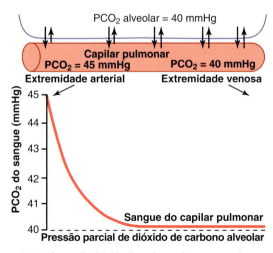

Figura 41.6 Difusão do dióxido de carbono do sangue pulmonar para o alvéolo. (*Dados de Milhorn HT Jr, Pulley PE Jr: A theoretical study of pulmonary capillary gas exchange and venous admixture. Biophys J 8:337, 1968.*)

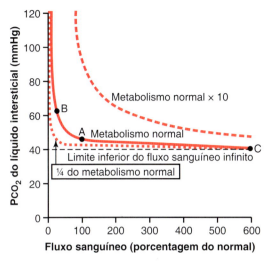

Figura 41.7 Efeito do fluxo sanguíneo e da taxa metabólica sobre a PCO$_2$ dos tecidos periféricos.

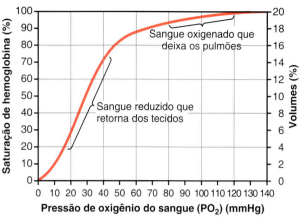

Figura 41.8 Curva de dissociação oxigênio-hemoglobina.

2. Note também que um aumento da taxa metabólica tecidual em 10 vezes eleva significativamente a PCO$_2$ intersticial para todos os valores de fluxo sanguíneo, ao passo que a redução do metabolismo em até um quarto do normal causa queda da PCO$_2$ intersticial para cerca de 41 mmHg, aproximando-se da PCO$_2$ do sangue arterial, que é igual a 40 mmHg.

PAPEL DA HEMOGLOBINA NO TRANSPORTE DE OXIGÊNIO

Normalmente, cerca de 97% do oxigênio que é transportado dos pulmões para os tecidos são carreados em ligação química com a hemoglobina presente nas hemácias. Os demais 3% são transportados dissolvidos na água do plasma e nas hemácias. Desse modo, *em condições normais*, o oxigênio é carreado até os tecidos quase completamente pela hemoglobina.

A ligação reversível do O$_2$ com a hemoglobina

A química da hemoglobina está apresentada no Capítulo 33, no qual foi apontado que a molécula de O$_2$ se combina de forma reversível com a porção heme da hemoglobina. Quando a PO$_2$ está alta, como nos capilares pulmonares, o O$_2$ se liga à hemoglobina. Do contrário, com PO$_2$ baixa, como nos tecidos capilares, o O$_2$ é liberado da hemoglobina. Essa é a base para praticamente todo o transporte de O$_2$ dos pulmões até os tecidos.

Curva de dissociação oxigênio-hemoglobina. A **Figura 41.8** demonstra a curva de dissociação O$_2$-hemoglobina (curva de dissociação da oxi-hemoglobina) que demonstra um aumento progressivo na porcentagem de hemoglobina ligada ao O$_2$ à medida que a PO$_2$ aumenta, o que recebe o nome de *porcentagem de saturação da hemoglobina*. Como o sangue que deixa os pulmões e chega às artérias sistêmicas geralmente apresenta PO$_2$ de 95 mmHg, na curva de dissociação, pode ser observado que *a saturação usual de O$_2$ do sangue arterial sistêmico gira em torno de 97%*. Em contrapartida, no sangue venoso normal que retorna dos tecidos periféricos, a PO$_2$ é de aproximadamente 40 mmHg, com *saturação de hemoglobina em torno de 75%*.

Quantidade máxima de oxigênio que pode se ligar à hemoglobina do sangue. O sangue de um indivíduo normal contém cerca de 15 gramas de hemoglobina para cada 100 mℓ de sangue, sendo que cada grama de hemoglobina pode se ligar a um máximo de 1,34 mℓ de O$_2$ (1,39 mℓ quando a hemoglobina está quimicamente pura, pois impurezas como metemoglobina podem reduzir esse valor). Portanto, 15 vezes 1,34 é igual a 20,1, o que significa que, em média, os 15 gramas de hemoglobina por 100 mℓ de sangue podem se ligar a um total de 20 mℓ de O$_2$ quando a saturação da hemoglobina é igual a 100%. Isso é geralmente apresentado como *20 volumes por cento*. A curva de dissociação O$_2$-hemoglobina para uma pessoa normal pode também ser expressa em termos de volumes por cento de O$_2$ em vez de porcentagem de saturação de hemoglobina, conforme demonstrado do lado direito da escala na **Figura 41.8**.

Quantidade de oxigênio liberado da hemoglobina quando o sangue arterial flui através dos tecidos. A quantidade total de O$_2$ *ligado à hemoglobina* do sangue arterial sistêmico normal, cuja saturação é de 97%, é de aproximadamente 19,4 mℓ/100 mℓ de sangue, conforme demonstrado na **Figura 41.9**. Ao passar pelos capilares teciduais, essa quantidade diminui, em média, até 14,4 mℓ (PO$_2$ de 40 mmHg com saturação de hemoglobina igual a 75%). *Portanto, em condições normais, cerca de 5 mℓ de O$_2$ são transportados dos pulmões para os tecidos por cada 100 mℓ de sangue.*

O transporte de oxigênio aumenta significativamente durante o exercício intenso. Durante o exercício intenso, as células musculares utilizam O$_2$ com taxa rápida, que, em casos extremos, pode causar redução da PO$_2$ intersticial dos músculos do normal de 40 para 15 mmHg. Com essa pressão baixa, somente 4,4 mℓ de O$_2$ permanecem ligados à hemoglobina para cada 100 mℓ de

PARTE 7 Respiração

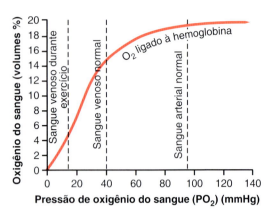

Figura 41.9 Efeito da PO_2 do sangue sobre a quantidade de oxigênio que se liga à hemoglobina para cada 100 mℓ de sangue.

sangue, conforme demonstrado na **Figura 41.9**. Portanto, 19,4 – 4,4 mℓ, ou 15 mℓ, é a quantidade de O_2 realmente fornecida aos tecidos por 100 mℓ de sangue, o que significa uma quantidade de O_2 três vezes maior sendo fornecida por volume de sangue que passa pelos tecidos. É preciso ter em mente que o débito cardíaco pode aumentar de 6 a 7 vezes em relação ao normal em maratonistas bem treinados. Ou seja, multiplicando-se o aumento do débito cardíaco (de 6 a 7 vezes) pelo aumento do transporte de O_2 por volume de sangue (3 vezes), obtém-se um aumento de 20 vezes no transporte de O_2 aos tecidos. Mais adiante no capítulo, veremos que muitos outros fatores facilitam a oferta de O_2 aos músculos durante o exercício, fazendo com que a PO_2 tecidual muscular caia, em geral, pouco abaixo do normal, mesmo durante exercício extenuante.

Coeficiente de utilização. A porcentagem de sangue que perde O_2 para os tecidos à medida que flui através dos capilares recebe o nome de *coeficiente de utilização*. O valor normal desse coeficiente é de aproximadamente 25%, evidenciado pela discussão prévia, ou seja, 25% da hemoglobina oxigenada perdem seu O_2 para os tecidos. Durante o exercício extenuante, o coeficiente de utilização de todo o organismo pode aumentar em até 75 a 85%. Em áreas locais de tecidos onde o fluxo sanguíneo é extremamente lento ou a taxa metabólica é muito alta, coeficientes próximos de 100% já foram registrados, isto é, essencialmente todo o O_2 está sendo fornecido aos tecidos.

A hemoglobina "tampona" o O_2 dos tecidos

Embora a hemoglobina seja necessária para o transporte de O_2 até os tecidos, ela também exerce outra função essencial à vida. Trata-se de sua função como sistema tampão de oxigênio dos tecidos, ou seja, a hemoglobina do sangue é o principal responsável por estabilizar a PO_2 dos tecidos, o que pode ser explicado como se segue.

A hemoglobina auxilia na manutenção de PO_2 praticamente constante nos tecidos.
Sob condições basais, os tecidos necessitam de aproximadamente 5 mℓ de O_2 para cada 100 mℓ de sangue que passa pelos capilares teciduais. Retomando a curva de dissociação O_2-Hb da **Figura 41.9**,

note que, para que sejam liberados os 5 mℓ de O_2 por 100 mℓ de sangue normais, a PO_2 necessita reduzir em até cerca de 40 mmHg. Logo, a PO_2 dos tecidos, em geral, não pode aumentar para mais que esse nível de 40 mmHg, pois se isso acontecer, não seria liberada da hemoglobina a quantidade de O_2 demandada pelos tecidos. Desse modo, a hemoglobina normalmente estabelece um limite superior da PO_2 tecidual de aproximadamente 40 mmHg.

Em contrapartida, quantidades adicionais de O_2 (até 20 vezes o normal) necessitam ser fornecidas aos tecidos pela hemoglobina durante o exercício intenso. Todavia, essa oferta de O_2 extra pode ser realizada com pouca redução da PO_2 dos tecidos, devido (1) à forte inclinação da curva de dissociação e (2) ao aumento do fluxo sanguíneo do tecido causado pela diminuição da PO_2. Em outras palavras, uma queda muito pequena na PO_2 já causa a liberação de grandes quantidades de O_2 extra da hemoglobina. Portanto, a hemoglobina do sangue fornece O_2 aos tecidos automaticamente sob pressão mantida praticamente constante entre 15 e 40 mmHg.

Quando a concentração atmosférica de oxigênio se altera significativamente, o efeito do tamponamento da hemoglobina ainda mantém a PO_2 praticamente constante. A PO_2 normal dos alvéolos é de aproximadamente 104 mmHg. Contudo, à medida que uma pessoa sobe uma montanha ou permanece dentro de um avião em ascensão, a PO_2 pode facilmente cair para menos da metade desse valor. Alternativamente, ao adentrar áreas de ar comprimido, como câmaras pressurizadas ou no fundo do mar, a PO_2 pode se elevar 10 vezes acima desse nível e, ainda assim, ocorrerá pouca mudança na PO_2 dos tecidos.

Pode ser observado, na curva de dissociação oxigênio-hemoglobina da **Figura 41.8**, que, quando ocorre redução da PO_2 alveolar em até menos de 60 mmHg, a hemoglobina arterial continua saturada com O_2 na faixa de 89%, somente 8% abaixo da saturação normal de 97%. Ademais, os tecidos continuam removendo cerca de 5 mℓ de O_2 por 100 mℓ de sangue. Para que isso aconteça, a PO_2 do sangue venoso cai para 35 mmHg, somente 5 mmHg abaixo do normal de 40 mmHg. Assim, a PO_2 se altera pouco, mesmo com queda significativa da PO_2 alveolar de 104 para 60 mmHg.

Em contrapartida, quando a PO_2 alveolar se eleva em até 500 mmHg, a saturação máxima de O_2 da hemoglobina continua sendo 100%, somente 3% acima do nível normal de 97%. Apenas uma pequena quantidade adicional de O_2 irá se dissolver no líquido do sangue, conforme será discutido mais adiante. Nesse caso, à medida que o sangue passa pelos capilares teciduais e perde vários mililitros de O_2 para os tecidos, a PO_2 capilar diminui para um valor de poucos mililitros acima de 40 mmHg. Como consequência, o nível de O_2 alveolar pode variar significativamente e, ainda assim, a PO_2 dos tecidos periféricos varia poucos mililitros fora de seu normal, *demonstrando, de forma interessante, a função de "tampão de oxigênio" exercida pela hemoglobina do sangue.*

Fatores que desviam a curva de dissociação oxigênio-hemoglobina e sua importância para o transporte de oxigênio

A curva de dissociação O_2-hemoglobina das **Figuras 41.8 e 41.9** corresponde ao sangue normal. Entretanto, diversos fatores podem deslocar a curva para uma ou outra direção, conforme demonstrado na **Figura 41.10**. Essa figura demonstra um desvio da curva de dissociação O_2-hemoglobina de aproximadamente 15% causado pela ligeira acidificação do sangue, cujo pH se alterou de 7,4 para 7,2. Da mesma forma, um aumento no pH de 7,4 para 7,6 causa um desvio similar para a esquerda.

Além das alterações do pH, diversos outros fatores sabidamente desviam a curva. Três desses fatores capazes de desviá-la para a *direita* incluem: (1) aumento da concentração de CO_2; (2) aumento da temperatura do sangue; e (3) aumento do 2,3-difosfoglicerato (2,3-DPG), um importante composto metabólico de fosfato presente no sangue em diferentes concentrações nas diversas condições metabólicas.

Aumento da oferta de oxigênio aos tecidos quando o CO_2 e o H^+ desviam a curva de dissociação oxigênio-hemoglobina: efeito Bohr

Um desvio da curva de dissociação oxigênio-hemoglobina para a direita em resposta ao aumento dos níveis de CO_2 e H^+ do sangue exerce efeito significativo de aumento da liberação de O_2 para os tecidos e da oxigenação do sangue pelos pulmões. Isso recebe o nome de *efeito Bohr* e pode ser explicado do seguinte modo. À medida que o sangue passa pelos tecidos, o CO_2 se difunde das células para o sangue. Essa difusão aumenta a PCO_2 do sangue, que, por sua vez, eleva os níveis de H_2CO_3 (ácido carbônico) e a concentração de H^+. Esses efeitos desviam a curva de dissociação O_2-hemoglobina para a direita e para baixo, conforme demonstrado na **Figura 41.10**, forçando o O_2 a se separar da hemoglobina, o que resulta em maior quantidade de O_2 ofertada aos tecidos.

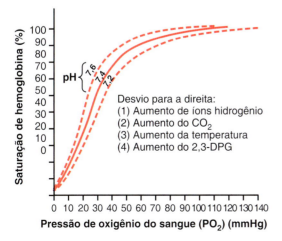

Figura 41.10 Desvio da curva de dissociação oxigênio-hemoglobina para a direita causado por um aumento na concentração de H^+ (redução do pH). 2,3-DPG: 2,3-difosfoglicerato.

O efeito exatamente oposto ocorre nos pulmões, em que o CO_2 se difunde do sangue para os alvéolos. Essa difusão reduz a PCO_2 e a concentração de H^+ do sangue, desviando a curva de dissociação O_2-hemoglobina para a esquerda e para cima. Desse modo, a quantidade de O_2 que se liga à hemoglobina para qualquer PO_2 aumenta consideravelmente, permitindo o aumento de seu transporte até os tecidos.

Efeito do 2,3-DPG em causar desvio para a direita na curva de dissociação oxigênio-hemoglobina

O 2,3-DPG normal do sangue mantém a curva de dissociação O_2-hemoglobina desviada ligeiramente para a direita. Em condições de hipóxia que perdurem por mais que algumas horas, a quantidade de 2,3-DPG sanguíneo aumenta consideravelmente, desviando a curva ainda mais para a direita. Isso causa liberação de O_2 para os tecidos com PO_2 tecidual mais alta em até 10 mmHg do que ocorreria se não houvesse o aumento do 2,3-DPG. Portanto, em algumas condições, o mecanismo do 2,3-DPG pode ser importante para a adaptação à hipóxia, especialmente quando causada por baixo fluxo sanguíneo tecidual.

Desvio para a direita da curva de dissociação oxigênio-hemoglobina durante o exercício

Durante o exercício, muitos fatores desviam a curva de dissociação consideravelmente para a direita, oferecendo quantidades extra de O_2 para as fibras musculares ativas em exercício. Os músculos ativos, por sua vez, liberam grandes quantidades de CO_2 que, juntamente com outros ácidos liberados, aumentam a concentração de H^+ do sangue capilar muscular. Além disso, a temperatura do músculo geralmente aumenta 2 a 3°C, o que pode elevar ainda mais a oferta de O_2 às fibras musculares. Todos esses fatores atuam em conjunto para desviar a curva de dissociação oxigênio-hemoglobina *do sangue capilar muscular* consideravelmente para a direita. Esse desvio força a liberação de O_2 da hemoglobina para o músculo com níveis de PO_2 tecidual de 40 mmHg, mesmo quando 70% do O_2 já foram removidos da hemoglobina. Posteriormente, ocorre o desvio na direção oposta nos pulmões, permitindo que quantidades extras de O_2 sejam captadas dos alvéolos.

CONSUMO METABÓLICO DO OXIGÊNIO PELAS CÉLULAS

Efeito da PO_2 intracelular sobre a taxa de consumo do oxigênio. É necessário apenas um nível mínimo de pressão de O_2 intracelular para que as reações químicas da célula ocorram normalmente. O motivo desse fenômeno é que os sistemas enzimáticos respiratórios das células, discutidos no Capítulo 68, foram estabelecidos de tal forma que quando a PO_2 é maior do que 1 mmHg, a disponibilidade de O_2 deixa de ser um fator limitante na velocidade das reações químicas. O principal fator limitante acaba sendo a *concentração de difosfato de adenosina* (ADP) das células. Esse efeito está representado na **Figura 41.11**, que demonstra a relação entre a PO_2 intracelular e a taxa de consumo do O_2 para diferentes concentrações de ADP. Note que, sempre que a PO_2 intracelular é maior do que 1 mmHg, o consumo de O_2 se torna constante para qualquer concentração de ADP dentro da célula. Em contrapartida, quando ocorre a mudança na concentração de ADP, a taxa de consumo do O_2 se altera proporcionalmente à mudança da concentração de ADP.

Conforme explicado no Capítulo 3, quando o trifosfato de adenosina (ATP) é utilizado nas células como fonte de energia, ocorre sua conversão em ADP. O aumento da concentração de ADP eleva o consumo metabólico de O_2 à medida que ele se combina com diversos nutrientes da célula, liberando energia que converte ADP novamente em ATP. *Em condições normais de funcionamento, a taxa de consumo de O_2 pelas células é controlada principalmente pela taxa de gasto de energia dentro das células, ou seja, pela taxa com que o ADP é formado a partir do ATP.*

Efeito da distância de difusão do capilar até a célula sobre o consumo de oxigênio. As células teciduais raramente se situam a mais que 50 micrômetros de um capilar, de forma que o O_2 pode rapidamente se difundir do capilar para a célula a fim de fornecer todas as quantidades de O_2 necessárias ao metabolismo celular. Todavia, em algumas ocasiões, as células ficam mais distantes dos capilares, o que torna a taxa de difusão de O_2 até essas células tão baixa que a PO_2 intracelular cai para abaixo do valor crítico necessário para manter o metabolismo intracelular máximo. Nessas condições, o consumo de O_2 pelas células é *limitado pela difusão* e deixa de ser determinado pela quantidade de ADP formado nas células. Contudo, essa situação raramente ocorre, exceto em quadros patológicos.

Efeito do fluxo sanguíneo sobre o consumo metabólico de oxigênio. A quantidade total de O_2 disponível a cada minuto para a utilização por um dado tecido é determinada (1) pela quantidade de O_2 que pode ser transportado até o tecido por 100 mℓ de sangue e (2) pelo fluxo sanguíneo. Se o fluxo sanguíneo sofrer uma queda até zero, a quantidade disponível de O_2 também cairá para zero. Portanto, há vezes em que o fluxo sanguíneo através de um tecido pode se tornar tão baixo que a PO_2 desse tecido fica abaixo do nível crítico de 1 mmHg, necessário ao metabolismo celular. Nessas condições, a taxa de consumo do O_2 se torna *limitada pelo fluxo sanguíneo*. Nenhum dos estados limitados, seja pela difusão, seja pelo fluxo sanguíneo, pode ser sustentado por muito tempo, pois as células recebem menos O_2 do que o necessário para manter sua vida.

Transporte de oxigênio em estado dissolvido

Na PO_2 arterial normal de 95 mmHg, cerca de 0,29 mℓ de O_2 se encontra dissolvido a cada 100 mℓ de água do plasma sanguíneo, restando somente 0,12 mℓ de O_2, enquanto a PO_2 decai abaixo de seu normal de 40 mmHg nos capilares dos tecidos. Em outras palavras, normalmente ocorre o transporte de 0,17 mℓ de O_2 em estado dissolvido até os tecidos para cada 100 mℓ de fluxo sanguíneo arterial. Esse valor contrapõe os quase 5 mℓ de O_2 transportados pela hemoglobina das hemácias. Assim, a quantidade de O_2 transportada aos tecidos em estado dissolvido é baixa, correspondendo, em geral, a 3% do total, comparada aos 97% transportados pela hemoglobina.

Durante o exercício intenso, quando a liberação de O_2 aos tecidos pela hemoglobina aumenta em 3 vezes, a quantidade relativa de O_2 transportada em estado dissolvido cai para 1,5%. Todavia, quando o indivíduo respira O_2 com níveis alveolares de PO_2 altos, a quantidade transportada em estado dissolvido pode se tornar muito maior, por vezes, levando a um grave excesso de O_2 nos tecidos e resultando na chamada *intoxicação por O_2*. Essa condição, muitas vezes, leva a convulsões e mesmo morte, conforme discutido no Capítulo 45 em relação à alta pressão de O_2 respirada por mergulhadores de alta profundidade.

Ligação da hemoglobina ao monóxido de carbono | deslocamento do O_2

O monóxido de carbono (CO) se combina com a hemoglobina pelo mesmo sítio de ligação do O_2, podendo deslocar O_2 da hemoglobina, diminuindo sua capacidade de transporte. Ademais, a ligação do CO à hemoglobina é aproximadamente 250 vezes mais estável que a do O_2, demonstrada pela curva de dissociação CO-hemoglobina na **Figura 41.12**. Essa curva é quase idêntica à curva de dissociação O_2-hemoglobina, exceto pelas pressões parciais de CO, demonstradas no eixo das abscissas, cujo nível equivale a 1/250 vezes o da curva de dissociação O_2-hemoglobina da **Figura 41.8**. Assim, uma pressão parcial alveolar de CO de apenas 0,4 mmHg, 1/250 vezes a pressão alveolar normal do O_2 (100 mmHg), já permite a competição equiparável entre CO e O_2 pela ligação com a hemoglobina, causando a combinação de 50% da hemoglobina do sangue com CO em vez de O_2. Ou seja, uma pressão de CO igual a 0,6 mmHg (concentração de volume menor que 1:1.000 no ar) já pode ser letal.

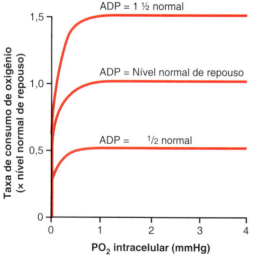

Figura 41.11 Efeito do difosfato de adenosina (ADP) e PO_2 sobre a taxa de consumo de oxigênio pelas células. Note que, contanto que a PO_2 intracelular seja maior que 1 mmHg, o fator de controle da taxa de consumo de oxigênio será a concentração intracelular de ADP.

CAPÍTULO 41 Transporte de Oxigênio e Dióxido de Carbono no Sangue e Líquidos Teciduais

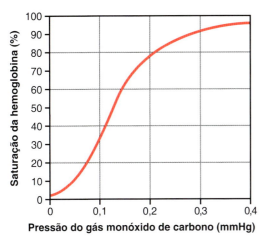

Figura 41.12 Curva de dissociação monóxido de carbono-hemoglobina. Note as pressões de monóxido de carbono extremamente baixas necessárias à sua ligação com a hemoglobina.

Embora o conteúdo de O_2 do sangue seja significativamente reduzido durante a intoxicação por CO, a PO_2 sanguínea pode se apresentar normal. Essa situação torna a exposição ao CO especialmente perigosa porque o sangue permanece com tom vermelho vivo, sem sinais evidentes de hipoxemia, como coloração azulada das extremidades dos dedos ou lábios (cianose). Ademais, sem diminuição da PO_2, o mecanismo de *feedback*, que geralmente estimula aumento da frequência respiratória em resposta à ausência de O_2 (normalmente evidenciado pela PO_2 baixa), estará ausente. Como o encéfalo é um dos primeiros órgãos afetados pela falta de oxigênio, o indivíduo pode se tornar desorientado e inconsciente antes que perceba o perigo.

Um paciente gravemente intoxicado por CO pode ser tratado por meio da administração de O_2 puro, pois a alta pressão alveolar de O_2 pode deslocar o CO rapidamente da hemoglobina. O paciente também se beneficia da administração simultânea de CO_2 a 5%, pois isso causa forte estímulo do centro respiratório, que responde com aumento da ventilação alveolar e diminuição do CO alveolar. Com essa intensa terapia com O_2 e CO_2, o CO pode ser removido do sangue 10 vezes mais rapidamente do que ocorreria naturalmente.

TRANSPORTE DE CO_2 PELO SANGUE

O transporte do CO_2 pelo sangue não é tão problemático quanto o de O_2, pois, mesmo nas condições mais anormais, o CO_2 pode ser facilmente transportado em quantidades muito maiores que as de O_2. Contudo, a quantidade de CO_2 sanguínea tem muita relação com o equilíbrio acidobásico dos líquidos corporais, discutido no Capítulo 31. Em condições normais de repouso, *em média, 4 mℓ de CO_2 são transportados dos tecidos aos pulmões por 100 mℓ de sangue.*

FORMAS QUÍMICAS DE TRANSPORTE DE CO_2

Para que se inicie o transporte do CO_2, primeiramente ocorre sua difusão para fora das células teciduais na forma molecular dissolvida. Ao adentrar os capilares dos tecidos, o CO_2 inicia uma série de reações físicas e químicas quase instantâneas, demonstradas na **Figura 41.13**, as quais são essenciais para seu transporte.

Transporte de CO_2 no estado dissolvido

Uma pequena porção do CO_2 é transportada em estado dissolvido até os pulmões. Vale lembrar que a PCO_2 do sangue venoso equivale a 45 mmHg e a do sangue arterial a 40 mmHg. A quantidade de CO_2 dissolvida no líquido do sangue a 45 mmHg é de aproximadamente 2,7 mℓ/dℓ (2,7 volumes por cento). Já a quantidade dissolvida a 40 mmHg é de aproximadamente 2,4 mℓ, com uma diferença de 0,3 mℓ. Portanto, somente cerca de 0,3 mℓ de CO_2 se encontra na forma dissolvida a cada 100 mℓ de sangue, o que equivale a aproximadamente 7% de todo o CO_2 transportado normalmente.

Transporte de CO_2 na forma de íon bicarbonato

A anidrase carbônica catalisa a reação entre CO_2 e água dentro das hemácias. O CO_2 dissolvido no sangue reage com a água para formar o *ácido carbônico*. Essa reação ocorreria muito mais lentamente para ter alguma importância, não fosse pela enzima chamada *anidrase carbônica* presente dentro das hemácias, capaz de catalisar a reação entre CO_2 e água, bem como acelerar esse processo em até 5.000 vezes. Portanto, em vez de levar muitos segundos a minutos para ocorrer, como é o caso no plasma, a reação nas hemácias ocorre tão rapidamente que chega ao equilíbrio quase completo dentro de uma fração de segundo. Esse fenômeno permite que quantidades extraordinárias de CO_2 reajam com a água das hemácias, mesmo antes que o sangue tenha tempo de deixar os capilares teciduais.

Dissociação do ácido carbônico nos íons bicarbonato e hidrogênio. Em outra fração de segundo, o ácido carbônico formado nas hemácias (H_2CO_3) se dissocia nos íons *hidrogênio* e *bicarbonato* (H^+ e HCO_3^-). A maior parte

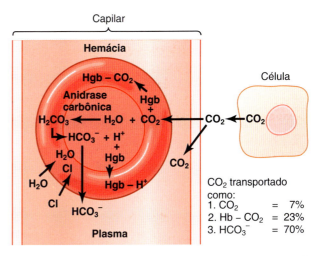

Figura 41.13 Transporte do dióxido de carbono no sangue. Hb: hemoglobina.

dos íons H⁺ se liga à hemoglobina da hemácia, que atua como um importante tampão ácido-base. Os íons HCO_3^-, por sua vez, difundem-se das hemácias para o plasma contra a entrada de íons cloreto para dentro das hemácias. Essa difusão é possibilitada pela presença de uma proteína especial (*proteína carreadora bicarbonato-cloreto*) da membrana da hemácia, que lança esses íons em direções opostas em alta velocidade. Ou seja, o conteúdo de cloreto das hemácias do sangue venoso é maior do que do sangue arterial, fenômeno denominado *desvio de cloreto*.

A ligação reversível do CO_2 com água dentro das hemácias sob influência da anidrase carbônica corresponde a cerca de 70% do CO_2 que é transportado dos tecidos até os pulmões. Ou seja, trata-se do mais importante meio transporte do CO_2. De fato, quando se administra um inibidor da anidrase carbônica (p. ex., acetazolamida) a um animal para bloquear a ação dessa enzima nas hemácias, o transporte de CO_2 dos tecidos se torna tão reduzido que a PCO_2 tecidual pode atingir 80 mmHg, comparados a seus 45 mmHg normais.

Transporte de CO_2 ligado à hemoglobina e proteínas plasmáticas: a carbamino-hemoglobina. Além de reagir com a água, o CO_2 reage diretamente com radicais amina da molécula de hemoglobina, formando o composto *carbamino-hemoglobina* (CO_2-Hb). Essa combinação é uma reação reversível que ocorre por meio de uma ligação fraca, permitindo a fácil liberação do CO_2 nos alvéolos, nos quais a PCO_2 é menor do que a dos capilares pulmonares.

Uma pequena quantidade de CO_2 também reage do mesmo modo com as proteínas plasmáticas nos capilares dos tecidos. Essa reação é muito menos significativa para seu transporte, pois a quantidade dessas proteínas no sangue equivale a apenas um quarto da quantidade de hemoglobina.

A quantidade de CO_2 que pode ser carreada dos tecidos periféricos aos pulmões, em combinação com a hemoglobina e as proteínas plasmáticas, corresponde a cerca de 30% da quantidade total transportada, ou seja, aproximadamente 1,5 mℓ de CO_2 para cada 100 mℓ de sangue. Todavia, visto que essa reação ocorre de forma muito mais lenta do que a reação entre CO_2 e água que ocorre dentro das hemácias, o transporte por meio do mecanismo carbamino em condições normais dificilmente será maior que 20% do CO_2 total.

CURVA DE DISSOCIAÇÃO DO DIÓXIDO DE CARBONO

A curva demonstrada na **Figura 41.14**, chamada *curva de dissociação de CO_2*, representa a dependência do CO_2 total do sangue em todas as suas formas sobre a PCO_2. Note que a PCO_2 normal do sangue se encontra dentro da estreita faixa de 40 mmHg no sangue arterial e de 45 mmHg, no sangue venoso. Note também que a concentração normal de CO_2 do sangue, em todas as suas diferentes formas, equivale a cerca de 50 volumes por cento,

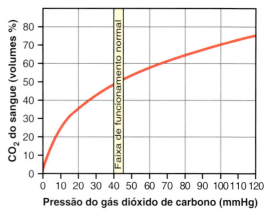

Figura 41.14 Curva de dissociação do dióxido de carbono.

com apenas 4 volumes por cento dos 50 sendo trocados durante o transporte normal de CO_2 dos tecidos aos pulmões. Ou seja, a concentração se eleva em até cerca de 52 volumes por cento à medida que o sangue passa através dos tecidos e depois cai para 48 volumes por cento à medida que o sangue passa pelos pulmões.

Quando o oxigênio se liga à hemoglobina, ocorre liberação de CO_2 (efeito Haldane) para aumentar o transporte de CO_2

Anteriormente no capítulo, notou-se que um aumento do CO_2 sanguíneo causa deslocamento do O_2 da hemoglobina (efeito Bohr), que é um importante fator de aumento do transporte de O_2. O inverso também é verdadeiro, em que a ligação do O_2 com a hemoglobina tende a deslocar o CO_2 do sangue. Esse efeito, que recebe o nome de *efeito Haldane*, é quantitativamente mais importante em promover o transporte de CO_2 do que o efeito Bohr o é para o transporte de O_2.

O efeito Haldane resulta do simples fato de que a ligação de O_2 com hemoglobina nos pulmões torna a hemoglobina um ácido mais forte. Isso desloca o CO_2 do sangue para os alvéolos de duas formas. Na primeira, a hemoglobina mais ácida tem menor tendência de se ligar ao CO_2 para formar a carbamino-hemoglobina, o que desloca boa parte do CO_2 presente na forma carbamino para fora do sangue. Na segunda, o aumento da acidez da hemoglobina também faz com que ela libere um excesso de H⁺, que se ligará ao HCO_3^- para formar o ácido carbônico. Por sua vez, ele se dissocia em água e em CO_2, bem como é liberado do sangue para o alvéolo para ser expirado no ar.

A **Figura 41.15** demonstra quantitativamente a significância do efeito Haldane sobre o transporte de CO_2 dos tecidos para os pulmões. Essa figura demonstra pequenas porções das duas curvas de dissociação do CO_2: (1) quando a PO_2 é igual a 100 mmHg, que é o caso dos capilares sanguíneos pulmonares; e (2) quando a PO_2 é igual a 40 mmHg, que é o caso nos capilares dos tecidos. O ponto A demonstra que a PCO_2 normal de 45 mmHg dos tecidos causa combinação de 52 volumes por cento de CO_2 com o sangue. Ao adentrar os pulmões, a PCO_2 cai

CAPÍTULO 41 Transporte de Oxigênio e Dióxido de Carbono no Sangue e Líquidos Teciduais

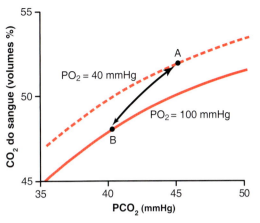

Figura 41.15 Porções da curva de dissociação do dióxido de carbono quando a PO_2 equivale a 100 ou 40 mmHg. A *seta* representa o efeito Haldane sobre o transporte do dióxido de carbono.

para 40 mmHg e a PO_2 aumenta para 100 mmHg. Se a curva de dissociação do CO_2 não sofresse um desvio pelo efeito Haldane, o conteúdo de CO_2 do sangue cairia apenas para 50 volumes por cento. Todavia, o aumento da PO_2 nos pulmões abaixa a curva até a curva mais inferior da figura, cujo conteúdo de CO_2 é igual a 48 volumes por cento (ponto B), o que representa uma perda adicional de 2 volumes por cento de CO_2. Portanto, *o efeito Haldane aproximadamente dobra a quantidade de CO_2 liberada do sangue nos pulmões e dobra a quantidade de CO_2 captada dos tecidos.*

Alteração da acidez do sangue durante o transporte de CO_2

O ácido carbônico formado quando o CO_2 adentra o sangue nos tecidos periféricos diminui o pH sanguíneo. Entretanto, a reação desse ácido com os tampões ácido-base presentes no sangue impede que a concentração de H^+ aumente significativamente ou que o pH caia significativamente. De maneira geral, o sangue arterial tem pH igual a 7,41, que cai para 7,37 à medida que o sangue adquire CO_2 dos tecidos nos capilares; em outras palavras, ocorre a mudança de 0,04 unidade no pH. O inverso ocorre quando o CO_2 é liberado do sangue nos pulmões, aumentando o pH de volta ao valor arterial de 7,41. Durante o exercício intenso ou outras condições de alta atividade metabólica, ou quando o fluxo sanguíneo dos tecidos se torna mais lento, a redução do pH do sangue tecidual – e dos próprios tecidos – pode ser igual a 0,5, cerca de 12 vezes mais do que o normal, causando significativa acidose tecidual.

QUOCIENTE DE RESPIRATÓRIO

O estudante atento terá notado que o transporte normal de O_2 dos pulmões aos tecidos por 100 mℓ de sangue é de aproximadamente 5 mℓ, enquanto o transporte normal de CO_2 dos tecidos aos pulmões é de aproximadamente 4 mℓ. Isto é, em condições normais de repouso, os pulmões eliminam CO_2 em proporção correspondente a 82% da quantidade captada de oxigênio. A razão entre a eliminação do CO_2 e a captação de O_2 recebe o nome de *quociente de troca respiratória* ou *quociente respiratório* (QR). Desse modo:

$$QR = \frac{\text{Taxa de eliminação do dióxido de carbono}}{\text{taxa de captação do oxigênio}}$$

O valor de QR se altera sob diferentes condições metabólicas. Quando um indivíduo utiliza exclusivamente carboidratos para o metabolismo corporal, ocorre o aumento de QR em até 1,00. Em contrapartida, quando um indivíduo utiliza exclusivamente gordura para obter energia metabólica, o valor de R cai para 0,7. O motivo é que, quando o O_2 é metabolizado com carboidratos, uma molécula de CO_2 é formada para cada molécula de O_2 consumida; já quando o O_2 reage com gorduras, uma grande parte desse O_2 se combina com átomos de hidrogênio das gorduras para formar água em vez de CO_2. Em outras palavras, o metabolismo de gorduras resulta em *quociente respiratório da reação química* dos tecidos de cerca de 0,70 em vez de 1,00 (o quociente respiratório dos tecidos é discutido no Capítulo 72). Para um indivíduo com dieta normal consumindo quantidades médias de carboidratos, gorduras e proteínas, o valor médio de QR é considerado como 0,825.

Bibliografia

Clanton TL, Hogan MC, Gladden LB: Regulation of cellular gas exchange, oxygen sensing, and metabolic control. Compr Physiol 3:1135, 2013.

Geers C, Gros G: Carbon dioxide transport and carbonic anhydrase in blood and muscle. Physiol Rev 80:681, 2000.

Jensen FB: Red blood cell pH, the Bohr effect, and other oxygenation-linked phenomena in blood O_2 and CO_2 transport. Acta Physiol Scand 182:215, 2004.

Jensen FB. The dual roles of red blood cells in tissue oxygen delivery: oxygen carriers and regulators of local blood flow. J Exp Biol 212:3387, 2009.

Joyner MJ, Casey DP: Regulation of increased blood flow (hyperemia) to muscles during exercise: a hierarchy of competing physiological needs. Physiol Rev 95:549, 2015.

Maina JN, West JB: Thin and strong! The bioengineering dilemma in the structural and functional design of the blood-gas barrier. Physiol Rev 85:811, 2005.

Mairbäurl H, Weber RE: Oxygen transport by hemoglobin. Compr Physiol 2:1463, 2012.

Moore LG: Measuring high-altitude adaptation. J Appl Physiol 123:1371, 2017.

Poole DC, Jones AM: Oxygen uptake kinetics. Compr Physiol 2:933, 2012.

Richardson RS: Oxygen transport and utilization: an integration of the muscle systems. Adv Physiol Educ 27:183, 2003.

Rossiter HB: Exercise: Kinetic considerations for gas exchange. Compr Physiol. 1:203, 2011.

Tsai AG, Johnson PC, Intaglietta M: Oxygen gradients in the microcirculation. Physiol Rev 83:933, 2003.

CAPÍTULO 42

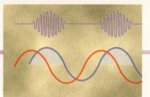

Regulação da Respiração

O sistema nervoso normalmente ajusta a frequência da ventilação alveolar de forma a atender às demandas do organismo – quase exatamente – a fim de que as pressões parciais de oxigênio (PO_2) e de dióxido de carbono (PCO_2) do sangue arterial sejam pouco alteradas, mesmo durante o exercício intenso e outros principais tipos de estresse respiratório. Este capítulo descreve a função do sistema neurogênico, que promove regulação da respiração.

CENTRO RESPIRATÓRIO

O *centro respiratório* é composto por diversos grupos de neurônios, localizados *bilateralmente* no *bulbo* e na ponte do tronco encefálico, conforme demonstrado na **Figura 42.1**. O centro respiratório se divide em três grandes grupos de neurônios: (1) um *grupo respiratório dorsal*, localizado na porção dorsal do bulbo, que promove principalmente a inspiração; (2) um *grupo respiratório ventral*, localizado na porção ventrolateral do bulbo, que promove principalmente a expiração; e (3) o *centro pneumotáxico*, situado dorsalmente na porção superior da ponte, que controla principalmente a frequência e a amplitude respiratória.

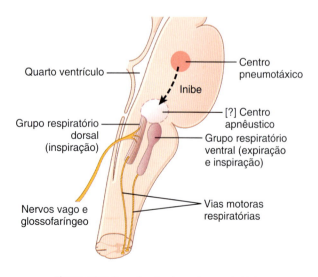

Figura 42.1 Organização do centro respiratório.

O GRUPO RESPIRATÓRIO DORSAL DE NEURÔNIOS CONTROLA A INSPIRAÇÃO E O RITMO DA RESPIRAÇÃO

O grupo respiratório dorsal de neurônios exerce um papel fundamental no controle da respiração, estendendo-se ao longo da maior parte do bulbo. A maioria de seus neurônios se localiza no *núcleo do trato solitário* (NTS), embora neurônios adicionais presentes na substância reticular adjacente do bulbo também exerçam uma importante função nesse controle. O NTS é a terminação sensitiva dos nervos vago e glossofaríngeo, os quais transmitem sinais sensitivos para o centro respiratório a partir de: (1) quimiorreceptores periféricos; (2) barorreceptores; (3) receptores do fígado, do pâncreas e de diversas partes do trato gastrointestinal; e (4) diversos tipos de receptores pulmonares.

Disparos inspiratórios rítmicos do grupo respiratório dorsal. O ritmo básico da respiração é gerado principalmente pelo grupo respiratório dorsal de neurônios. Mesmo quando todos os nervos periféricos que chegam ao bulbo são seccionados e o tronco encefálico é seccionado transversalmente acima e abaixo do bulbo, esse grupo de neurônios ainda continua emitindo *potenciais de ação neuronais inspiratórios* repetitivos. No entanto, a causa base desses disparos repetitivos permanece desconhecida. Em animais primitivos, foram encontradas redes neurais com atividade de um grupo de neurônios excitando outro grupo, que, por sua vez, inibe o primeiro. Posteriormente, após um período de tempo, o mecanismo é repetido e se mantém ao longo da vida do animal. Redes similares de neurônios estão presentes no ser humano, situadas inteiramente dentro do bulbo. Essas redes provavelmente envolvem não apenas o grupo respiratório dorsal, como também áreas adjacentes do bulbo, sendo responsáveis pelo ritmo básico da respiração.

Sinal inspiratório em "rampa". O sinal nervoso que é transmitido aos músculos da inspiração, principalmente o diafragma, não se trata de um disparo instantâneo de potenciais de ação. Na realidade, ele começa de maneira fraca e aumenta estavelmente como uma rampa por cerca de 2 segundos na respiração normal. Em seguida, ele cessa repentinamente pelos próximos 3 segundos, o que interrompe a excitação do diafragma e permite o retorno elástico dos pulmões e da parede torácica para promover a expiração. Sucessivamente, o sinal inspiratório reinicia para outro ciclo, que se repete continuamente, sempre com expirações nos intervalos. Ou seja, o sinal inspiratório é um *sinal em rampa*. A vantagem óbvia da rampa é que ela promove um aumento estável do volume pulmonar durante a inspiração em vez de arfadas curtas.

A rampa inspiratória possui dois controles de qualidade. São eles:

1. Controle da *frequência de aumento do sinal em rampa*, de forma que, na inspiração profunda, a rampa aumente rapidamente para promover o preenchimento rápido dos pulmões.
2. Controle do *ponto de interrupção da rampa*, que é o método usual de controle da frequência respiratória. Ou seja, quanto mais cedo é interrompida a rampa, menor a duração da inspiração. Esse método também encurta a duração da expiração e, desse modo, ocorre o aumento da frequência respiratória.

O CENTRO PNEUMOTÁXICO LIMITA A DURAÇÃO DA INSPIRAÇÃO E AUMENTA A FREQUÊNCIA RESPIRATÓRIA

O *centro pneumotáxico*, situado dorsalmente no *núcleo parabraquial* da parte superior da ponte, transmite sinais para a área inspiratória. O efeito primário desse centro é de controlar o ponto de "desligamento" da rampa inspiratória, controlando a duração da fase de enchimento do ciclo pulmonar. Quando o sinal pneumotáxico é forte, a inspiração pode chegar a durar somente 0,5 s, causando enchimento discreto dos pulmões. Já quando o sinal pneumotáxico é fraco, a inspiração pode continuar por 5 ou mais segundos, preenchendo os pulmões com quantidades muito maiores de ar.

A função do centro pneumotáxico é primariamente limitar a inspiração, com efeito secundário de aumentar a frequência respiratória, pois a limitação da inspiração também encurta a expiração e todo o período de uma respiração. Um sinal pneumotáxico forte pode aumentar a frequência respiratória para até 30 a 40 respirações/min, ao passo que um sinal fraco pode diminuir a frequência para 3 a 5 respirações/min.

GRUPO RESPIRATÓRIO VENTRAL DE NEURÔNIOS: FUNÇÕES TANTO NA INSPIRAÇÃO QUANTO NA EXPIRAÇÃO

De cada lado do bulbo, cerca de 5 milímetros anterior e lateral ao grupo respiratório dorsal, situa-se o *grupo respiratório ventral* composto por neurônios, encontrados no *núcleo ambíguo* (superiormente) e no *núcleo retroambíguo* (inferiormente). A função desse grupo neuronal ventral difere da do grupo respiratório dorsal de várias formas importantes, como pode ser visto a seguir.

1. Os neurônios do grupo respiratório ventral permanecem quase totalmente *inativos* durante a respiração normal de repouso. Portanto, a respiração de repouso é promovida somente pelos sinais inspiratórios repetitivos do grupo respiratório dorsal transmitidos principalmente para o diafragma, com expiração promovida pelo recuo elástico dos pulmões e da caixa torácica.
2. Os neurônios respiratórios ventrais não parecem participar na oscilação rítmica básica de controle da respiração.
3. Quando o estímulo respiratório para o aumento da ventilação pulmonar se torna maior do que o normal, sinais respiratórios são enviados aos neurônios respiratórios ventrais pelo mecanismo oscilatório básico da área respiratória dorsal. Como consequência, a área respiratória ventral também contribui com adicional estímulo respiratório.
4. A estimulação elétrica de alguns neurônios do grupo ventral causa inspiração, enquanto a estimulação de outros causa expiração. Portanto, esses neurônios contribuem tanto com a inspiração quanto com a expiração. Eles são neurônios especialmente importantes em promover os intensos sinais expiratórios enviados aos músculos abdominais durante a expiração forçada. Desse modo, essa área funciona como um mecanismo de potencialização quando são necessários níveis altos de ventilação pulmonar, especialmente durante o exercício intenso.

SINAIS DE INSUFLAÇÃO PULMONAR LIMITAM A INSPIRAÇÃO: REFLEXO DE INSUFLAÇÃO DE HERING-BREUER

Além dos mecanismos de controle respiratório do sistema nervoso central, que operam inteiramente dentro do tronco encefálico, sinais nervosos sensitivos dos pulmões também ajudam o controle da respiração. Os mais importantes advêm de *receptores de estiramento*, localizados nas porções musculares da parede dos brônquios e dos bronquíolos ao longo dos pulmões, transmitindo sinais por meio do nervo *vago* até o grupo respiratório dorsal de neurônios quando os pulmões são estirados excessivamente. Esses sinais afetam a inspiração de forma similar aos sinais do centro pneumotáxico, ou seja, quando os pulmões estão excessivamente inflados, os receptores de estiramento ativam uma resposta adequada de *feedback* que "desliga" a rampa inspiratória e interrompe a inspiração. Esse mecanismo recebe o nome de *reflexo de insuflação de Hering-Breuer*. O reflexo também aumenta a frequência respiratória, assim como ocorre com os sinais do centro pneumotáxico.

Em humanos, o reflexo de Hering-Breuer provavelmente não é ativado até que o volume corrente aumente para mais do que 3 vezes acima do normal (> aproximadamente 1,5 ℓ/respiração). Assim, esse reflexo parece ser um mecanismo principalmente de proteção contra a insuflação excessiva dos pulmões em vez de um fator de controle normal da ventilação.

CONTROLE DA ATIVIDADE GERAL DO CENTRO RESPIRATÓRIO

Até agora, foram discutidos os mecanismos básicos, que promovem a inspiração e a expiração. Contudo, também é importante conhecer como a intensidade dos sinais de controle da respiração é aumentada ou diminuída para adequar as necessidades de ventilação do organismo. Por exemplo, durante o exercício intenso, a taxa de consumo de oxigênio (O_2) e produção de dióxido de carbono (CO_2) normalmente aumentam em até 20 vezes acima do normal, demandando aumentos proporcionais na ventilação pulmonar. O principal objetivo do restante deste capítulo é discutir esse controle da ventilação segundo as necessidades respiratórias do organismo.

CONTROLE QUÍMICO DA RESPIRAÇÃO

O principal objetivo da respiração é manter concentrações adequadas de O_2, CO_2 e H^+ nos tecidos. Felizmente, a atividade respiratória é, portanto, altamente responsiva às alterações de cada uma dessas substâncias.

O excesso de CO_2 ou de H^+ do sangue atua diretamente sobre o centro respiratório, causando aumento significativo da força dos sinais motores inspiratórios e expiratórios enviados aos músculos da respiração. O oxigênio, em contrapartida, não apresenta um grande efeito *direto* sobre o centro respiratório ao controle da respiração. Na verdade, o O_2 atua quase completamente sobre *quimiorreceptores* periféricos situados nos *corpos carotídeo* e *aórtico*, os quais transmitem sinais nervosos ao centro respiratório para controlar a respiração.

CONTROLE DIRETO DA ATIVIDADE DO CENTRO RESPIRATÓRIO POR CO_2 E H^+

Área quimiossensível do centro respiratório situada abaixo da superfície ventral do bulbo. Já foram principalmente discutidas três áreas do centro respiratório: grupo respiratório dorsal de neurônios, grupo respiratório ventral e centro pneumotáxico. Acredita-se que nenhuma dessas áreas seja afetada diretamente por alterações na concentração de CO_2 ou H^+ do sangue. Na realidade, uma área neuronal adicional denominada *área quimiossensível*, demonstrada na **Figura 42.2**, situa-se bilateralmente a apenas 0,2 milímetro abaixo da superfície ventral do bulbo. Essa área é altamente sensível a alterações da PCO_2 ou da concentração de H^+, podendo excitar outras porções do centro respiratório.

A excitação de neurônios quimiossensíveis pelo H^+ é provavelmente o estímulo primário. Os neurônios sensitivos da área quimiossensível são especialmente excitados pelo H^+. De fato, acredita-se que o H^+ possa ser o único estímulo direto importante desses neurônios. Contudo, íons H^+ não cruzam facilmente a barreira hematencefálica. Por isso, alterações na concentração de H^+ do sangue têm efeito consideravelmente menor sobre o estímulo de neurônios quimiossensíveis do que alterações no CO_2 sanguíneo, ainda que se acredite que o CO_2 estimule esses neurônios de forma secundária por meio da alteração da concentração de H^+, conforme será explicado na próxima seção.

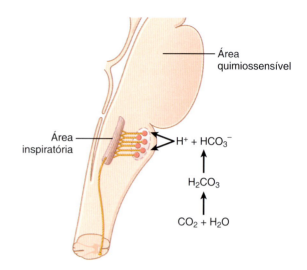

Figura 42.2 Estimulação da área *inspiratória do tronco encefálico* por sinais da *área quimiossensível* localizada bilateralmente no bulbo, apenas uma fração de milímetro abaixo da superfície ventral do bulbo. Note também que o H^+ estimula essa área, mas quem mais aumenta o H^+ é o dióxido de carbono do líquido.

O CO_2 estimula indiretamente os neurônios quimiossensíveis. Embora o CO_2 exerça pouco efeito sobre os neurônios da área quimiossensível, ele causa um potente efeito indireto. Esse efeito ocorre por meio da reação entre CO_2 e água no tecido para formar ácido carbônico, que se dissocia em H^+ e HCO_3^-. O H^+ e, por sua vez, apresenta um forte efeito estimulante direto na respiração. Essas reações estão demonstradas na **Figura 42.2**.

Por que o CO_2 do sangue tem efeito mais potente em estimular neurônios quimiossensíveis do que o H^+? A resposta é porque a barreira hematencefálica não é muito permeável ao H^+, porém tão permeável ao CO_2 que sua passagem ocorre como se nem existisse uma barreira. Como consequência, sempre que a PCO_2 aumenta, também ocorre aumento da PCO_2 do líquido intersticial do bulbo e do líquido cefalorraquidiano. Em ambos os líquidos, o CO_2 imediatamente reage com água, formando novo H^+. Portanto, paradoxalmente, há a liberação de mais H^+ na área quimiossensível respiratória do bulbo quando a concentração de CO_2 do sangue aumenta do que quando ocorre aumento na concentração sanguínea de H^+. Por essa razão, a atividade do centro respiratório é fortemente aumentada pelas mudanças no CO_2 do sangue, um fato que será discutido quantitativamente mais adiante.

O efeito estimulante do CO_2 fica atenuado após 1 a 2 dias. A excitação do centro respiratório causada pelo CO_2 é maior nas primeiras horas após o primeiro aumento de seus níveis sanguíneos, diminuindo gradativamente ao longo dos próximos 1 a 2 dias, até atingir um quinto do efeito inicial. Parte dessa queda resulta do reajuste renal da concentração de H+ circulante do sangue, normalizando-a após os primeiros aumentos do H+ pelos níveis de CO_2. Os rins realizam esse reajuste por meio da elevação do HCO_3^- do sangue, que se liga ao H+ tanto no sangue quanto no líquido cefalorraquidiano (ou liquor), reduzindo a concentração de H+ nesses líquidos. Contudo, mais importante ainda, ao longo de algumas horas, também ocorre uma difusão lenta de HCO_3^- através da barreira hematencefálica e da barreira sangue-liquor para se ligar diretamente ao H+ adjacente aos neurônios respiratórios, diminuindo a concentração de H+ até próximo do normal. A mudança na concentração de CO_2 do sangue, portanto, possui um potente efeito *agudo* sobre o controle do estímulo respiratório, porém um fraco efeito *crônico* após alguns dias de adaptação.

Efeitos quantitativos da PCO_2 e concentração de H+ do sangue sobre a ventilação alveolar. A **Figura 42.3** demonstra quantitativamente os efeitos aproximados da PCO_2 e pH do sangue (que corresponde a uma função logarítmica inversa da concentração de H+) sobre a ventilação alveolar. Observe especialmente o aumento significativo da ventilação causado por um aumento na PCO_2 *dentro da faixa normal* entre 35 e 75 mmHg, o que demonstra o incrível efeito que as alterações do CO_2 possuem sobre o controle da respiração. Em contrapartida, a alteração da respiração com a faixa normal de pH do sangue, situada entre 7,3 e 7,5, tem intensidade equivalente a 10% da causada pelo CO_2.

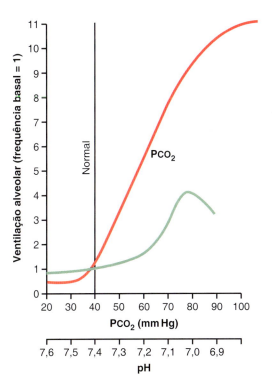

Figura 42.3 Efeitos do aumento da PCO_2 do sangue arterial e da diminuição do pH arterial (aumento da concentração de H+) sobre a frequência da ventilação alveolar.

Alterações no O_2 exercem pouco efeito direto sobre o controle do centro respiratório. As alterações na concentração de O_2 não exercem praticamente nenhum efeito *direto* sobre o centro respiratório para modificar o estímulo da respiração, embora as alterações do O_2 exerçam efeito indireto, atuando por meio de quimiorreceptores periféricos, conforme será explicado na próxima seção.

Aprendemos no Capítulo 41 que o sistema tampão hemoglobina-oxigênio transporta quantidades quase exatamente normais de O_2 aos tecidos, mesmo diante de alterações da PO_2 pulmonar de 60 a 1.000 mmHg. Portanto, exceto em algumas condições especiais, ainda pode ocorrer a oferta de O_2 adequada, independentemente das alterações na ventilação pulmonar desde a metade do normal até 20 vezes acima do normal. Não se trata do mesmo caso para o CO_2, pois tanto a PCO_2 do sangue quanto a dos tecidos se altera de forma inversa à frequência da ventilação pulmonar. Assim, os processos evolutivos dos animais tornaram o CO_2 o principal controlador da respiração em vez do O_2.

Para condições especiais nas quais os tecidos são prejudicados por um déficit de O_2, o organismo possui um mecanismo especial para controle respiratório, localizado em quimiorreceptores periféricos, fora do centro respiratório encefálico. Esse mecanismo responde quando os níveis de O_2 caem muito, principalmente até uma PO_2 menor do que 70 mmHg, conforme será explicado na próxima seção.

SISTEMA QUIMIORRECEPTOR PERIFÉRICO: PAPEL DO OXIGÊNIO NO CONTROLE DA RESPIRAÇÃO

Juntamente com o controle da atividade respiratória pelo próprio centro respiratório, um outro mecanismo também está disponível para controlar a respiração. Trata-se do *sistema quimiorreceptor periférico*, demonstrado na **Figura 42.4**. Receptores químicos nervosos especiais, denominados *quimiorreceptores*, estão situados em diversas áreas fora do encéfalo. Eles são especialmente importantes na detecção de alterações do O_2 sanguíneo, embora também respondam em menor grau às mudanças do CO_2 e da concentração de H+. Os quimiorreceptores transmitem sinais nervosos ao centro respiratório do bulbo para regular a atividade respiratória.

A maioria dos quimiorreceptores se encontra nos *corpos carotídeos*. Todavia, alguns também estão presentes nos *corpos aórticos*, demonstrados na parte inferior da **Figura 42.4**, com ainda alguns poucos, em outros locais associados a outras artérias da região torácica e abdominal.

Os *corpos carotídeos* se localizam bilateralmente nas bifurcações das artérias carótidas comuns. Suas fibras nervosas aferentes passam pelos nervos de Hering até atingirem os *nervos glossofaríngeos*, para chegar à área respiratória dorsal do bulbo. Os *corpos aórticos* se localizam ao longo do arco aórtico e suas fibras nervosas aferentes

PARTE 7 Respiração

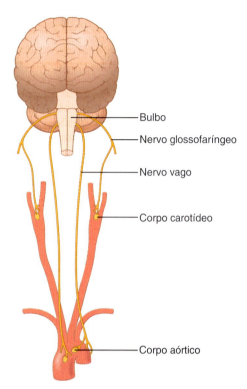

Figura 42.4 Controle respiratório pelos quimiorreceptores periféricos dos corpos carotídeos e aórticos.

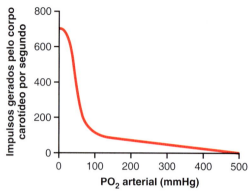

Figura 42.5 Efeito da PO_2 arterial sobre a frequência de impulso do corpo carotídeo.

passam pelos *nervos vagos*, também chegando à área respiratória dorsal bulbar.

Cada um desses corpos de quimiorreceptores recebe seu próprio aporte sanguíneo por meio de uma pequena artéria que emerge diretamente do tronco arterial adjacente. O fluxo sanguíneo dos corpos é muito alto: 20 vezes maior do que seu próprio peso a cada minuto. Desse modo, a porcentagem de O_2 removido do fluxo sanguíneo se aproxima de zero, o que significa que *os quimiorreceptores estão o tempo todo expostos ao sangue arterial*, e não ao sangue venoso, sendo sua PO_2 igual à PO_2 arterial.

A diminuição do oxigênio arterial estimula os quimiorreceptores. Quando a concentração de oxigênio do sangue arterial cai para abaixo do normal, os quimiorreceptores são fortemente estimulados. Esse efeito está representado na **Figura 42.5**, que mostra o efeito de diferentes níveis da PO_2 *arterial* sobre a frequência de deflagração de impulsos nervosos de um corpo carotídeo. Note que a frequência dos impulsos é particularmente sensível à mudança da PO_2 arterial de 60 para 30 mmHg, uma faixa em que ocorre um rápido declínio da saturação da hemoglobina com oxigênio.

Mecanismo básico de estimulação dos quimiorreceptores pela deficiência de O_2. O mecanismo exato pelo qual a PO_2 baixa excita as terminações nervosas dos corpos carotídeos e aórticos ainda não é completamente compreendido. Todavia, esses corpos possuem múltiplas células de característica altamente glandular, denominadas *células glomosas*, que fazem sinapse direta ou indiretamente com as terminações nervosas. Evidências recentes sugerem que essas células funcionem como quimiorreceptores que estimulam as terminações nervosas (ver **Figura 42.6**). Células glomosas possuem *canais de potássio sensíveis a* O_2 que são inativados quando a PO_2 sofre uma queda significativa, o que causa a despolarização da célula, que abre seus *canais de cálcio voltagem-dependentes* e aumenta a concentração de cálcio intracelular. O maior número de íons cálcio estimula a liberação de um

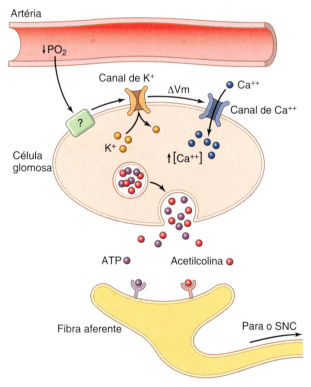

Figura 42.6 Célula glomosa do corpo carotídeo sensível a oxigênio. Quando a PO_2 cai para abaixo de 60 mmHg, canais de potássio se fecham, causando despolarização e abertura de canais de cálcio, o que resulta no aumento da concentração de cálcio no citosol. Isso estimula a liberação de um transmissor (sendo o mais importante provavelmente o trifosfato de adenosina [ATP]), que ativa fibras aferentes capazes de enviar sinais ao sistema nervoso central (SNC) para estimular a respiração. Os mecanismos, por meio dos quais a PO_2 baixa influencia a atividade desses canais de potássio, permanecem desconhecidos. ΔVm: alteração da voltagem da membrana.

neurotransmissor que ativa neurônios aferentes, os quais enviam sinais para o sistema nervoso central e estimulam a respiração. Embora estudos anteriores sugerissem que os principais neurotransmissores fossem a dopamina ou a acetilcolina, estudos mais recentes sugerem que, durante a hipóxia, o principal neurotransmissor excitatório liberado pelas células glomosas dos corpos carotídeos seja o *trifosfato de adenosina* (ATP).

O aumento da concentração de CO$_2$ e de H$^+$ estimula os quimiorreceptores. Um aumento na concentração de CO$_2$ ou de H$^+$ também causa excitação de quimiorreceptores, de forma a aumentar indiretamente a atividade respiratória. Entretanto, os efeitos diretos de ambos esses fatores sobre o centro respiratório são muito mais potentes do que seus efeitos mediados pelos quimiorreceptores: cerca de 7 vezes mais potentes. Mesmo assim, existe uma diferença entre o efeito periférico e o efeito central do CO$_2$ – a estimulação por meio dos quimiorreceptores periféricos ocorre cerca de 5 vezes mais rapidamente do que a estimulação central, de forma que esses quimiorreceptores possam ser especialmente importantes no aumento da velocidade de resposta ao CO$_2$ durante o exercício físico.

EFEITO DA PO$_2$ ARTERIAL BAIXA EM ESTIMULAR A VENTILAÇÃO ALVEOLAR QUANDO AS CONCENTRAÇÕES DE CO$_2$ E H$^+$ DO SANGUE ARTERIAL ESTÃO NORMAIS

A **Figura 42.7** demonstra o efeito da PO$_2$ arterial baixa sobre a ventilação alveolar quando a PCO$_2$ e as concentrações de H$^+$ estão constantes em nível normal. Em outras palavras, nessa figura, permanece ativo apenas o estímulo ventilatório causado pelo baixo nível de O$_2$ sobre os quimiorreceptores. A **Figura 42.7** demonstra quase nenhum efeito

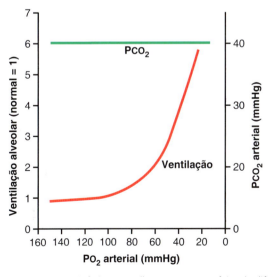

Figura 42.7 A *curva inferior vermelha* representa o efeito de diferentes níveis de PO$_2$ arterial sobre a ventilação alveolar, demonstrando um aumento da ventilação em 6 vezes à medida que a PO$_2$ diminui do normal de 100 para 20 mmHg. A *linha superior verde* demonstra que a PCO$_2$ arterial e o pH permaneceram constantes durante as mensurações desse estudo.

sobre a ventilação contanto que a PO$_2$ arterial permaneça acima de 100 mmHg. Todavia, com pressões menores do que 100 mmHg, a ventilação aproximadamente dobra quando a PO$_2$ arterial cai para 60 mmHg, bem como pode aumentar em até 5 vezes com valores de PO$_2$ muito baixos. Nessas condições, a PO$_2$ arterial baixa obviamente estimula o processo da ventilação de forma bastante intensa.

Como o efeito da hipóxia sobre a ventilação é moderado para valores de PO$_2$ maiores do que 60 a 80 mmHg, as respostas à PCO$_2$ e ao H$^+$ permanecem como principais responsáveis pela regulação da ventilação em humanos saudáveis ao nível do mar.

A respiração fica estimulada quando mantida cronicamente sob baixa concentração de O$_2$: o fenômeno da "aclimatação"

Alpinistas descobriram que, quando sobem uma montanha de forma lenta, ao longo de dias em vez de horas, respiram muito mais profundamente e toleram concentrações atmosféricas de O$_2$ muito mais baixas do que quando sobem rapidamente. Esse fenômeno é conhecido como *aclimatação*.

O motivo da aclimatação é que, dentro de 2 a 3 dias, o centro respiratório do tronco encefálico perde aproximadamente 80% de sua sensibilidade às alterações da PCO$_2$ e do H$^+$. Portanto, a expiração excessiva de CO$_2$, que normalmente inibiria a elevação da respiração, deixa de acontecer, fazendo com que o O$_2$ baixo estimule o sistema respiratório a um nível muito mais intenso de ventilação alveolar do que em condições agudas. Em vez do aumento da ventilação em 70%, que ocorreria após a exposição ao O$_2$ baixo, a ventilação alveolar normalmente aumenta em 400 a 500% após 2 a 3 dias de O$_2$ baixo, o que auxilia imensamente o suprimento adicional de O$_2$ ao alpinista.

Efeitos compostos de PCO$_2$, pH e PO$_2$ sobre a ventilação alveolar

A **Figura 42.8** fornece uma rápida visão geral da forma com que a PO$_2$, a PCO$_2$ e o pH afetam juntos a ventilação alveolar. Para compreender esse diagrama, observe primeiro as quatro curvas vermelhas. Essas curvas foram registradas com diferentes níveis de PO$_2$ arterial – 40, 50, 60 e 100 mmHg. Para cada uma das curvas, a PCO$_2$ foi alterada de níveis baixos para altos. Portanto, esse conjunto de curvas vermelhas representa os efeitos combinados da PCO$_2$ e da PO$_2$ alveolar sobre a ventilação.

Agora, observe as curvas verdes. Enquanto as curvas vermelhas foram mensuradas com pH sanguíneo igual a 7,4, as curvas verdes foram mensuradas com pH igual a 7,3. Agora, têm-se dois conjuntos de curvas representando os efeitos combinados da PCO$_2$ e PO$_2$ sobre a ventilação para dois valores diferentes de pH. Outros grupos de curvas ocorreriam para a direita com pH mais alto e para a esquerda, com pH mais baixo. Desse modo, por meio desse diagrama, pode-se prever o nível da ventilação alveolar para a maioria das combinações de PCO$_2$ alveolar, PO$_2$ alveolar e pH arterial.

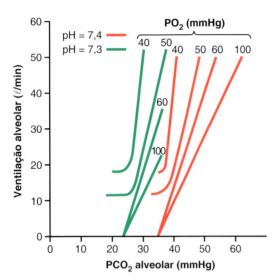

Figura 42.8 Diagrama composto demonstrando os efeitos inter-relacionados da PCO_2, da PO_2 e do pH sobre a ventilação alveolar. (*Dados de Cunningham DJC, Lloyd BB. The Regulation of Human Respiration. Oxford: Blackwell Scientific, 1963.*)

REGULAÇÃO DA RESPIRAÇÃO DURANTE O EXERCÍCIO

Durante o exercício intenso, o consumo de O_2 e a produção de CO_2 podem aumentar em até 20 vezes. Mesmo assim, no atleta saudável, como ilustrado na **Figura 42.9**, a ventilação alveolar normalmente aumenta em proporção quase exata em relação ao nível de metabolismo aumentado de oxigênio. A PO_2, a PCO_2 e o pH do sangue arterial permanecem *praticamente normais*.

Ao tentar analisar o que causa o aumento da ventilação durante o exercício, somos tentados a atribuir esse aumento aos altos níveis de CO_2 e H^+ do sangue, juntamente com a queda do O_2. Todavia, a mensuração da PCO_2, do pH e da PO_2 do sangue arterial demonstra que nenhum desses valores se altera significativamente durante o exercício, de forma que nenhum atinge níveis anormais o suficiente para estimular a respiração tão vigorosamente quanto se observa em atividades físicas. Assim, o que causa ventilação intensa durante o exercício? Parece predominar, ao menos, um efeito. Acredita-se que, ao transmitir impulsos motores aos músculos em exercício, o cérebro também transmita impulsos colaterais ao tronco encefálico, excitando ao mesmo tempo o centro respiratório. Essa ação é análoga à estimulação do centro vasomotor do tronco encefálico durante o exercício, causando aumento simultâneo da pressão arterial.

Na realidade, quando uma pessoa inicia um exercício, uma grande parte do aumento total ocorrido na ventilação já é iniciada imediatamente com o início do exercício, antes que quaisquer substâncias tenham tido tempo de sofrer alteração. É provável que grande parte desse aumento resulte de sinais neurogênicos transmitidos diretamente ao centro respiratório do tronco encefálico, juntamente com sinais emitidos aos músculos para promover contração.

Inter-relação de fatores químicos e nervosos no controle da respiração durante o exercício. Quando um indivíduo se exercita, presume-se que sinais nervosos diretos estimulem o centro respiratório em quantidade *quase* exata para suprir o O_2 extra necessário ao exercício e eliminar o excesso de CO_2. Contudo, em algumas ocasiões, os sinais nervosos de controle respiratório são muito fortes ou muito fracos. Nesses casos, fatores químicos exercem um significativo papel no ajuste final da respiração necessário para manter as concentrações de O_2, CO_2 e H^+ dos líquidos corporais tão próximas do normal quanto possível.

Esse processo está demonstrado na **Figura 42.10**. A curva inferior demonstra alterações na ventilação alveolar durante 1 minuto de exercício, enquanto a curva superior demonstra alterações na PCO_2 arterial. Note que, no início do exercício, a ventilação alveolar aumenta quase

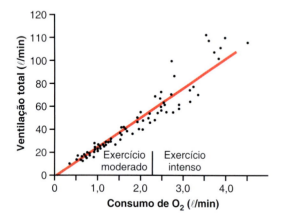

Figura 42.9 Efeito do exercício moderado e intenso sobre o consumo de oxigênio e a frequência da ventilação. (*De Gray JS: Pulmonary Ventilation and Its Physiological Regulation. Springfield, IL: Charles C Thomas, 1950.*)

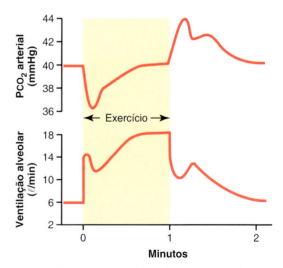

Figura 42.10 Alterações na ventilação alveolar (*curva inferior*) e PCO_2 arterial (*curva superior*) durante um período de 1 min de exercício e após o término do exercício. (*Dados de Bainton CR: Effect of speed vs. grade and shivering on ventilation in dogs during active exercise. J Appl Physiol 33:778, 1972.*)

instantaneamente e sem que tenha havido aumento na PCO_2 arterial. De fato, esse aumento da ventilação é geralmente suficiente para, no início, causar *diminuição* da PCO_2 arterial em relação ao normal, como demonstrado na figura. O suposto motivo para esse adiantamento da ventilação em relação ao acúmulo do CO_2 no sangue é que o encéfalo fornece um estímulo "antecipatório" da respiração no início do exercício, promovendo ventilação alveolar extra antes mesmo do necessário. Todavia, após 30 a 40 segundos, a quantidade de CO_2 liberada no sangue pelos músculos ativos aproximadamente se equipara ao aumento da ventilação, devolvendo a PCO_2 arterial essencialmente a seu valor normal, mesmo sendo continuado o exercício. Isso está demonstrado ao final de 1 minuto de exercício na figura.

A **Figura 42.11** resume o controle da respiração durante o exercício de outro modo, dessa vez, de forma mais quantitativa. A curva inferior dessa figura demonstra o efeito de diferentes níveis de PCO_2 arterial sobre a ventilação alveolar quando o corpo está em repouso, isto é, sem se exercitar. A curva superior demonstra o desvio aproximado dessa curva de ventilação causado pelo estímulo neurogênico do centro respiratório que ocorre durante o exercício intenso. Os pontos indicados nas duas curvas demonstram a PCO_2 arterial primeiro em estado de repouso e depois, em estado de exercício. Note, nos dois casos, que a PCO_2 está no nível normal, de 40 mmHg. Em outras palavras, o fator neurogênico desvia a curva cerca de 20 vezes para cima, equiparando a ventilação com a taxa de liberação de CO_2, o que mantém a PCO_2 arterial próxima de seu valor normal. A curva superior da **Figura 42.11** também demonstra que, se durante o exercício, a PCO_2 arterial se alterar em relação ao seu normal, de 40 mmHg, portanto, o efeito estimulante sobre a ventilação será maior com PCO_2 superior a 40 mmHg; além disso, ocorrerá efeito depressor com PCO_2 menor do que 40 mmHg.

O controle neurogênico da ventilação durante o exercício pode ser, em parte, uma resposta aprendida. Muitos experimentos sugerem que a capacidade cerebral de desviar a curva de resposta ventilatória durante o exercício, como demonstrado na **Figura 42.11**, seja ao menos, em parte, uma resposta *aprendida*. Ou seja, com períodos repetidos de exercício, o encéfalo se torna progressivamente mais capacitado a fornecer os sinais adequados necessários para manter a PCO_2 do sangue em nível normal. Ademais, há motivos para se acreditar que mesmo o córtex cerebral esteja envolvido nessa aprendizagem, visto que os experimentos que bloqueiam somente o córtex também bloqueiam a resposta aprendida.

Outros fatores que afetam a respiração

Efeito de receptores irritativos das vias respiratórias. O epitélio da traqueia, dos brônquios e dos bronquíolos possui terminações nervosas denominadas *receptores irritativos pulmonares*, os quais são estimulados por diversos fatores. Esses receptores iniciam a tosse e o espirro, conforme discutido no Capítulo 40. Além disso, eles podem causar broncoconstrição em indivíduos com doenças, como asma e enfisema pulmonar.

Função dos receptores J dos pulmões. Algumas terminações nervosas sensitivas foram descritas nas paredes dos alvéolos *justapostas* aos capilares pulmonares, originando, desse modo, o nome *receptores J*. Esses são receptores estimulados especialmente quando os capilares pulmonares se tornam ingurgitados de sangue ou quando ocorre edema pulmonar em condições como a insuficiência cardíaca congestiva. Embora o papel funcional dos receptores J não esteja elucidado, sua excitação pode deflagrar a sensação de dispneia no indivíduo.

O edema cerebral deprime o centro respiratório. A atividade do centro respiratório pode ser deprimida, ou mesmo inativada, com o edema cerebral agudo resultante de uma concussão. Por exemplo, a cabeça pode se chocar contra um objeto sólido e o tecido cerebral lesionado pode se tornar edemaciado, comprimindo artérias cerebrais contra a calota craniana e bloqueando, parcialmente, o aporte sanguíneo cerebral.

Em algumas ocasiões, a depressão respiratória resultante do edema cerebral pode ser aliviada temporariamente pela injeção intravenosa de uma solução hipertônica, como a solução de manitol altamente concentrada. Essas soluções promovem a remoção osmótica de parte do líquido do encéfalo, aliviando a pressão intracraniana e, por vezes, restabelecendo a respiração em alguns minutos.

Superdosagem de anestésicos e narcóticos. Talvez, a causa mais prevalente de depressão e de parada respiratória seja a superdosagem de anestésicos e narcóticos. Por exemplo, o pentobarbital sódico deprime consideravelmente o

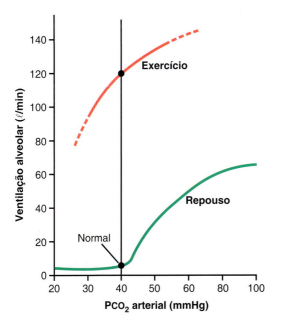

Figura 42.11 Efeito aproximado do exercício máximo em desviar a curva de resposta PCO_2 alveolar-ventilação de um atleta em um nível muito maior do que o normal. O desvio, supostamente causado por fatores neurogênicos, tem quase exatamente a intensidade necessária para manter a PCO_2 arterial no nível normal, de 40 mmHg, no repouso e durante o exercício intenso.

centro respiratório mais do que muitos anestésicos, como o halotano. Houve um tempo em que a morfina era utilizada como anestésico, mas, agora, seu uso se restringe a adjuvante anestésico, uma vez que a morfina deprime profundamente o centro respiratório sem demonstrar capacidade de anestesiar o córtex cerebral.

Devido à sua capacidade de causar depressão respiratória, opioides são responsáveis por uma grande proporção das superdosagens farmacológicas fatais pelo mundo. Nos EUA, aproximadamente 70.000 pessoas morreram de superdosagem em 2017, muitas em razão de parada respiratória.

Respiração periódica. Muitas doenças cursam com uma anormalidade respiratória denominada *respiração periódica*. O indivíduo respira profundamente por um curto intervalo, depois a respiração se torna discreta ou cessa completamente por outro intervalo, formando um ciclo que se repete continuamente. Um tipo de respiração periódica, conhecida como *respiração de Cheyne-Stokes*, caracteriza-se pela lenta aceleração e desaceleração do ritmo respiratório a cada 40 a 60 s, conforme ilustrado na **Figura 42.12**.

Mecanismo básico da respiração de Cheyne-Stokes. A causa base da respiração de Cheyne-Stokes é a seguinte. Quando um indivíduo ventila em excesso, eliminando muito CO_2 e aumentando o O_2 do sangue pulmonar, são necessários muitos segundos até que esse sangue pulmonar alterado seja transportado até o encéfalo para inibir a ventilação excessiva. No momento em que o sangue chega ao encéfalo, o indivíduo já hiperventilou por mais alguns segundos. Portanto, quando o sangue hiperventilado finalmente chega ao centro respiratório, ocorre a depressão excessiva desse centro, causando início do ciclo oposto, isto é, o CO_2 aumenta e o O_2 diminui nos alvéolos. Mais uma vez, alguns segundos se passam antes que o encéfalo possa responder a essa nova alteração. Quando o encéfalo responde, a ventilação se intensifica novamente e o ciclo se repete.

A causa base da respiração de Cheyne-Stokes ocorre normalmente em todas as pessoas. Todavia, sob condições normais, esse mecanismo é altamente atenuado, ou seja, o líquido do sangue e das áreas de controle do centro respiratório possui grandes quantidades de CO_2 e O_2 dissolvidos e quimicamente ligados. Portanto, os pulmões normalmente são incapazes de acumular CO_2 extra ou deprimir o O_2 de forma suficiente para, em alguns segundos, causar o próximo ciclo da respiração periódica. Entretanto, em duas condições separadas, os fatores de atenuação podem ser sobrepostos, dando início ao ritmo de Cheyne-Stokes.

1. Quando ocorre *um longo retardo no transporte de sangue dos pulmões até o encéfalo*, as alterações de CO_2 e O_2 alveolares podem continuar por muitos segundos além do normal. Nesse caso, excede-se a capacidade de armazenamento dos alvéolos e do sangue pulmonar para esses gases. Assim, após mais alguns segundos, o estímulo da respiração periódica se torna extremo e se dá início à respiração de Cheyne-Stokes. Esse tipo de Cheyne-Stokes ocorre com frequência em pacientes com *insuficiência cardíaca grave*, pois o fluxo sanguíneo é lento, retardando o transporte de gases sanguíneos dos pulmões até o encéfalo. Em pacientes com insuficiência cardíaca crônica, a respiração de Cheyne-Stokes pode surgir e desaparecer por meses.

2. Uma segunda causa da respiração de Cheyne-Stokes é o *aumento de eficiência do feedback negativo* nas áreas de controle respiratórias, o que significa que a alteração do CO_2 ou O_2 do sangue causa mudança muito mais expressiva na ventilação do que o normal. Por exemplo, em vez do aumento normal da ventilação em 2 a 3 vezes, que ocorre quando a PCO_2 se eleva a 3 mmHg, esses mesmos 3 mmHg adicionais podem causar aumento da ventilação em 10 a 20 vezes. A tendência do *feedback* do encéfalo para a respiração periódica se torna forte o suficiente para causar a respiração de Cheyne-Stokes, sem retardo adicional no fluxo sanguíneo entre pulmões e encéfalo. Esse tipo de Cheyne-Stokes ocorre principalmente em pacientes com *lesão dos centros respiratórios do encéfalo*. A lesão, em geral, interrompe o estímulo respiratório completamente por alguns segundos e, em seguida, o aumento mais intenso do CO_2 reinicia o estímulo com maior intensidade. A respiração de Cheyne-Stokes desse tipo é, muitas vezes, um prelúdio de morte por mau funcionamento do encéfalo.

Os registros típicos das alterações da PCO_2 pulmonar e do centro respiratório durante a respiração de Cheyne-Stokes se encontram demonstrados na **Figura 42.12**. Note que a PCO_2 do sangue pulmonar se modifica *antes* da PCO_2 dos neurônios respiratórios. Todavia, a profundidade respiratória corresponde à PCO_2 do encéfalo, e não à do sangue pulmonar onde ocorre a ventilação.

Apneia do sono

O termo *apneia* significa ausência de respiração espontânea. Apneias ocasionais ocorrem durante o sono normal. Contudo, em indivíduos com *apneia do sono*, a frequência e a duração aumentam significativamente, com episódios de apneia que duram 10 segundos ou mais e com frequência de 300 a 500 vezes por noite. A apneia do sono pode ser causada por uma obstrução das vias respiratórias superiores, especialmente da faringe, ou por comprometimento do estímulo respiratório no sistema nervoso central.

A apneia obstrutiva do sono é causada por bloqueio das vias respiratórias superiores. Os músculos da faringe normalmente a mantêm aberta para permitir o fluxo de ar até os pulmões durante a inspiração. Já durante o sono, esses músculos, geralmente, relaxam, embora a passagem permaneça aberta o suficiente para permitir fluxo de ar adequado. Algumas pessoas apresentam passagem especialmente estreita, o que causa o fechamento completo da faringe com o relaxamento dos músculos durante o sono, impedindo o ar de fluir para os pulmões.

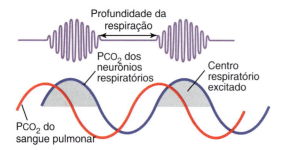

Figura 42.12 Respiração de Cheyne-Stokes, demonstrando a alteração da PCO_2 no sangue pulmonar (*linha vermelha*) e o atraso na mudança da PCO_2 dos líquidos do centro respiratório (*linha azul*).

CAPÍTULO 42 Regulação da Respiração

Indivíduos com apneia do sono *roncam* alto e *respiram com dificuldade* logo após adormecerem. O ronco continua e, em geral, torna-se mais alto, sendo depois interrompido por um longo período de silêncio, durante o qual ocorre a cessação da respiração (apneia). Esses períodos de apneia resultam em significativa diminuição da PO_2 e aumento da PCO_2, que causam forte estímulo respiratório. Esse estímulo, por sua vez, leva a súbitas tentativas de respirar, que resultam em arfadas e engasgos altos seguidos de ronco e novos episódios de apneia. Os períodos de apneia e respiração dificultosa são repetidos centenas de vezes durante a noite, resultando em sono fragmentado e agitado. Portanto, pacientes com apneia do sono normalmente sentem excessiva *sonolência* diurna, bem como outros distúrbios, incluindo aumento da atividade simpática e da frequência cardíaca, hipertensão pulmonar e sistêmica, bem como alto risco de doença cardiovascular.

A apneia obstrutiva do sono geralmente ocorre em indivíduos idosos e obesos cujos tecidos moles da faringe apresentam muitos depósitos de gordura ou cuja faringe sofre compressão em razão dos excessos de massa adiposa do pescoço. Em alguns indivíduos, a apneia do sono pode estar associada a obstrução nasal, língua de tamanho grande, aumento das amígdalas ou certos formatos do palato, que aumentam muito a resistência ao fluxo de ar até os pulmões durante a inspiração. Os tratamentos mais comuns para a apneia obstrutiva do sono incluem: (1) cirurgia para remover o excesso de tecido adiposo da garganta (procedimento denominado *uvulopalatofaringoplastia*), remover amígdalas aumentadas ou adenoide, ou criar uma abertura na traqueia (traqueostomia) para desviar o fluxo de ar da via obstruída durante o sono; e (2) ventilação nasal com *pressão positiva contínua das vias respiratórias* (CPAP).

A apneia do sono "central" ocorre quando o estímulo neural para os músculos respiratórios é cessado transitoriamente.

Em alguns indivíduos com apneia do sono, ocorre cessação do estímulo do sistema nervoso central sobre os músculos da ventilação. Distúrbios que podem causar essa cessação durante o sono incluem *lesão dos centros respiratórios centrais* ou *anormalidades do aparato neuromuscular respiratório*. Pacientes acometidos por apneia do sono central podem apresentar diminuição da ventilação, mesmo quando acordados, embora sejam totalmente capazes de promover ventilação voluntária normal. Durante o sono, seus distúrbios respiratórios em geral pioram, resultando em episódios mais frequentes de apneia que reduzem a PO_2 e aumentam a PCO_2 até um nível crítico, que eventualmente estimula a respiração. Essas instabilidades transitórias da respiração causam sono agitado e características clínicas similares às observadas em pacientes com apneia obstrutiva do sono.

Na maioria dos pacientes, a causa da apneia do sono central é desconhecida, embora a instabilidade do estímulo respiratório possa resultar de acidentes vasculares ou outros distúrbios que tornam os centros respiratórios do encéfalo menos responsivos ao efeito estimulante do CO_2 e H^+. Pacientes com essa doença são extremamente sensíveis a doses muito pequenas de sedativos ou narcóticos, que podem reduzir ainda mais a responsividade dos centros respiratórios à estimulação pelo CO_2. Medicações que estimulam esses centros podem ser úteis em alguns casos, mas, em geral, faz-se necessária a ventilação com CPAP.

Em alguns casos, a apneia do sono pode ser causada por uma combinação de mecanismos obstrutivos e centrais. Estima-se que esse tipo "misto" de apneia do sono corresponda a 15% de todos os casos de apneia do sono, ao passo que a apneia puramente "central" corresponderia a menos de 1% dos casos. A causa mais comum de apneia do sono é a obstrução da via respiratória superior.

Controle voluntário da respiração

Até agora, foi discutido principalmente o sistema de controle involuntário da respiração. Todavia, todos sabemos que a respiração pode ser controlada voluntariamente por curtos períodos e que uma pessoa é capaz de hiperventilar ou hipoventilar a ponto de causar sérios desajustes na PCO_2, pH e PO_2 do sangue. De fato, o recorde mundial da cessação voluntária da respiração (apneia) sob condições estáticas (sem hiperventilação com oxigênio puro antes da tentativa) foi relatado em 11 minutos e 54 segundos. A hiperventilação com oxigênio puro e eliminação de grandes quantidades de CO_2 antes da tentativa de apneia permite que os indivíduos sustentem sua respiração embaixo d'água por mais de 24 minutos. Competidores de apneia de elite são capazes de suprimir os impulsos de respirar ao ponto de atingir saturação de oxigênio baixa de 50%, com a inconsciência estabelecendo o limite da duração da apneia.

Bibliografia

Bain AR, Drvis I, Dujic Z, MacLeod DB, Ainslie PN: Physiology of static breath holding in elite apneists. Exp Physiol 103:635, 2018.

Chang AJ: Acute oxygen sensing by the carotid body: from mitochondria to plasma membrane. J Appl Physiol 123:1335, 2017.

Chowdhuri S, Badr MS: control of ventilation in health and disease. Chest. 151:917, 2017.

Guyenet PG, Abbott SB, Stornetta RL: The respiratory chemoreception conundrum: light at the end of the tunnel? Brain Res 1511:126, 2013.

Guyenet PG, Bayliss DA, Stornetta RL, et al: Proton detection and breathing regulation by the retrotrapezoid nucleus. J Physiol 594:1529, 2016.

Guyenet PG, Bayliss DA: Neural control of breathing and CO_2 homeostasis. Neuron 87:946, 2015.

Hilaire G, Pasaro R: Genesis and control of the respiratory rhythm in adult mammals. News Physiol Sci 18:23, 2003.

Hoiland RL, Fisher JA, Ainslie PN: Regulation of the cerebral circulation by arterial carbon dioxide. Compr Physiol 9:1101, 2019.

Hoiland RL, Howe CA, Coombs GB, Ainslie PN: Ventilatory and cerebrovascular regulation and integration at high-altitude. Clin Auton Res 28:423, 2018.

Javaheri S, Barbe F, Campos-Rodriguez F, Dempsey JA, et al. Sleep apnea: types, mechanisms, and clinical cardiovascular consequences. J Am Coll Cardiol 69:841, 2017.

Nurse CA, Piskuric NA: Signal processing at mammalian carotid body chemoreceptors. Semin Cell Dev Biol 24:22, 2013.

Plataki M, Sands SA, Malhotra A: Clinical consequences of altered chemoreflex control. Respir Physiol Neurobiol 189:354, 2013.

Prabhakar NR, Semenza GL: Oxygen sensing and homeostasis. Physiology (Bethesda) 30:340, 2015.

Ramirez JM, Doi A, Garcia AJ 3rd, et al: The cellular building blocks of breathing. Compr Physiol 2:2683, 2012.

Stuth EA, Stucke AG, Zuperku EJ: Effects of anesthetics, sedatives, and opioids on ventilatory control. Compr Physiol 2:2281, 2012.

Veasey SC, Rosen IM: Obstructive sleep apnea in adults. N Engl J Med 380:1442, 2019.

Wilson RJ, Teppema LJ: Integration of central and peripheral respiratory chemoreflexes. Compr Physiol 6:1005, 2016.

CAPÍTULO 43

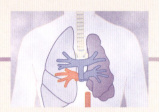

Insuficiência Respiratória: Fisiopatologia, Diagnóstico, Oxigenoterapia

O diagnóstico e o tratamento da maioria dos distúrbios respiratórios dependem muito da compreensão acerca de princípios fisiológicos básicos da respiração e da troca gasosa. Algumas doenças respiratórias resultam de ventilação inadequada, outras são causadas por anormalidades da difusão pela membrana pulmonar ou por transporte anormal de gases no sangue entre pulmões e tecidos. A terapia, muitas vezes, é completamente diferente para essas doenças, tornando insatisfatório simplesmente diagnosticá-las como "insuficiência respiratória".

MÉTODOS ÚTEIS PARA ESTUDAR AS ANORMALIDADES RESPIRATÓRIAS

Nos capítulos anteriores, discutiram-se diversos métodos para estudar as anormalidades respiratórias, incluindo a mensuração da capacidade vital, o volume corrente, a capacidade residual funcional, o espaço morto, o *shunt* fisiológico e o espaço morto fisiológico. Esse conjunto de medidas constitui apenas uma parte de todo o arsenal disponível ao fisiologista clínico pulmonar. Algumas outras ferramentas serão descritas neste capítulo.

ESTUDO DOS GASES (GASOMETRIA) E DO pH SANGUÍNEO

Dentre os testes mais fundamentais de desempenho pulmonar, incluem-se as determinações da pressão parcial de oxigênio (PO_2) e dióxido de carbono (PCO_2) e o pH do sangue. É importante realizar essas mensurações rapidamente a fim de auxiliar a determinação da terapia adequada para a angústia respiratória aguda ou as anormalidades agudas do equilíbrio acidobásico. Os métodos simples e rápidos descritos a seguir foram desenvolvidos para realizar essas mensurações dentro de minutos, utilizando apenas algumas gotas de sangue.

Determinação do pH sanguíneo. O pH sanguíneo é mensurado empregando-se um eletrodo de pH de vidro de tipo comumente utilizado em laboratórios químicos, entretanto, esses eletrodos são muito menores. A voltagem gerada pelo eletrodo de vidro constitui uma medida direta do pH e sua leitura é, em geral, realizada diretamente a partir de uma escala de voltímetro ou registrada em uma tabela.

Determinação do CO_2 sanguíneo. O eletrodo de vidro utilizado para mensurar o pH também pode determinar o CO_2 sanguíneo. Quando uma solução fraca de bicarbonato de sódio é exposta ao gás CO_2, esse gás se dissolve na solução até que ocorra o equilíbrio. Nesse estado de equilíbrio, o pH da solução será uma função das concentrações de CO_2 e de bicarbonato (HCO_3^-), segundo a equação de Henderson-Hasselbalch explicada no Capítulo 31:

$$pH = 6,1 + \log \frac{HCO_3^-}{CO_2}$$

Quando se usa esse método na determinação do CO_2 sanguíneo, um eletrodo de vidro miniatura é envolto por uma fina membrana plástica. A solução de concentração, conhecida de bicarbonato de sódio, ocupa o espaço entre o eletrodo e a membrana, o sangue é depositado na superfície externa da membrana plástica e o CO_2 se difunde para a solução de bicarbonato. O exame requer apenas uma gota de sangue. Em seguida, o pH é mensurado pelo eletrodo e o CO_2 é calculado utilizando a fórmula fornecida anteriormente.

Determinação da PO_2 sanguínea. A concentração de O_2 em um líquido pode ser mensurada por meio de uma técnica chamada *polarografia*, em que uma corrente elétrica flui entre um pequeno eletrodo negativo e a solução. Caso a voltagem do eletrodo seja diferente da voltagem da solução em mais que −0,6 volt, o O_2 se depositará no eletrodo. Além disso, a velocidade da corrente pelo eletrodo será diretamente proporcional à concentração de O_2 e, portanto, à PO_2. Na prática, utiliza-se um eletrodo negativo de platina com área de superfície igual a 1 milímetro quadrado, que se separa do sangue por uma fina membrana que permite difusão de O_2, mas não de proteínas ou outras substâncias que poderiam interferir no sinal do eletrodo.

Frequentemente, todos os três dispositivos usados na mensuração do pH, do CO_2 e da PO_2 estão situados em um mesmo aparelho, sendo todas as medidas realizadas dentro de um minuto utilizando uma amostra de sangue de apenas uma gota. Portanto, alterações nos níveis de gases sanguíneos e pH podem ser acompanhadas praticamente momento a momento à beira do leito.

MENSURAÇÃO DO FLUXO EXPIRATÓRIO MÁXIMO

Em muitas doenças respiratórias, particularmente na asma, a resistência ao fluxo de ar se torna especialmente aumentada durante a expiração, por vezes, causando intensa dificuldade respiratória. Essa condição levou ao conceito de *fluxo expiratório máximo*, que pode ser definido da maneira descrita a seguir. Quando um indivíduo expira com muita força, o fluxo expiratório de ar atinge um máximo além do qual não é possível aumentar mais, mesmo com aumento adicional significativo de força. Trata-se do fluxo expiratório máximo, que é maior quando os pulmões estão preenchidos por um grande volume de ar do que quando estão quase vazios. Esses princípios podem ser compreendidos ao se observar a **Figura 43.1**.

A **Figura 43.1 A** demonstra o efeito do aumento da pressão aplicada nas superfícies externas dos alvéolos e nas vias respiratórias causado pela compressão da caixa torácica. A setas indicam que a mesma pressão comprime o exterior dos alvéolos e dos bronquíolos. Ou seja, essa pressão não somente força ar dos alvéolos aos bronquíolos, como também tende ao mesmo tempo a colapsar os bronquíolos, o que se opõe ao movimento de ar para fora. Após o colapso quase completo dos bronquíolos, a força expiratória adicional poderá aumentar ainda mais a pressão alveolar, incrementando o grau de colapso bronquiolar e de resistência das vias respiratórias em igual grau, impedindo aumento do fluxo. Portanto, acima de um nível crítico de força expiratória, atinge-se fluxo expiratório máximo.

A **Figura 43.1 B** demonstra o efeito de diferentes graus de colapso pulmonar e, portanto, de colapso bronquiolar, sobre o fluxo expiratório máximo. A curva registrada nesta seção demonstra o fluxo expiratório máximo em todos os níveis de volume pulmonar após um indivíduo saudável inspirar o máximo possível de ar e expirá-lo com esforço máximo até que não consiga mais fluxo expiratório. Note que esse indivíduo atinge rapidamente um *fluxo expiratório máximo* de mais de 400 ℓ/min. Todavia, independentemente de quanto esforço expiratório adicional seja realizado, esse ainda será o fluxo máximo que poderá ser atingido.

Perceba também que, à medida que o volume pulmonar diminui, o fluxo expiratório máximo também é reduzido. O principal motivo para esse fenômeno é que, no pulmão aumentado, os brônquios e os bronquíolos são mantidos parcialmente abertos devido à tração elástica aplicada em seu exterior pelas estruturas pulmonares. No entanto, conforme o pulmão diminui, essas estruturas também relaxam, tornando mais fácil o colapso dos brônquios e dos bronquíolos com pressão externa ao tórax, reduzindo, progressivamente, também o fluxo expiratório máximo.

Anormalidades da curva fluxo expiratório máximo-volume.

A **Figura 43.2** demonstra a curva de fluxo expiratório máximo-volume, juntamente com duas curvas fluxo-volume adicionais registradas em dois tipos de doenças pulmonares: restrição pulmonar e obstrução parcial de vias respiratórias. Observe que a *restrição pulmonar* é associada tanto à redução da capacidade pulmonar total (CPT) quanto à do volume residual (VR). Ademais, como o pulmão não consegue se expandir até o volume máximo normal, mesmo com o maior esforço respiratório possível, o fluxo expiratório máximo não consegue aumentar até se igualar à curva normal. Doenças que cursam com restrição pulmonar incluem doenças associadas a fibroses pulmonares, como *tuberculose pulmonar* e *silicose*, bem como doenças que causam restrição da caixa torácica, como *cifose*, *escoliose* e *pleurite fibrótica*.

Em doenças associadas à *obstrução das vias respiratórias*, é geralmente muito mais difícil expirar do que inspirar, visto que a tendência de fechamento das vias respiratórias aumenta muito com a pressão positiva torácica adicional necessária para causar expiração. Ao contrário,

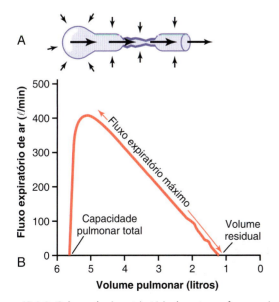

Figura 43.1 A. Colapso da via respiratória durante o esforço expiratório máximo, efeito que limita o fluxo expiratório. **B.** Efeito do volume pulmonar sobre o fluxo expiratório máximo, demonstrando a redução desse fluxo máximo à medida que o volume do pulmão diminui.

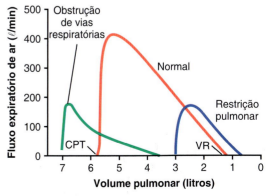

Figura 43.2 Efeito de duas anormalidades respiratórias – restrição pulmonar e obstrução de vias respiratórias – sobre a curva fluxo expiratório máximo-volume. VR: volume residual; CPT: capacidade pulmonar total.

a pressão pleural negativa adicional, que ocorre na inspiração, na realidade "puxa" as vias respiratórias para fora ao mesmo tempo que expande os alvéolos. Portanto, o ar tende a entrar nos pulmões facilmente, mas acaba sendo ali aprisionado. Ao longo de meses a anos, esse efeito aumenta tanto a CPT quanto o VR, conforme demonstrado pela curva verde da **Figura 43.2**. Além disso, em razão da obstrução das vias respiratórias e de seu colapso mais fácil comparado a vias respiratórias normais, há significativa redução do fluxo expiratório máximo.

A doença clássica capaz de causar grave obstrução de vias respiratórias é a *asma*. Também ocorre séria obstrução em alguns estágios do *enfisema pulmonar*.

CAPACIDADE VITAL EXPIRATÓRIA FORÇADA E VOLUME EXPIRATÓRIO FORÇADO

Outro teste clínico útil e facilmente realizado é o registro da *capacidade vital expiratória forçada* (CVF) utilizando um espirômetro. Esse registro está demonstrado na **Figura 43.3 A** para um indivíduo com pulmões normais e, na **Figura 43.3 B**, para um indivíduo com obstrução parcial de vias respiratórias. Ao realizar a manobra da CVF, primeiramente, o indivíduo deve inspirar ao máximo de sua CPT e, em seguida, expirar no espirômetro com máximo esforço expiratório o mais rápida e completamente possível. A distância total da descida do registro de volume pulmonar representa a CVF, conforme demonstrado na figura.

Agora, estude a diferença entre os dois registros para (1) pulmões normais e (2) obstrução *parcial* de vias respiratórias. As mudanças totais de volume das CVF não são muito diferentes, o que indica somente diferença moderada nos volumes pulmonares básicos dos dois indivíduos. Existe, contudo, uma *grande diferença nas quantidades de ar que esses indivíduos podem expirar a cada segundo*, especialmente durante o primeiro segundo. Portanto, rotineiramente se realiza a comparação do *volume expiratório forçado registrado durante o primeiro segundo* (VEF$_1$) com o valor normal. No indivíduo normal (ver **Figura 43.3 A**), a porcentagem da CVF expirada no primeiro segundo dividida pela CVF total (VEF$_1$/CVF%) é igual a 80%. Entretanto, note, na **Figura 43.3 B**, que, com obstrução de vias respiratórias, o valor é reduzido para 47%. Em indivíduos com obstrução grave, como ocorre na asma aguda, esse valor pode decair em até menos de 20%.

FISIOPATOLOGIA DE ANORMALIDADES PULMONARES ESPECÍFICAS

ENFISEMA PULMONAR CRÔNICO

O termo *enfisema pulmonar* literalmente significa excesso de ar nos pulmões. Todavia, esse termo normalmente é utilizado para descrever um processo obstrutivo e destrutivo complexo dos pulmões causado por muitos anos de tabagismo. Tal excesso de ar nos pulmões é resultado das seguintes grandes alterações fisiopatológicas dos pulmões.

1. *Infecção crônica*, causada pela inalação da fumaça ou de outras substâncias que irritam os brônquios e bronquíolos. Ela desarranja gravemente os mecanismos protetores normais das vias respiratórias, incluindo paralisia dos cílios do epitélio respiratório, um efeito causado pela nicotina. Como resultado, o muco deixa de ser removido facilmente das vias respiratórias. Além disso, ocorre estimulação excessiva da secreção de muco, o que exacerba a condição. Também ocorre inibição de macrófagos alveolares, o que os torna menos eficientes em combater a infecção.
2. A infecção, o excesso de muco e o edema inflamatório do epitélio bronquiolar causam *obstrução crônica* de muitas vias respiratórias menores.
3. A obstrução das vias respiratórias dificulta especialmente a expiração, causando *aprisionamento de ar nos alvéolos*, o que provoca seu estiramento. Esse efeito, combinado à infecção pulmonar, causa *significativa destruição de 50 a 80% das paredes alveolares*. O quadro final do pulmão enfisematoso é demonstrado nas **Figuras 43.4 e 43.5**.

Os efeitos fisiológicos do enfisema pulmonar crônico são variáveis, dependendo da gravidade da doença e dos graus relativos de obstrução bronquiolar *versus* destruição do parênquima pulmonar. As diferentes anormalidades incluem o seguinte.

1. A obstrução bronquiolar *aumenta a resistência das vias respiratórias* e resulta em aumento significativo do trabalho respiratório. É especialmente difícil para o indivíduo movimentar o ar através dos bronquíolos durante a expiração porque a força compressiva externa aos pulmões não apenas comprime os alvéolos, como

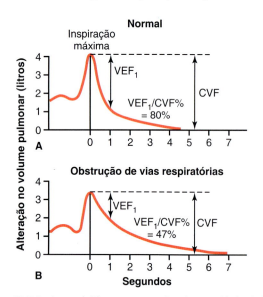

Figura 43.3 Registros obtidos com a manobra de capacidade vital forçada em um indivíduo saudável (**A**) e um indivíduo com obstrução parcial de vias respiratórias (**B**) (o valor "zero" na escala de volume corresponde ao volume residual). VEF$_1$: volume expiratório forçado durante o primeiro segundo; CVF: capacidade vital expiratória forçada.

CAPÍTULO 43 Insuficiência Respiratória: Fisiopatologia, Diagnóstico, Oxigenoterapia

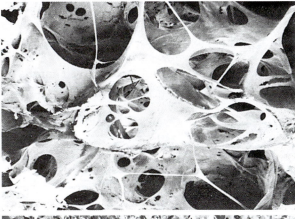

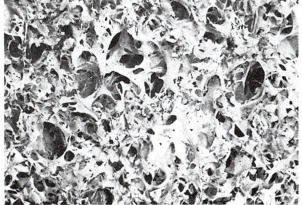

Figura 43.4 Comparação do pulmão enfisematoso (*acima*) com o pulmão normal (*abaixo*), demonstrando extensa destruição alveolar no enfisema pulmonar. (*Cortesia de Patricia Delaney e Department of Anatomy, The Medical College of Wisconsin, Milwaukee, WI.*)

também os bronquíolos, o que aumenta ainda mais sua resistência durante a expiração.

2. A notável perda das paredes alveolares *reduz significativamente a capacidade de difusão* dos pulmões, o que diminui a capacidade dos pulmões de oxigenar e remover CO_2 do sangue.
3. O processo obstrutivo com frequência se apresenta muito pior em algumas partes dos pulmões do que em outras, de forma que algumas porções sejam bem ventiladas e outras, mal ventiladas. Essa situação geralmente causa *relações ventilação-perfusão extremamente anormais*, com $\dot{V}_A/\dot{Q}$ muito baixa em algumas partes (*shunt fisiológico*) – que resulta em má oxigenação do sangue – e $\dot{V}_A/\dot{Q}$ muito alta, em outras partes (*espaço morto fisiológico*) – que resulta em ventilação desperdiçada –, com ambos os efeitos ocorrendo nos mesmos pulmões.
4. A perda de grandes porções das paredes alveolares também diminui o número de capilares pulmonares pelos quais pode fluir o sangue. Como resultado, geralmente ocorre um significativo aumento da resistência vascular pulmonar, causando *hipertensão pulmonar* que, por sua vez, sobrecarrega o lado direito do coração e muitas vezes leva a uma *insuficiência cardíaca direita (cor pulmonale)*.

O enfisema pulmonar crônico geralmente progride lentamente ao longo de muitos anos. Desenvolvem-se tanto hipóxia quanto hipercapnia devido à hipoventilação de muitos alvéolos e à perda das paredes alveolares. O resultado final de todos esses efeitos é uma *falta de ar (dispneia)* grave, prolongada e devastadora que pode durar muitos anos até que a hipóxia e a hipercapnia culminem com a morte – uma penalidade alta pelo tabagismo.

PNEUMONIA | INFLAMAÇÃO DOS PULMÕES E LÍQUIDO NOS ALVÉOLOS

O termo *pneumonia* inclui qualquer condição inflamatória pulmonar na qual uma parte dos alvéolos ou todos os alvéolos são preenchidos com líquido e células sanguíneas, conforme demonstrado na **Figura 43.5**. Um tipo comum de pneumonia é a *pneumonia bacteriana*, causada frequentemente por *pneumococos*. Essa doença se inicia com uma infecção dos alvéolos, que leva à inflamação e ao aumento da porosidade da membrana pulmonar, permitindo extravasamento de líquido e, até mesmo, hemácias e leucócitos para os alvéolos. Desse modo, os alvéolos infectados se tornam progressivamente repletos de líquido e células e a infecção se dissemina pela extensão da bactéria ou do vírus de um alvéolo para outro. Eventualmente, grandes áreas dos pulmões, algumas vezes, lobos inteiros ou mesmo um pulmão inteiro, tornam-se "consolidadas",

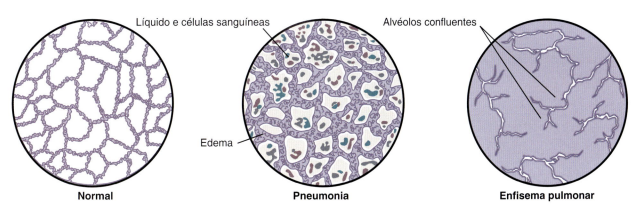

Figura 43.5 Alterações pulmonares alveolares da pneumonia e enfisema pulmonar.

o que significa que estão preenchidas com líquido e debris celulares.

Em indivíduos com pneumonia, a função de troca gasosa dos pulmões diminui em diferentes estágios da doença. Nos estágios iniciais, o processo da pneumonia pode se restringir a um único pulmão, com redução da ventilação alveolar e manutenção do fluxo sanguíneo normal por esse pulmão. Essa condição causa duas grandes anormalidades pulmonares: (1) diminuição da área de superfície total da membrana respiratória; e (2) diminuição da relação ventilação-perfusão. Os dois efeitos causam *hipoxemia* (baixo nível de O_2 no sangue) e *hipercapnia* (alto nível de CO_2 no sangue).

A **Figura 43.6** demonstra o efeito da diminuição da relação ventilação-perfusão na pneumonia. O sangue que passa pelo pulmão ventilado se torna 97% saturado com O_2, enquanto o sangue que passa pelo pulmão não ventilado atinge saturação de aproximadamente 60%. Portanto, a saturação média do sangue bombeado pelo ventrículo esquerdo para a aorta tem saturação de apenas 78%, muito abaixo do normal.

ATELECTASIA | COLAPSO DOS ALVÉOLOS

Atelectasia significa colapso dos alvéolos. Ela pode ocorrer em áreas localizadas de um pulmão ou no pulmão inteiro e suas causas comuns incluem: (1) obstrução total das vias respiratórias e (2) ausência de surfactante nos líquidos que revestem os alvéolos.

A obstrução das vias respiratórias causa colapso pulmonar. O tipo de atelectasia oriundo da obstrução das vias respiratórias geralmente ocorre devido aos seguintes fatores: (1) bloqueio de muitos brônquios pequenos com muco ou (2) obstrução de um brônquio principal com um grande plugue de muco ou alguma massa sólida, como um tumor. O ar aprisionado abaixo do bloqueio é absorvido dentro de minutos a horas pelo sangue que flui pelos capilares pulmonares. Se o tecido pulmonar estiver suficientemente maleável, isso simplesmente levará ao colapso dos alvéolos. Todavia, se o pulmão estiver rígido em razão da presença de tecido fibrótico e não for capaz de colapsar, a absorção de ar dos alvéolos criará pressões muito negativas, as quais forçarão a saída de líquido dos capilares pulmonares, causando o preenchimento completo dos alvéolos com líquido de edema. Esse processo quase sempre é o efeito que ocorre quando um pulmão inteiro se torna atelectasiado, condição que recebe o nome *colapso pulmonar massivo*.

Os efeitos do colapso massivo (atelectasia) de um pulmão inteiro sobre a função pulmonar geral estão demonstrados na **Figura 43.7**. O colapso do tecido pulmonar não apenas leva à oclusão dos alvéolos, como frequentemente também leva a um *aumento da resistência ao fluxo sanguíneo* através dos vasos pulmonares do pulmão colapsado. Esse aumento de resistência ocorre parcialmente devido ao colapso, que comprime e dobra os vasos à medida que o volume pulmonar diminui. Ademais, a hipóxia do pulmão colapsado causa vasoconstrição adicional, conforme explicado no Capítulo 39.

Devido à vasoconstrição, o fluxo sanguíneo através do pulmão atelectasiado sofre uma grave redução. Felizmente, a maior parte do sangue é desviada para o pulmão ventilado, tornando-se bem oxigenada. Na situação demonstrada na **Figura 43.7**, cinco sextos do sangue passam pelo pulmão oxigenado e somente um sexto passa pelo pulmão não ventilado. Como resultado, a relação ventilação-perfusão geral é comprometida apenas moderadamente, com sangue aórtico apresentando somente uma leve dessaturação de O_2, mesmo com perda total da ventilação de um pulmão inteiro.

Perda de surfactante como causa de colapso pulmonar. A secreção e a função do *surfactante* presente nos alvéolos foram discutidas no Capítulo 38. O surfactante

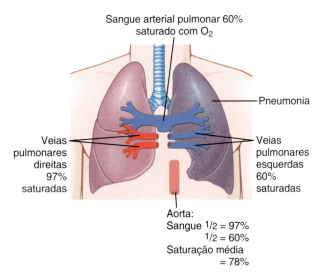

Figura 43.6 Efeito da pneumonia sobre a porcentagem de saturação de oxigênio (O_2) da artéria pulmonar, veias pulmonares direitas e esquerdas e aorta.

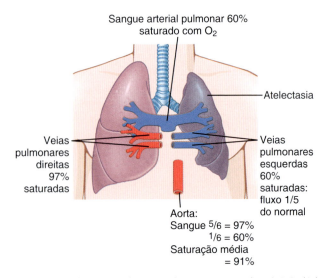

Figura 43.7 Efeito da atelectasia sobre a saturação de oxigênio (O_2) do sangue aórtico.

é secretado por células epiteliais alveolares especiais para dentro do líquido que reveste a superfície interna dos alvéolos. Sua função é diminuir a tensão superficial dos alvéolos em 2 a 10 vezes, o que normalmente tem papel fundamental na prevenção do colapso alveolar. Todavia, em muitas condições, como na *doença da membrana hialina* – também chamada de *síndrome da angústia respiratória do neonato* –, que geralmente ocorre no neonato prematuro, a quantidade secretada de surfactante nos alvéolos está tão reduzida que a tensão superficial do líquido alveolar permanece muito maior do que o normal. Essa deficiência de surfactante causa uma séria tendência de colapso ou de preenchimento por líquido no pulmão desses bebês. Conforme explicado no Capítulo 38, muitos desses neonatos morrem sufocados quando grandes porções dos pulmões se tornam atelectasiadas.

ASMA | CONTRAÇÃO ESPASMÓDICA DO MÚSCULO LISO BRONQUIOLAR

A asma se caracteriza pela contração espástica do músculo liso dos bronquíolos, o que os obstrui parcialmente, causando extrema dificuldade respiratória. A prevalência da asma tem aumentado e acomete de 7 a 8% da população dos EUA, com maior incidência em alguns grupos, como negros não hispânicos. A Organização Mundial da Saúde (OMS) estima que mais de 235 milhões de pessoas sofram de asma no mundo, embora algumas estimativas da prevalência da asma cheguem até 339 milhões de pessoas.

A causa usual da asma é a hipersensibilidade contrátil dos bronquíolos em resposta a substâncias estranhas presentes no ar. Em cerca de 70% dos pacientes com idade inferior a 30 anos, a causa da asma é uma hipersensibilidade alérgica, especialmente a pólen de plantas. Em pessoas mais idosas, a causa quase sempre envolve hipersensibilidade a tipos não alérgicos de substâncias irritantes do ar, como algumas presentes na poluição.

O típico indivíduo alérgico tende a formar quantidades anormalmente grandes do anticorpo imunoglobulina E (IgE), que causa reações alérgicas quando reage com antígenos específicos que as deflagram, conforme explicado no Capítulo 35. Em indivíduos asmáticos, esses *anticorpos são principalmente ligados a mastócitos* presentes no interstício pulmonar e intimamente associados aos bronquíolos e brônquios menores. Quando um paciente asmático aspira pólen ao qual possui sensibilidade, isto é, ao qual já desenvolveu IgE, o pólen reage com os anticorpos ligados a mastócitos e os faz liberar diversas substâncias diferentes, dentre as quais estão: (1) *a histamina*, (2) *a substância de reação lenta da anafilaxia* (uma mistura de leucotrienos); (3) *o fator quimiotático de eosinófilos*; e (4) *a bradicinina*. Os efeitos conjuntos de todos esses fatores, especialmente da substância de reação lenta da anafilaxia, são os seguintes: (1) edema localizado nas paredes dos bronquíolos menores e secreção de muco espesso no lúmen bronquiolar; e (2) espasmo do músculo liso bronquiolar. Portanto, ocorre um significativo aumento da resistência das vias respiratórias.

Conforme discutido anteriormente neste capítulo, o diâmetro do bronquíolo diminui mais durante a expiração do que a inspiração em indivíduos asmáticos, em razão do colapso bronquiolar associado ao esforço respiratório que comprime o exterior dos bronquíolos. Visto que os bronquíolos de pulmões asmáticos já apresentam oclusão parcial, a oclusão adicional que resulta dessa pressão externa gera uma obstrução especialmente grave durante a expiração. Ou seja, o indivíduo asmático geralmente consegue inspirar adequadamente, mas apresenta grande dificuldade expiratória. Mensurações clínicas demonstram (1) grave redução da taxa máxima de expiração e (2) diminuição do volume expiratório por unidade de tempo. Ademais, tudo isso em conjunto resulta em *dispneia*, ou "falta de ar", discutida mais adiante neste capítulo.

A *capacidade residual funcional* e o *volume residual* do pulmão se tornam especialmente aumentados durante uma crise aguda de asma devido à dificuldade de expiração. Além disso, ao longo de anos, a caixa torácica se torna permanentemente aumentada, causando o chamado *tórax em barril (tórax em tonel)*, com aumento permanente tanto da capacidade residual funcional quanto do volume residual pulmonar.

TUBERCULOSE PULMONAR

Na tuberculose pulmonar, os bacilos causam uma reação tecidual peculiar nos pulmões, incluindo (1) a invasão do tecido infectado por macrófagos e (2) a formação de uma "parede" de tecido fibroso em torno da lesão, desenvolvendo o *tubérculo* (nódulo constituído por cavitação septada). Esse processo de formação do tubérculo ajuda a limitar a transmissão dos bacilos nos pulmões, sendo parte de um processo de proteção contra a extensão da infecção. Todavia, em cerca de 3% das pessoas com desenvolvimento de tuberculose pulmonar, se a doença não for tratada, esse processo de formação da cavitação septada não acontece, circunscrevendo a lesão de maneira a permitir disseminação de bacilos nos pulmões. Por vezes, essa disseminação causa extrema destruição do tecido pulmonar, com formação de grandes abscessos cavitários (*caverna tuberculosa*).

Assim, os estágios mais tardios da tuberculose pulmonar se caracterizam por muitas áreas de fibrose por todo o pulmão, bem como pela diminuição da quantidade total de tecido pulmonar funcional. Esses efeitos causam: (1) *aumento do "trabalho"* dos músculos respiratórios a fim de promover ventilação pulmonar juntamente com *diminuição da capacidade vital e respiratória*; (2) *diminuição da área total de superfície da membrana respiratória e aumento da espessura da membrana*, causando progressiva *redução da capacidade de difusão pulmonar*; e (3) *relação ventilação-perfusão anormal* nos pulmões, o que reduz ainda mais a difusão total pulmonar de O_2 e CO_2.

HIPÓXIA E OXIGENOTERAPIA

Quase todas as condições discutidas nas seções anteriores deste capítulo podem causar grave hipóxia celular em todo o organismo. Por vezes, a terapia com O_2 tem muito valor, outras vezes, valor moderado e, algumas vezes, praticamente nenhum valor. Portanto, faz-se importante compreender os diferentes tipos de hipóxia para que, em seguida, sejam discutidos os princípios fisiológicos da oxigenoterapia. A lista a seguir se trata de uma classificação descritiva das causas de hipóxia:

1. Oxigenação inadequada do sangue nos pulmões devido a razões extrínsecas
   a. Deficiência de O_2 na atmosfera
   b. Hipoventilação (distúrbios neuromusculares)
2. Doença pulmonar
   a. Hipoventilação causada pelo aumento da resistência das vias respiratórias ou pela diminuição da complacência pulmonar
   b. Relação ventilação-perfusão alveolar anormal (incluindo aumento do espaço morto fisiológico ou do *shunt* fisiológico)
   c. Diminuição da difusão pela membrana respiratória
3. *Shunts* arteriovenosos (*shunts* cardíacos da direita para a esquerda)
4. Transporte inadequado de O_2 até os tecidos pelo sangue
   a. Anemia ou hemoglobina anormal
   b. Deficiência circulatória geral
   c. Deficiência circulatória localizada (periférica, cerebral e coronariana)
   d. Edema tecidual
5. Capacidade inadequada de utilização de O_2 pelos tecidos
   a. Intoxicação de enzimas celulares oxidativas
   b. Diminuição da capacidade metabólica de utilização do oxigênio pela célula em razão de toxicidade, deficiência de vitamina ou outros fatores.

Essa classificação dos tipos de hipóxia se evidencia a partir de discussões prévias deste capítulo. Somente um tipo de hipóxia da classificação necessita de maior elaboração, a hipóxia causada pela capacidade inadequada dos tecidos corporais de utilizar O_2.

Capacidade inadequada dos tecidos de utilizar oxigênio. A causa clássica da incapacidade dos tecidos de utilizar O_2 é a *intoxicação por cianureto*, que provoca bloqueio da ação da enzima *citocromo oxidase* a uma extensão tal que os tecidos simplesmente não conseguem utilizar O_2, mesmo com grande disponibilidade. Ademais, deficiências de algumas *enzimas oxidativas das células teciduais* ou de outros elementos do sistema oxidativo dos tecidos podem levar a esse tipo de hipóxia. Um exemplo especial ocorre na doença *beribéri*, em que muitos passos importantes da utilização de oxigênio pelos tecidos e a formação de CO_2 são comprometidos devido à *deficiência de vitamina B_1*.

Efeitos da hipóxia no organismo. A hipóxia grave pode causar morte celular em todo o organismo, embora sua ocorrência em grau leve cause principalmente (1) depressão da atividade mental, por vezes, culminando em coma, e (2) diminuição da capacidade de trabalho muscular. Esses efeitos são especialmente discutidos no Capítulo 44, em relação à fisiologia de altitudes elevadas.

OXIGENOTERAPIA EM DIFERENTES TIPOS DE HIPÓXIA

O O_2 pode ser administrado pelos seguintes métodos: (1) inserindo-se a cabeça do paciente dentro de uma "tenda" contendo ar com maior teor de O_2; (2) permitindo-se que o paciente respire O_2 puro ou em altas concentrações a partir de uma máscara; ou (3) administrando-se O_2 através de um tubo intranasal.

Relembrando-se os princípios fisiológicos básicos dos diferentes tipos de hipóxia, é possível decidir rapidamente quando a terapia com O_2 terá valor e, caso o tenha, quanto valor tem.

Na *hipóxia atmosférica*, a oxigenoterapia pode corrigir completamente o nível reduzido de O_2 nos gases inspirados e, portanto, fornecer 100% de efetividade.

Na *hipóxia por hipoventilação*, o indivíduo recebendo O_2 100% pode mobilizar 5 vezes mais O_2 para os alvéolos a cada respiração do que quando respira ar normal. Desse modo, mais uma vez, a oxigenoterapia pode ser extremamente benéfica; todavia, essa terapia não apresenta benefício para corrigir o excesso de CO_2 do sangue, também causado pela hipoventilação.

Na *hipóxia causada pelo comprometimento da difusão pela membrana alveolar*, ocorre essencialmente o mesmo resultado da hipóxia por hipoventilação, pois a oxigenoterapia pode aumentar a PO_2 dos alvéolos pulmonares – desde o normal – de aproximadamente 100 a 600 mmHg. Essa ação eleva o gradiente de pressão para difusão de oxigênio dos alvéolos ao sangue de seu normal, de 60 a 560 mmHg, o que corresponde a um aumento superior a 800%. Esse efeito altamente benéfico da oxigenoterapia para a hipóxia de difusão está representado na **Figura 43.8**, que demonstra que o sangue pulmonar desse paciente com edema pulmonar extrai O_2 de três a quatro vezes mais rapidamente do que o faria sem a terapia.

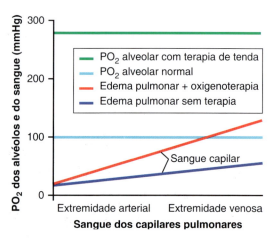

Figura 43.8 Absorção de oxigênio para o sangue dos capilares pulmonares no edema pulmonar, com e sem oxigenoterapia.

Na *hipóxia causada por anemia, transporte anormal de O_2 pela hemoglobina, deficiência circulatória ou* shunt *fisiológico*, a terapia com O_2 tem muito menos valor, pois já há O_2 normal disponível nos alvéolos. O problema, entretanto, é que um ou mais mecanismos de transporte de oxigênio dos pulmões aos tecidos se encontram deficientes. Mesmo assim, uma pequena quantidade extra de O_2, entre 7 e 30%, pode ser *transportada em estado dissolvido* no sangue quando o O_2 alveolar aumenta até o máximo, ainda que a quantidade transportada pela hemoglobina não se altere. Essa pequena quantidade extra de O_2 pode ser a diferença entre a vida e a morte.

Já nos diferentes tipos de *hipóxia causada por utilização inadequada de O_2 pelos tecidos*, não há anormalidade na extração do O_2 pelos pulmões ou no transporte até os tecidos. Na realidade, o sistema metabólico enzimático simplesmente não é capaz de utilizar o O_2 que recebe e, portanto, a oxigenoterapia não fornecerá nenhum benefício mensurável.

CIANOSE

O termo *cianose* significa pele azulada e sua causa são quantidades excessivas de hemoglobina desoxigenada nos vasos sanguíneos da pele, especialmente nos capilares. Essa hemoglobina sem oxigênio tem coloração azul-arroxeada intensa, que é transmitida para a pele.

Em geral, a cianose definitiva ocorre sempre que o *sangue arterial* apresentar mais de 5 gramas de hemoglobina desoxigenada por 100 mℓ de sangue. O indivíduo *anêmico* quase nunca se torna cianótico, pois não há hemoglobina o suficiente para que 5 gramas estejam desoxigenados em 100 mℓ de sangue. Em contrapartida, no indivíduo com excesso de hemácias, como na *policitemia vera*, o grande excesso de hemoglobina disponível para se tornar desoxigenada frequentemente leva à cianose, mesmo sob condições que poderiam ser normais.

HIPERCAPNIA | EXCESSO DE DIÓXIDO DE CARBONO NOS LÍQUIDOS CORPORAIS

À primeira vista, pode-se suspeitar que qualquer condição respiratória que cause hipóxia também causará hipercapnia. Todavia, geralmente ocorre hipercapnia associada à hipóxia somente quando a causa da hipóxia for *hipoventilação* ou *deficiência circulatória* pelos motivos listados a seguir.

A hipóxia causada por *escassez de O_2 no ar, deficiência de hemoglobina* ou *intoxicação de enzimas oxidativas* envolve somente a disponibilidade de O_2 ou sua utilização pelos tecidos. Portanto, é compreensível que *não* ocorra hipercapnia associada a esses tipos de hipóxia.

Na hipóxia resultante de má difusão pela membrana pulmonar ou pelos tecidos, geralmente não ocorre hipercapnia grave associada, visto que o CO_2 se difunde 20 vezes mais rápido do que o O_2. Se começar a ocorrer hipercapnia, ela imediatamente causará estímulo da ventilação pulmonar, o qual corrigirá a hipercapnia sem necessariamente corrigir a hipóxia.

Em contrapartida, na hipóxia causada por hipoventilação, a transferência de CO_2 entre alvéolos e atmosfera é afetada tanto quanto a transferência de O_2. Desse modo, a hipóxia virá associada à hipercapnia. Na deficiência circulatória, a redução do fluxo sanguíneo diminui a remoção de CO_2 dos tecidos, resultando em hipercapnia tecidual associada à hipóxia tecidual. Todavia, a capacidade de transporte de CO_2 pelo sangue é mais de 3 vezes superior ao transporte de O_2, o que implica hipercapnia tecidual menos grave do que a hipóxia tecidual.

Quando a PCO_2 alveolar aumenta em cerca de 60 a 75 mmHg, o indivíduo normal respirará tão mais rápida e profundamente quanto puder, agravando a falta de ar (*dispneia*).

Se a PCO_2 aumentar para 80 a 100 mmHg, o indivíduo se tornará letárgico e, por vezes, semicomatoso. Com valores de PCO_2 de 120 a 150 mmHg, possivelmente ocorrerão anestesia e morte. Nesses valores mais altos, o excesso de CO_2 começa a deprimir a respiração em vez de estimulá-la, causando um ciclo vicioso: (1) mais CO_2, (2) maior depressão respiratória, (3) ainda mais CO_2, assim por diante, culminando rapidamente em morte por parada respiratória.

DISPNEIA

Dispneia significa angústia mental associada à incapacidade de ventilar o suficiente para satisfazer a demanda por ar. Um sinônimo comum é *falta de ar*.

Ao menos três fatores, em geral, participam do desenvolvimento da sensação de dispneia: (1) anormalidade dos gases respiratórios nos líquidos corporais, especialmente a hipercapnia e, em menor grau, a hipóxia; (2) quantidade de trabalho que necessita ser realizado pelos músculos respiratórios para proporcionar ventilação adequada; e (3) estado mental.

Um indivíduo se torna especialmente dispneico quando há acúmulo de CO_2 nos líquidos corporais. Por vezes, contudo, os níveis de CO_2 e O_2 dos líquidos corporais se encontram normais, todavia, sendo necessária a respiração forçada para que a normalidade seja atingida. Nesses casos, a atividade forçada dos músculos respiratórios frequentemente causa sensação de dispneia.

A maioria das pessoas sente dispneia grave após apenas 1 a 2 minutos de interrupção voluntária da respiração (apneia). Contudo, conforme discutido no Capítulo 42, alguns indivíduos treinam a si mesmos para suprimir os impulsos ventilatórios por mais de 10 minutos, mesmo ocorrendo acúmulo de CO_2 e níveis muito baixos de O_2 nos líquidos corporais.

Finalmente, pode-se vivenciar dispneia devido a um estado mental anormal, mesmo que as funções respiratórias do indivíduo, bem como os níveis de CO_2 e O_2 dos líquidos corporais, estejam normais. Essa condição recebe o nome de *dispneia neurogênica* ou *dispneia emocional*.

Por exemplo, praticamente qualquer pessoa que pense momentaneamente no ato de respirar pode subitamente começar a executar respirações um pouco mais profundas do que o normal devido à sensação de leve dispneia. Essa sensação aumenta muito em pessoas com medo psicológico de não conseguir receber a quantidade suficiente de ar, como no caso de adentrarem um cômodo pequeno e lotado.

RESPIRAÇÃO ARTIFICIAL

Ventilação mecânica. Encontram-se disponíveis muitos tipos de respiradores mecânicos artificiais, cada qual com seus próprios princípios característicos de funcionamento. O respirador artificial demonstrado na **Figura 43.9 A** consiste em uma fonte de O_2 ou ar, um mecanismo de administração de pressão positiva intermitente também de pressão negativa em alguns aparelhos e uma máscara que se encaixa na face do paciente ou um conector para acoplar o equipamento a um tubo endotraqueal. Esse aparato força ar através da máscara ou do tubo endotraqueal para os pulmões do paciente durante o ciclo de pressão positiva do respirador e, depois, geralmente permite que o ar flua passivamente para fora dos pulmões durante o resto do ciclo.

Respiradores mais antigos geralmente lesionavam os pulmões devido à pressão positiva excessiva (barotrauma), o que tornou seu uso muito condenado por algum tempo. Todavia, os respiradores modernos têm limites de pressão positiva ajustáveis, que são normalmente mantidos em 12 a 15 cmH_2O para pulmões normais, sendo esses limites, algumas vezes, bem mais altos para pulmões não complacentes.

Tanque respiratório ("pulmão de aço"). A **Figura 43.9 B** representa o tanque respiratório com o corpo de um paciente em seu interior e a cabeça, externalizada por um colar flexível, porém vedado à entrada de ar. Na extremidade do tanque oposta à cabeça do paciente, um diafragma de couro automatizado se move para frente e para trás com amplitude o suficiente para elevar e diminuir a pressão interna do tanque. À medida que o diafragma se move para dentro, desenvolve-se pressão positiva ao redor do corpo do paciente, causando expiração; à medida que o diafragma se move para fora, a pressão negativa causa inspiração. Válvulas de controle do respirador regulam as pressões positiva e negativa. Em geral, essas pressões são ajustadas de forma que a pressão negativa que produz inspiração fique em torno de -10 a -20 cmH_2O e a pressão positiva atinja de 0 a $+5$ cmH_2O.

O emprego do tanque respiratório tornou-se muito obsoleto na medicina moderna devido ao desenvolvimento de ventiladores mecânicos que propulsionam ar para as vias respiratórias com pressão positiva.

Efeito do mau uso do respirador artificial e do tanque respiratório sobre o retorno venoso. Quando o ar é excessivamente forçado para os pulmões sob pressão positiva por um respirador, ou quando a pressão ao redor do corpo do paciente é excessivamente *reduzida* pelo tanque respiratório ("pulmão de aço"), a pressão interna dos pulmões se torna inapropriadamente maior do que a pressão de todo o restante do organismo. Portanto, o fluxo de sangue para o tórax e o coração, a partir das veias periféricas, sofre um impedimento. Por conseguinte, variações muito bruscas e exageradas – em níveis suprafisiológicos – de pressão, obtidas por meio de um respirador ou de um tanque respiratório, podem diminuir o débito cardíaco, por vezes, a níveis letais. Por exemplo, a exposição contínua dos pulmões a uma pressão positiva superior a 30 mmHg por mais de alguns minutos pode até, em alguns casos, causar morte por conta de um retorno venoso inadequado ao coração.

Bibliografia

Barnes PJ: Targeting cytokines to treat asthma and chronic obstructive pulmonary disease. Nat Rev Immunol 18:454, 2018.
Barnes PJ: Cellular and molecular mechanisms of asthma and COPD. Clin Sci (Lond) 131:1541, 2017.
Celli BR: Pharmacological therapy of COPD: reasons for optimism. Chest 154:1404, 2018.
Centers for Disease Control and Prevention, Asthma Surveillance Data. (accessed June 22, 2019). https://www.cdc.gov/asthma/asthmadata.htm.
Furin J, Cox H, Pai M: Tuberculosis. Lancet 393:1642, 2019.
Hogg JC, Paré PD, Hackett TL: The contribution of small airway obstruction to the pathogenesis of chronic obstructive pulmonary disease. Physiol Rev 97:529, 2017.
Krishnamoorthy N, Abdulnour RE, Walker KH, Engstrom BD, Levy BD: Specialized proresolving mediators in innate and adaptive immune responses in airway diseases. Physiol Rev 98:1335, 2018.
Marini JJ: Evolving concepts for safer ventilation. Crit Care. 2019 Jun 14;23(Suppl 1):114. https://doi.org/10.1186/s13054-019-2406-9.

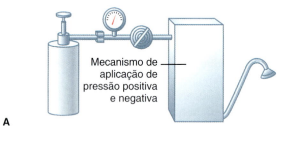

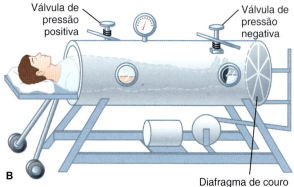

Figura 43.9 A. Respirador artificial. **B.** Tanque respiratório.

Marini JJ: Acute Lobar Atelectasis. Chest 155:1049, 2019.

Martinez FD: Early-life origins of chronic obstructive pulmonary disease. N Engl J Med 375:871, 2016.

Papi A, Brightling C, Pedersen SE, Reddel HK: Asthma. Lancet 391:783, 2018.

Quinton LJ, Walkey AJ, Mizgerd JP: Integrative physiology of pneumonia. Physiol Rev 98:1417, 2018.

Pavord ID, Beasley R, Agusti A et al: After asthma: redefining airways diseases. Lancet 391:350, 2018.

Rabe KF, Watz H: Chronic obstructive pulmonary disease. Lancet 389:1931, 2017.

Raju S, Ghosh S, Mehta AC: Chest CT signs in pulmonary disease: a pictorial review. Chest 151:1356, 2017.

Schraufnagel DE, Balmes JR, Cowl CT, et al: Air pollution and non-communicable diseases: a review by the Forum of International Respiratory Societies' Environmental Committee, part 1: The damaging effects of air pollution. Chest 155:409, 2019.

Sheel AW, Romer LM: Ventilation and respiratory mechanics. Compr Physiol 2:1093, 2012.

Suki B, Sato S, Parameswaran H, et al: Emphysema and mechanical stress-induced lung remodeling. Physiology (Bethesda) 28:404, 2013.

Veasey SC, Rosen IM: Obstructive sleep apnea in adults. N Engl J Med 380:1442, 2019.

Zumla A, Raviglione M, Hafner R, von Reyn CF: Tuberculosis. N Engl J Med 368:745, 2013.

PARTE 8

Fisiologia da Aviação, do Voo Espacial e do Mergulho em Grandes Profundidades

RESUMO DA PARTE

44 Fisiologia da Aviação, das Grandes Altitudes e do Voo Espacial, *550*

45 Fisiologia do Mergulho em Grandes Profundidades e Outras Condições Hiperbáricas, *558*

CAPÍTULO 44

Fisiologia da Aviação, das Grandes Altitudes e do Voo Espacial

Com a ascensão dos seres humanos a altitudes cada vez mais elevadas em atividades de aviação, alpinismo e exploração espacial, é cada vez mais importante compreender os efeitos da altitude e das baixas pressões sobre o corpo humano. Este capítulo trata dessas questões, além das forças aceleradoras, da falta de peso e de outros desafios à homeostase do corpo que ocorrem em grandes altitudes e em voos espaciais.

EFEITOS DA BAIXA PRESSÃO DE OXIGÊNIO SOBRE O ORGANISMO

Pressões barométricas em diferentes altitudes. A **Tabela 44.1** lista as pressões aproximadas – barométrica e do oxigênio – em diferentes altitudes, mostrando que, no nível do mar, a pressão barométrica é de 760 mmHg; a 3.000 metros, é de apenas 523 mmHg; e a 15.000 metros, é de 87 mmHg. Essa diminuição da pressão barométrica é a causa básica de todos os problemas de hipóxia na fisiologia de grandes altitudes, porque, à medida que a pressão barométrica diminui, a pressão parcial de oxigênio atmosférico (PO_2) diminui proporcionalmente, permanecendo, em todos os momentos, ligeiramente inferior a 21% da pressão barométrica total; no nível do mar, a PO_2 é cerca de 159 mmHg, mas a 15.000 metros, ela é de apenas 18 mmHg.

PO_2 ALVEOLAR EM DIFERENTES ELEVAÇÕES

O dióxido de carbono e o vapor de água diminuem o oxigênio alveolar. Mesmo em grandes altitudes, o dióxido de carbono (CO_2) é continuamente excretado do sangue pulmonar para os alvéolos. Além disso, a água é vaporizada para o ar inspirado a partir das superfícies respiratórias. Esses dois gases diluem o oxigênio nos alvéolos, reduzindo a concentração de O_2. A pressão do vapor de água nos alvéolos permanecerá em 47 mmHg enquanto a temperatura corporal estiver normal, independentemente da altitude.

No caso do CO_2, durante a exposição a altitudes muito elevadas, a pressão parcial alveolar de CO_2 (PCO_2) cai do valor ao nível do mar de 40 mmHg para valores mais baixos. Em indivíduos *aclimatados*, que aumentam a ventilação em cerca de cinco vezes, a PCO_2 cai para cerca de 7 mmHg em virtude do incremento da respiração.

Agora vejamos como as pressões desses dois gases afetam o oxigênio alveolar. Por exemplo, suponhamos que a pressão barométrica caia do valor normal ao nível do mar de 760 para 253 mmHg, que é o valor normalmente medido no topo do Monte Everest de 8.848 metros. Destes, 47 mmHg devem ser vapor d'água, restando apenas 206 mmHg para todos os outros gases. Na pessoa *aclimatada*, 7 mmHg dos 206 mmHg devem ser de CO_2, restando apenas 199 mmHg. Se não houvesse consumo de oxigênio pelo organismo, um quinto destes 199 mmHg seria de O_2 e quatro quintos seriam de nitrogênio – ou seja, a PO_2 nos alvéolos seria de 40 mmHg. No entanto, parte desse O_2 alveolar remanescente é continuamente absorvido pelo sangue, restando cerca de 35 mmHg de pressão de O_2 nos alvéolos. No cume do Monte Everest, mesmo as pessoas mais bem aclimatadas mal conseguem sobreviver respirando o ar ambiente. No entanto, o efeito é muito diferente quando a pessoa está respirando O_2 puro, como veremos a seguir.

PO_2 alveolar em diferentes altitudes. A quinta coluna da **Tabela 44.1** mostra os valores aproximados de PO_2 nos alvéolos tanto da pessoa *não aclimatada* quanto da *aclimatada*, em diferentes altitudes, quando se está respirando ar ambiente. No nível do mar, a PO_2 alveolar é 104 mmHg. A 6.000 metros de altitude, cai para cerca de 40 mmHg na pessoa não aclimatada, mas apenas a 53 mmHg na pessoa aclimatada. A razão para essa diferença é que a ventilação alveolar aumenta muito mais na pessoa aclimatada do que na não aclimatada, como discutiremos mais adiante.

Saturação de hemoglobina com oxigênio em diferentes altitudes. A **Figura 44.1** mostra a saturação de O_2 no sangue arterial em diferentes altitudes quando uma pessoa respira ar e quando respira oxigênio. Até uma altitude de cerca de 3.000 metros, mesmo quando se respira o ar, a saturação arterial de O_2 permanece, no mínimo, tão alta quanto 90%. Acima de 3.000 metros, a saturação arterial de O_2 cai rapidamente, conforme mostrado pela curva em azul da figura, até que seja ligeiramente inferior a 70% a 6.000 metros, e muito menor em altitudes ainda mais altas.

EFEITO DA RESPIRAÇÃO DE OXIGÊNIO PURO NA PO$_2$ ALVEOLAR EM DIFERENTES ALTITUDES

Quando uma pessoa respira oxigênio puro em vez de ar, a maior parte do espaço dos alvéolos anteriormente ocupados por nitrogênio passa a ser ocupada por O$_2$. A 9.000 metros, um aviador poderia ter uma PO$_2$ alveolar de até 139 mmHg, ao respirar oxigênio puro, em vez de 18 mmHg ao respirar ar ambiente (ver **Tabela 44.1**).

A curva em vermelho da **Figura 44.1** mostra a saturação de O$_2$ na hemoglobina do sangue arterial em diferentes altitudes quando uma pessoa está respirando oxigênio puro. Observe que a saturação permanece acima de 90% até que o aviador ascenda a aproximadamente 12.000 metros; então cai rapidamente para cerca de 50% a aproximadamente 15.000 metros.

Limite de tolerância ao respirar o ar ambiente e ao respirar oxigênio em um avião não pressurizado.

Ao comparar as duas curvas de saturação de O$_2$ do sangue arterial na **Figura 44.1**, observa-se que um aviador que respira O$_2$ puro em um avião não pressurizado pode subir a altitudes muito mais altas do que um que esteja respirando o ar ambiente. Por exemplo, a saturação arterial a 14.000 metros quando se respira O$_2$ é de cerca de 50% e é equivalente à saturação arterial de O$_2$ a 7.000 metros quando se respira ar ambiente. Além disso, como uma pessoa não aclimatada geralmente pode permanecer consciente até que a saturação arterial de O$_2$ caia para 50%, o limite de tolerância para um aviador para curtos tempos de exposição em um avião não pressurizado quando respira o ar ambiente é de cerca de 7.000 metros e, ao respirar O$_2$ puro, é de cerca 14.000 metros, desde que o equipamento de fornecimento de O$_2$ funcione perfeitamente.

EFEITOS AGUDOS DA HIPÓXIA

Alguns dos importantes efeitos agudos da hipóxia na pessoa não aclimatada respirando ar, começando em uma altitude de cerca de 3.600 metros, são sonolência, prostração, fadiga mental e muscular, às vezes cefaleia, euforia e, ocasionalmente, náuseas. Esses efeitos progridem para um estágio de espasmos ou convulsões acima de 5.500 metros, e, acima de 7.000 metros na pessoa não aclimatada, resultam em coma, evoluindo logo em seguida para o óbito.

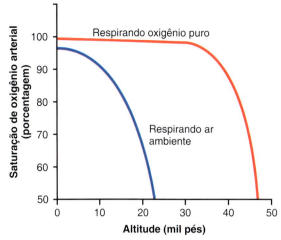

Figura 44.1 Efeito da altitude elevada sobre a saturação de oxigênio arterial ao respirar ar ou oxigênio puro.

Um dos efeitos mais importantes da hipóxia é a diminuição da eficiência mental, que diminui o julgamento, a memória e causa o comprometimento motor de movimentos finos. Por exemplo, se um aviador não aclimatado permanecer a 4.500 metros por 1 hora, sua capacidade mental normalmente cairá para cerca de 50% do normal e, após 18 horas neste nível, cai para aproximadamente 20% do normal.

ACLIMATAÇÃO PARA PO$_2$ BAIXA

Um indivíduo que permanece em grandes altitudes por dias, semanas ou anos torna-se cada vez mais adaptado uma PO$_2$ baixa, de modo que sofre menos efeitos deletérios no corpo. Após a aclimatação, torna-se possível para a pessoa trabalhar mais sem efeitos hipóxicos ou ascender a altitudes ainda mais elevadas.

A aclimatação ocorre principalmente por meio de: (1) um grande aumento na ventilação pulmonar; (2) aumento

Tabela 44.1 Efeitos da exposição aguda a baixas pressões atmosféricas nas concentrações de gases alveolares e na saturação de oxigênio arterial.[a]

			Respirando ar			Respirando O$_2$ puro		
Altitude. (pés/m)	Pressão barométrica (mmHg)	PO$_2$ no ar (mmHg)	PCO$_2$ alveolar (mmHg)	PO$_2$ alveolar (mmHg)	Saturação de O$_2$ arterial (%)	PCO$_2$ alveolar (mmHg)	PO$_2$ alveolar (mmHg)	Saturação de O$_2$ arterial (%)
0	760	159	40 (40)	104 (104)	97 (97)	40	673	100
10.000/3.048	523	110	36 (23)	67 (77)	90 (92)	40	436	100
20.000/6.096	349	73	24 (10)	40 (53)	73 (85)	40	262	100
30.000/9.144	226	47	24 (7)	18 (30)	24 (38)	40	139	99
40.000/12.192	141	29				36	58	84
50.000/15.240	87	18				24	16	15

[a]Os algarismos entre parênteses representam os valores em indivíduos aclimatados.

PARTE 8 Fisiologia da Aviação, do Voo Espacial e do Mergulho em Grandes Profundidades

do número de hemácias; (3) aumento da capacidade de difusão nos pulmões; (4) aumento da vascularização dos tecidos periféricos; e (5) aumento da capacidade das células do tecido para usar o oxigênio, apesar da baixa PO_2.

Aumento da ventilação pulmonar | papel dos quimiorreceptores arteriais.

A exposição imediata a uma PO_2 baixa estimula os quimiorreceptores arteriais, e essa estimulação aumenta a ventilação alveolar para um máximo de cerca de 1,65 vez o normal (aumento de 65%). Portanto, a compensação ocorre em segundos para a grande altitude, e só isso já permite que a pessoa se eleve mais alguns milhares de metros do que seria possível sem o aumento da ventilação. Se a pessoa permanecer em uma altitude muito elevada por vários dias, os quimiorreceptores aumentam ainda mais a ventilação, cerca de cinco vezes o normal.

O aumento imediato da ventilação pulmonar, ao se alcançar uma grande altitude, libera grandes quantidades de CO_2, reduzindo a PCO_2 e aumentando o pH dos líquidos corporais. Essas alterações *inibem* o centro respiratório do tronco encefálico e, assim, *fazem oposição ao efeito da baixa PO_2 para estimular a respiração por meio dos quimiorreceptores arteriais periféricos nos corpos carotídeo e aórtico*. No entanto, essa inibição desaparece nos 2 a 5 dias seguintes, permitindo que o centro respiratório responda com força total ao estímulo quimiorreceptor periférico da hipóxia, e a ventilação aumenta para cerca de cinco vezes o normal.

Acredita-se que a causa do desaparecimento dessa inibição seja, principalmente, uma redução da concentração de íons bicarbonato no líquido cefalorraquidiano, bem como nos tecidos cerebrais. Essa redução, por sua vez, diminui o pH dos líquidos que circundam os neurônios quimiossensíveis do centro respiratório, aumentando, assim, a atividade de estimulação respiratória do centro.

Um mecanismo importante para a diminuição gradual da concentração de bicarbonato é compensado pelos rins no caso de ocorrer uma alcalose respiratória, conforme discutido no Capítulo 31. Os rins respondem à diminuição da PCO_2 reduzindo a secreção de íons hidrogênio e aumentando a excreção de bicarbonato. Essa compensação metabólica para a alcalose respiratória reduz gradualmente as concentrações de bicarbonato no plasma e no líquido cefalorraquidiano, restaurando o pH para seu valor normal, removendo, assim, parte do efeito inibitório sobre a respiração resultante de uma baixa concentração de íons hidrogênio. Assim, os centros respiratórios respondem muito mais ao estímulo quimiorreceptor periférico causado pela hipóxia depois que os rins compensam a alcalose.

Aumento das hemácias e da concentração de hemoglobina durante a aclimatação.

Conforme discutido no Capítulo 33, a hipóxia é um estímulo importante para aumentar a produção de hemácias. Normalmente, quando uma pessoa permanece exposta a níveis baixos de O_2 por semanas seguidas, o hematócrito sobe lentamente de um valor normal de 40 a 45% para a média de cerca de 60%, com um aumento médio na concentração de hemoglobina total no sangue de um valor normal de 15 g/dℓ para aproximadamente 20 g/dℓ.

Além disso, o volume de sangue também aumenta, muitas vezes em 20 a 30%, e esse aumento, multiplicado pelo aumento da concentração de hemoglobina no sangue, resulta em um aumento na hemoglobina corporal total de 50% ou mais.

Maior capacidade de difusão após a aclimatação.

A capacidade de difusão normal de O_2 através da membrana pulmonar é de cerca de 21 mℓ/mmHg por minuto, e essa capacidade de difusão pode aumentar até 3 vezes durante o exercício. Um aumento semelhante na capacidade de difusão ocorre nas grandes altitudes.

Parte do aumento resulta da elevação do volume sanguíneo capilar pulmonar, que expande os capilares e aumenta a área de superfície através da qual o oxigênio pode se difundir no sangue. Outra parte desse aumento resulta da elevação do volume de ar nos pulmões, que expande ainda mais a área de superfície da interface alveolocapilar. Por fim, o aumento de volume sanguíneo nos pulmões acarreta um incremento na pressão sanguínea arterial pulmonar, que força o sangue para um número maior de capilares alveolares do que o normal, especialmente nas partes superiores dos pulmões, que são mal perfundidas em condições normais.

Alterações do sistema circulatório periférico durante a aclimatação | aumento da capilaridade dos tecidos.

O débito cardíaco costuma aumentar em até 30% imediatamente após uma pessoa alcançar uma altitude elevada, mas depois volta ao normal em um *período de semanas, conforme o hematócrito sanguíneo aumenta*, de modo que a quantidade de O_2 transportado para os tecidos corporais periféricos permanece normal.

Outra adaptação circulatória é o *crescimento de maior número de capilares circulatórios sistêmicos* nos tecidos não pulmonares, chamado de *angiogênese*. Essa adaptação ocorre especialmente em animais nascidos e criados em grandes altitudes, mas nem tanto em animais que ficam expostos a grandes altitudes mais tarde na vida.

Em tecidos ativos expostos à hipóxia crônica, o aumento da capilaridade é especialmente acentuado. Por exemplo, a densidade capilar no músculo ventricular direito aumenta notadamente por causa dos efeitos combinados de hipóxia e excesso de carga de trabalho no ventrículo direito causados pela hipertensão pulmonar em grandes altitudes.

Aclimatação celular.

Em animais nativos de altitudes de 4.000 a 5.000 metros, as mitocôndrias celulares e os sistemas de enzimas oxidativas são ligeiramente mais abundantes do que em habitantes do nível do mar. Portanto, presume-se que as células dos tecidos de seres humanos aclimatados em grandes altitudes também possam usar o O_2 de maneira mais eficaz do que aqueles que vivem no nível do mar.

FATORES INDUZIDOS POR HIPÓXIA | UM "GATILHO" PARA A RESPOSTA DO ORGANISMO À HIPÓXIA

Os *fatores induzidos por hipóxia* (FIH) são fatores de transcrição ligados ao DNA que respondem à disponibilidade reduzida de oxigênio e ativam vários genes que codificam proteínas necessárias para a oferta adequada de oxigênio aos tecidos e ao metabolismo energético. Os FIH são encontrados em praticamente todas as espécies que respiram oxigênio, desde helmintos primitivos até humanos. Alguns dos genes controlados por FIH, especialmente o FIH-1, incluem:

- Genes associados ao fator de crescimento endotelial vascular, que estimula a angiogênese
- Genes de eritropoetina, que estimulam a produção de hemácias
- Genes mitocondriais envolvidos com a utilização de energia
- Genes de enzimas glicolíticas envolvidas com o metabolismo anaeróbico
- Genes que aumentam a disponibilidade de óxido nítrico, que causa vasodilatação pulmonar.

Na presença de oxigênio adequado, as subunidades de FIH necessárias para ativar vários genes são reguladas negativamente e inativadas por hidroxilases de FIH específicas. Na hipóxia, as hidroxilases de FIH são elas próprias inativas, permitindo a formação de um complexo de FIH ativos e aptos para produzir transcrição. Assim, os FIH funcionam como um gatilho que deflagra, no organismo, uma resposta apropriada frente à hipóxia.

ACLIMATAÇÃO NATURAL DE POVOS NATIVOS QUE VIVEM EM GRANDES ALTITUDES

Muitos povos nativos nos Andes e no Himalaia vivem em altitudes acima de 4.000 metros. Um grupo nos Andes peruanos vive a uma altitude de 5.300 metros e trabalha em uma mina a uma altitude de 5.800 metros. Muitos desses nativos nascem nessas altitudes e permanecem lá por toda a vida. Eles são superiores até mesmo em relação aos habitantes das terras baixas mais bem adaptados em todos os aspectos da aclimatação, embora os habitantes das terras baixas possam ter vivido em grandes altitudes por 10 anos ou mais. A aclimatação dos nativos começa na infância. O tamanho do tórax, especialmente, é muito maior, enquanto o tamanho do corpo é um pouco menor, conferindo uma razão alta entre a capacidade ventilatória e a massa corporal. Os corações dos nativos, que desde o nascimento bombeiam quantidades extras de débito cardíaco, também são consideravelmente maiores do que os dos habitantes das terras baixas.

A distribuição de oxigênio pelo sangue aos tecidos também é altamente facilitada nesses nativos. Por exemplo, a **Figura 44.2** mostra as curvas de dissociação O_2-hemoglobina para nativos que vivem ao nível do

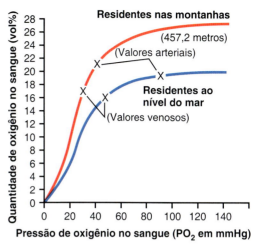

Figura 44.2 Curvas de dissociação de oxigênio-hemoglobina para sangue de residentes em altitude elevada (*curva em vermelho*) e residentes ao nível do mar (*curva em azul*) mostrando os respectivos níveis de PO_2 arterial e venoso e o conteúdo de oxigênio conforme registrado em seus ambientes. (Dados da Pan American Health Organization. Oxygen-dissociation curves for bloods of high-altitude and sea-level residents. Life at high altitudes. Washington, DC: Pan American Health Organization Scientific Publication No. 140, 1966.)

mar e para aqueles que vivem a 4.500 metros. Observe que a PO_2 arterial nos nativos em elevada altitude é de apenas 40 mmHg, mas, por causa da maior quantidade de hemoglobina, a quantidade de O_2 em seu sangue arterial é maior do que no sangue dos nativos de altitude mais baixa. Observe também que a PO_2 venosa nos nativos de grande altitude é apenas 15 mmHg menor do que a PO_2 venosa nos habitantes das terras baixas, apesar de uma PO_2 arterial muito baixa, indicando que o transporte de oxigênio para os tecidos é extremamente eficaz nos nativos naturalmente aclimatados de elevada altitude.

CAPACIDADE DE TRABALHO REDUZIDA EM GRANDES ALTITUDES E EFEITO POSITIVO DA ACLIMATAÇÃO

Além do comprometimento mental causado pela hipóxia, a capacidade de trabalho de todos os músculos, tanto cardíaco quanto esqueléticos, diminui muito em um estado de hipóxia. Em geral, a capacidade de trabalho é reduzida em proporção direta à diminuição da taxa máxima de absorção de O_2 que o corpo pode atingir.

Para dar uma ideia da importância da aclimatação para aumentar a capacidade de trabalho, considere as grandes diferenças nas capacidades de trabalho como uma porcentagem do normal para pessoas não aclimatadas e aclimatadas a uma altitude de 5.000 metros, como mostrado na **Tabela 44.2**. Assim, os nativos naturalmente aclimatados podem alcançar uma produção diária de trabalho, mesmo em uma altitude elevada, quase igual à de indivíduos que vivem ao nível do mar, os quais, ainda que passem por um processo de aclimatação, quase nunca conseguem atingir o desempenho de um nativo.

PARTE 8 Fisiologia da Aviação, do Voo Espacial e do Mergulho em Grandes Profundidades

Tabela 44.2 Diferença na capacidade de trabalho.

	Capacidade de trabalho (% do normal)
Sem aclimatação	50
Aclimatação por 2 meses	68
Nativo residente a 4.000 m, mas trabalhando a 5.000 m	87

MAL DAS MONTANHAS E EDEMA PULMONAR DE GRANDE ALTITUDE

Uma pequena porcentagem de pessoas que ascendem rapidamente a grandes altitudes fica gravemente enferma e pode morrer se não receber oxigênio ou se não for removida rapidamente para uma altitude mais baixa. A doença pode se manifestar em poucas horas ou até cerca de 2 dias após a subida. Dois eventos ocorrem frequentemente:

1. *Edema cerebral agudo.* Acredita-se que esse edema resulte da vasodilatação local dos vasos cerebrais, que é causada pela hipóxia. A dilatação das arteríolas aumenta o fluxo sanguíneo para os capilares, elevando, assim, a pressão capilar, que por sua vez faz com que o líquido extravase para os tecidos cerebrais. Fatores químicos, como o fator de crescimento endotelial vascular e citocinas inflamatórias, também podem contribuir para a formação de edema, aumentando a permeabilidade das células endoteliais. O edema cerebral pode então levar à desorientação grave e a outros efeitos relacionados à disfunção cerebral.

2. *Edema pulmonar agudo.* A causa do edema pulmonar agudo ainda é incerta, mas pode ser explicada como se segue. A hipóxia grave faz com que as arteríolas pulmonares se contraiam fortemente, mas a constrição é muito maior em algumas partes dos pulmões do que em outras, de modo que cada vez mais o fluxo sanguíneo pulmonar é forçado através de uma quantidade cada vez menor de vasos pulmonares ainda não obstruídos. A resultante deste processo é que a pressão capilar nessas áreas dos pulmões se torna especialmente alta, levando a um edema local. A extensão progressiva do processo para outras áreas dos pulmões leva à disseminação do edema pulmonar e disfunção pulmonar grave, que pode ser fatal. Permitir que a pessoa respire O_2 geralmente reverte o processo em algumas horas. Os mesmos fatores químicos que foram sugeridos para aumentar a permeabilidade capilar no cérebro também podem contribuir para o aumento da permeabilidade capilar pulmonar e edema nos pulmões.

MAL CRÔNICO DAS MONTANHAS

Ocasionalmente, uma pessoa que permanece por muito tempo em uma altitude muito elevada experimenta o *mal crônico das montanhas*, no qual ocorrem os seguintes efeitos:

1. A massa de hemácias e o hematócrito tornam-se excepcionalmente elevados.

2. A pressão arterial pulmonar torna-se ainda mais elevada do que a elevação normal que ocorre durante a aclimatação.

3. O lado direito do coração fica muito dilatado.

4. A pressão arterial periférica começa a cair.

5. Ocorre insuficiência cardíaca congestiva.

6. Muitas vezes ocorre o óbito, a menos que a pessoa seja transferida para uma altitude mais baixa.

Há provavelmente três causas principais para essa sequência de eventos:

1. A massa de hemácias torna-se tão grande que a viscosidade do sangue aumenta várias vezes. Esse aumento da viscosidade tende a *diminuir* o fluxo sanguíneo nos tecidos, de modo que a distribuição de O_2 também começa a diminuir.

2. Ocorre vasoconstrição das arteríolas pulmonares, devido à hipóxia pulmonar. Essa vasoconstrição resulta do efeito constritor vascular hipóxico que normalmente opera para desviar o fluxo sanguíneo dos alvéolos pouco oxigenados para os mais oxigenados, conforme explicado no Capítulo 39. No entanto, como *todos* os alvéolos estão agora no estado de baixo O_2, todas as arteríolas se contraem, a pressão arterial pulmonar aumenta excessivamente e o lado direito do coração entra em falência por não tolerar a sobrecarga de pressão necessária para vencer a resistência vascular pulmonar.

3. O espasmo arteriolar alveolar desvia grande parte do fluxo sanguíneo para os vasos de regiões pulmonares não alveolares (p. ex., pleuras, vias respiratórias etc.), causando um excesso de desvio do fluxo sanguíneo pulmonar para regiões não respiratórias do pulmão, onde o sangue é mal oxigenado, o que agrava ainda mais o problema. A maioria das pessoas com essa condição se recupera em alguns dias ou semanas quando é removida para uma altitude mais baixa.

Efeitos das forças aceleradoras sobre o corpo na fisiologia da aviação e do voo espacial

Em virtude das mudanças rápidas na velocidade e direção do movimento em aviões ou espaçonaves, vários tipos de forças aceleradoras afetam o corpo durante o voo. No início do voo, ocorre a aceleração linear simples; no final do voo, ocorre a desaceleração; e cada vez que o veículo faz uma curva, ocorre a aceleração centrífuga.

Forças aceleradoras centrífugas

Quando um avião faz uma curva, a força de aceleração centrífuga é determinada pela seguinte relação:

$$f = \frac{mv^2}{r}$$

em que *f* é a força centrífuga, *m* é a massa do objeto, *v* é a velocidade de deslocamento e *r* é o raio de curvatura da trajetória. Com base nessa fórmula, é óbvio que, à medida que a velocidade aumenta, a *força centrífuga aumenta na proporção do quadrado da velocidade*. Também é óbvio que a força centrífuga é *diretamente proporcional à intensidade da curva (quanto menor o raio, maior a força)*.

Medição da força aceleradora: "G." Quando um aviador está simplesmente sentado em seu assento, a força que o pressiona contra o assento resulta da atração da gravidade e é igual ao peso da pessoa. Diz-se que a intensidade dessa força é +1 G porque é igual à força da gravidade. Se a força com que a pessoa pressiona o assento tornar-se cinco vezes maior que o peso normal durante a reversão de um mergulho aéreo acrobático, a força que atua no assento será de +5 G.

Se o avião fizer um *loop* externo de forma que a pessoa seja mantida pelo cinto de segurança, uma *G negativa* será aplicada ao corpo. Se a força com a qual a pessoa é pressionada pelo cinto de segurança for igual ao peso do corpo, a força negativa será –1 G.

Efeitos da força aceleradora centrífuga sobre o corpo (G positiva)

Efeitos sobre o sistema circulatório. O efeito mais importante da aceleração centrífuga é sobre o sistema circulatório, porque a massa de sangue se movimenta e pode ser deslocada por forças centrífugas.

Quando um aviador é submetido a *G positiva*, o sangue é centrifugado em direção à parte mais baixa do corpo. Assim, se a força aceleradora centrífuga for +5 G e a pessoa estiver em uma posição ortostática imobilizada, a pressão nas veias dos pés aumentará muito (para aproximadamente 450 mmHg). Na posição sentada, a pressão chega a quase 300 mmHg. Além disso, à medida que aumenta a pressão nos vasos da parte inferior do corpo, esses vasos se dilatam passivamente, de modo que a maior parte do sangue da parte superior do corpo é desviada para os vasos inferiores. Como o coração não pode bombear a menos que o sangue retorne a ele, quanto maior for a quantidade de sangue represado dessa forma na parte inferior do corpo, menor será a disponibilidade de sangue para manter o débito cardíaco.

A **Figura 44.3** mostra as alterações nas pressões arteriais sistólica e diastólica (curvas superior e inferior, respectivamente) na parte superior do corpo quando uma força aceleradora centrífuga de +3,3 G é aplicada repentinamente a uma pessoa sentada. Observe que ambas as pressões caem abaixo de 22 mmHg nos primeiros segundos após o início da aceleração, mas depois retornam a uma pressão sistólica de cerca de 55 mmHg e a uma pressão diastólica de 20 mmHg em mais 10 a 15 segundos. Essa recuperação secundária é provocada principalmente pela ativação dos reflexos barorreceptores.

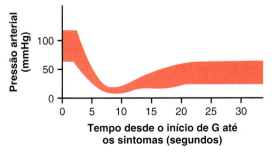

Figura 44.3 Alterações nas pressões arteriais sistólica (*topo da curva*) e diastólica (*base da curva*) após exposição abrupta e contínua de uma pessoa sentada a uma força aceleradora, de cima para baixo, de +3,3 G.

Uma aceleração maior que 4 a 6 G causa colapso (apagão) da visão em alguns segundos e perda de consciência logo em seguida. Se esse alto grau de aceleração continuar, a pessoa morrerá.

Efeitos sobre as vértebras. Forças de aceleração extremamente altas, mesmo que por uma fração de segundo, podem fraturar as vértebras. O grau de aceleração positiva que uma pessoa média pode suportar na posição sentada antes que ocorra a fratura vertebral é de cerca de 20 G.

G negativa. Os efeitos agudos da G negativa sobre o organismo são menos dramáticos, mas possivelmente mais prejudiciais em termos permanentes do que os efeitos da G positiva. Geralmente, um aviador pode passar por *loops* externos até forças aceleradoras negativas de –4 a –5 G sem causar dano permanente, embora possa sofrer hiperemia momentânea intensa da cabeça. Ocasionalmente, podem ocorrer distúrbios psicóticos com duração de 15 a 20 minutos, como resultado de edema cerebral.

Ocasionalmente, as forças G negativas podem ser tão extremas (p. ex., –20 G), e a centrifugação do sangue para a cabeça é tão grande que a pressão sanguínea cerebral atinge 300 a 400 mmHg, muitas vezes causando a ruptura de pequenos vasos na superfície da cabeça e no cérebro. No entanto, os vasos intracranianos apresentam menos tendência à ruptura do que seria esperado pelo seguinte motivo: o líquido cefalorraquidiano é centrifugado em direção à cabeça ao mesmo tempo que o sangue é centrifugado em direção aos vasos cranianos, e o grande aumento da pressão do líquido cefalorraquidiano atua como um dispositivo de amortecimento na parte externa do cérebro para evitar a ruptura vascular intracerebral.

Como os olhos não são protegidos pelo crânio, ocorre neles intensa hiperemia durante G. Como resultado, os olhos muitas vezes ficam temporariamente cegos, o que é chamado de *apagão*.

Proteção do corpo contra forças aceleradoras centrífugas. Foram desenvolvidos procedimentos e aparelhos específicos para proteger os aviadores contra o colapso circulatório que pode ocorrer durante o G positivo. Em primeiro lugar, se o aviador contrair os músculos abdominais em um grau extremo e se inclinar para frente para comprimir o abdome, pode ser evitada parte do acúmulo de sangue nos grandes vasos do abdome, retardando o início do colapso. Além disso, foram desenvolvidos trajes especiais "anti-G", para evitar o acúmulo de sangue na parte inferior do abdome e nas pernas. O modelo mais simples aplica pressão positiva nas pernas e no abdome, inflando as bolsas de compressão conforme a força G aumenta.

Teoricamente, um piloto submerso em um tanque ou traje de água pode experimentar pouco efeito das forças G sobre a circulação porque as pressões desenvolvidas na água pressionando o exterior do corpo durante a aceleração centrífuga equilibrariam quase exatamente as forças que atuam sobre o corpo. No entanto, a presença de ar nos pulmões ainda permite o deslocamento do coração, dos tecidos pulmonares e do diafragma para posições muito anormais, apesar da submersão na água. Portanto, mesmo que esse procedimento fosse empregado, o limite de segurança quase certamente ainda seria inferior a 10 G.

Efeitos das forças aceleradoras lineares sobre o corpo

Forças aceleradoras em viagens espaciais. Ao contrário de um avião, uma espaçonave não pode fazer curvas rápidas e, portanto, a aceleração centrífuga é de pouca importância, exceto quando a espaçonave entra em giros anormais. No entanto, a aceleração da decolagem e a desaceleração do pouso podem ser extremamente elevadas; ambas são tipos de *aceleração linear*, sendo uma positiva e o outra negativa.

A **Figura 44.4** mostra um perfil aproximado de aceleração durante a decolagem em uma espaçonave de três estágios, demonstrando que a propulsão de primeiro estágio causa uma aceleração de até 9 G e a propulsão de segundo estágio de até 8 G. Na posição em pé, o corpo humano não poderia suportar tanta aceleração, mas em uma posição semirreclinada *transversal ao eixo de aceleração*, essa quantidade de aceleração pode ser suportada facilmente, apesar do fato de que as forças aceleradoras se mantêm por vários minutos de cada vez. Portanto, isso explica o motivo do uso dos assentos reclináveis pelos astronautas.

Também ocorrem problemas durante a desaceleração, quando a nave entra novamente na atmosfera. Uma pessoa viajando a Mach 1 (velocidade do som e de aviões rápidos) pode ser desacelerada com segurança a uma distância de cerca de 0,19 km, enquanto uma pessoa viajando a uma velocidade de Mach 100 (uma velocidade possível em viagens espaciais interplanetárias) exigiria um distância de cerca de 16 km para uma desaceleração segura. A principal razão para essa diferença é que a quantidade total de energia que deve ser dissipada durante a desaceleração é proporcional ao *quadrado* da velocidade, que por si só aumenta a distância necessária para desacelerações entre Mach 1 e Mach 100 em cerca de 10.000 vezes. Portanto, a desaceleração deve ser realizada muito mais lentamente em alta velocidade do que em baixa velocidade.

Forças desaceleradoras associadas a saltos de paraquedas. Quando o paraquedista deixa o avião, a velocidade de queda é, inicialmente, de exatamente 0 m/s. No entanto, devido à força aceleradora da gravidade, em 1 segundo a velocidade de queda é de 35 km/h ou 9,7 m/s (se não houver resistência do ar), em 2 segundos é de 70 km/h ou 19,5 m/s, e assim por diante. À medida que a velocidade da queda aumenta, a resistência do ar, que tende a retardar a queda, também aumenta. Por fim, a força desaceleradora da resistência do ar equilibra exatamente a força aceleradora da gravidade; portanto, após cair por cerca de 12 segundos, a pessoa estará caindo a uma velocidade terminal de 175 a 191,5 km/h (53,3 m/s). Se o paraquedista já tiver atingido a velocidade terminal antes de abrir o paraquedas, uma "carga de choque de abertura" de até 544 kg poderá ocorrer nas coberturas do paraquedas.

O paraquedas de tamanho normal retarda a queda do paraquedista para cerca de um nono da velocidade terminal. Em outras palavras, a velocidade de pouso é de cerca de 22 km/h (6 m/s), e a força de impacto contra a terra é 1/81 a força de impacto sem paraquedas. Mesmo assim, a força do impacto ainda é grande o suficiente para causar danos consideráveis ao corpo, a menos que o paraquedista esteja devidamente treinado para pousar. Na verdade, a força do impacto contra a terra é quase a mesma que seria experimentada pulando sem um paraquedas de uma altura de cerca de 1,8 metro. A menos que esteja treinado e prevenido, o paraquedista poderia ser enganado por seus sentidos e atingir a terra com as pernas estendidas, e esta posição, ao pousar, resultaria em grandes forças de desaceleração ao longo do eixo esquelético do corpo, resultando em fraturas da bacia, vértebras ou membros inferiores. Consequentemente, o paraquedista treinado atinge a terra com os joelhos dobrados, mas com os músculos tensionados para amortecer o choque da aterrissagem.

"Clima artificial" na espaçonave vedada

Como não há atmosfera no espaço sideral, devem ser produzidos uma atmosfera e um clima artificiais em uma espaçonave. Ainda mais importante, a concentração de O_2 deve permanecer alta o suficiente e a concentração de CO_2 baixa o suficiente para evitar asfixia. Em algumas missões espaciais anteriores, foi usada uma atmosfera de cápsula contendo O_2 puro a cerca de 260 mmHg de pressão, mas, nas viagens espaciais modernas, são usados gases quase iguais aos do ar atmosférico, com quatro vezes mais nitrogênio do que O_2 e uma pressão total de 760 mmHg. A presença de nitrogênio na mistura diminui muito a probabilidade de incêndio e explosão. Também protege contra o desenvolvimento de focos locais de atelectasia pulmonar que costumam ocorrer ao respirar O_2 puro, porque o oxigênio é absorvido rapidamente quando os pequenos brônquios são temporariamente bloqueados por tampões mucosos.

Para viagens espaciais que duram mais de vários meses, é prático carregar um suprimento adequado de O_2. Por essa razão, têm sido propostas técnicas de reciclagem para usar o mesmo O_2 repetidamente. Alguns processos de reciclagem dependem de procedimentos puramente físicos, como a eletrólise da água para liberar O_2. Outros dependem de métodos biológicos, como o uso de algas com seu grande estoque de clorofila para liberar oxigênio a partir do CO_2 pelo processo de fotossíntese. Ainda não foi desenvolvido um sistema de reciclagem totalmente satisfatório.

Ausência de peso (microgravidade) no espaço

Uma pessoa em um satélite em órbita ou em uma espaçonave não propelida experimenta a *ausência de peso*, ou um

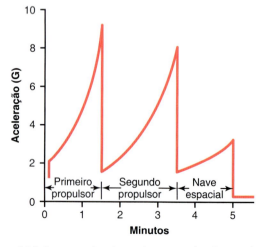

Figura 44.4 Forças aceleradoras durante a decolagem de uma espaçonave.

CAPÍTULO 44 Fisiologia da Aviação, das Grandes Altitudes e do Voo Espacial

estado de força G próximo de zero, muitas vezes chamado de *microgravidade*. Ou seja, a pessoa não é atraída para o assoalho, para os lados ou para o teto da nave, mas simplesmente flutua dentro de suas câmaras. A causa dessa falta de peso não é a falha da gravidade em puxar o corpo porque a gravidade de qualquer corpo celeste próximo ainda está ativa. No entanto, a gravidade atua sobre a espaçonave e a pessoa ao mesmo tempo, de modo que ambas são puxadas exatamente com as mesmas forças aceleradoras e na mesma direção. Por essa razão, a pessoa simplesmente não é atraída por nenhuma parede específica da nave.

Desafios fisiológicos da ausência de peso (microgravidade). Os desafios fisiológicos da falta de peso não têm se mostrado muito significativos, desde que o período de exposição não seja muito longo. A maioria dos problemas está relacionada a três efeitos da ausência de peso: (1) enjoo durante os primeiros dias de viagem; (2) translocação anormal de líquidos dentro do organismo em virtude da falha da gravidade em causar pressões hidrostáticas normais; e (3) diminuição da atividade física porque nenhuma força de contração muscular é necessária para se opor à força de gravidade.

Quase 50% dos astronautas experimentam enjoo, com náuseas e às vezes vômitos, durante os primeiros 2 a 5 dias de viagem espacial. Esse enjoo provavelmente resulta de um padrão desconhecido de sinais de movimento que chegam aos centros de equilíbrio do cérebro e, ao mesmo tempo, da falta de sinais gravitacionais.

Os efeitos observados de uma estada prolongada no espaço são os seguintes: (1) diminuição do volume de sangue; (2) diminuição da massa de hemácias; (3) diminuição da força muscular e capacidade de trabalho; (4) diminuição do débito cardíaco máximo; e (5) perda de cálcio e fosfato dos ossos, bem como perda de massa óssea. A maioria desses mesmos efeitos também ocorre em pessoas que ficam acamadas por um longo período. Por esse motivo, são realizados programas de exercícios pelos astronautas durante missões espaciais prolongadas.

Em expedições de laboratórios espaciais anteriores, nas quais o programa de exercícios era menos vigoroso, os astronautas diminuíam drasticamente a capacidade de trabalho nos primeiros dias após o retorno à Terra. Eles também tendiam a desmaiar (e ainda desmaiam, até certo ponto) quando se levantavam durante o primeiro dia ou depois do retorno à gravidade, devido ao volume sanguíneo reduzido e às respostas diminuídas dos mecanismos de controle da pressão arterial.

"Descondicionamento" cardiovascular, muscular e ósseo durante a exposição prolongada à ausência de peso. Durante voos espaciais muito longos e exposição prolongada à microgravidade, ocorrem efeitos graduais de "descondicionamento" do sistema cardiovascular, músculos esqueléticos e ossos, apesar do exercício rigoroso durante o voo. Estudos com astronautas em voos espaciais com duração de vários meses mostraram que podem perder até 1% de sua massa óssea a cada mês, mesmo que continuem a se exercitar. Também ocorre uma atrofia substancial dos músculos cardíaco e esqueléticos durante a exposição prolongada a um ambiente de microgravidade.

Um dos efeitos mais sérios é o "descondicionamento" cardiovascular, que inclui redução da capacidade de trabalho, redução do volume de sangue, diminuição dos reflexos barorreceptores e redução da tolerância ortostática. Essas alterações limitam muito a capacidade do astronauta de ficar em pé ou realizar atividades diárias normais após retornar à força gravitacional total da Terra.

Astronautas que retornam de voos espaciais com duração de 4 a 6 meses também são suscetíveis a fraturas ósseas e podem precisar de algumas semanas para retomar os níveis de preparo cardiovascular, ósseo e muscular anteriores ao voo. À medida que os voos espaciais se tornam mais longos em preparação para uma possível exploração humana de outros planetas, como Marte, os efeitos da microgravidade prolongada podem representar uma ameaça muito séria aos astronautas após pousarem, especialmente no caso de um pouso de emergência. Portanto, tem sido direcionado um considerável esforço de pesquisa para o desenvolvimento de contramedidas, além de exercícios, que possam prevenir ou atenuar de maneira mais efetiva essas alterações. Uma das contramedidas que está sendo testada é a aplicação de "gravidade artificial" intermitente causada por curtos períodos (p. ex., 1 hora por dia) de aceleração centrífuga dos astronautas enquanto eles se sentam em centrífugas de braço curto especialmente projetadas que criam forças de até +2 a +3 G.

Bibliografia

Bloomfield SA, Martinez DA, Boudreaux RD, Mantri AV: Microgravity stress: bone and connective tissue. Compr Physiol 6:645, 2016.

Dekker MCJ, Wilson MH, Howlett WP: Mountain neurology. Pract Neurol 2019 Jun 8. pii: practneurol-2017-001783. https://www.doi.org/10.1136/practneurol-2017-001783.

Dunham-Snary KJ, Wu D, Sykes EA, et al: Hypoxic pulmonary vasoconstriction: from molecular mechanisms to medicine. Chest 151:181, 2017.

Hackett PH, Roach RC: High-altitude illness. N Engl J Med 345:107, 2001.

Hargens AR, Bhattacharya R, Schneider SM. Space physiology VI: exercise, artificial gravity, and countermeasure development for prolonged space flight. Eur J Appl Physiol 113:2183, 2013.

Imray C, Wright A, Subudhi A, Roach R: Acute mountain sickness: pathophysiology, prevention, and treatment. Prog Cardiovasc Dis 52:467, 2010.

Luks AM: Physiology in medicine: A physiologic approach to prevention and treatment of acute high-altitude illnesses. J Appl Physiol 118:509, 2015.

Moore LG: Measuring high-altitude adaptation. J Appl Physiol 123:1371, 2017.

Penaloza D, Arias-Stella J: The heart and pulmonary circulation at high altitudes: healthy highlanders and chronic mountain sickness. Circulation 115:1132, 2007.

Prabhakar NR, Semenza GL: Adaptive and maladaptive cardiorespiratory responses to continuous and intermittent hypoxia mediated by hypoxia-inducible factors 1 and 2. Physiol Rev 92:967, 2012.

Prabhakar NR, Semenza GL: Oxygen sensing and homeostasis. Physiology (Bethesda) 30:340, 2015.

Prisk GK: Pulmonary circulation in extreme environments. Compr Physiol 1:319, 2011.

Swenson ER, Bärtsch P: High-altitude pulmonary edema. Compr Physiol 2:2753, 2012.

West JB: High-altitude medicine. Am J Respir Crit Care Med 186:1229, 2012.

West JB: physiological effects of chronic hypoxia. N Engl J Med 376:1965, 2017.

Wilson MH, Imray CH: The cerebral venous system and hypoxia. J Appl Physiol 120:244, 2016.

CAPÍTULO 45

Fisiologia do Mergulho em Grandes Profundidades e Outras Condições Hiperbáricas

Quando as pessoas mergulham no mar, a pressão em torno delas aumenta progressivamente à medida que descem para profundidades maiores. Para evitar que os pulmões entrem em colapso, o ar deve ser fornecido com pressão muito mais alta do que o normal para mantê-los inflados. Essa manobra expõe o sangue dos pulmões a pressões gasosas alveolares extremamente altas, uma condição chamada *hiperbarismo*. Para além de certos limites, essas altas pressões causam grandes alterações na fisiologia corporal e podem ser letais.

Relação da pressão com a profundidade do mar. Uma coluna de água do mar de 10,1 metros de profundidade exerce a mesma pressão em seu fundo que a pressão da atmosfera acima do mar. Portanto, uma pessoa a 10,1 metros abaixo da superfície do oceano está exposta a 2 atmosferas (2 atm) de pressão, com 1 atm de pressão causada pelo peso do ar acima da água e a segunda atmosfera causada pelo peso da água. A 20,1 metros, a pressão é de 3 atm, e assim por diante, de acordo com a tabela da **Figura 45.1**.

Efeito da profundidade do mar sobre o volume de gases | Lei de Boyle. Outro efeito importante da profundidade é a compressão dos gases em volumes cada vez menores. A ilustração da **Figura 45.1** mostra uma redoma de vidro ao nível do mar contendo 1 litro de ar. A 10,1 metros abaixo do nível do mar, onde a pressão é de 2 atm, o volume foi comprimido para apenas meio litro, e a 8 atm (71 metros) foi comprimido para um oitavo de litro. Assim, o volume ao qual uma dada quantidade de gás é comprimida é inversamente proporcional à pressão. Esse princípio da física é conhecido como *lei de Boyle* e é extremamente importante na fisiologia do mergulho porque o aumento da pressão pode colapsar as câmaras de ar do corpo do mergulhador, especialmente os pulmões, e pode causar sérios danos.

Neste capítulo, será necessário referir-se ao *volume real* em relação ao *volume ao nível do mar*. Por exemplo, podemos falar de um volume real de 1 litro a uma profundidade de 91,4 metros; esta é a mesma *quantidade* de ar que um volume ao nível do mar de 10 litros.

EFEITO DE ALTAS PRESSÕES PARCIAIS DE GASES INDIVIDUAIS SOBRE O CORPO

Os gases individuais aos quais um mergulhador é exposto ao respirar o ar são *nitrogênio*, O_2 e CO_2; cada um deles, ocasionalmente, pode causar efeitos fisiológicos significativos em altas pressões.

NARCOSE DE NITROGÊNIO EM ALTAS PRESSÕES DE NITROGÊNIO

Cerca de quatro quintos do ar atmosférico são compostos por nitrogênio. Na pressão ao nível do mar, o nitrogênio não tem efeito significativo sobre as funções orgânicas, mas, em altas pressões, pode causar vários graus de narcose. Quando o mergulhador permanece submerso por

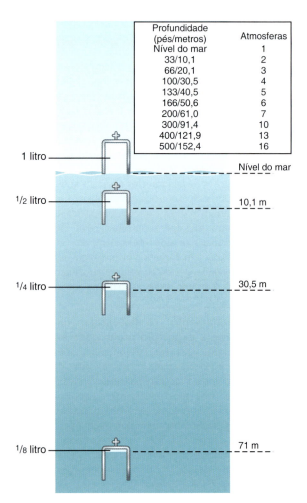

Figura 45.1 Efeito da profundidade do mar sobre a pressão (*em cima*) e sobre o volume de gás (*embaixo*).

1 hora ou mais e está respirando ar comprimido, a profundidade em que aparecem os primeiros sintomas de narcose leve é de cerca de 36 metros. Nesse nível, o mergulhador começa a mostrar inconsequência e a perder a noção sobre seus atos. De 46 a 61 metros, o mergulhador fica sonolento. De 61 a 76 metros, a força do mergulhador diminui consideravelmente, e muitas vezes ele se torna muito atrapalhado e inapto para realizar suas funções. Além de 76 metros (pressão de 8,5 atm), o mergulhador geralmente se torna quase inútil como resultado da narcose por nitrogênio se permanecer nessas profundidades por muito tempo.

A narcose por nitrogênio tem características semelhantes às da intoxicação por álcool e, por esse motivo, tem sido frequentemente chamada de "embriaguez das profundezas". Acredita-se que o mecanismo desse efeito narcótico seja o mesmo da maioria dos outros anestésicos gasosos. Ou seja, ele se dissolve nas substâncias gordurosas das membranas neuronais e, devido ao seu efeito físico na alteração da condutância iônica através das membranas, reduz a excitabilidade neuronal. A subida para uma profundidade mais rasa reverte a narcose em poucos minutos, sem efeitos conhecidos a longo prazo, se a subida não for muito rápida.

TOXICIDADE DO OXIGÊNIO EM ALTAS PRESSÕES

Efeito da PO_2 muito alta no transporte de oxigênio no sangue. Quando a PO_2 no sangue sobe acima de 100 mmHg, a quantidade de O_2 dissolvido na água do sangue aumenta acentuadamente. Esse efeito é mostrado na **Figura 45.2**, que mostra a mesma curva de dissociação O_2-hemoglobina que foi mostrada no Capítulo 41, mas com a PO_2 alveolar estendida para mais de 3.000 mmHg. Também representado pela curva mais baixa da figura está o *volume de O_2 dissolvido no líquido do sangue* em cada nível de PO_2. Observe que na faixa normal de PO_2 alveolar (< 120 mmHg), quase nada do O_2 total no sangue é contabilizado pelo O_2 dissolvido, mas à medida que a pressão de O_2 sobe para milhares de mmHg, grande parte do O_2 total é então dissolvido na água do sangue, além daquele ligado à hemoglobina.

Efeito da PO_2 alveolar elevada sobre a PO_2 tecidual. Suponhamos que a PO_2 nos pulmões seja de cerca de 3.000 mmHg (pressão de 4 atm). Com base na **Figura 45.2**, verificamos que essa pressão representa um teor total de O_2 em cada 100 mℓ de sangue de cerca de 29 volumes por cento, conforme demonstrado pelo ponto A na figura, o que significa 20 volumes por cento ligados à hemoglobina e 9 volumes por cento dissolvidos na água do sangue. À medida que esse sangue passa pelos capilares e os tecidos usam sua quantidade normal de O_2, cerca de 5 mℓ de cada 100 mℓ de sangue, o conteúdo de O_2 ao sair dos capilares do tecido ainda é de 24 volumes por cento (ponto B da figura). Nesse ponto, a PO_2 é de aproximadamente 1.200 mmHg, o que significa que o oxigênio é fornecido aos tecidos nessa pressão extremamente alta, em vez de no valor normal de 40 mmHg. Assim, uma vez que a PO_2 alveolar se eleva acima de um nível crítico, o mecanismo tampão de hemoglobina-O_2 (discutido no Capítulo 41) não é mais capaz de manter a PO_2 tecidual na faixa normal de segurança, entre 20 e 60 mmHg.

Intoxicação aguda por oxigênio. A PO_2 extremamente alta nos tecidos, que ocorre quando o oxigênio é inspirado a uma pressão alveolar de O_2 muito alta, pode ser prejudicial para muitos tecidos orgânicos. Por exemplo, respirar oxigênio a 4 atm de pressão de O_2 (PO_2 = 3.040 mmHg) causará *convulsões cerebrais seguidas de coma* na maioria das pessoas, em um intervalo de 30 a 60 minutos. As convulsões costumam ocorrer sem aviso e, por motivos óbvios, são provavelmente letais para mergulhadores submersos no mar.

Outros sintomas encontrados nos casos de intoxicação aguda por O_2 incluem náuseas, espasmos musculares, tontura, distúrbios da visão, irritabilidade e desorientação. O exercício físico aumenta grandemente a suscetibilidade do mergulhador à toxicidade do O_2, fazendo com que os sintomas apareçam muito mais cedo e com gravidade muito maior do que na pessoa em repouso.

Oxidação intracelular excessiva como causa da toxicidade do oxigênio ao sistema nervoso | radicais livres oxidantes. O oxigênio molecular tem pouca capacidade de oxidar outros compostos químicos. Em vez disso, ele deve primeiro ser convertido em uma forma ativa. Existem várias formas de oxigênio ativo, chamadas de *radicais livres de oxigênio*. Um dos mais importantes deles é o *radical livre superóxido O_2^-*, e outro é o *radical peróxido* na forma de *peróxido de hidrogênio*. Mesmo quando

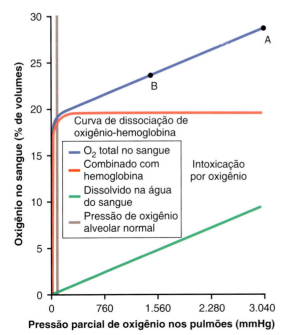

Figura 45.2 Quantidade de O_2 dissolvido no líquido do sangue e em combinação com a hemoglobina em valores de PO_2 muito elevados.

PARTE 8 Fisiologia da Aviação, do Voo Espacial e do Mergulho em Grandes Profundidades

a PO_2 do tecido é normal no nível de 40 mmHg, pequenas quantidades de radicais livres estão continuamente sendo formadas a partir do O_2 dissolvido. Felizmente, esses tecidos também contêm várias enzimas que removem rapidamente esses radicais livres, incluindo *peroxidases, catalases e superóxido dismutases.* Portanto, enquanto o mecanismo de tamponamento da hemoglobina-O_2 mantém a PO_2 do tecido normal, os radicais livres oxidantes são removidos rapidamente, embora tenham pouco ou nenhum efeito sobre os tecidos.

Acima de uma PO_2 alveolar crítica (*i. e.*, PO_2 > aproximadamente 2 atm), o mecanismo de tamponamento da hemoglobina-O_2 falha e a PO_2 do tecido pode então aumentar para centenas ou milhares de mmHg. Com esses níveis elevados, as quantidades de radicais livres oxidantes literalmente inundam os sistemas enzimáticos projetados para removê-los, e agora podem ter sérios efeitos destrutivos e até letais sobre as células. Um dos principais efeitos é a oxidação dos ácidos graxos poli-insaturados, componentes essenciais de muitas membranas celulares. Outro efeito é oxidar algumas das enzimas celulares, danificando gravemente os sistemas metabólicos celulares. Os tecidos nervosos são especialmente suscetíveis em razão do seu conteúdo altamente lipídico. Portanto, a maioria dos efeitos letais agudos da toxicidade aguda do O_2 é causada por disfunção cerebral.

O envenenamento crônico por oxigênio causa deficiência pulmonar. Uma pessoa pode ser exposta a apenas 1 atm de pressão de O_2 quase indefinidamente sem desenvolver a toxicidade *aguda* de oxigênio no sistema nervoso que acabamos de descrever. No entanto, após apenas cerca de 12 horas de exposição a 1 atm O_2, começam a se desenvolver *congestão da passagem pulmonar, edema pulmonar* e *atelectasia* causada por danos ao revestimento dos brônquios e alvéolos. A razão para esse efeito sobre os pulmões, mas não sobre outros tecidos, é que os espaços aéreos dos pulmões são diretamente expostos à alta pressão de O_2, enquanto nos outros tecidos do corpo o oxigênio é distribuído em uma PO_2 quase normal em virtude do sistema tampão de hemoglobina-O_2.

TOXICIDADE DO DIÓXIDO DE CARBONO EM GRANDES PROFUNDIDADES OCEÂNICAS

Se o equipamento de mergulho for projetado e funcionar corretamente, o mergulhador não terá nenhum problema decorrente da toxicidade, pois a profundidade por si só não aumenta a pressão parcial de CO_2 nos alvéolos. Isso é porque a profundidade não aumenta a taxa de produção de CO_2 no organismo, e, desde que o mergulhador continue a respirar um volume corrente normal e expire o CO_2 à medida que ele é formado, a pressão alveolar de CO_2 será mantida em um valor normal.

Com certos tipos de equipamento de mergulho, entretanto, como o capacete de mergulho e alguns tipos de aparatos de reinalação, o CO_2 pode se acumular no ar do espaço morto do equipamento e ser respirado novamente pelo mergulhador. Até uma pressão alveolar de CO_2 (PCO_2)

de cerca de 80 mmHg, o dobro dos alvéolos normais, o mergulhador geralmente tolera esse acúmulo aumentando o volume respiratório minuto em um máximo de 8 a 11 vezes para compensar o aumento de CO_2. Além de 80 mmHg de PCO_2 alveolar, no entanto, a situação torna-se intolerável e, eventualmente, o centro respiratório começa a ficar deprimido, em vez de excitado, devido aos efeitos metabólicos negativos da PCO_2 elevada sobre os tecidos. A respiração do mergulhador então começa a falhar em vez de compensar. Além disso, o mergulhador experimenta acidose respiratória grave e vários graus de letargia, narcose e, finalmente, até coma, conforme discutido no Capítulo 43.

DESCOMPRESSÃO DO MERGULHADOR APÓS EXCESSO DE EXPOSIÇÃO A ALTA PRESSÃO

Quando uma pessoa respira ar sob alta pressão por um longo período, a quantidade de nitrogênio dissolvido nos líquidos corporais aumenta. Isso ocorre porque o sangue que flui através dos capilares pulmonares torna-se saturado com nitrogênio à mesma pressão alta que na mistura respiratória alveolar e, ao longo de várias horas, uma quantidade suficiente de nitrogênio é transportada para todos os tecidos do corpo para aumentar sua pressão parcial de nitrogênio nos tecidos para igualar a pressão de nitrogênio no ar respirado.

Como o nitrogênio não é metabolizado pelo organismo, ele permanece dissolvido em todos os tecidos até que a pressão do nitrogênio nos pulmões seja reduzida de volta a um nível inferior, momento em que o nitrogênio pode ser removido pelo processo respiratório reverso. No entanto, essa remoção costuma levar horas para ocorrer e é a fonte de vários problemas, chamados coletivamente de *doença descompressiva (síndrome da descompressão).*

Volume de nitrogênio dissolvido nos líquidos corporais em profundidades diferentes. Ao nível do mar, quase 1 litro de nitrogênio é dissolvido em todo o organismo. Um pouco menos que a metade desse nitrogênio é dissolvido na água do corpo, e um pouco mais da metade é dissolvido na gordura, porque o nitrogênio é cinco vezes mais solúvel na gordura do que na água.

Com a saturação de nitrogênio, o *volume de nitrogênio* dissolvido no corpo do mergulhador *ao nível do mar* em diferentes profundidades é o seguinte:

Metros	Litros
0	1
10,1	2
30,5	4
61	7
91,4	10

São necessárias várias horas para que as pressões de nitrogênio do gás em todos os tecidos do corpo cheguem próximo ao equilíbrio com a pressão do nitrogênio nos alvéolos. A razão para essa exigência é que o sangue não flui rápido o suficiente e o nitrogênio não se difunde com

CAPÍTULO 45 Fisiologia do Mergulho em Grandes Profundidades e Outras Condições Hiperbáricas

rapidez suficiente para causar o equilíbrio instantâneo. O nitrogênio dissolvido na água do corpo chega ao equilíbrio quase completo em menos de 1 hora, mas o tecido adiposo, que requer cinco vezes mais transporte de nitrogênio e tem um suprimento sanguíneo relativamente ruim, atinge o equilíbrio somente depois de várias horas. Assim, se uma pessoa permanece sob a água em um nível profundo por apenas alguns minutos, nenhum nitrogênio se dissolve nos líquidos e tecidos corporais, mas se a pessoa permanece em um nível profundo por várias horas, tanto a água quanto a gordura corporal se tornam saturadas de nitrogênio.

Doença descompressiva (também conhecida como "bends", doença do ar comprimido, doença de Caisson, paralisia do mergulhador, disbarismo).
Se um mergulhador estiver no fundo do mar há tempo suficiente para que grandes quantidades de nitrogênio se dissolvam no organismo, e de repente, voltar à superfície, poderão desenvolver-se quantidades significativas de bolhas de nitrogênio nos líquidos corporais, tanto intracelularmente quanto extracelularmente, e isso pode causar danos mais ou menos graves em praticamente todas as áreas do corpo, dependendo do número e do tamanho das bolhas formadas. Esse fenômeno é conhecido como *doença descompressiva*.

Os princípios subjacentes à formação de bolhas são mostrados na **Figura 45.3 A**, na qual pode ser observado que os tecidos do mergulhador se equilibraram a uma alta pressão de nitrogênio dissolvido (P_{N_2} = 3.918 mmHg), cerca de 6,5 vezes a quantidade normal de nitrogênio nos tecidos. Enquanto o mergulhador permanece no fundo do mar, a pressão contra a parte externa do corpo (5.000 mmHg) comprime todos os tecidos o suficiente para manter o excesso de gás nitrogênio dissolvido. No entanto, quando o mergulhador sobe repentinamente ao nível do mar (ver **Figura 45.3 B**), a pressão do lado de fora do corpo torna-se apenas 1 atm (760 mmHg), enquanto a pressão do gás dentro dos líquidos corporais é a soma das pressões de vapor d'água, CO_2, O_2 e nitrogênio, ou um total de 4.065 mmHg, 97% dos quais causados pelo nitrogênio. Obviamente, esse valor total de 4.065 mmHg é muito maior do que a pressão de 760 mmHg na parte externa do corpo. Portanto, os gases podem escapar do estado dissolvido e formar bolhas, compostas quase que inteiramente de nitrogênio, tanto nos tecidos como no sangue, onde obstruem muitos vasos sanguíneos de menor calibre. As bolhas podem não aparecer durante minutos e até horas, porque às vezes os gases podem permanecer dissolvidos no estado "supersaturado" antes de borbulhar.

Sintomas de doença descompressiva ("bends").
Os sintomas da doença descompressiva são causados por bolhas de gás que bloqueiam muitos vasos sanguíneos em diferentes tecidos. No início, apenas os vasos de menor calibre são bloqueados por pequenas bolhas, mas à medida que as bolhas se aglutinam, vasos progressivamente maiores são afetados. O resultado é a isquemia e, às vezes, a morte do tecido.

Na maioria das pessoas com doença descompressiva, os sintomas são dores nas articulações e músculos das pernas e braços, afetando 85 a 90% dos que experimentaram essa condição. A dor nas articulações resultou na criação do termo "bends", dobras ou juntas, em inglês, que costuma ser aplicada a essa condição.

Em 5 a 10% das pessoas com doença descompressiva, ocorrem sintomas do sistema nervoso, variando de tontura em cerca de 5% até paralisia ou colapso e inconsciência em até 3%. A paralisia pode ser temporária, mas, em alguns casos, o dano é permanente.

Finalmente, cerca de 2% das pessoas com doença descompressiva experimentam "engasgos", causados por um grande número de microbolhas obstruindo os capilares dos pulmões. Essa condição é caracterizada por grave falta de ar, geralmente seguida por edema pulmonar grave e, ocasionalmente, a morte.

Eliminação do nitrogênio do organismo; tabelas de descompressão.
Se um mergulhador for trazido à superfície lentamente, uma quantidade suficiente do nitrogênio dissolvido geralmente pode ser eliminada pela expiração através dos pulmões para evitar a doença descompressiva. Cerca de dois terços do nitrogênio total são liberados em 1 hora e cerca de 90% são liberados em 6 horas.

Tabelas que detalham os procedimentos para uma descompressão segura foram preparadas pela Marinha dos EUA. Para dar ao leitor uma ideia do processo de descompressão, um mergulhador que tenha respirado ar ambiente e esteja no fundo do mar por 60 minutos a uma profundidade de 58 metros passa por uma descompressão de acordo com o seguinte cronograma:

- 10 minutos a 15 metros de profundidade
- 17 minutos a 12 metros de profundidade
- 19 minutos a 9 metros de profundidade
- 50 minutos a 6 metros de profundidade
- 84 minutos a 3 metros de profundidade.

Assim, para um período de trabalho no fundo do mar de apenas 1 hora, o tempo total para descompressão é de cerca de 3 horas.

Descompressão no tanque e tratamento da doença descompressiva.
Outro procedimento amplamente utilizado para descompressão de mergulhadores profissionais é colocar o mergulhador em um tanque pressurizado e, em seguida, diminuir gradualmente a pressão até que volte ao valor normal de pressão atmosférica, usando essencialmente o mesmo cronograma observado anteriormente.

A descompressão em tanque é ainda mais importante para o tratamento de pessoas cujos sintomas da doença descompressiva se desenvolvam minutos ou mesmo horas depois de terem retornado à superfície. Nesse caso, o mergulhador sofre recompressão imediatamente até um nível profundo e, em seguida, a descompressão é realizada em um período várias vezes maior do que o período de descompressão normal.

PARTE 8 Fisiologia da Aviação, do Voo Espacial e do Mergulho em Grandes Profundidades

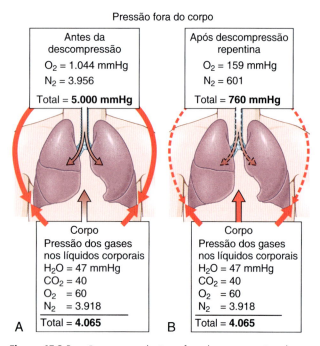

Figura 45.3 Pressões gasosas dentro e fora do corpo mostrando: saturação do corpo para altas pressões de gás ao respirar o ar a uma pressão total de 5.000 mmHg (**A**); e os grandes excessos das pressões dentro do corpo responsáveis pela formação de bolhas nos tecidos quando a pressão intra-alveolar do pulmão retorna repentinamente de 5.000 mmHg para a pressão normal de 760 mmHg (**B**).

"Mergulho de saturação" e uso de misturas de hélio-oxigênio em mergulhos profundos. Quando mergulhadores precisam trabalhar em níveis muito profundos – entre 75 metros e cerca de 300 metros – eles frequentemente ficam em um grande tanque de compressão por dias ou semanas, permanecendo comprimidos em um nível de pressão próximo ao qual estarão trabalhando. Esse procedimento mantém os tecidos e líquidos do corpo saturados com os gases a que estarão expostos durante o mergulho. Então, quando eles retornam ao mesmo tanque após o trabalho, não há mudanças significativas na pressão, e, portanto, não ocorrem bolhas de descompressão.

Em mergulhos muito profundos, especialmente durante o mergulho de saturação, o gás geralmente usado na mistura é o hélio, em vez do nitrogênio por três razões: (1) tem apenas cerca de um quinto do efeito narcótico do nitrogênio; (2) apenas cerca da metade do volume de hélio se dissolve nos tecidos do corpo como o nitrogênio, mas o volume que se dissolve se espalha para fora dos tecidos durante a descompressão várias vezes mais rápido do que o nitrogênio, reduzindo, assim, o problema da doença descompressiva; e (3) a baixa densidade do hélio (um sétimo da densidade do nitrogênio) mantém a resistência das vias respiratórias para respirar em um patamar mínimo, o que é muito importante, porque o nitrogênio altamente comprimido é tão denso que a resistência das vias respiratórias pode se tornar extrema, tornando o trabalho de respirar insuportável.

Finalmente, em mergulhos muito profundos, é importante reduzir a concentração de oxigênio na mistura gasosa, pois caso contrário resultaria em intoxicação por O_2. Por exemplo, a uma profundidade de 213 metros (22 atm de pressão), uma mistura de 1% de O_2 fornece todo o oxigênio necessário ao mergulhador, enquanto uma mistura de 21% de O_2 (porcentagem no ar) fornece uma PO_2 para os pulmões de mais de 4 atm, um nível em que é muito provável que cause convulsões em menos de 30 minutos.

EQUIPAMENTO AUTÔNOMO DE RESPIRAÇÃO SUBAQUÁTICA (*SCUBA*)

Antes da década de 1940, quase todos os mergulhos eram feitos com um capacete de mergulho conectado a uma mangueira pela qual o ar era bombeado da superfície para o mergulhador. Então, em 1943, o explorador francês Jacques Cousteau popularizou um aparelho autônomo de respiração subaquática, conhecido como *scuba* (*self-contained underwater breathing apparatus*). O tipo de *scuba* usado em mais de 99% de todos os mergulhos esportivos e comerciais é o *sistema de demanda de circuito aberto* mostrado na **Figura 45.4**. Esse sistema é composto pelos seguintes componentes: (1) um ou mais tanques de ar comprimido ou alguma outra mistura respiratória; (2) uma válvula "redutora" de primeiro estágio, para reduzir a pressão muito alta dos tanques para um nível de pressão baixo; (3) uma combinação de válvula de "demanda" de inalação e válvula de exalação que permite que o ar seja puxado para os pulmões com uma leve pressão negativa de respiração e, em seguida, seja exalado para o mar a um nível de pressão ligeiramente positivo em relação à pressão da água circundante; e (4) a máscara e o sistema de tubulação com pequeno "espaço morto".

Figura 45.4 *Scuba* de demanda de circuito aberto (scuba – *self-contained underwater breathing apparatus*).

CAPÍTULO 45 Fisiologia do Mergulho em Grandes Profundidades e Outras Condições Hiperbáricas

O sistema de demanda opera da seguinte maneira: a válvula redutora de primeiro estágio diminui a pressão dos tanques de modo que o ar fornecido à máscara tenha uma pressão apenas alguns mmHg maior do que a pressão da água circundante. A mistura respiratória não flui continuamente para a máscara. Em vez disso, com cada inspiração, uma leve pressão negativa extra sobre a válvula de demanda da máscara puxa o diafragma da válvula para abri-la, e essa ação libera automaticamente o ar do tanque para a máscara e os pulmões. Desta forma, entra na máscara apenas a quantidade de ar necessária para a inalação. Depois, durante a expiração, o ar não consegue voltar para o tanque, em vez disso, é expirado na água.

O principal problema com o *scuba* é a quantidade limitada de tempo que um mergulhador pode permanecer abaixo da superfície da água; por exemplo, em uma profundidade de 60 metros são possíveis apenas alguns minutos submerso. A razão para essa limitação é que é necessário um fluxo enorme de ar dos tanques para remover o CO_2 dos pulmões – quanto maior a profundidade, maior o fluxo de ar em termos de *quantidade* necessária de ar por minuto, porque os *volumes* foram comprimidos em um pequeno espaço.

Problemas fisiológicos especiais em submarinos

Escapar de um submarino. Essencialmente, os mesmos problemas encontrados no mergulho em alto mar são frequentemente encontrados em relação aos submarinos, especialmente quando é necessário escapar de um submarino submerso. A fuga é possível a partir de 30 metros de profundidade sem o uso de nenhum aparelho. No entanto, o uso adequado de dispositivos de reinalação, especialmente usando hélio, pode teoricamente permitir o escape de uma profundidade de até 180 metros ou talvez mais.

Um dos principais problemas da fuga é a prevenção de embolia aérea. Conforme a pessoa sobe, os gases no pulmão expandem e às vezes rompem um vaso sanguíneo pulmonar, forçando os gases a entrarem no vaso e causar embolia aérea na circulação. Portanto, à medida que sobe, a pessoa deve fazer um esforço especial para expirar continuamente.

Problemas de saúde no ambiente interno do submarino. Com exceção de uma fuga, a medicina submarina geralmente se concentra em diversos problemas de engenharia para manter os perigos fora do ambiente interno. Em primeiro lugar, nos submarinos atômicos, há o problema dos riscos de radiação, mas com uma blindagem apropriada, a quantidade de radiação recebida pela tripulação submersa tem sido menor do que a quantidade normal de radiação recebida acima da superfície do mar por raios cósmicos.

Em segundo lugar, ocasionalmente, gases tóxicos escapam para a atmosfera do submarino e devem ser controlados rapidamente. Por exemplo, durante um período de submersão de algumas semanas, o tabagismo da tripulação pode liberar monóxido de carbono suficiente para causar envenenamento, se não for removido rapidamente. Eventualmente, descobriu-se que até mesmo o gás freon pode se difundir dos sistemas de refrigeração em quantidade suficiente para causar intoxicação.

Oxigenoterapia hiperbárica

As intensas propriedades oxidantes do O_2 de alta pressão (*oxigênio hiperbárico*) podem ter efeitos terapêuticos valiosos em diversas condições clínicas importantes. Portanto, grandes tanques de pressão estão atualmente disponíveis em muitos centros médicos, nos quais os pacientes podem ser colocados e tratados com O_2 hiperbárico. O oxigênio geralmente é administrado em valores de PO_2 de 2 a 3 atm de pressão, por meio de uma máscara ou tubo intratraqueal, enquanto o gás ao redor do corpo é o ar comprimido normal no mesmo nível de alta pressão.

Os mesmos radicais livres oxidantes responsáveis pela toxicidade do O_2 também são considerados responsáveis por pelo menos alguns dos benefícios terapêuticos. Algumas das condições nas quais a oxigenoterapia hiperbárica tem sido especialmente benéfica são descritas a seguir.

Um uso bem-sucedido de O_2 hiperbárico foi no tratamento da *gangrena gasosa*. As bactérias que causam essa condição, os *organismos clostridiais*, crescem melhor em condições anaeróbias e param de crescer a pressões de O_2 superiores a cerca de 70 mmHg. Portanto, a oxigenação hiperbárica dos tecidos pode frequentemente interromper totalmente o processo infeccioso e, assim, converter uma condição que antes era quase 100% fatal em uma que pode ser curada na maioria dos casos por tratamento precoce com terapia hiperbárica.

Outras condições nas quais a oxigenoterapia hiperbárica tem se mostrado benéfica ou possivelmente valiosa incluem doença descompressiva, embolia gasosa arterial, envenenamento por monóxido de carbono, osteomielite e infarto do miocárdio.

Bibliografia

Brubakk AO, Ross JA, Thom SR: Saturation diving; physiology and pathophysiology. Compr Physiol 4:1229, 2014.

Castellini M: Life under water: physiological adaptations to diving and living at sea. Compr Physiol 2:1889, 2012.

Doolette DJ, Mitchell SJ: Hyperbaric conditions. Compr Physiol 1:163, 2011.

Fitz-Clarke JR: Breath-hold diving. Compr Physiol 8:585, 2018.

Leach RM, Rees PJ, Wilmshurst P: Hyperbaric oxygen therapy. BMJ 317:1140, 1998.

Pendergast DR, Lundgren CE: The underwater environment: cardiopulmonary, thermal, and energetic demands. J Appl Physiol 106:276, 2009.

Pendergast DR, Moon RE, Krasney JJ, et al: Human physiology in an aquatic environment. Compr Physiol 5:1705, 2015.

Poff AM, Kernagis D, D'Agostino DP: Hyperbaric environment: oxygen and cellular damage versus protection. Compr Physiol 7:213, 2016.

Rostain JC, Lavoute C: Neurochemistry of pressure-induced nitrogen and metabolically inert gas narcosis in the central nervous system. Compr Physiol 6:1579, 2016.

Vann RD, Butler FkK, Mitchell SJ, Moon RE: Decompression illness. Lancet 377:153, 2011.

Sistema Nervoso: A. Princípios Gerais e Fisiologia Sensorial

PARTE 9

RESUMO DA PARTE

46 Organização do Sistema Nervoso, Funções Básicas das Sinapses e Neurotransmissores, *566*

47 Receptores Sensoriais e Circuitos Neuronais para o Processamento das Informações, *584*

48 Sensações Somáticas: I. Organização Geral, Sentidos do Tato e de Posição, *596*

49 Sensações Somáticas: II. Dor, Cefaleia e Sensações Térmicas, *609*

CAPÍTULO 46

Organização do Sistema Nervoso, Funções Básicas das Sinapses e Neurotransmissores

O sistema nervoso é único na vasta complexidade de processos mentais e controle das ações que é capaz de desempenhar. A cada minuto, ele recebe literalmente milhões de *bits* de informações dos diferentes nervos sensoriais e dos órgãos sensoriais, integrando-os para determinar as respostas que deverão ser fornecidas pelo organismo.

Antes de dar início à discussão sobre o sistema nervoso, o leitor deve se referir aos Capítulos 5 e 7, que apresentam os princípios dos potenciais de membrana e da transmissão de sinais nos nervos, bem como pelas junções neuromusculares.

ESTRUTURA GERAL DO SISTEMA NERVOSO

NEURÔNIO DO SISTEMA NERVOSO CENTRAL: UNIDADE FUNCIONAL BÁSICA

Estima-se que o sistema nervoso central contenha entre *80 e 100 bilhões de neurônios*. A **Figura 46.1** demonstra um neurônio típico encontrado no córtex motor do cérebro. Sinais que chegam ao cérebro adentram esse neurônio por meio de sinapses localizadas principalmente nos dendritos neuronais, mas também no corpo celular. Para neurônios de diferentes tipos, devem ocorrer somente algumas centenas ou até 200.000 conexões sinápticas desse tipo a partir de fibras aferentes. Em contrapartida, sinais eferentes trafegam por um único axônio que deixa o neurônio. Esse axônio, por sua vez, pode possuir muitos ramos separados para outras partes do sistema nervoso ou da periferia do organismo.

Uma característica especial da maior parte das sinapses é que o sinal normalmente corre somente para frente, do axônio de um neurônio precedente para os dendritos da membrana celular de neurônios subsequentes. Essa característica força o sinal a trafegar na direção necessária para realizar funções nervosas específicas.

PARTE SENSORIAL DO SISTEMA NERVOSO: RECEPTORES SENSORIAIS

A maioria das atividades do sistema nervoso se inicia por experiências sensoriais que excitam *receptores sensoriais*, sejam eles visuais nos olhos, auditivos nos ouvidos, táteis na superfície do corpo ou de outros tipos de receptores. Essas experiências sensoriais podem causar reações imediatas do encéfalo ou memórias de experiências podem ser armazenadas no encéfalo durante minutos, semanas ou anos, bem como determinar as reações do organismo em um momento futuro.

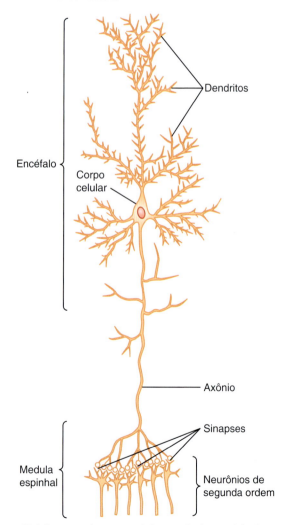

Figura 46.1 Estrutura de um neurônio grande do encéfalo demonstrando suas partes funcionais importantes.

CAPÍTULO 46 Organização do Sistema Nervoso, Funções Básicas das Sinapses e Neurotransmissores

A **Figura 46.2** demonstra a porção *somática* do sistema sensorial, que transmite informação sensorial dos receptores de toda a superfície do corpo e de algumas estruturas profundas. Essa informação chega ao sistema nervoso central por meio de nervos periféricos e é conduzida imediatamente até múltiplas áreas (1) em todos os níveis da medula espinhal, (2) na substância reticular do bulbo, da ponte e do mesencéfalo, (3) no cerebelo, (4) no tálamo e (5) em áreas do córtex cerebral.

PARTE MOTORA DO SISTEMA NERVOSO: EFETORES

O eventual papel mais importante do sistema nervoso é controlar as diversas atividades corporais. Essa tarefa é realizada por meio do controle (1) da contração adequada de músculos esqueléticos por todo o corpo, (2) da contração do músculo liso nos órgãos internos e (3) da secreção de substâncias químicas ativas tanto por glândulas exócrinas quanto endócrinas em muitas regiões do corpo. Essas atividades são coletivamente chamadas de *funções motoras* do sistema nervoso, sendo músculos e glândulas denominados *efetores*, pois são as verdadeiras estruturas anatômicas que desempenham as funções ditadas pelos sinais nervosos.

A **Figura 46.3** demonstra o *eixo nervoso motor "esquelético"* do sistema nervoso para controle da contração do músculo esquelético. Paralelo a esse eixo, funciona outro sistema, denominado *sistema nervoso autônomo*, que controla músculos lisos, glândulas e outros sistemas internos do organismo. Esse sistema é discutido no Capítulo 61.

Observe, na **Figura 46.3**, que os músculos esqueléticos podem ser controlados a partir de vários níveis do sistema nervoso central, incluindo (1) medula espinhal, (2) substância reticular do bulbo, ponte e mesencéfalo, (3) núcleos da base, (4) cerebelo e (5) córtex motor. Cada uma dessas áreas possui seu próprio papel característico. As regiões mais inferiores dizem respeito primariamente a respostas musculares automáticas e instantâneas a estímulos sensoriais, enquanto regiões mais superiores dizem respeito a movimentos musculares complexos voluntários controlados pelo processo mental do encéfalo.

PROCESSAMENTO DA INFORMAÇÃO: FUNÇÃO INTEGRATIVA DO SISTEMA NERVOSO

Uma das funções mais importantes do sistema nervoso é processar a informação que chega de tal modo que ocorram respostas mentais e motoras *adequadas*. Mais de 99% de toda a informação sensorial é descartada pelo encéfalo como irrelevante ou sem importância. Por exemplo, em

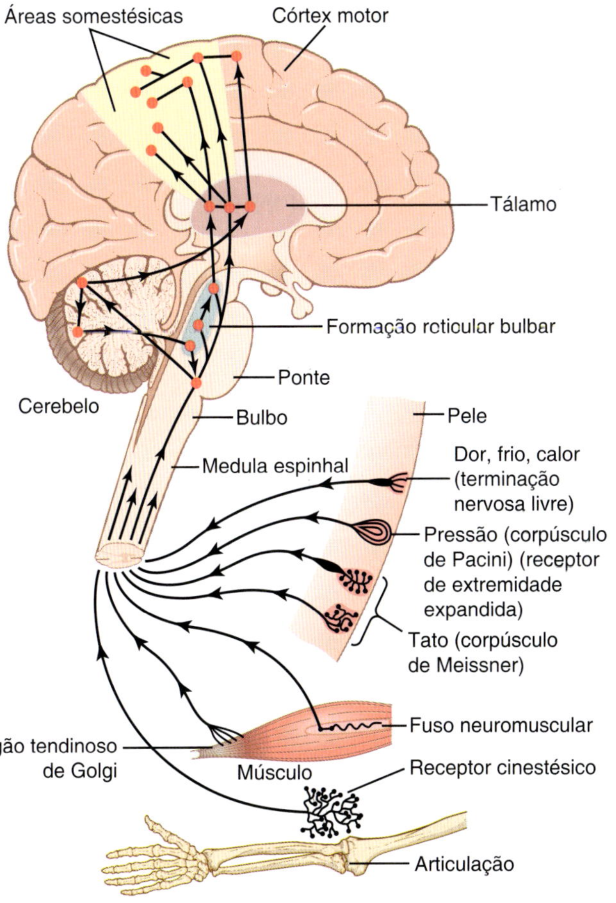

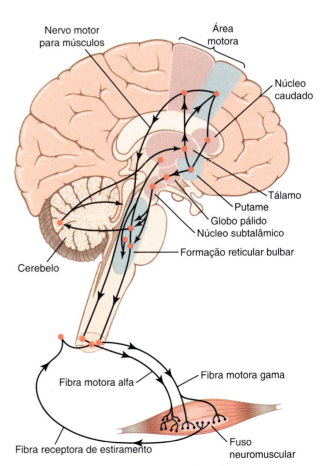

Figura 46.2 Eixo somatossensorial do sistema nervoso.

Figura 46.3 Eixo nervoso motor esquelético do sistema nervoso.

PARTE 9 Sistema Nervoso: A. Princípios Gerais e Fisiologia Sensorial

geral, não se tem consciência das partes do corpo que estão em contato com roupas, bem como da pressão do assento ao se permanecer sentado. Da mesma forma, a atenção visual normalmente é atraída por apenas um objeto do campo de visão e mesmo os barulhos perpétuos de nossos arredores são em geral relegados ao subconsciente.

Todavia, quando uma informação sensorial importante excita a mente, ela é imediatamente canalizada para regiões integrativas e motoras adequadas do encéfalo a fim de causar as respostas desejadas. Essa canalização e esse processamento da informação recebem o nome de *função integrativa* do sistema nervoso. Ou seja, se um indivíduo colocar a mão sobre um fogão quente, a resposta desejada instantânea será retirar a mão. Outras respostas associadas ocorrem em seguida, como o movimento de todo o corpo para longe do fogão e talvez um grito de dor.

PAPEL DAS SINAPSES NO PROCESSAMENTO DA INFORMAÇÃO

A sinapse é o ponto de junção de um neurônio ao próximo. Mais adiante neste capítulo, discutiremos os detalhes da função sináptica. Entretanto, é importante denotar aqui que as sinapses determinam as direções em que os sinais nervosos se distribuirão pelo sistema nervoso. Algumas sinapses transmitem sinais de um neurônio ao outro com facilidade ao passo que outras transmitem sinais somente com dificuldade. Ademais, os sinais *facilitadores* e *inibidores* de outras áreas do sistema nervoso podem controlar a transmissão sináptica, por vezes, abrindo-as para a transmissão e, outras vezes, fechando-as. Além disso, alguns neurônios pós-sinápticos respondem com grande número de impulsos ao passo que outros respondem com poucos. Desse modo, as sinapses executam uma ação seletiva, muitas vezes, bloqueando sinais fracos enquanto permitem a passagem dos sinais fortes, embora, em outras ocasiões, selecionem e amplifiquem alguns sinais fracos para canalizá-los em diversas direções em vez de apenas uma.

ARMAZENAMENTO DA INFORMAÇÃO: MEMÓRIA

Apenas uma pequena fração de até a mais importante informação sensorial causa, em geral, uma resposta motora imediata. No entanto, grande parte da informação é armazenada para controle futuro das atividades motoras e utilização nos processos mentais. A maior parte do armazenamento ocorre no *córtex cerebral* embora até regiões basais do encéfalo e a medula espinhal possam armazenar pequenas quantidades de informação.

O armazenamento de informação é o processo chamado de *memória*, que também é uma função das sinapses. Cada vez que determinados tipos de sinais sensoriais passam pelas sequências de sinapses, elas se tornam mais capazes de transmitir o mesmo tipo de sinal em uma próxima ocasião – processo denominado *facilitação*. Após os sinais sensoriais terem passado pelas sinapses várias vezes, elas se tornam tão facilitadas que os sinais gerados

dentro do próprio encéfalo também causam transmissão de impulsos pela mesma sequência de sinapses, mesmo quando não há estímulo sensorial. Esse processo confere ao indivíduo uma percepção de estar experimentando as sensações originais embora as percepções sejam apenas memórias das sensações.

Os mecanismos precisos de facilitação a longo prazo das sinapses nos processos de memória permanecem incertos, mas o que já se sabe sobre esse e outros detalhes dos processos de memorização sensorial será discutido no Capítulo 58.

Uma vez que as memórias tenham sido armazenadas no sistema nervoso, elas se tornam parte do mecanismo de processamento do encéfalo, possibilitando "pensamentos" futuros, ou seja, os processos mentais do encéfalo comparam novas experiências sensoriais com memórias armazenadas. As memórias, então, auxiliam a seleção de nova informação sensorial importante e canalizam essa informação para áreas de armazenamento de memória para uso futuro ou para áreas motoras a fim de causar respostas corporais imediatas.

NÍVEIS PRINCIPAIS DE FUNÇÃO DO SISTEMA NERVOSO CENTRAL

O sistema nervoso humano herdou capacidades funcionais especiais de cada estágio do desenvolvimento evolutivo humano. Dessa herança, três principais níveis do sistema nervoso central apresentam características funcionais específicas: (1) o *nível da medula espinhal*, (2) o *nível cerebral inferior* ou *subcortical* e (3) o *nível cerebral superior* ou *nível cortical*.

NÍVEL DA MEDULA ESPINHAL

Com frequência, pensa-se na medula espinhal como sendo apenas um sistema de condução de sinais da periferia do corpo ao encéfalo e vice-versa. Essa suposição está longe de ser verdadeira. Mesmo após a secção total da medula espinhal na altura do pescoço, muitas funções espinhais, altamente organizadas, continuam ocorrendo. Por exemplo, circuitos neuronais da medula podem causar (1) movimentos de deambulação, (2) reflexos que retiram partes do corpo de perto dos objetos que causam dor, (3) reflexos que enrijecem as pernas para sustentar o corpo contra a gravidade e (4) reflexos que controlam vasos sanguíneos locais, movimentos gastrointestinais ou excreção urinária. De fato, os níveis superiores do sistema nervoso, muitas vezes, funcionam não por enviar sinais diretamente à periferia do organismo, mas por enviá-los aos centros de controle da medula, simplesmente "comandar" que esses centros realizem suas próprias funções.

NÍVEL CEREBRAL INFERIOR OU SUBCORTICAL

Muito do que chamamos atividades subconscientes do organismo, se não todas elas, são controladas pelas áreas inferiores do encéfalo, ou seja, pelo bulbo, pela ponte, pelo mesencéfalo, pelo hipotálamo, pelo tálamo, pelo cerebelo e pelos núcleos da base. Por exemplo, o controle subconsciente da pressão arterial e da respiração é realizado principalmente pelo bulbo e pela ponte. O controle do equilíbrio é uma função combinada das porções mais antigas do cerebelo e da substância reticular do bulbo, da ponte e do mesencéfalo. Reflexos de alimentação, como salivação e lambedura dos lábios em resposta ao sabor do alimento, são controlados por áreas do bulbo, da ponte, do mesencéfalo, da amígdala e do hipotálamo. Ademais, muitos padrões emocionais, como raiva, empolgação, resposta sexual, reação à dor e ao prazer, podem continuar ocorrendo após destruição de grande parte do córtex cerebral.

NÍVEL CEREBRAL SUPERIOR OU CORTICAL

Após enumerarmos as diversas funções do sistema nervoso, que são controladas no nível da medula espinhal e na região cerebral inferior, pode-se perguntar: "o que resta para o córtex cerebral fazer?" A resposta a essa questão é complexa, mas começa com o fato de o córtex cerebral ser um grande depósito de memória, o qual nunca funciona sozinho, mas sempre em associação a outros centros inferiores do sistema nervoso.

Sem o córtex cerebral, as funções dos centros inferiores são, muitas vezes, imprecisas. O vasto armazenamento de informação cortical geralmente converte essas funções em operações direcionadas e precisas.

Finalmente, o córtex cerebral é essencial à maior parte de nossos processos mentais, embora não possa funcionar sozinho. De fato, são os centros inferiores, não o córtex, que iniciam o estado de *alerta* do córtex cerebral, abrindo seu banco de memórias ao aparato de pensamentos do encéfalo. Portanto, cada porção do sistema nervoso executa funções específicas, porém é o córtex quem abre um mundo de informações armazenadas para utilização pela "mente".

COMPARAÇÃO DO SISTEMA NERVOSO A UM COMPUTADOR

É imediatamente aparente que computadores têm muitas características em comum com o sistema nervoso. Primeiramente, todos os computadores possuem circuitos de entrada, que podem ser comparados à porção sensorial do sistema nervoso, bem como circuitos de saída, que são análogos à porção motora do sistema nervoso.

Em computadores simples, os sinais de saída (*outputs*) são controlados diretamente pelos sinais de entrada (*inputs*), funcionando de forma similar aos reflexos simples da medula espinhal. Em computadores mais complexos, a saída é determinada pelos sinais de entrada e por informações que já foram armazenadas na memória do computador, o que se assemelha aos mecanismos de reflexo e ao processamento mais complexo do sistema nervoso superior dos humanos. Além disso, à medida que computadores se tornam mais complexos, é necessário adicionar outra unidade, denominada *unidade central de processamento*, que determina a sequência de todas as operações. Essa unidade se assemelha aos mecanismos de controle do encéfalo, que direcionam a atenção de uma pessoa, em primeiro lugar, a um pensamento ou uma sensação ou uma atividade motora, depois, a outro, e assim por diante, até que passem a ocorrer sequências mais complexas de pensamento ou ação.

A **Figura 46.4** é um diagrama de blocos simples representando um computador. Mesmo um estudo rápido desse diagrama já demonstra sua similaridade com o sistema nervoso. O fato de componentes básicos do computador de função geral serem análogos aos do sistema nervoso humano demonstra que o encéfalo possui muitas características de um computador, coletando continuamente informações sensoriais e utilizando-as, juntamente com outras armazenadas, para compor o curso diário de atividade corporal.

SINAPSES DO SISTEMA NERVOSO CENTRAL

A informação é transmitida no sistema nervoso central – principalmente na forma de potenciais de ação, denominados *impulsos nervosos* – por uma sucessão de neurônios, um após o outro. Todavia, cada impulso (1) pode ser bloqueado durante sua transmissão de um neurônio a outro, (2) alterado de um impulso simples para impulsos repetitivos ou (3) reintegrado com impulsos de outros neurônios para causar padrões altamente intricados de impulsos em neurônios sucessivos. Todas as três funções podem ser classificadas como *funções sinápticas dos neurônios*.

TIPOS DE SINAPSES: QUÍMICA E ELÉTRICA

Existem dois grandes tipos de sinapses (ver **Figura 46.5**) – (1) *química* e (2) *elétrica*.

A maioria das sinapses utilizadas para transmissão de sinal no sistema nervoso central dos seres humanos são *sinapses químicas*. Nessas sinapses, o primeiro neurônio secreta uma substância química chamada de *neurotransmissor* – muitas

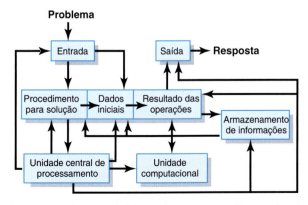

Figura 46.4 Diagrama de blocos de um computador com função geral demonstrando os componentes básicos e suas inter-relações.

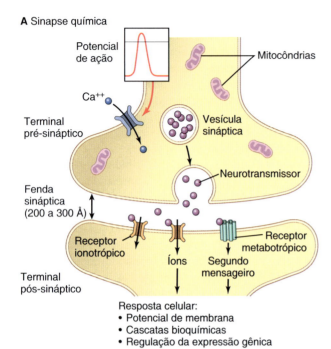

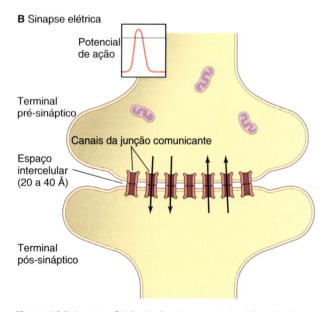

Figura 46.5 Anatomofisiologia da sinapse química (**A**) e da sinapse elétrica (**B**).

vezes, denominado *substância transmissora* – em sua terminação nervosa, a qual atua sobre proteínas receptoras da membrana do próximo neurônio, causando sua excitação, inibição ou modificação de sua sensibilidade de alguma forma (ver Vídeo 46.1). Já foram descobertos mais de 50 neurotransmissores importantes até a atualidade. Alguns dos mais conhecidos são a acetilcolina, noradrenalina, adrenalina, histamina, ácido gama-aminobutírico (GABA), glicina, serotonina e glutamato.

Nas *sinapses elétricas*, os citoplasmas de células adjacentes são diretamente conectados por grupos de canais iônicos, denominados *junções comunicantes*, que permitem movimento livre de íons do interior de uma célula ao interior da outra. Essas junções foram discutidas no Capítulo 4, sendo por meio delas e outras junções similares que potenciais de ação são transmitidos entre fibras musculares lisas (Capítulo 8) e cardíacas (Capítulo 9).

Embora a maioria das sinapses do encéfalo seja química, sinapses elétricas podem coexistir e interagir no sistema nervoso central. A transmissão bidirecional de sinapses elétricas permite que elas ajudem na coordenação de atividades de grandes grupos de neurônios interconectados. Por exemplo, sinapses elétricas são úteis na detecção da coincidência entre despolarizações sublimiares simultâneas dentro de um grupo de neurônios interconectados. Isso permite maior sensibilidade neuronal e promove disparo sincronizado desse grupo de neurônios interconectados.

Condução unidirecional das sinapses químicas. As sinapses químicas possuem uma característica extremamente importante que as torna altamente desejáveis para transmissão de sinais do sistema nervoso. Essa característica se trata de os sinais serem sempre transmitidos em uma direção, ou seja, de um neurônio secretor do neurotransmissor, denominado *neurônio pré-sináptico*, ao neurônio em que o neurotransmissor atua, denominado *neurônio pós-sináptico*. Esse fenômeno é o *princípio de condução unidirecional* das sinapses químicas, que difere da condução realizada por meio de sinapses elétricas, as quais frequentemente transmitem sinais em diferentes direções.

O mecanismo de condução unidirecional permite que os sinais sejam direcionados a alvos específicos. De fato, é essa transmissão específica de sinais a áreas seletas e altamente focadas do sistema nervoso e terminais de nervos periféricos que permite ao primeiro executar tantas funções de sensação, controle motor, memória, entre muitas outras.

ANATOMOFISIOLOGIA DA SINAPSE

A **Figura 46.6** demonstra um *neurônio motor anterior* típico do corno anterior da medula espinhal. Esse neurônio é composto por três partes principais: o *corpo celular* ou *soma*, que é o corpo principal do neurônio, um único *axônio*, que se estende do corpo celular até um nervo periférico, que deixa a medula espinhal, e os *dendritos*, que são numerosas projeções ramificadas do corpo celular que se estendem até 1 milímetro nas áreas adjacentes da medula.

Cerca de 10.000 a 200.000 pequenos nodos sinápticos denominados *terminais pré-sinápticos* estão situados nas superfícies dos dendritos e no corpo celular do neurônio motor, com aproximadamente 80 a 95% nos dendritos, e 5 a 20%, no corpo celular. Esses terminais são as terminações das fibrilas neurais que se originam de muitos outros neurônios. Muitos deles são *excitatórios*, isto é, secretam um neurotransmissor que excita o neurônio pós-sináptico. No entanto, outros terminais pré-sinápticos são *inibitórios*, ou seja, secretam um neurotransmissor que inibe o neurônio pós-sináptico.

CAPÍTULO 46 Organização do Sistema Nervoso, Funções Básicas das Sinapses e Neurotransmissores

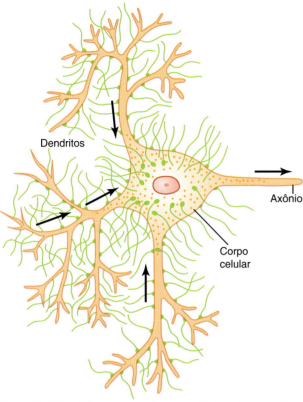

Figura 46.6 Neurônio motor anterior típico demonstrando terminais pré-sinápticos no corpo celular e dendritos. Note que o axônio é único.

Neurônios presentes em outras partes da medula e do encéfalo diferem do neurônio motor anterior no (1) tamanho do corpo celular, no (2) comprimento, tamanho e número de dendritos, desde o comprimento próximo de zero até vários centímetros, no (3) comprimento e tamanho do axônio e no (4) número de terminais pré-sinápticos, que podem variar de poucos a 200.000. Essas diferenças fazem os neurônios de variadas partes do sistema nervoso reagirem de maneira diferente aos sinais sinápticos aferentes, podendo, assim, realizar muitas funções distintas.

Terminais pré-sinápticos. Estudos de microscopia eletrônica dos terminais pré-sinápticos demonstram sua variedade de formas anatômicas, embora a maioria lembre pequenos nodos redondos ou ovais, o que lhes confere, algumas vezes, o nome de *nós terminais, pés terminais* ou *botões sinápticos*.

A **Figura 46.5 A** ilustra a estrutura básica de uma sinapse química, demonstrando um único terminal pré-sináptico sobre a superfície da membrana de um neurônio pós-sináptico. O terminal pré-sináptico se separa do corpo celular do neurônio pós-sináptico por uma *fenda sináptica*, que geralmente mede 200 a 300 angstroms (Å) de largura. O terminal possui duas estruturas internas importantes para a função excitatória ou inibitória da sinapse: as *vesículas transmissoras* e as *mitocôndrias*. As vesículas transmissoras contêm o *neurotransmissor*

que, ao ser liberado na fenda sináptica, *excita* ou *inibe* o neurônio pós-sináptico. Além disso, ocorre a excitação do neurônio pós-sináptico quando a membrana neuronal contém *receptores excitatórios* e ocorre inibição quando a membrana contém *receptores inibitórios*. As mitocôndrias fornecem trifosfato de adenosina (ATP), que supre energia para a síntese de novos neurotransmissores.

Quando um potencial de ação se dispersa sobre um terminal pré-sináptico, a despolarização de sua membrana causa abertura de um pequeno número de vesículas na fenda. O transmissor liberado se liga a um receptor na membrana do neurônio pós-sináptico, causando mudança imediata nas características de sua permeabilidade e levando à excitação ou à inibição desse neurônio, dependendo das características do receptor neuronal.

Liberação de neurotransmissores pelos terminais pré-sinápticos: papel dos íons cálcio

A membrana do terminal pré-sináptico recebe o nome de *membrana pré-sináptica*. Contém grande número de *canais de cálcio voltagem-dependentes*. Quando um potencial de ação despolariza a membrana pré-sináptica, esses canais de cálcio se abrem e permitem que uma grande quantidade de íons cálcio flua para o terminal (ver **Figura 46.5 A**). A quantidade de neurotransmissor liberada do terminal para a fenda sináptica se relaciona diretamente ao número de íons cálcio que entra na fibra (ver Vídeo 46.2). O mecanismo preciso por meio do qual os íons cálcio causam essa liberação não é conhecido, mas se acredita atuar como descrito a seguir.

Quando íons cálcio adentram o terminal pré-sináptico, ligam-se às moléculas de proteína especiais presentes na superfície interna da membrana pré-sináptica, chamadas de *sítios de liberação*. Essa ligação causa abertura dos sítios de liberação pela membrana, permitindo que algumas vesículas transmissoras liberem seu transmissor na fenda sináptica após cada potencial de ação individual. Vesículas que armazenam a acetilcolina possuem entre 2.000 e 10.000 moléculas desse neurotransmissor em seu interior, havendo quantidade o suficiente de vesículas no terminal pré-sináptico para transmitir desde centenas a mais de 10.000 potenciais de ação.

Ações dos neurotransmissores nos neurônios pós-sinápticos: função das proteínas receptoras

A membrana do neurônio pós-sináptico contém grande número de *proteínas receptoras*, também demonstradas na **Figura 46.5 A**. As moléculas desses receptores possuem dois importantes componentes: (1) um *componente de ligação* que se projeta para fora da membrana, adentrando a fenda sináptica, onde se ligam o neurotransmissor que vem do terminal pré-sináptico e (2) um *componente intracelular* que passa por toda a espessura da membrana até o interior do neurônio pós-sináptico.

PARTE 9 Sistema Nervoso: A. Princípios Gerais e Fisiologia Sensorial

A ativação do receptor controla a abertura de canais de cálcio da célula pós-sináptica por um de dois métodos: (1) *abrindo diretamente canais iônicos* e permitindo a passagem de tipos de íons específicos pela membrana ou (2) a ativação de um *"segundo mensageiro"*, que não é um canal iônico, mas, sim, uma molécula que se estende pelo citoplasma celular e ativa uma ou mais substâncias dentro do neurônio pós-sináptico. Esses segundos mensageiros aumentam ou diminuem funções celulares específicas.

Os receptores de neurotransmissores que abrem diretamente canais iônicos são, por vezes, chamados de *receptores ionotrópicos*, ao passo que receptores que atuam por meio de um segundo mensageiro recebem o nome de *receptores metabotrópicos*.

Canais iônicos. Os canais iônicos presentes na membrana do neurônio pós-sináptico são em geral de dois tipos: (1) *canais catiônicos*, que geralmente permitem passagem de íons sódio quando abertos, mas, algumas vezes, também permitem passagem de potássio ou cálcio e (2) *canais aniônicos*, que permitem principalmente a passagem de íons cloro, porém também quantidades muito pequenas de outros ânions. Conforme discutido no Capítulo 4, esses canais iônicos são altamente seletivos para transporte de um ou mais íons específicos. Essa seletividade depende do diâmetro, da forma, das cargas elétricas e das ligações químicas das superfícies internas do canal.

Os *canais catiônicos* que conduzem sódio são revestidos de cargas negativas, as quais atraem os íons sódio de carga positiva para dentro do canal quando seu diâmetro aumenta para até um tamanho maior que um íon sódio hidratado. Todavia, as mesmas cargas negativas *repelem íons cloro* e *outros ânions*, impedindo sua passagem.

Já os *canais aniônicos*, quando seu diâmetro se torna grande o suficiente, permitem a entrada de íons cloro e sua passagem até o lado oposto, ao passo que sódio, potássio e cálcio são bloqueados, principalmente porque suas versões hidratadas são muito grandes para passar por esses canais.

Aprenderemos mais adiante que, quando canais catiônicos se abrem e permitem que íons sódio com carga positiva entrem no canal, essas cargas positivas causarão excitação desse neurônio. Portanto, um neurotransmissor capaz de abrir canais catiônicos recebe o nome de *transmissor excitatório*. Em contrapartida, a abertura de canais aniônicos permite a entrada de cargas negativas, o que inibe o neurônio. Desse modo, os neurotransmissores que abrem esses canais são denominados *transmissores inibitórios*.

Quando um neurotransmissor ativa um canal iônico, o canal geralmente se abre dentro de uma fração de milissegundo e, quando essa substância transmissora já não estiver presente, o canal se fecha de forma igualmente rápida. A abertura e o fechamento de canais iônicos servem como meio de controle muito rápido dos neurônios pós-sinápticos.

Sistema de "segundo mensageiro" do neurônio pós-sináptico. Muitas funções do sistema nervoso, por exemplo, o processo de memória, requerem alterações prolongadas em neurônios de segundos a meses após a substância transmissora inicial ter ido embora. Os canais iônicos não são adequados para causar alterações neuronais pós-sinápticas prolongadas, pois se fecham dentro de milissegundos após a substância neurotransmissora ter saído. Entretanto, em muitos casos, a excitação ou a inibição neuronal pós-sináptica prolongada é realizada por meio da ativação de um sistema químico de segundo mensageiro dentro da célula neuronal pós-sináptica, sendo o segundo mensageiro que causa o efeito prolongado.

Existem muitos tipos de sistemas de segundo mensageiro. Um dos tipos mais comuns utiliza um grupo de proteínas chamadas de *proteínas G*. A **Figura 46.7** demonstra um receptor de membrana acoplado a uma proteína G. O complexo proteína G inativo se encontra livre no citosol e consiste em difosfato de guanosina (GDP) e três outros componentes: um componente alfa (α), que consiste na porção *ativadora* da proteína G e os componentes beta (β) e gama (γ), que são acoplados ao componente alfa. Enquanto o complexo proteína G estiver ligado ao GDP, ele permanecerá inativo.

Quando o receptor é ativado por um neurotransmissor após um impulso nervoso, o receptor sofre mudança conformacional, expondo um sítio de ligação para o complexo proteína G, que se liga à porção de receptor que protrai até o interior da célula. Esse processo permite que a subunidade α libere o GDP e simultaneamente se ligue ao trifosfato de guanosina (GTP) enquanto se separa das porções β e γ do complexo. O complexo separado α-GTP se torna livre para se mover pelo citoplasma da célula e realizar uma ou mais dentre suas diversas funções, dependendo da característica específica de cada tipo de neurônio. As quatro seguintes alterações que podem ocorrer estão demonstradas na **Figura 46.7**:

1. *Abertura de canais iônicos específicos pela membrana da célula pós-sináptica*. Na parte superior direita da figura, está demonstrado um canal de potássio aberto em resposta à proteína G. Esse canal fica aberto com frequência por um longo período de tempo, ao contrário do fechamento rápido de canais iônicos ativados diretamente, os quais não utilizam segundo mensageiro.

2. *Ativação do monofosfato cíclico de adenosina (AMPc) ou monofosfato cíclico de guanosina (GMPc) na célula neuronal*. Lembre-se que ambos AMP cíclico e GMP cíclico podem ativar aparatos metabólicos altamente específicos do neurônio, podendo, assim, iniciar algum dos muitos resultados químicos, incluindo alterações da estrutura da própria célula a longo prazo, o que, por sua vez, altera a excitabilidade do neurônio.

3. *Ativação de uma ou mais enzimas intracelulares*. A proteína G pode ativar diretamente uma ou mais enzimas intracelulares. Por sua vez, as enzimas podem causar muitas funções químicas específicas na célula.

4. *Ativação de transcrição gênica*. A ativação da transcrição de genes é um dos efeitos mais importantes da ativação de sistemas de segundo mensageiro, pois a transcrição gênica pode causar formação de novas proteínas no neurônio, alterando seu aparato metabólico ou sua

CAPÍTULO 46 Organização do Sistema Nervoso, Funções Básicas das Sinapses e Neurotransmissores

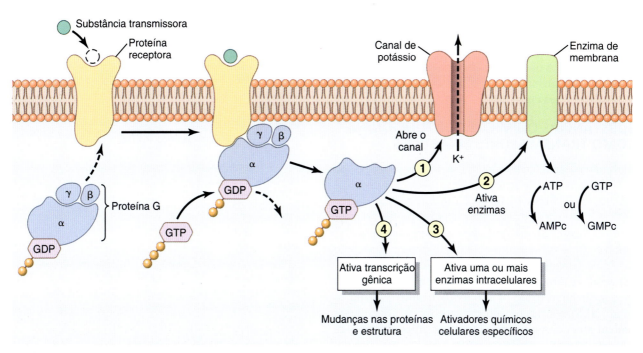

Figura 46.7 Sistema de segundo mensageiro por meio do qual uma substância transmissora de um neurônio inicial pode ativar um segundo neurônio causando primeiro uma mudança transformacional no receptor, que libera a subunidade ativada alfa (α) da proteína G para o citoplasma do segundo neurônio. Estão demonstrados quatro possíveis efeitos subsequentes da proteína G, incluindo: 1, abertura de um canal iônico na membrana do segundo neurônio; 2, ativação de um sistema enzimático na membrana do neurônio; 3, ativação de um sistema enzimático intracelular; e/ou 4, causando transcrição gênica no segundo neurônio. O retorno da proteína G a seu estado inativo ocorre quando o trifosfato de guanosina (GTP) ligado à subunidade α é hidrolisado a difosfato de guanosina (GDP) e as subunidades β e γ são reacopladas à subunidade α.

estrutura. É bem sabido que ocorrem mudanças estruturais em neurônios adequadamente ativados, especialmente nos processos de memória a longo prazo.

A inativação da proteína G ocorre quando o GTP ligado à subunidade α é hidrolisado a GDP. Essa ação faz com que a subunidade α seja liberada de sua proteína-alvo, inativando os sistemas de segundo mensageiro, para combinar-se novamente com as subunidades β e γ, o que devolve o complexo proteína G a seu estado inativo.

É evidente que a ativação do sistema de segundo mensageiro dentro do neurônio, seja do tipo acoplado à proteína G ou a outros tipos, é de extrema importância para a mudança das características de resposta a longo prazo de diferentes vias neuronais. Retomaremos esse assunto com maiores detalhes, no Capítulo 58, quando discutirmos as funções da memória do sistema nervoso.

Receptores excitatórios ou inibitórios da membrana pós-sináptica

Após sua ativação, alguns receptores pós-sinápticos causam excitação de neurônios pós-sinápticos, ao passo que outros causam inibição. A importância de existirem tipos inibitórios e excitatórios de receptores é que essa característica fornece uma dimensão adicional à função nervosa, permitindo contenção da ação e excitação neural.

Os diferentes mecanismos moleculares e de membrana utilizados por diferentes receptores para causar excitação ou inibição incluem os seguintes:

Excitação
1. *Abertura de canais de sódio para permitir que um grande número de cargas elétricas positivas flua para o interior da célula pós-sináptica.* Essa ação eleva o potencial de membrana intracelular na direção da positividade, atingindo o nível do limiar de excitação. Trata-se do meio mais utilizado para causar excitação.
2. *Depressão da condução por canais de cloro ou potássio, ou ambos.* Essa ação diminui a difusão de íons cloro com carga negativa para dentro do neurônio pós-sináptico ou diminui a difusão de íons potássio com carga positiva para fora. Em qualquer um dos casos, o efeito é tornar o potencial interno da membrana mais positivo que o normal, ou seja, excitatório.
3. *Diversas alterações no metabolismo interno do neurônio pós-sináptico para excitar a atividade celular* ou, em alguns casos, aumentar o número de receptores excitatórios da membrana ou reduzir seu número de receptores inibitórios.

Inibição
1. *Abertura de canais iônicos de cloro pela membrana neuronal pós-sináptica.* Essa ação permite rápida difusão de íons cloro com carga negativa de fora para dentro do neurônio pós-sináptico, carreando cargas negativas até seu interior e agravando sua negatividade, o que causa inibição.
2. *Aumento da condutância de potássio para fora do neurônio.* Essa ação permite que íons positivos se

PARTE 9 Sistema Nervoso: A. Princípios Gerais e Fisiologia Sensorial

difundam para fora, o que causa aumento da negatividade dentro do neurônio, ou seja, inibição.

3. *Ativação de enzimas receptoras.* Isso causa inibição de funções metabólicas celulares e aumenta o número de receptores sinápticos inibitórios ou reduz o número dos receptores excitatórios.

SUBSTÂNCIAS QUÍMICAS QUE FUNCIONAM COMO TRANSMISSORES SINÁPTICOS

Mais de 50 substâncias químicas foram provadas ou postuladas como transmissores sinápticos. Alguns estão listados nas **Tabelas 46.1** e **46.2**, que fornecem dois grupos de transmissores sinápticos. Um grupo diz respeito a *transmissores de molécula pequena e ação rápida.* O outro é composto por um grande número de *neuropeptídeos* de tamanho molecular maior e cuja ação ocorre, em geral, de forma muito mais lenta. Algumas *moléculas gasosas*, como o óxido nítrico (NO), o sulfeto de hidrogênio (H_2S) e o monóxido de carbono (CO) também podem atuar como moduladores transmissores embora seu papel como verdadeiros neurotransmissores permaneça incerto.

Os transmissores de molécula pequena e ação rápida causam a maior parte das respostas agudas do sistema nervoso, como a transmissão de sinais sensoriais ao encéfalo e de sinais motores de volta aos músculos. Neuropeptídeos, por sua vez, geralmente causam ações mais prolongadas, como alterações no número de receptores neuronais a longo prazo, abertura ou fechamento a longo prazo de certos canais iônicos e, possivelmente, mesmo alterações no número e no tamanho das sinapses a longo prazo.

Transmissores de molécula pequena e ação rápida

Na maioria dos casos, os transmissores do tipo molécula pequena são sintetizados no citosol do terminal

Tabela 46.1 Transmissores de molécula pequena e ação rápida.

Classe I
Acetilcolina

Classe II: Aminas
Noradrenalina
Adrenalina
Dopamina
Serotonina
Melatonina
Histamina

Classe III: Aminoácidos
GABA (ácido gama-aminobutírico)
Glicina
Glutamato
Aspartato

Classe IV
ATP
Ácido araquidônico
Óxido nítrico
Monóxido de carbono

Tabela 46.2 Neuropeptídeos, transmissores de ação lenta ou fatores de crescimento.

Hormônios liberadores hipotalâmicos
Hormônio liberador de tirotrofina (TRH)
Hormônio liberador do hormônio luteinizante (LHRH)
Somatostatina (fator de inibição do hormônio do crescimento)

Peptídeos hipofisários
Hormônio adrenocorticotrófico (ACTH)
β-endorfina
Hormônio α-estimulador de melanócitos (MSHα)
Prolactina
Hormônio luteinizante (LH)
Tireotrofina (TSH)
Hormônio do crescimento (GH)
Vasopressina (ADH)
Ocitocina

Peptídeos que atuam no trato gastrointestinal e no encéfalo
Encefalina leucina
Encefalina metionina
Substância P
Gastrina
Colecistocinina
Polipeptídeo intestinal vasoativo (VIP)
Fator de crescimento neural (NGF)
Fator neurotrófico derivado do encéfalo (BDNF)
Neurotensina
Insulina
Glucagon

Peptídeos de outros tecidos
Angiotensina II
Bradicinina
Carnosina
Peptídeos do sono
Calcitonina

pré-sináptico e absorvidos por meio de transporte ativo para dentro das numerosas vesículas do terminal. Em seguida, cada vez que um potencial de ação chega nesse terminal, algumas vesículas, por vez, liberarão seus transmissores para a fenda sináptica. Essa ação em geral ocorre dentro de um milissegundo ou menos, por meio do mecanismo descrito anteriormente. A ação subsequente desses transmissores de molécula pequena sobre os receptores da membrana pós-sináptica ocorre geralmente dentro de outro milissegundo ou menos. Mais comumente, o efeito é o aumento ou a diminuição da condutância pelos canais iônicos, sendo um exemplo o aumento da condutância do sódio, que causa excitação, ou de cloro ou potássio, que causa inibição.

Reciclagem de vesículas que armazenam moléculas pequenas. As vesículas que armazenam e liberam transmissores de molécula pequena são continuamente recicladas e reutilizadas várias vezes. Após sua fusão com a membrana sináptica e abertura para liberação de seus transmissores, a membrana da vesícula de início simplesmente se torna parte da membrana sináptica. Contudo, dentro de segundos a minutos, a porção vesicular da membrana se invagina novamente para dentro do terminal pré-sináptico e se desprende para formar uma nova vesícula.

CAPÍTULO 46 Organização do Sistema Nervoso, Funções Básicas das Sinapses e Neurotransmissores

A nova membrana vesicular ainda contém as enzimas ou as proteínas de transporte adequadas para a síntese e/ou concentração de novas substâncias transmissoras dentro da vesícula.

A acetilcolina é um transmissor de molécula pequena típico que obedece aos princípios de síntese e liberação, como dito anteriormente. Esse transmissor é sintetizado no terminal pré-sináptico a partir da acetil coenzima A e da colina na presença da enzima *colina acetiltransferase*. Em seguida, ele é transportado para suas vesículas específicas. Quando as vesículas liberam acetilcolina mais tarde na fenda sináptica, durante a transmissão do sinal neuronal, rapidamente ocorre sua quebra novamente em acetato e em colina pela enzima *colinesterase*, que está presente na rede de proteoglicanos que preenche o espaço da fenda sináptica. Posteriormente, mais uma vez, são recicladas as vesículas dentro do terminal pré-sináptico e a colina é transportada ativamente para o terminal para ser utilizada na síntese de nova acetilcolina.

Características de alguns neurotransmissores de molécula pequena importantes. A *acetilcolina* é secretada por neurônios em muitas áreas do sistema nervoso, mas mais especificamente pelos (1) terminais das grandes células piramidais do córtex motor, (2) diversos tipos diferentes de neurônios dos núcleos da base, (3) neurônios motores que inervam os músculos esqueléticos, (4) neurônios pré-ganglionares do sistema nervoso autônomo, (5) neurônios pós-ganglionares do sistema nervoso parassimpático e (6) alguns neurônios pós-ganglionares do sistema nervoso simpático. Na maioria dos casos, a acetilcolina tem efeito excitatório. Todavia, sabe-se que ela apresenta efeito inibitório em algumas terminações nervosas parassimpáticas, como no coração por meio do nervo vago.

A *noradrenalina* é secretada pelos terminais de muitos neurônios cujos corpos celulares se localizam no tronco encefálico e no hipotálamo. Especificamente, neurônios secretores de noradrenalina do *locus* cerúleo na ponte emitem fibras para áreas distribuídas do encéfalo para auxiliar o controle da atividade e do humor geral da mente, por exemplo, alterando o nível de alerta. Na maior parte dessas áreas, a noradrenalina provavelmente ativa receptores excitatórios embora, em algumas áreas, atue sobre receptores inibitórios. A noradrenalina também é secretada pela maioria dos neurônios pós-ganglionares do sistema nervoso simpático, onde é responsável pela excitação de certos órgãos e pela inibição de outros.

A *dopamina* é secretada por neurônios que se originam na substância negra. A terminação desses neurônios se dá principalmente na região do corpo, estriado nos núcleos da base. O efeito da dopamina é geralmente inibitório.

A *glicina* é secretada principalmente nas sinapses da medula espinhal. Acredita-se que ela sempre atua como um transmissor inibitório.

O *ácido gama-aminobutírico* (GABA) é secretado pelos terminais nervosos da medula espinhal, pelo cerebelo, pelos núcleos da base e por muitas áreas do córtex.

Ela é o neurotransmissor inibitório primário do sistema nervoso central adulto. Contudo, nos estágios iniciais do desenvolvimento encefálico, incluindo o período embrionário e a primeira semana de vida pós-natal, acredita-se que o GABA atue como neurotransmissor excitatório.

O *glutamato* é secretado pelos terminais pré-sinápticos de muitas vias sensoriais que chegam ao sistema nervoso central, bem como a muitas áreas do córtex cerebral. Sua ação é provavelmente excitatória.

A *serotonina* é secretada por núcleos que se originam na rafe mediana do tronco encefálico e se projetam para muitas áreas do encéfalo e da medula espinhal, especialmente os cornos dorsais da medula espinhal e do hipotálamo. A serotonina atua como um inibidor das vias de dor da medula e uma ação sua inibitória em regiões mais superiores do sistema nervoso é sugerida como provável adjuvante no controle do humor, talvez causando, até mesmo, sono.

O *óxido nítrico* é produzido por terminais nervosos de áreas do encéfalo responsáveis pelo comportamento e pela memória a longo prazo. Portanto, esse transmissor gasoso pode explicar no futuro algumas funções comportamentais e de memória que até a atualidade têm desafiado nossa compreensão. O óxido nítrico difere de outros transmissores de molécula pequena em seu mecanismo de produção pelo terminal pré-sináptico e suas ações sobre o neurônio pós-sináptico. Não ocorrem pré-formação e armazenamento em vesículas no terminal pré-sináptico, como com outros transmissores. Sua síntese é quase instantânea conforme a demanda e o óxido nítrico se difunde para fora dos terminais pré-sinápticos em alguns segundos em vez de ser liberado por vesículas. Em seguida, ele se difunde para os neurônios pós-sinápticos adjacentes. Nesses neurônios, o óxido nítrico geralmente não modifica muito o potencial de membrana, mas provoca alterações em funções metabólicas intracelulares, que modificam a excitabilidade neuronal por segundos, minutos ou até mais.

Neuropeptídeos

Os neuropeptídeos são sintetizados de forma diferente e têm ações geralmente lentas, que diferem de outras maneiras dos transmissores de molécula pequena. Os neuropeptídeos não são sintetizados no citosol dos terminais pré-sinápticos. Na realidade, eles são sintetizados por ribossomos como partes integrais de moléculas de proteínas maiores do corpo celular neuronal.

As moléculas de proteína adentram os espaços internos do retículo endoplasmático do corpo celular e posteriormente do complexo de Golgi, no qual ocorrem duas alterações. Na primeira, a proteína formadora de neuropeptídeo sofre a quebra enzimática em fragmentos menores, sendo alguns os próprios neuropeptídeos e outros, seus precursores. Na segunda, o complexo de Golgi armazena o neuropeptídeo em pequenas vesículas transmissoras, que são liberadas dentro do citoplasma. Em seguida, elas são transportadas até a extremidade das fibras nervosas por meio do *fluxo axonal* do citoplasma do axônio, que trafega na lenta velocidade de alguns centímetros por dia.

Finalmente, as vesículas liberam seus transmissores nos terminais neuronais em resposta a potenciais de ação do mesmo modo que ocorre com moléculas pequenas. Todavia, essas vesículas são autolisadas e não são reutilizadas.

Em razão desse método mais trabalhoso de formar neuropeptídeos, geralmente são liberadas quantidades muito menores comparadas às quantidades dos transmissores de molécula pequena. A diferença é compensada em parte pelo fato de os neuropeptídeos serem 1.000 ou mais vezes mais potentes do que os transmissores de molécula pequena. Outra importante característica dos neuropeptídeos é que frequentemente eles causam ações muito mais prolongadas. Algumas dessas ações incluem fechamento prolongado de canais de cálcio, modificações prolongadas no aparato metabólico das células, modificações prolongadas na ativação ou na desativação de genes específicos do núcleo da célula e/ou modificações prolongadas no número de receptores excitatórios ou inibitórios. Alguns desses efeitos duram dias, enquanto outros podem durar meses ou anos. O conhecimento atual sobre as funções dos neuropeptídeos ainda está em seu estágio inicial.

Neuropeptídeos e transmissores de molécula pequena podem coexistir nos mesmos neurônios. Transmissores do tipo peptídeo de ação lenta e moléculas pequenas de ação rápida são, muitas vezes, armazenados e liberados pelos mesmos neurônios. Em alguns casos, dois ou mais desses transmissores se encontram *colocalizados* nas mesmas vesículas sinápticas e são *coliberados* quando um potencial chega ao terminal pré-sináptico (ver **Figura 46.8 A**). Em outros casos, esses transmissores podem estar localizados em diferentes populações de vesículas sinápticas do mesmo neurônio e contribuem com a *cotransmissão* de sinais para o neurônio pós-sináptico. Ademais, sua liberação pode ser regulada de forma diferenciada devido às sensibilidades ao íon cálcio diferentes (ver **Figura 46.8 B**) ou à segregação espacial das vesículas em diferentes botões sinápticos (ver **Figura 46.8 C**).

A coliberação de transmissores e a cotransmissão de sinais evidentemente possuem importantes implicações funcionais. Cada transmissor diferente liberado de um mesmo neurônio pré-sináptico possui seus receptores específicos e pode produzir influência inibitória ou excitatória sobre o alvo pós-sináptico. Neurônios diferentes podem liberar variadas combinações de transmissores de ação rápida, que ativam diretamente receptores pós-sinápticos, bem como transmissores de ação lenta, que necessitam da ativação de cascatas de segundo mensageiro e de alterações pós-sinápticas de expressão gênica.

Um exemplo de coliberação de dois transmissores de molécula pequena ocorre no núcleo da rafe, situado no tronco encefálico. Esses neurônios inervam diversas regiões do encéfalo e podem coliberar serotonina e glutamato, exercendo importante papel no ciclo de sono e de vigília (Capítulos 59 e 60).

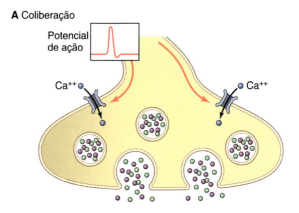

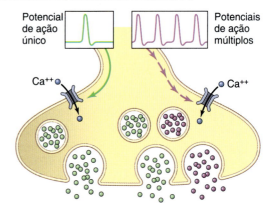

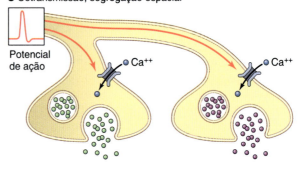

Figura 46.8 Coliberação de neurotransmissores e cotransmissão de sinais neuronais. **A.** Na coliberação, ambos os transmissores (*verde* e *roxo*) são armazenados no mesmo grupo de vesículas sinápticas e liberados juntos quando o potencial de ação chega até o terminal pré-sináptico. **B.** Na cotransmissão, os transmissores são armazenados em diferentes populações de vesículas sinápticas com liberação diferenciada mediada por sua sensibilidade distinta ao íon cálcio (Ca^{++}). Um único potencial de ação poderá liberar um único grupo de vesículas (*verdes*), sendo necessários potenciais múltiplos para liberar os dois grupos de vesículas (*verdes* e *roxas*). **C.** A cotransmissão também pode se apoiar na segregação espacial das populações de vesículas para diferentes botões terminais, permitindo que informações uniformes sejam transmitidas a diferentes alvos pós-sinápticos.

EVENTOS ELÉTRICOS DURANTE A EXCITAÇÃO NEURONAL

Os eventos elétricos da excitação neuronal foram estudados especialmente em neurônios motores grandes dos cornos anteriores da medula espinhal. Por essa razão, os eventos descritos nas próximas seções dizem respeito essencialmente a esses neurônios. Exceto por diferenças quantitativas, também se aplicam à maioria dos neurônios do sistema nervoso.

Potencial de repouso da membrana do corpo celular neuronal. A **Figura 46.9** demonstra o corpo celular de um neurônio motor espinhal, indicando um *potencial de repouso da membrana* de aproximadamente –65 milivolts (mV). Esse potencial de repouso é um pouco menos negativo do que o potencial encontrado em grandes fibras nervosas periféricas e fibras musculares esqueléticas. A menor voltagem é importante para permitir controle tanto negativo quanto positivo do grau de excitabilidade do neurônio. Ou seja, a diminuição da voltagem até um valor menos negativo torna a membrana do neurônio mais excitável, enquanto o aumento da voltagem para um valor mais negativo torna o neurônio menos excitável. Esse mecanismo é a base dos dois modos de função do neurônio – excitação ou inibição – conforme explicado nas seções seguintes.

Diferenças de concentração de íons pela membrana do corpo celular do neurônio. A **Figura 46.9** também demonstra as diferenças de concentração pela membrana do corpo celular neuronal para três íons que são mais importantes à função do neurônio: sódio, potássio e cloro. Na parte superior da figura, a *concentração do íon sódio* está demonstrada como *alta no líquido extracelular* (142 mEq/ℓ), porém *baixa dentro do neurônio* (14 mEq/ℓ). Esse gradiente de concentração é causado por uma forte bomba presente na membrana do corpo celular, que bombeia continuamente sódio para fora do neurônio.

A **Figura 46.9** também demonstra que a *concentração do íon potássio é alta dentro do corpo celular* (120 mEq/ℓ), no entanto, *baixa no líquido extracelular* (4,5 mEq/ℓ). Além disso, ela demonstra que existe uma bomba de potássio (a outra metade da bomba Na⁺-K⁺), que bombeia potássio para dentro da célula.

A **Figura 46.9** representa *alta concentração de cloro no líquido extracelular*, todavia, *baixa concentração dentro do neurônio*. A membrana pode ser bastante permeável a íons cloro e pode existir uma fraca bomba de cloro. Mesmo assim, grande parte do motivo para a baixa concentração de cloro dentro do neurônio é a voltagem de –65 mV. Ou seja, essa voltagem negativa repele os íons cloro de carga negativa, forçando-os para fora pelos canais até que sua concentração fique muito menor dentro da membrana.

Lembremos do que foi ensinado nos Capítulos 4 e 5. Um potencial elétrico pela membrana celular pode se opor ao movimento de íons pela membrana se esse potencial apresentar polaridade e magnitude corretas. Um potencial capaz de se opor *exatamente* ao movimento de um íon recebe o nome de *potencial de Nernst* para esse íon, representado pela seguinte equação:

$$\text{FEM (mV)} = \pm 61 \times \log\left(\frac{\text{Concentração interna}}{\text{Concentração externa}}\right)$$

Nela, *FEM* (força eletromotriz) equivale ao potencial de Nernst em milivolts *dentro da membrana*. Esse potencial será negativo (–) para íons positivos e positivo (+) para íons negativos.

Agora, calculemos o potencial de Nernst que vai se opor exatamente ao movimento de cada um dos íons separadamente: sódio, potássio e cloro.

Para a diferença da concentração de sódio demonstrada na **Figura 46.9** (142 mEq/ℓ fora e 14 mEq/ℓ dentro do neurônio), o potencial de membrana que vai se opor exatamente ao movimento de sódio por seus canais é de +61 mV. Todavia, o potencial real equivale a –65 mV, não +61 mV. Desse modo, os íons sódio que extravasam para dentro da célula são imediatamente bombeados de volta para fora pela bomba, o que mantém o potencial negativo de –65 mV dentro do neurônio.

Para o íon potássio, o gradiente de concentração é de 120 mEq/ℓ dentro do neurônio e 4,5 mEq/ℓ, fora. Esse gradiente resulta em um potencial de Nernst de –86 mV dentro do neurônio, que é mais negativo que o real potencial de –65 mV. Portanto, devido à alta concentração intracelular de potássio, existe uma tendência resultante de difusão de íons potássio para fora do neurônio embora essa ação seja oposta pelo bombeamento contínuo de potássio de volta para dentro.

Finalmente, o gradiente do íon cloro, cuja concentração dentro da célula equivale a 107 mEq/ℓ e fora, a 8 mEq/ℓ, resulta em potencial de Nernst igual a –70 mV dentro do neurônio, que é *ligeiramente* mais negativo do que o potencial real de –65 mV. Assim, íons cloro tendem a extravasar um pouco para dentro do neurônio embora os poucos que o façam sejam movidos novamente para fora – talvez, por uma bomba ativa de cloro.

Tenha em mente todos esses potenciais de Nernst e lembre-se da direção em que íons diferentes tendem a se

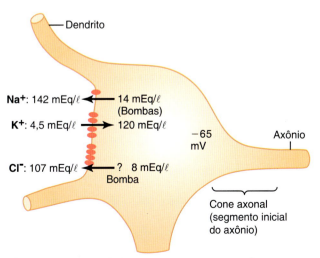

Figura 46.9 Distribuição dos íons sódio, potássio e cloro pela membrana do corpo celular neuronal; origem do potencial interno da membrana.

mover, pois essa informação é importante para a compreensão tanto da excitação quanto da inibição do neurônio pela ativação ou pela inativação de canais iônicos durante a sinapse.

Distribuição uniforme do potencial elétrico dentro do corpo celular do neurônio.
O interior do corpo celular do neurônio contém uma solução com alta condutividade eletrolítica, que é o *líquido intracelular* do neurônio. Além disso, o diâmetro do corpo celular neuronal é grande (de 10 a 80 micrômetros), oferecendo quase nenhuma resistência à condução de corrente elétrica de uma parte a outra de seu interior. Logo, qualquer alteração de potencial em qualquer parte do líquido intracelular do neurônio causa uma alteração quase idêntica em outros pontos do corpo celular, contanto que o neurônio não esteja transmitindo um potencial de ação. Esse princípio é importante porque exerce um grande papel na "somação" de sinais que entram no neurônio a partir de fontes múltiplas, como será explicado nas seções subsequentes deste capítulo.

Efeito da excitação sináptica sobre a membrana pós-sináptica: potencial pós-sináptico excitatório.
A **Figura 46.10 A** demonstra o neurônio em repouso com um terminal pré-sináptico inerte repousando em sua superfície. O potencial de repouso da membrana por todo o corpo celular é de −65 mV.

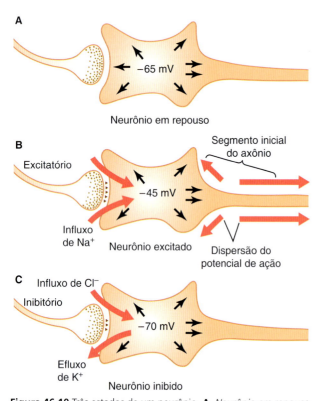

Figura 46.10 Três estados de um neurônio. **A.** *Neurônio em repouso*, com potencial intraneuronal normal de −65 mV. **B.** *Neurônio em estado excitado*, com potencial intraneuronal menos negativo (−45 mV) causado pelo influxo de sódio. **C.** *Neurônio em estado inibido*, com potencial de membrana intraneuronal mais negativo (−70 mV) causado pelo efluxo de potássio, influxo de cloro, ou ambos.

A **Figura 46.10 B** demonstra um terminal pré-sináptico que secretou um transmissor excitatório na fenda sináptica entre o terminal e a membrana do corpo celular. Esse transmissor atua sobre um receptor excitatório da membrana *para aumentar a permeabilidade da membrana ao Na^+*. Devido ao alto gradiente de concentração do sódio e à intensa eletronegatividade dentro do neurônio, ocorre difusão de íons sódio rapidamente para dentro da membrana.

O rápido influxo de íons sódio com carga positiva para dentro do neurônio neutraliza parte de sua negatividade do repouso. Portanto, na **Figura 46.10 B**, o potencial de repouso da membrana aumentou na direção da positividade, de −65 para −45 mV. Esse aumento positivo da voltagem acima do normal de repouso, ou seja, para um valor menos negativo, recebe o nome de *potencial pós-sináptico excitatório* (PPSE), pois, se esse potencial se elevar o suficiente na direção positiva, ele elicitará um potencial de ação no neurônio pós-sináptico, causando sua excitação – nesse caso, o PPSE é igual a +20 mV, isto é, 20 mV mais positivo que o potencial de repouso.

O disparo de um único terminal pré-sináptico nunca elevará o potencial neuronal de −65 mV para −45 mV. Um aumento dessa magnitude requer disparos simultâneos de muitos terminais, cerca de 40 a 80 para o neurônio motor anterior usual, ao mesmo tempo ou em sucessão rápida. Esses disparos simultâneos ocorrem por meio de um processo denominado *somação*, discutido nas seções seguintes.

Geração de potenciais de ação no segmento inicial do axônio | limiar de excitação.
Quando o PPSE se eleva o suficiente na direção positiva, atinge-se um ponto em que esse aumento inicia um potencial de ação no neurônio. Todavia, o potencial de ação não é iniciado adjacente às sinapses excitatórias. Na realidade, *ele começa no segmento inicial do axônio (cone axonal)*, no ponto onde o axônio emerge do corpo celular. A principal razão desse ponto de origem do potencial de ação é que o corpo celular do neurônio tem relativamente poucos canais de sódio voltagem-dependentes em sua membrana, o que torna difícil ao PPSE abrir a quantidade necessária de canais de sódio para iniciar um potencial de ação. Já *a membrana do segmento inicial* apresenta concentração de canais de sódio voltagem-dependentes 7 vezes maior do que o corpo celular, podendo gerar um potencial de ação com muito mais facilidade. O PPSE que iniciará um potencial de ação no segmento inicial do axônio é de +10 a +20 mV, ao contrário dos +30 a +40 mV ou mais necessários para o corpo celular.

Uma vez iniciado o potencial de ação, ele assume trajeto periférico no axônio e geralmente também se propaga retrogradamente no corpo celular. Em alguns casos, esse potencial retorna aos dendritos, porém não todos, pois, assim como o corpo celular, os dendritos possuem poucos canais de sódio voltagem-dependentes e, portanto, raramente geram potenciais de ação. Desse modo, na **Figura 46.10 B**, o *limiar* de excitação do neurônio é demonstrado como −45 mV, o que representa um PPSE de +20 mV, isto é, 20 mV mais positivo do que o potencial normal de repouso de −65 mV.

EVENTOS ELÉTRICOS DURANTE A INIBIÇÃO NEURONAL

Efeito das sinapses inibitórias sobre a membrana pós-sináptica: potencial pós-sináptico inibitório.

As sinapses inibitórias causam *principalmente abertura de canais de cloro*, permitindo uma passagem mais fácil desses íons. A fim de compreender como as sinapses inibitórias inibem o neurônio pós-sináptico, deve-se lembrar o que foi ensinado acerca do potencial de Nernst para íons cloro. O potencial de Nernst para cloro foi calculado em cerca de −70 mV. Esse potencial é mais negativo do que os −65 mV, normalmente, presentes dentro da membrana neuronal em repouso. Portanto, a abertura de canais de cloro permitirá que íons cloro com carga negativa se movam do líquido extracelular para dentro da célula, o que tornará seu interior mais negativo do que o normal, aproximando-se dos −70 mV.

A abertura de canais de potássio possibilitará que íons potássio de carga positiva se movam para fora do neurônio, o que também torna o potencial interno da membrana mais negativo do que o normal. Logo, tanto o influxo de cloro quanto o efluxo de potássio aumentam o grau de negatividade intracelular, o que recebe o nome de *hiperpolarização*. O neurônio é inibido porque o potencial de membrana se torna ainda mais negativo do que o potencial intracelular normal, ou seja, um aumento da negatividade além do normal de repouso é denominado *potencial pós-sináptico inibitório* (PPSI).

A **Figura 46.10 C** demonstra o efeito da ativação de sinapses inibitórias sobre o potencial de membrana, com influxo de cloro para a célula ou efluxo de potássio para fora, o que reduz o potencial da membrana de seu normal de −65 mV para o valor mais negativo de −70 mV. Esse potencial de membrana é 5 mV mais negativo do que o normal, sendo, portanto, um PPSI de −5 mV, que inibe a transmissão do sinal nervoso pela sinapse.

Inibição pré-sináptica

Juntamente com a *inibição pós-sináptica* causada por sinapses inibitórias sobre a membrana neuronal, por vezes, ocorre *inibição pré-sináptica* nos terminais pré-sinápticos antes mesmo que o sinal chegue à sinapse.

A inibição pré-sináptica é causada pela liberação de uma substância inibitória no exterior das fibrilas do nervo pré-sináptico antes que suas próprias terminações atinjam o neurônio pós-sináptico. *Na maioria dos casos, a substância transmissora inibitória é o GABA*, que provoca abertura de canais aniônicos, permitindo que um grande número de íons cloro se difunda para a fibrila terminal. As cargas negativas desses íons inibem a transmissão sináptica, uma vez que elas cancelam grande parte do efeito excitatório dos íons sódio com carga positiva, os quais também adentram as fibrilas terminais quando um potencial de ação chega ao neurônio.

A inibição pré-sináptica ocorre em muitas das vias sensoriais do sistema nervoso. De fato, fibras nervosas sensoriais adjacentes, muitas vezes, inibem-se mutuamente, o que minimiza a disseminação colateral e a mistura de sinais pelos tratos sensoriais. Discutiremos mais completamente a importância desse fenômeno nos capítulos subsequentes.

Duração dos potenciais pós-sinápticos

Quando uma sinapse excitatória estimula o neurônio motor anterior, sua membrana se torna altamente permeável a íons sódio por 1 a 2 milissegundos. Durante esse curto período de tempo, uma quantidade suficiente de íons sódio se difunde até o interior do neurônio motor pós-sináptico, aumentando seu potencial intraneuronal em alguns milivolts e gerando o PPSE demonstrado pelas curvas azul e verde da **Figura 46.11**. Esse potencial diminui lentamente ao longo dos próximos 15 milissegundos, pois esse é o tempo necessário para que cargas positivas extravasem do neurônio excitado e restabeleçam o potencial de repouso normal da membrana.

O efeito precisamente oposto ocorre no caso do PPSI, ou seja, a sinapse inibitória aumenta a permeabilidade da membrana ao potássio ou ao cloro, ou a ambos, por 1 a 2 milissegundos, o que reduz o potencial intraneuronal até um valor mais negativo do que o normal e cria o PPSI. Esse potencial também se esvai ao longo de 15 milissegundos.

Outros tipos de substâncias transmissoras podem excitar ou inibir o neurônio pós-sináptico por tempo muito mais longo – centenas de milissegundos ou mesmo segundos, minutos ou horas. Isso é especialmente verdadeiro para alguns transmissores do tipo neuropeptídeo.

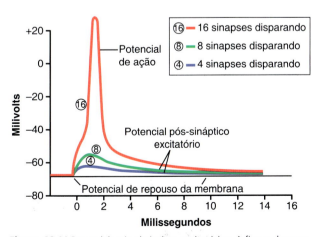

Figura 46.11 Potenciais pós-sinápticos excitatórios. A figura demonstra que o disparo simultâneo de apenas algumas sinapses não causa somação de potenciais suficiente para eliciar um potencial de ação, mas o disparo simultâneo de muitas sinapses elevará a somação de potenciais até o limiar de excitação, causando sobreposição de um potencial de ação.

PARTE 9 Sistema Nervoso: A. Princípios Gerais e Fisiologia Sensorial

"Somação espacial" dos neurônios | limiar de disparo

A excitação de um único terminal pré-sináptico na superfície de um neurônio quase nunca o excita. A quantidade de transmissor liberada por um único terminal que causa um PPSE geralmente não supera 0,5 a 1 mV, o que difere dos 10 a 20 mV normalmente necessários para atingir o limiar de excitação.

Todavia, normalmente são estimulados muitos terminais pré-sinápticos ao mesmo tempo. Mesmo que esses terminais estejam distribuídos sobre áreas amplas do neurônio, seus efeitos ainda podem ser *somados,* ou seja, um pode ser adicionado ao outro até que ocorra a excitação do neurônio. Foi apontado anteriormente que uma mudança no potencial em um único ponto dentro do corpo celular causará alteração quase idêntica em todo o corpo celular. Desse modo, para cada sinapse excitatória que dispara simultaneamente, o potencial total do corpo celular se torna mais positivo: 0,5 a 1,0 mV. Quando o PPSE aumenta o suficiente, atinge-se o *limiar de disparo*, sendo desenvolvido espontaneamente um potencial de ação no segmento inicial do axônio, conforme demonstrado na **Figura 46.11**. O potencial pós-sináptico da parte inferior da figura foi causado pela estimulação simultânea de 4 sinapses, o potencial seguinte, pela estimulação de 8 sinapses e, finalmente, o maior PPSE, pela estimulação de 16 sinapses. Nesse último caso, foi atingido o limiar de disparo, sendo gerado um potencial de ação no axônio.

Esse efeito de somação de potenciais pós-sinápticos simultâneos por meio da ativação de múltiplos terminais em áreas amplas da membrana neuronal recebe o nome de *somação espacial.*

"Somação temporal" causada pelo disparo sucessivo de um terminal pré-sináptico

A cada vez que um terminal pré-sináptico dispara, a substância transmissora liberada abre os canais da membrana por até 1 a 2 milissegundos. Contudo, o potencial pós-sináptico alterado perdura por até 15 milissegundos após fechamento dos canais da membrana sináptica. Portanto, uma segunda abertura dos mesmos canais pode aumentar o potencial pós-sináptico até um valor ainda maior e, quanto maior for a velocidade de estimulação, maior se tornará o potencial pós-sináptico. Assim, descargas sucessivas de um único terminal pré-sináptico, se ocorrerem suficientemente rápido, podem se adicionar umas às outras, ou seja, somar-se entre si. Esse tipo de somação recebe o nome de *somação temporal.*

Somação simultânea de potenciais pós-sinápticos inibitórios e excitatórios. Se um PPSI tende a *diminuir* o potencial de membrana até um valor mais negativo e um PPSE, a *aumentar* o potencial da mesma forma, os dois efeitos podem se anular completa ou parcialmente entre si. Por isso, se um neurônio está sendo excitado por um PPSE, um sinal inibitório de outra fonte poderá reduzir o potencial pós-sináptico até um valor abaixo do limiar de excitação, cancelando a ativação do neurônio.

Facilitação de neurônios

Com frequência, a somação de potenciais pós-sinápticos excitatórios não atinge voltagem o suficiente para chegar ao limiar de disparo do neurônio pós-sináptico. Quando isso ocorre, diz-se que o neurônio sofreu *facilitação*, isto é, seu potencial de membrana se aproximou do limiar de disparo, mas ainda não o atingiu. Consequentemente, outro sinal excitatório que chegar ao neurônio a partir de outra fonte poderá excitá-lo mais facilmente. Sinais difusos pelo sistema nervoso frequentemente causam facilitação de grandes grupos de neurônios, permitindo que respondam rápida e facilmente a sinais que chegam de outras fontes.

FUNÇÕES ESPECIAIS DOS DENDRITOS NA EXCITAÇÃO DOS NEURÔNIOS

Campo espacial amplo de excitação dos dendritos. Os dendritos dos neurônios motores anteriores, muitas vezes, estendem-se entre 500 e 1.000 micrômetros em todas as direções a partir do corpo celular, podendo receber sinais de uma grande área espacial ao redor do neurônio motor. Essa característica proporciona uma vasta oportunidade de somação de sinais de muitas fibras nervosas pré-sinápticas distintas.

Também é importante que de 80 a 95% de todos os terminais pré-sinápticos do neurônio motor anterior terminem em dendritos, ao contrário dos apenas 5 a 20% que terminam no corpo celular. Portanto, uma grande parte da excitação é gerada por sinais transmitidos pelos dendritos.

A maioria dos dendritos não consegue transmitir potenciais de ação: seus sinais são transmitidos dentro de um mesmo neurônio por meio de condução eletrotônica. A maioria dos dendritos não é capaz de transmitir potenciais de ação porque suas membranas possuem relativamente poucos canais de sódio voltagem-dependentes e seus limiares de excitação são muito altos para que ocorra um potencial de ação. Entretanto, os dendritos podem transmitir *correntes eletrotônicas* pelas quais percorrem até chegar ao corpo celular. A transmissão de uma corrente eletrotônica significa disseminação direta de uma corrente elétrica por meio de condução iônica pelo líquido dos dendritos, sem a geração de potenciais de ação. A estimulação (ou inibição) do neurônio por meio dessas correntes apresenta características especiais, as quais serão descritas a seguir.

Decremento da condução eletrotônica nos dendritos: maior efeito excitatório (ou inibitório) pelas sinapses localizadas próximo ao corpo celular. Na **Figura 46.12**, estão demonstradas múltiplas sinapses excitatórias e inibitórias estimulando os dendritos de um neurônio. Nos dois dendritos da esquerda, há efeitos excitatórios próximos de suas extremidades. Note os altos níveis de PPSEs nessas terminações, ou seja, os

CAPÍTULO 46 Organização do Sistema Nervoso, Funções Básicas das Sinapses e Neurotransmissores

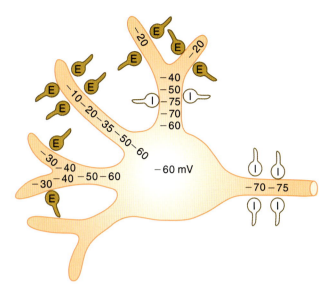

Figura 46.12 Estimulação de um neurônio pelos terminais pré-sinápticos localizados nos dendritos, demonstrando especialmente a condução decrescente de potenciais eletrotônicos excitatórios (E) em dois dendritos à esquerda e inibição (I) da excitação dendrítica no dendrito situado mais acima. Também é demonstrado um potente efeito das sinapses inibitórias no segmento inicial do axônio.

potenciais de membrana *menos negativos* nesses pontos. Entretanto, uma grande parte do PPSE é perdida antes de chegar ao corpo celular. Os dendritos são longos e suas membranas são delgadas e parcialmente permeáveis aos íons potássio e cloro, o que causa perda de parte da corrente elétrica. Por essa razão, antes que os potenciais de ação excitatórios cheguem ao corpo celular, uma grande parte desses potenciais é perdida por extravasamento pela membrana. Essa redução do potencial de membrana durante seu trajeto pelos dendritos recebe o nome de *condução decremental.*

Quanto mais distante a sinapse excitatória estiver do corpo celular do neurônio, maior será o decréscimo e menor, o sinal excitatório que chegará a ele. Portanto, sinapses mais próximas do corpo celular são mais efetivas em causar excitação ou inibição neuronal do que sinapses mais distantes.

Somação da excitação e inibição nos dendritos.
O dendrito mais superior da **Figura 46.12** está demonstrado recebendo estímulo tanto por sinapses excitatórias quanto inibitórias. Em sua extremidade, há um forte PPSE, ao passo que, próximo ao corpo celular, há duas sinapses inibitórias atuando sobre o mesmo dendrito. Essas sinapses inibitórias fornecem uma voltagem hiperpolarizante que anula completamente o efeito excitatório e, na realidade, acaba por transmitir ainda uma pequena quantidade de inibição por meio de condução eletrotônica para o corpo celular. Desse modo, os dendritos podem sofrer somação excitatória e inibitória da mesma forma que ocorre com o corpo celular. A figura também demonstra diversas sinapses inibitórias localizadas diretamente na emergência do axônio e em seu segmento inicial. Essa localização fornece inibição especialmente potente, pois exerce efeito direto de aumento do limiar excitatório no exato ponto onde o potencial de ação normalmente é produzido.

ESTADO DE EXCITAÇÃO DO NEURÔNIO E FREQUÊNCIA DE DISPARO

O "estado excitatório" é o grau de somação de impulsos excitatórios ao neurônio. Se o grau de excitação for maior do que o de inibição em um neurônio em qualquer dado instante, o neurônio estará em *estado excitatório*. Da mesma forma, se houver mais inibição que excitação, o neurônio estará em *estado inibitório*.

Quando o estado excitatório de um neurônio se eleva para além do limiar de excitação, esse neurônio disparará repetidamente enquanto o estado excitatório permanecer nesse nível. A **Figura 46.13** demonstra as respostas de três tipos de neurônios a níveis variáveis de estado excitatório. Note que o neurônio 1 apresenta baixo limiar de excitação, ao passo que o neurônio 3 apresenta limiar alto. Note ainda, também, que o neurônio 2 apresenta a menor frequência máxima de disparo, ao passo que o neurônio 3 possui a maior frequência máxima.

Alguns neurônios do sistema nervoso central disparam continuamente, pois mesmo seu estado excitatório normal é superior ao nível do limiar. Sua frequência de disparo pode, em geral, ser elevada ainda mais pelo aumento de seu estado excitatório. A frequência pode ser reduzida, ou os disparos podem ser interrompidos, pela sobreposição de um estado inibitório sobre o neurônio. Portanto, neurônios diferentes respondem de maneira diferente, possuem variados limiares de excitação e apresentam frequências máximas de disparo amplamente diversas. Com um pouco de imaginação, rapidamente se compreende a importância de possuir neurônios diferentes com tantos tipos de características de resposta a fim de executar a ampla variedade de funções do sistema nervoso.

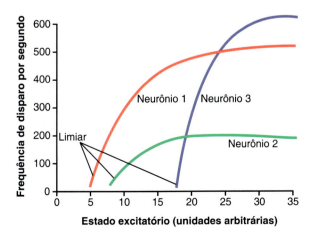

Figura 46.13 Características de resposta de diferentes tipos de neurônios a diferentes níveis de estado excitatório.

CARACTERÍSTICAS ESPECIAIS DA TRANSMISSÃO SINÁPTICA

Fadiga da transmissão sináptica. Quando sinapses excitatórias são estimuladas repetidamente com alta frequência, o número de descargas do neurônio pós-sináptico é inicialmente alto, mas sua frequência de disparo se torna progressivamente menor nos próximos milissegundos a segundos. Esse fenômeno recebe o nome de *fadiga da transmissão sináptica*.

A fadiga é uma característica significativamente importante da função sináptica porque, quando áreas do sistema nervoso se tornam hiperexcitadas, ela remove o excesso de excitabilidade após algum tempo. Por exemplo, a fadiga é provavelmente a forma mais importante com que o excesso de excitabilidade do encéfalo durante um episódio epiléptico finalmente se esvai para que a convulsão cesse. Portanto, o desenvolvimento de fadiga é um mecanismo de proteção contra a atividade neuronal excessiva. Esse assunto é discutido mais adiante na descrição de circuitos neuronais reverberantes, no Capítulo 47.

O mecanismo da fadiga envolve principalmente a exaustão total ou parcial dos estoques de transmissores dos terminais pré-sinápticos. Os terminais sinápticos de muitos neurônios podem armazenar transmissores excitatórios suficientes para causar somente cerca de 10.000 potenciais de ação, de forma que o transmissor pode se esgotar com apenas alguns segundos a poucos minutos de estimulação rápida. Parte do processo de fadiga provavelmente resulta também de dois outros fatores: (1) inativação progressiva de muitos receptores da membrana pós-sináptica e (2) desenvolvimento lento de concentrações anormais de íons dentro da célula neuronal *pós-sináptica*.

Efeito da acidose ou da alcalose sobre a transmissão sináptica. A maioria dos neurônios são altamente responsivos às alterações do pH dos líquidos intersticiais em seu entorno. *Normalmente, a alcalose aumenta muito a excitabilidade neuronal.* Por exemplo, o aumento do pH arterial do normal de 7,4 até 7,8 a 8,0 com frequência causa convulsões epilépticas cerebrais devido ao aumento da excitabilidade de alguns ou de todos os neurônios do cérebro. No indivíduo predisposto a episódios epilépticos, mesmo um curto período de hiperventilação, que elimina dióxido de carbono e eleva o pH, pode predispor o indivíduo a um episódio epiléptico.

Em contrapartida, *a acidose deprime muito a atividade neuronal.* Uma queda do pH de 7,4 para menos de 7,0 geralmente induz um estado comatoso. Por exemplo, na acidose urêmica ou diabética grave, quase sempre ocorre coma.

Efeito da hipóxia sobre a transmissão sináptica. A excitabilidade neuronal também é altamente dependente de um adequado suprimento de oxigênio. A cessação do oxigênio por apenas alguns segundos já pode anular completamente a excitabilidade de alguns neurônios. Esse efeito é observado quando o fluxo sanguíneo cerebral é interrompido temporariamente, pois, dentro de 3 a 7 segundos, o indivíduo perde a consciência.

Efeito de substâncias sobre a transmissão sináptica. Muitas substâncias são conhecidas por aumentar a excitabilidade de neurônios, ao passo que outras são conhecidas por reduzi-la. Por exemplo, *cafeína, teofilina* e *teobromina*, encontradas em café, chá e cacau, respectivamente, são capazes de *aumentar* a excitabilidade neuronal, presumidamente por meio da diminuição do limiar de excitação dos neurônios.

A estricnina é um dos agentes mais conhecidos capazes de causar aumento da excitabilidade dos neurônios. Todavia, seu efeito não ocorre por meio da diminuição do limiar de excitação. Na realidade, a estricnina *inibe a ação de algumas substâncias transmissoras normalmente inibitórias,* especialmente o efeito inibitório da glicina sobre a medula espinhal. Portanto, os efeitos de transmissores excitatórios se tornam exacerbados e os neurônios entram em estado excitatório tão intenso que disparam continuamente, resultando em graves espasmos musculares tônicos.

A maioria dos anestésicos aumenta o limiar de excitação da membrana neuronal, reduzindo a transmissão sináptica em muitos pontos do sistema nervoso. Como muitos anestésicos são especialmente lipossolúveis, alguns podem alterar as características físicas das membranas neuronais, tornando-as menos responsivas a agentes excitatórios.

Retardo sináptico. Durante a transmissão de um sinal do neurônio pré-sináptico para o neurônio pós-sináptico, uma certa quantidade de tempo será consumida no processo de (1) descarga da substância transmissora pelo terminal pré-sináptico, (2) difusão do transmissor até a membrana neuronal pós-sináptica, (3) ação do transmissor no receptor de membrana, (4) ação do receptor em aumentar a permeabilidade da membrana e (5) difusão de sódio para dentro da célula, aumentando o PPSE até um nível suficiente para deflagrar um potencial de ação. O período *mínimo* de tempo necessário para que ocorram todos esses eventos, mesmo quando grandes números de sinapses excitatórias são estimulados simultaneamente, é de aproximadamente 0,5 milissegundo, o que recebe o nome de *retardo sináptico*. Neurofisiologistas podem mensurar o tempo de retardo *mínimo* entre uma série de impulsos recebidos por um grupo de neurônios e sua consequente série de disparos. A partir dessa mensuração do tempo de retardo, pode-se estimar o número de séries de neurônios presentes no circuito.

Bibliografia

Alcamí P, Pereda AE: Beyond plasticity: the dynamic impact of electrical synapses on neural circuits. Nat Rev Neurosci 20:253, 2019.

Ben-Ari Y, Gaiarsa JL, Tyzio R, Khazipov R: GABA: a pioneer transmitter that excites immature neurons and generates primitive oscillations. Physiol Rev 87:1215, 2007.

CAPÍTULO 46 Organização do Sistema Nervoso, Funções Básicas das Sinapses e Neurotransmissores

Chanaday NL, Kavalali ET: Presynaptic origins of distinct modes of neurotransmitter release. Curr Opin Neurobiol 51:119, 2018.

Chiu CQ, Barberis A, Higley MJ: Preserving the balance: diverse forms of long-term GABAergic synaptic plasticity. Nat Rev Neurosci 20:272, 2019.

Dittman JS, Ryan TA: The control of release probability at nerve terminals. Nat Rev Neurosci 20:177, 2019.

Kaczmarek LK, Zhang Y: Kv3 channels: enablers of rapid firing, neurotransmitter release, and neuronal endurance. Physiol Rev 97:1431, 2017.

Kandel ER, Dudai Y, Mayford MR: The molecular and systems biology of memory. Cell 157:163, 2014.

Kavalali ET: The mechanisms and functions of spontaneous neurotransmitter release. Nat Rev Neurosci 16:5, 2015.

Lorenz-Guertin JM, Jacob TC: GABA type a receptor trafficking and the architecture of synaptic inhibition. Dev Neurobiol 78:238, 2018.

Ludwig M, Apps D, Menzies J, Patel JC, Rice ME: Dendritic release of neurotransmitters. Compr Physiol 7:235, 2016.

Nagy JI, Pereda AE, Rash JE: On the occurrence and enigmatic functions of mixed (chemical plus electrical) synapses in the mammalian CNS. Neurosci Lett 695:53, 2019.

Nicoll RA: A brief history of long-term potentiation. Neuron. 93:281, 2017.

Nusbaum MP, Blitz DM, Marder E: Functional consequences of neuropeptide and small-molecule co-transmission. Nat Rev Neurosci 18:389, 2017.

Roelfsema PR, Holtmaat A: Control of synaptic plasticity in deep cortical networks. Nat Rev Neurosci 19:166, 2018.

Sala C, Segal M: Dendritic spines: the locus of structural and functional plasticity. Physiol Rev 94:141, 2014.

Tritsch NX, Granger AJ, Sabatini BL: Mechanisms and functions of GABA co-release. Nat Rev Neurosci 17:139, 2016.

Vaaga CE, Borisovska M, Westbrook GL: Dual-transmitter neurons: functional implications of co-release and co-transmission. Curr Opin Neurobiol 2014 Dec;29:25-32. https://doi.org/10.1016/j.conb.2014.04.010.

CAPÍTULO 47

Receptores Sensoriais e Circuitos Neuronais para o Processamento das Informações

Nossas percepções dos sinais dentro do organismo e no mundo ao nosso redor são mediadas por um complexo sistema de receptores sensoriais, que detectam tais sinais, como toque, sons, luz, dor, frio e calor. Neste capítulo, discutiremos os mecanismos básicos por meio dos quais esses receptores transformam os estímulos sensoriais em sinais nervosos, que são, então, transmitidos e processados pelo sistema nervoso central.

TIPOS DE RECEPTORES SENSORIAIS E ESTÍMULOS POR ELES DETECTADOS

A **Tabela 47.1** lista e classifica cinco tipos básicos de receptores sensoriais: (1) *mecanorreceptores*, que detectam a compressão mecânica ou o estiramento do receptor ou tecidos a ele adjacentes, (2) *termorreceptores*, que detectam alterações da temperatura, alguns percebendo o frio e outros, o calor, (3) *nociceptores* (receptores da dor), que detectam lesão física ou química dos tecidos, (4) *receptores eletromagnéticos*, que detectam luz na retina do olho e (5) *quimiorreceptores*, que detectam o sabor na boca, odor no nariz, nível de oxigênio no sangue arterial, osmolaridade dos líquidos corporais, concentração de dióxido de carbono e outros fatores que compõem a química do organismo.

Discutiremos a função de alguns tipos específicos de receptores, primariamente mecanorreceptores periféricos, a fim de ilustrar alguns dos princípios por meio dos quais funcionam. Outros receptores são discutidos em outros capítulos com relação aos sistemas sensoriais a que pertencem. A **Figura 47.1** demonstra alguns tipos de mecanorreceptores encontrados na pele ou em tecidos profundos do organismo.

SENSIBILIDADE ESPECÍFICA DE RECEPTORES

Como dois tipos de receptores sensoriais detectam diferentes tipos de estímulo sensorial? A resposta é "por meio de suas *sensibilidades específicas*", ou seja, cada tipo de receptor é altamente sensível a um tipo de estímulo para o qual foi designado e praticamente irresponsivo a outros tipos de estímulo sensorial. Portanto, os bastonetes e os cones dos olhos são altamente responsivos à luz, porém quase completamente irresponsivos às faixas normais de calor, frio, pressão sobre os olhos ou alterações químicas do sangue. Os osmorreceptores dos núcleos supraópticos do hipotálamo detectam alterações mínimas na osmolaridade dos líquidos corporais, no entanto, nunca se observou resposta ao som neles. Finalmente, os receptores de dor da pele raramente são estimulados pelo toque ou pela pressão usual, mas ficam muito ativos assim que um estímulo tátil se torna grave o suficiente para lesionar os tecidos.

Modalidade de sensação: princípio da "via rotulada"

Cada um dos principais tipos de sensação que podemos experimentar, como dor, tato, visão, som e assim por diante, denomina-se *modalidade* de sensação. Contudo, apesar do fato de experimentarmos essas diferentes modalidades de sensação, as fibras nervosas transmitem apenas impulsos. Desse modo, como as diferentes fibras nervosas transmitem diferentes modalidades de sensação?

A resposta é que cada trato nervoso termina em um ponto específico do sistema nervoso central e o tipo de sensação percebida quando uma fibra nervosa é estimulada é determinado pelo ponto do sistema nervoso ao qual leva essa fibra. Por exemplo, se uma fibra de dor for estimulada, o indivíduo perceberá dor independentemente de que tipo de estímulo excitou a fibra. O estímulo pode se constituir de eletricidade, hiperaquecimento da fibra, esmagamento da fibra ou estimulação da terminação nervosa de dor por lesão de células do tecido. Em todos os casos, o indivíduo percebe a dor. Da mesma forma, se uma fibra de tato for estimulada pela excitação elétrica de um receptor de tato ou de qualquer outro modo, o indivíduo perceberá tato porque as fibras de tato conduzem a áreas de tato específicas do cérebro. Similarmente, as fibras da retina do olho terminam nas áreas visuais do cérebro, as fibras auditivas, em áreas auditivas do cérebro, e as fibras de temperatura, em áreas de temperatura.

Essa especificidade das fibras nervosas para transmissão de somente uma modalidade de sensação recebe o nome de *princípio da via rotulada*.

TRANSDUÇÃO DO ESTÍMULO SENSORIAL EM IMPULSOS NERVOSOS

CORRENTES ELÉTRICAS LOCAIS NAS TERMINAÇÕES NERVOSAS: POTENCIAIS RECEPTORES

Todos os receptores sensoriais possuem uma característica em comum. Seja qual for o tipo de estímulo que excita

CAPÍTULO 47 Receptores Sensoriais e Circuitos Neuronais para o Processamento das Informações

Tabela 47.1 Classificação dos receptores sensoriais.

I. Mecanorreceptores
Sensibilidades táteis da pele (epiderme e derme)
- Terminações nervosas livres
- Terminações expandidas
  Discos de Merkel
  Diversas outras variantes
- Terminações espraiadas
- Terminações de Ruffini
- Terminações encapsuladas
  Corpúsculos de Meissner
  Corpúsculos de Krause
- Órgãos do folículo capilar

Sensibilidades de tecidos profundos
- Terminações nervosas livres
- Terminações expandidas
- Terminações espraiadas
  Terminações de Ruffini
- Terminações encapsuladas
  Corpúsculos de Pacini
  Algumas outras variantes
- Terminações musculares
  Fusos musculares
  Receptores tendinosos de Golgi

Audição
- Receptores de som da cóclea

Equilíbrio
- Receptores vestibulares

Pressão arterial
- Barorreceptores dos seios carotídeos e aorta

II. Termorreceptores
Frio
- Receptores de frio
Calor
- Receptores de calor

III. Nociceptores
Dor
- Terminações nervosas livres

IV. Receptores eletromagnéticos
Visão
- Bastonetes
- Cones

V. Quimiorreceptores
Gustação
- Receptores das papilas gustativas
Olfação
- Receptores do epitélio olfatório
Oxigênio arterial
- Receptores dos corpos aórticos e carotídeos
Osmolaridade
- Neurônios dentro ou próximo dos núcleos supraópticos
CO_2 sanguíneo
- Receptores dentro ou na superfície do bulbo e dentro dos corpos aórticos e carotídeos
Glicose, aminoácidos, ácidos graxos do sangue
- Receptores no hipotálamo

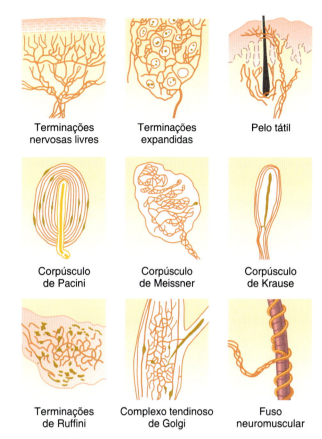

Figura 47.1 Diversos tipos de terminações nervosas sensoriais somáticas.

o receptor, seu efeito imediato é modificar o potencial elétrico de membrana do receptor. Essa alteração de potencial é chamada de *potencial receptor*.

Mecanismos dos potenciais receptores. Diferentes receptores podem ser excitados de uma entre várias formas para causar potenciais receptores: (1) por meio da deformação mecânica do receptor, que estira sua membrana e abre canais iônicos, (2) da aplicação de alguma substância química sobre a membrana, o que também abre canais iônicos, (3) da alteração da temperatura da membrana, o que modifica sua permeabilidade ou (4) dos efeitos da radiação eletromagnética, como a luz em um receptor visual da retina, o que direta ou indiretamente modifica as características da membrana receptora e permite que íons fluam por seus canais.

Esses quatro meios de excitação de receptores correspondem, em geral, aos diferentes tipos de receptores sensoriais conhecidos. Em todos os casos, a causa básica da mudança do potencial de membrana é a alteração da permeabilidade de membrana do receptor, o que permite difusão de íons de forma mais ou menos rápida pela membrana, modificando o *potencial transmembrana*.

Amplitude máxima do potencial receptor. A amplitude máxima da maioria dos potenciais receptores sensoriais se aproxima de 100 mV, embora esse nível ocorra somente com um estímulo sensorial de alta intensidade. Essa voltagem máxima se assemelha ao valor registrado em potenciais de ação, sendo também a alteração de voltagem que ocorre quando a membrana atinge sua máxima permeabilidade a íons sódio.

Relação entre potencial receptor e potenciais de ação. Quando o potencial receptor se eleva para além do *limiar* dos potenciais de ação da fibra nervosa acoplada ao receptor, ocorrem potenciais de ação, conforme ilustrado na **Figura 47.2**. Note, ainda, que quanto mais o potencial do receptor se eleva acima do nível do limiar, maior se torna a *frequência do potencial de ação*.

Potencial receptor do corpúsculo de Pacini: exemplo de função receptora

Note, na **Figura 47.1**, que o corpúsculo de Pacini possui uma fibra nervosa central que se estende até seu meio. Múltiplas camadas concêntricas de uma cápsula envolvem essa fibra central, ou seja, a compressão em qualquer região ao redor do corpúsculo alongará, endentará ou deformará de alguma maneira a fibra central.

A **Figura 47.3** demonstra somente a fibra central do corpúsculo de Pacini após todas as camadas da cápsula terem sido removidas, exceto uma. A extremidade da fibra central dentro da cápsula é desmielinizada, mas a fibra se tornará mielínica (bainha azul demonstrada na figura) pouco antes de deixar o corpúsculo para adentrar um nervo sensorial periférico.

A **Figura 47.3** também demonstra o mecanismo pelo qual um potencial receptor é produzido no corpúsculo de Pacini. Observe a pequena área da fibra terminal que foi deformada pela compressão do corpúsculo e note que canais iônicos foram abertos na membrana, permitindo a entrada de íons sódio com carga positiva na fibra. Essa ação cria aumento da positividade dentro da fibra, o que constitui o "potencial receptor", que, por sua vez, induz um *circuito local* de fluxo de corrente, demonstrado pelas setas, o qual se distribui ao longo da fibra nervosa. No primeiro nó de Ranvier, situado dentro da cápsula do corpúsculo de Pacini, o fluxo de corrente local despolariza a membrana da fibra nesse nó que, por sua vez, deflagra potenciais de ação típicos para serem transmitidos ao longo da fibra nervosa em direção ao sistema nervoso central.

Relação entre a intensidade do estímulo e o potencial receptor. A **Figura 47.4** demonstra a amplitude variável do potencial receptor causado pela compressão mecânica progressivamente mais forte (aumentando a "força do estímulo") aplicada experimentalmente no centro de um corpúsculo de Pacini. Note que a amplitude aumenta rapidamente no início e, em seguida, aumenta menos rapidamente com a maior força do estímulo.

Enquanto isso, a *frequência de potenciais de ação repetitivos* transmitidos de receptores sensoriais aumenta de maneira aproximadamente proporcional ao aumento do potencial do receptor. Unindo esse princípio aos dados da **Figura 47.4**, é possível observar que a estimulação muito intensa do receptor causa aumento adicional progressivamente menor no número de potenciais de ação. Esse princípio extremamente importante é aplicável a quase todos os receptores sensoriais. Ele permite que o receptor seja sensível à experiência sensorial muito fraca, todavia, que não atinja uma frequência máxima de disparo até que a experiência se torne extrema. Isso permite que o receptor apresente uma ampla faixa de resposta de muito fraca a muito intensa.

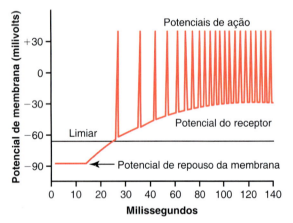

Figura 47.2 Relação típica entre o potencial receptor e os potenciais de ação quando o primeiro se eleva para além do limiar.

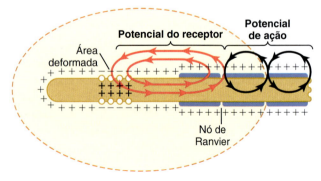

Figura 47.3 Excitação de uma fibra nervosa sensorial por um potencial receptor produzido em um corpúsculo de Pacini.

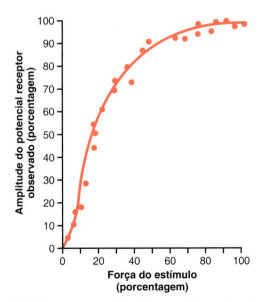

Figura 47.4 Relação entre amplitude do potencial receptor e força do estímulo mecânico aplicado em um corpúsculo de Pacini. (*Dados de Loëwenstein, W. R. Excitation and inactivation in a receptor membrane. Ann N Y Acad Sci 94:510, 1961.*)

ADAPTAÇÃO DE RECEPTORES

Outra característica dos receptores sensoriais é que eles se *adaptam* parcial ou completamente a qualquer estímulo constante após um período de tempo. Ou seja, quando um estímulo sensorial é aplicado continuamente, o receptor responde com alta frequência de impulso no início, porém progressivamente diminui sua frequência até, finalmente, atingir uma frequência muito baixa ou mesmo cessar seus impulsos.

A **Figura 47.5** demonstra a típica adaptação de certos tipos de receptores. Note que o corpúsculo de Pacini se adapta muito rápido, os receptores de folículos pilosos, dentro de aproximadamente um segundo, e alguns receptores da cápsula articular e fusos musculares, mais lentamente.

Ademais, alguns receptores sensoriais se adaptam em maior extensão do que outros. Por exemplo, o corpúsculo de Pacini é capaz de se adaptar até a "extinção" dentro de alguns centésimos de segundo, ao passo que receptores de folículos pilosos se adaptam até a extinção dentro de um segundo ou mais. É provável que a maioria dos *mecanorreceptores* eventualmente se adapte quase completamente, embora alguns necessitem de horas ou dias, sendo denominados receptores "não adaptáveis". O maior tempo mensurado para adaptação completa de um mecanorreceptor foi de 2 dias, que é o tempo de adaptação de muitos barorreceptores carotídeos e aórticos. Contudo, alguns fisiologistas acreditam que esses barorreceptores especializados nunca se adaptem completamente, bem como alguns receptores não mecânicos, os quimiorreceptores e os nociceptores, por exemplo.

Mecanismos de adaptação dos receptores. O mecanismo de adaptação de receptores difere segundo o tipo de receptor, assim como os potenciais receptores são propriedade individual. Por exemplo, nos olhos, os cones e bastonetes se adaptam por meio da modificação das concentrações de seus compostos químicos sensíveis à luz (discutidos no Capítulo 51).

No caso dos mecanorreceptores, o receptor que foi estudado com maiores detalhes foi o corpúsculo de Pacini. A adaptação ocorre nesse receptor por duas vias. Na primeira, o corpúsculo de Pacini é uma estrutura viscoelástica,

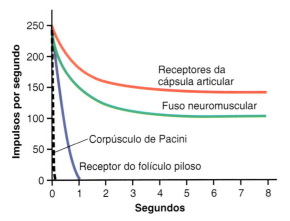

Figura 47.5 Adaptação de diferentes tipos de receptores demonstrando a adaptação rápida de alguns e lenta, de outros.

de forma que, quando uma força de deformação é aplicada subitamente a um lado do corpúsculo, sua transmissão é realizada instantaneamente pelo componente viscoso do corpúsculo diretamente para o mesmo lado da fibra nervosa central, deflagrando um potencial receptor. Todavia, dentro de alguns centésimos de segundo, o líquido dentro do corpúsculo é redistribuído de forma que o potencial do receptor deixa de ser deflagrado. Assim, o potencial do receptor surge no início da compressão, mas desaparece em uma fração de segundo, mesmo que a compressão permaneça.

O segundo mecanismo de adaptação é mais lento e resulta de um processo chamado de *acomodação*, que ocorre na própria fibra nervosa, isto é, mesmo se o centro da fibra ocasionalmente continuar sendo distorcido, sua extremidade gradualmente se tornará acomodada com o estímulo. Isso provavelmente resulta da "inativação" progressiva de canais de sódio na membrana da fibra nervosa, o que significa que a corrente de sódio pelos canais causa seu fechamento gradual, efeito que parece ocorrer em todos ou na maioria dos canais de sódio da membrana celular, conforme explicado no Capítulo 5.

Presume-se que esses mesmos mecanismos gerais de adaptação também se apliquem a outros tipos de mecanorreceptores. Ou seja, parte da adaptação resulta de reajustes na estrutura do receptor e parte, de um tipo elétrico de acomodação da fibrila terminal.

Receptores de adaptação lenta detectam força de estímulo contínua: receptores "tônicos". Receptores de adaptação lenta continuam transmitindo impulsos ao cérebro enquanto o estímulo permanecer presente (ou pelo menos durante minutos a horas). Portanto, esses receptores mantêm o cérebro constantemente informado do estado do corpo e da sua relação com seu entorno. Por exemplo, impulsos dos fusos musculares e o complexo tendinoso de Golgi permitem que o sistema nervoso conheça o estado de contração muscular e a carga depositada no tendão muscular a cada instante.

Outros receptores de adaptação lenta incluem: (1) receptores da mácula do aparelho vestibular, (2) receptores de dor, (3) barorreceptores da árvore arterial e (4) quimiorreceptores dos corpos carotídeos e aórticos.

Como receptores de adaptação lenta podem continuar transmitindo informação por muitas horas, ou mesmo dias, eles recebem o nome de *receptores tônicos.*

Receptores de adaptação rápida detectam mudanças na força do estímulo: "receptores de variação", "receptores de movimento" ou "receptores fásicos". Os receptores que se adaptam rapidamente não podem ser usados para transmitir um sinal contínuo porque são estimulados somente quando a força do estímulo se altera. Mesmo assim, eles reagem fortemente *enquanto a alteração está acontecendo*. Portanto, eles recebem o nome de *receptores de variação*, *receptores de movimento* ou *receptores fásicos*. No caso do corpúsculo de Pacini, a aplicação súbita de pressão ao tecido excita esse receptor por alguns milissegundos e a excitação logo cessa, mesmo que a pressão continue. Em seguida, entretanto, o sinal é transmitido novamente quando a pressão é liberada. Em outras palavras, o corpúsculo de Pacini é extremamente importante por informar o sistema nervoso de rápidas deformações no tecido, mas é inútil na transmissão da informação acerca de condições constantes do organismo.

Função preditiva dos receptores de movimento. Se a taxa de variação do estado corporal que está acontecendo for conhecida, será possível prever o estado corporal alguns segundos ou mesmo minutos mais tarde. Por exemplo, os receptores dos canais semicirculares do aparelho vestibular do ouvido detectam a velocidade com que a cabeça começa a se virar quando uma pessoa corre fazendo uma curva. Com essa informação, o indivíduo pode predizer quanto ele virará nos próximos 2 segundos para poder ajustar o movimento das pernas *antes do tempo* a fim de prevenir a perda de equilíbrio. Da mesma forma, receptores localizados dentro ou próximo de articulações auxiliam a detecção do movimento de diferentes partes do corpo. Por exemplo, quando uma pessoa corre, a informação dos receptores de movimento articulares permite que o sistema nervoso prediga onde estará o pé durante qualquer fração precisa do próximo segundo. Portanto, sinais motores adequados podem ser transmitidos aos músculos das pernas para realizar quaisquer correções de posição antecipadas necessárias para impedir que a pessoa caia. A perda dessa função preditiva impossibilita a corrida.

Fibras nervosas que transmitem diferentes tipos de sinais e sua classificação fisiológica

Alguns sinais necessitam ser transmitidos para o sistema nervoso central ou a partir dele, de forma muito rápida, caso contrário, a informação será inútil. Como exemplo, temos os sinais sensoriais que informam o cérebro das posições momentâneas das pernas a cada fração de segundo durante a corrida. No outro extremo, alguns tipos de informação sensorial, como a identificação de uma dor profunda, não necessitam ser transmitidos rapidamente, de forma que fibras lentas serão suficientes para essa condução. Conforme demonstrado na **Figura 47.6**, fibras nervosas existem em diversos tamanhos: por isso, quanto maior seu diâmetro, maior a velocidade de condução. A faixa de velocidades de condução varia de 0,5 a 120 m/s.

Classificação geral das fibras nervosas. A **Figura 47.6** demonstra uma "classificação geral" e uma "classificação das fibras nervosas sensoriais" dos diferentes tipos de fibras. Na classificação geral, as fibras são divididas nos tipos A e C, e as fibras do tipo A são subdivididas em α, β, γ e δ.

Fibras do tipo A são as típicas fibras grandes e médias *mielínicas* presentes nos nervos espinhais. As fibras do tipo C são pequenas fibras nervosas *desmielinizadas* que conduzem impulsos com velocidade baixa. As fibras C constituem mais da metade das fibras sensoriais da maioria dos nervos periféricos, bem como todas as fibras autonômicas pós-ganglionares.

O tamanho, a velocidade de condução e a função das diferentes fibras nervosas também estão na **Figura 47.6**.

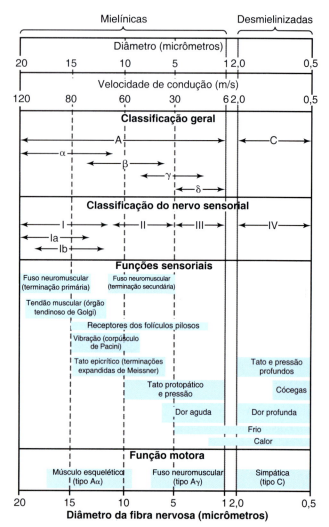

Figura 47.6 Classificações e funções fisiológicas das fibras nervosas.

Note que poucas fibras mielínicas grandes podem transmitir impulsos com velocidade de 120 m/s, abrangendo uma distância maior do que um campo de futebol em 1 segundo. Em contrapartida, as fibras menores transmitem impulsos lentamente a 0,5 m/s, necessitando de cerca de 2 segundos para conduzir o impulso do polegar do pé até a medula espinhal.

Classificação alternativa utilizada por fisiologistas sensoriais. Algumas técnicas de registro possibilitaram separar as fibras tipo Aα em dois subgrupos, embora essas mesmas técnicas não consigam distinguir facilmente as fibras Aβ e Aγ. Portanto, a seguinte classificação tem sido utilizada por fisiologistas sensoriais.

Grupo Ia. Fibras das terminações anuloespirais dos fusos neuromusculares (em média cerca de 17 micrômetros de diâmetro, com classificação geral tipo Aα).

Grupo Ib. Fibras dos órgãos tendinosos de Golgi (em média cerca de 16 micrômetros de diâmetro, com classificação geral também tipo Aα).

Grupo II. Fibras dos receptores cutâneos táteis mais discretos e das terminações secundárias dos fusos neuromusculares (em média cerca de 8 micrômetros de diâmetro, com classificação geral tipos Aβ e Aγ).

Grupo III. Fibras que conduzem sensações de temperatura, tato protopático e dor aguda (em média cerca de 3 micrômetros de diâmetro, com classificação geral tipo Aδ).

Grupo IV. Fibras desmielinizadas que conduzem sensações de dor, prurido, temperatura e tato protopático (em média cerca de 0,5 a 2,0 micrômetros de diâmetro, com classificação geral tipo C).

INTENSIDADE DA TRANSMISSÃO DE SINAIS NOS TRATOS NERVOSOS: SOMAÇÃO ESPACIAL E TEMPORAL

Uma das características de cada sinal que deve sempre ser informada é a intensidade do sinal, por exemplo, de intensidade da dor. As diferentes gradações de intensidade podem ser transmitidas, seja pelo aumento do número de fibras paralelas, seja pelo envio de mais potenciais de ação ao longo de uma única fibra. Esses dois mecanismos recebem o nome, respectivamente, de *somação espacial* e *somação temporal*.

Somação espacial. A **Figura 47.7** demonstra o fenômeno da *somação espacial*, em que se transmite a intensidade de sinal aumentada por meio de emprego progressivo de maior número de fibras. Essa figura demonstra uma seção de pele inervada por um grande número de fibras nociceptivas paralelas. Cada fibra se ramifica em centenas de pequenas *terminações nervosas livres*, que servem como receptores de dor. O grupo todo de terminações de uma fibra nociceptiva geralmente abrange uma área de pele de 5 centímetros de diâmetro. Essa área é conhecida como *campo receptor* dessa fibra. O número de terminações nervosas é maior no centro do campo e diminui em direção à periferia. Também é possível observar, na figura, que as fibrilas ramificadas se sobrepõem às de outras fibras. Portanto, o ato de espetar a pele normalmente estimula terminações de muitas fibras nervosas diferentes ao mesmo tempo. Quando o alfinete está no centro de um campo receptor de uma determinada fibra nociceptiva, o grau de estimulação dessa fibra será muito maior do que quando o alfinete estimula a periferia do campo devido ao maior número de terminações nervosas no centro.

Assim, a parte inferior da **Figura 47.7** demonstra três ângulos da seção transversa do feixe nervoso que conduz desde essa área de pele. À esquerda, tem-se o efeito de um estímulo fraco, com uma única fibra nervosa no centro do feixe sendo estimulada intensamente (representada pela cor vermelha), ao passo que as diversas fibras adjacentes são estimuladas fracamente (fibras metade vermelhas). As demais representações da seção transversa do nervo demonstram o efeito de um estímulo moderado e um estímulo intenso, com progressivamente mais fibras sendo estimuladas. Desse modo, sinais mais intensos se distribuem a cada vez mais fibras: fenômeno denominado *somação espacial*.

Somação temporal. Um segundo meio de transmissão de sinais com aumento da intensidade é o aumento da *frequência* de impulsos nervosos de cada fibra, conhecido como *somação temporal*. A **Figura 47.8** representa esse fenômeno, demonstrando a mudança na intensidade do sinal na parte superior e os reais impulsos transmitidos pela fibra nervosa, na parte inferior.

TRANSMISSÃO E PROCESSAMENTO DE SINAIS EM GRUPOS DE NEURÔNIOS

O sistema nervoso central é composto por milhares a milhões de grupos neuronais. Alguns desses grupos

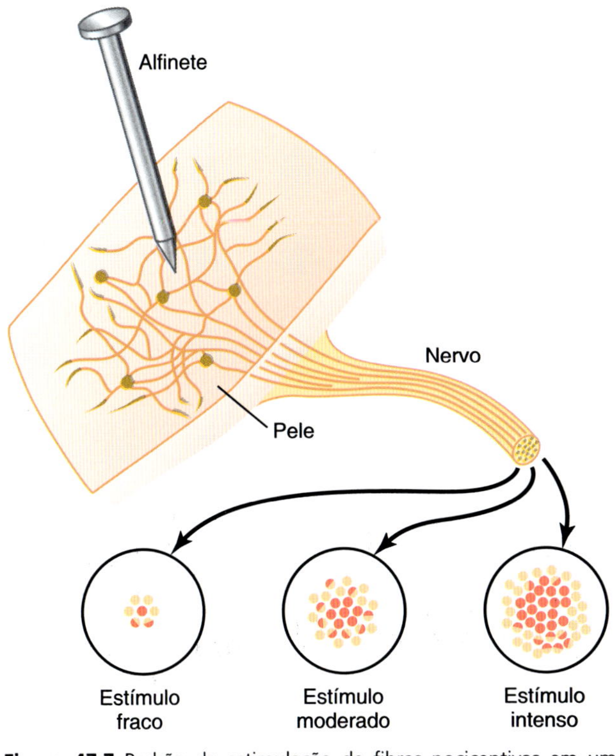

Figura 47.7 Padrão de estimulação de fibras nociceptivas em um nervo que conduz o sinal de uma área da pele que foi espetada por um alfinete. Esse padrão de estimulação é um exemplo de *somação espacial*.

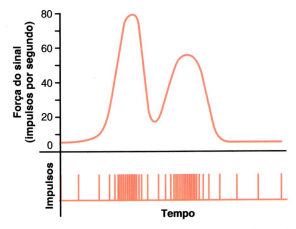

Figura 47.8 Translação de força do sinal em uma série de impulsos nervosos de frequência modulada, demonstrando a força do sinal (*acima*) e os impulsos nervosos separados (*abaixo*). Essa ilustração constitui um exemplo de *somação temporal*.

contêm poucos neurônios, ao passo que outros contêm números mais expressivos. Por exemplo, o córtex cerebral inteiro poderia ser considerado um único grande grupo de neurônios. Outros grupos incluem os diferentes núcleos da base e núcleos específicos do tálamo, do cerebelo, do mesencéfalo, da ponte e do bulbo. Ademais, toda a substância cinzenta dorsal da medula espinhal poderia ser considerada um longo grupo de neurônios.

Cada grupo neuronal possui sua organização especial que se relaciona com seu processamento de sinais de forma peculiar, permitindo que todos os conjuntos de grupos atinjam a multitude de funções do sistema nervoso. Contudo, embora apresentem diferenças na função, os grupos também possuem muitos princípios funcionais similares, descritos nas seções a seguir.

TRANSMISSÃO DE SINAIS POR GRUPOS NEURONAIS

Organização de neurônios para a transmissão de sinais. A **Figura 47.9** traz um diagrama esquemático de diversos neurônios em um grupo neuronal, demonstrando fibras aferentes à esquerda e "eferentes" à direita. Cada fibra aferente se divide de centenas a milhares de vezes, fornecendo milhares ou mais fibrilas terminais, que se distribuem em uma ampla área do grupo, para fazer sinapse com os dendritos ou organismos celulares dos neurônios desse grupo. Os dendritos geralmente também se ramificam e se distribuem por centenas a milhares de micrômetros no grupo.

A área neuronal estimulada por cada fibra nervosa recebe o nome de *campo estimulatório*. Note que muitos terminais oriundos de cada fibra se situam no "campo" do neurônio mais próximo e menos terminais são encontrados nos neurônios mais distantes.

Estímulos liminares e subliminares: excitação ou facilitação. Conforme discutido no Capítulo 46, a descarga de um único terminal pré-sináptico excitatório quase nunca resulta em potencial de ação no neurônio pós-sináptico. Na realidade, muitos terminais aferentes necessitam descarregar no mesmo neurônio simultaneamente ou em sucessão rápida para que ocorra excitação. Por exemplo, na **Figura 47.9**, admite-se que seis terminais devam descarregar quase simultaneamente para excitar qualquer neurônio. Note que a *fibra aferente 1* possui terminais em número maior que o suficiente para causar descarga do *neurônio a*. O estímulo da fibra aferente 1 a esse neurônio é considerado um *estímulo excitatório* e também um *estímulo supraliminar* porque é superior ao limiar de excitação.

Essa fibra também contribui com terminais aos neurônios b e c, porém não o suficiente para causar excitação. Mesmo assim, a descarga desses terminais deixa ambos os neurônios mais propensos a serem excitados por sinais que advenham de outras fibras nervosas aferentes. Portanto, os estímulos a esses neurônios são considerados *subliminares* e os neurônios estão sendo *facilitados*.

Da mesma forma, para a *fibra aferente 2*, o estímulo ao *neurônio d* é supraliminar e os estímulos aos *neurônios b* e *c* são subliminares, porém facilitadores.

A **Figura 47.9** representa uma versão altamente condensada do grupo neuronal, pois cada fibra nervosa aferente, em geral, fornece um grande número de ramificações terminais a centenas de milhares de neurônios na distribuição de seu "campo", conforme demonstrado na **Figura 47.10**. Na porção central do campo da figura, designada pela área circulada, todos os neurônios são estimulados pela fibra aferente. Portanto, diz-se que essa é a *zona de descarga* da fibra aferente, também denominada *zona excitada* ou *zona liminar*. De cada lado, os neurônios são facilitados, no entanto, não excitados, sendo essas áreas denominadas *zonas facilitadas* ou *zonas subliminares* ou *subliminares*.

Inibição de um grupo neuronal. Algumas fibras aferentes inibem neurônios em vez de excitá-los. Esse mecanismo é o oposto da facilitação, com o campo inteiro dos

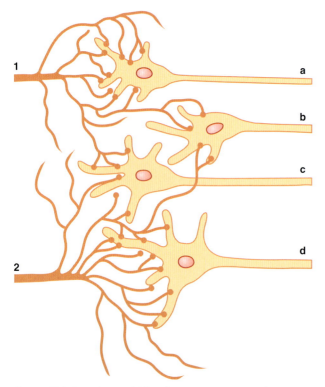

Figura 47.9 Organização básica de um grupo neuronal. Ver texto para detalhes.

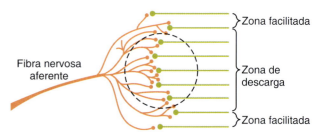

Figura 47.10 Zonas de "descarga" e zonas "facilitadas" de um grupo neuronal.

ramos inibitórios recebendo o nome de *zona inibitória*. O grau de inibição do centro dessa zona é maior devido ao maior número de terminações no centro, as quais vão diminuindo em número em direção às extremidades.

Divergência de sinais que passam pelos grupos neuronais

Com frequência, é importante que sinais fracos que adentram um grupo neuronal excitem muito mais fibras nervosas que deixam o grupo. Esse fenômeno recebe o nome de *divergência*. Há dois tipos principais de divergência com propósitos totalmente diferentes.

A **Figura 47.11 A** demonstra um tipo *amplificador* de divergência. A divergência amplificadora diz respeito a um sinal aferente se distribuir para um crescente número de neurônios à medida que passa por sucessivas ordens de neurônios durante seu trajeto. Esse tipo de divergência é característico da via corticoespinhal que controla os músculos esqueléticos, com uma única célula piramidal do córtex motor sendo capaz, sob condições altamente facilitadas, de excitar até 10.000 fibras musculares.

O segundo tipo de divergência, demonstrado na **Figura 47.11 B**, é a *divergência em múltiplos tratos*. Nesse caso, o sinal é transmitido em duas direções a partir do grupo neuronal. Por exemplo, a informação transmitida até as colunas dorsais da medula espinhal assume dois cursos na porção inferior do encéfalo: (1) um para o cerebelo e (2) um para regiões inferiores do cérebro até o tálamo e o córtex cerebral. Da mesma forma, no tálamo, quase toda a informação sensorial é transmitida para estruturas talâmicas mais profundas e, ao mesmo tempo, para regiões discretas do córtex cerebral.

Convergência de sinais

Convergência significa sinais de múltiplas entradas se unindo para excitar um único neurônio. A **Figura 47.12 A** demonstra a *convergência de uma única fonte*, ou seja, múltiplos terminais de um único trato aferente terminam no mesmo neurônio. A importância desse tipo de convergência é que os neurônios quase nunca são excitados por um potencial de ação oriundo de um único terminal aferente. Todavia, potenciais de ação que convergem no neurônio a partir de múltiplos terminais fornecem somação espacial o suficiente para que esse neurônio atinja o limiar necessário para seu disparo.

A convergência também pode resultar de sinais aferentes (excitatórios ou inibitórios) *provenientes de múltiplas fontes*, conforme demonstrado na **Figura 47.12 B**. Por exemplo, os interneurônios da medula espinhal recebem sinais convergentes das seguintes fontes: (1) fibras nervosas periféricas, que adentram a medula, (2) fibras proprioespinhais, que passam de um segmento medular a outro; (3) fibras corticoespinhais do córtex cerebral e (4) muitas outras vias longas, que descendem do cérebro para a medula espinhal. Posteriormente, os sinais dos interneurônios convergem no neurônio motor anterior para controlar a função muscular.

Essa convergência permite *somação* da informação advinda de diferentes fontes, sendo a resposta resultante um efeito somado de todos os diferentes tipos de informação. A convergência é um dos meios mais importantes de correlação, somação e diferentes outros tipos de informação do sistema nervoso central.

Circuito neuronal contendo sinais aferentes tanto excitatórios quanto inibitórios

Algumas vezes, um sinal que chega a um grupo neuronal causa um sinal excitatório eferente em uma direção e, simultaneamente, um sinal inibitório em outra direção. Por exemplo, ao mesmo tempo que um sinal excitatório é transmitido por uma série de neurônios da medula espinhal para causar o movimento da perna para frente, um sinal inibitório é transmitido por uma outra série de neurônios para inibir os músculos posteriores da perna – de forma que eles não se oponham ao movimento. Esse tipo de circuito é característico do controle de todos os pares antagonistas de músculos e recebe o nome de *circuito inibitório recíproco*.

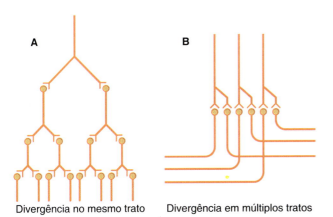

Figura 47.11 "Divergência" nas vias neuronais. **A.** Divergência dentro de uma via causando "amplificação" do sinal. **B.** Divergência em múltiplos tratos transmitindo o sinal para áreas separadas.

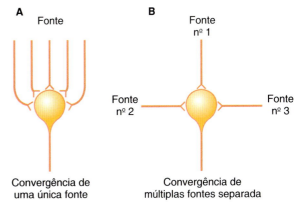

Figura 47.12 Convergência de múltiplas fibras aferentes em um único neurônio. **A.** Múltiplas fibras aferentes de uma única fonte. **B.** Fibras aferentes de múltiplas fontes separadas.

A **Figura 47.13** demonstra os meios de se atingir a inibição. A fibra aferente excita diretamente a via excitatória eferente, porém estimula um *neurônio inibitório* intermediário (neurônio 2), que secreta um diferente tipo de substância transmissora para inibir a segunda via eferente do grupo. Esse tipo de circuito também é importante na prevenção da hiperatividade de muitas partes do encéfalo.

PROLONGAMENTO DE UM SINAL POR UM GRUPO NEURONAL: PÓS-DESCARGA

Até agora, consideramos sinais transmitidos meramente por grupos neuronais. Entretanto, em muitos casos, um sinal que chega a um grupo causa descarga eferente prolongada, denominada *pós-descarga*, que dura de alguns milissegundos a muitos minutos após o término do sinal aferente. Os mecanismos mais importantes de pós-descarga estão descritos nas seções a seguir.

Pós-descarga sináptica. Quando as sinapses excitatórias são descarregadas nas superfícies dos dendritos ou do corpo celular de um neurônio, um potencial elétrico pós-sináptico se desenvolve no neurônio e dura muitos milissegundos, especialmente quando estão envolvidas algumas das substâncias transmissoras sinápticas de longa ação. Enquanto esse potencial persistir, ele poderá continuar excitando o neurônio, causando transmissão de uma série contínua de impulsos eferentes, os quais foram explicados no Capítulo 46. Portanto, como resultado de apenas esse mecanismo de pós-descarga sináptica, é possível um único sinal aferente instantâneo causar sinal eferente sustentado – série de descargas repetitivas – que perdura por muitos milissegundos.

Circuito reverberatório (oscilatório) como causa de prolongamento de sinais. Um dos mais importantes entre todos os circuitos do sistema nervoso é o *circuito reverberatório* ou *oscilatório*. Esses circuitos são causados por *feedback* positivo dentro do circuito neuronal, que excita novamente o sinal aferente do mesmo circuito. Consequentemente, uma vez estimulado, o circuito pode disparar repetidamente por um longo período de tempo.

Muitas variedades possíveis de circuitos reverberatórios são demonstradas na **Figura 47.14**. A mais simples, demonstrada na **Figura 47.14 A**, envolve um único neurônio. Nesse caso, o neurônio aferente emite uma fibra nervosa colateral aos seus próprios dendritos ou seu corpo celular para reestimular a si próprio. Embora a importância desse tipo de circuito não esteja elucidada, em teoria, uma vez que esse neurônio dispare, os estímulos enviados por *feedback* poderiam mantê-lo disparando por maior tempo.

A **Figura 47.14 B** demonstra alguns neurônios adicionais no circuito de *feedback*, que causa maior retardo entre a descarga inicial e o sinal do *feedback*. A **Figura 47.14 C** demonstra um sistema mais complexo em que fibras tanto facilitadoras quanto inibidoras interferem no circuito reverberante. Um sinal facilitador aumenta a intensidade e a frequência de reverberação, ao passo que um sinal inibitório deprime ou interrompe a reverberação.

A **Figura 47.14 D** demonstra que a maioria das vias reverberantes é constituída de muitas fibras paralelas. Em cada estação celular, as fibrilas terminais são amplamente distribuídas. Em um sistema como esse, o sinal reverberante total pode ser fraco ou forte, dependendo de quantas fibras nervosas paralelas são momentaneamente envolvidas na reverberação.

Características de prolongamento de sinal de um circuito reverberante. A **Figura 47.15** demonstra sinais eferentes de um circuito reverberante típico. O estímulo

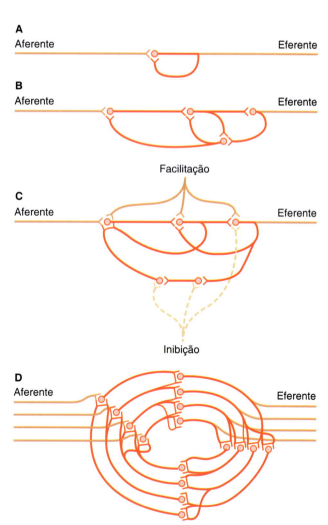

Figura 47.14 Circuitos reverberantes com complexidade crescente.

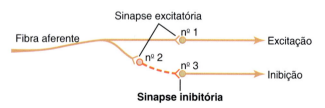

Figura 47.13 Circuito inibitório. O neurônio 2 é um neurônio inibitório.

CAPÍTULO 47 Receptores Sensoriais e Circuitos Neuronais para o Processamento das Informações

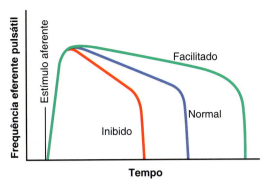

Figura 47.15 Padrão típico de sinal eferente de um circuito reverberante após um único estímulo aferente, demonstrando os efeitos de facilitação e de inibição.

aferente pode perdurar por cerca de apenas 1 milissegundo e, mesmo assim, o sinal eferente pode durar muitos milissegundos ou mesmo minutos. A figura demonstra que a intensidade do sinal eferente geralmente aumenta para um valor alto logo no início da reverberação e depois decai para um ponto crítico em que repentinamente cessa por completo. A causa dessa repentina cessação da reverberação é a fadiga das junções sinápticas do circuito. A fadiga além de um nível crítico reduz a estimulação do próximo neurônio no circuito de forma a não atingir seu limiar, causando interrupção súbita de todo o *feedback* do circuito.

A duração do sinal total antes da cessação pode ser também controlada por sinais de outras partes do encéfalo capazes de inibir ou facilitar o circuito. Esses padrões de sinais eferentes são registrados em nervos motores que excitam um músculo envolvido em um reflexo flexor após estimulação de dor no pé (conforme demonstrado mais adiante na **Figura 47.18**).

Continuidade de sinais eferentes de alguns circuitos neuronais

Alguns circuitos neuronais emitem sinais eferentes continuamente, mesmo sem sinais aferentes excitatórios. Pelo menos dois mecanismos podem causar esse efeito: (1) descarga neuronal intrínseca contínua e (2) sinais reverberantes contínuos.

Descarga contínua causada por excitabilidade neuronal intrínseca.
Neurônios, assim como outros tecidos excitáveis, disparam repetidamente se o nível de seu potencial excitatório de membrana se elevar para além de um determinado nível limiar. Os potenciais de muitos neurônios, mesmo normalmente, são altos o suficiente para que esses neurônios emitam impulsos continuamente. Esse fenômeno ocorre especialmente em muitos neurônios do cerebelo, bem como na maior parte dos interneurônios da medula espinhal. As frequências de impulsos emitidos por essas células podem ser aumentadas por sinais excitatórios ou reduzidas por sinais inibitórios. Os sinais inibitórios frequentemente levam a frequência de disparos até zero.

Sinais contínuos emitidos por circuitos reverberantes como meio de transmissão de informação. Um circuito reverberante que não se fatiga o suficiente para interromper a reverberação constitui uma fonte de impulsos contínuos. Ademais, impulsos excitatórios que adentram o grupo reverberante podem aumentar o sinal eferente, enquanto a inibição pode reduzir ou mesmo extinguir o sinal.

A **Figura 47.16** demonstra um sinal eferente contínuo emitido por um grupo de neurônios. O grupo pode estar emitindo impulsos devido à excitabilidade neuronal intrínseca ou como resultado de reverberação. Note que um sinal aferente excitatório aumenta muito o sinal eferente, ao passo que um sinal aferente inibitório reduz muito o sinal eferente. Estudantes familiarizados com transmissores de rádio reconhecerão esse tipo de transmissão de informação como *onda carreadora*. Isto é, os sinais de controle excitatórios e inibitórios não são a *causa* do sinal eferente, mas eles *modulam* seu nível variável de intensidade. Note que *esse sistema de onda carreadora permite a redução da intensidade do sinal, bem como seu aumento*, ao passo que, até esse ponto, os tipos de transmissão de informação que haviam sido discutidos eram principalmente informação positiva em vez de negativa. Esse tipo de transmissão de informação é utilizado pelo sistema nervoso autônomo no controle de funções como tônus vascular, tônus gastrointestinal, grau de constrição da íris no olho e frequência cardíaca. Ou seja, o sinal nervoso excitatório para cada uma dessas áreas pode ser aumentado ou diminuído por sinais aferentes acessórios que chegam à via neuronal reverberante.

Sinal eferente rítmico

Muitos circuitos neuronais emitem sinais eferentes rítmicos, por exemplo, um sinal respiratório rítmico é originado pelos centros respiratórios do bulbo e da ponte. Esse sinal continua por toda a vida. Outros sinais rítmicos, como os que causam o movimento de coçar com o membro traseiro de um cão ou os movimentos de deambulação de qualquer animal, requerem estímulos aferentes aos respectivos circuitos para iniciar os sinais rítmicos.

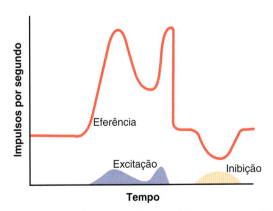

Figura 47.16 Sinais eferentes contínuos emitidos por um circuito reverberante ou um grupo de neurônios com descargas intrínsecas. Esta figura também demonstra o efeito de sinais aferentes excitatórios ou inibitórios.

Foi descoberto que todos ou quase todos os sinais rítmicos já estudados experimentalmente resultam de circuitos reverberantes ou uma sucessão de circuitos reverberantes em sequência que fornecem sinais excitatórios ou inibitórios em uma via circular de um grupo neuronal a outro.

Sinais excitatórios ou inibitórios também podem aumentar ou diminuir a amplitude do sinal eferente rítmico. A **Figura 47.17**, por exemplo, demonstra alterações nos sinais eferentes respiratórios do nervo frênico. Quando o corpo carotídeo é estimulado pelo déficit de oxigênio arterial, tanto a frequência quanto a amplitude dos sinais eferentes respiratórios rítmicos aumentam progressivamente.

INSTABILIDADE E ESTABILIDADE DOS CIRCUITOS NEURONAIS

Quase todas as partes do encéfalo se conectam direta ou indiretamente com todas as demais partes, o que cria um sério desafio. Se a primeira parte excita a segunda, a segunda a terceira, a terceira a quarta, e assim por diante, até que finalmente o sinal retorne para excitar a primeira, então, qualquer sinal excitatório que chegasse a qualquer parte do encéfalo iniciaria um ciclo contínuo de reexcitação em todas as partes. Se um ciclo desses acontecesse, o encéfalo seria inundado por massa de sinais reverberantes descontrolados, ou seja, sinais que não transmitiriam informação alguma, mas estariam consumindo os circuitos de forma que nenhum sinal informativo pudesse ser transmitido. Esse efeito ocorre em muitas áreas do encéfalo durante *ataques epilépticos*. Como o sistema nervoso impede que esse efeito ocorra o tempo todo? A resposta reside principalmente em dois mecanismos básicos que funcionam ao longo do sistema nervoso central: (1) circuitos inibitórios e (2) fadiga de sinapses.

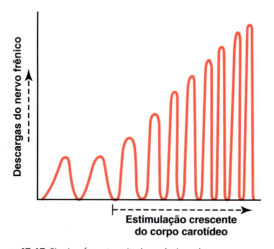

Figura 47.17 Sinais eferentes rítmicos de impulsos nervosos somados oriundos do centro respiratório, demonstrando que a estimulação progressivamente crescente do corpo carotídeo aumenta tanto a intensidade quanto a frequência do sinal do nervo frênico para o diafragma, elevando a respiração.

CIRCUITOS INIBITÓRIOS COMO MECANISMO ESTABILIZADOR DAS FUNÇÕES DO SISTEMA NERVOSO

Dois tipos de circuitos inibitórios em áreas distribuídas do encéfalo auxiliam a prevenção do excesso de sinais disseminados: (1) circuitos de *feedback* inibitórios que retornam dos terminais de volta aos neurônios excitatórios iniciais das mesmas vias – esses circuitos ocorrem em praticamente todas as vias nervosas sensoriais e inibem tanto neurônios aferentes quanto intermediários da via quando os terminais se tornam excessivamente excitados – e (2) alguns grupos neuronais que exercem controle inibitório grosseiro sobre amplas áreas do encéfalo – por exemplo, muitos dos núcleos da base exercem influência inibitória sobre o sistema de controle muscular.

FADIGA SINÁPTICA COMO MEIO DE ESTABILIZAÇÃO DO SISTEMA NERVOSO

Fadiga sináptica significa simplesmente que a transmissão sináptica se torna progressivamente mais fraca quanto mais prolongado e intenso for o período de excitação. A **Figura 47.18** demonstra três registros sucessivos de um reflexo flexor deflagrado em um animal por meio da indução de dor no coxim plantar. Note, em cada registro, que a força da contração "decai" progressivamente, ou seja, ocorre a diminuição da força. Grande parte desse efeito é causado pela *fadiga* das sinapses no circuito do reflexo flexor. Ademais, quanto mais curto for o intervalo entre os reflexos flexores sucessivos, menor será a intensidade da subsequente resposta flexora.

Ajuste automático em curto prazo da sensibilidade pelo mecanismo de fadiga. Vias neuronais que são excessivamente utilizadas são, em geral, rapidamente fatigadas, de tal forma que há declínio de sua sensibilidade. Em contrapartida, vias pouco utilizadas se tornam recarregadas, com aumento de sua sensibilidade. Portanto, a fadiga e a recuperação da fadiga constituem um importante meio de moderação da sensibilidade de diferentes circuitos neuronais a curto prazo. Essas funções ajudam a manter os circuitos funcionando em uma faixa de sensibilidade que permite sua função efetiva.

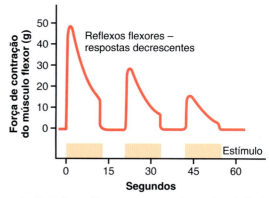

Figura 47.18 Reflexos flexores sucessivos demonstrando fadiga da condução pela via de reflexo.

Alterações em longo prazo na sensibilidade sináptica causadas pela infrarregulação ou suprarregulação automática de receptores sinápticos. As sensibilidades das sinapses podem ser modificadas ao extremo em longo prazo por meio da suprarregulação (*upregulation*) do número de proteínas receptoras presentes nos sítios sinápticos quando há baixa atividade ou por meio da infrarregulação (*downregulation*) dos receptores quando há hiperatividade. O mecanismo desse processo é explicado a seguir. As proteínas receptoras estão constantemente sendo produzidas pelo sistema retículo endoplasmático-complexo de Golgi e constantemente sendo inseridas na membrana sináptica do neurônio receptor. Todavia, quando as sinapses são excessivamente utilizadas, com excesso de neurotransmissores se combinando com proteínas receptoras, muitos desses receptores são inativados e removidos da membrana sináptica.

De fato, é favorável que a suprarregulação e infrarregulação de receptores, assim como outros mecanismos de controle e de ajuste da sensibilidade sináptica, ajustem continuamente a sensibilidade de cada circuito até quase um nível exato necessário à função adequada. Considere por um momento o quão grave seria se as sensibilidades de apenas alguns desses circuitos estivessem anormalmente altas; pode-se esperar episódios quase contínuos de cãibra muscular, convulsões, distúrbios psicóticos, alucinações, tensão mental ou outros distúrbios nervosos. Felizmente, os controles automáticos normalmente reajustam as sensibilidades dos circuitos de volta a faixas controláveis de reatividade sempre que esses circuitos começam a se tornar muito ativos ou muito deprimidos.

Bibliografia

Anvarian Z, Mykytyn K, Mukhopadhyay S, et al: Cellular signalling by primary cilia in development, organ function and disease. Nat Rev Nephrol 15:199, 2019.

Bennett DL, Clark AJ, Huang J, et al: The role of voltage-gated sodium channels in pain signaling. Physiol Rev 99:1079, 2019.

Bokiniec P, Zampieri N, Lewin GR, Poulet JF: The neural circuits of thermal perception. Curr Opin Neurobiol 2:98, 2018.

Chiu CQ, Barberis A, Higley MJ: Preserving the balance: diverse forms of long-term GABAergic synaptic plasticity. Nat Rev Neurosci 20:272, 2019.

Fettiplace R, Kim KX: The physiology of mechanoelectrical transduction channels in hearing. Physiol Rev 94:951, 2014.

Gallivan JP, Chapman CS, Wolpert DM, Flanagan JR: Decision-making in sensorimotor control. Nat Rev Neurosci 19:519, 2018.

Maßberg D, Hatt H: Human olfactory receptors: novel cellular functions outside of the nose. Physiol Rev 98:1739, 2018.

Murata Y, Colonnese MT: Thalamic inhibitory circuits and network activity development. Brain Res 1706:13, 2019.

Pangrsic T, Singer JH, Koschak A: Voltage-gated calcium channels: key players in sensory coding in the retina and the inner ear. Physiol Rev 98:2063, 2018.

Proske U, Gandevia SC: Kinesthetic senses. Compr Physiol 8:1157, 2018.

Robertson CE, Baron-Cohen S. Sensory perception in autism. Nat Rev Neurosci 18:671, 2017.

Roelfsema PR, Holtmaat A: Control of synaptic plasticity in deep cortical networks. Nat Rev Neurosci 19:166, 2018.

Roper SD, Chaudhari N: Taste buds: cells, signals and synapses. Nat Rev Neurosci 18:485, 2017.

Singh A: Oscillatory activity in the cortico-basal ganglia-thalamic neural circuits in Parkinson's disease. Eur J Neurosci 48:2869, 2018.

Sjöström PJ, Rancz EA, Roth A, Häusser M: Dendritic excitability and synaptic plasticity. Physiol Rev 88:769, 2008.

Solinski HJ, Hoon MA: Cells and circuits for thermosensation in mammals. Neurosci Lett 690:167, 2019.

Stein BE, Stanford TR, Rowland BA: Development of multisensory integration from the perspective of the individual neuron. Nat Rev Neurosci 15:520, 2014.

CAPÍTULO 48

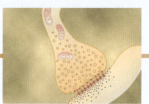

Sensações Somáticas: I. Organização Geral, Sentidos do Tato e de Posição

As *sensações somáticas* são os mecanismos que coletam informação sensorial de todo o corpo. Essas sensações se contrapõem às *sensações especiais*, que compreendem a visão, a audição, o olfato, o paladar e o equilíbrio.

CLASSIFICAÇÃO DAS SENSAÇÕES SOMÁTICAS

As sensações somáticas podem ser classificadas em três tipos fisiológicos: (1) *sensações somáticas mecanoceptivas*, que incluem sensações de *tato* e de *posição* estimuladas pelo deslocamento mecânico de algum tecido do organismo, (2) *sensações termoceptivas*, que detectam calor e frio e (3) *sensações nociceptivas*, que detectam a dor produzida por fatores que lesionam os tecidos.

Este capítulo trata das sensações mecanoceptivas do tato e da posição. No Capítulo 49, serão discutidas as sensações termoceptivas e nociceptivas (dolorosas). As sensações táteis incluem *o toque, a pressão, a vibração* e a *cócega*, enquanto as sensações de posição incluem *posição estática* e sensações de *velocidade de movimento*.

Outras classificações das sensações somáticas. Sensações somáticas também são, muitas vezes, agrupadas juntamente com outras classes, conforme explicado a seguir.

Sensações exteroceptivas são percebidas na superfície do corpo. *Sensações proprioceptivas* se relacionam ao estado físico do corpo, incluindo as sensações de posição, de tendões e de músculos, pressão da sola dos pés e, até mesmo, a sensação de equilíbrio, que é frequentemente considerada uma sensação "especial" em vez de somática.

Sensações viscerais (interoceptivas) advêm das vísceras do organismo. Quando se utiliza esse termo, geralmente se faz referência especificamente às sensações dos órgãos internos.

Sensações profundas advêm de tecidos profundos, como fáscias, músculos e ossos, bem como incluem principalmente a pressão "profunda", a dor e a vibração.

DETECÇÃO E TRANSMISSÃO DE SENSAÇÕES TÁTEIS

Inter-relações das sensações táteis de toque, pressão e vibração. Embora o toque, a pressão e a vibração sejam com frequência classificados como sensações separadas, eles são detectados pelos mesmos tipos de receptores. Existem três diferenças principais entre eles: (1) a sensação do toque geralmente resulta da estimulação de receptores táteis na pele ou nos tecidos imediatamente profundos a ela, (2) a sensação de pressão geralmente resulta da deformação de tecidos mais profundos e (3) a sensação de vibração resulta de sinais sensoriais repetitivos e rápidos, embora sejam utilizados alguns dos mesmos tipos de receptores de toque e de pressão.

Receptores táteis. Há, ao menos, seis tipos completamente diferentes de receptores táteis, ainda que existam muitos outros similares a esses seis. Alguns estão demonstrados na **Figura 47.1** (capítulo anterior) e suas características especiais são descritas a seguir.

No primeiro, algumas *terminações nervosas livres*, encontradas por toda a parte na pele e em muitos outros tecidos, podem detectar toque e pressão. Por exemplo, mesmo o contato leve com a córnea do olho, que contém somente terminações nervosas livres e nenhum outro tipo de terminação, pode produzir sensação de toque e de pressão.

No segundo, um receptor de toque com grande sensibilidade é o *corpúsculo de Meissner* (ilustrado na **Figura 47.1** e na **Figura 48.1**), que consiste em um prolongamento de terminação nervosa encapsulado de uma longa fibra nervosa mielínica (tipo Aβ). Dentro do encapsulamento, existem muitos filamentos terminais ramificados. Esses corpúsculos são encontrados nas porções não pilosas (glabras) da pele e são particularmente abundantes nas extremidades dos dedos, dos lábios e de outras áreas de pele, nas quais a capacidade de discernimento da localização espacial de sensações de toque é altamente desenvolvida. Os corpúsculos de Meissner se adaptam em uma fração de segundo após serem estimulados, o que significa que são particularmente sensíveis ao movimento de objetos na superfície da pele, bem como à vibração de baixa frequência.

No terceiro, as extremidades dos dedos e de outras áreas que contêm grande número de corpúsculos de Meissner, geralmente, também contêm muitos *receptores táteis de terminação expandida*, sendo um de seus tipos os *discos de Merkel*, demonstrados na **Figura 48.1**. As porções pilosas da pele também possuem um número moderado de receptores de terminação expandida embora tenham quase nenhum corpúsculo de Meissner. Esses receptores

CAPÍTULO 48 Sensações Somáticas: I. Organização Geral, Sentidos do Tato e de Posição

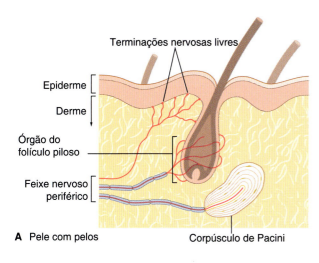

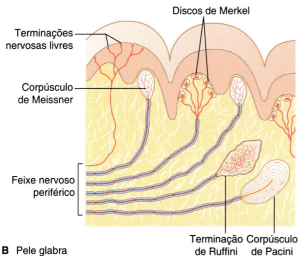

Figura 48.1 Mecanorreceptores da pele. Note os agrupamentos de discos de Merkel localizados na epiderme basal se conectando a uma única grande fibra mielínica. As células de Meissner também estão situadas na epiderme basal, margeando os bordos das elevações papilares, ao passo que corpúsculos de Pacini e terminações de Ruffini são encontrados na derme. Uma fibra mielínica inerva cada um desses órgãos receptores.

diferem dos corpúsculos de Meissner por transmitirem um sinal parcialmente adaptativo inicialmente forte, seguido de outro sinal mais fraco, que se adapta mais lentamente. Portanto, eles são responsáveis por gerar estímulos estáveis que permitem que o indivíduo determine o toque contínuo de objetos contra a pele.

Discos de Merkel frequentemente são encontrados como grupos em um órgão receptor denominado *receptor em cúpula de Iggo*, que se projeta para cima contra a superfície interna do epitélio da pele. Essa projeção causa protrusão do epitélio para fora nesse ponto, criando uma cúpula que constitui um receptor altamente sensível. Note também, na **Figura 48.1**, que todo o grupo de discos de Merkel recebe inervação de uma única grande fibra mielínica (tipo Aβ). Esses receptores, juntamente com os corpúsculos de Meissner discutidos previamente, exercem papéis extremamente importantes em localizar as sensações de toque nas áreas específicas da superfície do corpo, bem como em determinar a textura do que está sendo sentido.

No quarto, o leve movimento de qualquer pelo do corpo estimula uma fibra nervosa entrelaçada em sua base. Ou seja, cada pelo e sua fibra nervosa basal, denominada *órgão do folículo piloso* (ver **Figura 48.1**), também funciona como receptor de toque. O receptor se adapta prontamente e, assim como corpúsculos de Meissner, detecta principalmente o seguinte: (1) movimento de objetos na superfície do corpo ou (2) contato inicial com o corpo.

No quinto, nas camadas profundas da pele e também em tecidos mais profundos, há muitas *terminações de Ruffini*, que são terminações nervosas multirramificadas e encapsuladas, demonstradas nas **Figuras 47.1** e **48.1**. Essas terminações se adaptam muito lentamente e, portanto, são importantes na sinalização de estados contínuos de deformação dos tecidos, como sinais de toque pesado prolongado e de pressão. Elas também são encontradas nas cápsulas articulares, em que auxiliam a sinalização do grau de rotação articular.

No sexto, os *corpúsculos de Pacini*, discutidos com maiores detalhes no Capítulo 47, situam-se imediatamente embaixo da pele e, mais profundamente, nas fáscias. Eles são estimulados somente pela rápida compressão local dos tecidos, pois se adaptam em alguns centésimos de segundo. Desse modo, são particularmente importantes na detecção da vibração dos tecidos ou de outras alterações rápidas de seu estado mecânico.

Transmissão de sinais táteis em fibras nervosas periféricas. Quase todos os receptores sensoriais especializados, como corpúsculos de Meissner, receptores em cúpula de Iggo, receptores de folículos pilosos, corpúsculos de Pacini e terminações de Ruffini, transmitem sinais por meio de fibras tipo Aβ, com velocidade de 30 a 70 m/s. Em contrapartida, as terminações nervosas livres de tato transmitem sinais principalmente por meio de fibras mielínicas pequenas tipo Aδ, cuja velocidade de condução é de apenas 5 a 30 m/s.

Algumas terminações nervosas livres táteis transmitem por meio de fibras desmielinizadas tipo C, com velocidade menor do que 1 a 2 m/s. Essas terminações enviam sinais para a medula espinhal e a porção inferior do tronco encefálico, produzindo provavelmente a sensação de cócegas.

Assim, tipos mais críticos de sinais sensoriais – como os que auxiliam a determinação da localização precisa da pele, de gradações mínimas de intensidade ou de alterações rápidas na intensidade do sinal sensorial – são transmitidos por tipos de fibra sensorial de condução mais rápida. Em contrapartida, tipos mais grosseiros de sinais – como pressão, toque mal localizado e especialmente cócegas – são transmitidos por fibras nervosas menores e muito mais lentas, que necessitam de muto menos espaço no *feixe nervoso periférico* do que fibras rápidas.

Detecção da vibração. Todos os receptores táteis estão envolvidos na detecção da vibração, embora receptores

PARTE 9 Sistema Nervoso: A. Princípios Gerais e Fisiologia Sensorial

diferentes detectem frequências de vibração diversas. Corpúsculos de Pacini podem detectar sinais de vibração de 30 a 800 ciclos/s, pois respondem extremamente rápido a deformações mínimas e rápidas dos tecidos. Eles também enviam seus sinais por meio de fibras nervosas Aβ, que podem transmitir até 1.000 impulsos por segundo. Vibrações de baixa frequência, com 2 a 80 ciclos/s, por outro lado, estimulam outros receptores táteis, especialmente corpúsculos de Meissner, que se adaptam com menor rapidez do que corpúsculos de Pacini.

Detecção de cócegas e prurido por terminações nervosas livres mecanoceptivas. Estudos neurofisiológicos demonstraram a existência de terminações nervosas livres mecanoceptivas de rápida adaptação que deflagram somente sensações de cócegas e prurido. Essas terminações são encontradas quase exclusivamente nas camadas superficiais da pele, que normalmente é o único tecido capaz de produzir sensações de cócegas e prurido. Essas sensações são transmitidas por fibras C muito pequenas e desmielinizadas, similares às que transmitem o tipo de dor profunda e lenta.

O propósito da sensação de prurido é presumivelmente chamar a atenção para estímulos superficiais leves, como uma pulga caminhando sobre a pele ou um mosquito prestes a picar. Os sinais deflagrados ativam o reflexo de coçar ou outras manobras que livram o hospedeiro do agente irritante. O prurido pode ser aliviado pela fricção se essa ação remover o agente irritante ou se a fricção for forte o suficiente para causar dor. Acredita-se que os sinais de dor suprimam os de prurido na medula por meio de inibição lateral, conforme descrito no Capítulo 49.

VIAS SENSITIVAS DE TRANSMISSÃO DE SINAIS SOMÁTICOS PARA O SISTEMA NERVOSO CENTRAL

Quase toda a informação sensorial dos segmentos somáticos do organismo adentra a medula espinhal por meio das *raízes dorsais dos nervos espinhais*. Todavia, desde seu ponto de entrada na medula até a chegada no encéfalo, sinais sensoriais são conduzidos por uma dentre duas vias sensoriais alternativas: (1) *sistema coluna dorsal-lemnisco medial* ou (2) *sistema anterolateral*. Esses dois sistemas se unem parcialmente no nível do tálamo.

O sistema coluna dorsal-lemnisco medial, como indica seu nome, conduz sinais ascendentes até o bulbo principalmente pela *coluna dorsal* da medula espinhal. Em seguida, após a sinapse e a decussação para o lado oposto no bulbo, os sinais continuam ascendendo pelo tronco encefálico até o tálamo por meio do *lemnisco medial*.

Já os sinais conduzidos pelo sistema anterolateral, imediatamente após sua entrada na medula espinhal a partir das raízes nervosas dorsais, fazem sinapse nos cornos dorsais da substância cinzenta da medula e cruzam para o lado oposto, ascendendo pelas colunas anterior e lateral da substância branca da medula. Esses sinais terminam em todos os níveis inferiores do tronco encefálico e no tálamo.

O sistema coluna dorsal-lemnisco medial é composto por grandes fibras nervosas mielínicas, que transmitem sinais ao encéfalo com velocidade de 30 a 110 m/s, enquanto o sistema anterolateral, por outro lado, é composto por fibras mielínicas menores, que transmitem sinais com velocidade de alguns metros por segundo até 40 m/s.

Outra diferença entre os dois sistemas é que o sistema coluna dorsal-lemnisco medial possui alto grau de orientação espacial com relação à origem de suas fibras nervosas, ao passo que o sistema anterolateral possui muito menos orientação espacial. Essas diferenças caracterizam imediatamente os tipos de informação sensorial que podem ser transmitidos pelos dois sistemas. Ou seja, a informação sensorial que deve ser transmitida rapidamente com fidedignidade temporal e espacial será conduzida principalmente pelo sistema coluna dorsal-lemnisco medial. Já a informação que não necessita de transmissão rápida ou com alta fidedignidade espacial é conduzida principalmente pelo sistema anterolateral.

O sistema anterolateral possui uma capacidade especial que o sistema dorsal não possui: a capacidade de transmitir um amplo espectro de modalidades sensoriais, como dor, calor, frio e sensação de tato grosseiro. A maioria dessas modalidades é discutida com detalhes no Capítulo 49. O sistema dorsal se limita a tipos discretos de sensações mecanoceptivas.

Com essa diferenciação em mente, podemos agora listar os tipos de sensações transmitidas nos dois sistemas.

Sistema coluna dorsal-lemnisco medial

1. Sensações de tato que requerem alto grau de localização do estímulo
2. Sensações de tato que requerem transmissão de graus de intensidade precisos
3. Sensações fásicas, como vibrações
4. Sensações que sinalizam movimento sobre a pele
5. Sensações de posição das articulações
6. Sensações de pressão relacionadas a graus precisos de julgamento da intensidade

Sistema anterolateral

1. Dor
2. Sensações térmicas, incluindo tanto sensações de calor quanto frio
3. Toque grosseiro e sensações de pressão com capacidade de localização apenas grosseira na superfície do corpo
4. Sensações de cócegas e prurido
5. Sensações sexuais.

TRANSMISSÃO PELO SISTEMA COLUNA DORSAL-LEMNISCO MEDIAL

ANATOMIA DO SISTEMA COLUNA DORSAL-LEMNISCO MEDIAL

Ao adentrar a medula espinhal pelas raízes nervosas dorsais, as fibras mielínicas grandes dos mecanorreceptores especializados se dividem quase imediatamente para formar um *ramo medial* e um *ramo lateral*, demonstrados

CAPÍTULO 48 Sensações Somáticas: I. Organização Geral, Sentidos do Tato e de Posição

pela fibra que adentra a raiz medular mais à direita na **Figura 48.2** (ver Vídeo 48.1). O ramo medial se vira primeiro em sentido medial e, em seguida, para cima na coluna dorsal, percorrendo a medula pela coluna dorsal até o encéfalo.

O ramo lateral adentra o corno dorsal da substância cinzenta da medula e se divide várias vezes para fornecer terminais que farão sinapse com neurônios locais das porções intermédia e anterior da substância cinzenta da medula. Esses neurônios locais exercerão três funções.

1. Uma grande parte emite fibras que adentram as colunas dorsais da medula e, em seguida, trafegam em sentido ascendente até o encéfalo.
2. Muitas fibras são bastante curtas e terminam localmente na substância cinzenta da medula para produzir reflexos espinhais locais, que são discutidos no Capítulo 55.
3. Outros neurônios originam tratos espinocerebelares, que são discutidos no Capítulo 57 com relação à função do cerebelo.

Sistema coluna dorsal-lemnisco medial. Note, na **Figura 48.3**, que as fibras nervosas que adentram as colunas dorsais passam para a região dorsal da medula sem interrupções, onde fazem sinapse nos *núcleos da coluna dorsal* (*núcleo cuneiforme* e *grácil*). A partir desses núcleos, *neurônios de segunda ordem* decussam imediatamente ao lado oposto do tronco encefálico e continuam ascendendo pelos *lemniscos mediais* até o *tálamo*. Nesse trajeto pelo tronco encefálico, cada lemnisco medial recebe fibras adicionais dos *núcleos sensoriais do nervo trigêmeo*, que possuem, na cabeça, a mesma função que as fibras da coluna dorsal possuem no corpo.

No tálamo, as fibras do lemnisco medial terminam na área sensorial talâmica, que recebe o nome de *complexo ventrobasal*. A partir do complexo ventrobasal, *fibras nervosas de terceira ordem* projetam-se, como na **Figura 48.4**, principalmente para o *giro pós-central* do *córtex cerebral*, região denominada *área somatossensorial I* (conforme demonstrado na **Figura 48.6**, essas fibras também se projetam para uma área menor do córtex parietal lateral denominada *área somatossensorial II*).

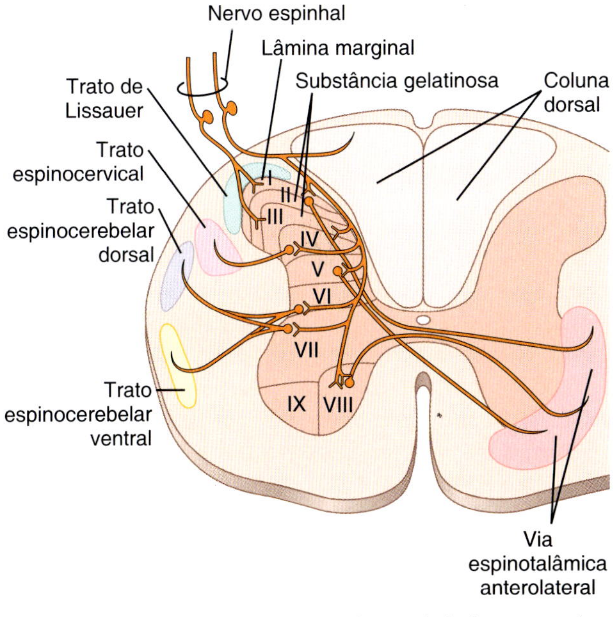

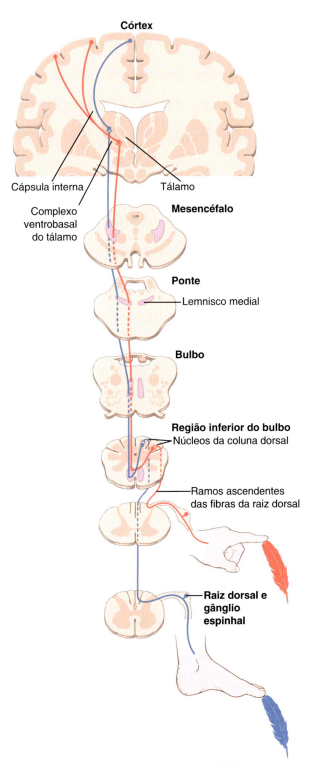

Figura 48.2 Seção transversa da medula espinhal, demonstrando a anatomia da substância cinzenta medular e de tratos sensoriais ascendentes das colunas brancas da medula.

Figura 48.3 Sistema coluna dorsal-lemnisco medial de transmissão dos tipos críticos de sinais táteis.

PARTE 9 Sistema Nervoso: A. Princípios Gerais e Fisiologia Sensorial

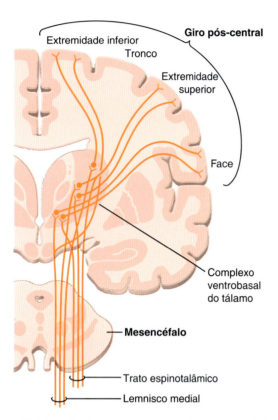

Figura 48.4 Projeção do sistema coluna dorsal-lemnisco medial pelo tálamo até o córtex somatossensorial.

Orientação espacial das fibras nervosas na coluna dorsal | sistema do lemnisco medial

Uma das características mais marcantes do sistema coluna dorsal-lemnisco medial é a orientação espacial distinta de suas fibras nervosas advindas de partes individuais do organismo, que se mantém ao longo de todo seu percurso. Por exemplo, nas colunas dorsais da medula espinhal, as fibras das porções inferiores do corpo se situam no centro da medula, enquanto as fibras que adentram a medula em níveis segmentares progressivamente superiores formam sucessivas camadas na lateral.

No tálamo, ainda é mantida a orientação espacial distinta, sendo as porções caudais finais do corpo representadas pelas porções mais laterais do complexo ventrobasal, bem como a cabeça e a face representadas pelas áreas mediais do complexo. Devido à decussação dos lemniscos mediais no bulbo, o lado esquerdo do corpo é representado pelo lado direito do tálamo e o lado direito do corpo, pelo lado esquerdo do tálamo.

CÓRTEX SOMATOSSENSORIAL

A **Figura 48.5** representa um mapa do córtex cerebral humano, demonstrando sua divisão em cerca de 50 áreas distintas denominadas *áreas de Brodmann* baseadas nas diferenças estruturais histológicas. Esse mapa é importante porque praticamente todos os neurofisiologistas e neurologistas o empregam para se referir a muitas áreas

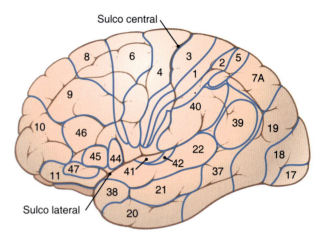

Figura 48.5 Áreas estruturalmente distintas denominadas *áreas de Brodmann*, do córtex cerebral humano. Note especificamente as áreas 1, 2 e 3, que compreendem a *área somatossensorial primária I*, e as áreas 5 e 7, que compreendem a *área somatossensorial de associação*.

funcionais diferentes do córtex humano por meio de números.

Note, na **Figura 48.5**, o grande *sulco central*, também chamado de *fissura central*, que se estende horizontalmente ao longo do cérebro. Em geral, sinais sensoriais de todas as modalidades de sensação terminam no córtex cerebral imediatamente posterior à fissura central. A metade anterior do *lobo parietal* se associa quase completamente à recepção e à interpretação de *sinais somatossensoriais* embora a metade posterior do lobo parietal forneça níveis ainda maiores de interpretação.

Sinais visuais terminam no *lobo occipital* e *sinais auditivos*, no *lobo temporal*.

Em contrapartida, a porção do córtex cerebral situada anteriormente na fissura central e que constitui a metade posterior do lobo frontal recebe o nome de *córtex motor*. Sua função compreende quase completamente o controle das contrações musculares e dos movimentos corporais. Uma grande parte desse controle motor se dá em reposta a sinais somatossensoriais recebidos das porções sensoriais do córtex, que mantém o córtex motor informado das posições e dos movimentos de diferentes partes do corpo a cada instante.

Áreas somatossensoriais I e II. A **Figura 48.6** demonstra duas áreas sensoriais distintas do lobo parietal, denominadas *área somatossensorial I* e *área somatossensorial II*. O motivo dessa divisão em duas áreas é: a distinção e a orientação espacial separada de diferentes partes do corpo em cada uma delas. Todavia, a área somatossensorial I é tão mais extensa e mais importante que a área somatossensorial II que, em termos gerais, a expressão "córtex somatossensorial" quase sempre se refere à área I.

A área somatossensorial I possui alto grau de localização das diferentes partes do corpo, conforme demonstrado pelos nomes de praticamente todas as partes do corpo na **Figura 48.6**. Por outro lado, a localização é pouco precisa

CAPÍTULO 48 Sensações Somáticas: I. Organização Geral, Sentidos do Tato e de Posição

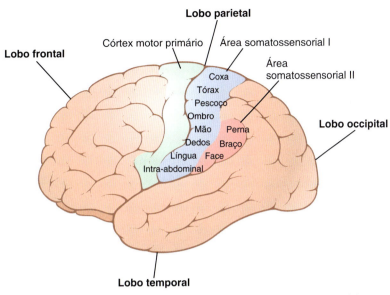

Figura 48.6 As duas áreas somatossensoriais do córtex, áreas somatossensoriais I e II.

na área somatossensorial II embora, *grosso modo*, a face seja representada anteriormente e os braços centralmente e as pernas, posteriormente.

Sabe-se muito pouco sobre a função da área somatossensorial II. O que se sabe é que os sinais chegam a essa área desde o tronco encefálico, transmitidos para cima a partir dos dois lados do corpo. Ademais, muitos sinais advêm secundariamente da área somatossensorial I e de outras áreas sensoriais do encéfalo, até mesmo das áreas visual e auditiva. Projeções da área somatossensorial I são necessárias para o funcionamento da área II. Contudo, a remoção de partes da área II aparentemente não causa nenhum efeito na resposta neuronal da área I. Portanto, muito do que se sabe sobre a sensação somática parece ser explicado pelas funções da área somatossensorial I.

Orientação espacial de sinais de diferentes partes do corpo na área somatossensorial I. A área somatossensorial I se situa imediatamente atrás da fissura central, bem como localiza-se no giro pós-central do córtex cerebral humano (nas áreas de Brodmann 3, 1 e 2).

A **Figura 48.7** exibe um corte transversal através do cérebro no nível do *giro pós-central*, demonstrando representações de diferentes partes do corpo em regiões separadas da área somatossensorial I. Note, entretanto, que cada região lateral do córtex recebe informação sensorial quase exclusivamente do lado oposto do corpo.

Algumas áreas do corpo são representadas por grandes áreas do córtex somatossensorial – sendo as maiores delas os lábios, seguidos da face e do polegar –, ao passo que o tronco e a região inferior do corpo são representados por áreas relativamente pequenas. Os tamanhos das áreas são diretamente proporcionais ao número de receptores sensoriais especializados presentes em cada respectiva área periférica do corpo. Por exemplo, encontra-se um grande número de terminações nervosas especializadas nos lábios

e no polegar, ao contrário das poucas que são encontradas na pele do tronco.

Note também que o nariz, os lábios, a boca e a face estão representados na porção mais lateral da área somatossensorial I, enquanto a cabeça, o pescoço, os ombros e a região inferior do corpo estão representadas medialmente.

Camadas do córtex somatossensorial e sua função

O córtex cerebral contém *seis* camadas de neurônios, começando pela camada I próxima da superfície cerebral e

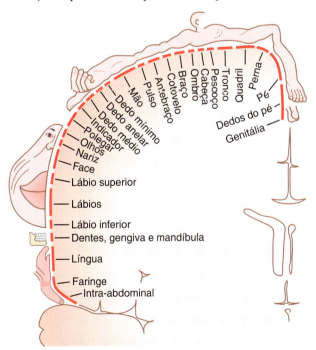

Figura 48.7 Representação das diferentes áreas do corpo na área somatossensorial I do córtex. *(De Penfield W, Rasmussen T: Cerebral cortex of man: a clinical study of localization of function. New York: Hafner, 1968.)*

se estendendo progressivamente à camada mais profunda VI, conforme demonstrado na **Figura 48.8**. Como seria esperado, os neurônios de cada camada realizam funções diferentes dos neurônios de outras camadas. Algumas dessas funções incluem o seguinte.

1. O sinal sensorial aferente excita primeiro a camada neuronal IV, depois se distribui em direção à superfície do córtex e a camadas mais profundas.
2. As camadas I e II recebem sinais aferentes inespecíficos e difusos dos centros inferiores do encéfalo, os quais facilitam regiões específicas do córtex; esse sistema é descrito no Capítulo 58. Esses sinais controlam principalmente o nível geral de excitabilidade das respectivas regiões estimuladas.
3. Os neurônios das camadas II e III emitem axônios a porções relacionadas do córtex cerebral do lado oposto do cérebro por meio do *corpo caloso*.
4. Os neurônios das camadas V e VI emitem axônios para regiões profundas do sistema nervoso. Neurônios da camada V são geralmente maiores e se projetam até regiões mais distantes, como núcleos da base, tronco encefálico e medula espinhal, onde controlam a transmissão de sinais. A partir da camada VI, muitos axônios se estendem até o tálamo, fornecendo sinais do córtex cerebral que interagem e auxiliam o controle dos níveis excitatórios de sinais aferentes que chegam ao tálamo.

O córtex sensorial é organizado em colunas verticais de neurônios e cada coluna detecta um diferente ponto sensorial do corpo e uma modalidade sensorial específica

Funcionalmente, os neurônios do córtex somatossensorial se encontram arranjados em colunas verticais que se estendem ao longo de todas as seis camadas do córtex, cada coluna possuindo um diâmetro de 0,3 a 0,5 milímetro e cerca de 10.000 corpos celulares de neurônios. Cada uma dessas colunas serve para uma modalidade sensorial única e específica. Algumas colunas respondem a receptores de estiramento presentes ao redor de articulações, algumas, à estimulação de pelos táteis, outras, a pontos de pressão localizados precisamente na pele, e assim por diante. Na camada IV, onde os sinais sensoriais adentram primeiro o córtex, as colunas de neurônios funcionam quase completamente separadas entre si. Em outros níveis das colunas, ocorrem interações que iniciam a análise do significado dos sinais sensoriais.

Nos 5 a 10 milímetros mais anteriores do giro pós-central, uma parte especialmente ampla das colunas verticais, situadas profundamente na fissura central da área de Brodmann 3A, respondem a receptores de estiramento dos músculos, dos tendões e das articulações. Muitos dos sinais que advêm dessas colunas sensoriais se distribuem anteriormente, direto no córtex motor localizado imediatamente à frente da fissura central. Esses sinais exercem um importante papel no controle de sinais motores efluentes, que ativam sequências de contração muscular.

Explorando a área somatossensorial I mais posteriormente, vê-se que, cada vez mais, as colunas verticais respondem a receptores cutâneos de adaptação lenta. Posteriormente ainda, mais colunas apresentam sensibilidade à pressão profunda.

Na porção mais posterior da área somatossensorial I, cerca de 6% das colunas verticais respondem apenas quando um estímulo se move pela pele em uma direção específica. Portanto, trata-se de uma ordem ainda mais elevada de interpretação de sinais sensoriais. O processo se torna ainda mais complexo à medida que os sinais se distribuem mais posteriormente, indo da área somatossensorial I até o córtex parietal, em uma região denominada *área somatossensorial de associação*, que será discutida adiante.

Funções da área somatossensorial I

A excisão bilateral ampla da área somatossensorial I causa perda dos seguintes tipos de julgamento sensorial:

1. O indivíduo se torna incapaz de localizar precisamente as diferentes sensações advindas de diferentes partes do corpo. Todavia, é capaz de localizá-las de maneira grosseira, como qual a mão envolvida, que nível do tronco ou que perna. Desse modo, é evidente que o

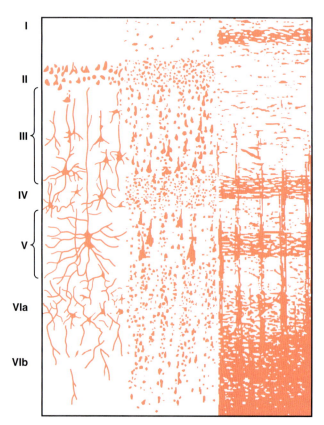

Figura 48.8 Estrutura do córtex cerebral – I: camada molecular; II: camada granular externa; III: camada de células piramidais menores; IV: camada granular interna; V: camada de células piramidais maiores; e VIa e VIb: camadas de células fusiformes ou polimórficas. (*De Ranson SW, Clark SL: Anatomy of the nervous system. Philadelphia: WB Saunders, 1959.*)

tronco encefálico, o tálamo ou partes do córtex cerebral não normalmente consideradas como parte da percepção de sensações somáticas possam fornecer algum grau de localização.
2. O indivíduo se torna incapaz de julgar graus críticos de pressão sobre o corpo.
3. O indivíduo se torna incapaz de julgar os pesos dos objetos.
4. O indivíduo se torna incapaz de julgar as formas e os contornos dos objetos. Essa condição recebe o nome de *astereognosia*, também chamada de estereognosia ou agnosia tátil.
5. O indivíduo se torna incapaz de julgar a textura dos materiais porque esse tipo de julgamento depende de sensações altamente críticas causadas pelo movimento dos dedos sobre a superfície avaliada.

Note que, nessa lista, nada foi dito acerca da perda da sensação de temperatura ou de dor. Na ausência específica de somente a área somatossensorial I, a percepção dessas modalidades sensoriais continua preservada tanto em termos de qualidade quanto de intensidade. Contudo, as sensações são mal localizadas, o que indica que a *localização* da dor e da temperatura dependem grandemente do mapa topográfico do corpo na área somatossensorial I para que seja localizada sua fonte.

ÁREAS SOMATOSSENSORIAIS DE ASSOCIAÇÃO

As áreas de Brodmann 5 e 7 do córtex cerebral, situadas no córtex parietal, atrás da área somatossensorial I (ver **Figura 48.5**), exercem um importante papel na interpretação de significados profundos da informação sensorial das áreas somatossensoriais. Por isso, essas áreas recebem o nome de *áreas somatossensoriais de associação*.

A estimulação elétrica de uma área somatossensorial de associação pode ocasionalmente fazer com que uma pessoa acordada experimente uma complexa sensação corporal, algumas vezes, sentindo um objeto como uma faca ou uma bola. Ou seja, parece claro que a área somatossensorial de associação combina a informação que chega de múltiplos pontos da área somatossensorial I para decifrar seu significado. Isso também corrobora o arranjo anatômico dos tratos neuronais que adentram a área somatossensorial de associação, pois ela recebe sinais das seguintes regiões: (1) área somatossensorial I, (2) núcleos ventrobasais do tálamo, (3) outras áreas do tálamo, (4) córtex visual e (5) córtex auditivo.

A amorfossíntese é causada por remoção da área somatossensorial de associação.
Quando a área somatossensorial de associação é removida de um lado do encéfalo, o indivíduo perde sua capacidade de reconhecer objetos complexos e formas complexas sentidas do lado oposto do corpo. Ademais, ele perde a maior parte das sensações de forma de seu próprio corpo ou de partes do corpo do lado oposto. De fato, o indivíduo se torna negligente sobre o lado oposto de seu corpo, isto é, esquece-se de que essa parte está ali. Portanto, essa pessoa, em geral, também se esquece de utilizar as funções motoras nesse lado. Similarmente, ao palpar objetos, o indivíduo tende a reconhecer somente um lado do objeto e se esquece da existência de um outro lado. Esse complexo déficit sensorial é chamado de *amorfossíntese* ou *síndrome da negligência*.

CARACTERÍSTICAS DA TRANSMISSÃO E ANÁLISE DE SINAIS PELO SISTEMA COLUNA DORSAL-LEMNISCO MEDIAL

Circuito neuronal básico do sistema coluna dorsal-lemnisco medial.
A parte inferior da **Figura 48.9** representa a organização básica do circuito neuronal da coluna dorsal da medula espinhal, demonstrando que, a cada estágio de sinapse, ocorre divergência.

As curvas superiores da figura demonstram que neurônios corticais que disparam em maior grau se situam em uma porção central do campo cortical para cada respectivo receptor. Assim, um estímulo fraco causa disparo somente dos neurônios mais centrais. Um estímulo mais forte causa disparo de mais neurônios embora os neurônios do centro disparem com frequência, consideravelmente, mais rápida do que os mais distantes do centro.

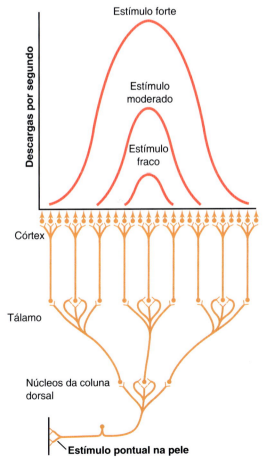

Figura 48.9 Transmissão do sinal de um estímulo pontual ao córtex cerebral.

Discriminação de dois pontos. Um método frequentemente utilizado para testar a discriminação tátil é a determinação da chamada *capacidade discriminatória de dois pontos*. Nesse teste, duas agulhas são levemente pressionadas contra a pele ao mesmo tempo e a pessoa determina se sentiu estímulo de um ponto ou dos dois. Nas extremidades dos dedos, o indivíduo geralmente consegue distinguir dois pontos separados mesmo quando as agulhas estão próximas entre si entre 1 e 2 milímetros. Todavia, nas costas, as agulhas geralmente precisam estar afastadas de 30 a 70 milímetros para que sejam detectados dois pontos distintos. O motivo é o número diferente de receptores táteis especializados nas duas áreas.

A **Figura 48.10** demonstra o mecanismo de transmissão da informação discriminatória de dois pontos por meio da coluna dorsal, bem como por outras vias sensoriais. Essa figura demonstra dois pontos adjacentes na pele sendo fortemente estimulados, bem como as áreas do córtex somatossensorial (bastante aumentadas) excitadas pelos sinais dos dois pontos estimulados. A curva azul demonstra o padrão de estimulação cortical quando ambos os pontos são estimulados simultaneamente. Note que a zona resultante de excitação possui dois picos separados, separados por um vale, os quais permitem que o córtex sensorial detecte a presença de dois pontos estimulatórios em vez de um único ponto. A capacidade de distinção da presença de dois pontos de estimulação sofre forte influência de outro mecanismo, a *inibição lateral*, explicada na seção seguinte.

Efeito da inibição lateral em aumentar o grau de contraste do padrão espacial percebido. Conforme denotado no Capítulo 47, praticamente todas as vias sensoriais deflagram simultaneamente sinais *inibitórios* laterais quando excitadas, sendo que esses sinais se distribuem dos lados do sinal excitatório e inibem neurônios adjacentes. Por exemplo, considere um neurônio excitado em um núcleo da coluna dorsal. Além do sinal excitatório, vias laterais curtas transmitem sinais inibitórios aos neurônios circunjacentes, ou seja, esses sinais passam por interneurônios adicionais que secretam um transmissor inibitório.

A importância da *inibição lateral*, também denominada *inibição circunjacente*, é que ela bloqueia a disseminação lateral dos sinais excitatórios, aumentando, portanto, o grau de contraste do padrão sensorial percebido pelo córtex cerebral.

No caso do sistema da coluna dorsal, ocorrem sinais inibitórios laterais a cada nível de sinapse, por exemplo, nos seguintes: (1) núcleos da coluna dorsal do bulbo, (2) núcleos ventrobasais do tálamo e (3) no próprio córtex. Em cada um desses níveis, a inibição lateral auxilia o bloqueio da disseminação lateral do sinal excitatório. Como resultado, os picos de excitação se destacam e grande parte da estimulação difusa circunjacente é bloqueada. Esse efeito é demonstrado pelas duas curvas vermelhas da **Figura 48.10**, representando a separação completa dos picos quando a intensidade da inibição lateral é maior.

Transmissão de sensações de variação rápida e repetitivas. O sistema coluna dorsal também tem particular importância na informação de sensações advindas de condições periféricas com variação rápida. Com base em registros de potenciais de ação, esse sistema pode reconhecer estímulos variáveis que ocorrem no período de 1/400 de segundo.

Sensação de vibração. Sinais vibratórios apresentam repetitividade rápida e podem ser detectados como vibração até 700 ciclos/s. Os sinais vibratórios de maior frequência se originam dos corpúsculos de Pacini na pele e em tecidos mais profundos embora sinais de frequência mais baixa (< cerca de 200 ciclos/s) também possam ser originados pelos corpúsculos de Meissner. Esses sinais são transmitidos somente pela via da coluna dorsal. Por essa razão, a aplicação de vibração – por exemplo, utilizando um diapasão – em diferentes partes do corpo serve como ferramenta importante utilizada por neurologistas para testar a integridade funcional das colunas dorsais.

Interpretação da intensidade do estímulo sensorial

O objetivo final da maior parte da estimulação sensorial é informar a mente do estado do corpo e de seus arredores. Portanto, é importante que sejam discutidos brevemente alguns dos princípios relacionados à transmissão de *intensidade do estímulo* sensorial aos níveis mais elevados do sistema nervoso.

Como é possível ao sistema sensorial transmitir experiências sensoriais com intensidades tão incrivelmente variáveis? Por exemplo, o sistema auditivo pode detectar o sussurro mais fraco possível, mas também é capaz de dis-

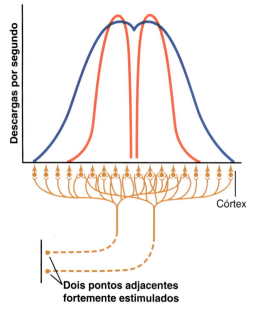

Figura 48.10 Transmissão de sinais ao córtex por dois estímulos pontuais adjacentes. A *curva azul* representa o padrão de estimulação cortical sem inibição "circunjacente" e as duas *curvas vermelhas*, o padrão quando ocorre inibição "circunjacente".

cernir os significados de um som explosivo, mesmo que as intensidades dos sons dessas duas experiências possam variar mais de 10 bilhões de vezes entre si. Os olhos são capazes de visualizar imagens com intensidades de luz que variam meio milhão de vezes entre si, e a pele pode detectar diferenças de pressão de 10.000 a 100.000 vezes diferentes.

Como explicação parcial desses efeitos, a **Figura 47.4** do capítulo anterior demonstrou a relação entre o potencial de receptor produzido pelo corpúsculo de Pacini e a intensidade do estímulo sensorial. Com sinais de baixa intensidade, pequenas alterações de intensidade aumentam notavelmente o potencial, ao passo que com sinais de alta intensidade, os aumentos adicionais do potencial de receptor são mais discretos. Desse modo, o corpúsculo de Pacini é capaz de mensurar precisamente a *modificação* extremamente mínima dos estímulos de baixa intensidade. Entretanto, a alteração do estímulo de alta intensidade deve ser muito mais significativa para causar a mesma quantidade de *modificação* no potencial receptor.

O mecanismo de transdução da detecção de sons pela cóclea do ouvido demonstra ainda outro método de distinção de gradações da intensidade do estímulo. No caso da estimulação da membrana basilar pelos sons, os sons fracos estimulam somente as células ciliadas no ponto de máxima vibração sonora. Todavia, à medida que a intensidade do som aumenta, muito mais células ciliadas são estimuladas em cada direção, atingindo células distantes do ponto de vibração máxima. Por isso, os sinais são transmitidos por um número progressivamente crescente de fibras, o que constitui outro mecanismo de transmissão de intensidade de estímulo para o sistema nervoso central. Esse mecanismo – mais o efeito direto da intensidade do estímulo sobre a frequência de impulsos de cada fibra nervosa, bem como tantos outros mecanismos – torna possível a alguns sistemas sensoriais trabalhar com fidelidade razoável estímulos com níveis de intensidade que se alteram milhões de vezes.

Importância da imensa faixa de intensidade de recepção sensorial. Não fosse pela imensa faixa de intensidade de recepção sensorial que as pessoas podem experimentar, os diversos sistemas sensoriais funcionariam frequentemente na faixa errada. Esse princípio é demonstrado pelas tentativas da maioria das pessoas de ajustar a exposição à luz sem utilizar um medidor de luz ao tirar fotografias com uma câmera. Apenas com o julgamento intuitivo de intensidade luminosa, um indivíduo quase sempre superexpõe o filme em dias claros e o subexpõe ao anoitecer. Ainda assim, os olhos desse indivíduo são capazes de discriminar objetos visuais sob luz solar intensa ou à noite, com grandes detalhes. A câmera não é capaz de realizar essa discriminação sem manipulação especial, dada a estreita faixa crítica de intensidade luminosa necessária para a exposição adequada do filme.

Julgamento da intensidade do estímulo

Princípio de Weber-Flechner – detecção do "grau" de força do estímulo. Em meados de 1800, primeiro com Weber e depois, com Flechner, propôs-se o princípio de que *gradações da força do estímulo são discriminadas aproximadamente de maneira proporcional ao logaritmo da força do estímulo*. Ou seja, uma pessoa que já está segurando um peso de 30 gramas em sua mão mal pode detectar o aumento de 1 grama nesse peso e, ao segurar 300 gramas na mão, mal pode detectar um aumento de 10 gramas. Portanto, nesse caso, o *grau* de alteração da força do estímulo necessária para sua detecção permanece essencialmente constante, em cerca de 1 para 30, que é o que preconiza o princípio logarítmico. A fim de expressar matematicamente o princípio, tem-se:

Força do sinal interpretado = Log (estímulo) + Constante

Mais recentemente, tornou-se evidente que o princípio de Weber-Flechner é quantitativamente preciso apenas para experiências visuais, auditivas e cutâneas de alta intensidade e só pode ser aplicado fracamente a outros tipos de experiências sensoriais. Mesmo assim, trata-se de um princípio útil de se lembrar, pois enfatiza que, quanto maior for a intensidade sensorial de fundo, maior alteração adicional será necessária para que a mente detecte uma alteração.

Lei da força. Outra tentativa empregada por psicofisiologistas, na tentativa de encontrar uma boa relação matemática, é a seguinte fórmula, conhecida como *lei da força*:

Força do sinal interpretado = K × (Estímulo – k)^y

Nessa fórmula, o expoente y e as constantes K e k são diferentes para cada tipo de sensação.

Quando essa lei da força é plotada em um gráfico utilizando coordenadas logarítmicas duplas, conforme demonstrado na **Figura 48.11**, e quando são encontrados valores quantitativos adequados para y, K e k, pode-se obter uma relação linear entre a força do estímulo interpretada e a força real do estímulo em uma ampla faixa para quase qualquer tipo de percepção sensorial.

SENTIDOS DE POSIÇÃO

Os *sentidos de posição* com frequência recebem o nome de *sentidos proprioceptivos*. Podem ser divididos em dois subtipos: (1) *sentido de posição estática*, que significa percepção consciente da orientação de diferentes partes do corpo relacionadas entre si e (2) *sensação de velocidade do*

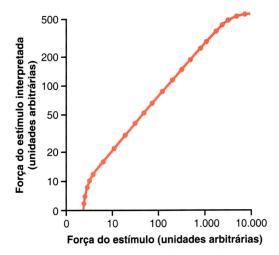

Figura 48.11 Demonstração gráfica da relação de "lei da força" entre a força real de um estímulo e a força que a mente interpreta. Note que a lei da força não se sustenta tanto com força de estímulo muito fraca quanto muito forte.

movimento, também denominada *cinestesia* ou *propriocepção dinâmica*.

Receptores sensoriais de posição. O conhecimento acerca da posição, tanto estática quanto dinâmica, depende da ciência do grau de angulação de todas as articulações em todos os planos e da velocidade com que se alteram. Logo, múltiplos tipos diferentes de receptores auxiliam a determinação da angulação articular e são utilizados juntos para o sentido da posição. Tanto receptores táteis da pele quanto receptores profundos próximos das articulações participam dessa sensação. No caso dos dedos, onde os receptores da pele são mais abundantes, acredita-se que até metade de todo o reconhecimento de posição seja detectado por esses receptores. Da mesma forma, para a maioria das articulações do organismo, são importantes os receptores mais profundos.

Para determinar a angulação de uma articulação em amplitudes médias de movimento, os *fusos neuromusculares* se situam entre os receptores mais importantes. Também são de extrema importância em auxiliar o controle do movimento muscular, conforme discutido no Capítulo 55. Quando o ângulo de uma articulação está se alterando, alguns músculos estão sendo alongados enquanto outros são relaxados, sendo a informação resultante dos fusos transmitida ao sistema computacional da medula espinhal e de regiões mais altas do sistema coluna dorsal para que seja decifrada a angulação articular.

Nos extremos da angulação articular, o estiramento dos ligamentos e dos tecidos profundos circunjacentes às articulações funciona como fator adicional na determinação da posição. Os tipos de terminações sensoriais utilizadas para esse fim incluem corpúsculos de Pacini, terminações de Ruffini e receptores similares aos receptores tendinosos de Golgi encontrados em tendões musculares.

Os corpúsculos de Pacini e os fusos neuromusculares são especialmente adaptados para detectar rápidas velocidades de alteração. É provável que sejam esses receptores os mais responsáveis pela detecção da velocidade do movimento.

Processamento da informação do sentido de posição no sistema coluna dorsal-lemnisco medial. Com referência à **Figura 48.12**, pode-se observar que *neurônios talâmicos* que respondem à rotação articular pertencem a duas categorias: (1) os que são estimulados ao máximo quando a articulação está em rotação máxima e (2) os que são estimulados ao máximo quando a articulação está em rotação mínima. Ou seja, sinais de receptores articulares individuais são empregados para informar a mente quanta rotação apresenta a articulação.

TRANSMISSÃO DE SINAIS SENSORIAIS PELA VIA ANTEROLATERAL

A via anterolateral de transmissão de sinais sensoriais pela medula espinhal até o encéfalo, ao contrário do sistema da coluna dorsal, transmite sinais sensoriais que não

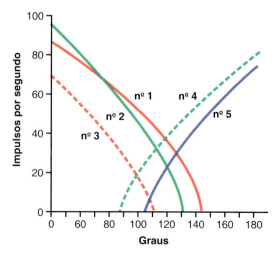

Figura 48.12 Respostas típicas de cinco diferentes neurônios talâmicos (1 a 5) no complexo ventrobasal do tálamo quando a articulação do joelho se encontra em máxima amplitude de movimento. (*Dados de Mountcastle VB, Poggie GF, Werner G: The relation of thalamic cell response to peripheral stimuli varied over an intensive continuum. J Neurophysiol 26:807, 1963.*)

requerem localização altamente precisa da fonte nem discriminação de gradações finas de intensidade. Esses tipos de sinais incluem a dor, o calor, o frio, o tato grosseiro, a cócega, o prurido e as sensações sexuais (ver Vídeo 48.2). No Capítulo 49, são discutidas especificamente as sensações de dor e de temperatura.

Anatomia da via anterolateral

As *fibras anterolaterais da medula espinhal* se originam principalmente no corno dorsal, nas lâminas I, IV, V e VI (ver **Figura 48.2**). Nessas lâminas, terminam muitas das fibras nervosas sensitivas da raiz dorsal após sua entrada na medula.

Conforme demonstrado na **Figura 48.13**, as fibras anterolaterais cruzam imediatamente na *comissura anterior* da medula para o lado oposto nas *colunas brancas anterior* e *lateral*, onde se direcionam para o encéfalo pelos *tratos espinotalâmico anterior* e *espinotalâmico lateral*.

A terminação superior dos dois tratos espinotalâmicos tem principalmente dois destinos: (1) *núcleos reticulares do tronco encefálico* e (2) dois diferentes complexos nucleares do tálamo, *complexo ventrobasal* e *núcleos intralaminares*. Em geral, sinais táteis são transmitidos principalmente ao complexo ventrobasal, terminando em parte dos mesmos núcleos talâmicos, onde terminam sinais táteis do sistema coluna dorsal. A partir daí, os sinais são transmitidos ao córtex somatossensorial juntamente com sinais das colunas dorsais.

Em contrapartida, somente uma pequena fração dos sinais de dor se projetam diretamente para o complexo ventrobasal do tálamo. Na realidade, a maioria dos sinais de dor termina nos núcleos reticulares do tronco encefálico e é conduzida desses núcleos até os núcleos intralaminares do tálamo, onde sinais de dor são processados, conforme discutido com maiores detalhes no Capítulo 49.

CAPÍTULO 48 Sensações Somáticas: I. Organização Geral, Sentidos do Tato e de Posição

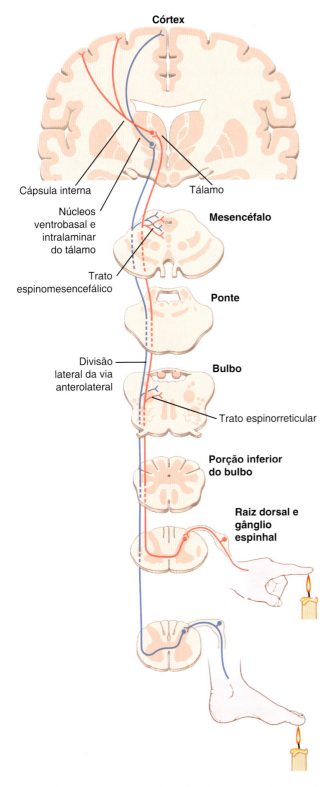

Figura 48.13 Divisões anterior e lateral da via sensitiva anterolateral.

CARACTERÍSTICAS DA TRANSMISSÃO PELA VIA ANTEROLATERAL

Em geral, os mesmos princípios que se aplicam à transmissão pela via do sistema coluna dorsal-lemnisco medial se aplicam à via anterolateral, exceto pelas seguintes diferenças: (1) as velocidades de transmissão equivalem a somente um terço a metade das encontradas no sistema coluna dorsal-lemnisco medial, variando entre 8 e 40 m/s, (2) o grau de localização espacial dos sinais é fraco, (3) as gradações de intensidade também são menos precisas, sendo a maioria das sensações reconhecidas em 10 a 20 gradações de força, comparadas às 100 gradações do sistema da coluna dorsal e (4) a capacidade de transmitir sinais de rápida alteração ou com rápida repetição é fraca.

Portanto, é evidente que o sistema anterolateral é de tipo mais grosseiro de transmissão comparado ao sistema coluna dorsal-lemnisco medial. Mesmo assim, algumas modalidades de sensação são transmitidas somente por esse sistema sem participação nenhuma do sistema da coluna dorsal. São elas: as sensações de dor, de temperatura, de cócegas, de prurido e sexuais, juntamente com o tato grosseiro e a pressão.

Alguns aspectos especiais da função somatossensorial

Função do tálamo na sensação somática

Quando o córtex somatossensorial de um ser humano é destruído, esse indivíduo perde as sensibilidades táteis mais críticas, embora ocorra um retorno de um leve grau de sensação tátil grosseira. Desse modo, deve-se assumir que o tálamo – e outros centros inferiores – possui capacidade de discriminar sensação tátil, mesmo que suas funções normalmente se relacionem à transmissão desse tipo de informação ao córtex.

Por outro lado, a perda do córtex somatossensorial tem pouco efeito sobre a percepção da dor e somente efeito moderado sobre a percepção de temperatura. Portanto, acredita-se que regiões mais inferiores, como tronco encefálico, tálamo e outras regiões basais relacionadas do encéfalo, exerçam papel dominante sobre discriminação dessas sensibilidades. É interessante saber que essas sensibilidades surgiram muito cedo no desenvolvimento filogenético dos animais, enquanto sensações táteis críticas e o córtex somatossensorial constituem desenvolvimentos mais tardios.

Controle cortical da sensibilidade sensorial – Sinais corticofugais

Juntamente com os sinais sensoriais transmitidos da periferia ao encéfalo, sinais *corticofugais* – que saem do córtex cerebral – são transmitidos de volta na direção oposta do córtex cerebral até estações inferiores de transmissão presentes no tálamo, no bulbo e na medula espinhal. Esses sinais controlam a intensidade da sensibilidade aferente.

Sinais corticofugais são quase completamente de caráter inibitório, isto é, quando a informação sensorial aferente se torna muito intensa, sinais corticofugais automaticamente reduzem a transmissão nos núcleos de condução. Essa ação resulta em dois efeitos: no primeiro, ela reduz a disseminação lateral dos sinais sensoriais para neurônios adjacentes, aumentando, assim, o grau de contraste do padrão do sinal; no segundo, ela mantém o sistema sensorial funcionando em uma faixa de sensibilidade que não é tão baixa ao ponto de sinais serem inefetivos, nem tão alta que o sistema seja saturado além de sua capacidade de diferenciar sinais sensoriais. Esse princípio de controle sensorial corticofugal é

PARTE 9 Sistema Nervoso: A. Princípios Gerais e Fisiologia Sensorial

utilizado por todos os sistemas sensoriais, não somente o somático, conforme explicado nos capítulos subsequentes.

Campos segmentares de sensação | Dermátomos

Cada nervo espinhal inerva um "campo segmentar" da pele denominado *dermátomo*. Os diferentes dermátomos encontram-se demonstrados na **Figura 48.14**. Na figura, eles são representados como se houvesse bordos distintos entre dermátomos adjacentes, o que não é verdade, pois há muita sobreposição de segmento a segmento.

A **Figura 48.14** demonstra que a região anal do corpo está situada no dermátomo mais distal do segmento medular, dermátomo S5. No embrião, essa é a região caudal e mais distal do corpo. As pernas se originam embriologicamente dos segmentos lombares e dos primeiros segmentos sacrais (L2 a S3), não dos segmentos sacrais distais, como pode ser observado no mapa dos dermátomos. É possível utilizar o mapa da **Figura 48.14** para determinar o nível da medula espinhal em que ocorreu uma lesão quando as sensações periféricas foram por ela comprometidas.

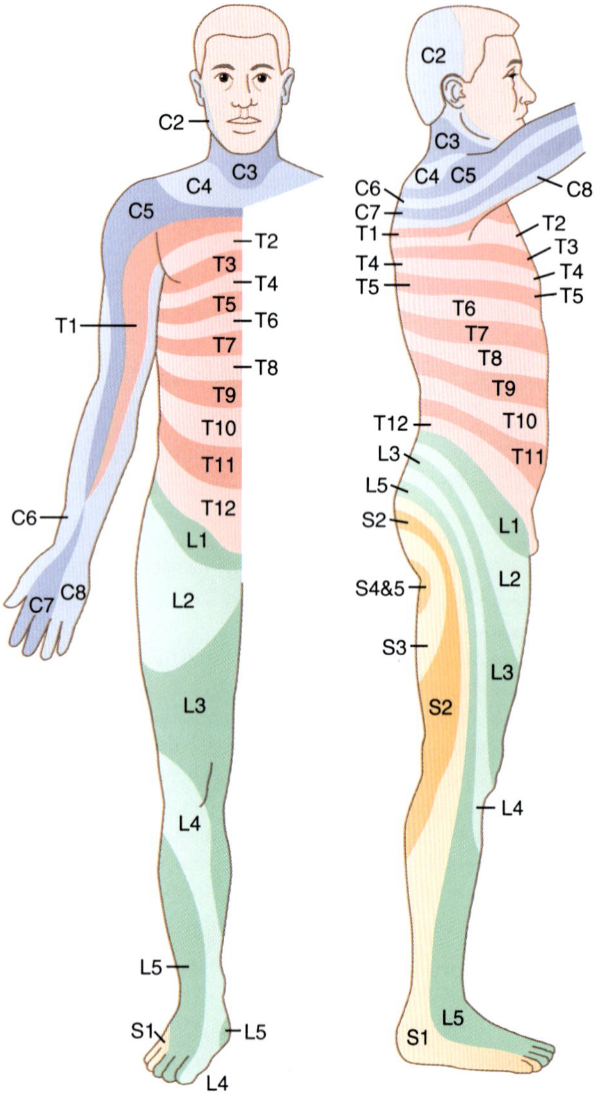

Figura 48.14 Dermátomos. (*Modificada de Grinker RR, Sahs AL: Neurology, 6th ed. Springfield, IL, 1966. Courtesy of Charles C Thomas Publisher, Ltd., Springfield, Illinois.*)

Bibliografia

Adesnik H, Naka A: Cracking the function of layers in the sensory cortex. Neuron 100:1028, 2018.

Barry DM, Munanairi A, Chen ZF: Spinal mechanisms of itch transmission. Neurosci Bull. 34:156, 2018.

Bautista DM, Wilson SR, Hoon MA: Why we scratch an itch: the molecules, cells and circuits of itch. Nat Neurosci 17:175, 2014.

Bokiniec P, Zampieri N, Lewin GR, Poulet JF: The neural circuits of thermal perception. Curr Opin Neurobiol 2:98, 2018.

Bosco G, Poppele RE: Proprioception from a spinocerebellar perspective. Physiol Rev 81:539, 2001.

Delmas P, Hao J, Rodat-Despoix L: Molecular mechanisms of mechanotransduction in mammalian sensory neurons. Nat Rev Neurosci 12:139, 2011.

Gallivan JP, Chapman CS, Wolpert DM, Flanagan JR: Decision-making in sensorimotor control. Nat Rev Neurosci 19:519, 2018.

Hao J, Bonnet C, Amsalem M, Ruel J, Delmas P: Transduction and encoding sensory information by skin mechanoreceptors. Pflugers Arch 467:109, 2015.

LaMotte RH, Dong X, Ringkamp M: Sensory neurons and circuits mediating itch. Nat Rev Neurosci 15:19, 2014.

Murata Y, Colonnese MT: Thalamic inhibitory circuits and network activity development. Brain Res 1706:13, 2019.

Proske U, Gandevia SC: Kinesthetic senses. Compr Physiol 8:1157, 2018.

Proske U, Gandevia SC: The proprioceptive senses: their roles in signaling body shape, body position and movement, and muscle force. Physiol Rev 92:1651, 2012.

Seymour B: Pain: A precision signal for reinforcement learning and control. Neuron 101:1029, 2019.

Solinski HJ, Hoon MA: Cells and circuits for thermosensation in mammals. Neurosci Lett 690:167, 2019.

Wolpert DM, Diedrichsen J, Flanagan JR: Principles of sensorimotor learning. Nat Rev Neurosci 12:739, 2011.

Zimmerman A, Bai L, Ginty DD: The gentle touch receptors of mammalian skin. Science 346:950, 2014.

CAPÍTULO 49

Sensações Somáticas: II. Dor, Cefaleia e Sensações Térmicas

Muitas doenças do organismo causam dor. A capacidade de diagnosticar diversas doenças depende em alto grau do conhecimento do médico acerca das diferentes qualidades da dor. Por isso, a primeira parte deste capítulo se dedica principalmente à dor e às bases fisiológicas de alguns fenômenos clínicos a ela associados.[1]

A dor ocorre sempre que os tecidos são lesionados e faz com que os indivíduos reajam para remover seu estímulo. Mesmo atividades simples, como permanecer sentado por muito tempo, podem causar lesão de tecidos devido à falta de circulação sanguínea na pele que está sendo comprimida pelo peso do corpo. Quando a pele se torna dolorida em razão de isquemia, a pessoa tende a alternar o peso inconscientemente. Contudo, quem perdeu a sensação da dor (p. ex., após uma lesão da medula espinhal) deixa de sentir a dor e, portanto, passa também a não alternar o peso. Essa situação logo resulta em total ruptura e descamação da pele nas áreas de pressão.

DOR RÁPIDA, DOR LENTA E SUAS MODALIDADES

A dor tem sido classificada em dois principais tipos: *dor rápida* e *dor lenta*. A dor rápida é percebida dentro de 0,1 segundo após aplicação do estímulo, ao passo que a dor lenta se inicia somente 1 segundo depois ou mais e aumenta de maneira vagarosa ao longo de muitos segundos ou mesmo minutos. Neste capítulo, veremos que as vias de condução desses dois tipos de dor são diferentes e que cada uma delas tem qualidades específicas.

A dor rápida também é descrita com muitos nomes alternativos, como *dor pontual*, *dor em agulhadas*, *dor aguda* etc. Ela é sentida, por exemplo, quando uma agulha perfura a pele, quando a pele é cortada por uma faca ou quando ocorre queimadura aguda da pele. Também ocorre dor aguda quando a pele é submetida a eletrochoque. Essa dor não é percebida nos tecidos mais profundos do corpo.

A dor lenta recebe muitos nomes – como *queimação*, *dor latejante*, *dor nauseante*, *dor surda* e *dor crônica* – e ocorre em associação com a *destruição de tecidos*. Pode levar a sofrimento prolongado e quase insuportável, além de ocorrer tanto na pele quanto em qualquer tecido profundo ou víscera.

RECEPTORES DE DOR E SUA ESTIMULAÇÃO

Receptores de dor são terminações nervosas livres. Os receptores de dor da pele e outros tecidos são todos do tipo terminações nervosas livres. Encontram-se distribuídos nas camadas superficiais da *pele*, bem como em certos tecidos internos (p. ex., *periósteo*, *parede das artérias*, *superfícies articulares*, *foice cerebral* e *tentório do cerebelo*). A maioria dos demais tecidos profundos recebe escasso suprimento de terminações nervosas. Mesmo assim, qualquer lesão tecidual difusa pode ser somada até causar dor do tipo lenta e crônica na maioria dessas áreas.

Estímulos mecânicos, térmicos e químicos excitam receptores da dor. A dor pode ser produzida por múltiplos tipos de estímulo, classificados como *mecânicos*, *térmicos* e *químicos*. Em geral, a dor rápida é produzida pelos estímulos mecânico e térmico, ao passo que a lenta pode ser produzida por todos os três tipos.

Alguns agentes químicos que excitam o tipo químico de dor incluem *bradicinina*, *serotonina*, *histamina*, *íon potássio*, *ácidos*, *acetilcolina* e *enzimas proteolíticas*. Ademais, *prostaglandinas* e *substância P* são capazes de aumentar a sensibilidade de terminações nervosas, sem diretamente as excitar. As substâncias químicas são muito importantes na estimulação do tipo de dor lenta e associada a sofrimento que ocorre após lesão tecidual.

Natureza não adaptativa dos receptores da dor. Ao contrário da maioria dos demais receptores sensoriais do organismo, receptores de dor adaptam-se bem pouco ou por vezes não se adaptam. De fato, sob certas condições, a excitação de fibras de dor torna-se progressivamente maior, em especial para a dor lenta, crônica e nauseante, à medida que ela continua. Esse aumento na sensibilidade de receptores de dor recebe o nome de *hiperalgesia*.

---

[1] N.R.C.: Dor é a experiência subjetiva consciente de um sentido neural denominado nocicepção. Neste texto, usa-se o termo dor para referir-se tanto à nocicepção quanto à dor propriamente dita, embora sejam conceitos distintos.

Pode-se compreender rapidamente a importância dessa falha na adaptação de receptores de dor, pois isso possibilita que a dor mantenha a pessoa informada acerca de um estímulo que causa lesão tecidual enquanto ele durar.

A velocidade da lesão tecidual é codificada como estímulo doloroso. O indivíduo começa a perceber dor em média quando a pele é aquecida acima de 45°C, conforme demonstrado na **Figura 49.1**. Essa também é a temperatura na qual os tecidos começam a sofrer lesão pelo calor. De fato, tecidos são eventualmente destruídos se a temperatura permanecer acima desse nível por tempo indeterminado. Portanto, torna-se imediatamente aparente que a dor resultante do calor se relaciona de maneira íntima com a *velocidade com que ocorre a lesão dos tecidos*, e não com a magnitude da lesão em si.

A intensidade da dor também se relaciona intimamente com a *velocidade de ocorrência da lesão tecidual* por causas diferentes de calor, como infecção bacteriana, isquemia tecidual, contusão tecidual, entre outras.

Importância especial do estímulo químico da lesão tecidual como causa de dor. Extratos de tecido lesionado ocasionam intensa dor quando injetados sob a pele normal. A maioria dos compostos químicos listados anteriormente que excitam receptores químicos de dor podem ser encontrados nesses extratos. Uma substância que parece ser mais dolorosa que outras é a *bradicinina*. Pesquisadores sugeriram que ela possa ser o agente mais responsável por provocar dor após uma lesão tecidual. Ademais, a intensidade da dor correlaciona-se com o aumento local da concentração de potássio ou o aumento das enzimas proteolíticas que atacam diretamente as terminações nervosas e excitam a dor por tornarem as membranas neurais mais permeáveis a íons.

Isquemia tecidual como causa de dor. O tecido muitas vezes se torna dolorido dentro de alguns minutos quando o fluxo sanguíneo na área é bloqueado. Quanto maior a taxa metabólica do tecido, mais rápido surge a dor. Por exemplo, se um manguito de pressão arterial for posicionado ao redor do úmero e inflado até que o fluxo arterial seja interrompido, o exercício dos músculos do antebraço por vezes poderá causar dor muscular dentro de 15 a 20 segundos. Na ausência de exercício muscular, é possível que a dor não surja até 3 a 4 minutos, mesmo que o fluxo sanguíneo do músculo permaneça zero.

Uma das causas sugeridas de dor durante a isquemia é o acúmulo de grandes quantidades de *ácido láctico* nos tecidos, formado como consequência do metabolismo anaeróbico (*i. e.*, metabolismo sem oxigênio). Também é provável que outros agentes químicos, como a bradicinina e as enzimas proteolíticas, sejam formadas nos tecidos devido à lesão celular e que esses agentes estimulem terminações nervosas de dor juntamente com o ácido láctico.

Espasmo muscular como causa de dor. O espasmo muscular também costuma ocasionar dor, além de ser a base de muitas síndromes dolorosas clínicas. É provável que essa dor resulte parcialmente do efeito direto do espasmo muscular de estimular mecanorreceptores de dor, mas, do mesmo modo, pode originar-se do efeito indireto do espasmo muscular de comprimir os vasos sanguíneos, causando isquemia. O espasmo também aumenta a taxa metabólica do tecido muscular, tornando a isquemia relativa ainda maior e criando condições ideais para a liberação de substâncias químicas indutoras de dor.

VIAS DUPLAS DE TRANSMISSÃO DE SINAIS DE DOR PARA O SISTEMA NERVOSO CENTRAL

Mesmo que todos os receptores de dor sejam terminações nervosas livres, estas utilizam duas vias separadas para transmitir sinais de dor ao sistema nervoso central. As duas vias correspondem principalmente a dois tipos de dor: uma *via de dor aguda* e uma *via de dor crônica*.

FIBRAS PERIFÉRICAS DA DOR | FIBRAS RÁPIDAS E FIBRAS LENTAS

Os sinais de dor rápida/aguda são produzidos por estímulos nociceptivos mecânicos ou térmicos. São transmitidos em nervos periféricos até a medula espinhal por fibras pequenas tipo Aδ com velocidades entre 6 e 30 m/s. Em contrapartida, a dor lenta/crônica é produzida principalmente pelo estímulo do tipo químico, porém algumas vezes por estímulos mecânicos ou térmicos persistentes. Esse tipo de dor é transmitido à medula espinhal por fibras tipo C com velocidade entre 0,5 e 2 m/s.

Devido a esse sistema duplo de inervação de dor, um estímulo doloroso súbito muitas vezes causa a sensação de dor dupla: uma dor rápida/aguda transmitida ao encéfalo pela via das fibras Aδ, seguida mais ou menos 1 segundo após por um tipo de dor lenta transmitida pela via das fibras C. A dor aguda exerce um importante papel em

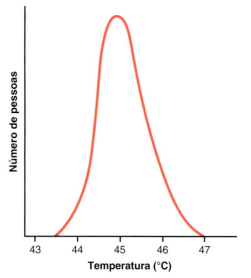

Figura 49.1 Curva de distribuição obtida de um grande número de pessoas demonstrando a temperatura mínima capaz de causar dor na pele. (*Modificada de Hardy JD: Nature of Pain. J Clin Epidemiol 4:22, 1956.*)

promover reação imediata para o indivíduo remover-se do estímulo. Já a dor lenta tende a tornar-se pior ao longo do tempo, eventualmente produzindo dor intolerável, que faz a pessoa continuar buscando um alívio para a causa da dor.

Ao adentrar a medula espinhal a partir das raízes dorsais, fibras nervosas de dor terminam em neurônios do corno dorsal. Aqui, mais uma vez, há dois sistemas de processamento dos sinais de dor a caminho do encéfalo, conforme demonstrado nas **Figuras 49.2** e **49.3**.

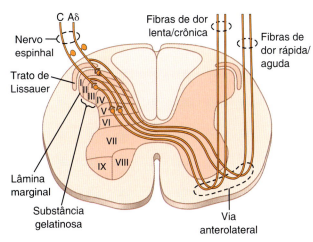

Figura 49.2 Transmissão de sinais de dor rápida/aguda e lenta/crônica para e através da medula espinhal a caminho do encéfalo. Fibras Aδ transmitem dor rápida/aguda, e fibras C transmitem dor lenta/crônica.

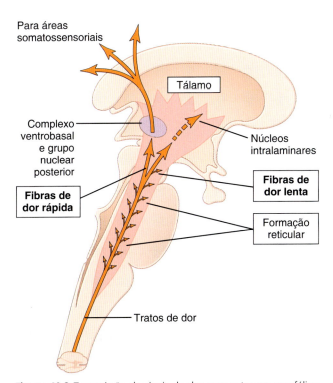

Figura 49.3 Transmissão de sinais de dor para o tronco encefálico, tálamo e córtex cerebral por meio da *via de dor rápida perfurante* e da *via de dor lenta de queimação*.

VIAS DUPLAS DE DOR NA MEDULA E NO TRONCO ENCEFÁLICO | TRATOS NEOESPINOTALÂMICO E PALEOESPINOTALÂMICO

Ao adentrar a medula espinhal, sinais de dor assumem duas vias até o encéfalo, através (1) do *trato neoespinotalâmico* e (2) do *trato paleoespinotalâmico*.

Trato neoespinotalâmico de transmissão da dor rápida/aguda

As fibras de dor tipo Aδ rápidas transmitem principalmente dor mecânica e térmica aguda. Terminam sobretudo na lâmina I (lâmina marginal) dos cornos dorsais, (conforme demonstrado na **Figura 49.2**), onde excitam neurônios de segunda ordem do trato neoespinotalâmico. Esses neurônios de segunda ordem originam fibras longas que cruzam imediatamente para o lado oposto da medula através da comissura anterior, voltando-se em seguida para cima e passando para o encéfalo pelas *colunas anterolaterais*.

Terminação do trato neoespinotalâmico no tronco encefálico e no tálamo. Algumas fibras do trato neoespinotalâmico terminam nas áreas reticulares do tronco encefálico, embora a maioria passe totalmente para o tálamo sem interrupção, terminando no *complexo ventrobasal* juntamente com o trato coluna dorsal-lemnisco medial de sensações táteis, discutido no Capítulo 48. Certas fibras também terminam no grupo nuclear posterior do tálamo. A partir dessas áreas do tálamo, os sinais são transmitidos para outras áreas basais do encéfalo, bem como para o córtex somatossensorial.

O sistema nervoso pode localizar a dor rápida. É possível o tipo de dor rápida/aguda ser localizado com muito mais exatidão nas diferentes partes do corpo do que a dor lenta/crônica. Todavia, quando são estimulados somente receptores de dor, sem estimulação simultânea de receptores táteis, mesmo a dor rápida pode ser mal localizada, em geral em torno de cerca de 10 centímetros da área estimulada. Porém, quando receptores táteis que excitam o sistema coluna dorsal-lemnisco medial são estimulados simultaneamente, a localização pode ser quase exata.

Glutamato | o provável neurotransmissor das fibras de dor rápida tipo Aδ. Acredita-se o *glutamato* seja a substância neurotransmissora secretada na medula espinhal pelas terminações de fibras nervosas de dor tipo Aδ. Ele é um dos transmissores excitatórios mais utilizados no sistema nervoso central, geralmente com duração de ação de apenas alguns milissegundos.

Trato paleoespinotalâmico de transmissão da dor lenta/crônica

A via paleoespinotalâmica trata-se de um sistema muito mais antigo que transmite dor principalmente por fibras de dor lenta/crônica tipo C periféricas, embora também transmita alguns sinais de fibras tipo Aδ. Nessa via, as

PARTE 9 Sistema Nervoso: A. Princípios Gerais e Fisiologia Sensorial

fibras periféricas terminam na medula espinhal quase completamente nas lâminas II e III dos cornos dorsais, que, juntas, recebem o nome de *substância gelatinosa*, conforme demonstrado pela fibra tipo C da raiz dorsal mais lateral na **Figura 49.2**. A maioria dos sinais passa por uma ou mais fibras curtas adicionais dentro dos cornos dorsais antes de adentrar principalmente a lâmina V, também no corno dorsal. Lá, os últimos neurônios da série emitem longos axônios que se unem às fibras da via de dor rápida, passando primeiro através da comissura anterior para o lado oposto da medula e depois ascendendo ao encéfalo pela via anterolateral.

Substância P | O provável neurotransmissor das fibras de dor lenta/crônica do tipo C. Terminais de
fibras de dor tipo C que adentram a medula espinhal liberam tanto o transmissor glutamato quanto a substância P. O transmissor glutamato atua instantaneamente e dura apenas alguns milissegundos. Já a substância P é liberada de maneira muito mais lenta, ocorrendo acúmulo de sua concentração ao longo de segundos ou mesmo minutos. Com efeito, sugeriu-se que a sensação de dor dupla que se sente após uma perfuração pode resultar em parte do fato de que o glutamato fornece a sensação de dor rápida, ao passo que a substância P transmite uma sensação mais retardada. Independentemente de detalhes ainda desconhecidos, parece claro que o glutamato é o neurotransmissor mais relacionado à transmissão de dor rápida para o sistema nervoso central, e a substância P, à dor lenta/crônica.

Projeção da via paleoespinotalâmica (sinais de dor lenta/crônica) para o tronco encefálico e tálamo.
A via de dor lenta/crônica paleoespinotalâmica termina amplamente no tronco encefálico, na grande área sombreada da **Figura 49.3**. Apenas 10 a 25% das fibras passam totalmente para o tálamo. A maioria termina em uma destas três áreas: (1) *núcleos reticulares* do bulbo, ponte e mesencéfalo; (2) *área tectal* do mesencéfalo, profundamente aos colículos superiores e inferiores; ou (3) região da *substância cinzenta periaquedutal* situada ao redor do aqueduto de Sylvius. Essas regiões inferiores do encéfalo parecem ter importância na sensação dos tipos de dor associados a sofrimento. A partir das áreas de dor do tronco encefálico, múltiplos neurônios curtos transmitem sinais de dor ascendentes para os núcleos intralaminares e ventrolaterais do tálamo, bem como para certas porções do hipotálamo e outras regiões basais do cérebro.

Incapacidade do sistema nervoso de localizar precisamente a fonte da dor transmitida pela via lenta/crônica. A localização da dor transmitida por meio
da via paleoespinotalâmica é imprecisa. Por exemplo, a dor lenta/crônica pode, em geral, ser localizada somente como uma ampla área do corpo, como um braço ou perna, sem que se defina um ponto específico em um ou outro. Esse fenômeno corresponde à conectividade multissináptica e difusa dessa via – o que explica por que pacientes geralmente têm muita dificuldade em localizar a fonte de alguns tipos de dor crônica.

Função da formação reticular, do tálamo e do córtex cerebral na percepção da dor. A remoção completa
de áreas somáticas do córtex cerebral não impede a percepção da dor. Portanto, é provável que impulsos de dor que adentram a formação reticular no tronco encefálico, o tálamo e outros centros inferiores causem percepção consciente da dor. Isso não significa que o córtex cerebral não tenha nada a ver com a percepção normal da dor; a estimulação elétrica de áreas somatossensoriais corticais faz com que o indivíduo perceba dor leve a partir de cerca de 3% dos pontos estimulados. Todavia, acredita-se que o córtex exerça um papel especialmente importante na interpretação da qualidade da dor, mesmo que sua percepção seja uma função principalmente de centros inferiores.

Capacidade especial de sinais de dor aumentarem a excitabilidade geral do cérebro. A estimulação elé-
trica de *áreas reticulares do tronco encefálico* e dos *núcleos intralaminares do tálamo*, onde terminam sinais de dor de baixo sofrimento, tem forte efeito excitatório sobre a atividade nervosa de todo o cérebro. Essas duas áreas constituem parte do sistema de excitação principal do cérebro, discutido no Capítulo 60. Isso explica por que é quase impossível a uma pessoa dormir quando sente dor grave.

Interrupção cirúrgica de vias nociceptivas. Quando
uma pessoa apresenta dor grave e intratável (algumas vezes resultante de um câncer com disseminação rápida), é necessário aliviar essa dor. Para isso, as vias nervosas da dor podem ser seccionadas em qualquer um dentre vários pontos. Se a dor ocorrer na região inferior do corpo, uma *cordotomia* na região torácica da medula espinhal muitas vezes alivia a dor por algumas semanas a meses. Para realizar a cordotomia, tratos condutores de dor da medula espinhal do lado oposto do foco de dor são seccionados em seu *quadrante anterolateral* a fim de interromper a via sensorial anterolateral.

A cordotomia nem sempre é bem-sucedida em aliviar a dor por duas razões. A primeira delas é que muitas fibras nociceptivas da parte superior do corpo não cruzam para o lado oposto da medula até que cheguem ao encéfalo, de modo que a cordotomia não alcança essas fibras. A segunda razão é que a dor frequentemente retorna meses depois, em parte devido à sensibilização de outras vias normalmente mais fracas para produzir efeito (p. ex., vias mais dispersas da medula dorsolateral).

SISTEMA DE SUPRESSÃO DA DOR (ANALGESIA) NO ENCÉFALO E NA MEDULA ESPINHAL

O grau com que diferentes pessoas reagem à dor é muito variável. Essa variabilidade resulta em parte de uma capacidade do próprio encéfalo de suprimir sinais aferentes nociceptivos por meio da ativação de um sistema de controle de dor, denominado *sistema de analgesia*.

O sistema de analgesia, demonstrado na **Figura 49.4**, consiste em três componentes principais: (1) a *substância*

CAPÍTULO 49 Sensações Somáticas: II. Dor, Cefaleia e Sensações Térmicas

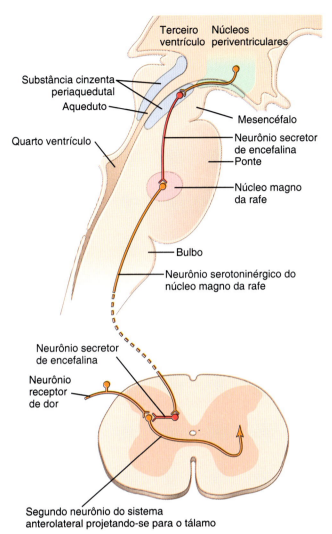

Figura 49.4 Sistema de analgesia do encéfalo e medula espinhal, demonstrando (1) inibição de sinais aferentes de dor no nível da medula e (2) presença de *neurônios secretores de encefalina*, que suprimem sinais de dor tanto na medula quanto no tronco encefálico.

incluem: (1) os *núcleos periventriculares do hipotálamo*, adjacentes ao terceiro ventrículo; e, em menor grau, (2) o *fascículo prosencefálico medial*, também no hipotálamo.

Muitas substâncias transmissoras, especialmente a *encefalina* e a *serotonina*, estão relacionadas ao sistema de analgesia. Diversas fibras nervosas derivadas dos núcleos periventriculares e da substância cinzenta periaquedutal secretam encefalina em suas terminações. Portanto, conforme demonstrado na **Figura 49.4**, as terminações de muitas fibras do núcleo magno da rafe liberam encefalina ao serem estimuladas.

Fibras originadas nessa área emitem sinais para os cornos dorsais da medula a fim de secretar serotonina em suas terminações. A serotonina faz com que os neurônios locais da medula também secretem encefalina. Acredita-se que a encefalina cause *inibição pré-sináptica* e *pós-sináptica* de fibras nociceptivas tipo C e Aδ em suas sinapses nos cornos dorsais.

Portanto, o sistema de analgesia pode bloquear sinais de dor no início de seu ponto de entrada na medula espinhal. Ele também é capaz de bloquear muitos reflexos medulares locais que resultam de sinais nociceptivos, especialmente o reflexo de retirada descrito no Capítulo 55.

SISTEMA OPIOIDE DO ENCÉFALO | ENDORFINAS E ENCEFALINAS

Há mais de 50 anos, descobriu-se que a injeção de quantidades mínimas de morfina nos núcleos periventriculares ao redor do terceiro ventrículo ou na substância cinzenta periaquedutal do tronco encefálico causa um grau extremo de analgesia. Em estudos subsequentes, foi descoberto que agentes similares à morfina, em especial os opioides, atuam em muitos outros pontos do sistema de analgesia, incluindo os cornos dorsais da medula espinhal. Muitos fármacos que modificam a excitabilidade de neurônios o fazem por meio de receptores sinápticos; por isso, assumiu-se que os "receptores da morfina" do sistema de analgesia fossem provavelmente receptores para algum neurotransmissor semelhante à morfina naturalmente secretado pelo encéfalo. Realizou-se, assim, uma extensa pesquisa em busca do opioide natural do encéfalo. Cerca de 12 substâncias similares a um opioide já foram encontradas em diferentes pontos do sistema nervoso. Todas correspondem a produtos da quebra de três grandes moléculas de proteínas: *pró-opiomelanocortina*, *pró-encefalina* e *pró-dinorfina*. Entre as mais importantes substâncias similares a opioides, encontram-se a β-*endorfina*, *Met-encefalina*, *Leu-encefalina* e *dinorfina*.

As duas encefalinas são encontradas no tronco encefálico, na medula espinhal e em porções do sistema de analgesia descritas anteriormente, ao passo que a β-endorfina está presente no hipotálamo e na hipófise. A dinorfina é encontrada principalmente nas mesmas áreas descritas para as encefalinas, porém em quantidades menores.

Sendo assim, embora detalhes acerca do sistema opioide do encéfalo não estejam elucidados por completo,

---

cinzenta periaquedutal e *periventricular* do mesencéfalo e porção superior da ponte, situada ao redor do aqueduto de Sylvius, e parte do terceiro e do quarto ventrículo. Neurônios dessas áreas emitem sinais para (2) o *núcleo magno da rafe*, que consiste em um delgado núcleo mediano situado na porção inferior da ponte e superior do bulbo, e para o *núcleo reticular paragigantocelular*, situado lateralmente no bulbo. A partir desses núcleos, sinais secundários são transmitidos para as colunas dorsolaterais da medula para (3) um *complexo inibitório da dor localizado nos cornos dorsais da medula espinhal*. Nesse ponto, sinais de analgesia podem bloquear a dor antes que ela seja transmitida para o cérebro.

A estimulação elétrica da substância cinzenta periaquedutal ou do núcleo magno da rafe pode suprimir muitos sinais fortes de dor que adentram a medula pelas raízes dorsais. Além disso, a estimulação de áreas superiores do encéfalo que excitam a substância cinzenta periaquedutal também podem suprimir a dor. Algumas dessas áreas a *ativação do sistema de analgesia* por sinais nervosos que adentram a substância cinzenta periaquedutal e periventricular, ou a *inativação de vias da dor* por substâncias similares à morfina, pode suprimir quase em sua totalidade muitos sinais nociceptivos que chegam por meio de nervos periféricos.

Inibição da transmissão da dor por sinais sensoriais táteis simultâneos

Outro importante evento na busca pelo controle da dor foi a descoberta de grandes fibras sensoriais do tipo Aβ de receptores táteis periféricos capazes de deprimir a transmissão de sinais de dor advindos da mesma área do corpo. Tal efeito provavelmente resulta de uma inibição lateral local na medula espinhal. Isso explica por que manobras simples – como esfregar a pele próxima à área dolorosa – são, muitas vezes, eficientes em aliviar a dor, além de provavelmente esclarecer também o motivo pelo qual linimentos costumam ser úteis para o alívio da dor.

É provável que esse mecanismo e a excitação psicogênica simultânea do sistema de analgesia central também sejam a base do alívio da dor por meio de *acupuntura*.

Tratamento da dor por meio de estimulação elétrica

Diversos procedimentos clínicos já foram desenvolvidos para suprimir a dor com emprego de estimulação elétrica. Eletrodos são posicionados em áreas específicas da pele ou, ocasionalmente, implantados sobre a medula espinhal, a fim de estimular as colunas sensoriais dorsais.

Em alguns pacientes, os eletrodos são colocados, por meio de cirurgia estereotáxica, em núcleos intralaminares apropriados do tálamo ou na substância cinzenta periaquedutal ou paraventricular do diencéfalo. O paciente pode controlar, de maneira personalizada, o grau de estimulação. Foi relatado alívio dramático da dor em alguns casos, além de duração de até 24 horas após poucos minutos de estimulação.

DOR REFERIDA

Com frequência, a dor sentida por uma pessoa em certa parte do corpo situa-se bastante distante do tecido causador da dor. Esse fenômeno recebe o nome de *dor referida*. Por exemplo, a dor em um órgão visceral normalmente é referida a uma área da superfície do corpo. O conhecimento acerca dos diferentes tipos de dor referida é importante para o diagnóstico clínico, pois, em muitas doenças das vísceras, o único sinal clínico é a dor referida.

Mecanismo da dor referida. A **Figura 49.5** demonstra o provável mecanismo por meio do qual é referida a dor. Na figura, ramos de fibras nociceptivas viscerais são representados fazendo sinapse na medula espinhal com os mesmos neurônios de segunda ordem (1 e 2), que recebem sinais de dor da pele. Quando as fibras viscerais são estimuladas, sinais de dor das vísceras são conduzidos ao menos por alguns dos mesmos neurônios que conduzem sinais de dor da pele, fazendo a pessoa sentir como se as sensações estivessem vindo da pele.

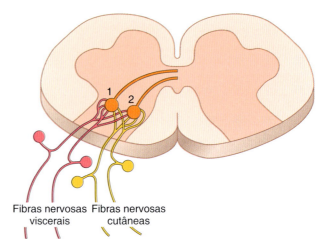

Figura 49.5 Mecanismo de dor referida e hiperalgesia referida. Os neurônios 1 e 2 recebem sinais de dor da pele e também das vísceras.

DOR VISCERAL

A dor advinda de diferentes vísceras do abdome e do tórax é um dos critérios que podem ser utilizados para diagnosticar inflamação visceral, doença infecciosa visceral e outras condições das vísceras. Com frequência, os receptores sensoriais viscerais servem apenas para perceber dor. Ademais, a dor visceral difere da dor superficial em muitos aspectos importantes.

Uma das diferenças mais importantes entre a dor superficial e a dor visceral é que lesões altamente localizadas nas vísceras não costumam causar dor grave. Por exemplo, o cirurgião pode seccionar completamente uma alça intestinal de um paciente acordado em duas partes sem que ocorra dor significativa. Em contrapartida, qualquer estímulo que cause *estimulação difusa de terminações nociceptivas* ao longo de uma víscera causa dor de intensidade grave. Por exemplo, a isquemia ocasionada pela obstrução do fluxo sanguíneo a uma grande região do intestino estimula muitas fibras nociceptivas difusas ao mesmo tempo, podendo resultar em extrema dor.

Causas da dor visceral verdadeira

Qualquer estímulo que excite as terminações nervosas da dor em áreas difusas das vísceras pode causar dor grave. Esses estímulos incluem isquemia do tecido visceral, lesão química das superfícies da víscera, espasmo do músculo liso de uma víscera oca, distensão excessiva de uma víscera oca e estiramento do tecido conjuntivo externo ou interno de uma víscera. Essencialmente, toda dor visceral originada nas cavidades torácica e abdominal é transmitida por fibras pequenas tipo C, as quais podem transmitir somente o tipo crônico, profundo e sofrível de dor.

Isquemia. A isquemia causa dor visceral assim como o faz em outros tecidos, presumivelmente devido à formação de produtos metabólicos ácidos ou degenerativos dos tecidos, como bradicinina, enzimas proteolíticas ou outras substâncias capazes de estimular terminações nervosas nociceptivas.

Estímulos químicos. Ocasionalmente, substâncias nocivas extravasam do trato gastrointestinal para a cavidade peritoneal. Por exemplo, o suco gástrico ácido proteolítico pode extravasar através de uma úlcera gástrica ou duodenal e causar digestão generalizada do peritônio visceral, estimulando amplas áreas de fibras nervosas. A dor geralmente tem caráter excruciante e grave.

Espasmo de víscera oca. O espasmo de uma porção do intestino, da vesícula biliar, do ducto biliar, do ureter ou de qualquer outra víscera oca pode causar dor, possivelmente devido à estimulação mecânica das terminações nervosas de dor. Outra possibilidade é que o espasmo reduza o fluxo sanguíneo para o músculo e aumente o requerimento metabólico desse músculo por nutrientes, ocasionando dor grave.

Com frequência, a dor oriunda de uma víscera espástica ocorre como *cólica*, com aumento até um grau intenso de gravidade seguido de amenização da dor. Esse processo continua de maneira intermitente a cada período de alguns minutos. Os ciclos intermitentes resultam de períodos de contração do músculo liso. Por exemplo, a cada vez que uma onda peristáltica percorre uma alça intestinal espástica, ocorre cólica. A dor do tipo cólica ocorre frequentemente em indivíduos com apendicite, gastrenterite, constipação intestinal, menstruação, trabalho de parto, doença da vesícula biliar ou obstrução ureteral.

Distensão excessiva de uma víscera oca. O enchimento extremo de uma víscera oca pode resultar em dor, presumivelmente em razão do estiramento dos próprios tecidos. É possível a distensão também causar colabamento de vasos sanguíneos que circundam a víscera ou que passam através de suas paredes, talvez provocando também dor isquêmica.

Vísceras insensíveis. Algumas vísceras são quase completamente insensíveis a qualquer tipo de dor. Essas regiões incluem o parênquima do fígado e alvéolos pulmonares. Contudo, a *cápsula* do fígado é extremamente sensível a traumatismo direto e estiramento, e os *ductos biliares* também são sensíveis à dor. Nos pulmões, embora os alvéolos sejam insensíveis, os *brônquios* e a *pleura parietal* são muito sensíveis à dor.

DOR PARIETAL CAUSADA POR DOENÇA VISCERAL

Quando uma doença acomete uma víscera, seu processo frequentemente se distribui para o peritônio, a pleura ou pericárdio parietais. Essas superfícies parietais, assim como a pele, são inervadas com muitas fibras nociceptivas dos nervos espinhais periféricos. Portanto, a dor que advém da região parietal que circunda uma víscera normalmente tem caráter agudo. Um exemplo enfatizando a diferença entre essa dor e a verdadeira dor visceral seria uma incisão através do peritônio *parietal*, que é muito dolorosa, ao passo que a mesma incisão no peritônio visceral ou na parede da víscera não causa dor significativa ou mesmo nem causa dor.

LOCALIZAÇÃO DA DOR VISCERAL | VIAS DE TRANSMISSÃO DAS DORES VISCERAL E PARIETAL

A dor de diferentes vísceras é geralmente de difícil localização, por muitas razões. A primeira delas é que o encéfalo do paciente não tem conhecimento acerca da existência de órgãos internos por experiência direta. Portanto, qualquer dor que se origine internamente só poderá ser localizada de maneira geral. A segunda razão é que sensações do abdome e tórax são transmitidas por duas vias para o sistema nervoso central: a *via visceral verdadeira* e a *via parietal*. A primeira é transmitida por fibras sensoriais nociceptivas dos feixes nervosos do sistema nervoso autônomo, cujas sensações são *referidas* a áreas da superfície do corpo geralmente distantes do órgão de origem da dor. Já as sensações parietais são conduzidas *diretamente* para nervos espinhais locais do peritônio, da pleura ou do pericárdio parietais, sendo geralmente *localizadas diretamente sobre a área dolorosa*.

Localização da dor referida de origem visceral. Quando a dor visceral é referida à superfície do corpo, o indivíduo tende a localizar a dor em um dermátomo a partir do qual aquela víscera se originou na vida embrionária, não necessariamente onde a víscera se encontra na fase adulta. Por exemplo, o coração origina-se no pescoço e na porção superior do tórax, de modo que as fibras nociceptivas viscerais do coração ascendem ao longo de nervos sensoriais simpáticos e adentram a medula espinhal nos segmentos C3 a T5. Portanto, conforme demonstrado na **Figura 49.6**, a dor advinda do

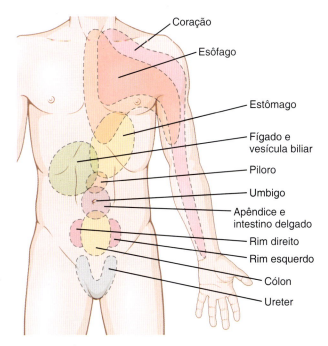

Figura 49.6 Áreas da superfície da dor referida advinda de diferentes órgãos viscerais.

coração é referida para a lateral do pescoço, do ombro, dos músculos peitorais e do braço, chegando à região subesternal do tórax. Essas são as regiões da superfície corporal que enviam fibras nervosas somatossensoriais para os segmentos C3 a T5. A dor ocorre geralmente do lado esquerdo, em vez do direito, porque em geral é o lado esquerdo do coração que está mais frequentemente relacionado às doenças coronarianas.

O estômago origina-se aproximadamente do sétimo ao nono segmento torácico do embrião. Portanto, a dor no estômago é referida à região epigástrica anterior acima do umbigo, que corresponde à área de superfície corporal suprida pelos segmentos torácicos sete a nove. A **Figura 49.6** demonstra diversas outras áreas de superfície às quais é referida a dor visceral de outros órgãos, geralmente representando áreas do embrião onde esses órgãos foram originados.

Via de transmissão das dores parietais abdominal e torácica. A dor das vísceras costuma localizar-se em duas áreas da superfície do corpo ao mesmo tempo, em razão da transmissão dupla da dor através da via visceral de dor referida e da via parietal direta. Nesse sentido, a **Figura 49.7** demonstra a transmissão dupla de um apêndice inflamado. Impulsos de dor passam primeiro pelo apêndice por meio de fibras nociceptivas viscerais localizadas dentro de feixes simpáticos e depois chegam à medula espinhal na altura de T10 ou T11. Essa dor é referida a uma área ao redor do umbigo e tem caráter profundo e de cólica. Impulsos de dor também são originados muitas vezes no peritônio parietal da região onde o apêndice inflamado toca ou se adere à parede abdominal. Esses impulsos causam dor do tipo agudo diretamente sobre a região peritoneal inflamada no quadrante inferior direito do abdome.

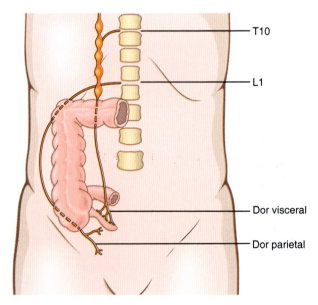

Figura 49.7 Transmissão de sinais de dor visceral e parietal a partir do apêndice.

Algumas anormalidades clínicas da dor e outras sensações somáticas

Hiperalgesia | hipersensibilidade à dor

Algumas vezes, uma via nervosa de dor torna-se excessivamente excitável, o que provoca *hiperalgesia*. Possíveis causas da hiperalgesia incluem: (1) sensibilidade excessiva a receptores de dor, denominada *hiperalgesia primária*; e (2) facilitação da transmissão sensorial; denominada *hiperalgesia secundária*.

Um exemplo de hiperalgesia primária é a sensibilidade extrema da pele queimada pelo sol, que resulta da sensibilização de terminações nervosas cutâneas por produtos teciduais locais da queimadura – talvez histamina, prostaglandinas, entre outros. A hiperalgesia secundária frequentemente ocorre como resultado de lesões da medula espinhal ou do tálamo. Muitas dessas lesões são discutidas nas seções subsequentes.

Herpes-zóster

Ocasionalmente, o *herpes-vírus* infecta um gânglio da raiz dorsal. Essa infecção causa dor grave no dermátomo inervado pelo gânglio, sendo um tipo de dor segmentar que permeia metade da circunferência do corpo. A doença recebe o nome de *herpes-zóster*, ou *cobreiro*, em razão da erupção de pele que normalmente a acompanha.

A causa da dor provavelmente consiste na infeção de neurônios de dor do gânglio da raiz dorsal pelo vírus. Além de ocasionar dor, o vírus é carreado pelo fluxo citoplasmático neuronal e sai pelos axônios periféricos para suas origens cutâneas. Nesse local, o vírus causa erupção de pele vesicular dentro de alguns dias, com formação de crostas nos dias subsequentes, sempre na região do dermátomo inervado pela raiz infectada.

Tique doloroso

Em alguns indivíduos, ocorre algumas vezes um tipo de dor lancinante ou perfurante na área de distribuição sensorial de um lado da face (ou em parte dessa área) correspondente ao quinto ou nono nervo craniano. Esse fenômeno recebe o nome de *tique doloroso* (causado por *neuralgia de trigêmeo* ou por *neuralgia de glossofaríngeo*). A dor lembra choques elétricos súbitos e pode aparecer por alguns segundos por vez ou de maneira contínua. Em geral, é provocada por áreas de gatilho excessivamente sensíveis na superfície da face, na boca ou na garganta – quase sempre por um estímulo mecanoceptivo de caráter não nociceptivo. Por exemplo, quando o paciente deglute um bolo alimentar, à medida que o alimento toca uma tonsila, deflagra-se dor lancinante na porção mandibular do quinto nervo craniano.

A dor do tique doloroso pode geralmente ser bloqueada por meio de secção cirúrgica do nervo periférico que supre a área hipersensível. A porção sensorial do quinto nervo craniano tende a ser seccionada imediatamente dentro da calota craniana, onde as raízes motoras e sensitivas do trigêmeo se separam entre si, de modo que as porções motoras necessárias à movimentação da mandíbula sejam poupadas e somente se destruam os elementos sensoriais. Esse procedimento deixa um lado da face anestesiado, o que pode ser perturbador. Ademais, em alguns casos, é possível a cirurgia ser malsucedida, indicando que a lesão causadora da dor pode ser no núcleo sensorial do tronco encefálico, e não nos nervos periféricos.

Síndrome de Brown-Séquard

Se a medula espinhal for completamente seccionada, todas as sensações e funções motoras distais ao segmento seccionado serão bloqueadas. Contudo, se a secção for realizada apenas de um lado, ocorrerá a *síndrome de Brown-Séquard*. Os efeitos dessa secção podem ser previstos a partir do conhecimento dos tratos medulares demonstrados na **Figura 49.8**. Todas as funções motoras serão bloqueadas de um lado da secção em todos os segmentos inferiores a ela. Porém, somente algumas modalidades de sensação serão perdidas no lado seccionado, enquanto outras serão perdidas do lado oposto. As sensações de dor, calor e frio – transmitidas pela via espinotalâmica – serão perdidas *do lado oposto do corpo* (contralateral) em todos os dermátomos, dois a seis segmentos abaixo do nível da secção. Em contrapartida, as sensações transmitidas somente pelas colunas dorsal e dorsolateral – sensações cinestésicas e de posição, sensação de vibração, localização precisa e discriminação entre dois pontos – serão perdidas *do mesmo lado da secção em todos os dermátomos* abaixo de seu nível. A sensação de toque leve preciso será comprometida do mesmo lado (ipsilateral) da secção, porque a principal via de transmissão desse tato, a coluna dorsal, foi seccionada. Ou seja, as fibras dessa coluna não cruzam para o lado oposto até que cheguem ao bulbo no encéfalo. Já o toque grosseiro, que é mal localizado, ainda persiste em razão da transmissão parcial do trato espinotalâmico contralateral.

Cefaleia

Cefaleias são um tipo de dor referida para a superfície da cabeça a partir de estruturas profundas. Algumas resultam de estímulos originados dentro da calota craniana, enquanto outras resultam de dor externa à calota craniana, como nos seios paranasais.

Cefaleia de origem intracraniana

Áreas sensíveis à dor da calota craniana. O tecido do encéfalo em si é quase completamente insensível à dor. Mesmo a secção ou estimulação elétrica de áreas sensoriais do córtex cerebral só resulta em dor ocasionalmente. Na realidade, esses estímulos causam parestesias formigantes na área do corpo representada pela porção do córtex que foi estimulada. Sendo assim, é provável que grande parte da dor do tipo cefaleia não seja resultante de lesão do próprio encéfalo.

Em contrapartida, *a tração dos seios venosos do encéfalo, a lesão da foice cerebral ou do tentório do cerebelo ou o estiramento da dura-máter na base do encéfalo* podem causar dor intensa, percebida como cefaleia. Ademais, é possível quase qualquer tipo de estímulo advindo de traumatismo, esmagamento ou estiramento de *vasos sanguíneos das meninges* ocasionar cefaleia. Uma estrutura muito sensível é a artéria meníngea média; neurocirurgiões têm o cuidado de anestesiá-la especificamente com anestésicos locais durante cirurgias do encéfalo.

Áreas da cabeça às quais a cefaleia intracraniana é referida. A estimulação de receptores de dor na calota craniana acima do tentório do cerebelo, incluindo a superfície superior do próprio tentório, deflagra impulsos de dor na porção cerebral do quinto nervo, causando, portanto, cefaleia referida na metade frontal da cabeça em áreas da superfície inervadas pela porção somatossensorial do trigêmeo, conforme demonstrado na **Figura 49.9**.

Em contrapartida, impulsos de dor inferiores ao tentório do cerebelo adentram o sistema nervoso central sobretudo através dos nervos glossofaríngeo, vago e segundo nervo cervical, que também suprem o topo da cabeça, a nuca e a região ligeiramente abaixo do ouvido. Estímulos de dor subtentoriais causam cefaleia occipital referida na região posterior da cabeça.

Tipos de cefaleia intracraniana

Cefaleia da meningite. Uma das cefaleias mais graves de todas é a resultante da meningite, que ocasiona inflamação das meninges, incluindo áreas sensíveis da dura-máter e dos seios venosos. Lesões dessa intensidade podem ocasionar dores muito fortes referidas em toda a cabeça.

Cefaleia causada por pressão reduzida do líquido cefalorraquidiano. A remoção de apenas 20 mililitros de líquido cefalorraquidiano, particularmente no indivíduo em

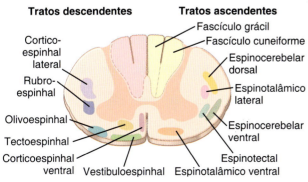

Figura 49.8 Secção transversal da medula espinhal demonstrando os principais tratos ascendentes à *direita* e descendentes *à esquerda*.

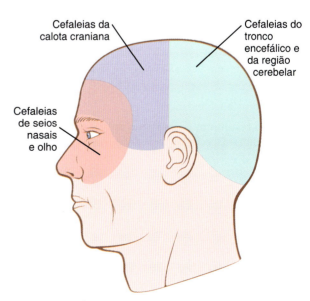

Figura 49.9 Áreas de cefaleia resultante de diferentes causas.

PARTE 9 Sistema Nervoso: A. Princípios Gerais e Fisiologia Sensorial

posição ortostática, costuma causar cefaleia intracraniana intensa. A remoção dessa quantidade de líquido retira parte da qualidade de flutuação do encéfalo normalmente proporcionada pelo líquido cefalorraquidiano. O peso do encéfalo estira e distorce as diversas superfícies durais, deflagrando dor responsável pela cefaleia.

Cefaleia da enxaqueca. A enxaqueca é um tipo especial de cefaleia que pode resultar de função vascular anormal, embora o mecanismo exato seja desconhecido. A cefaleia da enxaqueca normalmente começa com várias sensações prodrômicas, como náuseas, perda da visão em parte do campo visual, aura visual e outros tipos de alucinações sensoriais. Geralmente, os sintomas prodrômicos iniciam-se 30 a 60 minutos antes do início da cefaleia. Qualquer teoria que explique a enxaqueca deverá também esclarecer os sintomas prodrômicos.

Uma teoria da cefaleia de enxaqueca é que emoções ou tensões prolongadas causariam espasmo vascular reflexo de algumas artérias da cabeça, incluindo as artérias que irrigam o encéfalo. Teoricamente, o espasmo produziria isquemia de partes do encéfalo, que seria responsável pelos sintomas prodrômicos. Assim, como resultado da intensa isquemia, algo ocorreria nas paredes vasculares, talvez exaustão da contração do músculo liso, possibilitando que os vasos sanguíneos se tornassem flácidos e incapazes de manter seu tônus normal por 24 a 48 horas. A pressão desses vasos faria com que eles dilatassem e pulsassem intensamente, sendo então postulado que o estiramento excessivo de suas paredes – incluindo algumas artérias extracranianas, como a artéria temporal – seria a causa real da cefaleia da enxaqueca. Outras teorias sobre a origem da enxaqueca incluem lesão cortical disseminada, anormalidades psicológicas e espasmo vascular ocasionado por excesso de potássio local no líquido extracelular do encéfalo.

É possível que haja uma predisposição genética à enxaqueca, pois foi relatado histórico familiar em 65 a 90% dos casos. A enxaqueca também ocorre com frequência até duas vezes maior nas mulheres do que nos homens.

Cefaleia alcoólica. Como muitas pessoas já constataram, o consumo excessivo de álcool muitas vezes é seguido por cefaleia. É provável que o álcool, devido à sua toxicidade para os tecidos, irrite diretamente as meninges, causando dor intracraniana. A desidratação também pode exercer um papel na ressaca que segue o alto consumo de álcool. A hidratação tende a atenuar, porém não cura a cefaleia e os outros sintomas relacionados à ressaca.

Tipos de cefaleia extracraniana

Cefaleia resultante de espasmo muscular. Em geral, a tensão emocional causa espasticidade de muitos músculos da cabeça, especialmente músculos inseridos na caixa craniana e músculos cervicais inseridos no occipício. Esse mecanismo foi postulado como causa comum de cefaleia. A dor da espasticidade muscular da cabeça supostamente seria referida às áreas sobrejacentes, produzindo cefaleia similar àquela ocasionada por lesões intracranianas.

Cefaleia causada por irritação de estruturas nasais e acessórias do nariz. As membranas mucosas do nariz e dos seios nasais são sensíveis à dor, embora não de maneira intensa. Ainda assim, infecção ou outros processos irritativos em áreas disseminadas das estruturas nasais muitas vezes se somam, resultando em cefaleia referida atrás dos olhos ou, no caso da infecção dos seios frontais, nas superfícies frontais da cabeça, conforme demonstrado na **Figura 49.9**. Ademais, a dor advinda dos seios inferiores, como seios maxilares, pode ser percebida também na face.

Cefaleia causada por distúrbios oftálmicos. A dificuldade de focar os olhos com clareza pode levar à contração excessiva dos músculos ciliares do olho na tentativa de adquirir foco visual. Embora esses músculos sejam extremamente pequenos, acredita-se que sua contração tônica ocasione cefaleia retro-orbital. Além disso, tentativas excessivas de focar os olhos podem resultar em espasmo reflexo de vários músculos faciais e extraoculares, sendo uma possível causa de cefaleia.

Um segundo tipo de cefaleia que se origina nos olhos ocorre quando estes são expostos à irradiação excessiva por raios luminosos, especialmente a luz ultravioleta. Olhar na direção do sol ou do arco de um soldador por alguns segundos pode resultar em cefaleia que perdura por 24 a 48 horas. Essa cefaleia algumas vezes é resultado de uma irritação actínica das conjuntivas, sendo a dor referida à superfície da cabeça ou região retro-orbital. Todavia, é possível o foco de uma luz intensa como a do soldador ou do sol na retina também queimá-la, podendo ser essa a razão da cefaleia.

SENSAÇÕES TÉRMICAS

TERMORRECEPTORES E SUA ESTIMULAÇÃO

As pessoas podem perceber diferentes gradações de frio e calor, desde o *frio congelante* ao *frio*, ao *fresco*, ao *indiferente*, ao *morno*, ao *quente* e até o *quente escaldante*.

Gradações térmicas são discriminadas por, no mínimo, três tipos de receptores sensoriais: receptores de frio, receptores de calor e receptores de dor. Estes últimos são estimulados apenas por graus extremos de calor ou frio, sendo responsáveis, juntamente com os outros dois receptores, pelas sensações de frio congelante e quente escaldante.

Receptores de calor e frio localizam-se imediatamente sob a pele em *pontos* específicos e separados. A maioria das áreas do corpo possui 3 a 10 vezes mais pontos de frio do que de calor; o número nas diferentes áreas do corpo varia de 15 a 25 pontos de frio/cm^2 nos lábios a 3 a 5 pontos de frio/cm^2 nos dedos, até menos que 1 ponto de frio/cm^2 em algumas áreas superficiais amplas do tronco.

Acredita-se que receptores de calor sejam terminações nervosas livres, pois sinais de calor são transmitidos principalmente por fibras tipo C desmielinizadas com velocidades de apenas 0,4 a 2 m/s.

Já foi identificado um receptor de frio definitivo. Trata-se de uma terminação nervosa especial e pequena tipo Aδ mielínica que se ramifica muitas vezes, com extremidades protraídas nas superfícies inferiores das células basais da epiderme. Os sinais são transmitidos desses receptores por fibras nervosas tipo Aδ finamente mielínicas com velocidade de cerca de 20 m/s. Acredita-se que algumas sensações de frio sejam transmitidas também por fibras tipo C, o que sugere que algumas terminações nervosas livres também possam funcionar como receptores de frio.

Estimulação de termorreceptores | sensações de frio, fresco, indiferente, morno e quente. A **Figura 49.10** demonstra os efeitos de diferentes temperaturas sobre as respostas de quatro tipos de fibras nervosas: (1) uma fibra nociceptiva estimulada pelo frio; (2) uma fibra de frio; (3) uma fibra de calor; e (4) uma fibra nociceptiva estimulada pelo calor. Note especialmente que essas fibras respondem de maneira diversa sob níveis diferentes de temperatura. Por exemplo, na região *muito* fria, somente as fibras nociceptivas (dolorosas) de frio são estimuladas (se a pele se tornar ainda mais fria, ao ponto de quase congelar ou chegar mesmo a congelar, essas fibras não poderão mais ser estimuladas). À medida que a temperatura aumenta para +10°C a 15°C, os impulsos nociceptivos de frio cessam (o frio deixa de "doer"), mas os receptores de frio começam a ser estimulados, alcançando seu pico de estimulação em cerca de 24°C e depois deixando de responder pouco acima de 40°C. Acima de cerca de 30°C, os receptores de calor começam a ser estimulados, mas esse estímulo cessa por volta de 49°C. Por fim, em torno de 45°C, as fibras de calor começam a ser estimuladas pelo calor, e, paradoxalmente, parte das fibras de frio passam a receber novo estímulo, possivelmente por causa da lesão das terminações de frio ocasionada pelo excesso de calor.

Pode-se compreender, a partir da **Figura 49.10**, que o indivíduo determina as diferentes gradações de sensações térmicas pelos graus relativos de estimulação dos diversos tipos de terminações. Também é possível compreender por que graus extremos tanto de frio quanto de calor podem ser dolorosos e o motivo pelo qual ambas as sensações, quando intensas o suficiente, podem produzir praticamente a mesma qualidade de sensação – isto é, o frio congelante e o calor escaldante são muito parecidos.

Efeitos excitatórios do aumento e da diminuição da temperatura | adaptação dos termorreceptores. Quando um receptor de frio é, de repente, submetido a uma queda súbita da temperatura, de início ele é fortemente estimulado, ocorrendo rápida atenuação dessa estimulação ao longo dos primeiros segundos, seguida de atenuação mais lenta durante os 30 minutos subsequentes ou mais. Em outras palavras, o receptor tem alto grau de adaptação, embora este nunca chegue a 100%.

Portanto, é evidente que sensações térmicas respondem de modo marcante às *alterações da temperatura*, além de serem capazes de responder a condições estáveis de temperatura. Isso significa que, quando a temperatura da pele sofre queda ativa, o indivíduo sente muito mais frio do que se a temperatura permanecesse fria no mesmo nível. Da mesma maneira, se a temperatura estiver sofrendo um aumento ativo, o indivíduo sentirá muito mais calor do que se permanecesse sob a mesma temperatura constante. A resposta às alterações da temperatura explica o grau extremo de calor que as pessoas sentem quando entram em uma banheira de água quente e o grau extremo de frio que sentem ao saírem de um cômodo aquecido para o ambiente externo em um dia frio.

MECANISMO DE ESTIMULAÇÃO DOS TERMORRECEPTORES

Acredita-se que os receptores de frio e de calor sejam estimulados pelas alterações de suas taxas metabólicas e que essas alterações resultem do fato de que a temperatura modifica a velocidade de reações químicas intracelulares em mais que duas vezes a cada mudança de 10°C. Em outras palavras, a detecção térmica provavelmente resulta não dos efeitos diretos do calor ou frio sobre as terminações nervosas, mas da estimulação química das terminações que é modificada pela temperatura.

Somação espacial de sensações térmicas. Uma vez que o número de terminações de frio ou calor de qualquer área da superfície corpórea é pequeno, torna-se difícil julgar as gradações de temperatura quando são estimuladas áreas pequenas da pele. Entretanto, quando uma grande área de pele é estimulada de uma vez, os sinais térmicos de toda essa área são cumulativos. Por exemplo, mudanças rápidas na temperatura de apenas 0,01°C podem ser percebidas se essas modificações afetarem toda a superfície do corpo de maneira simultânea. Já mudanças de temperatura 100 vezes maiores em geral não são percebidas se a área da pele afetada apresentar somente 1 centímetro quadrado.

TRANSMISSÃO DE SINAIS TÉRMICOS NO SISTEMA NERVOSO

Em geral, sinais térmicos são transmitidos em vias paralelas às de sinais de dor. Ao adentrar a medula espinal, os sinais trafegam por alguns segmentos para cima ou para baixo pelo *trato de Lissauer* a fim de terminar principalmente nas lâminas I, II e III dos cornos dorsais – o mesmo trajeto da dor. Após uma pequena quantidade de processamento por um ou mais neurônios medulares, os sinais

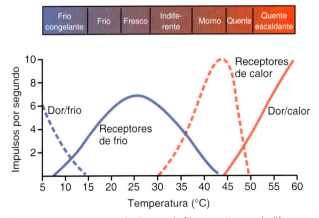

Figura 49.10 Frequências de disparo de fibras cutâneas sob diferentes temperaturas, demonstrando uma *fibra nociceptiva de frio*, uma *fibra de frio*, uma *fibra de calor* e uma *fibra nociceptiva de calor*.

PARTE 9 Sistema Nervoso: A. Princípios Gerais e Fisiologia Sensorial

chegam a fibras térmicas ascendentes longas que cruzam para o trato sensorial anterolateral oposto e terminam tanto (1) nas áreas reticulares do tronco encefálico quanto (2) no complexo ventrobasal do tálamo.

Alguns sinais térmicos também são transmitidos para o córtex somatossensorial do cérebro a partir do complexo ventrobasal. Foi descoberto que, ocasionalmente, um neurônio da área somatossensorial I apresenta resposta direta a estímulos de frio ou calor em uma área específica da pele. A remoção de todo o giro pós-central cortical de um indivíduo reduz, todavia não anula, a capacidade de distinção das gradações de temperatura.

Bibliografia

Alles SRA, Smith PA: Etiology and pharmacology of neuropathic pain. Pharmacol Rev 70:315, 2018.

Ashina M, Hansen JM, Do TP, Melo-Carrillo A, Burstein R, Moskowitz MA: Migraine and the trigeminovascular system-40 years and counting. Lancet Neurol18:795, 2019.

Baral P, Udit S, Chiu IM. Pain and immunity: implications for host defence. Nat Rev Immunol 19:433, 2019.

Bennett DL, Clark AJ, Huang J, Waxman SG, Dib-Hajj SD: The role of voltage-gated sodium channels in pain signaling. Physiol Rev 99:1079, 2019.

Bokiniec P, Zampieri N, Lewin GR, Poulet JF: The neural circuits of thermal perception. Curr Opin Neurobiol 52:98, 2018.

Bourinet E, Altier C, Hildebrand ME, et al: Calcium-permeable ion channels in pain signaling. Physiol Rev 94:81, 2014.

Charles A: The pathophysiology of migraine: implications for clinical management. Lancet Neurol 17:174, 2018.

Darcq E, Kieffer BL: Opioid receptors: drivers to addiction? Nat Rev Neurosci 19:499, 2018.

Denk F, McMahon SB, Tracey I: Pain vulnerability: a neurobiological perspective. Nat Neurosci 17:192, 2014.

Dodick DW: Migraine: Lancet. 391:1315, 2018.

Edvinsson L, Haanes KA, Warfvinge K: Does inflammation have a role in migraine? Nat Rev Neurol 15:483, 2019.

Gebhart GF, Bielefeldt K: Physiology of visceral pain. Compr Physiol 6:1609, 2016.

Goadsby PJ, Holland PR, Martins-Oliveira M, et al: Pathophysiology of migraine: a disorder of sensory processing. Physiol Rev 97:553, 2017.

Groh A, Krieger P, Mease RA, Henderson L: Acute and chronic pain processing in the thalamocortical system of humans and animal models. Neuroscience 387:58, 2018.

Huang S, Borgland SL, Zamponi GW: Dopaminergic modulation of pain signals in the medial prefrontal cortex: challenges and perspectives. Neurosci Lett 702:71, 2019.

LaMotte RH, Dong X, Ringkamp M: Sensory neurons and circuits mediating itch. Nat Rev Neurosci. 15:19, 2014.

Prescott SA, Ma Q, De Koninck Y: Normal and abnormal coding of somatosensory stimuli causing pain. Nat Neurosci 17:183, 2014.

Steinhoff MS, von Mentzer B, Geppetti P, et al: Tachykinins and their receptors: contributions to physiological control and the mechanisms of disease. Physiol Rev 94:265, 2014.

Waxman SG, Zamponi GW: Regulating excitability of peripheral afferents: emerging ion channel targets. Nat Neurosci 17:153, 2014.

Zeilhofer HU, Wildner H, Yévenes GE: Fast synaptic inhibition in spinal sensory processing and pain control. Physiol Rev 92:193, 2012.

PARTE 10

Sistema Nervoso: B. Os Órgãos Especiais dos Sentidos

RESUMO DA PARTE

50 O Olho: I. Óptica da Visão, *622*

51 O Olho: II. Funções Receptora e Neural da Retina, *634*

52 O Olho: III. Neurofisiologia Central da Visão, *648*

53 O Sentido da Audição, *659*

54 Os Sentidos Químicos: Gustação e Olfação, *671*

CAPÍTULO 50

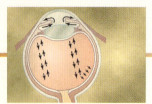

O Olho: I. Óptica da Visão

PRINCÍPIOS FÍSICOS DA ÓPTICA

A compreensão do sistema óptico do olho exige familiaridade com os princípios básicos da óptica, incluindo fatores como a física da refração de luz, focalização e profundidade de foco. Neste capítulo, apresentaremos uma breve revisão desses princípios físicos, seguida por uma discussão da óptica do olho.

Refração da luz

Índice de refração de uma substância transparente. Os raios de luz atravessam o ar a uma velocidade aproximada de 300.000 km/s, mas essa velocidade pode ser muito mais lenta ao atravessar materiais sólidos transparentes e líquidos. O índice de refração de uma substância transparente é a *proporção* da velocidade da luz no ar para sua velocidade na substância. O índice de refração do ar é 1,00. Assim, se a luz atravessa um tipo particular de vidro a uma velocidade de 200.000 km/s, o índice refrativo desse vidro é obtido dividindo-se 300.000 por 200.000, ou seja, 1,50.

Refração dos raios de luz em uma interface entre dois meios com índices de refração diferentes. Quando um feixe de raios de luz (como mostrado na **Figura 50.1 A**) atinge uma interface *perpendicular* a ele, os raios adentram o segundo meio sem desviar seu trajeto. O único efeito observado é uma redução na velocidade de propagação e a formação de ondas de comprimento mais curto, como mostrado na figura, pelo encurtamento das distâncias entre as frentes de onda.

Se os raios de luz atravessarem uma interface angulada, como mostrado na **Figura 50.1 B**, eles se curvarão se os índices refrativos dos dois meios forem diferentes entre si. Nessa figura, os raios de luz estão saindo do meio ar, que tem índice de refração igual a 1,00, e entrando em um bloco de vidro, que tem índice de refração igual a 1,50. No momento em que o feixe atinge a interface angulada, a borda inferior desse feixe entra no vidro antes da borda superior. A frente de onda na porção superior continua seu trajeto a uma velocidade de 300.000 km/s, enquanto a porção que já entrou no vidro segue seu trajeto a uma velocidade de 200.000 km/s. Essa diferença na velocidade faz com que a porção superior da frente de onda se mova à frente da porção inferior, de forma que a frente de onda não fique mais na vertical, mas sim angulada para a direita. Como *a direção em que a luz se propaga é sempre perpendicular ao plano da frente de onda*, a direção do trajeto do feixe de luz se curva para baixo.

Essa curvatura dos raios de luz em uma interface angulada é conhecida como *refração*. Vale notar que o grau de refração aumenta em função: (1) da proporção dos dois índices refrativos dos dois meios transparentes; e (2) do grau de angulação entre a interface e a frente de onda que entra.

Aplicação dos princípios refrativos às lentes

As lentes convexas focalizam os raios de luz. A **Figura 50.2** mostra raios de luz paralelos entrando em uma lente convexa. Os raios de luz que atravessam o centro da lente, atingem sua superfície de modo exatamente perpendicular

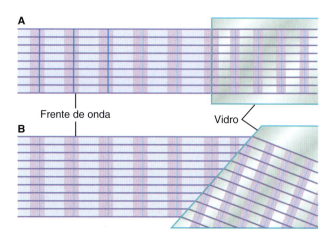

Figura 50.1 Raios de luz entrando em uma superfície de vidro perpendicular a eles (**A**) e em uma superfície de vidro angulada em relação aos raios de luz (**B**). Esta figura demonstra que a distância entre as ondas após sua entrada no vidro é encurtada para cerca de dois terços daquela que ocorre no ar. Também mostra que os raios de luz se curvam ao atingir a superfície de um vidro angulado.

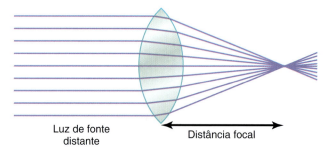

Figura 50.2 Curvatura dos raios de luz em cada superfície de uma lente esférica convexa, mostrando que os raios de luz paralelos são focalizados no *ponto focal*.

e, portanto, atravessam a lente sem sofrer refração. Em direção à cada borda da lente, no entanto, os raios de luz atingem uma interface progressivamente mais angulada. Os raios mais externos se curvam cada vez mais em direção ao centro, em um fenômeno conhecido como *convergência* dos raios. Metade da curvatura ocorre quando os raios entram na lente e a outra metade acontece à medida que eles saem do lado oposto. Se a curvatura da lente for perfeita, os raios de luz paralelos que atravessam cada parte da lente serão curvados com exatidão o suficiente para que todos eles atravessem em um único ponto, denominado *ponto focal*.

As lentes côncavas divergem os raios de luz. A **Figura 50.3** mostra o efeito de uma lente côncava sobre raios de luz paralelos. Os raios que entram no centro da lente atingem uma interface que é perpendicular ao feixe e, portanto, não sofrem refração. Os raios na borda entram na lente antes dos raios no centro. Esse efeito é o oposto do efeito que observamos na lente convexa e faz com que os raios de luz periféricos *divirjam* dos raios de luz que atravessam o centro da lente. Desse modo, a lente côncava *diverge* os raios de luz, mas a lente convexa os *converge*.

As lentes cilíndricas curvam os raios de luz somente em um plano | comparação com lentes esféricas. A **Figura 50.4** mostra uma lente *esférica* convexa e uma lente *cilíndrica* convexa. Observe que a lente cilíndrica curva os raios de luz de ambos os lados da lente, mas não de cima para baixo – ou seja, há curvatura em um plano, mas não no outro. Assim, os raios de luz paralelos são curvados para uma *linha focal*. Inversamente, os raios de luz que atravessam a lente esférica são refratados em todas as bordas da lente (em ambos os planos) em direção ao raio central e todos os raios chegam ao *ponto focal*.

A lente cilíndrica é bem demonstrada por um tubo de ensaio cheio de água. Se o tubo de ensaio for colocado sob um feixe de luz solar e se trouxer um pedaço de papel progressivamente mais perto do lado oposto do tubo, será encontrada uma certa distância na qual os raios de luz chegam à *linha focal*. A lente esférica é demonstrada por uma lente de aumento comum. Se essa lente for colocada em um feixe de luz solar e um pedaço de papel for progressivamente aproximado dela, os raios de luz incidirão em um ponto focal comum a uma distância apropriada.

As lentes cilíndricas *côncavas divergem* os raios de luz somente em um plano da mesma maneira que as lentes cilíndricas *convexas convergem* os raios de luz em apenas um único plano. A **Figura 50.5 A** mostra como a luz é focalizada a partir de uma fonte pontual para um foco linear por uma lente cilíndrica.

A combinação de duas lentes cilíndricas em ângulos retos equivale a uma lente esférica. A **Figura 50.5 B** mostra duas lentes cilíndricas convexas em ângulo reto uma em relação à outra. A lente cilíndrica vertical converge os raios de luz que atravessam os dois lados da lente, e a lente horizontal converge os raios superiores e inferiores. Dessa forma, todos os raios de luz chegam a um único foco pontual. Em outras palavras, *duas lentes cilíndricas cruzadas em ângulo reto entre si realizam a mesma função de uma lente esférica de mesma potência refrativa*.

Distância focal de uma lente

A distância além da lente convexa em que os raios *paralelos* convergem para um ponto focal comum é chamada de *distância focal* da lente. O diagrama no alto da **Figura 50.6** demonstra essa focalização de raios de luz paralelos.

No diagrama do meio, os raios de luz que entram na lente convexa não são paralelos, mas são *divergentes* porque a origem da luz é uma fonte pontual não muito distante da

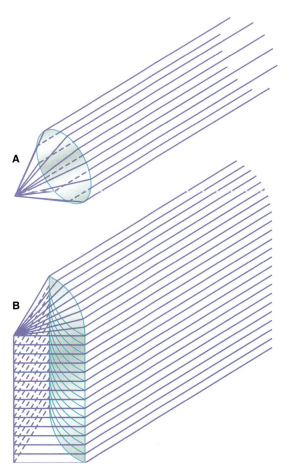

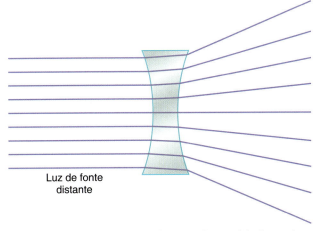

Figura 50.3 Curvatura dos raios de luz em cada superfície de uma lente esférica côncava, mostrando que os raios de luz paralelos *divergem*.

Figura 50.4 A. *Foco pontual* de raios de luz paralelos por uma lente convexa esférica. **B.** *Foco linear* de raios de luz paralelos por uma lente convexa cilíndrica.

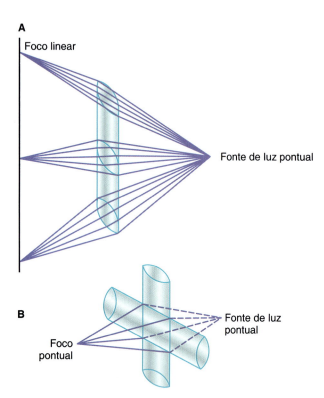
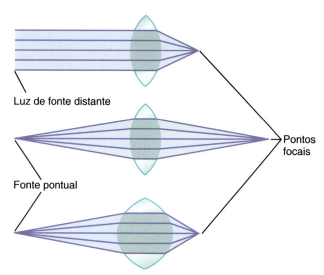

Figura 50.5 A. Focalização da luz proveniente de uma fonte pontual para um foco linear por uma lente cilíndrica. **B.** Duas lentes convexas cilíndricas posicionadas em ângulos retos entre si, demonstrando que uma lente converge os raios de luz em um plano e a outra lente os converge no plano perpendicular em ângulo reto. As duas lentes combinadas resultam no mesmo foco pontual que o obtido com uma única lente convexa esférica.

Figura 50.6 As duas lentes superiores dessa figura têm a mesma distância focal, mas os raios de luz que entram na lente superior são paralelos, ao passo que os raios que entram na lente do meio são divergentes. A figura mostra o efeito dos raios paralelos e dos raios divergentes sobre a distância focal. A lente inferior tem potência refrativa muito maior do que qualquer uma das outras lentes (i. e., tem distância focal muito mais curta), demonstrando que, quanto mais forte é a lente, mais próximo da lente fica o ponto focal.

própria lente. Como esses raios estão divergindo para fora da fonte pontual, eles não focalizam na mesma distância da lente como fazem os raios paralelos. Em outras palavras, quando os raios de luz que já são divergentes entram em uma lente convexa, a distância de foco no outro lado da lente é maior em relação à lente do que a distância focal da lente para os raios paralelos.

O diagrama inferior da **Figura 50.6** mostra os raios de luz divergindo em direção à lente convexa que tem uma curvatura muito maior do que a das outras duas lentes na figura. Nesse diagrama, a distância da lente em que os raios de luz chegam ao foco é exatamente a mesma da lente do primeiro diagrama, no qual a lente é menos convexa, mas os raios que entram nela são paralelos. Isso demonstra que tanto os raios paralelos quanto os raios divergentes podem ser focalizados na mesma distância além de uma lente, desde que a lente altere sua convexidade.

Formação de uma imagem por uma lente convexa

A **Figura 50.7 A** mostra uma lente convexa com duas fontes pontuais de luz à esquerda. Como os raios de luz atravessam o centro da lente convexa sem serem refratados em qualquer direção, observa-se que os raios de luz de cada fonte pontual chegam ao foco pontual do lado oposto da lente *diretamente alinhados com a fonte pontual e o centro da lente.*

Qualquer objeto em frente à lente é, na realidade, um mosaico de fontes pontuais de luz. Alguns desses pontos são muito brilhantes e alguns são muito fracos, e todos variam em cor. Cada fonte pontual de luz sobre o objeto chega ao foco em pontos separados no lado oposto da lente, alinhado ao centro da lente. Caso se coloque uma folha de papel branco na mesma distância do foco em relação à lente, é possível ver uma imagem do objeto, como está demonstrado na **Figura 50.7 B**. No entanto, essa imagem está de cabeça para baixo em comparação ao objeto original e as duas laterais da imagem estão invertidas. A lente de uma câmera focaliza as imagens no filme por meio desse método.

Medida da potência refrativa de uma lente | Dioptria

Quanto mais uma lente curva os raios de luz, maior é sua "potência refrativa". Essa potência refrativa é medida em termos de *dioptrias*.[1] A potência refrativa em dioptrias de uma lente convexa é igual a 1 metro dividido por sua distância focal. Dessa forma, uma lente esférica que converge raios de luz paralelos para um ponto focal 1 metro além da lente tem uma potência refrativa de +1 dioptria, como mostrado na **Figura 50.8**. Se a lente for capaz de curvar os raios de luz paralelos duas vezes mais que uma lente com uma potência de +1 dioptria, considera-se que ela apresenta uma força de +2 dioptrias e os raios de luz chegam ao um ponto focal 0,5 metro além da lente. Uma lente capaz de convergir os raios de luz paralelos para um ponto focal apenas 10 centímetros (0,10 metro) além da lente tem uma potência refrativa de +10 dioptrias.

Não é possível atestar a potência refrativa das lentes côncavas em termos da distância focal além da lente porque os raios de luz divergem em vez de formar foco em um ponto. No entanto, se uma lente côncava diverge raios de luz na mesma intensidade que uma lente convexa de 1 dioptria consegue convergi-los, considera-se que a lente côncava

---

[1]N.R.C.: Na linguagem comum se usa o termo "grau", mas o correto é dioptria.

CAPÍTULO 50 O Olho: I. Óptica da Visão

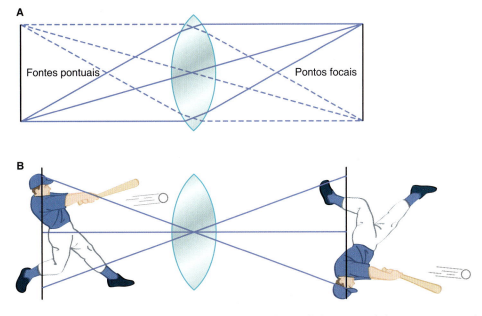

Figura 50.7 A. Duas fontes pontuais de luz focalizadas em dois pontos separados nos lados opostos da lente. **B.** Formação de uma imagem por uma lente esférica convexa.

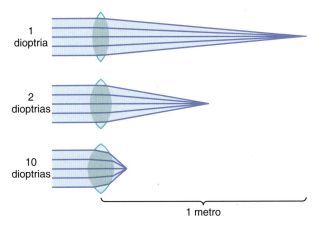

Figura 50.8 Efeito da força da lente sobre a distância focal.

tem uma força de −1 dioptria. Da mesma forma, se a lente côncava diverge os raios de luz da mesma forma que uma lente de +10 dioptrias os converge, assume-se que essa lente tenha uma força de −10 dioptrias.

As lentes côncavas "neutralizam" a potência refrativa das lentes convexas. Assim, posicionar uma lente côncava de 1 dioptria imediatamente à frente de uma lente convexa de 1 dioptria resulta em um sistema de lentes com potência refrativa resultante igual a zero.

As forças das lentes cilíndricas são computadas da mesma maneira que as forças das lentes esféricas, exceto pelo fato de que o *eixo* da lente cilíndrica deve ser estipulado além de sua força. Se uma lente cilíndrica focaliza raios de luz paralelos para um foco linear 1 metro além da lente, ela possui uma força de +1 dioptria. Inversamente, se uma lente cilíndrica de um tipo côncavo *diverge* os raios de luz tanto quanto uma lente cilíndrica de +1 dioptria os *converge*, essa lente tem uma força de −1 dioptria. Se a linha focalizada for horizontal, seu eixo será considerado como de 0°. Se for vertical, seu eixo será de 90°.

ÓPTICA DO OLHO

O sistema de lentes do olho (ver **Figura 50.9**) é composto de quatro interfaces refrativas: (1) a interface entre o ar e a superfície anterior da córnea; (2) a interface entre a superfície posterior da córnea e o humor aquoso; (3) a interface entre o humor aquoso e a superfície anterior do cristalino (também chamado de lente); e (4) a interface entre a superfície posterior do cristalino e o humor vítreo. O índice interno do ar é 1; da córnea, 1,38; do humor aquoso, 1,33; do cristalino (em média), 1,40; e do humor vítreo, 1,34.

Consideração de todas as superfícies refrativas do olho como lente única | olho "reduzido". Se todas as superfícies refrativas do olho forem algebricamente somadas e, então, consideradas como uma lente única, a óptica do olho normal poderá ser simplificada e representada esquematicamente como um "olho reduzido". Essa representação é útil em cálculos simples. No olho reduzido, considera-se a existência de uma superfície refrativa única, com seu ponto central 17 milímetros à frente da retina e

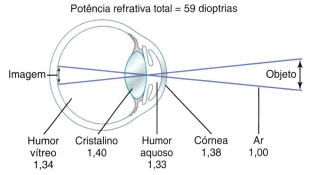

Figura 50.9 O olho como câmera. Os números se referem a índices refrativos.

potência refrativa total de 59 dioptrias quando o cristalino é acomodado para visão a distância.

Aproximadamente dois terços das 59 dioptrias de potência refrativa do olho são fornecidos pela superfície anterior da córnea (*não* pelo cristalino). A principal razão para a ocorrência desse fenômeno é que o índice refrativo da córnea é extremamente diferente do índice do ar, ao passo que o índice refrativo do cristalino não é muito diferente dos índices do humor aquoso e do humor vítreo.

A potência refrativa total do cristalino, considerando sua localização normal no interior do globo ocular, cercado por líquido em ambos os lados, é de apenas 20 dioptrias, cerca de um terço da potência refrativa total do olho. No entanto, a importância do cristalino está em sua capacidade de, respondendo a sinais nervosos provenientes do cérebro, *modificar acentuadamente sua curvatura* para produzir o fenômeno de "acomodação", o que será discutido adiante neste capítulo.

Formação da imagem na retina. Da mesma maneira que uma lente de vidro pode focalizar uma imagem em uma folha de papel, o sistema de lentes do olho consegue focalizar uma imagem na retina. A imagem focalizada é invertida e reversa em relação ao objeto. No entanto, os objetos são percebidos na posição correta, a despeito da orientação invertida na retina, porque o cérebro é treinado para codificar uma imagem invertida como normal.

MECANISMO DE "ACOMODAÇÃO"

Nas crianças, a potência refrativa do cristalino pode ser aumentada voluntariamente de 20 dioptrias para aproximadamente 34 dioptrias, constituindo uma "acomodação" de 14 dioptrias. Para fazer essa acomodação, o formato do cristalino é alterado, de uma lente moderadamente convexa para uma lente muito convexa.

Em uma pessoa jovem, o cristalino é composto de uma cápsula altamente elástica preenchida com um líquido viscoso e rico em proteínas, mas totalmente transparente. Quando o cristalino está em seu estado relaxado, sem nenhuma tensão sobre sua cápsula, ele assume um formato quase esférico, principalmente em virtude da retração elástica de sua cápsula. No entanto, como mostra a **Figura 50.10**, cerca de 70 *ligamentos suspensores* se fixam radialmente ao redor do cristalino, puxando suas bordas em direção ao círculo externo do globo ocular. Esses ligamentos são constantemente tensionados por suas fixações na borda anterior da coroide e da retina. A tensão sobre os ligamentos faz com que o cristalino permaneça relativamente plano sob condições normais do olho.

Os *músculos ciliares* também estão localizados nas fixações laterais dos ligamentos do cristalino ao globo ocular. Esses músculos apresentam dois conjuntos separados de fibras musculares lisas – *fibras meridionais* e *fibras circulares*. As fibras meridionais estendem-se das extremidades periféricas dos ligamentos suspensores para as junções corneoesclerais. Quando essas fibras musculares se contraem, as *inserções periféricas* dos ligamentos

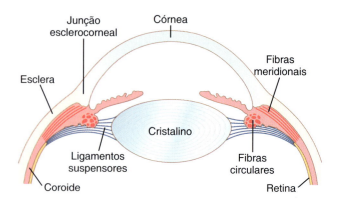

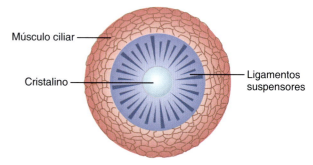

Figura 50.10 Mecanismo de acomodação (focalização).

do cristalino são puxadas medialmente em direção às bordas da córnea, liberando, assim, a tensão dos ligamentos sobre o cristalino. As fibras circulares são dispostas circularmente em todo o contorno das fixações do ligamento, de modo que, quando elas se contraem, ocorre uma ação semelhante à de um esfíncter, reduzindo o diâmetro do círculo de fixações do ligamento; essa ação também possibilita que os ligamentos exerçam menor tração sobre a cápsula do cristalino.

Assim, a contração de qualquer um dos conjuntos de fibras musculares lisas no músculo ciliar relaxa os ligamentos da cápsula do cristalino que, por sua vez, assume um formato mais esférico, como o de um balão, por causa da elasticidade natural de sua cápsula.

A acomodação é controlada por nervos parassimpáticos. A musculatura ciliar é controlada quase completamente por sinais transmitidos pelos nervos parassimpáticos para o olho através do terceiro par de nervos cranianos (nervo oculomotor) provenientes do núcleo do III par craniano, no tronco encefálico, como explicado no Capítulo 52. A estimulação dos nervos parassimpáticos contrai os dois conjuntos de fibras da musculatura ciliar, o que relaxa os ligamentos do cristalino, permitindo, então, que ele se torne mais abaulado e aumente sua potência refrativa. Com essa potência refrativa aumentada, o olho focaliza os objetos mais proximamente do que quando o olho tem uma potência refrativa menor. Consequentemente, à medida que um objeto distante se move em direção ao olho, o número de impulsos parassimpáticos que incidem sobre a musculatura ciliar precisa aumentar progressivamente para que o olho mantenha o objeto em foco constante. A estimulação simpática tem um efeito adicional no relaxamento da musculatura ciliar, mas esse efeito é tão fraco que quase não exerce nenhum papel no mecanismo da acomodação normal; a neurofisiologia desse mecanismo será discutida no Capítulo 52.

Presbiopia | Perda da acomodação pelo cristalino.
À medida que uma pessoa envelhece, o cristalino fica maior e mais denso e se torna muito menos elástico, parcialmente pela progressiva desnaturação de suas proteínas. Portanto, a capacidade do cristalino de alterar seu formato diminui com a idade. O poder de acomodação é reduzido de cerca de 14 dioptrias, observado na infância, para menos de 2 dioptrias, quando a pessoa chega aos 45 a 50 anos de idade, e quase 0 dioptria, aos 70 anos de idade. A partir de então, o cristalino fica quase totalmente sem acomodação, uma condição conhecida como *presbiopia*.

Ao se alcançar o estado de presbiopia, cada olho permanecerá focalizado permanentemente para uma distância quase constante; essa distância depende das características físicas dos olhos de cada pessoa. Os olhos não conseguem mais acomodar a visão tanto para perto quanto para longe. Para ver claramente, a distância ou de perto, uma pessoa idosa precisa usar óculos bifocais, com o segmento superior focalizado para a visão a distância e o segmento inferior focalizado para perto (p. ex., para leitura).

DIÂMETRO PUPILAR

A principal função da íris é, por intermédio de sua abertura (pupila), aumentar a quantidade de luz que entra no olho na escuridão e reduzir essa quantidade à luz do dia. Os reflexos para controlar esse mecanismo serão considerados no Capítulo 52.

A quantidade de luz que entra no olho através da pupila é proporcional à área da pupila ou ao *quadrado do diâmetro* da pupila. A pupila do olho humano pode reduzir seu tamanho até cerca de 1,5 milímetro e aumentar até algo como 8 milímetros de diâmetro. A quantidade de luz que entra no olho pode variar em até 30 vezes, como resultado dessas alterações no tamanho da abertura da pupila.

A "profundidade de foco" do sistema de lentes aumenta com a redução do diâmetro pupilar.
A **Figura 50.11** mostra dois olhos que são exatamente iguais, exceto pelo diâmetro da abertura pupilar. No olho superior, a abertura pupilar é pequena e, no olho inferior, ela é grande. Em frente a cada um desses dois olhos, há duas pequenas fontes pontuais de luz; a luz de cada fonte atravessa a abertura pupilar e é focalizada na retina. Consequentemente, em ambos os olhos, a retina vê dois pontos de luz em foco perfeito. Se a retina for movida para frente ou para trás para uma posição fora do foco (linhas pontilhadas), o tamanho de cada ponto de luz não mudará muito no olho superior, mas aumentará bastante no olho inferior, formando um "círculo borrado". Em outras palavras, o sistema de lentes superior possui uma *profundidade de foco* muito maior do que o sistema de lentes do olho

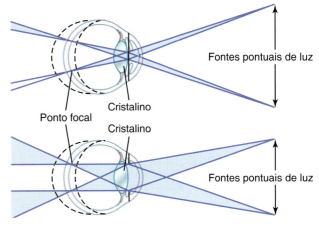

Figura 50.11 Efeito de aberturas pupilares pequenas (*topo*) e grandes (*base*) na profundidade de foco.

inferior. Quando um sistema de lentes tem uma grande profundidade de foco, a retina pode ser consideravelmente deslocada do plano focal, ou a força da lente pode ser bastante alterada em relação ao normal, e a imagem ainda permanece muito próxima de um foco nítido; ao passo que, quando um sistema de lentes tem uma profundidade de foco "rasa", mesmo uma ligeira movimentação da retina em relação ao plano focal provoca turvamento extremo da imagem.

A maior profundidade de foco possível ocorre quando a pupila é extremamente pequena. A razão para isso é que, com uma abertura muito pequena, quase todos os raios atravessam o centro do cristalino e os raios mais centrais estão sempre em foco, como foi explicado anteriormente.

Erros de refração

Ver Vídeo 50.1.

Emetropia (visão normal). Como mostrado na **Figura 50.12**, o olho é considerado normal, ou *emétrope*, se os raios de luz paralelos *de objetos distantes* estiverem em foco nítido na retina *quando os músculos ciliares se encontram completamente relaxados*. Isso significa que o olho emétrope pode ver claramente todos os objetos distantes com sua musculatura ciliar relaxada. No entanto, para focalizar os objetos próximos, o olho precisa contrair a musculatura ciliar e, dessa forma, promover um apropriado grau de acomodação.

Hipermetropia (hiperopia). Hipermetropia, também conhecida como "hiperopia", geralmente se deve a um globo ocular anatomicamente muito curto ou, eventualmente, a um sistema de lentes muito fraco. Nessa condição, como se pode observar no painel do meio da **Figura 50.12**, os raios de luz paralelos não são suficientemente curvados pelo sistema de lentes relaxado para chegarem ao foco no momento em que alcançam a retina. Para superar essa anormalidade, o músculo ciliar deve se contrair para aumentar a força da lente. Ao usar o mecanismo de acomodação, uma pessoa hipermetrope é capaz de focalizar objetos distantes na retina. Se a pessoa tiver usado apenas uma pequena

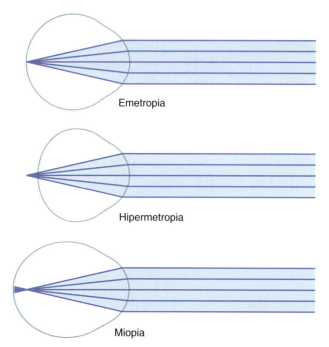

Figura 50.12 Os raios de luz paralelos são focalizados na retina na emetropia, atrás da retina na hipermetropia e na frente da retina na miopia.

quantidade de força da musculatura ciliar para acomodar objetos distantes, ela *ainda terá muito poder acomodativo* para focalizar objetos cada vez mais próximos ao olho, de maneira nítida, até que o músculo ciliar seja contraído no seu limite. Na idade avançada, quando o cristalino se torna "presbíope", uma pessoa hipermetrope com frequência não consegue acomodar suficientemente o cristalino para focalizar até mesmo objetos distantes, e muito menos para objetos próximos.

Miopia (vista curta). Na miopia, ou "vista curta," quando o músculo ciliar está completamente relaxado, os raios de luz provenientes de objetos distantes são focalizados à frente da retina, como mostrado no painel inferior da **Figura 50.12**. Essa condição geralmente se deve a um globo ocular anatomicamente muito alongado, mas também pode ocorrer como resultado de uma potência refrativa excessiva no sistema de lentes do olho.

Não existe nenhum mecanismo pelo qual o olho consiga reduzir a força de sua lente para um nível inferior ao daquela que existe quando o músculo ciliar se encontra completamente relaxado. Em uma pessoa com miopia não há nenhum mecanismo para focalizar objetos distantes de maneira nítida na retina. No entanto, à medida que um objeto se move para mais próximo do olho da pessoa, ele finalmente chega perto o suficiente para que a imagem consiga ser focalizada. Então, quando o objeto fica ainda mais próximo do olho, a pessoa pode usar o mecanismo de acomodação para manter a imagem claramente focalizada. Uma pessoa míope tem um "ponto distante" de limite definido para uma visão nítida.

Correção da miopia e da hipermetropia pelo uso de lentes. Se as superfícies refrativas do olho tiverem potência refrativa demais, como acontece na *miopia*, essa potência refrativa excessiva pode ser neutralizada pela colocação de uma lente esférica côncava em frente ao olho, que divergirá os raios. Essa correção é mostrada no diagrama superior da **Figura 50.13**.

Inversamente, em uma pessoa que apresenta *hipermetropia* – isto é, com um sistema de lentes muito fraco –, a visão anormal pode ser corrigida pelo acréscimo de potência refrativa por meio do uso de uma lente convexa em frente ao olho. Essa correção é demonstrada no diagrama inferior da **Figura 50.13**.

A força das lentes côncavas ou convexas necessárias para se obter uma visão nítida geralmente é determinada por "tentativa e erro" – ou seja, primeiro testa-se uma lente forte e, então, passa-se para uma mais forte ou mais fraca, até que se consiga a melhor acuidade visual.

Astigmatismo. Astigmatismo é um erro refrativo do olho que faz com que a imagem visual em um plano seja focalizada em uma distância diferente da do plano em ângulo reto. O astigmatismo geralmente decorre de uma curvatura de córnea muito grande em um plano do olho. Um exemplo de uma lente astigmática seria uma superfície de lente como a de um ovo posicionado lateralmente em relação à luz que chega. O grau de curvatura no plano pelo eixo maior do ovo não é tão grande quanto o grau de curvatura no plano pelo menor eixo.

Como a curvatura da lente astigmática ao longo de um plano é menor do que a curvatura ao longo do outro plano, os raios de luz que atingem as porções periféricas da lente em um plano não se curvam tanto quanto os raios que atingem as porções periféricas do outro plano. Esse efeito está demonstrado na **Figura 50.14**, com raios de luz que se originam de uma fonte pontual e atravessam uma lente elíptica, astigmática. Os raios de luz no plano vertical, indicados pelo plano BD, são muito refratados pela lente astigmática por causa da curvatura mais acentuada na direção vertical do que na direção horizontal. De modo diferente, os raios de luz no plano horizontal, indicados pelo plano AC, não se curvam tanto quanto os raios de luz no plano vertical BD. Dessa forma, os raios de luz que atravessam uma lente astigmática não chegam todos a um ponto focal comum

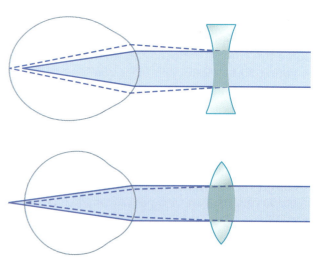

Figura 50.13 Correção da miopia com uma lente côncava (*topo*) e correção da hipermetropia com uma lente convexa (*base*).

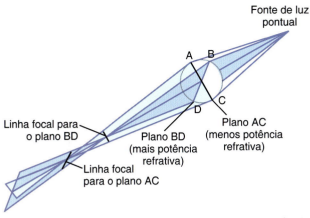

Figura 50.14 Astigmatismo, demonstrando que os raios de luz focalizam em uma distância focal em um plano focal (*plano AC*) e em outra distância focal no plano em ângulo reto (*plano BD*).

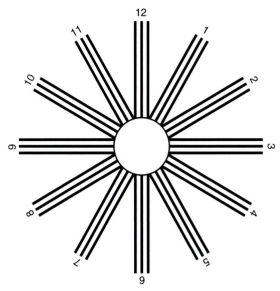

Figura 50.15 Diagrama composto de barras negras paralelas em diferentes orientações angulares para determinar o eixo do astigmatismo.

porque os raios que atravessam um plano focalizam bastante à frente daqueles que atravessam o outro plano.

O poder de acomodação do olho pode não ser capaz de compensar o astigmatismo porque, durante a acomodação, a curvatura do cristalino se altera de maneira quase igual em ambos os planos; assim, no astigmatismo, cada um dos dois planos requer um grau diferente de acomodação. Portanto, sem o auxílio de óculos, uma pessoa com astigmatismo nunca enxerga em foco nítido.

Correção do astigmatismo com uma lente cilíndrica. Pode-se considerar que um olho astigmático apresenta um sistema de lentes constituído de duas lentes cilíndricas de diferentes forças e posicionadas em ângulo reto entre si. Para corrigir o astigmatismo, o procedimento habitual é encontrar, por tentativa e erro, uma lente esférica que corrija o foco em um dos dois planos da lente astigmática. Então, utiliza-se uma lente cilíndrica adicional para corrigir o erro remanescente no plano restante. Para se fazer isso, é preciso determinar o *eixo* e a *potência* da lente cilíndrica necessária.

Existem diversos métodos para determinar o eixo do componente cilíndrico anormal do sistema de lentes de um olho. Um desses métodos se baseia na utilização de barras pretas paralelas do tipo que é mostrado na **Figura 50.15**. Algumas dessas barras paralelas são verticais, outras são horizontais e outras ainda estão dispostas em vários ângulos em relação aos eixos vertical e horizontal. Depois de colocar várias lentes esféricas em frente ao olho astigmático, geralmente se encontra uma potência (grau) de lente que produz foco nítido de um conjunto de barras paralelas, mas não corrige a imprecisão do conjunto de barras em ângulo reto com as barras nítidas. Pelos princípios físicos da óptica discutidos anteriormente neste capítulo, é possível demonstrar que o *eixo* do componente cilíndrico *fora de foco* do sistema óptico é paralelo às barras que estão imprecisas. Uma vez encontrado esse eixo, o examinador experimenta lentes *cilíndricas* positivas ou negativas, progressivamente mais fortes e mais fracas, cujos eixos são posicionados em alinhamento com as barras fora de foco, até que o paciente veja todas as barras cruzadas com igual nitidez. Quando se alcança esse objetivo, o examinador orienta o fabricante de óculos a confeccionar uma lente especial que combine a correção esférica e a correção cilíndrica no eixo apropriado.

Correção de anormalidades ópticas com lentes de contato. Lentes de contato de vidro ou de plástico que se encaixam perfeitamente na superfície anterior da córnea podem ser utilizadas. Essas lentes são mantidas na posição por uma fina camada de líquido lacrimal que preenche o espaço entre a lente de contato e a superfície anterior do olho.

Uma característica especial da lente de contato é que ela anula quase por completo a refração que ocorre normalmente na superfície anterior da córnea. A razão para essa anulação é que as lágrimas entre a lente de contato e a córnea têm um índice refrativo quase igual ao da córnea, de modo que a superfície anterior da córnea não exerce mais um papel significativo no sistema óptico do olho. Em vez disso, a superfície externa da lente de contato desempenha o papel principal. Assim, a refração dessa superfície da lente de contato substitui a refração habitual da córnea. Esse fator é especialmente importante em pessoas com erros refrativos oculares causados por uma anormalidade no formato da córnea, como uma córnea de formato incomum, cônico e abaulado, condição chamada de *ceratocone*. Sem lente de contato, a córnea abaulada provoca uma anormalidade visual tão intensa que se torna difícil encontrar óculos que sejam capazes de corrigir satisfatoriamente a visão; quando se utiliza uma lente de contato, no entanto, a refração da córnea é neutralizada e a refração normal pela superfície externa da lente de contato é substituída.

A lente de contato também apresenta muitas outras vantagens: (1) a lente gira com o olho e proporciona um campo de visão nítida mais amplo do que os óculos; e (2) a lente de contato tem pouco efeito sobre o tamanho dos objetos que a pessoa enxerga através delas, enquanto lentes colocadas a cerca de 1 centímetro do olho, além de corrigir o foco, afetam o tamanho da imagem.

Catarata | Áreas opacas no cristalino. "Catarata" é uma anormalidade ocular especialmente comum e que ocorre principalmente em pessoas idosas. A catarata é uma área (ou áreas) enevoada ou opaca no cristalino. No primeiro estágio de formação da catarata, as proteínas em algumas das fibras do cristalino se tornam desnaturadas. Posteriormente, essas mesmas proteínas se coagulam (solidificam), formando áreas opacas onde existiam fibras de proteína transparentes normais.

Quando uma catarata obscurece a transmissão de luz de maneira tão intensa que compromete gravemente a visão, a condição pode ser corrigida por remoção cirúrgica do cristalino. Quando o cristalino é removido, o olho perde grande parte de sua potência refrativa, que deve ser substituída pela colocação de uma lente convexa poderosa à frente do olho; outra possibilidade terapêutica é implantar uma lente artificial de material sintético no olho, em substituição ao cristalino removido.

ACUIDADE VISUAL

Teoricamente, a luz de uma fonte pontual distante, quando focalizada na retina, deve ser infinitamente pequena. No entanto, como o sistema de lentes do olho nunca é perfeito, tal mancha na retina normalmente tem um diâmetro total de aproximadamente 11 micrômetros, mesmo com a resolução máxima do sistema óptico ocular. Essa mancha local é mais brilhante em seu centro e esmaece gradualmente em direção às bordas, como mostrado pelas imagens em dois pontos na **Figura 50.16**.

O diâmetro médio dos cones na *fóvea* da retina – a parte central da retina, onde a visão é mais altamente desenvolvida – é de cerca de 1,5 micrômetro, que é um sétimo do diâmetro da mancha de luz. Todavia, como a mancha de luz apresenta um ponto central brilhante e bordas sombreadas, uma pessoa pode distinguir normalmente dois pontos separados se seus centros se situarem a até 2 micrômetros da retina, que é ligeiramente maior do que a largura do cone da fóvea. Essa discriminação entre os pontos também é mostrada na **Figura 50.16**.

A acuidade visual normal do olho humano para discriminar entre fontes pontuais de luz é de aproximadamente 25 segundos de arco (7 milésimos de grau de circunferência). Ou seja, quando os raios de luz de dois pontos separados atingem o olho com um ângulo de, pelo menos, 25 segundos entre eles, eles normalmente podem ser reconhecidos como dois pontos em vez de um. Isso significa que uma pessoa com uma acuidade visual normal olhando para dois pontos brilhantes de luz distantes 10 metros um do outro mal pode distingui-los como entidades separadas quando eles estiverem entre 1,5 e 2 metros distantes entre si.

A fóvea tem menos que 0,5 milímetro (< 500 micrômetros) de diâmetro, o que significa que a acuidade visual máxima ocorre em menos de 2° de campo visual. Fora dessa área da fóvea, a acuidade visual se torna progressivamente pior, diminuindo mais de 10 vezes à medida que se aproxima da periferia. Isso é causado pela conexão de um número cada vez maior de bastonetes e cones a cada fibra de nervo óptico nas partes mais periféricas, não foveais, da retina, como discutido no Capítulo 52.

Método clínico para determinação da acuidade visual. O quadro para examinar os olhos consiste em letras de diferentes tamanhos colocadas a 6 metros de distância da pessoa que está sendo examinada. Se a pessoa puder enxergar bem as letras de um tamanho que ela possa ver a uma distância de 6 metros, diz-se que essa pessoa tem uma visão 6/6 – isto é, visão normal. Se a pessoa só conseguir ver as letras que seria capaz de ver a 60 metros de distância, essa pessoa tem uma visão 6/60. Em outras palavras, o método clínico para expressar a acuidade visual é a utilização da fração matemática que expressa a proporção de duas distâncias, o que também é a proporção da acuidade visual de uma pessoa com acuidade visual normal.

DETERMINAÇÃO DA DISTÂNCIA ENTRE UM OBJETO E O OLHO | "PERCEPÇÃO DE PROFUNDIDADE"

Uma pessoa normalmente percebe distância por três meios básicos: (1) os tamanhos de imagens de objetos conhecidos na retina; (2) o fenômeno da paralaxe de movimento; e (3) o fenômeno da estereopsia. Essa habilidade para se determinar a distância é chamada de *percepção de profundidade*.

Determinação de distância pelo tamanho de imagens retinianas de objetos conhecidos. Se alguém sabe que a pessoa que está sendo vista tem 1,80 m de altura, esse alguém pode determinar o quão distante está a pessoa simplesmente pelo tamanho da imagem dessa pessoa na retina. Não é preciso pensar conscientemente sobre o tamanho, mas o cérebro aprendeu a calcular automaticamente as distâncias dos objetos a partir do tamanho das imagens quando as dimensões são conhecidas.

Determinação de distância pela paralaxe de movimento. Outra maneira importante pela qual os olhos determinam a distância é o da *paralaxe de movimento*, um deslocamento na aparente posição de um objeto visto ao longo de duas diferentes linhas de visão. Se uma pessoa olha para longe com os olhos completamente imóveis, ela não percebe nenhuma paralaxe de movimento, mas quando a pessoa movimenta a cabeça para um lado ou para outro, as imagens dos objetos mais próximos se movimentam rapidamente pelas retinas, ao passo que as

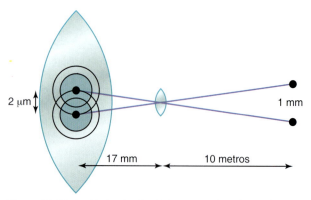

Figura 50.16 Acuidade visual máxima para duas fontes pontuais de luz.

imagens de objetos distantes permanecem quase completamente estáticas. Por exemplo, ao se movimentar a cabeça 2,5 centímetros para o lado quando o objeto está a apenas 2,5 centímetros à frente do olho, a imagem se movimenta quase todo o caminho pelas retinas, enquanto a imagem de um objeto a 60 metros de distância dos olhos não se move perceptivelmente. Assim, pelo uso desse mecanismo de paralaxe de movimento, pode-se avaliar as *distâncias relativas* de diferentes objetos, ainda que se use apenas um olho.

Determinação de distância por estereopsia | Visão binocular. Outro método pelo qual se percebe a paralaxe é o da visão binocular. Como um olho se encontra a um pouco mais de 5 centímetros de um lado do outro olho, as imagens nas duas retinas são diferentes entre si. Por exemplo, um objeto 2,5 centímetros à frente do nariz forma uma imagem no lado esquerdo da retina do olho esquerdo, mas, no olho direito, a imagem é formada no lado direito da retina. Já um pequeno objeto posicionado a uma distância de 6 metros à frente do nariz terá sua imagem captada em pontos estreitamente correspondentes nos centros das duas retinas. Esse tipo de paralaxe está demonstrado na **Figura 50.17**, que mostra as imagens de um ponto vermelho e de um quadrado amarelo realmente invertidos nas duas retinas porque estão a diferentes distâncias em frente aos olhos. Isso proporciona um tipo de paralaxe que está sempre presente quando ambos os olhos estão sendo usados. Essa paralaxe binocular (ou *estereopsia*) é quase inteiramente o que dá a uma pessoa com dois olhos uma capacidade muito maior de avaliar distâncias relativas *quando os objetos estão próximos* do que uma pessoa com apenas um olho. No entanto, a estereopsia é praticamente inútil para percepção de profundidade em distâncias além de 15 a 60 metros.

SISTEMA DE LÍQUIDOS DO OLHO | LÍQUIDO INTRAOCULAR

O olho é preenchido com *líquido intraocular*, o que mantém pressão suficiente no globo ocular para mantê-lo distendido. A **Figura 50.18** demonstra que esse líquido pode

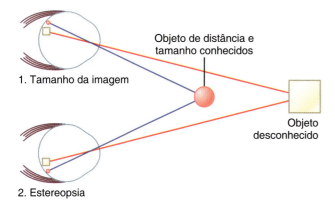

Figura 50.17 Percepção de distância pelo tamanho da imagem na retina (1) e em decorrência de estereopsia (2).

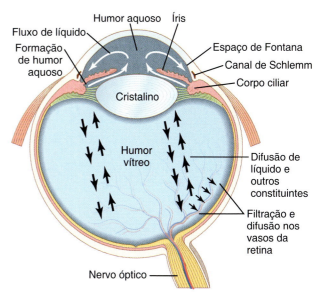

Figura 50.18 Formação e fluxo de líquido no olho.

ser dividido em duas porções – *humor aquoso*, que fica na frente do cristalino, e *humor vítreo*, que fica entre a superfície posterior do cristalino e a retina. O humor aquoso é um líquido que flui livremente, enquanto o humor vítreo, algumas vezes chamado de *corpo vítreo*, é massa viscosa e gelatinosa que se mantém coesa por uma rede fibrilar fina, composta primariamente de moléculas de proteoglicanos bastante alongadas. Tanto água quanto substâncias dissolvidas podem se *difundir* lentamente no humor vítreo, mas há pouco *fluxo* de líquido.

O humor aquoso é continuamente formado e reabsorvido. O balanço entre formação e reabsorção do humor aquoso regula o volume total e a pressão do líquido intraocular.

FORMAÇÃO DO HUMOR AQUOSO PELO CORPO CILIAR

O humor aquoso é formado no olho *a uma taxa média de 2 a 3 $\mu l/min$*. Essencialmente, todo ele é secretado pelos *processos ciliares*, que são pregas lineares que se projetam do *corpo ciliar* para o espaço que fica atrás da íris, onde os ligamentos do cristalino e o músculo ciliar se fixam ao globo ocular. A **Figura 50.19** mostra um corte transverso desses processos ciliares; e a relação desses processos ciliares com as câmaras de líquido ocular pode ser vista na **Figura 50.18**. Por causa de sua arquitetura pregueada, a área de superfície total dos processos ciliares é de cerca de 6 centímetros quadrados em cada olho – uma área extensa, considerando-se o pequeno tamanho do corpo ciliar. As superfícies desses processos são revestidas por células epiteliais altamente secretoras e com uma área bastante vascularizada imediatamente abaixo delas.

O humor aquoso é formado quase inteiramente como uma secreção ativa pelo epitélio dos processos ciliares. A secreção começa com o transporte ativo de íons sódio para os espaços entre as células epiteliais. Os íons sódio levam íons cloreto e bicarbonato junto com eles para manter

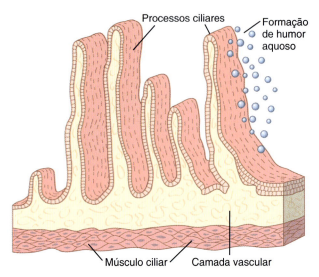

Figura 50.19 Anatomia dos processos ciliares. O humor aquoso é formado nas superfícies.

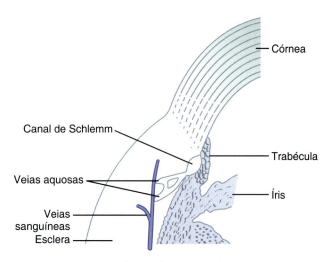

Figura 50.20 Anatomia do ângulo iridocorneal, mostrando o sistema do fluxo de saída do humor aquoso do globo ocular para as veias conjuntivais.

neutralidade elétrica. Então, todos esses íons juntos promovem a osmose de água dos capilares sanguíneos que se situam abaixo dos mesmos espaços intercelulares epiteliais; a solução resultante flui dos espaços dos processos ciliares para a câmara anterior do olho. Além disso, diversos nutrientes são transportados através do epitélio por transporte ativo ou difusão facilitada, incluindo aminoácidos, ácido ascórbico e glicose.

FLUXO DE SAÍDA OCULAR DO HUMOR AQUOSO

Após ser formado pelos processos ciliares, o humor aquoso inicialmente flui, como mostrado na **Figura 50.18**, *para a câmara anterior do olho através da pupila*. A partir desse ponto, o líquido *flui na direção anterior ao cristalino e entra no ângulo entre a córnea e a íris*, seguindo através de malha de *trabéculas (espaço de Fontana)* para, finalmente, alcançar o *canal de Schlemm* (seio venoso da esclera), que desemboca nas veias extraoculares. A **Figura 50.20** apresenta as estruturas anatômicas do ângulo iridocorneal, mostrando que os espaços entre as trabéculas se estendem por todo o trajeto da câmara anterior para o canal de Schlemm. O canal de Schlemm é uma estrutura venosa de paredes finas, que se estende, circularmente, ao redor de todo o olho. Sua membrana endotelial é tão porosa que mesmo grandes moléculas de proteínas, bem como pequeno material particulado até o tamanho de hemácias, podem passar da câmara anterior para o canal de Schlemm. Ainda que o canal de Schlemm seja, na verdade, um vaso sanguíneo venoso, o volume de humor aquoso que normalmente flui para esse canal é tão grande que o deixa preenchido somente com humor aquoso, em vez de sangue. As pequenas veias que saem do canal de Schlemm para as veias maiores do olho geralmente contêm apenas humor aquoso; essas veias são denominadas *veias aquosas*.

PRESSÃO INTRAOCULAR

A pressão intraocular normal média gira em torno de 15 mmHg, com uma variação de 12 a 20 mmHg.

Determinação da pressão intraocular por tonometria. Como é impraticável inserir uma agulha no olho de um paciente para medir a pressão intraocular, essa pressão é determinada clinicamente pelo emprego de um "tonômetro", cujo princípio é mostrado na **Figura 50.21**. A córnea do olho é anestesiada com um colírio anestésico local, e a plataforma base da ponta do tonômetro é posicionada sobre a córnea. Aplica-se, então, uma pequena força ao êmbolo central, fazendo com que a parte da córnea embaixo do êmbolo seja deslocada para dentro. O grau de deslocamento é registrado na escala do tonômetro, e essa medida é convertida em unidades de pressão intraocular.

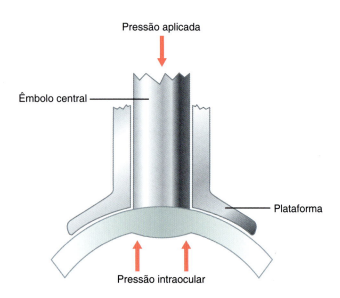

Figura 50.21 Princípios do tonômetro.

CAPÍTULO 50 O Olho: I. Óptica da Visão

Regulação da pressão intraocular. A pressão intraocular permanece constante no olho normal, geralmente na faixa de ± 2 mmHg de seu nível normal, cuja média está em cerca de 15 mmHg. O nível dessa pressão é determinado principalmente pela resistência ao fluxo de saída do humor aquoso da câmara anterior para o canal de Schlemm. Essa resistência ao fluxo de saída resulta de malha de trabéculas através da qual o líquido deve passar em seu caminho desde os ângulos laterais da câmara anterior até as paredes do canal de Schlemm. Essas trabéculas possuem minúsculas aberturas de apenas 2 a 3 micrômetros. A intensidade do fluxo do líquido para o canal aumenta acentuadamente à medida que a pressão se eleva. Com cerca de 15 mmHg no olho normal, a quantidade de líquido que sai do olho por meio do canal de Schlemm flui, em média, a 2,5 $\mu\ell$/min e é igual à quantidade de líquido proveniente do corpo ciliar que entra. A pressão normalmente permanece nesse nível de aproximadamente 15 mmHg.

Mecanismo para limpeza dos espaços trabeculares e do líquido intraocular. Quando grandes quantidades de detritos estão presentes no humor aquoso, como ocorre após uma hemorragia ocular ou durante uma infecção intraocular, há grandes chances de que os detritos se acumulem nos espaços trabeculares que fluem desde a câmara anterior para o canal de Schlemm; esses detritos podem impedir a reabsorção adequada de líquido da câmara anterior, algumas vezes provocando "glaucoma", como será explicado adiante. No entanto, há um grande número de células fagocitárias nas superfícies das placas trabeculares. Imediatamente fora do canal de Schlemm há uma camada de gel intersticial que contém um grande número de células reticuloendoteliais com capacidade extremamente alta de fagocitar detritos e digeri-los em pequenas substâncias moleculares que podem, então, ser absorvidas. Dessa forma, esse sistema fagocitário mantém os espaços trabeculares limpos. A superfície da íris e outras superfícies do olho que ficam atrás da íris são revestidas com um epitélio que pode fagocitar proteínas e pequenas partículas do humor aquoso, auxiliando, assim, a manter um líquido claro.

O "glaucoma" causa elevação da pressão intraocular e é uma importante causa de cegueira. Glaucoma, uma das causas mais comuns de cegueira, é uma doença ocular na qual a pressão intraocular se torna patologicamente alta, algumas vezes se elevando de forma aguda a 60 a 70 mmHg. Pressões acima de 25 a 30 mmHg também provocam perda de visão quando mantidas por longos períodos. Pressões extremamente altas podem causar cegueira em poucos dias ou até horas. À medida que a pressão se eleva, os axônios do nervo óptico sofrem compressão onde eles saem do globo ocular, no disco óptico. Acredita-se que essa compressão bloqueie o fluxo axônico de citoplasma dos corpos celulares neuronais da retina nas fibras do nervo óptico que correm para o cérebro. O resultado é a falta de nutrição adequada das fibras, o que, por fim, provoca a morte das fibras

envolvidas. É possível que a compressão da artéria da retina, que entra no globo ocular pelo disco óptico, também se some ao dano neuronal por meio da redução da nutrição à retina.

Na maioria dos casos de glaucoma, a pressão anormalmente alta resulta da resistência aumentada ao fluxo de saída de líquido que passa pelos espaços trabeculares para o canal de Schlemm ao nível da junção iridocorneal. Por exemplo, na inflamação ocular aguda, leucócitos e detritos teciduais podem bloquear esses espaços trabeculares e provocar uma elevação aguda da pressão intraocular. Em condições crônicas, especialmente em pessoas idosas, a oclusão fibrosa dos espaços trabeculares parece ser a mais provável causa do glaucoma.

O glaucoma pode, algumas vezes, ser tratado com colírios que contêm um fármaco que se difunde no globo ocular e é capaz de reduzir a secreção, ou de aumentar a absorção, do humor aquoso. Quando a terapia medicamentosa falha, pode-se utilizar técnicas operatórias para reduzir a pressão com eficácia, por meio da abertura dos espaços das trabéculas ou criação de canais para permitir que o líquido flua diretamente do espaço líquido do globo ocular para o espaço subconjuntival fora dele.

Bibliografia

Ahmed SF, McDermott KC, Burge WK, et al: Visual function, digital behavior and the vision performance index. Clin Ophthalmol 12:2553, 2018.

Ang M, Wong CW, Hoang QV, et al: Imaging in myopia: potential biomarkers, current challenges and future developments. Br J Ophthalmol 103:855, 2019.

Buisseret P: Influence of extraocular muscle proprioception on vision. Physiol Rev 75:323, 1995.

Gali HE, Sella R, Afshari NA: Cataract grading systems: a review of past and present. Curr Opin Ophthalmol 30:13, 2019.

Huang AS, Francis BA, Weinreb RN: Structural and functional imaging of aqueous humour outflow: a review. Clin Exp Ophthalmol 46:158, 2018.

Kim TI, Del Barrio JLA, Wilkins M, Cochener B, Ang M: Refractive surgery. Lancet 393:2085, 2019.

Kwon YH, Fingert JH, Kuehn MH, Alward WL: Primary open-angle glaucoma. N Engl J Med 360:1113, 2009.

Li S, Jie Y: Cataract surgery and lens implantation. Curr Opin Ophthalmol 30:39, 2019.

Liu YC, Wilkins M, Kim T, Malyugin B, Mehta JS: Cataracts. Lancet 390:600, 2017.

Masterton S, Ahearne M: Mechanobiology of the corneal epithelium. Exp Eye Res 177:122, 2018.

Mathias RT, Rae JL, Baldo GJ: Physiological properties of the normal lens. Physiol Rev 77:21, 1997.

Pangrsic T, Singer JH, Koschak A: Voltage-gated calcium channels: key players in sensory coding in the retina and the inner ear. Physiol Rev 98:2063, 2018.

Quigley HA: 21st century glaucoma care. Eye (Lond) 33:254, 2019.

Weinreb RN, Aung T, Medeiros FA: The pathophysiology and treatment of glaucoma: a review. JAMA 311:1901, 2014.

Wolffsohn JS, Davies LN: Presbyopia: effectiveness of correction strategies. Prog Retin Eye Res 68:124, 2019.

CAPÍTULO 51

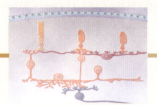

O Olho: II. Funções Receptora e Neural da Retina

A retina é a parte do olho sensível à luz e contém (1) os *cones*, que são responsáveis pela visão em cores; e (2) os *bastonetes*, que podem detectar luz fraca e são responsáveis, principalmente, pela visão em preto e branco e em baixa luminosidade. Quando bastonetes e cones são excitados, ocorre transmissão de sinais inicialmente através das sucessivas camadas de neurônios na retina e, finalmente, para as fibras do nervo óptico e o córtex cerebral. Neste capítulo, explicaremos os mecanismos pelos quais os bastonetes e os cones detectam luz e cor e convertem a imagem visual em sinais no nervo óptico.

ANATOMIA E FUNÇÃO DOS ELEMENTOS ESTRUTURAIS DA RETINA

A retina é composta de dez camadas ou divisões. A **Figura 51.1** mostra os componentes funcionais da retina, que estão dispostos em camadas ou divisões, de fora para dentro, na ordem: (1) camada pigmentar; (2) camada fotorreceptora contendo bastonetes e cones que se projetam para a camada pigmentar; (3) membrana limitante externa; (4) camada nuclear externa contendo os corpos celulares dos bastonetes e dos cones; (5) camada plexiforme externa; (6) camada nuclear interna; (7) camada plexiforme interna; (8) camada ganglionar; (9) camada de fibras do nervo óptico; e (10) membrana limitante interna.

Depois que a luz atravessa o sistema de lentes do olho e o humor vítreo, ela *chega na retina através olho* (ver **Figura 51.1**); ou seja, a luz passa primeiro pelas células ganglionares e, em seguida, através das camadas plexiforme e nuclear antes de, por fim, chegar à camada de células fotossensíveis (bastonetes e cones) localizados por toda a extensão da margem externa da retina. Essa

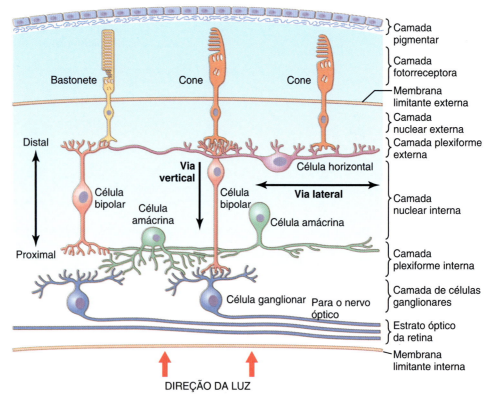

Figura 51.1 Camadas da retina.

distância tem espessura de muitas centenas de micrômetros; a acuidade visual é reduzida por causa dessa passagem através desse tecido não homogêneo. No entanto, na *região da fóvea central da retina*, as camadas internas são deslocadas lateralmente para diminuir essa perda de acuidade, como será discutido mais adiante.

Região da fóvea da retina e sua importância para a acurácia visual. A *fóvea* é uma área diminuta no centro da retina, mostrada na **Figura 51.2**; ela ocupa uma área total um pouco maior que 1 milímetro quadrado. É especialmente importante para a visão acurada e detalhada. A *fóvea central*, com apenas 0,3 milímetro em diâmetro, é quase inteiramente composta de cones. Esses cones têm uma estrutura especial que auxilia na detecção de detalhes na imagem visual – ou seja, os cones da fóvea apresentam corpos celulares especialmente longos e delgados, o que os distingue dos cones bem maiores localizados mais perifericamente na retina. Além disso, na região da fóvea, os vasos sanguíneos, células ganglionares, camadas de células nucleares internas e as camadas plexiformes são todas deslocadas para um lado, em vez de repousarem diretamente no topo dos cones, o que permite que a luz passe sem obstáculos até os cones.

Bastonetes e cones são componentes essenciais dos fotorreceptores. A **Figura 51.3** é uma representação diagramática dos componentes essenciais de um fotorreceptor (bastonete ou cone). Como mostrado na **Figura 51.4**, o segmento externo do cone tem um formato cônico. Em geral, os bastonetes são mais estreitos e mais longos do que os cones, mas isso nem sempre ocorre. Nas porções periféricas da retina, os bastonetes têm 2 a 5 micrômetros de diâmetro, enquanto os cones têm 5 a 8 micrômetros de diâmetro; na parte central da retina, na fóvea, não há bastonetes e os cones são mais delgados e têm um diâmetro de apenas 1,5 micrômetro.

Os principais segmentos funcionais dos cones e dos bastonetes são mostrados na **Figura 51.3**: (1) o *segmento externo*; (2) o *segmento interno*; (3) o *núcleo*; e (4) o *corpo sináptico*. A substância química sensível à luz se encontra no segmento externo. No caso dos bastonetes, essa substância fotoquímica é a *rodopsina*; nos cones, é uma das três substâncias fotoquímicas "de cores", geralmente chamadas simplesmente de *pigmentos de cores*, que funcionam quase exatamente da mesma maneira que a rodopsina, exceto por diferenças na sensibilidade espectral.

Nas **Figuras 51.3** e **51.4**, observe o grande número de discos presentes nos *segmentos externos* dos bastonetes e dos cones. Cada disco é, na realidade, uma dobra da membrana celular. Existem mais de 1.000 discos em cada bastonete ou cone.

A rodopsina e os pigmentos de cores são proteínas conjugadas. Elas são incorporadas às membranas dos discos na forma de proteínas transmembrana. As concentrações desses pigmentos fotossensíveis nos discos são tão grandes que os pigmentos por si sós constituem cerca de 40% de toda a massa do segmento externo.

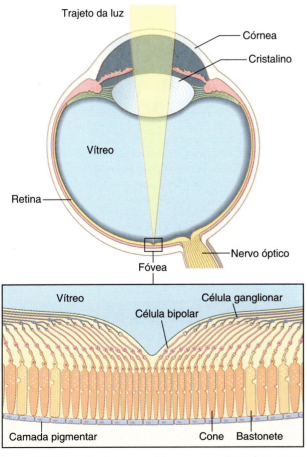

Figura 51.2 Projeção da luz nos fotorreceptores (cones) na retina. Observe que todos os fotorreceptores da região da fóvea são cones, e que todos os neurônios estão dispostos lateralmente, permitindo que a luz chegue sem obstáculos até os cones.

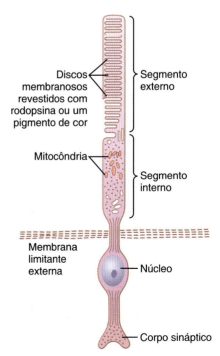

Figura 51.3 Ilustração esquemática das partes funcionais dos bastonetes e cones.

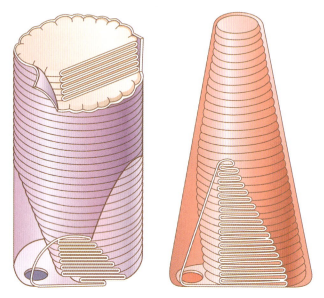

Figura 51.4 Estruturas membranosas dos segmentos externos de um bastonete (à esquerda) e de um cone (à direita). (*Cortesia do Dr. Richard Young.*)

O *segmento interno* dos bastonetes e dos cones contém o citoplasma usual, com organelas citoplasmáticas. As mitocôndrias são especialmente importantes, uma vez que, como será explicado adiante, exercem o relevante papel de fornecer energia para a função dos fotorreceptores.

O *corpo sináptico* é a porção do bastonete ou do cone que se conecta aos neurônios subsequentes, às *células horizontais* e *bipolares*, que representam os estágios seguintes na cadeia responsável pela visão.

Camada pigmentar da retina. O pigmento preto *melanina* na camada (estrato) pigmentar impede o reflexo da luz por todo o globo ocular, o que é extremamente importante para a visão nítida. Esse pigmento desempenha no olho a mesma função que o preto tem no interior do fole de uma câmera. Sem isso, os raios de luz seriam refletidos em todas as direções dentro do globo ocular, o que provocaria uma iluminação difusa da retina, em vez de produzir o contraste normal entre pontos claros e escuros, requisito necessário para formar imagens precisas.

A importância da melanina na camada pigmentar é bem ilustrada pela ausência desse pigmento em pessoas com *albinismo* (ausência congênita do pigmento melanina em todas as partes do corpo). Quando uma pessoa com albinismo entra em uma sala clara, a luz que atinge a retina é refletida em todas as direções no interior do globo ocular pelas superfícies não pigmentadas da retina e pela esclera subjacente, fazendo com que um simples e discreto ponto de luz, que normalmente excitaria apenas alguns poucos bastonetes ou cones, seja refletido em todas as partes e excite muitos receptores. Portanto, a acuidade visual da pessoa com albinismo, mesmo com a melhor correção óptica, dificilmente é melhor do que 20/100 a 20/200, em vez dos valores normais de 20/20.

A camada pigmentar também armazena grandes quantidades de *vitamina A*. Essa vitamina A é transportada livremente através das membranas celulares dos segmentos externos de bastonetes e cones, que estão entremeados no pigmento. A vitamina A, como será discutido mais adiante, é uma precursora importante das substâncias fotossensíveis dos bastonetes e cones.

Suprimento sanguíneo da retina | a artéria central da retina e a coroide. O fornecimento de nutrientes por via sanguínea para as camadas internas da retina é derivado da artéria central da retina, que entra no globo ocular pelo centro do nervo óptico e, então, se divide para *suprir toda a superfície interna da retina*. Assim, as camadas internas da retina têm seu próprio suprimento sanguíneo, independente de outras estruturas do olho.

No entanto, a camada mais externa da retina é aderente à *coroide*, que também é um tecido altamente vascularizado localizado entre a retina e a esclera. As camadas externas da retina, especialmente os segmentos externos dos bastonetes e dos cones, dependem, principalmente, da difusão dos vasos sanguíneos da coroide para sua nutrição, especialmente o oxigênio.

Descolamento de retina. O estrato nervoso da retina ocasionalmente *se descola do seu estrato pigmentar*. Em alguns casos, a causa de tal descolamento é uma lesão ao globo ocular que provoca o acúmulo de líquido ou sangue entre a retina nervosa e o epitélio pigmentar. O descolamento é eventualmente causado pela contração de finas fibrilas de colágeno no humor vítreo, que puxa áreas da retina em direção ao interior do globo.

Em parte, pela difusão através do espaço de descolamento e, em parte, pelo suprimento sanguíneo independente da retina nervosa pela artéria central da retina, a retina descolada pode resistir por dias à degeneração e pode voltar a ser funcional se for cirurgicamente recolocada em sua relação normal com o epitélio pigmentar. Se não for rapidamente recolocada, contudo, a retina será destruída e não poderá mais funcionar, mesmo após um reparo cirúrgico.

FOTOQUÍMICA DA VISÃO

Bastonetes e cones contêm substâncias químicas que se decompõem quando são expostas à luz e, nesse processo, excitam as fibras do nervo óptico. A substância química sensível à luz presente nos *bastonetes* é chamada *rodopsina*; nos *cones*, as substâncias químicas sensíveis à luz, chamadas de *pigmentos dos cones* ou *pigmentos de cores*, têm composições apenas um pouco diferentes da composição da rodopsina.

Nesta seção, discutiremos principalmente a fotoquímica da rodopsina, mas os mesmos princípios podem ser aplicados aos pigmentos dos cones.

CICLO VISUAL RODOPSINA-RETINAL E EXCITAÇÃO DOS BASTONETES

Rodopsina e sua decomposição pela energia luminosa. O segmento externo do bastonete que se projeta na camada pigmentar da retina tem uma concentração de aproximadamente 40% do pigmento fotossensível chamado *rodopsina*, ou *púrpura visual*. Essa substância é uma combinação da proteína escotopsina e do pigmento carotenoide *retinal* (também chamado "retineno"). Além disso, o retinal é um tipo particular de isômero denominado 11-*cis* retinal. Essa forma cis do retinal é importante porque somente ela pode se ligar à escotopsina para sintetizar rodopsina.

Quando a energia luminosa é absorvida pela rodopsina, essa rodopsina começa a se decompor dentro de uma fração muito pequena de segundo, como mostrado na parte superior da **Figura 51.5**. A causa dessa rápida decomposição é a fotoativação dos elétrons na porção retinal da rodopsina, o que leva à alteração instantânea da forma cis do retinal para uma forma todo-trans que tem a mesma estrutura química da forma cis, mas com uma estrutura física diferente – é uma molécula reta e não angulada. Como a orientação tridimensional dos sítios reativos do retinal todo-*trans* não se ajusta mais à orientação dos sítios reativos da proteína *escotopsina*, o retinal todo-*trans* começa a se afastar da escotopsina. O produto imediato é a *batorrodopsina*, que é uma combinação parcialmente degradada do retinal todo-trans e escotopsina. A batorrodopsina é extremamente instável e decai em nanossegundos para *lumirrodopsina*. Esse produto decai, então, em microssegundos, para *metarrodopsina I*, que por sua vez, em cerca de um milissegundo, decai para *metarrodopsina II* e, por fim, muito mais lentamente (em segundos), para os produtos de degradação total *escotopsina* e retinal todo-*trans*.

É a metarrodopsina II, também chamada *rodopsina ativada*, que provoca as alterações elétricas nos bastonetes que, então, transmitem a imagem visual para o sistema nervoso central sob a forma de potenciais de ação do nervo óptico, como será discutido adiante.

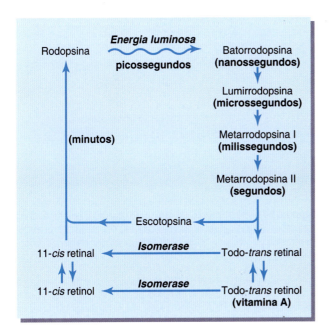

Figura 51.5 Ciclo visual de rodopsina-retinal no bastonete, mostrando a decomposição da rodopsina durante a exposição à luz e a subsequente neoformação lenta de rodopsina por processos químicos.

Neoformação de rodopsina. O primeiro estágio da neoformação da rodopsina, como mostrado na **Figura 51.5**, é reconverter o todo-*trans* retinal em 11-*cis* retinal. Esse processo requer energia metabólica e é catalisada pela enzima *retinal isomerase*. Uma vez formado o 11-*cis* retinal, ele automaticamente se recombina com a escotopsina para formar novamente a rodopsina que, então, permanece estável até que sua decomposição seja novamente desencadeada pela absorção de energia luminosa.

Papel da vitamina A para a formação da rodopsina. Observe na **Figura 51.5** que existe uma segunda via química pela qual o retinal todo-*trans* pode ser convertido em 11-*cis* retinal. Essa segunda via faz a conversão de retinal todo-*trans* primeiramente em retinol todo-*trans*, que é uma forma de vitamina A. Depois, o retinol todo-*trans* é convertido em retinol 11-*cis* sob a influência da enzima isomerase. Por fim, o retinol 11-*cis* é convertido em retinal 11-*cis*, que se combina com a escotopsina para formar a nova rodopsina.

A vitamina A (retinol) está presente em todo o citoplasma dos bastonetes e na camada pigmentar da retina. Dessa forma, a vitamina A está, normalmente, sempre disponível para formar novo retinal quando necessário. Em contrapartida, quando há excesso de retinal na retina, ele é reconvertido em vitamina A, reduzindo, assim, a quantidade de pigmento fotossensível na retina. Veremos adiante que essa interconversão entre retinal e vitamina A é especialmente importante na adaptação a longo prazo da retina a diferentes intensidades de luz.

Cegueira noturna devida à deficiência de vitamina A. A cegueira noturna ocorre em pessoas com deficiência grave de vitamina A porque, sem vitamina A, as quantidades de retinal e de rodopsina que podem ser formadas são intensamente diminuídas. Essa condição é chamada de *cegueira noturna* porque a quantidade de luz disponível à noite é pequena demais para permitir uma visão adequada em pessoas com deficiência de vitamina A.

Para que a cegueira noturna ocorra, geralmente é preciso que a pessoa permaneça sob uma dieta deficiente em vitamina A por meses, porque o fígado normalmente armazena grandes quantidades de vitamina A que podem ficar disponíveis para os olhos. Uma vez desenvolvida, a cegueira noturna pode, algumas vezes, ser revertida em menos de 1 hora pela injeção intravenosa de vitamina A.

Excitação do bastonete quando a rodopsina é ativada pela luz

O receptor do bastonete se hiperpolariza em resposta à luz. A exposição do bastonete à luz provoca *aumento da negatividade* do potencial de membrana intrabastonete, que é um estado de *hiperpolarização*. Isso é exatamente o oposto da diminuição de negatividade (o processo de "despolarização") que ocorre em quase todos os receptores sensoriais.

Como a ativação da rodopsina provoca hiperpolarização? A resposta é que, *quando a rodopsina se decompõe, diminui a condutância da membrana dos bastonetes para os íons sódio no segmento externo,* produzindo a hiperpolarização.

A **Figura 51.6** mostra o movimento dos íons sódio e potássio em um circuito elétrico completo através dos segmentos interno e externo. O segmento interno bombeia sódio continuamente de dentro do bastonete para fora, e íons potássio são bombeados para dentro da célula. Os íons potássio vazam para fora da célula pelos canais de potássio sempre abertos, que são restritos ao segmento interno do bastonete. Como em outras células, essa bomba sódio-potássio cria um potencial negativo no interior de toda a célula. No entanto, o segmento externo do bastonete, onde se localizam os discos fotorreceptores, é completamente diferente. Aqui, a membrana do bastonete, no estado de *escuridão*, é permeável aos íons sódio que fluem através dos canais dependentes de monofosfato de guanosina cíclico (GMPc). No escuro, os níveis de GMPc estão altos, permitindo que íons sódio positivamente carregados sejam continuamente transportados de volta para o interior do bastonete e, assim, neutralizam muito da negatividade no interior da célula. Dessa forma, *sob condições normais de escuridão, quando os bastonetes não estão excitados, ocorre redução da eletronegatividade* no interior da membrana do bastonete, medindo cerca de −40 milivolts em vez dos habituais −70 a −80 milivolts encontrados na maioria dos receptores sensoriais.[1]

Quando a rodopsina no segmento externo do bastonete é exposta à luz, ela é ativada e inicia sua decomposição. Os canais de sódio dependentes de GMPc são, então, fechados e a condutância de sódio da membrana do segmento externo para o interior do bastonete é reduzida em um processo em três etapas (ver **Figura 51.7**): (1) a luz é absorvida pela rodopsina, provocando a fotoativação de elétrons na porção retinal, como anteriormente descrito; (2) a rodopsina ativada estimula a proteína G, denominada *transducina*, que, então, ativa a fosfodiesterase do GMPc, uma enzima que catalisa a quebra de GMPc a 5′-GMP; e (3) a redução do GMPc fecha os canais de sódio dependentes de GMPc, reduzindo a corrente de influxo desse íon. Os íons sódio continuam a ser bombeados para fora

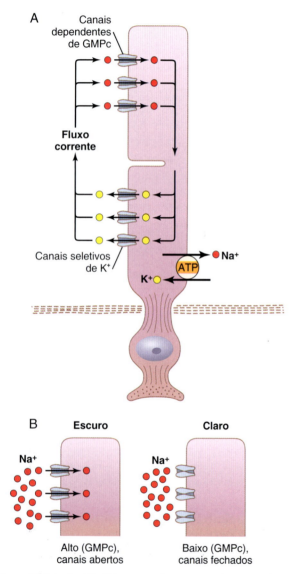

Figura 51.6 A. O sódio flui para um fotorreceptor (p. ex., um bastonete) através dos canais dependentes de monofosfato de guanosina cíclico (GMPc). O potássio flui para fora da célula pelos canais de potássio sempre abertos. A bomba de sódio-potássio mantém os níveis de sódio e potássio estáveis dentro da célula. **B.** No ambiente escuro, os níveis de GMPc estão altos e os canais de sódio estão abertos. No claro, os níveis de GMPc são reduzidos e os canais de sódio se fecham, fazendo com que a célula se hiperpolarize. ATP, trifosfato de adenosina.

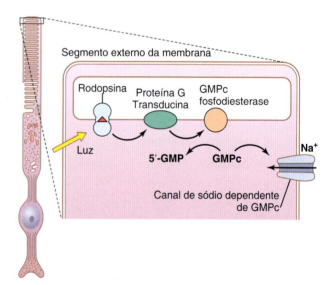

Figura 51.7 Fototransdução no segmento externo da membrana do fotorreceptor (bastonete ou cone). Quando a luz incide sobre um fotorreceptor (p. ex., uma célula bastonete), a porção retinal da rodopsina que absorve a luz é ativada. Essa ativação estimula a transducina, uma proteína G, que então ativa a fosfodiesterase do monofosfato de guanosina cíclico (GMPc). Essa enzima catalisa a degradação do GMPc em 5′-GMP. A redução do GMPc provoca, então, o fechamento dos canais de sódio que, por sua vez, levam à hiperpolarização do fotorreceptor.

---

[1] N.R.C.: Essa é a chamada corrente de escuro.

CAPÍTULO 51 O Olho: II. Funções Receptora e Neural da Retina

através da membrana do segmento interno. Desse modo, há mais saída de íons sódio do que retorno de entrada no bastonete. Como eles são íons positivos, sua saída do interior do bastonete cria um aumento de negatividade na face interna da membrana e quanto maior a quantidade de energia luminosa que atinge o bastonete, maior será a eletronegatividade – ou seja, maior será o grau de *hiperpolarização*. Na intensidade luminosa máxima, o potencial de membrana se aproxima de –70 a –80 milivolts, o que é próximo do potencial de equilíbrio para os íons potássio através da membrana.

Duração do potencial receptor e relação logarítmica do potencial receptor com a intensidade de luz.
Quando um pulso de luz repentino atinge a retina, ocorre uma hiperpolarização transitória (*potencial receptor*) nos bastonetes que alcança um pico em cerca de 0,3 segundo e dura mais de 1 segundo. Nos cones, essa alteração ocorre quatro vezes mais rápido que nos bastonetes. Uma imagem visual que atinge os bastonetes da retina por apenas um milionésimo de segundo pode, algumas vezes, provocar a sensação de ver a imagem por mais de 1 segundo.

Outra característica do potencial receptor é a de ser proporcional ao logaritmo da intensidade de luz. Essa característica é extremamente importante porque permite que o olho discrimine intensidades de luz dentro de uma gama de variação milhares de vezes maior do que seria possível de outra forma.

Mecanismo pelo qual a decomposição da rodopsina diminui a condutância de sódio na membrana | a cascata de excitação.
Em condições ideais, um único fóton de luz, a menor unidade quântica possível de energia luminosa, pode produzir um potencial receptor de aproximadamente 1 milivolt em um bastonete. Apenas 30 fótons de luz produzirão metade da saturação do bastonete. Como uma quantidade tão pequena de luz pode provocar tamanha excitação? A resposta é que os fotorreceptores têm uma cascata química sensível que amplifica os efeitos estimuladores cerca de um milhão de vezes, da seguinte maneira:

1. O *fóton ativa um elétron* na porção 11-*cis* retinal da rodopsina; essa ativação leva à formação de *metarrodopsina II*, que é a forma ativa da rodopsina, como mostrado na **Figura 51.5**.
2. A *rodopsina ativada* funciona como uma enzima para ativar muitas moléculas de *transducina*, uma proteína presente na forma inativa nas membranas dos discos e nas membranas celulares dos bastonetes.
3. A *transducina ativada* estimula muitas moléculas de *fosfodiesterase*.
4. A *fosfodiesterase ativada* hidrolisa imediatamente muitas moléculas de GMPc, destruindo-as. Antes de ser destruído, o GMPc é ligado à proteína do canal de sódio da membrana externa do bastonete de uma forma que mantém forçosamente o canal no estado aberto. No entanto, na luz, a hidrólise do GMPc pela fosfodiesterase remove aquela força de abertura e possibilita

que os canais de sódio fechem. Para cada molécula de rodopsina ativada que se origina, várias centenas de canais se fecham. Como o fluxo de sódio através de cada um desses canais é extremamente rápido, o fechamento do canal bloqueia mais de 1 milhão de íons sódio antes de o canal se reabrir novamente. Essa diminuição de fluxo dos íons sódio é o que excita o bastonete, como já discutido.

5. Dentro de aproximadamente 1 segundo, a *rodopsina quinase*, uma outra enzima que está sempre presente no bastonete, inativa a rodopsina ativada (a metarrodopsina II), e a cascata inteira retorna ao estado normal com os canais de sódio abertos.

Assim, os bastonetes desenvolvem uma importante cascata química que amplifica o efeito de um único fóton de luz para produzir o movimento de milhões de íons sódio. Esse mecanismo explica a sensibilidade extrema de bastonetes em condições de escuridão.

Os cones são cerca de 30 a 300 vezes menos sensíveis que os bastonetes, mas mesmo esse grau de sensibilidade permite a visão em cores em qualquer intensidade de luz superior à penumbra extremamente escura.

Fotoquímica da visão em cores | o papel dos cones

Destacamos anteriormente que as substâncias fotoquímicas nos cones têm quase exatamente a mesma composição química que a da rodopsina nos bastonetes. A única diferença é que as porções proteicas, ou opsinas – chamadas de *fotopsinas* nos cones – são ligeiramente diferentes da escotopsina dos bastonetes. A porção *retinal* de todos os pigmentos visuais é exatamente a mesma nos cones e nos bastonetes. Os pigmentos dos cones sensíveis a cor são, portanto, combinações de retinais e fotopsinas.

Somente um dos três tipos de pigmentos de cor está presente em cada um dos diferentes cones, tornando-os, assim, seletivamente sensíveis a diferentes cores – vermelho, verde ou azul (padrão RGB; do inglês, *red, green, blue*). Esses pigmentos de cor são chamados de *pigmento sensível ao vermelho*, *pigmento sensível ao verde* e *pigmento sensível ao azul*, respectivamente. As características de absorção dos pigmentos nos três tipos de cones mostram picos de absorbância nos comprimentos de onda de luz de 445, 535 e 570 nanômetros, respectivamente. Esses comprimentos de onda são os mesmos para a sensibilidade máxima à luz para cada tipo de cone, o que começa a explicar como a retina diferencia as cores. A **Figura 51.8** mostra as curvas de absorção aproximada para os três pigmentos. Também mostra a curva de absorção para a rodopsina dos bastonetes, com um pico em 505 nanômetros.

REGULAÇÃO AUTOMÁTICA DA SENSIBILIDADE DA RETINA | ADAPTAÇÃO À LUZ E À ESCURIDÃO

Se uma pessoa passar muitas horas sob luz intensa, grande parte das substâncias fotoquímicas nos bastonetes e nos

PARTE 10 Sistema Nervoso: B. Os Órgãos Especiais dos Sentidos

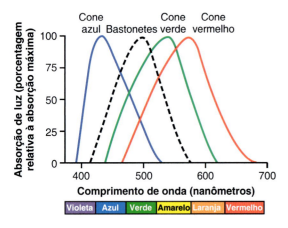

Figura 51.8 Absorção de luz pelo pigmento dos bastonetes e pelos pigmentos dos três cones receptivos a cores da retina humana. (*Dados de Marks WB, Dobelle WH, MacNichol EF Jr. Visual pigments of single primate cones. Science. 1964; 143:1181; e Brown PK, Wald G. Visual pigments in single rods and cones of the human retina: direct measurements reveal mechanisms of human night and color vision. Science. 1964; 144:45.*)

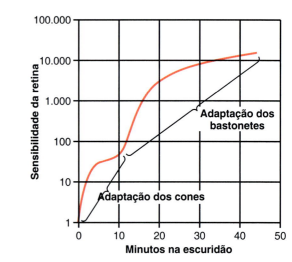

Figura 51.9 Adaptação ao escuro, demonstrando a relação da adaptação dos cones para a adaptação dos bastonetes.

cones será reduzida a retinal e opsinas. Além disso, muito do retinal dos bastonetes e dos cones terá sido convertido em vitamina A. Por causa desses dois efeitos, as concentrações das substâncias químicas fotossensíveis que ainda restam nos bastonetes e nos cones são consideravelmente reduzidas e a sensibilidade do olho à luz também sofre redução correspondente. Esse processo é chamado *adaptação à luz.*

Em contrapartida, se uma pessoa permanece na escuridão por um longo período, o retinal e as opsinas presentes nos bastonetes e nos cones são reconvertidos em pigmentos fotossensíveis. Além disso, a vitamina A é reconvertida a retinal para aumentar os pigmentos sensíveis à luz, sendo o limite final determinado pela quantidade de opsinas nos bastonetes e nos cones para se combinar com o retinal. Esse processo é chamado de *adaptação ao escuro.*

A **Figura 51.9** mostra a evolução da adaptação ao escuro quando uma pessoa é exposta à escuridão total após ter ficado exposta à intensa luz por várias horas. Observe que a sensibilidade da retina é muito baixa logo no início do período na escuridão, mas, após 1 minuto, a sensibilidade já aumenta 10 vezes – ou seja, a retina pode responder à luz de um décimo da intensidade requerida anteriormente. Ao final de 20 minutos, a sensibilidade aumenta cerca de 6.000 vezes e, ao final de 40 minutos, aproximadamente 25.000 vezes.

A curva resultante da **Figura 51.9** é chamada curva de *adaptação ao escuro.* Observe a inflexão da curva. A porção inicial da curva é causada pela adaptação dos cones, uma vez que todos os eventos químicos da visão, incluindo a adaptação, ocorrem cerca de quatro vezes mais rapidamente nos cones do que nos bastonetes. No entanto, os cones não alcançam o mesmo grau de alteração de sensibilidade que os bastonetes têm no escuro. Dessa forma, apesar da adaptação rápida, os cones param de se adaptar após alguns poucos minutos, ao passo que os bastonetes, que se adaptam lentamente, continuam a se adaptar por muitos minutos e até mesmo horas, com sua sensibilidade aumentando imensamente. A sensibilidade adicional dos bastonetes é causada por convergência de sinal nervoso de 100 ou mais bastonetes sobre uma única célula ganglionar na retina; esses bastonetes se somam para aumentar sua sensibilidade, como discutido mais adiante neste capítulo.

Outros mecanismos de adaptação à luz e ao escuro. Além da adaptação causada por alterações nas concentrações de rodopsina ou de substâncias fotoquímicas para cores, o olho possui dois outros mecanismos para adaptação à luz e ao escuro. O primeiro é uma *alteração no diâmetro pupilar*, como discutido no Capítulo 50. Essa alteração pode produzir adaptação de aproximadamente 30 vezes em uma fração de segundo em virtude das alterações na quantidade de luz que pode atravessar a abertura pupilar.

O outro mecanismo é a *adaptação neural*, que envolve os neurônios nos sucessivos estágios da cadeia visual na retina e no cérebro. Ou seja, quando a intensidade luminosa aumenta em um primeiro momento, também se intensificam os sinais transmitidos pelas células bipolares, células horizontais, células amácrinas e células ganglionares. No entanto, a maioria desses sinais diminui rapidamente em diferentes estágios da transmissão no circuito neural. Embora o grau de adaptação neural seja somente poucas vezes maior, em vez das milhares de vezes da adaptação do sistema fotoquímico, ela ocorre em uma fração de segundo, contrastando com a necessidade de muitos minutos a horas para a adaptação completa pelas substâncias fotoquímicas.

Valor da adaptação à luz e ao escuro na visão. Entre os limites de adaptação máxima ao escuro e adaptação máxima à luz, o olho pode alterar sua sensibilidade à luz 500.000 a 1 milhão de vezes, com a sensibilidade automaticamente ajustada a mudanças na iluminação.

Como o registro das imagens pela retina requer a detecção de pontos claros e escuros na imagem, é essencial que a sensibilidade da retina sempre seja ajustada de forma que os receptores respondam a áreas mais claras, mas não a áreas mais escuras. Um exemplo de mau ajuste da adaptação da retina ocorre quando uma pessoa sai de uma sala de cinema e entra em um ambiente com intensa luz solar. Assim, mesmo os pontos escuros nas imagens parecem extremamente brilhantes e, como consequência, toda a imagem visual fica muito esmaecida, com pouco contraste entre suas diferentes partes. Essa visão ruim permanece até que a retina se adapte o suficiente para que as áreas mais escuras da imagem não estimulem mais os receptores de maneira excessiva.

Por outro lado, quando uma pessoa entra em um ambiente escuro, de início a sensibilidade da retina geralmente é tão discreta que mesmo os pontos claros na imagem não podem estimular a retina. Após a adaptação ao escuro, os pontos claros começam a ser registrados. Como um exemplo de extremos de adaptação à luz e ao escuro, a intensidade da luz do sol é cerca de 10 bilhões de vezes a luz das estrelas, mas o olho pode funcionar tanto sob a intensa luz do sol após a adaptação à luz quanto sob a luz das estrelas após a adaptação ao escuro.

VISÃO EM CORES

Nas seções anteriores, aprendemos que diferentes cones são sensíveis a diferentes cores da luz. Esta seção é uma discussão dos mecanismos pelos quais a retina detecta as diferentes gradações de cor no espectro visual.

MECANISMO TRICROMÁTICO DE DETECÇÃO DE CORES

Todas as teorias de visão em cores se baseiam na observação bem conhecida de que o olho humano pode detectar quase todas as gradações de cores quando as luzes monocromáticas vermelhas, verdes e azuis são adequadamente misturadas em diferentes combinações.

Sensibilidades espectrais dos três tipos de cones. Com base nos testes de visão em cores, as sensibilidades espectrais dos três tipos de cones em humanos demonstraram ser essencialmente as mesmas observadas nas curvas de absorção de luz para os três tipos de pigmentos encontrados nos cones. Essas curvas são mostradas na **Figura 51.8** e, um pouco diferente, na **Figura 51.10**. Elas podem explicar a maior parte dos fenômenos da visão em cores.

Interpretação de cores no sistema nervoso. Na **Figura 51.10**, pode-se ver que a luz monocromática laranja, com comprimento de onda de 580 nanômetros, estimula os cones vermelhos a um valor de cerca de 99 (99% do pico de estimulação em comprimento de onda ideal); estimula os cones verdes a um valor de aproximadamente 42, mas não estimula os cones azuis de nenhuma maneira. Assim, as proporções de estimulação dos três tipos de cones nesse caso são 99:42:0. O sistema nervoso interpreta esse conjunto de proporções como a sensação de laranja. Por outro

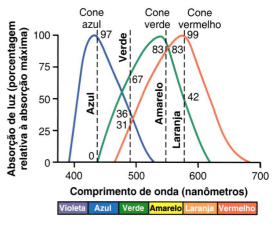

Figura 51.10 Demonstração dos graus de estimulação dos diferentes cones sensíveis a cores por luzes monocromáticas de quatro cores – azul, verde, amarelo e laranja.

lado, uma luz azul monocromática, com um comprimento de onda de 450 nanômetros, estimula os cones vermelhos a um valor de 0, os cones verdes também com o valor de 0, e os cones azuis são excitados a um valor de 97. Esse conjunto de proporções – 0:0:97 – é interpretado pelo sistema nervoso como azul. Da mesma forma, proporções de 83:83:0 são interpretadas como amarelo e proporções de 31:67:36 são interpretadas como verde.

Percepção da luz branca. A estimulação quase igual de todos os tipos de cones, vermelho, verde e azul, produz a sensação da cor branca. No entanto, não existe um comprimento de onda correspondente à luz branca; em vez disso, o branco é uma combinação de todos os comprimentos de onda do espectro. Além disso, a percepção de branco pode ser obtida pela estimulação da retina com a combinação adequada de apenas três cores escolhidas que estimulem os tipos respectivos de cones de maneira quase igual.

Daltonismo

Daltonismo para vermelho-verde. Quando um único grupo de cones receptivos à cor está faltando no olho, a pessoa é incapaz de distinguir algumas cores de outras. Por exemplo, na **Figura 51.10** é possível ver que as cores verde, amarelo, laranja e vermelho, que estão entre os comprimentos de onda de 525 e 675 nanômetros, normalmente são distinguidas entre si pelos cones vermelho e verde. Se qualquer um desses cones estiver faltando, a pessoa não conseguirá usar esse mecanismo para distinguir essas quatro cores; a pessoa será especialmente incapaz de distinguir vermelho de verde e, dessa forma, será considerada com *daltonismo para vermelho-verde*.

Uma pessoa com deficiência de cones vermelhos têm uma condição chamada de *protanopia*; o espectro visual geral é encurtado de maneira bastante evidente na extremidade do comprimento de onda longo, em virtude da falta de cones vermelhos. Já uma pessoa com daltonismo com deficiência de cones verdes tem uma condição chamada *deuteranopia*; essa pessoa tem uma largura espectro-visual perfeitamente normal porque os cones vermelhos estão disponíveis para detectar os comprimentos de onda longa da cor vermelha. No entanto, uma pessoa com deuteranopia consegue distinguir apenas 2 ou 3 tons diferentes, enquanto outra com visão normal enxerga 7 tons distintos.

O daltonismo para vermelho-verde é um distúrbio genético que ocorre quase exclusivamente em indivíduos do sexo masculino. Ou seja, os genes no cromossomo X feminino codificam os cones respectivos. Ainda assim, o daltonismo quase nunca ocorre em indivíduos do sexo femininos porque, tendo dois cromossomos X, ao menos um deles quase sempre possui um gene normal para cada tipo de cone. Como os indivíduos do sexo masculino têm apenas um cromossomo X, o gene ausente pode levar ao daltonismo.

Como o cromossomo X nos indivíduos do sexo masculino são sempre herdados da mãe, nunca do pai, o daltonismo é passado de mãe para filho e a mãe é considerada uma *portadora de daltonismo*. Cerca de 8% das mulheres são portadoras de daltonismo.

Fraqueza para o azul. A ausência somente dos cones azuis é mais rara, embora tais pessoas possam estar sub-representadas, sendo incluídas em uma condição geneticamente herdada denominada *fraqueza para o azul*.

Quadros para teste de cores. Um método rápido para determinação de daltonismo baseia-se no uso de quadros de pontos, como mostrado na **Figura 51.11**. Esses quadros são dispostos com uma mistura de pontos de diferentes cores. No quadro superior, uma pessoa com visão normal para cores lê "74", enquanto uma pessoa com daltonismo para vermelho-verde lê "21". No quadro inferior, a pessoa com visão normal para cores lê "42", enquanto uma pessoa com daltonismo para vermelho lê "2" e uma pessoa com daltonismo para verde lê "4".

FUNÇÃO NEURAL DA RETINA

A **Figura 51.12** apresenta o básico das conexões neurais da retina, mostrando o circuito na retina periférica à esquerda e o circuito na retina da fóvea à direita. Os diferentes tipos de neurônios são os seguintes:

1. Os fotorreceptores – *bastonetes e cones* – que transmitem sinais para a camada plexiforme externa, onde fazem sinapse com as células bipolares e as células horizontais.
2. As *células horizontais*, que transmitem sinais horizontalmente na camada plexiforme externa de bastonetes e cones para as células bipolares.
3. As *células bipolares*, que transmitem sinais verticalmente dos bastonetes, cones e células horizontais para a camada plexiforme interna, onde fazem sinapse com as células ganglionares e as células amácrinas.
4. As *células amácrinas*, que transmitem sinais em duas direções, diretamente das células bipolares para as células ganglionares ou horizontalmente dentro da camada plexiforme interna dos axônios das células bipolares para os dendritos das células ganglionares ou para outras células amácrinas.

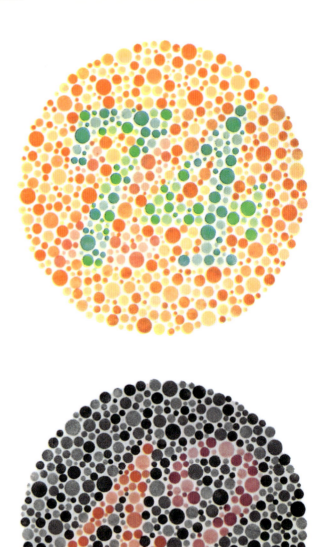

Figura 51.11 Dois quadros de Ishihara. Nesse quadro (*painel superior*), uma pessoa com visão normal lê "74", mas uma pessoa com daltonismo para as cores vermelho-verde lê "21". Nesse quadro (*painel inferior*), uma pessoa com daltonismo para vermelho (com protanopia) lê "2", mas uma pessoa com daltonismo para verde (com deuteranopia) lê "4". Uma pessoa com visão normal lê "42". (De Ishihara S. Tests for color-blindness. Handaya, Tokyo: Hongo Harukicho; 1917. Observe que os testes para daltonismo não podem ser conduzidos com esse material. Para diagnóstico mais preciso, o ideal seria utilizar as placas originais.)

5. As *células ganglionares*, que transmitem sinais eferentes da retina através do nervo óptico para o cérebro.

Um sexto tipo de neurônio na retina, que não é muito proeminente e não é mostrado na figura, é a célula *interplexiforme*. Esse tipo de célula transmite sinais na direção retrógrada, da camada plexiforme interna para a camada

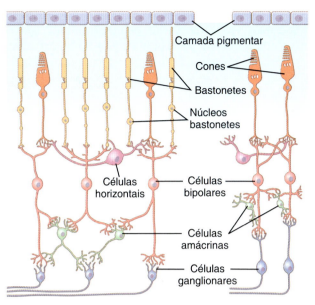

Figura 51.12 Organização neural da retina, com a área periférica à esquerda e a área da fóvea à direita.

plexiforme externa. Esses sinais são inibitórios, e acredita-se que controlem a propagação lateral dos sinais visuais pelas células horizontais na camada plexiforme externa. Seu papel pode ser auxiliar o controle do grau de contraste na imagem visual.

A via visual dos cones para as células ganglionares funciona de maneira diferente da via dos bastonetes.
Como acontece com muitos de nossos outros sistemas sensoriais, a retina possui um tipo ancestral de visão, baseado na visão produzida pelos bastonetes, e um tipo mais recente, baseado na visão dos cones. Os neurônios e as fibras nervosas que conduzem os sinais visuais para a visão dos cones são consideravelmente maiores do que aqueles que conduzem os sinais visuais para a visão dos bastonetes e os sinais são conduzidos para o cérebro duas a cinco vezes mais rapidamente. Da mesma forma, os circuitos para os dois sistemas são ligeiramente diferentes.

Na **Figura 51.12**, à direita, é a via visual da *porção da fóvea da retina*, representando o sistema mais recente e mais rápido dos cones. Essa ilustração mostra três neurônios na via direta: (1) cones; (2) células bipolares; e (3) células ganglionares. Além disso, as células horizontais transmitem sinais inibitórios lateralmente na camada plexiforme externa e as células amácrinas transmitem sinais lateralmente na camada plexiforme interna.

À esquerda, na mesma **Figura 51.12**, estão as conexões neurais para a retina periférica, onde cones e bastonetes estão presentes. Três células bipolares são mostradas; a do meio se conecta apenas a bastonetes, representando o tipo de sistema visual presente em muitos animais inferiores. A saída das células bipolares passa somente para as células amácrinas, que transmitem os sinais para a células ganglionares. Assim, para a visão pura dos bastonetes, há quatro neurônios na via visual direta: (1) bastonetes; (2) células bipolares; (3) células amácrinas; e (4) células ganglionares. Adicionalmente, as células horizontais e as células amácrinas proporcionam a conectividade lateral.

As outras duas células bipolares mostradas no circuito da retina periférica da **Figura 51.12** se conectam com cones e bastonetes; as saídas dessas células bipolares passam diretamente para a células ganglionares e também pela via das células amácrinas.

Neurotransmissores liberados pelos neurônios da retina.
Nem todas as substâncias químicas neurotransmissoras usadas para transmissão sináptica na retina são completamente conhecidas. No entanto, tanto cones quanto bastonetes liberam *glutamato* em suas sinapses com as células bipolares.

Há estudos histológicos e farmacológicos que comprovam a existência de muitos tipos de células amácrinas que secretam pelo menos oito tipos de substâncias transmissoras, incluindo ácido gama-aminobutírico (GABA), *glicina, dopamina, acetilcolina* e *indolamina*, e todas funcionam normalmente como transmissores inibitórios. Os transmissores das células bipolar, horizontal e interplexiforme não são muito conhecidos, mas sabe-se que ao menos as células horizontais liberam transmissores inibitórios.

A transmissão da maior parte dos sinais ocorre nos neurônios da retina por condução eletrotônica, não por potenciais de ação.
Os únicos neurônios da retina que sempre transmitem sinais visuais por potenciais de ação são as células ganglionares, que enviam seus sinais para o cérebro através do nervo óptico. Eventualmente, também é possível registrar potenciais de ação nas células amácrinas, embora a importância desses sinais seja questionável. De outro modo, todos os neurônios da retina conduzem seus sinais visuais por *condução eletrotônica*, e não por meio de potenciais de ação.

Condução eletrotônica significa fluxo direto de corrente elétrica (não de potenciais de ação) no citoplasma neuronal e nos axônios nervosos, desde o ponto de excitação passando por todo o trajeto até as sinapses eferentes. Mesmo nos cones e nos bastonetes, a condução dos seus segmentos externos para os corpos sinápticos ocorre por condução eletrotônica. Desse modo, quando ocorre hiperpolarização em resposta à luz no segmento externo de um bastonete ou de um cone, quase toda essa hiperpolarização é conduzida por fluxo direto de corrente elétrica no citoplasma em todo o trajeto até o corpo sináptico, não sendo necessário haver potencial de ação. Em seguida, quando o transmissor proveniente de um bastonete estimula uma célula bipolar ou uma célula horizontal, mais uma vez o sinal é transmitido desde a entrada até a saída por fluxo direto de corrente elétrica, não por potenciais de ação.

A importância da condução eletrotônica é que ela permite a *condução graduada* da força do sinal. Assim, para os bastonetes e cones, a força do sinal eferente hiperpolarizante é diretamente relacionada à intensidade da iluminação; o sinal não é do tipo "tudo ou nada", como ocorre, obrigatoriamente, nos potenciais de ação.

Inibição lateral para aumentar o contraste visual: função das células horizontais

As células horizontais, mostradas na **Figura 51.12**, conectam-se lateralmente entre os corpos sinápticos dos bastonetes e cones e com os dendritos das células bipolares. As saídas das células horizontais *são sempre inibitórias*. Dessa forma, essa conexão lateral proporciona o mesmo fenômeno da inibição lateral que é importante em outros sistemas sensoriais – ou seja, ajudar a assegurar a transmissão de padrões visuais com o contraste visual apropriado. Esse fenômeno está demonstrado na **Figura 51.13**, que mostra um minúsculo ponto de luz focalizado na retina. A via visual da área mais central de onde a luz incide é excitada, ao passo que uma área ao lado é inibida. Em outras palavras, em vez de ocorrer propagação ampla do sinal excitatório na retina em virtude da propagação pelos dendritos e pela árvore axonal nas camadas plexiformes, a transmissão através das células horizontais interrompe essa propagação por meio da inibição lateral nas áreas circunjacentes. Esse processo é essencial para possibilitar maior acurácia visual na transmissão de bordas de contraste na imagem visual.

Algumas das células amácrinas fornecem, provavelmente, inibição lateral adicional, além de proporcionar maior enriquecimento do contraste visual na camada plexiforme interna da retina.

Células bipolares despolarizantes e hiperpolarizantes

Dois tipos de células bipolares fornecem sinais opostos, excitatórios e inibitórios, na via visual: (1) as *células bipolares despolarizantes*; e (2) as *células bipolares hiperpolarizantes*. Ou seja, algumas células bipolares se despolarizam quando os bastonetes e cones são excitados, e outras se hiperpolarizam.

Existem duas possíveis explicações para essa diferença. Uma delas é que as duas células bipolares são de tipos completamente diferentes, sendo que uma se despolariza em resposta ao neurotransmissor glutamato, que é liberado pelos bastonetes e cones, enquanto a outra, em presença do mesmo glutamato, se hiperpolariza. A outra possibilidade é que umas das células bipolares recebe excitação direta dos bastonetes e cones, enquanto a outra recebe seu sinal de forma indireta através de uma célula horizontal. Como a célula horizontal é uma célula inibitória, isso poderia reverter a polaridade da resposta elétrica.

Independentemente do mecanismo para os dois tipos de respostas das células bipolares, a importância desse fenômeno reside em permitir que metade dessas células transmita sinais positivos, enquanto a outra metade transmite sinais negativos. Veremos adiante que ambos os sinais, positivo e negativo, são usados na transmissão da informação visual ao cérebro.

Outro aspecto importante dessa relação recíproca entre as células bipolares despolarizantes e hiperpolarizantes é que isso permite um segundo mecanismo para inibição lateral, além do mecanismo que emprega células horizontais. Como as células bipolares despolarizantes e hiperpolarizantes se encontram justapostas umas às outras, isso proporciona um mecanismo para separação das bordas de contraste na imagem visual, mesmo quando a borda se situa exatamente entre dois fotorreceptores adjacentes. Por sua vez, o mecanismo das células horizontais para a inibição lateral opera sobre uma distância muito maior.

Células amácrinas e suas funções

Aproximadamente 30 tipos de células amácrinas já foram identificados por meios morfológicos e histoquímicos. As funções de cerca de meia dúzia de tipos de células amácrinas foram caracterizadas, e todas elas são diferentes:

- Um tipo de célula amácrina faz parte da via direta para a visão dos bastonetes – isto é, partindo dos bastonetes para as células bipolares, para as células amácrinas, para as células ganglionares
- Outro tipo de célula amácrina responde fortemente no início de um sinal visual continuado, mas a resposta cessa rapidamente
- Outras células amácrinas respondem intensamente no desligamento de sinais visuais, mas, novamente, a resposta desaparece rapidamente
- Outras células amácrinas respondem quando a luz é ligada ou desligada, sinalizando simplesmente a mudança na iluminação, independentemente de direção
- Outro tipo de célula amácrina responde ao movimento de um ponto através da retina em uma direção específica; diz-se, portanto, que essas células amácrinas são *sensíveis à direção*.

Em certo sentido, muitas das células amácrinas, ou sua maioria, são interneurônios que auxiliam na integração dos sinais visuais antes que eles deixem a retina.

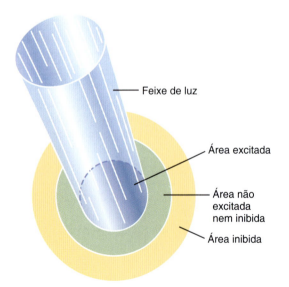

Figura 51.13 Excitação e inibição de uma área da retina, causadas por um pequeno feixe de luz, demonstrando o princípio da inibição lateral.

CÉLULAS GANGLIONARES E FIBRAS DO NERVO ÓPTICO

Cada retina contém aproximadamente 100 milhões de bastonetes e 3 milhões de cones, mas o número de células ganglionares é de apenas cerca de 1,6 milhão. Assim, em média, 60 bastonetes e 2 cones convergem para cada célula ganglionar e a fibra de nervo óptico conecta a célula ganglionar ao cérebro.

No entanto, existem grandes diferenças entre a retina periférica e a retina central. À medida que a fóvea se torna mais próxima, menos bastonetes e cones convergem para cada fibra óptica e os bastonetes e cones também se tornam mais delgados. Esses efeitos aumentam progressivamente a acuidade da visão na retina central. Na *fóvea central*, existem apenas cones mais finos – aproximadamente 35.000 deles – e nenhum bastonete. Além disso, o número de fibras de nervo óptico que saem dessa parte da retina é quase exatamente igual ao número de cones, como mostrado à direita na **Figura 51.12**. Esse fenômeno explica o alto grau de acuidade visual na retina central, em comparação com a acuidade bem menor da periferia.

Outra diferença entre as porções periférica e central da retina é a sensibilidade muito maior da retina periférica à luz fraca, o que ocorre parcialmente porque os bastonetes são 30 a 300 vezes mais sensíveis à luz do que os cones. No entanto, essa sensibilidade maior é aumentada ainda mais pelo fato de que até 200 bastonetes convergem para uma única fibra de nervo óptica nas porções mais periféricas da retina, de modo que os sinais provenientes dos bastonetes se somam para fornecer estimulação ainda mais intensa das células ganglionares periféricas e suas fibras do nervo óptico.

Células ganglionares da retina e seus respectivos campos

Células W, X e Y. Estudos iniciais realizados em gatos descreveram três tipos distintos de células ganglionares da retina com base em suas diferenças na estrutura e função, designadas como células W, X e Y.

As células W transmitem sinais por suas fibras do nervo óptico a uma baixa velocidade e recebem a maior parte de sua estimulação dos bastonetes, transmitida por meio de pequenas células bipolares e de células amácrinas. Elas ocupam amplos campos na retina periférica, são sensíveis para a detecção de movimento direcional no campo de visão e, provavelmente, são importantes para a visão bruta dos bastonetes em condições de baixa luminosidade.

As células X ocupam pequenos campos porque seus dendritos não se dispersam amplamente na retina e, portanto, os sinais das células X representam localizações distintas e transmitem detalhes finos das imagens visuais. Além disso, como toda célula X recebe aferência de pelo menos um cone, a transmissão da célula X é provavelmente responsável pela visão em cores.

As células Y são as maiores de todas e transmitem sinais para o cérebro a uma velocidade de 50 m/s ou até mais rápido. Como elas possuem campos dendríticos amplos, são capazes de captar sinais de grandes áreas da retina. As células Y respondem a rápidas alterações em imagens visuais e informam o sistema nervoso central quase instantaneamente quando ocorre um novo evento visual em qualquer lugar do campo visual, mas não especificam a localização do evento com grande acurácia, embora forneçam indícios que fazem os olhos se moverem na direção do estímulo visual.

Células P e M. Em primatas, emprega-se uma classificação diferente de células ganglionares da retina, e há descrição de até 20 tipos de células ganglionares da retina, cada um respondendo a um elemento diferente da cena visual. Algumas células respondem melhor a direções específicas de movimento ou orientações, enquanto outras respondem a detalhes finos, aumentam ou diminuem em presença de luz ou de cores particulares. As duas classes gerais de células ganglionares da retina que foram estudadas mais extensivamente em primatas, incluindo humanos, são designadas como células *magnocelulares* (M) e *parvocelulares* (P).

As células P (também conhecidas como *células beta* ou, na retina central, como *células ganglionares anãs*) projetam-se para a camada parvocelular (células pequenas) do *núcleo geniculado lateral* do tálamo. As células M (também chamadas de *células alfa* ou *células para-sol*) projetam-se para a camada magnocelular (células grandes) do núcleo geniculado lateral, que, por sua vez, retransmite a informação do trato óptico para o córtex visual, como discutido no Capítulo 52. As principais diferenças entre as células P e M são as seguintes:

1. Os campos receptivos para células P são muito menores do que os destinados às células M.
2. Os axônios da célula P conduzem impulsos muito mais lentamente do que os das células M.
3. As respostas das células P a estímulos, especialmente estímulos de cores, podem ser sustentadas, ao passo que as respostas das células M são muito mais transitórias.
4. As células P são geralmente sensíveis à cor de um estímulo, enquanto as células M não são sensíveis a estímulos de cor.
5. As células M são muito mais sensíveis do que as células P a estímulos em preto e branco de baixo contraste.

As principais funções das células M e P são obviamente decorrentes de suas diferenças: as células P são altamente sensíveis a sinais visuais relacionados a detalhes finos e a diferenças de cor, mas são relativamente insensíveis a sinais de baixo contraste, ao passo que as células M são altamente sensíveis a estímulos de baixo contraste e a sinais visuais de movimento rápido.

Há descrição de um terceiro tipo de célula ganglionar da retina fotossensível que contém seu próprio fotopigmento, a *melanopsina*. Muito pouco se sabe sobre esse tipo de célula, mas ela parece enviar sinais principalmente para as áreas não visuais do cérebro, particularmente o núcleo supraquiasmático do hipotálamo, o marca-passo circadiano mais importante. Presumivelmente, esses sinais ajudam a controlar o ritmo circadiano que sincroniza as alterações fisiológicas com os períodos de noite e dia.

EXCITAÇÃO DAS CÉLULAS GANGLIONARES

Potenciais de ação espontâneos e contínuos nas células ganglionares. As longas fibras do nervo óptico que se dirigem para o cérebro partem das células ganglionares. Por causa da distância envolvida, o método eletrotônico de condução empregado nos bastonetes, cones e nas células bipolares na retina não é mais apropriado; dessa forma, as células ganglionares transmitem seus sinais por meio de potenciais de ação repetitivos. Além disso, mesmo quando não estão estimuladas, elas ainda transmitem impulsos contínuos com frequências que variam entre 5 e 40 por segundo. Os sinais visuais, por sua vez, sobrepõem-se a essas descargas de fundo das células ganglionares.

Transmissão de alterações na intensidade luminosa | resposta liga-desliga (fenômeno *on-off*). Como observado anteriormente, muitas células ganglionares são especificamente excitadas por *alterações* na intensidade de luz, demonstrado pelos registros de impulsos nervosos na **Figura 51.14**. O painel superior mostra os impulsos rápidos por fração de segundo quando a luz é ligada, mas esses impulsos decrescem rapidamente na fração de segundo subsequente. O traçado inferior é proveniente de uma célula ganglionar localizada lateralmente ao ponto de luz; essa célula é fortemente inibida quando a luz é ligada por causa da inibição lateral. Em seguida, quando a luz é desligada, ocorrem efeitos opostos. As direções opostas dessas respostas à luz são causadas, respectivamente, por células bipolares despolarizantes e hiperpolarizantes, e a natureza transitória das respostas é provavelmente, pelo menos em parte, gerada pelas células amácrinas que, em muitos casos, apresentam elas próprias respostas transitórias similares.

Essa capacidade dos olhos de detectar *alterações* na intensidade da luz é bastante desenvolvida na retina periférica e na retina central. Por exemplo, um diminuto mosquito voando no campo de visão é instantaneamente detectado. De modo oposto, o mesmo mosquito pousado silenciosamente permanece abaixo do limiar de detecção visual.

Transmissão dos sinais que representam contrastes na cena visual | Papel da inibição lateral

Muitas células ganglionares respondem principalmente às bordas de contraste na cena, o que parece ser o meio principal pelo qual o padrão de uma cena é transmitido ao cérebro. Quando a luz plana é aplicada em toda a retina e todos os fotorreceptores são igualmente estimulados pela luz incidente, a célula ganglionar do tipo de contraste não é estimulada nem inibida. A razão para isso é que os sinais transmitidos *diretamente* dos fotorreceptores através das células bipolares despolarizantes são excitatórios, enquanto os sinais transmitidos *lateralmente* através das células bipolares hiperpolarizantes, bem como através das células horizontais, são majoritariamente inibitórios. Desse modo, o sinal excitatório direto de uma via é, provavelmente, neutralizado pelos sinais inibitórios das vias laterais. A **Figura 51.15** apresenta um circuito para esse processo, mostrando três fotorreceptores no topo da

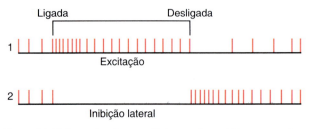

Figura 51.14 Respostas de uma célula ganglionar à luz em uma área excitada por um ponto de luz (**1**) e uma área adjacente ao ponto excitado (**2**). A célula ganglionar nessa área é inibida pelo mecanismo de inibição lateral. (*Modificada de Granit R: Receptors and Sensory Perception: A Discussion of Aims, Means, and Results of Electrophysiological Research into the Process of Reception. New Haven, CT: Yale University Press, 1955.*)

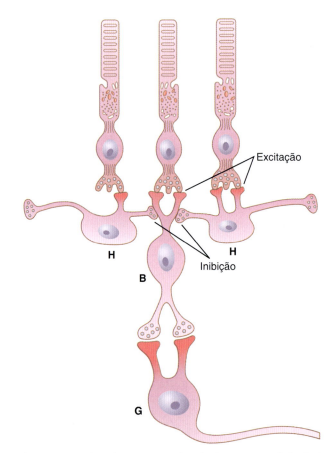

Figura 51.15 Disposição característica dos bastonetes, células horizontais (H), uma célula bipolar (B) e uma célula ganglionar (G) na retina, mostrando a excitação nas sinapses entre os bastonetes e a célula bipolar e as células horizontais e também a inibição das células horizontais para a célula bipolar.

CAPÍTULO 51 O Olho: II. Funções Receptora e Neural da Retina

ilustração. O receptor central estimula uma célula bipolar despolarizante. Os dois receptores de cada lado serão conectados à mesma célula bipolar por meio das células horizontais inibitórias que neutralizam o sinal excitatório direto se os três receptores forem estimulados simultaneamente pela luz.

Agora, vejamos o que acontece quando ocorre um halo de contraste na cena visual. Voltando à **Figura 51.15**, suponhamos que o fotorreceptor central seja estimulado por um ponto de luz intensa enquanto um dos receptores laterais permanece no escuro. O ponto brilhante de luz estimula a via direta através da célula bipolar. O fato de que um dos fotorreceptores laterais se encontra no escuro faz com que uma das células horizontais permaneça sem estimulação. Assim, essa célula não inibe a célula bipolar, o que permite excitação extra dessa célula. Portanto, os sinais pelas vias direta e lateral se intensificam nos locais onde ocorrem contrastes visuais.

Em resumo, o mecanismo da inibição lateral funciona no olho da mesma maneira que funciona na maioria dos outros sistemas sensoriais – para proporcionar detecção e realce de contrastes.

Transmissão de sinais de cor pelas células ganglionares

Uma única célula ganglionar pode ser estimulada por vários cones ou por apenas alguns. Quando os três tipos de cones – o tipo vermelho, o tipo azul e o tipo verde – estimulam a mesma célula ganglionar, o sinal transmitido pela célula ganglionar é o mesmo para qualquer cor do espectro. Dessa forma, o sinal proveniente da célula ganglionar não exerce nenhum papel na detecção de cores diferentes. Em vez disso, o sinal é branco.

Por outro lado, algumas das células ganglionares são excitadas por apenas um tipo de cone receptivo a uma única cor, mas são inibidas por um segundo tipo. Esse mecanismo ocorre frequentemente para os cones receptivos a vermelho e verde, com os vermelhos produzindo excitação e os verdes causando inibição, ou vice-versa.

O mesmo tipo de efeito recíproco ocorre entre os cones azuis, por um lado, e uma combinação de cones vermelhos e verdes (ambos são excitados pelo amarelo), por outro lado, resultando em uma relação recíproca de excitação-inibição entre as cores azul e amarela.

O mecanismo desse efeito oposto de cores é o seguinte. Um tipo de cone de cor excita a célula ganglionar pela via excitatória direta por meio de uma célula bipolar despolarizante, enquanto o outro tipo de cor inibe a célula ganglionar pela via inibitória indireta por meio de uma célula bipolar hiperpolarizante.

A importância desses mecanismos de contraste de cor é que eles representam um meio pelo qual a retina começa a diferenciar cores. Assim, cada tipo de célula ganglionar de contraste de cores é excitado por uma cor, mas inibido pela cor oponente. Portanto, o processamento da sensação das cores começa na retina, não sendo, por conseguinte, uma função exclusivamente cerebral.

Bibliografia

Bringmann A, Syrbe S, Görner K, et al: The primate fovea: structure, function and development. Prog Retin Eye Res 66:49, 2018.

Do MT, Yau KW: Intrinsically photosensitive retinal ganglion cells. Physiol Rev 90:1547, 2010.

Douglas RH: The pupillary light responses of animals; a review of their distribution, dynamics, mechanisms and functions. Prog Retin Eye Res 66:17, 2018.

Fain GL, Matthews HR, Cornwall MC, Koutalos Y: Adaptation in vertebrate photoreceptors. Physiol Rev 81:117, 2001.

Gill JS, Georgiou M, Kalitzeos A, Moore AT, Michaelides M: Progressive cone and cone-rod dystrophies: clinical features, molecular genetics and prospects for therapy. Br J Ophthalmol 2019 Jan 24. pii: bjophthalmol-2018-313278. http://doi.org/10.1136/bjophthalmol-2018-313278.

Laha B, Stafford BK, Huberman AD: Regenerating optic pathways from the eye to the brain. Science 356:1031, 2017.

Luo DG, Xue T, Yau KW: How vision begins: an odyssey. Proc Natl Acad Sci U S A 105:9855, 2008.

Ingram NT, Sampath AP, Fain GL: Why are rods more sensitive than cones? J Physiol 594:5415, 2016.

Masland RH: The neuronal organization of the retina. Neuron 76:266, 2012.

Masland RH: The tasks of amacrine cells. Vis Neurosci 29:3, 2012.

Roska B, Sahel JA: Restoring vision. Nature 557:359, 2018.

Sahel JA, Bennett J, Roska B: Depicting brighter possibilities for treating blindness. Sci Transl Med 2019 May 29;11(494). pii: eaax2324. http://doi.org/10.1126/scitranslmed.aax2324

Schmidt TM, Do MT, Dacey D, et al: Melanopsin-positive intrinsically photosensitive retinal ganglion cells: from form to function. J Neurosci 31:16094, 2011.

Solomon SG, Lennie P: The machinery of colour vision. Nat Rev Neurosci 8:276, 2007.

Vaney DI, Sivyer B, Taylor WR: Direction selectivity in the retina: symmetry and asymmetry in structure and function. Nat Rev Neurosci 13:194, 2012.

Varadarajan SG, Huberman AD: Assembly and repair of eye-to-brain connections. Curr Opin Neurobiol 53:198, 2018.

Vinberg F, Chen J, Kefalov VJ: Regulation of calcium homeostasis in the outer segments of rod and cone photoreceptors. Prog Retin Eye Res 67:87, 2018.

Wienbar S, Schwartz GW: The dynamic receptive fields of retinal ganglion cells. Prog Retin Eye Res 67:102, 2018.

Wubben TJ, Zacks DN, Besirli CG: Retinal neuroprotection: current strategies and future directions. Curr Opin Ophthalmol 30:199, 2019.

CAPÍTULO 52

O Olho: III. Neurofisiologia Central da Visão

VIAS VISUAIS

A **Figura 52.1** mostra as principais vias visuais das duas retinas até o *córtex visual*. Os sinais nervosos visuais partem das retinas através dos *nervos ópticos*. No *quiasma óptico*, as fibras do nervo óptico das metades nasais cruzam para o lado oposto, onde se unem a fibras das retinas temporais opostas para formar os *tratos ópticos*. As fibras de cada trato óptico fazem, então, sinapse no *núcleo geniculado dorsolateral* do tálamo e, a partir desse ponto, as *fibras geniculocalcarinas* passam, por meio da radiação óptica (também chamada de *trato geniculocalcarino*) para o *córtex primário visual* na área da *fissura calcarina* do lobo occipital medial.

As fibras visuais também se projetam para diversas áreas mais antigas do cérebro: (1) dos tratos ópticos para o *núcleo supraquiasmático do hipotálamo*, presumivelmente para controlar os ritmos circadianos que sincronizam diversas alterações fisiológicas do organismo que ocorrem com a noite e o dia; (2) para os *núcleos pré-tectais* no mesencéfalo, para desencadear movimentos reflexos dos olhos e focalizar objetos de importância e ativar o reflexo pupilar à luz; (3) para o *colículo superior* do mesencéfalo, para controlar os movimentos direcionais rápidos dos dois olhos; e (4) para o *núcleo geniculado ventrolateral* do tálamo e regiões basais adjacentes do cérebro, provavelmente para auxiliar no controle de algumas funções comportamentais.

Assim, as vias visuais podem ser divididas grosseiramente em um *sistema antigo (sistema paleovisual)*, que segue para o mesencéfalo e base do prosencéfalo, e um *sistema novo (sistema neovisual)*, para a transmissão direta de sinais visuais para o córtex visual localizado nos lobos occipitais. Em humanos, o sistema novo é responsável pela percepção de praticamente todos os aspectos da forma visual, cores e outros tipos de visão consciente. Em muitos animais primitivos, no entanto, até mesmo a forma visual é detectada pelo sistema antigo, usando o colículo da mesma maneira que o córtex visual é usado nos mamíferos.

FUNÇÃO DO NÚCLEO GENICULADO DORSOLATERAL DO TÁLAMO

As fibras do nervo óptico do sistema neovisual terminam no *núcleo geniculado dorsolateral*, localizado na extremidade dorsal do tálamo e também chamado de *corpo geniculado lateral*, como mostrado na **Figura 52.1**. O núcleo geniculado dorsolateral exerce duas funções principais. Primeiro, ele retransmite a informação visual do trato óptico para o *córtex visual primário* por meio da *radiação óptica*. Essa função de retransmissão é tão acurada que há uma transmissão exata ponto a ponto, com alto grau de fidelidade espacial por todo o trajeto da retina ao córtex visual.

Após passar pelo quiasma óptico, metade das fibras em cada trato óptico é proveniente de um olho e a outra metade deriva do outro olho, representando pontos correspondentes das duas retinas. No entanto, os sinais dos dois olhos são mantidos separados no núcleo geniculado dorsolateral. Esse núcleo é composto de seis camadas nucleares. As camadas II, III e V (de ventral para dorsal) recebem sinais da metade lateral da retina ipsilateral, enquanto as camadas I, IV e VI recebem sinais da metade medial da retina do olho contralateral. As áreas correspondentes da retina dos dois olhos conectam-se a neurônios que se sobrepõem um ao outro em camadas pareadas, e a transmissão paralela similar é preservada em todo o trajeto até o córtex visual.

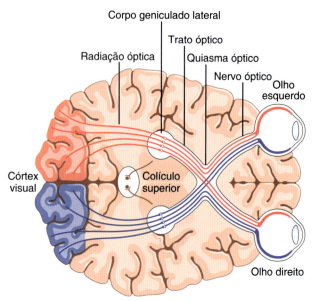

Figura 52.1 Principais vias visuais dos olhos para o córtex visual.

A segunda função principal do núcleo geniculado dorsolateral é a de "portão de controle" da transmissão de sinais para o córtex visual – isto é, para controlar a quantidade de sinal que pode passar para o córtex. O núcleo recebe sinais de controle desse portão de duas fontes principais: (1) *fibras corticofugais* de retorno em uma direção retrógrada do córtex visual primário para o núcleo geniculado lateral; e (2) *áreas reticulares do mesencéfalo*. Ambas as fontes são inibitórias e, quando estimuladas, podem desligar a transmissão por porções selecionadas do núcleo geniculado dorsolateral. Esses dois circuitos ajudam a destacar a informação visual que tem a passagem permitida.

Por fim, o núcleo geniculado dorsolateral é dividido de outra maneira:

1. As camadas I e II são chamadas de *camadas magnocelulares* porque contêm neurônios grandes. Esses neurônios recebem suas aferências quase completamente das grandes *células ganglionares retinianas do tipo M*. Esse sistema magnocelular proporciona uma via de *condução rápida* para o córtex visual. No entanto, esse sistema não distingue cores, transmitindo apenas informação em preto e branco. Além disso, sua transmissão ponto a ponto é ruim porque não há muitas células ganglionares M e seus dendritos se dispersam de modo amplo na retina.
2. As camadas III a VI são chamadas de *camadas parvocelulares* porque contêm grande quantidade de neurônios de tamanho pequeno a médio. Esses neurônios recebem suas aferências quase inteiramente a partir das *células ganglionares retinianas do tipo P* que transmitem informações em cores e conduzem a informação espacial ponto a ponto de forma acurada, mas com velocidade de condução apenas moderada, e não alta.

ORGANIZAÇÃO E FUNÇÃO DO CÓRTEX VISUAL

As **Figuras 52.2** e **52.3** mostram o *córtex visual*, que se localiza primariamente no aspecto medial dos lobos occipitais. Como as representações corticais dos outros sistemas sensoriais, o córtex visual se divide em *córtex visual primário* e em *áreas visuais secundárias*.

Córtex visual primário. O córtex visual primário (ver **Figura 52.2**) situa-se na *área do sulco calcarino*, estendendo-se para adiante no *polo occipital*, na porção *medial* de cada córtex occipital. Essa área é a parte terminal dos sinais visuais diretos dos olhos. Os sinais provenientes da área macular da retina terminam próximo ao polo occipital, como mostrado na **Figura 52.2**, ao passo que os sinais provenientes da retina mais periférica terminam nos semicírculos concêntricos anteriores ao polo, mas ainda ao longo da fissura calcarina no lobo occipital medial. A porção superior da retina está na parte superior da figura e a porção inferior está representada na parte inferior.

Observe na figura a grande área que representa a mácula. É para essa região que a fóvea da retina transmite

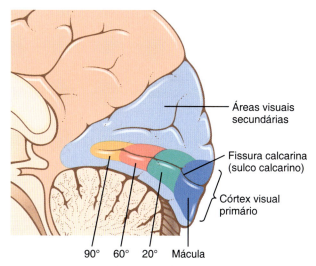

Figura 52.2 Córtex visual na área da fissura calcarina (sulco calcarino) do córtex occipital medial.

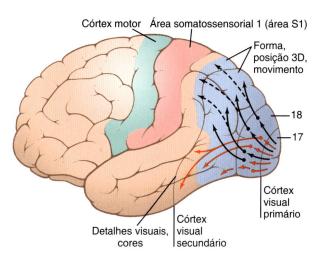

Figura 52.3 Transmissão dos sinais visuais do córtex visual primário para as áreas visuais secundárias nas superfícies laterais dos córtices occipital e parietal. Observe que os sinais que representam forma, posição tridimensional (3D) e movimento são transmitidos, principalmente, para as porções superiores do lobo occipital e as porções posteriores do lobo parietal. Em contraste, os sinais para detalhes visuais e para cores são principalmente transmitidos para a porção anteroventral do lobo occipital e a porção ventral do lobo temporal posterior.

seus sinais. A fóvea é responsável pelo mais alto grau de acuidade visual. Com base na área da retina, a fóvea possui uma representação no córtex visual primário várias centenas de vezes maior do que as porções mais periféricas da retina.

O córtex visual primário também é chamado de *área visual 1 (V1)* ou *córtex estriado* porque essa área tem uma aparência grosseiramente estriada.

Áreas visuais secundárias do córtex. As áreas visuais secundárias, também chamadas de *áreas de associação visual*, situam-se lateral, anterior, superior e inferiormente ao córtex visual primário. A maior parte dessas áreas também se curvam para fora, sobre as superfícies laterais dos córtices occipital e parietal, como mostrado na **Figura 52.3**. Sinais secundários são transmitidos para essas áreas para a análise dos significados visuais. Por exemplo, em todos os lados do córtex visual primário está a *área 18 de Brodmann* (ver **Figura 52.3**), por onde praticamente todos os sinais provenientes do córtex visual primário passam próximos. Dessa forma, a área 18 de Brodmann é chamada de *área visual 2*, ou simplesmente V2. As outras áreas visuais secundárias, mais distantes, têm designações específicas – V3, V4, e assim por diante – até mais de 12 áreas. A importância dessas áreas é que vários aspectos da imagem visual são progressivamente analisados e processados.

O CÓRTEX VISUAL PRIMÁRIO TEM SEIS CAMADAS PRINCIPAIS

Como quase todas as outras porções do córtex cerebral, o córtex visual primário apresenta seis camadas distintas, como mostrado na **Figura 52.4**. Além disso, da mesma forma que ocorre em outros sistemas sensoriais, as fibras geniculocalcarinas terminam principalmente na camada IV, mas essa camada também é organizada em subdivisões.

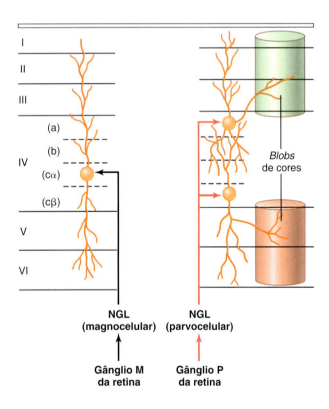

Figura 52.4 Seis camadas do córtex visual primário. As conexões mostradas no lado esquerdo da figura originam-se nas camadas magnocelulares do núcleo geniculado lateral (NGL) e transmitem sinais visuais em preto e branco de variação rápida. As vias da direita originam-se nas camadas parvocelulares (camadas III a VI) do NGL; e transmitem sinais que retratam detalhes espaciais acurados e cores. Observe particularmente as áreas do córtex visual chamadas de *blobs de cores* (grumos de cores), que são necessárias para a detecção de cor.

Os sinais rapidamente conduzidos a partir das células ganglionares retinianas M terminam na camada IVcα e, a partir desse ponto, são retransmitidos verticalmente, tanto para fora em direção à superfície cortical, quanto internamente, em direção a níveis mais profundos.

Os sinais visuais das fibras ópticas de tamanho médio, derivadas das células ganglionares P na retina, também terminam na camada IV, mas em pontos diferentes daqueles sinais M. Eles terminam nas camadas IVa e IVcβ, as porções mais superficiais e mais profundas da camada IV, mostradas à direita na **Figura 52.4**. A partir de então, esses sinais são transmitidos verticalmente em direção à superfície do córtex e para as camadas mais profundas. São essas vias ganglionares P que transmitem o tipo de visão acurada ponto a ponto e a visão em cores.

Colunas neuronais verticais no córtex visual. O córtex visual é organizado estruturalmente em vários milhões de colunas verticais de células neuronais, com cada coluna apresentando um diâmetro de 30 a 50 micrômetros. A mesma organização em colunas verticais é encontrada em todo o córtex cerebral para outros sistemas sensoriais (e também nas regiões corticais motora e analítica). Cada coluna representa uma unidade funcional. É possível calcular aproximadamente que cada uma das colunas verticais visuais possui talvez 1.000 ou mais neurônios.

Depois que os sinais ópticos terminam na camada IV, eles são adicionalmente processados à medida que se propagam para fora ou para dentro de cada unidade de coluna vertical. Acredita-se que esse processamento decifre partes separadas da informação visual em estações sucessivas ao longo de toda a via. Os sinais que passam para fora em direção às camadas I, II e III transmitem sinais de curta distância, por fim, lateralmente no córtex. Os sinais que entram nas camadas V e VI estimulam neurônios que transmitem sinais por distâncias muito maiores.

"*Blobs* (grumos) de cores" no córtex visual. Existem áreas especiais semelhantes a colunas que ficam entremeadas entre as colunas visuais primárias, bem como entre as colunas de algumas das áreas visuais secundárias, denominadas *blobs de cores*. Elas recebem sinais laterais de colunas visuais adjacentes e são ativadas especificamente por sinais de cores. Assim, esses *blobs* são presumivelmente áreas primárias para decifrar cores.

Interação de sinais visuais dos dois olhos separadamente. Lembre-se que os sinais visuais dos dois olhos separadamente são retransmitidos por camadas neuronais distintas no núcleo geniculado lateral. Esses sinais permanecem separados entre si quando alcançam a camada IV do córtex visual primário. De fato, a camada IV é entrelaçada por faixas de colunas neuronais, tendo cada faixa cerca de 0,5 milímetro de largura; os sinais de um olho entram em colunas alternadas, alternando-se com sinais do outro olho. Essa área cortical decifra se as áreas respectivas das duas imagens visuais provenientes dos dois olhos separados estão sobrepostas – ou seja, se os pontos correspondentes advindos das duas retinas se ajustam entre si. Por sua vez, a informação decifrada é usada para ajustar a direção do olhar dos olhos separados de forma que possam ser fundidas em uma só direção (p. ex., adequadamente "sobrepostas"). A informação observada acerca do grau de registro das imagens dos dois olhos também permite que uma pessoa distinga a distância dos objetos pelo mecanismo da *estereopsia*.

Duas vias principais para análise da informação visual: (1) a via rápida para "posição" e "movimento" e (2) a via precisa de cores. A **Figura 52.3** mostra que, após deixar o córtex visual primário, a informação visual é analisada nas duas vias principais, nas áreas visuais secundárias.

1. **Análise tridimensional da posição, forma grosseira e movimento de objetos.** Uma das vias analíticas, demonstrada na **Figura 52.3** por setas pretas, analisa tridimensionalmente as posições de objetos visuais no espaço ao redor do corpo. Essa via também analisa a forma física grosseira da cena visual, bem como a movimentação da cena. E revela onde cada objeto se encontra a cada instante e se há movimento. Após deixar o córtex visual primário, os sinais geralmente fluem para a *área médio-temporal posterior* e continuam para o amplo *córtex occipitoparietal*. Na borda anterior do córtex parietal, os sinais se sobrepõem aos sinais das áreas de associação somática que analisam aspectos tridimensionais de sinais somatossensoriais. Os sinais transmitidos nessa via de *posição-forma-movimento* são provenientes principalmente das grandes fibras nervosas ópticas M das células ganglionares M da retina, transmitindo sinais rápidos, mas retratando apenas em preto e branco, sem cores.

2. **Análise dos detalhes visuais e cores.** As setas vermelhas na **Figura 52.3**, que passam do córtex visual primário para as áreas visuais secundárias das *regiões inferior, ventral* e *medial* dos *córtices occipital* e *temporal*, mostram a principal via para a análise dos detalhes visuais. Partes distintas dessa via também detalham cores de maneira específica. Dessa forma, essa via está relacionada com características visuais como o reconhecimento de letras, leitura, determinação da textura de superfícies, determinação detalhada de cores de objetos e decodificação de todas essas informações referentes ao que é o objeto e o que ele significa.

PADRÕES NEURONAIS DE ESTIMULAÇÃO DURANTE A ANÁLISE DAS IMAGENS VISUAIS

Análise de contrastes das imagens visuais. Se uma pessoa olha para uma parede branca, somente alguns poucos neurônios no córtex visual primário são estimulados, não importando se a iluminação da parede é forte ou fraca. Portanto, o que o córtex visual primário detecta? Para responder a essa questão, coloquemos uma grande cruz sólida na parede, como mostrado na imagem da esquerda da **Figura 52.5**. À direita, a figura mostra o padrão espacial da maioria dos neurônios estimulados no córtex visual. *Observe que as áreas de excitação máxima ocorrem ao longo das bordas nítidas do padrão visual*. Assim, o sinal visual no córtex visual primário está relacionado, principalmente, com os *contrastes* na cena visual, e não com áreas não contrastantes. No Capítulo 51, observamos que isso também se aplica à maior parte dos gânglios da retina porque os receptores adjacentes da retina, que também são igualmente estimulados, exercem inibição mútua entre si. No entanto, em qualquer borda da cena visual onde haja mudança de escuridão para luz ou de luz para escuridão não ocorre inibição mútua e a intensidade de estimulação da maioria dos neurônios é proporcional ao *gradiente de contraste* – isto é, quanto maior a nitidez do contraste e maior a diferença de intensidade entre áreas de luz e de escuridão, maior é o grau de estimulação.

O córtex visual também detecta a orientação de linhas e bordas | Células "simples". O córtex visual detecta não apenas a existência de linhas e bordas em diferentes áreas da imagem da retina, mas também a direção de orientação de cada linha ou borda – isto é, se é vertical ou horizontal ou se posiciona em algum grau de inclinação. Acredita-se que essa capacidade seja o resultado de organizações lineares de células mutuamente inibitórias que excitam neurônios de segunda ordem quando ocorre inibição ao longo de toda a linha de células onde existe uma borda de contraste. Dessa forma, para cada orientação de uma linha, células neuronais específicas são estimuladas. Uma linha orientada em uma direção diferente excita um conjunto diferente de células. Essas células neuronais são chamadas de *células simples*. Elas são encontradas, principalmente, na camada IV do córtex visual primário.

Células "complexas" detectam a orientação linear quando uma linha é deslocada lateralmente ou verticalmente no campo visual. À medida que o sinal visual progride cada vez mais distante da camada IV, alguns neurônios respondem a linhas que são orientadas na mesma direção, mas não são específicas para posição. Ou seja, ainda que uma linha seja deslocada, lateralmente ou verticalmente, a distâncias moderadas no campo, os

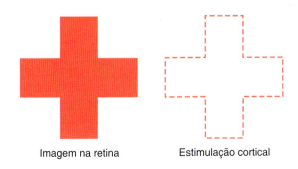

Figura 52.5 Padrão de excitação que ocorre no córtex visual em resposta à imagem na retina de uma cruz escura.

mesmos poucos neurônios ainda serão estimulados se a linha tiver a mesma direção. Essas células são chamadas de *células complexas*.

Detecção de linhas de comprimentos, ângulos ou outros formatos específicos. Alguns neurônios nas camadas externas das colunas visuais primárias, bem como neurônios nas áreas visuais secundárias, só são estimulados por linhas ou bordas de comprimentos específicos, por formatos angulados específicos ou por imagens com outras características. Isto significa que esses neurônios detectam ordens ainda mais superiores de informação da cena visual. Assim, à medida que se avança para a via analítica do córtex visual, progressivamente mais características de cada cena visual são decodificadas.

DETECÇÃO DE CORES

A cor é detectada de maneira muito similar à que as linhas são detectadas – por meio do contraste de cores. Por exemplo, uma área vermelha frequentemente é contrastada com uma área verde; uma área azul, com uma área vermelha; ou uma área verde, com uma área amarela. Todas essas cores também podem ser contrastadas com a área branca dentro da cena visual. De fato, acredita-se que esse contraste com o branco seja o principal responsável pelo fenômeno denominado "constância de cores" – isto é, quando a cor de uma luz muda, a cor do "branco" muda com a luz, e a computação apropriada no cérebro permite que o vermelho seja interpretado como vermelho, ainda que a luz tenha sua cor alterada ao entrar nos olhos.

O mecanismo de análise de contraste de cores depende de que as cores contrastantes, chamadas de "cores oponentes", excitem células neuronais específicas. Presume-se que as células simples detectem os detalhes de contraste de cores, ao passo que as células complexas e hipercomplexas detectam contrastes mais complexos.

Efeito da remoção do córtex visual primário

A remoção do córtex visual primário no ser humano provoca perda de visão consciente – ou seja, cegueira. No entanto, estudos psicológicos demonstram que essas pessoas "cegas" ainda podem, eventualmente, reagir subconscientemente a alterações na intensidade de luz, movimentação na cena visual ou, raramente, até mesmo a alguns padrões grosseiros da visão. Essas reações incluem virar os olhos, virar a cabeça ou se esquivar de algo. Acredita-se que essa visão seja mediada por vias neuronais que passam, principalmente, dos tratos ópticos para os colículos superiores e outras porções do sistema visual mais antigo.

Campos visuais; perimetria

O *campo de visão* é a área visual observada pelo olho em um dado instante. A área vista no lado nasal é chamada de *campo visual nasal* e a área vista na parte lateral é chamada de *campo visual temporal*.

Para o diagnóstico de cegueira em porções específicas da retina, mapeia-se o campo de visão para cada olho pelo processo chamado *perimetria* (ou *campimetria*). Para esse mapeamento, o paciente é solicitado a olhar com apenas um olho, mantendo o outro fechado, para um ponto central posicionado diretamente em frente ao olho examinado. Um pequeno ponto de luz ou um pequeno objeto é, então, movimentado para frente e para trás em todas as áreas do campo visual, e o paciente indica quando o ponto de luz ou o objeto pode ser visto ou quando não pode ser visto. O campo visual para o olho esquerdo é representado como mostrado na **Figura 52.6**. Em todos os gráficos de campimetria, há um *ponto cego* causado pela ausência de cones e bastonetes na retina sobre o *disco óptico* a aproximadamente 15° lateralmente ao ponto central da visão, como mostrado na figura.

Anormalidades nos campos visuais. Ocasionalmente, há pontos cegos em porções de outro campo visual além da área do disco óptico. Tais pontos cegos, denominados *escotomas*, frequentemente são causados por lesão ao nervo óptico decorrente de glaucoma (pressão excessiva de líquido no globo ocular), de reações alérgicas na retina ou de condições tóxicas, como intoxicação por chumbo ou uso excessivo de tabaco.

Outra patologia que pode ser diagnosticada por perimetria é a *retinite pigmentar*. Nessa doença, ocorre degeneração de partes da retina, e o excessivo pigmento melanina se deposita nas áreas degeneradas. A retinite pigmentar geralmente causa cegueira inicialmente no campo periférico da visão e, então, invade gradualmente as áreas centrais.

MOVIMENTOS OCULARES E SEU CONTROLE

Para fazer uso total das habilidades visuais dos olhos, o sistema de controle cerebral para a orientação dos olhos em direção ao objeto a ser visto é quase igualmente tão importante quanto a interpretação dos sinais visuais dos olhos.

Controle muscular dos movimentos oculares. Os movimentos oculares são controlados por três pares de músculos, mostrados na **Figura 52.7**: (1) os *retos medial* e *lateral*; (2) os *retos superior* e *inferior*; e (3) os *oblíquos*

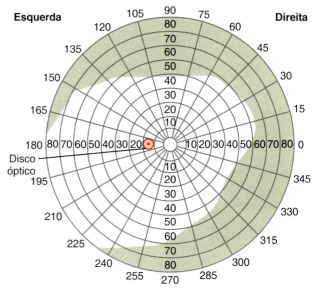

Figura 52.6 Gráfico de perimetria mostrando o campo visual para o olho esquerdo. O *círculo vermelho* mostra o ponto cego.

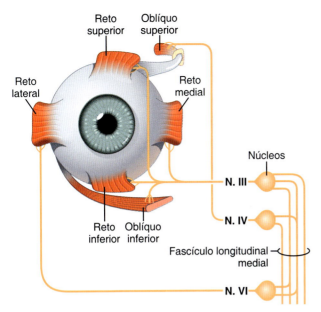

Figura 52.7 Vista anterior do olho direito mostrando a musculatura extraocular e sua inervação. N.: nervo.

Vias neurais para controle dos movimentos oculares. A **Figura 52.7** também mostra os núcleos do tronco encefálico para o terceiro, o quarto e o sexto pares de nervos cranianos e suas conexões com os nervos periféricos para os músculos oculares. A figura ainda mostra as interconexões dos núcleos do tronco encefálico por meio do trato nervoso chamado *fascículo longitudinal medial*. Cada um dos três conjuntos de músculos para cada olho é *inervado reciprocamente* de tal forma que um músculo do par relaxa enquanto o outro se contrai.

A **Figura 52.8** ilustra o controle cortical do aparelho oculomotor, mostrando a propagação de sinais de áreas visuais no córtex occipital através dos tratos occipitotectal e occipitocolicular para as áreas pré-tectal e do colículo superior no tronco encefálico. Das áreas pré-tectal e do colículo superior, os sinais de controle oculomotor passam para os núcleos do tronco encefálico dos nervos oculomotores. Sinais fortes também são transmitidos dos centros de controle de equilíbrio do corpo no tronco encefálico para o sistema oculomotor, dos núcleos vestibulares por meio do fascículo longitudinal medial.

MOVIMENTOS DE FIXAÇÃO DOS OLHOS

Talvez os movimentos oculares mais importantes sejam aqueles que fazem com que os olhos se "fixem" em uma porção distinta do campo visual. Os movimentos de fixação são controlados por dois mecanismos neuronais.

superior e *inferior*. Os retos medial e lateral contraem-se para movimentar os olhos de um lado para o outro. Os retos superior e inferior contraem-se para mover os olhos para cima e para baixo. Os músculos oblíquos funcionam, principalmente, para rotacionar os globos oculares e manter os campos visuais na posição vertical.

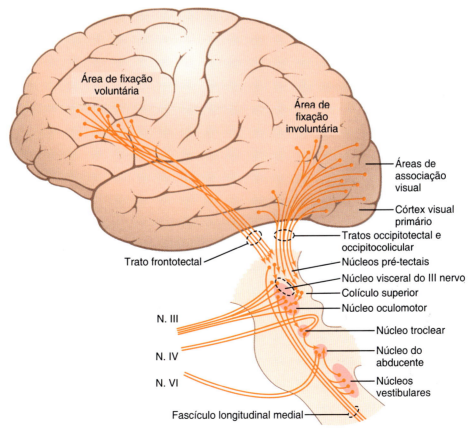

Figura 52.8 Vias neurais para controle do movimento conjugado dos olhos, N., nervo.

O primeiro desses mecanismos, chamado de *mecanismo de fixação voluntária*, permite que uma pessoa movimente voluntariamente os olhos para encontrar os objetos nos quais ele ou ela deseja fixar a visão. O segundo é o *mecanismo de fixação involuntária* que mantém os olhos firmemente no objeto, uma vez que este seja encontrado.

Os movimentos de fixação voluntária são controlados por um campo cortical localizado bilateralmente nas regiões corticais pré-motoras dos lobos frontais, como mostrado na **Figura 52.8**. A disfunção ou destruição bilateral dessas áreas faz com que seja difícil que uma pessoa afaste os olhos de um ponto de fixação e os mova para outro ponto. É preciso, geralmente, piscar os olhos ou colocar a mão sobre eles por um curto período, o que permite que os olhos sejam movidos.

Por outro lado, o mecanismo de fixação involuntária, que faz com que os olhos se fixem no objeto de atenção após ter sido encontrado, é controlado por *áreas visuais secundárias no córtex occipital*, localizadas principalmente na porção anterior ao córtex visual primário. Quando essa área de fixação é destruída bilateralmente em um animal, esse animal apresenta dificuldade ou total incapacidade de manter seus olhos orientados na direção de um dado ponto de fixação.

Resumindo, os campos oculares corticais occipitais "involuntários" posteriores automaticamente fixam os olhos em um dado ponto do campo visual e, assim, impedem o movimento da imagem pelas retinas. Para destravar essa fixação visual, os sinais voluntários devem ser transmitidos dos campos oculares "voluntários" corticais localizados nos córtices frontais.

Mecanismo de fixação involuntária | Papel dos colículos superiores.
O tipo de fixação involuntária discutido na seção anterior resulta de um mecanismo de retroalimentação negativa que impede que o objeto de atenção deixe a parte da fóvea da retina. Os olhos normalmente apresentam três tipos de movimentos contínuos, mas quase imperceptíveis: (1) um *tremor contínuo* a uma velocidade de 30 a 80 ciclos por segundo causado por contrações sucessivas de unidades motoras nos músculos oculares; (2) um *deslocamento lento* dos globos oculares em uma ou outra direção; e (3) *movimentos rápidos* súbitos que são controlados pelo mecanismo de fixação involuntária.

Quando um ponto de luz se torna fixo na região da fóvea da retina, os movimentos de tremor fazem com que o ponto se movimente para frente e para trás com alta velocidade pelos cones, e os movimentos de deslocamento fazem com que o ponto se desloque lentamente pelos cones. Cada vez que o ponto se desloca para a margem da fóvea, ocorre uma reação reflexa súbita, produzindo um movimento rápido que desvia o ponto para longe dessa margem, trazendo-o de volta para o centro da fóvea. Assim, uma resposta automática movimenta a imagem de volta ao ponto central da visão.

Esses movimentos rápidos e de deslocamento estão demonstrados na **Figura 52.9**. As linhas pontilhadas mostram o deslocamento lento pela fóvea e as linhas contínuas

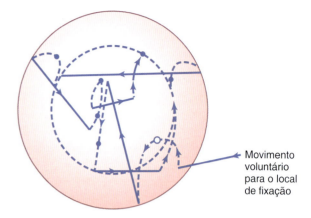

Figura 52.9 Movimentos de um ponto de luz na fóvea, mostrando súbitos movimentos oculares "rápidos" que trazem o ponto de volta ao centro da fóvea sempre que ele se desvia para a margem da fóvea. As *linhas tracejadas* representam os movimentos de deslocamento lento, e as *linhas contínuas* representam os súbitos movimentos rápidos. (Modificada de Whitteridge D: Central control of the eye movements. In: Field J, Magoun HW, Hall VE [eds]: Handbook of Physiology, vol. 2, sec. 1. Washington, DC: American Physiological Society, 1960.)

mostram os movimentos rápidos que impedem que a imagem saia da região da fóvea. Essa capacidade de fixação involuntária é perdida, em grande parte, quando os colículos superiores são destruídos.

Movimento sacádico dos olhos: um mecanismo de pontos de fixação sucessivos.
Quando uma cena visual está em contínua movimentação diante dos olhos, como o que ocorre quando uma pessoa está dirigindo em um carro, seus olhos se fixam em um ponto de destaque após o outro no campo visual, saltando de um para o seguinte a uma velocidade de dois a três saltos por segundo. Os saltos são denominados *sacadas*, e os movimentos são chamados de *movimentos optocinéticos*. As sacadas acontecem tão rapidamente que não mais que 10% do tempo total são gastos no movimento dos olhos, com 90% do tempo empregados nos pontos de fixação. Além disso, o cérebro suprime a imagem visual durante as sacadas e, dessa forma, a pessoa não tem consciência dos movimentos de ponto a ponto.

Movimentos sacádicos durante a leitura.
Durante o processo de leitura, uma pessoa geralmente faz diversos movimentos sacádicos dos olhos para cada linha. Nesse caso, a cena visual não está se movimentando diante dos olhos, mas os olhos são treinados a se movimentar por meio de diversas sacadas sucessivas ao longo da cena visual para extrair as informações importantes. Sacadas similares ocorrem quando uma pessoa observa uma pintura, exceto que as sacadas acontecem em direções para cima, para os lados, para baixo e anguladas uma após a outra, de um destaque da pintura para outro, e assim por diante.

Fixação em objetos em movimento | "Movimento de perseguição visual".
Os olhos também podem permanecer fixados em um objeto em movimento, o que é chamado de movimento de *perseguição visual*. Um mecanismo

CAPÍTULO 52 O Olho: III. Neurofisiologia Central da Visão

cortical altamente desenvolvido detecta, de modo automático, o trajeto de um objeto e, então, rapidamente desenvolve um trajeto similar do movimento para os olhos. Por exemplo, se um objeto estiver se movimentando para cima e para baixo, em forma de onda, a uma alta frequência, os olhos podem ser, inicialmente, incapazes de se fixar nele. No entanto, após mais ou menos um segundo, os olhos começam a saltar por meio de sacadas com padrão semelhante ao de onda do objeto. Assim, após mais alguns segundos, os olhos desenvolvem movimentos progressivamente mais suaves e, por fim, seguem quase exatamente o movimento de onda. Isso representa uma capacidade computacional subconsciente automática de alto grau para controlar os movimentos oculares por meio do sistema de perseguição.

Os colículos superiores são majoritariamente responsáveis por girar os olhos e a cabeça em direção a uma perturbação visual. Mesmo que o córtex visual tenha sido destruído, uma súbita perturbação visual na área lateral do campo visual provoca, frequentemente, um movimento de virada dos olhos naquela direção. Esse movimento não ocorrerá se os colículos superiores também tiverem sido destruídos. Para sustentar essa função, os diversos pontos da retina são topograficamente representados nos colículos superiores da mesma maneira que no córtex visual primário, embora com menor acurácia. Ainda assim, a direção principal de um lampejo de luz no campo periférico da retina é mapeada pelos colículos, e os sinais secundários são transmitidos para os núcleos oculomotores para que os olhos se movimentem. Para ajudar nesse movimento direcional dos olhos, os colículos superiores também apresentam mapas topológicos de sensações somáticas do corpo e de sinais acústicos provenientes dos ouvidos.

As fibras do nervo óptico partindo dos olhos para os colículos, que são responsáveis por esses movimentos rápidos de orientação visual, são ramos das *fibras M de condução rápida*, com uma ramificação direcionada ao córtex visual e outra indo para os colículos superiores. Além de fazer com que os olhos se voltem para a direção da perturbação visual, os sinais são retransmitidos dos colículos superiores para outros níveis do tronco encefálico, por meio do *fascículo longitudinal medial*, para provocar a movimentação de toda a cabeça, e até mesmo de todo o corpo, na direção da perturbação visual. Outros tipos de perturbações não visuais, como sons fortes ou mesmo colisões de um lado do corpo, produzem movimentação semelhante dos olhos, cabeça e corpo, mas somente se os colículos superiores estiverem intactos. Portanto, os colículos superiores exercem um papel global na orientação dos olhos, cabeça e corpo, em relação a perturbações externas, sejam elas visuais, auditivas ou somáticas.

"FUSÃO" DAS IMAGENS VISUAIS CAPTADAS PELOS DOIS OLHOS

Para fazer com que as percepções visuais sejam mais significativas, as imagens visuais formadas nos dois olhos normalmente se *fundem* nos "pontos correspondentes" das duas retinas. O córtex visual desempenha um importante papel nessa fusão. Discutimos anteriormente que os pontos correspondentes das duas retinas transmitem sinais visuais para diferentes camadas neuronais do corpo geniculado lateral e esses sinais, por sua vez, são retransmitidos para neurônios paralelos no córtex visual. Ocorrem interações desses neurônios corticais para provocar *excitação de interferência* em neurônios específicos quando as duas imagens não estão "em alinhamento" – isto é, não estão precisamente "fundidas." Essa excitação presumivelmente fornece o sinal que é transmitido para o aparelho oculomotor para produzir convergência ou divergência ou rotação dos olhos, de modo que a fusão possa ser restabelecida. Uma vez que os pontos correspondentes das duas retinas estejam adequadamente alinhados, a excitação dos neurônios de "interferência" específicos no córtex visual desaparece.

Mecanismo neural de estereopsia para julgamento de distâncias dos objetos visuais

Como os dois olhos são separados um do outro por mais de 5 centímetros, as imagens nas duas retinas não são exatamente iguais. Isto é, o olho direito vê um pouco mais do lado direito do objeto e o olho esquerdo vê um pouco mais do lado esquerdo. Quanto mais próximo do objeto, maior a disparidade. Portanto, mesmo quando as imagens captadas pelos dois olhos são fundidas entre si, ainda é impossível que todos os pontos correspondentes nas duas imagens estejam em alinhamento preciso ao mesmo tempo. Além disso, quanto mais perto o objeto estiver dos olhos, menor será o grau de alinhamento. Esse grau de falta de alinhamento gera o mecanismo neural para a *estereopsia*, um mecanismo importante para estimar as distâncias dos objetos visuais até 200 pés (61 metros).

O mecanismo celular neuronal para a estereopsia baseia-se no fato de que algumas das vias de fibras das retinas para o córtex visual se desviam 1 a 2° para cada lado da via central. Portanto, algumas vias ópticas dos dois olhos se encontram em alinhamento exato para objetos a 2 metros de distância; enquanto outro conjunto de vias está em alinhamento para objetos a 25 metros de distância. Assim, a distância é determinada pelo(s) conjunto(s) de vias que é(são) excitado(s) pelo alinhamento ou falta dele. Esse fenômeno é chamado de *percepção de profundidade*, outro nome para estereopsia.

Estrabismo: falta da fusão dos olhos

O estrabismo, também chamado *vesguice* ou *olho torto*, significa falta de fusão da captação pelos olhos em uma ou mais coordenadas visuais: horizontal, vertical ou rotacional. Os tipos básicos de estrabismo são mostrados na **Figura 52.10**: (1) *estrabismo horizontal*; (2) *estrabismo de torção*; e (3) *estrabismo vertical*. Geralmente ocorrem combinações de dois ou até mesmo três tipos diferentes de estrabismo.

O estrabismo geralmente é causado por um ajuste deficitário no mecanismo de fusão do sistema visual. Ou seja, nos primeiros esforços que uma criança de pouca idade faz

PARTE 10 Sistema Nervoso: B. Os Órgãos Especiais dos Sentidos

Figura 52.10 Tipos básicos de estrabismo.

para fixar os dois olhos em um mesmo objeto, um dos olhos se fixa satisfatoriamente, enquanto o outro não consegue, ou ambos se fixam satisfatoriamente, mas nunca simultaneamente. Pouco mais tarde no desenvolvimento infantil, os padrões de movimentos conjugados dos olhos se tornam "ajustados" da maneira anormal nas próprias vias de controle neuronal e, assim, as imagens dos olhos nunca de fundem.

Supressão da imagem visual de um olho disfuncional. Em alguns pacientes com estrabismo, os olhos se alternam ao fixar o objeto de atenção. Em outros pacientes, apenas um dos olhos é usado o tempo todo e o outro olho se torna disfuncional ("reprimido") e nunca é utilizado para a visão precisa. A acuidade visual do olho disfuncional desenvolve-se precariamente, às vezes remanescendo apenas 20/400 ou menos. Se o olho dominante se tornar cego, a visão no olho disfuncional pode, então, se desenvolver bastante em crianças, mas apenas ligeiramente em adultos. Isso demonstra que a acuidade visual é altamente dependente do desenvolvimento apropriado das conexões sinápticas do sistema nervoso central dos olhos. De fato, até anatomicamente, o número de conexões nervosas diminui nas áreas do córtex visual que receberiam, em condições normais, os sinais do olho disfuncional.

CONTROLE AUTÔNOMO DA ACOMODAÇÃO E DA ABERTURA PUPILAR

NERVOS AUTÔNOMOS DOS OLHOS

O olho é inervado por fibras do sistema nervoso simpático e do sistema nervoso parassimpático, como mostrado na **Figura 52.11**. As fibras pré-ganglionares parassimpáticas originam-se no *núcleo de Edinger-Westphal* – a porção do núcleo visceral do *terceiro par de nervo craniano* – e então passam pelo nervo oculomotor (III par) até o *gânglio ciliar*, que se situa imediatamente atrás do olho. Nesse ponto, as fibras pré-ganglionares fazem sinapse com os neurônios parassimpáticos pós-ganglionares que, por sua vez, enviam fibras pelos *nervos ciliares* até o globo ocular. Esses nervos excitam (1) o músculo ciliar, que controla o cristalino; e (2) o esfíncter da íris, que provoca constrição da pupila.

A inervação simpática do olho se origina nas *células da coluna intermediolateral* do primeiro segmento torácico da medula espinhal. Desse ponto, as fibras simpáticas entram na cadeia simpática e sobem para o *gânglio cervical superior*, onde fazem sinapse com os neurônios pós-ganglionares. As fibras simpáticas pós-ganglionares desses

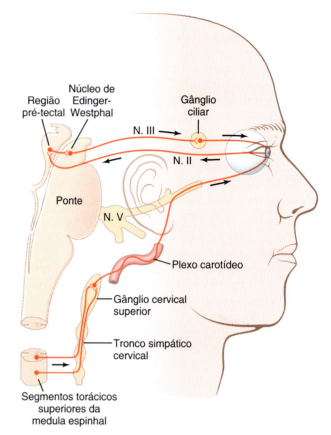

Figure 52.11 Inervação autônoma do olho, mostrando também o arco reflexo do reflexo à luz. N., nervo.

neurônios se propagam, então, ao longo das superfícies da artéria carótida e de artérias sucessivamente menores até alcançarem o olho. No olho, as fibras simpáticas inervam as fibras radiais da íris, que abrem a pupila, bem como diversos músculos extraoculares do olho, discutidos posteriormente, relacionados à síndrome de Horner.

CONTROLE DA ACOMODAÇÃO (FOCALIZAÇÃO DOS OLHOS)

O mecanismo da acomodação – isto é, o mecanismo que focaliza o sistema do cristalino do olho – é essencial para um alto grau de acuidade visual. A acomodação resulta da contração ou relaxamento da musculatura ciliar ocular. A contração provoca aumento da potência refrativa do cristalino, como explicado no Capítulo 50, e o relaxamento diminui a potência refrativa. Como uma pessoa ajusta a acomodação para manter os olhos em foco o tempo todo?

A acomodação do cristalino é regulada por um mecanismo de retroalimentação negativa que automaticamente ajusta a potência refrativa do cristalino para obter o maior grau de acuidade visual. Quando os olhos focalizam algum objeto distante e, subitamente, precisam focalizar um objeto próximo, o cristalino geralmente se acomoda em menos de 1 segundo para a melhor acuidade visual. Embora não se conheça precisamente o mecanismo de controle que produz essa focalização rápida e acurada do olho, as características a seguir são conhecidas.

CAPÍTULO 52 O Olho: III. Neurofisiologia Central da Visão

Primeiro, quando os olhos subitamente alteram a distância do ponto de fixação, o cristalino muda seu poder de convergência na direção apropriada para alcançar um novo estado de foco em uma fração de segundo. Em segundo lugar, diferentes tipos de indícios ajudam a mudar o poder de convergência do cristalino na direção adequada, como descrito a seguir:

1. A *aberração cromática* parece ser importante. Assim, os raios de luz vermelha são focalizados em um ponto ligeiramente posterior em relação aos raios de luz azul porque o cristalino curva os raios azuis mais intensamente que os raios vermelhos. Os olhos parecem ser capazes de detectar qual desses dois tipos de raios está no melhor foco, e esse sinal retransmite informações para o mecanismo de acomodação com relação à necessidade de aumentar ou diminuir o poder de convergência do cristalino.

2. Quando os olhos se fixam em um objeto próximo, os olhos precisam convergir. *Os mecanismos neurais para a convergência provocam um sinal simultâneo para regular o poder de convergência do cristalino.*

3. *Como a fóvea se encontra em uma depressão escavada ligeiramente mais profunda que o restante da retina, a nitidez de foco na profundidade da fóvea é diferente da nitidez de foco nas margens.* Essa diferença também fornece indícios acerca do modo pelo qual o poder de convergência do cristalino precisa ser alterado.

4. *O grau de acomodação do cristalino oscila discretamente o tempo todo* e a uma frequência de até duas vezes por segundo. A imagem visual se torna mais nítida quando a oscilação do poder de convergência do cristalino está mudando na direção apropriada e se torna menos nítida quando o poder de convergência do cristalino está mudando na direção errada. Isso poderia fornecer uma pista rápida sobre como o poder de convergência do cristalino precisa mudar para proporcionar o foco apropriado.

As áreas corticais do cérebro que controlam a acomodação se relacionam estreitamente às que controlam os movimentos de fixação dos olhos. A análise dos sinais visuais nas áreas corticais 18 e 19 de Brodmann e a transmissão dos sinais motores para o músculo ciliar ocorre por meio da área pré-tectal no tronco encefálico e, depois, pelo *núcleo de Edinger-Westphal* e, por fim, através das fibras nervosas parassimpáticas dirigidas para os olhos.

CONTROLE DO DIÂMETRO PUPILAR

A estimulação dos nervos parassimpáticos também excita o músculo do esfíncter pupilar, diminuindo, assim, a abertura pupilar: esse processo é chamado *miose*. Por outro lado, a estimulação dos nervos simpáticos excita as fibras radiais da íris e causa dilatação pupilar, chamada *midríase*.

Reflexo fotomotor. Quando a luz incide sobre os olhos, as pupilas se contraem, uma reação chamada *reflexo fotomotor*. A via neuronal para esse reflexo é mostrada na **Figura 52.11** pelas duas setas pretas superiores. Quando a luz invade a retina, alguns dos impulsos resultantes passam dos nervos ópticos para os núcleos pré-tectais. Desse ponto, os impulsos secundários passam para o *núcleo de Edinger-Westphal* e, por fim, retornam pelos *nervos parassimpáticos* para contrair o esfíncter da íris. De maneira inversa, na escuridão, o reflexo é inibido, o que resulta em dilatação da pupila.

A função do reflexo fotomotor é permitir ao olho se adaptar de forma extremamente rápida às alterações das condições de luminosidade, como explicado no Capítulo 51. Os limites do diâmetro pupilar são cerca de 1,5 milímetro no eixo menor e 8 milímetros no eixo maior. Dessa forma, como a intensidade da luz na retina aumenta com o quadrado do diâmetro pupilar, a amplitude de adaptação à luz e à escuridão que pode ser proporcionada pelo reflexo fotomotor é de cerca de 30 para 1 – ou seja, altera em até 30 vezes a quantidade de luz que entra no olho.

Os reflexos ou reações pupilares nas doenças do sistema nervoso central. Algumas doenças do sistema nervoso central danificam a transmissão nervosa dos sinais visuais das retinas para o núcleo de Edinger-Westphal, algumas vezes bloqueando os reflexos pupilares. Esses bloqueios podem ocorrer como resultado de diversos distúrbios, incluindo *sífilis do sistema nervoso central*, *alcoolismo* e *encefalite*. O bloqueio geralmente ocorre na região pré-tectal do tronco encefálico, ainda que possa resultar da destruição de algumas das fibras delgadas nos nervos ópticos.

As fibras nervosas terminais na via que atravessa a área pré-tectal em direção ao núcleo de Edinger-Westphal são, em sua maioria, do tipo inibitório. Quando se perde esse efeito inibitório, o núcleo se torna cronicamente ativo, fazendo com que as pupilas permaneçam contraídas na maior parte do tempo, além de não responderem ao estímulo de luz.

No entanto, se o núcleo de Edinger-Westphal for estimulado por alguma outra via, as pupilas ainda conseguirão se contrair um pouco mais. Por exemplo, quando os olhos se fixam em um objeto próximo, os sinais que causam acomodação do cristalino e os que produzem a convergência dos dois olhos provocam um leve grau de constrição pupilar ao mesmo tempo. Esse fenômeno é chamado *reação pupilar à acomodação*. Uma pupila que não responde ao estímulo de luz, mas que responde à acomodação e tem diâmetro muito pequeno (*pupila de Argyll Robertson*) constitui um importante sinal diagnóstico de doença do sistema nervoso central, como a sífilis.

Síndrome de Horner. Os nervos simpáticos do olho são ocasionalmente interrompidos. A interrupção frequentemente ocorre na cadeia simpática cervical, o que provoca a condição clínica conhecida como *síndrome de Horner*. Essa síndrome consiste nos seguintes efeitos:

1. Por causa da interrupção das fibras nervosas simpáticas para o músculo dilatador da pupila, a pupila permanece persistentemente contraída, o que faz com que apresente um diâmetro menor do que a pupila do olho contralateral.

2. A pálpebra superior cai porque a contração das fibras musculares lisas imersas nela e inervadas pelas

PARTE 10 Sistema Nervoso: B. Os Órgãos Especiais dos Sentidos

fibras simpáticas é parcialmente responsável por mantê-la normalmente na posição aberta durante as horas de vigília. Dessa forma, a destruição dos nervos simpáticos impossibilita a abertura ampla da pálpebra superior, como normalmente ocorre.

3. Os vasos sanguíneos no lado correspondente da face e da cabeça tornam-se persistentemente dilatados.

4. Não é possível ocorrer sudorese (que requer sinais do nervo simpático) no lado da face e da cabeça afetado pela síndrome de Horner.

Bibliografia

Baird-Gunning JJD, Lueck CJ: Central control of eye movements. Curr Opin Neurol 31:90, 2018.

Connor CE, Knierim JJ: Integration of objects and space in perception and memory. Nat Neurosci 20:1493, 2017.

Crair MC, Mason CA: Reconnecting eye to brain. J Neurosci 36:10707, 2016.

Cullen KE, Taube JS: Our sense of direction: progress, controversies and challenges. Nat Neurosci 20:1465, 2017.

Handa T, Mikami A: Neuronal correlates of motion-defined shape perception in primate dorsal and ventral streams. Eur J Neurosci 48:3171, 2018.

Harris KD, Mrsic-Flogel TD: Cortical connectivity and sensory coding. Nature 503:51, 2013.

Hastings MH, Maywood ES, Brancaccio M: Generation of circadian rhythms in the suprachiasmatic nucleus. Nat Rev Neurosci 19:453, 2018.

Hikosaka O, Kim HF, Amita H, et al: Direct and indirect pathways for choosing objects and actions. Eur J Neurosci 49:637, 2019.

Khan AG, Hofer SB: Contextual signals in visual cortex. Curr Opin Neurobiol 52:131, 2018.

Kornblith S, Tsao DY: How thoughts arise from sights: inferotemporal and prefrontal contributions to vision. Curr Opin Neurobiol 46:208, 2017.

Martinez-Conde S, Otero-Millan J, Macknik SL: The impact of microsaccades on vision: towards a unified theory of saccadic function. Nat Rev Neurosci 14:83, 2013.

Parker AJ: Binocular depth perception and the cerebral cortex. Nat Rev Neurosci 8:379, 2007.

Stafford BK, Huberman AD: Signal integration in thalamus: labeled lines go cross-eyed and blurry. Neuron 93:717, 2017.

Varadarajan SG, Huberman AD: Assembly and repair of eye-to-brain connections. Curr Opin Neurobiol 53:198, 2018.

CAPÍTULO 53

O Sentido da Audição

Este capítulo descreve os mecanismos pelos quais o ouvido recebe as ondas sonoras, discrimina suas frequências e transmite as informações auditivas para o sistema nervoso central, onde seu significado é decifrado.

MEMBRANA TIMPÂNICA E SISTEMA OSSICULAR

CONDUÇÃO SONORA DA MEMBRANA TIMPÂNICA PARA A CÓCLEA

A **Figura 53.1** mostra a *membrana timpânica* (frequentemente chamada de *tímpano*) e os ossículos, que conduzem o som da membrana timpânica, passando pelo ouvido médio, até a *cóclea* (ouvido interno). O *cabo do martelo* é uma estrutura fixada à membrana timpânica. O martelo se conecta à *bigorna* por ligamentos minúsculos, de forma que, sempre que o martelo se movimenta, a bigorna se movimenta com ele. A extremidade oposta da bigorna se articula com a base do *estribo*, e a *placa do estribo* fica encostada no *labirinto membranoso* da cóclea, na abertura da *janela oval*.

A extremidade do cabo do martelo é fixada no centro da membrana timpânica, e esse ponto de fixação é constantemente tracionado pelo *músculo tensor do tímpano*, que mantém a membrana timpânica tensionada. Essa tensão permite que as vibrações sonoras em *qualquer* parte da membrana timpânica sejam transmitidas aos ossículos, o que não ocorreria se a membrana estivesse frouxa.

Os ossículos do ouvido médio são suspensos por ligamentos de tal maneira que o martelo e a bigorna, combinados, atuam como uma alavanca única, tendo seu fulcro aproximadamente na borda da membrana timpânica.

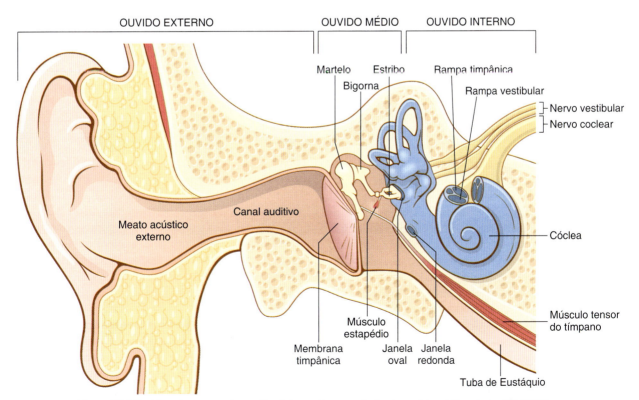

Figura 53.1 Ouvido externo, membrana timpânica e sistema ossicular do ouvido médio e do ouvido interno.

PARTE 10 Sistema Nervoso: B. Os Órgãos Especiais dos Sentidos

A articulação da bigorna com o estribo faz com que o estribo (1) pressione para a frente a janela oval e o líquido coclear do outro lado da janela sempre que a membrana timpânica se mover para dentro; e (2) puxe o líquido de volta toda vez que o martelo se mover para fora.

Equalização de impedância pelo sistema ossicular.

A amplitude de movimento da placa do estribo com cada vibração sonora corresponde a apenas três quartos da amplitude do cabo do martelo. Assim, o sistema de alavanca ossicular não aumenta o alcance do movimento do estribo, como se acredita. Ao contrário, o sistema na verdade reduz a distância, mas aumenta cerca de 1,3 vez a *força* de movimento. Além disso, a superfície da membrana timpânica possui uma área de aproximadamente 55 mm², ao passo que a área de superfície do estribo é, em média, de 3,2 mm². Essa diferença de 17 vezes multiplicada pela razão de 1,3 vez do sistema de alavancas produz cerca de 22 vezes mais *força total* exercida sobre o líquido da cóclea em relação à força exercida pelas ondas sonoras contra a membrana timpânica. Como o líquido possui uma inércia muito maior que o ar, é preciso aumentar a quantidade de força para produzir vibração no líquido. Portanto, a membrana timpânica e o sistema ossicular proporcionam *equalização de impedância* entre as ondas sonoras no ar e as vibrações sonoras no líquido da cóclea. A equalização de impedância corresponde de 50 a 75% à perfeição para frequências sonoras entre 300 e 3.000 ciclos por segundo, o que permite a utilização da maior parte da energia nas ondas sonoras recebidas.

Na ausência do sistema ossicular e da membrana timpânica, as ondas sonoras ainda podem trafegar diretamente pelo ar do ouvido médio e adentrar a cóclea no nível da janela oval. No entanto, a sensibilidade auditiva fica, então, 15 a 20 decibéis menor que a transmissão ossicular equivalente à diminuição do nível de uma voz de média percepção a quase imperceptível.

Atenuação do som por contração dos músculos estapédio e tensor do tímpano.

Quando sons intensos são transmitidos pelo sistema ossicular e, desse ponto, para o sistema nervoso central, ocorre um reflexo após um período latente de apenas 40 a 80 milissegundos, provocando a contração do *músculo estapédio* e, em menor extensão, a do *músculo tensor do tímpano*. O músculo tensor do tímpano traciona o cabo do martelo para dentro enquanto o músculo estapédio traciona o estribo para fora. Essas duas forças se opõem, fazendo com que todo o sistema ossicular desenvolva um aumento de rigidez, reduzindo grandemente, portanto, a condução ossicular de sons de baixa frequência, principalmente as frequências abaixo de 1.000 ciclos por segundo.

Esse *reflexo de atenuação* pode reduzir a intensidade da transmissão de frequências sonoras mais baixas em 30 a 40 decibéis, o que é aproximadamente a mesma diferença que há entre a voz alta e um sussurro. Acredita-se que a função desse mecanismo seja dupla – *proteger* a cóclea de vibrações prejudiciais causadas por sons excessivamente intensos e *filtrar* sons de baixa frequência em ambientes sonoramente poluídos. O ato de filtrar geralmente remove uma grande parte do ruído de fundo e permite que uma pessoa se concentre em sons acima de 1.000 ciclos por segundo, em que a maior parte da informação pertinente à comunicação oral é transmitida.

Outra função do músculo tensor do tímpano e do músculo estapédio é reduzir a sensibilidade auditiva da pessoa à sua própria fala. Esse efeito é ativado por sinais nervosos colaterais transmitidos para esses músculos ao mesmo tempo que o cérebro ativa o mecanismo de voz.

TRANSMISSÃO DO SOM PELO OSSO

Como o ouvido interno, a *cóclea*, está incrustado em uma cavidade óssea no osso temporal, chamada de *labirinto ósseo*, as vibrações de todo o crânio podem provocar vibrações do líquido na cóclea. Portanto, em condições apropriadas, um diapasão ou um vibrador eletrônico posicionado em qualquer protuberância óssea do crânio, mas especialmente no processo mastoide próximo ao ouvido, faz com que a pessoa ouça o som. No entanto, a energia disponível até em sons intensos no ar não é suficiente para produzir audição por condução óssea, a menos que se aplique um dispositivo de amplificação eletromecânica espacial do som ao osso.

CÓCLEA

ANATOMIA FUNCIONAL DA CÓCLEA

A cóclea é um sistema de tubos espiralados, mostrados na **Figura 53.1** e em seção transversa na **Figura 53.2**. Ela é constituída de três tubos espiralados posicionados lado a lado: (1) a *rampa vestibular*, (2) a *rampa média* e (3) a *rampa timpânica*. A rampa vestibular e a rampa média são separadas entre si pela *membrana de Reissner* (também chamada de *membrana vestibular*), mostrada na **Figura 53.2 B**; a rampa timpânica e a rampa média são separadas entre si pela *membrana basilar*. Na superfície da membrana basilar, situa-se o *órgão de Corti*, que contém uma série de células eletromecanicamente sensíveis, as *células ciliadas*. Elas são os órgãos receptivos finais que geram os impulsos nervosos em resposta às vibrações sonoras.

A **Figura 53.3** esquematiza as partes funcionais da cóclea não espiralada para a condução de vibrações sonoras. Primeiro, observe que a membrana de Reissner não é mostrada nessa figura. Essa membrana é tão fina e tão facilmente móvel que não obstrui a passagem de vibrações sonoras provenientes da rampa vestibular para a rampa média. Portanto, no que se refere à condução sonora em meio líquido, a rampa vestibular e a rampa média podem ser consideradas como uma câmara única. Como discutido adiante, a membrana de Reissner mantém um tipo especial de líquido na rampa média que é necessário para a função normal das células ciliadas receptivas ao som.

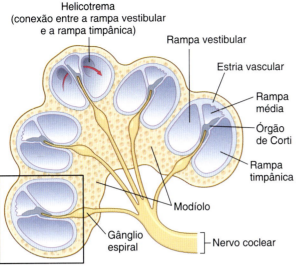

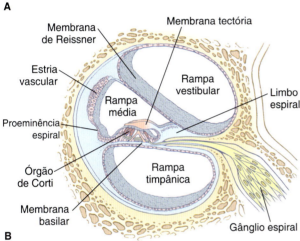

Figura 53.2 A. Cóclea. **B.** Seção através de um dos giros da cóclea.

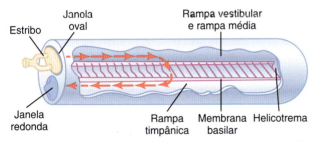

Figura 53.3 Movimento de líquido na cóclea após impulsão do estribo para a frente.

As vibrações sonoras entram na rampa vestibular pela placa do estribo, na janela oval. A placa cobre essa janela e se conecta com as bordas da janela por um ligamento anular frouxo, de modo que pode se mover para dentro e para fora com as vibrações sonoras. O movimento para dentro faz com que o líquido se movimente para a frente na rampa vestibular e na rampa média, e o movimento para fora faz com que o líquido se movimente para trás.

Membrana basilar e ressonância na cóclea. A membrana basilar é uma membrana fibrosa que separa a rampa média da rampa timpânica. Contém 20.000 a 30.000 *fibras basilares* que se projetam do centro ósseo da cóclea, o *modíolo*, em direção à parede externa. Essas fibras são estruturas rígidas, elásticas, em formato de palheta, que que são fixadas na estrutura óssea central da cóclea (modíolo) por suas extremidades basais, mas não são fixadas em suas extremidades distais, a menos que essas extremidades distais estejam imersas na membrana basilar frouxa. Como as fibras são rígidas e livres em uma extremidade, elas podem vibrar como as palhetas de uma gaita.

Os *comprimentos* das fibras basilares *aumentam* progressivamente, começando na janela oval, indo da base da cóclea para seu ápice, partindo de um comprimento de aproximadamente 0,04 mm próximo às janelas oval e redonda e alcançando 0,5 mm na extremidade da cóclea (o *helicotrema*), um incremento de 12 vezes no comprimento.

O *diâmetro* das fibras, no entanto, *diminui* desde a janela oval até o helicotrema e, assim, reduz a rigidez total em mais de 100 vezes. Como resultado, as fibras curtas e rígidas, próximas à janela oval da cóclea, vibram melhor nas frequências muito altas, ao passo que as fibras longas e flexíveis, próximas à extremidade da cóclea, vibram melhor nas frequências baixas.

Dessa forma, a *ressonância de alta frequência* da membrana basilar ocorre próximo da base, onde as ondas sonoras entram na cóclea pela janela oval. No entanto, a *ressonância de baixa frequência* ocorre perto do helicotrema, principalmente devido às fibras menos rígidas, mas também por causa da carga aumentada devido às massas extras de líquido, que precisam vibrar, ao longo dos túbulos cocleares.

TRANSMISSÃO DE ONDAS SONORAS NA CÓCLEA: PROPAGAÇÃO DA ONDA

Quando o pé do estribo se move para dentro, contra a *janela oval*, a *janela redonda* deve se projetar para fora, porque a cóclea é delimitada por paredes ósseas em todos os lados. O efeito inicial de uma onda sonora que entra na janela oval é provocar a curvatura da membrana basilar, na base da cóclea, na direção da janela redonda. No entanto, a tensão elástica criada nas fibras basilares à medida que elas se curvam na direção da janela redonda desencadeia uma onda de líquido que trafega ao longo da membrana basilar até o helicotrema. A **Figura 53.4 A** mostra o movimento de uma onda de alta frequência pela membrana basilar, a **Figura 53.4 B** mostra uma onda de frequência média e a **Figura 53.4 C** mostra uma onda de frequência muito baixa. O movimento da onda ao longo da membrana basilar é comparável ao da onda de pressão ao longo das paredes arteriais, discutido no Capítulo 15; também é comparável a uma onda que se propaga em uma superfície de um lago.

Padrão de vibração da membrana basilar para diferentes frequências sonoras. Observe, na **Figura 53.4**, os distintos padrões de transmissão de ondas sonoras de diferentes frequências. Cada onda é relativamente fraca a

PARTE 10 Sistema Nervoso: B. Os Órgãos Especiais dos Sentidos

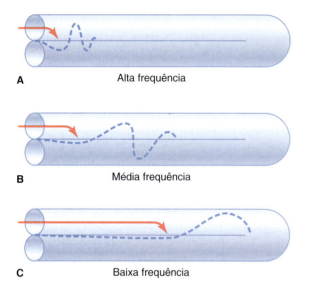

Figura 53.4 Propagação de ondas ao longo da membrana basilar para: **A.** Sons de alta frequência. **B.** Média frequência. **C.** Baixa frequência.

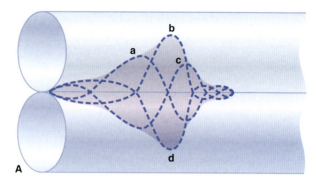

Figura 53.5 A. Padrão de amplitude da vibração da membrana basilar para som de frequência média (a–d). **B.** Padrões de amplitude para sons de frequências entre 200 e 8.000 ciclos por segundo, mostrando os pontos de amplitude máxima na membrana basilar para diferentes frequências.

princípio, mas se torna forte quando alcança a parte da membrana basilar que tem uma frequência de ressonância natural igual à respectiva frequência do som. Nesse ponto, a membrana basilar pode facilmente vibrar para a frente e para trás, de tal forma que a energia da onda é dissipada. Consequentemente, a onda morre nesse ponto e não consegue se propagar pela distância remanescente ao longo da membrana basilar. Assim, a onda sonora de alta frequência trafega ao longo da membrana basilar somente por curtas distâncias, dissipando-se antes de chegar a seu ponto de ressonância, enquanto uma onda sonora de média frequência trafega até metade do caminho e, então, também morre. Já uma onda sonora de frequência muito baixa trafega por todo o percurso ao longo da membrana.

Outra característica da propagação das ondas é que elas trafegam rapidamente ao longo da porção inicial da membrana basilar, mas se tornam progressivamente mais lentas à medida que se afastam da cóclea. A causa dessa diferença é o alto coeficiente de elasticidade das fibras basilares próximas à janela oval e de um coeficiente progressivamente reduzido ao longo da membrana. Essa transmissão inicial rápida da onda permite que os sons de alta frequência trafeguem longe o suficiente na cóclea para que se propaguem e se separem entre si na membrana basilar. Sem essa transmissão inicial rápida, todas as ondas de alta frequência seriam agrupadas mais ou menos no primeiro milímetro da membrana basilar, e suas frequências não poderiam ser discriminadas.

Padrão de amplitude da vibração da membrana basilar. As curvas tracejadas da **Figura 53.5 A** mostram a posição de uma onda sonora na membrana basilar quando o estribo (a) está inteiro para dentro, (b) foi movido de volta ao ponto neutro, (c) está inteiro para fora e (d) foi movido novamente de volta para o ponto neutro, mas está se movendo para dentro. A área sombreada em volta dessas ondas diferentes mostra a extensão de vibração da membrana basilar durante um ciclo vibratório completo. Esse é o *padrão de amplitude de vibração* da membrana basilar para essa frequência sonora em particular.

A **Figura 53.5 B** mostra o padrão de amplitude de vibração para diferentes frequências, demonstrando que a amplitude máxima para um som a 8.000 ciclos por segundo ocorre próximo à base da cóclea, enquanto a de frequências inferiores a 200 ciclos por segundo se encontra na extremidade da membrana basilar próximo ao helicotrema, a minúscula abertura onde a rampa timpânica e a rampa vestibular se comunicam (ver **Figura 53.2**).

O principal método pelo qual as frequências sonoras são discriminadas entre si baseia-se no local da estimulação máxima das fibras nervosas do órgão de Corti, que se situa na membrana basilar, como explicado na seção a seguir.

FUNÇÃO DO ÓRGÃO DE CORTI

O órgão de Corti, mostrado na **Figura 53.2** e na **Figura 53.6**, é o órgão receptor que gera os impulsos nervosos em resposta à vibração da membrana basilar. Observe que o órgão de Corti fica na superfície das fibras basilares e da membrana basilar. Os reais receptores sensoriais no órgão de Corti são dois tipos especializados de células nervosas, chamadas de *células ciliadas* – uma fileira única de *células ciliadas internas* (ou interiores), em quantidade aproximada de 3.500 células e com diâmetros de cerca de 12 micrômetros, e três a quatro fileiras de *células ciliadas externas* (ou exteriores), em quantidade aproximada de 12.000 células e com diâmetros de cerca de apenas 8 micrômetros. As bases e as laterais das células

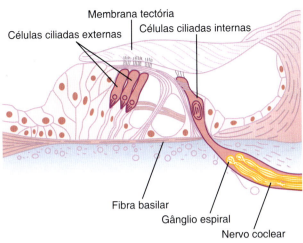

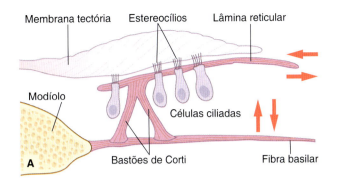

Figura 53.6 Órgão de Corti, mostrando especialmente as células ciliadas e a membrana tectória pressionando-se contra os cílios que se projetam.

ciliadas fazem sinapse com uma rede de terminações nervosas da cóclea. Entre 90 e 95% dessas terminações desembocam nas células ciliadas internas, o que enfatiza sua importância especial para a detecção do som.

As fibras nervosas estimuladas pelas células ciliadas levam ao *gânglio espiral de Corti*, que se situa no modíolo (centro) da cóclea. As células neuronais do gânglio espiral emitem axônios – um total de aproximadamente 30.000 – para o *nervo coclear* e, então, para o sistema nervoso central no nível do bulbo superior. A relação do órgão de Corti com o gânglio espiral e com o nervo coclear é mostrada na **Figura 53.2**.

Excitação das células ciliadas. Observe, na **Figura 53.6**, que cílios minúsculos, ou *estereocílios*, projetam-se para o alto das células ciliadas e tocam ou estão incorporados na superfície do revestimento de gel da *membrana tectória*, que, por sua vez, situa-se acima dos estereocílios na rampa média. Essas células ciliadas são semelhantes às células ciliadas encontradas na mácula e nas cristas ampulares do aparelho vestibular, discutidas no Capítulo 56. A curvatura dos cílios em uma direção despolariza as células ciliadas, e a curvatura na direção oposta as hiperpolariza. Isso, por sua vez, excita as fibras do nervo auditivo que fazem sinapse com suas bases.

A **Figura 53.7 A** mostra o mecanismo pelo qual a vibração da membrana basilar excita as terminações dos cílios. As extremidades externas das células ciliadas se fixam firmemente em uma estrutura rígida composta por uma placa plana, chamada de *lâmina reticular*, sustentada por *bastões de Corti* triangulares, que aderem com firmeza às fibras basilares. As fibras basilares, os bastões de Corti e a lâmina reticular se movem como uma unidade rígida.

O movimento para cima das fibras basilares balança a lâmina reticular para cima e *para dentro* em direção ao modíolo. Então, quando a membrana basilar se move para baixo, a lâmina reticular balança para baixo e *para fora*. O movimento para dentro e para fora faz com que os cílios

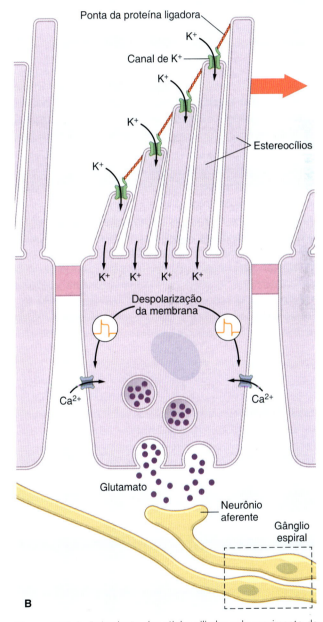

Figura 53.7 A. Estimulação das células ciliadas pelo movimento de vaivém dos cílios que se projetam no revestimento de gel da membrana tectória. **B.** Transdução da energia mecânica em sinais neurais pelas células ciliadas. Quando os estereocílios se curvam na direção dos mais longos, os canais de K^+ se abrem, provocando a despolarização, que, por sua vez, abre os canais de Ca^{2+} dependentes de voltagem. O influxo de Ca^{2+} aumenta a despolarização e induz a liberação do transmissor excitatório glutamato, que despolariza o nervo sensorial.

PARTE 10 Sistema Nervoso: B. Os Órgãos Especiais dos Sentidos

das células ciliadas sejam agitados para frente e para trás contra a membrana tectória. Desse modo, as células ciliadas são excitadas sempre que a membrana basilar vibra.

Sinais auditivos são transmitidos principalmente pelas células ciliadas internas.

Embora o número de células ciliadas externas seja de três a quatro vezes maior do que o de células internas, cerca de 90% das fibras auditivas nervosas são estimuladas pelas células internas, e não pelas externas. No entanto, se as células externas forem danificadas, mas as internas permanecerem totalmente funcionais, ainda assim ocorre uma importante perda auditiva. Dessa forma, tem-se proposto que as células ciliadas externas controlam, de alguma forma, a sensibilidade das células ciliadas internas em diferentes tons sonoros, um fenômeno denominado *afinação (modulação)* do sistema receptor. Sustentando esse conceito, há um grande número de fibras nervosas retrógradas que passam do tronco encefálico para os arredores das células ciliadas externas. A estimulação dessas fibras nervosas pode, na verdade, provocar o encurtamento das células ciliadas externas e, possivelmente, alterar também seu grau de rigidez. Esses efeitos sugerem um mecanismo nervoso retrógrado para o controle da sensibilidade do ouvido a diferentes tons de som, ativado pelas células ciliadas externas.

Potenciais receptores das células ciliadas e excitação das fibras nervosas auditivas.

Os estereocílios (cílios que se projetam a partir das extremidades das células ciliadas) são estruturas rígidas, porque cada um deles possui um arcabouço proteico rígido. Cada célula ciliada possui cerca de 100 estereocílios em sua borda apical. Esses estereocílios se tornam progressivamente mais compridos no lado das células ciliadas distantes do modíolo. As porções superiores dos estereocílios mais curtos são fixadas por filamentos finos voltados para a porção posterior de seus estereocílios adjacentes mais longos. Dessa forma, sempre que os cílios se curvam em direção aos cílios mais compridos, as pontas dos estereocílios menores são puxadas para fora da superfície da célula ciliada. Isso causa uma transdução mecânica que abre 200 a 300 canais condutores de cátions, o que permite o movimento rápido de íons potássio positivamente carregados do líquido nas proximidades da rampa média para os estereocílios, produzindo a despolarização da membrana da célula ciliada (ver **Figura 53.7 B**). A despolarização abre os canais de cálcio dependentes de voltagem e provoca o influxo de íons cálcio, o que aumenta a despolarização. A repolarização da célula ciliada ocorre principalmente pela saída de íons potássio pelos canais de potássio dependentes de íons cálcio.

Assim, quando as fibras basilares se curvam para a rampa vestibular, as células ciliadas se despolarizam, e, quando se curvam para a direção oposta, elas se hiperpolarizam, gerando, assim, um potencial receptor alternante da célula ciliada, que, por sua vez, estimula as terminações do nervo coclear que fazem sinapse com as bases das células ciliadas. Acredita-se que as células ciliadas liberem o neurotransmissor de ação rápida glutamato nessas sinapses durante a despolarização.

Potencial endococlear.

Para explicar ainda mais completamente os potenciais elétricos gerados pelas células ciliadas, precisamos explicar outro fenômeno elétrico, chamado de *potencial endococlear*. A rampa média é preenchida por um líquido chamado de *endolinfa*, que é distinto da *perilinfa*, presente na rampa vestibular e na rampa timpânica. A rampa vestibular e a rampa timpânica se comunicam diretamente com o espaço subaracnoide em torno do encéfalo, e, portanto, a perilinfa é quase idêntica ao líquido cefalorraquidiano. Por outro lado, a endolinfa que preenche a rampa média é um líquido completamente diferente, secretado pela estria vascular, uma área muito vascularizada que fica na parede externa da rampa média. A endolinfa contém uma concentração alta de potássio e baixa de sódio, o que é exatamente o oposto do conteúdo da perilinfa.

Há um potencial elétrico de aproximadamente +80 milivolts o tempo todo entre a endolinfa e a perilinfa, com positividade dentro da rampa média e negatividade fora. Esse é o chamado *potencial endococlear*, que é gerado pela secreção contínua de íons potássio positivos pela estria vascular para a rampa média.

A importância do potencial endococlear é que as porções superiores das células ciliadas se projetam através da lâmina reticular e são banhadas por endolinfa na rampa média, ao passo que a perilinfa banha a porção inferior dos corpos das células ciliadas. Além disso, as células ciliadas possuem um potencial intracelular negativo de −70 milivolts em relação à perilinfa, mas de −150 milivolts em relação à endolinfa nas suas superfícies superiores, onde os cílios se projetam através da lâmina reticular para a endolinfa. Acredita-se que esse alto potencial elétrico nas pontas dos estereocílios sensibilize a célula em um grau extra, aumentando, assim, sua capacidade de responder ao som mais discreto.

DETERMINAÇÃO DA FREQUÊNCIA SONORA | O "PRINCÍPIO DO LUGAR"

Das discussões anteriores neste capítulo, fica aparente que os sons de baixa frequência causam ativação máxima da membrana basilar próximo ao ápice da cóclea, e os sons de alta frequência ativam a membrana basilar próximo à base da cóclea. Sons de frequência intermediária ativam a membrana a distâncias intermediárias entre os dois extremos. Além disso, existe uma organização espacial das fibras nervosas na via em todo o trajeto da cóclea ao córtex cerebral. O registro de sinais nos tratos auditivos do tronco encefálico e nos campos receptivos auditivos do córtex cerebral mostra que neurônios cerebrais específicos são ativados por frequências sonoras específicas. Dessa forma, o *principal* método utilizado pelo sistema nervoso para detectar diferentes frequências sonoras é determinar as posições ao longo da membrana basilar que são mais estimuladas, o que se denomina *princípio do lugar* para a determinação da frequência sonora.

Referindo-se, novamente, à **Figura 53.5**, é possível observar que a extremidade distal da membrana basilar no helicotrema é estimulada por todas as frequências sonoras abaixo de 200 ciclos por segundo. Portanto, tem sido difícil entender como se pode diferenciar, pelo princípio de lugar, entre frequências sonoras baixas na faixa de 20 a 200 ciclos por segundo. Postula-se que essas baixas frequências sejam discriminadas principalmente pelo chamado *disparo em surto*, ou *princípio da frequência*. Ou seja, frequências sonoras baixas, de 20 a 1.500 a 2.000 ciclos por segundo, podem provocar disparos de impulsos nervosos sincronizados nas mesmas frequências, e esses disparos são transmitidos pelo nervo coclear para os núcleos cocleares do cérebro. Sugere-se, ainda, que os núcleos cocleares podem distinguir as diferentes frequências dos disparos. De fato, a destruição de toda a metade apical da cóclea, que danifica a membrana basilar, onde todos os sons de frequência mais baixa são normalmente detectados, não elimina totalmente a discriminação de sons de frequência mais baixa.

DETERMINAÇÃO DA INTENSIDADE

A intensidade é determinada pelo sistema auditivo de, pelo menos, três maneiras.

Primeiro, à medida que o som fica mais intenso, a amplitude de vibração da membrana basilar e das células ciliadas também aumenta, de modo que as células ciliadas excitam as terminações nervosas com frequências mais rápidas.

Segundo, à medida que a amplitude de vibração aumenta, mais e mais células ciliadas que se encontram nas margens da porção ressonante da membrana basilar são estimuladas, causando, assim, a *somação espacial* dos impulsos – isto é, a transmissão por meio de muitas fibras nervosas, e não de algumas poucas.

Terceiro, as células ciliadas externas não se tornam estimuladas de maneira significativa até que a vibração da membrana basilar atinja uma alta intensidade, e a estimulação dessas células presumivelmente notifica o sistema nervoso que o som é intenso.

Detecção de alterações na intensidade | Lei da potência.
Como destacado no Capítulo 47, uma pessoa interpreta alterações da intensidade dos estímulos sensoriais aproximadamente em proporção a uma função da potência inversa da intensidade real. No caso do som, a sensação interpretada altera aproximadamente em proporção à raiz cúbica da intensidade real do som. Para expressar esse conceito de uma outra maneira, o aparelho auditivo pode discriminar diferenças na intensidade sonora do sussurro mais suave ao ruído mais intenso possível, representando um aumento de *aproximadamente 1 trilhão de vezes* da energia sonora, ou 1 milhão de vezes de aumento na amplitude do movimento da membrana basilar. Ainda assim, o ouvido interpreta essa grande diferença no nível sonoro como uma alteração de aproximadamente 10.000 vezes. Dessa forma, a escala de intensidade é bastante "comprimida" pelos mecanismos de percepção sonora do sistema auditivo, o que permite que uma pessoa interprete diferenças nas intensidades de som em uma faixa muito mais ampla do que seria possível se não fosse pela compressão da escala de intensidade.

Unidade em decibéis.
Por causa das variações extremas nas intensidades sonoras que o ouvido pode detectar e discriminar, as intensidades sonoras normalmente são expressas em termos do logaritmo de suas intensidades reais. Um aumento de 10 vezes na energia sonora é chamado de 1 *bel*; e 0,1 bel é chamado de 1 *decibel*. Um decibel representa um aumento real de 1,26 vez de energia sonora.

Outra razão para usar o sistema de decibéis para expressar alterações na intensidade é que, na faixa usual de intensidade sonora para comunicação, o aparelho auditivo mal consegue distinguir uma *variação* de aproximadamente 1 decibel na intensidade sonora.

Limiar para audição em diferentes frequências sonoras.
A **Figura 53.8** mostra os limiares de pressão nos quais sons de diferentes frequências mal podem ser detectados pelo aparelho auditivo. Essa figura demonstra que um som a 3.000 ciclos por segundo pode ser ouvido mesmo quando sua intensidade é tão baixa quanto 70 decibéis abaixo de 1 dina/cm² de nível de pressão sonora, o que é um decamilionésimo de microwatt por centímetro quadrado. Por outro lado, um som a 100 ciclos por segundo só pode ser detectado se sua intensidade for 10.000 vezes superior a isso.

Faixa de frequência da audição.
As frequências sonoras que uma pessoa jovem consegue ouvir estão entre 20 e 20.000 ciclos por segundo. No entanto, referindo-se novamente à **Figura 53.8**, vemos que a faixa sonora depende, em grande extensão, da intensidade. Se a intensidade for 60 decibéis abaixo de um nível de pressão sonora de 1 dina/cm², a faixa sonora é de 500 a 5.000 ciclos por segundo; somente com sons intensos, a faixa completa de 20 a 20.000 ciclos pode ser atingida. Na idade avançada, essa faixa de frequências geralmente é encurtada para 50 a 8.000 ciclos por segundo ou menos, como será discutido adiante neste capítulo.

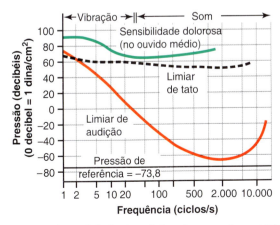

Figura 53.8 Relação do limiar de audição e da percepção somestésica (limiar de dor e tato) com o nível de energia sonora em cada frequência de som.

MECANISMOS AUDITIVOS CENTRAIS

VIAS NERVOSAS AUDITIVAS

A **Figura 53.9** mostra as principais vias auditivas. As fibras nervosas provenientes do *gânglio espiral de Corti* entram nos *núcleos cocleares dorsal* e *ventral*, localizados no bulbo. Nesse ponto, todas as fibras fazem sinapse, e os neurônios de segunda ordem passam, essencialmente, para o lado oposto do tronco encefálico para terminar no *núcleo olivar superior*. Algumas fibras de segunda ordem também passam para o núcleo olivar superior ipsilateral.

Do núcleo olivar superior, a via auditiva ascende pelo *lemnisco lateral*. Algumas das fibras terminam no *núcleo do lemnisco lateral*, mas muitas fibras contornam esse núcleo e continuam para o colículo inferior, onde todas, ou quase todas, as fibras auditivas fazem sinapse. Desse ponto, a via passa para o *corpo geniculado medial*, onde todas as fibras fazem sinapse. Por fim, a via prossegue por meio de *radiação auditiva* para o *córtex auditivo*, localizado principalmente no giro superior do lobo temporal.

É preciso observar diversos pontos importantes. Primeiro, os sinais de ambos os ouvidos são transmitidos pelas vias de ambos os lados do cérebro, com uma preponderância de transmissão da via contralateral. Ocorre cruzamento entre as duas vias em pelo menos três locais no tronco encefálico: (1) no corpo trapezoide; (2) na comissura entre os dois núcleos do lemnisco lateral; e (3) na comissura que faz a conexão dos dois colículos inferiores.

Segundo ponto, muitas fibras colaterais do trato auditivo entram diretamente no *sistema reticular ativador do tronco encefálico*. Esse sistema se projeta ascendentemente de forma difusa no tronco encefálico e descendentemente para a medula espinhal, ativando todo o sistema nervoso em resposta a sons intensos. Outras colaterais se dirigem para o *vérmis cerebelar*, que também é ativado instantaneamente quando ocorre um ruído súbito.

O terceiro ponto é que existe um alto grau de orientação espacial nos tratos de fibras, que é mantido em todo o trajeto da cóclea até o córtex. De fato, existem *três padrões espaciais* para o término de diferentes frequências sonoras nos núcleos cocleares, *dois padrões* no colículo inferior, *um padrão preciso* para frequências sonoras distintas no córtex auditivo, e *pelo menos cinco outros padrões menos precisos* no córtex auditivo e nas áreas de associação auditiva.

Frequências de descargas nos diferentes níveis das vias auditivas. Fibras nervosas isoladas que entram nos núcleos cocleares do nervo auditivo podem disparar descargas a frequências de até 1.000 por segundo, o que é determinado principalmente pela intensidade do som. Em frequências sonoras de até 2.000 a 4.000 ciclos por segundo, os impulsos do nervo auditivo costumam estar sincronizados com as ondas sonoras, mas não necessariamente com todas as ondas.

Nos tratos auditivos do tronco encefálico, as descargas já não são mais, de um modo geral, sincronizadas com as frequências sonoras, exceto nas que se situam abaixo de 200 ciclos por segundo. Acima do nível dos colículos inferiores, até essa sincronização é, em grande medida, perdida. Esses achados demonstram que os sinais sonoros não são transmitidos inalterados diretamente do ouvido para os níveis mais altos do cérebro; em vez disso, as informações provenientes dos sinais sonoros começam a ser dissecadas desde o tráfego de impulsos em níveis tão baixos quanto os núcleos cocleares. Teremos mais a dizer a respeito desse assunto mais adiante, especialmente em relação à percepção da direção de origem do som.

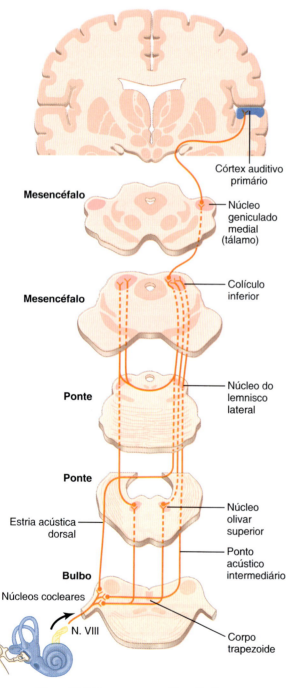

Figura 53.9 Vias nervosas auditivas. N., Nervo.

FUNÇÃO DO CÓRTEX CEREBRAL NA AUDIÇÃO

A área de projeção dos sinais auditivos para o córtex cerebral é ilustrada na **Figura 53.10**, que demonstra que o córtex auditivo se situa principalmente no *plano supratemporal do giro temporal superior*, mas também se estende para a *lateral do lobo temporal*, sobre grande parte do córtex insular e até mesmo para a porção lateral do *opérculo parietal*.

A **Figura 53.10** mostra duas subdivisões separadas – o *córtex auditivo primário* e o *córtex de associação auditiva* (também chamado de *córtex auditivo secundário*). O córtex auditivo primário é excitado diretamente por projeções do corpo geniculado medial, enquanto as áreas de associação auditiva são excitadas de forma secundária pelos impulsos provenientes do córtex auditivo primário e também por algumas projeções das áreas de associação talâmicas adjacentes ao corpo geniculado medial.

Percepção das frequências sonoras no córtex auditivo primário. Há, pelo menos, seis *mapas tonotópicos* descritos no córtex auditivo primário e nas áreas de associação auditiva. Em cada um desses mapas, os sons de alta frequência excitam neurônios em uma extremidade do mapa, ao passo que os sons de baixa frequência excitam neurônios na extremidade oposta. Na maioria dos mapas, os sons de baixa frequência estão localizados anteriormente, como mostrado na **Figura 53.10**, e os sons de alta frequência, posteriormente. Essa configuração não ocorre em todos os mapas.

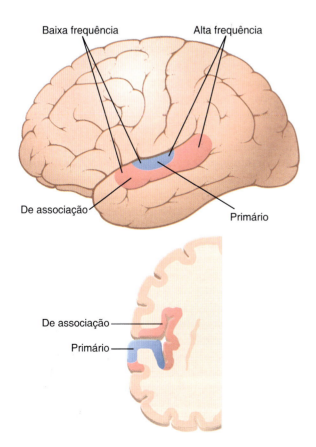

Figura 53.10 Córtex auditivo.

Por que o córtex auditivo tem tantos mapas tonotópicos diferentes? A resposta é, presumivelmente, porque cada uma das áreas separadas disseca alguma característica específica dos sons. Por exemplo, um dos grandes mapas no córtex auditivo primário quase certamente discrimina as frequências sonoras e dá à pessoa a sensação psíquica dos tons sonoros. Outro mapa é provavelmente utilizado para detectar a direção de origem do som. Outras áreas corticais auditivas detectam qualidades especiais, tais como o início súbito de sons ou, talvez, modulações especiais, como ruídos em contraposição a sons de frequência pura.

A faixa de frequências para as quais cada neurônio responde individualmente no córtex auditivo é muito mais estreita do que nos núcleos de retransmissão cocleares e do tronco encefálico. Em relação à **Figura 53.5 B**, observe que a membrana basilar próxima à base da cóclea é estimulada pelos sons de todas as frequências, e essa gama de representação sonora também é encontrada nos núcleos cocleares. Ainda assim, no momento em que a excitação chega ao córtex cerebral, a maioria dos neurônios com capacidade de resposta aos sons responde somente a frequências de faixa estreita, e não a frequências de faixa ampla. Dessa forma, em algum ponto ao longo da via, há mecanismos de processamento que "focalizam" a resposta a frequências. Acredita-se que esse efeito de focalização é causado principalmente pela inibição lateral, discutida no Capítulo 47 em relação aos mecanismos para transmissão da informação nos nervos. Ou seja, a estimulação da cóclea em uma determinada frequência inibe as frequências sonoras em ambos os lados dessa frequência primária; essa inibição é causada pelas fibras colaterais que se ramificam a partir da via de sinais primários e que exercem influências inibitórias sobre as vias adjacentes. Esse mesmo efeito é importante para a focalização de padrões de imagens somestésicas, imagens visuais e outros tipos de sensações.

Muitos dos neurônios no córtex auditivo, *especialmente no córtex de associação auditiva*, não respondem apenas a frequências sonoras específicas no ouvido. Acredita-se que esses neurônios "associem" diferentes frequências sonoras entre si ou associem informações sonoras a informações de outras áreas sensoriais do córtex. De fato, a porção parietal do córtex de associação auditiva se sobrepõe parcialmente à área somatossensorial II, o que poderia criar uma oportunidade para a associação de informação auditiva com informação somatossensorial.

Discriminação de padrões sonoros pelo córtex auditivo. A remoção bilateral completa do córtex auditivo não impede que um gato ou um macaco detectem ou reajam grosseiramente a sons. No entanto, reduz bastante, ou até mesmo elimina algumas vezes, a capacidade de o animal discriminar diferentes tons sonoros e, em particular, *padrões de som*. Por exemplo, um animal que tenha recebido treinamento para reconhecer uma combinação ou sequência de tons, um após o outro em um padrão particular, perde essa capacidade quando o córtex auditivo é

PARTE 10 Sistema Nervoso: B. Os Órgãos Especiais dos Sentidos

destruído; além disso, o animal não reaprende esse tipo de resposta. Assim, o córtex auditivo é especialmente importante na discriminação de *padrões sonoros tonais* e *sequenciais.*

A destruição dos córtices auditivos primários no ser humano reduz grandemente a sensibilidade auditiva. A destruição do córtex auditivo de apenas um dos lados reduz discretamente a audição no lado oposto; isso não produz surdez no ouvido por causa das muitas conexões cruzadas, de um lado ao outro, na via neural auditiva. No entanto, afeta a capacidade de localizar a fonte de um som, porque é preciso que haja sinais comparativos em ambos os córtices para que a localização do som ocorra.

As lesões que afetam as áreas de associação auditiva, mas não o córtex auditivo primário, não diminuem a capacidade de uma pessoa de ouvir e de diferenciar tons sonoros, ou mesmo de interpretar pelo menos padrões simples de som. No entanto, a pessoa muitas vezes não consegue interpretar o *significado* do som que ouve. Por exemplo, lesões na porção posterior do giro temporal superior, que é chamada de *área de Wernicke* e faz parte do córtex de associação auditiva, frequentemente tornam impossível para uma pessoa interpretar os significados das palavras, mesmo que ela as ouça perfeitamente bem e possa até repeti-las. Essas funções das áreas de associação auditiva e sua relação com as funções intelectuais globais do cérebro são discutidas no Capítulo 58.

DETERMINAÇÃO DA DIREÇÃO DE ORIGEM DO SOM

Uma pessoa determina a direção horizontal da qual se origina o som por dois meios principais: (1) o intervalo de tempo entre a entrada de um som em um ouvido e sua entrada no ouvido oposto; e (2) a diferença entre as intensidades de sons nos dois ouvidos.

O primeiro mecanismo funciona em frequências abaixo de 3.000 ciclos por segundo, e o segundo mecanismo opera melhor em frequências mais altas, porque a cabeça é a maior barreira para essas frequências. O mecanismo de intervalo de tempo discrimina a direção com uma precisão muito maior do que o mecanismo de intensidade, porque não depende de fatores alheios, mas somente do intervalo exato de tempo entre os dois sinais acústicos. Se uma pessoa estiver olhando diretamente para a fonte do som, ele alcançará ambos os ouvidos exatamente no mesmo instante, mas, se o ouvido direito estiver mais próximo do som do que o ouvido esquerdo, os sinais sonoros do ouvido direito entrarão no cérebro antes dos sons provenientes do ouvido esquerdo.

Esses dois mecanismos não podem dizer se o som está emanando da parte da frente ou de trás da pessoa, ou de cima ou de baixo. Essa discriminação é obtida, principalmente, pelos *pavilhões auditivos* (a parte externa visível), que atuam como funis para direcionar o som para os dois ouvidos. O formato do pavilhão auditivo altera a *qualidade* do som que entra no ouvido, dependendo da direção de origem do som. Isso ocorre por enfatizar frequências sonoras específicas de diferentes direções.

Mecanismos neurais para detectar a direção do som. A destruição do córtex auditivo em ambos os lados do cérebro provoca a perda de quase toda a capacidade de detectar a direção de onde vem o som. No entanto, a análise neural para esse processo de detecção começa nos *núcleos olivares superiores* do tronco encefálico, ainda que as vias neurais sejam necessárias em todo o percurso, desde esses núcleos até o córtex, para a interpretação dos sinais. Acredita-se que o mecanismo seja o seguinte.

O núcleo olivar superior é dividido em duas partes: (1) o *núcleo olivar superior medial*; e (2) o *núcleo olivar superior lateral*. O núcleo lateral está relacionado à detecção da direção de origem do som, presumivelmente pela simples comparação da *diferença nas intensidades do som* que atinge os dois ouvidos e pelo envio de um sinal apropriado ao córtex auditivo para estimar a direção.

O *núcleo olivar superior medial*, entretanto, possui um mecanismo específico para *detectar o intervalo de tempo entre os sinais acústicos que entram nos dois ouvidos*. Esse núcleo contém um grande número de neurônios que possuem dois dendritos principais, um que se projeta para a direita e outro que se projeta para a esquerda. O sinal acústico do ouvido direito incide sobre o dendrito direito e o sinal do ouvido esquerdo incide sobre o dendrito esquerdo. A intensidade da excitação de cada neurônio é altamente sensível a um intervalo de tempo específico entre os dois sinais acústicos proveniente dos dois ouvidos. Os neurônios próximos a uma borda do núcleo respondem de maneira máxima a um intervalo curto de tempo, enquanto os próximos à borda oposta respondem a um intervalo longo de tempo; aqueles que se encontram entre as duas bordas respondem a intervalos intermediários de tempo.

Desse modo, o padrão espacial de estimulação neuronal se desenvolve no núcleo olivar superior medial, com o som diretamente à frente da cabeça estimulando ao máximo um conjunto de neurônios olivares, e os sons provenientes de diferentes ângulos laterais estimulando outros conjuntos de neurônios em lados opostos. Essa orientação espacial dos sinais é então transmitida ao córtex auditivo, onde a direção do som é determinada pela localização dos neurônios estimulados ao máximo. Acredita-se que todos esses sinais sonoros para determinar a direção sejam transmitidos por uma via diferente e excitem um ponto diferente no córtex cerebral da via de transmissão e do local de término para padrões tonais de som.

Esse mecanismo para detecção da direção do som indica novamente como informações específicas nos sinais sensoriais são dissecadas à medida que os sinais passam por diferentes níveis de atividade neuronal. Nesse caso, a "qualidade" da direção do som é separada da "qualidade" dos tons sonoros no nível dos núcleos olivares superiores.

Sinais centrífugos do sistema nervoso central para os centros auditivos inferiores

No ouvido, demonstrou-se haver vias retrógradas, do córtex cerebral para a cóclea, em cada nível do sistema nervoso auditivo. A via final acontece principalmente do núcleo olivar superior para as células ciliadas receptoras de som no órgão de Corti.

Essas fibras retrógradas são inibitórias. Na verdade, há demonstrações de que a estimulação direta de pontos distintos no núcleo olivar iniba áreas específicas do órgão de Corti, reduzindo suas sensibilidades sonoras por 15 a 20 decibéis. Pode-se prontamente compreender como esse mecanismo poderia permitir que alguém direcionasse sua atenção para sons de qualidades particulares enquanto rejeitariam sons de outras qualidades. Essa característica é facilmente demonstrada quando se escuta um só instrumento em uma orquestra sinfônica.

Tipos de surdez

A surdez geralmente se divide em dois tipos: (1) a causada por comprometimento da cóclea, do nervo auditivo ou dos circuitos do sistema nervoso central do ouvido, e é normalmente classificada como "surdez neurossensorial" e (2) a causada por comprometimento das estruturas físicas do ouvido que conduzem o próprio som para a cóclea, geralmente chamada de "surdez de condução".

Se a cóclea ou o nervo auditivo sofrerem destruição, a pessoa se torna permanentemente surda. No entanto, se a cóclea ou o nervo ainda permanecerem intactos, mas o sistema tímpano-ossicular for destruído ou anquilosado ("soldado" ao local por fibrose ou calcificação), as ondas sonoras ainda poderão ser conduzidas para a cóclea por meio da condução óssea de um gerador de som aplicado ao crânio sobre o ouvido.

Audiômetro. Para determinar a natureza das deficiências auditivas, utiliza-se um audiômetro. Esse instrumento é um fone de ouvido conectado a um oscilador eletrônico capaz de emitir tons puros que abrangem frequências baixas a frequências altas, e é calibrado de forma que o nível de intensidade zero em cada frequência seja a que mal pode ser ouvida por um ouvido normal. Um controle de volume calibrado pode aumentar a intensidade acima do nível zero. Se for preciso aumentar a intensidade para 30 decibéis acima do normal antes que ela possa ser ouvida, diz-se que a pessoa tem *perda auditiva* de 30 decibéis nessa frequência particular.

Ao se realizar um teste auditivo utilizando um audiômetro, testa-se cerca de oito a dez frequências que cobrem o espectro auditivo, e a perda auditiva é determinada para cada uma dessas frequências. Então, a assim chamada *audiometria* é posta em um gráfico como o mostrado nas **Figuras 53.11** e **53.12**, que ilustram a perda auditiva em cada uma das frequências no espectro auditivo. O audiômetro, além de ser equipado com um fone de ouvido para testar a condução aérea pelo ouvido, é equipado com um vibrador mecânico para testar a condução óssea do processo mastoide do crânio para a cóclea.

Audiometria na surdez neurossensorial. Na surdez nervosa, que inclui lesões da cóclea, do nervo auditivo ou

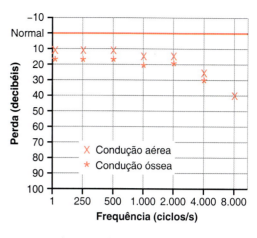

Figura 53.11 Audiometria do tipo de surdez nervosa na idade avançada.

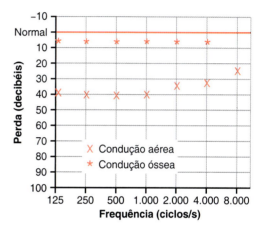

Figura 53.12 Audiometria de surdez de condução aérea resultante da esclerose do ouvido médio.

dos circuitos do sistema nervoso central do ouvido, a pessoa apresenta perda da capacidade de ouvir os sons testados por condução aérea e condução óssea. A **Figura 53.11** mostra uma audiometria retratando a surdez neurossensorial parcial. Nessa figura, a surdez é principalmente para sons de frequência alta. Tal surdez poderia ser causada por lesão da base da cóclea. Esse tipo de surdez ocorre, em certo grau, em quase todas as pessoas idosas.

Outros padrões de surdez nervosa frequentemente ocorrem da seguinte maneira: (1) surdez para sons de frequência baixa, causada por exposição excessiva e prolongada a sons muito intensos (p. ex., uma banda de *rock* ou um motor de avião) porque os sons de frequência baixa geralmente são mais intensos e mais prejudiciais ao órgão de Corti; e (2) surdez para todas as frequências, causada por sensibilidade do órgão de Corti a alguns fármacos potencialmente ototóxicos – em particular, sensibilidade a alguns antibióticos como estreptomicina, gentamicina, canamicina e cloranfenicol.

Audiometria para surdez de condução do ouvido médio. Um tipo comum de surdez é causado por fibrose no ouvido médio após infecções repetidas ou por fibrose decorrente da doença hereditária chamada de *otosclerose*. Em qualquer caso, as ondas sonoras não podem ser facil-

PARTE 10 Sistema Nervoso: B. Os Órgãos Especiais dos Sentidos

mente transmitidas pelos ossículos da membrana timpânica à janela oval. A **Figura 53.12** mostra uma audiometria de uma pessoa com "surdez de condução aérea do ouvido médio". Nesse caso, a condução óssea é essencialmente normal, mas a condução por meio do sistema ossicular é bastante deprimida em todas as frequências, mas principalmente em frequências baixas. Em alguns casos de surdez de condução, a placa do estribo se torna anquilosada ("soldada") por hipercrescimento ósseo para as bordas da janela oval. Nesse caso, a pessoa se torna totalmente surda para condução ossicular, mas pode readquirir uma audição quase normal por remoção cirúrgica do estribo e sua substituição por uma minúscula prótese de Teflon® ou de metal, que transmite o som da bigorna para a janela oval.

Bibliografia

Angeloni C, Geffen MN: Contextual modulation of sound processing in the auditory cortex. Curr Opin Neurobiol 49:8, 2018.

Avan P, Büki B, Petit C: Auditory distortions: origins and functions. Physiol Rev 93:1563, 2013.

Cunningham LL, Tucci DL: Hearing loss in adults. N Engl J Med 377:2465, 2017.

Fettiplace R: Hair cell transduction, tuning, and synaptic transmission in the mammalian cochlea. Compr Physiol 7:1197, 2017.

Fettiplace R, Kim KX: The physiology of mechanoelectrical transduction channels in hearing. Physiol Rev 94:951, 2014.

Gervain J, Geffen MN: Efficient neural coding in auditory and speech perception. Trends Neurosci 42:56, 2019.

Grothe B, Pecka M, McAlpine D: Mechanisms of sound localization in mammals. Physiol Rev 90:983, 2010.

Heeringa AN, Köppl C: The aging cochlea: towards unraveling the functional contributions of strial dysfunction and synaptopathy. Hear Res 376:111, 2019.

Hudspeth AJ: Integrating the active process of hair cells with cochlear function. Nat Rev Neurosci 15:600, 2014.

Irvine DRF: Plasticity in the auditory system. Hear Res 362:61, 2018.

Jasmin K, Lima CF, Scott SK: Understanding rostral-caudal auditory cortex contributions to auditory perception. Nat Rev Neurosci 20:425, 2019.

Joris PX, Schreiner CE, Rees A: Neural processing of amplitude-modulated sounds. Physiol Rev 84:541, 2004.

King AJ, Nelken I: Unraveling the principles of auditory cortical processing: can we learn from the visual system? Nat Neurosci 12:698, 2009.

Kuchibhotla K, Bathellier B: Neural encoding of sensory and behavioral complexity in the auditory cortex. Curr Opin Neurobiol 52:65, 2018.

Ó Maoiléidigh D, Ricci AJ: A bundle of mechanisms: inner-ear hair-cell mechanotransduction. Trends Neurosci 42:221, 2019.

Moser T, Starr A: Auditory neuropathy--neural and synaptic mechanisms. Nat Rev Neurol 12:135, 2016.

Pangrsic T, Singer JH, Koschak A: Voltage-gated calcium channels: key players in sensory coding in the retina and the inner ear. Physiol Rev 98:2063, 2018.

Rauschecker JP, Shannon RV: Sending sound to the brain. Science 295:1025, 2002.

Robles L, Ruggero MA: Mechanics of the mammalian cochlea. Physiol Rev 81:1305, 2001.

Takago H, Oshima-Takago T: Pre- and postsynaptic ionotropic glutamate receptors in the auditory system of mammals. Hear Res 362:1, 2018.

Vélez-Ortega AC, Frolenkov GI: Building and repairing the stereocilia cytoskeleton in mammalian auditory hair cells. Hear Res 376:47, 2019.

Wang J, Puel JL: Toward cochlear therapies. Physiol Rev 98:2477, 2018.

CAPÍTULO 54

Os Sentidos Químicos: Gustação e Olfação

Os sentidos do paladar e do olfato nos permitem separar os alimentos indesejáveis ou mesmo letais dos que são agradáveis e nutritivos. Eles também provocam respostas fisiológicas envolvidas na digestão e na utilização dos alimentos. O sentido de olfação permite que os animais reconheçam a proximidade de outros animais ou mesmo de um animal específico. Por fim, ambos os sentidos estão fortemente ligados às funções emocionais e comportamentais primitivas do nosso sistema nervoso. Neste capítulo, discutiremos como os estímulos gustativos e olfatórios são detectados e como eles são codificados em sinais neurais transmitidos ao cérebro.

SENTIDO DA GUSTAÇÃO

A gustação é principalmente uma função das *papilas gustativas*, que ficam na boca, mas é uma experiência comum que o sentido do olfato também contribua fortemente para a percepção do paladar. Além disso, a textura do alimento, detectada pelos sensores de tato presentes na boca, e a presença de substâncias no alimento que estimulam as terminações de dor, como a pimenta, alteram muito a experiência do paladar. A importância da gustação reside no fato de que ela permite que uma pessoa selecione os alimentos de acordo com seus desejos e, muitas vezes, de acordo com a necessidade metabólica dos tecidos corporais por substâncias específicas.

SENSAÇÕES PRIMÁRIAS DA GUSTAÇÃO

As identidades das muitas substâncias químicas específicas que estimulam os diferentes receptores de sabor não são todas conhecidas. Para análise prática, as *sensações primárias do paladar* foram agrupadas em cinco categorias gerais – *azeda, salgada, doce, amarga* e *"umami"*.

A pessoa pode perceber centenas de gostos diferentes. Todos são considerados combinações das sensações gustativas elementares, assim como todas as cores que podemos ver são combinações das três cores primárias, como descrito no Capítulo 51.

Sabor azedo. O gosto azedo é causado por ácidos – ou seja, pela concentração de íons hidrogênio –, e a intensidade dessa sensação gustativa é aproximadamente proporcional ao *logaritmo da concentração de íons hidrogênio* (*i. e.*, quanto mais ácido o alimento, mais forte a sensação azeda se torna).

Sabor salgado. O sabor salgado é provocado pelos sais ionizados, principalmente pela concentração do íon sódio. A qualidade do sabor varia ligeiramente de um sal para outro, porque alguns sais provocam outras sensações de sabor além do salgado. Os cátions dos sais, especialmente os cátions de sódio, são os principais responsáveis pelo sabor salgado, mas os ânions também contribuem, mesmo que em menor grau.

Sabor doce. O sabor doce não é induzido por uma única classe de substâncias químicas. Alguns dos tipos de substâncias químicas que provocam esse sabor incluem açúcares, glicóis, alcoóis, aldeídos, cetonas, amidas, ésteres, alguns aminoácidos, algumas pequenas proteínas, ácidos sulfônicos, ácidos halogenados e sais inorgânicos de chumbo e berílio. Observe especificamente que a maioria das substâncias que causam um sabor doce são substâncias químicas orgânicas. É especialmente interessante que pequenas alterações na estrutura química, como a adição de um radical simples, podem, com frequência, alterar a substância de doce para amarga.

Sabor amargo. O sabor amargo, assim como o doce, não é induzido por um tipo único de agente químico. Nesse caso, novamente, as substâncias que provocam o sabor amargo são quase exclusivamente substâncias orgânicas. Duas classes particulares de substâncias são especialmente prováveis de causar sensações de sabor amargo: (1) substâncias orgânicas de cadeia longa que contêm nitrogênio e (2) alcaloides. Os alcaloides incluem muitos dos fármacos usados em medicamentos, como quinina, cafeína, estricnina e nicotina.

Algumas substâncias que apresentam sabor inicialmente doce têm um gosto amargo. Essa característica ocorre com a sacarina, o que torna essa substância questionável para algumas pessoas. Altas concentrações de sais também podem resultar em um sabor amargo.

O sabor amargo, quando ocorre em alta intensidade, frequentemente faz com que a pessoa ou o animal rejeite o alimento. Essa reação é, sem dúvida, uma função importante da sensação de gosto amargo, porque muitas toxinas

PARTE 10 Sistema Nervoso: B. Os Órgãos Especiais dos Sentidos

letais encontradas em plantas venenosas são alcaloides, e praticamente todos esses alcaloides provocam um gosto intensamente amargo, geralmente seguido pela rejeição do alimento.

Sabor umami. *Umami*, uma palavra japonesa que significa "delicioso", designa uma sensação de sabor agradável que é qualitativamente diferente de azedo, salgado, doce ou amargo. Umami é o sabor dominante dos alimentos que contêm L-glutamato, como caldos de carne, queijo maturado e o tempero à base de glutamato monossódico. A sensação prazerosa do sabor umami é considerada importante para a nutrição por promover a ingestão de proteínas.

LIMIAR PARA O SABOR

O limiar molar para a estimulação do sabor azedo pelo ácido clorídrico é, em média, 0,0009 M; para a estimulação do sabor salgado pelo cloreto de sódio, 0,01 M; para o sabor doce pela sacarose, 0,01 M; e para o sabor amargo pelo quinino, 0,000008 M. Deve-se ressaltar que a sensibilidade para o sabor amargo é muito maior do que a de todos os outros, o que proporciona uma importante função protetora contra muitas toxinas perigosas presentes nos alimentos.

A **Tabela 54.1** lista os índices relativos de sabor (o recíproco dos limiares para sabor) de diferentes substâncias. Nessa tabela, as intensidades de quatro das sensações primárias do paladar estão relacionadas, respectivamente, às intensidades do sabor do ácido clorídrico, do quinino, da sacarose e do cloreto de sódio, aos quais foi atribuído arbitrariamente o índice de sabor 1.

Cegueira do paladar. Algumas pessoas apresentam um paladar cego para determinadas substâncias, em particular para diferentes tipos de compostos de tioureia.

A *feniltiocarbamida* é uma substância frequentemente utilizada por psicólogos para demonstrar a cegueira do paladar e para a qual cerca de 15 a 30% de todas as pessoas a apresentam; a porcentagem exata depende do método de teste e da concentração da substância.

PAPILAS GUSTATIVAS E SUAS FUNÇÕES

A **Figura 54.1 B** mostra um botão gustativo, que apresenta diâmetro de aproximadamente 1/30 de milímetro e comprimento de aproximadamente 1/16 de milímetro. O botão gustativo é composto de células epiteliais; algumas são células de suporte, chamadas de *células de sustentação* e outras são chamadas de *células gustativas*. Existem cerca de 100 células gustativas em cada botão gustativo. As células gustativas são constantemente substituídas pela divisão mitótica das células epiteliais adjacentes, o que faz com que algumas células gustativas sejam células jovens. Outras são células maduras que se encontram próximas ao centro da papila; essas células logo se fragmentam e se dissolvem. O tempo médio de vida de cada célula gustativa é estimado em cerca de 10 dias, embora haja uma variação considerável, com algumas células gustativas sendo eliminadas em apenas 2 dias, enquanto outras podem sobreviver por mais de 3 semanas.

As extremidades externas das células gustativas estão dispostas em torno de um minúsculo *poro gustativo*, mostrado na **Figura 54.1 B**. Do ápice de cada célula gustativa, várias *microvilosidades*, ou *cílios gustativos*, projetam-se para fora no poro gustativo, aproximando-se da cavidade da boca. Essas microvilosidades fornecem a superfície receptora para o sabor.

Entrelaçada ao redor dos corpos das células gustativas encontra-se uma rede terminal ramificada de *fibras nervosas gustativas* que são estimuladas pelas células receptoras gustativas. Algumas dessas fibras se invaginam em

Tabela 54.1 Índices relativos de sabor de diferentes substâncias.

Substâncias azedas	Índices	Substâncias amargas	Índices	Substâncias doces	Índices	Substâncias salgadas	Índices
Ácido clorídrico	1	Quinino	1	Sacarose	1	NaCl	1
Ácido fórmico	1,1	Brucina	11	1-Propoxi-2-amino-4-nitrobenzeno	5 mil	NaF	2
Ácido cloroacético	0,9	Estricnina	3,1	Sacarina	675	$CaCl_2$	1
Ácido acetoacético	0,85	Nicotina	1,3	Clorofórmio	40	NaBr	0,4
Ácido láctico	0,85	Feniltioureia	0,9	Frutose	1,7	NaI	0,35
Ácido tartárico	0,7	Cafeína	0,4	Alanina	1,3	LiCl	0,4
Ácido málico	0,6	Veratrina	0,2	Glicose	0,8	NH_4Cl	2,5
Hidrogeno tartarato de potássio	0,58	Pilocarpina	0,16	Maltose	0,45	KCl	0,6
Ácido acético	0,55	Atropina	0,13	Galactose	0,32		
Ácido cítrico	0,46	Cocaína	0,02	Lactose	0,3		
Ácido carbônico	0,06	Morfina	0,02				

$CaCl_2$, Cloreto de cálcio; KCl, cloreto de potássio; LiCl, cloreto de lítio; NaBr, brometo de sódio; NaCl, cloreto de sódio; NaF, fluoreto de sódio; NaI, iodeto de sódio; NH_4Cl, cloreto de amônio. (Dados de Pfaffman C: Handbook of Physiology, vol 1. Baltimore: Williams & Wilkins, 1959, p 507.)

CAPÍTULO 54 Os Sentidos Químicos: Gustação e Olfação

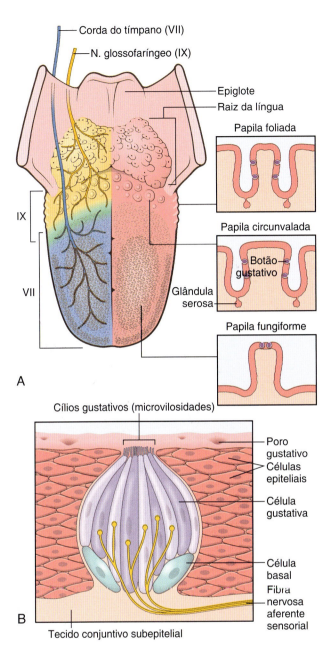

Figura 54.1 A. Distribuição dos botões gustativos nas papilas da língua e vias neuronais para a transmissão dos sinais de sabor. **B.** Estrutura de um botão gustativo. n.: Nervo.

dobras das membranas das células gustativas. Muitas vesículas se formam abaixo da membrana celular próxima às fibras. Acredita-se que essas vesículas contenham uma substância neurotransmissora, que é liberada através da membrana celular para excitar as terminações das fibras nervosas em resposta à estimulação do paladar.

Localização dos botões gustativos. Os botões gustativos são encontrados em três tipos de papilas da língua, como descrito a seguir (ver **Figura 54.1 A**): (1) um grande número de botões gustativos está localizado nas paredes dos sulcos que circundam as *papilas circunvaladas*, que formam uma linha em V na superfície posterior da língua; (2) quantidade moderada se encontra nas *papilas foliadas*, localizadas nas dobras ao longo das superfícies laterais da língua; e (3) há um número moderado de botões gustativos nas *papilas fungiformes*, sobre a superfície anterior plana da língua. Existem botões gustativos adicionais localizados no palato, e mais alguns são encontrados nos pilares tonsilares, na epiglote e até mesmo no esôfago proximal. Os adultos possuem de 3 mil a 10 mil botões gustativos, e as crianças têm uma quantidade um pouco maior. Depois dos 45 anos, muitos botões gustativos se degeneram, fazendo com que a sensibilidade gustativa diminua nos idosos.

Especificidade dos botões gustativos para um estímulo gustativo primário. Estudos utilizando microeletrodos em botões gustativos individuais mostram que cada botão gustativo geralmente *responde principalmente a um dos cinco estímulos gustativos primários quando a substância identificada está em baixa concentração*. No entanto, em alta concentração, a maioria dos botões pode ser excitado por dois ou mais dos estímulos gustativos primários, bem como por alguns outros estímulos gustativos que não se enquadram nas categorias "primárias".

Mecanismo de estimulação dos botões gustativos

Potencial receptor. A membrana da célula gustativa, como a da maioria das outras células receptoras sensoriais, tem carga negativa em seu interior em relação ao exterior. A aplicação de uma substância gustativa nos cílios gustativos provoca uma perda parcial desse potencial negativo – ou seja, a célula gustativa torna-se *despolarizada*. Na maioria dos casos, a diminuição do potencial, dentro de uma ampla faixa, é aproximadamente proporcional ao logaritmo da concentração da substância estimulante. Essa *alteração no potencial elétrico* da célula gustativa é chamada de *potencial receptor* do paladar.

O mecanismo pelo qual a maioria das substâncias estimulantes interage com as vilosidades gustativas para iniciar o potencial do receptor se dá por meio da ligação da substância química de sabor a uma molécula receptora de proteína que se encontra na superfície externa da célula receptora gustativa, próxima ou projetando-se através da membrana de vilosidades. Essa ação, por sua vez, abre canais iônicos, o que permite que íons positivamente carregados, de sódio ou de hidrogênio, entrem e despolarizem a negatividade normal da célula. Em seguida, a substância química de sabor é gradualmente retirada das vilosidades gustativas pela saliva, removendo o estímulo.

O tipo de proteína receptora em cada vilosidade gustativa determina o tipo de sabor que será percebido. Para íons sódio e hidrogênio, que provocam sensações de sabor salgado e azedo, respectivamente, as proteínas receptoras abrem canais iônicos específicos, provavelmente o canal de sódio epitelial (NaEC), nas membranas apicais das células gustativas, ativando os receptores. No entanto, para as sensações de sabor doce e amargo, as porções dos receptores acoplados à proteína G, que se projetam através das membranas apicais, ativam *substâncias transmissoras do tipo segundo mensageiro* dentro das células gustativas; esses segundos mensageiros provocam alterações químicas intracelulares que desencadeiam os sinais de sabor.

Os compostos de sabor doce são detectados por uma combinação de dois receptores de sabor acoplados à proteína G intimamente relacionados, T1R2 e T1R3. Acredita-se que os receptores responsáveis pelo sabor umami sejam um complexo das proteínas T1R1 e T1R3. Assim, T1R3 parece funcionar como um correceptor para sabores doce e umami.

O sabor amargo é detectado por outra família (T2R) de aproximadamente 30 diferentes receptores acoplados à proteína G. As células receptoras sensíveis ao sabor amargo expressam, individualmente, múltiplos T2Rs, cada um dos quais reconhece um conjunto único de compostos amargos. Esse padrão de expressão do receptor permite a detecção de uma variedade de compostos amargos por meio de um único tipo de célula receptora de sabor.

Acredita-se que o gosto azedo, associado a comidas ou a bebidas ácidas, seja detectado por canais iônicos que são abertos por íons hidrogênio, embora não se compreenda totalmente os mecanismos precisos. Estudos recentes sugerem que um canal de potássio sensível a ácidos (Kir2.1) e um canal de íon seletivo de íons hidrogênio (otopetrina 1) podem mediar as respostas de ácido nas células receptoras do paladar.

Geração dos impulsos nervosos pelos botões gustativos. Na primeira aplicação do estímulo gustativo, a frequência de descarga das fibras nervosas que se originam nos botões gustativos aumenta em uma pequena fração de segundo até atingir um pico, adaptando-se, depois, nos próximos segundos e voltando a um nível estável mais baixo durante a permanência do estímulo gustativo. Assim, o nervo gustativo transmite um sinal forte e imediato, e um sinal contínuo, mais fraco, é transmitido enquanto o botão gustativo estiver exposto ao estímulo gustativo.

TRANSMISSÃO DE SINAIS DE SABOR PARA O SISTEMA NERVOSO CENTRAL

As **Figuras 54.1** e **54.2** mostram as vias neuronais para a transmissão dos sinais gustativos da língua e da região faríngea para o sistema nervoso central. Os impulsos de sabor dos dois terços anteriores da língua passam inicialmente pelo *nervo lingual* e, então, através do ramo *corda do tímpano* para o *nervo facial* e, finalmente, para o *trato solitário*, no tronco encefálico. As sensações gustativas das papilas circunvaladas na parte posterior da língua e de outras regiões posteriores da boca e da garganta são transmitidas por meio do *nervo glossofaríngeo* também para o trato solitário, mas em um nível ligeiramente mais posterior. Por fim, alguns sinais gustativos são transmitidos para o trato solitário a partir da base da língua e de outras partes da região faríngea por meio do *nervo vago*.

Todas as fibras gustativas fazem sinapse nos núcleos do trato solitário no tronco encefálico posterior. Esses

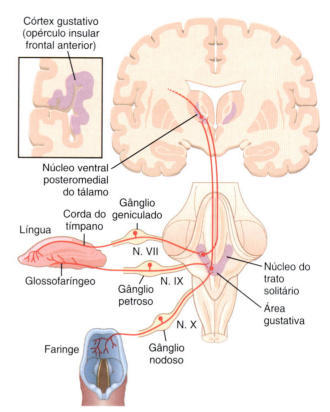

Figuras 54.2 Transmissão dos sinais de sabor para o sistema nervoso central. N., nervo.

núcleos enviam neurônios de segunda ordem para uma pequena área do *núcleo ventral posteromedial do tálamo*, localizado ligeiramente medial às terminações talâmicas das regiões faciais do sistema da coluna dorsal-lemnisco medial. Do tálamo, os neurônios de terceira ordem são transmitidos para a *extremidade inferior do giro pós-central no córtex cerebral parietal*, onde penetram *profundamente no sulco lateral* e na *área insular opercular* adjacente. Essa área fica ligeiramente lateral, ventral e rostral em relação à área para os sinais táteis da língua na área somática cerebral I. Por essa descrição das vias gustativas, fica evidente que elas são estreitamente paralelas às vias somatossensoriais da língua.

Os reflexos do paladar são integrados no tronco encefálico. Do trato solitário, muitos sinais gustativos são transmitidos dentro do próprio tronco encefálico, diretamente para os *núcleos salivares superior* e *inferior*. Essas áreas transmitem sinais às glândulas submandibulares, sublinguais e parótidas para ajudar a controlar a secreção de saliva durante a ingestão e a digestão dos alimentos.

Adaptação rápida do paladar. Todos estão familiarizados com o fato de que as sensações gustativas se adaptam rapidamente, em geral quase completamente, em um minuto ou mais de estimulação contínua. Ainda assim, por meio de estudos eletrofisiológicos das fibras nervosas gustativas, fica claro que a adaptação dos botões gustativos geralmente é responsável por não mais do que cerca de metade dessa adaptação rápida do paladar. Portanto, o grau final de adaptação extremo que ocorre na sensação gustativa quase certamente ocorre no sistema nervoso central, embora os mecanismos sejam desconhecidos. Esse mecanismo de adaptação é diferente do de muitos outros sistemas sensoriais, que se adaptam principalmente nos receptores.

PREFERÊNCIA DE SABOR E CONTROLE DA DIETA

A *preferência de sabor* significa simplesmente que um animal escolherá certos tipos de alimento em vez de outros, e o animal usa automaticamente essa preferência para auxiliá-lo a controlar o que come. Além disso, suas preferências de sabor frequentemente mudam de acordo com a necessidade corporal por certas substâncias específicas.

Os experimentos descritos a seguir demonstram essa capacidade dos animais de escolher alimentos de acordo com suas necessidades corporais. Primeiro, animais adrenalectomizados, *com depleção de sal*, automaticamente selecionam água potável com alta concentração de cloreto de sódio em vez de água pura, e a quantidade de cloreto de sódio na água é frequentemente suficiente para suprir as necessidades do corpo e prevenir a morte devido à depleção de sal. Segundo, um animal que recebe injeções de quantidades excessivas de insulina desenvolve uma depleção do nível de açúcar no sangue, e, automaticamente, o animal escolhe o alimento mais doce dentre muitas opções. Terceiro, os animais paratireoidectomizados, com depleção de cálcio, escolhem automaticamente água potável com uma alta concentração de cloreto de cálcio.

Os mesmos fenômenos também são observados no cotidiano. Por exemplo, áreas de depósito de sal das regiões desérticas são conhecidas por atraírem animais de toda parte. Além disso, os seres humanos rejeitam alimentos que tenham uma sensação afetiva desagradável, o que em muitos casos protege nosso corpo de substâncias indesejáveis.

O fenômeno da preferência de sabor quase certamente resulta de algum mecanismo localizado no sistema nervoso central, e não de um mecanismo ligado aos receptores gustativos, embora os receptores, com frequência, tornem-se sensibilizados em favor de um nutriente necessário. Uma razão importante para acreditar que a preferência de sabor é um fenômeno principalmente do sistema nervoso central é que a experiência anterior com sabores desagradáveis ou agradáveis desempenha um papel importante na sua determinação. Por exemplo, se uma pessoa fica doente logo depois de comer um determinado tipo de alimento, a pessoa geralmente desenvolve uma preferência negativa de sabor, ou *aversão gustativa*, por aquele alimento específico; o mesmo efeito pode ser demonstrado em animais inferiores.

SENTIDO DA OLFAÇÃO

O olfato é o menos compreendido dos nossos sentidos, em parte porque o sentido de olfação é um fenômeno subjetivo, que não pode ser estudado facilmente em animais inferiores. Outro problema complicador é que o olfato é pouco desenvolvido nos seres humanos, em comparação com muitos outros mamíferos.

MEMBRANA OLFATÓRIA

A membrana olfatória, cuja histologia é mostrada na **Figura 54.3**, encontra-se na parte superior da cavidade nasal. Medialmente, a membrana olfatória se dobra para baixo ao longo da superfície do septo superior; lateralmente, ela se dobra sobre a concha nasal superior e até mesmo sobre uma pequena porção da superfície superior da concha nasal média. Em seres humanos, a membrana olfatória tem uma área de superfície total de aproximadamente 5 centímetros quadrados.

As células olfatórias são as células receptoras da sensação de odor. As *células olfatórias* (ver a **Figura 54.3**) são, na verdade, neurônios bipolares derivados originalmente do sistema nervoso central. Existem aproximadamente 100 milhões dessas células no epitélio olfatório intercaladas entre as *células de sustentação*, como mostrado na **Figura 54.3**. A extremidade apical da célula olfatória forma uma protuberância, da qual se projetam 4 a 25 *pelos olfatórios* (também chamados de *cílios olfatórios*), com 0,3 micrômetro de diâmetro e até 200 micrômetros de comprimento, para o muco que reveste a superfície interna da cavidade nasal. Esses cílios olfatórios que se projetam formam um denso emaranhado no muco, e são esses cílios que reagem aos odores presentes no ar e estimulam as células olfatórias, como será discutido mais adiante. Entre as células olfatórias da membrana olfatória, encontram-se muitas pequenas *glândulas de Bowman*, que secretam muco na superfície da membrana olfatória.

ESTIMULAÇÃO DAS CÉLULAS OLFATÓRIAS

Mecanismo de excitação das células olfatórias. A porção de cada célula olfatória que responde aos

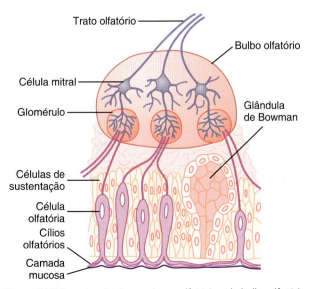

Figura 54.3 Organização da membrana olfatória e do bulbo olfatório e de conexões do trato olfatório.

estímulos químicos olfatórios são os *cílios olfatórios*. A substância odorífera, ao entrar em contato com a superfície da membrana olfatória, inicialmente difunde-se no muco que recobre os cílios e, em seguida, liga-se às *proteínas receptoras* na membrana de cada cílio (ver **Figura 54.4**). Cada proteína receptora é, na verdade, uma longa molécula cujo trajeto atravessa a membrana cerca de sete vezes, dobrando-se para dentro e para fora da célula. O odorante se liga à porção extracelular da proteína receptora. A porção intracelular da proteína é acoplada a uma *proteína G*, que é uma combinação de três subunidades. Na excitação da proteína receptora, uma subunidade *alfa* se separa da proteína G e ativa a *adenilciclase*, que está ligada à face intracelular da membrana ciliar próxima ao corpo da célula receptora. A ciclase ativada, por sua vez, converte muitas moléculas de *trifosfato de adenosina intracelular* (ATP) em *monofosfato de adenosina cíclico* (AMPc). Por fim, esse AMPc ativa outra proteína de membrana próxima, um *canal iônico dependente de sódio*, que abre sua comporta e permite que um grande número de íons sódio atravesse a membrana em direção ao citoplasma da célula receptora. Os íons sódio aumentam o potencial elétrico intracelular na direção positiva, excitando, assim, o neurônio olfatório e transmitindo potenciais de ação para o sistema nervoso central através do *nervo olfatório*.

A importância desse mecanismo de ativação dos nervos olfatórios reside no fato de que ele amplifica muito o efeito excitatório até mesmo do odor mais fraco. Resumindo: (1) a ativação da proteína receptora pela substância odorante ativa o complexo da proteína G, que, por sua vez, (2) ativa múltiplas moléculas de adenilciclase presentes no lado intracelular da membrana da célula olfatória, que (3) provoca a formação de muito mais moléculas de AMPc e, finalmente, (4) o AMPc abre ainda um número muito maior de canais iônicos dependentes de sódio. Portanto, mesmo uma mínima concentração de um odorante específico inicia um efeito em cascata que abre um número extremamente grande de canais de sódio. Esse processo é responsável pela sensibilidade extraordinária dos neurônios olfatórios até mesmo a quantidades extremamente pequenas de odorantes.

Além do mecanismo químico básico pelo qual as células olfatórias são estimuladas, diversos fatores físicos afetam o grau de estimulação. Primeiro, apenas substâncias voláteis que podem ser aspiradas para o interior da cavidade nasal podem ser percebidas pelo olfato. Segundo, a substância estimulante deve ser pelo menos ligeiramente solúvel em água para que possa passar pelo muco e alcançar os cílios olfatórios. Terceiro, é útil que a substância seja pelo menos ligeiramente lipossolúvel, presumivelmente porque os constituintes lipídicos do cílio são uma barreira fraca para odorantes não lipossolúveis.

Potenciais de membrana e potenciais de ação nas células olfatórias. O potencial de membrana intracelular das células olfatórias não estimuladas, medido por microeletrodos, é em média de cerca de −55 milivolts. Nesse potencial, a maioria das células gera potenciais de ação contínuos com uma taxa muito lenta, variando de um potencial de ação a cada 20 segundos até dois ou três por segundo.

A maioria dos odorantes induz a *despolarização* da membrana da célula olfatória, diminuindo o potencial negativo na célula do nível normal de −55 milivolts para −30 milivolts ou menos. Paralelamente, o número de potenciais de ação aumenta para 20 a 30 por segundo, que é uma taxa alta para as diminutas fibras do nervo olfatório.

Em uma ampla faixa, a taxa de impulsos do nervo olfatório muda aproximadamente em proporção ao logaritmo da força do estímulo, o que demonstra que os receptores olfatórios obedecem a princípios de transdução semelhantes aos de outros receptores sensoriais.

Adaptação rápida das sensações olfatórias. Aproximadamente cerca de 50% dos receptores olfatórios se adaptam no primeiro segundo ou mais após a estimulação. Depois disso, eles se adaptam pouco e lentamente. No entanto, todos nós sabemos por experiência própria que as sensações olfatórias se adaptam quase à extinção em aproximadamente um minuto após a entrada em uma atmosfera com um forte odor. Como essa adaptação psicológica é muito maior do que o grau de adaptação dos receptores, é quase certo que a maior parte da adaptação

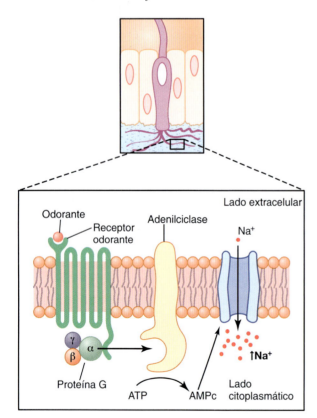

Figura 54.4 Resumo da transdução do sinal olfatório. A ligação do odorante a um receptor acoplado à proteína G causa a ativação da adenilciclase, que converte o trifosfato de adenosina (ATP) em monofosfato de adenosina cíclico (AMPc). O AMPc ativa um canal de sódio que aumenta o influxo de sódio e despolariza a célula, excitando o neurônio olfatório e transmitindo potenciais de ação ao sistema nervoso central.

CAPÍTULO 54 Os Sentidos Químicos: Gustação e Olfação

adicional ocorra no sistema nervoso central, o que parece ser verdadeiro também para a adaptação das sensações gustativas.

Postula-se o seguinte mecanismo neuronal para a adaptação: um grande número de fibras nervosas centrífugas passa retrogradamente das regiões olfatórias do cérebro ao longo do trato olfatório e termina em células inibitórias especiais no bulbo olfatório, as *células granulares*. Após o início de um estímulo olfatório, o sistema nervoso central desenvolve rapidamente uma forte retroalimentação inibitória para suprimir a retransmissão dos sinais olfatórios através do bulbo olfatório.

Busca por sensações primárias do olfato

No passado, a maioria dos fisiologistas estava convencida de que algumas sensações primárias bastante discretas seriam responsáveis pelas muitas sensações olfatórias, da mesma forma que a visão e o paladar também dependem de poucas sensações primárias selecionadas. Com base em estudos psicológicos, fez-se uma tentativa de classificar essas sensações da seguinte maneira:

1. Canforado.
2. Almiscarado.
3. Floral.
4. De hortelã.
5. Etéreo.
6. Penetrante (picante).
7. Pútrido.

É certo que essa lista não representa as verdadeiras sensações primárias do olfato. Múltiplas pistas, incluindo estudos específicos dos genes que codificam as proteínas receptoras, sugerem a existência de pelo menos 100 sensações primárias do olfato – em um acentuado contraste com as apenas três sensações primárias de cor detectadas pelos olhos e as apenas cinco sensações primárias de paladar detectadas pela língua. Alguns estudos sugerem que possa haver até 1.000 tipos diferentes de receptores de odor. Um suporte adicional para as muitas sensações primárias do olfato é que há pessoas que apresentam uma *cegueira olfatória* para substâncias isoladas; essa cegueira olfatória discreta foi identificada para mais de 50 substâncias diferentes. Presume-se que a cegueira olfatória para cada substância represente a ausência da proteína receptora apropriada nas células olfatórias para aquela substância em particular.

Natureza afetiva do olfato.
O olfato, mais ainda do que o paladar, tem a qualidade afetiva de ser *agradável* ou *desagradável* e, portanto, o olfato é provavelmente ainda mais importante do que o paladar para a seleção dos alimentos. Uma pessoa que ingeriu previamente um alimento que a desagradou frequentemente se sente nauseada com o cheiro do mesmo alimento em uma segunda ocasião. Por outro lado, o perfume da qualidade certa pode ser um poderoso estimulante das emoções humanas. Além disso, em alguns animais, os odores são o estimulante primário do impulso sexual.

Limiar para o olfato.
Uma das principais características do olfato é a quantidade diminuta de agente estimulante no ar que pode provocar uma sensação olfatória. Por exemplo, a substância *metilmercaptano* pode ser identificada na presença de apenas 25 trilionésimos de grama em cada mililitro de ar. Por causa desse limiar muito baixo, essa substância é misturada ao gás natural para lhe dar um odor que pode ser detectado mesmo quando acontecem vazamentos de pequenas quantidades de gás em um gasoduto.

Gradações de intensidade do olfato.
Embora as concentrações limiares de substâncias que evocam o olfato sejam extremamente baixas, para muitos odorantes (se não a maioria), concentrações apenas 10 a 50 vezes acima do limiar evocam a intensidade máxima da olfação. Essa faixa de discriminação de intensidade contrasta com a maioria dos outros sistemas sensoriais do corpo, nos quais as faixas de discriminação de intensidade são enormes – por exemplo, 500 mil para um, no caso da visão, e 1 trilhão para um, no caso da audição. Essa diferença pode ser explicada pelo fato de que o olfato é mais comprometido em detectar a presença ou ausência de odores do que em detectar quantitativamente suas intensidades.

TRANSMISSÃO DE SINAIS OLFATÓRIOS PARA O SISTEMA NERVOSO CENTRAL

As porções olfatórias do cérebro estão entre as primeiras estruturas cerebrais desenvolvidas nos animais primitivos, e grande parte das estruturas restantes do cérebro se desenvolveu em torno dessas origens olfatórias. Na verdade, parte do cérebro que originalmente se relacionava ao olfato evoluiu posteriormente, dando origem a estruturas cerebrais basais que controlam as emoções e outros aspectos do comportamento humano; chamamos esse sistema de *sistema límbico*, como será discutido no Capítulo 59.

Transmissão de sinais olfatórios para o bulbo olfatório.
O *bulbo olfatório* é mostrado na **Figura 54.5**. As fibras nervosas que se projetam dos receptores olfatórios e atravessam a lâmina cribriforme do crânio são chamadas, em conjunto, de *nervo olfatório (I par craniano)*. Os nervos olfatórios se dirigem ao bulbo olfatório, de onde emerge o *trato olfatório*. Na realidade, tanto o trato quanto o bulbo olfatório são uma extensão anterior do tecido cerebral da base do encéfalo; o alargamento bulboso em sua extremidade, o *bulbo olfatório*, localiza-se sobre a *lâmina cribriforme*, que separa a cavidade cerebral das partes superiores da cavidade nasal. A lâmina cribriforme tem múltiplas pequenas perfurações, através das quais um número igual de pequenos nervos ascende da membrana olfatória, na cavidade nasal, para entrar no bulbo olfatório, na cavidade craniana. A **Figura 54.3** ilustra a estreita relação entre as *células olfatórias*, na membrana olfatória, e o bulbo olfatório, mostrando axônios curtos das células olfatórias terminando em múltiplas estruturas globulares no bulbo olfatório, chamadas de *glomérulos*. Cada bulbo tem vários milhares desses glomérulos, cada um dos quais

PARTE 10 Sistema Nervoso: B. Os Órgãos Especiais dos Sentidos

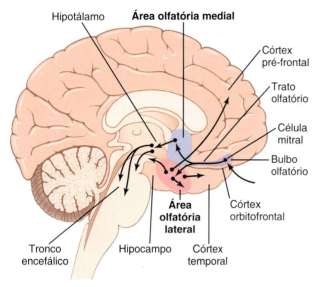

Figura 54.5 Conexões neurais do sistema olfatório.

é o término de cerca de 25 mil axônios provenientes das células olfatórias. Cada glomérulo também é o término dos dendritos de cerca de 25 grandes células mitrais e de cerca de 60 *células em tufo* menores, cujos corpos celulares se encontram no bulbo olfatório superior aos glomérulos. Esses dendritos recebem sinapses dos neurônios das células olfatórias; as células mitrais e em tufo enviam axônios por meio do nervo olfatório (que, na verdade, é um conjunto de nervos) para transmitir sinais olfatórios para níveis superiores no sistema nervoso central.

Algumas pesquisas sugerem que glomérulos diferentes respondam a odores diferentes. É possível que glomérulos específicos sejam a verdadeira pista para a análise de diferentes sinais olfatórios transmitidos ao sistema nervoso central.

Vias olfatórias primitivas e mais recentes para o sistema nervoso central

O trato olfatório entra no cérebro na junção anterior entre o mesencéfalo e o cérebro, onde se divide em duas vias, como mostrado na **Figura 54.5**, uma passando medialmente para a *área olfatória medial* do tronco encefálico e a outra passando lateralmente para a *área olfatória lateral*. A área olfatória medial representa um sistema olfatório muito primitivo, ao passo que a área olfatória lateral é a entrada para: (1) um sistema olfatório menos antigo; e (2) um sistema recente.

Sistema olfatório primitivo | Área olfatória medial.

A área olfatória medial consiste em um grupo de núcleos localizados nas porções mediobasais do cérebro, imediatamente anteriores ao hipotálamo. Os mais conspícuos são os *núcleos septais*, que são núcleos da linha média que alimentam o hipotálamo e outras porções primitivas do sistema límbico do cérebro. Essa é a área do cérebro que mais se relaciona com o comportamento básico (como descrito no Capítulo 59).

É mais fácil entender a importância dessa área olfatória medial ao se observar o que acontece em animais quando as áreas olfatórias laterais de ambos os lados do cérebro são removidas e apenas o sistema medial permanece. A remoção dessas áreas dificilmente afeta as respostas mais básicas do olfato, como lamber os lábios, salivação e outras respostas relacionadas à alimentação provocadas pelo cheiro da comida ou por impulsos emocionais básicos associados ao olfato. Por outro lado, a remoção das áreas laterais elimina os reflexos olfatórios condicionados mais complexos.

Sistema olfatório menos antigo | A área olfatória lateral.

A área olfatória lateral é composta principalmente pelo *córtex pré-piriforme*, pelo *córtex piriforme* e pela *porção cortical dos núcleos amigdaloides*. A partir dessas áreas, as vias de sinalização passam para quase todas as porções do sistema límbico, especialmente para as porções menos primitivas, como o hipocampo, que parece ser o mais importante para o aprendizado relacionado a gostar ou não de certos alimentos, dependendo das experiências prévias com eles. Por exemplo, acredita-se que essa área olfatória lateral e suas muitas conexões com o sistema límbico façam com que uma pessoa desenvolva uma aversão absoluta a alimentos que lhe tenham causado náuseas e vômito.

Uma característica importante da área olfatória lateral é que muitas vias de sinalização dela também se projetam diretamente para uma *parte mais primitiva do córtex cerebral* chamada de *paleocórtex*, que se localiza na *porção anteromedial do lobo temporal*. Essa área é a única de todo o córtex cerebral em que os sinais sensoriais passam diretamente para ele, sem passar primeiro pelo tálamo.

Sistema olfatório recente.

Foi encontrada uma via olfatória filogeneticamente mais recente que passa pelo tálamo, passando para o núcleo talâmico dorsomedial e, então, para o quadrante posterolateral do córtex orbitofrontal. Com base em estudos em macacos, esse sistema mais recente provavelmente auxilia na análise consciente do odor.

Resumo.

Assim, parece haver um sistema olfatório *primitivo*, que atua nos reflexos olfatórios básicos; um sistema *menos antigo*, que proporciona um controle automático, mas parcialmente aprendido, da ingestão de alimentos e da aversão a alimentos tóxicos e não saudáveis; e um sistema *recente*, que é comparável à maioria dos outros sistemas sensoriais corticais e é usado para a percepção e para a análise conscientes do olfato.

Controle centrífugo da atividade do bulbo olfatório pelo sistema nervoso central.

Muitas fibras nervosas que se originam nas porções olfatórias do cérebro partem dele em direção ao exterior, passando pelo trato olfatório e para o bulbo olfatório (ou seja, centrifugamente do cérebro para a periferia). Essas fibras nervosas terminam em um grande número de pequenas *células granulares*, localizadas no bulbo olfatório, entre as células mitrais e as

CAPÍTULO 54 Os Sentidos Químicos: Gustação e Olfação

células em tufo. As células granulares enviam sinais inibitórios para as células mitrais e para as células em tufo. Essa retroalimentação inibitória pode ser um meio para refinar a capacidade específica de uma pessoa de distinguir um odor de outro.

Bibliografia

Augustine V, Gokce SK, Oka Y: Peripheral and central nutrient sensing underlying appetite regulation. Trends Neurosci 41:526, 2018.

Avau B, Depoortere I: The bitter truth about bitter taste receptors: beyond sensing bitter in the oral cavity. Acta Physiol (Oxf) 216:407, 2016.

Besnard P, Passilly-Degrace P, Khan NA: Taste of fat: a sixth taste modality? Physiol Rev 96:151, 2016.

Buck LB. The molecular architecture of odor and pheromone sensing in mammals. Cell 100:611, 2000.

Chandrashekar J, Hoon MA, Ryba NJ, Zuker CS: The receptors and cells for mammalian taste. Nature 444:288, 2006.

Lodovichi C, Belluscio L: Odorant receptors in the formation of the olfactory bulb circuitry. Physiology (Bethesda) 27:200, 2012.

Mizrahi A: The hard and soft wired nature of the olfactory map. Trends Neurosci 41:872, 2018.

Mori K, Takahashi YK, Igarashi KM, Yamaguchi M: Maps of odorant molecular features in the mammalian olfactory bulb. Physiol Rev 86:409, 2006.

Palmer RK: A Pharmacological perspective on the study of taste. Pharmacol Rev 71:20, 2019.

Roper SD: The taste of table salt. Pflugers Arch. 467:457, 2015.

Roper SD, Chaudhari N: Taste buds: cells, signals and synapses. Nat Rev Neurosci 18:485, 2017.

Schier LA, Spector AC: The functional and neurobiological properties of bad taste. Physiol Rev 99:605, 2019.

Smith DV, Margolskee RF: Making sense of taste. Sci Am 284:32, 2001.

Tizzano M, Finger TE: Chemosensors in the nose: guardians of the airways. Physiology (Bethesda) 28:51, 2013.

Yarmolinsky DA, Zuker CS, Ryba NJ: Common sense about taste: from mammals to insects. Cell 16;139:234, 2009.

PARTE 11

Sistema Nervoso: C. Neurofisiologia Motora e Integrativa

RESUMO DA PARTE

55 Funções Motoras da Medula Espinhal e Reflexos Medulares, *682*

56 Controle da Função Motora pelo Córtex Cerebral e pelo Tronco Encefálico, *694*

57 Contribuições do Cerebelo e dos Núcleos da Base para o Controle Motor, *707*

58 Córtex Cerebral, Funções Intelectuais do Cérebro, Aprendizado e Memória, *723*

59 Sistema Límbico e Hipotálamo: Mecanismos Comportamentais e Motivacionais do Cérebro, *737*

60 Estados da Atividade Cerebral: Sono, Ondas Cerebrais, Epilepsia, Psicose e Demência, *749*

61 Sistema Nervoso Autônomo e Medula Adrenal, *759*

62 Fluxo Sanguíneo Cerebral, Liquor e Metabolismo Cerebral, *773*

CAPÍTULO 55

Funções Motoras da Medula Espinhal e Reflexos Medulares

A informação sensorial é integrada em todos os níveis do sistema nervoso e produz respostas motoras apropriadas, que começam na medula espinhal com reflexos musculares relativamente simples, estendem-se até o tronco encefálico com respostas mais complexas e, por fim, estendem-se ao cérebro, onde as habilidades musculares mais complexas são controladas.

Neste capítulo, discutimos o controle da função muscular pela medula espinhal. Sem os circuitos neuronais especiais da medula, mesmo os sistemas de controle motor mais complexos do cérebro não poderiam gerar nenhum movimento muscular intencional. Por exemplo, não há nenhum circuito neuronal em qualquer parte do cérebro que gere os movimentos específicos das pernas para a frente e para trás que são necessários para caminhar. Em vez disso, os circuitos para esses movimentos se encontram na medula, e o cérebro simplesmente envia sinais de *comando* à medula espinhal para dar início ao processo de caminhar.

Não devemos menosprezar o papel do cérebro. O cérebro fornece instruções que controlam as atividades sequenciais da medula – por exemplo, promover movimentos giratórios quando necessário, inclinar o corpo para a frente durante a aceleração, mudar os movimentos de caminhada para saltos, conforme o necessário, e monitorar constantemente e controlar o equilíbrio. Tudo isso é feito por meio de mecanismos "analíticos" e de "comando" gerados no cérebro. No entanto, também são necessários muitos circuitos neurais da medula espinhal que são objetos dos comandos. Esses circuitos fornecem tudo, exceto uma pequena fração do controle direto dos músculos.

ORGANIZAÇÃO DAS FUNÇÕES MOTORAS DA MEDULA ESPINHAL

A substância cinzenta da medula é a área integrativa para os reflexos medulares. A **Figura 55.1** mostra a organização típica da substância cinzenta da medula em um único segmento medular. Os sinais sensoriais entram na medula quase exclusivamente por meio das raízes sensoriais, também conhecidas como raízes *posteriores*, ou *dorsais*. Depois de entrar na medula, cada sinal sensorial trafega para duas vias distintas: um ramo do nervo sensorial termina quase imediatamente na substância cinzenta da medula e provoca reflexos medulares segmentares locais e outros efeitos locais; outro ramo transmite sinais para níveis superiores do sistema nervoso – ou seja, para níveis superiores da medula, para o tronco encefálico ou até para o córtex cerebral, como descrito nos capítulos anteriores.

Cada segmento da medula espinhal (no nível de cada nervo espinhal) contém vários milhões de neurônios em sua substância cinzenta. À exceção dos neurônios de retransmissão sensorial discutidos nos Capítulos 48 e 49, os outros neurônios são de dois tipos: (1) *neurônios motores anteriores* e (2) *interneurônios (neurônios internunciais)*.

Neurônios motores anteriores. Vários milhares de neurônios, 50 a 100% maiores do que a maioria dos outros, estão localizados em cada segmento dos cornos anteriores da substância cinzenta da medula e são chamados de *neurônios motores anteriores* (ver **Figura 55.2**). Eles dão origem às fibras nervosas que deixam a medula por

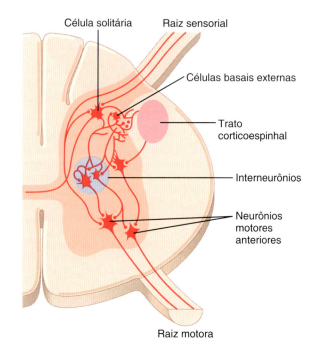

Figura 55.1 Conexões das fibras sensoriais periféricas e das fibras corticoespinhais com os interneurônios e com os neurônios motores anteriores da medula espinhal.

CAPÍTULO 55 Funções Motoras da Medula Espinhal e Reflexos Medulares

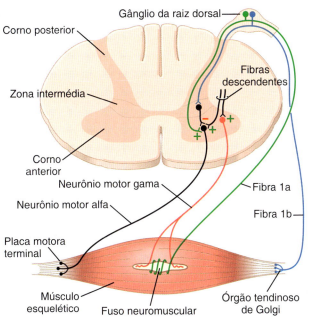

Figura 55.2 Fibras sensoriais periféricas e neurônios motores anteriores que inervam os músculos esqueléticos.

meio das raízes anteriores e inervam diretamente as fibras musculares esqueléticas. Os neurônios são de dois tipos, *neurônios motores alfa (motoneurônios alfa)* e *neurônios motores gama (motoneurônios gama)*.

Motoneurônios alfa. Os neurônios motores alfa dão origem às fibras nervosas motoras grandes, do tipo A alfa (Aα), com 14 micrômetros de diâmetro em média; essas fibras se ramificam muitas vezes depois de entrar no músculo e inervam as grandes fibras musculares esqueléticas. A estimulação de uma única fibra nervosa alfa excita de três a várias centenas de fibras musculares esqueléticas, que são chamadas coletivamente de *unidade motora*. A transmissão de impulsos nervosos para os músculos esqueléticos e sua estimulação das unidades motoras musculares são discutidas nos Capítulos 6 e 7.

Motoneurônios gama. Junto com os neurônios motores alfa, que estimulam a contração das fibras musculares esqueléticas, os *neurônios motores gama*, que possuem cerca da metade do tamanho dos primeiros, estão localizados nos cornos anteriores da medula espinhal. Esses neurônios motores gama transmitem impulsos por meio de fibras nervosas motoras muito menores do tipo A gama (Aγ), com 5 micrômetros de diâmetro em média, que inervam pequenas fibras musculares esqueléticas especiais, chamadas de *fibras intrafusais*, mostradas nas **Figuras 55.2** e **55.3**. Essas fibras constituem o centro do *fuso neuromuscular*, o que ajuda a controlar o "tônus" muscular básico, como discutido adiante neste capítulo.

Interneurônios. Os interneurônios (também chamados de neurônios de associação, ou neurônios internunciais) estão presentes em todas as áreas da substância cinzenta medular – nos cornos dorsais, nos cornos anteriores e nas áreas intermediárias entre eles, como mostrado na **Figura 55.1**. Essas células são cerca de 30 vezes mais numerosas do que os neurônios motores anteriores. Elas são pequenas e altamente excitáveis, exibindo, com frequência, uma atividade espontânea e sendo capazes de disparar até 1.500 vezes por segundo. Elas possuem muitas interconexões entre si e muitas delas também fazem sinapses diretas com os neurônios motores anteriores, como mostrado na **Figura 55.1**. As interconexões dos interneurônios com os neurônios motores anteriores são responsáveis pela maioria das funções integrativas da medula espinhal que são discutidas no restante deste capítulo.

Essencialmente, todos os diferentes tipos de circuitos neuronais descritos no Capítulo 47 são encontrados no conjunto de interneurônios das células da medula espinhal, incluindo *divergência, convergência, descarga repetitiva* e outros tipos de circuitos. Neste capítulo, examinamos muitas aplicações desses diferentes circuitos no desempenho de ações reflexas específicas pela medula espinhal.

Apenas alguns sinais sensoriais aferentes provenientes dos nervos espinhais ou sinais provenientes do cérebro terminam diretamente nos neurônios motores anteriores. Em vez disso, quase todos esses sinais são transmitidos primeiro por interneurônios, onde são adequadamente processados. Assim, na **Figura 55.1**, o trato corticoespinhal, proveniente do cérebro, é mostrado terminando quase exclusivamente em interneurônios espinhais, onde os seus sinais são combinados com sinais de outros tratos espinhais ou nervos espinhais antes de, por fim, convergir nos neurônios motores anteriores para controlar a função muscular.

As células de Renshaw transmitem sinais inibitórios para os neurônios motores adjacentes. Também localizado nos cornos anteriores da medula espinhal, em estreita associação com os neurônios motores, encontra-se um grande número de pequenos neurônios, que são chamados de células de Renshaw. Quase imediatamente após o axônio do neurônio motor anterior deixar o corpo do neurônio, ramos colaterais do axônio passam para as células de Renshaw adjacentes. As células de Renshaw são *células inibitórias*, que transmitem sinais inibitórios para os neurônios motores circundantes. Assim, a estimulação de cada neurônio motor tende a inibir neurônios motores adjacentes, um efeito denominado *inibição lateral*. O sistema motor usa essa inibição lateral para focar, ou ressaltar, seus sinais da mesma forma que o sistema sensorial usa o mesmo princípio para permitir a transmissão ininterrupta do sinal primário na direção desejada, enquanto suprimem a tendência de os sinais se espalharem lateralmente.

Conexões multissegmentares de um nível da medula espinhal para outros níveis: fibras proprioespinhais. Mais da metade de todas as fibras nervosas ascendentes e descendentes na medula espinhal são *fibras proprioespinhais*. Essas fibras vão de um segmento a outro da medula. Além disso, à medida que as fibras sensoriais entram na medula, a partir das raízes medulares posteriores, elas se bifurcam e se ramificam para cima e para baixo na medula espinhal; algumas dessas ramificações transmitem sinais para apenas um ou dois segmentos, enquanto outras transmitem sinais para muitos segmentos. Essas fibras proprioespinhais ascendentes e descendentes da medula proporcionam vias para os *reflexos multissegmentares*, descritos mais adiante neste capítulo, incluindo reflexos que coordenam movimentos simultâneos nos membros superiores e inferiores.

RECEPTORES SENSORIAIS MUSCULARES – FUSOS NEUROMUSCULARES E ÓRGÃOS TENDINOSOS DE GOLGI – E SUAS FUNÇÕES NO CONTROLE MUSCULAR

O controle adequado da função muscular requer não apenas a excitação do músculo pelos neurônios motores anteriores da medula espinhal, mas também a retroalimentação contínua de informações sensoriais de cada músculo para a medula espinhal, indicando o estado funcional de cada músculo a cada instante. Ou seja, qual é o comprimento do músculo, qual é a sua tensão instantânea e com que rapidez seu comprimento ou tensão muda? Para fornecer essas informações, os músculos e seus tendões são abundantemente supridos por dois tipos especiais de receptores sensoriais: (1) *fusos neuromusculares* (ver **Figura 55.2**), que são distribuídos por todo o ventre do músculo e enviam informações ao sistema nervoso sobre o comprimento do músculo e sobre a velocidade de variação do comprimento e (2) *órgãos tendinosos de Golgi* (ver **Figuras 55.2** e **55.8**), que estão localizados nos tendões dos músculos e transmitem informações acerca da tensão do tendão e da velocidade de variação da tensão.

Os sinais desses dois receptores destinam-se quase inteiramente ao controle muscular intrínseco. Eles operam quase completamente em um nível subconsciente. Ainda assim, eles transmitem enormes quantidades de informações não só para a medula espinhal, mas também para o cerebelo e até mesmo para o córtex cerebral, ajudando essas porções do sistema nervoso a funcionarem no controle da contração muscular.

FUNÇÃO RECEPTORA DO FUSO NEUROMUSCULAR

Estrutura e inervação motora do fuso neuromuscular. A organização do fuso neuromuscular é mostrada na **Figura 55.3**. Cada fuso tem de 3 a 10 milímetros de comprimento. É construído em torno de 3 a 12 pequenas *fibras musculares intrafusais* que são pontiagudas em suas extremidades e ligadas ao glicocálice das grandes fibras musculares esqueléticas *extrafusais* circundantes (ver Vídeo 55.1).

Cada fibra muscular intrafusal é uma minúscula fibra muscular esquelética. No entanto, a região central de cada uma dessas fibras – ou seja, a área intermediária entre suas duas extremidades – apresenta poucos ou nenhum filamento de actina e miosina. Portanto, essa porção central não se contrai quando as extremidades o fazem. Em vez disso, ela funciona como um receptor sensorial, como

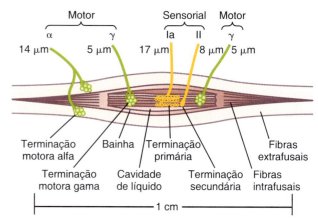

Figura 55.3 Fuso neuromuscular, mostrando sua relação com as grandes fibras musculares esqueléticas extrafusais. Observe também a inervação motora e sensorial do fuso neuromuscular.

descrito adiante. As porções terminais que se contraem são excitadas por pequenas *fibras nervosas motoras gama*, que se originam de pequenos neurônios motores gama do tipo A nos cornos anteriores da medula espinhal, como descrito anteriormente. Essas fibras nervosas motoras gama também são chamadas de *fibras eferentes gama*, em contraposição às grandes *fibras eferentes alfa* (fibras nervosas do tipo Aα), que inervam os músculos esqueléticos extrafusais.

Inervação sensorial do fuso neuromuscular. A porção receptora do fuso neuromuscular é sua porção central. Como mostrado na **Figura 55.3**, e mais detalhadamente na **Figura 55.4**, as fibras sensoriais se originam nessa área e são estimuladas pelo estiramento dessa porção intermediária do fuso. Pode-se ver prontamente que o receptor do fuso neuromuscular pode ser excitado de duas maneiras:

1. O estiramento de todo o músculo alonga a porção média do fuso e, portanto, excita o receptor.
2. Mesmo que o comprimento de todo o músculo não se altere, a contração das porções terminais das fibras intrafusais do fuso produz o estiramento da porção média do fuso e, portanto, excita o receptor.

Dois tipos de terminações sensoriais, as terminações *aferentes primárias* e *secundárias*, são encontradas nessa área receptora central do fuso neuromuscular.

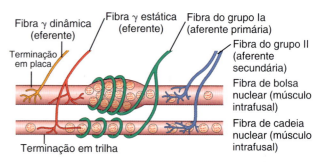

Figura 55.4 Detalhes das conexões nervosas das fibras do fuso neuromuscular de bolsa nuclear e de cadeia nuclear. (*Modificada de Stein RB: Peripheral control of movement. Physiol Rev 54:225, 1974.*)

Terminação primária. No centro da área receptora, uma grande fibra nervosa sensorial circunda a porção central de cada fibra intrafusal, formando a *terminação aferente primária*, ou *terminação anuloespiral*. Essa fibra nervosa é uma fibra do tipo Ia, com aproximadamente 17 micrômetros de diâmetro, e transmite sinais sensoriais para a medula espinhal a uma velocidade de 70 a 120 m/s, tão rapidamente quanto qualquer tipo de fibra nervosa em todo o corpo.

Terminação secundária. Normalmente uma, mas ocasionalmente duas, fibra nervosa sensorial menor – fibra do tipo II com um diâmetro médio de 8 micrômetros – inerva a região receptora em um ou em ambos os lados da terminação primária, como mostrado nas **Figuras 55.3** e **55.4**. Essa terminação sensorial é chamada de *terminação aferente secundária*; às vezes, ela envolve as fibras intrafusais da mesma forma que a fibra do tipo Ia, mas frequentemente se espalha como ramos em um arbusto.

Divisão das fibras intrafusais em fibras de bolsa nuclear e em fibras de cadeia nuclear: respostas estáticas e dinâmicas do fuso neuromuscular. Existem também dois tipos de fibras intrafusais do fuso neuromuscular: (1) *fibras musculares de bolsa nuclear* (uma a três em cada fuso), nas quais diversos núcleos de fibras musculares estão reunidos em "bolsas" expandidas na porção central da área receptora, como mostrado pela fibra superior na **Figura 55.4**, e (2) *fibras de cadeia nuclear* (três a nove), que possuem aproximadamente metade do diâmetro e metade do comprimento das fibras de bolsa nuclear e têm núcleos alinhados em uma cadeia ao longo do área receptora, como mostrado pela fibra inferior na mesma figura. A terminação nervosa sensorial primária é excitada tanto pelas fibras intrafusais de bolsa nuclear quanto pelas fibras de cadeia nuclear. Por outro lado, a terminação secundária geralmente é excitada apenas por fibras de cadeia nuclear. Essas relações são apresentadas na **Figura 55.4**.

As terminações primária e secundária respondem ao comprimento do receptor: resposta estática. Quando a porção receptora do fuso neuromuscular é estirada *lentamente*, o número de impulsos transmitidos pelas terminações primária e secundária aumenta quase em proporção direta em relação ao grau de estiramento, e as terminações continuam a transmitir esses impulsos por vários minutos. Esse efeito é chamado de *resposta estática* do receptor do fuso, o que significa que ambas as terminações primária e secundária continuam a transmitir seus sinais por pelo menos vários minutos se o fuso neuromuscular permanecer estirado.

A terminação primária (mas não a terminação secundária) responde à velocidade de variação do comprimento do receptor: resposta dinâmica. Quando o comprimento do receptor do fuso aumenta repentinamente, a terminação primária (mas não a secundária) é fortemente estimulada. Esse estímulo da terminação primária é chamado de *resposta dinâmica*, o que significa que a terminação primária responde de maneira extremamente ativa a uma rápida *taxa de alteração* no comprimento do fuso. Mesmo quando o comprimento de um receptor do fuso aumenta apenas uma fração de um micrômetro por apenas uma fração de segundo, o receptor primário transmite um número enorme de impulsos em excesso para as grandes fibras nervosas sensoriais de 17 micrômetros, *mas apenas enquanto o comprimento está realmente aumentando*. Assim que o comprimento para de aumentar, essa taxa extra de descarga de impulsos retorna ao nível da resposta estática muito menor, que ainda está presente no sinal.

Por outro lado, quando o receptor do fuso se encurta, ocorrem sinais sensoriais exatamente opostos. Assim, a terminação primária envia sinais extremamente intensos, positivos ou negativos, para a medula espinhal para informar qualquer alteração no comprimento do receptor do fuso.

Controle da intensidade das respostas estática e dinâmica pelos motoneurônios gama. Os motoneurônios gama, que inervam o fuso neuromuscular, podem ser divididos em dois tipos: *gama dinâmico* (*gama-d*) e *gama estático* (*gama-e*). O primeiro desses nervos motores gama excita principalmente as fibras intrafusais de bolsa nuclear e o segundo excita, em sua maioria, as fibras intrafusais de cadeia nuclear. Quando as fibras gama-d excitam as fibras de bolsa nuclear, a resposta dinâmica do fuso neuromuscular se torna bastante aumentada, ao passo que a resposta estática dificilmente é afetada. Por outro lado, a estimulação das fibras gama-e, que excitam as fibras de cadeia nuclear, aumenta a resposta estática, enquanto exerce pouca influência na resposta dinâmica. Os parágrafos subsequentes mostram que esses dois tipos de respostas do fuso neuromuscular são importantes em diferentes tipos de controle muscular.

Descarga contínua dos fusos neuromusculares em condições normais. Normalmente, quando há algum grau de excitação do nervo gama, os fusos neuromusculares emitem impulsos nervosos sensoriais continuamente. O estiramento dos fusos neuromusculares aumenta a frequência de disparo, enquanto o encurtamento do fuso a diminui. Assim, os fusos podem enviar para a medula espinhal *sinais positivos* (quantidades aumentadas de impulsos para indicar estiramento de um músculo) ou *sinais negativos* (redução do número de impulsos) para indicar que o músculo não está estirado.

REFLEXO DE ESTIRAMENTO MUSCULAR

A manifestação mais simples da função do fuso neuromuscular é o *reflexo de estiramento muscular*. Sempre que um músculo é repentinamente estirado, a excitação dos fusos causa a contração reflexa das fibras musculares esqueléticas grandes do próprio músculo estirado e de músculos sinérgicos estreitamente relacionados.

Circuitos neuronais do reflexo de estiramento. A **Figura 55.5** demonstra o circuito básico do reflexo de estiramento do fuso neuromuscular, mostrando uma fibra nervosa proprioceptora do tipo Ia originando-se em um fuso neuromuscular e entrando em uma raiz dorsal da medula espinhal. Um ramo dessa fibra segue, então, diretamente para o corno anterior da substância cinzenta medular e faz sinapses com os neurônios motores anteriores, que enviam fibras nervosas motoras de volta ao mesmo músculo de onde se originou a fibra do fuso neuromuscular. Assim, essa *via monossináptica* permite que um sinal reflexo retorne com o menor atraso temporal possível ao músculo após a excitação do fuso. A maioria das fibras do tipo II do fuso neuromuscular termina em vários interneurônios na substância cinzenta medular, e estes transmitem sinais atrasados para os neurônios motores anteriores ou têm outras funções.

Reflexo de estiramento dinâmico e reflexo de estiramento estático. O reflexo de estiramento pode ser dividido em dois componentes: o reflexo de estiramento dinâmico e o reflexo de estiramento estático. O *reflexo de estiramento dinâmico* é provocado por potentes sinais dinâmicos transmitidos pelas terminações sensoriais primárias dos fusos neuromusculares, causados por estiramento ou encurtamento rápidos. Ou seja, quando um músculo é subitamente estirado ou encurtado, um forte sinal é transmitido para a medula espinhal, o que provoca uma forte contração reflexa instantânea (ou diminuição da contração) do mesmo músculo no qual o sinal se originou. Assim, *o reflexo funciona para se opor a alterações repentinas no comprimento muscular*.

O reflexo de estiramento dinâmico termina em uma fração de segundo após o músculo ter sido estendido (ou contraído) até seu novo comprimento, mas então um *reflexo de estiramento estático*, mais fraco, continua por um período prolongado depois disso. Esse reflexo é desencadeado pelos sinais contínuos do receptor estático transmitidos pelas terminações primárias e secundárias. A importância do reflexo de estiramento estático é que ele faz com que o grau de contração muscular permaneça razoavelmente constante, exceto quando o sistema nervoso da pessoa determina especificamente o contrário.

Função de amortecimento dos reflexos de estiramento estático e dinâmico na suavização da contração muscular. Uma função especialmente importante do reflexo de estiramento é sua capacidade de evitar oscilações ou movimentos bruscos do corpo, o que constitui a função de *amortecimento*, ou equalização.

Os sinais provenientes da medula espinhal são, com frequência, transmitidos a um músculo de forma não suave, aumentando a intensidade por alguns milissegundos, depois a diminuindo, alterando, em seguida, para outro nível de intensidade e assim por diante. Quando o sistema do fuso neuromuscular não está funcionando satisfatoriamente, a contração muscular é brusca durante o curso de tal sinal. Esse efeito é apresentado na **Figura 55.6**. Na parte *A*, o reflexo do fuso neuromuscular do músculo excitado está intacto. Observe que a contração é relativamente suave, ainda que o nervo motor que alimenta o músculo seja excitado a uma frequência lenta de apenas oito sinais por segundo. A parte *B* ilustra o mesmo experimento em um animal cujos nervos sensoriais do fuso neuromuscular foram seccionados 3 meses antes. Observe a contração muscular não suave. Assim, a **Figura 55.6 A** demonstra graficamente a capacidade do mecanismo de amortecimento em equalizar as contrações musculares, ainda que os sinais de entrada primários para o sistema motor muscular possam ser, eles mesmos, bruscos. Esse efeito também pode ser chamado de *função de média do sinal* do reflexo do fuso neuromuscular.

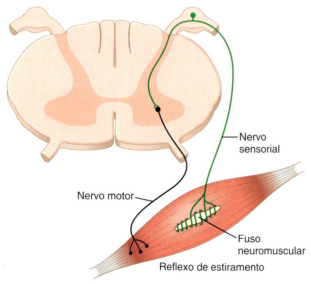

Figura 55.5 Circuito neuronal do reflexo de estiramento.

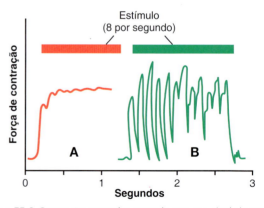

Figura 55.6 Contração muscular causada por um sinal da medula espinhal sob duas condições. São representadas a curva *A*, em um músculo normal, e a curva *B*, em um músculo cujos fusos neuromusculares foram desnervados por secção das raízes posteriores da medula 82 dias antes. Observe o efeito de equalização do reflexo do fuso neuromuscular na curva *A*. (*Modificada de Creed RS, Denney-Brown D, Eccles JC et al.: Reflex Activity of the Spinal Cord. New York: Oxford University Press, 1932.*)

PAPEL DO FUSO NEUROMUSCULAR NA ATIVIDADE MOTORA VOLUNTÁRIA

Para compreender a importância do sistema eferente gama, deve-se reconhecer que 31% de todas as fibras nervosas motoras do músculo são fibras eferentes gama do tipo A pequenas, em vez de fibras motoras alfa do tipo A grandes. Sempre que os sinais são transmitidos do córtex motor ou de qualquer outra área do cérebro para os neurônios motores alfa, na maioria dos casos, os neurônios motores gama são estimulados simultaneamente, um efeito chamado de *coativação* dos neurônios motores alfa e gama. Esse efeito faz com que as fibras musculares esqueléticas extrafusais e as fibras musculares intrafusais do fuso neuromuscular se contraiam ao mesmo tempo.

O propósito de contrair as fibras intrafusais do fuso neuromuscular ao mesmo tempo que as grandes fibras do músculo esquelético se contraem é duplo: primeiro, evita que o comprimento da porção receptora do fuso neuromuscular seja alterado durante o curso de toda a contração muscular. Portanto, a coativação impede que o reflexo do fuso neuromuscular se oponha à contração muscular. Em segundo lugar, ele mantém a função de amortecimento adequada do fuso neuromuscular, independentemente de qualquer alteração no comprimento do músculo. Por exemplo, se o fuso neuromuscular não se contraísse e relaxasse junto com as fibras musculares grandes, a porção receptora do fuso poderia ficar ocasionalmente flácida e outras vezes superestirada, sem, em nenhum dos casos, operar em condições ideais para a função do fuso.

Áreas do cérebro relacionadas ao controle do sistema motor gama

O sistema eferente gama é excitado especificamente por sinais da região *facilitadora bulborreticular* do tronco encefálico e, secundariamente, por impulsos transmitidos para a área bulborreticular a partir do seguinte: (1) *cerebelo* (2) *núcleos da base* e (3) *córtex cerebral*.

Como a área facilitadora bulborreticular está particularmente preocupada com as contrações antigravitacionais, e como os músculos antigravitacionais têm uma densidade especialmente alta de fusos neuromusculares, acredita-se que o mecanismo eferente gama seja importante para amortecer os movimentos das diferentes partes do corpo durante a caminhada e a corrida.

O sistema de fuso neuromuscular estabiliza a posição do corpo durante uma ação motora tensa.

Uma das funções mais importantes do sistema do fuso neuromuscular é estabilizar a posição do corpo durante uma ação motora sob tensão. Para realizar essa função, a região facilitadora bulborreticular e suas áreas relacionadas do tronco encefálico transmitem sinais excitatórios por meio das fibras nervosas gama para as fibras musculares intrafusais dos fusos neuromusculares. Essa ação encurta as extremidades dos fusos e estira as regiões centrais do receptor, aumentando a saída de seu sinal. No entanto, se os fusos de ambos os lados de cada articulação forem ativados ao mesmo tempo, a excitação reflexa dos músculos esqueléticos em ambos os lados da articulação também aumenta, fazendo com que os músculos opostos entre si na articulação fiquem tensos e firmes. O resultado final é que a posição da articulação se torna fortemente estabilizada, e qualquer força que tenda a movê-la de sua posição corrente é antagonizada pelos reflexos de estiramento altamente sensibilizados operando em ambos os lados da articulação.

Sempre que uma pessoa deva realizar uma função muscular que requeira um posicionamento extremamente delicado e exato, a excitação dos fusos neuromusculares apropriados por sinais da região facilitadora bulborreticular do tronco encefálico estabiliza as posições das principais articulações. Essa estabilização auxilia bastante na execução de movimentos voluntários detalhados adicionais (dos dedos ou de outras partes do corpo) necessários para procedimentos motores complexos.

Aplicações clínicas do reflexo de estiramento

Quase todas as vezes que um clínico realiza um exame físico em um paciente, ele desencadeia múltiplos reflexos de estiramento. O propósito é determinar quanto de excitação basal, ou "tônus", o cérebro envia para a medula espinhal. Esse reflexo é provocado da maneira descrita a seguir.

O reflexo patelar e outros reflexos tendíneos podem ser usados para avaliar a sensibilidade dos reflexos de estiramento. Clinicamente, um método usado para determinar a sensibilidade dos reflexos de estiramento é provocar o reflexo patelar e outros reflexos musculares. O reflexo patelar pode ser provocado simplesmente pela leve percussão do tendão patelar com um martelo de reflexo; essa ação estira instantaneamente o músculo quadríceps e estimula um *reflexo de estiramento dinâmico*, que faz com que a parte inferior da perna se lance para a frente (ver Vídeo 55.2). A parte superior da **Figura 55.7** mostra a miografia do músculo quadríceps registrada durante um reflexo patelar.

Reflexos semelhantes podem ser obtidos de quase todos os músculos do corpo, percutindo o tendão do músculo ou batendo no ventre do próprio músculo. Em outras palavras,

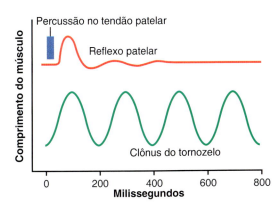

Figura 55.7 Miografias registradas no músculo quadríceps, durante a indução do reflexo patelar (*acima*) e do músculo gastrocnêmio, durante o clônus do tornozelo (*abaixo*).

o estiramento repentino dos fusos neuromusculares é tudo o que é necessário para provocar um reflexo de estiramento dinâmico.

Os reflexos musculares são usados por neurologistas para avaliar o grau de facilitação dos centros da medula espinhal. Quando uma grande quantidade de impulsos facilitadores está sendo transmitida de regiões superiores do sistema nervoso central para a medula, os reflexos musculares são muito exagerados. Por outro lado, se os impulsos facilitadores estão deprimidos ou abolidos, os reflexos musculares ficam consideravelmente enfraquecidos ou ausentes. Esses reflexos são usados com mais frequência para determinar a presença ou a ausência de espasticidade muscular causada por lesões nas áreas motoras do cérebro ou por doenças que excitam a área facilitadora bulborreticular do tronco encefálico. Normalmente, grandes *lesões nas áreas motoras do córtex cerebral*, mas não nas áreas de controle motor inferior (especialmente lesões causadas por derrames ou tumores cerebrais) provocam reflexos musculares muito exagerados nos músculos do lado oposto do corpo.

Clônus: oscilação de reflexos musculares. Sob algumas condições, os espasmos musculares podem oscilar, um fenômeno denominado *clônus* (ver miografia inferior, **Figura 55.7**). A oscilação pode ser explicada particularmente bem em relação ao clônus do tornozelo, como segue.

Se uma pessoa em pé nas pontas dos dedos repentinamente baixa o corpo e estira os músculos gastrocnêmios, os impulsos reflexos de estiramento são transmitidos dos fusos neuromusculares para a medula espinhal. Esses impulsos estimulam reflexivamente o músculo estirado, o que levanta o corpo novamente. Depois de uma fração de segundo, a contração reflexa do músculo desaparece, e o corpo cai novamente, esticando os fusos uma segunda vez. Mais uma vez, um reflexo de estiramento dinâmico levanta o corpo, mas também desaparece após uma fração de segundo, e o corpo cai mais uma vez para iniciar um novo ciclo. Dessa forma, o reflexo de estiramento do músculo gastrocnêmio continua a oscilar, muitas vezes por longos períodos, o que é denominado clônus.

O clônus normalmente ocorre apenas quando o reflexo de estiramento é altamente sensibilizado por impulsos facilitadores provenientes do cérebro. Por exemplo, em um animal descerebrado, no qual os reflexos de estiramento estão altamente facilitados, o clônus se desenvolve rapidamente. Para determinar o grau de facilitação da medula espinhal, os neurologistas testam os pacientes quanto ao clônus estirando repentinamente um músculo e aplicando uma força de estiramento constante nele. Se ocorrer clônus, o grau de facilitação certamente está alto.

REFLEXO TENDINOSO DE GOLGI

O órgão tendinoso de Golgi ajuda a controlar a tensão muscular. O órgão tendinoso de Golgi, mostrado na **Figura 55.8**, é um receptor sensorial encapsulado pelo qual passam as fibras do tendão muscular. Aproximadamente 10 a 15 fibras musculares são geralmente conectadas a cada órgão tendinoso de Golgi, e o órgão é estimulado quando esse pequeno feixe de fibras musculares é "tensionado" pela

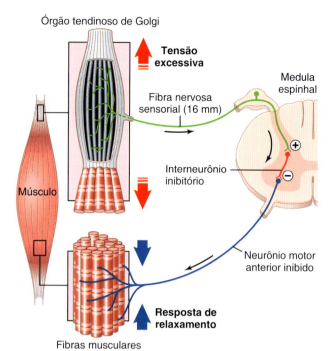

Figura 55.8 Reflexo do órgão tendinoso de Golgi. A tensão excessiva do músculo estimula os receptores sensoriais no órgão tendinoso de Golgi. Os sinais dos receptores são transmitidos através de uma fibra nervosa aferente sensorial que excita um interneurônio inibitório na medula espinhal, inibindo a atividade do neurônio motor anterior, causando relaxamento muscular e protegendo o músculo contra a tensão excessiva.

contração ou pelo estiramento do músculo. Assim, a principal diferença entre a excitação do órgão tendinoso de Golgi em relação à do fuso neuromuscular é que *o fuso detecta o comprimento do músculo e as alterações no seu comprimento, ao passo que o órgão tendinoso detecta a tensão muscular* refletida pela própria tensão.

O órgão tendinoso, como o receptor primário do fuso neuromuscular, tem uma *resposta dinâmica* e uma *resposta estática*, reagindo intensamente quando a tensão muscular aumenta repentinamente (resposta dinâmica), mas se acomodando em uma fração de segundo a um nível inferior de disparo em estado de repouso, que é quase diretamente proporcional à tensão muscular (resposta estática). Assim, os órgãos tendinosos de Golgi fornecem ao sistema nervoso informações instantâneas sobre o grau de tensão em cada pequeno segmento de cada músculo.

Transmissão de impulsos do órgão tendinoso de Golgi para o sistema nervoso central. Os sinais do órgão tendinoso são transmitidos por meio de fibras nervosas do tipo Ib grandes, de condução rápida, com diâmetro médio de 16 micrômetros, apenas ligeiramente menores do que as das terminações primárias do fuso neuromuscular. Essas fibras, como as das terminações primárias do fuso, transmitem sinais para áreas locais da medula após fazer a sinapse no corno dorsal da medula, por meio de vias de fibras longas, como os tratos espinocerebelares no cerebelo, e por meio de outros tratos para o córtex cerebral. O sinal medular local excita um único interneurônio *inibitório* que inibe o neurônio motor anterior. Esse circuito local inibe diretamente o músculo individual sem afetar os músculos adjacentes. A relação entre os sinais para o cérebro e a função do cerebelo e de outras partes do cérebro para o controle muscular é discutida no Capítulo 57.

O reflexo desencadeado nos tendões evita a tensão excessiva no músculo. Quando os órgãos tendinosos de Golgi de um tendão muscular são estimulados pelo aumento da tensão em um músculo, os sinais são transmitidos para a medula espinhal, provocando efeitos reflexos no respectivo músculo. Esse reflexo é totalmente *inibitório*. Assim, esse reflexo proporciona um mecanismo de *retroalimentação negativa* que evita o desenvolvimento de tensão excessiva no músculo.

Quando a tensão no músculo – e, portanto, no tendão – torna-se extrema, o efeito inibitório do órgão tendinoso pode ser tão grande que leva a uma reação repentina na medula espinhal que causa o relaxamento instantâneo de todo o músculo. Esse efeito é chamado de *reação de alongamento*; é, provavelmente, um mecanismo de proteção para evitar o rompimento do músculo ou a separação do tendão de seus ligamentos ao osso.

O possível papel do reflexo tendinoso na equalização da força contrátil entre as fibras musculares. Outra função provável do reflexo tendinoso de Golgi é igualar as forças contráteis das fibras musculares separadamente. Ou seja, as fibras que exercem um excesso de tensão tornam-se inibidas pelo reflexo, ao passo que aquelas que exercem pouca tensão tornam-se mais excitadas, devido à ausência da inibição reflexa. Esse fenômeno distribui a carga muscular por todas as fibras e evita danos em áreas isoladas de um músculo no qual um pequeno número de fibras possa estar sobrecarregado.

Função dos fusos neuromusculares e dos órgãos tendinosos de Golgi no controle motor por níveis superiores do cérebro

Embora tenhamos enfatizado a função dos fusos neuromusculares e dos órgãos tendinosos de Golgi no controle da função motora da medula espinhal, esses dois órgãos sensoriais também informam os centros superiores de controle motor das alterações instantâneas que ocorrem nos músculos. Por exemplo, os tratos espinocerebelares dorsais transportam informações instantâneas dos fusos neuromusculares e dos órgãos tendinosos de Golgi diretamente para o cerebelo, em velocidades de condução próximas de 120 m/s, a condução mais rápida observada em qualquer parte do cérebro ou da medula espinhal. Vias adicionais transmitem informações semelhantes às regiões reticulares do tronco encefálico e, em menor extensão, para todas as áreas motoras do córtex cerebral. Como discutido nos Capítulos 56 e 57, as informações desses receptores são cruciais para o controle por retroalimentação dos sinais motores que se originam em todas essas áreas.

REFLEXO FLEXOR E REFLEXOS DE RETIRADA

No animal descerebrado ou cuja medula espinhal foi seccionada, quase todo estímulo sensorial cutâneo de um membro provavelmente fará com que os seus músculos flexores se contraiam, retirando, assim, o membro do objeto estimulador. Esse reflexo é denominado de *reflexo flexor*.

Em sua forma clássica, o reflexo flexor é desencadeado com mais intensidade pela estimulação das terminações de dor, como uma alfinetada, calor ou ferimento, razão pela qual também é chamado de *reflexo nociceptivo* ou, simplesmente, de *reflexo de dor*. A estimulação dos receptores de tato também pode provocar um reflexo flexor mais fraco e menos prolongado.

Se alguma parte do corpo que não seja um dos membros for dolorosamente estimulada, ela será igualmente *afastada do estímulo*, mas o reflexo pode não ficar confinado aos músculos flexores, embora seja basicamente o mesmo tipo de reflexo. Portanto, os vários padrões desses reflexos nas diferentes áreas do corpo são chamados de *reflexos de retirada*.

Mecanismo neural do reflexo flexor. A parte esquerda da **Figura 55.9** mostra as vias neuronais para o reflexo flexor. Nesse caso, um estímulo doloroso é aplicado à mão; como resultado, os músculos flexores do braço tornam-se excitados e afastam a mão do estímulo doloroso.

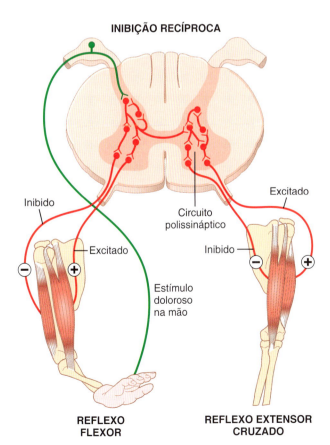

Figura 55.9 Reflexo flexor, reflexo extensor cruzado e inibição recíproca.

As vias que desencadeiam o reflexo flexor não passam diretamente para os neurônios motores anteriores, mas, em vez disso, passam primeiro pelo conjunto de interneurônios dos neurônios da medula espinhal e, apenas de forma secundária, para os neurônios motores. O circuito mais curto possível é uma via de três ou quatro neurônios; entretanto, a maioria dos sinais do reflexo trafega por muito mais neurônios e envolve os seguintes tipos básicos de circuitos: (1) circuitos divergentes para disseminar o reflexo para os músculos necessários para a retirada; (2) circuitos para inibir os músculos antagonistas, chamados de *circuitos de inibição recíproca*; e (3) circuitos para causar *pós-descarga*, que dura muitas frações de segundo após o término do estímulo.

A **Figura 55.10** mostra a miografia típica de um músculo flexor durante um reflexo flexor. Alguns milissegundos depois que um nervo sensorial da dor começa a ser estimulado, a resposta flexora aparece. Então, nos segundos seguintes, o reflexo começa a entrar em *fadiga*, o que é característico de essencialmente todos os reflexos integrativos complexos da medula espinhal. Finalmente, após o término do estímulo, a contração do músculo retorna ao nível basal, mas, por causa da pós-descarga, leva muitos milissegundos para que essa contração ocorra. A duração da pós-descarga depende da intensidade do estímulo sensorial que desencadeou o reflexo; um estímulo tátil fraco causa quase nenhuma pós-descarga, mas, após um forte estímulo de dor, a pós-descarga pode durar um segundo ou mais.

A pós-descarga que ocorre no reflexo flexor quase certamente resulta de ambos os tipos de circuitos de descarga repetitiva discutidos no Capítulo 47. Estudos eletrofisiológicos indicam que a pós-descarga imediata, com duração de cerca de 6 a 8 milissegundos, resulta de disparos repetitivos dos interneurônios excitados. Além disso, a pós-descarga prolongada ocorre após fortes estímulos de dor, quase certamente resultante de vias recorrentes que iniciam a oscilação em circuitos de interneurônios reverberantes. Estes, por sua vez, transmitem impulsos aos neurônios motores anteriores, às vezes por vários segundos após o término do sinal sensorial de entrada.

Assim, o reflexo flexor é apropriadamente organizado para retirar a parte do corpo dolorida ou irritada pelo estímulo. Além disso, por causa da pós-descarga, o reflexo pode manter a parte irritada longe do estímulo por 0,1 a 3 segundos após o término da irritação. Durante esse tempo, outros reflexos e ações do sistema nervoso central podem mover todo o corpo para longe do estímulo doloroso.

Padrão de retirada durante o reflexo flexor. O padrão de retirada que resulta quando o reflexo flexor é desencadeado depende de qual nervo sensorial é estimulado. Assim, um estímulo de dor do lado interno do braço provoca não apenas a contração dos músculos flexores do braço, mas também a contração dos músculos abdutores para puxá-lo para fora. Em outras palavras, os centros integrativos da medula provocam a contração dos músculos que podem remover com mais eficácia a parte dolorida do corpo do objeto que está causando a dor. Embora esse princípio se aplique a qualquer parte do corpo, é especialmente aplicável aos membros por causa de seus reflexos flexores altamente desenvolvidos.

REFLEXO EXTENSOR CRUZADO

Aproximadamente 0,2 a 0,5 segundo após um estímulo desencadear um reflexo flexor em um membro, o membro oposto começa a se estender. Esse reflexo é denominado de *reflexo extensor cruzado*. A extensão do membro oposto pode empurrar todo o corpo para longe do objeto que está causando o estímulo doloroso no membro retirado.

Mecanismo neural do reflexo extensor cruzado. A parte direita da **Figura 55.9** mostra o circuito neuronal responsável pelo reflexo extensor cruzado, demonstrando que os sinais dos nervos sensoriais cruzam para o lado oposto da medula para excitar os músculos extensores. Como o reflexo extensor cruzado geralmente não se inicia antes de 200 a 500 milissegundos após o início do estímulo de dor inicial, certamente muitos interneurônios estão envolvidos no circuito entre o neurônio sensorial aferente e os neurônios motores do lado oposto da medula responsável pela extensão cruzada. Depois que o estímulo doloroso é removido, o reflexo extensor cruzado tem um período de pós-descarga ainda mais longo do que o reflexo flexor. Novamente, presume-se que essa pós-descarga prolongada resulte de circuitos reverberantes entre interneurônios.

A **Figura 55.11** mostra a miografia típica registrada de um músculo envolvido em um reflexo extensor cruzado. Essa miografia demonstra a latência relativamente longa

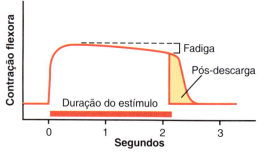

Figura 55.10 Miografia do reflexo flexor mostrando o rápido início do reflexo, um intervalo de fadiga e, por fim, a pós-descarga que ocorre após o término do estímulo.

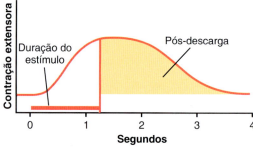

Figura 55.11 Miografia de um reflexo extensor cruzado mostrando início lento, mas pós-descarga prolongada.

antes do início do reflexo e a longa pós-descarga ao fim do estímulo. A pós-descarga prolongada é benéfica para manter a área dolorida do corpo afastada do objeto que provocou a dor até que outras reações nervosas façam com que todo o corpo se afaste desse estímulo.

INIBIÇÃO RECÍPROCA E INERVAÇÃO RECÍPROCA

Salientamos anteriormente que a excitação de um grupo de músculos está frequentemente associada à inibição de outro. Por exemplo, quando um reflexo de estiramento excita um músculo, com frequência, inibe simultaneamente os músculos antagonistas, o que é denominado *fenômeno da inibição recíproca*, e o circuito neuronal que causa essa relação recíproca é chamado de *inervação recíproca*. Da mesma forma, costuma haver relações recíprocas entre os músculos dos dois lados do corpo, como exemplificado pelos reflexos dos músculos flexores e extensores descritos anteriormente.

A **Figura 55.12** mostra um exemplo típico de inibição recíproca. Nesse caso, um reflexo flexor moderado, mas prolongado, é provocado em um membro do corpo; enquanto esse reflexo ainda está sendo produzido, um reflexo flexor mais forte é induzido no membro do lado oposto do corpo. Esse reflexo mais forte envia sinais inibitórios recíprocos ao primeiro membro e diminui seu grau de flexão. Por fim, a remoção do reflexo mais forte permite que o reflexo original reassuma sua intensidade prévia.

REFLEXOS POSTURAIS E DE LOCOMOÇÃO

REFLEXOS POSTURAIS E DE LOCOMOÇÃO DA MEDULA

Reação de suporte positiva. A pressão no coxim plantar da pata de um animal descerebrado faz com que o membro se estenda contra a pressão aplicada ao pé. Na verdade, esse reflexo é tão forte que, se um animal cuja medula espinhal foi seccionada vários meses antes – depois de os reflexos se tornarem exagerados – for colocado de pé, o reflexo frequentemente enrijecerá os membros o suficiente para suportar o peso do corpo. Esse reflexo é chamado de *reação de suporte positiva*.

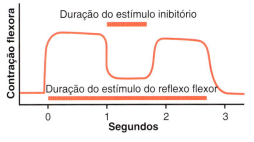

Figura 55.12 Miografia de um reflexo flexor mostrando inibição recíproca causada por um estímulo inibitório de um reflexo flexor mais forte no lado oposto do corpo.

A reação de suporte positiva envolve um circuito complexo nos interneurônios semelhante aos circuitos responsáveis pelos reflexos flexores e extensores cruzados. O local da pressão no coxim plantar determina a direção em que o membro se estenderá; a pressão em um lado produz extensão naquela direção, um efeito chamado de *reação magnética*. Essa reação ajuda a evitar que o animal caia para aquele lado.

Reflexos de endireitamento da medula. Quando um animal cuja medula espinhal foi seccionada é deitado de lado, ele fará movimentos descoordenados para tentar se levantar até a posição em pé. Esse reflexo é denominado de *reflexo de endireitamento da medula*. Esse reflexo demonstra que alguns reflexos relativamente complexos associados à postura estão integrados na medula espinhal. Na verdade, um animal com a medula torácica seccionada e bem cicatrizada entre os níveis de inervação dos membros anteriores e posteriores pode se endireitar da posição deitada e até mesmo andar usando tanto seus membros posteriores quanto os anteriores. No caso de um gambá com uma secção transversa semelhante da medula torácica, os movimentos de andar dos membros posteriores são muito pouco diferentes daqueles de um gambá normal, exceto que os movimentos de andar dos membros posteriores não são sincronizados com os dos membros anteriores.

MOVIMENTOS DE MARCHA

Movimentos rítmicos de marcha de um único membro. Movimentos rítmicos de marcha são frequentemente observados nos membros de animais cuja medula espinhal foi seccionada. Na verdade, mesmo quando a porção lombar da medula espinhal é separada do restante da medula, e uma secção longitudinal é feita abaixo do centro da medula para bloquear as conexões neuronais entre os dois lados da medula e entre os dois membros, cada membro inferior ainda pode executar funções de marcha individuais. A flexão do membro para a frente é seguida, depois de um segundo ou um pouco mais, pela extensão para trás. Em seguida, a flexão ocorre novamente, e o ciclo é repetido muitas vezes.

Essa oscilação para a frente e para trás entre os músculos flexores e extensores pode ocorrer mesmo depois que os nervos sensoriais foram cortados e parece resultar principalmente de circuitos de inibição mutuamente recíprocos dentro da matriz da medula, oscilando entre os neurônios que controlam os músculos agonistas e antagonistas.

Os sinais sensoriais dos coxins plantares e dos sensores de posição em torno das articulações desempenham um papel importante no controle da pressão do pé e na frequência da marcha quando se permite que o pé ande ao longo de uma superfície. Na verdade, o mecanismo medular para o controle da marcha pode ser ainda mais complexo. Por exemplo, se o dorso do pé encontrar uma obstrução durante o impulso para a frente, esse impulso parará temporariamente; então, em uma sequência rápida, o pé será levantado mais alto e seguirá para a frente para ser colocado sobre a obstrução. Esse é o *reflexo de tropeço*.

PARTE 11 Sistema Nervoso: C. Neurofisiologia Motora e Integrativa

Assim, a medula é um controlador inteligente da caminhada.

Marcha recíproca de membros opostos.
Se a medula espinhal lombar não estiver dividida em seu centro, toda vez que ocorrer um passo para a frente em um membro, o membro oposto normalmente se moverá para trás. Esse efeito resulta da inervação recíproca entre os dois membros.

Marcha diagonal de todos os quatro membros: reflexo de marcha.
Se um animal cuja medula espinhal foi seccionada e bem cicatrizado (com transeção espinhal cervical acima da área dos membros anteriores da medula) for erguido do chão, e suas pernas ficarem penduradas, o estiramento dos membros provocará reflexos de marcha que envolvem todos os quatro membros. Em geral, a marcha ocorre diagonalmente entre os membros anteriores e posteriores. Essa resposta diagonal é outra manifestação de inervação recíproca, desta vez ocorrendo em toda a distância, para cima e para baixo na medula, entre os membros anteriores e posteriores. Esse padrão de caminhada é chamado de *reflexo de marcha*.

Reflexo de coçar

Um reflexo medular especialmente importante em alguns animais é o reflexo de coçar, que é iniciado por uma *sensação de coceira*, ou de *cócegas*. Esse reflexo envolve duas funções: (1) um *sentido de posição* que permite que a pata encontre o ponto exato de irritação na superfície do corpo e (2) um *movimento de vaivém de coçar*.

O *sentido de posição* do reflexo de coçar é uma função altamente desenvolvida. Se uma pulga estiver rastejando até o ombro de um animal cuja medula espinhal foi seccionada, a pata traseira dele ainda pode encontrar a posição da pulga, embora 19 músculos do membro devam ser contraídos simultaneamente em um padrão preciso para levar a pata até a posição da pulga rastejante. Para tornar o reflexo ainda mais complexo, quando a pulga cruza a linha média, a primeira pata para de coçar, e a pata oposta começa o movimento de vaivém e, por fim, encontra a pulga.

O *movimento de vaivém*, como os movimentos de marcha da locomoção, envolve circuitos de inervação recíproca que causam oscilação.

Reflexos da medula espinhal que provocam espasmo muscular

Em seres humanos, é frequentemente observado o espasmo muscular local. Em muitos casos, senão na maioria, a causa é a dor localizada.

Espasmo muscular resultante de um osso fraturado.
Um tipo de espasmo clinicamente importante que ocorre nos músculos que circundam um osso que se fraturou. O espasmo resulta de impulsos de dor iniciados nas bordas quebradas do osso, que fazem com que os músculos que circundam a área se contraiam tonicamente. O alívio da dor, obtido pela injeção de um anestésico local nas bordas quebradas do osso, abranda o espasmo; uma anestesia geral profunda de todo o corpo, como a anestesia com éter, também alivia o espasmo.

Espasmo muscular abdominal em pacientes com peritonite.
Outro tipo de espasmo local causado pelos reflexos da medula é o espasmo abdominal resultante da irritação do peritônio parietal pela peritonite. Nesse caso, novamente, o alívio da dor causada pela peritonite permite que o músculo espástico relaxe. O mesmo tipo de espasmo frequentemente ocorre durante as operações cirúrgicas; por exemplo, durante as cirurgias abdominais, os impulsos de dor provenientes do peritônio parietal, com frequência, fazem com que os músculos abdominais se contraiam fortemente, algumas vezes empurrando os intestinos para fora do corte cirúrgico. Por essa razão, a anestesia profunda é, geralmente, necessária para a realização de cirurgias intra-abdominais.

Cãibras musculares.
Outro tipo de espasmo local é a típica cãibra muscular. Qualquer fator irritante local ou anormalidade metabólica de um músculo, como frio intenso, ausência de fluxo sanguíneo, desequilíbrio hidreletrolítico ou exercícios excessivos, pode provocar dor ou outros sinais sensoriais transmitidos do músculo para a medula espinhal, que, por sua vez, causa a contração muscular por retroalimentação reflexa. Acredita-se que a contração estimule ainda mais os mesmos receptores sensoriais, o que faz com que a medula espinhal aumente a intensidade da contração. Assim, a retroalimentação positiva se desenvolve, de modo que uma pequena quantidade de irritação inicial causa cada vez mais contração, até que resulte em uma cãibra muscular total.

Reflexos autonômicos na medula espinhal

Muitos tipos de reflexos autonômicos segmentares são integrados na medula espinhal, a maioria dos quais é discutida em outros capítulos. Resumidamente, esses reflexos incluem (1) alterações do tônus vascular resultantes de mudanças no calor cutâneo local (Capítulo 74); (2) sudorese, que resulta do calor localizado na superfície do corpo (Capítulo 74); (3) reflexos intestino-intestinais que controlam algumas funções motoras do intestino (Capítulo 63); (4) reflexos peritônio-intestinais, que inibem a motilidade gastrointestinal em resposta à irritação peritoneal (Capítulo 67); e (5) reflexos de esvaziamento para aliviar a bexiga cheia (Capítulo 26) ou o cólon (Capítulo 64). Além desses, todos os reflexos segmentares às vezes podem ser deflagrados, simultaneamente, na forma do chamado *reflexo em massa*, descrito a seguir.

Reflexo em massa.
Em uma pessoa ou em um animal cuja medula espinhal foi seccionada, esta, algumas vezes, repentinamente se torna excessivamente ativa, provocando uma descarga maciça em grandes porções dela. O estímulo usual que causa esse excesso de atividade é um estímulo de dor forte na pele ou enchimento exacerbado de uma víscera, como a distensão excessiva da bexiga ou do intestino. Independentemente do tipo de estímulo, o reflexo resultante, denominado *reflexo em massa*, envolve grandes porções, ou mesmo a totalidade, da medula. Os efeitos são: (1) uma parte importante dos músculos esqueléticos do corpo sofre um forte espasmo flexor; (2) provável evacuação do cólon e esvaziamento da bexiga; (3) a pressão arterial frequentemente aumenta para valores máximos, algumas vezes para uma pressão sistólica bem acima de 200 mmHg; e (4) grandes áreas do corpo começam a suar abundantemente.

CAPÍTULO 55 Funções Motoras da Medula Espinhal e Reflexos Medulares

Como o reflexo em massa pode durar minutos, ele provavelmente resulta da ativação de um grande número de circuitos reverberantes que excitam grandes áreas da medula de uma vez. Esse mecanismo é semelhante ao mecanismo das convulsões epilépticas, que envolvem circuitos reverberantes que ocorrem no cérebro, em vez de na medula espinhal.

Transeção da medula espinhal e choque espinhal

Quando a medula espinhal é subitamente seccionada na parte cervical superior, essencialmente todas as suas funções, incluindo os seus reflexos, tornam-se imediatamente deprimidas ao ponto de silêncio total, uma reação chamada de *choque espinhal*. A razão para essa reação é que a atividade normal dos neurônios da medula depende, em grande extensão, da excitação tônica contínua pela descarga de fibras nervosas que entram na medula de centros superiores, particularmente a descarga transmitida através dos tratos reticuloespinhal, vestibuloespinhal e corticoespinhal.

Depois de algumas horas a algumas semanas, os neurônios espinhais gradualmente recuperam sua excitabilidade. Esse fenômeno parece ser uma característica natural dos neurônios de todo o sistema nervoso; depois de perderem sua fonte de impulsos facilitadores, aumentam seu próprio grau natural de excitabilidade para compensar, pelo menos parcialmente, a perda. Na maioria dos não primatas, a excitabilidade dos centros medulares retorna essencialmente ao normal dentro de algumas horas a 1 dia ou mais, mas, nos seres humanos, o retorno frequentemente fica atrasado por várias semanas e, ocasionalmente, nunca ocorre; por outro lado, algumas vezes a recuperação é excessiva, resultando em hiperexcitabilidade de algumas ou de todas as funções da medula.

Algumas das funções medulares especificamente afetadas durante ou após o choque espinhal são as seguintes:

1. No início do choque espinhal, a pressão arterial cai quase instantânea e drasticamente – às vezes, a pressões tão baixas quanto 40 mmHg –, demonstrando, assim, que a atividade do sistema nervoso simpático fica bloqueada quase até a extinção. A pressão normalmente volta ao normal em alguns dias, mesmo em seres humanos.

2. Todos os reflexos do músculo esquelético integrados na medula espinhal são bloqueados durante os estágios iniciais do choque espinhal. Em animais inferiores, são necessárias algumas horas a alguns dias para que esses reflexos voltem ao normal; em seres humanos, às vezes são necessárias 2 semanas a vários meses. Em animais e em seres humanos, alguns reflexos podem, por fim, tornar-se hiperexcitáveis, particularmente se algumas vias facilitadoras permanecerem intactas entre o cérebro e a medula enquanto o restante da medula espinhal é seccionado. Os primeiros reflexos a retornar são os reflexos de estiramento, seguidos, em ordem, por reflexos progressivamente mais complexos: reflexos flexores, reflexos posturais de antigravitacionais e remanescentes dos reflexos de marcha.

3. Os reflexos sacrais, para controle do esvaziamento da bexiga e evacuação do cólon, são suprimidos nos seres humanos nas primeiras semanas após a transecção da medula, mas, na maioria dos casos, eles acabam retornando. Esses efeitos são discutidos nos Capítulos 26 e 67.

Bibliografia

Dietz V: Proprioception and locomotor disorders. Nat Rev Neurosci 3:781, 2002.

Dietz V, Fouad K: Restoration of sensorimotor functions after spinal cord injury. Brain 137:654, 2014.

Duysens J, Clarac F, Cruse H: Load-regulating mechanisms in gait and posture: comparative aspects. Physiol Rev 80:83, 2000.

Ellaway PH, Taylor A, Durbaba R: Muscle spindle and fusimotor activity in locomotion. J Anat 227:157, 2015.

Frigon A: The neural control of interlimb coordination during mammalian locomotion. J Neurophysiol 117:2224, 2017.

Glover JC: Development of specific connectivity between premotor neurons and motoneurons in the brain stem and spinal cord. Physiol Rev 80:615, 2000.

Gosgnach S, Bikoff JB, Dougherty KJ et al: Delineating the diversity of spinal interneurons in locomotor circuits. J Neurosci 37:10835, 2017.

Grillner S: The motor infrastructure: from ion channels to neuronal networks. Nat Rev Neurosci 4:573, 2003.

Hou S, Rabchevsky AG: Autonomic consequences of spinal cord injury. Compr Physiol 4:1419, 2014.

Jankowska E, Hammar I: Interactions between spinal interneurons and ventral spinocerebellar tract neurons. J Physiol 591:5445, 2013.

Kiehn O: Decoding the organization of spinal circuits that control locomotion. Nat Rev Neurosci 17:224, 2016.

Kröger S: Proprioception 2.0: novel functions for muscle spindles. Curr Opin Neurol 31:592, 2018.

Marchand-Pauvert V, Iglesias C: Properties of human spinal interneurones: normal and dystonic control. J Physiol 586.1247, 2008.

Osseward PJ 2nd, Pfaff SL: Cell type and circuit modules in the spinal cord. Curr Opin Neurobiol 56:175, 2019.

Prochazka A, Ellaway P: Sensory systems in the control of movement. Compr Physiol 2:2615, 2012.

Proske U, Gandevia SC: Kinesthetic senses. Compr Physiol 8:1157, 2018.

Proske U, Gandevia SC: The proprioceptive senses: their roles in signaling body shape, body position and movement, and muscle force. Physiol Rev 92:1651, 2012.

Rekling JC, Funk GD, Bayliss DA, et al: Synaptic control of motoneuronal excitability. Physiol Rev 80:767, 2000.

Zehr EP, Barss TS, Dragert K, et al: Neuromechanical interactions between the limbs during human locomotion: an evolutionary perspective with translation to rehabilitation. Exp Brain Res 234:3059, 2016.

CAPÍTULO 56

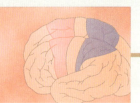

Controle da Função Motora pelo Córtex Cerebral e pelo Tronco Encefálico

A maioria dos movimentos "voluntários" iniciados pelo córtex cerebral é realizada quando o córtex ativa "padrões" de função armazenados nas áreas cerebrais inferiores – medula espinhal, tronco encefálico, núcleos da base e cerebelo. Esses centros inferiores, por sua vez, enviam sinais de controle específicos aos músculos.

Para alguns tipos de movimentos, entretanto, o córtex tem uma via quase direta para os neurônios motores anteriores da medula, desviando de alguns centros motores no caminho. Isso é especialmente verdadeiro para o controle dos movimentos finos e hábeis dos dedos e das mãos. Este capítulo e o Capítulo 57 explicam a inter-relação das diferentes áreas motoras do cérebro com a medula espinhal para proporcionar uma síntese geral da função motora voluntária.

CÓRTEX MOTOR E TRATO CORTICOESPINHAL

A **Figura 56.1** mostra as áreas funcionais do córtex cerebral. O *córtex motor* localiza-se em posição anterior ao sulco cortical central, ocupando aproximadamente o terço posterior dos lobos frontais. O *córtex somatossensorial* (área discutida em detalhes nos capítulos anteriores) encontra-se posteriormente ao sulco central, sendo a área que envia muitos dos sinais que iniciam as atividades motoras ao córtex motor.

O córtex motor é dividido em três subáreas, cada uma com sua própria representação topográfica de grupos musculares e funções motoras específicas: (1) o *córtex motor primário*; (2) a *área pré-motora*; e (3) a *área motora suplementar*.

CÓRTEX MOTOR PRIMÁRIO

O córtex motor primário, mostrado na **Figura 56.1**, está localizado na primeira convolução dos lobos frontais, anterior ao sulco central. Ele começa lateralmente no sulco lateral, estende-se para cima até a parte mais superior do cérebro e, em seguida, mergulha profundamente na fissura longitudinal (essa área é a mesma área 4 na classificação de Brodmann das áreas corticais do cérebro, mostrada na **Figura 48.5**).

A **Figura 56.1** relaciona as representações topográficas aproximadas das diferentes áreas musculares do corpo no córtex motor primário, começando com a face e a região da boca representadas perto do sulco lateral; a área do braço e da mão, na porção média do córtex motor primário; o tronco próximo ao ápice do cérebro; e as áreas das pernas e pés, na parte do córtex motor primário que mergulha na fissura longitudinal. Essa organização topográfica é mostrada de modo ainda mais esquemático na **Figura 56.2**, que apresenta os graus de representação das diferentes áreas musculares mapeadas por Penfield e Rasmussen. Esse mapeamento foi feito pela estimulação elétrica das diferentes áreas do córtex motor de seres humanos enquanto eram submetidos a neurocirurgia. Observe que mais da metade de todo o córtex motor primário está relacionado ao controle dos músculos das mãos e dos músculos da fala. A estimulação pontual nessas áreas motoras da mão e da fala, em raras ocasiões, causa a contração de um único músculo, mas, na maioria das vezes, contrai um grupo de músculos. Para expressar isso de outra maneira, a excitação de um único neurônio do córtex motor costuma excitar um movimento específico, em vez de um músculo em especial. Para isso, essa

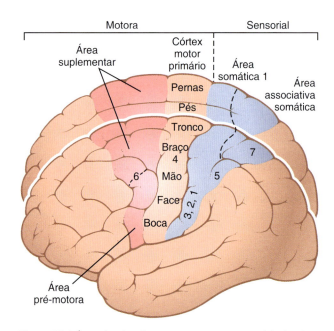

Figura 56.1 Áreas funcionais motoras e somatossensoriais do córtex cerebral. Os números 4, 5, 6 e 7 representam as áreas corticais de Brodmann, como explicado no Capítulo 48.

CAPÍTULO 56 Controle da Função Motora pelo Córtex Cerebral e pelo Tronco Encefálico

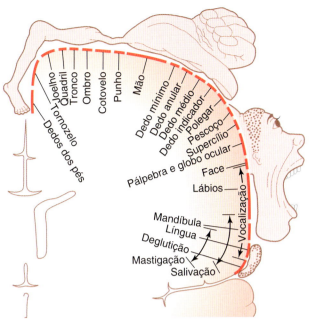

Figura 56.2 Grau de representação dos diferentes músculos do corpo no córtex motor. (*Modificada de Penfield W, Rasmussen T: The Cerebral Cortex of Man: A Clinical Study of Localization of Function. New York: Hafner, 1968.*)

excitação isolada estimula um padrão de músculos separados, cada um dos quais contribui com sua própria direção e força de movimento muscular.

ÁREA PRÉ-MOTORA

A área pré-motora, também mostrada na **Figura 56.1**, situa-se 1 a 3 centímetros anterior ao córtex motor primário. Estende-se inferiormente no sulco lateral e superiormente na fissura longitudinal, onde faz contato com a área motora suplementar, que tem funções semelhantes às da área pré-motora. A organização topográfica do córtex pré-motor é quase a mesma que a do córtex motor primário, com as áreas da boca e da face localizadas mais lateralmente; à medida que se move para cima, encontram-se as áreas das mãos, dos braços, do tronco e das pernas.

Os sinais nervosos criados na área pré-motora produzem padrões de movimento muito mais complexos do que os padrões discretos produzidos no córtex motor primário. Por exemplo, o padrão pode ser posicionar os ombros e os braços de modo que as mãos fiquem devidamente orientadas a realizar tarefas específicas. Para se obterem esses resultados, a parte mais anterior da área pré-motora desenvolve inicialmente uma "imagem motora" do movimento muscular total que deve ser realizado. Então, no córtex pré-motor posterior, essa imagem excita cada padrão sucessivo de atividade muscular necessária para atender à imagem. Essa parte posterior do córtex pré-motor envia seus sinais diretamente para o córtex motor primário a fim de excitar músculos específicos ou, de maneira frequente, por meio dos núcleos da base e do tálamo, de volta ao córtex motor primário.

Uma classe especial de neurônios, chamados *neurônios-espelho*, torna-se ativa quando o indivíduo realiza uma tarefa motora específica ou observa a mesma tarefa realizada por outros. Assim, a atividade desses neurônios "espelha" o comportamento de outra pessoa como se o observador estivesse realizando a tarefa motora específica. Estudos de imagens cerebrais indicam que esses neurônios transformam em representações motoras as representações sensoriais de atos que são ouvidos ou vistos. Muitos neurofisiologistas acreditam que esses neurônios-espelho podem ser importantes para não só compreender as ações de outros indivíduos, como também aprender novas habilidades por imitação. Assim, o córtex pré-motor, os núcleos da base, o tálamo e o córtex motor primário constituem um sistema global complexo para o controle de padrões complexos de atividade muscular coordenada.

ÁREA MOTORA SUPLEMENTAR

A área motora suplementar ainda conta com outra organização topográfica para o controle da função motora. Situa-se principalmente na fissura longitudinal, mas se estende alguns centímetros até o córtex frontal superior. As contrações desencadeadas pela estimulação dessa área costumam ser bilaterais, e não unilaterais. Por exemplo, a estimulação frequentemente leva a movimentos bilaterais simultâneos de preensão por ambas as mãos; esses movimentos são, talvez, rudimentos das funções manuais necessárias para escalar. Em geral, essa área funciona em conjunto com a área pré-motora para criar movimentos atitudinais de todo o corpo, movimentos de fixação dos diferentes segmentos do corpo, movimentos posicionais da cabeça e dos olhos, e assim por diante, como base para o controle motor mais preciso dos braços e das mãos pela área pré-motora e córtex motor primário.

ÁREAS MOTORAS ESPECIALIZADAS ENCONTRADAS NO CÓRTEX CEREBRAL

Certas regiões motoras altamente especializadas do córtex cerebral humano (mostradas na **Figura 56.3**) controlam funções motoras específicas. Essas regiões foram localizadas por estimulação elétrica ou pela observação da perda da função motora a partir de lesões destrutivas em áreas corticais específicas. Algumas das regiões mais importantes são descritas nas seções a seguir.

Área de Broca (área motora da fala). A **Figura 56.3** mostra a *área de Broca*, uma região pré-motora denominada "área da formação de palavras" situada imediatamente anterior ao córtex motor primário e logo acima do sulco lateral. Lesões nessa região não impedem que o indivíduo vocalize, mas impossibilitam-no de falar palavras inteiras, em vez de enunciados descoordenados ou uma ocasional palavra simples, como "não" ou "sim". Uma área cortical estreitamente associada também causa função respiratória apropriada, de modo que a ativação respiratória das cordas vocais pode ocorrer simultaneamente aos

PARTE 11 Sistema Nervoso: C. Neurofisiologia Motora e Integrativa

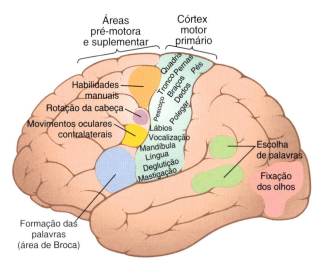

Figura 56.3 Representação dos diferentes músculos do corpo no córtex motor e localização de outras áreas corticais responsáveis por tipos específicos de movimentos motores.

movimentos da boca e da língua durante a fala. Assim, as atividades neuronais pré-motoras relacionadas à fala são muito complexas.

Controle dos movimentos oculares voluntários. Na área pré-motora, logo acima da área de Broca, encontra-se um local para controlar os movimentos oculares voluntários. Lesões nessa área impedem o indivíduo mova *voluntariamente* os olhos em direção a objetos diferentes. Em vez disso, os olhos tendem a fixar-se de maneira involuntária em objetos específicos, um efeito controlado por sinais do córtex visual occipital, como explicado no Capítulo 52. Essa área frontal também controla os movimentos das pálpebras, como piscar.

Área de rotação da cabeça. Um pouco mais acima, na área de associação motora, a estimulação elétrica provoca a rotação da cabeça. Essa área está intimamente associada ao campo de movimento dos olhos e direciona a cabeça para diferentes objetos.

Área relacionada a habilidades manuais. Na área pré-motora, imediatamente anterior ao córtex motor primário relacionado às mãos e aos dedos, encontra-se uma região importante para habilidades manuais. Ou seja, quando tumores ou outras lesões causam destruição nessa área, os movimentos das mãos tornam-se descoordenados e imprevisíveis, uma condição chamada *apraxia motora*.

TRANSMISSÃO DE SINAIS DO CÓRTEX MOTOR PARA OS MÚSCULOS

Os sinais motores são transmitidos diretamente do córtex para a medula espinhal por meio do *trato corticoespinhal* e indiretamente por múltiplas vias acessórias que incluem os *núcleos da base*, o *cerebelo* e vários *núcleos do tronco encefálico*. Em geral, as vias diretas estão relacionadas aos movimentos discretos e detalhados, especialmente dos segmentos distais dos membros, sobretudo das mãos e dos dedos.

Trato corticoespinhal (piramidal)

A via eferente mais importante do córtex motor é o *trato corticoespinhal*, também chamado de *trato piramidal*, mostrado na **Figura 56.4**. Ele tem sua origem em cerca de 30% do córtex motor primário, 30% das áreas pré-motoras e motoras suplementares e 40% das áreas somatossensoriais posteriores ao sulco central.

Depois de deixar o córtex, as fibras corticoespinhais passam pelo ramo posterior da cápsula interna (entre o núcleo caudado e o putame dos núcleos da base) e, então, descem pelo tronco encefálico, formando as *pirâmides da medula*. A maioria das fibras piramidais então cruza na medula inferior para o lado oposto e desce para os *tratos corticoespinhais laterais* da medula, terminando, por fim, principalmente nos interneurônios das regiões intermediárias da substância cinzenta da medula. Algumas terminam em neurônios de retransmissão sensorial no corno dorsal, e bem poucas se encerram diretamente nos neurônios motores anteriores que causam a contração muscular.

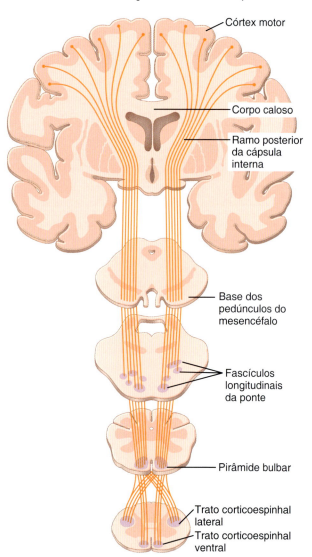

Figura 56.4 Trato corticoespinhal (piramidal). (*Modificada de Ranson SW, Clark SL: Anatomy of the Nervous System. Philadelphia: WB Saunders, 1959.*)

CAPÍTULO 56 Controle da Função Motora pelo Córtex Cerebral e pelo Tronco Encefálico

Certas fibras não cruzam para o lado oposto na medula, mas passam ipsilateralmente pela medula nos *tratos corticoespinhais ventrais*. Muitas dessas, senão a maioria, cruzam, por fim, para o lado oposto da medula, no pescoço ou na região torácica superior. Essas fibras podem estar relacionadas ao controle dos movimentos posturais bilaterais pelo córtex motor suplementar.

As fibras mais impressionantes do trato piramidal são uma população de grandes fibras mielínicas com diâmetro médio de 16 micrômetros. Elas originam-se de *células piramidais gigantes*, chamadas *células de Betz*, encontradas apenas no córtex motor primário. As células de Betz têm cerca de 60 micrômetros de diâmetro, e suas fibras transmitem impulsos nervosos para a medula espinhal a cerca de 70 m/s, a velocidade mais rápida de transmissão de qualquer sinal do cérebro para a medula. Existem aproximadamente 34.000 dessas grandes fibras das células de Betz em cada trato corticoespinhal. O número total de fibras em cada trato corticoespinhal é superior a 1 milhão; essas fibras representam, portanto, apenas 3% do total. Os outros 97% são principalmente fibras menores que 4 micrômetros de diâmetro que conduzem sinais de tônus basal para as áreas motoras da medula.

Outras vias neurais provenientes do córtex motor

O córtex motor dá origem a grande número de fibras adicionais, principalmente pequenas, que vão para regiões profundas do cérebro e do tronco encefálico, incluindo as seguintes:

1. Os axônios das células de Betz gigantes enviam colaterais curtos de volta ao córtex. Acredita-se que esses colaterais inibam as regiões adjacentes do córtex quando as células Betz se descarregam, tornando, assim, os limites do sinal excitatório mais nítidos.
2. Grande número de fibras passa do córtex motor para o *núcleo caudado* e para o *putame*. A partir desse ponto, vias adicionais se estendem para o tronco encefálico e para a medula espinhal, como discutido no próximo capítulo, principalmente para controlar as contrações musculares posturais do corpo.
3. Um número moderado de fibras motoras passa para os *núcleos rubros* do mesencéfalo. Desses núcleos, fibras adicionais descem pela medula através do *trato rubroespinhal*.
4. Um número moderado de fibras motoras desvia-se para a *substância reticular* e os *núcleos vestibulares* do tronco encefálico; desse ponto, os sinais vão para a medula por meio dos *tratos reticuloespinhais* e *vestibuloespinhais*, e outros vão para o cerebelo por meio dos *tratos reticulocerebelar* e *vestibulocerebelar*.
5. Grande número de fibras motoras faz sinapses nos núcleos da ponte, que dão origem às *fibras pontocerebelares*, as quais transportam sinais para os hemisférios cerebelares.
6. Os colaterais também terminam nos *núcleos olivares inferiores*, e, a partir desse ponto, *fibras olivocerebelares* secundárias transmitem sinais para múltiplas áreas do cerebelo.

Assim, os núcleos da base, o tronco encefálico e o cerebelo recebem fortes sinais motores do sistema corticoespinhal toda vez que um sinal é transmitido pela medula espinhal para causar uma atividade motora.

Vias sensoriais aferentes do córtex motor

As funções do córtex motor são controladas, principalmente, por sinais nervosos do sistema somatossensorial e também, até certo ponto, de outros sistemas sensoriais, como a audição e a visão. Assim que a informação sensorial é recebida, o córtex motor opera em associação com os núcleos da base e o cerebelo para estimular as ações motoras apropriadas. As vias de fibras aferentes mais importantes para o córtex motor são as seguintes:

1. Fibras subcorticais de regiões adjacentes do córtex cerebral, especialmente de (a) áreas somatossensoriais do córtex parietal, (b) áreas adjacentes do córtex frontal anterior ao córtex motor e (c) córtices visual e auditivo.
2. Fibras subcorticais que chegam através do corpo caloso do hemisfério cerebral oposto. Essas fibras conectam áreas correspondentes dos córtices nos dois lados do cérebro.
3. Fibras somatossensoriais que chegam diretamente do complexo ventrobasal do tálamo, retransmitindo, sobretudo, sinais táteis cutâneos e sinais articulares e musculares da periferia do corpo.
4. Tratos dos núcleos ventrolateral e ventroanterior do tálamo, que, por sua vez, recebem sinais do cerebelo e dos núcleos da base. Esses tratos fornecem os sinais necessários à coordenação entre as funções de controle motor do córtex motor, dos núcleos da base e do cerebelo.
5. Fibras dos núcleos intralaminares do tálamo, as quais controlam o nível geral de excitabilidade do córtex motor, da mesma maneira que regulam o nível geral de excitabilidade da maioria das outras regiões do córtex cerebral.

O NÚCLEO RUBRO SERVE COMO UMA VIA ALTERNATIVA PARA TRANSMITIR SINAIS CORTICAIS À MEDULA ESPINHAL

O *núcleo rubro*, localizado no mesencéfalo, funciona em estreita associação com o trato corticoespinhal. Como mostrado na **Figura 56.5**, ele recebe grande número de fibras diretas do córtex motor primário através do *trato corticorrubro*, bem como fibras colaterais do trato corticoespinhal à medida que ele passa pelo mesencéfalo. Essas fibras fazem sinapse na porção inferior do núcleo rubro, a *porção magnocelular*, que contém grandes neurônios semelhantes em tamanho às células de Betz no córtex motor. Esses grandes neurônios dão origem ao *trato rubroespinhal*, que cruza para o lado oposto no tronco encefálico inferior e segue um curso imediatamente adjacente e anterior ao trato corticoespinhal até as colunas laterais da medula espinhal.

Embora a maioria das fibras rubroespinhais terminem nos interneurônios das áreas intermediárias da substância cinzenta da medula (junto com as fibras corticoespinhais), algumas delas se encerram diretamente nos neurônios

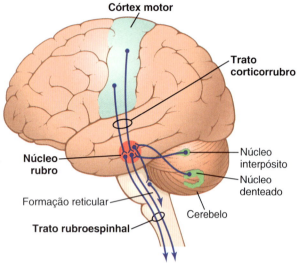

Figura 56.5 Via corticorrubroespinhal para controle motor, mostrando, também, a relação dessa via com o cerebelo.

motores anteriores, junto com algumas fibras corticoespinhais. O núcleo rubro também tem conexões estreitas com o cerebelo, semelhantes àquelas entre o córtex motor e o cerebelo.

O sistema corticorrubroespinhal é uma via acessória para a transmissão de sinais do córtex motor à medula espinhal. A porção magnocelular do núcleo rubro tem uma representação somatotópica de todos os músculos do corpo, assim como o córtex motor. Logo, a estimulação de um único ponto nessa porção do núcleo rubro causa a contração de um único músculo ou de um pequeno grupo de músculos. No entanto, a precisão da representação dos diferentes músculos é muito menos desenvolvida do que no córtex motor, sobretudo em seres humanos, cujos núcleos rubros são relativamente pequenos.

A via corticorrubroespinhal serve como uma via acessória para a transmissão de sinais do córtex motor para a medula espinhal. Quando as fibras corticoespinhais são destruídas, mas a via corticorrubroespinhal permanece intacta, movimentos discretos ainda podem ocorrer, exceto aqueles para o controle fino dos dedos e das mãos, que ficam consideravelmente comprometidos. Os movimentos do punho ainda são funcionais, o que não acontece quando a via corticorrubroespinhal também é bloqueada.

Dessa maneira, a via do núcleo rubro até a medula espinhal está associada ao sistema corticoespinhal. Além disso, o trato rubroespinhal fica localizado nas colunas laterais da medula espinhal, junto com o trato corticoespinhal, e termina nos interneurônios e neurônios motores que controlam os músculos mais distais das extremidades. Portanto, os tratos corticoespinhal e rubroespinhal são chamados conjuntamente de *sistema motor lateral da medula espinhal*, distinguindo-se do sistema vestibulorreticuloespinhal, que se localiza sobretudo na parte medial da medula e é chamado de *sistema motor medial da medula*, como discutido adiante neste capítulo.

EXCITAÇÃO DAS ÁREAS DE CONTROLE MOTOR DA MEDULA ESPINHAL PELO CÓRTEX MOTOR PRIMÁRIO E PELO NÚCLEO RUBRO

Os neurônios do córtex motor são organizados em colunas verticais. Nos Capítulos 48 e 52, destacamos que as células do córtex somatossensorial e do córtex visual são organizadas em *colunas verticais de células*. As células do córtex motor também são organizadas em colunas verticais com diâmetro de uma fração de milímetro e contendo, em cada coluna, milhares de neurônios.

Cada coluna de células funciona como uma unidade, estimulando geralmente um grupo de músculos sinérgicos, mas, às vezes, apenas um único músculo. Além disso, cada coluna tem seis camadas distintas de células, como acontece em quase todo o córtex cerebral. Todas as células piramidais que dão origem às fibras corticoespinhais se encontram na quinta camada de células da superfície cortical. Todos os sinais aferentes entram pelas camadas 2 a 4, e a sexta camada dá origem, principalmente, a fibras que se comunicam com outras regiões do córtex cerebral.

Cada coluna de neurônios funciona como um sistema integrado de processamento. Os neurônios de cada coluna operam como um sistema de processamento integrativo, usando informações de múltiplas fontes de aferência para determinar a resposta eferente da coluna. Além disso, cada coluna pode funcionar como um sistema de amplificação para estimular grande número de fibras piramidais para o mesmo músculo ou para músculos sinérgicos simultaneamente. Essa capacidade é importante por ser raro a estimulação de uma única célula piramidal excitar um músculo. Em geral, 50 a 100 células piramidais precisam ser excitadas de maneira simultânea, ou em rápida sucessão, para se obter a contração muscular definitiva.

Sinais dinâmicos e estáticos são transmitidos pelos neurônios piramidais. Se um sinal forte é enviado a um músculo para causar uma contração rápida inicial, um sinal contínuo muito mais fraco pode manter a contração por longos períodos depois disso. Esse processo é a maneira usual pela qual a excitação é fornecida a fim de causar contrações musculares. Para fornecer essa excitação, cada coluna de células excita duas populações de neurônios de células piramidais: uma chamada de *neurônios dinâmicos*, e a outra, de *neurônios estáticos*. Os neurônios dinâmicos são excitados em alta velocidade por um curto período no início de uma contração, levando ao rápido *desenvolvimento de força* inicial. Os neurônios estáticos, então, disparam em uma frequência muito mais lenta, mas continuam disparando nessa lenta faixa para *manter a força de contração* enquanto a contração for necessária.

Os neurônios do núcleo rubro têm características dinâmicas e estáticas semelhantes, embora uma porcentagem maior de neurônios dinâmicos esteja no núcleo rubro e uma porcentagem maior de neurônios estáticos se localize no córtex motor primário. Isso pode ter relação com o fato de o núcleo rubro estar intimamente ligado ao cerebelo, que, por sua vez, desempenha um papel importante no início rápido da contração muscular, como será explicado no próximo capítulo.

A retroalimentação somatossensorial para o córtex motor ajuda a controlar a precisão da contração muscular

Quando os sinais nervosos do córtex motor fazem com que um músculo se contraia, os sinais somatossensoriais percorrem de volta todo o percurso desde a região ativada do corpo até os neurônios no córtex motor que estão iniciando a ação. A maioria desses sinais somatossensoriais tem sua origem em: (1) fusos musculares; (2) órgãos tendinosos do músculo; ou (3) receptores táteis da pele que recobre os músculos.

Esses sinais somáticos provocam, com frequência, o aumento da retroalimentação positiva da contração muscular das seguintes maneiras. No caso dos fusos neuromusculares, se as fibras intrafusais se contraem mais do que as fibras musculoesqueléticas grandes, as porções centrais dos fusos se tornarão estiradas e, portanto, excitadas. Os sinais desses fusos, então, retornam rapidamente às células piramidais no córtex motor, sinalizando que as grandes fibras musculares não se contraíram o suficiente. As células piramidais estimulam ainda mais o músculo, ajudando sua contração a acompanhar a contração dos fusos musculares. No caso dos receptores táteis, se a contração muscular causar compressão da pele contra um objeto, como compressão dos dedos ao redor de um objeto sendo agarrado, os sinais dos receptores da pele poderão, se necessário, causar ainda mais excitação dos músculos e, portanto, aumentar a firmeza do aperto de mão.

Estimulação dos neurônios motores espinhais

A **Figura 56.6** mostra a seção transversa de um segmento da medula espinhal demonstrando: (1) múltiplos tratos de controle motor e sensorimotor entrando no segmento da medula; e (2) um neurônio motor anterior representativo no meio da substância cinzenta do corno anterior. O trato corticoespinhal e o trato rubroespinhal localizam-se nas porções dorsais das colunas brancas laterais. Suas fibras terminam, principalmente, em interneurônios na área intermediária da substância cinzenta da medula.

Na intumescência cervical da medula, onde as mãos e os dedos estão representados, um grande número de fibras corticoespinhais e rubroespinhais também terminam diretamente nos neurônios motores anteriores, possibilitando uma rota direta do cérebro para ativar a contração muscular. Esse mecanismo está de acordo com o fato de que o córtex motor primário tem um grau extremamente alto de representação para o controle fino das ações das mãos, dos dedos e polegares.

Padrões de movimento produzidos pelos centros da medula espinhal.
Do Capítulo 55, deve-se lembrar de que a medula espinhal pode fornecer certos padrões reflexos específicos de movimento em resposta à estimulação nervosa sensorial. Muitos desses mesmos padrões também são importantes quando os neurônios motores anteriores da medula são excitados por sinais cerebrais. Por exemplo, o reflexo de estiramento é funcional em todos os momentos, ajudando a amortecer quaisquer oscilações dos movimentos motores iniciados no cérebro. Esse reflexo provavelmente também fornece pelo menos parte da força motora necessária para causar contrações musculares quando as fibras intrafusais dos fusos musculares se contraem mais do que as fibras musculares esqueléticas grandes, desencadeando, assim, a estimulação reflexa "servoassistida" do músculo, além da estimulação direta pelas fibras corticoespinhais.

Além disso, quando um sinal cerebral excita um músculo, geralmente é desnecessário transmitir um sinal inverso para relaxar o músculo antagonista ao mesmo tempo; esse relaxamento é obtido pelo circuito de *inervação recíproca* que está sempre presente na medula para coordenar a função de pares de músculos antagônicos.

Por fim, outros mecanismos reflexos da medula – como o de retirada, de marcha e caminhada, de coçar e de mecanismos posturais – podem ser ativados por sinais de comando do cérebro. Assim, é possível que sinais de comando cerebrais simples iniciem muitas atividades motoras normais, particularmente para funções como andar e produzir diferentes atitudes posturais do corpo.

Efeito das lesões no córtex motor ou na via corticoespinhal

Redução do suprimento sanguíneo cerebral causada por um acidente vascular encefálico. O sistema de controle motor pode ser danificado pela anormalidade comum chamada de acidente vascular encefálico (AVE) ou acidente vascular cerebral (AVC). O AVE é causado pela ruptura de um vaso sanguíneo que produz hemorragia no cérebro ou por trombose de uma das principais artérias que irrigam o cérebro. Em ambos os casos, o resultado é a perda

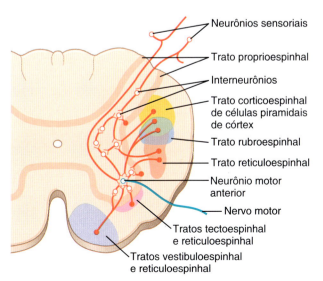

Figura 56.6 Convergência de diferentes vias de controle motor nos neurônios motores anteriores.

do suprimento sanguíneo para o córtex ou para o trato corticoespinhal, onde passa através da cápsula interna entre o núcleo caudado e o putame.

Remoção do córtex motor primário (área piramidal). A remoção cirúrgica de uma porção do córtex motor primário – a área que contém as células piramidais gigantes de Betz – provoca graus variáveis de paralisia dos músculos representados. Se o núcleo caudado subjacente e as áreas pré-motoras adjacentes e motoras suplementares não estiverem danificadas, ainda podem ocorrer movimentos posturais grosseiros e fixação das extremidades, mas há *perda do controle voluntário dos movimentos discretos dos segmentos distais das extremidades, especialmente das mãos e dos dedos*. Isso não significa que os músculos das mãos e dos dedos não possam contrair-se; em vez disso, o que ocorre é a *perda da capacidade de controlar os movimentos finos*. A partir dessas observações, é possível concluir que a área piramidal é essencial para o início voluntário de movimentos finamente controlados, em especial das mãos e dos dedos.

Espasticidade muscular causada por lesões que afetam grandes áreas adjacentes ao córtex motor. O córtex motor primário normalmente exerce um efeito estimulador tônico contínuo sobre os neurônios motores da medula espinhal; quando esse efeito estimulador é removido, ocorre *hipotonia*. A maior parte das lesões do córtex motor, em especial aquelas causadas por um *acidente vascular encefálico*, está relacionada não apenas ao córtex motor primário, mas também a partes adjacentes do cérebro, como os núcleos da base. Nesses casos, ocorre *espasmo muscular (espasticidade)* quase que invariavelmente nas áreas musculares afetadas no *lado oposto* do corpo (porque as vias motoras cruzam para o lado oposto). Esse espasmo resulta, principalmente, de lesão às vias acessórias das porções não piramidais do córtex motor. Essas vias tendem a inibir os núcleos motores vestibulares e reticulares do tronco encefálico. Esses núcleos, quando cessam seu estado de inibição (ou seja, são desinibidos), tornam-se espontaneamente ativos e causam tônus espástico excessivo nos músculos envolvidos, como discutiremos mais detalhadamente ainda neste capítulo. Essa espasticidade é a que costuma acompanhar o acidente vascular encefálico em um ser humano.

CONTROLE DAS FUNÇÕES MOTORAS PELO TRONCO ENCEFÁLICO

O tronco encefálico é formado pela *medula espinhal*, pela *ponte* e pelo *mesencéfalo*. Em certo sentido, é uma extensão superior da medula espinhal na cavidade craniana porque contém núcleos motores e sensoriais que realizam funções motoras e sensoriais para as regiões da face e da cabeça da mesma maneira que a medula espinhal executa essas funções no pescoço para baixo. Em outro sentido, no entanto, o tronco encefálico é seu próprio mestre, pois é responsável por muitas funções de controle especiais, como as seguintes:

1. Controle da respiração.
2. Controle do sistema cardiovascular.
3. Controle parcial da função gastrointestinal.
4. Controle de muitos movimentos estereotipados do corpo.
5. Controle de equilíbrio.
6. Controle dos movimentos oculares.

Por fim, o tronco encefálico serve como uma estação intermediária para sinais de comando dos centros neurais superiores. Muitas dessas funções são discutidas em outros capítulos deste texto. Nas seções a seguir, discutiremos o papel do tronco encefálico no controle do movimento e do equilíbrio de todo o corpo. Especialmente importantes para esses fins são os *núcleos reticulares* e os *núcleos vestibulares* do tronco encefálico.

SUSTENTAÇÃO DO CORPO CONTRA A GRAVIDADE | PAPÉIS DOS NÚCLEOS RETICULARES E VESTIBULARES

A **Figura 56.7** mostra as localizações dos núcleos reticulares e vestibulares no tronco encefálico.

Antagonismo excitatório-inibitório entre os núcleos reticulares pontinos e medulares

Os núcleos reticulares são divididos em dois grupos principais: (1) *núcleos reticulares pontinos*, localizados ligeiramente posterior e lateralmente à ponte, estendendo-se até o mesencéfalo; e (2) *núcleos reticulares medulares*, que se estendem por toda a medula, situando-se ventral e medialmente próximo à linha média. Esses dois conjuntos de núcleos funcionam sobretudo de maneira antagônica, com os pontinos estimulando os músculos antigravitacionais, e os medulares relaxando esses mesmos músculos.

O sistema reticular pontino transmite sinais excitatórios. Os núcleos reticulares pontinos transmitem sinais excitatórios descendentes na medula através do

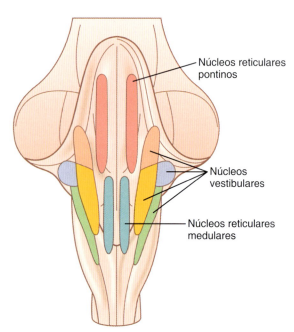

Figura 56.7 Localizações dos núcleos reticulares e vestibulares no tronco encefálico.

trato reticuloespinhal pontino, na coluna anterior da medula, como mostrado na **Figura 56.8**. As fibras dessa via terminam nos neurônios motores anteriores mediais que excitam os músculos axiais do corpo, os quais o sustentam contra a gravidade – ou seja, os músculos da coluna vertebral e os músculos extensores dos membros.

Os núcleos reticulares pontinos têm alto grau de excitabilidade natural. Além disso, eles recebem fortes sinais excitatórios dos núcleos vestibulares, bem como dos núcleos profundos do cerebelo. Portanto, o sistema reticular excitatório pontino, quando não tem oposição do sistema reticular medular, provoca uma excitação tão poderosa dos músculos antigravitacionais em todo o corpo, que animais quadrúpedes conseguem sustentar o corpo contra a gravidade se posicionados em pé, sem qualquer sinal de níveis superiores do cérebro.

O sistema reticular medular transmite sinais inibitórios. Os núcleos reticulares medulares transmitem sinais inibitórios aos mesmos neurônios motores anteriores de antigravidade por meio de um trato diferente, o *trato reticuloespinhal medular*, localizado na coluna lateral da medula, como também mostrado na **Figura 56.8**. Os núcleos reticulares medulares recebem fortes estímulos colaterais das seguintes vias aferentes: (1) trato corticoespinhal; (2) trato rubroespinhal; e (3) outras vias motoras. Esses tratos e vias costumam ativar o sistema inibitório reticular medular para contrabalançar os sinais excitatórios do sistema reticular pontino. Portanto, em condições normais, os músculos do corpo não ficam anormalmente tensos.

Ainda assim, alguns sinais de áreas superiores do cérebro podem desinibir o sistema medular quando o cérebro deseja excitar o sistema pontino para que o indivíduo permaneça em pé. Em outras ocasiões, é possível a excitação do sistema reticular medular inibir os músculos antigravitacionais em certas partes do corpo a fim de possibilitar que essas partes realizem atividades motoras especiais.

Os núcleos reticulares excitatórios e inibitórios constituem um sistema controlável, o qual é manipulado por sinais motores do córtex cerebral e de outras partes a fim de fornecer contrações musculares de fundo necessárias para ficar contra a gravidade e inibir grupos de músculos apropriados, se preciso, possibilitando, assim, que outras funções sejam realizadas.

Papel dos núcleos vestibulares para excitar os músculos antigravitacionais

Todos os *núcleos vestibulares*, mostrados na **Figura 56.7**, funcionam em associação com os núcleos reticulares pontinos para controlar os músculos antigravitacionais. Os núcleos vestibulares transmitem fortes sinais excitatórios para os músculos antigravitacionais por meio dos *tratos vestibuloespinhais lateral* e *medial* nas colunas anteriores da medula espinhal, como visto na **Figura 56.8**. Sem essa sustentação dos núcleos vestibulares, o sistema reticular pontino perderia muito de sua excitação dos músculos antigravitacionais axiais.

O papel específico dos núcleos vestibulares, entretanto, é controlar *seletivamente* os sinais excitatórios para os diferentes músculos antigravitacionais, a fim de manter o equilíbrio *em resposta aos sinais do aparelho vestibular*. Esse conceito será discutido mais detalhadamente ainda neste capítulo.

O animal descerebrado desenvolve rigidez espástica.

Quando o tronco encefálico de um animal é seccionado abaixo do nível médio do mesencéfalo, mas os sistemas reticulares pontino e medular e o aparelho vestibular permanecem intactos, ocorre uma condição chamada *rigidez por descerebração*. Essa rigidez não ocorre em todos os músculos do corpo, mas nos antigravitacionais – os músculos do pescoço e do tronco e os extensores das pernas.

A causa da rigidez por descerebração é o bloqueio de uma entrada, normalmente intensa, para os núcleos reticulares medulares a partir do córtex cerebral, dos núcleos rubros e dos núcleos da base. Na falta dessa aferência, o sistema inibidor reticular medular torna-se não funcional, ocorre hiperatividade total do sistema excitatório pontino e desenvolve-se a rigidez. Veremos mais adiante que outras causas de rigidez ocorrem em outras doenças neuromotoras, especialmente nas lesões dos núcleos da base.

SENSAÇÕES VESTIBULARES E MANUTENÇÃO DO EQUILÍBRIO

APARELHO VESTIBULAR

O aparelho vestibular, mostrado na **Figura 56.9**, é o órgão sensorial para detectar sensações de equilíbrio. Ele está envolto em um sistema de tubos e câmaras ósseas localizadas na porção petrosa do osso temporal, chamado *labirinto ósseo*. Dentro desse sistema estão tubos e câmaras membranosas chamadas de *labirinto membranoso*, a parte funcional do aparelho vestibular.

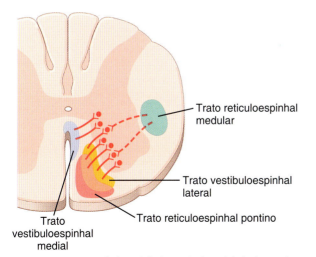

Figura 56.8 Tratos vestibuloespinhais e reticuloespinhais descendo na medula espinhal para excitar (*linhas contínuas*) ou inibir (*linhas tracejadas*) os neurônios motores anteriores que controlam a musculatura axial do corpo.

A parte superior da **Figura 56.9** mostra o labirinto membranoso, composto principalmente pela *cóclea* (ducto coclear), por três *canais semicirculares* e duas grandes câmaras (o *utrículo* e o *sáculo*). A cóclea é o principal órgão sensorial da audição (ver Capítulo 53) e tem pouco a ver com equilíbrio. No entanto, os *canais semicirculares*, o *utrículo* e o *sáculo* são, todos eles, partes integrantes do mecanismo de equilíbrio.

Mácula | Órgão sensorial do utrículo e do sáculo para detectar a orientação da cabeça em relação à gravidade. Localizada na superfície interna de cada utrículo e sáculo, apresentada no diagrama superior da **Figura 56.9**, há uma pequena área sensorial ligeiramente maior que 2 milímetros de diâmetro chamada *mácula*. A *mácula do utrículo* encontra-se sobretudo no *plano horizontal* na superfície inferior do utrículo e desempenha um papel importante na determinação da orientação da cabeça quando ela está ereta. Por outro lado, a *mácula do sáculo* está localizada principalmente em um *plano vertical* e sinaliza a orientação da cabeça quando o indivíduo está em decúbito.

Cada mácula é coberta por uma camada gelatinosa na qual estão embutidos muitos cristais pequenos de carbonato de cálcio, chamados de *estatocônios*. Também na mácula, existem milhares de *células ciliadas*, uma das quais é mostrada na **Figura 56.10**. Essas células ciliadas projetam *cílios* para a camada gelatinosa, e as bases e as laterais delas fazem sinapse com as terminações sensoriais do *nervo vestibular*.

Os estatocônios calcificados têm uma *gravidade específica* duas a três vezes maior do que a do líquido e dos tecidos circundantes. O peso dos estatocônios dobra os cílios na direção da tração gravitacional.

Sensibilidade direcional das células ciliadas | Cinocílio. Cada célula ciliada tem cerca de 100 pequenos cílios chamados *estereocílios*, além de um grande cílio, o *cinocílio*, como mostrado na **Figura 56.10**. O cinocílio está sempre localizado em um lado, e os estereocílios tornam-se progressivamente mais curtos em direção ao outro lado da célula. Conexões filamentosas diminutas, quase invisíveis até mesmo ao microscópio eletrônico, conectam a

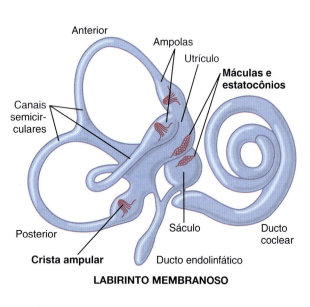

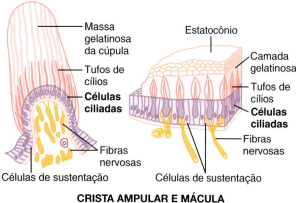

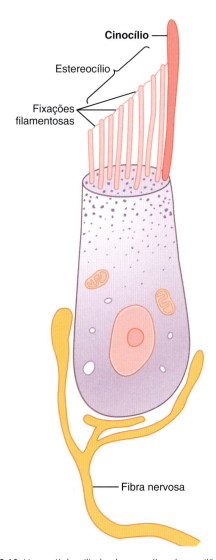

Figura 56.9 Labirinto membranoso e organização da crista ampular e da mácula.

Figura 56.10 Uma célula ciliada do aparelho de equilíbrio e suas sinapses com o nervo vestibular.

ponta de cada estereocílio ao estereocílio seguinte, mais longo, e, por fim, ao cinocílio.

Por causa desses anexos, quando os estereocílios se dobram na direção do cinocílio, as conexões filamentosas puxam, em sequência, os estereocílios, afastando-os do corpo celular. Esse movimento abre várias centenas de canais de cátions na membrana da célula neuronal em torno das bases dos estereocílios, e esses canais são capazes de conduzir um grande número de íons positivos. Assim, os íons positivos fluem para a célula do líquido endolinfático circundante, provocando a *despolarização da membrana do receptor*. Por outro lado, a curvatura da pilha de estereocílios na direção oposta (para trás, longe do cinocílio) reduz a tensão nas fixações; esse movimento fecha os canais iônicos, produzindo *hiperpolarização do receptor*.

Em condições normais de repouso, as fibras nervosas que saem das células ciliadas transmitem impulsos nervosos contínuos a uma frequência de aproximadamente 100 por segundo. Quando os estereocílios se curvam em direção ao cinocílio, o tráfego de impulso aumenta, muitas vezes para várias centenas por segundo; inversamente, dobrar os cílios para longe do cinocílio diminui o tráfego de impulso, muitas vezes desligando-o por completo. Portanto, à medida que a orientação da cabeça no espaço muda e o peso dos estatocônios distorce os cílios, sinais apropriados são transmitidos ao cérebro para controlar o equilíbrio.

Em cada mácula, cada uma das células ciliadas é orientada em uma direção diferente, de modo que algumas delas são estimuladas quando a cabeça se inclina para a frente, algumas, quando ela se inclina para trás, outras, quando se inclina para um lado, e assim por diante. Portanto, ocorre um padrão diferente de excitação nas fibras nervosas maculares para cada orientação da cabeça no campo gravitacional. É esse padrão que avisa o cérebro sobre a orientação da cabeça no espaço.

Canais semicirculares. Os três canais semicirculares em cada aparelho vestibular, conhecidos como *canais semicirculares anterior, posterior* e *lateral (horizontal)*, são dispostos em ângulos retos entre si, de modo que representam todos os três planos no espaço. Quando a cabeça é inclinada cerca de 30° para a frente, os canais semicirculares laterais ficam aproximadamente horizontais em relação à superfície da Terra; os canais anteriores estão em planos verticais que se projetam *para frente e 45° para fora*, enquanto os canais posteriores estão em planos verticais que se projetam *para trás e 45° para fora*.

Cada canal semicircular tem um alargamento em uma de suas extremidades, denominado *ampola*, e os canais e as ampolas são preenchidos com um líquido denominado *endolinfa*. O fluxo desse líquido por um dos canais e por sua ampola excita o órgão sensorial da ampola da seguinte maneira: a **Figura 56.11** mostra uma pequena crista em cada ampola, chamada *crista ampular*. No topo dessa crista existe massa de tecido gelatinoso frouxo, a *cúpula*. Quando a cabeça de um indivíduo começa a girar em

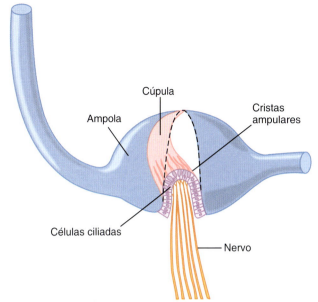

Figura 56.11 Movimento da cúpula e dos cílios imersos no início da rotação.

qualquer direção, a inércia do líquido em um ou mais dos canais semicirculares faz com que o líquido permaneça estacionário enquanto o canal semicircular gira com a cabeça. Esse processo faz o líquido fluir do canal e através da ampola, dobrando a cúpula para um lado, como mostrado pela posição da cúpula colorida na **Figura 56.11**. A rotação da cabeça na direção oposta faz a cúpula curvar-se para o lado oposto.

Centenas de cílios de células ciliadas localizadas na crista ampular são projetados na cúpula. Os cinocílios dessas células ciliadas estão todos orientados na mesma direção na cúpula, e a deformação da cúpula nessa direção causa despolarização das células ciliadas, enquanto a deformação na direção oposta hiperpolariza as células. Então, a partir das células ciliadas, sinais apropriados são enviados através do *nervo vestibular* para avisar o sistema nervoso central sobre uma *alteração da rotação* da cabeça e sobre a *velocidade da alteração* em cada um dos três planos do espaço.

FUNÇÃO DO UTRÍCULO E DO SÁCULO NA MANUTENÇÃO DO EQUILÍBRIO ESTÁTICO

É especialmente importante que as células ciliadas estejam todas orientadas em diversas direções nas máculas dos utrículos e sáculos, de modo que, com diferentes posições da cabeça, várias células ciliadas sejam estimuladas. Os padrões de estimulação das diferentes células ciliadas informam o cérebro da posição da cabeça em relação à força da gravidade. Por sua vez, os sistemas nervosos vestibular, cerebelar e motor reticular do cérebro estimulam os músculos posturais apropriados para manter o equilíbrio adequado.

Este sistema de utrículo e sáculo funciona de maneira extremamente eficaz para manter o equilíbrio quando a cabeça está na posição quase vertical. Na verdade, o indivíduo pode determinar até meio grau de desequilíbrio quando o corpo se inclina a partir da posição ereta precisa.

Detecção de aceleração linear pelas máculas do utrículo e do sáculo. Quando o corpo é repentinamente empurrado para a frente – isto é, quando ele acelera –, os estatocônios, que têm maior inércia de massa do que o líquido circundante, deslocam-se para trás sobre os cílios das células ciliadas, sendo então enviadas informações de desequilíbrio para os centros nervosos. Isso faz o indivíduo sentir como se estivesse caindo para trás e, automaticamente, inclinar-se para a frente, até que o deslocamento anterior resultante do estatocônio se iguale exatamente à tendência de o estatocônio cair para trás devido à aceleração. Nesse ponto, o sistema nervoso detecta um estado de equilíbrio adequado e não inclina o corpo para a frente. Assim, as máculas operam para manter o equilíbrio durante a aceleração linear da exata maneira como agem durante o equilíbrio estático.

As máculas *não* operam para a detecção da *velocidade* linear. Quando os corredores começam a correr, eles precisam inclinar-se muito para a frente, a fim de evitar cair para trás devido à *aceleração* inicial. Mas, uma vez alcançada a velocidade de corrida, se estivessem correndo no vácuo, não teriam de se inclinar para a frente. Ao correr em ambiente com ar, eles inclinam-se para a frente com o objetivo de manter o equilíbrio apenas por causa da resistência do ar contra seu corpo; nesse caso, não são as máculas que os fazem inclinar-se, mas a pressão do ar atuando nos órgãos terminais de pressão na pele, que iniciam os ajustes de equilíbrio apropriados para evitar quedas.

DETECÇÃO DA ROTAÇÃO DA CABEÇA PELOS CANAIS SEMICIRCULARES

Quando a cabeça repentinamente começa a girar em qualquer direção (a chamada *aceleração angular*), a endolinfa nos canais semicirculares, em razão de sua inércia, tende a permanecer estacionária enquanto os canais semicirculares giram. Esse mecanismo causa fluxo relativo de líquido nos canais na direção oposta à rotação da cabeça.

A **Figura 56.12** mostra um sinal de descarga típico de uma única célula ciliada na crista ampular quando um animal é girado por 40 segundos, demonstrando o seguinte: (1) mesmo quando a cúpula está em posição de repouso, a célula ciliada emite uma descarga tônica de cerca de 100 impulsos por segundo; (2) quando o animal começa a girar, os cílios se curvam para um lado e a frequência de descarga aumenta muito; e (3) com a rotação contínua, a descarga excessiva da célula ciliada gradualmente retorna ao nível de repouso durante os poucos segundos seguintes.

O motivo para essa adaptação do receptor é que, nos primeiros segundos de rotação, a resistência reversa ao fluxo de líquido no canal semicircular e após a deformação da cúpula faz com que a endolinfa comece a girar tão rápido quanto o próprio canal semicircular. Em seguida, em mais 5 a 20 segundos, a cúpula retorna lentamente à sua posição de repouso no meio da ampola por causa de seu próprio recuo elástico.

Quando a rotação é interrompida de maneira súbita, ocorrem efeitos exatamente opostos: a endolinfa continua a

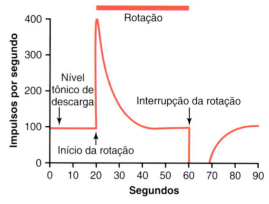

Figura 56.12 Resposta de uma célula ciliada quando um canal semicircular é estimulado, primeiro pelo início da rotação da cabeça e, depois, pela interrupção da rotação.

girar enquanto o canal semicircular para. Nesse momento, a cúpula curva-se na direção oposta, fazendo com que a célula ciliada pare de descarregar por completo. Após alguns segundos, a endolinfa para de mover-se e a cúpula gradualmente retorna à sua posição de repouso, possibilitando, assim, que a descarga das células ciliadas retorne ao seu nível tônico normal, conforme mostrado à direita na **Figura 56.12**. Desse modo, o canal semicircular transmite um sinal de uma polaridade quando a cabeça *começa* a girar e de polaridade oposta quando ela *para* de girar.

Função preditiva dos canais semicirculares na manutenção do equilíbrio. Uma vez que os canais semicirculares não detectam que o corpo está desequilibrado na direção para a frente, na direção lateral ou para trás, pode-se perguntar: "Qual é a função dos canais semicirculares na manutenção do equilíbrio?". Tudo o que detectam é que a cabeça do indivíduo está *começando* ou *parando* de girar em uma direção ou outra. Portanto, a função dos canais semicirculares não é manter o equilíbrio estático nem manter o equilíbrio durante movimentos direcionais ou rotacionais constantes. Ainda assim, a perda da função dos canais semicirculares faz a pessoa ter um equilíbrio precário ao tentar realizar movimentos corporais de *mudança rápida e complexa*.

A função dos canais semicirculares pode ser explicada pela seguinte ilustração: se alguém está correndo rápido para a frente e, de súbito, começa a virar-se para o lado, ele *perderá o equilíbrio uma fração de segundo depois*, a menos que as correções apropriadas sejam feitas *antecipadamente*. Entretanto, as máculas do utrículo e do sáculo só podem detectar que a pessoa está desequilibrada *depois* de ocorrer a perda de equilíbrio. Os canais semicirculares, no entanto, já terão detectado que o indivíduo está virando, e essa informação pode facilmente avisar ao sistema nervoso central que *haverá* perda do equilíbrio na próxima fração de segundo ou mais, a menos que alguma *correção antecipada* seja feita.

Em outras palavras, o mecanismo do canal semicircular *prediz* que o desequilíbrio vai ocorrer e, assim, faz os centros de equilíbrio realizarem os devidos ajustes preventivos antecipatórios, o que ajuda a pessoa a manter o equilíbrio antes que a situação possa ser corrigida.

A remoção dos *lobos floculonodulares* do cerebelo impede a detecção normal dos sinais do canal semicircular, mas tem menos efeito na detecção dos sinais maculares. É especialmente interessante que o cerebelo sirva como um órgão preditivo para os movimentos mais rápidos do corpo, bem como para aqueles relacionados ao equilíbrio. Essas outras funções do cerebelo são discutidas no Capítulo 57.

Mecanismos vestibulares para estabilizar os olhos

Ao mudar a direção do movimento rapidamente ou mesmo inclinar a cabeça para o lado, para a frente ou para trás, seria impossível o indivíduo manter uma imagem estável nas retinas, a menos que ele tivesse algum mecanismo de controle automático para estabilizar a direção da mirada dos olhos. Além disso, os olhos seriam de pouca utilidade para detectar uma imagem, exceto se permanecessem fixos em cada objeto por tempo suficiente para obter uma imagem nítida. Felizmente, cada vez que a cabeça é virada de maneira repentina, os sinais dos canais semicirculares fazem com que os olhos se desviem em direção igual e oposta à rotação da cabeça. Esse movimento resulta de reflexos transmitidos pelos *núcleos vestibulares* e pelo *fascículo longitudinal medial* para os *núcleos oculomotores*. Tais reflexos são descritos no Capítulo 52.

Outros fatores relacionados ao equilíbrio

Proprioceptores do pescoço. O aparelho vestibular detecta a orientação e o movimento *apenas da cabeça*. Portanto, é essencial que os centros nervosos também recebam informações apropriadas sobre a orientação da cabeça em relação ao corpo. Essas informações são transmitidas dos proprioceptores do pescoço e do corpo diretamente para os núcleos vestibulares e reticulares no tronco encefálico e indiretamente por meio do cerebelo.

Entre as informações proprioceptivas mais importantes para a manutenção do equilíbrio está a transmitida pelos *receptores articulares do pescoço*. Quando a cabeça é inclinada em uma direção ao curvar o pescoço, os impulsos dos proprioceptores cervicais impedem que os sinais originados no aparelho vestibular deem ao indivíduo uma sensação de desequilíbrio. Eles desempenham essa função transmitindo sinais que se opõem, com precisão, aos sinais transmitidos pelo aparelho vestibular. No entanto, *quando todo o corpo se inclina em uma direção*, os impulsos do aparelho vestibular *não sofrem oposição* por sinais dos proprioceptores do pescoço; assim, nesse caso, o indivíduo percebe uma alteração do estado de equilíbrio do corpo inteiro.

Informações proprioceptivas e exteroceptivas de outras partes do corpo. Informações proprioceptivas de outras partes do corpo além do pescoço também são importantes na manutenção do equilíbrio. Por exemplo, as sensações de pressão nas plantas dos pés informam: (1) se o peso está distribuído igualmente entre os dois pés; e (2) se o peso nos pés está mais para frente ou para trás.

A informação exteroceptiva é especialmente necessária para a manutenção do equilíbrio quando um indivíduo está correndo. A pressão do ar contra a parte da frente do corpo sinaliza que uma força está opondo-se ao corpo em uma direção diferente daquela produzida pela tração gravitacional; como resultado, o indivíduo inclina-se para a frente a fim de se opor a essa força.

Importância da informação visual para manter o equilíbrio. Após a destruição do aparelho vestibular, e mesmo depois de perder a maioria das informações proprioceptivas do corpo, um indivíduo ainda é capaz de usar os mecanismos visuais, de maneira razoavelmente eficaz, para manter o equilíbrio. Mesmo um leve movimento linear ou rotacional do corpo muda instantaneamente as imagens visuais na retina, e essa informação é retransmitida para os centros de equilíbrio. Algumas pessoas com destruição bilateral do aparelho vestibular apresentam equilíbrio quase normal, desde que os olhos estejam abertos e todos os movimentos sejam realizados com lentidão. No entanto, quando se movem com rapidez ou quando os olhos estão fechados, o equilíbrio é imediatamente perdido.

Conexões neurais do aparelho vestibular com o sistema nervoso central

A **Figura 56.13** mostra as conexões do nervo vestibular no rombencéfalo. A maioria das fibras nervosas vestibulares termina nos *núcleos vestibulares* do tronco encefálico, localizados próximo à junção da medula e da ponte. Algumas fibras passam diretamente para os núcleos reticulares do tronco encefálico sem fazer sinapses e, também, para o cerebelo, nos núcleos fastigiais e nos lobos uvular e floculonodular. As fibras que terminam nos núcleos vestibulares do tronco encefálico fazem sinapse com neurônios de segunda ordem, que também enviam fibras para o cerebelo, para os tratos vestibuloespinhais, para o fascículo longitudinal medial e para outras áreas do tronco encefálico, particularmente os núcleos reticulares.

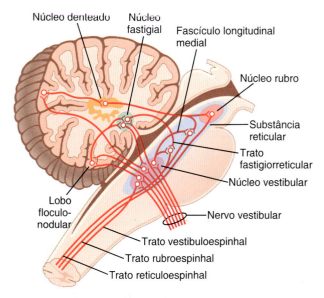

Figura 56.13 Conexões dos nervos vestibulares através dos núcleos vestibulares (*grande área oval rosa*) com outras áreas do sistema nervoso central.

PARTE 11 Sistema Nervoso: C. Neurofisiologia Motora e Integrativa

A via primária para os reflexos de equilíbrio começa nos nervos vestibulares, onde os nervos são excitados pelo aparelho vestibular. A via, então, passa para os núcleos vestibulares e para o cerebelo. Em seguida, os sinais são enviados aos núcleos reticulares do tronco encefálico, bem como à medula espinhal por meio dos tratos vestibuloespinhal e reticuloespinhal. Os sinais para a medula regulam a inter-relação entre a facilitação e a inibição dos muitos músculos antigravitacionais e, desse modo, controlam automaticamente o equilíbrio.

Os *lobos floculonodulares* do cerebelo estão especialmente relacionados a sinais do equilíbrio dinâmico dos canais semicirculares. De fato, a destruição desses lobos resulta, quase exatamente, nos mesmos sintomas clínicos da destruição dos canais semicirculares. Logo, lesões graves nos lobos ou nos canais provocam perda de equilíbrio dinâmico durante *alterações rápidas da direção do movimento*, mas não perturbam de maneira intensa o equilíbrio em condições estáticas. Acredita-se que a *úvula* do cerebelo desempenhe um papel importante semelhante no equilíbrio estático.

Os sinais provenientes de ambos os núcleos vestibulares e do cerebelo transmitidos cranialmente para o tronco encefálico por meio do *fascículo longitudinal medial* causam movimentos corretivos dos olhos toda vez que a cabeça gira, de modo que os olhos permanecem fixos em um objeto visual específico. Os sinais também ascendem (seja por esse mesmo trato, seja através dos tratos reticulares) para o córtex cerebral, terminando em um centro cortical primário para equilíbrio, localizado no lobo parietal, profundamente no sulco lateral, no lado oposto da fissura da área auditiva do giro temporal superior. Esses sinais informam à psique sobre o estado de equilíbrio do corpo.

Funções dos núcleos do tronco encefálico no controle de movimentos estereotipados e subconscientes

Existe uma condição rara, denominada *anencefalia*, na qual o bebê nasce sem estruturas cerebrais acima da região mesencefálica. Alguns desses bebês são mantidos vivos por muitos meses. Eles são capazes de realizar alguns movimentos estereotipados para alimentação, como sucção, expulsão de alimentos desagradáveis da boca e movimentação das mãos até a boca para sugar os dedos. Também podem bocejar, esticar-se, chorar e seguir objetos com os movimentos dos olhos e da cabeça. Além disso, a aplicação de pressão na parte anerossuperior das pernas faz com que eles as puxem para a posição sentada. É claro que muitas funções motoras estereotipadas do ser humano estão integradas no tronco encefálico.

Bibliografia

Cembrowski MS, Spruston N: Heterogeneity within classical cell types is the rule: lessons from hippocampal pyramidal neurons. Nat Rev Neurosci 20:193, 2019.

Cullen KE: Vestibular processing during natural self-motion: implications for perception and action. Nat Rev Neurosci 20:346, 2019.

Cullen KE, Taube JS: Our sense of direction: progress, controversies and challenges. Nat Neurosci 20:1465, 2017.

Dokka K, Park H, Jansen M, DeAngelis GC, Angelaki DE: Causal inference accounts for heading perception in the presence of object motion. Proc Natl Acad Sci U S A 116:9060, 2019.

Ebbesen CL, Brecht M: Motor cortex - to act or not to act? Nat Rev Neurosci 18:694, 2017.

Fetsch CR, DeAngelis GC, Angelaki DE: Bridging the gap between theories of sensory cue integration and the physiology of multisensory neurons. Nat Rev Neurosci 14:429, 2013.

Harrison TC, Murphy TH: Motor maps and the cortical control of movement. Curr Opin Neurobiol 24:88, 2014.

Holtmaat A, Svoboda K: Experience-dependent structural synaptic plasticity in the mammalian brain. Nat Rev Neurosci 10:647, 2009.

Kim HR, Angelaki DE, DeAngelis GC: The neural basis of depth perception from motion parallax. Philos Trans R Soc Lond B Biol Sci 2016 Jun 19;371(1697). pii: 20150256. doi: 10.1098/rstb.2015.0256.

Laurens J, Angelaki DE: The brain vompass: a perspective on how self-motion updates the head direction cell attractor. Neuron 97:275, 2018.

Nachev P, Kennard C, Husain M: Functional role of the supplementary and pre-supplementary motor areas. Nat Rev Neurosci 9:856, 2008.

Proske U, Allen T: The neural basis of the senses of effort, force and heaviness. Exp Brain Res 237:589, 2019.

Proske U, Gandevia SC: Kinesthetic senses. Compr Physiol 8:1157, 2018.

Proske U, Gandevia SC: The proprioceptive senses: their roles in signaling body shape, body position and movement, and muscle force. Physiol Rev 92:1651, 2012.

Rizzolatti G, Cattaneo L, Fabbri-Destro M, Rozzi S: Cortical mechanisms underlying the organization of goal-directed actions and mirror neuron-based action understanding. Physiol Rev 94:655, 2014.

Rizzolatti G, Sinigaglia C: The mirror mechanism: a basic principle of brain function. Nat Rev Neurosci. 17:757, 2016.

Robles L, Ruggero MA: Mechanics of the mammalian cochlea. Physiol Rev 81:1305, 2001.

Roelfsema PR, Holtmaat A: Control of synaptic plasticity in deep cortical networks. Nat Rev Neurosci 19:166, 2018.

Scott SK, McGettigan C, Eisner F: A little more conversation, a little less action—candidate roles for the motor cortex in speech perception. Nat Rev Neurosci 10:295, 2009.

Svoboda K, Li N: Neural mechanisms of movement planning: motor cortex and beyond. Curr Opin Neurobiol 49:33, 2018.

CAPÍTULO 57

Contribuições do Cerebelo e dos Núcleos da Base para o Controle Motor

Além das áreas do córtex cerebral que estimulam a contração muscular, duas outras estruturas cerebrais são essenciais para a função motora normal – o *cerebelo* e os *núcleos da base*. Nenhuma delas pode controlar a função muscular por si só. Em vez disso, sempre funcionam em associação com outros sistemas de controle motor.

O cerebelo desempenha um papel importante na sincronização das atividades motoras e na progressão rápida e suave de um movimento muscular para o seguinte. Também ajuda a regular a intensidade da contração do músculo quando a carga muscular se altera e controla a inter-relação instantânea necessária entre os grupos musculares agonistas e antagonistas.

Os núcleos da base ajudam a planejar e a controlar padrões complexos de movimento muscular. Eles regulam intensidades relativas de movimentos distintos, direções de movimentos e sequenciamento de múltiplos movimentos sucessivos e paralelos para alcançar objetivos motores complexos específicos. Este capítulo explica as funções básicas do cerebelo e dos núcleos da base, além de discutir os mecanismos gerais do cérebro para conseguir a coordenação intrincada da atividade motora total.

CEREBELO E SUAS FUNÇÕES MOTORAS

O cerebelo, ilustrado nas **Figuras 57.1** e **57.2**, há muito é chamado de *área silenciosa* do cérebro, principalmente porque sua excitação elétrica não causa nenhuma sensação consciente e por serem raras as vezes em que ele causa qualquer movimento motor. A remoção do cerebelo, entretanto, faz com que os movimentos do corpo se tornem muito anormais. O cerebelo é especialmente vital durante atividades musculares rápidas, como correr, digitar, tocar piano e até conversar. A perda dessa área do cérebro pode provocar a falta quase total de coordenação de tais atividades, embora sua perda não cause paralisia de nenhum músculo.

Como o cerebelo pode ser tão importante se não tem capacidade direta de causar contração muscular? A resposta é que ele ajuda a sequenciar e a monitorar as atividades motoras, além de fazer ajustes corretivos nelas enquanto estão sendo executadas para que fiquem de acordo com os sinais motores enviados pelo córtex motor cerebral e por outras partes do cérebro.

O cerebelo recebe continuamente não só informações atualizadas (provenientes das áreas de controle motor

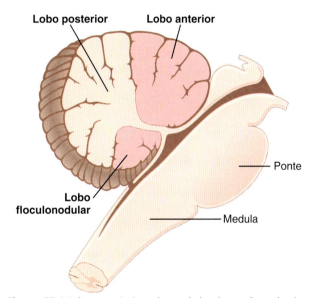

Figura 57.1 Lobos anatômicos do cerebelo observados pela vista lateral.

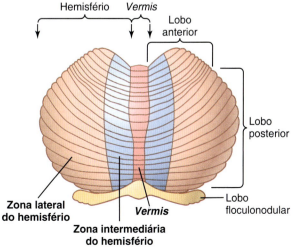

Figura 57.2 Partes funcionais do cerebelo observadas da vista posteroinferior, com a porção mais inferior do cerebelo rebatida para fora a fim de nivelar a superfície.

do cérebro acerca da sequência desejada de contrações musculares), mas também informações sensoriais das partes periféricas do corpo, atualizando sobre as mudanças sequenciais do estado de cada parte do corpo – sua posição, velocidade de movimento, as forças que atuam sobre ela, e assim por diante. O cerebelo, então, *compara* os movimentos reais (como foram retratados pela informação de retroalimentação sensorial periférica) com os movimentos pretendidos pelo sistema motor. Se houver discrepância entre as duas informações, os sinais corretivos subconscientes instantâneos são transmitidos de volta ao sistema motor para aumentar ou diminuir os níveis de ativação de músculos específicos.

O cerebelo também auxilia o córtex cerebral a planejar o próximo movimento sequencial com uma fração de segundo de antecedência, enquanto o movimento atual ainda está sendo executado, ajudando, assim, a pessoa a progredir suavemente de um movimento para o outro. Além disso, aprende com seus erros. Se um movimento não ocorre exatamente como pretendido, o circuito cerebelar é capaz de fazer um movimento mais forte ou mais fraco na próxima vez. Para fazer esse ajuste, ocorrem alterações na excitabilidade dos neurônios cerebelares apropriados, possibilitando, assim, que as contrações musculares subsequentes correspondam melhor aos movimentos pretendidos.

Áreas anatômicas e funcionais do cerebelo

Anatomicamente, o cerebelo é dividido em três lobos por duas fissuras profundas, como mostrado nas **Figuras 57.1** e **57.2**: (1) o *lobo anterior*; (2) o *lobo posterior*; e (3) o *lobo floculonodular*. Este último é a porção mais antiga do cerebelo, a qual se desenvolveu junto com o aparelho vestibular e com ele atua no controle do equilíbrio corporal, como discutido no Capítulo 56.

Divisões funcionais dos lobos anterior e posterior.

Do ponto de vista funcional, os lobos anterior e posterior são organizados não por lobos, mas ao longo do eixo longitudinal, conforme demonstrado na **Figura 57.2**, que apresenta uma vista posterior do cerebelo humano após a extremidade inferior do cerebelo posterior ter sido rebatida de sua posição normalmente oculta. Observe, abaixo do centro do cerebelo, uma faixa estreita chamada *vermis*, separada do restante do cerebelo por sulcos rasos. A maioria das funções de controle cerebelar para movimentos musculares do *esqueleto axial*, *pescoço*, *ombros e quadris* está localizada nessa área.

Em cada lado do *vermis*, há um grande *hemisfério cerebelar* lateralmente protuberante; cada um desses hemisférios é dividido em uma *zona intermediária* e uma *zona lateral*. A zona intermediária do hemisfério está relacionada ao controle das contrações musculares nas porções distais dos membros superiores e inferiores, especialmente mãos, pés e seus respectivos dedos. A zona lateral do hemisfério opera em um nível muito mais remoto, porque essa área se une ao córtex cerebral no planejamento geral dos movimentos motores sequenciais. Sem ela, a maioria das atividades motoras discretas do corpo perde o ritmo e a sequência apropriados e, portanto, torna-se descoordenada, como será discutido mais detalhadamente adiante, ainda neste capítulo.

Representação topográfica do corpo no *vermis* e nas zonas intermediárias. Da mesma maneira que o córtex sensorial cerebral, o córtex motor, os núcleos da base, os núcleos rubros e a formação reticular têm representações topográficas das diferentes partes do corpo, o *vermis* e as zonas intermediárias do cerebelo também dispõem desse tipo de representação. A **Figura 57.3** mostra duas dessas representações. Observe que as porções axiais do corpo ficam na parte do *vermis* do cerebelo, enquanto os membros e as regiões faciais se situam nas zonas intermediárias. Essas representações topográficas recebem sinais nervosos aferentes de todas as respectivas partes do corpo, bem como de áreas motoras topograficamente correspondentes no córtex cerebral e no tronco encefálico. Por sua vez, essas áreas enviam sinais motores de volta às mesmas respectivas áreas topográficas do córtex motor cerebral, bem como às áreas topográficas do núcleo rubro e da formação reticular no tronco encefálico.

Observe que as grandes porções laterais dos hemisférios cerebelares *não* têm representações topográficas do corpo. Essas áreas do cerebelo recebem sinais aferentes quase exclusivamente do córtex cerebral, sobretudo das áreas pré-motoras do córtex frontal, da área somatossensorial e de outras áreas de associação sensorial do córtex parietal. Essa conectividade com o córtex cerebral possibilita às porções laterais dos hemisférios cerebelares desempenhar papéis importantes no planejamento e na coordenação das atividades musculares sequenciais *rápidas* do corpo, que ocorrem uma após a outra em frações de segundo.

Circuitos neurais do cerebelo

O córtex cerebelar humano é, na verdade, uma grande folha dobrada, com cerca de 17 centímetros de largura por 120 centímetros de comprimento, com as dobras transversais, como mostrado nas **Figuras 57.2** e **57.3**. Cada dobra é chamada de *fólio*. Os *núcleos cerebelares profundos* ficam situados muito abaixo da massa dobrada do córtex cerebelar.

Vias aferentes cerebelares

Vias aferentes de outras partes do cérebro. As vias básicas de aferência para o cerebelo são mostradas na

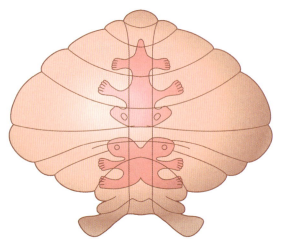

Figura 57.3 Áreas de projeção somatossensorial no córtex cerebelar.

CAPÍTULO 57 Contribuições do Cerebelo e dos Núcleos da Base para o Controle Motor

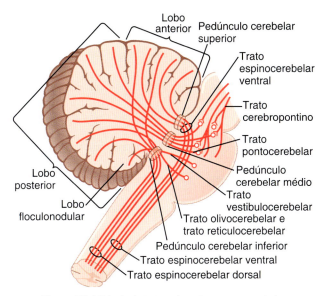

Figura 57.4 Principais tratos aferentes para o cerebelo.

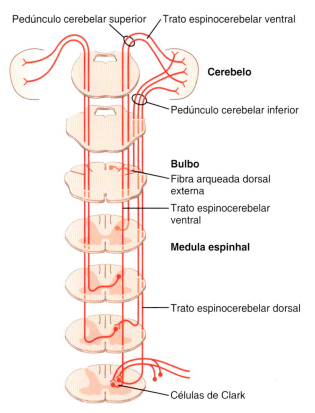

Figura 57.5 Tratos espinocerebelares.

Figura 57.4. Uma extensa e importante via aferente é a corticopontocerebelar, que se origina nos córtices motor e pré-motor cerebrais e também no córtex somatossensorial cerebral. Ela passa pelos núcleos pontinos e pelos tratos pontocerebelares, principalmente para as divisões laterais dos hemisférios cerebelares contralaterais vindo das áreas cerebrais.

Além disso, importantes tratos aferentes originam-se em cada lado do tronco encefálico. Esses tratos incluem: (1) um extenso trato olivocerebelar, que passa da oliva inferior para todas as partes do cerebelo e é excitado na oliva por fibras do córtex motor cerebral, núcleos da base, áreas extensas da formação reticular e pela medula espinhal; (2) fibras vestibulocerebelares, algumas das quais se formam no próprio aparelho vestibular e outras nos núcleos vestibulares do tronco encefálico, sendo que quase todas essas fibras terminam no lobo floculonodular e no núcleo fastigial do cerebelo; e (3) fibras reticulocerebelares, que se originam em diferentes porções da formação reticular do tronco encefálico e se encerram nas áreas cerebelares da linha média (principalmente no *vermis*).

Vias aferentes da periferia. O cerebelo também recebe sinais sensoriais importantes diretamente das partes periféricas do corpo, em especial, por meio de quatro tratos de cada lado, dois dos quais localizados dorsalmente na medula e dois na parte ventral. Desses, os dois mais importantes estão mostrados na **Figura 57.5**, o *trato espinocerebelar dorsal* e o *trato espinocerebelar ventral*. O trato dorsal entra no cerebelo através do pedúnculo cerebelar inferior e termina no *vermis* e nas zonas intermediárias do cerebelo no mesmo lado de sua origem. O trato ventral entra no cerebelo pelo pedúnculo cerebelar superior, mas encerra-se em ambos os lados do cerebelo.

Os sinais transmitidos nos tratos espinocerebelares dorsais vêm principalmente dos fusos musculares e, em menor extensão, de outros receptores somáticos por todo o corpo, como órgãos tendinosos de Golgi, grandes receptores táteis da pele e receptores articulares. Todos esses sinais informam o cerebelo sobre o estado momentâneo (1) da contração muscular, (2) do grau de tensão nos tendões musculares, (3) das posições e velocidades de movimento das partes do corpo, e (4) das forças que estão agindo sobre as superfícies do corpo.

Os tratos espinocerebelares ventrais recebem muito menos informações dos receptores periféricos. Em vez disso, eles são excitados principalmente por sinais motores que chegam nos cornos anteriores da medula espinhal provenientes (1) do cérebro através dos tratos corticoespinhal e rubroespinhal, bem como (2) dos geradores de padrão motor interno na própria medula. Assim, essa via ventral de fibras informa ao cerebelo quais sinais motores chegaram aos cornos anteriores; essa informação por retroalimentação é chamada de *cópia eferente* do comando motor do corno anterior.

As vias espinocerebelares podem transmitir impulsos a velocidades de até 120 m/s, a condução mais rápida em qualquer via do sistema nervoso central. Essa velocidade é importante para o cerebelo avaliar instantaneamente as alterações nas ações dos músculos periféricos.

Além dos sinais dos tratos espinocerebelares, os sinais são transmitidos para o cerebelo a partir da periferia do corpo através das colunas dorsais espinhais para os núcleos da coluna dorsal da medula, sendo, então, retransmitidos para o cerebelo. Da mesma maneira, os sinais são transmitidos pela medula espinhal através tanto da *via espinorreticular* (para a formação reticular do tronco encefálico) como da *via espino-olivar* (para o núcleo olivar inferior). Os sinais são, então, retransmitidos de ambas as áreas para o cerebelo. Desse modo, o cerebelo continuamente coleta informações sobre os movimentos e as posições de todas as partes do corpo, ainda que esteja operando em um nível subconsciente.

Vias eferentes cerebelares

Núcleos cerebelares profundos e vias eferentes. Localizados profundamente na massa cerebelar, em cada lado, estão três *núcleos cerebelares profundos* – o *denteado*, o *interpósito* e o *fastigial*. (Os *núcleos vestibulares* na medula também funcionam, em alguns aspectos, como se fossem núcleos cerebelares profundos por causa de suas conexões diretas com o córtex do lobo floculonodular.) Todos os núcleos cerebelares profundos recebem sinais de duas fontes: (1) o córtex cerebelar; e (2) os tratos aferentes sensoriais profundos para o cerebelo.

Cada vez que um sinal aferente chega ao cerebelo, ele se divide e segue em duas direções: (1) diretamente para um dos núcleos profundos do cerebelo; e (2) para uma área correspondente do córtex cerebelar que recobre o núcleo profundo. Então, uma fração de segundo depois, o córtex cerebelar retransmite um sinal eferente *inibitório* para o núcleo profundo. Assim, todos os sinais aferentes que entram no cerebelo terminam, por fim, nos núcleos profundos como sinais excitatórios iniciais, seguidos, uma fração de segundo depois, por sinais inibitórios. Dos núcleos profundos, os sinais eferentes deixam o cerebelo e são distribuídos para outras partes do cérebro.

O plano geral das principais vias eferentes que saem do cerebelo é mostrado na **Figura 57.6** e consiste nas seguintes vias:

1. Uma via que se origina nas *estruturas medianas do cerebelo* (o *vermis*) e, em seguida, passa pelos *núcleos fastigiais* para as *regiões medulares* e *pontina do tronco encefálico*. Esse circuito funciona em estreita associação com o aparelho de equilíbrio e os núcleos vestibulares do tronco encefálico, a fim de controlar o equilíbrio, bem como em associação com a formação reticular do tronco encefálico para controlar as atitudes posturais do corpo. O Capítulo 56 discute mais detalhadamente essa questão referente a equilíbrio.

2. Uma via que se origina (1) na zona intermediária do hemisfério cerebelar, passa através (2) do núcleo interpósito para (3) os núcleos ventral lateral e ventral anterior do tálamo e, em seguida, para (4) o córtex cerebral, em direção a (5) várias estruturas da linha média do tálamo; depois, segue para (6) os núcleos da base e para (7) o núcleo rubro e a formação reticular da porção superior do tronco encefálico. Esse circuito complexo ajuda principalmente a coordenar as contrações recíprocas dos músculos agonistas e antagonistas nas porções periféricas das extremidades, em especial, mãos e dedos.

3. Uma via que começa no córtex cerebelar da zona lateral do hemisfério cerebelar, passa para o núcleo denteado, seguindo para os núcleos ventral lateral e ventral anterior do tálamo e, por fim, para o córtex cerebral. Essa via desempenha um papel importante em ajudar a coordenar atividades motoras sequenciais iniciadas pelo córtex cerebral.

UNIDADE FUNCIONAL DO CÓRTEX CEREBELAR: CÉLULAS DE PURKINJE E CÉLULAS NUCLEARES PROFUNDAS

O cerebelo tem cerca de 30 milhões de unidades funcionais quase idênticas, uma das quais é mostrada à esquerda na **Figura 57.7**. Essa unidade funcional está centrada em uma única *célula de Purkinje* muito grande e em uma *célula nuclear profunda* correspondente.

Na parte superior e à direita na **Figura 57.7**, são mostradas as três camadas principais do córtex cerebelar: a *camada molecular*, a *camada de células de Purkinje* e a *camada de células granulosas*. Sob essas camadas corticais, no centro da massa cerebelar, estão os núcleos cerebelares profundos que enviam sinais de saída para outras partes do sistema nervoso.

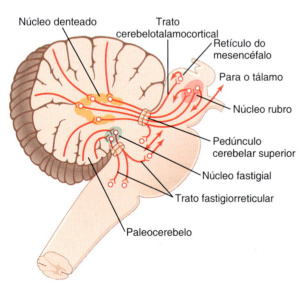

Figura 57.6 Principais tratos *eferentes* cerebelares.

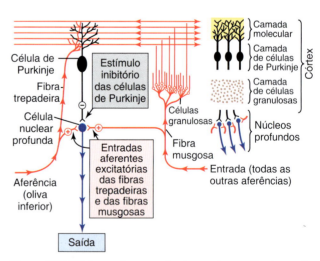

Figura 57.7 Células nucleares profundas recebem estímulos excitatórios e inibitórios. O *lado esquerdo* desta figura mostra o circuito neuronal básico do cerebelo, com neurônios excitatórios, indicados em *vermelho*, e a célula de Purkinje (um neurônio inibitório), em *preto*. À *direita*, demonstra-se a relação física dos núcleos cerebelares profundos com o córtex cerebelar e suas três camadas.

Circuitaria da unidade funcional do córtex cerebelar.

Também mostrado na metade esquerda da **Figura 57.7** está o circuito neuronal da unidade funcional, que se repete com pouca variação 30 milhões de vezes no cerebelo. A saída da unidade funcional dá-se por uma *célula nuclear profunda*, a qual está continuamente sob influências tanto excitatórias quanto inibitórias. As influências excitatórias originam-se de conexões diretas com fibras aferentes que entram no cerebelo a partir do cérebro ou da periferia; a influência inibitória é constituída unicamente pelas células de Purkinje, no córtex do cerebelo.

As entradas aferentes para o cerebelo são principalmente de dois tipos: *fibra trepadeira* e *fibra musgosa*.

Todas as fibras trepadeiras se *originam das olivas inferiores* no bulbo. Existe uma fibra trepadeira para cerca de 5 a 10 células de Purkinje. Depois de enviar ramos para várias células nucleares profundas, a fibra trepadeira continua por todo o trajeto até as camadas externas do córtex cerebelar, onde faz cerca de 300 sinapses com o corpo celular e os dendritos de cada célula de Purkinje. Essa fibra trepadeira se distingue pelo fato de que, a partir de um único impulso, ela sempre causará um tipo único de potencial de ação, prolongado (até 1 segundo) e peculiar, em cada célula de Purkinje com a qual se conecta, começando com um intenso pico e seguido por uma série de picos secundários progressivamente mais fracos. Esse potencial de ação é chamado de *potencial complexo em picos*.

As fibras musgosas são todas as outras fibras que entram no cerebelo, tendo origem em múltiplas fontes – o prosencéfalo, o tronco encefálico e a medula espinhal. Essas fibras também enviam colaterais para excitar as células nucleares profundas. Elas, então, prosseguem para a camada de células granulosas do córtex, onde também fazem sinapses com centenas a milhares de *células granulosas*. Por sua vez, as células granulosas enviam axônios extremamente delgados, com menos de 1 micrômetro de diâmetro, até a camada molecular, na superfície externa do córtex cerebelar. Nesse ponto, os axônios dividem-se em dois ramos que se estendem por 1 a 2 milímetros em cada direção, paralelamente aos fólios. Existem muitos milhões dessas *fibras nervosas paralelas*, porque há cerca de 500 a 1.000 células granulosas para cada célula de Purkinje. É para essa camada molecular que se projetam os dendritos das células de Purkinje, e com cada uma destas fazem sinapse 80.000 a 200.000 fibras paralelas.

A aferência da fibra musgosa para a célula de Purkinje é bastante diferente da aferência da fibra trepadeira, pois as conexões sinápticas são fracas, de modo que um grande número de fibras musgosas precisa ser estimulado simultaneamente para que se excite a célula de Purkinje. Além disso, a ativação costuma assumir a forma de um potencial de ação da célula de Purkinje muito mais fraco e de curta duração, chamado de *potencial simples em pico*, em vez de um potencial de ação complexo e prolongado causado pela aferência da fibra trepadeira.

As células de Purkinje e as células nucleares profundas disparam continuamente em condições normais de repouso.

Uma característica das células de Purkinje e das células nucleares profundas é que ambas costumam disparar de maneira contínua; a célula de Purkinje dispara cerca de 50 a 100 potenciais de ação por segundo, e as células nucleares profundas o fazem em taxas muito mais altas. Além disso, a atividade eferente de ambas as células pode ser modulada positiva e negativamente.

Balanço entre excitação e inibição nos núcleos cerebelares profundos.

Ainda sobre o circuito da **Figura 57.7**, observe que a estimulação direta das células nucleares profundas, tanto pelas fibras trepadeiras quanto pelas musgosas, ocasiona sua excitação. Em contrapartida, os sinais que chegam das células de Purkinje as inibem. Em geral, o balanço entre esses dois efeitos é ligeiramente favorável à excitação, de modo que, em condições de repouso, a eferência da célula nuclear profunda permanece relativamente constante em um nível moderado de estimulação contínua.

Na execução de um movimento motor rápido, o sinal inicial do córtex motor cerebral ou do tronco encefálico aumenta muito, a princípio, a excitação das células nucleares profundas. Então, alguns milissegundos depois, chegam sinais inibitórios de retroalimentação provenientes do circuito da célula de Purkinje. Dessa maneira, primeiro ocorre um sinal excitatório rápido, enviado pelas células nucleares profundas para a via eferente motora, a fim de aumentar o movimento motor, seguido de um sinal inibitório, após outra pequena fração de segundo. Esse sinal inibitório se assemelha a um sinal de retroalimentação negativa de "circuito de retardo" do tipo eficaz em produzir *amortecimento*. Isso significa que, quando o sistema motor está excitado, ocorre um sinal de retroalimentação negativa após um curto retardo para impedir que o movimento do músculo ultrapasse sua dimensão pretendida. Caso contrário, ocorreria oscilação do movimento.

Células em cesto e células estreladas causam inibição lateral das células de Purkinje no cerebelo.

Além das células nucleares profundas, das células granulosas e das células de Purkinje, dois outros tipos de neurônios estão localizados no cerebelo – as *células em cesto* e as *células estreladas*, que são células inibitórias com axônios curtos. Ambos os tipos estão localizados na camada molecular do córtex cerebelar, situados entre pequenas fibras paralelas que os estimulam. Essas células, por sua vez, enviam seus axônios em ângulos retos através das fibras paralelas e causam *inibição lateral* das células de Purkinje adjacentes, focalizando, assim, o sinal, da mesma maneira que a inibição lateral aumenta o contraste dos sinais em muitos outros circuitos neuronais do sistema nervoso.

Sinais eferentes do tipo liga/desliga e desliga/liga do cerebelo

A função típica do cerebelo é ajudar a fornecer sinais de ativação rápidos para os músculos agonistas e sinais

PARTE 11 Sistema Nervoso: C. Neurofisiologia Motora e Integrativa

de desativação recíprocos e simultâneos para os músculos antagonistas no início de um movimento. Então, quando um movimento se aproxima de seu término, o cerebelo é o principal responsável pelo ritmo e pela execução dos sinais de desligar para os agonistas e os sinais de ligar para os antagonistas. Embora os detalhes exatos não sejam totalmente conhecidos, pode-se especular a partir do circuito cerebelar básico da **Figura 57.7** como é possível esse processo funcionar, conforme descrito a seguir.

Suponhamos que o padrão liga/desliga da contração agonista/antagonista, no início do movimento, comece com sinais do córtex cerebral. Esses sinais passam por vias não cerebelares do tronco encefálico e da medula espinhal diretamente para o músculo agonista a fim de começar a contração inicial.

Ao mesmo tempo, sinais paralelos são enviados por meio das fibras musgosas, da ponte para o cerebelo. Um ramo de cada fibra musgosa vai direto para as células nucleares profundas (no núcleo denteado ou em outros núcleos cerebelares profundos), que, instantaneamente, enviam um sinal excitatório de volta ao sistema motor corticoespinhal cerebral, seja por meio de sinais de retorno através do tálamo para o córtex cerebral, seja por meio de circuito neuronal no tronco encefálico, a fim de sustentar o sinal de contração muscular que já havia sido iniciado pelo córtex cerebral. Como consequência, o sinal de ativação, após alguns milissegundos, fica ainda mais potente do que no início, porque se torna a soma dos sinais corticais e cerebelares. O cerebelo normalmente causa esse efeito quando está intacto, mas, quando está ausente, falta o sinal de suporte secundário extra. Esse suporte cerebelar torna a contração muscular muito mais forte do que se o cerebelo não existisse.

Agora, o que ocasiona o sinal de desligamento para os músculos agonistas ao término do movimento? Lembre-se de que todas as fibras musgosas têm um segundo ramo que transmite sinais ao córtex cerebelar por meio das células granulosas e, por fim, para as células de Purkinje pelas fibras paralelas. As células de Purkinje, por sua vez, *inibem* as células nucleares profundas. Essa via passa por algumas das menores fibras nervosas de condução mais lenta do sistema nervoso – isto é, as fibras paralelas da camada molecular cortical cerebelar, que têm diâmetros de apenas uma fração de milímetro. Além disso, os sinais dessas fibras são fracos e, desse modo, requerem um período finito para acumular excitação suficiente nos dendritos da célula de Purkinje a fim de estimulá-la. No entanto, a célula de Purkinje, uma vez excitada, envia um forte *sinal inibitório* para a mesma célula nuclear profunda que originalmente ativou o movimento. Portanto, esse sinal ajuda a *desligar* o movimento após um curto intervalo de tempo.

Assim, é possível ver como o circuito cerebelar completo pode causar tanto uma rápida contração do músculo agonista no início de um movimento quanto um desligamento no *momento preciso* da contração do mesmo agonista, após determinado período.

Agora, vamos especular sobre o circuito dos músculos antagonistas. Mais importante, lembre-se de que existem circuitos agonista-antagonista recíprocos em toda a medula espinhal para virtualmente todos os movimentos que a medula pode iniciar. Portanto, esses circuitos são parte da base para o desligamento do antagonista no início do movimento e, em seguida, para ligar ao término do movimento, refletindo o que quer que ocorra nos músculos agonistas. No entanto, vale ressaltar, também, que o cerebelo contém vários outros tipos de células inibitórias além das células de Purkinje. As funções de algumas dessas células ainda não foram determinadas; elas também poderiam desempenhar papéis na inibição inicial dos músculos antagonistas, no início de um movimento, e na excitação subsequente, no final de um movimento.

Esses mecanismos ainda são, em parte, especulativos. Eles são aqui apresentados para ilustrar as maneiras pelas quais o cerebelo pode causar sinais exagerados de liga e desliga, controlando, assim, os músculos agonistas e antagonistas, bem como a sincronização destes.

As células de Purkinje "aprendem" a corrigir erros motores | Papel das fibras trepadeiras

O grau em que o cerebelo sustenta o início e o término das contrações musculares, bem como a sincronização das contrações, precisa ser aprendido pelo cerebelo. Normalmente, quando uma pessoa realiza um novo ato motor pela primeira vez, o grau de estímulo motor pelo cerebelo no início da contração, o grau de inibição no final da contração e a sincronização desses dois eventos são quase sempre incorretos para movimentos precisos. Porém, após o ato ter sido realizado muitas vezes, os eventos individuais tornam-se progressivamente mais precisos, às vezes exigindo apenas alguns movimentos antes que o resultado desejado seja obtido, mas outras vezes requerendo centenas de movimentos.

Como esses ajustes acontecem? A resposta exata não é conhecida, embora se saiba que os níveis de sensibilidade dos circuitos cerebelares se adaptam progressivamente durante o processo de treinamento, em especial, a sensibilidade das células de Purkinje em responder à excitação das células granulosas. Além disso, essa mudança de sensibilidade é ocasionada por sinais das fibras trepadeiras que entram no cerebelo, provenientes do complexo olivar inferior.

Em condições de repouso, as fibras trepadeiras disparam cerca de uma vez por segundo, mas causam despolarização extrema de toda a árvore dendrítica da célula de Purkinje, durando até 1 segundo, cada vez que disparam. Durante esse tempo, a célula de Purkinje dispara com um forte pico de produção inicial, seguido por uma série de picos decrescentes. Quando uma pessoa realiza um novo movimento pela primeira vez, os sinais de retroalimentação dos músculos e dos proprioceptores articulares geralmente sinalizam para o cerebelo o quanto o movimento real deixou de ser correspondente ao movimento pretendido, e, de algum modo, os sinais das fibras trepadeiras alteram a longo prazo a sensibilidade das células

CAPÍTULO 57 Contribuições do Cerebelo e dos Núcleos da Base para o Controle Motor

de Purkinje. Acredita-se que, durante um período, essa mudança na sensibilidade (junto com outras possíveis funções de "aprendizagem" do cerebelo) faça com que a sincronização e outros aspectos do controle cerebelar dos movimentos se aproximem da perfeição. Quando esse estado é alcançado, as fibras trepadeiras não precisam mais enviar sinais de "erro" para o cerebelo para causar mudanças adicionais.

FUNÇÃO DO CEREBELO NO CONTROLE MOTOR GLOBAL

O sistema nervoso usa o cerebelo para coordenar as funções de controle motor em três níveis:

1. O *vestibulocerebelo*. Esse nível consiste principalmente nos pequenos lobos cerebelares floculonodulares que se encontram sob o cerebelo posterior e porções adjacentes do *vermis*. Ele fornece circuitos neurais para a maioria dos movimentos associados ao equilíbrio do corpo.
2. O *espinocerebelo*. Esse nível consiste na maior parte do *vermis* do cerebelo anterior e posterior mais as zonas intermediárias adjacentes em ambos os lados do *vermis*. Ele fornece os circuitos para a coordenação, principalmente, dos movimentos das porções distais dos membros, em especial, mãos e dedos.
3. O *cerebrocerebelo*. Esse nível é formado pelas grandes zonas laterais dos hemisférios cerebelares, situadas lateralmente às zonas intermediárias. Ele recebe virtualmente toda a sua aferência do córtex motor cerebral e dos córtices pré-motor adjacente e somatossensorial do cérebro. Ele transmite sua informação eferente na direção ascendente de volta para o cérebro, funcionando de maneira retroativa com o sistema sensorimotor corticocerebral para planejar movimentos voluntários sequenciais do corpo e dos membros. Esses movimentos são planejados até décimos de segundo antes dos movimentos reais. Tal processo é denominado desenvolvimento de "imagens motoras" dos movimentos a serem realizados.

Funções do vestibulocerebelo em associação com o tronco encefálico e a medula espinhal para controlar o equilíbrio e os movimentos posturais

O vestibulocerebelo originou-se, filogeneticamente, mais ou menos na mesma época em que o aparelho vestibular o ouvido interno se desenvolveu. Além disso, conforme discutido no Capítulo 56, a perda dos lobos floculonodulares e de porções adjacentes do *vermis* do cerebelo, que constituem o vestibulocerebelo, causa extrema perturbação do equilíbrio e dos movimentos posturais.

Em pessoas com disfunção vestibulocerebelar, o equilíbrio é muito mais perturbado *durante a execução de movimentos rápidos* do que durante a inatividade, especialmente quando envolvem *mudanças na direção* do movimento e estimulam os canais semicirculares. Esse fenômeno sugere que o vestibulocerebelo seja importante no controle do equilíbrio entre as contrações musculares agonistas e antagonistas da coluna, dos quadris e dos ombros durante *mudanças rápidas* nas posições corporais exigidas pelo aparelho vestibular.

Um dos maiores problemas no controle do equilíbrio é a quantidade de tempo necessária para transmitir os sinais de posição e velocidade dos sinais de movimento das diferentes partes do corpo para o cérebro. Mesmo quando as vias sensoriais de condução mais rápida são usadas, até 120 m/s nos tratos aferentes espinocerebelares, o retardo da transmissão dos pés para o cérebro ainda é de 15 a 20 milissegundos. Os pés de uma pessoa que corre rapidamente podem movimentar-se por até 25 centímetros durante esse tempo. Portanto, nunca é possível que os sinais de retorno das partes periféricas do corpo cheguem ao cérebro ao mesmo tempo que os movimentos realmente ocorrem. Como, então, o cérebro sabe quando parar um movimento e realizar o próximo ato sequencial quando os movimentos são executados rapidamente? A resposta é que os sinais da periferia dizem ao cérebro com que rapidez e em quais direções as partes do corpo estão movimentando-se. É, portanto, função do vestibulocerebelo "*calcular antecipadamente*", a partir dessas velocidades e direções, onde as diferentes partes estarão durante os próximos milissegundos. Os resultados desses cálculos são a chave para a progressão do cérebro para o movimento sequencial seguinte.

Assim, durante o controle de equilíbrio, presume-se que as informações, tanto da periferia do corpo quanto do aparelho vestibular, sejam usadas em um circuito de controle por retroalimentação típica. Isso ocorre a fim de fornecer *correção antecipada* de sinais motores posturais necessários para manter o equilíbrio, mesmo durante o movimento extremamente rápido, incluindo alterações rápidas da direção do movimento.

Espinocerebelo | Controle dos movimentos distais dos membros por retroalimentação através do córtex cerebelar intermediário e do núcleo interpósito

Como mostrado na **Figura 57.8**, a zona intermediária de cada hemisfério cerebelar recebe dois tipos de informações quando um movimento é realizado: (1) informações do córtex motor cerebral e do núcleo rubro do mesencéfalo, comunicando ao cerebelo o *plano sequencial pretendido de movimento* pelas próximas frações de segundo; e (2) informações de retroalimentação das partes periféricas do corpo, sobretudo dos proprioceptores distais dos membros, comunicando ao cerebelo quais *movimentos reais* resultam.

Depois de a zona intermediária do cerebelo ter comparado os movimentos pretendidos com os movimentos reais, as células nucleares profundas do núcleo interpósito enviam sinais de saída *corretiva* (1) de volta para o *córtex motor cerebral* através de núcleos de retransmissão no

PARTE 11 Sistema Nervoso: C. Neurofisiologia Motora e Integrativa

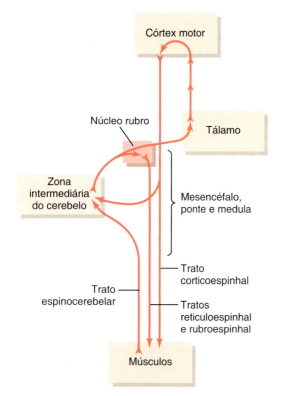

Figura 57.8 Controle cerebral e cerebelar dos movimentos voluntários, envolvendo especialmente a zona intermediária do cerebelo.

tálamo e (2) para a *porção magnocelular* (a porção inferior) *do núcleo rubro* que dá origem ao *trato rubroespinhal*. O trato rubroespinhal, por sua vez, une-se ao trato corticoespinhal inervando os neurônios motores mais laterais nos cornos anteriores da substância cinzenta da medula espinhal, os neurônios que controlam as partes distais dos membros, particularmente as mãos e os dedos.

Essa parte do sistema de controle motor cerebelar proporciona movimentos suaves e coordenados dos músculos agonistas e antagonistas dos membros distais para a execução de movimentos padronizados intencionais agudos. O cerebelo parece comparar as "intenções" dos níveis superiores do sistema de controle motor, transmitidas à zona cerebelar intermediária através do trato corticopontocerebelar, com o "desempenho" das respectivas partes do corpo, como transmitido de volta ao cerebelo a partir da periferia. De fato, o trato espinocerebelar ventral até transmite de volta ao cerebelo uma *cópia eferente* dos sinais reais de controle motor que chegam aos neurônios motores anteriores, e essa informação também é integrada aos sinais que chegam dos fusos musculares e de outros órgãos sensoriais proprioceptores, transmitidos principalmente no trato espinocerebelar dorsal. Sinais comparadores semelhantes também vão para o complexo olivar inferior; se os sinais não se compararem de maneira favorável, o sistema oliva-Purkinje, junto com, possivelmente, outros mecanismos de aprendizagem cerebelar, corrigirão, por fim, os movimentos até que eles desempenhem a função desejada.

Função do cerebelo para impedir movimentos que ultrapassem o alvo e para amortecer os movimentos. Quase todos os movimentos do corpo são pendulares. Por exemplo, quando um braço é movido, desenvolve-se um ímpeto que deve ser superado antes que o movimento possa ser interrompido. Por causa do ímpeto, todos os movimentos pendulares tendem a *passar do alvo*. Se isso ocorrer em uma pessoa cujo cerebelo foi destruído, os centros conscientes do cérebro reconhecem, em algum momento, esse erro e iniciam um movimento na direção reversa para tentar trazer o braço à posição pretendida. No entanto, o braço, em virtude de seu impulso, ultrapassa mais uma vez na direção oposta, e os sinais corretivos apropriados devem ser instituídos outra vez. Assim, o braço oscila para frente e para trás além de seu ponto pretendido por vários ciclos antes de, finalmente, fixar-se em sua marca. Esse efeito é denominado *tremor de ação* ou *tremor intencional*.

Se o cerebelo estiver intacto, os sinais subconscientes apropriados que foram aprendidos interrompem o movimento precisamente no ponto pretendido, evitando, assim, a ultrapassagem e o tremor. *Essa atividade é a característica básica de um sistema de amortecimento*. Todos os sistemas de controle reguladores dos elementos pendulares que possuem inércia precisam ter circuitos de amortecimento embutidos nos mecanismos. Para o controle motor pelo sistema nervoso, o cerebelo fornece a maior parte dessa função de amortecimento.

Controle cerebelar de movimentos balísticos. Os movimentos mais rápidos do corpo, como os dos dedos na digitação, ocorrem tão rapidamente que não é possível receber informações de retroalimentação da periferia para o cerebelo ou do cerebelo de volta para o córtex motor antes que eles terminem. Esses movimentos são chamados de *balísticos*, o que significa que todo o movimento é pré-planejado e colocado em execução para percorrer uma distância específica e depois parar. Outro exemplo importante são os *movimentos sacádicos* dos olhos, nos quais os olhos saltam de uma posição para outra ao ler ou ao olhar para pontos sucessivos ao longo de uma estrada enquanto uma pessoa se move em um carro.

Três mudanças principais ocorrem nesses movimentos balísticos quando o cerebelo é removido: (1) os movimentos são lentos para desenvolverem-se e não têm a explosão extra de início que o cerebelo geralmente produz; (2) a força desenvolvida é fraca; e (3) os movimentos demoram para desligar, geralmente possibilitando que o movimento vá muito além da marca pretendida. Portanto, na ausência do circuito cerebelar, o córtex motor tem de trabalhar muito para ligar e desligar os movimentos balísticos. Assim, perde-se o automatismo dos movimentos balísticos.

Considerando, mais uma vez, o circuito do cerebelo, vê-se que ele está muito bem-organizado para desempenhar essa função bifásica (primeiro excitatória e, então, inibitória com atraso) requerida para movimentos balísticos rápidos pré-planejados. Além disso, os circuitos de sincronização do córtex cerebelar são fundamentais para essa capacidade específica do cerebelo.

CAPÍTULO 57 Contribuições do Cerebelo e dos Núcleos da Base para o Controle Motor

Cerebrocerebelo | Função da grande zona lateral do hemisfério cerebelar para planejar, sequenciar e sincronizar movimentos complexos

Em seres humanos, as zonas laterais dos dois hemisférios cerebelares são altamente desenvolvidas e muito aumentadas. Essa característica acompanha as habilidades humanas de planejar e executar padrões sequenciais intrincados de movimento (especialmente com as mãos e os dedos) e de fala. Ainda assim, as grandes zonas laterais dos hemisférios cerebelares não recebem aferência direta de informações das partes periféricas do corpo. Além disso, quase toda a comunicação entre essas áreas cerebelares laterais e o córtex cerebral não é com o córtex motor cerebral primário, mas com a *área pré-motora* e as *áreas somatossensoriais primárias* e *de associação*.

Mesmo assim, a destruição das zonas laterais dos hemisférios cerebelares, junto com seus núcleos profundos, os núcleos denteados, pode levar à descoordenação extrema de movimentos intencionais complexos das mãos, dos dedos, dos pés e do aparelho da fala. Essa condição tem sido difícil de compreender, uma vez que não há comunicação direta entre essa parte do cerebelo e o córtex motor primário. No entanto, estudos experimentais sugerem que tais porções do cerebelo estejam relacionadas a dois outros aspectos importantes, mas indiretos, do controle motor: (1) planejamento de movimentos sequenciais; e (2) sincronização dos movimentos sequenciais.

Planejamento de movimentos sequenciais. O planejamento de movimentos sequenciais requer tanto comunicação entre as zonas laterais dos hemisférios com as porções pré-motoras e sensoriais do córtex cerebral quanto comunicação bidirecional entre essas áreas do córtex cerebral com áreas correspondentes dos núcleos da base. Parece que o "planejamento" dos movimentos sequenciais realmente começa nas áreas sensoriais e pré-motoras do córtex cerebral e, a partir daí, o plano é transmitido às zonas laterais dos hemisférios cerebelares. Então, em meio a grande parte do tráfego bilateral entre o cerebelo e o córtex cerebral, os sinais motores apropriados fornecem a transição de uma sequência de movimentos para a seguinte

Uma observação interessante que apoia esse ponto de vista é que muitos neurônios nos núcleos denteados cerebelares exibem o padrão de atividade para o movimento sequencial que ainda está por vir enquanto o movimento atual está ocorrendo. Assim, as zonas cerebelares laterais parecem envolvidas não com o movimento que está acontecendo em determinado momento, mas com *o que vai acontecer durante o próximo movimento sequencial* uma fração de segundo ou talvez até segundos depois.

Para resumir, uma das características mais importantes da função motora normal é a capacidade de progredir suavemente de um movimento para o seguinte em uma sucessão ordenada. Na ausência das grandes zonas laterais dos hemisférios cerebelares, essa capacidade é seriamente prejudicada para movimentos rápidos.

Função de sincronização dos movimentos sequenciais. Outra função importante das zonas laterais dos hemisférios cerebelares é fornecer o tempo apropriado para cada movimento subsequente. Na ausência dessas zonas cerebelares, perde-se a capacidade subconsciente de predizer a que distância as diferentes partes do corpo irão movimentar-se em determinado momento. Sem essa capacidade de sincronização, a pessoa torna-se incapaz de determinar quando o próximo movimento sequencial precisa começar. Como resultado, o movimento seguinte pode iniciar-se bem cedo ou, mais provavelmente, muito tarde. Portanto, as lesões nas zonas laterais do cerebelo fazem com que movimentos complexos (p. ex., aqueles necessários para escrever, correr ou mesmo falar) sejam descoordenados e não possam progredir em sequência ordenada de um movimento para o próximo. Diz-se que essas lesões cerebelares causam *falha na progressão suave dos movimentos*.

Funções preditivas extramotoras do cerebrocerebelo. O cerebrocerebelo (os grandes lobos laterais) também ajuda a "temporizar" eventos para além dos movimentos do corpo. Por exemplo, as velocidades de progressão dos fenômenos auditivos e visuais podem ser "inferidas" pelo cérebro, mas ambas requerem a participação cerebelar. Portanto, uma pessoa pode predizer, a partir da alteração no cenário visual, com que rapidez ela se aproxima de um objeto. Um experimento impressionante que demonstra a importância do cerebelo nessa capacidade são os efeitos da remoção das grandes porções laterais do cerebelo em macacos. Esse animal ocasionalmente se arremete contra a parede de um corredor porque é incapaz de prever quando chegará à parede.

É bem possível que o cerebelo forneça uma "base de tempo", talvez usando circuitos de retardo de tempo, com os quais os sinais de outras partes do sistema nervoso central possam ser comparados. Afirma-se, com frequência, que o cerebelo é particularmente útil na interpretação das *relações espaço-temporais que mudam rápido* nas informações sensoriais.

Anormalidades clínicas do cerebelo

A destruição de pequenas porções do córtex cerebelar lateral raramente causa anormalidades detectáveis na função motora. De fato, vários meses após a remoção da metade do córtex cerebelar lateral de um lado do cérebro, se os núcleos cerebelares profundos não forem removidos junto com o córtex, as funções motoras do animal parecem ser quase normais, *desde que o animal execute todos os movimentos lentamente*. Assim, as porções restantes do sistema de controle motor são capazes de compensar bastante a perda de partes do cerebelo.

Para causar disfunção grave e contínua do cerebelo, a lesão cerebelar geralmente precisa acometer um ou mais dos núcleos cerebelares profundos – *o núcleo denteado, o núcleo interpósito* ou *o núcleo fastigial*.

Dismetria e ataxia

Dois dos sintomas mais importantes da doença cerebelar são a *dismetria* e a *ataxia*. Na ausência do cerebelo, o

PARTE 11 Sistema Nervoso: C. Neurofisiologia Motora e Integrativa

sistema de controle motor subconsciente não consegue predizer até que distância os movimentos irão. Portanto, os movimentos normalmente ultrapassam sua marca pretendida; então, a porção consciente do cérebro faz uma compensação excessiva na direção oposta para o movimento compensatório subsequente. Esse efeito é denominado *dismetria* e resulta em movimentos descoordenados denominados *ataxia*. A dismetria e a ataxia também podem resultar de *lesões nos tratos espinocerebelares* porque a informação de retroalimentação das partes móveis do corpo para o cerebelo é essencial para a programação do término do movimento pelo cerebelo.

Passar do ponto

Passar do ponto significa que, na ausência do cerebelo, uma pessoa geralmente mexe a mão ou alguma outra parte do corpo em um movimento consideravelmente além do ponto de intenção. Isso porque é o cerebelo que costuma inicializar a maior parte do sinal motor que desliga um movimento depois de iniciado; portanto, se ele não estiver disponível para ativar esse sinal motor, o movimento normalmente vai além da marca pretendida. Portanto, passar do ponto é, na verdade, manifestação de dismetria.

Deficiências de progressão

Disdiadococinesia | Incapacidade de realizar movimentos rápidos alternadamente. Quando o sistema de controle motor falha em predizer onde as diferentes partes do corpo estarão em determinado momento, perde-se a percepção das partes durante os movimentos motores rápidos. Como resultado, o movimento seguinte pode começar muito cedo ou muito tarde; portanto, não ocorre nenhuma progressão do movimento de maneira organizada. É possível demonstrar prontamente esse efeito fazendo com que um paciente com lesão cerebelar vire uma das mãos para cima e para baixo rapidamente. O paciente logo perde toda a percepção da posição instantânea da mão durante qualquer parte do movimento. Como resultado, ocorre uma série de movimentos fracionados e confusos, em vez dos movimentos coordenados normais para cima e para baixo. Essa condição é chamada de *disdiadococinesia*.

Disartria | Falha de articulação da fala. Outro exemplo em que ocorre falha de progressão é na fala, porque a formação de palavras depende da sucessão rápida e ordenada de movimentos musculares individuais na laringe, na boca e no sistema respiratório. A falta de coordenação entre essas estruturas e a incapacidade de ajustar antecipadamente a intensidade do som ou a duração de cada som sucessivo causam vocalização confusa, com algumas sílabas com alta intensidade, outras fracas, algumas mantidas por longos intervalos e outras, por intervalos curtos, resultando, muitas vezes, em um discurso ininteligível. Essa condição é chamada de *disartria*.

Nistagmo cerebelar | Tremor dos globos oculares. O *nistagmo cerebelar* é o tremor do globo ocular que geralmente ocorre quando se tenta fixar os olhos em uma cena em um lado da cabeça. Esse tipo de fixação fora do centro resulta em movimentos rápidos e trêmulos dos olhos, em vez de fixação constante, sendo, portanto, outra manifestação da falha de amortecimento pelo cerebelo. Ocorre sobretudo quando os

lobos floculonodulares do cerebelo estão danificados; nesse caso, também está associado à perda de equilíbrio devido à disfunção das vias provenientes dos canais semicirculares que passam pelo cerebelo floculonodular.

Hipotonia | Diminuição do tônus da musculatura

A perda dos núcleos cerebelares profundos, particularmente dos núcleos denteado e interpósito, diminui o tônus da musculatura corporal periférica do mesmo lado da lesão cerebelar. A hipotonia resulta da perda da facilitação cerebelar do córtex motor e dos núcleos motores do tronco encefálico por sinais tônicos provenientes dos núcleos cerebelares profundos.

NÚCLEOS DA BASE E SUAS FUNÇÕES MOTORAS

Os núcleos da base, como o cerebelo, constituem outro *sistema motor acessório* que funciona geralmente não por si mesmo, mas em estreita associação com o córtex cerebral e com o sistema de controle motor corticoespinhal. De fato, os núcleos da base recebem a maior parte dos sinais aferentes do córtex cerebral e também retornam quase todos os sinais eferentes para o córtex.

A **Figura 57.9** mostra as relações anatômicas dos núcleos da base com outras estruturas do cérebro. Em cada lado do cérebro, esses núcleos consistem no *núcleo caudado*, no *putame*, no *globo pálido*, na *substância negra* e no *núcleo subtalâmico*. Eles estão localizados sobretudo lateralmente e ao redor do tálamo, ocupando grande parte das regiões interiores de ambos os hemisférios cerebrais. Quase todas as fibras nervosas motoras e sensoriais que conectam o córtex cerebral e a medula espinhal passam pelo espaço que fica entre as principais massas dos núcleos da base, o *núcleo caudado* e o *putame*. Esse espaço é denominado *cápsula interna* do cérebro, sendo importante em nossa discussão atual por causa da íntima associação entre os núcleos da base e o sistema corticoespinhal para o controle motor.

CIRCUITOS NEURAIS DOS NÚCLEOS DA BASE

As conexões anatômicas entre os núcleos da base e os outros elementos cerebrais que fornecem controle motor são complexas, como mostrado na **Figura 57.10**. À esquerda, observam-se o córtex motor, o tálamo e os circuitos associados do tronco encefálico e do cerebelo. À direita está o circuito principal do sistema de núcleos da base, evidenciando as tremendas interconexões entre os núcleos da base, além de extensas vias aferentes e eferentes entre as outras regiões motoras do cérebro e os núcleos da base.

Nas próximas seções, iremos concentrar-nos especialmente em dois circuitos principais: o *circuito do putame* e o *circuito do caudado*.

FUNÇÃO DOS NÚCLEOS DA BASE NA EXECUÇÃO DE PADRÕES DE ATIVIDADE MOTORA | CIRCUITOS DO PUTAME

Uma das principais funções dos núcleos da base no controle motor é funcionar em associação com o sistema

CAPÍTULO 57 Contribuições do Cerebelo e dos Núcleos da Base para o Controle Motor

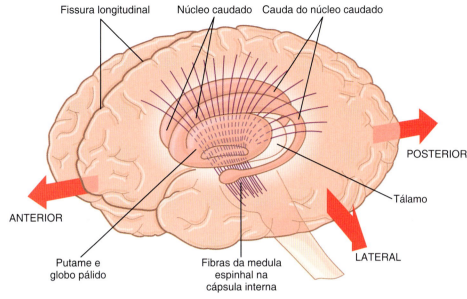

Figura 57.9 Relações anatômicas dos núcleos da base com o córtex cerebral e o tálamo, mostradas em vista tridimensional.

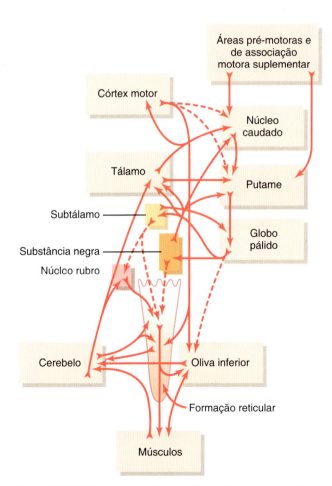

Figura 57.10 Relação dos circuitos dos núcleos da base com o sistema corticoespinocerebelar para o controle dos movimentos.

corticoespinhal para controlar *padrões complexos de atividade motora*. Um exemplo é a escrita de letras do alfabeto. Quando os núcleos da base sofrem grave lesão, o sistema cortical de controle motor não pode mais executar esses padrões. Em vez disso, a escrita torna-se grosseira, como se a pessoa estivesse aprendendo a escrever pela primeira vez.

Outros padrões que requerem os núcleos da base são cortar papel com tesoura, martelar pregos, arremessar uma bola de basquete através de um aro, passar uma bola de futebol e jogar uma bola de beisebol, bem como movimentos de escavar terra, a maioria dos aspectos da vocalização, os movimentos controlados dos olhos e virtualmente qualquer outro de nossos movimentos que demonstrem destreza, a maioria deles executados subconscientemente.

Vias neurais dos circuitos do putame. A **Figura 57.11** mostra as principais vias através dos núcleos da base para a execução de padrões de movimento aprendidos. Elas começam, em sua maioria, nas áreas pré-motoras e suplementares do córtex motor e nas áreas somatossensoriais do córtex sensorial. Em seguida, passam para o putame (principalmente contornando o núcleo caudado) e, depois, para a porção interna do globo pálido, seguindo para os núcleos de retransmissão ventral anterior e ventral lateral do tálamo e, por fim, retornando para o córtex motor cerebral primário e as porções das áreas cerebrais pré-motoras e suplementares estreitamente associadas ao córtex motor primário. Desse modo, *os circuitos do putame têm seus aferentes, principalmente, das partes do cérebro adjacentes ao córtex motor primário*, mas não muito do próprio córtex motor primário. Então, suas eferências retornam, em especial, para o córtex motor *primário* ou para os córtices *pré-motor* e *suplementar* estreitamente associados. Funcionando em estreita associação com esse circuito de putame primário estão os circuitos auxiliares que passam do putame através do globo pálido externo, do subtálamo e da substância negra, retornando, por fim, ao córtex motor por meio do tálamo.

PARTE 11 Sistema Nervoso: C. Neurofisiologia Motora e Integrativa

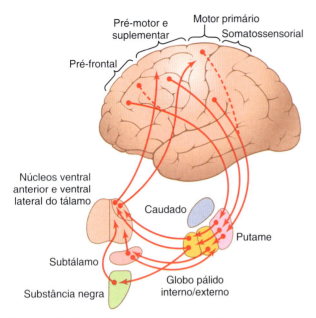

Figura 57.11 Circuito do putame através dos núcleos da base para a execução subconsciente dos padrões aprendidos de movimento.

Função anormal no circuito de putame: atetose, hemibalismo e coreia. Como o circuito do putame funciona para ajudar a executar padrões de movimento? Pouco se sabe sobre essa função. No entanto, quando uma parte do circuito é danificada ou bloqueada, certos padrões de movimento tornam-se gravemente anormais. Por exemplo, é frequente as lesões no *globo pálido* levarem a *movimentos de contorção* espontâneos e, muitas vezes, contínuos de uma das mãos, um braço, o pescoço ou o rosto. Esses movimentos são chamados de *atetose*.

Uma lesão no *subtálamo* tende a levar a *movimentos em bloco e repentinos* de um membro inteiro, uma condição chamada *hemibalismo*.

Múltiplas lesões pequenas no *putame* levam a *movimentos de sacudidela* (chamados de *coreia*) nas mãos, no rosto e em outras partes do corpo.

As lesões da *substância negra* levam à doença comum e extremamente grave de *rigidez, acinesia* e *tremores* conhecida como *doença de Parkinson*, que discutiremos com mais detalhes ainda neste capítulo.

PAPEL DOS NÚCLEOS DA BASE NO CONTROLE COGNITIVO DA MOTRICIDADE | CIRCUITO DO CAUDADO

O termo *cognição* significa os processos mentais de pensamento, integrando a aferência sensorial para o cérebro com as informações já armazenadas na memória. A maior parte de nossas ações motoras ocorre como consequência de pensamentos originados na mente, um processo denominado *controle cognitivo da atividade motora*. O núcleo caudado desempenha um papel importante nesse controle cognitivo da atividade motora.

As conexões neurais entre o núcleo caudado e o sistema de controle motor corticoespinhal, mostradas na **Figura 57.12**, são um pouco diferentes daquelas do circuito do putame. Parte da razão para essa diferença é que o núcleo caudado, como observado na **Figura 57.9**, estende-se por todos os lobos do cérebro, começando anteriormente nos lobos frontais, passando posteriormente pelos lobos parietal e occipital e, por fim, curvando-se para frente outra vez como a letra "C" nos lobos temporais. Além disso, o núcleo caudado recebe grandes quantidades de aferentes das *áreas de associação* do córtex cerebral que recobrem o núcleo caudado, em especial, aquelas que também integram os diferentes tipos de informações sensoriais e motoras em padrões de pensamento utilizáveis.

Os sinais, após passarem do córtex cerebral para o núcleo caudado, são transmitidos para o globo pálido interno, depois para os núcleos de retransmissão do tálamo ventral anterior e ventral lateral e, por fim, finalmente, de volta às áreas motoras pré-frontais, pré-motoras e suplementar do córtex cerebral, mas com quase nenhum dos sinais de retorno passando diretamente para o córtex motor primário. Em lugar disso, os sinais de retorno vão para as regiões motoras acessórias nas áreas motoras pré-motoras e suplementares que estão relacionadas com a construção de padrões sequenciais de movimento com duração de 5 segundos ou mais, em vez de estimular movimentos musculares individuais.

Um bom exemplo desse fenômeno seria uma pessoa ver um leão aproximando-se e, então, responder instantânea e automaticamente (1) afastando-se do leão, (2) começando a correr e (3) até mesmo tentando subir em uma árvore. Sem as funções cognitivas, a pessoa pode não ter o conhecimento instintivo, sem pensar por muito tempo, para responder de maneira rápida e adequada. Assim, o controle cognitivo da atividade motora determina subconscientemente, e em segundos, quais padrões de movimento serão

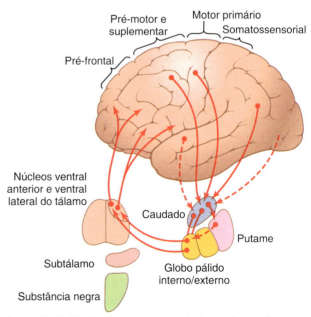

Figura 57.12 Circuito do caudado através dos núcleos da base para planejamento cognitivo de padrões motores sequenciais e paralelos a fim de se obterem objetivos conscientes específicos.

usados em conjunto para alcançar um objetivo complexo capaz de durar vários segundos.

FUNÇÃO DOS NÚCLEOS DA BASE PARA ALTERAR A SINCRONIZAÇÃO E DIMENSIONAR A INTENSIDADE DE MOVIMENTOS

Duas importantes capacidades do cérebro em controlar o movimento são: (1) determinar a rapidez com que o movimento deve ser executado; e (2) controlar o quão amplo será o movimento. Por exemplo, uma pessoa pode escrever a letra "a" lenta ou rapidamente. Além disso, é possível que ela escreva um "a" pequeno em um pedaço de papel ou um "A" grande em um quadro-negro. Independentemente da escolha, as características proporcionais da letra permanecem quase as mesmas.

Em pacientes com lesões graves nos núcleos da base, essas funções de sincronização e dimensionamento são deficientes e, algumas vezes, inexistentes. Aqui, mais uma vez, os núcleos da base não funcionam de maneira isolada, mas em estreita associação com o córtex cerebral. Uma área cortical especialmente importante é o córtex parietal posterior – o local das coordenadas espaciais para o controle motor de todas as partes do corpo, bem como para a relação do corpo e de suas partes com tudo o que está à sua volta. Danos nessa área não produzem simples déficits de percepção sensorial, como perda da sensação tátil, cegueira ou surdez. Em vez disso, as lesões do córtex parietal posterior produzem uma incapacidade de perceber objetos de modo acurado por meio de mecanismos sensoriais que funcionam normalmente, uma condição chamada *agnosia*. A **Figura 57.13** mostra como uma pessoa com uma lesão no córtex parietal posterior direito pode tentar copiar desenhos. Nesses casos, a capacidade do paciente em copiar o lado esquerdo dos desenhos está gravemente prejudicada. Além disso, ele sempre tentará evitar usar o braço esquerdo, a mão esquerda ou outras partes do corpo de seu lado esquerdo para a execução de tarefas; ele pode nem lavar esse lado do corpo (*síndrome da negligência*), quase desconhecendo que essas partes existam.

Uma vez que o circuito do caudado do sistema de núcleos da base funciona principalmente com áreas de associação do córtex cerebral, como o córtex parietal posterior, presume-se que a sincronização e o dimensionamento dos movimentos sejam funções desse circuito de controle motor cognitivo do caudado. No entanto, nosso entendimento da função dos núcleos da base ainda é tão impreciso que muito do que é discutido nas últimas seções é dedução analítica, e não fato comprovado.

FUNÇÕES DE SUBSTÂNCIAS NEUROTRANSMISSORAS ESPECÍFICAS NOS NÚCLEOS DA BASE

A **Figura 57.14** demonstra a inter-relação de vários neurotransmissores específicos que sabidamente funcionam nos núcleos da base, mostrando: (1) as vias de *dopamina* da substância negra para o núcleo caudado e o putame; (2) as vias do *ácido gama-aminobutírico* (GABA) do núcleo caudado e putame para o globo pálido e a substância negra; (3) vias de *acetilcolina* do córtex para o núcleo caudado e putame; e (4) múltiplas vias gerais do tronco encefálico que secretam *noradrenalina*, *serotonina*, *encefalina* e vários outros neurotransmissores nos núcleos da base, bem como em outras partes do cérebro. Além de tudo isso, há *múltiplas vias do glutamato*, responsáveis pela maioria dos sinais excitatórios (não mostrados na figura) que equilibram o

Figura 57.13 Ilustração de desenho que poderia ser feito por uma pessoa com a *síndrome da negligência*, causada por lesão grave de seu córtex parietal posterior, comparado com o desenho real, cuja cópia foi solicitada. Observe que a capacidade da pessoa em reproduzir o lado esquerdo do desenho está gravemente prejudicada.

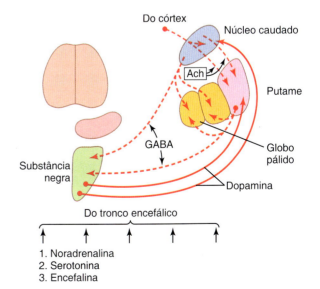

Figura 57.14 Vias neuronais que secretam diferentes tipos de substâncias neurotransmissoras nos núcleos da base. Ach, Acetilcolina; GABA, ácido gama-aminobutírico.

PARTE 11 Sistema Nervoso: C. Neurofisiologia Motora e Integrativa

grande número de sinais inibitórios transmitidos, especialmente pelos transmissores inibitórios dopamina, GABA e serotonina. Teremos mais a dizer sobre alguns desses sistemas neurotransmissores e hormonais nas seções subsequentes, quando discutiremos as doenças dos núcleos da base, bem como nos capítulos subsequentes, quando serão abordados o comportamento, o sono, a vigília e as funções do sistema nervoso autônomo.

Por enquanto, deve-se lembrar que o GABA funciona como um neurotransmissor inibitório. Portanto, os neurônios GABA nas alças de retroalimentação do córtex através dos núcleos da base e de volta ao córtex fazem com que virtualmente todas essas alças sejam de *alças retroalimentação negativa*, e não de retroalimentação (*feedback*) positiva, emprestando estabilidade aos sistemas de controle motor. A dopamina também funciona como um neurotransmissor inibitório na maior parte do cérebro e, por isso, age igualmente como um estabilizador em algumas condições.

Síndromes clínicas resultantes de lesão dos núcleos da base

Além da *atetose* e do *hemibalismo*, já mencionados em relação às lesões no globo pálido e no subtálamo, outras duas doenças importantes decorrem de lesões nos núcleos da base. São elas a *doença de Parkinson* e a *doença de Huntington*.

Doença de Parkinson

Também conhecida como *paralisia agitante*, a doença de Parkinson resulta da degeneração generalizada da porção da substância negra (a *pars compacta*) que envia fibras nervosas secretoras de dopamina para o núcleo caudado e para o putame. A doença é caracterizada por: (1) rigidez de grande parte da musculatura do corpo; (2) tremor involuntário das áreas envolvidas, mesmo quando a pessoa está em repouso, a uma frequência fixa de 3 a 6 ciclos por segundo; (3) dificuldade intensa em iniciar o movimento, chamada *acinesia*; (4) instabilidade postural causada por reflexos posturais prejudicados, levando a um equilíbrio inadequado e quedas; e (5) outros sintomas motores, incluindo disfagia (diminuição da capacidade de engolir), distúrbios da fala, distúrbios da marcha e fadiga.

As causas desses efeitos motores anormais não são totalmente compreendidas. No entanto, a dopamina secretada no núcleo caudado e no putame é um transmissor inibitório; logo, a destruição dos neurônios dopaminérgicos na substância negra teoricamente possibilitaria que o núcleo caudado e o putame se tornassem ativos ao extremo e possivelmente causaria a saída contínua de sinais excitatórios para o sistema de controle motor corticoespinhal. Esses sinais poderiam excitar excessivamente muitos ou todos os músculos do corpo, levando à *rigidez* em pacientes com doença de Parkinson.

Alguns dos circuitos de retroalimentação podem *oscilar* com facilidade em razão dos altos ganhos de retroalimentação após a perda de sua inibição, levando ao *tremor* da doença de Parkinson. Esse tremor é bastante diferente daquele da doença cerebelar porque ocorre durante todas as horas de vigília, sendo, portanto, um *tremor involuntário*,

distinguindo-se do tremor cerebelar, que acontece apenas quando a pessoa realiza movimentos intencionalmente iniciados.

A *acinesia* que ocorre na doença de Parkinson costuma ser muito mais angustiante para o paciente do que os sintomas de rigidez muscular e tremor, porque uma pessoa com doença de Parkinson grave deve exercer o mais alto grau de concentração para realizar até mesmo o movimento mais simples. O esforço mental (até mesmo angústia mental) que é necessário para fazer os movimentos desejados está, muitas vezes, no limite da força de vontade do paciente. Então, quando os movimentos ocorrem, tendem a ser rígidos, lentos e decompostos em partes (movimento em catraca), em vez de suaves. A causa dessa acinesia ainda é especulativa. No entanto, a secreção de dopamina no sistema límbico – em especial, no *núcleo acumbente* – está frequentemente reduzida, junto com sua diminuição nos núcleos da base. Foi sugerido que essa diminuição possa reduzir o impulso psíquico para a atividade motora de tal modo que resulte em acinesia.

As características não motoras da doença de Parkinson incluem transtornos do sono, depressão e ansiedade, disfunção autonômica e comprometimento cognitivo em estágios avançados.

Tratamento com L-dopa. A administração do fármaco L-*dopa* a pacientes com doença de Parkinson costuma melhorar muitos dos distúrbios motores, especialmente a rigidez e a acinesia, mas tem pouco efeito benéfico sobre os sintomas não motores. Acredita-se que a razão para a melhora dos distúrbios motores seja que a L-dopa é convertida no cérebro em dopamina e a dopamina, então, restaura o equilíbrio normal entre a inibição e a excitação no núcleo caudado e no putame. A dopamina, ao ser administrada, não tem o mesmo efeito em razão de sua estrutura química, que a impossibilita de atravessar a barreira hematencefálica; já a estrutura ligeiramente diferente da L-dopa torna possível sua passagem por essa barreira.

Tratamento com inibidores da monoaminoxidase. Outro tratamento para a doença de Parkinson inclui fármacos inibidores da monoaminoxidase (IMAO), responsável pela destruição da maior parte da dopamina após sua secreção. Portanto, qualquer dopamina que seja liberada permanece por mais tempo nos tecidos dos núcleos da base. Além disso, por motivos não compreendidos, esse tratamento ajuda a retardar a destruição dos neurônios secretores de dopamina na substância negra. Portanto, as combinações apropriadas de terapia com L-dopa junto com a terapia com inibidor da monoaminoxidase geralmente propiciam um tratamento muito melhor do que o uso de apenas um desses fármacos.

Tratamento com células dopaminérgicas fetais transplantadas. O transplante de células fetais cerebrais secretoras de dopamina para os núcleos caudados e putame tem sido usado com algum sucesso a curto prazo para tratar a doença de Parkinson. Se fosse possível obter a persistência, talvez esse se tornasse o tratamento do futuro.

Doença de Huntington (coreia de Huntington)

A doença de Huntington é um distúrbio hereditário autossômico dominante, que geralmente começa a causar

CAPÍTULO 57 Contribuições do Cerebelo e dos Núcleos da Base para o Controle Motor

sintomas na idade de 30 a 40 anos. É caracterizada inicialmente por movimentos de sacudidela em músculos individuais e, a seguir, por movimentos de distorção grave e progressiva de todo o corpo. Além disso, a demência grave desenvolve-se junto com as disfunções motoras.

Acredita-se que os movimentos anormais da doença de Huntington sejam causados pela perda da maioria dos corpos celulares dos neurônios secretores de GABA no núcleo caudado e no putame, bem como pela perda de neurônios secretores de acetilcolina em muitas partes do cérebro. Os terminais dos axônios dos neurônios GABA normalmente inibem porções do globo pálido e da substância negra. Acredita-se que essa perda de inibição possibilite explosões espontâneas de atividade do globo pálido e da substância negra, o que ocasiona os movimentos de distorção.

É provável que a demência em pessoas com doença de Huntington não resulte da perda de neurônios GABA, mas da perda de neurônios secretores de acetilcolina, talvez especialmente nas áreas de pensamento do córtex cerebral.

O gene anormal que causa a doença de Huntington foi encontrado; ele tem um códon (CAG) que se repete muitas vezes e codifica para múltiplos aminoácidos extras de *glutamina* na estrutura molecular de uma proteína celular neuronal anormal, chamada *huntingtina*, que ocasiona os sintomas. Essa proteína, por causar os efeitos da doença, é, no momento, uma questão para pesquisa mais intensa.

INTEGRAÇÃO DAS DIFERENTES PARTES DO SISTEMA DE CONTROLE GLOBAL DO MOVIMENTO

Por fim, resumiremos da melhor maneira possível o que sabemos sobre o controle global do movimento. Para isso, vamos primeiro fazer uma sinopse dos diferentes níveis de controle.

NÍVEL ESPINHAL

Há padrões locais de movimento para todas as áreas musculares do corpo programados na medula espinhal – por exemplo, reflexos de retirada programados que afastam qualquer parte do corpo para longe de uma fonte de dor. A medula também é o local de padrões complexos de movimentos rítmicos, como o movimento alternado de vaivém dos membros para caminhar, mais movimentos recíprocos em lados opostos do corpo ou dos membros posteriores *versus* membros anteriores em animais de quatro patas.

Todos esses programas da medula podem ou ser acionados por níveis superiores de controle motor ou inibidos enquanto os níveis superiores assumem o controle.

NÍVEL ROMBENCEFÁLICO

O rombencéfalo é responsável por duas funções principais para o controle motor geral do corpo: (1) manutenção do tônus axial do corpo para o propósito de ficar em pé; e (2) modificação contínua dos graus de tônus nos diferentes músculos em resposta às informações do aparelho vestibular, com a finalidade de manter o equilíbrio corporal.

NÍVEL DO CÓRTEX MOTOR

O sistema do córtex motor fornece a maioria dos sinais motores de ativação para a medula espinhal. Ele funciona, em parte, emitindo comandos sequenciais e paralelos que colocam em movimento vários padrões medulares de ação motora. É também capaz de alterar as intensidades dos diferentes padrões ou modificar o seu tempo ou outras características. Quando necessário, o sistema corticoespinhal pode contornar os padrões da medula, substituindo-os por padrões de nível superior do tronco encefálico ou do córtex cerebral. Os padrões corticais tendem a ser complexos; eles podem ser, também, "aprendidos", ao passo que os padrões medulares são determinados sobretudo pela hereditariedade e são considerados fisicamente conectados.

Funções associadas do cerebelo. O cerebelo funciona com todos os níveis de controle muscular. Com a medula espinhal, ele age de maneira especial para aumentar o reflexo de estiramento; portanto, quando um músculo em contração encontra uma carga inesperadamente pesada, um sinal reflexo de estiramento longo, transmitido por todo o cerebelo e de volta para a medula, aumenta de maneira muito intensa o efeito de resistência à carga do reflexo de estiramento básico.

Na área do tronco encefálico, o cerebelo funciona para realizar os movimentos posturais do corpo, especialmente os movimentos rápidos exigidos pelo sistema de equilíbrio, suaves e contínuos e sem oscilações anormais.

No córtex cerebral, o cerebelo opera em associação com ele a fim de proporcionar muitas funções motoras acessórias, sobretudo para fornecer força motora extra para ativar a contração muscular rapidamente no início de um movimento. Perto do final de cada movimento, o *cerebelo* ativa os músculos antagonistas exatamente no momento certo e com a força adequada para interromper o movimento no ponto pretendido. Além disso, quase todos os aspectos desse padrão de liga/desliga, realizado pelo cerebelo, podem ser aprendidos com a experiência.

O cerebelo funciona com o córtex cerebral ainda em outro nível de controle motor; ele ajuda a programar com antecedência as contrações musculares necessárias para a progressão suave de um movimento rápido atual em uma direção para o próximo movimento rápido em outra direção, com tudo isso ocorrendo em uma fração de segundo. Para isso, o circuito neural passa do córtex cerebral para as grandes zonas laterais dos hemisférios cerebelares e, depois, volta para o córtex cerebral.

O cerebelo funciona principalmente quando movimentos musculares precisam ser rápidos. Sem ele, movimentos lentos e calculados ainda podem ocorrer, mas é difícil o sistema corticoespinhal realizar movimentos intencionais rápidos e variáveis para executar um objetivo particular ou, especialmente, para progredir de modo suave de um movimento rápido para o seguinte.

PARTE 11 Sistema Nervoso: C. Neurofisiologia Motora e Integrativa

Funções associadas dos núcleos da base. Os núcleos da base são essenciais para o controle motor de maneiras totalmente diferentes daquelas do cerebelo. Suas funções mais importantes são: (1) ajudar o córtex a executar *padrões de movimento aprendidos*, mas subconscientes; e (2) ajudar a planejar múltiplos padrões paralelos e sequenciais de movimento que a mente reúne para realizar uma tarefa pretendida.

Os tipos de padrões motores que requerem os núcleos da base incluem aqueles para escrever todas as diferentes letras do alfabeto, para lançar uma bola e para digitar. Além disso, os núcleos da base são necessários à modificação desses padrões para escrever de forma pequena ou muito grande, controlando, assim, as dimensões dos padrões.

Em um nível ainda mais alto de controle está outra circuitaria formada pelo cerebelo e pelos núcleos da base. Ela começa nos processos de pensamento para fornecer etapas sequenciais globais de ação a fim de responder a cada nova situação – como o planejamento de uma resposta motora imediata a um agressor ou a resposta sequencial de alguém a um abraço inesperadamente afetuoso.

O QUE NOS LEVA À AÇÃO?

O que nos desperta da inatividade e põe em ação nossas sequências de movimento? Estamos começando a aprender sobre os sistemas motivacionais do cérebro. Explicando de maneira resumida, ele tem um núcleo mais antigo localizado abaixo, anterior e lateralmente ao tálamo – incluindo o hipotálamo, a amígdala, o hipocampo, a região septal anterior ao hipotálamo e ao tálamo e até mesmo regiões mais antigas do tálamo e do córtex cerebral. Todas essas áreas – que funcionam em conjunto para iniciar a maioria das atividades motoras e outras atividades funcionais do cérebro – são chamadas coletivamente de sistema límbico do cérebro, o qual será discutido mais detalhadamente no Capítulo 59.

Bibliografia

Beckinghausen J, Sillitoe RV: Insights into cerebellar development and connectivity. Neurosci Lett 688:2, 2019.

Bostan AC, Strick PL: The basal ganglia and the cerebellum: nodes in an integrated network. Nat Rev Neurosci 19:338, 2018.

Bushart DD, Shakkottai VG: Ion channel dysfunction in cerebellar ataxia. Neurosci Lett 688:41, 2019.

Cerminara NL, Lang EJ, Sillitoe RV, Apps R: Redefining the cerebellar cortex as an assembly of non-uniform Purkinje cell microcircuits. Nat Rev Neurosci 16:79, 2015.

Chadderton P, Schaefer AT, Williams SR, Margrie TW: Sensory-evoked synaptic integration in cerebellar and cerebral cortical neurons. Nat Rev Neurosci 15:71, 2014.

De Zeeuw CI, Hoebeek FE, Bosman LW, et al: Spatiotemporal firing patterns in the cerebellum. Nat Rev Neurosci 12:327, 2011.

De Zeeuw CI, Ten Brinke MM: Motor learning and the cerebellum. Cold Spring Harb Perspect Biol 2015 Sep 1;7(9):a021683. doi: 10.1101/cshperspect.a021683

Eidelberg D, Surmeier DJ: Brain networks in Huntington disease. J Clin Invest 121:484, 2011.

Elkouzi A, Vedam-Mai V, Eisinger RS, Okun MS: Emerging therapies in Parkinson disease - repurposed drugs and new approaches. Nat Rev Neurol 15:204, 2019.

Gao Z, van Beugen BJ, De Zeeuw CI: Distributed synergistic plasticity and cerebellar learning. Nat Rev Neurosci 13:619, 2012.

Hallett PJ, Cooper O, Sadi D et al: Long-term health of dopaminergic neuron transplants in Parkinson's disease patients. Cell Rep 7:1755, 2014.

Hikosaka O, Kim HF, Amita H et al: Direct and indirect pathways for choosing objects and actions. Eur J Neurosci 49:637, 2019.

Okun MS: Deep-brain stimulation for Parkinson's disease. N Engl J Med 367:1529, 2012.

Sathyanesan A, Zhou J, Scafidi J, Heck DH, Sillitoe RV, Gallo V: Emerging connections between cerebellar development, behaviour and complex brain disorders. Nat Rev Neurosci 20:298, 2019.

Shepherd GM: Corticostriatal connectivity and its role in disease. Nat Rev Neurosci 14:278, 2013.

Ten Brinke MM, Boele HJ, De Zeeuw CI: Conditioned climbing fiber responses in cerebellar cortex and nuclei. Neurosci Lett 688:26, 2019.

Therrien AS, Bastian AJ: The cerebellum as a movement sensor. Neurosci Lett 688:37, 2019.

Ullsperger M, Danielmeier C, Jocham G: Neurophysiology of performance monitoring and adaptive behavior. Physiol Rev 94:35, 2014.

Zuccato C, Valenza M, Cattaneo E: Molecular mechanisms and potential therapeutic targets in Huntington's disease. Physiol Rev 90:905, 2010.

CAPÍTULO 58

Córtex Cerebral, Funções Intelectuais do Cérebro, Aprendizado e Memória

PARTE 11

É surpreendente que, de todas as partes do cérebro, tenhamos menos certeza sobre as funções do córtex cerebral, ainda que esta seja, de longe, a maior porção – e, talvez, a mais estudada – do sistema nervoso. No entanto, sabemos os efeitos da lesão ou da estimulação de várias áreas do córtex cerebral. Na primeira parte deste capítulo, as funções corticais conhecidas são discutidas, sendo, em seguida, apresentadas resumidamente as teorias básicas dos mecanismos neuronais relacionados aos processos de pensamento, memória, análise de informações sensoriais, e assim por diante.

ANATOMIA FISIOLÓGICA DO CÓRTEX CEREBRAL

A parte funcional do córtex cerebral é uma fina camada de neurônios que cobre a superfície de todas as circunvoluções do cérebro. Essa camada tem apenas 2 a 5 milímetros de espessura, com uma área total de aproximadamente 25% de um metro quadrado. Estima-se que o córtex cerebral total contenha mais de 80 *bilhões* de neurônios.

A **Figura 58.1** mostra a estrutura histológica típica da superfície neuronal do córtex cerebral, com suas camadas sucessivas de diferentes tipos de neurônios. A maioria deles é de três tipos: (1) *granulares* (também chamados de *estrelados*); (2) *fusiformes*; e (3) *piramidais*, que recebem esse nome devido à sua forma piramidal característica.

Os neurônios *granulares* costumam ter axônios curtos e, portanto, funcionam principalmente como interneurônios que transmitem sinais neurais apenas a curtas distâncias no córtex. Alguns são excitatórios, liberando, em especial, o neurotransmissor excitatório *glutamato*, enquanto outros são inibitórios e liberam principalmente o neurotransmissor inibitório *ácido gama-aminobutírico* (GABA). As áreas sensoriais do córtex, bem como as que fazem associação entre as áreas sensoriais e motoras, têm grandes concentrações dessas células granulares, sugerindo alto grau de processamento intracortical de sinais sensoriais recebidos nas áreas sensoriais e de associação.

As *células piramidais* e as *células fusiformes* dão origem a quase todas as fibras que saem do córtex. As células piramidais, além de serem maiores e mais numerosas do que as células fusiformes, são a fonte das fibras nervosas longas e calibrosas que fazem trajeto até a medula espinhal. As células piramidais também dão origem à maioria dos grandes feixes de fibras de associação subcorticais que fazem a interligação entre as grandes partes do cérebro.

A **Figura 58.1** mostra, à direita, a organização típica das fibras nervosas nas diferentes camadas do córtex cerebral. Observe particularmente não apenas o grande número de *fibras horizontais* que se estendem entre áreas adjacentes do córtex, mas também as *fibras verticais* que se estendem para o córtex e dele até as áreas inferiores do cérebro, com algumas se projetando até a medula espinhal

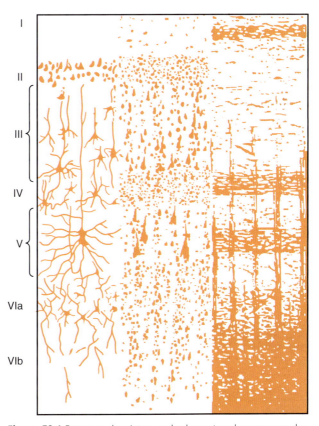

Figura 58.1 Estrutura do córtex cerebral, mostrando suas camadas: I, camada molecular; II, camada granulosa externa; III, camada de células piramidais; IV, camada granulosa interna; V, camada de células piramidais gigantes; e VI, camada de células fusiformes ou polimórficas. (*Modificada de Ranson SW, Clark SL: Anatomy of the Nervous System. Philadelphia: WB Saunders, 1959.*)

ou para regiões distantes do córtex cerebral por meio de longos feixes de associação.

As funções das camadas específicas do córtex cerebral são discutidas nos Capítulos 48 e 52. A título de revisão, vamos recapitular que a maioria dos sinais sensoriais específicos provenientes do corpo terminam na camada cortical IV. A maioria dos sinais eferentes deixa o córtex através de neurônios localizados nas camadas V e VI; as fibras muito calibrosas que se dirigem para o tronco encefálico e para a medula geralmente se originam na camada V, e o número enorme de fibras que segue para o tálamo surge na camada VI. As camadas I, II e III realizam a maior parte das funções de associação intracortical, com quantidades especialmente numerosas de neurônios nas camadas II e III fazendo conexões horizontais curtas com as áreas corticais adjacentes.

RELAÇÕES ANATÔMICAS E FUNCIONAIS DO CÓRTEX CEREBRAL COM O TÁLAMO E COM OUTROS CENTROS INFERIORES

Todas as áreas do córtex cerebral têm extensas conexões eferentes e aferentes de um lado para outro com estruturas mais profundas do cérebro. É importante enfatizar a relação entre o córtex cerebral e o tálamo. Quando o tálamo sofre danos junto com o córtex, a perda da função cerebral é muito maior do que quando o córtex é danificado isoladamente, porque a excitação talâmica do córtex é necessária para quase toda a atividade cortical.

A **Figura 58.2** mostra as áreas do córtex cerebral que se conectam com partes específicas do tálamo. Essas conexões atuam em *duas* direções, do tálamo para o córtex e de volta do córtex para, essencialmente, a mesma área do tálamo. Além disso, quando as conexões talâmicas são interrompidas, as funções da área cortical correspondente tornam-se quase perdidas em sua totalidade. Portanto, o córtex opera em estreita associação com o tálamo e praticamente pode ser considerado – do ponto de vista anatômico e funcional – uma unidade conjunta com o tálamo; por esse motivo, algumas vezes o tálamo e o córtex, juntos, são chamados de *sistema talamocortical*. Quase todas as vias dos receptores sensoriais e dos órgãos sensoriais que se dirigem para o córtex passam pelo tálamo, com exceção de algumas vias sensoriais do olfato.

FUNÇÕES DE ÁREAS CORTICAIS ESPECÍFICAS

A **Figura 58.3** representa um mapa de certas funções de diferentes áreas corticais cerebrais, conforme determinado a partir da estimulação elétrica do córtex em pacientes acordados ou durante o exame neurológico de pacientes após a remoção de porções de seu córtex. Os pacientes estimulados eletricamente relataram seus pensamentos evocados pela estimulação e, algumas vezes, apresentaram movimentos. Em certas ocasiões, eles emitiam espontaneamente som, ou mesmo uma palavra, ou forneciam alguma outra evidência do estímulo.

Reunir grandes quantidades de informações de muitas fontes diferentes fornece um mapa mais geral, conforme demonstrado na **Figura 58.4**. Observe as principais áreas pré-motoras primárias e secundárias e as áreas motoras suplementares do córtex, bem como as principais áreas sensoriais primárias e secundárias para sensação somática, visão e audição, todas discutidas em capítulos anteriores. As áreas motoras primárias mantêm conexões diretas com músculos específicos para produzir movimentos musculares distintos. As áreas sensoriais primárias detectam sensações específicas – visuais, auditivas ou somáticas – transmitidas ao cérebro a partir de órgãos sensoriais periféricos.

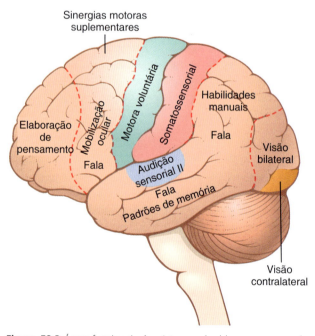

Figura 58.3 Áreas funcionais do córtex cerebral humano, como determinado pela estimulação elétrica do córtex durante as operações neurocirúrgicas e por exames neurológicos de pacientes com regiões corticais destruídas. (*Modificada de Penfield W, Rasmussen T: The Cerebral Cortex of Man: A Clinical Study of Localization of Function. New York: Hafner, 1968.*)

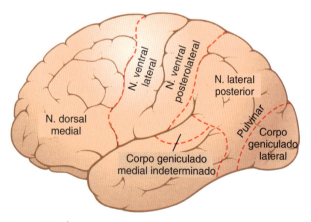

Figura 58.2 Áreas do córtex cerebral que se conectam a porções específicas do tálamo. N., nervo.

CAPÍTULO 58 Córtex Cerebral, Funções Intelectuais do Cérebro, Aprendizado e Memória

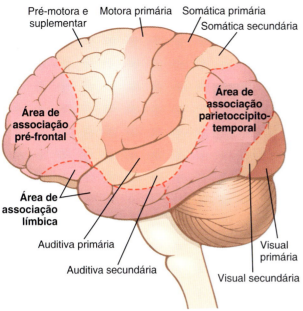

Figura 58.4 Localização das principais áreas de associação do córtex cerebral, bem como áreas motoras e sensoriais primárias e secundárias.

As áreas secundárias dão significado aos sinais recebidos das áreas primárias. Por exemplo, as áreas suplementares e pré-motoras funcionam junto com o córtex motor primário e os núcleos da base para fornecer padrões de atividade motora. Do lado sensorial, as áreas sensoriais secundárias, localizadas a poucos centímetros das áreas primárias, começam a analisar os significados dos sinais sensoriais específicos, tais como: (1) interpretação da forma ou textura de um objeto em uma das mãos; (2) interpretação de cor, intensidade da luz, direção de linhas e ângulos e outros aspectos da visão; e (3) interpretações dos significados dos tons sonoros e da sequência de tons nos sinais auditivos.

ÁREAS DE ASSOCIAÇÃO

A **Figura 58.4** também mostra várias grandes áreas do córtex cerebral que não se enquadram nas categorias rígidas de áreas motoras e sensoriais primárias e secundárias. São chamadas de *áreas de associação* porque recebem e analisam sinais simultaneamente de múltiplas regiões dos córtices motores e sensoriais, bem como de estruturas subcorticais. Ainda assim, elas têm suas especializações. As áreas de associação importantes incluem: (1) a *área de associação parietoccipitotemporal*; (2) a *área de associação pré-frontal*; e (3) a *área de associação límbica*.

Área de associação parietoccipitotemporal

A área de associação parietoccipitotemporal fica no grande espaço entre o córtex parietal e o córtex occipital, delimitado pelo córtex somatossensorial anteriormente, pelo córtex visual posteriormente e pelo córtex auditivo lateralmente. Como seria esperado, essa área fornece um alto nível de significado interpretativo para sinais de todas as áreas sensoriais adjacentes. No entanto, mesmo a área de associação parietoccipitotemporal tem suas próprias subáreas funcionais, apresentadas na **Figura 58.5**.

Análise das coordenadas espaciais do corpo. Uma área que começa no *córtex parietal posterior* e se estende até o *córtex occipital superior* fornece uma análise contínua das coordenadas espaciais de todas as partes do corpo, bem como de seu entorno. Essa área recebe informações sensoriais visuais do córtex occipital posterior e informações somatossensoriais simultâneas do córtex parietal anterior. A partir de todas essas informações, essa área calcula as coordenadas visuais, auditivas e do que está ao redor do corpo.

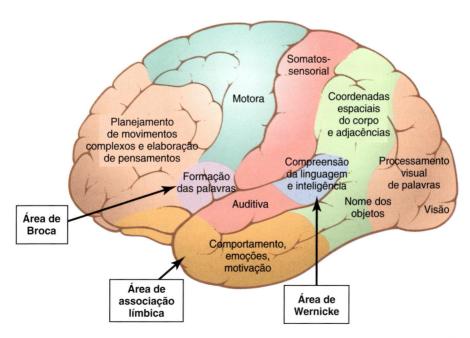

Figura 58.5 Mapa de áreas funcionais específicas no córtex cerebral, mostrando especialmente as áreas de Wernicke e de Broca (para compreensão da linguagem e produção da fala), as quais, em 95% de todas as pessoas, estão localizadas no hemisfério esquerdo.

PARTE 11 Sistema Nervoso: C. Neurofisiologia Motora e Integrativa

A área de Wernicke é importante para a compreensão da linguagem. A principal área para a compreensão da linguagem, chamada *área de Wernicke*, localiza-se atrás do *córtex auditivo primário, na parte posterior do giro superior do lobo temporal*. Discutiremos essa área mais detalhadamente adiante. Trata-se de uma das regiões mais importantes de todo o cérebro para a função intelectual superior, porque a maioria dessas funções intelectuais baseia-se na linguagem.

A área do giro angular é necessária para o processamento inicial da linguagem visual (leitura). Atrás da área de compreensão da linguagem, localizada principalmente na região anterolateral do lobo occipital, encontra-se uma área de associação visual que alimenta a informação visual transmitida por palavras lidas em um livro para a área de Wernicke, a área de compreensão da linguagem. Essa área do *giro angular* é necessária para dar significado às palavras percebidas visualmente. Na sua ausência, uma pessoa ainda pode ter excelente compreensão da linguagem por meio da audição, mas não da leitura; a lesão no giro angular pode resultar em *disgrafia* (dificuldade de escrever) com *dislexia* (dificuldade de ler), uma condição na qual uma pessoa não consegue ler, escrever ou soletrar palavras.

Área para nomeação de objetos. *Nas porções mais laterais do lobo occipital anterior e do lobo temporal posterior existe uma área para dar nome aos objetos.* Os nomes são aprendidos principalmente por meio de estímulos auditivos, enquanto a natureza física dos objetos é compreendida sobretudo a partir de estímulos visuais. Por sua vez, os nomes são essenciais para a compreensão das linguagens auditiva e visual (*funções realizadas na área de Wernicke*, localizada imediatamente superior à região auditiva de "nomeação" e anterior à área de processamento visual de palavras).

Área de associação pré-frontal

Como foi discutido no Capítulo 57, a área de associação pré-frontal funciona em estreita associação com o córtex motor a fim de planejar padrões complexos e sequências de movimentos motores. Para ajudar nessa função, ela recebe muitas informações por meio de um massivo feixe subcortical de fibras nervosas que conectam a área de associação parietoccipitotemporal com a área de associação pré-frontal. Por meio desse feixe, o córtex pré-frontal recebe muitas informações sensoriais pré-analisadas, especialmente sobre as coordenadas espaciais do corpo, necessárias para o planejamento de movimentos eficazes. Grande parte da eferência da área pré-frontal para o sistema de controle motor passa pela porção do caudado do circuito de retroalimentação do tálamo–núcleos da base para planejamento motor, que fornece muitos dos componentes sequenciais e paralelos da estimulação do movimento.

A *área de associação pré-frontal também é essencial para a realização de processos do "pensamento".* Tal característica resulta, provavelmente, de algumas das mesmas capacidades do córtex pré-frontal que lhe possibilitam planejar atividades motoras. Essa área parece ser capaz de processar informações motoras e não motoras de áreas extensas do cérebro e, portanto, realizar tipos de pensamento não motores e também motores. De fato, a área de associação pré-frontal costuma ser descrita simplesmente como importante para a *elaboração de pensamentos.* Considera-se que ela seja responsável pelo armazenamento a curto prazo da *memória de trabalho,* usada para combinar novos pensamentos enquanto eles estão sendo processados no cérebro.

A área de Broca fornece o circuito neural para a formação de palavras. Conforme se observa na **Figura 58.5**, a *área de Broca* está localizada parcialmente no córtex pré-frontal lateral posterior e parcialmente na área pré-motora. É nela que são iniciados e executados os planos e padrões motores para expressar palavras individuais ou mesmo frases curtas. A área também funciona em estreita associação com o centro de compreensão da linguagem de Wernicke, no córtex de associação temporal, como discutiremos com mais detalhes ainda neste capítulo.

Uma descoberta especialmente interessante é que, quando uma pessoa já aprendeu um idioma e depois aprende um novo, a área do cérebro onde esse novo idioma é armazenado é ligeiramente removida da área de armazenamento do primeiro idioma. Se as duas línguas forem aprendidas simultaneamente, elas serão armazenadas juntas na mesma área do cérebro.

Área de associação límbica

As **Figuras 58.4** e **58.5** mostram, ainda, outra área de associação, chamada *área de associação límbica.* Ela se localiza no polo anterior do lobo temporal, na porção ventral do lobo frontal e no giro cingulado que se encontra na profundidade da fissura longitudinal na superfície média de cada hemisfério cerebral. Essa área é relacionada, principalmente, com *comportamento, emoções e motivação.* Veremos, no Capítulo 59, que o córtex límbico faz parte de um sistema muito mais extenso, o *sistema límbico,* o qual inclui um conjunto complexo de estruturas neuronais nas regiões mediobasais do cérebro. Esse sistema límbico é responsável pela maior parte dos impulsos emocionais para ativação de outras áreas do cérebro e até fornece impulso motivacional para o próprio processo de aprendizado.

Área relacionada ao reconhecimento de rostos

Um tipo interessante de anormalidade cerebral, chamada *prosopagnosia*, é a incapacidade de reconhecer rostos. Essa condição ocorre em pessoas que apresentam lesões extensas na parte inferior medial de ambos os lobos occipitais e ao longo das superfícies medioventrais dos lobos temporais, como mostrado na **Figura 58.6**. A perda dessas áreas de reconhecimento facial, por incrível que pareça, resulta em poucas outras anormalidades da função cerebral.

CAPÍTULO 58 Córtex Cerebral, Funções Intelectuais do Cérebro, Aprendizado e Memória

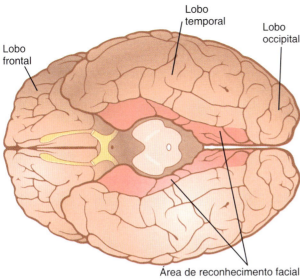

Figura 58.6 Áreas de reconhecimento facial, localizadas na parte inferior do cérebro, nos lobos occipital medial e temporal. (*Modificada de Geschwind N: Specializations of the human brain. Sci Am 241: 180, 1979.*)

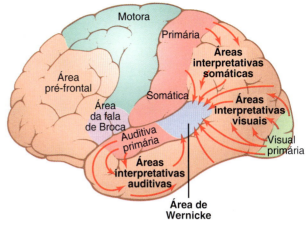

Figura 58.7 Organização das áreas de associação somática, auditiva e visual, em um mecanismo geral de interpretação da experiência sensorial. Todos elas também chegam à área de Wernicke, localizada na porção posterossuperior do lobo temporal. Observe também a área pré-frontal e a área da fala de Broca no lobo frontal.

Alguém pode perguntar-se por que uma parte tão grande do córtex cerebral deve ser reservada à simples tarefa de reconhecimento facial. No entanto, a maioria de nossas atividades diárias está relacionada a associações com outras pessoas, sendo, portanto, possível perceber a importância dessa função intelectual.

A porção occipital dessa área de reconhecimento facial é contígua ao córtex visual, e a porção temporal está intimamente associada ao sistema límbico envolvido com as emoções, a ativação cerebral e o controle da resposta comportamental ao ambiente, como veremos no Capítulo 59.

FUNÇÃO INTERPRETATIVA DO LOBO TEMPORAL POSTEROSSUPERIOR | ÁREA DE WERNICKE: UMA ÁREA INTERPRETATIVA GERAL

As áreas de associação somática, visual e auditiva se encontram todas na parte posterior do lobo temporal superior, mostrado na **Figura 58.7**, onde os lobos temporal, parietal e occipital se unem. Essa área de confluência das diferentes áreas interpretativas sensoriais é especialmente desenvolvida no lado *dominante* do cérebro – o *lado esquerdo* em quase todas as pessoas destras – e desempenha o papel mais importante do que qualquer parte do córtex cerebral para os mais altos níveis de compreensão da função cerebral, que chamamos de *inteligência*. Dessa forma, essa região tem sido denominada por diferentes termos que sugerem uma área de importância quase global: *área interpretativa geral*, *área gnóstica*, *área do conhecimento*, *área de associação terciária*, e assim por diante. É mais conhecida como *área de Wernicke*, em homenagem ao neurologista que primeiro descreveu seu significado especial nos processos intelectuais.

Depois de graves danos na área de Wernicke, uma pessoa pode ouvir perfeitamente bem e até mesmo reconhecer palavras diferentes, mas ainda ser incapaz de organizá-las em um pensamento coerente. De igual modo, a pessoa pode ter a capacidade de ler palavras da página impressa, mas não de reconhecer o pensamento nelas contido.

Há ocasiões em que a estimulação elétrica da área de Wernicke em uma pessoa consciente causa um pensamento altamente complexo, sobretudo quando o eletrodo de estimulação é inserido de maneira suficientemente profunda no cérebro para se aproximar das áreas de conexão correspondentes do tálamo. Os possíveis tipos de pensamentos vivenciados incluem cenas visuais complexas que podem ser recordadas da infância, alucinações auditivas – como uma peça musical específica – ou mesmo uma declaração feita por alguém específico. Por isso, acredita-se que a ativação da área de Wernicke possa evocar padrões de memória complexos referentes a mais de uma modalidade sensorial, ainda que a maioria das memórias individuais possam ser armazenadas em outro lugar. Essa crença está de acordo com a importância da área de Wernicke na interpretação dos significados complexos de diferentes padrões de experiências sensoriais.

Giro angular | Interpretação da informação visual.

O *giro angular* é a porção mais inferior do lobo parietal posterior, situando-se logo atrás da área de Wernicke e também se fundindo posteriormente às áreas visuais do lobo occipital. Se essa região for destruída, mas a área de Wernicke no lobo temporal permanecer intacta, a pessoa ainda pode interpretar as experiências auditivas como de costume; no entanto, o fluxo de experiências visuais que passa do córtex visual para a área de Wernicke está majoritariamente bloqueado. Portanto, a pessoa pode ser capaz de ver as palavras e até saber que são palavras, mas não interpretar seus significados. Essa condição é chamada de *alexia* ou *cegueira de palavras*. O termo *dislexia* é usado

PARTE 11 Sistema Nervoso: C. Neurofisiologia Motora e Integrativa

para descrever a *dificuldade* em aprender sobre a linguagem escrita, não a cegueira total para palavras.

Conceito de hemisfério dominante

As funções interpretativas gerais da área de Wernicke e do giro angular, bem como as funções das áreas da fala e de controle motor, são, em geral, muito mais desenvolvidas em um hemisfério cerebral do que no outro. Assim, esse hemisfério é chamado de *hemisfério dominante*. Em aproximadamente 95% das pessoas, o hemisfério esquerdo é o dominante.

Mesmo ao nascimento, a área do córtex que vai, por fim, tornar-se a área de Wernicke é 50% maior no hemisfério esquerdo do que no direito em mais da metade dos neonatos. Portanto, é fácil entender por que o lado esquerdo do cérebro pode passar a ser dominante sobre o lado direito. Contudo, se por algum motivo essa área do lado esquerdo for danificada ou removida na primeira infância, o lado oposto do cérebro geralmente desenvolverá características dominantes.

A seguinte teoria pode explicar a capacidade de um hemisfério de dominar o outro hemisfério. A atenção da "mente" parece ser dirigida a um pensamento principal de cada vez. Presume-se que, como o lobo temporal posterior esquerdo costuma ser um pouco maior que o lobo direito ao nascimento, o lado esquerdo normalmente começa a ser usado em maior extensão do que o direito. Depois disso, devido à tendência de direcionar a atenção à região mais desenvolvida, a intensidade de aprendizado no hemisfério cerebral utilizado primeiro aumenta rapidamente, enquanto no lado oposto, menos usado, o aprendizado permanece menos desenvolvido. Dessa maneira, o lado esquerdo normalmente passa a ser dominante sobre o lado direito.

Em cerca de 95% de todas as pessoas, o lobo temporal esquerdo e o giro angular tornam-se dominantes e, nos 5% restantes, ambos os lados se desenvolvem de maneira simultânea para ter dupla função ou, em casos mais raros, o lado direito sozinho torna-se altamente desenvolvido, com dominância completa.

Como será discutido mais adiante neste capítulo, a área pré-motora da fala (área de Broca), localizada bem lateralmente no lobo frontal intermediário, também é quase sempre dominante no lado esquerdo do cérebro. Essa área da fala é responsável pela formação das palavras ao estimular simultaneamente os músculos laríngeos, respiratórios e da boca

As áreas motoras para o controle das mãos também são dominantes no lado esquerdo do cérebro em cerca de 90% das pessoas, fazendo com que a maioria delas seja destra.

As áreas interpretativas do lobo temporal e do giro angular, bem como muitas das áreas motoras, embora costumem ser altamente desenvolvidas apenas no hemisfério esquerdo, recebem informações sensoriais de ambos os hemisférios e também são capazes de controlar atividades motoras nos dois hemisférios. Para isso, elas usam principalmente vias de fibras no *corpo caloso* a fim de fazer a comunicação entre os dois hemisférios. Essa organização unitária de alimentação cruzada evita a interferência entre os dois lados do cérebro; tal interferência poderia produzir conflitos entre processos mentais e respostas motoras.

Papel da linguagem na função da área de Wernicke e nas funções intelectuais

Grande parte de nossa experiência sensorial é convertida em seu equivalente de linguagem antes de ser armazenada nas áreas de memória do cérebro e antes de ser processada para outros propósitos intelectuais. Por exemplo, quando lemos um livro, armazenamos não as imagens visuais das palavras impressas, mas as próprias palavras ou os pensamentos transmitidos por elas, muitas vezes em forma de linguagem.

A área sensorial do hemisfério dominante para interpretação da linguagem é a área de Wernicke, a qual está intimamente associada às áreas auditivas primária e secundária do lobo temporal. É provável que essa relação próxima resulte do fato de que a primeira introdução à linguagem ocorre por meio da audição. Mais tarde na vida, quando a percepção visual da linguagem se desenvolve por meio da leitura, a informação visual transmitida pelas palavras escritas é, então, presumivelmente canalizada por meio do giro angular, uma área de associação visual, para a área interpretativa da linguagem de Wernicke, já desenvolvida do lobo temporal dominante.

FUNÇÕES DO CÓRTEX PARIETOCCIPITOTEMPORAL NO HEMISFÉRIO NÃO DOMINANTE

Quando a área de Wernicke no hemisfério dominante de uma pessoa adulta é destruída, esta normalmente perde quase todas as funções intelectuais associadas à linguagem ou ao simbolismo verbal, como a capacidade de ler, a de realizar operações matemáticas e, até mesmo, a de raciocinar sobre problemas lógicos. São mantidos, porém, muitos outros tipos de recursos interpretativos, alguns dos quais usam as regiões do lobo temporal e do giro angular do hemisfério oposto.

Estudos psicológicos em pacientes com danos no hemisfério não dominante sugeriram que esse lado possa ser especialmente importante para a compreensão e a interpretação de músicas, as experiências visuais não verbais (especialmente padrões visuais), as relações espaciais entre a pessoa e o seu entorno, o significado da "linguagem corporal" e das entonações de vozes de pessoas, além de, provavelmente, muitas experiências somáticas relacionadas ao uso de membros e mãos. Assim, ainda que falemos de hemisfério dominante, essa dominância é primariamente para funções intelectuais baseadas na linguagem; o chamado hemisfério não dominante pode realmente ser dominante para alguns outros tipos de inteligência.

FUNÇÕES INTELECTUAIS SUPERIORES DO CÓRTEX PRÉ-FRONTAL | FUNÇÃO EXECUTIVA

Durante anos, foi ensinado que o córtex associativo pré-frontal é o local do intelecto superior no ser humano, principalmente porque a maior diferença entre os cérebros de macacos e os de humanos é a grande proeminência das áreas pré-frontais humanas. No entanto, os esforços para mostrar que o córtex pré-frontal é mais importante nas funções intelectuais superiores do que outras partes do cérebro não foram bem-sucedidos. Na verdade, a destruição da área de compreensão da linguagem na região do lobo temporal superior posterior (área de Wernicke) e do giro angular adjacente no hemisfério dominante causa muito mais danos ao intelecto do que a destruição das áreas pré-frontais.

As áreas pré-frontais, entretanto, têm funções intelectuais próprias menos definíveis, mas importantes. Pacientes com danos no córtex pré-frontal podem ter funções motoras normais e até apresentar desempenho normal em alguns testes de inteligência. No entanto, são incapazes de funcionar efetivamente na vida diária normal. É possível explicar essas funções descrevendo o que acontece a pacientes que sofreram lesões nas áreas pré-frontais, como segue.

Muitas décadas atrás, antes do advento dos fármacos modernos para o tratamento de condições psiquiátricas, foi descoberto que alguns pacientes poderiam receber alívio significativo da depressão psicótica grave cortando as conexões neuronais entre as áreas pré-frontais e o restante do cérebro por meio de *lobotomia pré-frontal*. Esse procedimento era realizado com a inserção de uma lâmina fina e sem corte através de uma pequena abertura na região laterofrontal do crânio em cada lado da cabeça para seccionar o tecido cerebral de cima a baixo na borda posterior dos lobos pré-frontais. Estudos subsequentes mostraram nesses pacientes as seguintes alterações mentais:

1. Perda da capacidade de resolver problemas complexos.
2. Incapacidade de encadear tarefas sequenciais para alcançar objetivos complexos.
3. Incapacidade de aprender a fazer várias tarefas paralelas ao mesmo tempo.
4. Diminuição do nível de agressividade, às vezes acentuadamente, e muitas vezes também perda da ambição.
5. Respostas sociais frequentemente inadequadas para a ocasião, muitas vezes incluindo perda de moral e pouca reticência em relação à atividade sexual e excreção.
6. Possibilidade de fala e de compreensão da linguagem, mas incapacidade de elaboração de qualquer longa sequência de pensamentos, além de rápida mudança de humor da doçura para a raiva, alternando entre alegria e ideias delirantes.
7. Possibilidade de executar a maioria dos padrões usuais de função motora que haviam realizado ao longo da vida, mas, com frequência, sem qualquer propósito ou objetivo.

A partir dessas informações, tentaremos reunir um entendimento coerente sobre a função das áreas de associação pré-frontais.

Diminuição da agressividade e respostas sociais inadequadas. É provável que a diminuição da agressividade e as respostas sociais inadequadas resultem da perda das partes ventrais dos lobos frontais na parte inferior do cérebro. Como explicado anteriormente e mostrado nas **Figuras 58.4 e 58.5**, essa área, em vez de pertencer ao córtex de associação pré-frontal, faz parte do córtex de associação límbico e, portanto, ajuda a controlar o comportamento. Tal assunto será discutido em detalhes no Capítulo 59.

Incapacidade de progredir em direção às metas ou de elaborar pensamentos sequenciais. Aprendemos anteriormente neste capítulo que as áreas de associação pré-frontal têm a capacidade de evocar informações das mais variadas áreas do cérebro e usá-las a fim de alcançar padrões de pensamento mais profundos para atingir objetivos

As pessoas sem córtex pré-frontal, mesmo que ainda possam pensar, mostram pouco pensamento coordenado, em sequência lógica, por mais de alguns segundos ou, no máximo, um minuto. Assim, elas *se distraem facilmente de seu foco central de pensamento*, enquanto as pessoas com córtices pré-frontais funcionantes conseguem dirigir a si mesmas para a conclusão de seus objetivos de pensamento, independentemente das distrações.

Elaboração de pensamento, prognóstico e desempenho de funções intelectuais superiores pelas áreas pré-frontais | Conceito de memória de trabalho. Outra função relacionada às áreas pré-frontais é a *elaboração do pensamento*, o que significa simplesmente um aumento em profundidade e abstração dos diferentes pensamentos reunidos a partir de múltiplas fontes de informação. Testes psicológicos mostraram que animais inferiores que sofreram lobectomia dos córtices pré-frontais, quando em contato com fragmentos sucessivos de informação sensorial, não conseguem rastrear esses fragmentos, mesmo na memória temporária, provavelmente porque se distraem com tanta facilidade que não são capazes de reter os pensamentos por tempo suficiente para o armazenamento da memória.

Essa capacidade das áreas pré-frontais de manter presentes muitos fragmentos de informações simultâneos e de resgatá-las instantaneamente, à medida que são necessárias para pensamentos subsequentes, é chamada de memória de trabalho (*working memory*) do cérebro, que pode explicar as muitas funções cerebrais associadas à inteligência superior. De fato, estudos têm mostrado que as áreas pré-frontais são divididas em segmentos separados para armazenar diferentes tipos de memória temporária, como uma área para armazenar a forma de um objeto ou de uma parte do corpo e outra para guardar movimento.

Ao combinar todos esses fragmentos temporários de memória de trabalho, temos a capacidade de: (1) fazer prognósticos; (2) planejar o futuro; (3) retardar a ação em resposta aos sinais sensoriais que chegam, de modo que a informação sensorial possa ser avaliada até a decisão do melhor curso de resposta; (4) considerar as consequências das ações motoras antes de serem realizadas; (5) resolver problemas matemáticos, jurídicos ou filosóficos complexos; (6) correlacionar todas as vias de informação no diagnóstico de doenças raras; e (7) controlar nossas atividades de acordo com as leis morais. Chamamos esse conjunto de atributos de *função executiva*.

Função do cérebro na comunicação | Componentes aferente e eferente da linguagem

Uma vez que os testes neurológicos podem avaliar facilmente a capacidade de uma pessoa se comunicar com outras, sabemos mais sobre os sistemas sensoriais e motores relacionados à comunicação do que sobre qualquer outro segmento da função do córtex cerebral. Portanto, com a ajuda dos mapas anatômicos das vias neurais da **Figura 58.8**, revisaremos a função do córtex na comunicação. A partir desse exame, veremos imediatamente como os princípios da análise sensorial e do controle motor se aplicam a essa função.

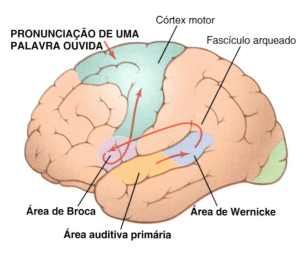

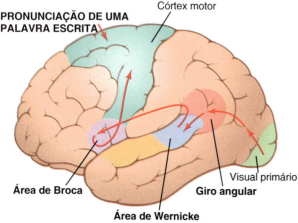

Figura 58.8 Vias cerebrais (*acima*) para a percepção de uma palavra ouvida e, depois, a pronunciação da mesma palavra; e (*abaixo*) para a percepção de uma palavra escrita e, então, a pronunciação da mesma palavra. (*Modificada de Geschwind N: Specializations of the human brain. Sci Am 241: 180, 1979.*)

A comunicação tem dois aspectos: o *sensorial* (aspecto aferente da linguagem), relacionado aos ouvidos e aos olhos; e o *motor* (aspecto eferente da linguagem), referente à vocalização e ao seu controle.

Aspectos sensoriais da comunicação

Observamos no início do capítulo que a destruição de porções das *áreas de associação auditiva* ou *visual* do córtex pode resultar na incapacidade de compreender a palavra falada ou escrita. Esses efeitos são chamados, respectivamente, de *afasia receptiva auditiva* e *afasia receptiva visual* ou, com mais frequência, *surdez de palavras* e *cegueira de palavras* (também chamada de *alexia*).

Afasia de Wernicke e afasia global. Algumas pessoas são capazes de compreender a palavra falada ou escrita, mas são *incapazes de interpretar o pensamento* expresso. É mais comum essa condição ocorrer quando a *área de Wernicke* no *giro temporal posterossuperior no hemisfério dominante* é lesionada ou destruída. Portanto, esse tipo de afasia é chamado de *afasia de Wernicke*.

Quando a lesão na área de Wernicke é generalizada e se estende (1) para trás na região do giro angular, (2) para baixo nas áreas inferiores do lobo temporal, e (3) para cima na borda superior do sulco lateral, a pessoa tem maior probabilidade de estar quase totalmente incapacitada para a compreensão da linguagem ou comunicação, sendo, portanto, possível dizer que essa pessoa apresenta *afasia global*.

Aspectos motores da comunicação

O processo da fala abrange dois estágios principais de elaboração mental: (1) a formação na mente dos pensamentos a serem expressos, bem como a escolha das palavras a serem usadas; e então (2) o controle motor da vocalização e o próprio ato de vocalização em si.

A formação de pensamentos e até mesmo a maioria das escolhas de palavras são funções de áreas de associação sensorial do cérebro. Novamente, a área de Wernicke, na parte posterior do giro temporal superior, é a mais importante para essa habilidade. Portanto, uma pessoa com afasia de Wernicke ou com afasia global é incapaz de formular os pensamentos que devem ser comunicados. Ou, se a lesão for menos grave, o paciente pode ser capaz de elaborar os pensamentos, mas não de os organizar em sequências apropriadas de palavras para expressar o pensamento. Algumas vezes, ele até é fluente com as palavras, mas as palavras saem confusas.

A perda da área de Broca causa afasia motora. Às vezes, uma pessoa é capaz de decidir o que quer dizer, mas não consegue fazer o sistema vocal emitir palavras em vez de ruídos. Esse efeito, denominado *afasia motora*, resulta de danos na *área da fala de Broca*, que fica nas regiões faciais *pré-frontal* e *pré-motora* do córtex cerebral – aproximadamente 95% das vezes no hemisfério esquerdo, como mostrado nas **Figuras 58.5** e **58.8**. É nessa área que são iniciados todos os *padrões motores de habilidades* para controle da laringe, dos lábios, da boca, do sistema respiratório e de outros músculos acessórios da fala.

Articulação das palavras. Por fim, temos o ato de articulação, que significa os movimentos musculares de boca, língua, laringe, cordas vocais e assim por diante, que são

CAPÍTULO 58 Córtex Cerebral, Funções Intelectuais do Cérebro, Aprendizado e Memória

responsáveis pelas entonações, pela sincronização e pelas mudanças rápidas nas intensidades dos sons sequenciais. As *regiões facial e laríngea do córtex motor* ativam esses músculos, ao passo que o *cerebelo*, os *núcleos da base* e o *córtex sensorial* ajudam a controlar as sequências e intensidades das contrações musculares, fazendo amplo uso dos mecanismos de retroalimentação do sistema cerebelar e dos núcleos da base, descritos nos Capítulos 56 e 57. A destruição de qualquer uma dessas regiões pode causar incapacidade total ou parcial de falar com clareza.

Resumo

A **Figura 58.8** apresenta duas vias principais para comunicação. A metade superior da figura mostra a via relacionada à audição e à fala. Essa sequência é a seguinte: (1) recepção na área auditiva primária dos sinais sonoros que codificam as palavras; (2) interpretação das palavras na área de Wernicke; (3) determinação, também na área de Wernicke, dos pensamentos e das palavras a serem pronunciadas; (4) transmissão de sinais da área de Wernicke para a área de Broca por meio do *fascículo arqueado*; (5) ativação dos programas motores de habilidades na área de Broca para controle da formação de palavras; e (6) transmissão de sinais apropriados para o córtex motor a fim de controlar os músculos da fala.

A parte inferior da figura ilustra as etapas comparáveis de quando se lê e, em seguida, fala-se em resposta. A área receptiva inicial para as palavras está na área visual primária, e não na auditiva primária. A informação, então, passa por estágios iniciais de interpretação na região do *giro angular* e, finalmente, alcança seu nível total de reconhecimento na área de Wernicke. A partir dessa área, a sequência é a mesma descrita para falar em resposta à palavra falada.

O CORPO CALOSO E A COMISSURA ANTERIOR COMUNICAM PENSAMENTOS, MEMÓRIAS, EXPERIÊNCIAS E OUTRAS INFORMAÇÕES ENTRE OS DOIS HEMISFÉRIOS CEREBRAIS

As fibras do *corpo caloso* fornecem conexões neurais bidirecionais abundantes entre a maioria das áreas corticais dos dois hemisférios cerebrais, exceto as porções anteriores dos lobos temporais; essas áreas temporais, incluindo especialmente a *amígdala*, são interconectadas por fibras que passam pela *comissura anterior*.

Uma das funções do corpo caloso e da comissura anterior é disponibilizar as informações armazenadas no córtex de um hemisfério para as áreas corticais correspondentes do hemisfério oposto. Os seguintes exemplos são importantes para ilustrar essa cooperação entre os dois hemisférios.

1. A secção do corpo caloso bloqueia a transferência de informações da área de Wernicke do hemisfério dominante para o córtex motor no lado oposto do cérebro. Portanto, as funções intelectuais da área de Wernicke, localizada no hemisfério esquerdo, perdem o controle sobre o córtex motor direito que inicia as funções motoras voluntárias da mão e do braço esquerdos, ainda

que os movimentos subconscientes usuais da mão e do braço esquerdos sejam normais.

2. Seccionar o corpo caloso impede a transferência de informações somáticas e visuais do hemisfério direito para a área de Wernicke no hemisfério esquerdo dominante. Desse modo, a informação somática e visual do lado esquerdo do corpo frequentemente deixa de chegar a essa área interpretativa geral do cérebro e, portanto, não pode ser usada para a tomada de decisões.

3. Por fim, pessoas cujo corpo caloso é completamente seccionado têm duas partes conscientes separadas do cérebro. Por exemplo, em um adolescente com corpo caloso seccionado, apenas a metade esquerda de seu cérebro conseguia entender tanto a palavra escrita quanto a falada, porque o lado esquerdo era o hemisfério dominante. Por outro lado, a metade direita do cérebro conseguia entender a palavra escrita, mas não a palavra falada. Além disso, o córtex direito poderia provocar uma resposta de ação motora à palavra escrita sem que o córtex esquerdo soubesse por que a resposta foi realizada. O efeito foi bastante diferente quando uma resposta emocional foi evocada no lado direito do cérebro: nesse caso, a resposta emocional subconsciente ocorria no lado esquerdo do cérebro também. Essa resposta, sem dúvida, ocorria porque as áreas dos dois lados do cérebro para as emoções, os córtices temporais anteriores e as áreas adjacentes, ainda se comunicavam pela comissura anterior que não foi seccionada. Por exemplo, quando o comando "beije" foi escrito para a metade direita de seu cérebro ver, o menino imediatamente e com toda a emoção disse: "De jeito nenhum!". Essa resposta exigiu a função da área de Wernicke e das áreas motoras para a fala no hemisfério esquerdo, porque essas áreas do lado esquerdo foram necessárias para falar as palavras "De jeito nenhum!". Quando questionado por que ele disse isso, no entanto, o menino não soube explicar.

Assim, as duas metades do cérebro têm capacidades independentes de consciência, armazenamento de memória, comunicação e controle de atividades motoras. O corpo caloso é necessário para que os dois lados operem cooperativamente no nível subconsciente superficial, e a comissura anterior desempenha um papel adicional importante na unificação das respostas emocionais de ambos os lados cerebrais.

PENSAMENTOS, CONSCIÊNCIA E MEMÓRIA

Nosso problema mais difícil ao discutir conceitos abstratos como consciência, pensamentos, memória e aprendizado é que não conhecemos os substratos neurais de um pensamento e compreendemos muito pouco sobre os mecanismos da memória, nem sequer discernimos se mecanismos neurais são suficientes para explicar esses fenômenos. O pouco que sabemos é que a destruição de

PARTE 11 Sistema Nervoso: C. Neurofisiologia Motora e Integrativa

grandes porções do córtex cerebral não impede que uma pessoa tenha pensamentos, mas reduz a *profundidade* deles e também o *nível* de consciência do ambiente.

Cada pensamento certamente se relaciona com sinais simultâneos em diversas partes do córtex cerebral, tálamo, sistema límbico e formação reticular do tronco encefálico. É provável que alguns pensamentos básicos dependam quase inteiramente dos centros inferiores; o pensamento da dor talvez seja um bom exemplo, porque é raro a estimulação elétrica do córtex humano provocar algo além de uma dor leve, enquanto a estimulação de certas áreas do hipotálamo, amígdala e mesencéfalo pode causar dor excruciante. Em contraposição, um tipo de padrão de pensamento que requer grande envolvimento do córtex cerebral é o da visão, pois a perda do córtex visual leva à completa incapacidade de perceber formas visuais ou cores.

Podemos formular uma definição provisória de determinado pensamento em termos de atividade neural como a seguinte. Um pensamento resulta de um padrão de estimulação de diversas partes do sistema nervoso ao mesmo tempo, provavelmente envolvendo com maior importância o córtex cerebral, o tálamo, o sistema límbico e a formação reticular superior do tronco encefálico. Essa concepção, chamada de *teoria global* do pensamento, significa, em termos simplistas, que o todo é maior do que a soma de suas partes. Acredita-se que as áreas estimuladas do sistema límbico, tálamo e formação reticular determinam a natureza geral do pensamento, conferindo-lhe qualidades como prazer, desprazer, dor, conforto, modalidades grosseiras de sensação e localização em áreas grosseiras do corpo, além de outras características gerais. No entanto, a estimulação de áreas específicas do córtex cerebral determina características discretas do pensamento, como: (1) a localização específica de sensações na superfície do corpo e de objetos nos campos de visão; (2) a sensação da textura da seda; (3) o reconhecimento visual do padrão retangular de uma parede de blocos de concreto; e (4) outras características individuais que entram na percepção geral de determinado instante. A *consciência* pode, talvez, ser descrita como nosso fluxo contínuo de atenção a respeito de nosso entorno ou de nossos pensamentos sequenciais.

MEMÓRIA | PAPÉIS DA FACILITAÇÃO SINÁPTICA E DA INIBIÇÃO SINÁPTICA

As memórias são armazenadas no cérebro pela alteração da sensibilidade básica da transmissão sináptica entre os neurônios como resultado da atividade neural prévia. As vias novas ou facilitadas são chamadas de *traços de memória*, os quais são importantes porque, uma vez estabelecidos, podem ser ativados de maneira seletiva pela mente pensante para reproduzir as memórias.

Experimentos em animais inferiores demonstraram que traços de memória podem ocorrer em todos os níveis do sistema nervoso. Mesmo os reflexos da medula espinal podem mudar, ao menos ligeiramente, em resposta à ativação repetitiva da medula, e essas mudanças reflexas fazem

parte do processo de memória. Além disso, as memórias de longo prazo resultam da condução sináptica alterada nos centros cerebrais inferiores. No entanto, a maior parte da memória que associamos a processos intelectuais é baseada em traços de memória no córtex cerebral.

Memória "positiva" e "negativa" | Sensibilização ou habituação da transmissão sináptica. Embora muitas vezes pensemos nas memórias como lembranças *positivas* de pensamentos ou experiências anteriores, provavelmente a maior parte delas é *negativa*, isto é, não positiva. Isso significa que nosso cérebro é inundado com informações sensoriais de todos os nossos sentidos. Se nossa mente tentasse lembrar-se de todas essas informações, a capacidade de memória do cérebro seria logo excedida. Felizmente, o cérebro consegue ignorar informações irrelevantes. Tal capacidade resulta da *inibição* das vias sinápticas para esse tipo de informação; o efeito resultante é chamado de *habituação*, um tipo de memória *negativa*.

Por outro lado, o cérebro tem uma capacidade automática diferente de realçar e armazenar os traços de memória (que são a memória *positiva*) para informações que entram nele e causam consequências importantes, como dor ou prazer. Essa memória resulta da *facilitação* das vias sinápticas, e o processo é denominado *sensibilização da memória*. Como discutiremos mais adiante, áreas especiais nas regiões límbicas basais do cérebro determinam se a informação tem ou não importância e tomam a decisão subconsciente ou de armazenar o pensamento como um traço de memória sensibilizada ou de suprimi-lo.

Classificação das memórias. Sabemos que certas memórias duram apenas alguns segundos, enquanto outras duram horas, dias, meses ou anos. Para o propósito de discutir esses tipos de memórias, podemos usar uma classificação comum, a qual as divide em: (1) *memórias de curto prazo*, isto é, aquelas que duram segundos ou no máximo minutos, a menos que sejam convertidas em memórias de longo prazo; (2) *memórias de médio prazo*, que duram de dias a semanas, mas desaparecem depois; e (3) *memórias de longo prazo*, que, uma vez armazenadas, podem ser recuperadas até anos ou mesmo uma vida inteira depois.

Além dessa classificação geral de memórias, também discutimos anteriormente (em conexão com os lobos préfrontais) outro tipo, chamado de *memória de trabalho*, que inclui principalmente a memória de curto prazo usada durante o curso do raciocínio intelectual, mas se encerra à medida que cada estágio do problema é resolvido.

As memórias são frequentemente classificadas de acordo com o tipo de informação armazenada. Uma dessas classificações as divide em *memória declarativa* e *memória procedural*, da seguinte maneira:

1. *Memória declarativa* significa basicamente a memória dos vários detalhes de um pensamento integrado, como a de uma experiência importante que inclui: (1) a memória do ambiente ao redor; (2) a memória das relações temporais; (3) a memória das causas da experiência;

(4) a memória do significado da experiência; e (5) a memória das deduções que ficaram na mente da pessoa.
2. A *memória procedural* está frequentemente associada a atividades motoras do corpo da pessoa, como todas as habilidades desenvolvidas para bater em uma bola de tênis, incluindo as memórias automáticas para: (1) mirar a bola; (2) calcular a relação e velocidade da bola com a raquete; e (3) deduzir rapidamente os movimentos do corpo, dos braços e da raquete necessários para acertar a bola como desejado – com todas essas habilidades sendo ativadas instantaneamente com base no aprendizado anterior do jogo – e, então, passar para a próxima tacada do jogo, esquecendo os detalhes do golpe anterior.

MEMÓRIAS DE CURTO PRAZO

As memórias de curto prazo são ilustradas pela memória de 7 a 10 algarismos em um número de telefone (ou 7 a 10 outros fatos distintos) por alguns segundos a alguns minutos de cada vez, mas durando apenas enquanto a pessoa continuar a pensar sobre os números ou fatos.

Muitos fisiologistas sugeriram que elas sejam causadas pela atividade neural contínua resultante de sinais nervosos que trafegam em círculos, ao redor de um traço de memória temporário em um *circuito de neurônios reverberantes*. Ainda não foi possível provar essa teoria. Outra possível explicação das memórias de curto prazo é a *facilitação ou inibição pré-sináptica*, a qual ocorre nas sinapses que ficam nas fibrilas nervosas terminais imediatamente antes de essas fibrilas fazerem sinapse com um neurônio subsequente. Os neurotransmissores químicos secretados em tais terminais costumam causar facilitação ou inibição que dura segundos até vários minutos. Circuitos desse tipo podem levar às memórias de curto prazo.

MEMÓRIAS DE MÉDIO PRAZO

As memórias de médio prazo podem durar muitos minutos ou até semanas. Elas serão, por fim, perdidas, a menos que os traços de memória sejam ativados o suficiente para se tornarem mais permanentes; então, elas são classificadas como *memórias de longo prazo*. Experimentos em animais demonstraram que as memórias de médio prazo podem resultar de alterações químicas ou físicas temporárias, ou ambas, nos terminais pré-sinápticos ou na membrana pós-sináptica, alterações que podem persistir por alguns minutos até várias semanas. Esses mecanismos são tão importantes que merecem uma descrição especial.

Memória baseada em alterações químicas nos terminais pré-sinápticos ou nas membranas neuronais pós-sinápticas

A **Figura 58.9** mostra um mecanismo de memória estudado especialmente por Eric Kandel e seus colegas, o qual pode causar memórias que duram desde alguns minutos até 3 semanas no grande caracol *Aplysia* (lesma-do-mar). Nessa figura, existem dois terminais sinápticos: um, que

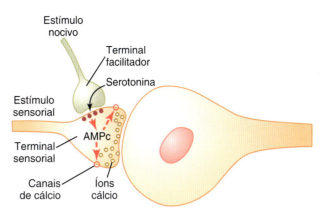

Figura 58.9 Sistema de memória descoberto no caracol *Aplysia*. AMPc: monofosfato de adenosina cíclico.

vem de um neurônio sensorial, termina diretamente na superfície do neurônio que deve ser estimulado e é chamado de *terminal sensorial*; o outro, uma *terminação pré-sináptica* que fica na superfície do terminal sensorial, é chamado de *terminal facilitador*. Quando o terminal sensorial é estimulado repetidamente, mas sem estimulação do terminal facilitador, a transmissão do sinal a princípio é ótima, mas torna-se cada vez menos intensa com a estimulação repetida até que a transmissão quase desapareça. Como foi explicado anteriormente, esse fenômeno é a *habituação*, um tipo de memória *negativa* que faz o circuito neuronal perder sua resposta a eventos repetidos que são insignificantes.

Por outro lado, se um estímulo nocivo excita o terminal facilitador ao mesmo tempo que o terminal sensorial é estimulado, em vez de o sinal transmitido para o neurônio pós-sináptico tornar-se progressivamente mais fraco, a facilitação da transmissão passa a ser cada vez mais forte. Ela permanecerá desse modo por minutos, horas, dias ou, com treinamento mais intenso, até cerca de 3 semanas, mesmo sem estimulação adicional do terminal facilitador. Assim, o estímulo nocivo faz com que a via da memória através do terminal sensorial seja *facilitada* por dias ou semanas a partir de então. É especialmente interessante que, mesmo após a habituação, essa via possa ser convertida de volta para uma via facilitada com apenas alguns estímulos nocivos.

Mecanismo molecular da memória de médio prazo

Mecanismo de habituação. No nível molecular, o efeito de habituação no terminal sensorial resulta do fechamento progressivo dos canais de cálcio através da membrana terminal, apesar de não se conhecer completamente a causa desse fechamento do canal de cálcio. De todo modo, quantidades muito menores do que o normal de íons cálcio podem difundir-se no terminal habituado, sendo, portanto, liberado muito menos transmissor no terminal sensorial porque a entrada de cálcio é o principal estímulo para a liberação do transmissor (como discutido no Capítulo 46).

PARTE 11 Sistema Nervoso: C. Neurofisiologia Motora e Integrativa

Mecanismo de facilitação. No caso de facilitação, acredita-se que pelo menos parte do mecanismo molecular seja o seguinte:

1. A estimulação do terminal pré-sináptico facilitador ocorre ao mesmo tempo que o terminal sensorial é estimulado, o que causa a liberação de *serotonina* na sinapse facilitadora, na superfície do terminal sensorial.
2. A serotonina atua sobre os *receptores da serotonina* na membrana do terminal sensorial, e esses receptores ativam no interior da membrana a enzima *adenilciclase*, que então forma *monofosfato de adenosina cíclico* (AMPc), também dentro do terminal sensorial pré-sináptico.
3. O AMPc ativa uma *proteinoquinase* que causa fosforilação de uma proteína dos canais de potássio na membrana do terminal sináptico sensorial, ocasionando um bloqueio da condutância de potássio pelos canais que pode durar minutos a várias semanas.
4. A falta de condutância de potássio causa um potencial de ação muito prolongado no terminal sináptico porque o fluxo de íons potássio para fora do terminal é necessário para a rápida recuperação do potencial de ação.
5. O potencial de ação prolongado causa ativação prolongada dos canais de cálcio, possibilitando que enormes quantidades de íons cálcio entrem no terminal sináptico sensorial. Esses íons cálcio produzem um grande aumento na liberação do transmissor pela sinapse, facilitando, assim, a transmissão sináptica para o neurônio subsequente.

Assim, de maneira bastante indireta, o efeito associativo de estimular o terminal facilitador ao mesmo tempo que o terminal sensorial é estimulado causa aumento prolongado da sensibilidade excitatória do terminal sensorial, o que estabelece o traço de memória.

Estudos adicionais no caracol *Aplysia* sugeriram ainda outro mecanismo de memória sináptica. Eles mostraram que estímulos de fontes distintas agindo em um mesmo neurônio, sob condições apropriadas, podem causar alterações a longo prazo nas *propriedades da membrana do neurônio pós-sináptico*, e não na membrana neuronal pré-sináptica, mas levando essencialmente aos mesmos efeitos de memória.

MEMÓRIAS DE LONGO PRAZO

Não existe uma demarcação óbvia entre os tipos mais prolongados de memória de médio prazo e a verdadeira memória de longo prazo. A distinção é de grau. Acredita-se, no entanto, que as memórias de longo prazo, em geral, resultem de *alterações estruturais* reais, em vez de apenas mudanças químicas nas sinapses, e essas mudanças realcem ou suprimam a condução do sinal. Vale relembrar experiências em animais primitivos (cujo sistema nervoso é estudado com muito mais facilidade), as quais ajudaram imensamente na compreensão de possíveis mecanismos de memória de longo prazo.

Alterações estruturais nas sinapses durante o desenvolvimento da memória de longo prazo

Imagens de microscopia eletrônica tiradas de animais invertebrados demonstraram múltiplas mudanças estruturais físicas em muitas sinapses durante o desenvolvimento de traços de memória de longo prazo. As alterações estruturais não ocorrerão se for administrado um fármaco que bloqueie a síntese de proteínas no neurônio pré-sináptico, tampouco haverá desenvolvimento do traço de memória permanente. Portanto, parece que o desenvolvimento da verdadeira memória de longo prazo depende da reestruturação física das sinapses a ponto de mudar sua sensibilidade para a transmissão de sinais nervosos.

As seguintes alterações estruturais importantes ocorrem:

1. Aumento dos locais de liberação de vesículas para secreção de substância transmissora.
2. Aumento no número de vesículas transmissoras liberadas.
3. Aumento no número de terminais pré-sinápticos.
4. Alterações nas estruturas das espinhas dendríticas que possibilitam a transmissão de sinais mais fortes.

Assim, de diversas maneiras diferentes, a capacidade estrutural das sinapses em transmitir sinais parece aumentar durante o estabelecimento de verdadeiros traços de memória de longo prazo.

O número de neurônios e as suas conectividades com frequência mudam significativamente durante o aprendizado

Durante as primeiras semanas, meses e talvez até 1 ano ou mais de vida, várias partes do cérebro produzem muitos novos neurônios que enviam numerosos ramos de axônio para fazer conexões com outros neurônios. Se os novos axônios não conseguirem conectar-se aos neurônios apropriados, às células musculares ou às células glandulares, os novos axônios sofrerão degeneração em poucas semanas. Assim, o número de conexões neuronais é determinado por *fatores de crescimento neural* específicos, liberados retrogradamente pelas células estimuladas. Além disso, quando ocorre conectividade insuficiente, todo o neurônio que está enviando os ramos do axônio pode eventualmente desaparecer.

Portanto, logo após o nascimento, o princípio de "usar ou perder" regula o número final de neurônios e as suas conectividades nas respectivas partes do sistema nervoso humano. Esse é um tipo de aprendizado. Por exemplo, se um olho de um animal recém-nascido for coberto por muitas semanas após o nascimento, neurônios em faixas alternadas do córtex visual cerebral – normalmente conectados ao olho coberto – irão degenerar-se, e o olho coberto permanecerá parcial ou totalmente cego pelo resto da vida. Até recentemente, acreditava-se que pouquíssimo aprendizado era alcançado em indivíduos adultos, humanos e animais, por meio da modificação do número de neurônios nos circuitos de memória; no entanto, pesquisas atuais sugerem que até mesmo os adultos usam esse mecanismo, pelo menos até certo ponto.

CONSOLIDAÇÃO DA MEMÓRIA

Para que a memória de curto prazo seja convertida em memória de longo prazo, que pode ser evocada semanas ou anos depois, ela precisa consolidar-se. Ou seja, a memória de curto prazo, se ativada repetidamente, promoverá alterações químicas, físicas e anatômicas nas sinapses responsáveis pelo tipo de memória de longo prazo. Esse processo requer 5 a 10 minutos para consolidação mínima e 1 hora ou mais para consolidação forte, que, por sua vez, necessita da síntese de RNA mensageiro e proteínas nos neurônios. Por exemplo, se uma forte impressão sensorial é feita no cérebro, mas seguida por uma convulsão cerebral induzida eletricamente no intervalo de um minuto ou mais, a experiência sensorial não será lembrada. De igual modo, a concussão cerebral, a aplicação repentina de anestesia geral profunda ou qualquer outro efeito que bloqueie temporariamente a função dinâmica do cérebro pode impedir a consolidação.

É provável que a consolidação e o tempo necessário para que ela ocorra possam ser explicados pelo fenômeno do treino da memória de curto prazo, como descrito a seguir.

O treino melhora a transferência da memória de curto prazo para a memória de longo prazo. Estudos têm mostrado que a repetição da mesma informação na mente acelera e potencializa o grau de transferência da memória de curto prazo para a memória de longo prazo e, portanto, acelera e aumenta a consolidação. O cérebro tem a tendência natural de repetir informações novas, sobretudo as recentes que chamam a atenção da mente. Portanto, com o passar do tempo, as características importantes das experiências sensoriais tornam-se progressivamente mais e mais fixadas nos bancos de memória. Esse fenômeno explica por que uma pessoa pode lembrar-se de pequenas quantidades de informação, estudadas a fundo, muito melhor do que grandes quantidades de informação, estudadas apenas de maneira superficial. Também esclarece por que um indivíduo bem desperto pode consolidar memórias muito melhor do que um em estado de fadiga mental.

Novas memórias são codificadas durante a consolidação. Uma das características mais importantes da consolidação é que as novas memórias são *codificadas* em diferentes classes de informação. Durante esse processo, tipos semelhantes de informações são retirados dos compartimentos de armazenamento da memória e usados para ajudar a processar as novas informações. O novo e o antigo são comparados por semelhanças e diferenças, e parte do processo de armazenamento consiste em armazenar as informações sobre essas semelhanças e diferenças, em vez de armazenar as novas informações não processadas. Assim, durante a consolidação, as novas memórias não são armazenadas aleatoriamente no cérebro, mas são guardadas em associação direta com outras memórias do mesmo tipo. Esse processo é necessário para que se possa pesquisar o armazenamento de memória em uma data posterior a fim de encontrar as informações requeridas.

Papel do hipocampo e de outras regiões do cérebro na memória

Amnésia anterógrada | Incapacidade de criar novas memórias declarativas de longo prazo após lesões do hipocampo. O hipocampo é a porção mais medial do córtex do lobo temporal, onde se dobra primeiro medialmente, sob o cérebro, e depois para cima na parte inferior, na superfície interna do ventrículo lateral. Em alguns pacientes, os dois hipocampos foram removidos para o tratamento da epilepsia. Esse procedimento não afeta seriamente a memória da pessoa para as informações armazenadas no cérebro antes da remoção dos hipocampos. No entanto, após a remoção, essas pessoas praticamente não têm mais capacidade de armazenar tipos de memórias *verbais* e *simbólicas* (tipos declarativos de memória) na memória de longo prazo ou mesmo na memória de médio prazo com duração superior a alguns minutos. Portanto, tais indivíduos são incapazes de criar novas memórias a longo prazo desses tipos de informações que são a base da inteligência. Essa condição é chamada de *amnésia anterógrada*.

Contudo, por que os hipocampos são fundamentais para ajudar o cérebro a armazenar novas memórias? A resposta provável é que eles estão entre as vias de eferência mais importantes das áreas de recompensa e punição do sistema límbico, como explicado no Capítulo 59. Estímulos sensoriais ou pensamentos que causam dor ou aversão excitam os *centros de punição* límbicos, e os estímulos que causam prazer, felicidade ou sensação de recompensa excitam os *centros de recompensa* límbicos. Todos esses centros juntos produzem o humor e as motivações básicas da pessoa. Entre essas motivações está o gatilho do cérebro para lembrar experiências e pensamentos agradáveis ou desagradáveis. Especialmente os hipocampos e, em menor grau, os núcleos mediodorsais do tálamo, outra estrutura límbica, têm-se mostrado fundamentais na tomada de decisão sobre quais de nossos pensamentos são importantes o suficiente com base na recompensa ou punição para serem dignos de memória.

Amnésia retrógrada | Incapacidade de recordar memórias do passado após lesões do hipocampo ou do tálamo. Quando ocorre amnésia retrógrada, há perda de acesso à memória para eventos e informações aprendidas anteriores a uma lesão ou doença que causou a amnésia.

Em algumas pessoas com lesões no hipocampo, ocorre algum grau de amnésia retrógrada junto com a amnésia anterógrada, sugerindo que esses dois tipos de amnésia estejam, pelo menos parcialmente, relacionados e que as lesões do hipocampo possam causar ambos. No entanto,

PARTE 11 Sistema Nervoso: C. Neurofisiologia Motora e Integrativa

danos em algumas áreas talâmicas podem levar especificamente à amnésia retrógrada sem ocasionar amnésia anterógrada significativa. Uma possível explicação para isso é que o tálamo pode ajudar a pessoa a "pesquisar" os depósitos de memória e, assim, "ler" as memórias. Ou seja, o processo de memória requer não apenas o armazenamento de memórias, mas também a capacidade de pesquisar e encontrar a memória em uma data posterior. A possível função do tálamo nesse processo é discutida mais detalhadamente no Capítulo 59.

Os hipocampos não são importantes no aprendizado reflexo. Pessoas com lesões no hipocampo geralmente não têm dificuldade em aprender habilidades físicas que não envolvam verbalização ou tipos simbólicos de inteligência. Por exemplo, essas pessoas ainda podem aprender as habilidades manuais e físicas rápidas exigidas em muitos tipos de esportes. Esse tipo de aprendizado é chamado de *aprendizado de habilidades* ou *aprendizado reflexo*, o qual depende da repetição física das tarefas necessárias indefinidamente, em vez de um ensaio simbólico na mente.

Bibliografia

Asok A, Leroy F, Rayman JB, Kandel ER: Molecular mechanisms of the memory trace. Trends Neurosci 42:14, 2019.

Constantinidis C, Klingberg T: The neuroscience of working memory capacity and training. Nat Rev Neurosci 17:438, 2016.

Duszkiewicz AJ, McNamara CG, Takeuchi T, Genzel L: Novelty and dopaminergic modulation of memory persistence: a tale of two systems. Trends Neurosci 42:102, 2019.

Eichenbaum H: Prefrontal-hippocampal interactions in episodic memory. Nat Rev Neurosci 18:547, 2017.

Fernández G, Morris RGM: Memory, novelty and prior knowledge. Trends Neurosci 41:654, 2018.

Friederici AD: The brain basis of language processing: from structure to function. Physiol Rev 91:1357, 2011.

Gazzaniga MS: The human brain is actually two brains, each capable of advanced mental functions. When the cerebrum is divided surgically, it is as if the cranium contained two separate spheres of consciousness. Sci Am 217:24, 1967.

Haggard P: Sense of agency in the human brain. Nat Rev Neurosci 18:196, 2017.

Holtmaat A, Caroni P: Functional and structural underpinnings of neuronal assembly formation in learning. Nat Neurosci 19:1553, 2016.

Izquierdo I, Furini CR, Myskiw JC: Fear memory. Physiol Rev 96:695, 2016.

Joo HR, Frank LM: The hippocampal sharp wave-ripple in memory retrieval for immediate use and consolidation. Nat Rev Neurosci 19:744, 2018.

Kandel ER, Dudai Y, Mayford MR: The molecular and systems biology of memory. Cell 157:163, 2014.

Koch C, Massimini M, Boly M, Tononi G: Neural correlates of consciousness: progress and problems. Nat Rev Neurosci 17:307, 2016.

Mansouri FA, Koechlin E, Rosa MGP, Buckley MJ: Managing competing goals - a key role for the frontopolar cortex. Nat Rev Neurosci 18:645, 2017.

Murray EA, Rudebeck PH: Specializations for reward-guided decision-making in the primate ventral prefrontal cortex. Nat Rev Neurosci 19:404, 2018.

Ólafsdóttir HF, Bush D, Barry C: The role of hippocampal replay in memory and planning. Curr Biol 28:R37-R50, 2018.

Ralph MA, Jefferies E, Patterson K, Rogers TT: The neural and computational bases of semantic cognition. Nat Rev Neurosci 18:42, 2017.

Rasch B, Born J: About sleep's role in memory. Physiol Rev 93:681, 2013.

Rizzolatti G, Cattaneo L, Fabbri-Destro M, Rozzi S: Cortical mechanisms underlying the organization of goal-directed actions and mirror neuron-based action understanding. Physiol Rev 94:655, 2014.

Roelfsema PR, Holtmaat A: Control of synaptic plasticity in deep cortical networks. Nat Rev Neurosci 19:166, 2018.

Sreenivasan KK, D'Esposito M: The what, where and how of delay activity. Nat Rev Neurosci 20:466, 2019.

Tanji J, Hoshi E: Role of the lateral prefrontal cortex in executive behavioral control. Physiol Rev 88:37, 2008.

Tonegawa S, Morrissey MD, Kitamura T: The role of engram cells in the systems consolidation of memory. Nat Rev Neurosci 19:485, 2018.

Tononi G, Boly M, Massimini M, Koch C: Integrated information theory: from consciousness to its physical substrate. Nat Rev Neurosci 17:450, 2016.

Volz LJ, Gazzaniga MS: Interaction in isolation: 50 years of insights from split-brain research. Brain 140:2051, 2017.

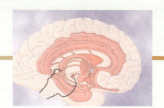

CAPÍTULO 59

Sistema Límbico e Hipotálamo: Mecanismos Comportamentais e Motivacionais do Cérebro

O controle do comportamento é função de todo o sistema nervoso. Até mesmo o ciclo de vigília e sono, discutido no Capítulo 60, é um de nossos padrões de comportamento mais importantes.

Neste capítulo, lidaremos primeiro com os mecanismos que controlam os níveis de atividade em diferentes partes do cérebro. Em seguida, discutiremos as causas dos impulsos motivacionais, em especial, o controle motivacional do processo de aprendizado e os sentimentos de prazer e punição. Essas funções do sistema nervoso são desempenhadas sobretudo pelas regiões basais do cérebro, que, juntas, são vagamente chamadas de *sistema límbico*, termo que significa "borda" ou "anel".

SISTEMAS DE ATIVAÇÃO | FUNÇÃO DE MOTIVAÇÃO NO CÉREBRO

Sem a transmissão contínua de sinais nervosos da parte inferior do encéfalo para o cérebro, este se torna inútil. Na verdade, a compressão grave do tronco encefálico na junção entre o mesencéfalo e o cérebro, como ocorre às vezes, resultante de um tumor da glândula pineal, frequentemente faz com que a pessoa entre em coma persistente pelo resto da vida.

Os sinais nervosos no tronco encefálico ativam o cérebro de duas maneiras: (1) estimulando diretamente um nível basal de atividade neuronal em amplas áreas do cérebro; e (2) ativando sistemas neuro-hormonais que liberam neurotransmissores específicos, facilitadores ou inibitórios, semelhantes a hormônios, em áreas selecionadas do cérebro.

CONTROLE DA ATIVIDADE CEREBRAL POR SINAIS EXCITATÓRIOS CONTÍNUOS DO TRONCO ENCEFÁLICO

Área reticular excitatória do tronco encefálico | Uma força motriz para a atividade cerebral

A **Figura 59.1** mostra um sistema geral para controlar o nível de atividade cerebral. O componente motriz central desse sistema é uma região excitatória chamada de *área facilitadora bulborreticular*, localizada na *substância reticular da ponte e do mesencéfalo*. Trata-se da mesma área reticular do tronco encefálico também discutida no Capítulo 56, a qual transmite sinais facilitadores *descendentes para a medula espinhal*, a fim de manter o tônus nos músculos antigravitacionais e controlar os níveis de atividade dos reflexos da medula espinhal. Além desses sinais descendentes, ela ainda envia uma profusão de sinais na direção ascendente. A maioria desses sinais vai primeiro para o tálamo, onde excita um conjunto diferente de neurônios que transmitem sinais nervosos a todas as regiões do córtex cerebral, bem como para múltiplas áreas subcorticais.

Os sinais que passam pelo tálamo são de dois tipos. Um é composto pelos potenciais de ação transmitidos rapidamente que excitam o cérebro por apenas alguns

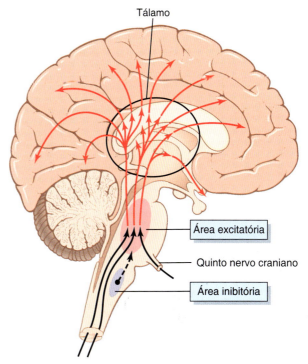

Figura 59.1 *Sistema excitatório-ativador* do cérebro. Também é mostrada uma *área inibitória* na medula, que pode inibir ou diminuir o sistema ativador.

PARTE 11 Sistema Nervoso: C. Neurofisiologia Motora e Integrativa

milissegundos. Esses sinais se originam de grandes corpos celulares neuronais encontrados em toda a área reticular do tronco encefálico. Suas terminações nervosas liberam o neurotransmissor *acetilcolina*, que atua como um agente excitatório com duração de apenas alguns milissegundos antes de ser destruído.

O segundo tipo de sinal excitatório origina-se de um grande número de pequenos neurônios espalhados por toda a área reticular excitatória do tronco encefálico. Mais uma vez, a maioria desses sinais se dirige para o tálamo, mas por meio de finas fibras de condução lenta que fazem sinapses, principalmente, nos núcleos intralaminares do tálamo e nos núcleos reticulares sobre a superfície do tálamo. Desse ponto, fibras adicionais delgadas são distribuídas por todo o córtex cerebral. O efeito excitatório causado por esse sistema de fibras pode prolongar, progressivamente, por muitos segundos a minutos ou mais, o que sugere que seus sinais são muito importantes para controlar o nível basal de excitabilidade do cérebro a longo prazo.

Ativação da área reticular excitatória por sinais sensoriais periféricos. O nível de atividade da área reticular excitatória no tronco encefálico – e, portanto, o nível de atividade de todo o encéfalo – é determinado em grande parte pelo número e tipo de sinais sensoriais que entram no cérebro pela periferia. Os sinais de dor, em particular, aumentam a atividade nessa área excitatória e, como consequência, estimulam fortemente a atenção do cérebro.

A importância dos sinais sensoriais na ativação da área excitatória é demonstrada pelo efeito da secção do tronco encefálico acima do ponto de entrada do quinto nervo craniano na ponte. Esses são os nervos mais altos que entram no encéfalo e transmitem número significativo de sinais somatossensoriais para o cérebro. Quando todos esses sinais sensoriais de entrada desaparecem, o nível de atividade na área excitatória do cérebro diminui de maneira abrupta, e o cérebro passa, instantaneamente, para um estado de atividade bastante reduzida, aproximando-se de um estado de coma permanente. No entanto, quando o tronco encefálico é seccionado abaixo do V nervo craniano (nervo trigêmeo), que conduz muitos sinais sensoriais das regiões facial e oral, o coma é evitado.

Atividade aumentada da área excitatória causada por sinais de retroalimentação que retornam do córtex cerebral. Não apenas os sinais excitatórios passam para o córtex cerebral, sendo provenientes da área excitatória bulborreticular do tronco encefálico, mas também os sinais de retroalimentação retornam do córtex cerebral de volta para essa mesma área. Portanto, sempre que o córtex cerebral é ativado por processos decorrentes da atividade mental ou por processos motores, os sinais são enviados do córtex para a área excitatória do tronco encefálico, que, por sua vez, envia ainda mais sinais excitatórios ao córtex. Esse processo ajuda a manter o nível

de excitação do córtex cerebral ou mesmo a aumentá-lo. Trata-se de um mecanismo de *retroalimentação positiva*, o qual possibilita que qualquer atividade seja iniciada no córtex cerebral e produza ainda mais atividade, levando, assim, à mente "alerta".

O tálamo é o centro de distribuição que controla a atividade em regiões específicas do córtex. Como apontado no Capítulo 58, quase todas as áreas do córtex cerebral se conectam com sua própria área altamente específica no tálamo. Portanto, a estimulação elétrica de determinado ponto no tálamo tende a ativar a sua própria pequena região específica do córtex. Além disso, os sinais reverberam regularmente nas duas direções entre o tálamo e o córtex cerebral, com o tálamo excitando o córtex e, então, o córtex excitando o tálamo de volta, por meio de fibras de retorno. Foi sugerido que a ativação desses sinais de reverberação de ida e volta sirva para estabelecer memórias de longo prazo.

Ainda não está claro se o tálamo também funciona para evocar memórias específicas do córtex ou ativar processos específicos de pensamento, mas ele dispõe de circuitos neuronais apropriados para esses propósitos.

Área reticular inibitória na parte inferior do tronco encefálico

A **Figura 59.1** mostra outra região importante no controle da atividade cerebral – a *área reticular inibitória* (localizada medial e ventralmente na medula). No Capítulo 56, aprendemos que ela pode inibir a área reticular facilitadora do tronco encefálico superior e, assim, diminuir a atividade nas porções do prosencéfalo. Um dos mecanismos para essa atividade é excitar os *neurônios serotoninérgicos*, que, por sua vez, secretam o neuro-hormônio inibitório *serotonina* em pontos cruciais do cérebro. Discutiremos esse conceito com mais detalhes adiante.

CONTROLE NEURO-HORMONAL DA ATIVIDADE CEREBRAL

Além do controle direto da atividade cerebral pela transmissão específica de sinais nervosos das áreas cerebrais inferiores para as regiões corticais do cérebro, há outro mecanismo fisiológico usado com frequência para controlar a atividade cerebral. Trata-se da secreção de *neurotransmissores hormonais excitatórios* ou *inibitórios* para a substância cerebral. Esses neuro-hormônios, em geral, persistem por minutos ou horas e, portanto, fornecem longos períodos de controle, em vez de apenas ativação ou inibição instantânea.

A **Figura 59.2** mostra três sistemas neuro-hormonais estudados em detalhes no cérebro de ratos: (1) o *sistema da noradrenalina*, (2) o *sistema da dopamina* e (3) um *sistema da serotonina*. A noradrenalina tende a agir como um hormônio excitatório, ao passo que a serotonina geralmente é inibitória, e a dopamina, excitatória em algumas áreas, mas inibitória em outras. Como seria esperado, esses três sistemas têm efeitos diferentes sobre os níveis de excitabilidade

CAPÍTULO 59 Sistema Límbico e Hipotálamo: Mecanismos Comportamentais e Motivacionais do Cérebro

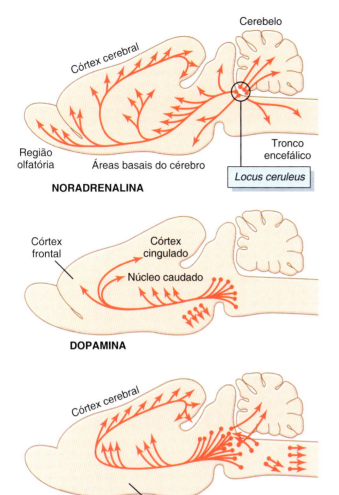

Figura 59.2 Três sistemas neuro-hormonais mapeados no cérebro de ratos – o sistema da noradrenalina, o sistema da dopamina e o sistema da serotonina. (*Modificada de Kandel ER, Schwartz JH [eds]: Principles of Neural Science, 2nd ed. New York: Elsevier, 1985.*)

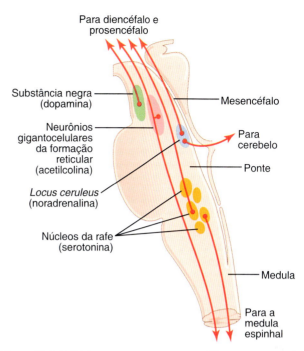

Figura 59.3 Múltiplos centros no tronco encefálico. Esses neurônios secretam diferentes substâncias transmissoras (especificadas entre parênteses). Os neurônios enviam sinais ascendentes de controle para o diencéfalo e o prosencéfalo, além de sinais descendentes para a medula espinhal.

em diversas partes do cérebro. O sistema da noradrenalina espalha-se para praticamente todas as áreas do encéfalo, enquanto os sistemas da serotonina e da dopamina são direcionados a regiões cerebrais muito mais específicas: o sistema da dopamina é conduzido, principalmente, às regiões dos núcleos da base; já o sistema da serotonina, mais para as estruturas da linha média (os núcleos da rafe).

Sistemas neuro-hormonais no cérebro humano.
A **Figura 59.3** mostra as áreas do tronco encefálico no cérebro humano que ativam quatro sistemas neuroendócrinos (os mesmos três discutidos para o rato e um adicional, o *sistema da acetilcolina*). Algumas funções específicas desses sistemas são as seguintes.

1. *O locus ceruleus e o sistema da noradrenalina.* O *locus ceruleus* é uma pequena área localizada bilateral e posteriormente na junção entre a ponte e o mesencéfalo. As fibras nervosas dessa área espalham-se por todo o encéfalo, como mostrado para o rato no quadro superior da **Figura 59.2**, e secretam *noradrenalina*.

Esta costuma excitar o cérebro para aumentar a atividade. No entanto, tem efeitos inibitórios em algumas áreas do cérebro por causa dos receptores inibitórios em certas sinapses neuronais. O Capítulo 60 descreve como esse sistema provavelmente desempenha um papel importante na produção de sonhos, levando, assim, a um tipo de sono denominado sono de movimentos oculares rápidos (REM, do inglês, *rapid eye movement*).

2. *A substância negra e o sistema dopaminérgico.* A substância negra é discutida no Capítulo 57, em relação aos núcleos da base. Situa-se anteriormente no mesencéfalo superior, e seus neurônios enviam terminações nervosas sobretudo para o núcleo caudado e para o putame do prosencéfalo, onde secretam *dopamina*. Outros neurônios localizados em regiões adjacentes também secretam dopamina, mas enviam suas terminações para áreas mais ventrais do cérebro, especialmente para o hipotálamo e o sistema límbico. Acredita-se que a dopamina atue como um transmissor inibitório nos núcleos da base, mas em algumas outras áreas do cérebro é possivelmente excitatória. Além disso, lembre-se de que, no Capítulo 57, vimos que a destruição dos neurônios dopaminérgicos na substância negra é a causa básica da doença de Parkinson.

3. *Os núcleos da rafe e o sistema da serotonina.* Na linha média da ponte e da medula, existem vários núcleos delgados, chamados *núcleos da rafe*. Muitos dos neurônios nesses núcleos secretam *serotonina*. Eles enviam fibras para o diencéfalo e algumas fibras para o córtex cerebral; ainda outras fibras descem para a medula espinhal.

A serotonina secretada nas terminações das fibras medulares tem a capacidade de suprimir a dor, como discutido no Capítulo 49. Já a liberada no diencéfalo e no prosencéfalo quase certamente desempenha um papel inibitório muito importante para ajudar a causar o sono normal, como discutimos no Capítulo 60.

4. *Os neurônios gigantocelulares da área reticular excitatória e o sistema da acetilcolina.* Abordamos previamente os neurônios gigantocelulares (*células gigantes*) na área reticular excitatória da ponte e do mesencéfalo. As fibras dessas grandes células se dividem, de imediato, em dois ramos: um ascendente, passando para níveis superiores do cérebro, e outro descendente, conduzindo pelos tratos reticuloespinhais até a medula espinhal. O neuro-hormônio secretado em seus terminais é a *acetilcolina*. Na maioria dos locais, ela funciona como um neurotransmissor excitatório. A ativação desses neurônios colinérgicos produz um sistema nervoso abruptamente desperto e excitado.

Outros neurotransmissores e substâncias neuro-hormonais secretadas no cérebro. Sem descrever sua função, mencionamos a seguir o que seria uma lista parcial de mais algumas substâncias neuro-hormonais que agem em sinapses específicas ou por liberação nos líquidos do cérebro: encefalinas, ácido gama-aminobutírico, glutamato, vasopressina (ADH), hormônio adrenocorticotrófico (ACTH), hormônio estimulador de α-melanócitos (α-MSH), neuropeptídeo Y (NPY), adrenalina, histamina, endorfinas, angiotensina II e neurotensina. Assim, existem vários sistemas neuro-hormonais no cérebro, e a ativação de cada um deles exerce seu próprio papel no controle de uma qualidade diferente da função cerebral.

SISTEMA LÍMBICO

A palavra *límbico* significa "em forma de borda ou de anel". Originalmente, o termo "límbico" foi usado para descrever as estruturas da borda em torno das regiões basais do prosencéfalo, mas, à medida que aprendemos mais sobre as funções do sistema límbico, ele se expandiu com a expressão *sistema límbico*, utilizada para significar todo o circuito neuronal que controla o comportamento emocional e os impulsos motivacionais.

A principal parte do sistema límbico é o *hipotálamo*, com suas estruturas relacionadas. Além de suas funções no controle comportamental, essas áreas controlam muitas condições internas do organismo, como temperatura corporal, osmolaridade dos líquidos corporais e impulsos para comer, beber e regular o peso do corpo. Essas funções internas são chamadas coletivamente de *funções vegetativas* do cérebro, cujo controle está intimamente relacionado ao comportamento.

ANATOMIA FUNCIONAL DO SISTEMA LÍMBICO | POSIÇÃO-CHAVE DO HIPOTÁLAMO

A **Figura 59.4** apresenta as estruturas anatômicas do sistema límbico, demonstrando que são um complexo interconectado de elementos da região basal do cérebro.

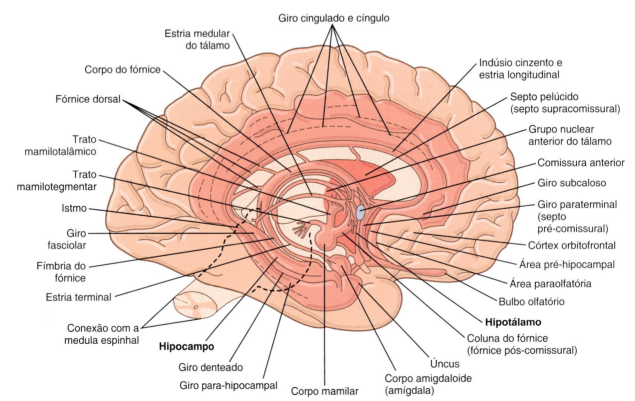

Figura 59.4 Anatomia do sistema límbico, mostrado na área rosa-escura. (*Modificada de Warwick R, Williams PL: Gray's Anatomy, 35th ed. London: Longman Group Ltd, 1973.*)

CAPÍTULO 59 Sistema Límbico e Hipotálamo: Mecanismos Comportamentais e Motivacionais do Cérebro

Localizado no meio de todas essas estruturas está o extremamente pequeno hipotálamo, que, do ponto de vista fisiológico, é um dos elementos centrais do sistema límbico. A **Figura 59.5** ilustra esquematicamente essa posição-chave do hipotálamo no sistema límbico, além de mostrar outras estruturas subcorticais do sistema límbico ao seu redor, incluindo *septo*, *área paraolfatória*, *núcleo anterior do tálamo*, *porções dos núcleos da base*, *hipocampo* e *amígdala*.

Circundando as áreas límbicas subcorticais está o *córtex límbico*, composto por um anel do córtex cerebral em cada lado do cérebro – (1) começando na *área orbitofrontal* na superfície ventral dos lobos frontais, (2) estendendo-se para cima no *giro subcaloso*, (3) então sobre o topo do corpo caloso para aspecto medial do hemisfério cerebral no *giro cingulado* e, por fim, (4) passando por trás do corpo caloso e para baixo na superfície ventromedial do lobo temporal para o *giro para-hipocampal* e para o *úncus*.

Assim, nas superfícies medial e ventral de cada hemisfério cerebral há um anel constituído sobretudo de *paleocórtex*, que envolve um grupo de estruturas profundas intimamente associadas ao comportamento geral e às emoções. Por sua vez, esse anel do córtex límbico funciona como uma comunicação bidirecional e ligação de associação entre o *neocórtex* e as estruturas límbicas inferiores.

Muitas das funções comportamentais desencadeadas pelo hipotálamo e por outras estruturas límbicas também são mediadas pelos núcleos reticulares do tronco encefálico e por seus núcleos associados. Indicamos no Capítulo 56, assim como no início deste capítulo, que a estimulação da porção excitatória dessa formação reticular pode causar altos graus de excitabilidade cerebral, ao mesmo tempo que aumenta a excitabilidade de muitas sinapses da medula espinhal. No Capítulo 61, veremos que a maioria dos sinais hipotalâmicos para controlar o sistema nervoso autônomo também é transmitida por meio de núcleos sinápticos localizados no tronco encefálico.

Uma importante via de comunicação entre o sistema límbico e o tronco encefálico é o *feixe do prosencéfalo medial*, que se estende das regiões septal e orbitofrontal do córtex cerebral para baixo, através da região média do hipotálamo, até a formação reticular do tronco encefálico. Esse feixe carrega fibras em ambas as direções, criando um sistema troncular de comunicação. Um segundo modo de comunicação se dá pelas vias curtas entre a formação reticular do tronco encefálico, tálamo, hipotálamo e a maioria das outras áreas contíguas da região basal do encéfalo.

HIPOTÁLAMO | UMA IMPORTANTE SEDE DE CONTROLE PARA O SISTEMA LÍMBICO

O hipotálamo, apesar de seu pequeno tamanho de apenas alguns centímetros cúbicos (pesando apenas cerca de 4 gramas), contém vias de comunicação bidirecionais com todos os níveis do sistema límbico. Por sua vez, o hipotálamo e as suas estruturas intimamente conectadas enviam sinais de saída em três direções: (1) posterior e descendente para o tronco encefálico, principalmente nas áreas reticulares do mesencéfalo, ponte e medula, e dessas para os nervos periféricos do sistema nervoso autônomo; (2) ascendente em direção a muitas áreas superiores do diencéfalo e do prosencéfalo, sobretudo para o tálamo anterior e porções límbicas do córtex cerebral; e (3) para o infundíbulo hipotalâmico, a fim de controlar, total ou parcialmente, a maioria das funções secretoras da adeno-hipófise e da neuro-hipófise.

Dessa maneira, o hipotálamo, que representa menos de 1% da massa encefálica, é uma das mais importantes vias de controle do sistema límbico. Ele regula a maioria das funções vegetativas e endócrinas do organismo, além de muitos aspectos do comportamento emocional.

FUNÇÕES DE CONTROLE VEGETATIVO E ENDÓCRINO DO HIPOTÁLAMO

Os diferentes mecanismos hipotalâmicos para o controle das múltiplas funções do organismo, por serem tão importantes, são abordados em vários capítulos ao longo deste livro. Por exemplo, o papel do hipotálamo para ajudar a regular a pressão arterial é discutido no Capítulo 18; para controlar a sede e conservar a água, no Capítulo 30; para regular o apetite e o gasto energético, no Capítulo 72; para fazer a regulação da temperatura, no Capítulo 74; e, para realizar o controle endócrino, no Capítulo 76. A fim de ilustrar a organização do hipotálamo como uma unidade funcional, resumimos algumas de suas funções vegetativas e endócrinas.

As **Figuras 59.6** e **59.7** mostram vistas ampliadas sagitais e coronais do hipotálamo, que representa apenas uma pequena área na **Figura 59.4**. Observe especialmente na **Figura 59.6** as múltiplas atividades excitadas ou inibidas quando os respectivos núcleos hipotalâmicos são estimulados. Além desses centros, uma grande área *hipotalâmica*

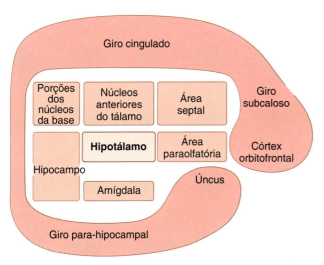

Figura 59.5 Sistema límbico, mostrando a posição-chave do hipotálamo.

PARTE 11 Sistema Nervoso: C. Neurofisiologia Motora e Integrativa

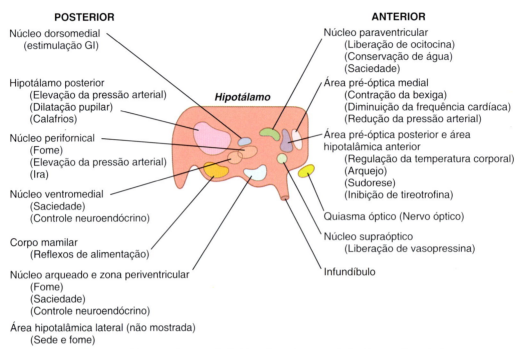

Figura 59.6 Centros de controle do hipotálamo (seção sagital). GI: gastrointestinal

lateral (mostrada na **Figura 59.7**) está presente em cada lado do hipotálamo. As áreas laterais são especialmente importantes no controle da sede, da fome e de muitos dos impulsos emocionais.

Uma palavra de precaução deve ser considerada ao estudar esses diagramas, porque as áreas que causam atividades específicas não são localizadas de maneira tão acurada como sugerido nas figuras. Além disso, não se sabe se os efeitos observados nas ilustrações resultam da estimulação de núcleos de controle específicos ou apenas da ativação de tratos de fibra que conduzem de ou para núcleos de controle situados em outros locais. Com esse cuidado em mente, podemos fazer a seguinte descrição geral das funções vegetativas e de controle do hipotálamo.

Regulação cardiovascular. A estimulação de diferentes áreas do hipotálamo pode causar muitos efeitos neurogênicos no sistema cardiovascular, incluindo alterações na pressão arterial e na frequência cardíaca. Em geral, a estimulação nas *regiões posterior* e *lateral do hipotálamo* aumenta a pressão arterial e a frequência cardíaca, ao passo que a estimulação na *área pré-óptica* costuma ter efeitos opostos, causando diminuição na frequência cardíaca e na pressão arterial. Esses efeitos são transmitidos principalmente por meio de centros de controle cardiovascular específicos nas regiões reticulares da ponte e da medula.

Regulação da temperatura corporal. A porção anterior do hipotálamo, especialmente a *área pré-óptica*, está relacionada à regulação da temperatura corporal. Uma elevação na temperatura do sangue que flui por essa área aumenta a atividade dos neurônios sensíveis à temperatura, enquanto uma diminuição na temperatura reduz sua atividade. Por sua vez, esses neurônios controlam os mecanismos para elevar ou baixar a temperatura corporal, como discutido no Capítulo 74.

Regulação da água corporal. O hipotálamo regula a água corporal de duas maneiras: (1) criando a sensação de sede, que leva o animal ou a pessoa a beber água; e (2) controlando a excreção de água na urina. Uma área chamada *centro da sede* está localizada no hipotálamo lateral. Quando os eletrólitos líquidos nesse centro ou em áreas próximas se tornam muito concentrados, o animal desenvolve um desejo intenso de beber água; ele procurará a fonte de água mais próxima e beberá o suficiente para retornar à normalidade a concentração de eletrólitos do centro da sede.

O controle da excreção renal de água é realizado principalmente nos núcleos *supraópticos*. Quando os líquidos corporais ficam muito concentrados, os neurônios dessas áreas são estimulados. As fibras nervosas desses neurônios

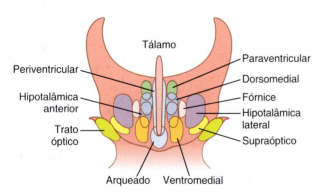

Figura 59.7 Seção coronal do hipotálamo, mostrando as posições mediolaterais dos respectivos núcleos hipotalâmicos.

CAPÍTULO 59 Sistema Límbico e Hipotálamo: Mecanismos Comportamentais e Motivacionais do Cérebro

projetam-se para baixo através do infundíbulo do hipotálamo até a neuro-hipófise, onde as terminações nervosas secretam o *hormônio antidiurético* (também chamado de *vasopressina*). Esse hormônio é, então, absorvido pela circulação sanguínea e transportado para os rins, onde atua nos túbulos coletores e nos ductos coletores dos rins para aumentar a reabsorção de água. Essa ação diminui a perda de água na urina, mas possibilita a excreção contínua de eletrólitos, reduzindo, assim, a concentração dos líquidos corporais de volta ao normal. Essas funções são apresentadas no Capítulo 29.

Regulação da contratilidade uterina e da ejeção de leite pelas mamas.
A estimulação dos *núcleos paraventriculares* faz com que suas células neuronais secretem o hormônio *ocitocina*. Esse hormônio, por sua vez, causa aumento da contratilidade do útero, bem como a contração das células mioepiteliais ao redor dos alvéolos das mamas, fazendo os alvéolos esvaziarem o leite pelos mamilos.

No final da gravidez, há secreção de quantidades especialmente grandes de ocitocina, e essa secreção ajuda a promover as contrações do parto que expelem o feto. Então, sempre que o neonato sugar a mama da mãe, um sinal reflexo do mamilo para o hipotálamo posterior causará nova liberação de ocitocina, que agora tem a função necessária de contrair os ductos mamários, expelindo assim o leite pelos mamilos para que o neonato possa alimentar-se. Essas funções são discutidas no Capítulo 83.

Regulação gastrointestinal e alimentar.
A estimulação de diversas áreas do hipotálamo faz com que o animal experimente fome extrema, apetite voraz e desejo intenso de busca por alimento. Uma região associada à fome é a *área hipotalâmica lateral*. Por outro lado, quando danificada em ambos os lados do hipotálamo, o animal perde o desejo por comida, podendo chegar à inanição letal, como discutido no Capítulo 72.

Um centro que se opõe ao desejo por comida, denominado *centro de saciedade*, está localizado nos *núcleos ventromediais*. Quando ele é estimulado eletricamente, um animal que está comendo interrompe de repente a ingestão de alimento e mostra completa indiferença à comida. No entanto, se essa área for destruída bilateralmente, o animal não pode ser saciado; em vez disso, seus centros hipotalâmicos de fome tornam-se hiperativos, fazendo-o ter um apetite voraz, resultando em obesidade significativa. O *núcleo arqueado* do hipotálamo contém pelo menos dois tipos diferentes de neurônios que, quando estimulados, aumentam ou diminuem o apetite. Outra área do hipotálamo que entra no controle geral da atividade gastrointestinal são os *corpos mamilares*, os quais controlam, ao menos parcialmente, os padrões de muitos reflexos alimentares, como lamber os lábios e deglutir.

Controle hipotalâmico da secreção de hormônios pela adeno-hipófise.
A estimulação de certas áreas do hipotálamo também faz com que a adeno-hipófise secrete seus hormônios. Esse assunto é discutido em detalhes no Capítulo 75, em relação ao controle neural das glândulas endócrinas. De maneira resumida, os mecanismos básicos são os seguintes. A adeno-hipófise recebe seu suprimento sanguíneo principalmente do sangue que flui primeiro pela parte inferior do hipotálamo e, em seguida, pelos sinusoides da adeno-hipófise. À medida que o sangue percorre o hipotálamo, antes de irrigar a adeno-hipófise, *hormônios liberadores* e *hormônios inibitórios* são secretados no sangue por vários núcleos hipotalâmicos. Esses hormônios são, então, transportados pelo sangue para a adeno-hipófise, onde atuam nas células glandulares para controlar (estimular ou inibir) a liberação de hormônios adeno-hipofisários específicos.

Controle hipotalâmico do ritmo circadiano | Núcleo supraquiasmático.
O núcleo supraquiasmático (NSQ) do hipotálamo contém cerca de 20.000 neurônios e está localizado acima do quiasma óptico, onde os nervos ópticos se cruzam sob o hipotálamo, como discutido no Capítulo 52. Os neurônios do NSQ servem como um "relógio mestre", com uma frequência de disparo do marca-passo que segue um ritmo circadiano (ver **Figura 59.8**). Essa função de marca-passo é fundamental para a organização do sono em um padrão circadiano recorrente de sono e vigília de 24 horas. As lesões do NSQ causam muitos distúrbios fisiológicos e comportamentais, incluindo a perda dos ritmos circadianos de sono-vigília. Assim, o NSQ direciona os ciclos diários de nossa fisiologia e comportamento que definem o ritmo de nossa vida.

A importância desses ciclos diários para a saúde humana tem suscitado um interesse crescente no campo da *cronobiologia*, o estudo desses ritmos circadianos. Em 2017, o Prêmio Nobel de Fisiologia ou Medicina foi concedido a Jeffrey C. Hall, Michael Rosbash e Michael W. Young por suas descobertas de mecanismos moleculares que controlam o ritmo circadiano em moscas-da-fruta.

O NSQ é organizado em grupos funcionais específicos que controlam os padrões rítmicos dos relógios biológicos em outras partes do corpo. Esses relógios biológicos são compostos por um conjunto complexo de fatores de transcrição gênica, proteínas/enzimas e outros agentes reguladores que operam para estabelecer ritmos circadianos na maioria dos organismos vivos, incluindo mamíferos, micróbios e até plantas. Esses relógios biológicos, encontrados em quase todos os tecidos e órgãos do corpo, são capazes de manter seus próprios ritmos circadianos, embora estes sejam geralmente mantidos por apenas alguns dias na ausência de sinais do NSQ.

Os principais componentes dos mecanismos do relógio no NSQ, e em outros tecidos, são dois ciclos de retroalimentação dependentes dos genes ativadores *CLOCK* e *BMAL1*, que se ligam um ao outro e, após a translocação para o núcleo, iniciam a transcrição dos "*genes do relógio*" (*PER1, PER2* e *PER3*) e dos "*genes do criptocromo*" (*CRY1* e *CRY2*). Esses genes ativam a síntese das proteínas PER e CRY; à medida que elas se acumulam, inibem os fatores de transcrição CLOCK e BMAL1, reprimindo, assim, a

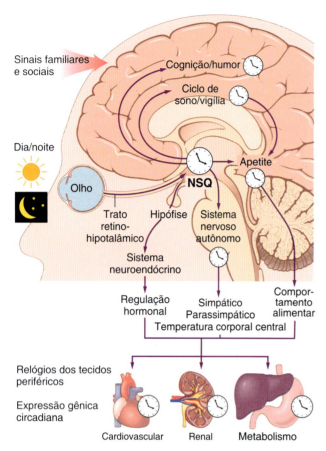

Figura 59.8 O núcleo supraquiasmático (NSQ) do hipotálamo serve como um "relógio mestre" para muitas atividades fisiológicas, mentais e comportamentais. O NSQ recebe inervação direta da retina por meio do trato retino-hipotalâmico (TRH) para entrar em atividade nos ciclos diurnos e noturnos. Os neurônios do NSQ se projetam para vários centros cerebrais, os quais contêm relógios circadianos locais que regem os ritmos circadianos autônomos e neuroendócrinos de alimentação-jejum, sono-vigília. Esses sinais sistêmicos sincronizam nos tecidos periféricos os relógios moleculares locais, os quais, então, direcionam a expressão gênica circadiana que regula os ritmos fisiológicos, incluindo aqueles relacionados a alerta mental e cognição, regulação cardiovascular, metabolismo e função renal.

transcrição de PER e CRY. Essa sequência de retroalimentação liga-desliga da síntese de proteínas PER e CRY normalmente ocorre em um padrão circadiano de 24 horas.

Depois que o relógio NSQ estabelece seu ritmo circadiano, essa informação é transmitida a outras regiões do cérebro por potenciais de ação e a vários órgãos e tecidos por meio de sinais nervosos e hormonais. Os axônios do NSQ projetam-se para outras regiões do hipotálamo, que são especialmente importantes para as variações circadianas da temperatura corporal, do ciclo sono-vigília e de várias alterações hormonais.

Embora endógenos e autossustentados, os ritmos circadianos do NSQ são alterados ("arrastados") por mudanças ambientais, como temperatura e tempo do ciclo claro-escuro. O NSQ recebe aferência neural de *células ganglionares intrinsecamente fotossensíveis* da retina, que são altamente especializadas, contêm o fotopigmento *melanopsina* e transmitem sinais através do *trato retino-hipotalâmico*. A importância dessa via na alteração da sincronização dos ritmos circadianos é ilustrada pela observação de que uma pessoa que viaja por vários fusos horários pode experimentar dessincronia circadiana (*jet lag*), mas seu relógio circadiano acaba sendo sincronizado com o horário diurno local.

Resumo. Várias áreas do hipotálamo controlam funções vegetativas e endócrinas específicas. As funções dessas áreas não são compreendidas em sua totalidade, de modo que a especificação apresentada anteriormente de diferentes áreas para diversas funções hipotalâmicas ainda é, em parte, provisória.

FUNÇÕES COMPORTAMENTAIS DO HIPOTÁLAMO E ESTRUTURAS LÍMBICAS ASSOCIADAS

Efeitos causados pela estimulação do hipotálamo. Além das funções vegetativas e endócrinas do hipotálamo, a estimulação ou a ocorrência de lesões no hipotálamo frequentemente tem efeitos profundos no comportamento emocional de animais e seres humanos. Alguns dos efeitos comportamentais da estimulação são os seguintes:

1. A estimulação no *hipotálamo lateral* não apenas causa sede e fome, conforme discutido anteriormente, mas também aumenta o nível geral de atividade do animal, levando-o, algumas vezes, à ira e a brigas, como será abordado adiante.
2. A estimulação no *núcleo ventromedial* e em áreas adjacentes causa principalmente efeitos opostos aos ocasionados pela estimulação hipotalâmica lateral – isto é, sensação de *saciedade*, *diminuição da alimentação* e *tranquilidade*.
3. A estimulação de uma *zona estreita de núcleos periventriculares*, localizada imediatamente adjacente ao terceiro ventrículo (ou também a estimulação da área cinzenta central do mesencéfalo, que é contínua com essa porção do hipotálamo), geralmente leva a *reações de medo* e *punição*.
4. O *impulso sexual* pode ser estimulado de diversas áreas do hipotálamo, sobretudo das porções mais anteriores e posteriores.

Efeitos causados por lesões hipotalâmicas. Lesões no hipotálamo, em geral, causam efeitos opostos aos ocasionados pela estimulação, como os seguintes:

1. Lesões bilaterais no hipotálamo lateral reduzem a ingestão de bebidas e alimentos quase a zero, geralmente levando à inanição letal. Essas lesões também causam extrema *passividade* do animal, com perda de muitos de seus impulsos motivacionais.
2. Lesões bilaterais das áreas ventromediais do hipotálamo causam efeitos que são, principalmente, opostos aos ocasionados pelas lesões na região do hipotálamo

CAPÍTULO 59 Sistema Límbico e Hipotálamo: Mecanismos Comportamentais e Motivacionais do Cérebro

lateral: bebida e comida em excesso, bem como hiperatividade e acessos frequentes de ira extrema à menor provocação.

Estimulação ou ocorrência de lesões em outras regiões do sistema límbico, especialmente na amígdala, na área septal e nas áreas do mesencéfalo, com frequência, produzem efeitos semelhantes aos provocados pelo hipotálamo. Discutiremos alguns desses efeitos com mais detalhes adiante.

FUNÇÃO DE "RECOMPENSA" E "PUNIÇÃO" DO SISTEMA LÍMBICO

Do que discutimos até agora, já está claro que diversas estruturas límbicas estão particularmente relacionadas à natureza *afetiva* das sensações sensoriais – isto é, se as sensações são *agradáveis* ou *desagradáveis*. Essas qualidades afetivas também são chamadas de *recompensa* ou *punição*, ou *satisfação* ou *aversão*. A estimulação elétrica de certas áreas límbicas agrada ou satisfaz o animal, enquanto a estimulação elétrica de outras regiões causa terror, dor, medo, defesa, reações de fuga e todos os outros elementos de punição. Os graus de estimulação desses dois sistemas de resposta oposta afetam muito o comportamento do animal.

Centros de recompensa

Por meio de estudos experimentais usando estimuladores elétricos para mapear os centros de recompensa e punição do cérebro, os principais centros de recompensa foram encontrados *ao longo do fascículo prosencefálico medial*, especialmente nos *núcleos lateral* e *ventromedial do hipotálamo*. É interessante que o núcleo lateral esteja incluído entre as áreas de recompensa, porque estímulos fortes nessa área podem, na verdade, causar ira. No entanto, esse fenômeno ocorre em muitas áreas, com os estímulos mais fracos dando uma sensação de recompensa, e os mais fortes, uma sensação de punição. Centros de recompensa menos potentes, que talvez sejam secundários aos principais no hipotálamo, são encontrados na área septal, na amígdala, em certas partes do tálamo e nos núcleos da base e estendendo-se para baixo no tegmento basal do mesencéfalo.

Centros de punição

As regiões mais potentes para tendências de punição e fuga foram encontradas na área cinza central ao redor do aqueduto cerebral, no mesencéfalo, e estendendo-se para cima nas zonas periventriculares do hipotálamo e do tálamo. Áreas de punição menos potentes encontram-se em alguns locais na amígdala e no hipocampo. É muito interessante o fato de a estimulação nos centros de punição poder frequentemente inibir por completo os centros de recompensa e prazer, demonstrando que *a punição e o medo são capazes de prevalecer sobre o prazer e a recompensa.*

Associação da ira com centros de punição

Um padrão emocional que não só envolve os centros de punição do hipotálamo e de outras estruturas límbicas, mas também foi bem caracterizado é o *padrão da ira*, descrito a seguir.

A *forte* estimulação dos centros de punição do cérebro, especialmente na *zona periventricular do hipotálamo* e no *hipotálamo lateral*, faz com que o animal: (1) desenvolva uma postura de defesa; (2) estenda suas garras; (3) erga sua cauda; (4) silve; (5) babe; (6) rosne; e (7) desenvolva piloereção, olhos arregalados (retração palpebral) e pupilas dilatadas. Além disso, até a menor provocação causa um ataque selvagem imediato. Esse comportamento – próximo do que seria esperado de um animal em grave punição – é um padrão comportamental denominado *ira*.

Felizmente, no animal normal, o fenômeno da ira é controlado sobretudo por sinais inibitórios dos núcleos ventromediais do hipotálamo. Além disso, porções do hipocampo e do córtex límbico anterior, em especial, no giro cingulado anterior e no giro subcaloso, ajudam a suprimir o fenômeno da ira.

Placidez e docilidade. Os padrões de comportamento emocional exatamente opostos à ira ocorrem quando os centros de recompensa são estimulados. A estimulação desses centros produz placidez e mansidão.

IMPORTÂNCIA DA RECOMPENSA OU PUNIÇÃO NO COMPORTAMENTO

Quase tudo o que fazemos está relacionado, de algum modo, com recompensa e punição. Se estamos fazendo algo gratificante, continuamos a fazê-lo; se for punitivo, paramos de fazê-lo. Portanto, os centros de recompensa e punição, sem dúvida, constituem um dos mais importantes dentre todos os controladores de nossas atividades corporais, nossos impulsos, nossas aversões e nossas motivações.

Efeito de fármacos sedativos nos centros de recompensa ou punição. A administração de um fármaco com ação sedativa, como a clorpromazina, geralmente inibe os centros de recompensa e punição, diminuindo a reatividade afetiva do animal. Portanto, presume-se que os tranquilizantes funcionem em estados psicóticos, suprimindo muitas das importantes áreas comportamentais do hipotálamo e de suas regiões associadas do cérebro límbico.

Importância da recompensa ou punição no aprendizado e na memória | Hábito *versus* reforço

Experimentos com animais mostraram que uma experiência sensorial não causadora de recompensa nem de punição dificilmente é lembrada. Registros elétricos do cérebro evidenciam que um estímulo sensorial recém-experimentado quase sempre excita múltiplas áreas do córtex cerebral. No entanto, se a experiência sensorial não desencadear uma sensação de recompensa ou de punição, a repetição contínua do estímulo levará à extinção quase completa da resposta do córtex cerebral – isto é, o animal

PARTE 11 Sistema Nervoso: C. Neurofisiologia Motora e Integrativa

se tornará *habituado* a esse estímulo sensorial específico e, a partir de então, passará a ignorá-lo.

Se o estímulo *causa* recompensa ou punição (em vez de indiferença), a resposta do córtex cerebral torna-se progressivamente mais e mais intensa durante a estimulação repetida, em vez de desaparecer, sendo então a resposta considerada *reforçada*. Um animal constrói fortes traços de memória para sensações recompensadoras ou punitivas, mas, de maneira inversa, desenvolve uma habituação completa a estímulos sensoriais indiferentes.

É evidente que os centros de recompensa e punição do sistema límbico têm muito a ver com a seleção das informações que aprendemos, geralmente descartando mais de 99% delas e selecionando menos de 1% para retenção.

FUNÇÕES ESPECÍFICAS DE OUTRAS PARTES DO SISTEMA LÍMBICO

FUNÇÕES DO HIPOCAMPO

O hipocampo é a porção alongada do córtex cerebral que se dobra para dentro a fim de formar a superfície ventral de grande parte do interior do ventrículo lateral. Uma extremidade do hipocampo faz contato com os núcleos amigdaloides e, ao longo de sua borda lateral, funde-se com o giro para-hipocampal, que é o córtex cerebral na superfície ventromedial externa do lobo temporal.

O hipocampo (e as suas estruturas adjacentes do lobo temporal e parietal, conjuntamente chamadas de *formação hipocampal*) tem inúmeras conexões, mas principalmente indiretas, com muitas porções do córtex cerebral, bem como com as estruturas basais do sistema límbico – amígdala, hipotálamo, septo e corpos mamilares. Quase todos os tipos de experiência sensorial causam ativação de pelo menos alguma parte do hipocampo, que, por sua vez, distribui muitos sinais eferentes para o tálamo anterior, hipotálamo e outras partes do sistema límbico, sobretudo através do *fórnice*, que é uma importante via de comunicação. Assim, o hipocampo é um canal adicional por meio do qual os sinais sensoriais que chegam podem iniciar reações comportamentais para diferentes propósitos. Como em outras estruturas límbicas, é possível que a estimulação de diferentes áreas do hipocampo leve a quase qualquer um dos diferentes padrões de comportamento, como prazer, ira, passividade ou excesso de desejo sexual.

Outra característica do hipocampo é que ele pode tornar-se hiperexcitável. Por exemplo, é possível estímulos elétricos fracos provocarem convulsões epilépticas focais em pequenas áreas do hipocampo. Essas convulsões geralmente persistem por muitos segundos após o término da estimulação, o que sugere que o hipocampo é capaz, talvez, de emitir sinais de saída prolongados, mesmo em condições normais de funcionamento. Durante as crises convulsivas de origem no hipocampo, a pessoa experimenta vários efeitos psicomotores, incluindo olfatórios, visuais, auditivos, táteis e outros tipos de alucinações que não podem ser suprimidas enquanto a crise persistir,

mesmo que o indivíduo não tenha perdido a consciência e saiba que essas alucinações são irreais. Provavelmente, uma das razões para essa hiperexcitabilidade dos hipocampos é que eles apresentam um tipo diferente de córtex (com apenas três camadas de células nervosas em algumas de suas áreas), em relação a outras partes do cérebro, em que são encontradas seis camadas.

Papel do hipocampo no aprendizado

Amnésia anterógrada após remoção bilateral dos hipocampos. Em alguns seres humanos, foram removidas porções bilaterais do hipocampo, cirurgicamente, para o tratamento de epilepsia. Esses pacientes podem recordar-se satisfatoriamente da maioria das memórias antes aprendidas. No entanto, muitas vezes, não conseguem aprender, na essência, nenhuma informação nova que seja baseada no simbolismo verbal – com frequência, eles são incapazes até mesmo de aprender os nomes das pessoas com quem entram em contato todos os dias. Contudo, por um momento ou mais, podem lembrar-se do que acontece durante o curso de suas atividades. Assim, eles são capazes de ter memória de curto prazo por segundos até um minuto ou dois, embora sua capacidade de estabelecer memórias que durem mais do que alguns minutos seja completa ou quase completamente abolida. Esse fenômeno, denominado *amnésia anterógrada*, foi discutido no Capítulo 58.

Função do hipocampo no aprendizado. O hipocampo originou-se como parte do córtex olfatório. Em muitos animais inferiores, esse córtex desempenha papéis essenciais para determinar se eles comerão determinado alimento, se o cheiro de um objeto específico sugere perigo ou se o odor é sexualmente convidativo, tomando decisões que são de importância de vida ou morte. Muito cedo no desenvolvimento evolutivo do cérebro, o hipocampo presumivelmente se tornou um mecanismo neuronal crítico de tomada de decisão, determinando a relevância dos sinais sensoriais que chegam. Uma vez que essa capacidade crítica de tomada de decisão foi estabelecida, o restante do cérebro provavelmente também começou a recorrer ao hipocampo para a tomada de decisão. Portanto, se o hipocampo sinaliza que uma entrada neuronal é importante, é provável que a informação seja armazenada na memória.

Assim, uma pessoa torna-se rapidamente habituada a estímulos indiferentes, mas aprende com atenção qualquer experiência sensorial que cause prazer ou dor. Isso ocorre por meio de qual mecanismo? Foi sugerido que o hipocampo fornece o impulso que traduz a memória de curto prazo em memória de longo prazo – isto é, o hipocampo transmite sinais que parecem fazer a mente *ensaiar continuamente* as novas informações até haver o armazenamento permanente. Seja qual for o mecanismo, sem os hipocampos, a *consolidação* de memórias de longo prazo dos tipos verbal ou de pensamento simbólico não ocorre ou é insuficiente.

Funções da amígdala

A amígdala é um complexo de múltiplos e pequenos núcleos localizados imediatamente abaixo do córtex cerebral do polo anteromedial de cada lobo temporal. Possui abundantes conexões bidirecionais com o hipotálamo, bem como com outras áreas do sistema límbico.

Em animais inferiores, a amígdala se preocupa em grande parte com os estímulos olfatórios e suas inter-relações com o cérebro límbico. Foi observado no Capítulo 54 que uma das principais divisões do trato olfatório termina em uma porção da amígdala chamada de núcleos corticomediais, localizada imediatamente abaixo do córtex cerebral, na área piriforme olfatória do lobo temporal. No ser humano, outra porção da amígdala (os núcleos basolaterais) tornou-se muito mais desenvolvida do que a porção olfatória e desempenha papéis importantes em muitas atividades comportamentais geralmente não associadas a estímulos olfatórios.

A amígdala recebe sinais neuronais de todas as partes do córtex límbico, bem como do neocórtex dos lobos temporal, parietal e occipital – em especial, das áreas de associação auditiva e visual. Por causa dessas conexões múltiplas, a amígdala foi considerada uma "janela" através da qual o sistema límbico vê o lugar da pessoa no mundo. Por sua vez, ela transmite sinais (1) de volta para essas mesmas áreas corticais, (2) para o hipocampo, (3) para o septo, (4) para o tálamo e (5) sobretudo para o hipotálamo.

Efeitos da estimulação da amígdala. Em geral, a estimulação na amígdala pode causar quase todos os mesmos efeitos que aqueles provocados pela estimulação direta do hipotálamo, além de outros. Os efeitos iniciados na amígdala e depois enviados através do hipotálamo incluem: (1) aumento ou diminuição da pressão arterial e da frequência cardíaca; (2) aumento ou diminuição da motilidade e secreção gastrointestinal; (3) defecação ou micção; (4) dilatação pupilar ou, raramente, constrição; (5) piloereção; e (6) secreção de vários hormônios da adeno-hipófise, especialmente as gonadotrofinas e o hormônio adrenocorticotrófico.

Além desses efeitos mediados pelo hipotálamo, a estimulação da amígdala também pode causar diversos tipos de movimento involuntário, os quais incluem: (1) movimentos tônicos, como levantar a cabeça ou inclinar o corpo; (2) movimentos circulares; (3) movimentos rítmicos ocasionalmente clônicos; e (4) diferentes tipos de movimentos associados ao olfato e à alimentação, como lamber, mastigar e deglutir.

A estimulação de certos núcleos amigdaloides também pode causar um padrão de ira, fuga, punição, dor intensa e medo, de modo semelhante ao padrão de ira produzido pelo hipotálamo, como descrito anteriormente. A estimulação de outros núcleos amigdaloides é capaz de gerar reações de recompensa e prazer.

Por fim, é possível a excitação de outras partes da amígdala causar atividades sexuais que incluem ereção, movimentos copulatórios, ejaculação, ovulação, atividade uterina e parto prematuro.

Efeitos da ablação bilateral da amígdala | Síndrome de Klüver-Bucy. Quando as partes anteriores de ambos os lobos temporais são destruídas em um macaco, esse procedimento remove não apenas porções do córtex temporal, mas também das amígdalas que ficam dentro dessas partes dos lobos temporais. Tal remoção causa mudanças no comportamento, chamadas de síndrome de Klüver-Bucy, a qual é demonstrada por um animal que (1) não tem medo de nada, (2) tem extrema curiosidade sobre tudo, (3) esquece rapidamente, (4) tende a colocar tudo em sua boca e às vezes até tenta comer objetos sólidos; e (5) com frequência, apresenta um impulso sexual tão forte que tenta copular com animais imaturos, animais do mesmo sexo ou ainda animais de outras espécies. Embora lesões semelhantes em seres humanos sejam raras, as pessoas afetadas respondem de maneira não muito diferente da observada em macacos.

Função global das amígdalas. As amígdalas parecem ser áreas de "consciência comportamental" que operam em um nível semiconsciente. Elas também parecem projetar no sistema límbico o estado atual da pessoa em relação ao ambiente e aos pensamentos. Com base nessas informações, acredita-se que a amígdala seja responsável por tornar a resposta comportamental da pessoa apropriada para cada ocasião.

Função do córtex límbico

A parte menos compreendida do sistema límbico é o anel do córtex cerebral denominado córtex límbico, que circunda as estruturas límbicas subcorticais. Esse córtex funciona como uma zona de transição por meio da qual os sinais são transmitidos do restante do córtex cerebral para o sistema límbico e também na direção oposta. Portanto, o córtex límbico funciona como uma área de associação cerebral para o controle do comportamento.

A estimulação das diferentes regiões do córtex límbico não foi suficiente para proporcionar uma ideia clara de suas funções. No entanto, muitos padrões de comportamento podem ser desencadeados pela estimulação de porções específicas do córtex límbico. Da mesma maneira, é possível a ablação de algumas áreas corticais límbicas causar mudanças persistentes no comportamento de um animal, como segue.

Ablação do córtex temporal anterior. Quando o córtex temporal anterior é removido em ambos os lados, as amígdalas também são quase invariavelmente danificadas e, como discutido antes, ocorre a síndrome de Klüver-Bucy. O animal desenvolve sobretudo um comportamento evolutivamente inapropriado: ele investiga todo e qualquer objeto, tem um intenso impulso sexual dirigido a animais inadequados ou mesmo a objetos inanimados e perde todo o medo, e ainda assim também desenvolve a docilidade.

Ablação do córtex orbitofrontal posterior. A remoção bilateral da porção posterior do córtex orbitofrontal frequentemente faz com que o animal desenvolva insônia associada a intensa inquietação motora; o animal, então, torna-se incapaz de ficar quieto e se move continuamente.

Ablação dos giros cingulados anteriores e dos giros subcalosos. Os giros cingulados anteriores e os giros subcalosos são as porções do córtex límbico que fazem a comunicação entre o córtex cerebral pré-frontal e as estruturas límbicas subcorticais. A destruição desses giros em ambos os lados libera os centros de ira do septo e do hipotálamo

PARTE 11 Sistema Nervoso: C. Neurofisiologia Motora e Integrativa

da influência inibitória pré-frontal. Portanto, o animal pode tornar-se cruel e muito mais sujeito a acessos de ira do que normalmente.

Resumo. Até que mais informações estejam disponíveis, talvez seja melhor afirmar que as regiões corticais do sistema límbico ocupam posições de associação intermediárias entre as funções das áreas específicas do córtex cerebral e as funções das estruturas límbicas subcorticais para controle dos padrões de comportamento. Assim, no córtex temporal anterior, encontram-se especialmente associações comportamentais gustativas e olfatórias. Nos giros para-hipocampais, há uma tendência para associações auditivas complexas e associações de pensamentos complexos derivadas da área de Wernicke do lobo temporal posterior. No córtex cingulado médio e posterior, há motivos para acreditar que ocorram associações comportamentais sensorimotoras.

Bibliografia

Anacker C, Hen R: Adult hippocampal neurogenesis and cognitive flexibility - linking memory and mood. Nat Rev Neurosci 18:335, 2017.

Challet E: The circadian regulation of food intake. Nat Rev Endocrinol 15:393, 2018.

Crunelli V, Lörincz ML, Connelly WM, et al: Dual function of thalamic low-vigilance state oscillations: rhythm-regulation and plasticity. Nat Rev Neurosci 19:107, 2018.

Fenster RJ, Lebois LAM, Ressler KJ, Suh J: Brain circuit dysfunction in post-traumatic stress disorder: from mouse to man. Nat Rev Neurosci 19:535, 2018.

Gizowski C, Bourque CW: The neural basis of homeostatic and anticipatory thirst. Nat Rev Nephrol 14:11, 2018.

Hastings MH, Maywood ES, Brancaccio M: Generation of circadian rhythms in the suprachiasmatic nucleus Nat Rev Neurosci 19:453, 2018.

Izquierdo I, Furini CR, Myskiw JC: Fear memory. Physiol Rev 96:695, 2016.

Maddox SA, Hartmann J, Ross RA, Ressler KJ: Deconstructing the gestalt: mechanisms of fear, threat, and trauma memory encoding. Neuron 102:60, 2019.

Maren S, Phan KL, Liberzon I: The contextual brain: implications for fear conditioning, extinction and psychopathology. Nat Rev Neurosci 14:417, 2013.

Morton GJ, Meek TH, Schwartz MW: Neurobiology of food intake in health and disease. Nat Rev Neurosci 15:367, 2014.

Ressler RL, Maren S: Synaptic encoding of fear memories in the amygdala. Curr Opin Neurobiol 54:54, 2019.

Ross DA, Arbuckle MR, Travis MJ, Dwyer JB et al: An Integrated neuroscience perspective on formulation and treatment planning for posttraumatic stress disorder: an educational review. JAMA Psychiatry 74:407, 2017.

Russo SJ, Nestler EJ: The brain reward circuitry in mood disorders. Nat Rev Neurosci 14:609, 2013.

Schultz W: Neuronal reward and decision signals: from theories to data. Physiol Rev 95:853, 2015.

Shalev A, Liberzon I, Marmar C: Post-traumatic stress disorder. N Engl J Med 376:2459, 2017.

Sherman SM: Functioning of circuits connecting thalamus and cortex. Compr Physiol 7:713, 2017.

Stanton CH, Holmes AJ, Chang SWC, Joormann J: From stress to anhedonia: Molecular processes through functional circuits. Trends Neurosci 42:23, 2019.

Young MW: Time travels: a 40-year journey from Drosophila's clock mutants to human circadian disorders (Nobel Lecture). Angew Chem Int Ed Engl 57:11532, 2018.

Zimmerman CA, Leib DE, Knight ZA: Neural circuits underlying thirst and fluid homeostasis. Nat Rev Neurosci 18:459, 2017.

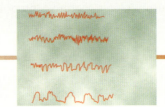

CAPÍTULO 60

Estados da Atividade Cerebral: Sono, Ondas Cerebrais, Epilepsia, Psicose e Demência

Todos nós estamos cientes dos diversos estados de atividade cerebral, incluindo sono, vigília, extrema excitação e até mesmo diferentes estados de humor, como alegria, depressão e medo. Esses estados resultam de diferentes forças ativadoras ou inibidoras originadas geralmente dentro do cérebro. No Capítulo 59, começamos uma discussão parcial desse assunto quando descrevemos vários sistemas capazes de ativar grandes porções do cérebro. Aqui, apresentamos breves pesquisas de estados específicos da atividade cerebral, começando com o sono.

SONO

O sono é definido como um estado de inconsciência do qual uma pessoa pode ser despertada por diversos tipos de estímulos, entre eles os sensoriais. É preciso diferenciá-lo do *coma*, que é o estado de inconsciência do qual a pessoa não pode ser despertada. Existem múltiplos estágios do sono, desde um muito leve até um muito profundo. Os pesquisadores do sono também o classificam em dois tipos totalmente diferentes de sono com qualidades distintas, como descrito a seguir.

DOIS TIPOS DE SONO | SONO DE ONDAS LENTAS E SONO REM

A cada noite, uma pessoa passa por estágios de dois tipos principais de sono que se alternam (ver **Figura 60.1**). Esses tipos são chamados de: (1) *sono com movimentos oculares rápidos* (sono REM, do inglês, *rapid eye movement*), no qual os olhos realizam movimentos rápidos mesmo que a pessoa ainda esteja dormindo; e (2) *sono de ondas lentas* ou sono *não REM* (NREM), no qual as ondas cerebrais são de grande amplitude e de baixa frequência, como discutiremos adiante.

O sono REM ocorre em episódios que ocupam aproximadamente 25% do tempo de sono em adultos jovens; cada episódio tende a acontecer a cada 90 minutos. Esse tipo de sono não é tão repousante e costuma ser associado a sonhos vívidos. A maior parte do sono durante cada noite é da variedade de ondas lentas (NREM), isto é, o sono profundo e reparador que a pessoa experimenta durante a primeira hora de sono depois de ter ficado acordada por muito tempo.

Sono REM (sono paradoxal, sono dessincronizado)

Em uma noite normal de sono, em geral, há episódios de sono REM, com duração de 5 a 30 minutos, em média a cada 90 minutos em adultos jovens. Quando uma pessoa está extremamente sonolenta, cada episódio de sono REM é curto e pode até não ocorrer. À medida que a pessoa fica mais descansada durante a noite, a duração dos episódios REM aumenta.

O sono REM tem diversas características importantes:

1. É um tipo ativo de sono que costuma estar associado a sonhos e movimentos musculares corporais ativos.
2. O despertar dessa pessoa por estímulos sensoriais torna-se ainda mais difícil do que durante o sono profundo de ondas lentas; no entanto, ela tende a acordar espontaneamente pela manhã durante um episódio de sono REM.
3. O tônus muscular em todo o corpo está por demais deprimido, indicando forte inibição das áreas de controle do músculo na medula espinhal.
4. As frequências cardíaca e respiratória geralmente se tornam irregulares, o que é característico do estado de sonho.
5. Apesar da inibição extrema dos músculos periféricos, ocorrem movimentos musculares irregulares, além dos movimentos oculares rápidos.
6. O cérebro é altamente ativo no sono REM, sendo possível que o metabolismo cerebral global aumente em até 20%. O eletroencefalograma (EEG) mostra um padrão de ondas cerebrais semelhantes às que ocorrem durante a vigília. Esse tipo de sono também é chamado de *sono paradoxal* por ser um paradoxo que uma pessoa ainda possa estar dormindo, com os movimentos musculares totalmente inibidos, apesar da presença de atividade marcante no cérebro.

Em resumo, o sono REM é um tipo de sono em que o cérebro está bastante ativo. No entanto, a pessoa não está totalmente ciente do ambiente em seu entorno e, portanto, está, de fato, adormecida.

Sono de ondas lentas

Podemos compreender as características do sono profundo de ondas lentas, lembrando-nos da última vez em

PARTE 11 Sistema Nervoso: C. Neurofisiologia Motora e Integrativa

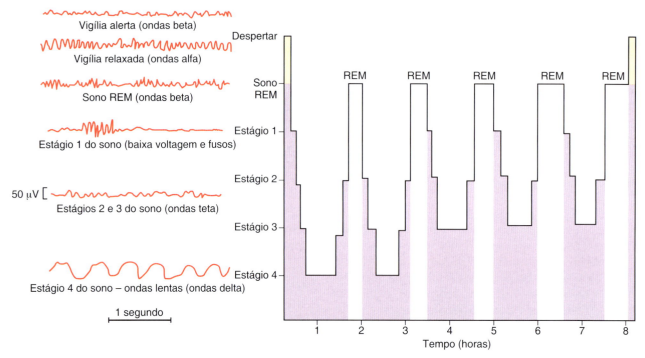

Figura 60.1 Alteração progressiva nas características das ondas cerebrais durante vigília alerta, sono com movimentos oculares rápidos (sono REM) e estágios um a quatro do sono.

que ficamos acordados por mais de 24 horas e do sono profundo que ocorreu durante a primeira hora após adormecermos. Esse sono é extremamente relaxante e está associado à diminuição do tônus vascular periférico e de muitas outras funções vegetativas do organismo. Por exemplo, ocorre diminuição de 10 a 30% na pressão arterial, na frequência respiratória e na taxa metabólica basal.

O sono de ondas lentas, embora seja frequentemente chamado de "sono sem sonhos", é caracterizado por sonhos e, às vezes, até pesadelos. A diferença entre os sonhos que ocorrem no sono de ondas lentas e os do sono REM é que estes últimos estão associados a maior atividade muscular corporal. Além disso, os sonhos de sono de ondas lentas geralmente não são lembrados porque não há a consolidação dos sonhos na memória.

TEORIAS BÁSICAS DO SONO

O sono é causado por um processo inibitório ativo.

Uma antiga teoria do sono postulava que as áreas excitatórias da parte superior do tronco encefálico, o *sistema de ativação reticular*, simplesmente ficavam fatigadas durante o dia de vigília e, como resultado, inativas. No entanto, um experimento importante mudou esse pensamento para a visão atual de que *o sono é causado por um processo inibitório ativo*, pois se descobriu que a secção transversal do tronco encefálico no nível da ponte média cria um córtex cerebral que nunca dorme. Em outras palavras, um centro localizado abaixo da região mediopontina do tronco encefálico parece ser necessário para causar sono pela inibição de outras partes do cérebro.

Centros neuronais, substâncias neuro-humorais e mecanismos capazes de causar sono | Possível papel da serotonina

A estimulação de várias áreas específicas do cérebro pode produzir sono com características próximas às do sono natural. Algumas dessas áreas são as seguintes:

1. Os *núcleos da rafe na metade inferior da ponte e na medula* são a área de estimulação mais notável para promover um sono quase natural. Esses núcleos compreendem uma fina camada de neurônios especiais localizados na linha média. Esses contêm fibras nervosas que se espalham localmente na formação reticular do tronco encefálico e também de maneira ascendente, para o tálamo, o hipotálamo, a maior parte das áreas do sistema límbico e até mesmo o neocórtex dos hemisférios cerebrais. Além disso, as fibras estendem-se para baixo, em direção à medula espinhal, terminando nos cornos posteriores, onde podem inibir os sinais sensoriais que chegam (incluindo a dor), como discutido no Capítulo 49. Muitas terminações nervosas das fibras desses neurônios da rafe secretam *serotonina*. Quando um fármaco que bloqueia a formação de serotonina é administrado a um animal, este geralmente não consegue dormir por muitos dias a partir de então. Portanto, presume-se que a serotonina seja uma substância transmissora associada à produção do sono.

2. A estimulação de algumas áreas do *núcleo do trato solitário* também pode causar sono. Esse núcleo é a terminação na medula e ponte para os sinais sensoriais viscerais que entram pelos nervos vago e glossofaríngeo.

CAPÍTULO 60 Estados da Atividade Cerebral: Sono, Ondas Cerebrais, Epilepsia, Psicose e Demência

3. O sono pode ser promovido pela estimulação de *diversas regiões do diencéfalo*, incluindo (1) a parte rostral do hipotálamo, principalmente na área supraquiasmática, e (2) uma área ocasional nos núcleos difusos do tálamo.

Lesões em centros promotores do sono podem causar vigília intensa. Lesões discretas nos *núcleos da rafe* levam a um alto estado de vigília. Esse fenômeno também pode ocorrer após lesões bilaterais na *área supraquiasmática rostrimedial no hipotálamo anterior.* Em ambos os casos, os núcleos reticulares excitatórios do mesencéfalo e da ponte superior parecem ser liberados da inibição, provocando, assim, uma vigília intensa. De fato, lesões do hipotálamo anterior algumas vezes podem causar vigília tão intensa que o animal realmente morre de exaustão.

Outras substâncias transmissoras possivelmente relacionadas ao sono. Experimentos demonstraram que o liquor, o sangue ou a urina de animais submetidos a vigília contínua por vários dias contêm substâncias que causam sono quando injetadas no sistema ventricular cerebral de outro animal. Uma substância provável foi identificada como *peptídeo muramil*, o qual contém baixo peso molecular que se acumula no líquido cefalorraquidiano e na urina em animais sob vigília contínua por vários dias. Quando somente microgramas dessa substância produtora de sono são injetados no terceiro ventrículo, ocorre sono quase natural em poucos minutos, podendo o animal dormir por muitas horas.

Outra substância que tem efeitos semelhantes na promoção do sono é o *peptídeo indutor do sono delta*, um nonapeptídeo encontrado no líquido cefalorraquidiano após a estimulação elétrica do tálamo para induzir o sono. Diversos outros potenciais fatores do sono, em sua maioria peptídeos, foram isolados do líquido cefalorraquidiano ou dos tecidos neuronais do tronco encefálico de animais mantidos sob vigília contínua por muitos dias. É possível que a vigília prolongada cause o acúmulo progressivo de um fator, ou fatores, do sono no tronco encefálico ou no líquido cefalorraquidiano que leve(m) ao sono.

Possível causa do sono REM. Não se compreende por que o sono de ondas lentas é interrompido periodicamente pelo sono REM. No entanto, substâncias que mimetizam a ação da acetilcolina aumentam a ocorrência do sono REM. Assim, postula-se que os grandes neurônios secretores de acetilcolina na formação reticular superior do tronco encefálico possam, por meio de suas extensas fibras eferentes, ativar muitas partes do cérebro. Teoricamente, esse mecanismo poderia aumentar a atividade que ocorre em certas regiões do cérebro no sono REM, ainda que os sinais não sejam canalizados de maneira apropriada no cérebro para causar a percepção consciente normal, característica da vigília.

Ciclo entre sono e vigília

As discussões anteriores apenas identificaram áreas neuronais, transmissores e mecanismos relacionados ao sono, não sendo esclarecida a operação cíclica e recíproca do ciclo vigília-sono. Nesse sentido, ainda não há uma explicação definitiva. Logo, podemos sugerir o seguinte mecanismo possível para produzir o ciclo de vigília-sono.

Quando os centros do sono *não* são ativados, os núcleos de ativação (mesencefálicos e reticular superior da ponte) são liberados da inibição, tornando-se, por conseguinte, espontaneamente ativos. Essa atividade espontânea, por sua vez, excita o córtex cerebral e o sistema nervoso periférico, fazendo com que ambos enviem inúmeros sinais de *retroalimentação positiva* de volta aos mesmos núcleos de ativação reticular para ativá-los ainda mais. Portanto, uma vez que a vigília começa, ela tende naturalmente a se sustentar em razão de toda essa atividade de retroalimentação positiva.

Então, depois que o cérebro permanece ativado por muitas horas, até os neurônios no sistema de ativação provavelmente entram em fadiga. Como consequência, o ciclo de retroalimentação positiva entre os núcleos reticulares mesencefálicos e o córtex cerebral se enfraquece, e os efeitos promotores do sono dos centros do sono assumem o controle, levando a uma rápida transição da vigília para o sono.

Essa teoria geral poderia explicar as rápidas transições do sono para a vigília e da vigília para o sono. Também elucidaria a excitação – isto é, a insônia que ocorre quando a mente de uma pessoa fica preocupada com um pensamento – e a vigília produzida pela atividade física corporal.

Papel dos neurônios secretores de orexina na excitação e vigília. A *orexina* (também chamada *hipocretina*) é produzida por neurônios no hipotálamo que fornecem sinais excitatórios para muitas outras áreas do cérebro onde existem receptores de orexina. Os neurônios secretores de orexina são mais ativos durante a vigília e quase param de disparar durante as ondas lentas e o sono REM. A perda de sinalização de orexina em decorrência de receptores de orexina defeituosos ou de destruição de neurônios secretores de orexina causa *narcolepsia*, um transtorno do sono caracterizado por sonolência diurna arrebatadora e ataques repentinos de sono que podem ocorrer mesmo quando uma pessoa está falando ou trabalhando. É possível que pacientes com narcolepsia também apresentem perda repentina do tônus muscular (*cataplexia*), a qual pode ser parcial ou mesmo grave o suficiente para causar paralisia durante o ataque. Essas observações evidenciam um papel importante dos neurônios secretores de orexina na manutenção da vigília, mas ainda não se sabe como eles contribuem para o ciclo diário normal entre o sono e a vigília.

O SONO E SUAS IMPORTANTES FUNÇÕES FISIOLÓGICAS

Há poucas dúvidas de que o sono tem funções importantes. Existe em todos os mamíferos. Após sua privação total, geralmente ocorre um período de sono de "recuperação" ou de "rebote"; depois da privação seletiva do sono REM ou do sono de ondas lentas, também há um rebote seletivo desses estágios específicos do sono. Mesmo uma restrição leve de sono durante alguns dias pode degradar os desempenhos cognitivo e físico, a produtividade geral e a saúde de uma pessoa. O papel essencial do sono na homeostase talvez seja mais vividamente demonstrado pelo fato de que ratos privados de sono por 2 a 3 semanas podem realmente morrer. Apesar da óbvia importância do sono, nossa compreensão sobre o que o torna essencial à vida ainda é limitada e obscura.

O sono causa dois tipos principais de efeitos fisiológicos: primeiro, efeitos no sistema nervoso e, segundo, em outros sistemas funcionais do organismo. Mamíferos, e até animais invertebrados, dormem mais quando acometidos de doenças infecciosas e não infecciosas. Foi sugerido que o sono induzido por doença é uma resposta benéfica que desvia os recursos de energia do organismo das demandas neurais e motoras para lutar contra lesões infecciosas ou prejudiciais.

É certo que a falta de sono acomete as funções do sistema nervoso central. A vigília prolongada frequentemente está associada ao mau funcionamento progressivo dos processos de pensamento e, algumas vezes, até mesmo causa atividades comportamentais anormais. Todos nós estamos familiarizados com o aumento da lentidão de pensamento que ocorre no final de um período prolongado de vigília, mas, além disso, uma pessoa pode ficar irritada ou mesmo psicótica após uma vigília forçada. Portanto, podemos supor que o sono restaura de várias maneiras os níveis regulares de atividade cerebral e o equilíbrio normal entre as diferentes funções do sistema nervoso central.

Postula-se que o sono desempenhe muitas funções, incluindo: (1) maturação neural; (2) facilitação do aprendizado ou da memória; (3) eliminação direcionada de sinapses para esquecer informações sem importância que podem desordenar a rede sináptica; (4) cognição; (5) eliminação de produtos residuais metabólicos gerados pela atividade neural no cérebro desperto; e (6) conservação de energia metabólica. Existem evidências para cada uma dessas funções, mas as que sustentam essas ideias têm sofrido contestações. *Grosso modo*, podemos levantar a hipótese de que *o principal valor do sono é restaurar o equilíbrio natural entre os centros neuronais*, o que seria necessário para a manutenção da saúde. Entretanto, as reais funções fisiológicas específicas do sono permanecem um mistério e continuam sendo objeto de muitas pesquisas.

Ondas cerebrais

Registros elétricos da superfície do cérebro, ou mesmo da superfície externa da cabeça, demonstram que há atividade elétrica contínua no cérebro. Tanto a intensidade quanto os padrões dessa atividade elétrica são determinados pelo nível de excitação de diferentes partes do cérebro resultante de *sono*, *vigília* ou distúrbios cerebrais, como *epilepsia* ou mesmo *psicoses*. As ondulações nos potenciais elétricos registrados, mostrados na **Figura 60.2**, são chamadas de *ondas cerebrais*, e todo o registro é chamado de *eletroencefalograma* (EEG).

As intensidades das ondas cerebrais registradas na superfície do couro cabeludo variam de 0 a 200 microvolts, e suas frequências variam de uma vez a cada poucos segundos a 50 ou mais por segundo. O caráter das ondas depende do grau de atividade nas respectivas partes do córtex cerebral, e as ondas mudam acentuadamente entre os estados de vigília, sono e coma.

Na maior parte do tempo, as ondas cerebrais são irregulares, não sendo possível distinguir nenhum padrão específico no EEG. Em outras ocasiões, surgem padrões distintos, alguns dos quais são característicos de anormalidades específicas do cérebro, como a epilepsia, que será discutida mais adiante.

Em pessoas saudáveis, a maioria das ondas no EEG pode ser classificada como ondas *alfa*, *beta*, *teta* e *delta*, que são mostradas na **Figura 60.2**.

As *ondas alfa* são ondas rítmicas que ocorrem em frequências entre 8 e 13 ciclos por segundo e são encontradas nos EEG de quase todos os adultos saudáveis quando eles estão acordados e em um estado de calma e de atividade cerebral em repouso. Essas ondas ocorrem mais intensamente na região occipital, mas também podem ser registradas nas regiões parietal e frontal do crânio. Sua voltagem geralmente é de cerca de 50 microvolts. Durante o sono profundo, as ondas alfa desaparecem.

Quando a atenção da pessoa acordada é direcionada a algum tipo específico de atividade mental, as ondas alfa são substituídas por *ondas beta*, que são assincrônicas e de alta frequência, mas de baixa voltagem. A **Figura 60.3** mostra o efeito nas ondas alfa de simplesmente abrir os olhos em luz forte e, em seguida, fechá-los. Observe que as sensações visuais cessam imediatamente as ondas alfa e que estas são substituídas por ondas beta assincrônicas de baixa voltagem.

As *ondas beta* ocorrem em frequências superiores a 14 ciclos por segundo (podendo chegar a 80 ciclos por segundo) e são registradas principalmente nas regiões parietal

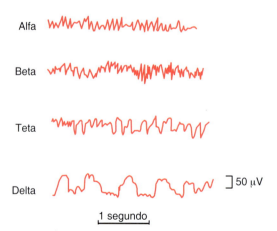

Figura 60.2 Diferentes tipos de ondas cerebrais no eletroencefalograma normal.

Figura 60.3 Substituição do ritmo alfa por um ritmo beta assíncrono, de baixa voltagem, quando os olhos são abertos.

e frontal durante a ativação específica dessas partes do cérebro.

As *ondas teta* têm frequências entre 4 e 7 ciclos por segundo. Elas ocorrem normalmente nas regiões parietal e temporal em crianças, bem como em casos de estresse emocional em alguns adultos, sobretudo durante decepção e frustração. As ondas teta também ocorrem em muitos distúrbios cerebrais, sendo frequentes em estados cerebrais degenerativos.

As *ondas delta* incluem todas as ondas do EEG com frequências inferiores a 3,5 ciclos por segundo e, frequentemente, têm voltagens duas a quatro vezes maiores do que a maioria dos outros tipos de ondas cerebrais. Elas ocorrem durante o sono muito profundo, na infância e em pessoas com doenças cerebrais orgânicas graves. Há também ocorrência delas no córtex de animais que tiveram transecções subcorticais nas quais o córtex cerebral é separado do tálamo. Portanto, as ondas delta podem ocorrer de modo estrito no córtex, independentemente das atividades nas regiões inferiores do cérebro.

Origem das ondas cerebrais

A descarga de um único neurônio ou de uma única fibra nervosa no cérebro nunca pode ser registrada da superfície da cabeça. Em vez disso, muitos milhares ou mesmo milhões de neurônios *precisam disparar de maneira sincronizada* para que seus potenciais sejam somados o suficiente a fim de serem registrados no crânio. Assim, a intensidade das ondas cerebrais é determinada sobretudo pelo número de neurônios que disparam *em sincronia* uns com os outros, e não pelo nível total de atividade elétrica no cérebro. De fato, intensos sinais nervosos não síncronos costumam anular-se uns aos outros nas ondas cerebrais registradas por causa de polaridades opostas. Esse fenômeno é evidenciado na **Figura 60.3**, a qual mostra que, quando os olhos estavam fechados, a descarga sincrônica de muitos neurônios no córtex cerebral a uma frequência de cerca de 12 por segundo acabou criando *ondas alfa*. Já quando os olhos foram abertos, a atividade do cérebro aumentou muito, mas a sincronização dos sinais tornou-se tão pequena que as ondas cerebrais anularam umas às outras. O efeito resultante foram ondas de baixa voltagem de frequência geralmente alta, mas irregular, as *ondas beta*.

Origem das ondas alfa. Sem conexões corticais com o tálamo, o córtex cerebral *não* apresenta ondas alfa. Por outro lado, a estimulação na camada inespecífica de *núcleos reticulares* que circundam o tálamo (ou de núcleos difusos, que se encontram profundamente dentro do tálamo) com frequência cria ondas elétricas no sistema talamocortical a uma frequência entre 8 e 13 por segundo – a frequência natural das ondas alfa. Dessa maneira, acredita-se que as ondas alfa resultem da oscilação de retroalimentação espontânea nesse sistema talamocortical difuso, possivelmente incluindo também o sistema de ativação reticular no tronco encefálico. É possível que essa oscilação cause a periodicidade das ondas alfa e a ativação sincrônica de literalmente milhões de neurônios corticais durante cada onda.

Origem das ondas delta. A secção das fibras do tálamo para o córtex cerebral bloqueia a ativação talâmica do córtex e, portanto, elimina as ondas alfa. Contudo, ela não bloqueia as ondas delta no córtex. Isso indica que pode haver algum mecanismo de sincronização independente no sistema neuronal cortical – principalmente não dependente das estruturas inferiores do cérebro – para causar as ondas delta.

As ondas delta também ocorrem durante o sono profundo de ondas lentas, o que sugere que o córtex é liberado sobretudo das influências ativadoras do tálamo e de outros centros inferiores.

Efeito dos níveis variáveis de atividade cerebral na frequência do EEG

Existe uma correlação geral entre o nível de atividade cerebral e a frequência média do ritmo do EEG, com esta aumentando progressivamente com graus mais elevados de atividade. Isso é evidenciado na **Figura 60.4**, que mostra a existência de ondas delta na anestesia cirúrgica e no sono profundo, ondas teta em estados psicomotores, ondas alfa durante estados de relaxamento e ondas beta em períodos de intensa atividade mental ou medo. *Durante os períodos de atividade mental, as ondas geralmente se tornam assíncronas em vez de síncronas, de modo que a voltagem cai de maneira considerável, apesar do aumento acentuado da atividade cortical*, como mostrado na **Figura 60.3**.

Mudanças no EEG em diferentes estágios de vigília e sono

A **Figura 60.1** mostra os padrões típicos de EEG em diferentes estágios de vigília e sono. A vigília alerta é caracterizada por *ondas beta* de alta frequência, enquanto a vigília relaxada geralmente está associada a *ondas alfa*, como demonstrado pelos dois primeiros EEG da figura.

O sono de ondas lentas é dividido em quatro estágios. No primeiro, um estágio de sono leve, a voltagem das ondas EEG torna-se baixa. Esse estágio é quebrado por *"fusos de sono"* (ou seja, rajadas curtas de ondas alfa em forma de fuso que ocorrem periodicamente). Nos estágios 2, 3 e 4 do sono de ondas lentas, a frequência do EEG torna-se progressivamente mais lenta até alcançar a frequência de apenas uma a três ondas por segundo no estágio 4; essas ondas são *ondas delta*.

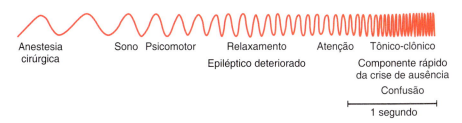

Figura 60.4 Efeito dos graus variados de atividade cerebral no ritmo básico do eletroencefalograma.

PARTE 11 Sistema Nervoso: C. Neurofisiologia Motora e Integrativa

A **Figura 60.1** também mostra o EEG durante o sono REM. Muitas vezes, é difícil dizer a diferença entre esse padrão de ondas cerebrais e o de uma pessoa ativa e acordada. As ondas são irregulares e de alta frequência, o que normalmente sugere atividade nervosa dessincronizada, como a encontrada no estado de vigília. Assim, o sono REM é frequentemente chamado de *sono dessincronizado* porque há falta de sincronia no disparo dos neurônios, apesar da atividade cerebral significativa.

Convulsões e epilepsia

As convulsões são interrupções temporárias da função cerebral causadas por atividade neuronal excessiva e descontrolada. Dependendo da distribuição das descargas neuronais, as manifestações convulsivas podem variar desde fenômenos experienciais, que são quase imperceptíveis, a convulsões dramáticas. Essas convulsões *sintomáticas* temporárias geralmente não persistem, se o distúrbio de base for corrigido. Elas podem ser causadas por múltiplas condições neurológicas ou clínicas, como distúrbios eletrolíticos agudos, hipoglicemia, substâncias psicoativas (p. ex., cocaína), eclâmpsia, insuficiência renal, encefalopatia hipertensiva, meningite e assim por diante. Cerca de 5 a 10% da população terá pelo menos uma convulsão na vida.

Em contraposição às crises sintomáticas, a *epilepsia* é uma condição crônica de *crises convulsivas recorrentes* que também podem variar desde sintomas breves e quase indetectáveis a períodos de tremores vigorosos e convulsões. A epilepsia não é uma doença única. Seus sintomas clínicos são heterogêneos e refletem múltiplos mecanismos fisiopatológicos subjacentes que ocasionam disfunção e lesão cerebral, como traumatismo, acidente vascular cerebral, tumores, infecção ou alterações degenerativas. Apesar de aparentemente existirem fatores hereditários envolvidos, em muitos pacientes não é possível identificar uma causa específica; em outros, parece haver a coexistência de diversos fatores, refletindo uma patologia cerebral adquirida e predisposição genética. Estima-se que a epilepsia afete aproximadamente 1% da população, ou 65 milhões de pessoas em todo o mundo.

Em um nível básico, a crise epiléptica é causada por uma perturbação do equilíbrio normal entre as correntes inibitórias e excitatórias ou a transmissão em uma ou mais regiões do cérebro. Substâncias ou fatores patológicos que aumentam a excitação neuronal ou prejudicam a inibição tendem a ser *epileptogênicos* (*i. e.*, capazes de predispor uma pessoa à epilepsia), ao passo que fármacos antiepilépticos eficazes atenuam a excitação e facilitam a inibição. Em pessoas com lesão cerebral devido a traumatismo, acidente vascular cerebral ou infecção, as crises podem começar após vários meses ou anos após a lesão.

As crises epilépticas podem ser classificadas em dois tipos principais: (1) *convulsões focais* (também chamadas de *convulsões parciais*), que são limitadas a uma área focal de um hemisfério cerebral; e (2) *convulsões generalizadas*, que envolvem difusamente ambos os hemisférios do córtex cerebral. No entanto, as crises parciais às vezes podem evoluir para crises generalizadas.

Crises epilépticas focais (parciais)

As crises epilépticas focais começam em uma pequena região localizada do córtex cerebral ou estruturas mais profundas do cérebro e do tronco encefálico e têm manifestações clínicas que refletem a função da área cerebral afetada. Na maioria das vezes, a epilepsia focal resulta de alguma lesão orgânica localizada ou anormalidade funcional, como (1) tecido cicatricial no cérebro que puxa o tecido neuronal adjacente, (2) um tumor que comprime uma área do cérebro, (3) uma área destruída de tecido cerebral ou (4) circuitos locais congenitamente desarranjados.

Essas lesões podem promover descargas de extrema rapidez nos neurônios locais; quando a frequência da descarga se eleva acima de várias centenas por segundo, ondas sincrônicas começam a espalhar-se pelas regiões corticoadjacentes. Presume-se que essas ondas resultem de *circuitos locais reverberantes*, que, de maneira gradual, podem recrutar áreas adjacentes do córtex para a zona de descarga epiléptica. O processo dissemina-se para áreas adjacentes, variando em velocidade de propagação, desde alguns milímetros por minuto a vários centímetros por segundo.

As crises focais podem espalhar-se localmente a partir de um foco ou mais remotamente para o córtex contralateral e áreas subcorticais do cérebro por meio de projeções para o tálamo, que tem conexões bem distribuídas para ambos os hemisférios (ver **Figura 60.5**). Quando essa onda de excitação se espalha pelo córtex motor, ela causa "marcha" progressiva das contrações musculares por todo o lado oposto do corpo, começando mais caracteristicamente na região da boca e seguindo, de modo progressivo, para baixo até as pernas, mas em outros casos indo para a direção oposta. Esse fenômeno é denominado *marcha jacksoniana*.

As crises focais são frequentemente classificadas como *crises parciais simples*, quando não há grande alteração na consciência, ou como *crises parciais complexas*, quando a consciência fica prejudicada. As simples podem ser precedidas por uma *aura*, com sensações como medo, seguidas por sinais motores, como espasmos rítmicos ou movimentos tônicos de enrijecimento de uma parte do corpo. O ataque epiléptico focal pode permanecer confinado a uma única área do cérebro, geralmente o lobo temporal, mas, em alguns casos, sinais fortes propagam-se da região focal, e a pessoa pode perder a consciência. Convulsões parciais complexas também podem começar com uma aura seguida por comprometimento da consciência e movimentos repetitivos estranhos (*automatismos*), como mastigar ou estalar os lábios. Após a recuperação da convulsão, a pessoa pode não ter memória do ataque, exceto pela aura. O período após a convulsão, antes do retorno da função neurológica normal, é chamado de *período pós-ictal*.

Crises psicomotoras, *do lobo temporal* e *límbicas* são termos que, no passado, eram usados para descrever muitos dos comportamentos agora classificados como crises parciais complexas. No entanto, esses termos não são sinônimos. Convulsões parciais complexas podem surgir de outras regiões além do lobo temporal e nem sempre envolvem o sistema límbico. Além disso, os automatismos (o elemento psicomotor) nem sempre estão presentes nas crises parciais complexas. Ataques desse tipo frequentemente envolvem parte da parte límbica do cérebro, como o hipocampo, a amígdala, o septo e/ou porções do córtex temporal.

O registro inferior da **Figura 60.6** demonstra um EEG típico durante uma crise psicomotora, evidenciando uma onda retangular de baixa frequência com uma frequência

CAPÍTULO 60 Estados da Atividade Cerebral: Sono, Ondas Cerebrais, Epilepsia, Psicose e Demência

entre 2 e 4 por segundo, com ocasionais ondas de 14 por segundo sobrepostas.

Convulsões generalizadas

As crises epilépticas generalizadas são caracterizadas por descargas neuronais difusas, excessivas e descontroladas que, no início, espalham-se rápida e simultaneamente para ambos os hemisférios cerebrais por meio das interconexões entre o tálamo e o córtex (ver **Figura 60.5**). No entanto, às vezes é difícil distinguir clinicamente entre uma crise primária generalizada e uma crise focal que se espalha com rapidez. As crises generalizadas são subdivididas, sobretudo, com base nas manifestações ictais motoras, que, por sua vez, dependem da extensão das regiões subcorticais e do tronco encefálico que participam da crise.

Crises tônico-clônicas generalizadas (grande mal)

As *convulsões tônico-clônicas generalizadas*, anteriormente chamadas de *convulsões de grande mal*, são caracterizadas pela perda abrupta de consciência e por descargas neuronais extremas em todas as áreas do cérebro – o córtex cerebral, as partes mais profundas do prosencéfalo e até mesmo o tronco encefálico. Além disso, as descargas transmitidas até a medula espinhal causam, às vezes, *convulsões tônicas* generalizadas em todo o corpo, seguidas ao final do ataque por contrações musculares tônicas e espasmódicas alternadas, chamadas de *convulsões tônico-clônicas*. Com frequência, a pessoa morde a língua e pode até ter dificuldade para respirar, às vezes a ponto de ocorrer cianose. Além disso, os sinais transmitidos do cérebro para as vísceras frequentemente provocam micção e defecação.

A convulsão tônico-clônica generalizada usual dura de alguns segundos a 3 a 4 minutos. Também é caracterizada por *depressão pós-convulsão* de todo o sistema nervoso, ou seja, a pessoa permanece em estupor por 1 minuto a muitos minutos após o término do ataque convulsivo e, então, tende a permanecer gravemente fatigada e adormecida por várias horas.

O registro superior da **Figura 60.6** mostra um EEG típico de quase qualquer região do córtex durante a fase tônica da crise tônico-clônica generalizada. Isso demonstra que as descargas de alta voltagem e alta frequência ocorrem em todo o córtex. Além disso, há o mesmo tipo de descarga em ambos os lados do cérebro ao mesmo tempo, evidenciando que o circuito neuronal anormal responsável pelo ataque se relaciona fortemente com as regiões basais do cérebro que conduzem as duas metades do cérebro de maneira simultânea.

Registros elétricos do tálamo, bem como da formação reticular do tronco encefálico durante a crise tônico-clônica generalizada, mostram atividade típica de alta voltagem em ambas as áreas, semelhante à registrada no córtex cerebral. Portanto, presume-se que a crise tônico-clônica generalizada tenha relação não apenas com a ativação anormal do

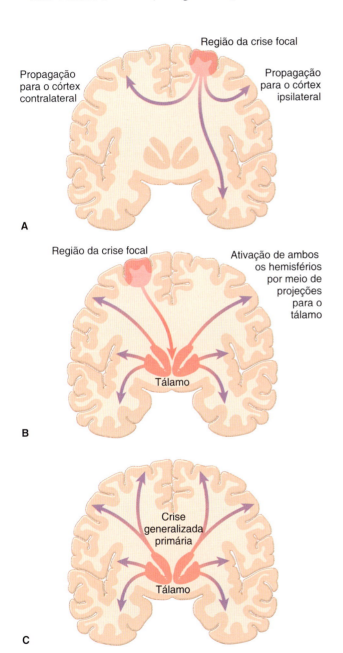

Figura 60.5 A. A propagação das convulsões das regiões focais do córtex pode ocorrer por fibras no mesmo hemisfério cerebral ou fibras que fazem conexões para o córtex contralateral. **B.** A generalização secundária de uma crise focal pode às vezes acontecer pela disseminação para áreas subcorticais por intermédio de projeções para o tálamo, resultando na ativação dos dois hemisférios. **C.** A generalização primária dissemina-se rápida e simultaneamente para ambos os hemisférios cerebrais por meio de interconexões entre o tálamo e o córtex.

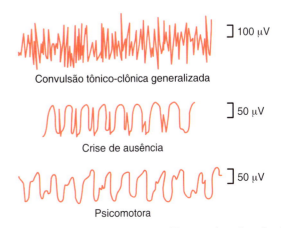

Figura 60.6 Eletroencefalogramas em diferentes tipos de epilepsia.

PARTE 11 Sistema Nervoso: C. Neurofisiologia Motora e Integrativa

tálamo e do córtex cerebral, mas também com a ativação anormal nas porções subtalâmicas do tronco encefálico do sistema de ativação cerebral.

O que inicia uma crise tônico-clônica generalizada?

A maioria das crises generalizadas é *idiopática*, ou seja, de causa desconhecida. Um a cada 100 indivíduos que sofrem ataques tônico-clônicos generalizados tem predisposição hereditária à epilepsia. Nessas pessoas, os fatores que podem aumentar a excitabilidade do circuito epileptogênico anormal o suficiente para precipitar ataques incluem: (1) estímulos emocionais fortes, (2) alcalose causada por respiração excessiva, (3) uso de substâncias psicoativas, (4) febre e (5) ruídos altos ou luzes intermitentes.

Mesmo em pessoas que não são geneticamente predispostas, certos tipos de lesões traumáticas em quase qualquer parte do cérebro podem causar excitabilidade excessiva de áreas cerebrais locais, como discutiremos adiante. Essas áreas locais do cérebro às vezes também transmitem sinais para os sistemas de ativação do cérebro com o objetivo de provocar convulsões tônico-clônicas.

O que interrompe o ataque tônico-clônico generalizado?

Presume-se que a hiperatividade neuronal extrema durante um ataque tônico-clônico seja causada pela ativação simultânea massiva de muitas vias neuronais reverberantes por todo o cérebro. Embora os fatores que encerram o ataque não sejam bem compreendidos, é provável que a *inibição ativa* ocorra por neurônios inibitórios que foram ativados pelo ataque.

Crises de ausência (pequeno mal)

As *crises de ausência*, anteriormente chamadas de crises do pequeno mal, costumam iniciar-se na infância ou no início da adolescência e são responsáveis por 15 a 20% dos casos de epilepsia em crianças. As crises de ausência quase certamente estão relacionadas ao sistema de ativação talamocortical do cérebro. Elas são geralmente caracterizadas por 3 a 30 segundos de inconsciência ou de consciência diminuída, durante os quais a pessoa tende a olhar fixamente e apresenta contrações musculares semelhantes a espasmos, em geral, na região da cabeça, sobretudo o piscar dos olhos; essa fase é seguida por um rápido retorno da consciência e retomada das atividades anteriores. A sequência total é chamada de *síndrome de ausência* ou *epilepsia de ausência*.

O paciente pode ter um desses ataques em muitos meses ou, em casos raros, uma série rápida de ataques, um após o outro. O curso normal é que as crises de ausência apareçam primeiro durante a infância ou a adolescência e, em seguida, desapareçam até por volta dos 30 anos. Ocasionalmente, a crise de ausência iniciará um ataque tônico-clônico generalizado (grande mal).

O padrão de ondas cerebrais em uma pessoa com epilepsia de crise de ausência é demonstrado pelo registro do meio da **Figura 60.6**, tipificado por um *padrão de pico e onda* (do inglês, *spike and dome*). O pico e a onda (em forma de cúpula) podem ser registrados na maior parte ou em todo o córtex cerebral, mostrando que a convulsão abrange grande (ou a maior) parte do sistema de ativação talamocortical do cérebro. De fato, estudos em animais sugerem que ela resulte da oscilação de (1) neurônios reticulares talâmicos *inibitórios* (que são produtores de ácido gama-aminobutírico

[GABA]) e (2) neurônios talamocorticais e corticotalâmicos *excitatórios*.

Tratamento da epilepsia

A maioria dos fármacos atualmente disponíveis para tratar a epilepsia parece bloquear o início ou a disseminação das convulsões, embora o modo de ação preciso de alguns deles seja desconhecido ou possa envolver múltiplas ações. Alguns dos principais efeitos de vários fármacos antiepilépticos incluem: (1) bloqueio dos canais de sódio dependentes de voltagem (p. ex., carbamazepina e fenitoína); (2) alteração das correntes de cálcio (p. ex., etossuximida); (3) aumento na atividade GABA (p. ex., fenobarbital e benzodiazepinas); (4) inibição de receptores para glutamato, o neurotransmissor excitatório mais prevalente (p. ex., perampanel); e (5) múltiplos mecanismos de ação (p. ex., valproato e topiramato, que bloqueiam os canais de sódio dependentes de voltagem e aumentam os níveis de GABA no cérebro). A escolha do fármaco antiepiléptico recomendado pelas diretrizes atuais depende do tipo de convulsão, da idade do paciente e de outros fatores, mas, sempre que possível, a correção da causa subjacente das convulsões é a melhor opção.

A epilepsia geralmente pode ser controlada com fármacos apropriados. No entanto, quando ela é clinicamente intratável e não responde aos tratamentos, o EEG às vezes pode ser usado para localizar ondas de pico anormais originadas em áreas de doença cerebral orgânica que predisponham a ataques epilépticos focais. Uma vez que tal ponto focal é encontrado, a excisão cirúrgica do foco frequentemente evita ataques futuros.

Papéis dos sistemas de neurotransmissores específicos em transtornos cerebrais

Estudos clínicos de pacientes com diferentes psicoses ou diversos tipos de demência têm sugerido que muitas dessas condições resultam da função diminuída dos neurônios que secretam um neurotransmissor específico. O uso de fármacos apropriados para neutralizar a perda do respectivo neurotransmissor tem apresentado bons índices de sucesso no tratamento de alguns pacientes.

No Capítulo 57, discutimos a causa da doença de Parkinson, que resulta da perda de neurônios na substância negra, cujas terminações nervosas secretam *dopamina* no núcleo caudado e no putame. Também no Capítulo 57, apontamos que, na doença de Huntington, a perda de neurônios secretores de GABA e de neurônios secretores de acetilcolina está associada a *padrões motores anormais específicos* e *demência*, que ocorrem no mesmo paciente.

Depressão e psicose maníaco-depressiva | Diminuição da atividade dos neurotransmissores noradrenalina e serotonina

A evidência acumulada sugere que a *psicose da depressão mental*, que ocorre em mais de 8 milhões de pessoas nos EUA, pode ser causada pela *produção cerebral diminuída de noradrenalina ou de serotonina, ou de ambas*. (Novas evidências implicaram mais outros neurotransmissores.) Pacientes deprimidos apresentam sintomas de tristeza, infelicidade, desespero e sofrimento. Além disso, tendem a perder o desejo sexual e o apetite, bem como a apresentar

CAPÍTULO 60 Estados da Atividade Cerebral: Sono, Ondas Cerebrais, Epilepsia, Psicose e Demência

insônia grave. Adicionalmente a esses sintomas, geralmente ocorre um estado associado de agitação psicomotora, apesar da depressão.

No tronco encefálico, especialmente no *locus ceruleus*, encontram-se números moderados de *neurônios secretores de noradrenalina*, os quais enviam fibras ascendentemente para a maior parte do sistema límbico cerebral, tálamo e córtex cerebral. Além disso, muitos *neurônios produtores de serotonina*, localizados nos *núcleos da rafe mediana* da parte inferior da ponte e do bulbo, enviam fibras para diversas áreas do sistema límbico e algumas outras áreas do cérebro.

A principal razão para se acreditar que a depressão pode ser causada pela diminuição da atividade dos neurônios secretores de noradrenalina e serotonina é que os fármacos bloqueadores da secreção de noradrenalina e de serotonina, como a reserpina, frequentemente causam depressão. Em contrapartida, aproximadamente 70% dos pacientes depressivos podem ser tratados efetivamente com fármacos que aumentam os efeitos excitatórios da noradrenalina e da serotonina nas terminações nervosas, como por exemplo: (1) *inibidores da monoaminoxidase (IMAO)*, os quais bloqueiam a destruição da noradrenalina e da serotonina após sua formação; e (2) *antidepressivos tricíclicos*, como *imipramina* e *amitriptilina*, que, supostamente, bloqueiam a recaptação de noradrenalina e serotonina pelas terminações nervosas para que esses transmissores permaneçam ativos por períodos mais longos após a secreção.

Alguns pacientes com depressão mental alternam entre depressão e mania, condição denominada *transtorno bipolar* ou *psicose maníaco-depressiva*, e poucos exibem apenas mania sem os episódios depressivos. Fármacos que diminuem a formação ou a ação da noradrenalina e da serotonina, como os compostos de lítio, podem ser eficazes no tratamento da fase maníaca da doença.

Presume-se que os sistemas de noradrenalina e serotonina normalmente forneçam impulso para as áreas límbicas do cérebro a fim de aumentar a sensação de bem-estar de uma pessoa e criar felicidade, contentamento, bom apetite, impulso sexual apropriado e equilíbrio psicomotor – embora o excesso de algo bom possa causar mania. Sustentando esse conceito está o fato de que os centros de prazer e recompensa do hipotálamo e áreas adjacentes recebem um grande número de terminações nervosas dos sistemas de noradrenalina e serotonina.

Esquizofrenia | Possível função exagerada do sistema dopaminérgico

A esquizofrenia aparece em muitas variedades. Um dos tipos mais comuns é observado na pessoa que ouve vozes e tem delírios, medo intenso ou outros tipos de sensações irreais (alucinações). Muitos esquizofrênicos são altamente paranoicos, com sensação de perseguição de fontes externas. Além de poderem desenvolver fala incoerente, dissociação de ideias e sequências anormais de pensamento, eles são frequentemente retraídos, às vezes com postura anormal e até mesmo rigidez.

Existem razões para se acreditar que a esquizofrenia resulte de uma ou mais dentre três possibilidades: (1) múltiplas áreas nos *lobos pré-frontais* do córtex cerebral, nos quais houve bloqueio de sinais neurais ou onde o processamento dos sinais se tornou disfuncional devido à perda

da capacidade de resposta de muitas sinapses normalmente excitadas pelo neurotransmissor *glutamato*; (2) excitação excessiva de um grupo de neurônios que secretam dopamina nos centros comportamentais do cérebro, inclusive nos lobos frontais; e/ou (3) função anormal de alguma parte do *sistema límbico, relacionado às emoções e ao comportamento, localizado em torno do hipocampo*.

O motivo para se acreditar que os lobos pré-frontais estejam envolvidos com a esquizofrenia é que um padrão de atividade mental semelhante ao esquizofrênico pode ser induzido em macacos por meio de múltiplas lesões minúsculas em áreas extensas dos lobos pré-frontais.

A dopamina tem sido associada à esquizofrenia porque sintomas semelhantes aos da esquizofrenia se desenvolvem em muitos pacientes com doença de Parkinson quando tratados com a substância chamada L-*dopa*. Esse fármaco libera dopamina no cérebro, o que é vantajoso para o tratamento da doença de Parkinson, mas, ao mesmo tempo, deprime várias partes dos lobos pré-frontais e outras áreas relacionadas.

Foi sugerido que, em pessoas com esquizofrenia, o excesso de dopamina seja secretado por um grupo de neurônios secretores de dopamina cujos corpos celulares estejam no tegmento ventral do mesencéfalo, medialmente e superiormente à substância negra. Esses neurônios dão origem ao chamado *sistema dopaminérgico mesolímbico*, que projeta fibras nervosas e secreção de dopamina nas porções medial e anterior do sistema límbico, especialmente no hipocampo, na amígdala, no núcleo caudado anterior e nas porções dos lobos pré-frontais. Todas essas áreas são poderosos centros de controle comportamental.

Uma razão ainda mais convincente para se considerar que a esquizofrenia possa ser causada pelo excesso de produção de dopamina é que muitos fármacos eficazes no tratamento da esquizofrenia, como a clorpromazina, o haloperidol e o tiotixeno, diminuem a secreção de dopamina nas terminações nervosas dopaminérgicas ou reduzem o efeito da dopamina sobre os neurônios.

Por fim, o possível envolvimento do hipocampo na esquizofrenia foi descoberto quando se soube que, *em pessoas com esquizofrenia, o hipocampo frequentemente apresenta um tamanho reduzido*, sobretudo no hemisfério dominante.

Doença de Alzheimer | Placas amiloides e memória comprometida

A *doença de Alzheimer* é definida como o envelhecimento prematuro do cérebro, geralmente começando na meia-idade e progredindo rapidamente para a perda extrema da capacidade mental – semelhante ao que se observa na idade senil avançada. As características clínicas da doença de Alzheimer incluem (1) um tipo amnésico de comprometimento da memória, (2) deterioração da linguagem e (3) déficits visuoespaciais. Anormalidades motoras e sensoriais, distúrbios da marcha e convulsões são incomuns até as fases tardias da doença. Um achado consistente na doença de Alzheimer é a perda de neurônios na parte da via límbica que impulsiona o processo de memória. Perder essa função de memória é devastador.

A doença de Alzheimer é uma doença neurodegenerativa progressiva e fatal que resulta em comprometimento da capacidade de a pessoa realizar atividades cotidianas, bem

PARTE 11 Sistema Nervoso: C. Neurofisiologia Motora e Integrativa

como em uma variedade de sintomas neuropsiquiátricos e transtornos comportamentais nas fases finais da doença. Pacientes com doença de Alzheimer geralmente requerem cuidados contínuos alguns anos após o início da doença.

Trata-se de um tipo comum de demência em pessoas idosas, e estima-se que mais de 5,5 milhões de pessoas nos EUA sofram desse distúrbio. Cerca de dois terços dos americanos com doença de Alzheimer são mulheres. A porcentagem de indivíduos com doença de Alzheimer aproximadamente dobra a cada 5 anos após os 65 anos de idade, e cerca de 30% das pessoas de 85 anos são afetadas por essa doença.

A doença de Alzheimer está associada ao acúmulo do peptídeo beta-amiloide no cérebro.

Ao exame histopatológico, encontramos quantidades aumentadas de *peptídeo beta-amiloide*, no cérebro de pacientes com doença de Alzheimer.[1] O peptídeo acumula-se formando as *placas amiloides*, que variam em diâmetro desde 10 micrômetros a várias centenas de micrômetros e são encontradas em áreas extensas do cérebro, incluindo o córtex cerebral, o hipocampo, os núcleos da base, o tálamo e até mesmo o cerebelo. Assim, a doença de Alzheimer parece ser uma doença degenerativa metabólica.

Um papel fundamental para o acúmulo excessivo de peptídeo beta-amiloide na patogenia da doença de Alzheimer é sugerido pelas seguintes observações: (1) todas as mutações atualmente conhecidas que estejam associadas à doença de Alzheimer aumentam a produção de peptídeo beta-amiloide; (2) pacientes com trissomia do 21 (síndrome de Down) possuem três cópias do gene da proteína precursora amiloide e desenvolvem características neurológicas da doença de Alzheimer na meia-idade; (3) pacientes apresentando anormalidade de um gene que controla a *apolipoproteína E*, uma proteína plasmática que transporta colesterol para os tecidos, têm deposição acelerada de amiloide e risco muito aumentado para a doença de Alzheimer; (4) camundongos transgênicos que produzem em excesso a proteína precursora amiloide humana apresentam déficits de aprendizagem e de memória em associação com o acúmulo de placas amiloides; e (5) a geração de anticorpos antiamiloide em humanos com doença de Alzheimer parece atenuar o processo da doença.

As doenças vasculares podem contribuir para a progressão da doença de Alzheimer.

Também há evidências crescentes de que a doença cerebrovascular causada por *hipertensão arterial* e *aterosclerose* possa desempenhar um papel fundamental na demência associada à doença de Alzheimer. A doença cerebrovascular – a segunda causa mais comum de comprometimento cognitivo adquirido e demência – provavelmente contribui para o declínio cognitivo em pessoas com doença de Alzheimer. Com efeito, muitos dos fatores de risco comuns para doenças cerebrovasculares, como hipertensão, diabetes melito e dislipidemia, também são reconhecidos por aumentarem muito o risco de desenvolvimento de demência e progressão da doença de Alzheimer. Cerca de 10 a 20% dos cérebros de indivíduos com demência mostram evidências de *demência vascular* isolada. Em idosos com doença de Alzheimer, a doença vascular é comum em aproximadamente 50% dos pacientes que apresentam evidências patológicas de acidente vascular cerebral silencioso (*ataque isquêmico transitório*) – pequenos infartos cerebrais que não causam sintomas imediatamente aparentes, mas podem contribuir para a deterioração cognitiva.

Bibliografia

Anafi RC, Kayser MS, Raizen DM: Exploring phylogeny to find the function of sleep. Nat Rev Neurosci 20:109, 2019.

Arrigoni E, Chee MJS, Fuller PM: To eat or to sleep: That is a lateral hypothalamic question. Neuropharmacology 154:34, 2019.

Besedovsky L, Lange T, Haack M: The sleep-immune crosstalk in health and disease. Physiol Rev 99:1325, 2019.

Butterfield DA, Halliwell B: Oxidative stress, dysfunctional glucose metabolism and Alzheimer disease. Nat Rev Neurosci 20:148, 2019.

Buysse DJ: Insomnia. JAMA 309:706, 2013.

Geis C, Planagumà J, Carreño M, et al: Autoimmune seizures and epilepsy. J Clin Invest 129:926, 2019.

Henstridge CM, Hyman BT, Spires-Jones TL: Beyond the neuron-cellular interactions early in Alzheimer disease pathogenesis. Nat Rev Neurosci 20:94, 2019.

Iadecola C, Duering M, Hachinski V et al: Vascular cognitive impairment and dementia: JACC Scientific Expert Panel. J Am Coll Cardiol 73:3326, 2019.

Iadecola C, Gottesman RF: Neurovascular and cognitive dysfunction in hypertension. Circ Res 124:1025, 2019.

Irwin MR: Sleep and inflammation: partners in sickness and in health. Nat Rev Immunol 2019 Jul 9. doi: 10.1038/s41577-019-0190-z

Kisler K, Nelson AR, Montagne A, Zlokovic BV: Cerebral blood flow regulation and neurovascular dysfunction in Alzheimer disease. Nat Rev Neurosci 18:419, 2017.

Koch C, Massimini M, Boly M, Tononi G: Neural correlates of consciousness: progress and problems. Nat Rev Neurosci 17:307, 2016.

Krause AJ, Simon EB, Mander BA, et al: The sleep-deprived human brain. Nat Rev Neurosci 18:404, 2017.

Lieberman JA, First MB: Psychotic disorders. N Engl J Med 379:270, 2018.

Mahoney CE, Cogswell A, Koralnik IJ, Scammell TE: The neurobiological basis of narcolepsy. Nat Rev Neurosci 20:83, 2019.

McCutcheon RA, Abi-Dargham A, Howes OD: Schizophrenia, dopamine and the striatum: from biology to symptoms. Trends Neurosci 42:205, 2019.

Patel DC, Tewari BP, Chaunsali L, Sontheimer H: Neuron-glia interactions in the pathophysiology of epilepsy. Nat Rev Neurosci 20:282, 2019.

Poe GR: Sleep is for forgetting: J Neurosci 37:464, 2017.

Rasch B, Born J: About sleep's role in memory. Physiol Rev 93:681, 2013.

Sara SJ: Sleep to remember. J Neurosci 37:457, 2017.

Sweeney MD, Kisler K, Montagne A et al: The role of brain vasculature in neurodegenerative disorders. Nat Neurosci 21:1318, 2018.

Thijs RD, Surges R, O'Brien TJ, Sander JW: Epilepsy in adults. Lancet 393:689, 2019.

Tononi G, Cirelli C: Sleep and synaptic down-selection. Eur J Neurosci 2019 Jan 5. https//www.doi.org/10.1111/ejn.14335

---

[1]N.R.C.: bem como emaranhados neurofibrilares.

CAPÍTULO 61

Sistema Nervoso Autônomo e Medula Adrenal

O *sistema nervoso autônomo* é a parte do sistema nervoso que regula a maioria das funções viscerais do corpo. Ele ajuda a controlar a pressão arterial, a motilidade gastrointestinal, a secreção gastrointestinal, o esvaziamento da bexiga urinária, a sudorese, a temperatura corporal e muitas outras atividades. Algumas delas são controladas quase por inteiro, e outras apenas parcialmente, pelo sistema nervoso autônomo.

Entre as características mais marcantes do sistema nervoso autônomo estão a rapidez e a intensidade com que ele pode alterar as funções viscerais. Por exemplo, em 3 a 5 segundos, é possível ele aumentar a frequência cardíaca para o dobro do normal e, em 10 a 15 segundos, duplicar a pressão arterial. No outro extremo, a pressão arterial pode ser reduzida em 10 a 15 segundos a níveis suficientes para causar desmaios. É possível que a sudorese se inicie em segundos e que a bexiga urinária esvazie involuntariamente, também em segundos.

ORGANIZAÇÃO GERAL DO SISTEMA NERVOSO AUTÔNOMO

O sistema nervoso autônomo é ativado principalmente por centros localizados na *medula espinhal*, no *tronco encefálico* e no *hipotálamo*. Além disso, porções do córtex cerebral, sobretudo do córtex límbico, podem transmitir sinais aos centros inferiores e, assim, influenciar o controle autônomo.

O sistema nervoso autônomo também costuma operar por meio de *reflexos viscerais*. Ou seja, os sinais sensoriais subconscientes dos órgãos viscerais podem entrar nos gânglios autônomos, no tronco encefálico ou no hipotálamo e, em seguida, retornar as *respostas reflexas subconscientes* diretamente aos órgãos viscerais para controlar suas atividades.

Os sinais autônomos eferentes são transmitidos aos vários órgãos do corpo por meio de duas subdivisões principais, chamadas *sistema nervoso simpático* e *sistema nervoso parassimpático*, cujas características e funções são descritas nas seções a seguir.

Anatomia fisiológica do sistema nervoso simpático

A **Figura 61.1** evidencia a organização geral das porções periféricas do sistema nervoso simpático. São mostrados especificamente na figura: (1) um dos dois *troncos simpáticos paravertebrais de gânglios* que estão interconectados com os nervos espinhais ao lado da coluna vertebral; (2) *gânglios pré-vertebrais* (*celíaco, mesentérico superior, aorticorrenal, mesentérico inferior* e *hipogástrico*); e (3) nervos que se estendem dos gânglios aos diferentes órgãos internos.

As fibras nervosas simpáticas originam-se na medula espinhal junto com os nervos espinhais entre os segmentos da medula T1 e L2 e passam primeiro para o *tronco simpático* e, depois, para os tecidos e órgãos estimulados pelos nervos simpáticos.

Neurônios simpáticos pré-ganglionares e pós-ganglionares

Os nervos simpáticos são diferentes dos nervos motores esqueléticos da seguinte maneira. Cada via simpática da medula espinhal ao tecido estimulado é composta de dois neurônios, um *pré-ganglionar* e um *pós-ganglionar*, em contraste com um único neurônio na via motora esquelética. O corpo celular de cada neurônio pré-ganglionar encontra-se no *corno intermediolateral* da medula espinhal; sua fibra passa por uma *raiz ventral* da medula até o *nervo espinhal* correspondente, como mostrado na **Figura 61.2**.

Imediatamente após o nervo espinhal deixar o canal espinhal, as fibras simpáticas pré-ganglionares saem do nervo espinhal e passam por um *ramo branco* para um dos *gânglios* do *tronco simpático*. As fibras, então, podem seguir um destes três cursos: (1) fazer sinapse com neurônios simpáticos pós-ganglionares no gânglio em que entram; ou (2) passar para cima ou para baixo no tronco simpático e fazer sinapse em um dos outros gânglios do tronco simpático; ou (3) passar por distâncias variáveis através do tronco simpático e, então, por um dos *nervos simpáticos* que irradiam para fora do tronco simpático, fazendo, por fim, sinapses em um *gânglio simpático periférico*.

O neurônio simpático pós-ganglionar, portanto, origina-se em um dos gânglios do tronco simpático ou em um dos gânglios simpáticos periféricos. De qualquer uma dessas duas fontes, as fibras pós-ganglionares dirigem-se para seus destinos nos vários órgãos.

Fibras nervosas simpáticas nos nervos esqueléticos.

Algumas das fibras pós-ganglionares retornam do tronco simpático para os nervos espinhais por meio de *ramos cinzentos* em todos os níveis da medula, conforme mostrado na **Figura 61.2**. Essas fibras simpáticas são todas fibras finas do tipo C e se estendem a todas as partes do corpo por meio dos

PARTE 11 Sistema Nervoso: C. Neurofisiologia Motora e Integrativa

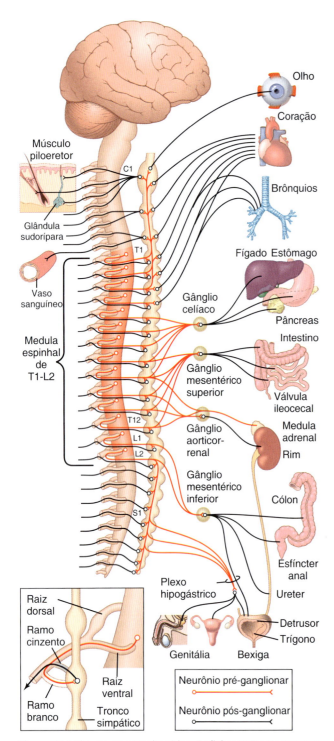

Figura 61.1 Sistema nervoso simpático. As *linhas pretas* representam as fibras pós-ganglionares, e as *linhas vermelhas* mostram as fibras pré-ganglionares.

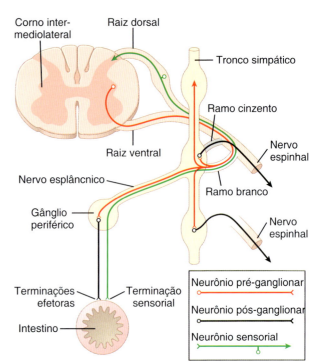

Figura 61.2 Conexões nervosas entre medula espinhal, nervos espinhais, tronco simpático e nervos simpáticos periféricos.

nervos esqueléticos. Elas controlam os vasos sanguíneos, as glândulas sudoríparas e os músculos piloeretores. Aproximadamente 8% das fibras do nervo esquelético médio são fibras simpáticas, indicando sua grande importância.

Distribuição segmentar das fibras nervosas simpáticas.
As vias simpáticas que se originam nos diferentes segmentos da medula espinhal não são necessariamente distribuídas para a mesma parte do corpo que as fibras nervosas somáticas espinhais dos mesmos segmentos. Em vez disso, as *fibras simpáticas do segmento T1 da medula espinhal passam, em geral, da seguinte maneira:* (1) subindo pelo tronco simpático para terminar na cabeça; (2) de T2 para terminar no pescoço; (3) de T3, T4, T5 e T6 para o tórax; (4) de T7, T8, T9, T10 e T11 para o abdome; e (5) de T12, L1 e L2 para as pernas. Essa distribuição é apenas aproximada e se sobrepõe bastante.

A distribuição dos nervos simpáticos para cada órgão é determinada, em parte, pela localização embrionária da qual o órgão se originou. Por exemplo, o coração (por se originar no pescoço do embrião antes de se translocar para o tórax) recebe muitas fibras nervosas simpáticas da porção cervical do tronco simpático. Da mesma maneira, os órgãos abdominais recebem a maior parte de sua inervação simpática dos segmentos da medula espinhal torácica inferior, porque a maior parte do intestino primitivo se originou nessa área.

Terminações nervosas simpáticas especiais na medula adrenal. As fibras nervosas simpáticas pré-ganglionares passam, *sem sinapses*, desde as células do corno intermediolateral da medula espinhal, seguem pelos troncos simpáticos, pelos nervos esplâncnicos e, por fim, para as duas medulas adrenais. Nesses órgãos, elas terminam diretamente em células neuronais modificadas que secretam *adrenalina* e *noradrenalina* na corrente sanguínea. Tais células secretoras – embriologicamente derivadas do tecido nervoso – são, na verdade, neurônios pós-ganglionares; na realidade, elas até contêm fibras nervosas rudimentares, e são as terminações dessas fibras que secretam os hormônios adrenais *adrenalina* e *noradrenalina*.

Anatomia fisiológica do sistema nervoso parassimpático

O *sistema nervoso parassimpático* é mostrado na **Figura 61.3**, a qual demonstra que as fibras parassimpáticas deixam o sistema nervoso central através dos nervos cranianos III, VII, IX e X; fibras parassimpáticas adicionais deixam a parte inferior

CAPÍTULO 61 Sistema Nervoso Autônomo e Medula Adrenal

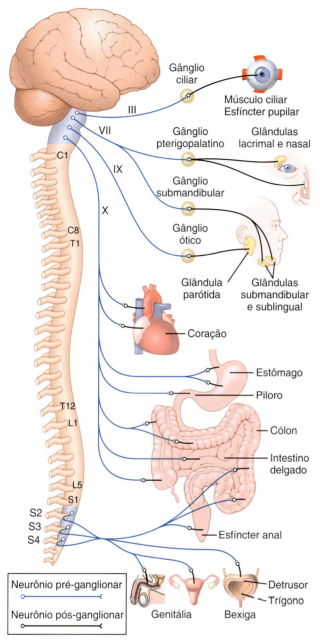

Figura 61.3 Sistema nervoso parassimpático. As *linhas azuis* representam as fibras pré-ganglionares, e as *linhas pretas*, as fibras pós-ganglionares.

da medula espinhal pelo do segundo e terceiro nervos espinhais sacrais e, ocasionalmente, pelo primeiro e quarto nervos sacrais. Cerca de 75% de todas as fibras nervosas parassimpáticas estão nos *nervos vagos* (nervo craniano X), que passam para todas as regiões torácicas e abdominais do organismo. Os nervos vagos suprem nervos parassimpáticos para o coração, os pulmões, o esôfago, o estômago, todo o intestino delgado, a metade proximal do cólon, o fígado, a vesícula biliar, o pâncreas, os rins e partes superiores dos ureteres.

As fibras parassimpáticas do *nervo oculomotor* vão para o esfíncter pupilar e o músculo ciliar do olho. As fibras do *nervo facial* passam para as glândulas lacrimais, nasais e submandibulares, ao passo que as fibras do *nervo glossofaríngeo* vão para a glândula parótida.

As fibras parassimpáticas sacrais estão nos *nervos esplâncnicos pélvicos*, que passam pelo plexo sacral do nervo espinhal em cada lado da medula nos níveis S2 e S3. Essas fibras então se distribuem para o cólon descendente, o reto, a bexiga urinária e porções inferiores dos ureteres. Além disso, esse grupo sacral de parassimpáticos fornece sinais nervosos à genitália externa para produzir a ereção.

Neurônios parassimpáticos pré-ganglionares e pós-ganglionares. O sistema parassimpático, assim como o sistema simpático, contém neurônios pré-ganglionares e pós-ganglionares. No entanto, exceto no caso de alguns nervos parassimpáticos cranianos, as *fibras pré-ganglionares* passam ininterruptamente até o órgão que devem controlar. Os *neurônios pós-ganglionares* estão localizados na parede do órgão. As fibras pré-ganglionares fazem sinapse com esses neurônios, e as fibras pós-ganglionares extremamente curtas, com uma fração de milímetro a vários centímetros de comprimento, deixam os neurônios para inervar os tecidos do órgão. Essa localização dos neurônios pós-ganglionares parassimpáticos no órgão visceral é bastante diferente do arranjo dos gânglios simpáticos, porque os corpos celulares dos neurônios pós-ganglionares simpáticos estão quase sempre localizados nos gânglios do tronco simpático ou em vários outros pequenos gânglios no abdome, e não no órgão excitado.

CARACTERÍSTICAS BÁSICAS DAS FUNÇÕES SIMPÁTICA E PARASSIMPÁTICA

FIBRAS COLINÉRGICAS E ADRENÉRGICAS | SECREÇÃO DE ACETILCOLINA OU DE NORADRENALINA

As fibras nervosas simpáticas e parassimpáticas secretam principalmente uma ou outra das duas substâncias transmissoras sinápticas, *acetilcolina* ou *noradrenalina*. As fibras que secretam acetilcolina são consideradas *colinérgicas*. Aquelas que secretam noradrenalina são as *adrenérgicas*, um termo derivado da adrenalina.

Todos os *neurônios pré-ganglionares* são *colinérgicos* tanto no sistema nervoso simpático quanto no parassimpático (ver **Figura 61.4**). A acetilcolina ou substâncias semelhantes à acetilcolina, quando aplicadas aos gânglios, excitarão os neurônios pós-ganglionares simpáticos e parassimpáticos. *Todos ou quase todos os neurônios pós-ganglionares do sistema parassimpático também são colinérgicos*. Em contraste, *a maioria dos neurônios simpáticos pós-ganglionares é adrenérgica*. No entanto, as fibras nervosas simpáticas pós-ganglionares para as glândulas sudoríparas e, talvez, para alguns poucos vasos sanguíneos são colinérgicas.

Assim, *todas – ou quase todas –* as terminações nervosas terminais do sistema parassimpático *secretam acetilcolina*. Quase todas as terminações nervosas simpáticas secretam *noradrenalina*, mas algumas secretam acetilcolina. Esses neurotransmissores, por sua vez, agem nos diferentes órgãos para promover os respectivos efeitos parassimpáticos ou simpáticos. Portanto, a acetilcolina é chamada de *transmissor parassimpático*, e a noradrenalina, de *transmissor simpático*.

PARTE 11 Sistema Nervoso: C. Neurofisiologia Motora e Integrativa

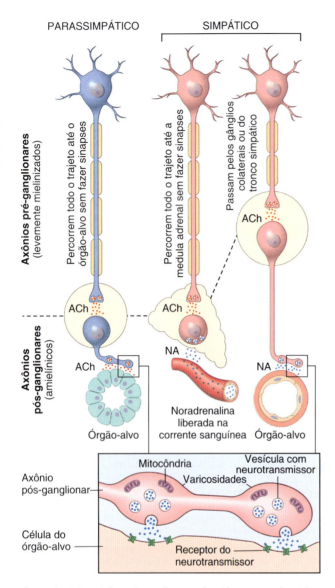

Figura 61.4 Os axônios pré-ganglionares simpáticos e parassimpáticos são levemente mielinizados e usam acetilcolina (Ach) como neurotransmissor. Os axônios pós-ganglionares são amielínicos. A maioria dos axônios pós-ganglionares simpáticos armazena noradrenalina (NA) em suas varicosidades e libera esse neurotransmissor sobre a superfície do tecido-alvo. Os axônios parassimpáticos pós-ganglionares armazenam Ach nas varicosidades e liberam Ach na superfície do tecido-alvo.

As estruturas moleculares da acetilcolina e noradrenalina são as seguintes:

Mecanismos de secreção e remoção do neurotransmissor nas terminações pós-ganglionares

Secreção de acetilcolina e noradrenalina por terminações nervosas pós-ganglionares. Algumas terminações nervosas autônomas pós-ganglionares, especialmente aquelas dos nervos parassimpáticos, são semelhantes, mas muito menores do que as da junção neuromuscular esquelética. No entanto, muitas fibras nervosas parassimpáticas e quase todas as fibras simpáticas apenas tocam as células efetoras dos órgãos que inervam à medida que passam ou, em alguns casos, terminam no tecido conjuntivo localizado adjacente às células a serem estimuladas. Onde esses filamentos tocam ou passam por cima ou perto das células a serem estimuladas, eles geralmente apresentam dilatações bulbosas chamadas *varicosidades* (ver **Figura 61.4**). É nessas varicosidades que as vesículas transmissoras de acetilcolina ou de noradrenalina são sintetizadas e armazenadas. Também nas varicosidades há um grande número de mitocôndrias que fornecem trifosfato de adenosina, necessário no fornecimento de energia para a síntese de acetilcolina ou de noradrenalina.

Quando um potencial de ação se espalha pelas fibras terminais, o processo de despolarização aumenta a permeabilidade da membrana da fibra aos íons cálcio, possibilitando que estes se difundam para os terminais nervosos ou para as varicosidades nervosas. Os íons cálcio, por sua vez, fazem com que os terminais ou as varicosidades esvaziem seu conteúdo para o exterior. Assim, a substância transmissora é secretada.

Síntese, degradação e duração da ação da acetilcolina. A acetilcolina é sintetizada nas terminações finais e varicosidades das fibras nervosas colinérgicas, onde é armazenada em vesículas de forma altamente concentrada até ser liberada. A reação química básica dessa síntese é a seguinte (CoA = coenzima A):

$$\text{Acetil-CoA} + \text{Colina} \xrightarrow{\text{Colina acetiltransferase}} \text{Acetilcolina}$$

Uma vez que a acetilcolina é secretada em um tecido por uma terminação nervosa colinérgica, ela persiste nele por alguns segundos enquanto desempenha sua função de transmissor de sinal nervoso. Em seguida, é dividida em um *íon acetato* e *colina*, reação catalisada pela enzima *acetilcolinesterase*, que é ligada ao colágeno e aos glicosaminoglicanos no tecido conjuntivo local. Esse mecanismo é o mesmo da transmissão do sinal da acetilcolina e subsequente destruição da acetilcolina, que ocorre nas junções neuromusculares das fibras nervosas esqueléticas. A colina formada é, então, transportada de volta para a terminação nervosa terminal, onde é usada repetidamente para a síntese de nova acetilcolina.

Síntese, degradação e duração da ação da noradrenalina. A síntese de noradrenalina começa no axoplasma das terminações nervosas terminais das fibras nervosas adrenérgicas, mas é concluída dentro das vesículas secretoras. As etapas básicas são as seguintes:

CAPÍTULO 61 Sistema Nervoso Autônomo e Medula Adrenal

1. Tirosina $\xrightarrow{\text{hidroxilação}}$ Dopa

2. Dopa $\xrightarrow{\text{descarboxilação}}$ Dopamina

3. Transporte da dopamina para as vesículas

4. Dopamina $\xrightarrow{\text{hidroxilação}}$ Noradrenalina

Na medula adrenal, essa reação dá um passo adiante para transformar aproximadamente 80% da noradrenalina em adrenalina, da seguinte maneira:

5. Noradrenalina $\xrightarrow{\text{Metilação}}$ Adrenalina

Após a secreção de noradrenalina pelas terminações nervosas terminais, ela é removida do sítio secretor de três maneiras: (1) recaptação nas terminações nervosas adrenérgicas por um processo de transporte ativo, sendo responsável pela remoção de 50 a 80% da noradrenalina secretada; (2) difusão para fora das terminações nervosas para os líquidos corporais circundantes, em seguida, para o sangue, sendo responsável pela remoção da maior parte da noradrenalina remanescente; e (3) destruição de pequenas quantidades por enzimas teciduais. Uma dessas enzimas é a *monoaminoxidase (MAO)*, encontrada nas terminações nervosas, e outra é a *catecol-orto-metiltransferase (COMT)*, presente difusamente nos tecidos.

Em geral, a noradrenalina secretada diretamente no tecido permanece ativa por apenas alguns segundos, demonstrando que sua recaptação e difusão para fora do tecido são rápidas. No entanto, a noradrenalina e a adrenalina secretadas no sangue pela medula adrenal permanecem ativas até que se difundam em algum tecido, onde podem ser degradadas pela COMT; essa ação ocorre principalmente no fígado. Portanto, quando secretadas no sangue, tanto a noradrenalina quanto a adrenalina se mantêm ativas por 10 a 30 segundos, mas sua atividade diminui até a extinção ao longo de 1 a vários minutos.

RECEPTORES NOS ÓRGÃOS EFETORES

A acetilcolina, a noradrenalina ou a adrenalina secretadas em uma terminação nervosa autônoma, antes de poderem estimular um órgão efetor, devem primeiro se ligar a *receptores* específicos nas células efetoras. O receptor fica do lado de fora da membrana celular, ligado como um grupo protético a uma molécula de proteína que penetra integralmente a membrana celular. A ligação da substância transmissora com o receptor provoca mudança conformacional na estrutura da molécula de proteína. Por sua vez, a molécula de proteína alterada excita ou inibe a célula, causando, na maioria das vezes: (1) alteração na permeabilidade da membrana celular a um ou mais íons; ou (2) ativação ou inativação de uma enzima ligada à outra extremidade da proteína receptora, onde se projeta para o interior da célula.

Excitação ou inibição da célula efetora por meio da alteração da permeabilidade de sua membrana.
Uma vez que a proteína receptora é parte integrante da membrana celular, uma alteração conformacional na estrutura da proteína receptora frequentemente *abre ou fecha um canal iônico* através dos interstícios da molécula de proteína, modificando, assim, a permeabilidade da membrana celular a vários íons. Por exemplo, os canais de íons sódio e/ou íons cálcio frequentemente se abrem e possibilitam o rápido influxo dos respectivos íons na célula, em geral, despolarizando a membrana celular e *excitando* a célula. Em outras ocasiões, os canais de potássio são abertos, tornando possível que os íons potássio se difundam para fora da célula, o que tene a *inibir* a célula porque a perda de íons potássio eletropositivos cria hipernegatividade dentro da célula. Em algumas células, o ambiente iônico intracelular alterado causará uma ação celular interna, como um efeito direto dos íons cálcio para promover a contração do músculo liso.

Ação do receptor pela alteração no sistema de segundos mensageiros intracelular.
Outra maneira bastante frequente de um receptor funcionar ocorre pela ativação ou inativação de um segundo mensageiro (enzima ou outra substância química intracelular) dentro da célula. A enzima costuma estar ligada à proteína receptora, onde o receptor se projeta para o interior da célula. Por exemplo, a ligação da noradrenalina ao seu receptor no exterior de muitas células aumenta a atividade da enzima *adenilciclase* no interior delas, o que causa a formação de *monofosfato de adenosina cíclico* (AMPc). O AMPc, por sua vez, pode iniciar qualquer uma das muitas ações intracelulares diferentes, com o efeito exato dependendo da célula efetora específica e de sua maquinaria química.

É fácil entender como uma substância transmissora autônoma pode causar inibição em alguns órgãos ou excitação em outros. Isso geralmente é determinado pela natureza da proteína receptora na membrana celular e pelo efeito da ligação do receptor em seu estado conformacional. Em cada órgão, os efeitos resultantes são provavelmente diferentes daqueles em outros órgãos.

Dois tipos principais de receptores de acetilcolina | Receptores muscarínicos e nicotínicos

A acetilcolina ativa principalmente dois tipos de *receptores*, chamados de *receptores muscarínicos* e *nicotínicos*. A razão desses nomes é que a muscarina, um veneno presente em alguns cogumelos, ativa apenas os receptores muscarínicos, enquanto a nicotina ativa somente os receptores nicotínicos. A acetilcolina ativa os dois.

Os receptores muscarínicos, que usam proteínas G como mecanismo de sinalização, são encontrados em todas as células efetoras estimuladas pelos neurônios colinérgicos pós-ganglionares do sistema nervoso parassimpático ou do sistema simpático.

Os receptores nicotínicos são canais iônicos controlados por ligantes encontrados nos gânglios autônomos nas sinapses entre os neurônios pré-ganglionares e pós-ganglionares dos sistemas simpático e parassimpático (os receptores nicotínicos também estão presentes em muitas

PARTE 11 Sistema Nervoso: C. Neurofisiologia Motora e Integrativa

terminações nervosas não autônomas – por exemplo, nas junções neuromusculares no músculo esquelético, discutidas no Capítulo 7).

A compreensão dos dois tipos de receptores é especialmente importante porque fármacos específicos são usados com frequência para estimular ou bloquear um ou outro desses dois tipos de receptores.

Receptores adrenérgicos alfa e beta

Também existem duas classes principais de receptores adrenérgicos: os *receptores alfa* e *receptores beta*. Existem dois tipos principais de receptores alfa (alfa$_1$ e alfa$_2$), que estão ligados a diferentes proteínas G. Os receptores beta são divididos em receptores *beta$_1$*, *beta$_2$* e *beta$_3$* porque certas substâncias químicas afetam apenas alguns receptores beta. Os receptores beta também usam proteínas G para sinalização.

A noradrenalina e a adrenalina, ambas secretadas no sangue pela medula adrenal, têm efeitos ligeiramente diferentes na excitação dos receptores alfa e beta. A noradrenalina excita sobretudo os receptores alfa, mas também os receptores beta em menor grau. A adrenalina excita ambos os tipos de receptores de maneira aproximadamente igual. Portanto, os efeitos relativos da noradrenalina e da adrenalina nos diferentes órgãos efetores são determinados pelos tipos de receptores nos órgãos. Se todos forem receptores beta, a adrenalina será o excitante mais eficaz.

A **Tabela 61.1** lista a distribuição dos receptores alfa e beta em alguns dos órgãos e sistemas controlados pelos nervos simpáticos. Observe que certas ações alfa são excitatórias, enquanto outras são inibitórias. Da mesma maneira, certas ações beta são excitatórias, e outras, inibitórias. Assim, os receptores alfa e beta não estão necessariamente associados a excitação ou inibição, mas simplesmente à afinidade do hormônio pelos receptores em determinado órgão efetor.

Como discutiremos mais adiante neste capítulo, diversos fármacos *simpatomiméticos* foram desenvolvidos para mimetizar as ações das catecolaminas endógenas, noradrenalina e adrenalina. Alguns desses compostos ativam seletivamente os receptores alfa-adrenérgicos ou beta-adrenérgicos. Por exemplo, um fármaco sintético quimicamente semelhante à adrenalina e noradrenalina, a *isoprenalina* (*isoproterenol*), exerce uma ação forte demais sobre os receptores beta, mas essencialmente nenhuma ação sobre os receptores alfa.

AÇÕES EXCITATÓRIAS E INIBITÓRIAS DA ESTIMULAÇÃO SIMPÁTICA E PARASSIMPÁTICA

A **Tabela 61.2** lista os efeitos nas diferentes funções viscerais do organismo causados pela estimulação dos nervos parassimpáticos ou simpáticos. Observe, de novo, que *a estimulação simpática causa efeitos excitatórios em alguns órgãos, mas efeitos inibidores em outros. Da mesma maneira, a estimulação parassimpática causa excitação em alguns órgãos, mas inibição em outros*. Além disso, quando a estimulação simpática excita determinado órgão, a estimulação parassimpática às vezes o inibe, demonstrando que os dois sistemas ocasionalmente agem reciprocamente um ao outro. No entanto, a maioria dos órgãos é controlada por um ou outro dos dois sistemas.

Não há generalização que possamos usar para explicar se a estimulação simpática ou parassimpática causará excitação ou inibição de determinado órgão. Portanto, para compreender a função simpática e parassimpática, deve-se aprender todas as funções separadas desses dois sistemas nervosos em cada órgão, como listado na **Tabela 61.2**. Algumas dessas funções precisam ser esclarecidas com mais detalhes, como a seguir.

Efeitos da estimulação simpática e parassimpática em órgãos específicos

Olhos. Duas funções dos olhos são controladas pelo sistema nervoso autônomo: (1) a abertura pupilar; e (2) o foco do cristalino.

A estimulação simpática *contrai as fibras meridionais da íris que dilatam a pupila*, enquanto a estimulação parassimpática *contrai o músculo circular da íris para contrair a pupila*.

As eferências parassimpáticas que controlam a pupila são estimuladas por via reflexa quando o excesso de luz entra nos olhos, como explicado no Capítulo 52; esse reflexo reduz a abertura pupilar e a quantidade de luz que chega à retina. Por outro lado, as eferências simpáticas são estimuladas durante os períodos de excitação e aumentam a abertura pupilar nesses momentos.

O foco do cristalino é controlado quase inteiramente pelo sistema nervoso parassimpático. O cristalino costuma ser mantido em um estado achatado pela tensão elástica intrínseca de seus ligamentos radiais. A excitação parassimpática contrai o *músculo ciliar*, isto é, um corpo semelhante a um anel de fibras musculares lisas que circunda as extremidades externas dos ligamentos radiais do cristalino. Essa contração libera a tensão nos ligamentos e possibilita que o cristalino se torne mais convexo, fazendo com que o olho focalize os objetos próximos. O mecanismo de focalização

Tabela 61.1 Receptores adrenérgicos e suas funções.

Receptor alfa	Receptor beta
Vasoconstrição	Vasodilatação (β_2)
Dilatação da íris	Cardioaceleração (β_1)
Relaxamento intestinal	Força aumentada do miocárdio (β_1)
Contração dos esfíncteres intestinais	Relaxamento intestinal (β_2) Relaxamento uterino (β_2)
Contração pilomotora	Broncodilatação (β_2)
Contração do esfíncter da bexiga	Calorigênese (β_2)
Inibe a liberação de neurotransmissor (α_2)	Glicogenólise (β_2) Lipólise (β_1) Relaxamento da parede da bexiga (β_2) Termogênese (β_3)

CAPÍTULO 61 Sistema Nervoso Autônomo e Medula Adrenal

Tabela 61.2 Efeitos autônomos sobre vários órgãos do corpo.

Órgão	Efeito da estimulação simpática	Efeito da estimulação parassimpática
Olho		
Pupila	Dilatada	Contraída
Músculo ciliar	Relaxamento leve (visão para longe)	Contração (visão próxima)
Glândulas	Vasoconstrição e leve secreção	Estimulação de secreção copiosa (contendo muitas enzimas para glândulas secretoras de enzimas)
Nasais		
Lacrimais		
Parótidas		
Submandibulares		
Gástricas		
Pancreáticas		
Glândulas sudoríparas	Transpiração abundante (colinérgica)	Sudorese nas palmas das mãos
Glândulas apócrinas	Secreção espessa, odorífera	Nenhum
Vasos sanguíneos	Mais frequentemente, contraídos	Mais frequentemente com pouco ou nenhum efeito
Coração		
Ritmo do nó sinusal	Frequência aumentada	Frequência reduzida
Músculo cardíaco	Força de contração aumentada	Força de contração diminuída (especialmente no átrio)
Coronárias	Dilatadas (β_2); contraídas (α)	Dilatadas
Pulmões		
Brônquios	Dilatados	Contraídos
Vasos sanguíneos	Vasoconstrição leve	? Dilatados
Intestinos		
Lúmen	Peristaltismo e tônus diminuídos	Peristaltismo e tônus aumentados
Esfíncter	Tônus aumentado (maioria das vezes)	Tônus relaxado (maioria das vezes)
Fígado	Liberação de glicose	Ligeira síntese de glicogênio
Vesícula e ductos biliares	Relaxados	Contraídos
Rim	Diminuição da produção de urina e aumento da secreção de renina	Nenhum
Bexiga		
Detrusor	Relaxado (levemente)	Contraído
Trígono	Contraído	Relaxado
Pênis	Ejaculação	Ereção
Arteríolas sistêmicas		
Vísceras abdominais	Contraídas	Nenhum
Músculo	Contraído (α-adrenérgico)	Nenhum
	Dilatado (β_2-adrenérgico)	Nenhum
	Dilatado (colinérgico)	Nenhum
Pele	Constrição	Nenhum
Sangue		
Coagulação	Aumentada	Nenhum
Glicose	Aumentada	Nenhum
Lipídios	Aumentados	Nenhum
Metabolismo basal	Aumentado em até 100%	Nenhum
Secreção medular adrenal	Aumentada	Nenhum
Atividade mental	Aumentada	Nenhum
Músculos piloeretores	Contraídos	Nenhum
Músculos esqueléticos	Glicogenólise aumentada Força aumentada	Nenhum
Adipócitos	Lipólise	Nenhum

PARTE 11 Sistema Nervoso: C. Neurofisiologia Motora e Integrativa

detalhado é discutido nos Capítulos 50 e 52 em relação à função dos olhos.

Glândulas exócrinas. As *glândulas nasal, lacrimal, salivar* e muitas *glândulas gastrointestinais* são fortemente estimuladas pelo sistema nervoso parassimpático, o que, em geral, resulta em grandes quantidades de secreção aquosa. As glândulas do trato alimentar mais fortemente estimuladas pelos parassimpáticos são as do trato superior, sobretudo as da boca e do estômago. Por outro lado, as glândulas dos intestinos delgado e grosso são controladas principalmente por fatores locais no trato intestinal e pelo *sistema nervoso entérico* intestinal; eles são muito menos controlados pelos nervos autônomos.

A estimulação simpática tem efeito direto na maioria das células das glândulas alimentares, formando uma secreção concentrada que contém altas porcentagens de enzimas e muco. No entanto, também causa vasoconstrição dos vasos sanguíneos que irrigam as glândulas e, desse modo, às vezes reduz suas taxas de secreção.

As *glândulas sudoríparas* secretam grandes quantidades de suor quando os nervos simpáticos são estimulados, mas nenhum efeito é ocasionado pela estimulação dos nervos parassimpáticos. Contudo, as fibras simpáticas da maioria das glândulas sudoríparas são *colinérgicas* (exceto algumas fibras adrenérgicas nas palmas das mãos e nas plantas dos pés), em contraste com quase todas as outras fibras simpáticas, que são adrenérgicas. Além disso, as glândulas sudoríparas são estimuladas principalmente por centros no hipotálamo, em geral, considerados centros parassimpáticos. Portanto, a sudorese poderia ser chamada de função parassimpática, embora seja controlada por fibras nervosas que se distribuem anatomicamente pelo sistema nervoso simpático.

As *glândulas apócrinas* nas axilas secretam um conteúdo espesso e odorífero como resultado da estimulação simpática, mas não respondem à estimulação parassimpática. Essa secreção realmente funciona como um lubrificante para possibilitar o deslizamento fácil das superfícies internas sob a articulação do ombro. As glândulas apócrinas, apesar de sua estreita relação embriológica com as glândulas sudoríparas, são ativadas por fibras adrenérgicas (em vez de fibras colinérgicas) e também controladas pelos centros simpáticos do sistema nervoso central, e não pelos centros parassimpáticos.

Plexo nervoso intramural do sistema gastrointestinal.

O sistema gastrointestinal tem seu próprio conjunto intrínseco de nervos, conhecido como *plexo intramural* ou *sistema nervoso entérico*, localizado nas paredes do intestino. Além disso, tanto a estimulação parassimpática quanto a simpática originada no cérebro podem afetar a atividade gastrointestinal principalmente por aumentar ou diminuir ações específicas no plexo gastrointestinal intramural. A estimulação parassimpática tende a aumentar a atividade geral do trato gastrointestinal, promovendo o peristaltismo e relaxando os esfíncteres, possibilitando a rápida propulsão dos conteúdos ao longo do trato. Esse efeito propulsivo está associado a aumentos simultâneos nas taxas de secreção de muitas das glândulas gastrointestinais descritas anteriormente.

As funções normais de motilidade do trato gastrointestinal não são muito dependentes da estimulação simpática. No entanto, uma forte estimulação simpática inibe o peristaltismo e aumenta o tônus dos esfíncteres. O resultado é

propulsão muito mais lenta do alimento através do trato e, às vezes, também diminuição da secreção – a ponto de, às vezes, causar constipação intestinal.

Coração. A estimulação simpática costuma aumentar a atividade geral do coração. Esse efeito é obtido elevando-se a frequência e a força da contração cardíaca.

A estimulação parassimpática causa principalmente efeitos opostos – diminuição da frequência cardíaca e força da contração. Para expressar esses efeitos de outra maneira, a estimulação simpática aumenta a eficácia do coração como uma bomba, conforme necessário durante exercícios pesados, enquanto a estimulação parassimpática diminui o bombeamento do coração, possibilitando que ele descanse entre as sessões de atividade extenuante.

Vasos sanguíneos sistêmicos. A maioria dos vasos sanguíneos sistêmicos, especialmente os das vísceras abdominais e da pele dos membros, são contraídos pela estimulação simpática. A estimulação parassimpática quase não tem efeitos na maioria dos vasos sanguíneos. Sob algumas condições, a função beta-adrenérgica dos simpáticos causa dilatação vascular, em vez da constrição vascular normal; entretanto, essa dilatação ocorre em casos raros, exceto depois que os fármacos interrompem os efeitos vasoconstritores alfa simpáticos, que, na maioria dos vasos sanguíneos, são geralmente muito dominantes sobre os efeitos beta.

Efeito da estimulação simpática e parassimpática na pressão arterial.
A pressão arterial é determinada por dois fatores: propulsão do sangue pelo coração e resistência ao fluxo do sangue pelos vasos sanguíneos periféricos. A estimulação simpática aumenta a propulsão do coração e a resistência ao fluxo, o que tende a causar um aumento *agudo* acentuado na pressão arterial, mas geralmente bem pouca alteração na pressão a longo prazo, a menos que os simpáticos também estimulem os rins a reter sal e água ao mesmo tempo.

Por outro lado, a estimulação parassimpática moderada por meio dos nervos vagais diminui o bombeamento pelo coração, mas praticamente não tem efeito sobre a resistência vascular periférica. Portanto, o efeito usual é uma ligeira diminuição da pressão arterial. No entanto, uma estimulação *parassimpática vagal muito forte* pode quase parar ou, ocasionalmente, parar por inteiro o coração por alguns segundos e causar anulação temporária de toda (ou quase toda) a pressão arterial.

Efeitos da estimulação simpática e parassimpática em outras funções do corpo.
Devido à grande importância dos sistemas de controle simpático e parassimpático, eles são discutidos muitas vezes neste texto em relação às múltiplas funções corporais. Em geral, a maioria das estruturas endodérmicas (como os ductos do fígado, a vesícula biliar, o ureter, a bexiga urinária e os brônquios) é inibida pela estimulação simpática, mas excitada pela estimulação parassimpática. A estimulação simpática também tem vários efeitos metabólicos, como liberação de glicose do fígado e aumento da concentração de glicose no sangue, glicogenólise hepática e muscular, força do músculo esquelético, taxa metabólica basal e atividade mental. Por fim, os simpáticos e parassimpáticos estão envolvidos na execução dos atos sexuais masculino e feminino, conforme explicado nos Capítulos 81 e 82.

CAPÍTULO 61 Sistema Nervoso Autônomo e Medula Adrenal

FUNÇÃO DA MEDULA ADRENAL

A estimulação dos nervos simpáticos para a medula adrenal faz com que grandes quantidades de adrenalina e noradrenalina sejam liberadas no sangue circulante, e esses dois hormônios, por sua vez, são transportados pelo sangue para todos os tecidos do corpo. Em média, cerca de 80% da secreção são compostos por adrenalina, e 20%, noradrenalina, embora as proporções relativas possam mudar consideravelmente em diferentes condições fisiológicas.

A adrenalina e a noradrenalina circulantes têm quase os mesmos efeitos nos diferentes órgãos que aqueles causados pela estimulação simpática direta, exceto pelo fato de que *os efeitos duram 5 a 10 vezes mais* em razão de ambos os hormônios serem removidos do sangue lentamente por um período de 2 a 4 minutos.

A noradrenalina circulante causa constrição da maioria dos vasos sanguíneos do corpo, além de aumentar a atividade do coração, inibir o trato gastrointestinal, dilatar as pupilas dos olhos, e assim por diante.

A adrenalina causa quase os mesmos efeitos que os provocados pela noradrenalina, com diferenças nos seguintes aspectos. Primeiro, a adrenalina, por causa de seu maior efeito na estimulação dos receptores beta, tem ação maior na estimulação cardíaca do que a noradrenalina. Em segundo lugar, a adrenalina causa apenas constrição fraca dos vasos sanguíneos nos músculos, em comparação com constrição muito mais forte ocasionada pela noradrenalina. Uma vez que os vasos musculares representam um segmento principal dos vasos do corpo, essa diferença é de especial importância porque a noradrenalina aumenta muito a resistência periférica total e eleva a pressão arterial, enquanto a adrenalina eleva a pressão arterial em menor grau, mas aumenta mais o débito cardíaco.

Uma terceira diferença entre as ações da adrenalina e da noradrenalina está relacionada aos seus efeitos no metabolismo do tecido. A adrenalina tem efeito metabólico 5 a 10 vezes maior do que a noradrenalina. De fato, a adrenalina secretada pela medula adrenal pode aumentar a taxa metabólica de todo o corpo em até 100% acima do normal, elevando, assim, a atividade e a excitabilidade do corpo. Também aumenta as taxas de outras atividades metabólicas, como a glicogenólise no fígado e nos músculos e a liberação de glicose no sangue.

Em resumo, a estimulação da medula adrenal causa liberação dos hormônios adrenalina e noradrenalina, que juntos têm quase os mesmos efeitos em todo o corpo que a estimulação simpática direta, exceto pelo fato de os efeitos serem mais prolongados, durando 2 a 4 minutos após o término da estimulação.

A medula adrenal contribui com as funções do sistema nervoso simpático. A adrenalina e a noradrenalina são quase sempre liberadas pela medula adrenal ao mesmo tempo que os diferentes órgãos são estimulados diretamente pela ativação simpática generalizada. Portanto, os órgãos são estimulados de duas maneiras: diretamente pelos nervos simpáticos e indiretamente pelos hormônios medulares adrenais. Os dois meios de estimulação apoiam-se de maneira mútua, e, na maioria dos casos, um pode substituir o outro. Por exemplo, a destruição das vias simpáticas diretas para os diferentes órgãos do corpo não anula a excitação simpática dos órgãos, porque a noradrenalina e a adrenalina ainda são liberadas no sangue circulante e causam estimulação indireta. De igual modo, a perda das duas medulas adrenais geralmente tem pouco efeito sobre o funcionamento do sistema nervoso simpático, pois as vias diretas ainda podem realizar quase todas as funções necessárias. Assim, o mecanismo duplo de estimulação simpática fornece um fator de segurança, com um mecanismo substituindo o outro se estiver ausente.

Outro valor importante das medulas adrenais é a capacidade da adrenalina e da noradrenalina de estimular as estruturas do corpo que não são inervadas por fibras simpáticas diretas. Por exemplo, a taxa metabólica de quase todas as células do corpo é aumentada por esses hormônios, especialmente pela adrenalina, embora apenas uma pequena proporção de todas as células do organismo seja inervada diretamente por fibras simpáticas.

RELAÇÃO DA TAXA DE ESTÍMULO COM OS EFEITOS SIMPÁTICOS E PARASSIMPÁTICOS

Uma diferença especial entre o sistema nervoso autônomo e o sistema nervoso esquelético é que apenas uma baixa frequência de estimulação é necessária para a ativação completa dos efetores autonômicos. Em geral, apenas um impulso nervoso a cada poucos segundos é suficiente para manter o efeito simpático ou parassimpático normal, e a ativação completa ocorre quando as fibras nervosas são descarregadas 10 a 20 vezes por segundo. Essa taxa se compara à ativação total no sistema nervoso esquelético de 50 a 500 ou mais impulsos por segundo.

TÔNUS SIMPÁTICO E PARASSIMPÁTICO

Em geral, os sistemas simpático e parassimpático estão sempre ativos, e as taxas basais de atividade são conhecidas, respectivamente, como *tônus simpático e tônus parassimpático*. O valor do tônus é que *ele possibilita que um único sistema nervoso aumente e diminua a atividade de um órgão estimulado*. Por exemplo, o tônus simpático normalmente mantém quase todas as arteríolas sistêmicas contraídas até cerca da metade de seu diâmetro máximo. Ao aumentar o grau de estimulação simpática acima do normal, esses vasos podem ser ainda mais contraídos; inversamente, ao diminuir a estimulação abaixo do normal, é possível que as arteríolas sejam dilatadas. Assim, o sistema simpático pode causar vasoconstrição ou vasodilatação, aumentando ou diminuindo sua atividade, respectivamente.

Outro exemplo interessante é o tônus basal dos parassimpáticos no trato gastrointestinal. A remoção cirúrgica do suprimento parassimpático para a maior parte do intestino por meio do corte dos nervos vagos pode causar atonia gástrica e intestinal séria e prolongada, com bloqueio resultante de grande parte da propulsão gastrointestinal normal e consequente constipação intestinal grave, demonstrando, assim, que esse tônus parassimpático para o intestino normalmente é muito necessário. Ele pode ser diminuído pelo cérebro, inibindo, assim, a motilidade gastrointestinal, ou aumentado, promovendo o aumento da atividade gastrointestinal.

Tônus causado pela secreção basal de adrenalina e noradrenalina pela medula adrenal. A taxa normal de secreção pela medula adrenal em repouso é cerca de 0,2 µg/kg/min de adrenalina e cerca de 0,05 µg/kg/min de noradrenalina. Essas quantidades são suficientes para manter a pressão arterial quase normal, mesmo se todas as vias simpáticas diretas para o sistema cardiovascular forem removidas. Portanto, é óbvio que grande parte do tônus geral do sistema nervoso simpático resulta da secreção basal de adrenalina e noradrenalina, além do tônus proveniente da estimulação simpática direta.

Efeito da perda do tônus simpático ou parassimpático após a denervação. Imediatamente após o corte de um nervo simpático ou parassimpático, o órgão inervado perde seu tônus simpático ou parassimpático. Em muitos vasos sanguíneos, por exemplo, o corte dos nervos simpáticos resulta em vasodilatação substancial em 5 a 30 segundos. No entanto, ao longo de minutos, horas, dias ou semanas, o *tônus intrínseco* do músculo liso dos vasos aumenta – isto é, o tônus aumenta em razão do incremento da força contrátil do músculo liso que não é resultado de estimulação simpática, mas de adaptações químicas nas próprias fibras musculares lisas, incluindo maior sensibilidade aos efeitos das catecolaminas circulantes secretadas pela medula adrenal. Esse tom intrínseco e o aumento da sensibilidade às catecolaminas circulantes acabam restaurando a vasoconstrição quase normal.

Essencialmente, os mesmos efeitos ocorrem na maioria dos outros órgãos efetores sempre que o tônus simpático ou parassimpático é perdido. Ou seja, a compensação intrínseca logo se desenvolve para retornar a função do órgão quase ao seu nível basal normal. No entanto, no sistema parassimpático, a compensação às vezes leva muitos meses. Por exemplo, a perda do tônus parassimpático para o coração após a vagotomia cardíaca aumenta para 160 batimentos por minuto (bpm) a frequência cardíaca em um cão, a qual ainda estará parcialmente elevada 6 meses depois. Da mesma forma, a perda do tônus parassimpático para o sistema gastrointestinal tem efeitos duradouros no intestino.

Hipersensibilidade à noradrenalina e à acetilcolina após denervação

Durante a primeira semana após a destruição de um nervo simpático ou parassimpático, o órgão inervado torna-se mais sensível a noradrenalina ou acetilcolina injetadas, respectivamente. Esse efeito é evidenciado na **Figura 61.5**, a qual mostra que o fluxo sanguíneo no antebraço antes da remoção do simpático é de cerca de 200 ml por minuto; uma dose-teste

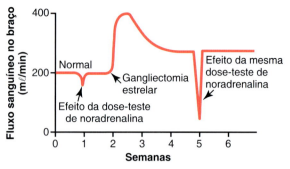

Figura 61.5 Efeito da simpatectomia sobre o fluxo sanguíneo do braço e efeito de dose-teste de noradrenalina, antes e depois da simpatectomia, mostrando a hipersensibilidade da vasculatura à noradrenalina.

de noradrenalina causa apenas ligeira depressão no fluxo que dura cerca de um minuto. Em seguida, o gânglio estrelado é removido, e o tônus simpático normal é perdido. O fluxo sanguíneo, no início, aumenta acentuadamente devido à perda do tônus vascular, mas, ao longo de um período de dias a semanas, retorna ao normal devido a um aumento progressivo no tônus intrínseco da própria musculatura vascular, portanto, compensando parcialmente a perda do tônus simpático. Em seguida, outra dose de teste de noradrenalina é administrada, e o fluxo sanguíneo diminui muito mais do que antes, demonstrando que os vasos sanguíneos se tornaram cerca de duas a quatro vezes mais responsivos à noradrenalina do que antes. Esse fenômeno é denominado *hipersensibilidade de denervação*. Ela ocorre em órgãos simpáticos e parassimpáticos, mas em uma extensão muito maior em alguns órgãos do que em outros, ocasionalmente aumentando a resposta em mais de 10 vezes.

Mecanismo de hipersensibilidade à denervação. A causa da hipersensibilidade por denervação é apenas parcialmente conhecida. Parte da resposta é que o número de receptores nas membranas pós-sinápticas das células efetoras aumenta – em certos casos, muitas vezes – quando a noradrenalina ou a acetilcolina não são mais liberadas nas sinapses, um processo denominado *suprarregulação* dos receptores. Portanto, quando uma dose do hormônio é agora injetada no sangue circulante, a reação efetora é amplamente aumentada.

Reflexos autonômicos

Muitas funções viscerais do organismo são reguladas por *reflexos autonômicos*. Ao longo deste texto, as funções desses reflexos são discutidas em relação aos sistemas de órgãos individuais; para ilustrar sua importância, alguns são apresentados aqui brevemente.

Reflexos autônomos cardiovasculares. Vários reflexos no sistema cardiovascular ajudam a controlar a pressão arterial e a frequência cardíaca. Um desses reflexos é o *reflexo barorreceptor*, descrito no Capítulo 18 junto com outros reflexos cardiovasculares. Resumidamente, os receptores de estiramento chamados *barorreceptores* estão localizados nas paredes de várias artérias principais, incluindo, sobretudo, as artérias carótidas internas e o arco da aorta. Quando estes são esticados pela alta pressão, os sinais são transmitidos ao tronco encefálico, onde inibem os impulsos simpáticos para o coração e os vasos sanguíneos, além de excitar os parassimpáticos; isso possibilita que a pressão arterial volte ao normal.

CAPÍTULO 61 Sistema Nervoso Autônomo e Medula Adrenal

Reflexos autônomos gastrointestinais. A parte superior do trato gastrointestinal e o reto são controlados principalmente pelos reflexos autônomos. Por exemplo, o cheiro de comida apetitosa ou a presença de comida na boca inicia sinais do nariz e da boca para os núcleos vagal, glossofaríngeo e salivatório do tronco encefálico. Esses núcleos, por sua vez, transmitem sinais por intermédio dos nervos parassimpáticos para as glândulas secretoras da boca e do estômago, provocando a secreção de sucos digestivos às vezes antes mesmo de o alimento entrar na boca.

Quando a matéria fecal preenche o reto na outra extremidade do canal alimentar, os impulsos sensoriais iniciados pelo estiramento do reto são enviados para a porção sacral da medula espinhal, e um sinal reflexo é transmitido de volta por meio do parassimpático sacral para as partes distais do cólon; esses sinais resultam em fortes contrações peristálticas que causam a defecação.

Outros reflexos autonômicos. O esvaziamento da bexiga urinária é controlado da mesma maneira que o esvaziamento do reto; o estiramento da bexiga envia impulsos para a medula sacral, que, por sua vez, causa contração reflexa da bexiga e relaxamento dos esfíncteres urinários, promovendo, assim, a micção.

Também importantes são os reflexos sexuais, que são iniciados tanto por estímulos psíquicos do cérebro quanto por estímulos dos órgãos sexuais. Os impulsos dessas fontes convergem para a medula sacral e, no homem, resultam primeiro na *ereção (função predominantemente parassimpática)* e, depois, na *ejaculação (função prevalentemente simpática)*.

Outras funções de controle autônomo incluem contribuições reflexas para a regulação de secreção pancreática, esvaziamento da vesícula biliar, excreção renal de urina, sudorese, concentração de glicose no sangue e muitas outras funções viscerais, todas elas discutidas em detalhes em outros pontos deste texto.

ESTIMULAÇÃO SELETIVA DE ÓRGÃOS-ALVO POR SISTEMAS SIMPÁTICOS E PARASSIMPÁTICOS OU DESCARGA EM MASSA

O sistema simpático às vezes responde por meio da descarga em massa. Em alguns casos, quase todas as partes do sistema nervoso simpático são descarregadas simultaneamente como uma unidade completa, um fenômeno denominado *descarga em massa*. Isso costuma ocorrer quando o hipotálamo é ativado por medo ou dor intensa. O resultado é uma reação generalizada por todo o corpo, chamada de *alarme* ou *resposta ao estresse*, que será discutida em breve.

Em outras ocasiões, a ativação acontece em porções isoladas do sistema nervoso simpático. Exemplos importantes são os seguintes:

1. Durante o processo de regulação do calor, os simpáticos controlam a sudorese e o fluxo sanguíneo na pele, sem afetar outros órgãos inervados por esse sistema.

2. Muitos reflexos locais envolvendo fibras aferentes sensoriais viajam centralmente nos nervos periféricos para os gânglios simpáticos e a medula espinhal, ocasionando respostas reflexas altamente localizadas. Por exemplo, aquecer uma área da pele promove a vasodilatação da região e o aumento da sudorese local, enquanto o resfriamento causa efeitos opostos.

3. Muitos reflexos simpáticos que controlam as funções gastrointestinais operam por meio de vias nervosas que nem mesmo entram na medula espinhal, apenas passando do intestino principalmente para os gânglios paravertebrais e, em seguida, de volta ao intestino através dos nervos simpáticos para controlar atividade motora ou secretora.

O sistema parassimpático geralmente causa respostas localizadas específicas. As funções de controle do sistema parassimpático costumam ser altamente específicas. Por exemplo, os reflexos cardiovasculares parassimpáticos tendem a atuar no coração apenas para aumentar ou diminuir sua taxa de batimentos, com pouco efeito direto sobre sua força de contração. Da mesma maneira, outros reflexos parassimpáticos causam secreção principalmente pelas glândulas bucais; em outros casos, a secreção especialmente se dá pelas glândulas estomacais. Por fim, o reflexo de esvaziamento retal não afeta muito outras partes do intestino.

No entanto, muitas vezes há associação entre funções parassimpáticas intimamente relacionadas. Por exemplo, embora a secreção salivar possa ocorrer independentemente da secreção gástrica, ambas costumam acontecer juntas, e a secreção pancreática frequentemente ocorre ao mesmo tempo. Além disso, o reflexo de esvaziamento retal tende a iniciar um reflexo de esvaziamento da bexiga urinária, resultando no esvaziamento simultâneo da bexiga e do reto. Por outro lado, o reflexo de esvaziamento da bexiga pode ajudar a iniciar o esvaziamento retal.

RESPOSTA DE ALARME OU ESTRESSE DO SISTEMA NERVOSO SIMPÁTICO

Quando grandes porções do sistema nervoso simpático são descarregadas ao mesmo tempo – ou seja, uma *descarga em massa* –, essa ação aumenta a capacidade corporal de realizar atividades musculares vigorosas de várias maneiras, conforme resumido na lista a seguir:

1. Elevação da pressão arterial.
2. Aumento do fluxo sanguíneo para os músculos ativos simultaneamente com a diminuição do fluxo sanguíneo para órgãos como o trato gastrointestinal e os rins, que não são necessários para a atividade motora rápida.
3. Aumento das taxas de metabolismo celular em todo o corpo.
4. Aumento da concentração de glicose no sangue.
5. Aumento da glicólise no fígado e nos músculos.
6. Aumento da força muscular.
7. Aumento da atividade mental.
8. Aumento da taxa de coagulação do sangue.

A soma desses efeitos possibilita que uma pessoa realize atividades físicas muito mais extenuantes do que seria possível de outra maneira. Como o *estresse mental* ou *físico* pode excitar o sistema simpático, costuma-se dizer que o propósito do sistema simpático é fornecer ativação extra do corpo em estados de estresse, o que é chamado de *resposta simpática ao estresse*.

O sistema simpático, em especial, é fortemente ativado em muitos estados emocionais. Por exemplo, no estado de *ira*, provocado em grande parte pela estimulação do hipotálamo, os sinais são transmitidos para baixo através da formação reticular do tronco encefálico e para a medula espinhal para causar descarga simpática maciça; a maioria dos eventos simpáticos mencionados ocorre imediatamente. Trata-se da chamada *reação de alarme simpático*, também conhecida como *reação de luta ou fuga*, porque um animal nesse estado decide quase que instantaneamente se levanta e luta ou corre. Em qualquer caso, a reação de alarme simpático torna vigorosas as atividades subsequentes do animal.

CONTROLE MEDULAR, PONTINO E MESENCEFÁLICO DO SISTEMA NERVOSO AUTÔNOMO

Muitas áreas neuronais na substância reticular do tronco encefálico e ao longo do curso do trato solitário da medula, ponte e mesencéfalo, bem como em muitos núcleos especiais (ver **Figura 61.6**), controlam diferentes funções autônomas, como a pressão arterial, a frequência cardíaca, a secreção glandular no trato gastrointestinal, o peristaltismo gastrointestinal e o grau de contração da bexiga urinária. O controle de cada um deles é discutido em pontos apropriados deste texto. Alguns dos *fatores mais importantes controlados no tronco encefálico são pressão arterial, frequência cardíaca e frequência respiratória*.

De fato, a transecção do tronco encefálico acima do nível médio da ponte possibilita que o controle basal da pressão arterial continue como antes, mas impede sua modulação por centros nervosos superiores, como o hipotálamo. Por outro lado, a transecção imediatamente abaixo da medula faz com que a pressão arterial caia para menos da metade do normal.

Intimamente associados aos centros reguladores cardiovasculares no tronco encefálico estão os centros medulares e pontinos para a regulação da respiração, que são discutidos no Capítulo 42. Embora a regulação da respiração não seja considerada uma função autônoma, é uma das funções *involuntárias* do corpo.

Controle dos centros autônomos do tronco encefálico por áreas superiores. Os sinais do hipotálamo e mesmo do cérebro podem afetar as atividades de quase todos os centros de controle autônomo do tronco encefálico. Por exemplo, a estimulação em áreas apropriadas – principalmente do hipotálamo posterior – pode ativar os centros de controle cardiovascular medulares com força suficiente para aumentar a pressão arterial para mais do que o dobro do normal. Da mesma maneira, outros centros hipotalâmicos controlam a temperatura corporal, aumentam ou diminuem a salivação e a atividade gastrointestinal e causam o esvaziamento da bexiga. Até certo ponto, os centros autônomos no tronco encefálico atuam como estações de retransmissão para atividades de controle iniciadas em níveis mais elevados do cérebro, especialmente no hipotálamo.

Nos Capítulos 59 e 60, apontamos também que muitas de nossas respostas comportamentais são mediadas por: (1) hipotálamo; (2) áreas reticulares do tronco encefálico; e (3) sistema nervoso autônomo. Na verdade, algumas áreas superiores do cérebro podem alterar a função de todo o sistema nervoso autônomo ou de partes dele com força suficiente para causar doenças graves induzidas pela *disautonomia*, como úlcera péptica do estômago ou duodeno, constipação intestinal, palpitações cardíacas ou até mesmo ataque cardíaco.

Farmacologia do sistema nervoso autônomo

Substâncias que atuam nos órgãos efetores adrenérgicos | Substâncias simpaticomiméticas

A partir da discussão anterior, é óbvio que a injeção intravenosa de noradrenalina causa essencialmente os mesmos efeitos em todo o organismo que a estimulação simpática. Portanto, a noradrenalina é chamada de substância *simpaticomimética* ou *adrenérgica*. A *adrenalina* e a *metoxamina* também são substâncias simpaticomiméticas, além de muitas outras. Elas diferem no grau em que estimulam diferentes receptores nos órgãos efetores simpáticos e na duração de sua ação. A noradrenalina e a adrenalina têm ações curtas de 1 a 2 minutos, enquanto as ações de algumas outras substâncias simpaticomiméticas comumente usadas duram de 30 minutos a 2 horas.

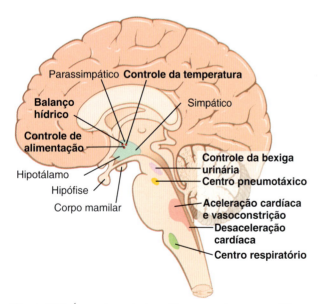

Figura 61.6 Áreas de controle autônomo no tronco encefálico e no hipotálamo.

CAPÍTULO 61 Sistema Nervoso Autônomo e Medula Adrenal

Fármacos importantes que *estimulam* receptores adrenérgicos específicos são *fenilefrina* (receptores alfa), *isoproterenol* (receptores beta) e *albuterol* (apenas receptores beta$_2$).

Substâncias que causam liberação de noradrenalina pelas terminações nervosas. Certas substâncias têm ação simpaticomimética indireta, em vez de excitar diretamente os órgãos efetores adrenérgicos. Elas incluem *efedrina*, *tiramina* e *anfetamina*. Seu efeito é liberar noradrenalina de suas vesículas de armazenamento nas terminações nervosas simpáticas. A noradrenalina liberada, por sua vez, causa os efeitos simpáticos.

Substâncias que bloqueiam a atividade adrenérgica. A atividade adrenérgica pode ser bloqueada em vários pontos do processo estimulatório, como a seguir:

1. A síntese e o armazenamento de noradrenalina nas terminações nervosas simpáticas podem ser evitados. O fármaco mais conhecido que causa esse efeito é a *reserpina*.
2. A liberação de noradrenalina das terminações simpáticas pode ser bloqueada. É possível esse efeito ser causado pela *guanetidina*.
3. Os receptores *alfa* simpáticos podem ser bloqueados. Dois fármacos que bloqueiam os receptores adrenérgicos alfa$_1$ e alfa$_2$ são a *fenoxibenzamina* e a *fentolamina*. Os bloqueadores adrenérgicos alfa$_1$ seletivos incluem *prazosina* e *terazosina*, enquanto a *ioimbina* bloqueia os receptores alfa$_2$.
4. Os receptores beta simpáticos podem ser bloqueados. Um fármaco que bloqueia os receptores beta$_1$ e beta$_2$ é o *propranolol*. Os fármacos que bloqueiam principalmente os receptores beta$_1$ são *atenolol*, *nebivolol* e *metoprolol*.
5. A atividade simpática pode ser bloqueada por fármacos que bloqueiam a transmissão dos impulsos nervosos através dos gânglios autônomos. Eles são discutidos em uma seção mais adiante, mas os fármacos que bloqueiam a transmissão simpática e parassimpática por meio dos gânglios incluem *hexametônio* e *pentolínio*.

Substâncias que atuam nos órgãos efetores colinérgicos

Substâncias parassimpaticomiméticas (colinérgicas). A acetilcolina injetada por via intravenosa, em geral, não causa exatamente os mesmos efeitos em todo o organismo que a estimulação parassimpática, porque a maior parte da acetilcolina é destruída pela colinesterase no sangue e nos líquidos corporais antes de chegar a todos os órgãos efetores. No entanto, várias outras substâncias não destruídas tão rapidamente podem produzir efeitos parassimpáticos comuns; tais substâncias são chamadas de *parassimpaticomiméticas*.

Dois fármacos parassimpaticomiméticos muito usados são a *pilocarpina* e a *metacolina*, que atuam diretamente no tipo muscarínico dos receptores colinérgicos.

Substâncias que têm efeito potencializador parassimpático | Anticolinesterásicas. Algumas substâncias não têm efeito direto nos órgãos efetores parassimpáticos, mas potencializam os efeitos da acetilcolina secretada naturalmente nas terminações parassimpáticas. São as mesmas substâncias discutidas no Capítulo 7 que potencializam o efeito da acetilcolina na junção neuromuscular. Elas incluem *neostigmina*, *piridostigmina* e *ambenônio*, os quais inibem a acetilcolinesterase, *evitando*, assim, *a destruição rápida da acetilcolina* liberada nas terminações nervosas parassimpáticas. Como consequência, a quantidade de acetilcolina aumenta com estímulos sucessivos, e o grau de ação também se eleva.

Substâncias que bloqueiam a atividade colinérgica em órgãos efetores | Antimuscarínicas. A *atropina* e substâncias semelhantes, como a *homatropina* e a *escopolamina*, *bloqueiam a ação da acetilcolina no tipo muscarínico dos órgãos efetores colinérgicos*. Essas substâncias *não* afetam a ação nicotínica da acetilcolina nos neurônios pós-ganglionares ou no músculo esquelético.

Substâncias que estimulam ou bloqueiam neurônios pós-ganglionares simpáticos e parassimpáticos

Substâncias que estimulam os neurônios pós-ganglionares autônomos. Os neurônios pré-ganglionares dos sistemas nervoso parassimpático e simpático secretam acetilcolina em suas terminações, e a acetilcolina, por sua vez, estimula os neurônios pós-ganglionares. Além disso, a acetilcolina injetada também pode estimular os neurônios pós-ganglionares de ambos os sistemas, causando, ao mesmo tempo, efeitos simpáticos e parassimpáticos em todo o corpo.

A *nicotina* é outra substância capaz de estimular os neurônios pós-ganglionares da mesma maneira que a acetilcolina, porque todas as membranas desses neurônios contêm o *tipo nicotínico do receptor de acetilcolina*. Portanto, as substâncias que causam efeitos autônomos ao estimular os neurônios pós-ganglionares são chamadas de *nicotínicas*. Algumas outras, como a *metacolina*, têm ações nicotínicas e muscarínicas, enquanto a *pilocarpina* exerce apenas ações muscarínicas.

A nicotina excita os neurônios pós-ganglionares simpáticos e parassimpáticos ao mesmo tempo, resultando em forte vasoconstrição simpática nos membros e órgãos abdominais, mas, simultaneamente, resultando em efeitos parassimpáticos, como aumento da atividade gastrointestinal.

Substâncias bloqueadoras ganglionares. As substâncias que bloqueiam a transmissão do impulso dos neurônios pré-ganglionares autônomos para os neurônios pós-ganglionares incluem *tetraetilamônio*, *hexametônio* e *pentolínio*. Esses fármacos bloqueiam a estimulação da acetilcolina dos neurônios pós-ganglionares nos sistemas simpático e parassimpático simultaneamente. Eles tendem a ser usados para bloquear a atividade simpática, mas raramente para bloquear a atividade parassimpática, porque seus efeitos do bloqueio simpático costumam ofuscar os do bloqueio parassimpático. Os fármacos bloqueadores ganglionares, em especial, podem reduzir a pressão arterial rapidamente, mas não são muito úteis do ponto de vista clínico, pois seus efeitos são difíceis de se controlar.

Bibliografia

Alba BK, Castellani JW, Charkoudian N: Cold-induced cutaneous vasoconstriction in humans: Function, dysfunction and the distinctly counterproductive. Exp Physiol 104:1202, 2019.

PARTE 11 Sistema Nervoso: C. Neurofisiologia Motora e Integrativa

Cannon WB: Organization for physiological homeostasis. Physiol Rev 9:399, 1929.

Cheshire WP Jr, Goldstein DS: The physical examination as a window into autonomic disorders. Clin Auton Res 28:23, 2018.

DiBona GF: Sympathetic nervous system and hypertension. Hypertension 61:556, 2013.

Elefteriou F: Impact of the autonomic nervous system on the skeleton. Physiol Rev 98:1083, 2018.

Esler M: Mental stress and human cardiovascular disease. Neurosci Biobehav Rev 74(Pt B):269, 2017.

Goldstein DS, Cheshire WP: Roles of catechol neurochemistry in autonomic function testing. Clin Auton Res 28:273, 2018.

Gourine AV, Ackland GL: Cardiac vagus and exercise. Physiology (Bethesda) 34:71, 2019.

Guyenet PG, Bayliss DA: Neural control of breathing and CO2 homeostasis. Neuron 87:946, 2015.

Guyenet PG, Stornetta RL, Holloway BB et al: Rostral ventrolateral medulla and hypertension. Hypertension 72:559, 2018.

Hall JE, do Carmo JM, da Silva AA et al: Obesity-induced hypertension: interaction of neurohumoral and renal mechanisms. Circ Res 116:991, 2015.

Kvetnansky R, Sabban EL, Palkovits M: Catecholaminergic systems in stress: structural and molecular genetic approaches. Physiol Rev 89:535, 2009.

Lohmeier TE, Hall JE: Device-based neuromodulation for resistant hypertension therapy. Circ Res 124:1071, 2019.

Novak P: Autonomic disorders. Am J Med 132:420, 2019.

Rao M, Gershon MD: Enteric nervous system development: what could possibly go wrong? Nat Rev Neurosci 19:552, 2018.

Reardon C, Murray K, Lomax AE: Neuroimmune communication in health and disease. Physiol Rev 98:2287, 2018.

Tank AW, Lee Wong D: Peripheral and central effects of circulating catecholamines. Compr Physiol 5:1, 2015.

Wehrwein EA, Orer HS, Barman SM: Overview of the anatomy, physiology, and pharmacology of the autonomic nervous system. Compr Physiol 6:1239, 2016.

CAPÍTULO 62

Fluxo Sanguíneo Cerebral, Liquor e Metabolismo Cerebral

PARTE 11

Até agora, discutimos a função do cérebro como se ele fosse independente de seu fluxo sanguíneo, seu metabolismo e seus líquidos. No entanto, isso está longe de ser verdade porque as anormalidades de qualquer um desses aspectos pode afetar profundamente a função cerebral. Por exemplo, a interrupção total do fluxo sanguíneo para o cérebro provoca inconsciência em 5 a 10 segundos, pois a falta de fornecimento de oxigênio (O_2) para as células cerebrais prejudica bastante o metabolismo delas. Além disso, em uma escala de tempo mais longa, as anormalidades do liquor, tanto em sua composição quanto em sua pressão hidrostática, podem ter efeitos igualmente graves na função cerebral.

FLUXO SANGUÍNEO CEREBRAL

O fluxo sanguíneo do cérebro é fornecido por quatro grandes artérias – duas carótidas e duas vertebrais – que se fundem para formar o *polígono de Willis* na base do cérebro. As artérias que se originam do polígono de Willis percorrem a superfície do cérebro e dão origem às artérias piais, que se ramificam em vasos menores chamados *artérias penetrantes* e *arteríolas* (ver **Figura 62.1**). Os vasos penetrantes são ligeiramente separados do tecido cerebral por uma extensão do espaço subaracnoide chamado *espaço de Virchow-Robin*. Os vasos penetrantes mergulham no tecido cerebral, criando as arteríolas intracerebrais, que eventualmente se ramificam em capilares onde ocorre a troca entre o sangue e os tecidos de O_2, nutrientes, dióxido de carbono (CO_2) e metabólitos.

REGULAÇÃO DO FLUXO SANGUÍNEO CEREBRAL

O fluxo sanguíneo normal através do cérebro de uma pessoa adulta é, em média, de 50 a 65 mℓ por 100 g de tecido cerebral por minuto. Para todo o cérebro, isso equivale a 750 a 900 mℓ/min. Assim, o cérebro constitui apenas cerca de 2% do peso corporal, mas recebe 15% do débito cardíaco em repouso.

Como ocorre na maioria dos outros tecidos, o fluxo sanguíneo cerebral está altamente relacionado ao metabolismo do tecido. Acredita-se que vários fatores metabólicos contribuam para a regulação do fluxo sanguíneo cerebral:

(1) concentração de CO_2; (2) concentração de íon hidrogênio (H^+); (3) concentração de O_2; e (4) substâncias liberadas pelos *astrócitos*, que são células não neuronais especializadas que parecem acoplar a atividade neuronal com a regulação do fluxo sanguíneo local (ver **Figura 62.1**).

O excesso de concentração de CO_2 ou de H^+ aumenta o fluxo sanguíneo cerebral. Uma elevação na concentração de CO_2 no sangue arterial que faz a perfusão do cérebro aumenta muito o fluxo sanguíneo cerebral. Isso é evidenciado na **Figura 62.2**, a qual mostra que um aumento de 70% na pressão parcial arterial de CO_2 (P_{CO_2}) aproximadamente duplica o fluxo sanguíneo cerebral.

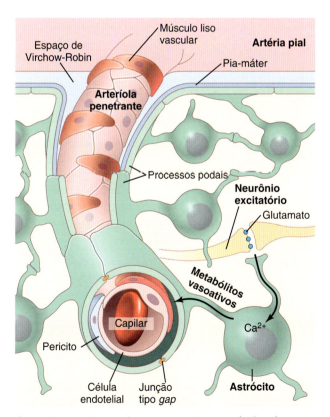

Figura 62.1 Arquitetura dos vasos sanguíneos cerebrais e do potencial mecanismo para a regulação do fluxo sanguíneo pelos astrócitos. As artérias piais ficam localizadas nas membranas limitantes gliais, e as artérias penetrantes estão circundadas por processos podais dos astrócitos. Observe que os astrócitos também têm finos processos estreitamente associados às sinapses.

PARTE 11 Sistema Nervoso: C. Neurofisiologia Motora e Integrativa

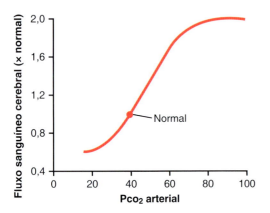

Figura 62.2 Relação entre P_{CO_2} arterial e fluxo sanguíneo cerebral.

Acredita-se que o CO_2 aumente o fluxo sanguíneo cerebral combinando-se primeiro com a água nos líquidos corporais para formar ácido carbônico, com a subsequente dissociação desse ácido para originar H^+. O H^+, então, causa vasodilatação dos vasos cerebrais, com a dilatação sendo quase diretamente proporcional ao aumento na concentração de H^+ até um limite de fluxo sanguíneo de cerca de duas vezes o normal.

Outras substâncias que aumentam a acidez do tecido cerebral e, portanto, a concentração de H^+ também elevam o fluxo sanguíneo cerebral. Elas incluem ácido láctico, o ácido pirúvico e qualquer outro material ácido formado pelo metabolismo do tecido.

Importância do controle do fluxo sanguíneo cerebral por CO_2 e H^+.
A concentração aumentada de H^+ deprime muito a atividade neuronal. Desse modo, felizmente o aumento da concentração de H^+ também eleva o fluxo sanguíneo, que, por sua vez, transporta H^+, CO_2 e outras substâncias formadoras de ácido para longe dos tecidos cerebrais. A perda de CO_2 remove o ácido carbônico dos tecidos; essa ação, junto com a remoção de outros ácidos, reduz a concentração de H^+ de volta ao normal. Assim, esse mecanismo ajuda a manter não apenas uma concentração constante de H^+ nos líquidos cerebrais, como também um nível normal e constante de atividade neuronal.

Deficiência de oxigênio como regulador do fluxo sanguíneo cerebral.
Exceto durante períodos de intensa atividade cerebral, a taxa de utilização de O_2 pelo tecido cerebral permanece dentro de limites estreitos – quase exatamente 3,5 (± 0,2) mililitros de O_2 por 100 gramas de tecido cerebral por minuto. Se o fluxo sanguíneo cerebral se tornar insuficiente para fornecer O_2 adequado, a deficiência de O_2 quase imediatamente provoca vasodilatação, retornando o fluxo sanguíneo cerebral e o transporte de O_2 para os tecidos cerebrais próximos do normal. Assim, esse mecanismo regulador do fluxo sanguíneo local é quase exatamente o mesmo no cérebro, nos vasos sanguíneos coronários, no músculo esquelético e na maioria das outras áreas circulatórias do organismo.

Experimentos mostraram que a diminuição na pressão parcial de O_2 (P_{O_2}) no *tecido* cerebral para valores abaixo de aproximadamente 30 mmHg (o valor normal é 35 a 40 mmHg) aumenta, de imediato, o fluxo sanguíneo cerebral, o que é fundamental, pois a função cerebral fica perturbada em valores mais baixos de P_{O_2}, especialmente em níveis de P_{O_2} inferiores a 20 mmHg. Até o coma pode resultar nesses níveis baixos. Assim, o mecanismo de O_2 para a regulação local do fluxo sanguíneo cerebral é uma importante resposta protetora contra a diminuição da atividade neuronal cerebral e, portanto, os distúrbios da capacidade mental.

Substâncias liberadas pelos astrócitos regulam o fluxo sanguíneo cerebral.
Cada vez mais evidências sugerem que o acoplamento próximo entre a atividade neuronal e o fluxo sanguíneo cerebral se deve, em parte, às substâncias liberadas pelos *astrócitos* (também chamadas de *células astrogliais*) que circundam os vasos sanguíneos do sistema nervoso central. Astrócitos são *células não neuronais* em forma de estrela que sustentam e protegem os neurônios, além de fornecer nutrição. Eles têm inúmeras projeções que fazem contato com os neurônios e os vasos sanguíneos circundantes, fornecendo um mecanismo potencial para a comunicação neurovascular. Astrócitos de substância cinzenta (*astrócitos protoplasmáticos*) estendem processos finos que cobrem a maioria das sinapses e grandes *processos podais* intimamente ligados à parede vascular (ver **Figura 62.1**).

Estudos experimentais demonstraram que a estimulação elétrica de neurônios glutaminérgicos excitatórios leva ao aumento da concentração de íon cálcio intracelular em processos podais de astrócitos e vasodilatação de arteríolas próximas. Estudos adicionais sugeriram que a vasodilatação é mediada por vários metabólitos vasoativos liberados dos astrócitos. Embora os mediadores precisos ainda não estejam claros, foi sugerido que óxido nítrico, metabólitos do ácido araquidônico, íons potássio, adenosina e outras substâncias geradas por astrócitos em resposta à estimulação de neurônios excitatórios adjacentes possam ser importantes na mediação da vasodilatação local.

Mensuração do fluxo sanguíneo cerebral e efeito da atividade cerebral sobre o fluxo.
Foi desenvolvido um método com o objetivo de registrar o fluxo sanguíneo em até 256 segmentos isolados do córtex cerebral humano, simultaneamente. Para esse registro, uma substância radioativa, como o xenônio (Xe) radioativo, é injetada na artéria carótida; em seguida, a radioatividade de cada segmento do córtex é registrada à medida que a substância radioativa passa pelo tecido cerebral. Para isso, 256 pequenos detectores de cintilação radioativa são pressionados contra a superfície do córtex. A rapidez de aumento e do decaimento da radioatividade em cada segmento de tecido é medida direta da taxa de fluxo sanguíneo através daquele segmento.

Por meio dessa técnica, ficou claro que o fluxo sanguíneo em cada segmento individual do cérebro muda até 100 a 150% em segundos em resposta às mudanças na atividade neuronal local. Por exemplo, o simples apertar a mão em punho aumenta imediatamente o fluxo sanguíneo do córtex motor do lado oposto do cérebro. Ler um livro eleva o fluxo sanguíneo, sobretudo nas áreas visuais do córtex occipital e nas áreas de percepção da linguagem do córtex temporal.

Esse procedimento de mensuração também pode ser usado para localizar a origem dos ataques epilépticos porque o fluxo sanguíneo cerebral local aumenta de maneira aguda e marcante no ponto focal de cada ataque.

A **Figura 62.3** ilustra o efeito da atividade neuronal local no fluxo sanguíneo cerebral, mostrando um aumento típico no fluxo sanguíneo occipital registrado no cérebro de um gato quando uma luz intensa incide em seus olhos por meio minuto.

O fluxo sanguíneo e a atividade neural em diferentes regiões do cérebro também podem ser avaliados indiretamente por *imagem de ressonância magnética funcional* (RMf). Esse método se baseia na observação de que a hemoglobina rica em oxigênio (oxi-hemoglobina) e a hemoglobina pobre em oxigênio (desoxi-hemoglobina) no sangue se comportam de maneira diferente em um campo magnético. A *desoxi-hemoglobina é* uma molécula *paramagnética* (ou seja, atraída por um campo magnético aplicado externamente), enquanto a *oxi-hemoglobina é diamagnética* (ou seja, repelida por um campo magnético). A presença de desoxi-hemoglobina em um vaso sanguíneo causa uma diferença mensurável no sinal de próton da ressonância magnética (RM) do vaso e do tecido circundante. Os sinais *dependentes do nível de oxigênio no sangue* (BOLD; do inglês, *blood oxygen level-dependent*) obtidos a partir de RMf, entretanto, dependem da quantidade total de desoxi-hemoglobina no espaço tridimensional específico (*voxel*) do tecido cerebral sendo avaliado. Isso, por sua vez, é influenciado pela taxa de fluxo sanguíneo, volume de sangue e taxa de consumo de O_2 no *voxel* específico do tecido cerebral. Por esse motivo, a RMf-BOLD fornece apenas uma estimativa indireta do fluxo sanguíneo regional, embora também possa ser usada para produzir mapas que mostram quais partes do cérebro são ativadas em determinado processo mental.

Um método alternativo de ressonância magnética denominado RM-ASL (*marcação do spin arterial*; do inglês, *arterial spin labeling*) pode ser usado para fornecer uma avaliação mais quantitativa do fluxo sanguíneo regional. A técnica ASL funciona pela manipulação do sinal de RM do sangue arterial antes de ser distribuído para diferentes áreas do cérebro. Ao subtrair duas imagens nas quais o sangue arterial é manipulado de maneira diferente, o sinal do próton estático no resto do tecido é subtraído, deixando apenas o sinal proveniente do sangue arterial administrado. As imagens ASL e BOLD podem ser usadas simultaneamente para fornecer a medida indireta do fluxo sanguíneo cerebral regional e da função neuronal.

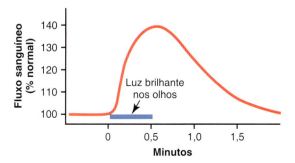

Figura 62.3 Incremento no fluxo sanguíneo para a região occipital do cérebro de um gato quando uma luz brilhante incide em seus olhos.

A autorregulação do fluxo sanguíneo cerebral protege o cérebro de mudanças na pressão arterial. Durante as atividades diárias normais, a pressão arterial pode flutuar amplamente, subindo para níveis elevados durante estados de excitação ou atividade extenuante e caindo para níveis baixos durante o sono. No entanto, o fluxo sanguíneo cerebral é autorregulado extremamente bem entre os limites de pressão arterial de cerca de 60 e 150 mmHg (ver **Figura 62.4**). Ou seja, reduções agudas na pressão arterial média para tão baixo quanto 60 mmHg ou aumentos para tão alto quanto 150 mmHg não causam grandes mudanças no fluxo sanguíneo cerebral em pessoas com autorregulação normal.

Em pessoas com *hipertensão arterial crônica*, ocorre remodelação hipertrófica dos vasos sanguíneos cerebrais, bem como dos vasos sanguíneos de outros órgãos (discutido no Capítulo 17), além de desvio da curva autorregulatória para pressões sanguíneas mais altas. Essa redefinição da autorregulação do fluxo sanguíneo cerebral protege, em parte, o cérebro dos efeitos prejudiciais da pressão alta, mas também o torna vulnerável a isquemia grave se a pressão arterial for reduzida muito rapidamente abaixo da faixa de autorregulação. Se a pressão arterial cair abaixo dos limites da autorregulação, o fluxo sanguíneo cerebral diminui gravemente.

O comprometimento da autorregulação torna o fluxo sanguíneo cerebral muito mais dependente da pressão arterial. Por exemplo, na *pré-eclâmpsia* (um distúrbio da gravidez associado a disfunção vascular e hipertensão), a autorregulação do fluxo sanguíneo cerebral pode ser prejudicada, levando a aumentos dependentes da pressão no fluxo sanguíneo cerebral, interrupção do endotélio vascular, edema e, em alguns casos, convulsões. Na senilidade, com a presença de aterosclerose e de vários distúrbios cerebrais, é possível que a autorregulação do fluxo sanguíneo cerebral também esteja prejudicada, aumentando o risco de lesão cerebral dependente da pressão arterial.

Papel do sistema nervoso simpático no controle do fluxo sanguíneo cerebral. O sistema circulatório cerebral tem uma forte inervação simpática que passa

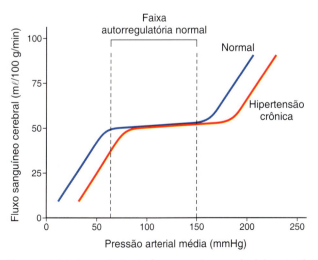

Figura 62.4 Autorregulação do fluxo sanguíneo cerebral durante alterações agudas na pressão arterial média em indivíduos normotensos (*curva azul*) e com hipertensão crônica (*curva vermelha*). As *linhas tracejadas verticais* indicam a faixa autorregulatória de aproximação do normal.

PARTE 11 Sistema Nervoso: C. Neurofisiologia Motora e Integrativa

ascendentemente dos gânglios simpáticos cervicais superiores no pescoço e depois para o cérebro junto com as artérias cerebrais. Essa inervação supre as grandes artérias do cérebro e aquelas que penetram na substância do cérebro. No entanto, a transecção dos nervos simpáticos ou a estimulação leve a moderada deles geralmente causa pouca mudança no fluxo sanguíneo cerebral, porque o mecanismo de autorregulação do fluxo sanguíneo pode anular os efeitos nervosos.

Quando a pressão arterial média sobe agudamente a um nível muitíssimo alto, como durante exercícios extenuantes ou outros estados de atividade circulatória excessiva, o sistema nervoso simpático tende a contrair as artérias grandes e intermediárias do cérebro o suficiente para evitar que a alta pressão alcance os menores vasos sanguíneos do cérebro. Esse mecanismo é importante na prevenção de hemorragias vasculares no cérebro, ou seja, para evitar acidente vascular encefálico (AVE).

MICROCIRCULAÇÃO CEREBRAL

Como acontece com quase todos os outros tecidos do corpo, o número de capilares sanguíneos no cérebro é maior onde as necessidades metabólicas são maiores. A taxa metabólica geral da substância cinzenta do cérebro, onde se encontram os corpos celulares neuronais, é cerca de quatro vezes maior que a da substância branca; de maneira correspondente, o número de capilares e a taxa de fluxo sanguíneo também são cerca de quatro vezes maiores na massa cinzenta.

Uma característica estrutural importante dos capilares cerebrais é que a maioria deles apresenta bem menos "vazamentos" do que os capilares sanguíneos em quase qualquer outro tecido do corpo. Uma razão para esse fenômeno é que os capilares são sustentados em todos os lados por "pés gliais", que são pequenas projeções das células gliais circundantes (p. ex., células astrogliais) que encostam em todas as superfícies dos capilares e fornecem suporte físico para evitar a dilatação excessiva dos capilares em caso de pressão arterial capilar elevada.

As paredes das pequenas arteríolas que conduzem aos capilares cerebrais se tornam muito espessas em pessoas nas quais ocorre hipertensão, e essas arteríolas permanecem significativamente contraídas o tempo todo para evitar a transmissão da alta pressão aos capilares. Veremos mais adiante neste capítulo que, sempre que esses sistemas de proteção contra a transudação de líquido para o cérebro se rompem, ocorre grave edema cerebral, capaz de levar rapidamente ao coma e à morte.

O acidente vascular encefálico ocorre quando os vasos sanguíneos cerebrais são obstruídos ou rompidos

Quase todos os idosos apresentam obstrução de algumas pequenas artérias no cérebro, e até 10% terão bloqueio suficiente para causar distúrbios graves da função cerebral, uma condição chamada de acidente vascular encefálico (AVE).

Muitos derrames são causados por placas arterioscleróticas que ocorrem em uma ou mais artérias que alimentam o cérebro. Essas placas podem ativar o mecanismo de coagulação do sangue, fazendo com que surja um coágulo sanguíneo que bloqueia o fluxo sanguíneo na artéria, levando à perda aguda da função cerebral em uma área localizada.

Em aproximadamente 25% das pessoas nas quais ocorre desenvolvimento de AVE, a pressão alta faz um dos vasos sanguíneos romper-se; ocorre então a hemorragia, comprimindo o tecido cerebral local e comprometendo ainda mais as suas funções. Os efeitos neurológicos de um derrame são determinados pela área do cérebro afetada. Um dos tipos mais comuns de AVE é o bloqueio da *artéria cerebral média*, que supre a porção média de um hemisfério cerebral. Por exemplo, se a artéria cerebral média estiver bloqueada no lado esquerdo do cérebro, a pessoa provavelmente perderá a função na área de compreensão da fala de Wernicke, no hemisfério cerebral esquerdo, e também será incapaz de falar palavras devido à perda da área motora de Broca para formação de palavras. Além disso, a perda da função das áreas de controle motor neural do hemisfério esquerdo pode gerar paralisia espástica da maioria dos músculos do lado oposto do corpo.

De maneira semelhante, o bloqueio de uma *artéria cerebral posterior* causará infarto do polo occipital do hemisfério no mesmo lado do bloqueio, o que leva à perda de visão em ambos os olhos na metade da retina no mesmo lado da lesão ocasionada pelo derrame. Especialmente devastadores são os acidentes vasculares que envolvem o suprimento de sangue ao mesencéfalo, porque esse efeito pode bloquear a condução nervosa nas principais vias entre o cérebro e a medula espinhal, causando *disfunções sensoriais e motoras*.

Como foi discutido no Capítulo 60, pequenos infartos ou micro-hemorragias em pequenos vasos sanguíneos podem causar *acidentes vasculares silenciosos*, sem nenhum sintoma imediatamente aparente, a não ser o declínio cognitivo sutil. Entretanto, é possível que essas pequenas áreas onde ocorreu o infarto sejam detectadas por meio de imagens de ressonância magnética (RM) ou tomografia computadorizada (TC). Estima-se que aproximadamente 25% das pessoas com mais de 80 anos de idade tiveram um ou mais infartos cerebrais silenciosos.

LIQUOR (LÍQUIDO CEFALORRAQUIDIANO)

Toda a cavidade cerebral que envolve o cérebro e a medula espinhal tem capacidade de cerca de 1.600 a 1.700 mililitros. Aproximadamente 150 mℓ dessa capacidade são ocupados pelo *líquido cefalorraquidiano* (*liquor*), e o restante, pelo cérebro e pela medula. Esse líquido, como mostrado na **Figura 62.5**, está presente nos *ventrículos do cérebro*, nas *cisternas ao redor do cérebro* e no *espaço subaracnoide ao redor do cérebro e da medula espinhal*. Todas essas câmaras estão conectadas umas às outras, e a pressão do líquido é mantida em um nível surpreendentemente constante.

FUNÇÃO DE AMORTECIMENTO DO LIQUOR

Uma das principais funções do liquor é proteger o cérebro dentro de sua calota sólida. O cérebro e o liquor têm aproximadamente a mesma gravidade específica (com apenas

CAPÍTULO 62 Fluxo Sanguíneo Cerebral, Liquor e Metabolismo Cerebral

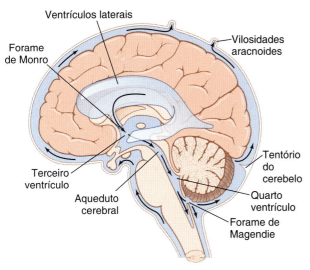

Figura 62.5 As *setas* mostram o trajeto do fluxo do liquor desde o plexo corioide, nos ventrículos laterais até as vilosidades subaracnoides que se projetam para os seios durais.

cerca de 4% de diferença), de modo que o cérebro simplesmente flutua no líquido. Assim, um golpe na cabeça, se não for muito intenso, move todo o cérebro com o crânio, de maneira simultânea, fazendo com que nenhuma parte do cérebro seja contorcida no momento do golpe.

Lesão por contragolpe. Quando um golpe na cabeça é extremamente grave, pode não causar danos ao cérebro do lado da cabeça onde o golpe foi desferido, mas danificar o lado oposto. Esse fenômeno é conhecido como contragolpe e se justifica pela seguinte razão: quando o golpe é desferido, conforme o crânio se move, o líquido do lado atingido é tão incompressível que empurra o cérebro ao mesmo tempo em uníssono com o crânio. No lado oposto à área atingida, o movimento repentino de todo o crânio faz com que este se afaste do cérebro momentaneamente por causa da inércia do cérebro, criando por uma fração de segundo um espaço de vácuo na calota craniana na área oposta para o golpe. Então, quando o crânio não está mais sendo acelerado pelo golpe, o vácuo repentinamente entra em colapso, e o cérebro atinge a superfície interna do crânio.

Os polos e as superfícies inferiores dos lobos frontal e temporal, onde o cérebro entra em contato com protuberâncias ósseas na base do crânio, costumam ser os locais de lesões e *contusões* (hematomas) após um golpe grave na cabeça, como o que um boxeador recebe. Se a contusão ocorrer no mesmo lado da lesão por impacto, trata-se de uma *lesão por golpe*; se no lado oposto, a contusão é uma *lesão por contragolpe*.

É possível que as lesões por golpe e contragolpe também sejam causadas por uma rápida aceleração ou desaceleração apenas na ausência de impacto físico devido a um golpe na cabeça. Nesses casos, o cérebro pode ricochetear na parede do crânio, ocasionando uma lesão por golpe, e depois também ricochetear no lado oposto, causando uma contusão por contragolpe. Acredita-se que tais lesões ocorram, por exemplo, na síndrome do bebê sacudido ou, às vezes, em acidentes veiculares.

FORMAÇÃO, FLUXO E ABSORÇÃO DO LIQUOR

O liquor é formado a uma taxa de cerca de 500 mililitros por dia, o que é três a quatro vezes o volume total de líquido em todo o sistema do liquor. Aproximadamente dois terços ou mais desse líquido se originam como *secreção dos plexos corioides* nos quatro ventrículos, *principalmente nos dois ventrículos laterais*. Pequenas quantidades adicionais de líquido são secretadas pelas células ependimárias na superfície de todos os ventrículos e pelas membranas aracnoides. Pouca quantidade vem do cérebro através dos espaços perivasculares que circundam os vasos sanguíneos que passam pelo cérebro.

As setas na **Figura 62.5** mostram que os principais canais de líquido fluem dos *plexos corioides* e, em seguida, através do sistema do liquor. O líquido secretado nos *ventrículos laterais* passa primeiro para o *terceiro ventrículo*; então, após a adição de pequenas quantidades de líquido do terceiro ventrículo, ele flui para baixo ao longo do *aqueduto cerebral* para o *quarto ventrículo*, onde ainda outra pequena quantidade de líquido é adicionada. Por fim, o líquido sai do quarto ventrículo através de três pequenas aberturas, *dois forames laterais* e um *forame medial*, entrando na *cisterna magna*, um espaço líquido que fica atrás da medula e abaixo do cerebelo.

A cisterna magna é contínua com o *espaço subaracnoide* que envolve todo o cérebro e a medula espinhal. Quase todo o liquor então flui para cima da cisterna magna através dos espaços subaracnoides ao redor do cérebro. A partir desse ponto, o líquido flui para dentro e por várias *vilosidades aracnoides* que se projetam no grande seio venoso sagital e em outros seios venosos do cérebro. Assim, qualquer líquido extra é despejado no sangue venoso pelos poros dessas vilosidades.

Secreção pelo plexo corioide. O *plexo corioide*, cuja seção é mostrada na **Figura 62.6**, é uma proliferação de vasos sanguíneos semelhante a uma couve-flor, cobertos por uma fina camada de células epiteliais. Esse plexo se projeta no corno temporal de cada ventrículo lateral, na porção posterior do terceiro ventrículo e no teto do quarto ventrículo.

A secreção de líquido para os ventrículos pelo plexo corioide depende principalmente do transporte ativo de íons sódio através das células epiteliais que revestem a parte externa do plexo. As cargas positivas dos íons sódio, por sua vez, puxam grandes quantidades de íons cloreto carregados negativamente. Os dois íons aumentam a quantidade de cloreto de sódio osmoticamente ativo no liquor, o que causa osmose quase imediata da água através da membrana, fornecendo, assim, o líquido da secreção.

Processos de transporte menos importantes movem pequenas quantidades de glicose para o liquor e os íons potássio e bicarbonato do liquor para os capilares. Portanto, as características resultantes do liquor passam a ser as seguintes: pressão osmótica, aproximadamente igual à do plasma; concentração de íon sódio, também quase

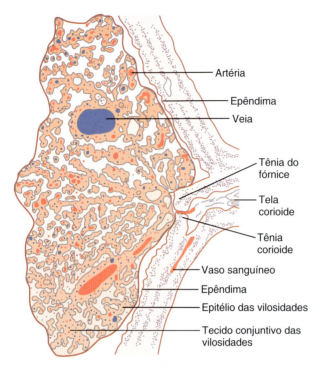

Figura 62.6 Plexo corioide no ventrículo lateral.

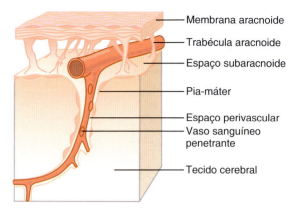

Figura 62.7 Drenagem de um espaço perivascular para o espaço subaracnoide. (*Modificada de Ranson SW, Clark SL: Anatomy of the Nervous System. Philadelphia: WB Saunders, 1959.*)

igual à do plasma; íon cloreto, cerca de 15% mais concentrado do que no plasma; íon potássio, em torno de 40% menos; e glicose, cerca de 30% a menos.

Absorção do liquor através das vilosidades aracnoides. As *vilosidades aracnoides* são projeções microscópicas semelhantes a dedos para dentro da membrana aracnoide através das paredes e para dentro dos seios venosos. Conglomerados dessas vilosidades formam estruturas macroscópicas chamadas *granulações aracnoides*, que podem ser vistas projetando-se para os seios da face. As células endoteliais que cobrem as vilosidades mostraram, por microscopia eletrônica, ter passagens vesiculares diretamente através dos corpos das células, grandes o suficiente para possibilitar o fluxo relativamente livre de (1) liquor, (2) moléculas de proteína dissolvidas e (3) até mesmo de partículas tão grandes quanto eritrócitos e leucócitos no sangue venoso.

Espaços perivasculares e liquor. As grandes artérias e veias do cérebro ficam na superfície do cérebro, mas suas extremidades penetram a parte interna, carregando com elas uma camada de *pia-máter*, a membrana que recobre o cérebro, como mostrado na **Figura 62.7**. A pia é apenas fracamente aderida aos vasos, existindo, portanto, um espaço – o *espaço perivascular* – entre ela e cada vaso. Desse modo, os espaços perivasculares seguem tanto as artérias quanto as veias para o cérebro até onde vão as arteríolas e vênulas.

Função linfática dos espaços perivasculares. Como acontece em outras partes do corpo, uma pequena quantidade de proteína vaza dos capilares cerebrais para os espaços intersticiais do cérebro. Esta, por sua vez, deixa o tecido fluindo com líquido através dos espaços perivasculares para os espaços subaracnoides. Ao chegar aos espaços subaracnoides, a proteína flui com o liquor para ser absorvida pelas *vilosidades aracnoides* nas grandes veias cerebrais. Portanto, os espaços perivasculares, na verdade, fornecem um sistema linfático especializado para o cérebro.

Além de transportar líquidos e proteínas, os espaços perivasculares transportam partículas estranhas para fora do cérebro. Por exemplo, sempre que ocorre infecção no cérebro, leucócitos mortos e outros resíduos infecciosos são transportados pelos espaços perivasculares.

Os cientistas há muito acreditam que faltam vasos linfáticos verdadeiros no cérebro para drenar os espaços intersticiais de excesso de líquido, proteína e outras macromoléculas. Alguns estudos, no entanto, relataram que existem vasos linfáticos meníngeos na base do crânio, pelo menos em roedores. Ainda não se sabe se esses vasos linfáticos estão presentes em seres humanos.

Pressão do liquor

A pressão normal no sistema do liquor *quando alguém está deitado em uma posição supina* é, em média, 130 mm de água (10 mmHg), embora essa pressão possa ser tão baixa quanto 65 mm de água ou tão alta quanto 195 mm de água, mesmo em uma pessoa normal e saudável.

Regulação da pressão do liquor pelas vilosidades aracnoides. A taxa normal de formação do liquor permanece quase constante; portanto, as alterações na formação do líquido raramente são um fator no controle da pressão. As vilosidades aracnoides funcionam como válvulas possibilitando que o liquor e o seu conteúdo fluam prontamente para o sangue dos seios venosos, enquanto não deixam o sangue fluir para trás na direção oposta. Normalmente, essa ação da válvula das vilosidades permite que, quando a pressão do liquor fica aproximadamente 1,5 mmHg acima da pressão sanguínea nos seios venosos, ele comece a fluir para o sangue. Então, se a pressão do liquor aumenta ainda mais, as válvulas se abrem mais amplamente. Em condições normais, a pressão do liquor quase nunca sobe mais do que alguns milímetros de mercúrio acima da pressão nos seios venosos cerebrais.

CAPÍTULO 62 Fluxo Sanguíneo Cerebral, Liquor e Metabolismo Cerebral

Em estados patológicos, as vilosidades às vezes ficam bloqueadas por grandes partículas, por fibrose ou por células sanguíneas que vazaram para o liquor em doenças cerebrais. Esse bloqueio pode causar alta pressão do liquor, como descrito a seguir.

Alta pressão do liquor em condições patológicas do cérebro.
Com frequência, um grande *tumor cerebral* eleva a pressão do liquor ao diminuir sua reabsorção de volta ao sangue. Como resultado, a pressão do liquor pode aumentar até 500 mm de água (37 mmHg) ou cerca de quatro vezes o normal.

A pressão do liquor também aumenta consideravelmente quando ocorre *hemorragia* ou *infecção* na calota craniana. Em ambas as condições, um grande número de eritrócitos e/ou leucócitos aparece de maneira repentina no liquor, podendo causar bloqueio sério dos pequenos canais de absorção através das vilosidades aracnoides. Isso, às vezes, também eleva a pressão do liquor para 400 a 600 mm de água (cerca de quatro vezes o normal).

Alguns bebês nascem com alta pressão do liquor, que, em geral, é causada por resistência anormalmente alta à reabsorção de líquido através das vilosidades aracnoides, resultante de pouquíssimas vilosidades aracnoides ou de vilosidades com propriedades de absorção anormais. Esse assunto será abordado mais adiante, em conexão com a *hidrocefalia*.

Mensuração da pressão do liquor.
O procedimento usual para medir a pressão do liquor é simples. Primeiro, a pessoa é deitada exatamente na horizontal, de lado, para que a pressão do líquido no canal espinhal seja igual à pressão na calota craniana. Uma agulha espinhal é então inserida no canal espinhal lombar abaixo da extremidade inferior da medula, e a agulha é conectada a um tubo de vidro vertical aberto para o ar em sua parte superior. O líquido espinhal pode subir no tubo o mais alto que conseguir. Se subir a um nível 136 mm acima do nível da agulha, diz-se que a pressão é de 136 mm de pressão da água – ou, dividindo esse número por 13,6 (que é a gravidade específica do mercúrio), cerca de 10 mmHg de pressão.

A obstrução ao fluxo do liquor pode causar hidrocefalia.
Hidrocefalia significa excesso de água na calota craniana. Essa condição é frequentemente dividida em *hidrocefalia comunicante* e *hidrocefalia não comunicante*. Na hidrocefalia comunicante, o líquido flui prontamente do sistema ventricular para o espaço subaracnoide, enquanto, na hidrocefalia não comunicante, o fluxo de líquido de um ou mais dos ventrículos é bloqueado.

O tipo *não comunicante* de hidrocefalia costuma ser causado por um *bloqueio no aqueduto cerebral (de Sylvius)*, resultante de *atresia* (fechamento) antes do nascimento em muitos bebês ou por bloqueio por um tumor cerebral em qualquer idade. Uma vez que o líquido é formado pelos plexos corioides nos dois ventrículos laterais e no terceiro ventrículo, os volumes desses três ventrículos aumentam muito, o que achata o cérebro em uma fina concha contra o crânio. Em neonatos, o aumento da pressão também faz com que toda a cabeça inche porque os ossos do crânio ainda não se fundiram.

O tipo *comunicante* de hidrocefalia geralmente é causado pelo bloqueio do fluxo de líquido nos espaços subaracnoides ao redor das regiões basais do cérebro ou pelo bloqueio das vilosidades aracnoides, onde o líquido tende a ser absorvido pelos seios venosos. O líquido, portanto, acumula-se na parte externa do cérebro e, em menor extensão, no interior dos ventrículos. Isso também fará com que a cabeça inche de maneira acentuada se ocorrer na infância, quando o crânio ainda é flexível e pode ser alongado, sendo possível que cause danos ao cérebro em qualquer idade. Uma terapia para muitos tipos de hidrocefalia é a colocação cirúrgica de um tubo de silicone de um dos ventrículos do cérebro até a cavidade peritoneal, onde o excesso de líquido pode ser absorvido pelo sangue.

Barreiras sangue-liquor e sangue-cérebro

Já foi assinalado que as concentrações de vários constituintes importantes do liquor não são iguais às do líquido extracelular em outras partes do corpo. Além disso, é difícil muitas moléculas grandes passarem do sangue para o liquor ou para os líquidos intersticiais do cérebro, embora essas mesmas substâncias passem prontamente para os líquidos intersticiais usuais do corpo. Portanto, é dito que barreiras, chamadas de *barreira hematoliquórica* e *barreira hematencefálica*, existem entre o sangue e os líquidos cefalorraquidiano e cerebral, respectivamente.

Essas barreiras existem tanto no plexo corioide quanto nas membranas capilares do tecido em quase todas as áreas do parênquima cerebral, *exceto em algumas áreas do hipotálamo, glândula pineal* e *área postrema*, onde as substâncias se difundem mais facilmente nos espaços do tecido. A facilidade de difusão nessas regiões é importante porque elas possuem receptores sensoriais que respondem a mudanças específicas nos líquidos corporais, como mudanças na osmolaridade e na concentração de glicose, além de receptores para hormônios peptídicos que regulam a sede, como a angiotensina II. A barreira hematencefálica também contém moléculas transportadoras específicas que facilitam o transporte de hormônios, como a leptina, do sangue para o hipotálamo, onde se ligam a receptores específicos que controlam outras funções, como o apetite e a atividade do sistema nervoso simpático.

Em geral, as barreiras hematoliquórica e hematencefálica são: altamente permeáveis à água, ao CO_2, ao O_2 e à maioria das substâncias lipossolúveis, como álcool e anestésicos; ligeiramente permeáveis a eletrólitos, como sódio, cloreto e potássio; e quase totalmente impermeáveis às proteínas plasmáticas e à maioria das grandes moléculas orgânicas não lipossolúveis. Portanto, as barreiras hematoliquórica e hematencefálica tornam, muitas vezes, impossível alcançar concentrações eficazes de agentes terapêuticos (como anticorpos proteicos e fármacos não lipossolúveis) no liquor ou no parênquima cerebral.

A causa da baixa permeabilidade das barreiras hematoliquórica e hematencefálica é a maneira pela qual as células endoteliais dos capilares do tecido cerebral se unem umas às outras. Elas são ligadas pelas chamadas *junções oclusivas*. Ou seja, as membranas das células endoteliais adjacentes são fortemente fundidas, em vez de apresentarem poros grandes em fenda entre elas, como é o caso da maioria dos outros capilares do corpo.

PARTE 11 Sistema Nervoso: C. Neurofisiologia Motora e Integrativa

Edema cerebral

Uma das complicações mais sérias da dinâmica anormal do líquido cerebral é o desenvolvimento de *edema cerebral*. Em razão de o cérebro estar envolto em uma calota craniana sólida, o acúmulo de líquido de edema extra comprime os vasos sanguíneos, muitas vezes diminuindo significativamente o fluxo sanguíneo e destruindo o tecido cerebral.

A causa comum de edema cerebral é o aumento da pressão capilar ou dano à parede capilar que a faz vazar líquido. Um motivo frequente é um golpe sério na cabeça, levando à *concussão cerebral*, na qual os tecidos cerebrais e capilares são traumatizados e o líquido capilar vaza para os tecidos traumatizados.

Uma vez que o edema cerebral começa, ele geralmente inicia dois ciclos viciosos em razão dos seguintes mecanismos de retroalimentação positiva:

1. O edema comprime a vasculatura, que, por sua vez, diminui o fluxo sanguíneo e ocasiona isquemia cerebral. A isquemia causa dilatação arteriolar com aumento ainda maior da pressão capilar. O aumento da pressão capilar causa então mais edema líquido, de modo que este piora progressivamente.
2. A diminuição do fluxo sanguíneo cerebral também reduz a distribuição de O_2, o que aumenta a permeabilidade dos capilares, possibilitando ainda mais vazamento de líquido. O fluxo sanguíneo reduzido também diminui a entrega de substratos necessários à produção de trifosfato de adenosina (ATP) adequado, que, por sua vez, é essencial para as bombas de sódio das células do tecido neuronal, tornando possível, assim, que essas células aumentem de volume.

Uma vez que esses ciclos viciosos tenham começado, é preciso fazer uso de medidas heroicas para evitar a destruição total do cérebro. Uma dessas medidas é infundir, por via intravenosa, uma substância osmótica concentrada, como uma solução concentrada de manitol, que puxa o líquido do tecido cerebral por osmose e rompe os ciclos viciosos. Outro procedimento é remover rapidamente o líquido dos ventrículos laterais do cérebro por meio de punção ventricular com agulha, aliviando, assim, a pressão intracerebral.

METABOLISMO CEREBRAL

Como ocorre com outros tecidos, o cérebro requer O_2 e nutrientes alimentares para suprir suas necessidades metabólicas. No entanto, o metabolismo do cérebro apresenta atributos especiais que precisam ser mencionados.

Taxa metabólica total do cérebro e taxa metabólica dos neurônios. Em condições de repouso, mas acordado, o metabolismo cerebral é responsável por cerca de 15% do metabolismo total do corpo, ainda que a massa cerebral seja apenas 2% da massa corporal total. Portanto, em condições de repouso, o metabolismo cerebral por unidade de massa de tecido é cerca de 7,5 vezes o metabolismo médio em tecidos que não fazem parte do sistema nervoso.

A maior parte desse metabolismo cerebral ocorre nos neurônios, não nos tecidos de suporte da glia. A principal necessidade do metabolismo nos neurônios é bombear íons através de suas membranas, principalmente para transportar íons sódio e íons cálcio para o exterior da membrana neuronal, além de íons potássio para o interior. Cada vez que um neurônio conduz um potencial de ação, esses íons se movem através das membranas, aumentando a necessidade de transporte adicional da membrana para restaurar as diferenças de concentração iônica adequadas nas membranas dos neurônios. Portanto, durante altos níveis de atividade cerebral, o metabolismo neuronal pode aumentar até 100 a 150%.

Necessidade especial do cérebro por oxigênio | Falta de metabolismo anaeróbico significativo. A maioria dos tecidos do organismo pode viver sem O_2 por vários minutos e alguns por até 30 minutos. Durante esse tempo, as células teciduais obtêm sua energia a partir de processos de metabolismo anaeróbico, o que significa uma liberação de energia por meio da quebra parcial da glicose e do glicogênio, mas sem combiná-los com o O_2. Esse processo fornece energia, mas à custa do consumo de enormes quantidades de glicose e glicogênio. No entanto, mantém os tecidos vivos.

O metabolismo anaeróbico após redução repentina na distribuição de O_2 não é muito eficaz para o cérebro. Uma das razões para isso é a alta taxa metabólica dos neurônios, de modo que a maior parte da atividade neuronal depende da liberação de O_2 do sangue. Somando-se esses fatores, pode-se entender por que a interrupção repentina do fluxo sanguíneo para o cérebro ou a falta total repentina de O_2 no sangue é capaz de causar inconsciência em 5 a 10 segundos.

Em condições normais, a maior parte da energia cerebral é fornecida pela glicose. Normalmente, quase toda a energia usada pelas células cerebrais é fornecida pela glicose derivada do sangue. Como acontece com o O_2, a maior parte dessa glicose é derivada minuto a minuto, segundo a segundo, do sangue capilar, com um total de glicose que tende a ser armazenada como glicogênio nos neurônios para suprir as demandas funcionais por apenas cerca de 2 minutos.

Uma característica especial da entrega de glicose aos neurônios é que seu transporte através da membrana celular dessas células especializadas não depende da insulina, embora esta seja necessária para levar a glicose à maioria das outras células do corpo. Portanto, em pacientes com diabetes grave, com secreção praticamente nula de insulina, a glicose ainda se difunde prontamente para os neurônios, o que é bastante adequado na prevenção da perda da função mental em pessoas com diabetes. No entanto, quando um paciente diabético é tratado em excesso com insulina, a concentração de glicose no sangue pode cair para um nível muitíssimo baixo, uma vez que o excesso de insulina faz com que quase toda a glicose no sangue seja logo transportada para o grande número de células não neuronais sensíveis à insulina em todo o corpo, sobretudo em células musculares e hepáticas. Quando isso acontece, não sobra glicose suficiente no sangue para suprir os

CAPÍTULO 62 Fluxo Sanguíneo Cerebral, Liquor e Metabolismo Cerebral

neurônios de maneira adequada, e a função mental torna-se seriamente perturbada, levando às vezes ao coma e ainda com mais frequência a desequilíbrios mentais e distúrbios psicóticos – todos causados por tratamento excessivo com insulina.

Bibliografia

Ben Haim L, Rowitch DH: Functional diversity of astrocytes in neural circuit regulation. Nat Rev Neurosci 18:31, 2017.

Butterfield DA, Halliwell B: Oxidative stress, dysfunctional glucose metabolism and Alzheimer disease. Nat Rev Neurosci 20:148, 2019.

Chesler M: Regulation and modulation of pH in the brain. Physiol Rev 83:1183, 2003.

Coucha M, Abdelsaid M, Ward R, et al: Impact of metabolic diseases on cerebral circulation: Structural and functional consequences. Compr Physiol 8:773, 2018.

Damkier HH, Brown PD, Praetorius J: Cerebrospinal fluid secretion by the choroid plexus. Physiol Rev 93:1847, 2013.

Harder DR, Rarick KR, Gebremedhin D, Cohen SS: Regulation of cerebral blood flow: response to cytochrome P450 lipid metabolites. Compr Physiol 8:801, 2018.

Iadecola C: The neurovascular unit coming of age: a journey through neurovascular coupling in health and disease. Neuron 96:17, 2017.

Iadecola C, Duering M, Hachinski V et al: Vascular cognitive impairment and dementia: JACC Scientific Expert Panel. J Am Coll Cardiol 73:3326, 2019.

Kisler K, Nelson AR, Montagne A, Zlokovic BV: Cerebral blood flow regulation and neurovascular dysfunction in Alzheimer disease. Nat Rev Neurosci 18:419, 2017.

Lun MP, Monuki ES, Lehtinen MK: Development and functions of the choroid plexus-cerebrospinal fluid system. Nat Rev Neurosci 16:445, 2015

Mattson MP, Moehl K, Ghena N, et al: Intermittent metabolic switching, neuroplasticity and brain health. Nat Rev Neurosci 19:63, 2018.

Mestre H, Kostrikov S, Mehta RI, Nedergaard M: Perivascular spaces, glymphatic dysfunction, and small vessel disease. Clin Sci (Lond) 131:2257, 2017.

Sweeney MD, Kisler K, Montagne A et al: The role of brain vasculature in neurodegenerative disorders. Nat Neurosci 21:1318, 2018.

Sweeney MD, Zhao Z, Montagne A, et al: Blood-brain barrier: from physiology to disease and back. Physiol Rev 99:21, 2019.

Tymko MM, Ainslie PN, Smith KJ: Evaluating the methods used for measuring cerebral blood flow at rest and during exercise in humans. Eur J Appl Physiol 118:1527, 2018.

Verkhratsky A, Nedergaard M: Physiology of astroglia. Physiol Rev 98:239, 2018.

Wardlaw JM, Smith C, Dichgans M: Small vessel disease: mechanisms and clinical implications. Lancet Neurol 18:684, 2019.

12 PARTE

Fisiologia Digestiva

RESUMO DA PARTE

63 Princípios Gerais da Função Digestiva: Motilidade, Controle Nervoso e Circulação Sanguínea, *784*

64 Propulsão e Mistura dos Alimentos no Trato Digestivo, *795*

65 Funções Secretoras do Trato Digestivo, *805*

66 Digestão e Absorção no Trato Digestivo, *821*

67 Fisiologia dos Distúrbios do Trato Digestivo, *832*

CAPÍTULO 63

Princípios Gerais da Função Digestiva: Motilidade, Controle Nervoso e Circulação Sanguínea

PARTE 12

O trato digestivo fornece ao corpo um suprimento contínuo de água, eletrólitos, vitaminas e nutrientes, o que requer o seguinte: (1) movimento dos alimentos pelo trato digestivo; (2) secreção de sucos digestivos e digestão dos alimentos; (3) absorção de água, vários eletrólitos, vitaminas e produtos digestivos; (4) circulação de sangue pelos órgãos gastrointestinais para levar embora as substâncias absorvidas; e (5) controle de todas essas funções pelos sistemas local, nervoso e hormonal.

A **Figura 63.1** mostra todo o trato digestivo. Cada parte é adaptada para suas funções específicas – algumas partes para a passagem simples de alimentos, como o esôfago; outras para o armazenamento temporário deles, como o estômago; e outras para a digestão e a absorção, como o intestino delgado. Neste capítulo, discutimos os princípios básicos da função em todo o trato digestivo, e, nos capítulos subsequentes, as funções específicas de diferentes segmentos do trato serão abordadas.

PRINCÍPIOS GERAIS DE MOTILIDADE DIGESTIVA

Anatomia fisiológica da parede gastrointestinal

A **Figura 63.2** mostra uma seção transversa típica da parede intestinal, incluindo as seguintes camadas, da superfície externa para a interna: (1) a *serosa*, (2) uma *camada de músculo liso longitudinal*, (3) uma *camada de músculo liso circular*, (4) a *submucosa* e (5) a *mucosa*. Além disso, feixes esparsos de fibras musculares lisas, a *camada muscular da mucosa*, encontram-se nas camadas mais profundas dela. As funções motoras do intestino são realizadas pelas diferentes camadas do músculo liso.

As características gerais do músculo liso e sua função são discutidas no Capítulo 8, que deve ser revisado como base para as próximas seções deste capítulo.

Figura 63.1 Trato digestivo.

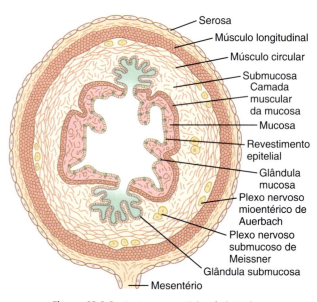

Figura 63.2 Seção transversa típica do intestino.

O músculo liso gastrointestinal funciona como um sincício. As fibras musculares lisas individuais no trato digestivo têm de 200 a 500 micrômetros de comprimento e de 2 a 10 micrômetros de diâmetro, e estão dispostas em feixes de até 1.000 fibras paralelas. Na *camada muscular longitudinal*, os feixes estendem-se longitudinalmente ao longo do trato intestinal; na camada muscular circular, estendem-se ao redor do intestino.

Dentro de cada feixe, as fibras musculares estão eletricamente conectadas umas às outras por meio de um grande número de junções do tipo *gap* (junções comunicantes), que permitem o movimento de baixa resistência de íons de uma célula muscular para a seguinte. Portanto, os sinais elétricos que iniciam as contrações musculares podem viajar prontamente de uma fibra para a seguinte dentro de cada feixe, mas mais rapidamente ao longo do comprimento do feixe do que lateralmente.

Cada feixe de fibras musculares lisas é parcialmente separado do próximo por tecido conjuntivo frouxo, entretanto, os feixes de músculos se fundem em muitos pontos; então, na realidade, cada camada de músculo representa uma rede ramificada de feixes de músculo liso. Portanto, cada camada muscular funciona como um *sincício*; ou seja, quando um potencial de ação é desencadeado em qualquer ponto dentro da massa muscular, ele geralmente viaja em todas as direções no músculo. A distância que ele percorre depende da excitabilidade do músculo; às vezes, ele se detém depois de apenas alguns milímetros e, em outras ocasiões, ele percorre muitos centímetros ou mesmo todo o comprimento e largura do trato intestinal.

Além disso, como existem algumas conexões entre as camadas musculares longitudinais e circulares, a excitação de uma dessas camadas frequentemente excita a outra também.

Atividade elétrica do músculo liso gastrointestinal

O músculo liso do trato digestivo é excitado por atividade elétrica intrínseca lenta quase contínua ao longo das membranas das fibras musculares. Essa atividade tem dois tipos básicos de ondas elétricas: (1) *ondas lentas* e (2) *picos*, ambos mostrados na **Figura 63.3**. Além disso, a voltagem do potencial de membrana em repouso do músculo liso gastrointestinal pode mudar para diferentes níveis, o que também pode ter efeitos importantes no controle da atividade motora do trato digestivo.

Ondas lentas causadas por alterações rítmicas no potencial de repouso da membrana.
A maioria das contrações gastrointestinais ocorre ritmicamente, e esse ritmo é determinado principalmente pela frequência das chamadas ondas lentas do potencial da membrana do músculo liso. Essas ondas, mostradas na **Figura 63.3**, não são potenciais de ação. Em vez disso, são mudanças lentas e ondulantes no potencial de membrana em repouso. Sua intensidade geralmente varia entre 5 e 15 milivolts, e sua frequência varia em diferentes partes do trato digestivo

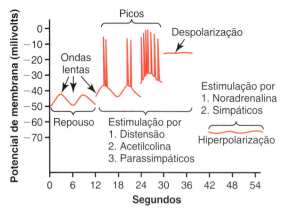

Figura 63.3 Potenciais de membrana na musculatura lisa intestinal. Observe as ondas lentas, os potenciais em pico, a despolarização total e a hiperpolarização, e perceba que todos ocorrem sob diferentes condições fisiológicas do intestino.

humano de 3 a 12 por minuto – cerca de três no corpo do estômago, até 12 no duodeno e cerca de oito ou nove no íleo terminal. Portanto, o ritmo de contração do corpo do estômago, duodeno e íleo é geralmente cerca de três por minuto, cerca de 12 por minuto e oito a nove por minuto, respectivamente.

A causa precisa das ondas lentas não é completamente compreendida, embora elas pareçam ser causadas por interações complexas entre as células musculares lisas e as células especializadas, chamadas de *células intersticiais de Cajal*, que se acredita atuarem como *marca-passos elétricos* para as células musculares lisas. Essas células intersticiais formam uma rede umas com as outras e são interpostas entre as camadas de músculo liso, com contatos sinápticos com as células do músculo liso. As células intersticiais de Cajal sofrem mudanças cíclicas no potencial de membrana devido a canais iônicos únicos que se abrem periodicamente e produzem correntes internas (marca-passo) que podem gerar atividade de ondas lentas.

As ondas lentas geralmente não causam, por si mesmas, contração muscular na maior parte do trato digestivo, *exceto, talvez, no estômago*. Em vez disso, elas estimulam principalmente o aparecimento de potenciais de pico intermitentes, e os potenciais de pico, por sua vez, na verdade excitam a contração muscular.

Potenciais de pico. Os potenciais de pico são verdadeiros potenciais de ação. Eles ocorrem automaticamente quando o potencial de membrana em repouso do músculo liso gastrointestinal torna-se mais positivo do que cerca de −40 milivolts (o potencial de membrana em repouso normal nas fibras musculares lisas do intestino está entre −50 e −60 milivolts).

Observe na **Figura 63.3** que, a cada vez que os picos das ondas lentas temporariamente se tornam mais positivos do que −40 milivolts, os potenciais de pico aparecem neles. Quanto mais alto o potencial de onda lenta aumenta, maior é a frequência dos potenciais de pico, geralmente variando entre um e 10 picos por segundo.

PARTE 12 Fisiologia Digestiva

Os potenciais de pico duram 10 a 40 vezes mais tempo no músculo gastrointestinal do que os potenciais de ação nas fibras nervosas grandes, com cada pico gastrointestinal durando até 10 a 20 milissegundos.

Outra diferença importante entre os potenciais de ação do músculo liso gastrointestinal e das fibras nervosas é a maneira como são gerados. Nas fibras nervosas, os potenciais de ação são causados quase inteiramente pela entrada rápida de íons sódio pelos canais de sódio para o interior das fibras. Nas fibras musculares lisas gastrointestinais, os canais responsáveis pelos potenciais de ação são um tanto diferentes; eles permitem que números especialmente grandes de íons cálcio entrem junto com números menores de íons sódio e, portanto, são chamados de *canais de cálcio e sódio*. Esses canais se abrem e fecham muito mais lentamente do que os canais rápidos de sódio das fibras nervosas grandes. A lentidão na abertura e no fechamento dos canais de cálcio-sódio é responsável pela longa duração dos potenciais de ação. Além disso, o movimento de grandes quantidades de íons cálcio para o interior da fibra muscular durante o potencial de ação desempenha um papel especial em fazer com que as fibras musculares intestinais se contraiam, como discutiremos em breve.

Mudanças na voltagem do potencial da membrana em repouso. Além das ondas lentas e dos potenciais de pico, o nível de voltagem da linha de base do potencial da membrana em repouso do músculo liso também pode mudar. Em condições normais, a média do potencial de membrana em repouso é de cerca de −56 milivolts, mas vários fatores podem alterar esse nível. Quando o potencial se torna menos negativo, o que é chamado de *despolarização* da membrana, as fibras musculares tornam-se mais excitáveis. Quando o potencial se torna mais negativo, o que é chamado de *hiperpolarização*, as fibras tornam-se menos excitáveis.

Os fatores que despolarizam a membrana – ou seja, que a tornam mais excitável – são (1) *distensão* do músculo, (2) estimulação pela *acetilcolina* liberada das terminações dos *nervos parassimpáticos* e (3) estimulação por vários *hormônios gastrointestinais específicos*.

Fatores importantes que tornam o potencial de membrana mais negativo – isto é, que a hiperpolarizam e tornam as fibras musculares menos excitáveis – são (1) o efeito da *noradrenalina* ou *adrenalina* na membrana da fibra e (2) a estimulação dos nervos simpáticos que secretam principalmente noradrenalina em suas terminações.

A entrada de íons cálcio causa contração da musculatura lisa. A contração do músculo liso ocorre em resposta à entrada de íons cálcio na fibra muscular. Conforme explicado no Capítulo 8, os íons cálcio agem por meio de um mecanismo de controle da *calmodulina* para ativar os filamentos de miosina na fibra, fazendo com que forças de atração se desenvolvam entre os filamentos de miosina e os de actina, levando o músculo a se contrair.

As ondas lentas não fazem com que os íons cálcio entrem na fibra muscular lisa (elas apenas causam a entrada de íons sódio). Portanto, as ondas lentas, por si mesmas, geralmente não causam contração muscular. Em vez disso, é durante os potenciais de pico, gerados nos picos das ondas lentas, que quantidades significativas de íons cálcio entram nas fibras e causam a maior parte da contração.

Contração tônica de alguns músculos lisos gastrointestinais. Alguns músculos lisos do trato digestivo apresentam *contração tônica*, bem como, ou em vez de, contrações rítmicas. A contração tônica é contínua; não está associada ao ritmo elétrico básico das ondas lentas, mas frequentemente dura vários minutos ou mesmo horas. A contração tônica pode aumentar ou diminuir de intensidade, mas continua.

A contração tônica às vezes é causada por potenciais de pico repetitivos contínuos – quanto maior a frequência, maior o grau de contração. Em outras ocasiões, a contração tônica é causada por hormônios ou outros fatores que provocam a despolarização parcial contínua da membrana muscular lisa, sem causar potenciais de ação. Uma terceira causa da contração tônica é a entrada contínua de íons cálcio no interior da célula, ocasionada de maneiras não associadas a mudanças no potencial de membrana. Os detalhes desses mecanismos ainda não são claros.

CONTROLE NEURAL DA FUNÇÃO GASTROINTESTINAL | SISTEMA NERVOSO ENTÉRICO

O trato digestivo possui um sistema nervoso próprio, denominado de *sistema nervoso entérico*. Ele se encontra inteiramente na parede do intestino, começando no esôfago e se estendendo até o ânus. O número de neurônios nesse sistema entérico é superior a 100 milhões, mais do que o número presente em toda a medula espinhal. Esse sistema nervoso entérico, altamente desenvolvido, é especialmente importante no controle dos movimentos e das secreções gastrointestinais.

O sistema nervoso entérico é composto principalmente de dois plexos, mostrados na **Figura 63.4**: (1) um plexo externo, situado entre as camadas musculares longitudinais e circulares, denominado de *plexo mioentérico*, ou *plexo de Auerbach*; e (2) um plexo interno, denominado de *plexo submucoso* ou de *plexo de Meissner*, que se encontra na submucosa. As conexões nervosas dentro e entre esses dois plexos também são mostradas na **Figura 63.4**.

O plexo mioentérico controla principalmente os movimentos gastrointestinais, e o plexo submucoso controla principalmente a secreção gastrointestinal e o fluxo sanguíneo local.

Na **Figura 63.4**, observe especialmente as fibras extrínsecas simpáticas e parassimpáticas que se conectam aos plexos mioentérico e submucoso. Embora o sistema nervoso entérico possa funcionar independentemente desses

CAPÍTULO 63 Princípios Gerais da Função Digestiva: Motilidade, Controle Nervoso e Circulação Sanguínea

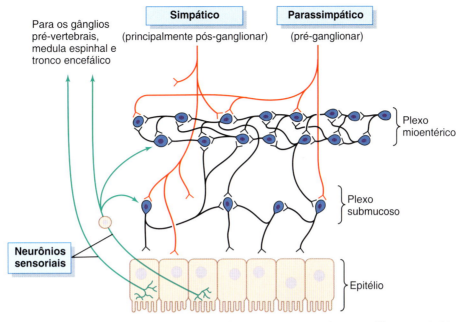

Figura 63.4 Controle neural da parede intestinal, mostrando: (1) os plexos mioentérico e submucoso (*fibras pretas*); (2) o controle extrínseco desses plexos pelos sistemas nervosos simpático e parassimpático (*fibras vermelhas*); e (3) fibras sensoriais passando pelo epitélio luminal e pela parede do intestino para os plexos entéricos, em seguida para os gânglios pré-vertebrais da medula espinhal e diretamente para a própria medula espinhal e para o tronco encefálico (*fibras verdes*).

nervos extrínsecos, a estimulação pelos sistemas parassimpático e simpático pode aumentar ou inibir muito as funções gastrointestinais, como discutiremos mais tarde.

Também mostradas na **Figura 63.4**, estão terminações nervosas sensoriais que se originam no epitélio gastrointestinal ou na parede intestinal e enviam fibras aferentes para ambos os plexos do sistema entérico, bem como (1) para os gânglios pré-vertebrais do sistema nervoso simpático, (2) na medula espinhal e (3) nos nervos vagos, até o tronco encefálico. Esses nervos sensoriais podem provocar reflexos locais dentro da parede intestinal e ainda outros reflexos que são transmitidos para o intestino a partir dos gânglios pré-vertebrais ou das regiões basais do cérebro.

DIFERENÇAS ENTRE OS PLEXOS MIOENTÉRICO E SUBMUCOSO

O *plexo mioentérico* consiste principalmente em uma cadeia linear de muitos neurônios interconectados que se estendem por todo o comprimento do trato digestivo. Uma seção dessa cadeia é mostrada na **Figura 63.4**.

Como o plexo mioentérico se estende ao longo da parede intestinal e fica entre as camadas longitudinal e circular do músculo liso intestinal, ele se destina principalmente ao controle da atividade muscular ao longo do intestino. Quando esse plexo é estimulado, seus principais efeitos são os seguintes: (1) aumento da contração tônica, ou tônus, da parede intestinal; (2) aumento da intensidade das contrações rítmicas; (3) taxa ligeiramente aumentada do ritmo de contração; e (4) aumento da velocidade de condução de ondas excitatórias ao longo da parede intestinal, causando movimento mais rápido das ondas peristálticas intestinais.

O *plexo mioentérico* não deve ser considerado inteiramente excitatório, porque alguns de seus neurônios são *inibitórios*; suas terminações de fibra secretam um transmissor inibitório, possivelmente *peptídeo intestinal vasoativo (VIP)* ou algum outro peptídeo inibidor. Os sinais inibitórios resultantes são especialmente úteis para inibir alguns dos músculos do esfíncter intestinal que impedem o movimento dos alimentos ao longo de segmentos sucessivos do trato digestivo, como o *esfíncter pilórico*, que controla o esvaziamento do estômago para o duodeno, e o *esfíncter da válvula ileocecal*, que controla o esvaziamento do intestino delgado para o ceco.

O *plexo submucoso*, em contraste com o plexo mioentérico, está preocupado principalmente com a função de controle na parede interna de cada segmento diminuto do intestino. Por exemplo, muitos sinais sensoriais originam-se do epitélio gastrointestinal e são então integrados ao plexo submucoso para ajudar a controlar a *secreção intestinal* local, *absorção* local e *contração* local *do músculo submucoso* que causa vários graus de dobramento da mucosa gastrointestinal.

TIPOS DE NEUROTRANSMISSORES SECRETADOS POR NEURÔNIOS ENTÉRICOS

Os pesquisadores identificaram mais de 25 substâncias neurotransmissoras potenciais que são liberadas pelas terminações nervosas de diferentes tipos de neurônios entéricos, incluindo, dentre outros, os seguintes: (1) *acetilcolina*, (2) *noradrenalina*, (3) *trifosfato de adenosina*, (4) *serotonina*, (5) *dopamina*, (6) *colecistoquinina*, (7) *substância P*, (8) *peptídeo intestinal vasoativo*, (9) *somatostatina*, (10) *leu-encefalina*, (11) *met-encefalina*, (12) *bombesina*,

PARTE 12 Fisiologia Digestiva

(13) *neuropeptídeo Y* e (14) *óxido nítrico*. As funções específicas de muitas dessas substâncias ainda não são conhecidas o suficiente para justificar sua discussão aqui, mas podemos apontar as seguintes características.

A *acetilcolina* frequentemente excita a atividade gastrointestinal. A *noradrenalina* quase sempre inibe a atividade gastrointestinal, assim como a *adrenalina*, que atinge o trato digestivo principalmente por meio do sangue, depois de ser secretada pela medula adrenal para a circulação. As outras substâncias transmissoras mencionadas são uma mistura de agentes excitatórios e inibidores, alguns dos quais discutiremos no Capítulo 64.

CONTROLE AUTONÔMICO DO TRATO DIGESTIVO

A estimulação parassimpática aumenta a atividade do sistema nervoso entérico. O suprimento parassimpático para o intestino é classificado em *divisões craniana* e *sacral*, que foram discutidas no Capítulo 61.

Exceto por algumas fibras parassimpáticas na boca e regiões faríngeas do trato digestivo, as fibras nervosas *parassimpáticas cranianas* estão quase inteiramente nos *nervos vagos*. Essas fibras fornecem uma inervação extensa para o esôfago, estômago e pâncreas, e, um pouco menos, para os intestinos, ao longo da primeira metade do intestino grosso.

As *parassimpáticas sacrais* se originam no segundo, terceiro e quarto segmentos sacrais da medula espinhal e passam pelos *nervos esplâncnicos pélvicos* até a metade distal do intestino grosso e por todo o caminho até o ânus. As regiões sigmoide, retal e anal são consideravelmente mais bem supridas com fibras parassimpáticas do que as outras áreas intestinais. Essas fibras funcionam especialmente para executar os reflexos de defecação, discutidos no Capítulo 64.

Os *neurônios pós-ganglionares* do sistema parassimpático gastrointestinal estão localizados principalmente nos plexos mioentérico e submucoso. A estimulação desses nervos parassimpáticos geralmente aumenta a atividade de todo o sistema nervoso entérico, o que, por sua vez, aumenta a atividade da maioria das funções gastrointestinais.

A estimulação simpática geralmente inibe a atividade do trato digestivo. As fibras simpáticas para o trato digestivo se originam na medula espinhal entre os segmentos T5 e L2. A maioria das fibras pré-ganglionares que inervam o intestino, depois de deixarem a medula, entram nas *cadeias simpáticas*, que ficam laterais à coluna vertebral, e muitas dessas fibras então passam pelas cadeias para os gânglios periféricos, como o *gânglio celíaco* e vários *gânglios mesentéricos*. A maioria dos *corpos celulares de neurônios simpáticos pós-ganglionares* está nesses gânglios, e as fibras pós-ganglionares então se espalham pelos nervos simpáticos pós-ganglionares para todas as partes do intestino. Os simpáticos inervam essencialmente todo o trato digestivo, em vez de serem mais extensos perto da cavidade oral e do ânus, como acontece com os parassimpáticos. As terminações nervosas simpáticas secretam principalmente *noradrenalina*.

Em geral, a estimulação do sistema nervoso simpático *inibe* a atividade do trato digestivo, causando muitos efeitos opostos aos do sistema parassimpático. Ele exerce seus efeitos de duas maneiras: (1) em uma pequena extensão por efeito direto da noradrenalina secretada para inibir o músculo liso do trato intestinal (exceto o músculo da mucosa, que excita) e (2) em grande medida por um efeito inibitório de noradrenalina nos neurônios do todo o sistema nervoso entérico.

A forte estimulação do sistema simpático pode inibir tanto os movimentos motores do intestino que pode bloquear literalmente o movimento dos alimentos através do trato digestivo.

Fibras nervosas sensoriais aferentes do intestino

Muitas fibras nervosas sensoriais aferentes inervam o intestino. Algumas das fibras nervosas têm seus corpos celulares no sistema nervoso entérico e outras nos gânglios da raiz dorsal da medula espinhal. Esses nervos sensoriais podem ser estimulados por (1) irritação da mucosa intestinal (2) distensão intestinal excessiva ou (3) presença de substâncias químicas específicas no intestino. Os sinais transmitidos pelas fibras podem causar *excitação* ou, em outras condições, *inibição* dos movimentos intestinais ou da secreção intestinal.

Além disso, outros sinais sensoriais do intestino vão até várias áreas da medula espinhal e até mesmo ao tronco encefálico. Por exemplo, 80% das fibras nervosas dos nervos vagos são aferentes, em vez de eferentes. Essas fibras aferentes transmitem sinais sensoriais do trato digestivo para o bulbo encefálico, que, por sua vez, inicia os sinais reflexos vagais que retornam ao trato digestivo para controlar muitas das suas funções.

Reflexos gastrointestinais

O arranjo anatômico do sistema nervoso entérico e suas conexões com os sistemas simpático e parassimpático sustentam três tipos de reflexos gastrointestinais, que são essenciais para o controle gastrointestinal.

1. *Reflexos totalmente integrados ao sistema nervoso entérico da parede intestinal.* Esses reflexos incluem, por exemplo, aqueles que controlam uma grande parte da secreção gastrointestinal, do peristaltismo, das contrações mistas, dos efeitos inibitórios locais e assim por diante.
2. *Reflexos do intestino para os gânglios simpáticos pré-vertebrais e, depois, de volta para o trato digestivo.* Esses reflexos transmitem sinais a longas distâncias para outras áreas do trato digestivo, como sinais do estômago para causar a evacuação do cólon (o *reflexo gastrocólico*), sinais do cólon e do intestino delgado para inibir a motilidade do estômago e para produzir a secreção do estômago (os *reflexos enterogástricos*), e reflexos do

CAPÍTULO 63 Princípios Gerais da Função Digestiva: Motilidade, Controle Nervoso e Circulação Sanguínea

cólon para inibir o esvaziamento do conteúdo ileal no cólon (o *reflexo colonoileal*).

3. *Reflexos do intestino para a medula espinhal ou tronco encefálico e depois de volta para o trato digestivo.* Esses reflexos incluem especialmente o seguinte: (1) reflexos do estômago e do duodeno para o tronco encefálico e de volta para o estômago – pelos nervos vagos – para controlar a atividade motora gástrica e secretora; (2) reflexos de dor que causam inibição geral de todo o trato digestivo; e (3) reflexos de defecação que viajam do cólon e do reto até a medula espinhal e de volta para produzir as poderosas contrações colônicas, retais e abdominais necessárias para a defecação (os *reflexos de defecação*).

CONTROLE HORMONAL DA MOTILIDADE GASTROINTESTINAL

Os hormônios gastrointestinais são liberados na circulação portal e exercem ações fisiológicas nas células-alvo com receptores específicos para eles. Os efeitos dos hormônios persistem mesmo depois que todas as conexões nervosas entre o local de liberação e o local de ação foram cortadas. A **Tabela 63.1** descreve as ações de cada hormônio gastrointestinal, bem como os estímulos para a secreção e os locais em que ela ocorre.

No Capítulo 65, discutimos a extrema importância de diversos hormônios para o controle da secreção gastrointestinal. A maioria desses mesmos hormônios também afeta a motilidade em algumas partes do trato digestivo. Embora os efeitos da motilidade sejam geralmente menos importantes do que os da secreção dos hormônios, alguns dos efeitos da motilidade mais importantes são descritos nos parágrafos a seguir.

A *gastrina* é secretada pelas células G do *antro do estômago* em resposta a estímulos associados à ingestão de uma refeição, como distensão do estômago, produtos de proteínas e *peptídeo liberador de gastrina*, que é liberado pelos nervos da mucosa gástrica durante a estimulação vagal. As ações primárias da gastrina são (1) *estimulação da secreção gástrica de ácido clorídrico* e (2) *estimulação do crescimento da mucosa gástrica*.

A *colecistoquinina* (CCK) é secretada pelas células I na *mucosa do duodeno e jejuno*, principalmente em resposta a produtos digestivos de gordura, ácidos graxos e monoglicerídios no conteúdo intestinal. Esse hormônio contrai fortemente a vesícula biliar, expelindo a bile para o intestino delgado, onde ela, por sua vez, desempenha um papel importante na emulsificação de substâncias gordurosas, permitindo que sejam digeridas e absorvidas. A CCK também inibe moderadamente a contração do estômago. Portanto, ao mesmo tempo que esse hormônio provoca o esvaziamento da vesícula biliar, também retarda o esvaziamento dos alimentos do estômago para dar tempo adequado à digestão das gorduras do trato intestinal superior. A CCK também inibe o apetite para evitar comer demais durante as refeições, estimulando as fibras nervosas aferentes sensoriais no duodeno; essas fibras, por sua vez, enviam sinais por meio do nervo vago para inibir os centros de alimentação no cérebro, conforme discutido no Capítulo 72.

Tabela 63.1 Ações, estímulos para a secreção e local de secreção dos hormônios gastrointestinais.

Hormônio	Estímulo para secreção	Local de secreção	Ações

Gastrina	Proteínas
	Distensão
	Nervosa
	(*ácido inibe a liberação*)
		Células G do antro, duodeno e jejuno	Estimula
			    Secreção gástrica de HCl
			    Crescimento da mucosa

Colecistoquinina	Proteína
	Gordura
	Ácido
		Células I do duodeno, jejuno e íleo	Estimula
			    Secreção de enzima pancreática
			    Secreção de bicarbonato pancreático
			    Contração da vesícula biliar
			    Crescimento de pâncreas exócrino
			Inibe
			    Esvaziamento gástrico

Secretina	Ácido
	Gordura
		Células S do duodeno, jejuno e íleo	Estimula
			    Secreção de pepsina
			    Secreção de bicarbonato pancreático
			    Secreção de bicarbonato biliar
			    Crescimento de pâncreas exócrino
			Inibe
			    Liberação de gastrina e secreção gástrica de HCl

GIP (peptídeo insulinotrófico dependente de glicose [também chamado de peptídeo inibidor gástrico])	Proteína
	Gordura
	Carboidrato
		Células K do duodeno e jejuno	Estimula
			    Liberação de insulina
			Inibe
			    Secreção gástrica de HCl

Motilina	Gordura
	Ácido
	Nervosa
		Células M do duodeno e jejuno	Estimula
			    Motilidade gástrica
			    Motilidade intestinal

A *secretina*, o primeiro hormônio gastrointestinal descoberto, é secretada pelas células S na *mucosa do duodeno* em resposta ao suco gástrico ácido que esvazia para o duodeno a partir do piloro do estômago. A secretina tem um efeito moderado na motilidade do trato digestivo e atua promovendo a secreção pancreática de bicarbonato, que por sua vez ajuda a neutralizar o ácido no intestino delgado.

O *peptídeo insulinotrófico dependente de glicose (GIP, também chamado de peptídeo inibitório gástrico)* é secretado pela *mucosa da parte superior do intestino delgado*, principalmente em resposta a ácidos graxos e a aminoácidos, mas, em menor extensão, em resposta a carboidratos. Tem um efeito moderado na diminuição da atividade motora do estômago e, portanto, retarda o esvaziamento do conteúdo gástrico para o duodeno quando a parte superior do intestino delgado já está sobrecarregada com produtos alimentares. O peptídeo insulinotrófico dependente de glicose (GIP), em níveis sanguíneos ainda mais baixos do que aqueles necessários para inibir a motilidade gástrica, também estimula a secreção de insulina.[1]

A *motilina* é secretada pelo estômago e *porções iniciais do duodeno* durante o jejum, e a única função conhecida desse hormônio é *aumentar a motilidade gastrointestinal*. A motilina é liberada ciclicamente e estimula ondas de motilidade gastrointestinal chamadas de *complexos mioelétricos interdigestivos*, que se movem pelo estômago e pelo intestino delgado a cada 90 minutos em uma pessoa que jejuou. A secreção de motilina é inibida após a ingestão de alimentos por mecanismos que não são totalmente compreendidos.

MOVIMENTOS FUNCIONAIS NO TRATO DIGESTIVO

Dois tipos de movimentos ocorrem no trato digestivo: (1) *movimentos propulsivos*, que fazem com que o alimento avance ao longo do trato a uma taxa apropriada para acomodar a digestão e a absorção, e (2) *movimentos de mistura*, que mantêm o conteúdo intestinal completamente misturado todo o tempo.

MOVIMENTOS PROPULSIVOS | PERISTALTISMO

O movimento propulsivo básico do trato digestivo é o *peristaltismo*, ilustrado na **Figura 63.5 A**. Um anel contrátil aparece ao redor do intestino e então avança; esse mecanismo é análogo a colocar os dedos em torno de um tubo fino distendido, contraí-los e deslizá-los para frente ao longo do tubo. Qualquer material na frente do anel contrátil é movido para frente.

O peristaltismo é uma propriedade inerente a muitos tubos de músculo liso sincicial; a estimulação em qualquer ponto do intestino pode fazer com que um anel contrátil apareça no músculo circular, e esse anel então se espalha

---

[1] N.R.C.: Por isso, é considerado uma *incretina* (hormônio intestinal que estimula a secreção pancreática da insulina após o alimento chegar no jejuno).

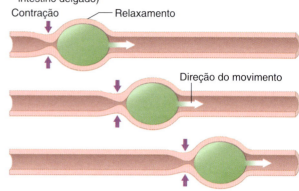

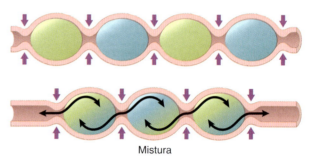

Figura 63.5 O peristaltismo envolve a contração e o relaxamento subsequente no esôfago, estômago e intestino delgado, que impulsionam o conteúdo em direção ao ânus. Contrações de segmentação intermitentes em seções separadas do intestino delgado e do intestino grosso misturam seus conteúdos com pouco movimento para a frente.

ao longo do tubo intestinal. (O peristaltismo também ocorre nos ductos biliares, ductos glandulares, ureteres e muitos outros tubos de músculo liso do corpo.)

O estímulo usual para o peristaltismo intestinal é a *distensão do intestino*, ou seja, se uma grande quantidade de alimento se acumular em qualquer ponto do intestino, o alongamento da parede intestinal estimula o sistema nervoso entérico a contrair a parede intestinal dois a três centímetros atrás desse ponto e um anel contrátil aparece, iniciando um movimento peristáltico. Outros estímulos que podem iniciar o peristaltismo incluem irritação química ou física do revestimento epitelial do intestino. Além disso, fortes sinais nervosos parassimpáticos para o intestino provocarão um forte peristaltismo.

Função do plexo mioentérico no peristaltismo. A peristalse ocorre apenas de forma fraca, ou não ocorre, em qualquer parte do trato digestivo que apresente ausência congênita do plexo mioentérico. Além disso, é muito deprimida ou completamente bloqueada em todo o intestino quando uma pessoa é tratada com atropina para paralisar as terminações nervosas colinérgicas do plexo mioentérico. Portanto, o peristaltismo *eficaz* requer um plexo mioentérico ativo.

CAPÍTULO 63 Princípios Gerais da Função Digestiva: Motilidade, Controle Nervoso e Circulação Sanguínea

As ondas peristálticas se movem unicamente em direção ao ânus, por meio de relaxamento receptivo distal | "Lei do intestino". O peristaltismo, teoricamente, pode ocorrer em qualquer direção a partir de um ponto estimulado, mas normalmente se extingue rapidamente na direção oral (em direção à boca) enquanto continua por uma distância considerável em direção ao ânus. A causa exata dessa transmissão direcional do peristaltismo é incerta, embora provavelmente resulte do fato de o plexo mioentérico estar "polarizado" na direção anal, o que é explicado a seguir.

Quando um segmento do trato intestinal é excitado pela distensão e, portanto, inicia o peristaltismo, o anel contrátil que o causa normalmente começa no lado oral do segmento distendido e se move em direção ao segmento distendido, empurrando o conteúdo intestinal na direção anal por 5 a 10 centímetros antes de se extinguir (ver Vídeo 63.1). Ao mesmo tempo, o intestino às vezes relaxa vários centímetros "a jusante" em direção ao ânus, o que é chamado de relaxamento receptivo, permitindo, assim, que o alimento seja impelido mais facilmente em direção ao ânus do que à boca.

Esse padrão complexo não ocorre na ausência do plexo mioentérico. Portanto, o complexo é denominado de *reflexo mioentérico*, ou *reflexo peristáltico*. O reflexo peristáltico mais a direção anal do movimento do peristaltismo é chamado de "lei do intestino".

CONTRAÇÕES SEGMENTARES | MOVIMENTOS DE MISTURA

Os movimentos de mistura mudam em diferentes partes do trato digestivo. Em algumas áreas, as contrações peristálticas causam a maior parte da mistura. Isso é especialmente verdadeiro quando a progressão do conteúdo intestinal para a frente é bloqueada por um esfíncter, de modo que uma onda peristáltica só pode agitar o conteúdo intestinal, em vez de impeli-lo para frente. Em outras ocasiões, as *contrações locais de segmentação intermitentes* ocorrem a cada poucos centímetros na parede intestinal (ver **Figura 63.5 B**). Essas constrições geralmente duram apenas de 5 a 30 segundos; novas constrições ocorrem em outros pontos do intestino, "cortando" e "picando" o conteúdo primeiro aqui e depois ali. Esses movimentos peristálticos e constritivos são modificados em diferentes partes do trato digestivo para propulsão e mistura adequadas, conforme discutido para cada parte do trato digestivo no Capítulo 64.

FLUXO SANGUÍNEO GASTROINTESTINAL | CIRCULAÇÃO ESPLÂNCNICA

Os vasos sanguíneos do sistema gastrointestinal fazem parte de um sistema mais extenso, denominado *circulação esplâncnica*, mostrado na **Figura 63.6**. Inclui o fluxo sanguíneo pelo intestino e o fluxo sanguíneo pelo baço, pâncreas e fígado. O desenho desse sistema é tal que todo o sangue que corre pelo intestino, pelo baço e pelo

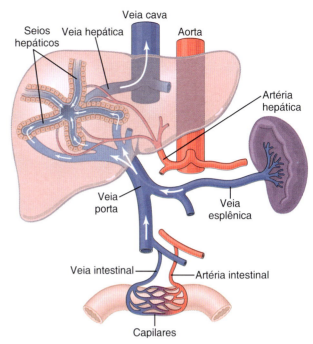

Figura 63.6 Circulação esplâncnica.

pâncreas flui de imediato para o fígado por meio da *veia porta*. No fígado, o sangue passa por milhões de minúsculos *sinusoides do fígado* e finalmente o deixa por meio das veias hepáticas que desembocam na veia cava da circulação geral. Esse fluxo de sangue pelo fígado, antes de esvaziar na veia cava, permite que as *células reticuloendoteliais* (macrófagos) que revestem os sinusoides do fígado removam bactérias e outras partículas que possam entrar no sangue do trato digestivo, evitando o transporte direto de agentes potencialmente nocivos para o resto do corpo.

Os *nutrientes não gordurosos e solúveis em água* absorvidos do intestino (p. ex., carboidratos e proteínas) são transportados no sangue venoso portal para os mesmos sinusoides do fígado. Aqui, tanto as células reticuloendoteliais quanto as células parenquimatosas principais do fígado, as *células hepáticas*, absorvem e armazenam temporariamente de 50 a 75% dos nutrientes. Além disso, grande parte do processamento químico intermediário desses nutrientes ocorre nas células do fígado. Essas funções nutricionais do fígado são discutidas nos Capítulos 68 a 72. Quase todas as *gorduras* absorvidas no trato intestinal *não são transportadas no sangue portal*, mas, em vez disso, são absorvidas pelos vasos linfáticos intestinais e depois conduzidas para o sangue circulante sistêmico por meio do *ducto torácico*, contornando o fígado.

ANATOMIA DO SUPRIMENTO SANGUÍNEO DIGESTIVO

A **Figura 63.7** mostra as características gerais do suprimento de sangue arterial ao intestino, incluindo as artérias mesentérica superior e mesentérica inferior que suprem as paredes dos intestinos delgado e grosso por meio de um sistema arterial arqueado. Não é mostrada na figura

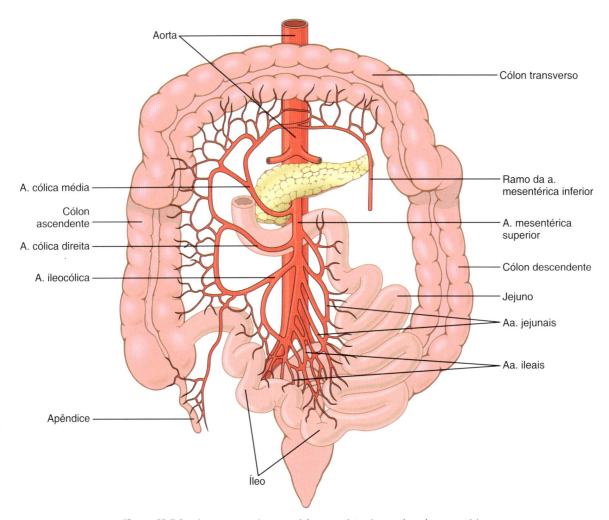

Figura 63.7 Suprimento sanguíneo arterial para os intestinos pela rede mesentérica.

a artéria celíaca, que fornece um suprimento de sangue semelhante ao estômago.

Ao entrar na parede intestinal, as artérias se ramificam e enviam artérias menores circulando em ambas as direções ao redor do intestino, cujas pontas se encontram na lateral da parede intestinal oposta à fixação mesentérica. Das artérias circulantes, artérias ainda muito menores penetram na parede intestinal e se espalham (1) ao longo dos feixes musculares, (2) nas vilosidades intestinais e (3) nos vasos submucosos abaixo do epitélio para servir às funções de secreção e de absorção do intestino.

A **Figura 63.8** mostra a organização especial do fluxo sanguíneo por uma vilosidade intestinal, incluindo uma pequena arteríola e uma vênula que se interconectam com um sistema de múltiplos capilares em alça. As paredes das arteríolas são altamente musculares e ativas no controle do fluxo sanguíneo das vilosidades.

EFEITO DA ATIVIDADE INTESTINAL E FATORES METABÓLICOS SOBRE O FLUXO SANGUÍNEO DIGESTIVO

Em condições normais, o fluxo sanguíneo em cada área do trato digestivo, bem como em cada camada da parede intestinal, está diretamente relacionado ao nível de atividade local. Por exemplo, durante a absorção ativa de nutrientes, o fluxo sanguíneo nas vilosidades e regiões adjacentes da submucosa aumenta até oito vezes. Da mesma forma, o fluxo sanguíneo nas camadas musculares da parede intestinal aumenta com o aumento da atividade motora no intestino. Após uma refeição, a atividade motora, a atividade secretora e a atividade absortiva aumentam; da mesma forma, o fluxo sanguíneo aumenta muito, mas depois diminui de volta ao nível de repouso ao longo de mais duas a quatro horas.

Mecanismos de aumento do fluxo sanguíneo durante a atividade gastrointestinal. Embora as causas precisas do aumento do fluxo sanguíneo durante o aumento da atividade gastrointestinal ainda não sejam claras, alguns fatos são conhecidos.

Primeiro, várias substâncias vasodilatadoras são liberadas da mucosa do trato intestinal durante o processo digestivo. A maioria dessas substâncias são hormônios peptídicos, incluindo *colecistoquinina*, *peptídeo intestinal vasoativo*, *gastrina* e *secretina*. Esses mesmos hormônios controlam as atividades motoras e secretoras específicas do intestino, conforme discutido nos Capítulos 64 e 65.

CAPÍTULO 63 Princípios Gerais da Função Digestiva: Motilidade, Controle Nervoso e Circulação Sanguínea

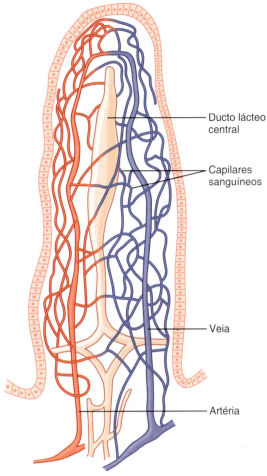

Figura 63.8 Microvasculatura da vilosidade mostrando um arranjo em contracorrente do fluxo sanguíneo nas arteríolas e vênulas.

Segundo, algumas das glândulas gastrointestinais também liberam na parede intestinal duas cininas, *calidina* e *bradicinina*, ao mesmo tempo que secretam outras substâncias para o lúmen. Essas cininas são vasodilatadores poderosos que se acredita serem a causa da maior vasodilatação da mucosa que ocorre junto com a secreção.

Terceiro, a *diminuição da concentração de oxigênio* na parede intestinal pode aumentar o fluxo sanguíneo intestinal em pelo menos 50 a 100%; portanto, o aumento da taxa metabólica da mucosa e da parede intestinal durante a atividade intestinal provavelmente reduz a concentração de oxigênio o suficiente para causar uma grande parte da vasodilatação. A diminuição do oxigênio também pode levar a um aumento de até quatro vezes na *adenosina*, um vasodilatador bem conhecido que pode ser responsável por uma grande parte do aumento do fluxo.

Assim, o aumento do fluxo sanguíneo durante o aumento da atividade gastrointestinal é provavelmente uma combinação de muitos dos fatores mencionados e ainda outros ainda não descobertos.

Fluxo de sangue em contracorrente nas vilosidades.

Observe na **Figura 63.8** que o fluxo arterial em direção às vilosidades e o fluxo venoso para fora das vilosidades estão em direções opostas, uns em relação aos outros. Da mesma maneira, os vasos estão em estreita aposição uns com os outros. Por causa desse arranjo vascular peculiar, muito do oxigênio do sangue se difunde diretamente das arteríolas para as vênulas adjacentes, sem ser transportado pelo sangue para as vilosidades. Com efeito, até 80% do oxigênio pode seguir essa rota de curto-circuito e, portanto, não está disponível para as funções metabólicas locais das vilosidades. Esse tipo de mecanismo de contracorrente nas vilosidades é semelhante ao mecanismo de contracorrente nos vasos retos da medula renal, que foi discutido no Capítulo 29.

Em condições normais, esse desvio de oxigênio das arteríolas para as vênulas não é prejudicial para as vilosidades, mas, em condições de doença em que o fluxo sanguíneo para o intestino fica muito reduzido, como ocorre no choque circulatório, o déficit de oxigênio nas pontas das vilosidades pode se tornar tão grande que elas ou mesmo toda a vilosidade sofrem morte isquêmica e se desintegram. Por essa e por outras razões, em muitas doenças gastrointestinais, as vilosidades tornam-se gravemente embotadas, levando a uma grande diminuição da capacidade de absorção intestinal.

CONTROLE NERVOSO DO FLUXO SANGUÍNEO NO SISTEMA DIGESTÓRIO

A estimulação dos nervos parassimpáticos que vão para o *estômago* e para o *cólon inferior* aumenta o fluxo sanguíneo local ao mesmo tempo que aumenta a secreção glandular. Esse aumento no fluxo provavelmente é uma causa secundária do aumento da atividade glandular, não um efeito direto da estimulação nervosa.

A estimulação simpática, ao contrário, tem um efeito direto em praticamente todo o trato digestivo, causando uma intensa vasoconstrição das arteríolas e uma grande diminuição do fluxo sanguíneo. Depois de alguns minutos dessa vasoconstrição, o fluxo geralmente volta ao normal por meio de um mecanismo chamado de *escape autorregulatório*. Ou seja, os mecanismos vasodilatadores metabólicos locais que são desencadeados pela isquemia anulam a vasoconstrição simpática, retornando o fluxo sanguíneo normal de nutrientes necessários para as glândulas gastrointestinais e para os músculos.

Importância da redução do fluxo sanguíneo gastrointestinal quando outras partes do corpo precisam de fluxo sanguíneo extra.

Uma das principais serventias da vasoconstrição simpática no intestino é que ela permite o fechamento do fluxo sanguíneo gastrointestinal e de outros órgãos esplâncnicos por curtos períodos durante exercícios pesados, quando o músculo esquelético e o coração precisam de um fluxo aumentado. Além disso, no choque circulatório, quando todos os tecidos vitais do corpo estão em perigo de morte celular por falta de fluxo sanguíneo – em particular, o cérebro e o coração –, a estimulação simpática pode diminuir muito o fluxo sanguíneo esplâncnico por muitas horas.

PARTE 12 Fisiologia Digestiva

A estimulação simpática também causa uma forte vasoconstrição das *veias intestinais* e *mesentéricas* de grande volume. Essa vasoconstrição reduz o volume dessas veias, deslocando grandes quantidades de sangue para outras partes da circulação. Em pessoas que experimentam choque hemorrágico ou outros estados de baixo volume de sangue, esse mecanismo pode fornecer até 200 a 400 mililitros de sangue extra para manter a circulação geral.

Bibliografia

Barth BB, Shen X: Computational motility models of neurogastroenterology and neuromodulation. Brain Res 1693:174, 2018.

Chalazonitis A, Rao M: Enteric nervous system manifestations of neurodegenerative disease. Brain Res 1693:207, 2018.

Furness JB: The enteric nervous system and neurogastroenterology. Nat Rev Gastroenterol Hepatol 9:286, 2012.

Furness JB, Stebbing MJ: The first brain: species comparisons and evolutionary implications for the enteric and central nervous systems. Neurogastroenterol Motil 2018 Feb;30(2). http://doi.org/10.1111/nmo.13234.

Granger DN, Holm L, Kvietys P: The gastrointestinal circulation: physiology and pathophysiology, Compr Physiol 5:1541, 2015.

Kaelberer MM, Bohórquez DV: The now and then of gut-brain signaling. Brain Res 1693:192, 2018.

Kumral D, Zfass AM: Gut movements: a review of the physiology of gastrointestinal transit. Dig Dis Sci 63:2500, 2018.

Lake JI, Heuckeroth RO: Enteric nervous system development: migration, differentiation, and disease. Am J Physiol Gastrointest Liver Physiol 305:G1, 2013.

Lammers WJ: Inhomogeneities in the propagation of the slow wave in the stomach. Neurogastroenterol Motil 27:1349, 2015.

Liddle RA: Interactions of gut endocrine cells with epithelium and neurons. Compr Physiol 8:1019, 2018.

Rao M, Gershon MD: Enteric nervous system development: what could possibly go wrong? Nat Rev Neurosci 19:552, 2018.

Sanders KM, Ward SM: Nitric oxide and its role as a non-adrenergic, non-cholinergic inhibitory neurotransmitter in the gastrointestinal tract. Br J Pharmacol 176:212, 2019.

Sanders KM, Ward SM, Koh SD: Interstitial cells: regulators of smooth muscle function. Physiol Rev 94:859, 2014.

Schemann M, Frieling T, Enck P: To learn, to remember, to forget-How smart is the gut? Acta Physiol (Oxf) 2019 May 7:e13296. doi: 10.1111/apha.13296.

Vergnolle N, Cirillo C: Neurons and glia in the enteric nervous system and epithelial barrier function. Physiology (Bethesda) 33:269, 2018.

Waise TMZ, Dranse HJ, Lam TKT: The metabolic role of vagal afferent innervation. Nat Rev Gastroenterol Hepatol 15:625, 2018.

CAPÍTULO 64

Propulsão e Mistura dos Alimentos no Trato Digestivo

PARTE 12

O tempo que o alimento permanece em cada parte do trato digestivo é crítico para o processamento e a absorção ideais de nutrientes. Além disso, deve ser fornecida uma mistura adequada. Como os requisitos de mistura e propulsão são bastante diferentes em cada estágio do processamento, vários mecanismos nervosos e hormonais automáticos controlam o tempo de cada uma dessas atividades para que ocorram de forma ideal – nem muito rápida nem muito lenta.

Este capítulo discute esses movimentos, em particular os mecanismos automáticos desse controle.

INGESTÃO DE ALIMENTOS

A quantidade de alimento que uma pessoa ingere é determinada principalmente por um desejo intrínseco por comida chamado de *fome*. O tipo de alimento que uma pessoa busca preferencialmente é determinado pelo *apetite*. Esses mecanismos são extremamente importantes para manter um suprimento nutricional adequado para o corpo e são discutidos no Capítulo 72 em relação à nutrição do corpo. A discussão atual se limita à mecânica da ingestão de alimentos, em particular a *mastigação* e a *deglutição*.

MASTIGAÇÃO

Os dentes são admiravelmente projetados para mastigar. Os dentes anteriores (incisivos) proporcionam uma ação cortante forte e os dentes posteriores (molares), de trituração. Todos os músculos da mandíbula trabalhando juntos podem fechar os dentes com uma força de até 25 quilos nos incisivos e de 91 quilos nos molares.

A maioria dos músculos da mastigação é inervada pelo ramo motor do quinto nervo craniano, e o processo de mastigação é controlado pelos núcleos do tronco encefálico. A estimulação de áreas reticulares específicas nos centros gustativos do tronco encefálico causará movimentos rítmicos de mastigação. Além disso, a estimulação de áreas no hipotálamo, na amígdala e até mesmo no córtex cerebral perto das áreas sensoriais para o paladar e o olfato causa a mastigação.

Muito do processo de mastigação é causado por um *reflexo de mastigação*. A presença de um bolo alimentar na boca inicialmente inicia a inibição reflexa dos músculos da mastigação, o que permite que a mandíbula inferior caia. Essa queda, por sua vez, inicia um reflexo de alongamento dos músculos da mandíbula, que leva à contração *de rebote*. Essa ação eleva automaticamente a mandíbula para causar o fechamento dos dentes, mas também comprime o bolo alimentar novamente contra o revestimento da boca, o que inibe os músculos da mandíbula mais uma vez, permitindo que a mandíbula caia e se recupere outra vez; esse processo é repetido várias vezes.

Mastigar é importante para a digestão de todos os alimentos, mas é especialmente importante para a maioria das frutas e vegetais crus, porque eles têm membranas de celulose não digeríveis ao redor de suas porções de nutrientes, que devem ser quebradas antes que o alimento possa ser digerido. Além disso, a mastigação auxilia na digestão dos alimentos por outro motivo simples – *as enzimas digestivas atuam apenas na superfície das partículas alimentares*. Portanto, a taxa de digestão depende da área total da superfície exposta às secreções digestivas. Além disso, moer o alimento até obter uma consistência de partículas muito finas evita a escoriação do trato digestivo e aumenta a facilidade com que o alimento é esvaziado do estômago para o intestino delgado e, em seguida, para todos os segmentos posteriores do intestino.

DEGLUTIÇÃO

A deglutição é um mecanismo complicado, principalmente porque a faringe serve tanto à respiração quanto à deglutição. A faringe é convertida por apenas alguns segundos de cada vez em um trato para propulsão de alimentos. É especialmente importante que a respiração não seja comprometida devido à deglutição.

Em geral, a deglutição pode ser dividida nas seguintes etapas: (1) uma *fase voluntária*, que inicia o processo de deglutição; (2) uma *fase faríngea*, que é involuntária e constitui a passagem do alimento pela faringe para o esôfago; e (3) uma *fase esofágica*, também involuntária, que transporta o alimento da faringe para o estômago.

Fase voluntária da deglutição. Quando o alimento está pronto para ser engolido, ele é voluntariamente espremido ou rolado posteriormente na faringe pela pressão da língua para cima e para trás contra o palato, conforme mostrado na **Figura 64.1**. Desse ponto em diante, engolir

PARTE 12 Fisiologia Digestiva

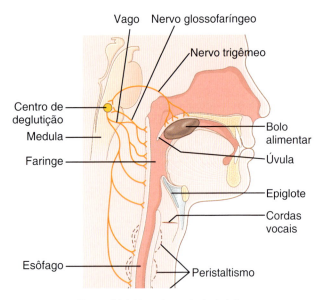

Figura 64.1 Mecanismo da deglutição.

torna-se totalmente – ou quase – automático e normalmente não pode ser interrompido.

Fase faríngea involuntária da deglutição. À medida que o bolo alimentar entra na boca posterior e na faringe, estimula as *áreas receptoras epiteliais da deglutição* em toda a abertura da faringe, em particular nos pilares orofaríngeos, e os impulsos dessas áreas passam para o tronco encefálico para iniciar uma série de músculos faríngeos automáticos contrações da seguinte forma:

1. O palato mole é puxado para cima para fechar as narinas posteriores e para evitar o refluxo de alimentos para as cavidades nasais.
2. As pregas palatofaríngeas de cada lado da faringe são puxadas medialmente para se aproximarem. Dessa forma, essas dobras formam uma fenda sagital, por meio da qual o alimento deve passar para a faringe posterior. Essa fenda realiza uma ação seletiva, permitindo que o alimento mastigado o suficiente passe com facilidade. Como esse estágio da deglutição dura menos de um segundo, qualquer objeto grande geralmente é impedido de passar para o esôfago.
3. As cordas vocais, na laringe, aproximam-se fortemente, e ela é puxada para cima e anteriormente pelos músculos do pescoço. Essas ações, combinadas com a presença de ligamentos que impedem o movimento de subida da epiglote, fazem com que a epiglote oscile para trás, sobre a abertura da laringe. Todos esses efeitos atuando em conjunto impedem a passagem de alimentos para o nariz e a traqueia. O mais essencial é a estreita aproximação das cordas vocais, mas a epiglote ajuda a evitar que o alimento chegue até essas estruturas. A destruição das cordas vocais ou dos músculos que as aproximam pode causar engasgo.
4. O movimento ascendente da laringe também estende e amplia a abertura para o esôfago. Ao mesmo tempo, os 3 a 4 centímetros superiores da parede muscular esofágica, denominada *esfíncter esofágico superior* (também denominado *esfíncter faringoesofágico*), relaxam. Assim, o alimento se move fácil e livremente da faringe posterior para o esôfago superior. Entre as deglutições, esse esfíncter permanece fortemente contraído, evitando que o ar entre no esôfago durante a respiração. O movimento ascendente da laringe também levanta a glote para fora do fluxo alimentar principal, de modo que o alimento passa principalmente em cada lado da epiglote, e não na sua superfície; essa ação adiciona ainda outra proteção contra a entrada de alimentos na traqueia.
5. Uma vez que a laringe é elevada e o esfíncter faringoesofágico é relaxado, toda a parede muscular da faringe se contrai, começando na parte superior da faringe, em seguida, espalhando-se para baixo sobre as áreas faríngeas média e inferior, que impulsionam o alimento por peristalse para dentro do esôfago.

Para resumir a mecânica da fase faríngea da deglutição: a traqueia é fechada, o esôfago é aberto e uma onda peristáltica rápida iniciada pelo sistema nervoso da faringe força o bolo alimentar para o esôfago superior, com todo o processo ocorrendo em menos de dois segundos.

Fatores neurais iniciam a fase faríngea da deglutição. As áreas táteis mais sensíveis da parte posterior da boca e faringe para o início da fase faríngea da deglutição encontram-se em um anel ao redor da abertura faríngea, com maior sensibilidade nos pilares da orofaringe. Os impulsos são transmitidos dessas áreas, por meio das porções sensoriais dos nervos trigêmeo e glossofaríngeo, para o bulbo, para dentro ou em íntima associação ao *trato solitário*, que recebe essencialmente todos os impulsos sensoriais da boca.

Os estágios sucessivos do processo de deglutição são então iniciados automaticamente, em uma sequência ordenada por áreas neuronais da substância reticular da medula e da porção inferior da ponte. A sequência do reflexo da deglutição é a mesma de uma deglutição para a outra, e o tempo de todo o ciclo também permanece constante de uma deglutição para a seguinte. As áreas da medula e da porção inferior da ponte que controlam a deglutição são chamadas coletivamente de *centro da deglutição*.

Os impulsos motores do centro da deglutição para a faringe e para o esôfago superior que causam a deglutição são transmitidos sucessivamente pelo quinto, nono, décimo e décimo segundo nervos cranianos, e até mesmo por alguns dos nervos cervicais superiores.

Em resumo, a fase faríngea da deglutição é principalmente um ato reflexo. Quase sempre é iniciada pelo movimento voluntário do alimento para o fundo da boca, o que, por sua vez, excita os receptores sensoriais faríngeos involuntários para desencadear o reflexo de deglutição.

A fase faríngea da deglutição interrompe momentaneamente a respiração. Todo o estágio faríngeo da deglutição geralmente ocorre em menos de 6 segundos, interrompendo a respiração por apenas uma fração do ciclo respiratório normal. O centro da deglutição inibe especificamente o centro respiratório da medula durante esse período, interrompendo a respiração em qualquer ponto do ciclo para permitir que a deglutição prossiga. No entanto, mesmo enquanto a pessoa está falando, engolir interrompe a respiração por um período tão curto que quase não se percebe.

A fase esofágica da deglutição envolve dois tipos de peristaltismo. O esôfago funciona principalmente para conduzir o alimento rapidamente da faringe para o estômago, e seus movimentos são organizados especificamente para essa função.

O esôfago normalmente exibe dois tipos de movimentos peristálticos: *peristaltismo primário* e *peristaltismo secundário*. O peristaltismo primário é simplesmente a continuação da onda peristáltica que começa na faringe e se espalha para o esôfago durante a fase faríngea da deglutição. Essa onda vai da faringe até o estômago em cerca de 8 a 10 segundos. Alimentos engolidos por uma pessoa que está na posição vertical geralmente são transmitidos para a extremidade inferior do esôfago ainda mais rapidamente do que a própria onda peristáltica, em cerca de cinco a oito segundos, devido ao efeito adicional da gravidade puxando o alimento para baixo.

Se a onda peristáltica primária não mover todo o alimento que entrou no esôfago para o estômago, as *ondas peristálticas secundárias* resultarão da distensão do esôfago pelo alimento retido; essas ondas continuam até que todo o alimento seja despejado no estômago. As ondas peristálticas secundárias são iniciadas em parte por circuitos neurais intrínsecos no sistema nervoso mioentérico e em parte por reflexos que começam na faringe e são então transmitidos para cima através das *fibras aferentes vagais* para a medula e de volta para o esôfago através das *fibras eferentes glossofaríngeas e vagais*.

A musculatura da parede faríngea e o terço superior do esôfago são um *músculo estriado*. Portanto, nessas regiões, as ondas peristálticas são controladas por impulsos nervosos esqueléticos dos nervos glossofaríngeo e vago. Nos dois terços inferiores do esôfago, a musculatura é um *músculo liso*, mas essa porção do esôfago também é fortemente controlada pelos nervos vagos que agem por meio de conexões com o sistema nervoso mioentérico esofágico. Quando os nervos vagos para o esôfago são cortados, o plexo do nervo mioentérico do esôfago torna-se excitável o suficiente após vários dias para causar fortes ondas peristálticas secundárias, mesmo sem o suporte dos reflexos vagais. Portanto, mesmo após a paralisia do reflexo de deglutição do tronco encefálico, a comida fornecida por tubo ou de alguma outra forma para o esôfago ainda passa facilmente para o estômago.

Relaxamento receptivo do estômago. Quando a onda peristáltica esofágica se aproxima do estômago, uma onda de relaxamento, transmitida pelos neurônios inibitórios mioentéricos, precede o peristaltismo. Além disso,

todo o estômago e, em menor extensão, até mesmo o duodeno relaxam à medida que essa onda atinge a extremidade inferior do esôfago e, portanto, são preparados com antecedência para receber o alimento impulsionado para o esôfago durante o ato de deglutição.

Função do esfíncter esofágico inferior (esfíncter gastroesofágico). Na extremidade inferior do esôfago, estendendo-se para cima cerca de três centímetros acima de sua junção com o estômago, o músculo circular do esôfago funciona como um amplo *esfíncter esofágico inferior*, também chamado de *esfíncter gastroesofágico*. Esse esfíncter normalmente permanece tonicamente contraído com uma pressão intraluminal nesse ponto do esôfago de cerca de 30 mmHg, em contraste com a porção média do esôfago, que normalmente permanece relaxada. Quando uma onda peristáltica de deglutição desce pelo esôfago, o relaxamento receptivo do esfíncter esofágico inferior ocorre antes da onda peristáltica, o que permite uma fácil propulsão do alimento engolido para o estômago. Raramente, o esfíncter não relaxa satisfatoriamente, resultando em uma condição chamada de *acalasia*. Essa condição é discutida no Capítulo 67.

As secreções estomacais são altamente ácidas e contêm muitas enzimas proteolíticas. A mucosa esofágica, exceto no oitavo inferior do esôfago, não é capaz de resistir por muito tempo à ação digestiva das secreções gástricas. Felizmente, a constrição tônica do esfíncter esofágico inferior ajuda a prevenir um refluxo significativo do conteúdo do estômago para o esôfago, exceto em condições anormais.

Prevenção do refluxo gastroesofágico por fechamento da extremidade distal do esôfago. Outro fator que ajuda a prevenir o refluxo é um mecanismo semelhante a uma válvula de uma pequena porção do esôfago que se estende ligeiramente para o estômago. O aumento da pressão intra-abdominal cava o esôfago para dentro neste ponto. Assim, esse fechamento semelhante a uma válvula da parte inferior do esôfago ajuda a evitar que a alta pressão intra-abdominal force o conteúdo do estômago para trás no esôfago. Caso contrário, sempre que andássemos, tossíssemos ou respirássemos intensamente, o ácido do estômago poderia ser expelido para o esôfago.

FUNÇÕES MOTORAS DO ESTÔMAGO

As funções motoras do estômago são três: (1) armazenamento de grandes quantidades de alimentos até que eles possam ser processados no estômago, duodeno e trato intestinal inferior; (2) mistura desses alimentos com as secreções gástricas até formar mistura semifluida chamada de *quimo*; e (3) esvaziamento lento do quimo do estômago para o intestino delgado a uma taxa adequada para digestão e absorção adequadas pelo intestino delgado.

A **Figura 64.2** mostra a anatomia básica do estômago. Anatomicamente, o estômago é dividido em duas partes principais: (1) o *corpo* e (2) o *antro*. Fisiologicamente, é mais apropriadamente dividido em (1) a porção *oral*,

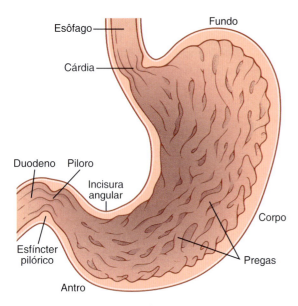

Figura 64.2 Anatomia fisiológica do estômago.

compreendendo cerca dos primeiros dois terços do corpo, e (2) a porção *caudal*, compreendendo o restante do corpo mais o antro.

FUNÇÃO DE ARMAZENAMENTO DO ESTÔMAGO

À medida que o alimento entra no estômago, ele forma círculos concêntricos do alimento na porção oral do estômago, com o alimento mais recente mais próximo à abertura esofágica e o mais antigo, à parede externa do estômago. Normalmente, quando o alimento estica o estômago, um *reflexo vagovagal* do estômago para o tronco encefálico, e depois de volta para o estômago, reduz o tônus na parede muscular do corpo do estômago, de modo que a parede se projeta progressivamente para fora, acomodando mais e maiores quantidades de alimentos até um limite no estômago completamente relaxado de 0,8 a 1,5 ℓ. A pressão no estômago permanece baixa até que esse limite seja atingido.

MISTURA DE ALIMENTOS E PROPULSÃO NO ESTÔMAGO | RITMO ELÉTRICO BÁSICO DA PAREDE GÁSTRICA

Os sucos digestivos do estômago são secretados pelas *glândulas gástricas*, que estão presentes em quase toda a parede do corpo do estômago, exceto ao longo de uma faixa estreita na curvatura menor do estômago. Essas secreções entram imediatamente em contato com a porção do alimento armazenado que se encontra na superfície da mucosa do estômago. Enquanto o alimento está no estômago, as *ondas constritoras* peristálticas fracas, chamadas de *ondas de mistura*, começam nas porções média e superior da parede do estômago e se movem em direção ao antro cerca de uma vez a cada 15 a 20 segundos. Essas ondas são iniciadas pelo *ritmo elétrico básico* da parede intestinal, que foi discutido no Capítulo 63, consistindo em ondas lentas elétricas que ocorrem espontaneamente na parede do estômago. À medida que as ondas constritoras progridem do corpo do estômago para o antro, elas se tornam mais intensas, algumas se tornando extremamente intensas e fornecendo poderosos anéis constritores impulsionados pelo *potencial de ação peristáltica* que forçam o conteúdo antral sob pressão cada vez mais alta em direção ao piloro.

Esses anéis constritores também desempenham um papel importante na mistura do conteúdo estomacal da seguinte maneira: a cada vez que uma onda peristáltica desce pela parede antral em direção ao piloro, ela penetra profundamente no conteúdo alimentar do antro. No entanto, a abertura do piloro ainda é pequena o suficiente para que apenas alguns mililitros ou menos do conteúdo antral sejam expelidos para o duodeno com cada onda peristáltica. Além disso, conforme cada onda peristáltica se aproxima do piloro, o músculo pilórico frequentemente se contrai, o que impede ainda mais o esvaziamento pelo piloro. Portanto, a maior parte do conteúdo antral é espremido a montante, através do anel peristáltico, em direção ao corpo do estômago, não pelo piloro. Assim, o movimento peristáltico no anel restritivo, combinado com essa ação de compressão a montante, chamada de retropulsão, é um mecanismo de mistura extremamente importante no estômago.

Quimo. Depois que o alimento no estômago se mistura completamente com as secreções estomacais, a mistura resultante que desce pelo intestino é chamada de *quimo*. O grau de fluidez do quimo deixando o estômago depende das quantidades relativas de comida, água e secreções estomacais e do grau de digestão que ocorreu. A aparência do quimo é semilíquida ou uma pasta turva.

Contrações de fome. Além das contrações peristálticas que ocorrem quando o alimento está presente no estômago, outro tipo de contrações intensas, chamadas de *contrações de fome*, geralmente ocorre *quando o estômago está vazio* por várias horas. Elas são contrações peristálticas rítmicas que acontecem no corpo do estômago. Quando as contrações sucessivas se tornam extremamente fortes, elas se fundem para causar uma contração tetânica contínua, que às vezes dura de dois a três minutos.

As contrações de fome são mais intensas em pessoas jovens e saudáveis com um alto grau de tônus gastrointestinal; elas também são bastante aumentadas pelo fato de a pessoa ter níveis de açúcar no sangue mais baixos do que o normal. Quando as contrações de fome ocorrem no estômago, a pessoa às vezes sente uma dor leve na boca do estômago, chamada de *pontada de fome*. A pontada de fome geralmente só começa após 12 a 24 horas após a última ingestão de alimentos; em pessoas que estão em um estado de fome, elas atingem sua maior intensidade em 3 a 4 dias e se enfraquecem gradualmente nos dias seguintes.

ESVAZIAMENTO GÁSTRICO

O esvaziamento gástrico é promovido por contrações peristálticas intensas no antro do estômago. Ao mesmo

CAPÍTULO 64 Propulsão e Mistura dos Alimentos no Trato Digestivo

tempo, o esvaziamento é oposto por vários graus de resistência à passagem do quimo no piloro.

Contrações peristálticas antrais intensas durante o esvaziamento gástrico | Bomba pilórica.
Na maioria das vezes, as contrações rítmicas do estômago são fracas e funcionam principalmente para causar a mistura de alimentos e secreções gástricas. No entanto, por cerca de 20% do tempo, enquanto o alimento está no estômago, as contrações tornam-se intensas, começando no meio do estômago e se espalhando pelo estômago caudal. Essas contrações são fortes constrições peristálticas, em forma de anel, que causam o esvaziamento do estômago. À medida que o estômago fica cada vez mais vazio, essas constrições começam cada vez mais acima no corpo do estômago, gradualmente eliminando o alimento no corpo do estômago e adicionando-o ao quimo no antro. Essas contrações peristálticas intensas geralmente criam de 50 a 70 centímetros de pressão da água, que é cerca de seis vezes mais forte do que o tipo usual de mistura de ondas peristálticas.

Quando o tônus pilórico é normal, cada onda peristáltica forte força até vários mililitros de quimo no duodeno. Assim, as ondas peristálticas, além de causarem a mistura no estômago, também fornecem uma ação de bombeamento chamada de bomba pilórica.

Papel do piloro no controle do esvaziamento gástrico.
A abertura distal do estômago é o *piloro*. Aqui, a espessura do músculo da parede circular torna-se de 50 a 100% maior do que nas porções anteriores do antro do estômago e permanece ligeiramente contraído tonicamente quase o tempo todo. Portanto, o músculo circular pilórico é chamado de *esfíncter pilórico*.

Apesar da contração tônica normal do esfíncter pilórico, o piloro geralmente está aberto o suficiente para que a água e outros líquidos vazem do estômago para o duodeno com facilidade. No entanto, a constrição geralmente impede a passagem de partículas de alimento até que se misturem no quimo a uma consistência quase fluida. O grau de constrição do piloro é aumentado ou diminuído sob a influência de sinais nervosos e hormonais do estômago e do duodeno, como discutido adiante.

REGULAÇÃO DO ESVAZIAMENTO GÁSTRICO

A taxa de esvaziamento gástrico é regulada por sinais do estômago e do duodeno. No entanto, o duodeno fornece sinais muito mais potentes, controlando o esvaziamento do quimo no duodeno a uma taxa não maior do que aquela em que o quimo pode ser digerido e absorvido no intestino delgado.

Fatores gástricos que promovem o esvaziamento

Efeito do volume alimentar na taxa de esvaziamento gástrico.
O aumento do volume dos alimentos no estômago promove maior esvaziamento do estômago. No entanto, não é o aumento da pressão de armazenamento do alimento no estômago que causa o aumento do esvaziamento, pois, na faixa normal de volume usual, o aumento do volume não aumenta muito a pressão. No entanto, o alongamento da parede do estômago provoca reflexos mioentéricos locais na parede que acentuam muito a atividade da bomba pilórica e, ao mesmo tempo, inibem o piloro.

O hormônio gastrina promove o esvaziamento gástrico.
No Capítulo 65, discutiremos como o alongamento da parede do estômago e a presença de certos tipos de alimentos no estômago – particularmente produtos digestivos de carne – provocam a liberação do hormônio *gastrina* das *células G* da mucosa antral. Isso tem efeitos potentes para causar secreção de suco gástrico altamente ácido pelas glândulas do estômago. A gastrina também tem efeitos estimulantes leves a moderados nas funções motoras do estômago. Mais importante, parece aumentar a atividade da bomba pilórica. Portanto, a gastrina provavelmente promove o esvaziamento do estômago.

Fatores duodenais poderosos que inibem o esvaziamento gástrico

Reflexos nervosos enterogástricos do duodeno inibem o esvaziamento do estômago.
Quando o alimento entra no duodeno, múltiplos reflexos nervosos são iniciados na parede duodenal. Esses reflexos voltam ao estômago para desacelerar ou mesmo interromper o esvaziamento gástrico se o volume de quimo no duodeno aumentar. Esses reflexos são mediados por três vias: (1) diretamente do duodeno ao estômago, através do sistema nervoso entérico na parede intestinal; (2) através de nervos extrínsecos que vão para os gânglios simpáticos pré-vertebrais e então voltam através das fibras nervosas simpáticas inibitórias para o estômago; e (3) em certa medida, através dos nervos vagos até o tronco encefálico, onde inibem os sinais excitatórios normais transmitidos ao estômago através dos nervos vagos. Todos esses reflexos paralelos têm dois efeitos no esvaziamento do estômago. Primeiro, eles inibem fortemente as contrações propulsivas da bomba pilórica e, segundo, aumentam o tônus do esfíncter pilórico.

Os tipos de fatores que são monitorados continuamente no duodeno e podem iniciar os reflexos inibitórios enterogástricos incluem os seguintes:

1. Distensão do duodeno
2. Presença de qualquer irritação da mucosa duodenal
3. Acidez do quimo duodenal
4. Osmolaridade do quimo
5. Presença de certos produtos de degradação no quimo, especialmente produtos de degradação de proteínas e, talvez em menor grau, de gorduras.

Os reflexos inibitórios enterogástricos são especialmente sensíveis à presença de irritantes e ácidos no quimo duodenal, e frequentemente tornam-se fortemente ativados em apenas 30 segundos. Por exemplo, sempre que o pH do quimo no duodeno cai (abaixo de cerca de 3,5 a 4,0) os reflexos bloqueiam a liberação posterior do conteúdo ácido do estômago no duodeno até que o quimo duodenal possa ser neutralizado pelo pâncreas e por outras secreções.

Os produtos de degradação da digestão de proteínas também provocam reflexos enterogástricos inibitórios; ao diminuir a taxa de esvaziamento do estômago, é garantido tempo suficiente para a digestão adequada de proteínas no duodeno e no intestino delgado.

Por fim, os líquidos hipotônicos ou, especialmente, os líquidos hipertônicos desencadeiam os reflexos inibitórios. Assim, o fluxo de líquidos não isotônicos para o intestino delgado a uma taxa muito rápida é evitado, evitando assim também mudanças rápidas nas concentrações de eletrólitos no líquido extracelular de corpo inteiro durante a absorção do conteúdo intestinal.

O *feedback* hormonal do duodeno inibe o esvaziamento gástrico | Papel das gorduras e do hormônio colecistoquinina. Os hormônios liberados da parte superior do intestino também inibem o esvaziamento do estômago. O estímulo para a liberação desses hormônios inibitórios é principalmente a entrada de gorduras no duodeno, embora outros tipos de alimentos possam aumentar os hormônios em um grau menor.

Ao entrar no duodeno, as gorduras extraem vários hormônios diferentes do epitélio duodenal e jejunal, seja por ligação com receptores nas células epiteliais ou de alguma outra forma. Por sua vez, os hormônios são transportados pelo sangue até o estômago, onde inibem a bomba pilórica e, ao mesmo tempo, aumentam a força de contração do esfíncter pilórico. Esses efeitos são importantes porque as gorduras são digeridas muito mais lentamente do que a maioria dos outros alimentos.

O mais potente desses hormônios parece ser a *colecistoquinina* (CCK), que é liberada da mucosa do jejuno em resposta às substâncias gordurosas do quimo. Esse hormônio atua como um inibidor para bloquear o aumento da motilidade estomacal causada pela gastrina.

Outros possíveis inibidores do esvaziamento gástrico são os hormônios *secretina* e o *GIP* (*peptídio insulinotrófico dependente de glicose*), também chamado de *peptídio inibitório gástrico*. A secretina é liberada principalmente da mucosa duodenal em resposta ao ácido gástrico passado do estômago através do piloro. O GIP tem um efeito geral, mas fraco, de diminuir a motilidade gastrointestinal.

O GIP é liberado da parte superior do intestino delgado principalmente em resposta à gordura do quimo, mas também, em menor grau, em resposta aos carboidratos. Embora o GIP iniba a motilidade gástrica em algumas condições, seu principal efeito em concentrações fisiológicas é provavelmente estimular a secreção de insulina pelo pâncreas.

Esses hormônios são discutidos com mais detalhes em outra parte deste texto, especialmente no Capítulo 65, em relação ao controle do esvaziamento da vesícula biliar e ao controle da taxa de secreção pancreática.

Em resumo, os hormônios, especialmente o CCK, podem inibir o esvaziamento gástrico quando quantidades excessivas de quimo, especialmente de quimo ácido ou gorduroso, entram no duodeno pelo estômago.

Resumo do controle do esvaziamento do estômago

O esvaziamento gástrico é controlado apenas em um grau moderado por fatores estomacais, como o grau de enchimento do estômago e o efeito excitatório do peristaltismo da gastrina. Provavelmente, o controle mais importante do esvaziamento do estômago reside nos sinais de retroalimentação inibitória do duodeno, incluindo os reflexos inibitórios enterogástrico e a retroalimentação hormonal por CCK. Esses mecanismos inibidores trabalham juntos para diminuir a taxa de esvaziamento quando (1) muito quimo já está no intestino delgado ou (2) o quimo é excessivamente ácido, contém muita proteína ou gordura não processada, é hipotônico ou hipertônico, ou é irritante. Dessa forma, a taxa de esvaziamento do estômago é limitada à quantidade de quimo que o intestino delgado pode processar.

MOVIMENTOS DO INTESTINO DELGADO

Os movimentos do intestino delgado, como aqueles de outras partes do trato digestivo, podem ser divididos em *contrações de mistura* e *contrações de propulsão*. Em grande medida, essa separação é artificial, porque essencialmente todos os movimentos do intestino delgado causam pelo menos algum grau de mistura e propulsão. A classificação usual desses processos é descrita nas seções a seguir.

CONTRAÇÕES DE MISTURA

Quando uma parte do intestino delgado se distende com o quimo, o alongamento da parede intestinal provoca contrações concêntricas localizadas, espaçadas em intervalos ao longo do intestino, durante uma fração de minuto. As contrações causam a segmentação do intestino delgado, conforme mostrado na **Figura 64.3** e na **Figura 63.5** – isto é, elas dividem o intestino em segmentos espaçados que têm a aparência de uma cadeia de salsichas. Conforme

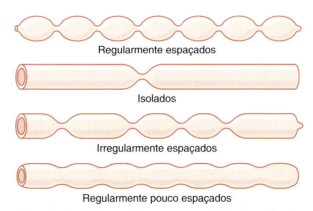

Figura 64.3 Movimentos de segmentação do intestino delgado.

CAPÍTULO 64 Propulsão e Mistura dos Alimentos no Trato Digestivo

um conjunto de contrações de segmentação relaxa, um novo conjunto começa, mas as contrações desta vez ocorrem principalmente em novos pontos entre as contrações anteriores. Portanto, as contrações de segmentação trituram o quimo duas a três vezes por minuto, promovendo, assim, a mistura progressiva do alimento com as secreções do intestino delgado.

A frequência máxima das contrações de segmentação no intestino delgado é determinada pela frequência das *ondas elétricas lentas* na parede intestinal, que é o ritmo elétrico básico descrito no Capítulo 63. Como essa frequência normalmente não é maior que 12 por minuto no duodeno e jejuno proximal, a frequência *máxima* das contrações de segmentação nessas áreas também é cerca de 12 por minuto, mas essa frequência *máxima* ocorre apenas em condições extremas de estimulação. No íleo terminal, a frequência máxima é geralmente de oito a nove contrações por minuto.

As contrações de segmentação tornam-se extremamente fracas quando a atividade excitatória do sistema nervoso entérico é bloqueada pela atropina. Portanto, embora sejam as ondas lentas no músculo liso que causam as contrações de segmentação, essas contrações não são eficazes sem a excitação de fundo, principalmente, do plexo do nervo mioentérico.

MOVIMENTOS PROPULSIVOS

Peristaltismo no intestino delgado. O quimo é impelido pelo intestino delgado por *ondas peristálticas*, conforme discutido no Capítulo 63 e ilustrado na **Figura 63.5**. Essas ondas podem ocorrer em qualquer parte do intestino delgado e se mover em direção ao ânus a uma velocidade de 0,5 a 2 centímetros por segundo – mais rápido no intestino proximal e mais lento no intestino terminal. Elas são fracas e se extinguem depois de viajar de três a cinco centímetros. As ondas raramente viajam além de 10 centímetros, então o movimento do quimo para a frente é muito lento – tão lento que o movimento *resultante* ao longo do intestino delgado normalmente é em média de apenas um centímetro por minuto. Essa taxa de deslocamento significa que são necessárias de três a cinco horas para a passagem do quimo do piloro para a válvula ileocecal.

Controle do peristaltismo por sinais nervosos e hormonais. A atividade peristáltica do intestino delgado aumenta acentuadamente após uma refeição. Esse aumento da atividade é causado em parte pelo início da entrada do quimo no duodeno, causando estiramento da parede duodenal. Além disso, a atividade peristáltica é aumentada pelo *reflexo gastroentérico*, que é iniciado pela distensão do estômago e conduzido principalmente através do plexo mioentérico do estômago para baixo ao longo da parede do intestino delgado.

Além dos sinais nervosos que afetam o peristaltismo do intestino delgado, vários fatores hormonais também o afetam. Esses fatores incluem *gastrina*, *CCK*, *insulina*, *motilina* e *serotonina*, todos os quais aumentam a motilidade

intestinal e são secretados durante as várias fases do processamento de alimentos. Por outro lado, a *secretina* e o *glucagon* inibem a motilidade do intestino delgado. A importância fisiológica de cada um desses fatores hormonais para o controle da motilidade ainda é questionável.

A função das ondas peristálticas no intestino delgado não é apenas causar a progressão do quimo em direção à válvula ileocecal, mas também espalhá-lo ao longo da mucosa intestinal. À medida que o quimo entra no intestino vindo do estômago e provoca o peristaltismo, o peristaltismo imediatamente espalha o quimo ao longo do intestino, e esse processo se intensifica à medida que o quimo adicional entra no duodeno. Ao atingir a válvula ileocecal, o quimo às vezes fica bloqueado por várias horas até que a pessoa faça outra refeição; nesse momento, um *reflexo gastroileal* intensifica o peristaltismo no íleo e força o quimo restante através da válvula ileocecal para o ceco do intestino grosso.

Efeito propulsivo dos movimentos de segmentação. Os movimentos de segmentação, embora durem apenas alguns segundos de cada vez, muitas vezes também percorrem um centímetro ou mais na direção anal e, durante esse tempo, ajudam a impulsionar o alimento pelo intestino. A diferença entre a segmentação e os movimentos peristálticos não é tão grande quanto poderia ser sugerido por sua separação nessas duas classificações.

Peristaltismo rápido e potente: surto peristáltico. Embora o peristaltismo no intestino delgado seja normalmente fraco, a irritação intensa da mucosa intestinal, como ocorre em alguns casos graves de diarreia infecciosa, pode causar um peristaltismo potente e rápido, denominado *surto peristáltico* (ou explosão peristáltica). Esse fenômeno é iniciado, em parte, por reflexos nervosos que envolvem o sistema nervoso autônomo e o tronco encefálico e, em parte, pelo aumento intrínseco dos reflexos do plexo mioentérico na parede intestinal. As poderosas contrações peristálticas percorrem longas distâncias no intestino delgado em minutos, levando o conteúdo do intestino para o cólon e, assim, aliviando o intestino delgado do quimo irritativo e da distensão excessiva.

Movimentos causados pela camada muscular da mucosa e por fibras musculares das vilosidades. O músculo da mucosa pode causar o aparecimento de pequenas dobras na mucosa intestinal. Além disso, fibras individuais desse músculo se estendem até as vilosidades intestinais e fazem com que se contraiam de forma intermitente. As dobras da mucosa aumentam a área de superfície exposta ao quimo, incrementando a absorção. Além disso, as contrações das vilosidades – encurtamento, alongamento e encurtamento novamente – ordenham as vilosidades de modo que a linfa flua livremente dos lácteos centrais das vilosidades para o sistema linfático. Essas contrações da mucosa e das vilosidades são iniciadas principalmente por reflexos nervosos locais no plexo nervoso submucoso que ocorrem em resposta ao quimo no intestino delgado.

A VÁLVULA ILEOCECAL IMPEDE O REFLUXO DO CÓLON PARA O INTESTINO DELGADO

Conforme mostrado na **Figura 64.4**, a válvula ileocecal se projeta para o lúmen do ceco e, portanto, é fechada com força quando o excesso de pressão se acumula no ceco e tenta empurrar o conteúdo cecal para trás contra os lábios da válvula. A válvula geralmente pode resistir à pressão reversa de pelo menos 50 a 60 centímetros de água.

Além disso, a parede do íleo, por vários centímetros imediatamente a montante da válvula ileocecal, tem um músculo circular espessado, denominado *esfíncter ileocecal*. Esse esfíncter normalmente permanece levemente contraído e retarda o esvaziamento do conteúdo ileal para o ceco. No entanto, imediatamente após uma refeição, um reflexo gastroileal (descrito anteriormente) intensifica o peristaltismo no íleo e ocorre o esvaziamento do conteúdo ileal no ceco.

A resistência ao esvaziamento na válvula ileocecal prolonga a permanência do quimo no íleo e, assim, facilita a absorção. Normalmente, apenas 1.500 a 2.000 mililitros de quimo são despejados no ceco a cada dia.

Controle de retroalimentação reflexa do esfíncter ileocecal. O grau de contração do esfíncter ileocecal e a intensidade do peristaltismo no íleo terminal são controlados significativamente pelos reflexos do ceco. Quando o ceco está distendido, a contração do esfíncter ileocecal torna-se intensificada, e o peristaltismo ileal é inibido, ambos retardando muito o esvaziamento do quimo adicional do íleo para o ceco. Além disso, qualquer irritante no ceco retarda o esvaziamento. Por exemplo, quando uma pessoa tem um apêndice inflamado, a irritação desse vestígio remanescente do ceco pode causar espasmo tão intenso do esfíncter ileocecal e paralisia parcial do íleo, que esses efeitos juntos bloqueiam o esvaziamento do íleo para o ceco. Os reflexos do ceco para o esfíncter ileocecal e íleo são mediados tanto pelo plexo mioentérico na parede intestinal quanto pelos nervos autonômicos extrínsecos, em particular por meio dos gânglios simpáticos pré-vertebrais.

MOVIMENTOS DO CÓLON

As principais funções do cólon são (1) a absorção de água e eletrólitos do quimo para formar fezes sólidas e (2) o armazenamento de matéria fecal até que ela possa ser expelida. A metade proximal do cólon, mostrada na **Figura 64.5**, está relacionada principalmente com a absorção, e a metade distal, com o armazenamento. Como os movimentos intensos da parede do cólon não são necessários para essas funções, os movimentos do cólon são normalmente lentos. Porém, de forma lenta, os movimentos ainda apresentam características semelhantes às do intestino delgado e podem ser novamente divididos em movimentos mistos e em movimentos propulsivos.

Movimentos de mistura: haustrações. Da mesma maneira que os movimentos de segmentação ocorrem no intestino delgado, grandes constrições circulares ocorrem no intestino grosso. Em cada uma delas, cerca de 2,5 centímetros do músculo circular se contraem, às vezes constringindo o lúmen do cólon quase até a oclusão. Ao mesmo tempo, o músculo longitudinal do cólon, que é agregado em três faixas longitudinais, chamadas de *tênias do cólon*, contrai-se. Essas contrações combinadas das tiras circulares e longitudinais do músculo fazem com que a porção não estimulada do intestino grosso se projete para fora em sacos chamados de *haustrações*.

Cada haustração atinge o pico de intensidade em cerca de 30 segundos e depois desaparece durante os próximos 60 segundos. Às vezes, eles também se movem lentamente em direção ao ânus durante a contração, especialmente no ceco e no cólon ascendente, e, portanto, fornecem uma

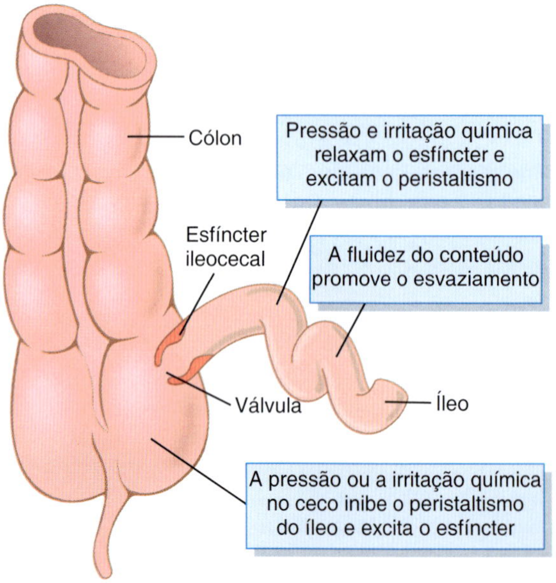

Figura 64.4 Esvaziamento na válvula ileocecal.

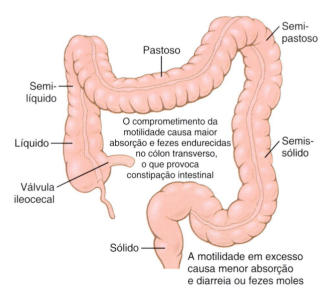

Figura 64.5 Funções de absorção e armazenamento do intestino grosso.

CAPÍTULO 64 Propulsão e Mistura dos Alimentos no Trato Digestivo

pequena quantidade de propulsão para a frente do conteúdo do cólon. Após alguns minutos, novas contrações (haustrações) ocorrem em outras áreas próximas. Portanto, a matéria fecal no intestino grosso é lentamente *revolvida*, tal como uma pá faz com um monte de terra. Assim, todo o material fecal é gradualmente exposto à superfície da mucosa do intestino grosso, para que os líquidos e as substâncias dissolvidas sejam progressivamente absorvidos até que apenas 80 a 200 mℓ de fezes sejam expelidos por dia.

Movimentos propulsivos: movimentos de massa. Muito da propulsão no ceco e no cólon ascendente resulta das haustrações (contrações dos haustros) lentas, mas persistentes, exigindo até 8 a 15 horas para mover o quimo da válvula ileocecal através do cólon, enquanto o quimo se torna fecal em qualidade – um semissólido, em vez de uma lama semilíquida.

Do ceco ao sigmoide, os *movimentos de massa* podem, por muitos minutos de cada vez, assumir o papel propulsor. Esses movimentos geralmente ocorrem apenas de 1 a 3 vezes/dia, em muitas pessoas, especialmente por cerca de 15 minutos durante a primeira hora após o café da manhã.

Um movimento de massa é um tipo modificado de peristaltismo caracterizado pela seguinte sequência de eventos. Primeiro, um *anel constritivo* ocorre em resposta a um ponto distendido ou irritado no cólon, geralmente no cólon transverso. Então, rapidamente, os 20 ou mais centímetros do *cólon distal ao anel constritivo* perdem suas haustrações e, em vez disso, contraem-se como uma unidade, impulsionando o material fecal nesse segmento *em massa* mais para baixo no cólon. A contração desenvolve progressivamente mais força por cerca de 30 segundos, e o relaxamento ocorre durante os próximos dois a três minutos. Outro movimento de massa ocorre, desta vez, talvez mais ao longo do cólon.

Uma série de movimentos de massa geralmente persiste por 10 a 30 minutos. Eles então cessam, mas retornam talvez metade de 1 dia depois. Quando eles forçam uma massa de fezes para o reto, o desejo de defecar é sentido.

Início dos movimentos de massa pelos reflexos gastrocólico e duodenocólico. O aparecimento de movimentos de massa após as refeições é facilitado pelos *reflexos gastrocólicos* e *duodenocólicos*. Esses reflexos resultam da distensão do estômago e do duodeno. Eles ocorrem de forma leve ou quase inexistente quando os nervos autônomos extrínsecos do cólon são removidos; portanto, os reflexos quase certamente são transmitidos por meio do sistema nervoso autônomo.

A irritação no cólon também pode iniciar movimentos de massa intensos. Por exemplo, uma pessoa que tem uma condição ulcerada da mucosa do cólon (*colite ulcerosa*) frequentemente apresenta movimentos de massa que persistem quase o tempo todo.

DEFECAÇÃO

Na maioria das vezes, o reto está vazio de fezes, em parte porque existe um esfíncter funcional fraco a cerca de 20 centímetros do ânus na junção entre o cólon sigmoide e o reto. Uma angulação acentuada também está presente aqui, o que contribui para a resistência adicional ao enchimento do reto.

Quando um movimento de massa força as fezes para o reto, o desejo de defecar ocorre imediatamente, incluindo a contração reflexa do reto e o relaxamento dos esfíncteres anais.

O gotejamento contínuo de matéria fecal pelo ânus é evitado pela constrição tônica do seguinte: (1) um *esfíncter anal interno*, que é um espessamento de vários centímetros do músculo liso circular que fica imediatamente dentro do ânus; e (2) um *esfíncter anal externo*, composto de músculo voluntário estriado que circunda o esfíncter interno e se estende distalmente a ele. O esfíncter externo é controlado por fibras nervosas no *nervo pudendo*, que faz parte do sistema nervoso somático e, portanto, está sob *controle voluntário, consciente* ou pelo menos *subconsciente*; subconscientemente, o esfíncter externo é mantido continuamente contraído, a menos que sinais conscientes inibam a constrição.

Reflexos de defecação. Normalmente, a defecação é iniciada pelos *reflexos de defecação*. Um desses reflexos é um *reflexo intrínseco* mediado pelo sistema nervoso entérico local na parede retal. Quando as fezes entram no reto, a distensão da parede retal inicia sinais aferentes que se espalham pelo *plexo mioentérico* para iniciar ondas peristálticas no cólon descendente, sigmoide e reto, forçando as fezes em direção ao ânus. Conforme a onda peristáltica se aproxima do ânus, o esfíncter anal *interno* é relaxado por sinais inibitórios do plexo mioentérico; se o esfíncter anal *externo* também estiver consciente e voluntariamente relaxado ao mesmo tempo, ocorre a defecação.

Normalmente, quando o reflexo de defecação mioentérico intrínseco está funcionando por si mesmo, ele é relativamente fraco. Para ser eficaz em causar a defecação, deve ser reforçado por outro tipo de reflexo de defecação, denominado *reflexo de defecação parassimpático*, que envolve os segmentos sacrais da medula espinhal, mostrado na **Figura 64.6**. Quando as terminações nervosas do reto são estimuladas, os sinais são transmitidos primeiro para a medula espinhal e depois reflexamente de volta para o cólon descendente, sigmoide, reto e ânus por meio de fibras nervosas parassimpáticas nos *nervos esplâncnicos pélvicos*. Esses sinais parassimpáticos intensificam muito as ondas peristálticas e relaxam o esfíncter anal interno, convertendo o reflexo de defecação mioentérico intrínseco de um esforço fraco em um poderoso processo de defecação que às vezes é eficaz no esvaziamento do intestino grosso desde a flexura esplênica do cólon ao ânus.

Os sinais de defecação que entram na medula espinhal iniciam outros efeitos, como respiração profunda, fechamento da glote e contração dos músculos da parede abdominal para forçar o conteúdo fecal do cólon para baixo e, ao mesmo tempo, fazem com que o assoalho pélvico relaxe para baixo e puxe o anel anal para fora para expelir as fezes.

PARTE 12 Fisiologia Digestiva

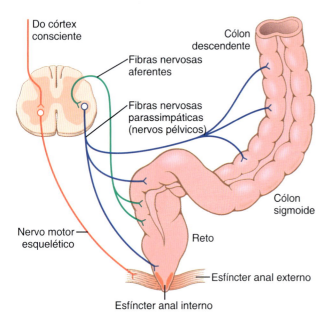

Figura 64.6 Vias aferentes e eferentes do mecanismo parassimpático para aumentar o reflexo de defecação.

Quando for conveniente para a pessoa defecar, os reflexos de defecação podem ser ativados propositalmente respirando fundo para mover o diafragma para baixo e, em seguida, contraindo os músculos abdominais para aumentar a pressão no abdome, forçando, assim, o conteúdo fecal no reto para causar novos reflexos. Os reflexos iniciados dessa maneira quase nunca são tão eficazes quanto os que surgem naturalmente, e, portanto, as pessoas que inibem seus reflexos naturais com muita frequência podem ficar gravemente constipadas.

Em neonatos e em algumas pessoas com medula espinhal seccionada, os reflexos de defecação causam esvaziamento automático do intestino grosso em momentos inconvenientes durante o dia devido à falta de controle consciente exercido por meio de contração voluntária ou relaxamento do esfíncter anal externo.

OUTROS REFLEXOS AUTONÔMICOS QUE AFETAM A ATIVIDADE INTESTINAL

Além dos reflexos duodenocólico, gastrocólico, gastroileal, enterogástrico e de defecação, que foram discutidos neste capítulo, vários outros reflexos nervosos importantes também afetam o grau geral de atividade intestinal. Eles são o reflexo peritoniointestinal, o reflexo renointestinal e o reflexo vesicointestinal.

O *reflexo peritoniointestinal* resulta da irritação do peritônio; inibe fortemente os nervos entéricos excitatórios e, portanto, pode causar paralisia intestinal, especialmente em pacientes com peritonite. Os *reflexos renointestinal* e *vesicointestinal* inibem a atividade intestinal como resultado de irritação renal ou da bexiga, respectivamente.

Bibliografia

Browning KN, Travagli RA: Central nervous system control of gastrointestinal motility and secretion and modulation of gastrointestinal functions. Compr Physiol 4:1339, 2014.

Camilleri M: Physiological underpinnings of irritable bowel syndrome: neurohormonal mechanisms. J Physiol 592:2967, 2014.

Farré R, Tack J: Food and symptom generation in functional gastrointestinal disorders: physiological aspects. Am J Gastroenterol 108:698, 2013.

Ford AC, Lacy BE, Talley NJ: Irritable bowel syndrome. N Engl J Med 376:2566, 2017.

Furness JB: The enteric nervous system and neurogastroenterology. Nat Rev Gastroenterol Hepatol 9:286, 2012.

Gracie DJ, Hamlin PJ, Ford AC: The influence of the brain-gut axis in inflammatory bowel disease and possible implications for treatment. Lancet Gastroenterol Hepatol 4:632, 2019.

Hockley JRF, Smith ESJ, Bulmer DC: Human visceral nociception: findings from translational studies in human tissue. Am J Physiol Gastrointest Liver Physiol 315:G464, 2018.

Huizinga JD, Lammers WJ: Gut peristalsis is governed by a multitude of cooperating mechanisms. Am J Physiol Gastrointest Liver Physiol 296:G1, 2009.

Kumral D, Zfass AM: Gut movements: a review of the physiology of gastrointestinal transit. Dig Dis Sci 63:2500, 2018.

Lang IM, Medda BK, Shaker R: Characterization and mechanism of the esophago-esophageal contractile reflex of the striated muscle esophagus. Am J Physiol Gastrointest Liver Physiol 317:G304, 2019.

Mittal RK: Regulation and dysregulation of esophageal peristalsis by the integrated function of circular and longitudinal muscle layers in health and disease. Am J Physiol Gastrointest Liver Physiol 311:G431, 2016.

Ouyang A, Regan J, McMahon BP: Physiology of the upper segment, body, and lower segment of the esophagus. Ann N Y Acad Sci 1300:261, 2013.

Sanders KM, Ward SM, Koh SD: Interstitial cells: regulators of smooth muscle function. Physiol Rev 94:859, 2014.

Spencer NJ, Dinning PG, Brookes SJ, Costa M: Insights into the mechanisms underlying colonic motor patterns. J Physiol 594:4099, 2016.

Szarka LA, Camilleri M: Methods for measurement of gastric motility. Am J Physiol Gastrointest Liver Physiol 296:G461, 2009.

CAPÍTULO 65

Funções Secretoras do Trato Digestivo

Ao longo do trato digestivo, as glândulas secretoras desempenham duas funções principais: (1) as *enzimas digestivas* são secretadas na maioria das áreas do trato digestivo, da boca à extremidade distal do íleo; e (2) glândulas mucosas localizadas da boca ao ânus fornecem *muco* para lubrificação e proteção de todas as partes do trato digestivo.

A maioria das secreções digestivas é formada em resposta à presença de alimentos no trato digestivo, e a quantidade secretada em cada segmento dele costuma ser a necessária para uma digestão adequada. Além disso, em algumas partes do trato digestivo, mesmo os *tipos de enzimas* e outros constituintes das secreções são variados de acordo com os tipos de alimentos presentes. Neste capítulo, descrevemos as diferentes secreções alimentares, suas funções e a regulação de sua produção.

PRINCÍPIOS GERAIS DE SECREÇÃO DO TRATO DIGESTIVO

TIPOS DE GLÂNDULAS DO TRATO DIGESTIVO

Vários tipos de glândulas fornecem os diferentes tipos de secreções do trato digestivo. Primeiro, na superfície do epitélio, na maior parte do trato digestivo, existem bilhões de *glândulas mucosas unicelulares*, chamadas simplesmente de *células mucosas*, ou, às vezes, de *células caliciformes*, porque se parecem com cálices. Elas funcionam principalmente em resposta à irritação local do epitélio: expelem *muco* diretamente sobre a superfície epitelial para atuar como um lubrificante que também protege as superfícies da escoriação e da digestão.

Segundo, muitas áreas de superfície do trato digestivo são revestidas por "cavidades" que representam invaginações do epitélio para a submucosa. No intestino delgado, essas cavidades, chamadas de *criptas de Lieberkühn*, são profundas e contêm células secretoras especializadas. Uma dessas células é mostrada na **Figura 65.1**.

Terceiro, no estômago e no duodeno superior, há um grande número de *glândulas tubulares* profundas. Uma glândula tubular típica é vista na **Figura 65.4**, que mostra uma glândula estomacal secretora de ácido e pepsinogênio (*glândula oxíntica*).

Quarto, também estão associadas ao trato digestivo várias glândulas complexas – as *glândulas salivares*, o *pâncreas* e o *fígado* – que fornecem secreções para a digestão ou emulsificação dos alimentos. O fígado tem uma estrutura altamente especializada, que é discutida no Capítulo 71. As glândulas salivares e o pâncreas são glândulas acinosas compostas do tipo mostrado na **Figura 65.2**. Essas glândulas situam-se fora das paredes do trato digestivo e, nesse aspecto, diferem de todas as outras glândulas alimentares. Elas contêm milhões de *ácinos* revestidos com células glandulares secretoras; esses ácinos alimentam um sistema de ductos que finalmente deságuam no trato digestivo.

MECANISMOS BÁSICOS DE ESTIMULAÇÃO DAS GLÂNDULAS DO TRATO DIGESTIVO

O contato dos alimentos com o epitélio intestinal ativa o sistema nervoso entérico e estimula a secreção

A presença de alimentos em um determinado segmento do trato digestivo estimula as glândulas daquela região e das regiões adjacentes a secretarem quantidades moderadas a grandes de sucos. Parte desse efeito local, especialmente a secreção de muco pelas células mucosas, resulta da estimulação do contato direto das células glandulares superficiais pelo alimento.

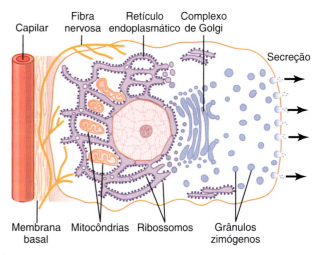

Figura 65.1 Função característica de uma célula glandular para formação e secreção de enzimas e de outras substâncias secretórias.

PARTE 12 Fisiologia Digestiva

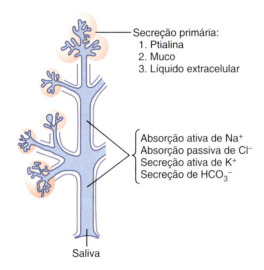

Figura 65.2 Formação e secreção de saliva pela glândula salivar submandibular.

Além disso, a estimulação epitelial local também ativa o *sistema nervoso entérico* da parede intestinal. Os tipos de estímulos que ativam esse sistema são (1) a estimulação tátil, (2) a irritação química e (3) a distensão da parede intestinal. Os reflexos nervosos resultantes estimulam as células mucosas da superfície epitelial do intestino e as glândulas profundas da parede intestinal para aumentar sua secreção.

Estimulação autonômica de secreção

A estimulação parassimpática aumenta a taxa de secreção glandular no trato digestivo. A estimulação dos nervos parassimpáticos para o trato digestivo aumenta quase invariavelmente as taxas de secreção glandular alimentar. Esse aumento da taxa de secreção é especialmente verdadeiro para as glândulas da parte superior do trato (inervadas por fibras parassimpáticas dos nervos glossofaríngeo e vago), como as glândulas salivares, esofágicas, gástricas, pancreáticas e glândulas de Brunner, no duodeno. Isso também ocorre com algumas glândulas da porção distal do intestino grosso, que são inervadas pelos nervos parassimpáticos pélvicos. A secreção no restante do intestino delgado e nos primeiros dois terços do intestino grosso ocorre principalmente em resposta a estímulos neurais e hormonais locais em cada segmento dele.

A estimulação simpática tem um efeito duplo na taxa de secreção glandular do trato digestivo. A estimulação dos nervos simpáticos que vão para o trato digestivo causa um aumento leve a moderado na secreção de algumas das glândulas locais. No entanto, a estimulação simpática também contrai os vasos sanguíneos que irrigam as glândulas. Portanto, a estimulação simpática pode ter um efeito duplo: (1) a estimulação simpática sozinha geralmente aumenta ligeiramente a secreção e (2) se a estimulação parassimpática ou hormonal já estiver causando secreção copiosa pelas glândulas, a estimulação simpática sobreposta a reduz, às vezes significativamente, principalmente por causa da redução vasoconstritora do suprimento sanguíneo.

Regulação da secreção glandular por hormônios. No estômago e no intestino, vários *hormônios gastrointestinais* diferentes ajudam a regular o volume e a composição das secreções. Esses hormônios são liberados da mucosa gastrointestinal em resposta à presença de alimentos no lúmen do intestino. Os hormônios são então absorvidos pelo sangue e transportados para as glândulas, onde estimulam a secreção. Esse tipo de estimulação é particularmente útil para aumentar a produção de suco gástrico e de suco pancreático quando o alimento entra no estômago ou no duodeno.

Quimicamente, os hormônios gastrointestinais são polipeptídios ou derivados de polipeptídios e serão discutidos em mais detalhes posteriormente.

MECANISMO BÁSICO DE SECREÇÃO POR CÉLULAS GLANDULARES

Secreção de substâncias orgânicas. Embora todos os mecanismos básicos pelos quais as células glandulares funcionam não sejam conhecidos, as evidências experimentais apontam para os seguintes princípios de secreção, conforme mostrado na **Figura 65.1**.

1. O material nutriente necessário para a formação da secreção deve primeiro se difundir ou ser transportado ativamente pelo sangue nos capilares para a base da célula glandular.
2. Muitas *mitocôndrias* localizadas dentro da célula glandular perto de sua base usam a energia oxidativa para formar o trifosfato de adenosina (ATP).
3. A energia do ATP, junto com substratos apropriados fornecidos pelos nutrientes, é então usada para sintetizar as substâncias secretoras orgânicas; essa síntese ocorre quase inteiramente no *retículo endoplasmático* e no *complexo de Golgi* da célula glandular. Os *ribossomos* aderidos ao retículo são especificamente responsáveis pela formação de proteínas que são secretadas.
4. Os materiais secretores são transportados pelos túbulos do retículo endoplasmático, passando em cerca de 20 minutos até as vesículas do complexo de Golgi.
5. No complexo de Golgi, os materiais são modificados, adicionados, concentrados e descarregados no citoplasma na forma de *vesículas secretoras*, que são armazenadas nas extremidades apicais das células secretoras.
6. Essas vesículas permanecem armazenadas até que os sinais de controle nervoso ou hormonal façam com que as células expulsem o conteúdo vesicular através da superfície das células. Essa ação provavelmente ocorre da seguinte maneira. O hormônio se liga ao seu receptor e, por meio de um dos vários mecanismos de sinalização celular possíveis, *aumenta a permeabilidade da membrana celular aos íons cálcio*. O cálcio entra na célula e faz com que muitas das vesículas se fundam com a

CAPÍTULO 65 Funções Secretoras do Trato Digestivo

membrana apical da célula. A membrana celular apical então se quebra, esvaziando as vesículas para o exterior; esse processo é denominado de *exocitose*.

Secreção de água e eletrólitos. Uma segunda necessidade para a secreção glandular é a secreção de água e eletrólitos suficientes para acompanhar as substâncias orgânicas. A secreção pelas glândulas salivares, discutida com mais detalhes posteriormente, fornece um exemplo de como a estimulação nervosa faz com que água e sais passem pelas células glandulares em grande profusão, lavando as substâncias orgânicas através da borda secretora das células ao mesmo tempo. Os hormônios que agem na membrana celular de algumas células glandulares também produzem efeitos secretores semelhantes aos causados pela estimulação nervosa.

Propriedades lubrificantes e protetoras do muco no trato digestivo

O muco é uma secreção espessa, composta principalmente de água, eletrólitos e uma mistura de várias glicoproteínas, que são compostas de grandes polissacarídios ligados a quantidades muito menores de proteína. O muco é ligeiramente diferente em diferentes partes do trato digestivo, mas, em todos os locais, tem várias características importantes que o tornam um excelente lubrificante e um protetor para a parede intestinal:

1. O muco possui qualidades aderentes que o fazem aderir firmemente aos alimentos ou a outras partículas e se espalhar como uma película fina sobre as superfícies.
2. Tem *volume* suficiente para cobrir a parede do intestino e impede o contato real da maioria das partículas de alimentos com a mucosa.
3. O muco tem baixa resistência ao deslizamento, portanto, as partículas podem deslizar ao longo do epitélio com grande facilidade.
4. O muco faz com que as partículas fecais adiram umas às outras para formar as fezes, que são expelidas durante a evacuação.
5. O muco é fortemente resistente à digestão pelas enzimas gastrointestinais.
6. As glicoproteínas do muco têm *propriedades anfotéricas*, o que significa que são capazes de tamponar pequenas quantidades de ácidos ou bases; além disso, o muco geralmente contém quantidades moderadas de HCO_3^-, que neutraliza especificamente os ácidos.

Assim, o muco tem a capacidade de permitir o deslizamento fácil dos alimentos ao longo do trato digestivo e de prevenir danos escoriativos ou químicos ao epitélio. Uma pessoa torna-se agudamente consciente das qualidades lubrificantes do muco quando as glândulas salivares deixam de secretar saliva, porque fica difícil de engolir alimentos sólidos, mesmo quando ingeridos com grandes quantidades de água.

SECREÇÃO DA SALIVA

A saliva contém uma secreção serosa e uma secreção mucosa. As principais glândulas de salivação são as *glândulas parótida, submandibular* e *sublingual*; além disso, existem muitas minúsculas glândulas bucais. A secreção diária de saliva normalmente varia entre 800 e 1.500 mililitros, conforme mostrado pelo valor médio de 1.000 mililitros na **Tabela 65.1**.

A saliva contém dois tipos principais de secreção de proteínas: (1) *secreção serosa* que contém *ptialina* (uma α-*amilase*), que é uma enzima para digerir amidos; e (2) *secreção de muco* que contém *mucina* para lubrificação e proteção de superfície.

As glândulas parótidas produzem quase inteiramente o tipo de secreção serosa, enquanto as glândulas submandibulares e sublinguais produzem secreção serosa e muco. As glândulas bucais secretam apenas muco. A saliva tem pH entre 6 e 7, faixa favorável para a ação digestiva da ptialina.

Secreção de íons na saliva. A saliva contém especialmente grandes quantidades de K^+ e de HCO_3^-. Por outro lado, as concentrações de Na^+ e de Cl^- são várias vezes menores na saliva do que no plasma. Pode-se entender essas concentrações especiais de íons na saliva a partir da seguinte descrição do mecanismo de secreção da saliva.

A **Figura 65.2** mostra a secreção pela glândula submandibular, uma glândula composta típica que contém *ácinos* e *ductos salivares*. A secreção salivar é uma operação em duas fases. O primeiro estágio envolve os ácinos e o segundo, os ductos salivares. Os ácinos secretam uma *secreção primária* que contém ptialina e/ou mucina em uma solução de íons com concentrações não muito diferentes daquelas do líquido extracelular típico. À medida que a secreção primária flui pelos ductos, ocorrem dois processos principais de transporte ativo que modificam de forma marcante a composição iônica do líquido na saliva.

Primeiro, o *Na*$^+$ é ativamente reabsorvido de todos os ductos salivares, e o *K*$^+$ é secretado ativamente em troca de Na^+. Portanto, a concentração de Na^+ na saliva torna-se bastante reduzida, enquanto a concentração de K^+ aumenta. No entanto, há um excesso de reabsorção de Na^+ em comparação com a secreção de K^+, o que cria uma negatividade elétrica de cerca de -70 milivolts nos ductos salivares; essa negatividade, por sua vez, faz com que Cl^- seja reabsorvido passivamente. Portanto, a concentração de Cl^- no líquido salivar cai para um nível muito baixo, correspondendo à diminuição ductal na concentração de Na^+.

Tabela 65.1 Secreção diária dos sucos intestinais pelo trato digestivo.

Tipo de secreção	Volume diário (mℓ)	pH
Saliva	1.000	6 a 7
Secreção gástrica	1.500	1 a 3,5
Secreção pancreática	1.000	8 a 8,3
Bile	1.000	7,8
Secreção do intestino delgado	1.800	7,5 a 8
Secreção da glândula de Brunner	200	8 a 8,9
Secreção do intestino grosso	200	7,5 a 8
Total	6.700	

Segundo, o HCO_3^- é secretado pelo epitélio ductal para o lúmen do ducto. Essa secreção é pelo menos parcialmente causada pela troca passiva de bicarbonato por Cl^-, mas também pode resultar em parte de um processo secretor ativo.

O resultado líquido desses processos de transporte é que, *em condições de repouso*, as concentrações de Na^+ e de Cl^- na saliva são apenas cerca de 15 mEq/ℓ cada, cerca de um sétimo a um décimo de suas concentrações no plasma. Por outro lado, a concentração de K^+ é cerca de 30 mEq/ℓ, sete vezes maior que no plasma, e a concentração de HCO_3^- é de 50 a 70 mEq/ℓ, cerca de duas a três vezes a do plasma.

Durante a salivação máxima, as concentrações iônicas salivares mudam consideravelmente porque a taxa de formação da secreção primária pelos ácinos pode aumentar até 20 vezes. Essa secreção acinar então flui através dos ductos tão rapidamente que o recondicionamento ductal da secreção é consideravelmente reduzido. Portanto, quando grandes quantidades de saliva são secretadas, a concentração de cloreto de sódio é cerca de metade ou dois terços da do plasma, e a concentração de potássio aumenta para apenas quatro vezes a do plasma.

Função da saliva para a higiene oral. Em condições basais de vigília, cerca de 0,5 mℓ de saliva, quase inteiramente do tipo mucoso, é secretado a cada minuto; entretanto, durante o sono, ocorre pouca secreção. Essa secreção desempenha um papel extremamente importante para a manutenção de tecidos orais saudáveis. A boca está repleta de bactérias patogênicas que podem facilmente destruir tecidos e causar cáries dentárias. A saliva ajuda a prevenir os processos de deterioração de várias maneiras:
1. O fluxo de saliva ajuda a eliminar bactérias patogênicas, bem como partículas de alimentos que fornecem seu suporte metabólico.
2. A saliva contém vários fatores que destroem as bactérias. Um deles são os *íons tiocianato* e outro, as várias *enzimas proteolíticas* – mais importante, *lisozima* – que (a) atacam as bactérias, (b) ajudam os íons tiocianato a entrar nas bactérias, onde esses íons, por sua vez, tornam-se bactericidas e (c) digerem as partículas de alimentos, ajudando a remover ainda mais o suporte metabólico bacteriano.
3. A saliva contém quantidades significativas de anticorpos que podem destruir as bactérias orais, incluindo algumas que causam as cáries dentárias. Na ausência de salivação, os tecidos orais frequentemente tornam-se ulcerados e infectados, e a cárie pode estender-se a todos os dentes.

REGULAÇÃO NEURAL DA SECREÇÃO SALIVAR

A **Figura 65.3** mostra as vias nervosas parassimpáticas para regular a salivação e demonstra que as glândulas salivares são controladas principalmente por *sinais nervosos parassimpáticos* dos *núcleos salivatórios superior* e *inferior* do tronco encefálico.

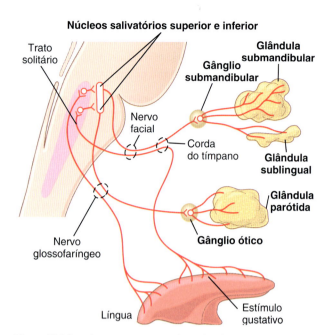

Figura 65.3 Regulação nervosa parassimpática da secreção salivatória.

Os núcleos salivatórios se localizam aproximadamente na junção da medula com a ponte e são excitados por estímulos gustativos e táteis da língua e de outras áreas da boca e da faringe. Muitos estímulos gustativos, especialmente o gosto azedo (causado por ácidos), provocam uma secreção copiosa de saliva – geralmente de 8 a 20 vezes a taxa basal de secreção. Além disso, certos estímulos táteis, como a presença de objetos lisos na boca (p. ex., uma pedra), causam salivação acentuada, enquanto objetos ásperos causam menos salivação e, ocasionalmente, até a inibem.

A salivação também pode ser estimulada ou inibida por sinais nervosos que chegam aos núcleos salivatórios dos centros superiores do sistema nervoso central. Por exemplo, quando uma pessoa cheira ou come os alimentos favoritos, a salivação é maior do que quando um alimento de que não gosta é cheirado ou comido. O *centro da fome* do cérebro, que regula parcialmente esses efeitos, está localizado nas proximidades dos centros parassimpáticos do hipotálamo anterior e funciona em grande parte em resposta aos sinais das áreas gustativas e olfatórias do córtex cerebral ou da amígdala.

A salivação também ocorre em resposta a reflexos originados no estômago e no intestino delgado superior – particularmente quando alimentos irritantes são engolidos ou quando uma pessoa está com náuseas devido a alguma anormalidade gastrointestinal. A saliva, quando engolida, ajuda a remover o fator irritante do trato digestivo, diluindo ou neutralizando as substâncias irritantes.

A *estimulação simpática* também pode aumentar um pouco a salivação – muito menos do que a estimulação parassimpática. Além disso, a saliva formada em resposta à atividade simpática é mais espessa em comparação com a saliva produzida durante o aumento da atividade parassimpática. Os nervos simpáticos originam-se dos gânglios cervicais superiores e correm ao longo das superfícies das paredes dos vasos sanguíneos até as glândulas salivares.

Um fator secundário que também afeta a secreção salivar é o *suprimento sanguíneo para as glândulas*, pois a secreção sempre requer nutrientes adequados do sangue. Os sinais nervosos parassimpáticos que induzem uma salivação abundante também dilatam moderadamente os vasos sanguíneos. Além disso, a salivação dilata diretamente os vasos sanguíneos, proporcionando, assim, maior nutrição das glândulas salivatórias conforme a necessidade das células secretoras. Parte desse efeito vasodilatador adicional é causado pela *calicreína* secretada pelas células salivares ativadas, que atua como uma enzima para dividir uma das proteínas do sangue, uma α_2-globulina, para formar *bradicinina*, um forte vasodilatador.

Secreção esofágica

As secreções esofágicas são inteiramente mucosas e fornecem principalmente lubrificação para a deglutição. O corpo principal do esôfago é revestido por muitas *glândulas mucosas simples*. Na extremidade gástrica e, em menor extensão, na porção inicial do esôfago, também é possível encontrar muitas *glândulas mucosas compostas*. O muco secretado pelas glândulas compostas no esôfago superior evita a escoriação da mucosa ao entrar novamente nos alimentos, enquanto as glândulas compostas, localizadas perto da junção esofagogástrica, protegem a parede esofágica da digestão por sucos gástricos ácidos que frequentemente refluem do estômago de volta para o esôfago inferior. Apesar dessa proteção, às vezes uma úlcera péptica ainda pode ocorrer na extremidade gástrica do esôfago.

SECREÇÃO GÁSTRICA

Além das células secretoras de muco, que revestem toda a superfície do estômago, a mucosa do estômago tem dois tipos importantes de glândulas tubulares – *glândulas oxínticas* (também chamadas de *glândulas gástricas*) e *glândulas pilóricas*. As glândulas oxínticas (formadoras de ácido) secretam *ácido clorídrico*, *pepsinogênio*, *fator intrínseco* e *muco*. As glândulas pilóricas secretam principalmente *muco* para proteção da mucosa pilórica do ácido gástrico. Elas também secretam o hormônio *gastrina*.

As glândulas oxínticas se localizam nas superfícies internas do corpo e no fundo do estômago – os 80% proximais do estômago. As glândulas pilóricas se localizam na porção antral do estômago – os 20% distais do estômago.

Secreções das glândulas gástricas (oxínticas)

Uma glândula oxíntica estomacal típica é mostrada na **Figura 65.4**. Ela é composta por três tipos principais de células: (1) *células mucosas do colo*, que secretam principalmente *muco*; (2) *células pépticas* (ou *principais*), que secretam grandes quantidades de *pepsinogênio*; e (3) *células parietais* (ou *oxínticas*), que secretam *ácido clorídrico* e *fator intrínseco*. As glândulas oxínticas também contêm alguns tipos de células adicionais, incluindo as *células semelhantes a enterocromafins* (ECL, do inglês, *enterochromaffin-like cells*), que secretam a histamina.

A secreção de ácido clorídrico pelas células parietais envolve mecanismos especiais, como é explicado a seguir.

Mecanismo básico de secreção gástrica de ácido clorídrico. Quando estimuladas, as células parietais secretam uma solução ácida que contém cerca de 160 mEq/ℓ de ácido clorídrico (HCl), que é quase isotônico com os líquidos corporais. O pH desse ácido é de cerca de 0,8, demonstrando sua extrema acidez. Nesse pH, a concentração de H^+ é de cerca de três milhões de vezes a do sangue arterial. Para concentrar o H^+, essa quantidade tremenda requer mais de 1.500 calorias de energia por litro de suco gástrico. Ao mesmo tempo que o H^+ é secretado, o HCO_3^- se difunde para o sangue, de modo que o sangue venoso gástrico tem um pH mais alto do que o sangue arterial quando o estômago está secretando ácido.

A **Figura 65.5** mostra esquematicamente a estrutura funcional de uma célula parietal (também chamada de *célula oxíntica*), demonstrando que ela contém grandes *canalículos* intracelulares ramificados. O ácido clorídrico é formado nas projeções semelhantes a vilosidades dentro desses canalículos e é então conduzido pelos canalículos até a extremidade secretora da célula.

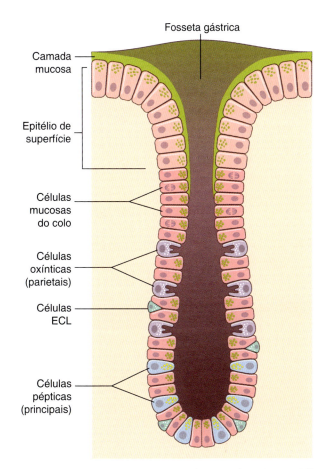

Figura 65.4 Glândula gástrica (oxíntica) do corpo do estômago. ECL: Células semelhantes às enterocromafins.

PARTE 12 Fisiologia Digestiva

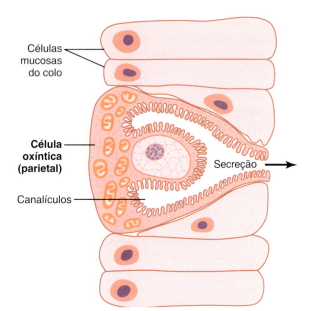

Figura 65.5 Anatomia esquemática dos canalículos em uma célula parietal (oxíntica).

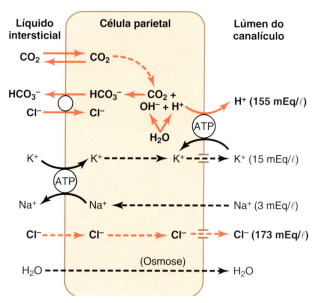

Figura 65.6 Mecanismo postulado para secreção de ácido clorídrico. (Os pontos marcados como ATP [trifosfato de adenosina] indicam bombas ativas, e as *linhas tracejadas* representam a difusão livre e a osmose.)

A principal força motriz da secreção de ácido clorídrico pelas células parietais é uma *bomba de hidrogênio-potássio (H^+/K^+ ATPase)*. O mecanismo químico de formação de ácido clorídrico é mostrado na **Figura 65.6** e consiste nas seguintes etapas:

1. A água dentro da célula parietal se dissocia em H^+ e hidroxila (OH^-) no citoplasma da célula. O H^+ é então secretado ativamente no canalículo em troca de K^+, um processo de troca ativo que é catalisado pela H^+/K^+ ATPase. Os íons potássio transportados para a célula pela bomba H^+/K^+ ATPase no lado basolateral (extracelular) da membrana tendem a vazar para o lúmen, mas são reciclados de volta para a célula pela H^+/K^+ ATPase. A H^+/K^+ ATPase basolateral cria baixo Na^+ intracelular, o que contribui para a reabsorção de Na^+ do lúmen do canalículo. Assim, a maior parte do K^+ e do Na^+ no canalículo é reabsorvida no citoplasma da célula e o H^+ ocupa seu lugar no canalículo.
2. O bombeamento de H^+ para fora da célula pela H^+/K^+ ATPase permite que OH^- se acumule e forme HCO_3^- a partir do CO_2, durante o metabolismo da célula ou ao entrar nela a partir do sangue. Essa reação é catalisada pela *anidrase carbônica*. O HCO_3^- é então transportado através da membrana basolateral para o líquido extracelular em troca de íons Cl^-, que entram na célula e são secretados pelos canais de cloreto para o canalículo, dando uma solução forte de ácido clorídrico no canalículo. O ácido clorídrico é então secretado para fora, através da extremidade aberta do canalículo, para o lúmen da glândula.
3. A água passa para o canalículo por osmose devido a íons extras secretados no canalículo. Assim, a secreção final do canalículo contém água, ácido clorídrico na concentração de cerca de 150 a 160 mEq/ℓ, cloreto de potássio na concentração de 15 mEq/ℓ e uma pequena quantidade de cloreto de sódio.

Para produzir uma concentração de H^+ tão grande quanto a encontrada no suco gástrico, é necessário um refluxo mínimo na mucosa do ácido secretado. A maior parte da capacidade do estômago de prevenir o refluxo de ácido pode ser atribuída à *barreira gástrica*, que é constituída pela formação de um grande volume de muco alcalino e pelas junções oclusivas entre as células epiteliais, conforme descrito posteriormente. Se essa barreira for danificada por substâncias tóxicas, como ocorre com o uso excessivo de ácido acetilsalicílico ou álcool, o ácido secretado vaza por um gradiente eletroquímico para a mucosa, causando danos à mucosa do estômago.

Os fatores básicos que estimulam a secreção gástrica são acetilcolina, gastrina e histamina. A acetilcolina liberada pela estimulação parassimpática excita a secreção de pepsinogênio pelas células pépticas, de ácido clorídrico pelas células parietais e de muco pelas células mucosas. Em comparação, tanto a gastrina quanto a histamina estimulam fortemente a secreção de ácido pelas células parietais, mas têm pouco efeito nas outras células.

Secreção e ativação do pepsinogênio. Vários tipos ligeiramente diferentes de pepsinogênio são secretados pelas células pépticas e mucosas das glândulas gástricas, mas todos os pepsinogênios desempenham as mesmas funções básicas.

Quando o pepsinogênio é secretado pela primeira vez, ele não tem atividade digestiva. No entanto, assim que entra em contato com o ácido clorídrico, é ativado para formar *pepsina* ativa. Nesse processo, a molécula de pepsinogênio, com peso molecular de aproximadamente

42.500, é dividida para formar uma molécula de pepsina, com peso molecular de cerca de 35.000.

A pepsina funciona como uma enzima proteolítica ativa em um meio altamente ácido (pH ótimo, 1,8 a 3,5), mas acima de um pH de cerca de 5, ela quase não tem atividade proteolítica e se torna completamente inativada em um curto período de tempo. O ácido clorídrico é tão necessário quanto a pepsina para a digestão de proteínas no estômago, conforme discutido no Capítulo 66.

Secreção do fator intrínseco pelas células parietais. A substância *fator intrínseco de B₁₂*, essencial para a absorção da vitamina B₁₂ no íleo, é secretado pelas *células parietais* junto com a secreção de ácido clorídrico. Quando as células parietais produtoras de ácido do estômago são destruídas, o que frequentemente ocorre em pessoas com gastrite crônica, não só se desenvolve *acloridria* (falta de secreção de ácido estomacal), mas também frequentemente se desenvolve *anemia perniciosa*, devido à falha de maturação dos glóbulos vermelhos na ausência de estimulação da medula óssea com vitamina B₁₂. Essa condição é discutida no Capítulo 33.

GLÂNDULAS PILÓRICAS SECRETAM MUCO E GASTRINA

As glândulas pilóricas são estruturalmente semelhantes às glândulas oxínticas, mas contêm poucas células pépticas e quase nenhuma célula parietal. Em vez disso, elas contêm principalmente células mucosas que são idênticas às células mucosas do pescoço das glândulas oxínticas. Essas células secretam uma pequena quantidade de pepsinogênio, como discutido anteriormente, e uma quantidade especialmente grande de muco fino que ajuda a lubrificar o movimento dos alimentos, bem como a proteger a parede do estômago da digestão pelas enzimas gástricas. As glândulas pilóricas também secretam o hormônio *gastrina*, que desempenha um papel fundamental no controle da secreção gástrica, como discutiremos em breve.

CÉLULAS MUCOSAS DE SUPERFÍCIE

Toda a superfície da mucosa do estômago entre as glândulas tem uma camada contínua de um tipo especial de células mucosas, chamadas simplesmente de "células mucosas de superfície". Elas secretam grandes quantidades de *muco viscoso*, que reveste a mucosa do estômago com uma camada de gel de muco, muitas vezes com mais de um milímetro de espessura, proporcionando uma grande proteção para a parede do estômago, além de contribuir para a lubrificação do transporte de alimentos.

Outra característica desse muco é que *ele é alcalino*. Portanto, a parede *normal* do estômago subjacente não é diretamente exposta à secreção proteolítica do estômago, altamente ácida. Mesmo o mais leve contato com alimentos ou qualquer irritação da mucosa estimula diretamente as células mucosas superficiais a secretarem quantidades adicionais desse muco espesso, alcalino e viscoso.

ESTIMULAÇÃO DA SECREÇÃO DE ÁCIDO CLORÍDRICO NO ESTÔMAGO

As células parietais das glândulas oxínticas são as únicas que secretam ácido clorídrico. Conforme observado anteriormente neste capítulo, a acidez do líquido secretado pelas células parietais das glândulas oxínticas pode ser grande, com pH tão baixo quanto 0,8. No entanto, a secreção desse ácido está sob controle contínuo por sinais endócrinos e nervosos. Além disso, as células parietais operam em estreita associação com outro tipo de célula, denominado de *células semelhantes às enterocromafins* (células ECL), cuja função principal é secretar histamina.

As células ECL ficam nos recessos profundos das glândulas oxínticas e, portanto, liberam histamina em contato direto com as células parietais das glândulas. As taxas de formação e de secreção de ácido clorídrico pelas células parietais estão diretamente relacionadas à quantidade de histamina secretada pelas células ECL. Por sua vez, as células ECL são estimuladas a secretar histamina pelo hormônio *gastrina*, que é formado quase inteiramente na porção antral da mucosa do estômago em resposta às proteínas dos alimentos sendo digeridos. As células ECL também podem ser estimuladas por hormônios secretados pelo sistema nervoso entérico da parede do estômago. Discutiremos primeiro o mecanismo da gastrina para o controle das células ECL e seu subsequente controle da secreção de ácido clorídrico pelas células parietais.

Estimulação da secreção ácida pela gastrina. A gastrina é um hormônio secretado pelas *células de gastrina*, também chamadas de *células G*. Essas células estão localizadas nas *glândulas pilóricas* na extremidade distal do estômago. A gastrina é um grande polipeptídio secretado de duas formas – uma grande forma, chamada de G-34, que contém 34 aminoácidos, e uma forma menor, a G-17, que contém 17 aminoácidos. Embora ambas as formas sejam importantes, a forma menor é mais abundante.

Quando as carnes ou outros alimentos que contêm proteínas chegam à extremidade antral do estômago, algumas das proteínas desses alimentos têm um efeito estimulador especial nas *células da gastrina nas glândulas pilóricas* para causar a liberação de *gastrina* no sangue para ser transportada para as células ECL do estômago. A mistura vigorosa dos sucos gástricos transporta a gastrina rapidamente para as células ECL no corpo do estômago, causando a liberação de *histamina diretamente nas glândulas oxínticas profundas*. A histamina então age rapidamente para estimular a secreção de ácido clorídrico gástrico.

REGULAÇÃO DA SECREÇÃO DE PEPSINOGÊNIO

A estimulação da secreção de *pepsinogênio* pelas células pépticas nas glândulas oxínticas ocorre em resposta a dois tipos principais de sinais: (1) *acetilcolina* liberada dos *nervos vagos* ou do *plexo nervoso entérico gástrico*, e

(2) ácido no estômago. O ácido provavelmente não estimula as células pépticas diretamente, mas, em vez disso, provoca reflexos nervosos entéricos adicionais que apoiam os sinais nervosos originais para as células pépticas. Portanto, a taxa de secreção de *pepsinogênio*, o precursor da enzima pepsina que causa a digestão das proteínas, é fortemente influenciada pela quantidade de ácido no estômago. Em pessoas que perderam a capacidade de secretar quantidades normais de ácido, a secreção de pepsinogênio também diminui, embora as células pépticas possam parecer normais.

Fases da secreção gástrica

A secreção gástrica ocorre em três fases (como mostrado na **Figura 65.7**): uma *fase cefálica*, uma *fase gástrica* e uma *fase intestinal*.

Fase cefálica. A fase cefálica da secreção gástrica ocorre antes mesmo que o alimento entre no estômago, especialmente durante a ingestão. Resulta da visão, do cheiro, do pensamento ou do sabor dos alimentos, e, quanto maior o apetite, mais intensa é a estimulação. Os sinais neurogênicos que causam a fase cefálica da secreção gástrica se originam no córtex cerebral e nos centros de apetite da amígdala e do hipotálamo. Eles são transmitidos por meio dos núcleos motores dorsais do vago e daí por intermédio dos nervos vagos para o estômago. Essa fase de secreção normalmente é responsável por cerca de 30% da secreção gástrica associada à ingestão de uma refeição.

Fase gástrica. Uma vez que o alimento entra no estômago, ele excita o seguinte: (1) longos reflexos vagovagais do estômago ao cérebro e de volta ao estômago; (2) reflexos entéricos locais; e (3) o mecanismo da gastrina, que causa a secreção de suco gástrico durante várias horas, enquanto o alimento permanece no estômago. A fase gástrica da secreção é responsável por cerca de 60% da secreção gástrica total associada à ingestão de uma refeição e, portanto, é responsável pela maior parte da secreção gástrica diária total de cerca de 1.500 mililitros.

Fase intestinal. A presença de alimentos na porção superior do intestino delgado, particularmente no duodeno, continuará a causar secreção estomacal de pequenas quantidades de suco gástrico, provavelmente em parte devido às pequenas quantidades de gastrina liberadas pela mucosa duodenal. Essa secreção é responsável por cerca de 10% da resposta ácida a uma refeição.

Inibição da secreção gástrica por outros fatores intestinais

Embora o quimo intestinal estimule ligeiramente a secreção gástrica durante a fase intestinal inicial da secreção estomacal, ele, paradoxalmente, inibe a secreção gástrica em outros momentos. Essa inibição resulta de pelo menos duas influências.

1. A presença de alimentos no intestino delgado inicia um *reflexo enterogástrico reverso*, transmitido pelo sistema nervoso mioentérico e pelos nervos simpático extrínseco e vago, que inibe a secreção estomacal. Esse reflexo pode ser iniciado por (a) distensão do intestino delgado, (b) presença de ácido no intestino superior, (c) presença de produtos da degradação de proteínas ou (d) irritação da mucosa. Esse reflexo faz parte do complexo mecanismo discutido no Capítulo 64 para retardar o esvaziamento do estômago quando os intestinos já estão cheios.

2. A presença de ácido, gordura, produtos da degradação de proteínas, líquidos hiperosmóticos ou hipo-osmóticos ou qualquer fator irritante na parte superior do intestino delgado causa a liberação de vários hormônios intestinais. Um desses hormônios é a *secretina*, que é

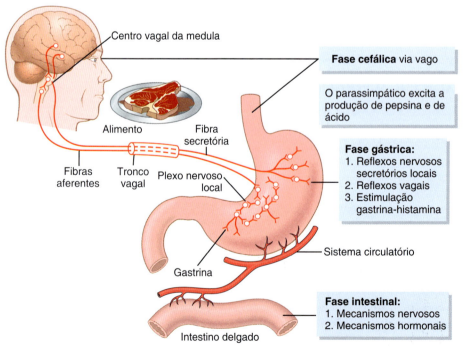

Figura 65.7 Fases da secreção gástrica e sua regulação.

especialmente importante para o controle da secreção pancreática. No entanto, a secretina se opõe à secreção estomacal. Três outros hormônios – *peptídio insulinotrófico dependente de glicose (GIP)*, antigamente chamado de peptídio inibitório gástrico; *peptídio intestinal vasoativo (VIP)*; e *somatostatina* – também têm efeitos leves a moderados na inibição da secreção gástrica.

O objetivo dos fatores intestinais que inibem a secreção gástrica é, presumivelmente, retardar a passagem do quimo do estômago quando o intestino delgado já está cheio ou hiperativo. Na verdade, os reflexos inibitórios enterogástricos mais os hormônios inibidores geralmente também reduzem a motilidade do estômago ao mesmo tempo que reduzem a secreção gástrica, conforme discutido no Capítulo 64.

Secreção gástrica durante o período interdigestivo.

O estômago secreta alguns mililitros de suco gástrico a cada hora durante o período interdigestivo, quando pouca ou nenhuma digestão ocorre em qualquer parte do intestino. A secreção que ocorre geralmente é quase inteiramente do tipo não oxíntico, composta principalmente de *muco*, mas com pouca pepsina e quase nenhum ácido.

Os estímulos emocionais podem aumentar a secreção gástrica interdigestiva (que é altamente péptica e ácida) para 50 mℓ ou mais por hora, da mesma forma que a fase cefálica da secreção gástrica excita a secreção no início da refeição. Esse aumento da secreção em resposta a estímulos emocionais pode contribuir para o desenvolvimento de úlceras pépticas, conforme discutido no Capítulo 67.

Composição química da gastrina e de outros hormônios gastrointestinais

A *gastrina*, a *colecistoquinina* (CCK) e a *secretina* são polipeptídios grandes com pesos moleculares aproximados de 2.000, 4.200 e 3.400, respectivamente. Os cinco aminoácidos terminais nas cadeias moleculares da gastrina e CCK são iguais. A atividade funcional da gastrina reside nos quatro aminoácidos terminais, e a atividade da CCK reside nos oito aminoácidos terminais. Todos os aminoácidos da molécula de secretina são essenciais.

Uma gastrina sintética, a *pentagastrina*, composta pelos quatro aminoácidos terminais da gastrina natural mais o aminoácido alanina, tem todas as mesmas propriedades fisiológicas da gastrina natural.

SECREÇÃO PANCREÁTICA

O pâncreas, que fica paralelo e abaixo do estômago (ilustrado na **Figura 65.10**), é uma grande glândula composta, e a maior parte de sua estrutura interna é semelhante à das glândulas salivares, mostradas na **Figura 65.2**. As enzimas digestivas pancreáticas são secretadas pelos *ácinos pancreáticos*, e grandes volumes de solução de bicarbonato de sódio são secretados pelos pequenos ductos e ductos maiores que saem dos ácinos. O produto combinado de enzimas e bicarbonato de sódio então flui por um longo *ducto pancreático principal*, que normalmente se junta ao ducto hepático comum, imediatamente antes de desaguar no duodeno por meio da *papila de Vater*, circundada pelo *esfíncter de Oddi*.

O suco pancreático é secretado mais abundantemente em resposta à presença de quimo nas porções superiores do intestino delgado, e as características do suco pancreático são determinadas até certo ponto pelos tipos de alimentos no quimo. O pâncreas também secreta *insulina*, mas ela não é secretada pelo mesmo tecido pancreático que secreta o suco pancreático intestinal. Em vez disso, a insulina é secretada diretamente no *sangue* – não no intestino – pelas *ilhotas pancreáticas* (*ilhotas de Langerhans*), que ocorrem em grupos de ilhotas por todo o pâncreas. Essas estruturas são discutidas no Capítulo 79.

ENZIMAS DIGESTIVAS PANCREÁTICAS

A secreção pancreática contém várias enzimas para digerir todos os três principais tipos de alimentos – proteínas, carboidratos e gorduras. Ele também contém grandes quantidades de HCO_3^-, que desempenha um papel importante na neutralização da acidez do quimo esvaziado do estômago para o duodeno.

As enzimas pancreáticas mais importantes para digerir as proteínas são a *tripsina*, a *quimiotripsina* e a *carboxipeptidase*. De longe, a mais abundante delas é a tripsina.

A tripsina e a quimiotripsina dividem as proteínas inteiras e parcialmente digeridas em peptídios de vários tamanhos, mas não causam a liberação de aminoácidos individuais. No entanto, a carboxipeptidase divide alguns peptídios em aminoácidos individuais, completando a digestão de algumas proteínas até o estado de aminoácido.

A enzima pancreática para digerir carboidratos é a *amilase pancreática*, que hidrolisa amidos, glicogênio e a maioria dos outros carboidratos (exceto celulose) para formar principalmente dissacarídios e alguns trissacarídios.

As principais enzimas para a digestão da gordura são as seguintes: (1) *lipase pancreática*, que é capaz de hidrolisar a gordura neutra em ácidos graxos e monoglicerídios; (2) *colesterol esterase*, que causa hidrólise de ésteres de colesterol; e (3) *fosfolipase*, que separa os ácidos graxos dos fosfolipídios.

Quando sintetizadas pela primeira vez nas células pancreáticas, as enzimas digestivas proteolíticas estão em suas formas enzimaticamente inativas – *tripsinogênio*, *quimiotripsinogênio* e *procarboxipeptidase*. Elas são ativadas somente após serem secretadas no trato intestinal. O tripsinogênio é ativado por uma enzima chamada de *enteroquinase*, que é secretada pela mucosa intestinal quando o quimo entra em contato com a mucosa. O tripsinogênio também pode ser ativado, por autocatálise, pela tripsina que já foi formada a partir do tripsinogênio secretado anteriormente. O quimiotripsinogênio é ativado pela tripsina para formar a quimiotripsina, e a procarboxipeptidase é ativada de maneira semelhante.

A secreção do inibidor de tripsina impede a digestão do próprio pâncreas.
É importante que as enzimas proteolíticas do suco pancreático não sejam ativadas antes de serem secretadas para o intestino, porque a tripsina e as outras enzimas digerem o pâncreas. Felizmente,

as mesmas células que secretam enzimas proteolíticas nos ácinos do pâncreas secretam simultaneamente outra substância, chamada de *inibidor de tripsina*. Essa substância, que se forma no citoplasma das células glandulares, impede a ativação da tripsina no interior das células secretoras e nos ácinos e ductos do pâncreas. Além disso, como é a tripsina que ativa as outras enzimas proteolíticas pancreáticas, o inibidor de tripsina também impede a ativação das outras enzimas.

Quando o pâncreas fica gravemente danificado ou quando um ducto fica bloqueado, grandes quantidades de secreção pancreática às vezes se acumulam nas suas áreas danificadas. Nessas condições, o efeito do inibidor de tripsina costuma ser superado, caso em que as secreções pancreáticas se tornam rapidamente ativadas e podem digerir todo o pâncreas em poucas horas, dando origem à condição chamada de *pancreatite aguda*. Essa condição às vezes é letal devido ao choque circulatório que o acompanha; mesmo que não seja letal, geralmente leva a uma vida inteira de insuficiência pancreática.

SECREÇÃO DE ÍONS BICARBONATO

Embora as enzimas do suco pancreático sejam secretadas inteiramente pelos ácinos das glândulas pancreáticas, os outros dois componentes importantes do suco pancreático, HCO_3^- e água, são secretados principalmente pelas células epiteliais dos dúctulos e ductos que conduzem dos ácinos. Quando o pâncreas é estimulado a secretar grandes quantidades de suco pancreático, a concentração de HCO_3^- pode aumentar até 145 mEq/ℓ, um valor cerca de cinco vezes maior que o do HCO_3^- no plasma. Essa alta concentração fornece uma grande quantidade de álcali no suco pancreático, que serve para neutralizar o ácido clorídrico que sai do estômago para o duodeno.

As etapas básicas no mecanismo celular para a secreção de solução de bicarbonato de sódio nos ductos e ductos pancreáticos, mostrados na **Figura 65.8**, são as seguintes:

1. O dióxido de carbono se difunde para o interior da célula a partir do sangue e, sob a influência da anidrase carbônica, combina-se com a água para formar ácido carbônico (H_2CO_3). O ácido carbônico se dissocia em HCO_3^- e H^+. O HCO_3^- adicional entra na célula através da membrana basolateral por cotransporte com Na^+. O HCO_3^- é então trocado por Cl^- por transporte ativo secundário através da borda luminal da célula para o lúmen do ducto. O Cl^- que entra na célula é reciclado de volta para o lúmen por canais especiais de cloreto.
2. O H^+ formado pela dissociação do ácido carbônico dentro da célula é *trocado por Na^+ através da membrana basolateral da célula* por transporte ativo secundário. Os íons sódio também entram na célula por cotransporte com HCO_3^- através da membrana basolateral. Os íons sódio são então transportados pela borda luminal para o lúmen do ducto pancreático. A voltagem negativa do lúmen também puxa o Na^+ carregado positivamente através das junções estreitas entre as células.

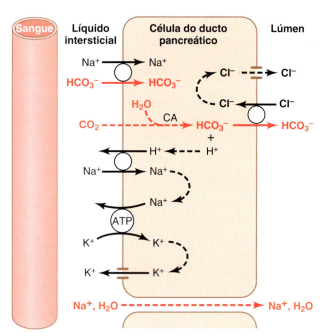

Figura 65.8 Secreção de solução isosmótica de bicarbonato de sódio pelos dúctulos e ductos pancreáticos. ATP, trifosfato de adenosina; CA, anidrase carbônica.

3. O movimento geral de Na^+ e de HCO_3^- do sangue para o lúmen do ducto cria um gradiente de pressão osmótica que causa a osmose da água também para o ducto pancreático, formando uma solução de bicarbonato quase totalmente isosmótica.

REGULAÇÃO DA SECREÇÃO PANCREÁTICA

Estímulos básicos que causam a secreção pancreática

Três estímulos básicos são importantes para causar a secreção pancreática:

1. *Acetilcolina*, que é liberada das terminações nervosas vago parassimpáticas e de outros nervos colinérgicos no sistema nervoso entérico
2. *Colecistoquinina* (CCK), que é secretada pela mucosa duodenal e jejunal superior quando o alimento entra no intestino delgado
3. *Secretina*, que também é secretada pela mucosa duodenal e jejunal quando alimentos altamente ácidos entram no intestino delgado.

Os dois primeiros estímulos, acetilcolina e CCK, estimulam as células acinares do pâncreas, causando a produção de grandes quantidades de enzimas digestivas pancreáticas, mas quantidades relativamente pequenas de água e eletrólitos para acompanhar as enzimas. Sem a água, a maioria das enzimas permanece temporariamente armazenada nos ácinos e nos ductos até que mais secreção de líquido chegue para levá-los ao duodeno. A secretina, em contraste com os dois primeiros estímulos básicos, estimula a secreção de grandes quantidades de solução aquosa de bicarbonato de sódio pelo epitélio ductal pancreático.

Efeitos multiplicativos de diferentes estímulos na secreção pancreática. Quando todos os diferentes estímulos de secreção pancreática ocorrem ao mesmo tempo, a secreção total é muito maior do que a soma das secreções causadas por cada um separadamente. Portanto, diz-se que os vários estímulos se multiplicam ou potencializam uns aos outros. Assim, a secreção pancreática normalmente resulta dos efeitos combinados dos múltiplos estímulos básicos, não de um sozinho.

Fases da secreção pancreática

A secreção pancreática, assim como a secreção gástrica, ocorre em três fases: a *fase cefálica*, a *fase gástrica* e a *fase intestinal*. Suas características são descritas nas seções a seguir.

Fases cefálica e gástrica. Durante a fase cefálica da secreção pancreática, os mesmos sinais nervosos do cérebro que causam a secreção no estômago também causam a liberação de acetilcolina pelas terminações nervosas vagais no pâncreas. Essa sinalização faz com que quantidades moderadas de enzimas sejam secretadas para os ácinos pancreáticos, respondendo por cerca de 20% da secreção total de enzimas pancreáticas após uma refeição. No entanto, pouca secreção flui imediatamente pelos ductos pancreáticos para o intestino, porque apenas pequenas quantidades de água e de eletrólitos são secretadas junto com as enzimas.

Durante a fase gástrica, a estimulação nervosa da secreção enzimática continua sendo responsável por outros 5 a 10% das enzimas pancreáticas secretadas após uma refeição. Contudo, novamente, apenas pequenas quantidades chegam ao duodeno por causa da contínua falta de secreção significativa de líquido.

Fase intestinal. Depois que o quimo deixa o estômago e entra no intestino delgado, a secreção pancreática torna-se abundante, principalmente em resposta ao hormônio *secretina*.

A secretina estimula a secreção abundante de íons bicarbonato, que neutralizam o quimo ácido proveniente do estômago. A secretina é um polipeptídio que contém 27 aminoácidos (com peso molecular aproximado de 3.400). Está presente em uma forma inativa, a pró-secretina, nas *células S* da mucosa do duodeno e do jejuno. Quando o quimo ácido com um pH inferior a 4,5 a 5 entra no duodeno, proveniente do estômago, causa a liberação da mucosa duodenal e a ativação da secretina, que é então absorvida pelo sangue. O único constituinte realmente potente do quimo que causa a liberação de secretina é o ácido clorídrico do estômago.

A secretina, por sua vez, faz com que o pâncreas secrete grandes quantidades de líquido contendo alta concentração de HCO_3^- (até 145 mEq/ℓ), mas baixa concentração de Cl^-. O mecanismo da secretina é especialmente importante por duas razões. Primeiro, a secretina começa a ser liberada da mucosa do intestino delgado quando o pH do conteúdo duodenal cai abaixo de 4,5 a 5 e sua liberação aumenta muito à medida que o pH cai para 3. Esse mecanismo causa imediatamente uma secreção abundante de suco pancreático, que contém grandes quantidades de bicarbonato de sódio. O resultado líquido é então a seguinte reação no duodeno:

$$HCl + NaHCO_3 \rightarrow NaCl + H_2CO_3$$

O ácido carbônico então se dissocia imediatamente em CO_2 e em água. O CO_2 é absorvido pelo sangue e expirado pelos pulmões, deixando uma solução neutra de cloreto de sódio no duodeno. Desse modo, o conteúdo ácido que é esvaziado do estômago para o duodeno se torna neutralizado e, assim, a atividade digestiva péptica adicional dos sucos gástricos no duodeno é imediatamente bloqueada. Como a mucosa do intestino delgado não pode resistir à ação digestiva do suco gástrico ácido, esse mecanismo protetor é essencial para prevenir o desenvolvimento de úlceras duodenais, conforme discutido no Capítulo 67.

A secreção de íons bicarbonato pelo pâncreas fornece um pH apropriado para a ação das enzimas digestivas pancreáticas, que funcionam de maneira ótima em meio ligeiramente alcalino ou neutro, com pH de 7 a 8. Felizmente, o pH da secreção de bicarbonato de sódio é em média 8.

A colecistoquinina contribui para o controle da secreção de enzimas digestivas pelo pâncreas. A presença de alimento no intestino delgado superior também faz com que um segundo hormônio, CCK, um polipeptídio que contém 33 aminoácidos, seja liberado de outro grupo de células, as *células produtoras de CCK*, na mucosa do duodeno e do jejuno superior. Essa liberação de CCK resulta principalmente da presença de *proteoses* e *peptonas* (produtos da digestão parcial de proteínas) e de *ácidos graxos de cadeia longa* no quimo proveniente do estômago.

A CCK, como a secretina, passa pelo sangue para o pâncreas; mas, em vez de causar a secreção de bicarbonato de sódio, causa principalmente a secreção de muito mais enzimas digestivas pancreáticas pelas células acinares. Esse efeito é semelhante ao causado pela estimulação vagal, mas é ainda mais pronunciado, representando 70 a 80% da secreção total das enzimas digestivas pancreáticas após uma refeição.

As diferenças entre os efeitos estimuladores pancreáticos da secretina e da CCK são mostradas na **Figura 65.9**, que demonstra o seguinte: (1) uma secreção intensa de bicarbonato de sódio em resposta ao ácido no duodeno, estimulada pela secretina; (2) um efeito duplo em resposta ao sabão (uma gordura); e (3) uma secreção intensa de enzimas digestivas (quando as peptonas entram no duodeno) estimulada por CCK.

A **Figura 65.10** resume os fatores mais importantes que regulam a secreção pancreática. A quantidade total secretada a cada dia é de cerca de 1 ℓ.

PARTE 12 Fisiologia Digestiva

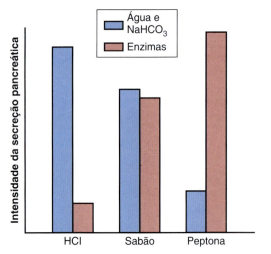

Figura 65.9 Secreção de bicarbonato de sódio (NaHCO₃), água e enzima pelo pâncreas, causada pela presença de ácido (HCl), gordura (sabão) ou peptonas no duodeno.

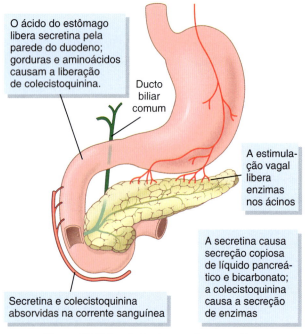

Figura 65.10 Regulação da secreção pancreática.

SECREÇÃO BILIAR PELO FÍGADO

Uma das muitas funções do fígado é a secreção de *bile*, normalmente entre 600 e 1.000 mililitros por dia. A bile tem duas funções importantes.

A primeira é que a bile desempenha um papel importante na digestão e na absorção de gordura, não por causa de quaisquer enzimas presentes nela que causam a digestão de gordura, mas porque os *ácidos biliares* desempenham duas funções: (1) ajudam a emulsionar grandes partículas de gordura do alimento em partículas de muitos minutos, cuja superfície pode então ser atacada por enzimas lipase secretadas no suco pancreático, e (2) elas auxiliam na absorção de produtos finais de gordura digerida através da membrana mucosa intestinal.

A segunda é que a bile serve como meio de excreção de vários produtos residuais importantes do sangue. Esses produtos residuais incluem, em particular, a *bilirrubina*, um produto final da destruição da hemoglobina, e o excesso de *colesterol*.

ANATOMIA FISIOLÓGICA DA SECREÇÃO BILIAR

A bile é secretada em dois estágios pelo fígado:

1. A porção inicial é secretada pelas principais células funcionais do fígado, os *hepatócitos*. Essa secreção inicial contém grandes quantidades de ácidos biliares, colesterol e outros constituintes orgânicos. Ela é secretada em diminutos *canalículos biliares* que se originam entre as células hepáticas (ver **Figura 71.1**).
2. Em seguida, a bile flui nos canalículos em direção aos septos interlobulares, onde os canalículos desembocam nos *ductos biliares terminais* e, em seguida, em ductos progressivamente maiores, finalmente alcançando o *ducto hepático* e o *ducto biliar comum*. A partir desses ductos, a bile esvazia-se diretamente no duodeno ou é desviada por minutos a várias horas através do *ducto cístico* para a *vesícula biliar*, mostrado na **Figura 65.11**.

Em seu curso pelos ductos biliares, uma segunda porção da secreção do fígado é adicionada à bile inicial. Essa secreção adicional é uma solução aquosa de Na⁺ e de HCO₃⁻ secretada pelas células epiteliais que revestem os ductos. Essa segunda secreção às vezes aumenta a quantidade total de bile em até 100%. A segunda secreção é estimulada especialmente pela *secretina*, que causa a liberação de quantidades adicionais de HCO₃⁻ para suplementar o HCO₃⁻ na secreção pancreática (para neutralizar o ácido que é esvaziado do estômago para o duodeno).

A vesícula biliar armazena e concentra a bile. A bile é secretada continuamente pelas células do fígado, mas a maior parte dela é normalmente armazenada na vesícula biliar até que seja necessária no duodeno. O volume máximo que a vesícula biliar pode conter é de apenas 30 a 60 mℓ. No entanto, a secreção biliar pode ser armazenada por até 12 horas (aproximadamente 450 mℓ) na vesícula biliar, porque água, sódio, cloreto e a maioria dos outros eletrólitos pequenos são continuamente absorvidos através da sua mucosa, concentrando os constituintes biliares restantes que contêm sais biliares, colesterol, lecitina e bilirrubina.

A maior parte dessa absorção da vesícula biliar é causada pelo transporte ativo de sódio através do epitélio da vesícula biliar, e esse transporte é seguido pela absorção secundária de Cl⁻, água e muitos outros constituintes difusíveis. A bile é normalmente concentrada dessa forma cerca de 5 vezes, mas pode ser concentrada até um máximo de 20 vezes.

Composição da bile. A **Tabela 65.2** relaciona a composição da bile quando ela é secretada pela primeira vez pelo fígado e, em seguida, após ter sido concentrada na vesícula biliar. De longe, as substâncias mais abundantes

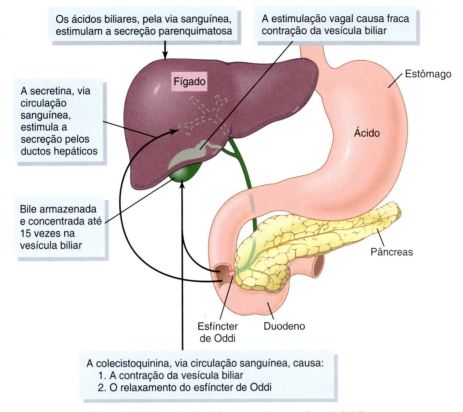

Figura 65.11 Secreção hepática e esvaziamento da vesícula biliar.

secretadas na bile são os *sais biliares*, que respondem por cerca da metade dos solutos totais também na bile. Também secretados ou excretados em grandes concentrações estão a *bilirrubina*, o *colesterol*, a *lecitina* e os *eletrólitos* usuais do plasma.

No processo de concentração na vesícula biliar, a água e grandes porções dos eletrólitos (exceto os íons cálcio) são reabsorvidos pela mucosa da vesícula biliar. Essencialmente, todos os outros constituintes, especialmente os sais biliares e as substâncias lipídicas colesterol e lecitina, não são reabsorvidos e, portanto, tornam-se altamente concentrados na bile da vesícula biliar.

Tabela 65.2 Composição da bile.

Substância	Bile hepática	Bile na vesícula biliar
Água	97,5 g/dℓ	92 g/dℓ
Sais biliares	1,1 g/dℓ	6 g/dℓ
Bilirrubina	0,04 g/dℓ	0,03 g/dℓ
Colesterol	0,1 g/dℓ	0,3 a 0,9 g/dℓ
Ácidos graxos	0,12 g/dℓ	0,3 a 1,2 g/dℓ
Lecitina	0,04 g/dℓ	0,3 g/dℓ
Na^+	145 mEq/ℓ	130 mEq/ℓ
K^+	5 mEq/ℓ	12 mEq/ℓ
Ca^{2+}	5 mEq/ℓ	23 mEq/ℓ
Cl^-	100 mEq/ℓ	25 mEq/ℓ
HCO_3^-	28 mEq/ℓ	10 mEq/ℓ

A colecistoquinina estimula o esvaziamento da vesícula biliar. Quando os alimentos começam a ser digeridos no trato digestivo superior, a vesícula biliar começa a se esvaziar, especialmente quando os alimentos gordurosos chegam ao duodeno, cerca de 30 minutos após uma refeição. O mecanismo de esvaziamento da vesícula biliar são as contrações rítmicas da parede da vesícula biliar, mas o esvaziamento eficaz também requer relaxamento simultâneo do *esfíncter de Oddi*, que protege a saída do ducto biliar comum para o duodeno.

De longe, o estímulo mais potente para causar as contrações da vesícula biliar é o hormônio CCK. Conforme discutido anteriormente, a CCK também causa aumento da secreção de enzimas digestivas pelas células acinares do pâncreas. O estímulo para a entrada de CCK no sangue pela mucosa duodenal é principalmente a presença de alimentos gordurosos no duodeno.

A vesícula biliar também é estimulada menos fortemente pelas *fibras nervosas secretoras de acetilcolina* do sistema vago e do sistema nervoso entérico intestinal. Elas são os mesmos nervos que promovem a motilidade e a secreção em outras partes do trato digestivo superior.

Em resumo, a vesícula biliar esvazia seu estoque de bile concentrado no duodeno, principalmente em resposta ao estímulo CCK, que é iniciado principalmente por alimentos gordurosos. Quando a gordura não está na comida, a vesícula biliar se esvazia mal, mas, quando quantidades significativas de gordura estão presentes, a vesícula biliar normalmente esvazia-se completamente em cerca

PARTE 12 Fisiologia Digestiva

de 1 hora. A **Figura 65.11** resume a secreção de bile, seu armazenamento na vesícula biliar e sua liberação final da vesícula biliar para o duodeno.

FUNÇÃO DOS SAIS BILIARES NA DIGESTÃO E NA ABSORÇÃO DE GORDURA

As células do fígado sintetizam cerca de 6 gramas por dia de *sais biliares*. O precursor dos sais biliares é o *colesterol*, que está presente na dieta ou é sintetizado nas células do fígado durante o curso do metabolismo da gordura. O colesterol é primeiro convertido em *ácido cólico*, ou *ácido chenodesoxicólico*, em quantidades aproximadamente iguais. Esses ácidos, por sua vez, combinam-se principalmente com glicina e, em menor extensão, com taurina para formar *ácidos biliares glicoconjugados* e *tauroconjugados*. Os sais desses ácidos, principalmente os sais de sódio, são então secretados na bile.

Os sais biliares têm duas ações importantes no trato intestinal.

Primeiro, eles têm uma ação detergente sobre as partículas de gordura dos alimentos. Essa ação, que diminui a tensão superficial das partículas e permite a agitação no trato intestinal para quebrar os glóbulos de gordura em tamanhos diminutos, é chamada de *função emulsificante*, ou *detergente*, dos sais biliares.

Segundo, e ainda mais importante do que a função emulsificante, os sais biliares ajudam na absorção de (1) ácidos graxos, (2) monoglicerídios, (3) colesterol e (4) outros lipídios do trato intestinal. Eles ajudam nessa absorção, formando pequenos complexos físicos com esses lipídios; os complexos são chamados de *micelas* e são semissolúveis no quimo por causa das cargas elétricas dos sais biliares. Os lipídios intestinais são transportados nessa forma para a mucosa intestinal, onde são absorvidos pelo sangue, como será descrito em detalhes no Capítulo 66. Sem a presença de sais biliares no trato intestinal, até 40% das gorduras ingeridas é perdido nas fezes, e um *deficit* metabólico frequentemente se desenvolve por causa dessa perda de nutrientes.

Circulação êntero-hepática dos sais biliares. Cerca de 94% dos sais biliares são reabsorvidos no sangue a partir do intestino delgado, cerca de metade por *difusão* através da mucosa nas porções iniciais do intestino delgado e o restante por um processo de *transporte ativo* através da mucosa intestinal na região distal íleo. Eles então entram no sangue portal e voltam para o fígado. Ao chegar ao fígado e durante a primeira passagem pelos sinusoides venosos, esses sais são absorvidos quase inteiramente de volta para as células hepáticas e, em seguida, são ressecretados na bile.

Desse modo, cerca de 94% de todos os sais biliares são recirculados na bile, de modo que, em média, eles fazem todo o circuito cerca de 17 vezes antes de serem eliminados nas fezes. As pequenas quantidades de sais biliares perdidos nas fezes são substituídas por novas quantidades formadas continuamente pelas células do fígado. Essa recirculação dos sais biliares é chamada de *circulação êntero-hepática dos sais biliares*.

A quantidade de bile secretada pelo fígado a cada dia é altamente dependente da disponibilidade de sais biliares – quanto maior a quantidade de sais biliares na circulação êntero-hepática (geralmente, um total aproximado de 2,5 gramas), maior será a taxa de secreção biliar. Na verdade, a ingestão de sais biliares suplementares pode aumentar a secreção biliar em várias centenas de mililitros por dia.

Se uma fístula biliar esvaziar os sais biliares para o exterior por vários dias a várias semanas para que não possam ser reabsorvidos do íleo, o fígado aumentará sua produção de sais biliares de seis a dez vezes, o que aumenta a intensidade de secreção biliar de volta ao normal. Isso demonstra que a intensidade diária de secreção de sais biliares pelo fígado é ativamente controlada pela disponibilidade (ou pela falta de disponibilidade) de sais biliares na circulação êntero-hepática.

Papel da secretina no controle da secreção biliar. Além do forte efeito estimulante dos ácidos biliares para causar a secreção biliar, o hormônio *secretina* – que também estimula a secreção pancreática – aumenta a secreção biliar, às vezes mais do que dobrando sua secreção por várias horas após uma refeição. Esse aumento na secreção consiste quase inteiramente na secreção de uma solução aquosa rica em bicarbonato de sódio pelas células epiteliais dos dúctulos e ductos biliares e não representa secreção aumentada pelas células do parênquima hepático. O bicarbonato, por sua vez, passa para o intestino delgado e se junta ao bicarbonato do pâncreas para neutralizar o ácido clorídrico do estômago. Assim, o mecanismo de retroalimentação da secretina para neutralizar o ácido duodenal opera não apenas por meio de seus efeitos na secreção pancreática, mas também, em menor grau, por meio de seu efeito na secreção dos dúctulos e ductos hepáticos.

Secreção hepática de colesterol e formação de cálculos biliares

Os sais biliares são formados nas células hepáticas a partir do colesterol no plasma sanguíneo. No processo de secreção de sais biliares, cerca de 1 a 2 gramas de colesterol são removidos do plasma sanguíneo e secretados na bile a cada dia.

O colesterol é quase completamente insolúvel em água pura, mas os sais biliares e a lecitina na bile se combinam fisicamente com o colesterol para formar *micelas* ultramicroscópicas na forma de uma solução coloidal, conforme explicado no Capítulo 66. Quando a bile fica concentrada na vesícula biliar, os sais biliares e a lecitina ficam concentrados junto com o colesterol, o que o mantém em solução.

Em condições anormais, o colesterol pode se precipitar na vesícula biliar, resultando na formação de *cálculos biliares de colesterol*, conforme mostrado na **Figura 65.12**. A quantidade de colesterol na bile é determinada em parte pela quantidade de gordura que a pessoa ingere, porque as células do fígado sintetizam o colesterol como um dos produtos do metabolismo da gordura no corpo. Por esse motivo, pessoas que são obesas e consomem uma dieta rica em gorduras por um período de anos estão propensas ao desenvolvimento de cálculos biliares. Outros fatores de risco para cálculos biliares incluem o aumento da idade e ser do sexo feminino, diabetes melito e suscetibilidade genética.

CAPÍTULO 65 Funções Secretoras do Trato Digestivo

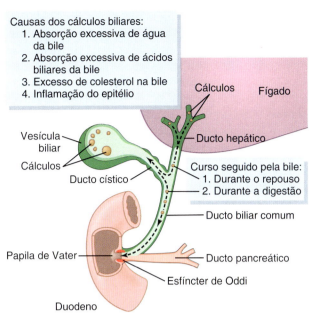

Figura 65.12 Formação dos cálculos biliares.

A inflamação do epitélio da vesícula biliar, muitas vezes resultante de uma infecção crônica de baixo grau, também altera as características de absorção da mucosa da vesícula biliar, às vezes permitindo a absorção excessiva de água e sais biliares, mas mantendo o colesterol na vesícula biliar em concentrações progressivamente maiores. O colesterol então começa a se precipitar, primeiro formando muitos pequenos cristais de colesterol na superfície da mucosa inflamada, mas depois evoluindo para grandes cálculos biliares.

SECREÇÕES DO INTESTINO DELGADO

SECREÇÃO DE MUCO PELAS GLÂNDULAS DE BRUNNER NO DUODENO

Uma extensa gama de glândulas mucosas compostas, chamadas de *glândulas de Brunner*, está localizada na parede dos primeiros centímetros do duodeno, principalmente entre o piloro do estômago e a papila de Vater, onde a secreção pancreática e a bile deságuam no duodeno. Essas glândulas secretam grandes quantidades de muco alcalino em resposta ao seguinte: (1) estímulos táteis ou irritantes na mucosa duodenal; (2) estimulação vagal, que causa o aumento da secreção da glândula de Brunner simultaneamente com aumento da secreção do estômago; e (3) hormônios gastrointestinais, especialmente *secretina*.

A função do muco secretado pelas glândulas de Brunner é proteger a parede duodenal da digestão pelo suco gástrico altamente ácido que sai do estômago. Além disso, o muco contém um grande excesso de HCO_3^-, que se soma ao HCO_3^- da secreção pancreática e da bile do fígado para neutralizar o ácido clorídrico que entra no duodeno pelo estômago.

As glândulas de Brunner são inibidas pela estimulação simpática; portanto, tal estimulação em pessoas muito excitáveis provavelmente deixará o bulbo duodenal desprotegido e talvez seja um dos fatores que fazem com que essa área do trato digestivo seja o local de úlceras pépticas em cerca de 50% das pessoas com úlceras.

SECREÇÃO DE SUCOS DIGESTIVOS INTESTINAIS PELAS CRIPTAS DE LIEBERKÜHN

Localizadas em toda a superfície do intestino delgado, existem fossetas chamadas de *criptas de Lieberkühn*, uma das quais é ilustrada na **Figura 65.13**. Essas criptas ficam entre as vilosidades intestinais. As superfícies das criptas e das vilosidades são cobertas por um epitélio composto por dois tipos de células: (1) um número moderado de *células caliciformes*, que secretam *muco* que lubrifica e protege as superfícies intestinais; e (2) um grande número de *enterócitos*, que, nas criptas, secretam grandes quantidades de água e eletrólitos e, nas superfícies das vilosidades adjacentes, reabsorvem a água e os eletrólitos junto com os produtos finais da digestão.

As secreções intestinais são formadas pelos enterócitos das criptas a uma taxa de cerca de 1.800 mililitros por dia. Essas secreções são constituídas de líquido extracelular quase puro e têm um pH ligeiramente alcalino, na faixa de 7,5 a 8. As secreções também são rapidamente reabsorvidas pelas vilosidades. Esse fluxo de líquido das criptas para as vilosidades fornece um veículo aquoso para a absorção de substâncias do quimo quando ele entra em contato com as vilosidades. Assim, a função primária do intestino delgado é absorver nutrientes e seus produtos digestivos para o sangue.

Mecanismo de secreção do líquido aquoso. O mecanismo exato que controla a secreção marcada de líquido aquoso pelas criptas de Lieberkühn ainda não está claro, mas acredita-se que envolva pelo menos dois processos secretores ativos: (1) secreção ativa de Cl^- nas criptas e (2) secreção ativa de HCO_3^-. A secreção de ambos os íons causa arrasto elétrico de íons sódio carregados positivamente através da membrana e também para o líquido secretado. Finalmente, todos esses íons juntos causam movimento osmótico da água.

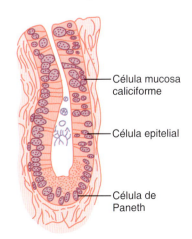

Figura 65.13 Cripta de Lieberkühn, encontrada em todas as partes do intestino delgado, entre as vilosidades, que secretam líquido extracelular quase puro.

PARTE 12 Fisiologia Digestiva

Enzimas digestivas na secreção do intestino delgado. Quando as secreções do intestino delgado são coletadas sem resíduos celulares, elas quase não possuem enzimas. Os enterócitos da mucosa, em particular aqueles que cobrem as vilosidades, contêm enzimas digestivas que digerem substâncias alimentares específicas *enquanto são absorvidas* pelo epitélio. Essas enzimas são as seguintes: (1) várias *peptidases* para dividir pequenos peptídios em aminoácidos; (2) quatro enzimas – *sacarase, maltase, isomaltase* e *lactase* – para a divisão de dissacarídios em monossacarídios; e (3) pequenas quantidades de *lipase intestinal* para dividir as gorduras neutras em glicerol e ácidos graxos.

As células epiteliais profundas nas criptas de Lieberkühn sofrem mitose continuamente, e novas células migram ao longo da membrana basal para cima, para fora das criptas, em direção às pontas das vilosidades, substituindo constantemente o epitélio das vilosidades e formando novas enzimas digestivas. À medida que as células das vilosidades envelhecem, elas são finalmente liberadas nas secreções intestinais. O ciclo de vida de uma célula epitelial intestinal é de cerca de 5 dias. Esse rápido crescimento de novas células também permite o rápido reparo de escoriações que ocorrem na mucosa.

REGULAÇÃO DA SECREÇÃO DO INTESTINO DELGADO | ESTÍMULOS LOCAIS

De longe, os meios mais importantes para regular a secreção do intestino delgado são os reflexos nervosos entéricos locais, especialmente os reflexos iniciados por estímulos táteis ou irritativos do quimo nos intestinos.

SECREÇÃO DE MUCO PELO INTESTINO GROSSO

Secreção de muco. A mucosa do intestino grosso, como a do intestino delgado, tem muitas criptas de Lieberkühn; no entanto, ao contrário do intestino delgado, não contém vilosidades. As células epiteliais quase não secretam enzimas digestivas. Em vez disso, elas contêm células mucosas que secretam apenas *muco*. Esse muco contém quantidades moderadas de HCO_3^-, secretado por algumas células epiteliais não secretoras de muco. A intensidade de secreção de muco é regulada principalmente pela estimulação tátil direta das células epiteliais que revestem o intestino grosso e por reflexos nervosos locais nas células mucosas nas criptas de Lieberkühn.

A estimulação dos *nervos esplâncnicos pélvicos* da medula espinhal, que transportam *inervação parassimpática* para a metade distal a dois terços do intestino grosso, também pode causar aumentos marcantes na secreção de muco junto com o aumento da motilidade peristáltica do cólon, conforme discutido no Capítulo 64.

Durante a estimulação parassimpática extrema, frequentemente causada por distúrbios emocionais, tanto muco pode ocasionalmente ser secretado para o intestino grosso que a pessoa evacua com muco viscoso a cada 30 min. Esse muco geralmente contém pouco ou nenhum material fecal.

O muco no intestino grosso protege a parede intestinal contra a escoriação, mas, além disso, fornece um meio aderente para manter a matéria fecal unida. Além disso, protege a parede intestinal da grande quantidade de atividade bacteriana que ocorre no interior das fezes e, por fim, o muco mais a alcalinidade da secreção (pH 8 causado por grandes quantidades de bicarbonato de sódio) fornecem uma barreira para evitar que os ácidos formados nas fezes ataquem a parede intestinal.

Diarreia causada por excesso de secreção de água e eletrólitos em resposta à irritação. Sempre que um segmento do intestino grosso fica intensamente irritado, como ocorre quando a infecção bacteriana se torna galopante durante a *enterite*, a mucosa secreta grandes quantidades de água e eletrólitos, além do muco alcalino viscoso normal. Essa secreção atua diluindo os fatores irritantes e causando um movimento rápido das fezes em direção ao ânus. O resultado é *diarreia*, com perda de grandes quantidades de água e de eletrólitos. No entanto, a diarreia também elimina os fatores irritantes, o que promove a recuperação mais precoce da doença do que poderia ocorrer de outra forma.

Bibliografia

Adriaenssens AE, Reimann F, Gribble FM: Distribution and stimulus secretion coupling of enteroendocrine cells along the intestinal tract. Compr Physiol 8:1603, 2018.

Bhattacharyya A, Chattopadhyay R, Mitra S, Crowe SE: Oxidative stress: an essential factor in the pathogenesis of gastrointestinal mucosal diseases. Physiol Rev 94:329, 2014.

Boyer JL: Bile formation and secretion. Compr Physiol 3:1035, 2013.

Camilleri M: Leaky gut: mechanisms, measurement and clinical implications in humans. Gut 68:1516, 2019.

Camilleri M, Sellin JH, Barrett KE: Pathophysiology, evaluation, and management of chronic watery diarrhea. Gastroenterology 152:515, 2017.

Di Ciaula A, Wang DQ, Portincasa P: An update on the pathogenesis of cholesterol gallstone disease. Curr Opin Gastroenterol 34:71, 2018.

Gribble FM, Reimann F: Function and mechanisms of enteroendocrine cells and gut hormones in metabolism. Nat Rev Endocrinol 15:226, 2019.

Hegyi P, Maléth J, Walters JR, Hofmann AF, Keely SJ: Guts and gall: bile acids in regulation of intestinal epithelial function in health and disease. Physiol Rev 98:1983, 2018.

Housset C, Chrétien Y, Debray D, Chignard N: Functions of the gallbladder. Compr Physiol 6:1549, 2016.

Lanas A, Chan FKL: Peptic ulcer disease. Lancet 390:613, 2017.

Lee MG, Ohana E, Park HW, et al: Molecular mechanism of pancreatic and salivary gland fluid and HCO_3^- secretion. Physiol Rev 92:39, 2012.

Lefebvre P, Cariou B, Lien F, et al: Role of bile acids and bile acid receptors in metabolic regulation. Physiol Rev 89:147, 2009.

Liddle RA: Interactions of gut endocrine cells with epithelium and neurons. Compr Physiol 8:1019, 2018.

Trauner M, Boyer JL: Bile salt transporters: molecular characterization, function, and regulation. Physiol Rev 83:633, 2003.

Wallace JL: Prostaglandins, NSAIDs, and gastric mucosal protection: why doesn't the stomach digest itself? Physiol Rev 88:1547, 2008.

Yao X, Smolka AJ: Gastric parietal cell physiology and Helicobacter pylori-induced disease. Gastroenterology 156:2158, 2019.

CAPÍTULO 66

Digestão e Absorção no Trato Digestivo

PARTE 12

Os principais alimentos dos quais o corpo vive (com exceção de pequenas quantidades de substâncias, como vitaminas e minerais) são os *carboidratos*, as *gorduras* e as *proteínas*. Geralmente, eles não podem ser absorvidos em suas formas naturais pela mucosa gastrointestinal e, por isso, são inúteis como nutrientes sem uma digestão preliminar. Este capítulo discute os processos pelos quais os carboidratos, as gorduras e as proteínas são digeridos em compostos pequenos o suficiente para absorção e os mecanismos pelos quais os produtos finais digestivos, bem como água, eletrólitos e outras substâncias, são absorvidos.

DIGESTÃO DE VÁRIOS ALIMENTOS POR HIDRÓLISE

Hidrólise de carboidratos. Quase todos os carboidratos da dieta são grandes *polissacarídios* ou *dissacarídios*, que são combinações de *monossacarídios* ligados uns aos outros por *condensação*. Por esse fenômeno, um íon hidrogênio (H^+) é removido de um dos monossacarídios e um íon hidroxila (OH^-), do próximo. Os dois monossacarídios, então, combinam-se uns com os outros nesses locais de remoção, e o H^+ e o OH^- então se combinam para formar água (H_2O).

Quando os carboidratos são digeridos, esse processo é revertido, e eles são convertidos em monossacarídios. Enzimas específicas nos sucos digestivos do trato digestivo retornam o H^+ e o OH^- da H_2O para os polissacarídios e, assim, separam os monossacarídios uns dos outros. Esse processo, denominado de *hidrólise*, é o seguinte (em que R″ – R′ é um dissacarídio):

$$R'' - R' + H_2O \xrightarrow{\text{Enzima digestiva}} R''OH + R'H$$

Hidrólise de gorduras. Quase toda a porção de gordura da dieta consiste em triglicerídios (gorduras neutras), que são combinações de três moléculas de *ácido graxo* condensadas com uma única molécula de *glicerol*. Durante a condensação, três moléculas de água são removidas.

A *hidrólise* (digestão) dos triglicerídios consiste no processo inverso: as enzimas que digerem a gordura devolvem três moléculas de água à de triglicerídio e, assim, separam as moléculas de ácido graxo do glicerol.

Hidrólise de proteínas. As proteínas são formadas a partir de vários *aminoácidos* unidos por *ligações peptídicas*. Em cada ligação, um OH^- foi removido de um aminoácido e um H^+ foi removido do seguinte; assim, os aminoácidos sucessivos na cadeia da proteína também estão ligados por condensação, e a digestão ocorre pelo efeito inverso: hidrólise. Ou seja, as enzimas proteolíticas retornam H^+ e OH^- das moléculas de água para as moléculas de proteína para dividi-las em seus aminoácidos constituintes.

Portanto, a química da digestão é simples, porque, no caso dos três principais tipos de alimentos, o mesmo processo básico de *hidrólise* está envolvido. A única diferença está nos tipos de enzimas necessárias para promover as reações de hidrólise para cada tipo de alimento.

Todas as enzimas digestivas são proteínas. Sua secreção pelas diferentes glândulas gastrointestinais é discutida no Capítulo 65.

DIGESTÃO DE CARBOIDRATOS

Fontes de carboidratos na dieta. Na dieta humana normal, existem apenas três fontes principais de carboidratos. Eles são a *sacarose*, que é o dissacarídio conhecido popularmente como açúcar de cana; a *lactose*, que é um dissacarídio encontrado no leite; e os *amidos*, que são grandes polissacarídios presentes em quase todos os alimentos não animais, particularmente em batatas e em diferentes tipos de grãos. Outros carboidratos ingeridos em pequena extensão são a *amilose*, o *glicogênio*, o *álcool*, o *ácido láctico*, o *ácido pirúvico*, as *pectinas*, as *dextrinas* e pequenas quantidades de *derivados de carboidratos existentes nas carnes*.

A dieta também contém uma grande quantidade de celulose, que é um carboidrato. No entanto, as enzimas capazes de hidrolisar a celulose não são secretadas no trato digestivo humano. Em consequência, a celulose não pode ser considerada um alimento para seres humanos.

A digestão dos carboidratos começa na boca e no estômago. Quando o alimento é mastigado, é misturado à saliva, que contém a enzima digestiva *amilase salivar* ou *ptialina* (uma α-amilase), secretada principalmente pelas glândulas parótidas. Essa enzima hidrolisa o amido em dissacarídeo *maltose* e em outros pequenos polímeros de glicose que contêm de três a nove moléculas de glicose, conforme mostrado na **Figura 66.1**. No entanto, o alimento permanece na boca apenas por um curto período de tempo, então provavelmente não mais do que 5% de todos os amidos são hidrolisados quando o alimento é engolido.

A digestão do amido às vezes continua no corpo e no fundo do estômago por até uma hora antes que o alimento se misture com as secreções estomacais. A atividade da amilase salivar é então bloqueada pelo ácido das secreções gástricas, porque a amilase é essencialmente inativa como enzima, uma vez que o pH do meio cai abaixo de cerca de 4. No entanto, em média, antes que o alimento e a saliva que o acompanha se misturem completamente às secreções gástricas, cerca de 30 a 40% dos amidos terão sido hidrolisados, principalmente para formar *maltose*.

DIGESTÃO DE CARBOIDRATOS NO INTESTINO DELGADO

Digestão pela amilase pancreática. A secreção pancreática, como a saliva, contém uma grande quantidade de α-amilase, que é quase idêntica em sua função à α-amilase da saliva, mas é várias vezes mais poderosa. Portanto, em 15 a 30 minutos depois que o quimo sai do estômago para o duodeno e se mistura com o suco pancreático, praticamente todos os carboidratos são digeridos.

Em geral, os carboidratos são quase totalmente convertidos em *maltose* e/ou em *outros pequenos polímeros de glicose* antes de passarem além do duodeno ou jejuno superior.

Hidrólise de dissacarídios e pequenos polímeros de glicose em monossacarídios pelas enzimas epiteliais intestinais. Os *enterócitos* que revestem as vilosidades do intestino delgado contêm quatro enzimas (*lactase, sucrase, maltase e α-dextrinase*), que são capazes de dividir os dissacarídios lactose, sacarose e maltose, além de outros pequenos polímeros de glicose, em seus monossacarídios constituintes. Essas enzimas estão localizadas *nos enterócitos* que cobrem *a borda em escova das microvilosidades intestinais*, de modo que os dissacarídios são digeridos à medida que entram em contato com esses enterócitos.

A lactose se divide em uma molécula de *galactose* e em uma de *glicose*. A sacarose se divide em uma molécula de *frutose* e uma de *glicose*. A maltose e outros pequenos polímeros de glicose se dividem em *múltiplas moléculas de glicose*. Assim, os produtos finais da digestão dos carboidratos são todos monossacarídios. Eles são todos solúveis em água e são absorvidos imediatamente pelo sangue portal.

Na dieta comum, que contém muito mais amidos do que todos os outros carboidratos combinados, a glicose representa mais de 80% dos produtos finais da digestão dos carboidratos, e a galactose e a frutose raramente representam mais de 10%.

As principais etapas da digestão dos carboidratos estão resumidas na **Figura 66.1**.

DIGESTÃO DE PROTEÍNAS

Proteínas da dieta humana padrão. As proteínas da dieta humana padrão são cadeias quimicamente longas de aminoácidos unidos por *ligações peptídicas*. Uma ligação típica é a seguinte:

$$R-CH(NH_2)-C(=O)-OH + H-N(H)-CH(R)-COOH \rightarrow$$

$$R-CH(NH_2)-C(=O)-N(H)-CH(R)-COOH + H_2O$$

As características de cada proteína são determinadas pelos tipos de aminoácidos na molécula da proteína e pelos arranjos sequenciais deles. As características físicas e químicas de diferentes proteínas importantes para os tecidos humanos são discutidas no Capítulo 70.

Digestão de proteínas no estômago. A *pepsina*, uma importante enzima péptica do estômago, é mais ativa em um pH de 2 a 3 e é inativa em um pH acima de 5. Consequentemente, para que essa enzima cause a digestão de proteínas, os sucos do estômago devem ser ácidos. Conforme explicado no Capítulo 65, as glândulas gástricas secretam uma grande quantidade de ácido clorídrico. Esse ácido é secretado pelas células parietais (oxínticas) nas glândulas a um pH de cerca de 0,8; mas, quando ele é misturado com o conteúdo do estômago e com as secreções das células glandulares não oxínticas do estômago, o pH

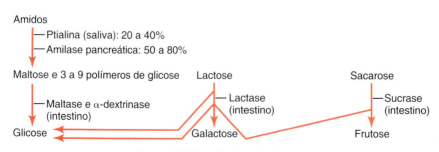

Figura 66.1 Digestão de carboidratos.

atinge uma média em torno de 2 a 3, uma faixa de acidez altamente favorável para a atividade da pepsina.

Uma das características importantes da digestão da pepsina é sua capacidade de digerir a proteína *colágeno*, um tipo de proteína albuminoide que é pouco afetada por outras enzimas digestivas. O colágeno é o principal constituinte do tecido conjuntivo intercelular das carnes; portanto, para as enzimas digestivas penetrarem nas carnes e digerirem suas outras proteínas, é necessário que as fibras de colágeno sejam digeridas. Em consequência, em pessoas com falta de pepsina nos sucos estomacais, as carnes ingeridas são menos penetradas pelas outras enzimas digestivas e, portanto, podem ser mal digeridas.

Como mostrado na **Figura 66.2**, a pepsina apenas inicia o processo de digestão da proteína, geralmente fornecendo apenas de 10 a 20% da digestão total da proteína para convertê-la em *proteoses*, *peptonas* e em alguns *polipeptídios*. Essa divisão de proteínas ocorre como resultado da hidrólise nas ligações peptídicas entre os aminoácidos.

A maior parte da digestão das proteínas resulta da ação de enzimas pancreáticas proteolíticas. A maior parte da digestão das proteínas ocorre no intestino delgado superior, no duodeno e no jejuno, sob a influência de enzimas proteolíticas da secreção pancreática. Imediatamente após entrar no intestino delgado, saídos do estômago, os produtos da degradação parcial dos alimentos proteicos são atacados pelas principais enzimas pancreáticas proteolíticas *tripsina*, *quimiotripsina*, *carboxipolipeptidase* e *elastase*, como mostrado na **Figura 66.2**.

Tanto a tripsina quanto a quimiotripsina dividem as proteínas em pequenos polipeptídios; a carboxipolipeptidase, em seguida, cliva os aminoácidos individuais a partir das extremidades carboxil dos polipeptídios. A *pró-elastase*, por sua vez, é convertida em elastase, que então digere as fibras de elastina que mantêm as carnes parcialmente unidas.

Apenas pequenas porcentagens das proteínas são digeridas até seus aminoácidos constituintes pelos sucos pancreáticos. A maioria permanece como dipeptídios e tripeptídios.

Digestão de peptídios por peptidases nos enterócitos que revestem as vilosidades do intestino delgado. O último estágio digestivo das proteínas no lúmen intestinal é alcançado pelos enterócitos que revestem as vilosidades do intestino delgado, principalmente no duodeno e no jejuno. Essas células têm uma *borda em escova*, que consiste em centenas de *microvilosidades* projetando-se da superfície de cada célula. Na membrana de cada uma dessas microvilosidades, encontram-se múltiplas *peptidases*, que se projetam das membranas para o exterior, onde entram em contato com os líquidos intestinais.

Dois tipos de enzimas peptidases são especialmente importantes, a *aminopolipeptidase* e várias *dipeptidases*. Elas dividem os polipeptídios maiores restantes em tripeptídios e em dipeptídios, e alguns, em aminoácidos. Os aminoácidos, os dipeptídios e os tripeptídios são facilmente transportados através da membrana microvilosa para o interior do enterócito.

Por fim, dentro do citosol do enterócito, estão várias outras peptidases que são específicas para os tipos restantes de ligações entre os aminoácidos. Em minutos, praticamente todos os últimos dipeptídios e tripeptídios são digeridos até o estágio final para formar aminoácidos únicos, que então passam para o outro lado do enterócito e daí para o sangue.

Mais de 99% dos produtos digestivos de proteínas finais que são absorvidos são aminoácidos individuais, com apenas uma rara absorção de peptídios e uma absorção muito mais rara de moléculas de proteínas inteiras. Mesmo essas poucas moléculas de proteína inteira absorvidas podem, ocasionalmente, causar graves distúrbios alérgicos ou imunológicos, como discutido no Capítulo 35.

DIGESTÃO DE GORDURAS

Gorduras da dieta. De longe, as gorduras (lipídios) mais abundantes da dieta são as gorduras neutras, também conhecidas como *triglicerídios*, com cada molécula composta por um núcleo de glicerol e por três cadeias laterais de ácido graxo, como mostrado na **Figura 66.3**. A gordura neutra é o principal constituinte dos alimentos de origem animal, mas é muito menos encontrada nos alimentos de origem vegetal.

Pequenas quantidades de fosfolipídios, colesterol e ésteres de colesterol também estão presentes na dieta usual. Os fosfolipídios e os ésteres de colesterol contêm ácidos graxos

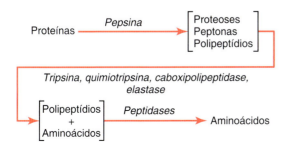

Figura 66.2 Digestão de proteínas.

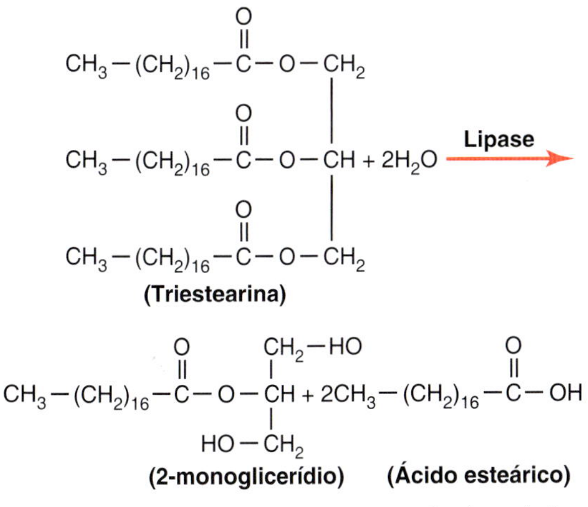

Figura 66.3 Hidrólise de gorduras neutras catalisadas pela lipase.

e, portanto, podem ser considerados gorduras. O colesterol é um composto de esterol que não contém ácido graxo, mas exibe algumas das características físicas e químicas das gorduras. Além disso, é derivado de gorduras e é metabolizado de forma semelhante a elas. Portanto, o colesterol é considerado, do ponto de vista alimentar, uma gordura.

A digestão das gorduras ocorre principalmente no intestino delgado. Uma pequena quantidade de triglicerídios é digerida *no estômago* pela *lipase lingual*, secretada pelas glândulas linguais na boca e engolida com a saliva. Essa quantidade de digestão é inferior a 10% e geralmente não é importante. Em vez disso, essencialmente toda a digestão da gordura ocorre no intestino delgado, como é explicado a seguir.

O primeiro passo na digestão das gorduras é sua emulsificação por ácidos biliares e por lecitina. O primeiro passo na digestão da gordura é quebrar fisicamente os glóbulos de gordura em tamanhos pequenos para que as enzimas digestivas solúveis em água possam atuar nas superfícies dos glóbulos. Esse processo é chamado de *emulsificação da gordura* e começa com a agitação no estômago para misturar a gordura com os produtos da digestão estomacal.

A maior parte da emulsificação ocorre, então, no duodeno, sob a influência da *bile*, a secreção do fígado que não contém nenhuma enzima digestiva. No entanto, a bile contém uma grande quantidade de *sais biliares*, assim como o fosfolipídio *lecitina*. Ambas as substâncias, *mas especialmente a lecitina*, são extremamente importantes para a emulsificação da gordura. As partes polares (i. e., os pontos em que ocorre a ionização em água) dos sais biliares e as moléculas de lecitina são altamente solúveis em água, enquanto a maioria das porções restantes das suas moléculas é altamente solúvel em gordura. Portanto, as porções lipossolúveis dessas secreções hepáticas se dissolvem na camada superficial dos glóbulos de gordura, com as porções polares se projetando. As projeções polares, por sua vez, são solúveis nos líquidos aquosos circundantes, o que diminui muito a tensão interfacial da gordura e a torna também solúvel.

Quando a tensão interfacial de um glóbulo de líquido não miscível é baixa, esse líquido não miscível, sob agitação, pode ser dividido em muitas partículas minúsculas com muito mais facilidade do que quando a tensão interfacial é grande. Em consequência, uma função importante dos sais biliares e da lecitina na bile é tornar os glóbulos de gordura prontamente fragmentáveis por agitação com a água no intestino delgado. Essa ação é a mesma de muitos detergentes amplamente utilizados em produtos de limpeza domésticos para remover a gordura.

Cada vez que os diâmetros dos glóbulos de gordura diminuem significativamente como resultado da agitação no intestino delgado, a área de superfície total da gordura aumenta muitas vezes. Como o diâmetro médio das partículas de gordura no intestino após a emulsificação ter ocorrido é inferior a 1 micrômetro, isso representa um aumento de até 1.000 vezes nas áreas superficiais totais das gorduras causadas pelo processo de emulsificação.

As enzimas lipase são solúveis em água e podem atacar os glóbulos de gordura apenas em suas superfícies. Assim, essa função detergente dos sais biliares e da lecitina é muito importante para a digestão das gorduras.

Os triglicerídios são digeridos pela lipase pancreática. De longe, a enzima mais importante para a digestão dos triglicerídios é a *lipase pancreática*, presente em enormes quantidades no suco pancreático, o suficiente para digerir em um minuto todos os triglicerídios que puder atingir. Os enterócitos do intestino delgado contêm lipase adicional, conhecida como *lipase entérica*, mas ela geralmente não é necessária.

Os produtos finais da digestão das gorduras são os ácidos graxos livres. A maioria dos triglicerídios da dieta é dividida pela lipase pancreática em *ácidos graxos livres* e *2-monoglicerídios*, como mostrado na **Figura 66.4**.

Os sais biliares formam micelas que aceleram a digestão das gorduras. A hidrólise dos triglicerídios é um processo altamente reversível; portanto, o acúmulo de monoglicerídios e de ácidos graxos livres nas proximidades da digestão das gorduras bloqueia rapidamente a digestão. No entanto, os sais biliares desempenham o papel importante adicional de remoção dos monoglicerídios e dos ácidos graxos livres da vizinhança dos glóbulos de gordura digeridos quase tão rapidamente quanto esses produtos finais da digestão são formados. Esse processo ocorre da seguinte maneira.

Quando os sais biliares têm uma concentração alta o suficiente na água, tendem a formar *micelas*, que são pequenos glóbulos cilíndricos esféricos de 3 a 6 nanômetros de diâmetro compostos de 20 a 40 moléculas de sal biliar. Essas micelas se desenvolvem porque cada molécula de sal biliar é composta por um núcleo de esterol altamente solúvel em gordura e por um grupo polar altamente solúvel em água. O núcleo do esterol engloba o digerido de gordura, formando um pequeno glóbulo de gordura no meio de uma micela resultante, com grupos polares de sais biliares projetando-se para fora para cobrir a superfície da micela. Como esses grupos polares têm carga negativa, eles permitem que todo o glóbulo da micela se dissolva na água dos líquidos digestivos e permaneça em uma solução estável até que a gordura seja absorvida pelo sangue.

As micelas de sais biliares também atuam como um meio de transporte para os monoglicerídios e para os ácidos graxos livres, ambos os quais seriam relativamente insolúveis, para as bordas em escova das células epiteliais

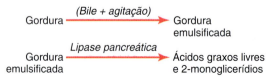

Figura 66.4 Digestão de gorduras.

intestinais, onde os monoglicerídios e os ácidos graxos livres são absorvidos pelo sangue, como discutido mais tarde, mas os sais biliares são liberados de volta para o quimo para serem usados repetidamente nesse processo de transporte.

Digestão de ésteres de colesterol e fosfolipídios. A maior parte do colesterol da dieta está na forma de ésteres de colesterol, que são combinações de colesterol livre e uma molécula de ácido graxo. Os fosfolipídios também contêm ácidos graxos em suas moléculas. Tanto os ésteres de colesterol quanto os fosfolipídios são hidrolisados por duas outras lipases na secreção pancreática que liberam os ácidos graxos – a enzima *colesterol hidrolase*, para hidrolisar o éster de colesterol, e a *fosfolipase A_2*, para hidrolisar o fosfolipídio.

As micelas de sais biliares desempenham o mesmo papel em transportar o colesterol livre e os digeridos das moléculas de fosfolipídios que desempenham no transporte de monoglicerídios e de ácidos graxos livres. Na verdade, essencialmente nenhum colesterol é absorvido sem essa função das micelas.

PRINCÍPIOS BÁSICOS DA ABSORÇÃO GASTROINTESTINAL

Sugerimos que o leitor reveja os princípios básicos do transporte de substâncias pela membrana celular, discutidos no Capítulo 4. Os parágrafos a seguir apresentam aplicações especializadas desses processos de transporte durante a absorção gastrointestinal

BASE ANATÔMICA DA ABSORÇÃO

A quantidade total de líquido que deve ser absorvida a cada dia pelos intestinos é igual ao líquido ingerido (cerca de 1,5 ℓ) somado ao líquido produzido nas várias secreções gastrointestinais (aproximadamente 7 ℓ), o que perfaz um total de 8 a 9 litros. Quase 1,5 ℓ desse líquido é absorvido no intestino delgado, deixando apenas 1,5 ℓ para passar pela válvula ileocecal para o cólon a cada dia.

O estômago é uma área de baixa absorção do trato digestivo porque não tem o tipo típico de vilosidade de membrana absortiva e também porque as junções entre as células epiteliais são junções compactas. Apenas algumas substâncias altamente solúveis em lipídios, como o álcool e alguns medicamentos (p. ex., ácido acetilsalicílico), podem ser absorvidas em pequenas quantidades.

As dobras de Kerckring, as vilosidades e as microvilosidades aumentam a área de absorção da mucosa em quase 1.000 vezes. A **Figura 66.5** demonstra a superfície absortiva da mucosa do intestino delgado, mostrando muitas dobras chamadas de *válvulas coniventes* (ou *dobras de Kerckring*), que aumentam a área de superfície da mucosa absortiva em cerca de três vezes. Essas dobras se estendem circularmente por quase toda a extensão do intestino e são especialmente bem desenvolvidas no duodeno e no jejuno, onde frequentemente se projetam até 8 milímetros para dentro do lúmen.

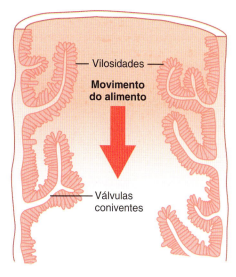

Figura 66.5 Seção transversa do intestino delgado, mostrando as válvulas coniventes (dobras de Kerckring) cobertas de vilosidades.

Também localizados na superfície epitelial do intestino delgado até a válvula ileocecal estão milhões de pequenas *vilosidades*. Essas vilosidades projetam-se cerca de 1 milímetro da superfície da mucosa, conforme mostrado nas superfícies das válvulas coniventes na **Figura 66.5** e em detalhes individuais na **Figura 66.6**. As vilosidades ficam tão próximas umas das outras na parte superior do intestino delgado que se tocam na maioria das áreas, mas sua distribuição é menos abundante no intestino delgado distal. A presença de vilosidades na superfície da mucosa aumenta a área de absorção total em mais de 10 vezes.

Por fim, cada célula epitelial intestinal em cada vilosidade é caracterizada por uma *borda em escova*, consistindo em até 1.000 *microvilosidades* com 1 micrômetro de comprimento e 0,1 micrômetro de diâmetro e que se projetam para o quimo intestinal. Essas microvilosidades são mostradas na micrografia eletrônica da **Figura 66.7**. Essa borda em escova aumenta a área de superfície exposta aos materiais intestinais em pelo menos mais 20 vezes.

Assim, a combinação das dobras de Kerckring, das vilosidades e das microvilosidades aumenta a área de absorção total da mucosa talvez 1.000 vezes, perfazendo uma tremenda área total de 250 ou mais metros quadrados para todo o intestino delgado – sobre a área de superfície de uma quadra de tênis.

A **Figura 66.6 A** mostra, em seção transversa, a organização geral das vilosidades, enfatizando (1) o arranjo vantajoso do sistema vascular para absorção de líquido e material dissolvido no sangue portal e (2) o arranjo do vaso linfático *lácteo central* para absorção na linfa. A **Figura 66.6 B** mostra uma seção transversa da vilosidade, e a **Figura 66.7** mostra muitas pequenas *vesículas pinocíticas*, que são porções pinocíticas da membrana de enterócitos dobrada formando vesículas de líquidos absorvidos que foram presos. Pequenas quantidades de substâncias são absorvidas por esse processo físico de *pinocitose*.

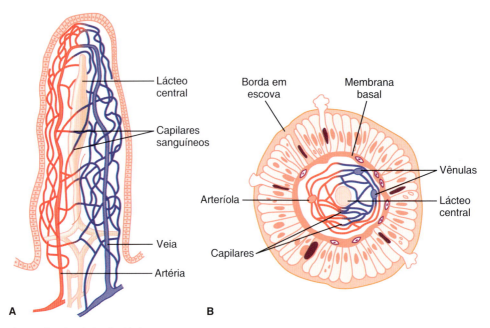

Figura 66.6 Organização funcional da vilosidade. **A.** Seção transversa. **B.** Seção transversa mostrando a membrana basal abaixo das células epiteliais e a borda em escova na outra extremidade delas.

Estendendo-se do corpo da célula epitelial até cada microvilosidade da borda em escova, há vários *filamentos de actina*, que se contraem ritmicamente para causar o movimento contínuo das microvilosidades, mantendo-os constantemente expostos a novas quantidades de líquido intestinal.

ABSORÇÃO NO INTESTINO DELGADO

A absorção pelo intestino delgado a cada dia consiste em várias centenas de gramas de carboidratos, 100 ou mais gramas de gordura, 50 a 100 gramas de aminoácidos, 50 a 100 gramas de íons e sete a oito litros de água. A *capacidade* de absorção do intestino delgado normal é muito maior do que isso; a cada dia, podem ser absorvidos vários quilos de carboidratos, 500 gramas de gordura, 500 a 700 gramas de proteínas e 20 ou mais litros de água.

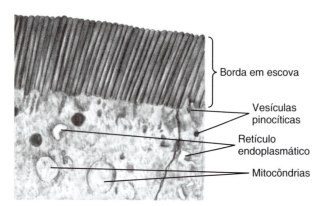

Figura 66.7 Borda em escova de uma célula epitelial gastrointestinal, mostrando, também, vesículas pinocíticas absorvidas, mitocôndrias e retículo endoplasmático imediatamente abaixo da borda em escova. (*Cortesia de Dr. William Lockwood.*)

O intestino *grosso* pode absorver ainda mais água e íons, embora possa absorver muito poucos nutrientes.

ABSORÇÃO ISOSMÓTICA DE ÁGUA

A água é transportada através da membrana intestinal inteiramente por difusão. Além disso, essa *difusão* obedece às leis usuais de osmose. Portanto, quando o quimo está suficientemente diluído, a água é absorvida através da mucosa intestinal para o sangue das vilosidades quase inteiramente por osmose.

Por outro lado, a água também pode ser transportada na direção oposta – do plasma para o quimo. Esse tipo de transporte ocorre especialmente quando as soluções hiperosmóticas são descarregadas do estômago para o duodeno. Em minutos, uma quantidade suficiente de água será transferida por osmose para tornar o quimo isosmótico com o plasma.

ABSORÇÃO DE ÍONS

O sódio é transportado ativamente pela membrana intestinal. Vinte a trinta gramas de sódio são secretados nas secreções intestinais todos os dias. Além disso, uma pessoa ingere em média 5 a 8 gramas de sódio por dia. Portanto, para evitar a perda líquida de sódio nas fezes, os intestinos devem absorver 25 a 35 gramas de sódio por dia, o que é igual a cerca de um sétimo de todo o sódio presente no corpo.

Sempre que quantidades significativas de secreções intestinais são perdidas para o exterior, como na diarreia extrema, as reservas de sódio do corpo podem às vezes ser reduzidas a níveis letais em poucas horas. Normalmente, no entanto, menos de 0,5% do sódio intestinal é perdido nas fezes todos os dias, porque é rapidamente absorvido pela mucosa intestinal. O sódio também desempenha um papel importante em ajudar a absorver açúcares e aminoácidos, como revelam as discussões subsequentes.

O mecanismo básico de absorção de sódio pelo intestino é mostrado na **Figura 66.8**. Os princípios desse mecanismo, discutidos no Capítulo 4, também são essencialmente os mesmos da absorção de sódio da vesícula biliar e dos túbulos renais, conforme discutido no Capítulo 28.

A absorção de sódio é alimentada pelo transporte ativo de sódio de dentro das células epiteliais através das paredes basal e lateral dessas células para os espaços paracelulares. Esse transporte ativo obedece às leis usuais do transporte ativo. Requer energia, e o processo energético é catalisado pelas enzimas adenosina trifosfatase (ATPase) apropriadas na membrana celular (ver o Capítulo 4). Parte do sódio é absorvida junto com os íons cloro; na verdade, os íons cloro carregados negativamente são principalmente arrastados passivamente pelas cargas elétricas positivas dos íons sódio.

O transporte ativo de sódio através das membranas basolaterais da célula reduz a concentração de sódio dentro da célula a um valor baixo (cerca de 50 mEq/ℓ). Como a concentração de sódio no quimo é normalmente de cerca de 142 mEq/ℓ (ou seja, quase igual à do plasma), o sódio desce esse gradiente eletroquímico acentuado do quimo pela borda em escova da célula epitelial para o citoplasma da célula epitelial. O sódio também é cotransportado através da membrana da borda em escova por várias proteínas carreadoras específicas, incluindo as seguintes: (1) o cotransportador 1 de glicose de sódio (SGLT1); (2) cotransportadores de aminoácidos de sódio; e (3) o trocador de Na$^+$/H$^+$. Esses transportadores funcionam de maneira semelhante aos túbulos renais, descritos no Capítulo 28, e fornecem ainda mais íons sódio a serem transportados pelas células epiteliais para o líquido intersticial e para os espaços paracelulares. Ao mesmo tempo, eles também fornecem uma absorção ativa secundária de glicose e aminoácidos, alimentados pela bomba ativa de sódio-potássio Na$^+$/K$^+$ ATPase na membrana basolateral.

Transporte da água por osmose. A próxima etapa no processo de transporte é a osmose da água por vias transcelulares e paracelulares. Essa osmose ocorre porque um grande gradiente osmótico foi criado pela concentração elevada de íons no espaço paracelular. Grande parte dessa osmose ocorre por meio das junções estreitas entre as bordas apicais das células epiteliais (a via paracelular), mas muito dela também ocorre atravessando as próprias células – a via transcelular. O movimento osmótico da água cria fluxo de líquido para dentro e através dos espaços paracelulares e, por fim, para o sangue circulante das vilosidades.

A aldosterona aumenta muito a absorção intestinal de sódio. Quando uma pessoa fica desidratada, grandes quantidades de aldosterona são secretadas pelos córtices das glândulas adrenais. Após 1 a 3 horas, essa aldosterona causa um aumento da ativação da enzima e dos mecanismos de transporte para todos os aspectos da absorção de sódio pelo epitélio intestinal. O aumento da absorção de sódio, por sua vez, causa aumentos secundários na absorção de íons cloro, água e algumas outras substâncias.

Esse efeito da aldosterona é especialmente importante no cólon, porque não permite praticamente nenhuma perda de cloreto de sódio nas fezes e também pouca perda de água. Assim, a função da aldosterona no trato intestinal é a mesma que a desempenhada pela aldosterona nos túbulos renais, que também serve para conservar cloreto de sódio e água no corpo quando uma pessoa fica sem cloreto de sódio e desidratada.

Absorção de íons cloro no intestino delgado. Na parte superior do intestino delgado, a absorção do íon cloro é rápida e ocorre principalmente por difusão (ou seja, a absorção de íons sódio através do epitélio cria eletronegatividade no quimo e eletropositividade nos espaços paracelulares entre as células epiteliais). Os íons cloro então se movem ao longo desse gradiente elétrico para seguir os íons sódio. O cloro também é absorvido através da membrana da borda em escova de partes do íleo e do intestino grosso por um trocador de cloro-bicarbonato (contratransporte Cl$^-$/HCO$_3^-$) de membrana da borda em escova (ver **Figura 66.8**). O cloro sai da célula pela membrana basolateral pelos canais específicos de cloro.

Absorção de íons bicarbonato no duodeno e no jejuno. Frequentemente, grandes quantidades de íons bicarbonato (HCO$_3^-$) devem ser reabsorvidas do intestino delgado superior, porque grandes quantidades de HCO$_3^-$ foram produzidas no duodeno tanto na secreção

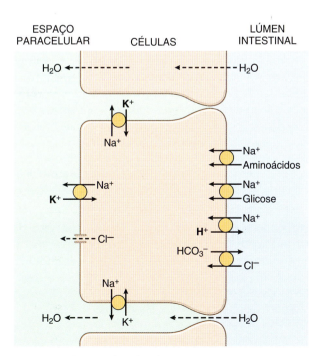

Figura 66.8 Absorção de sódio, cloro, glicose e aminoácidos através do epitélio intestinal. Observe também a absorção osmótica da água (ou seja, a água acompanha o sódio através da membrana epitelial).

PARTE 12 Fisiologia Digestiva

pancreática quanto na bile. O HCO_3^- é absorvido de forma indireta da seguinte maneira: quando os íons sódio são absorvidos, quantidades moderadas de H^+ são secretadas no lúmen do intestino em troca de parte do sódio. Esses H^+, por sua vez, combinam-se com o HCO_3^- para formar ácido carbônico (H_2CO_3), que então se dissocia para formar água e dióxido de carbono (CO_2). A água permanece como parte do quimo nos intestinos, mas o CO_2 é prontamente absorvido pelo sangue e, subsequentemente, expira pelos pulmões. Esse processo é chamado de absorção ativa de HCO_3^-. É o mesmo mecanismo que ocorre nos túbulos dos rins (ver o Capítulo 31).

Secreção de bicarbonato e absorção de íons cloro no íleo e no intestino grosso.
As células epiteliais nas superfícies das vilosidades do íleo, bem como em todas as superfícies do intestino grosso, têm uma capacidade especial de secretar HCO_3^- em troca da absorção de íons cloro (ver **Figura 66.8**). Essa capacidade é importante porque fornece HCO_3^- alcalino que neutraliza produtos ácidos formados por bactérias no intestino grosso.

> **Secreção extrema de íons cloro, íons sódio e água no epitélio do intestino grosso, em alguns tipos de diarreia.** As células epiteliais imaturas que se dividem continuamente para formar novas células epiteliais são encontradas profundamente nos espaços entre as dobras epiteliais intestinais. Essas novas células epiteliais se espalham pelas superfícies luminais dos intestinos. Ainda nas dobras profundas, as células epiteliais secretam cloreto de sódio (NaCl) e água para o lúmen intestinal. Essa secreção, por sua vez, é reabsorvida pelas células epiteliais mais antigas fora das dobras, proporcionando um fluxo de água para a absorção dos produtos digestivos intestinais.
>
> As *toxinas da cólera* e de alguns outros tipos de bactérias diarreicas podem estimular a secreção da prega epitelial de tal forma que essa secreção frequentemente se torna muito maior do que pode ser reabsorvida, causando às vezes uma perda de 5 a 10 litros de água e cloreto de sódio como *diarreia* a cada dia. Em 1 a 5 dias, muitos pacientes gravemente afetados morrem exclusivamente por causa dessa perda de líquido.
>
> A secreção diarreica extrema é iniciada pela entrada de uma subunidade da toxina da cólera nas células epiteliais. Essa subunidade estimula a formação de excesso de monofosfato de adenosina cíclico, que abre um número enorme de canais de cloro, permitindo que os íons cloro fluam rapidamente de dentro da célula para as criptas intestinais. Por sua vez, acredita-se que essa ação ative uma bomba de sódio que bombeia íons sódio nas criptas para acompanhar os íons cloro. Por fim, todo esse cloreto de sódio extra promove osmose excessiva da água do sangue, proporcionando um rápido fluxo de líquido junto com o sal. Todo esse excesso de líquido leva a maioria das bactérias embora, o que é valioso no combate à doença, mas o excesso dessa parte boa da reação pode acabar sendo letal devido à séria desidratação de todo o corpo que resulta dela. Na maioria dos casos, a vida de uma pessoa com cólera pode ser salva pela administração de grandes quantidades de solução de cloreto de sódio para compensar a perda.

Absorção ativa de cálcio, ferro, potássio, magnésio e fosfato.
Os íons *cálcio* são ativamente absorvidos pelo sangue, especialmente a partir do duodeno, e a quantidade de absorção de íons cálcio é controlada exatamente para suprir a necessidade diária de cálcio do corpo. Um fator importante que controla a absorção de cálcio é o *hormônio da paratireoide* (PTH), secretado pelas glândulas paratireoides, e outro é a *vitamina D*. O hormônio da paratireoide a ativa, e a vitamina D ativada, por sua vez, aumenta muito a absorção de cálcio. Esses efeitos são discutidos no Capítulo 80.

Os *íons ferro* também são ativamente absorvidos pelo intestino delgado. Os princípios de absorção de ferro e de regulação da sua absorção em proporção à necessidade de ferro do corpo, em particular para a formação de hemoglobina, são discutidos no Capítulo 33.

Potássio, *magnésio*, *fosfato* e provavelmente ainda *outros íons também* podem ser ativamente absorvidos pela mucosa intestinal. Em geral, os íons monovalentes são absorvidos com facilidade e em grandes quantidades. Os íons bivalentes são normalmente absorvidos apenas em pequenas quantidades; por exemplo, a absorção máxima de íons cálcio é de apenas 1/50 da absorção normal de íons sódio. Felizmente, apenas pequenas quantidades de íons bivalentes são necessárias diariamente pelo corpo.

ABSORÇÃO DE NUTRIENTES

Carboidratos são absorvidos principalmente como monossacarídios

Essencialmente, todos os carboidratos dos alimentos são absorvidos na forma de monossacarídios; apenas uma pequena fração é absorvida como dissacarídios e quase nenhuma é absorvida como compostos maiores de carboidratos. De longe, o mais abundante dos monossacarídios absorvidos é a *glicose*, que geralmente responde por mais de 80% das calorias absorvidas dos carboidratos. A razão para essa alta porcentagem é que a glicose é o produto final da digestão de nosso alimento com carboidrato mais abundante, os amidos. Os 20% restantes dos monossacarídios absorvidos são compostos quase inteiramente de *galactose* e de *frutose* – a galactose derivada do leite e a frutose como um dos monossacarídios digeridos do açúcar de cana.

Praticamente todos os monossacarídios são absorvidos por um processo de transporte ativo secundário. Vamos primeiro discutir a absorção da glicose.

A glicose é transportada por um mecanismo de cotransporte com o sódio.
Na ausência de transporte de sódio através da membrana intestinal, praticamente nenhuma glicose pode ser absorvida, porque a absorção de glicose ocorre em um modo de cotransporte com transporte ativo de sódio (ver **Figura 66.9**).

O transporte de sódio e de glicose através da membrana intestinal ocorre em duas etapas. O primeiro é o transporte ativo de íons sódio através das membranas basolaterais das células epiteliais intestinais para o líquido intersticial, esgotando o sódio dentro das células epiteliais. Segundo, uma diminuição do sódio dentro das células faz com que o sódio do lúmen intestinal se mova através da borda em escova das células epiteliais para o interior das células por um processo de *transporte ativo secundário*. Ou seja, um íon sódio se combina com uma proteína de transporte, o SGLT1, que não transportará sódio para o interior da célula até que o SGLT1 também se combine com a glicose. A glicose intestinal também se combina simultaneamente com o SGLT1, e tanto o íon sódio quanto a molécula de glicose são transportados juntos para o interior da célula. Assim, a baixa concentração de sódio dentro da célula arrasta o sódio para o interior dela, e a glicose é arrastada junto com ele. Uma vez dentro da célula epitelial, outra proteína de transporte, o transportador de glicose 2 (GLUT2) facilita a difusão da glicose através da membrana basolateral da célula para o espaço paracelular e, então, para o sangue (ver **Figura 66.9**).

Para resumir, é o transporte ativo inicial de sódio através das membranas basolaterais das células epiteliais intestinais que fornece a força eventual para mover a glicose também através das membranas.

Absorção de outros monossacarídios. A galactose é transportada quase exatamente pelo mesmo mecanismo da glicose, usando os transportadores SGLT1 e GLUT2 para atravessar as membranas luminal e basolateral, respectivamente (ver **Figura 66.9**). O transporte da frutose não ocorre pelo mecanismo de cotransporte de sódio. Em vez disso, a frutose é transportada por difusão facilitada por todo o epitélio intestinal, e não é associada ao transporte de sódio. O transporte de frutose do lúmen intestinal para o interior da célula é facilitado pelo GLUT5, e a saída da frutose da célula para o espaço paracelular é facilitada pelo GLUT2 (ver **Figura 66.9**).

Parte da frutose, ao entrar na célula, torna-se fosforilada. Em seguida, é convertida em glicose e finalmente transportado na forma de glicose pelo resto do caminho

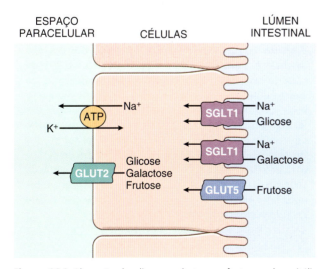

Figura 66.9 Absorção de glicose, galactose e frutose pelo epitélio intestinal. ATP, trifosfato de adenosina; GLUT2, transportador de glicose 2; GLUT5, transportador de glicose 5; SGLT1, cotransportador de sódio 1.

para o sangue. Como a frutose não é cotransportada com o sódio, sua taxa geral de transporte é apenas cerca de metade da de glicose ou de galactose.

Absorção de proteínas como dipeptídios, tripeptídios ou aminoácidos

Como explicado anteriormente, a maioria das proteínas, após a digestão, é absorvida pelas membranas luminais das células epiteliais intestinais na forma de dipeptídios, tripeptídios e alguns aminoácidos livres. A energia para a maior parte desse transporte é fornecida por um mecanismo de cotransporte de sódio da mesma maneira que ocorre o cotransporte de sódio para a glicose. Ou seja, a maioria das moléculas de peptídios ou aminoácidos se liga na membrana das microvilosidades da célula com uma proteína de transporte específica que requer ligação de sódio antes que o transporte ocorra. Após a ligação, o íon sódio então desce seu gradiente eletroquímico para o interior da célula e puxa o aminoácido ou peptídio junto com ele. Esse processo é chamado de *cotransporte (ou transporte ativo secundário) dos aminoácidos e dos peptídios* (ver **Figura 66.8**). Alguns aminoácidos não requerem esse mecanismo de cotransporte de sódio, mas, em vez disso, são transportados por proteínas especiais de transporte de membrana da mesma forma que a frutose é transportada, por difusão facilitada.

Pelo menos 10 tipos diferentes de proteínas de transporte para aminoácidos e peptídios foram encontrados nas células epiteliais intestinais. Essa multiplicidade de proteínas de transporte é necessária devido às diversas propriedades de ligação dos diferentes aminoácidos e peptídios.

Absorção de gorduras

No início deste capítulo, apontamos que, quando as gorduras são digeridas para formar monoglicerídios e ácidos graxos livres, esses dois produtos finais digestivos primeiro se dissolvem nas porções lipídicas centrais das *micelas biliares*. Como as dimensões moleculares dessas micelas têm apenas de 3 a 6 nanômetros de diâmetro, e devido ao seu exterior altamente carregado, elas são solúveis em quimo. Nessa forma, os monoglicerídios e os ácidos graxos livres são transportados para as superfícies das microvilosidades da borda em escova das células intestinais e, em seguida, penetram nos recessos entre as microvilosidades em movimento e em agitação. Nesse ponto, tanto os monoglicerídios quanto os ácidos graxos se difundem imediatamente para fora das micelas e para o interior das células epiteliais, o que é possível porque os lipídios também são solúveis na membrana da célula epitelial. Esse processo deixa as micelas biliares ainda no quimo, onde funcionam continuamente para ajudar a absorver ainda mais monoglicerídios e ácidos graxos.

Assim, as micelas desempenham uma função de transporte que é altamente importante para a absorção de gordura. Na presença de uma abundância de micelas biliares,

PARTE 12 Fisiologia Digestiva

cerca de 97% da gordura são absorvidos; na ausência das micelas biliares, apenas de 40 a 50% podem ser absorvidos.

Depois de entrar na célula epitelial, os ácidos graxos e os monoglicerídios são absorvidos pelo retículo endoplasmático liso da célula. Aqui, eles são usados principalmente para formar novos triglicerídios, que são subsequentemente liberados na forma de *quilomícrons* pela base da célula epitelial, para fluir para cima pelo ducto linfático torácico e esvaziar-se no sangue circulante.

Absorção direta de ácidos graxos no sangue portal. Pequenas quantidades de ácidos graxos de cadeia curta e média, como os da gordura da manteiga, são absorvidas diretamente no sangue portal, em vez de serem convertidas em triglicerídios e absorvidas pelos vasos linfáticos. A causa dessa diferença entre a absorção de ácidos graxos de cadeia curta e longa decorre do fato de que os ácidos graxos de cadeia curta são mais solúveis em água e, em sua maioria, não são reconvertidos em triglicerídios pelo retículo endoplasmático. Esse fenômeno permite a difusão desses ácidos graxos de cadeia curta das células epiteliais intestinais diretamente para o sangue capilar das vilosidades intestinais.

ABSORÇÃO NO INTESTINO GROSSO: FORMAÇÃO DE FEZES

Aproximadamente 1.500 mililitros de quimo normalmente passam pela válvula ileocecal para o intestino grosso a cada dia. A maior parte da água e dos eletrólitos nesse quimo é absorvida no cólon, geralmente deixando menos de 100 mililitros de líquido para ser excretado nas fezes. Além disso, essencialmente todos os íons são absorvidos, deixando apenas 1 a 5 mEq de íons sódio e cloro para serem perdidos nas fezes.

A maior parte da absorção no intestino grosso ocorre na metade proximal do cólon, dando a essa porção o nome de *cólon absorvente*, enquanto o cólon distal funciona principalmente para armazenamento de fezes até um momento propício para a excreção de fezes e, portanto, é chamado de *cólon armazenador*.

Absorção e secreção de eletrólitos e água. A mucosa do intestino grosso, assim como a do intestino delgado, tem alta capacidade de absorção ativa de sódio, e o gradiente de potencial elétrico criado pela absorção de sódio também causa a absorção do cloro. As junções estreitas entre as células epiteliais do epitélio do intestino grosso são muito mais estreitas do que as do intestino delgado. Essa característica evita quantidades significativas de retrodifusão de íons por essas junções, permitindo que a mucosa do intestino grosso absorva os íons sódio muito mais completamente – isto é, contra um gradiente de concentração muito maior – do que pode ocorrer no intestino delgado. Isso é particularmente verdadeiro quando grandes quantidades de aldosterona estão disponíveis, porque ela aumenta muito a capacidade de transporte de sódio.

Além disso, como ocorre na porção distal do intestino delgado, a mucosa do *intestino grosso secreta HCO_3^-* enquanto absorve simultaneamente um número igual de íons cloro, em um processo de transporte de troca (já descrito). O HCO_3^- ajuda a neutralizar os produtos finais ácidos da ação bacteriana no intestino grosso.

A absorção de íons sódio e cloro cria um gradiente osmótico ao longo da mucosa do intestino grosso, que causa a absorção de água.

Capacidade máxima de absorção no intestino grosso. O intestino grosso pode absorver no máximo 5 a 8 litros de líquido e eletrólitos por dia. Quando a quantidade total que entra no intestino grosso pela válvula ileocecal ou pela secreção do intestino grosso ultrapassa essa quantidade, o excesso aparece nas fezes como diarreia. Conforme observado anteriormente, as toxinas do cólera ou de certas outras infecções bacterianas costumam fazer com que as criptas no íleo terminal e no intestino grosso secretem 10 ou mais litros de líquido por dia, causando diarreia grave e, às vezes, letal.

Ação bacteriana no cólon. *Inúmeras bactérias, especialmente os bacilos colônicos, estão presentes mesmo normalmente no cólon absorvente.* Elas são capazes de digerir pequenas quantidades de celulose, proporcionando algumas calorias de nutrição extra para o corpo. Em animais herbívoros, essa fonte de energia é significativa, embora seja de importância insignificante em seres humanos.

Outras substâncias formadas como resultado da atividade bacteriana são a vitamina K, a vitamina B_{12}, a tiamina, a riboflavina e vários gases que contribuem para a formação de *flatos* no cólon, especialmente CO_2, gás hidrogênio e metano. A vitamina K formada pelas bactérias é especialmente importante, porque a quantidade dela nos alimentos ingeridos diariamente é normalmente insuficiente para manter a coagulação sanguínea adequada.

Composição das fezes. As fezes normalmente são formadas por cerca de três quartos de *água* e um quarto de *matéria sólida*, que é composta por cerca de 30% de *bactérias mortas*, de 10 a 20% de *gordura*, de 10 a 20% de *matéria inorgânica*, de 2 a 3% de *proteína* e 30% de *matéria não digerida* proveniente dos alimentos e de constituintes secos dos sucos digestivos, como pigmento biliar e células epiteliais descamadas. A cor marrom das fezes é causada por *estercobilina* e *urobilina*, derivadas da bilirrubina. O odor é causado principalmente por produtos de ação bacteriana; esses produtos variam de pessoa para pessoa, dependendo da flora bacteriana do cólon de cada pessoa e do tipo de alimento ingerido. Os produtos odoríferos incluem *indol, escatol, mercaptanos* e *sulfeto de hidrogênio*.

Bibliografia

Abumrad NA: Intestinal CD36 and other key proteins of lipid utilization: role in absorption and gut homeostasis. Compr Physiol 8:493, 2018.

Bröer S: Amino acid transport across mammalian intestinal and renal epithelia. Physiol Rev 88:249, 2008.

Bröer S, Fairweather SJ: Amino acid transport across the mammalian intestine. Compr Physiol 9:343, 2018.

Cifarelli V, Eichmann A: The intestinal lymphatic system: functions and metabolic implications. Cell Mol Gastroenterol Hepatol 7:503, 2019.

Ferraris RP, Choe JY, Patel CR: Intestinal absorption of fructose. Annu Rev Nutr 38:41, 2018.

Gehart H, Clevers H: Tales from the crypt: new insights into intestinal stem cells. Nat Rev Gastroenterol Hepatol 16:19, 2019.

Hernando N, Wagner CA: Mechanisms and regulation of intestinal phosphate absorption. Compr Physiol 8:1065, 2013.

Knöpfel T, Himmerkus N, Günzel D et al. Paracellular transport of phosphate along the intestine. Am J Physiol Gastrointest Liver Physiol 317:G233, 2019.

Kunzelmann K, Mall M: Electrolyte transport in the mammalian colon: mechanisms and implications for disease. Physiol Rev 82:245, 2002.

Lehmann A, Hornby PJ: Intestinal SGLT1 in metabolic health and disease. Am J Physiol Gastrointest Liver Physiol 310:G887, 2016.

Rajendran VM, Sandle GI: Colonic potassium absorption and secretion in health and disease. Compr Physiol 8:1513, 2018.

Rao MC: Physiology of electrolyte transport in the gut: implications for disease. Compr Physiol 9:947, 2019.

Roxas JL, Viswanathan VK: Modulation of intestinal paracellular transport by bacterial pathogens. Compr Physiol 8:823, 2018.

Wright EM, Loo DD, Hirayama BA: Biology of human sodium glucose transporters. Physiol Rev 291:733, 2011.

Xiao C, Stahel P, Carreiro AL, Buhman KK, Lewis GF: Recent advances in triacylglycerol mobilization by the gut. Trends Endocrinol Metab 29:151, 2018.

CAPÍTULO 67

Fisiologia dos Distúrbios do Trato Digestivo

A terapia eficaz para a maioria dos distúrbios digestivos depende de um conhecimento básico da fisiologia gastrointestinal. O objetivo deste capítulo é discutir alguns tipos representativos de mau funcionamento digestivo que têm bases ou consequências fisiológicas especiais.

Distúrbios da deglutição e do esôfago

Paralisia do mecanismo de deglutição. Danos ao quinto, nono ou décimo nervo cerebral podem causar paralisia de partes significativas do mecanismo de deglutição. Além disso, algumas doenças, como a *poliomielite* ou a *encefalite*, podem impedir a deglutição normal ao danificar o centro da deglutição no tronco encefálico. A paralisia dos músculos da deglutição, como ocorre em pessoas com *distrofia muscular*, ou como resultado da falha da transmissão neuromuscular em pessoas com *miastenia gravis* ou *botulismo*, também impede a deglutição normal.

Quando o mecanismo de deglutição está parcial ou totalmente paralisado, as anormalidades que podem ocorrer incluem o seguinte: (1) anulação completa do ato de deglutição, de modo que ela não ocorre; (2) falha da glote em fechar para que o alimento passe para os pulmões em vez do esôfago; e (3) falha do palato mole e da úvula em fechar as narinas posteriores, de modo que o alimento reflui para o nariz durante a deglutição.

Um dos casos mais graves de paralisia do mecanismo de deglutição ocorre quando os pacientes estão em um estado de *anestesia profunda*. Durante a cirurgia, ainda na mesa de operação, às vezes vomitam grandes quantidades de materiais do estômago para a faringe; então, em vez de os engolir novamente, eles simplesmente os sugam para a traqueia, porque o anestésico bloqueia o mecanismo reflexo de engolir. Como resultado, esses pacientes podem sufocar até a morte com o próprio vômito.

Acalasia e megaesôfago. A *acalasia* é uma condição na qual o esfíncter esofágico inferior não consegue relaxar durante a deglutição. Como resultado, o alimento engolido pelo esôfago não consegue passar dele para o estômago. Estudos fisiopatológicos mostraram danos na rede neural do plexo mioentérico nos dois terços inferiores do esôfago. Como resultado, a musculatura do esôfago inferior permanece espasticamente contraída, e o plexo mioentérico perde sua capacidade de transmitir um sinal para causar relaxamento receptivo do esfíncter gastroesofágico quando o alimento se aproxima dele durante a deglutição.

Quando a acalasia se torna grave, o esôfago não consegue esvaziar o alimento engolido no estômago por muitas horas, em vez dos poucos segundos que é o tempo normal. Com o passar dos meses e anos, o esôfago torna-se tremendamente dilatado, até que muitas vezes pode conter até um litro de comida, que frequentemente se torna pútrida durante os longos períodos de estase esofágica. A infecção também pode causar ulceração da mucosa esofágica, às vezes levando a uma forte dor subesternal ou mesmo a ruptura e morte. É possível obter um benefício considerável ao se alongar a extremidade inferior do esôfago com um balão inflado na extremidade de um tubo esofágico inserido. Fármacos antiespasmódicos (ou seja, que relaxam o músculo liso) também podem ser úteis.

Distúrbios do estômago

Gastrite: inflamação da mucosa gástrica

A gastrite crônica, de leve a moderada, é especialmente comum na metade para os últimos anos da vida adulta.

A inflamação da gastrite pode ser apenas superficial e, portanto, não muito prejudicial, ou pode penetrar profundamente na mucosa gástrica, em muitos casos de longa data, causando atrofia quase completa da mucosa gástrica. Em alguns casos, a gastrite pode ser aguda e grave, com escoriação ulcerativa da mucosa do estômago pelas próprias secreções pépticas do estômago.

Pesquisas sugerem que a gastrite geralmente é causada por infecção bacteriana crônica da mucosa gástrica. Essa condição pode ser tratada com sucesso com um regime intensivo de terapia antibacteriana.

Além disso, certas substâncias irritantes ingeridas podem ser especialmente prejudiciais à barreira protetora da mucosa gástrica – isto é, às glândulas mucosas e às junções epiteliais firmes entre as células do revestimento gástrico –, muitas vezes levando à gastrite aguda ou crônica grave. Duas das substâncias mais comuns são o excesso de *álcool* e o de *ácido acetilsalicílico*.

Aumento da permeabilidade da barreira mucosa do estômago na gastrite.
A absorção de alimentos do estômago diretamente para o sangue é normalmente leve. Esse baixo nível de absorção se deve principalmente a duas características específicas da mucosa gástrica: (1) é revestida por células mucosas altamente resistentes que secretam muco viscoso e aderente, e (2) possui junções oclusivas entre as células epiteliais adjacentes. Essas duas características juntas, além de outros impedimentos à absorção gástrica,

são chamadas de *barreira mucosa* do estômago ou barreira mucosa gastroduodenal (já o duodeno também apresenta sua barreira de muco).

A barreira mucosa do estômago normalmente é resistente o suficiente à difusão, de modo que mesmo os íons hidrogênio altamente concentrados do suco gástrico, com uma concentração média de cerca de 100 mil vezes a concentração de íons hidrogênio no plasma, raramente se difundem, mesmo na menor extensão, pelo muco de revestimento até o epitélio membrana. Na gastrite, a permeabilidade da barreira é bastante aumentada. Os íons hidrogênio então se difundem no epitélio do estômago, criando confusão adicional e levando a um círculo vicioso de dano progressivo da mucosa do estômago e atrofia. Também torna a mucosa suscetível à digestão pelas enzimas digestivas pépticas, resultando frequentemente em *úlcera gástrica*.

A gastrite crônica pode causar atrofia gástrica e perda de secreções estomacais

Em muitas pessoas com gastrite crônica, a mucosa torna-se gradualmente cada vez mais atrófica até que reste pouca ou nenhuma secreção digestiva da glândula gástrica. Também se acredita que, em algumas pessoas, a autoimunidade se desenvolva contra a mucosa gástrica, o que também leva, eventualmente, à atrofia gástrica. A perda de secreções estomacais na atrofia gástrica leva à *acloridria* e, ocasionalmente, à *anemia perniciosa*.

Acloridria e hipocloridria. *Acloridria* é uma condição na qual o estômago não consegue secretar ácido clorídrico (HCl); é diagnosticada quando o pH das secreções gástricas não diminui para menos de 6,5 após a estimulação máxima. *Hipocloridria* significa a diminuição da secreção de ácido. Quando o ácido não é secretado, a pepsina geralmente também não é secretada. Mesmo quando é secretado, a falta de ácido impede seu funcionamento porque a pepsina requer um meio ácido para sua atividade.

A atrofia gástrica pode causar anemia perniciosa. A anemia perniciosa comumente acompanha a atrofia gástrica e a acloridria. As secreções gástricas normais contém uma glicoproteína chamada fator intrínseco, secretada pelas mesmas células parietais que secretam ácido clorídrico. O *fator intrínseco da B_{12}* deve estar presente para a absorção adequada da vitamina B_{12} do íleo. Ou seja, o fator intrínseco se combina com a vitamina B_{12} no estômago e o protege de ser digerido e destruído ao passar para o intestino delgado. Então, quando o complexo fator intrínseco-vitamina B_{12} atinge o íleo terminal, o fator intrínseco se liga a receptores na superfície epitelial ileal, o que, por sua vez, possibilita a absorção da vitamina B_{12}.

Na ausência de fator intrínseco, apenas cerca de 1/50 da vitamina B_{12} é absorvido. Além disso, sem o fator intrínseco, uma quantidade adequada de vitamina B_{12} não é disponibilizada a partir dos alimentos para fazer com que os glóbulos vermelhos jovens, recém-formados, amadureçam na medula óssea. O resultado é a *anemia perniciosa* (anemia macrocítica ou megaloblástica por falta de B_{12}). Isso é discutido com mais detalhes no Capítulo 33.

Úlcera péptica

A úlcera péptica é uma área escoriada do estômago ou da mucosa intestinal causada principalmente pela ação digestiva do suco gástrico ou das secreções do intestino delgado superior. A **Figura 67.1** mostra os pontos do trato digestivo nos quais as úlceras pépticas ocorrem com mais frequência, demonstrando que o local mais comum está a poucos centímetros do piloro. Além disso, as úlceras pépticas ocorrem frequentemente ao longo da curvatura menor da extremidade antral do estômago ou, mais raramente, na extremidade inferior do esôfago, onde os sucos estomacais refluem. Um tipo de úlcera péptica, chamada de *úlcera marginal*, também ocorre frequentemente onde uma abertura ou anastomose cirúrgica, como uma gastrojejunostomia, foi feita entre o estômago e o jejuno.

Causa básica da úlcera péptica. A causa usual de ulceração na doença péptica é um *desequilíbrio* entre a taxa de secreção de suco gástrico e o grau de proteção proporcionado por (1) a barreira da mucosa gastroduodenal e (2) a neutralização do ácido clorídrico gástrico pelos sucos duodenais. Todas as áreas normalmente expostas ao suco gástrico são bem supridas com glândulas mucosas, começando com glândulas mucosas compostas na parte inferior do esôfago mais o revestimento de células mucosas da mucosa do estômago, as células mucosas do colo das glândulas gástricas, as glândulas pilóricas profundas que secretam principalmente muco e, finalmente, as glândulas de Brunner do duodeno superior, que secretam um muco altamente alcalino.

Além da proteção do muco da mucosa, o duodeno é protegido pela *alcalinidade das secreções do intestino delgado*. Especialmente importante é a *secreção pancreática*, que contém grandes quantidades de bicarbonato de sódio que neutralizam o ácido clorídrico do suco gástrico, inativando também a pepsina e evitando a digestão da mucosa. Além disso, grandes quantidades de íons bicarbonato são fornecidas em (1) as secreções das grandes glândulas de Brunner nos primeiros centímetros do parede duodenal e (2) bile proveniente do fígado.

Por fim, dois mecanismos de controle de retroalimentação garantem que essa neutralização dos sucos gástricos seja completa, como é explicado a seguir:

1. Quando o ácido em excesso entra no duodeno, inibe a secreção gástrica e o peristaltismo no estômago, por reflexos nervosos e por retroalimentação hormonal do duodeno, diminuindo, assim, a taxa de esvaziamento gástrico.

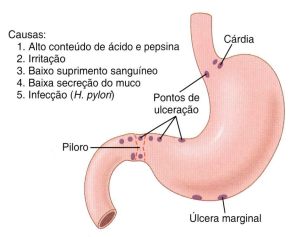

Figura 67.1 Causas e localizações mais frequente da úlcera péptica. *H. pylori, Helicobacter pylori.*

PARTE 12 Fisiologia Digestiva

2. A presença de ácido no intestino delgado libera *secretina* da mucosa intestinal, que passa pelo sangue para o pâncreas para promover a secreção rápida de suco pancreático. Esse suco também contém uma alta concentração de bicarbonato de sódio, disponibilizando bicarbonato de sódio adicional para neutralização do ácido.

Portanto, uma úlcera péptica pode ser causada de duas maneiras: (1) secreção excessiva de ácido e pepsina pela mucosa gástrica ou (2) capacidade diminuída da barreira da mucosa gastroduodenal de proteger contra as propriedades digestivas do ácido estomacal – secreção de pepsina.

Causas específicas de úlcera péptica

A infecção bacteriana por *Helicobacter pylori* rompe a barreira mucosa gastroduodenal e estimula a secreção de ácido gástrico. Foi constatado que pelo menos 75% das pessoas com úlceras pépticas apresentam infecção crônica nas porções terminais da mucosa gástrica e nas porções iniciais da mucosa duodenal, mais frequentemente causada pela bactéria *Helicobacter pylori*. Assim que a infecção começa, pode durar a vida toda, a menos que seja erradicada por terapia antibacteriana. Além disso, a bactéria é capaz de penetrar na barreira mucosa em virtude de sua capacidade física de penetrar na barreira e liberar amônio que liquefaz a barreira e estimula a secreção de ácido clorídrico. Como resultado, os fortes sucos digestivos ácidos das secreções estomacais podem então penetrar no epitélio subjacente e literalmente digerir a parede gastrointestinal, levando, assim, à ulceração péptica.

Outras causas de ulceração. Em muitas pessoas com úlceras pépticas na porção inicial do duodeno, a taxa de secreção de ácido gástrico é maior do que o normal – às vezes até duas vezes o normal. Embora parte dessa secreção aumentada possa ser estimulada por infecção bacteriana, estudos em animais e em seres humanos mostraram que o excesso de secreção de suco gástrico por qualquer motivo (p. ex., mesmo em transtornos psíquicos) pode causar ulceração péptica.

Outros fatores que predispõem às úlceras incluem o seguinte: (1) *tabagismo*, provavelmente devido ao aumento da estimulação nervosa das glândulas secretoras do estômago; (2) consumo excessivo de *álcool*, porque tende a romper a barreira mucosa; e (3) consumo de *ácido acetilsalicílico* e outros anti-inflamatórios não esteroides que também têm uma forte propensão para romper essa barreira.

Tratamento das úlceras pépticas. Desde a descoberta de que grande parte da ulceração péptica tem uma base infecciosa bacteriana, a terapia mudou imensamente. Quase todos os pacientes com úlcera péptica podem ser tratados com eficácia por meio de duas medidas: (1) uso de *antibióticos* junto com outros agentes para matar bactérias infecciosas; e (2) administração de um supressor de ácido, especialmente *ranitidina*, que é um agente anti-histamínico que bloqueia o efeito estimulador da histamina nos receptores de histamina$_2$ da glândula gástrica, reduzindo a secreção de ácido gástrico em 70 a 80%.

Essas abordagens fisiológicas da terapia provaram ser eficazes na maioria dos pacientes. Em alguns casos, no entanto, a condição do paciente é tão grave, incluindo sangramento maciço da úlcera, que se deve usar procedimentos cirúrgicos heroicos; esses procedimentos incluem a remoção de parte do estômago ou corte dos dois nervos vagos que fornecem estimulação parassimpática às glândulas gástricas.

Distúrbios do intestino delgado

Digestão anormal de alimentos no intestino delgado | Insuficiência pancreática

Uma causa séria de digestão anormal é a falha do pâncreas em secretar suco pancreático para o intestino delgado. A falta de secreção pancreática ocorre frequentemente (1) em pessoas com *pancreatite* (discutido mais adiante), (2) quando o *ducto pancreático é obstruído* por um cálculo biliar na papila de Vater, ou (3) após a cabeça *do pâncreas ter sido removida* por causa de malignidade.

A perda de suco pancreático significa perda de tripsina, quimiotripsina, carboxipeptidase, amilase pancreática, lipase pancreática e algumas outras enzimas digestivas. Sem essas enzimas, até 60% da gordura que entra no intestino delgado pode não ser absorvida, junto com um terço a metade das proteínas e carboidratos. Como resultado, grandes porções do alimento ingerido não podem ser usadas para nutrição e fezes abundantes e gordurosas são excretadas.

Pancreatite | Reação inflamatória do pâncreas. A pancreatite pode ocorrer na forma de *pancreatite aguda* ou *pancreatite crônica*.

A causa mais comum de pancreatite é a *ingestão frequente de álcool*, e a segunda causa mais comum é a *obstrução da papila de Vater* (papila duodenal) por um cálculo biliar. Essas duas causas juntas são responsáveis por mais de 75% de todos os casos de pancreatite aguda.

Quando um cálculo biliar bloqueia a papila de Vater, o ducto secretor principal do pâncreas e o ducto biliar comum são bloqueados. As enzimas pancreáticas são então represadas nos ductos e nos ácinos do pâncreas. Por fim, o tripsinogênio se acumula a tal ponto que *supera o inibidor de tripsina* nas secreções, e uma pequena quantidade de tripsinogênio é ativada para formar tripsina. Quando isso acontece, a tripsina ativa o tripsinogênio adicional, assim como o quimiotripsinogênio e a carboxipeptidase, resultando em um círculo vicioso até que a maioria das enzimas proteolíticas nos ductos pancreáticos e ácinos sejam ativadas. Essas enzimas digerem rapidamente grandes porções do pâncreas, às vezes destruindo completa e permanentemente a sua capacidade de secretar enzimas digestivas.

A pancreatite crônica é uma condição inflamatória e fibrótica contínua do pâncreas que pode resultar de episódios recorrentes de pancreatite aguda associada a cálculos biliares ou consumo excessivo de álcool. Outros fatores que podem contribuir para a pancreatite crônica incluem tabagismo, altos níveis de triglicerídios ou inflamação mediada autoimune.

Má absorção pela mucosa do intestino delgado | Espru

Ocasionalmente, os nutrientes não são adequadamente absorvidos pelo intestino delgado, embora o alimento tenha sido bem digerido. Várias doenças podem causar diminuição da absorção pela mucosa intestinal; elas são frequentemente classificadas sob o termo geral *espru*. A má absorção também pode ocorrer quando grandes porções do intestino delgado foram removidas.

CAPÍTULO 67 Fisiologia dos Distúrbios do Trato Digestivo

Espru não tropical. Um tipo de espru, chamado de *doença celíaca* variada, *espru idiopático* ou *enteropatia do glúten*, resulta dos efeitos tóxicos do *glúten* presente em certos tipos de grãos, especialmente trigo e centeio. Apenas algumas pessoas são suscetíveis a esse efeito, mas naquelas que são suscetíveis, o glúten tem um efeito destrutivo direto sobre os enterócitos intestinais. Nas formas mais leves da doença, apenas as microvilosidades dos enterócitos absorventes nas vilosidades são destruídas, diminuindo, assim, a área de superfície de absorção em até duas vezes. Nas formas mais graves, as vilosidades ficam embotadas ou desaparecem completamente, reduzindo ainda mais a área de absorção do intestino. A remoção da farinha de trigo e de centeio da dieta frequentemente resulta na cura em semanas, especialmente em crianças com essa doença.

Espru tropical. Um tipo diferente de espru, denominado de *espru tropical*, ocorre com frequência nos trópicos e pode ser tratado com agentes antibacterianos. Embora nenhuma bactéria específica tenha sido apontada como a causa, acredita-se que essa variedade de espru seja geralmente causada por inflamação da mucosa intestinal resultante de agentes infecciosos não identificados.

Má absorção no espru. Nos estágios iniciais do espru, a absorção intestinal de gordura é mais prejudicada do que a absorção de outros produtos digestivos. A gordura que aparece nas fezes está quase inteiramente na forma de sais de ácidos graxos, em vez de gordura não digerida, demonstrando que o problema é de absorção, não de digestão. Na verdade, a condição é frequentemente chamada de *esteatorreia*, que significa simplesmente excesso de gordura nas fezes.

Em casos graves de espru, além da má absorção de gorduras, ocorre também a absorção prejudicada de proteínas, carboidratos, cálcio, vitamina K, ácido fólico e vitamina B_{12}. Como resultado, a pessoa experimenta o seguinte: (1) deficiência nutricional grave, que muitas vezes resulta em desgaste do corpo; (2) osteomalacia (*i. e.*, desmineralização dos ossos devido à falta de cálcio); (3) coagulação sanguínea inadequada causada pela falta de vitamina K; e (4) anemia macrocítica do tipo anemia perniciosa, resultante da diminuição da absorção de vitamina B_{12} e ácido fólico.

Doenças do intestino grosso

Constipação intestinal

A constipação intestinal significa um *movimento lento das fezes pelo intestino grosso*. A constipação intestinal costuma estar associada a grandes quantidades de fezes duras e secas no cólon descendente que se acumulam devido ao excesso de absorção de líquidos ou à ingestão insuficiente de líquidos. Qualquer patologia intestinal que obstrua a movimentação do conteúdo intestinal, como tumores, aderências que contraiam os intestinos ou úlceras, pode causar constipação intestinal.

Os bebês raramente têm constipação intestinal, mas parte de seu treinamento nos primeiros anos de vida requer que aprendam a controlar a defecação; esse controle é efetuado inibindo os reflexos naturais de defecação. A experiência clínica mostra que se não permitirmos que ocorra a defecação quando os reflexos de defecação estiverem excitados ou se usarmos laxantes em excesso para substituir a função intestinal natural, os reflexos se tornam progressivamente mais fracos ao longo de meses ou anos e o cólon torna-se *atônico*.

A constipação intestinal também pode resultar de espasmo de um pequeno segmento do cólon sigmoide. A motilidade normalmente é fraca no intestino grosso; portanto, mesmo um leve grau de espasmo pode causar constipação intestinal grave. Depois que a constipação intestinal continuou por vários dias e o excesso de fezes se acumulou acima de um cólon sigmoide espástico, as secreções colônicas excessivas levam a 1 dia ou mais de diarreia. Depois disso, o ciclo começa novamente, com crises repetidas de constipação intestinal e diarreia alternadas.

Megacólon (doença de Hirschsprung). Ocasionalmente, a constipação intestinal é tão grave que os movimentos intestinais ocorrem apenas uma vez a cada vários dias ou às vezes apenas 1 vez/semana. Esse fenômeno permite que enormes quantidades de matéria fecal se acumulem no cólon, fazendo com que o cólon às vezes se distenda a um diâmetro de 7 a 10 centímetros. A condição é chamada de megacólon, ou *doença de Hirschsprung*.

Uma das causas do megacólon é a falta ou deficiência de *células ganglionares no plexo mioentérico em um segmento do cólon sigmoide*. Como consequência, nem reflexos de defecação nem forte motilidade peristáltica podem ocorrer nessa área do intestino grosso. O sigmoide torna-se pequeno e quase espástico, enquanto as fezes se acumulam próximo a essa área, causando megacólon nos cólons ascendente, transverso e descendente.

Diarreia

A diarreia resulta da rápida movimentação da matéria fecal pelo intestino grosso. Várias causas de diarreia com sequelas fisiológicas importantes são as seguintes.

Enterite | Inflamação intestinal. Enterite é uma inflamação geralmente causada por vírus ou bactérias no trato intestinal. Na *diarreia infecciosa* comum, a infecção é mais extensa no intestino grosso e na extremidade distal do íleo. Em todos os pontos em que a infecção está presente, a mucosa fica irritada e sua taxa de secreção aumenta muito. Além disso, a motilidade da parede intestinal geralmente aumenta acentuadamente. Como resultado, grandes quantidades de líquido são disponibilizadas para lavar o agente infeccioso em direção ao ânus e, ao mesmo tempo, fortes movimentos de propulsão impulsionam esse líquido para a frente. Esse mecanismo é importante para livrar o trato intestinal de uma infecção debilitante.

De especial interesse é a diarreia causada por *cólera* (e menos frequentemente por outras bactérias, como alguns bacilos patogênicos do cólon). Conforme explicado no Capítulo 66, a toxina do cólera estimula diretamente a secreção excessiva de eletrólitos e líquido das criptas de Lieberkühn no íleo distal e no cólon. A quantidade pode ser de 10 a 12 ℓ por dia, embora o cólon possa geralmente reabsorver no máximo 6 a 8 ℓ por dia. Portanto, a perda de líquido e eletrólitos pode ser tão debilitante em vários dias que pode ocorrer a morte.

A base fisiológica mais importante da terapia no caso de cólera é repor o líquido e os eletrólitos tão rapidamente quanto eles forem perdidos, principalmente administrando soluções intravenosas ao paciente. Com a terapia adequada, junto com o uso de antibióticos, quase nenhuma pessoa com cólera morre, mas, sem terapia, até 50% dos pacientes morrem.

Diarreia psicogênica. A maioria das pessoas está familiarizada com a diarreia que acompanha os períodos de tensão nervosa, como durante os exames ou quando um soldado está prestes a entrar em batalha. Esse tipo de diarreia, denominado diarreia emocional *psicogênica*, é causado pela estimulação excessiva do sistema nervoso parassimpático, que excita muito (1) a motilidade e (2) a secreção de muco no cólon distal. Esses dois efeitos somados podem causar diarreia acentuada.

Retocolite ulcerativa. A colite ulcerativa é uma doença em que extensas áreas das paredes do intestino grosso ficam inflamadas e ulceradas. A motilidade do cólon ulcerado costuma ser tão grande que os *movimentos de massa* ocorrem durante a maior parte do dia, e não nos habituais 10 a 30 minutos. Além disso, as secreções do cólon são bastante aumentadas. Como resultado, o paciente apresenta evacuações diarreicas repetidas.

A causa da colite ulcerativa não é clara. Alguns médicos acreditam que isso resulte de um efeito alérgico ou imunodestrutivo, mas também pode resultar de uma infecção bacteriana crônica ainda não compreendida. Seja qual for a causa, existe uma forte tendência hereditária à suscetibilidade à colite ulcerosa. Uma vez que a condição tenha progredido muito, as úlceras raramente cicatrizam, até que uma ileostomia seja realizada para permitir que o conteúdo do intestino delgado drene para o exterior em vez de passar pelo cólon. Mesmo assim, as úlceras às vezes não cicatrizam e a única solução pode ser a remoção cirúrgica de todo o cólon.[1]

Comprometimento da defecação em pessoas com lesões na medula espinhal

Como discutido no Capítulo 64, a defecação é normalmente iniciada pelo acúmulo de fezes no reto, o que causa um *reflexo de defecação* mediado pela medula espinhal passando do reto para o *cone medular* da medula espinhal e depois de volta ao cólon descendente, sigmoide, reto e ânus.

Quando a medula espinhal é lesada em algum lugar entre o cone medular e o cérebro, a porção voluntária do ato de defecar é bloqueada enquanto o reflexo medular básico para a defecação ainda está intacto. No entanto, a perda da ajuda voluntária para a defecação – ou seja, a perda da pressão abdominal aumentada e do relaxamento do esfíncter anal voluntário – muitas vezes torna a defecação um processo difícil na pessoa com esse tipo de lesão na porção superior da medula. No entanto, como o reflexo de defecação medular ainda pode ocorrer, um pequeno enema para excitar a ação desse reflexo do cordão, geralmente administrado pela manhã logo após uma refeição, muitas vezes pode causar uma defecação adequada. Dessa forma, pessoas com lesões na medula espinhal que não tenham destruído o cone medular da medula espinhal geralmente podem controlar seus movimentos intestinais todos os dias.

---

[1] N.R.C.: Outra doença inflamatória semelhante que também acomete os intestinos é a *doença de Crohn*.

Doenças gerais do trato digestivo

Vômito

Vômito é o meio pelo qual o trato digestivo superior se livra de seu conteúdo quando quase qualquer parte do trato superior se torna excessivamente irritada, distendida ou mesmo superexcitada. A distensão ou irritação excessiva do duodeno fornece um estímulo especialmente forte para o vômito.

Os sinais sensoriais que iniciam o vômito se originam principalmente de faringe, esôfago, estômago e partes superiores do intestino delgado. Conforme mostrado na **Figura 67.2**, os impulsos nervosos são transmitidos pelas fibras nervosas aferentes vagais e simpáticas para vários núcleos distribuídos no tronco encefálico (bulbo), especialmente a *área postrema*, que juntos são chamados de centro do vômito. A partir desse ponto, os *impulsos motores* que causam o vômito real são transmitidos do centro de vômito por meio dos nervos cranianos V, VII, IX, X e XII para o trato digestivo superior, por fibras dos nervos vagos e simpáticos, para o trato inferior, e por nervos espinhais para o diafragma e músculos abdominais.

Antiperistaltismo | O prelúdio do vômito. Nos estágios iniciais de irritação gastrointestinal excessiva, ou

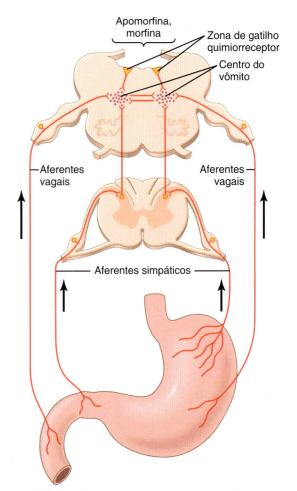

Figura 67.2 Conexões neutras do centro do vômito. O assim chamado centro do vômito inclui múltiplos núcleos de controle sensorial e motor, principalmente nas formações reticulares medular e pontina, mas se estendendo até a medula espinhal.

superdistensão, o *antiperistaltismo* começa a ocorrer, geralmente muitos minutos antes do aparecimento do vômito. Antiperistaltismo (peristalse reversa) significa peristaltismo *para cima* no trato digestivo, e não para baixo. O antiperistaltismo pode começar na parte inferior do trato intestinal até o íleo, e a onda antiperistáltica viaja para trás no intestino a uma velocidade de dois a três centímetros por segundo; esse processo pode, na verdade, empurrar uma grande parte do conteúdo do intestino delgado de volta ao duodeno e estômago em três a cinco minutos. Então, como essas porções superiores do trato digestivo, especialmente o duodeno, tornam-se excessivamente distendidas, essa distensão torna-se o fator estimulante que inicia o ato de vômito real.

No início do vômito, ocorrem fortes contrações intrínsecas no duodeno e no estômago, junto com o relaxamento parcial do esfíncter esofágico-estomacal, permitindo, assim, que o vômito comece a se mover do estômago para o esôfago. A partir desse ponto, um ato específico de vômito envolvendo a musculatura abdominal assume e expele o vômito para o exterior, conforme explicado a seguir.

Reflexo do vômito. Uma vez que o centro do vômito foi suficientemente estimulado e o ato de vômito foi instituído, os primeiros efeitos são os seguintes: (1) uma respiração profunda, (2) elevação do osso hioide e da laringe para puxar o esfíncter esofágico superior aberto, (3) fechamento da glote para evitar o fluxo do vômito para os pulmões e (4) elevação do palato mole para fechar as narinas posteriores. Em seguida, vem uma forte contração do diafragma para baixo junto com a contração simultânea de todos os músculos da parede abdominal, que comprime o estômago entre o diafragma e os músculos abdominais, elevando a pressão intragástrica a um nível alto. Finalmente, o esfíncter esofágico inferior relaxa completamente, permitindo a expulsão do conteúdo gástrico para cima através do esôfago.

Assim, o ato de vômito resulta de uma ação de compressão dos músculos do abdome associada à contração simultânea da parede do estômago e à abertura dos esfíncteres esofágicos para que o conteúdo gástrico seja expelido.

A zona quimiorreceptora de gatilho, localizada no bulbo, inicia o vômito induzido por fármacos ou por enjoo. Além do vômito iniciado por estímulos irritativos no trato digestivo, o vômito também pode ser causado por sinais nervosos que surgem em áreas do cérebro. Esse mecanismo é particularmente verdadeiro para uma pequena área chamada *zona quimiorreceptora de gatilho para o vômito*, localizada na *área postrema* do tronco encefálico, nas paredes laterais do quarto ventrículo. A estimulação elétrica dessa área pode iniciar o vômito; porém, mais importante, a administração de certos medicamentos, incluindo apomorfina, morfina e alguns derivados de digitálicos, pode estimular diretamente essa zona de gatilho quimiorreceptor e iniciar o vômito. A destruição dessa área bloqueia esse tipo de vômito, mas não bloqueia o vômito resultante de estímulos irritativos no trato digestivo.

Além disso, é bem sabido que a mudança rápida de direção ou ritmo de movimento do corpo pode causar o vômito em certas pessoas. O mecanismo para esse fenômeno é o seguinte: o movimento estimula os receptores no labirinto vestibular do ouvido interno e, a partir desse ponto, os impulsos são transmitidos principalmente através dos *núcleos vestibulares* do tronco encefálico *para o cerebelo*, depois para a *zona quimiorreceptora de gatilho* e, por fim, para o *centro de vômito* para produzir o reflexo vômito.

Náuseas

A sensação de náuseas costuma ser um pródromo de vômito. A náusea (enjoo) é o reconhecimento consciente da excitação subconsciente em uma área da medula intimamente associada ou parte do centro do vômito ou parte dele. Pode ser causado por (1) impulsos irritativos vindos do trato digestivo, (2) impulsos que se originam na parte inferior do cérebro associados ao enjoo ou (3) impulsos do córtex cerebral para iniciar o vômito. O vômito ocorre ocasionalmente sem a sensação prodrômica de náuseas, o que indica que apenas certas partes do centro do vômito estão associadas à sensação de náuseas.

Obstrução intestinal

O trato digestivo pode ficar obstruído em quase qualquer ponto ao longo de seu curso, como mostrado na **Figura 67.3**. Algumas causas comuns de obstrução (oclusão) são as seguintes: (1) *neoplasias*, (2) *constrição fibrótica resultante de ulceração ou de aderências peritoneais*, (3) *espasmo de um segmento intestinal* e (4) *paralisia de um segmento intestinal*.

As consequências anormais da obstrução dependem do ponto do trato digestivo que fica obstruído. Se a obstrução ocorrer no piloro, o que geralmente resulta de constrição fibrótica após a ulceração péptica, ocorre vômito persistente do conteúdo do estômago. Esse vômito deprime a nutrição corporal; também causa perda excessiva de íons hidrogênio do estômago e pode resultar em vários graus de *alcalose metabólica*.

Se a obstrução for além do estômago, o refluxo antiperistáltico do intestino delgado faz com que os sucos intestinais refluam para o estômago, e esses sucos são vomitados junto com as secreções estomacais. Nesse caso, a pessoa perde grandes quantidades de água e eletrólitos. Ela fica gravemente desidratada, mas a perda de ácido do estômago e de base do intestino delgado pode ser equivalente; portanto, ocorre pouca alteração no equilíbrio acidobásico.

Se a obstrução estiver próxima à extremidade distal do intestino grosso, as fezes podem se acumular no cólon por 1 semana ou mais. O paciente desenvolve uma intensa sensação

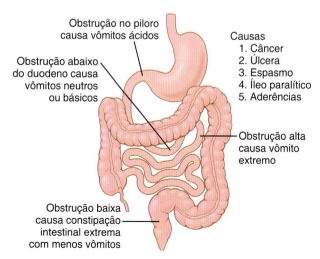

Figura 67.3 Obstrução em diferentes partes do trato digestivo.

PARTE 12 Fisiologia Digestiva

de constipação intestinal, mas a princípio os vômitos não são intensos. Depois que o intestino grosso fica completamente cheio e finalmente torna-se impossível que o quimo adicional se mova do intestino delgado para o intestino grosso, ocorrem vômitos intensos. A obstrução prolongada do intestino grosso pode finalmente causar ruptura do intestino ou desidratação e choque circulatório resultante de vômitos intensos.

Gases no trato digestivo (meteorismo e flatulência)

Os gases, chamados *flatos*, podem entrar no trato digestivo de três fontes: (1) ar engolido, (2) gases formados no intestino como resultado da ação bacteriana ou (3) gases que se difundem do sangue para o trato digestivo. A maioria dos gases no estômago são misturas de nitrogênio e oxigênio derivados do ar deglutido. Esses gases geralmente são expelidos por meio de *eructações* (arrotos). Apenas pequenas quantidades de gás normalmente ocorrem no intestino delgado, e grande parte desse gás é o ar que passa do estômago para o trato intestinal.

No intestino grosso, a ação bacteriana gera a maioria dos gases, incluindo especialmente o *dióxido de carbono*, o *metano* e o *hidrogênio*. Quando o metano e o hidrogênio se misturam adequadamente com o oxigênio, às vezes se forma uma mistura explosiva real. O uso de eletrocauterização durante a sigmoidoscopia é conhecido por causar uma explosão leve.

Certos alimentos são conhecidos por causar maior expulsão de flatos pelo ânus do que outros – feijão, repolho, cebola, couve-flor, milho e certos alimentos irritantes, como vinagre. Alguns desses alimentos servem como meio adequado para bactérias formadoras de gás, especialmente tipos de carboidratos fermentáveis não absorvidos. Por exemplo, o feijão contém um carboidrato indigerível que passa para o cólon e se torna um alimento superior para as bactérias do cólon. Mas, em outros casos, a expulsão excessiva de gases resulta da irritação do intestino grosso, que promove a expulsão peristáltica rápida de gases pelo ânus antes que eles possam ser absorvidos.[2]

A quantidade de gases que entram ou se formam no intestino grosso a cada dia é em média de 7 a 10 litros, enquanto a quantidade média expelida pelo ânus é geralmente de apenas 0,6 ℓ. O restante é normalmente absorvido pelo sangue através da mucosa intestinal e expelido pelos pulmões.

Bibliografia

Bharucha AE, Wouters MM, Tack J: Existing and emerging therapies for managing constipation and diarrhea. Curr Opin Pharmacol 37:158, 2017.

Camilleri M: Leaky gut: mechanisms, measurement and clinical implications in humans. Gut 68:1516, 2019.

Crowe SE: Helicobacter pylori infection. N Engl J Med 380:1158, 2019.

Fallone CA, Moss SF, Malfertheiner P: Reconciliation of recent Helicobacter pylori treatment guidelines in a time of increasing resistance to antibiotics. Gastroenterology 157:44, 2019.

Forsmark CE, Vege SS, Wilcox CM: Acute pancreatitis. N Engl J Med 375:1972, 2016.

Heuckeroth RO: Hirschsprung disease - integrating basic science and clinical medicine to improve outcomes. Nat Rev Gastroenterol Hepatol 15:152, 2018.

Lebwohl B, Sanders DS, Green PHR: Coeliac disease. Lancet 391:70, 2018

Leonard MM, Sapone A, Catassi C, Fasano A: Celiac disease and non-celiac gluten sensitivity: a review. JAMA 318:647, 2017.

Meroni E, Stakenborg N, Viola MF, Boeckxstaens GE: Intestinal macrophages and their interaction with the enteric nervous system in health and inflammatory bowel disease. Acta Physiol (Oxf) 2019 Mar;225(3):e13163. doi: 10.1111/apha.13163.

Neurath MF: Targeting immune cell circuits and trafficking in inflammatory bowel disease. Nat Immunol 20:970, 2019.

Patti MG: An evidence-based approach to the treatment of gastroesophageal reflux disease. JAMA Surg 151:73, 2016.

Plichta DR, Graham DB, Subramanian S, Xavier RJ: Therapeutic opportunities in inflammatory bowel disease: mechanistic dissection of host-microbiome relationships. Cell 178:1041, 2019.

Schirmer M, Garner A, Vlamakis H, Xavier RJ: Microbial genes and pathways in inflammatory bowel disease. Nat Rev Microbiol 17:497, 2019.

Schlottmann F, Patti MG: Esophageal achalasia: current diagnosis and treatment. Expert Rev Gastroenterol Hepatol 12:711, 2018.

Simrén M, Tack J: New treatments and therapeutic targets for IBS and other functional bowel disorders. Nat Rev Gastroenterol Hepatol 15:589, 2018.

Strate LL, Morris AM: Epidemiology, pathophysiology, and treatment of diverticulitis. Gastroenterology 156:1282, 2019.

Verheijden S, Boeckxstaens GE: Neuroimmune interaction and the regulation of intestinal immune homeostasis. Am J Physiol Gastrointest Liver Physiol 314:G75, 2018.

Wallace JL: Prostaglandins, NSAIDs, and gastric mucosal protection: why doesn't the stomach digest itself? Physiol Rev 88:1547, 2008.

---

[2]N.R.C.: Chamamos de *meteorismo* o acúmulo de gases nas alças intestinais e de *flatulência* os sintomas de desconforto, dor abdominal e eliminação excessiva de gases pelo ânus.

PARTE 13

Metabolismo e Regulação da Temperatura

RESUMO DA PARTE

68 Metabolismo dos Carboidratos e Formação do Trifosfato de Adenosina, *840*

69 Metabolismo Lipídico, *850*

70 Metabolismo das Proteínas, *863*

71 Fígado, *869*

72 Equilíbrio Dietético; Regulação da Alimentação; Obesidade e Inanição; Vitaminas e Minerais, *875*

73 Energética Celular e Taxa Metabólica, *893*

74 Regulação da Temperatura Corporal e Febre, *901*

CAPÍTULO 68

Metabolismo dos Carboidratos e Formação do Trifosfato de Adenosina

PARTE 13

Os próximos capítulos tratam do metabolismo do corpo – os processos químicos que tornam possível a continuação da vida das células. Não é o propósito deste texto apresentar os detalhes químicos das várias reações celulares, que são encontrados na disciplina de bioquímica. Em vez disso, esses capítulos são dedicados a (1) uma revisão dos principais processos químicos da célula e (2) uma análise de suas implicações fisiológicas, especialmente a maneira como se enquadram na homeostase corporal.

Liberação de energia dos alimentos e "energia livre"

Muitas das reações químicas nas células têm como objetivo tornar a energia dos alimentos disponível para os vários sistemas fisiológicos da célula. Por exemplo, energia é necessária para atividade muscular, secreção glandular, manutenção dos potenciais de membrana pelo nervo e fibras musculares, síntese de substâncias nas células, absorção de alimentos do trato gastrointestinal e muitas outras funções.

Reações acopladas. Todos os alimentos energéticos – carboidratos, gorduras e proteínas – podem ser oxidados nas células, e durante esse processo, grande quantidade de energia é liberada. Esses mesmos alimentos também podem ser queimados com oxigênio puro fora do corpo em um fogo real, liberando grandes quantidades de energia, mas a energia é liberada de repente, na forma de calor. A energia necessária para os processos fisiológicos das células não é o calor, mas energia para originar movimento mecânico, no caso da função muscular, para concentrar solutos no caso de secreção glandular, e para efetuar muitas outras funções celulares. Para fornecer essa energia, as reações químicas devem ser "acopladas" aos sistemas responsáveis por essas funções fisiológicas. Esse acoplamento é realizado por enzimas celulares especiais e sistemas de transferência de energia, alguns dos quais serão explicados neste capítulo e nos subsequentes.

"Energia livre". A quantidade de energia liberada pela completa oxidação de um alimento é chamada de *energia livre de oxidação dos alimentos* e é geralmente representada pelo símbolo ΔG. A energia livre é geralmente expressa em termos de calorias por mol de substância. Por exemplo, a quantidade de energia livre liberada pela oxidação completa de 1 mol (180 gramas) de glicose é 686.000 calorias.

Trifosfato de adenosina é a "moeda de energia" do corpo

O trifosfato de adenosina (ATP) é um elo essencial entre as funções do corpo que utilizam energia e as funções produtoras de energia (ver **Figura 68.1**). Por esse motivo, o ATP foi chamado de "moeda de energia" do corpo e pode ser adquirido e gasto repetida e rapidamente, como se fora "dinheiro no bolso".

A energia derivada da oxidação de carboidratos, proteínas e lipídios é usada para converter o difosfato de adenosina (ADP) em ATP, que é então consumido pelas várias reações do corpo necessárias para a manutenção e propagação da vida.

O ATP é um composto químico lábil que está presente em todas as células. O ATP é uma combinação de adenina, ribose e três radicais fosfato, como mostrado na **Figura 68.2**. Os últimos dois radicais de fosfato estão conectados com o restante da molécula por meio de ligações de alta energia, que são indicadas pelo símbolo ~.

A quantidade de energia livre em cada uma dessas ligações de alta energia por mol de ATP é cerca de 7.300 calorias sob condições padrão e cerca de 12.000 calorias sob as condições usuais de temperatura e concentrações dos reagentes no organismo. Portanto, no organismo, a remoção de cada um dos dois últimos radicais de fosfato libera cerca

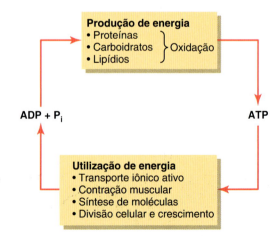

Figura 68.1 Trifosfato de adenosina como o elo principal entre sistemas do corpo que produzem e que utilizam energia. ADP: difosfato de adenosina; P$_i$: fosfato inorgânico.

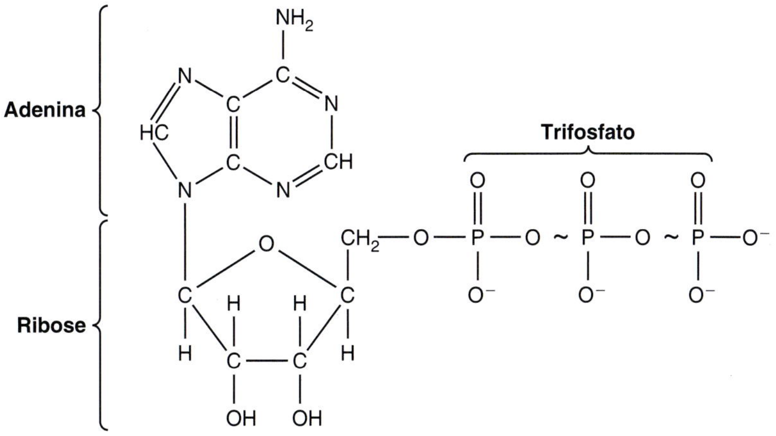

CAPÍTULO 68 Metabolismo dos Carboidratos e Formação do Trifosfato de Adenosina

Figura 68.2 Estrutura química do trifosfato de adenosina.

de 12.000 calorias de energia. Após a perda de um radical fosfato do ATP, o composto se torna ADP, e após a perda do segundo radical fosfato, torna-se *monofosfato de adenosina* (AMP). As interconversões entre ATP, ADP e AMP são as que seguem:

$$ATP \underset{+12.000\ cal}{\overset{-12.000\ cal}{\rightleftharpoons}} \begin{Bmatrix} ADP \\ + \\ PO_3 \end{Bmatrix} \underset{+12.000\ cal}{\overset{-12.000\ cal}{\rightleftharpoons}} \begin{Bmatrix} AMP \\ + \\ 2PO_3 \end{Bmatrix}$$

O ATP está presente no citoplasma e nucleoplasma de todas as células, e, essencialmente, todos os mecanismos que requerem energia para seu funcionamento a obtêm diretamente do ATP (ou outro composto similar de alta energia, como o trifosfato de guanosina). Por sua vez, o alimento nas células é gradualmente oxidado, e a energia liberada é usada para formar novo ATP, mantendo, assim, sempre um suprimento dessa substância. Todas essas transferências de energia ocorrem por meio de reações acopladas.

O principal objetivo deste capítulo é explicar como a energia dos carboidratos pode ser usada para formar ATP nas células. Normalmente, 90% ou mais de todos os carboidratos utilizados pelo corpo têm essa finalidade.

Papel central da glicose no metabolismo dos carboidratos

Conforme explicado no Capítulo 66, os produtos finais da digestão do carboidrato no aparelho digestivo são quase inteiramente glicose, frutose e galactose – com a glicose representando, em média, cerca de 80% desses produtos. Após a absorção a partir do trato intestinal, grande parte da frutose e quase toda a galactose é rapidamente convertida em glicose no fígado. Portanto, pouca frutose e galactose estão presentes no sangue circulante. *A glicose torna-se, assim, a última via comum para o transporte de quase todos os carboidratos às células.*

Nas células do fígado, enzimas apropriadas estão disponíveis para promover interconversões entre os monossacarídeos – glicose, frutose e galactose – conforme mostrado na **Figura 68.3**. Além disso, a dinâmica das reações é tal que, quando o fígado libera monossacarídeos de volta para o sangue, o produto final é quase inteiramente glicose. A razão para isso é que as células do fígado contêm grandes quantidades de *glicose fosfatase*. Portanto, a glicose-6-fosfato pode ser degradada em glicose e fosfato, e a glicose pode, então, ser transportada através da membrana das células hepáticas de volta ao sangue.

Mais uma vez, deve ser enfatizado que mais de 95% de todos os monossacarídeos que circulam no sangue são, normalmente, o produto final de conversão, a glicose.

Transporte da glicose através da membrana celular

Antes que a glicose possa ser usada pelas células do corpo, ela deve ser transportada através da membrana celular para o interior do citoplasma. No entanto, a glicose *não pode se difundir espontaneamente através dos poros* da membrana celular, pois o peso molecular máximo das partículas com

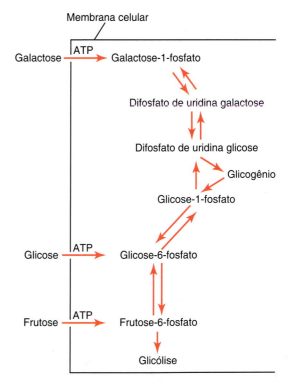

Figura 68.3 Interconversões dos três principais monossacarídeos – glicose, frutose e galactose – nas células do fígado. ATP, trifosfato de adenosina.

difusão imediata é de cerca de 100, e a glicose tem um peso molecular de 180. No entanto, a glicose passa para o interior das células com um certo grau de facilidade por *difusão facilitada*. Os princípios desse tipo de transporte são discutidos no Capítulo 4. Permeando a matriz lipídica da membrana celular existe um grande número de moléculas *carreadoras* de proteínas que podem se ligar à glicose. A glicose, nessa forma ligada, pode ser transportada pelo carreador de um lado a outro da membrana, quando então é liberada. Portanto, se a concentração de glicose for maior de um lado da membrana do que do outro, mais glicose será transportada da área de maior concentração para a área de menor concentração.

O transporte de glicose através das membranas da maioria células é bastante diferente do que ocorre através da membrana gastrointestinal ou através do epitélio dos túbulos renais. Em ambos os casos, a glicose é transportada pelo mecanismo de *cotransporte ativo de sódio-glicose*, cujo transporte ativo de sódio fornece energia para a absorção de glicose *contra uma diferença de concentração*. Esse mecanismo de cotransporte ativo de sódio-glicose funciona apenas em certas células específicas, principalmente em células epiteliais que são especificamente adaptadas para absorção ativa de glicose. Em outras membranas celulares, a glicose é transportada apenas de concentrações mais altas para concentrações mais baixas por *difusão facilitada*, possibilitada pelas propriedades especiais de ligação da membrana da *proteína carreadora de glicose*. Os detalhes da *difusão facilitada* para o transporte na membrana celular são apresentados no Capítulo 4.

A insulina aumenta a difusão facilitada da glicose

A taxa de transporte da glicose, bem como o transporte de alguns outros monossacarídeos, aumenta na maioria das células devido à presença de insulina. Quando grandes quantidades de insulina são secretadas pelo pâncreas, a taxa de transporte de glicose para a maioria das células aumenta para 10 ou mais vezes quando comparada com a não secreção de insulina. Por outro lado, as quantidades de glicose que podem se difundir para o interior da maioria das células do corpo na ausência de insulina, com exceção das células do fígado, das hemácias e do cérebro, são muito pequenas para fornecer a quantidade de glicose normalmente necessária para o metabolismo energético.

Na verdade, a taxa de utilização de carboidratos pela maioria células é controlada pela secreção de insulina pelo pâncreas e pela sensibilidade dos vários tecidos aos efeitos da insulina no transporte de glicose. As funções da insulina e seu controle no metabolismo de carboidratos serão discutidos em detalhes no Capítulo 79.

Fosforilação da glicose

Imediatamente após a entrada nas células, a glicose se liga a um radical fosfato de acordo com a seguinte reação:

$$\text{Glicose} \xrightarrow[\text{ATP}]{\text{Glicoquinase ou hexoquinase}} \text{Glicose-6-fosfato}$$

Essa fosforilação é promovida, principalmente, pela enzima *glicoquinase* no fígado e pela *hexoquinase* na maioria das outras células. A fosforilação da glicose é quase completamente irreversível, exceto em células do fígado, células epiteliais dos túbulos renais e células epiteliais intestinais; nessas células, outra enzima, a *glicose-fosfatase*, também está disponível. Quando ativada, pode reverter a reação. Na maioria dos tecidos do corpo a fosforilação serve para *manter* a glicose na célula. Isto é, por causa de sua ligação quase instantânea com o fosfato, a glicose não se difundirá de volta, exceto naquelas células especiais, como as células do fígado, que possuem fosfatase.

O glicogênio é armazenado no fígado e no músculo

Após sua absorção dentro da célula, a glicose pode ser usada imediatamente para liberação de energia para a célula, ou pode ser armazenada na forma de *glicogênio*, que é um grande polímero de glicose.

Quase todas as células do corpo são capazes de armazenar pelo menos algum glicogênio, mas certas células podem armazenar grandes quantidades, especialmente as *células do fígado*, que podem armazenar até 5 a 8% de seu peso como glicogênio, e *células musculares*, que podem armazenar de 1 a 3% de glicogênio. As moléculas de glicogênio podem ser polimerizadas a quase qualquer peso molecular, com a média de peso molecular sendo de 5 milhões ou superior; a maioria do glicogênio precipita na forma de grânulos sólidos.

Essa conversão de monossacarídeos em um composto precipitado de alto peso molecular (glicogênio) torna possível armazenar grandes quantidades de carboidratos sem alterar significativamente a pressão osmótica dos líquidos intracelulares. Altas concentrações de monossacarídeos solúveis de baixo peso molecular causariam danos importantes nas relações osmóticas entre os líquidos intracelulares e extracelulares.

Glicogênese: formação de glicogênio

As reações químicas para a glicogênese são ilustradas na **Figura 68.4**. Nessa figura, observa-se que a *glicose-6-fosfato* pode se tornar *glicose-1-fosfato*; essa substância é convertida em *difosfato de uridina glicose*, que finalmente é convertida em glicogênio. Diversas enzimas específicas são necessárias

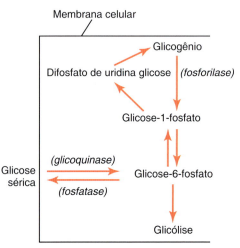

Figura 68.4 Reações químicas de glicogênese e glicogenólise, também mostrando interconversões entre glicose sérica e glicogênio hepático. (A fosfatase necessária para a liberação de glicose da célula está presente nas células do fígado, mas não na maioria das outras células.)

para promover essas conversões, e qualquer monossacarídeo que possa ser convertido em glicose pode entrar nessas reações. Certos compostos menores, incluindo *ácido láctico*, *glicerol*, *ácido pirúvico* e alguns *aminoácidos desaminados*, também podem ser convertidos em glicose, ou compostos intimamente relacionados, e então convertidos em glicogênio.

Glicogenólise: quebra do glicogênio armazenado

Glicogenólise significa a quebra do glicogênio celular armazenado para formar novamente glicose nas células. A glicose pode então ser usada para fornecer energia. A glicogenólise não ocorre pela reversão das mesmas reações químicas que formam glicogênio; em vez disso, cada molécula de glicose sucessiva, em cada ramo do polímero de glicogênio, se divide por *fosforilação*, catalisada pela enzima *fosforilase*.

Em condições de repouso, a fosforilase está em uma forma inativa e, portanto, o glicogênio permanece armazenado. Quando é necessário formar glicose novamente a partir do glicogênio, a fosforilase deve primeiramente ser ativada. Essa ativação pode ser realizada de várias maneiras, incluindo a ativação pela adrenalina ou pelo glucagon, conforme descrito na próxima seção.

Ativação da fosforilase pela adrenalina ou pelo glucagon.
Dois hormônios, *adrenalina* e *glucagon*, podem ativar a fosforilase e, assim, causar glicogenólise rápida. O efeito inicial de cada um desses hormônios é promover formação de AMP cíclico nas células, que então inicia uma cascata de reações químicas que ativa a fosforilase. Esse processo é discutido em detalhes no Capítulo 79.

A *adrenalina* é liberada pela medula da glândula adrenal quando o sistema nervoso simpático é estimulado. Portanto, uma das funções do sistema nervoso simpático é aumentar a disponibilidade de glicose para um metabolismo energético rápido. Essa função da adrenalina ocorre de forma marcante nas células e músculos do fígado, contribuindo assim (junto com outros efeitos da estimulação simpática) para a preparação do corpo para a ação, conforme discutido no Capítulo 61.

O *glucagon* é um hormônio secretado pelas *células alfa* do pâncreas quando a concentração de glicose no sangue cai muito. Estimula a formação de AMP cíclico principalmente nas células do fígado, promovendo a conversão do glicogênio hepático em glicose e sua liberação no sangue, elevando, assim, a concentração sanguínea de glicose. A função do glucagon na regulação da glicose sanguínea será discutida no Capítulo 79.

Liberação de energia da glicose pela via glicolítica

Como a oxidação completa de 1 grama-mol de glicose libera 686.000 calorias de energia e apenas 12.000 calorias de energia são necessárias para formar 1 grama-mol de ATP, energia seria desperdiçada se a glicose fosse decomposta de uma só vez em água e dióxido de carbono, enquanto formasse apenas uma única molécula de ATP. Felizmente, as células do corpo contêm enzimas que fazem com que a molécula de glicose se divida em muitas etapas sucessivas, de modo que sua energia seja liberada em pequenas quantidades para formar uma molécula de ATP por vez, formando, assim, um total de 38 moles de ATP para cada mol de glicose metabolizado pelas células.

Nas próximas seções, descreveremos os princípios básicos dos processos pelos quais a molécula de glicose é progressivamente dissecada e sua energia liberada para formar ATP.

Glicólise: clivagem da glicose para formar ácido pirúvico

De fato, o meio mais importante de liberação de energia da glicose é iniciado pela *glicólise*. Os produtos finais da glicólise são então oxidados para fornecer energia. A glicólise significa divisão da molécula de glicose para formar *duas moléculas de ácido pirúvico*.

A glicólise ocorre por 10 reações químicas sucessivas, ilustradas na **Figura 68.5**. Cada etapa é catalisada por pelo menos uma enzima específica. Observe que a glicose é primeiramente convertida em frutose-1,6-difosfato e então fracionada em duas moléculas com três átomos de carbonos, o gliceraldeído-3-fosfato, e cada uma delas é então convertida, em mais cinco etapas adicionais, em ácido pirúvico.

Formação de ATP durante a glicólise. Apesar de muitas reações químicas na série glicolítica, apenas uma pequena porção da energia livre na molécula de glicose é liberada na maioria de etapas. No entanto, entre os estágios do ácido 1,3-difosfoglicérico e do ácido 3-fosfoglicérico, e, novamente, nos estágios do ácido fosfoenolpirúvico e do ácido pirúvico, a quantidade de energia liberada é maior do que 12.000 calorias por mol; a quantidade necessária para formar ATP e as reações são acopladas de tal forma que o ATP é formado. Assim, um total de 4 moles de ATP são formados para cada mol de frutose-1,6-difosfato que se divide em ácido pirúvico.

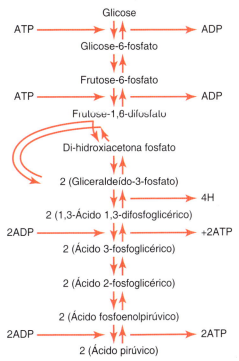

Figura 68.5 Sequência de reações químicas responsáveis pela glicólise.

PARTE 13 Metabolismo e Regulação da Temperatura

No entanto, 2 moles de ATP são necessários para fosforilar a glicose original para formar frutose-1,6-difosfato antes da glicólise poder começar. Assim, *o ganho líquido em moléculas de ATP por todo o processo glicolítico é de apenas 2 moles para cada mol de glicose utilizado.* Isso equivale a 24.000 calorias de energia que é transferida para o ATP, mas, durante a glicólise, um total de 56.000 calorias de energia foram perdidas com a glicose original, resultando em uma *eficiência* global para a formação de ATP de apenas 43%. Os restantes 57% da energia são perdidos em forma de calor.

Conversão do ácido pirúvico em acetil coenzima A

O próximo estágio na degradação da glicose é uma conversão em duas etapas das duas moléculas de ácido pirúvico (ver **Figura 68.5**) em duas moléculas de *acetil coenzima A* (acetil-CoA), de acordo com a seguinte reação:

$$2CH_3-\underset{\underset{O}{\|}}{C}-COOH + 2CoA-SH \rightarrow$$
(Ácido pirúvico)   (Coenzima A)

$$2CH_3-\underset{\underset{O}{\|}}{C}-S-CoA + 2CO_2 + 4H$$
(Acetil-CoA)

Duas moléculas de dióxido de carbono e quatro átomos de hidrogênio são liberados dessa reação, enquanto as porções restantes das duas moléculas de ácido pirúvico combinam-se com a coenzima A, um derivado da vitamina ácido pantotênico, para formar duas moléculas de acetil-CoA. Nessa conversão, nenhum ATP é formado, mas até seis moléculas de ATP são formadas quando os quatro átomos de hidrogênio liberados são posteriormente oxidados, como discutido adiante.

Ciclo do ácido cítrico (ciclo de Krebs)

O próximo passo na degradação da molécula de glicose é chamado de *ciclo do ácido cítrico* (também chamado de *ciclo do ácido tricarboxílico* ou *ciclo de Krebs* em homenagem a Hans Krebs pela sua descoberta). O ciclo do ácido cítrico é uma sequência de reações químicas em que a porção acetil do acetil-CoA é degradada em dióxido de carbono e átomos de hidrogênio. Todas essas reações ocorrem na *matriz da mitocôndria*. Os átomos de hidrogênio liberados aumentam o número desses átomos que serão posteriormente oxidados (como discutido adiante), liberando enormes quantidades de energia para formar ATP.

A **Figura 68.6** mostra os diferentes estágios das reações químicas no ciclo do ácido cítrico. As substâncias à esquerda são adicionadas durante as reações químicas, e os produtos das reações químicas são mostradas à direita. Observe no topo da coluna que o ciclo começa com o *ácido oxalacético*, e, na parte inferior da cadeia de reações, o *ácido oxalacético* é formado novamente. Assim, o ciclo pode continuar repetidamente.

Na fase inicial do ciclo do ácido cítrico, a *acetil-CoA* se associa ao *ácido oxalacético* para formar *ácido cítrico*. A porção coenzima A da acetil-CoA é liberada e pode ser usada repetidamente para formar quantidades adicionais de acetil-CoA a partir do ácido pirúvico. A porção acetil, entretanto, torna-se uma parte integrante da molécula de ácido cítrico. Durante os estágios sucessivos do ciclo do ácido cítrico, várias moléculas de água são adicionadas, como mostrado à esquerda na **Figura 68.6**, e *átomos de dióxido*

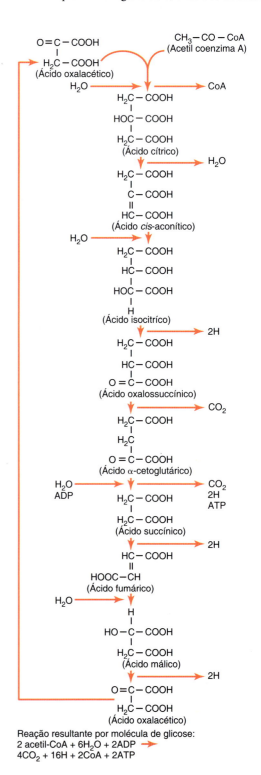

Figura 68.6 Reações químicas do ciclo do ácido cítrico, mostrando a liberação de dióxido de carbono e um grande número de átomos de hidrogênio durante o ciclo. ADP, difosfato de adenosina; ATP, trifosfato de adenosina.

de carbono e *hidrogênio* são liberados em outros estágios do ciclo, conforme mostrado à direita na figura.

Os resultados efetivos de todo o ciclo do ácido cítrico são encontrados na explicação na parte inferior da **Figura 68.6**, demonstrando que, para cada molécula de glicose originalmente metabolizada, 2 moléculas de acetil-CoA entram no ciclo do ácido cítrico, junto com 6 moléculas de água. Essas moléculas são então degradadas em 4 moléculas de dióxido de carbono, 16 átomos de hidrogênio e 2 moléculas da coenzima A. Duas moléculas de ATP são formadas, como descrito a seguir.

Formação de ATP no ciclo do ácido cítrico. O ciclo do ácido cítrico, por si só, não causa a liberação de grande quantidade de energia; uma molécula de ATP é formada em apenas uma das reações químicas – durante a transformação do ácido α-cetoglutárico em ácido succínico. Assim, para cada molécula de glicose metabolizada, duas moléculas de acetil-CoA passam através do ciclo do ácido cítrico, cada uma formando uma molécula de ATP, ou um total de duas moléculas de ATP formadas.

Função das desidrogenases e da nicotinamida adenina dinucleotídio na indução da liberação de átomos de hidrogênio no ciclo do ácido cítrico. Como já observado em vários pontos nesta discussão, os átomos de hidrogênio são liberados durante diferentes reações químicas do ciclo a partir do ácido cítrico – 4 átomos de hidrogênio durante a glicólise, 4 durante a formação de acetil-CoA a partir do ácido pirúvico e 16 no ciclo do ácido cítrico; assim, *um total de 24 átomos de hidrogênio são liberados para cada molécula original de glicose*. No entanto, os átomos de hidrogênio não são simplesmente soltos no líquido intracelular. Em vez disso, eles são liberados de dois em dois, e, em cada caso, a liberação é catalisada por uma enzima proteica específica chamada desidrogenase. Vinte dos 24 átomos de hidrogênio imediatamente se combinam com a nicotinamida adenina dinucleotídio (NAD$^+$), um derivado da vitamina niacina (vitamina B$_3$), de acordo com a seguinte reação:

$$\text{Substrato} \begin{array}{c} H \\ \\ H \end{array} + \text{NAD}^+ \xrightarrow{\text{Desidrogenase}} \text{NADH} + \text{H}^+ + \text{Substrato}$$

Essa reação não ocorrerá sem a intermediação da desidrogenase específica ou sem a disponibilidade de NAD$^+$ para atuar como um carreador de hidrogênio. Tanto o íon hidrogênio livre quanto o hidrogênio ligado ao NAD$^+$ entram, a seguir, em múltiplas reações químicas oxidativas que formam grandes quantidades de ATP, conforme discutido posteriormente.

Os 4 átomos de hidrogênio restantes liberados durante a quebra da glicose – os 4 liberados durante o ciclo do ácido cítrico entre os estágios de ácido succínico e fumárico – combinam-se a uma desidrogenase específica, mas não são depois liberados para a NAD$^+$. Em vez disso, eles passam diretamente de desidrogenase para o processo oxidativo.

Função das descarboxilases causando liberação de dióxido de carbono. Referindo-se novamente às reações químicas do ciclo do ácido cítrico, bem como daqueles para a formação de acetil-CoA a partir do ácido pirúvico, descobrimos que existem três estágios em que o dióxido de carbono é liberado. Para causar a liberação de dióxido de carbono, outras enzimas proteicas específicas, chamadas *descarboxilases*, separam o dióxido de carbono de seu substrato. O dióxido de carbono é então dissolvido nos fluidos corporais e transportado para os pulmões, onde é eliminado do corpo pela expiração (ver Capítulo 41).

Formação de grandes quantidades de ATP pela oxidação do hidrogênio | Processo de fosforilação oxidativa

Apesar de todas as complexidades da (1) glicólise, (2) do ciclo do ácido cítrico, (3) desidrogenação e (4) descarboxilação, pequenas quantidades de ATP são formadas durante todos esses processos – apenas 2 moléculas de ATP na glicólise e outras 2 no ciclo do ácido cítrico para cada molécula de glicose metabolizada. Em vez disso, quase 90% do ATP total criado pelo metabolismo da glicose é formado durante oxidação dos átomos de hidrogênio que foram liberados em estágios iniciais de degradação da glicose. Na verdade, a principal função de todos esses estágios iniciais é fazer com que o hidrogênio da molécula de glicose fique disponível de maneira que possa ser oxidado.

A oxidação do hidrogênio é realizada, conforme ilustrado na **Figura 68.7**, por uma série de reações catalisadas enzimaticamente *na mitocôndria*. Essas reações (1) separam cada átomo de hidrogênio em um íon hidrogênio e um elétron e (2) usam os elétrons eventualmente para combinar o oxigênio

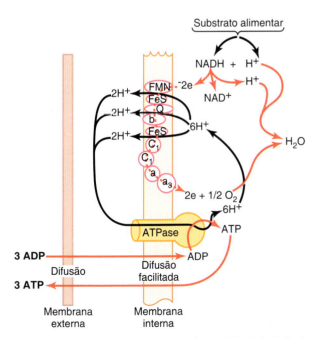

Figura 68.7 Mecanismo quimiosmótico mitocondrial de fosforilação oxidativa para formar grandes quantidades de trifosfato de adenosina (ATP). Esta figura mostra a relação entre as etapas oxidativa e de fosforilação nas membranas externa e interna da mitocôndria. ADP, difosfato de adenosina; FeS, proteína de sulfeto de ferro; FMN, flavina mononucleotídio; NAD$^+$, nicotinamida adenina dinucleotídio; NADH, nicotinamida adenina dinucleotídio reduzida; Q, ubiquinona.

PARTE 13 Metabolismo e Regulação da Temperatura

dissolvido dos fluidos com moléculas de água para formar íons hidroxila. Em seguida, os íons hidrogênio e hidroxila se combinam entre si para formar água. Durante essa sequência de reações oxidativas, enormes quantidades de energia são liberadas para formar ATP. A formação de ATP dessa maneira é chamada de *fosforilação oxidativa*, que ocorre inteiramente na mitocôndria por um processo altamente especializado denominado *mecanismo quimiosmótico*.

Mecanismo quimiosmótico da mitocôndria para formar ATP

Ionização do hidrogênio, cadeia de transporte de elétrons e formação de água. A primeira etapa da fosforilação oxidativa na mitocôndria é ionizar os átomos de hidrogênio que foram removidos dos substratos alimentares. Conforme descrito anteriormente, esses átomos de hidrogênio são removidos em pares: um imediatamente se torna um íon hidrogênio, H^+, o outro combina com NAD^+ para formar nicotinamida adenina dinucleotídio reduzida NADH). A parte superior da **Figura 68.7** mostra o destino subsequente da NADH e H^+. O efeito inicial é liberar o outro átomo de hidrogênio da NADH para formar outro íon hidrogênio, H^+. Esse processo também reconstitui a NAD^+ que será reutilizada repetidamente.

Os elétrons que são removidos dos átomos de hidrogênio para fazer a ionização de hidrogênio entram imediatamente em uma *cadeia de transporte de elétrons para aceptores de elétrons* que é parte integrante da membrana interna pregueada (a crista mitocondrial) das mitocôndrias. Os aceptores de elétrons podem ser reduzidos ou oxidados de modo reversível, pela aceitação ou desistência de elétrons. Os membros importantes dessa cadeia de transporte de elétrons incluem *flavoproteína* (flavina mononucleotídio), várias *proteínas de sulfeto de ferro, ubiquinona* e *citocromos B, C1, C, A e A3*. Cada elétron é transportado de um desses aceptores para o próximo até que finalmente alcance o citocromo A3, que é chamado de *citocromo oxidase* porque é capaz de ceder 2 elétrons e, assim, reduzir o oxigênio elementar para formar oxigênio iônico, que então se combina com íons hidrogênio para formar água.

Assim, a **Figura 68.7** mostra o transporte de elétrons através da cadeia de elétrons e, em seguida, seu uso final pelo citocromo oxidase para formar moléculas de água. Durante o transporte desses elétrons através da cadeia de transporte de elétrons, a energia é liberada e usada para causar a síntese de ATP, como segue.

Cadeia de transporte de elétrons libera energia usada para bombear íons hidrogênio para a câmara externa da mitocôndria. À medida que os elétrons passam pela cadeia de transporte de elétron, grandes quantidades de energia são liberadas. Essa energia é utilizada para bombear íons hidrogênio da matriz interna da mitocôndria (à direita na **Figura 68.7**) para dentro da câmara externa entre às membranas mitocondriais interna e externa (à esquerda). Esse processo cria uma alta concentração de íons hidrogênio carregados positivamente nessa câmara; também cria um forte potencial elétrico negativo na matriz interna.

Formação de ATP. A próxima etapa na fosforilação oxidativa é converter ADP em ATP. Essa conversão ocorre em conjunto com uma grande molécula de proteína que se sobressai completamente através da membrana mitocondrial interna e se projeta com uma cabeça em forma de botão para o interior da matriz mitocondrial. Essa molécula é uma enzima ATPase, cuja natureza física é mostrada na **Figura 68.7**. Essa enzima é chamada *ATP sintetase*.

A alta concentração de íons hidrogênio carregados positivamente na câmara externa e a grande diferença de potencial elétrico através da membrana interna fazem com que os íons hidrogênio flutuem para a matriz mitocondrial interna *através da própria substância da molécula de ATPase*. Ao fazer isso, a energia derivada desse fluxo de íons hidrogênio é usada pela ATPase para converter ADP em ATP combinando ADP a um radical fosfato iônico livre (P_i), adicionando, assim, outra ligação fosfato de alta energia à molécula.

A etapa final no processo é a transferência do ATP do interior da mitocôndria de volta ao citoplasma da célula. Essa etapa ocorre por difusão facilitada para fora, através da membrana interna e, em seguida, por difusão simples através da membrana mitocondrial externa permeável. Por sua vez, o ADP é continuamente transferido em outra direção para a sua conversão contínua em ATP. *Para cada dois elétrons que passam por toda a cadeia de transporte de elétrons (representando a ionização de dois átomos de hidrogênio), até três moléculas de ATP são sintetizadas.*

Resumo da formação de ATP durante a quebra da glicose

Agora podemos determinar o número total de moléculas de ATP que, em condições ideais, podem ser formadas pela energia de uma molécula de glicose.

1. Durante a glicólise, 4 moléculas de ATP são formadas e 2 são gastas para causar a fosforilação inicial da glicose, possibilitando, assim, o funcionamento do processo e fornecendo um ganho líquido de *2 moléculas de ATP*.
2. Durante cada rodada do ciclo do ácido cítrico, 1 molécula de ATP é formada. No entanto, como cada molécula de glicose se divide em 2 moléculas de ácido pirúvico, há 2 voltas do ciclo para cada molécula de glicose metabolizada, ocorrendo uma produção líquida de mais *2 moléculas de ATP*.
3. Durante todo o esquema de degradação da glicose, um total de 24 átomos de hidrogênio são liberados durante a glicólise e durante o ciclo do ácido cítrico. Vinte desses átomos são oxidados em conjunto com o mecanismo quimiosmótico mostrado na **Figura 68.7**, com a liberação de 3 moléculas de ATP por 2 átomos de hidrogênio metabolizados. Esse processo origina um adicional de *30 moléculas de ATP*.
4. Os 4 átomos de hidrogênio restantes são liberados por sua desidrogenase, no esquema oxidativo quimiosmótico na mitocôndria, além do primeiro estágio da **Figura 68.7**. Duas moléculas de ATP são geralmente liberadas para cada 2 átomos de hidrogênio oxidados, resultando em um total de *mais 4 moléculas de ATP*.

Agora, adicionando todas as moléculas de ATP formadas, encontramos um máximo de *38 moléculas de ATP* formadas para cada molécula de glicose degradada em dióxido de carbono e água. Assim, 456.000 calorias de energia podem ser armazenadas na forma de ATP, enquanto 686.000 calorias são liberadas durante a oxidação completa de cada molécula-grama de glicose. Esse resultado representa uma

CAPÍTULO 68 Metabolismo dos Carboidratos e Formação do Trifosfato de Adenosina

eficiência global máxima de transferência de energia de 66%. Os 34% restantes da energia transformam-se em calor e, portanto, não podem ser usados pelas células para executar funções específicas.

Efeito das concentrações celulares de ATP e ADP no controle da glicólise e oxidação de glicose

A liberação contínua de energia da glicose quando as células não precisam de energia seria um processo de desperdício extremo. Em vez disso, a glicólise e a subsequente oxidação dos átomos de hidrogênio são continuamente controladas de acordo com as necessidades celulares de ATP. Esse controle é realizado por vários mecanismos de controle por *feedback* dentro do esquema químico. Entre os mais importantes desses mecanismos estão os efeitos das concentrações celulares de ADP e ATP no controle das taxas de reações químicas na sequência do metabolismo energético.

Uma forma importante pela qual o ATP ajuda a controlar o metabolismo energético é inibindo a enzima *fosfofrutoquinase*. Como essa enzima promove a formação de frutose-1,6-difosfato, uma das etapas iniciais na série de reações glicolíticas, o resultado efetivo do excesso de ATP celular é desacelerar ou mesmo interromper a glicólise, que por sua vez interrompe a maior parte do metabolismo de carboidratos. Por outro lado, o ADP (e também o AMP) causa a mudança oposta nessa enzima, aumentando muito sua atividade. Sempre que o ATP é usado pelos tecidos como fonte de energia de uma grande fração de quase todas as reações químicas intracelulares, essa ação reduz a inibição de ATP da enzima fosfofrutoquinase, e ao mesmo tempo, aumenta sua atividade como resultado do excesso de ADP formado. Assim, o processo glicolítico é iniciado, e as reservas celulares totais de ATP se refazem.

Outro elo de controle é o *íon citrato* formado no ciclo do ácido cítrico. Um excesso desse íon também *inibe fortemente a fosfofrutoquinase*, evitando assim que o processo glicolítico ultrapasse a capacidade do ciclo do ácido cítrico de usar o ácido pirúvico formado durante a glicólise.

Uma terceira forma pela qual o sistema ATP-ADP-AMP controla o metabolismo de carboidratos, assim como controla a liberação de energia dos lipídios e proteínas, é a seguinte: sabendo das várias reações químicas para liberação de energia, vemos que se todo o ADP na célula já tiver sido convertido em ATP, um ATP adicional simplesmente não pode ser formado. Como resultado, toda a sequência envolvida na utilização de alimentos – glicose, lipídios e proteínas – para formação de ATP é interrompida. Então, quando o ATP é utilizado pela célula para fornecer energia para as diferentes funções na célula, o ADP recém-formado e o AMP acionam novamente os processos de energia, e o ADP e o AMP são quase instantaneamente devolvidos ao estado de ATP. Dessa forma, essencialmente um armazenamento completo de ATP é mantido automaticamente, exceto durante atividade celular extrema, como a prática de exercício físico muito extenuante.

Liberação anaeróbica de energia I Glicólise anaeróbica

Ocasionalmente, o oxigênio se torna indisponível ou insuficiente, assim, a fosforilação oxidativa não pode ocorrer. Ainda mesmo sob essas condições, uma pequena quantidade de energia pode ser liberada para as células pelo estágio da glicólise de degradação dos carboidratos, pois as reações químicas para a quebra da glicose em ácido pirúvico não requer oxigênio.

Esse processo consome grande quantidade de glicose porque apenas 24.000 calorias de energia são usadas para formar ATP em cada molécula de glicose metabolizada, o que representa apenas um pouco mais de 3% da energia total na molécula de glicose. No entanto, essa liberação de energia glicolítica para as células, que é chamada de *energia anaeróbica*, pode salvar vidas durante alguns minutos, em situações nas quais o oxigênio se torna indisponível.

A formação de ácido láctico durante a glicólise anaeróbica permite a liberação de energia anaeróbica extra. A *lei de ação das massas* afirma que, à medida que os produtos finais da reação química se acumulam em um meio reagente, a taxa da reação diminui, aproximando-se de zero. Os dois produtos finais das reações glicolíticas (ver **Figura 68.5**) são (1) ácido pirúvico e (2) átomos de hidrogênio combinados com NAD^+ para formar NADH e H^+. O acúmulo de uma ou de ambas as substâncias seria capaz de parar o processo glicolítico e impedir ainda mais a formação de ATP. Quando suas quantidades se tornam excessivas, esses dois produtos reagem um com o outro para formar ácido láctico, de acordo com a seguinte equação:

$$CH_3 - \overset{\overset{\displaystyle OH}{\|}}{C} - COOH + NADH + H^+ \quad\underset{\longleftarrow}{\overset{\text{Desidrogenase láctica}}{\longrightarrow}}$$
(Ácido pirúvico)

$$CH_3 - \overset{\overset{\displaystyle OH}{|}}{\underset{\underset{\displaystyle H}{|}}{C}} - COOH + NAD^+$$
(Ácido láctico)

Assim, em condições anaeróbicas, a maior parte do ácido pirúvico é convertida em ácido láctico, que se difunde prontamente das células para os líquidos extracelulares e até mesmo para os líquidos intracelulares de outras células menos ativas. Portanto, o ácido láctico representa um tipo de "sumidouro" no qual os produtos finais da glicólise podem desaparecer, permitindo assim que a glicólise prossiga além do que seria possível de outra forma. Na verdade, a glicólise poderia prosseguir por apenas alguns segundos sem essa conversão, mas ela pode prosseguir por vários minutos, fornecendo ao corpo considerável quantidades extras de ATP, mesmo na ausência de oxigênio respiratório.

Reconversão de ácido láctico em ácido pirúvico quando o oxigênio se torna novamente disponível.

Quando uma pessoa começa a respirar oxigênio novamente após um período de metabolismo anaeróbico, o ácido láctico é rapidamente reconvertido em ácido pirúvico e NADH e H^+. Grandes porções dessas substâncias são imediatamente oxidadas para formar grandes quantidades de ATP. Esse excesso de ATP devolve até 75% do excesso restante de ácido pirúvico para ser convertido de volta em glicose.

PARTE 13 Metabolismo e Regulação da Temperatura

Assim, a grande quantidade de ácido láctico que se forma durante a glicólise anaeróbica não é perdida do corpo porque, quando o oxigênio está disponível novamente, o ácido láctico pode ser reconvertido em glicose ou usado diretamente como fonte de energia. A maior parte dessa reconversão ocorre, principalmente, no fígado, mas uma pequena quantidade também pode ocorrer em outros tecidos.

Uso de ácido láctico pelo coração para obter energia.

O músculo cardíaco é especialmente capaz de converter ácido láctico em ácido pirúvico e, em seguida, empregar o ácido pirúvico como fonte de energia. Esse processo ocorre, principalmente, durante a realização de exercícios físicos pesados, quando grandes quantidades de ácido láctico são liberadas no sangue pelos músculos esqueléticos e consumidos como uma fonte de energia extra pelo coração.

Liberação de energia da glicose pela via da pentose fosfato

Em quase todos os músculos do corpo, essencialmente todos os carboidratos utilizados para energia são degradados em ácido pirúvico pela glicólise e depois oxidados. No entanto, esse esquema glicolítico não é o único meio pelo qual a glicose pode ser degradada e usada para fornecer energia. Um segundo importante mecanismo para quebra e oxidação da glicose é chamado de *via da pentose fosfato* (ou *via fosfogliconato*), que é responsável por *até 30% da quebra da glicose no fígado e, ainda mais do que isso, nas células adiposas*.

Essa via é especialmente importante porque pode fornecer energia independentemente de todas as enzimas do ciclo do ácido cítrico e, portanto, é uma via alternativa para o metabolismo energético quando certas anormalidades enzimáticas ocorrem nas células. Tem uma capacidade especial para fornecer energia a diversos processos de síntese celular.

Liberação de dióxido de carbono e hidrogênio pela via da pentose fosfato.

A **Figura 68.8** mostra a maioria das reações químicas básicas da via da pentose fosfato. Isso demonstra que a glicose, durante várias etapas de conversão, pode liberar uma molécula de dióxido de carbono e quatro átomos de hidrogênio, com a resultante formação de açúcar com cinco carbonos, D-ribulose. Essa substância pode mudar progressivamente em vários outros açúcares com cinco, quatro, sete e três carbonos. Finalmente, várias combinações desses açúcares podem ressintetizar a glicose. No entanto, *apenas cinco moléculas de glicose são ressintetizados para cada seis moléculas de glicose que entram inicialmente nas reações*. Ou seja, a via da pentose fosfato é um processo cíclico em que uma molécula de glicose é metabolizada para cada revolução do ciclo. Assim, ao repetir o ciclo continuamente, toda a glicose pode eventualmente ser convertida em dióxido de carbono e hidrogênio, e o hidrogênio pode entrar na via da fosforilação oxidativa para formar ATP; mais frequentemente, no entanto, é utilizada para a síntese de lipídios ou outras substâncias, como visto a seguir.

Uso de hidrogênio para sintetizar gordura; a função da nicotinamida adenina dinucleotídio fosfato.

O hidrogênio liberado durante o ciclo da pentose fosfato não se combina com NAD+ como na via glicolítica, mas combina com nicotinamida adenina dinucleotídio fosfato (NADP+),

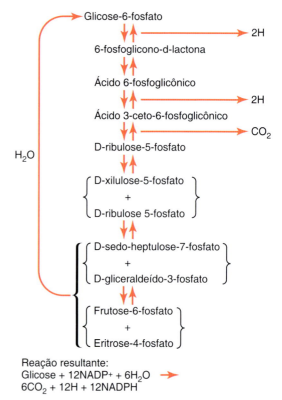

Figura 68.8 Via da pentose fosfato para o metabolismo da glicose. Ver detalhes no texto.

que é quase idêntico ao NAD+ exceto por um radical fosfato extra, P. Essa diferença é extremamente significativa porque apenas o hidrogênio ligado à NADP+ na forma de NADPH pode ser utilizado para a síntese de lipídios a partir de carboidratos (conforme discutido no Capítulo 69) e para a síntese de algumas outras substâncias.

Quando a via glicolítica para utilização da glicose diminui em razão da inatividade celular, a via da pentose fosfato permanece em funcionamento (principalmente no fígado) para fazer a degradação de qualquer excesso de glicose que continue a ser transportado para dentro das células, e a NADPH torna-se abundante para ajudar a converter a acetil-CoA, também derivado da glicose, em ácidos graxos de cadeias longas. Essa é outra maneira pela qual a energia na molécula da glicose é usada, além da formação de ATP, neste caso, *para formação e armazenamento de lipídios no corpo*.

Conversão de glicose em glicogênio ou gordura

Quando a glicose não é imediatamente requerida como fonte de energia, a glicose extra que continuamente entra nas células é armazenada como glicogênio ou convertida em gordura. A glicose é preferencialmente armazenada como glicogênio, até que as células tenham armazenado tanto glicogênio quanto podem – uma quantidade suficiente para suprir as necessidades de energia do corpo por período de apenas 12 a 24 horas.

Quando as células que armazenam o glicogênio (principalmente células hepáticas e musculares) aproximam-se da saturação de glicogênio, a glicose adicional é convertida em lipídios no fígado e nas células adiposas e é armazenada

CAPÍTULO 68 Metabolismo dos Carboidratos e Formação do Trifosfato de Adenosina

como gordura nos adipócitos. Outras etapas da química dessa conversão serão discutidas no Capítulo 69.

Gliconeogênese: formação de carboidratos a partir de proteínas e gorduras

Quando as reservas de carboidratos do corpo caem abaixo da normal, quantidades moderadas de glicose podem ser formadas a partir de *aminoácidos* e da porção *glicerol* dos lipídios. Esse processo é chamado *gliconeogênese*.

A *gliconeogênese* é especialmente importante na prevenção de reduções excessivas da concentração de glicose no sangue durante o jejum. A glicose é o substrato primário de energia em tecidos como o cérebro e as hemácias, e quantidades adequadas de glicose devem estar presentes no sangue por várias horas entre as refeições. O fígado desempenha um papel fundamental na manutenção dos níveis de glicose no sangue durante o jejum por meio da conversão de seu glicogênio armazenado em glicose (glicogenólise) e por sintetizar glicose, principalmente a partir de lactato e aminoácidos (gliconeogênese). Aproximadamente 25% da produção de glicose do fígado durante o jejum é derivada da gliconeogênese, ajudando a fornecer um suprimento constante de glicose ao cérebro. Durante jejum prolongado, os rins também sintetizam quantidades consideráveis de glicose a partir de aminoácidos e outros precursores.

Cerca de 60% dos aminoácidos nas proteínas do corpo podem ser facilmente convertidos em carboidratos; os 40% restantes têm configurações químicas que dificultam ou impossibilitam essa conversão. Cada aminoácido é convertido em glicose por um processo químico ligeiramente diferente. Por exemplo, a alanina pode ser convertida diretamente em ácido pirúvico, simplesmente por desaminação; o ácido pirúvico é então convertido em glicose ou glicogênio armazenado. Vários dos mais complicados aminoácidos podem ser convertidos em diferentes açúcares contendo três, quatro, cinco ou sete átomos de carbono; eles podem então entrar na via do fosfogliconato e, eventualmente, formar glicose. Assim, por meio de desaminação com diversas interconversões simples, muitos dos aminoácidos podem se tornar glicose. Interconversões semelhantes podem transformar glicerol em glicose ou glicogênio.

Regulação da gliconeogênese

A diminuição do nível celular dos carboidratos e da glicose sanguínea são os estímulos básicos que aumentam a taxa de gliconeogênese. A diminuição dos carboidratos pode reverter diretamente muitas das reações glicolíticas e de fosfogliconato, permitindo assim a conversão de aminoácidos desaminados e glicerol em carboidratos. Além disso, o hormônio *cortisol* é especialmente importante nessa regulação, conforme descrito na seção seguinte.

Efeito do hormônio adrenocorticotrófico e dos glicocorticoides na gliconeogênese. Quando quantidades normais de carboidratos não estão disponíveis para as células, a adeno-hipófise, por motivos não completamente compreendidos, secreta quantidades aumentadas do *hormônio adrenocorticotrófico* (ACTH). Essa secreção estimula

o córtex adrenal a produzir grandes quantidades de *hormônios glicocorticoides*, especialmente o cortisol. Por sua vez, o cortisol mobiliza proteínas essencialmente de todas as células do corpo, tornando essas proteínas disponíveis na forma de aminoácidos nos líquidos corporais. Elevada proporção desses aminoácidos torna-se imediatamente desaminada no fígado e fornece substratos ideais para a conversão em glicose. Assim, um dos mais importantes meios pelos quais a gliconeogênese é promovida é através a liberação de glicocorticoides do córtex adrenal.

Glicose sanguínea

A concentração sanguínea normal de glicose em uma pessoa em jejum nas últimas 3 a 4 horas é cerca de 90 mg/dℓ. Após uma refeição contendo grandes quantidades de carboidratos, este nível raramente sobe acima de 140 mg/dℓ a menos que a pessoa tenha diabetes melito, condição que será discutida no Capítulo 79.

A regulação da concentração da glicose sanguínea está intimamente relacionada aos hormônios pancreáticos, insulina e glucagon; esse assunto será discutido em detalhes no Capítulo 79 em relação às funções desses hormônios.

Bibliografia

Dienel GA: Brain glucose metabolism: integration of energetics with function. Physiol Rev 99:949, 2019.

Gancheva S, Jelenik T, Álvarez-Hernández E, Roden M: Interorgan metabolic crosstalk in human insulin resistance. Physiol Rev 98:1371, 2018.

Giorgi C, Marchi S, Pinton P: The machineries, regulation and cellular functions of mitochondrial calcium. Nat Rev Mol Cell Biol 19:713, 2018.

Hengist A, Koumanov F, Gonzalez JT: Fructose and metabolic health: governed by hepatic glycogen status? J Physiol 597:3573, 2019.

Herzig S, Shaw RJ: AMPK: Guardian of metabolism and mitochondrial homeostasis. Nat Rev Mol Cell Biol 19:121, 2018.

Koliaki C, Roden M: Hepatic energy metabolism in human diabetes mellitus, obesity and non-alcoholic fatty liver disease. Mol Cell Endocrinol 379:35, 2013.

Krebs HA: The tricarboxylic acid cycle. Harvey Lect 44:165, 1948.

Kuo T, Harris CA, Wang JC. Metabolic functions of glucocorticoid receptor in skeletal muscle. Mol Cell Endocrinol 380:79, 2013.

Letts JA, Sazanov LA: Clarifying the supercomplex: the higher-order organization of the mitochondrial electron transport chain. Nat Struct Mol Biol 24:800, 2017.

Petersen MC, Shulman GI: Mechanisms of insulin action and insulin resistance. Physiol Rev 98:2133, 2018.

Petersen MC, Vatner DF, Shulman GI: Regulation of hepatic glucose metabolism in health and disease. Nat Rev Endocrinol 13:572, 2017.

Pfanner N, Warscheid B, Wiedemann N: Mitochondrial proteins: from biogenesis to functional networks. Nat Rev Mol Cell Biol 20:267, 2019.

Prats C, Graham TE, Shearer J: The dynamic life of the glycogen granule. J Biol Chem 293:7089, 2018.

Szabo I, Zoratti M: Mitochondrial channels: ion fluxes and more. Physiol Rev 94:519, 2014.

Taylor EB: Functional properties of the mitochondrial carrier system. Trends Cell Biol 27:633, 2017.

Wright EM, Loo DD, Hirayama BA: Biology of human sodium glucose transporters. Physiol Rev 91:733, 2011.

CAPÍTULO 69

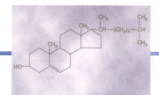

Metabolismo Lipídico

Vários compostos químicos nos alimentos e no organismo são classificados como *lipídios*, incluindo: (1) *gordura neutra*, também conhecida como *triglicerídios*; (2) *fosfolipídios*; (3) *colesterol*; e (4) alguns outros de menor importância. Quimicamente, a porção lipídica básica dos triglicerídios e dos fosfolipídios é formada por *ácidos graxos*, que são ácidos orgânicos de hidrocarbonetos de cadeia longa. Um ácido graxo típico, o ácido palmítico, tem a seguinte estrutura química: $CH_3(CH_2)_{14}COOH$.

Embora o colesterol não contenha ácidos graxos, seu núcleo de esterol é sintetizado a partir de porções das moléculas de ácido graxo, dando-lhe muitas das propriedades físicas e químicas de outros lipídios.

Os triglicerídios são usados no corpo principalmente para fornecer energia para os diferentes processos metabólicos, função que compartilham, quase que igualmente, com os carboidratos. No entanto, alguns lipídios, especialmente o colesterol, os fosfolipídios e pequenas quantidades de triglicerídios, são usados para constituir as membranas de todas as células do organismo e para realizar outras funções celulares essenciais.

ESTRUTURA QUÍMICA BÁSICA DOS TRIGLICERÍDIOS (GORDURA NEUTRA)

Como a maior parte deste capítulo trata da utilização de triglicerídios como fonte de energia, a seguinte estrutura típica da molécula de triglicerídio deve ser entendida:

$$CH_3-(CH_2)_{16}-COO-CH_2$$
$$CH_3-(CH_2)_{16}-COO-CH$$
$$CH_3-(CH_2)_{16}-COO-CH_2$$

Triestearina

Observe que três moléculas de ácido graxo de cadeia longa são ligadas a uma molécula de glicerol. Os três ácidos graxos mais comumente presentes nos triglicerídios do corpo humano são os seguintes: (1) *ácido esteárico* (mostrado no exemplo de triestearina), que apresenta cadeia com 18 carbonos totalmente saturada com átomos de hidrogênio; (2) *ácido oleico*, que também apresenta cadeia com 18 carbonos, mas tem uma dupla ligação no meio da cadeia; e (3) *ácido palmítico*, que tem uma cadeia com 16 átomos de carbono completamente saturada.

TRANSPORTE DE LIPÍDIOS NOS LÍQUIDOS CORPORAIS

TRANSPORTE DE TRIGLICERÍDIOS E OUTROS LIPÍDIOS NO TRATO GASTROINTESTINAL PELA LINFA | QUILOMÍCRONS

Conforme explicado no Capítulo 66, quase todas as gorduras da dieta, com a exceção de poucos ácidos graxos de cadeia curta, são absorvidas a partir do intestino para a linfa intestinal. Durante a digestão, a maioria dos triglicerídios é dividida em monoglicerídios e em ácidos graxos. Então, ao passar pelas células epiteliais intestinais, os monoglicerídios e os ácidos graxos são ressintetizados em novas moléculas de triglicerídios que chegam à linfa como minúsculas gotículas dispersas, chamadas de *quilomícrons* (ver **Figura 69.1**), cujo diâmetro fica entre 0,08 e 0,6 micrômetro. Uma pequena quantidade da *apolipoproteína*, principalmente a *apolipoproteína B*, é adsorvida às superfícies externas dos quilomícrons. O restante das moléculas de proteína projeta-se na solução hídrica circundante, e, assim, elas aumentam a estabilidade da suspensão dos quilomícrons no líquido linfático e evita sua aderência às paredes dos vasos linfáticos.

A maior parte do colesterol e dos fosfolipídios absorvidos do trato gastrointestinal penetra nos quilomícrons. Assim, embora os quilomícrons sejam compostos principalmente por triglicerídios, também contêm cerca de 9% de fosfolipídios, de 3% de colesterol e de 1% de apolipoproteínas. Os quilomícrons são, então, transportados para cima pelo ducto torácico e esvaziados no sangue venoso circulante na junção das veias jugular e subclávia.

REMOÇÃO DOS QUILOMÍCRONS DO SANGUE

Cerca de 1 hora após uma refeição rica em gordura, a concentração de quilomícrons no plasma pode aumentar para 1 a 2% do plasma total, e, por causa do tamanho grande dos quilomícrons, o plasma parece turvo, às vezes amarelado.

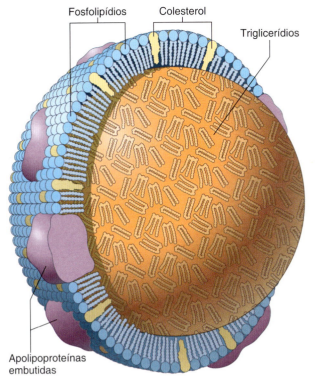

Figura 69.1 Os quilomícrons são partículas de lipoproteínas compostas por fosfolipídios e apolipoproteínas, na superfície externa, e por triglicerídios e colesterol internamente.

No entanto, os quilomícrons têm uma meia-vida de menos de 1 hora, então o plasma fica claro novamente dentro de algumas horas. A gordura dos quilomícrons é removida, principalmente, da maneira descrita a seguir.

Triglicerídios dos quilomícrons são hidrolisados pela lipase lipoproteica, e a gordura é armazenada no tecido adiposo. A maioria dos quilomícrons é removida da circulação sanguínea à medida que passa pelos capilares de vários tecidos, em particular do tecido adiposo, do músculo esquelético e do coração. Esses tecidos sintetizam a enzima *lipase lipoproteica*, que é transportada para a superfície das células endoteliais capilares, onde hidrolisa os triglicerídios dos quilomícrons à medida que entram em contato com a parede endotelial, liberando ácidos graxos e glicerol (ver **Figura 69.2**).

Os ácidos graxos liberados dos quilomícrons, sendo altamente miscíveis nas membranas das células, difundem-se para o tecido adiposo e para as células musculares. Uma vez dentro dessas células, esses ácidos graxos podem ser usados como combustível ou novamente sintetizados em triglicerídios, com novo glicerol sendo fornecido pelos processos metabólicos das células de armazenamento, conforme discutido posteriormente neste capítulo. A lipase também causa a hidrólise de fosfolipídios, isso também libera ácidos graxos para serem armazenados nas células da mesma maneira.

Depois que os triglicerídios são removidos dos quilomícrons, os *remanescentes dos quilomícrons* enriquecidos com colesterol são rapidamente eliminados do plasma. Os remanescentes de quilomícrons se ligam a receptores nas células endoteliais dos sinusoides do fígado. A *apolipoproteína E* na superfície dos remanescentes de quilomícrons e secretada pelas células do fígado também desempenha um papel importante no início da depuração dessas lipoproteínas plasmáticas.

Os "ácidos graxos livres" são transportados no sangue, combinados à albumina

Quando a gordura armazenada no tecido adiposo precisa ser utilizada em outras regiões do corpo para fornecer energia, precisa primeiro ser transportada do tecido adiposo para os outros. Esse transporte ocorre, principalmente, na forma de *ácidos graxos livres*, e é obtido pela hidrólise dos triglicerídios de volta à forma de ácidos graxos e glicerol.

Pelo menos duas classes de estímulos desempenham papéis importantes na promoção dessa hidrólise. Primeiro, quando a quantidade de glicose disponível para a célula adiposa é inadequada, um dos produtos do metabolismo da glicose, o α-glicerofosfato, também está disponível em quantidades insuficientes. Como essa substância é necessária para manter a porção de glicerol dos triglicerídios, o resultado é a hidrólise de triglicerídios. Segundo, a lipase celular hormônio-sensível pode ser ativada por vários hormônios das glândulas endócrinas, e isso também promove uma hidrólise rápida dos triglicerídios. Esse tópico será discutido posteriormente neste capítulo.

Ao sair dos adipócitos, os ácidos graxos ionizam-se fortemente no plasma, e a porção iônica se combina imediatamente com as moléculas de albumina das proteínas plasmáticas. Os ácidos graxos ligados dessa maneira são chamados de *ácidos graxos livres*, ou *ácidos graxos não esterificados*, para distingui-los de outros ácidos graxos no plasma que existem sob a forma de (1) ésteres de glicerol, (2) colesterol ou (3) outras substâncias.

A concentração de ácidos graxos livres no plasma sob condições de repouso é de cerca de 15 mg/dℓ, totalizando apenas 0,45 grama de ácidos graxos em todo o sistema circulatório. Apesar da pequena quantidade, ela é responsável por quase todo o transporte de ácidos graxos de uma região do corpo para outra pelos seguintes motivos:

1. Apesar da quantidade mínima de ácidos graxos livres no sangue, sua taxa de "renovação" é extremamente rápida: *metade dos ácidos graxos plasmáticos é substituída por um novo ácido graxo a cada 2 a 3 minutos*. Pode-se calcular que, nessa taxa, quase toda a necessidade normal de energia do corpo é fornecida pela oxidação dos ácidos graxos livres transportados, sem usar quaisquer carboidratos ou proteínas para a obtenção de energia.
2. Condições que aumentam a utilização de gordura para a energia celular também aumentam a concentração de ácidos graxos livres no sangue. Na verdade, a concentração às vezes aumenta de cinco a oito vezes. Esse expressivo aumento ocorre especialmente em casos de *inanição* e no *diabetes melito;* em ambas as condições, a pessoa obtém pouca ou nenhuma energia metabólica dos carboidratos.

Em condições normais, apenas cerca de 3 moléculas de ácido graxo se associam a cada molécula de albumina, mas

PARTE 13 Metabolismo e Regulação da Temperatura

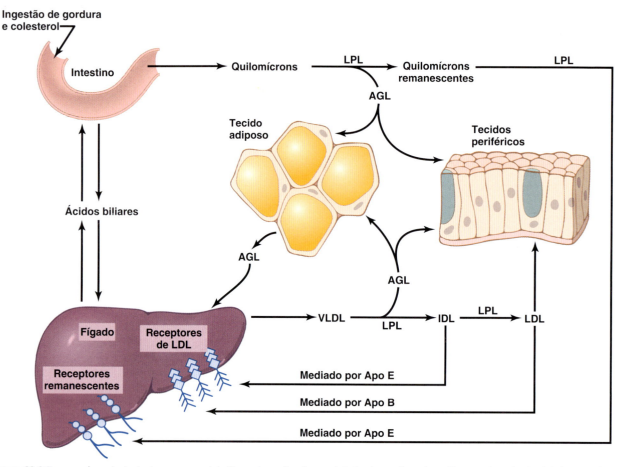

Figura 69.2 Resumo das principais vias para o metabolismo dos quilomícrons sintetizados no intestino e lipoproteínas de densidade muito baixa (*VLDL*) sintetizadas no fígado. Apo B, apolipoproteína B; Apo E, apolipoproteína E; AGL, ácidos graxos livres; IDL, lipoproteína de densidade intermediária; LDL, lipoproteína de baixa densidade; LPL, lipase lipoproteica.

até 30 moléculas de ácido graxo podem se acoplar a uma só molécula de albumina, quando a necessidade de transporte de ácido graxo é extrema. Isso mostra a variabilidade do transporte de lipídios sob diferentes condições fisiológicas.

Lipoproteínas: sua função especial no transporte do colesterol e dos fosfolipídios

No estado pós-absortivo, depois que todos os quilomícrons tiverem sido removidos do sangue, mais de 95% de todos os lipídios no plasma estarão sob a forma de *lipoproteínas*. Esses lipídios são pequenas partículas – muito menores do que os quilomícrons, mas qualitativamente semelhantes a eles em composição –, que contém *triglicerídios*, *colesterol*, *fosfolipídios* e *proteínas*. A concentração total das lipoproteínas no plasma, em média de cerca de 700 mg por 100 ml de plasma, ou seja, 700 mg/dl, pode ser decomposta nos seguintes constituintes lipoproteicos individuais:

	mg/dl de plasma
Colesterol	180
Fosfolipídios	160
Triglicerídios	160
Proteína	200

Tipos de lipoproteínas. Além dos quilomícrons, que são lipoproteínas muito grandes, existem quatro principais tipos de lipoproteínas, classificadas segundo suas densidades medidas pela ultracentrifugação: (1) *as lipoproteínas de densidade muito baixa* (VLDL), que contêm altas concentrações de triglicerídios e concentrações moderadas de colesterol e fosfolipídios; (2) *as lipoproteínas densidade intermediária* (IDL), que são VLDL das quais uma parte dos triglicerídios foi removida, então as concentrações de colesterol e fosfolipídios estão aumentadas; (3) as *lipoproteínas de baixa densidade* (LDL), que são derivadas de IDL, com a remoção de quase todos os triglicerídios, deixando uma concentração especialmente alta de colesterol e um aumento moderado da concentração de fosfolipídios; e (4) as *lipoproteínas de alta densidade* (HDL), que contêm uma alta concentração de proteína (cerca de 50%), mas concentrações muito menores de colesterol e de fosfolipídios.

Formação e função das lipoproteínas. Quase todas as lipoproteínas são formadas no fígado, que também é onde ocorre a maior parte da síntese do colesterol plasmático, dos fosfolipídios e dos triglicerídios. Além disso, pequenas quantidades de HDL são sintetizadas no epitélio intestinal durante a absorção de ácidos graxos no intestino.

A principal função das lipoproteínas é transportar seus componentes lipídicos no sangue. As VLDL transportam os triglicerídios sintetizados no fígado principalmente para o tecido adiposo. As outras lipoproteínas são especialmente importantes em diferentes estágios de transporte de

CAPÍTULO 69 Metabolismo Lipídico

fosfolipídios e de colesterol do fígado para os tecidos periféricos ou da periferia de volta ao fígado. Posteriormente neste capítulo, discutiremos em mais detalhes os problemas especiais do transporte do colesterol em relação à doença *aterosclerose*, associada ao desenvolvimento de lesões gordurosas no interior das paredes arteriais.

Depósitos de gordura

Grandes quantidades de gordura são armazenadas em dois tecidos principais do corpo, o *tecido adiposo* e o *fígado*. O tecido adiposo geralmente é chamado de depósito de gordura, ou, simplesmente, de gordura tecidual.

Tecido adiposo

Uma das principais funções do tecido adiposo é o armazenamento de triglicerídios até que sejam necessários para fornecer energia a outras partes do corpo. As funções adicionais são proporcionar isolamento térmico para o corpo, conforme discutido no Capítulo 74, e *secreção de hormônios*, como *leptina* e *adiponectina*, que afetam múltiplas funções do organismo, incluindo o apetite e o gasto de energia, conforme discutido no Capítulo 72.

As células do tecido adiposo (adipócitos) armazenam triglicerídios.
As células gordurosas (adipócitos) do tecido adiposo são fibroblastos modificados que armazenam triglicerídios quase puros, em quantidades de até 80 a 95% de todo o volume das células. Os triglicerídios nos adipócitos se encontram, geralmente, sob a forma líquida. Quando os tecidos são expostos ao frio por um período prolongado, as cadeias de ácidos graxos dos triglicerídios celulares, ao longo de um período de semanas, tornam-se menores ou mais insaturadas para diminuir seu ponto de fusão, fazendo com que a gordura permaneça em estado líquido. Essa característica é particularmente importante porque apenas a gordura líquida pode ser hidrolisada e transportada para fora das células.

As células adiposas podem sintetizar quantidades muito pequenas de ácidos graxos e triglicerídios a partir dos carboidratos; essa função complementa a síntese de gordura no fígado, conforme discutido adiante nesse capítulo.

As lipases teciduais permitem a troca de gordura entre o tecido adiposo e o sangue.
Como discutido anteriormente, uma grande quantidade de lipases está presente no tecido adiposo. Algumas dessas enzimas catalisam a deposição de triglicerídios, dos quilomícrons e das lipoproteínas. Outras, quando ativadas por hormônios, causam a clivagem dos triglicerídios, liberando ácidos graxos livres. Por causa da rapidez da troca de ácidos graxos, os triglicerídios nas células adiposas são renovados cerca de uma vez a cada 2 a 3 semanas, o que significa que a gordura armazenada nos tecidos hoje não é a mesma que foi armazenada no mês passado, enfatizando o estado dinâmico do armazenamento de gordura.

Lipídios no fígado

As principais funções do fígado no metabolismo lipídico são: (1) degradar os ácidos graxos em pequenos compostos, que podem ser usados como fonte de energia; (2) sintetizar triglicerídios, principalmente a partir de carboidratos, mas, em menor grau, também de proteínas; e (3) sintetizar outros lipídios a partir dos ácidos graxos, especialmente colesterol e fosfolipídios.

Grandes quantidades de triglicerídios aparecem no fígado nas seguintes situações: (1) durante os estágios iniciais de inanição, (2) no diabetes melito, e (3) em qualquer outra condição em que as gorduras, em vez dos carboidratos, são usadas como fonte de energia. Nessas condições, uma grande quantidade de triglicerídios é mobilizada do tecido adiposo, transportada como ácidos graxos livres no sangue, e redepositada como triglicerídios no fígado, onde começam os estágios iniciais de grande parte da degradação das gorduras. Portanto, sob condições fisiológicas normais, a quantidade total de triglicerídios no fígado é determinada, em grande parte, pela taxa global com que os lipídios são usados para o fornecimento de energia.

O fígado também pode armazenar grandes quantidades de lipídios em pessoas obesas ou que apresentam *lipodistrofia*, uma condição caracterizada por atrofia ou deficiência genética de adipócitos. Em ambas as condições, o excesso de gordura que não pode ser armazenado no tecido adiposo se acumula no fígado, e, em menor grau, em outros tecidos que normalmente armazenam quantidades mínimas de lipídios.

As células do fígado, além de conterem triglicerídios, contêm grandes quantidades de fosfolipídios e de colesterol, que são constantemente sintetizados pelo fígado. Da mesma forma, as células do fígado são muito mais capazes do que qualquer outro tecido de dessaturar os ácidos graxos e, portanto, triglicerídios do fígado normalmente são muito mais insaturados do que os triglicerídios do tecido adiposo. Essa capacidade do fígado de dessaturar os ácidos graxos é funcionalmente importante para todos os tecidos do corpo, porque muitos elementos estruturais de todas as células contêm quantidades de gorduras insaturadas, e sua principal fonte é o fígado. Essa dessaturação é realizada por um desidrogenase nas células hepáticas.

Uso de triglicerídios como fonte de energia: formação do trifosfato de adenosina

A ingestão de gordura na dieta varia consideravelmente entre pessoas de diferentes culturas, observa-se média de 10 a 15% de ingestão calórica em algumas populações asiáticas, até valores de 35 a 50% de calorias em muitas populações ocidentais. Para muitas pessoas, o uso de gorduras para energia é, portanto, tão importante quanto o uso de carboidratos. Além disso, muitos dos carboidratos ingeridos em cada refeição são convertidos em triglicerídios, armazenados e usados posteriormente sob a forma de ácidos graxos, liberados pelos triglicerídios para obter energia.

Hidrólise de triglicerídios em ácidos graxos e glicerol.
A primeira etapa no uso de triglicerídios como fonte de energia é sua hidrólise em ácidos graxos e em glicerol. Então, tanto os ácidos graxos como o glicerol são transportados no sangue para os tecidos ativos, onde são oxidados para liberar energia. Quase todas as células – com algumas exceções, como o tecido cerebral e as hemácias – podem usar os ácidos graxos como fonte de energia.

O glicerol, quando penetra no tecido ativo, é imediatamente modificado pelas enzimas intracelulares em *glicerol-3-fosfato*, que entra na via glicolítica para a quebra de glicose e, portanto, é usado como fonte de energia. Antes que os ácidos graxos possam ser usados como energia, eles devem ser processados na mitocôndria.

Entrada de ácidos graxos nas mitocôndrias. A degradação e a oxidação dos ácidos graxos ocorrem apenas na mitocôndria. Portanto, o primeiro passo para a utilização de ácidos graxos é seu transporte para a mitocôndria, empregando a *carnitina* como carreador. Uma vez dentro da mitocôndria, os ácidos graxos se separam da carnitina e então são degradados e oxidados.

Degradação de ácidos graxos em acetil coenzima A por betaoxidação. Os ácidos graxos são degradados na mitocôndria pela liberação progressiva de dois segmentos de carbonos na forma de *acetil coenzima A* (acetil-CoA). Esse processo de degradação, que é mostrado na **Figura 69.3**, é chamado de *betaoxidação* dos ácidos graxos.

Para entender as etapas essenciais do processo de betaoxidação, observe que, na equação 1 na **Figura 69.3**, o primeiro passo é a combinação da molécula de ácido graxo com coenzima A (CoA) para formar acil-CoA graxo. Nas equações 2, 3 e 4, o *carbono beta* (o segundo carbono à direita) do acil-CoA graxo se liga a uma molécula de oxigênio, ou seja, o carbono beta é oxidado.

Então, na equação 5, os dois carbonos do lado direito da molécula se separam para liberar acetil-CoA no líquido celular. Ao mesmo tempo, outra molécula de CoA se liga à extremidade da porção restante da molécula de ácido graxo, formando, assim, uma nova molécula de acil-CoA graxo; desta vez, no entanto, a molécula apresenta menos dois átomos de carbono, devido à perda da primeira acetil-CoA de sua extremidade terminal.

Em seguida, esse acil-CoA graxo mais curto entra na equação 2 e progride por meio das equações 3, 4 e 5 para liberar outra molécula de acetil-CoA, encurtando a molécula de ácido graxo original em menos dois carbonos. Além das moléculas de acetil-CoA liberadas, quatro átomos de hidrogênio são liberados da molécula de ácido graxo ao mesmo tempo, totalmente separados da acetil-CoA.

Oxidação de acetil-CoA. As moléculas de acetil-CoA, formadas pela betaoxidação de ácidos graxos na mitocôndria, penetram imediatamente no *ciclo do ácido cítrico* (ver Capítulo 68), associando-se primeiro ao ácido oxalacético para formar ácido cítrico, que é degradado em dióxido de carbono e em átomos de hidrogênio. O hidrogênio é posteriormente oxidado pelo *sistema quimiosmótico oxidativo das mitocôndrias*, que também é explicado no Capítulo 68. O produto resultante no ciclo do ácido cítrico para cada molécula de acetil-CoA é o seguinte:

$$CH_3COCoA + \text{Ácido oxalacético} + 3H_2O + ADP \xrightarrow{\text{Ciclo do ácido cítrico}} 2CO_2 + 8H + HCoA + ATP + \text{Ácido oxalacético}$$

Assim, após a degradação inicial dos ácidos graxos em acetil-CoA, sua quebra final é exatamente a mesma do que a da acetil-CoA formada a partir do ácido pirúvico durante o metabolismo da glicose. Os átomos extras de hidrogênio também são oxidados pelo mesmo *sistema quimiosmótico oxidativo das mitocôndrias*, que é utilizado na oxidação dos carboidratos, liberando grandes quantidades de trifosfato de adenosina (ATP).

Grandes quantidades de ATP são formadas pela oxidação de ácidos graxos. Observe na **Figura 69.3** que os quatro átomos de hidrogênio clivados cada vez que uma molécula de acetil-CoA é formada a partir de uma cadeia de ácido graxo, são liberados sob a forma de flavina adenina dinucleotídio reduzido (FADH$_2$), nicotinamida adenina dinucleotídio reduzida (NADH) e H$^+$.[1] Portanto, para cada molécula de ácido graxo esteárico que é dividida para formar 9 moléculas de acetil-CoA, 32 átomos de hidrogênio adicionais são removidos. Além disso, para cada uma das 9 moléculas de acetil-CoA que são posteriormente degradadas pelo ciclo do ácido cítrico, mais 8 átomos de hidrogênio são removidos, formando outros 72 átomos de hidrogênio. Assim, um total de 104 átomos de hidrogênio são eventualmente liberados pela degradação de cada molécula de ácido esteárico. Desse grupo, 34 são removidos por meio da degradação dos ácidos graxos por flavoproteínas e 70 são removidos pela nicotinamida dinucleotídio adenina (NAD$^+$) como NADH e H$^+$.

Esses dois grupos de átomos de hidrogênio são oxidados nas mitocôndrias, conforme discutido no Capítulo 68, mas eles entram no sistema oxidativo em diferentes pontos. Portanto, 1 molécula de ATP é sintetizada para cada um dos hidrogênios liberados pelas 34 flavoproteínas, e 1,5 molécula de ATP é sintetizada para cada um dos hidrogênios liberados pelos 70 NADH e H$^+$. Isso perfaz 34 mais 105, ou um

---

[1] N.R.C.: A nicotinamida é derivada da vitamina B$_3$ e a flavina é derivada da vitamina B$_2$.

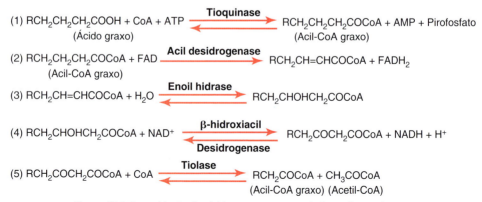

Figura 69.3 Betaoxidação dos ácidos graxos para produzir acetil coenzima A.

CAPÍTULO 69 Metabolismo Lipídico

total de 139 moléculas de ATP sintetizadas pela oxidação de hidrogênio derivado de cada molécula de ácido esteárico. Outras 9 moléculas de ATP são formadas no próprio ciclo do ácido cítrico (separado do ATP liberado pela oxidação de hidrogênio), 1 para cada uma das nove moléculas de acetil-CoA metabolizadas. Assim, um total de 148 moléculas de ATP são formadas durante a oxidação completa de 1 molécula de ácido esteárico. No entanto, 2 ligações de alta energia são consumidas na combinação inicial de CoA com a molécula de ácido esteárico, totalizando um *ganho final* de 146 moléculas de ATP.

Formação de ácido acetoacético no fígado e seu transporte no sangue

Uma grande parte da degradação inicial de ácidos graxos ocorre no fígado, especialmente quando uma grande quantidade de lipídios é usada como fonte de energia. No entanto, o fígado utiliza apenas uma pequena proporção de ácidos graxos para seus próprios processos metabólicos intrínsecos. Em vez disso, quando as cadeias de ácidos graxos forem divididas em acetil-CoA, duas moléculas de acetil-CoA se condensam para formar uma molécula de ácido acetoacético, que é então transportado no sangue para as outras células do corpo, onde é usado como fonte de energia. Ocorrem os seguintes processos químicos:

$$2CH_3COCoA + H_2O \underset{\text{Outras células}}{\overset{\text{Células do fígado}}{\rightleftharpoons}}$$
Acetil-CoA

$$CH_3COCH_2COOH + 2HCoA$$
Ácido acetoacético

Parte do ácido acetoacético também é convertida em *ácido β-hidroxibutírico*, e quantidades mínimas são convertidas em *acetona*, de acordo com as seguintes reações:

Ácido acetoacético

+ 2H   −CO₂

Ácido β-hidroxibutírico   Acetona

O ácido acetoacético, o ácido β-hidroxibutírico e a acetona difundem-se livremente através das membranas celulares do fígado e são transportados pelo sangue para os tecidos periféricos, em que eles novamente se difundem nas células, para que as reações reversas ocorram, e moléculas de acetil-CoA são formadas. Essas moléculas, por sua vez, entram no ciclo do ácido cítrico e são oxidadas como fonte de energia, como já foi explicado.

Normalmente, o ácido acetoacético e o ácido β-hidroxibutírico que entram no sangue são transportados tão rapidamente para os tecidos que sua concentração combinada no plasma raramente sobe acima de 3 mg/dℓ. No entanto, apesar dessa pequena *concentração* no sangue, grandes *quantidades* são realmente transportadas, fato também verdadeiro para o transporte de ácidos graxos livres.

O transporte rápido de ambas as substâncias resulta da alta solubilidade nas membranas das células-alvo, o que permite a difusão quase instantânea nas células.

Cetose em inanição, diabetes e outras doenças. As concentrações de ácido acetoacético, de ácido β-hidroxibutírico e de acetona ocasionalmente aumentam para níveis acima do normal no sangue e líquidos intersticiais; essa condição é chamada de *cetose*, pois o ácido acetoacético é um cetoácido. Os três compostos são chamados de *corpos cetônicos*. A cetose ocorre especialmente como consequência da inanição, do jejum prolongado, em pessoas com diabetes melito, e às vezes até mesmo quando a dieta de uma pessoa é composta quase que inteiramente por gorduras e proteínas. Em todos esses estados, os carboidratos não são essencialmente metabolizados – na inanição, jejum e em uma dieta rica em proteína e gordura porque os carboidratos não estão disponíveis – e no diabetes descompensado, porque a insulina não está disponível para promover o transporte de glicose para as células.

Quando os carboidratos não são usados como energia, quase toda a energia do corpo deve surgir do metabolismo das gorduras. Veremos mais adiante neste capítulo que a indisponibilidade dos carboidratos aumenta automaticamente a taxa de remoção de ácidos graxos dos tecidos adiposos. Além disso, diversos fatores hormonais, tais como o aumento da secreção de glicocorticoides pelo córtex adrenal, o aumento da secreção de glucagon pelo pâncreas e a diminuição da secreção de insulina pelo pâncreas, aumentam ainda mais a remoção de ácidos graxos do tecido adiposo (lipólise). Como resultado, grandes quantidades de ácidos graxos tornam-se disponíveis: (1) para as células do tecido periférico, para serem usados como fonte de energia; e (2) para as células do fígado, onde grande parte dos ácidos graxos é convertida em corpos cetônicos.

Os corpos cetônicos saem do fígado para serem transportados para as células. Por várias razões, as células são limitadas na quantidade de corpos cetônicos que podem ser oxidados. A razão mais importante para essa limitação é que um dos produtos do metabolismo dos carboidratos é o *oxalacetato*, que é necessário para se ligar à acetil-CoA antes que possa ser processada no ciclo do ácido cítrico. Portanto, a deficiência de oxalacetato derivado dos carboidratos limita a entrada da acetil-CoA no ciclo do ácido cítrico, e quando uma liberação simultânea de grandes quantidades de ácido acetoacético e outros corpos cetônicos do fígado ocorrem, as concentrações sanguíneas de ácido acetoacético e de ácido β-hidroxibutírico, às vezes, chegam a 20 vezes o valor normal, levando assim a um quadro de acidose metabólica, conforme explicado no Capítulo 31.

A acetona formada durante a cetose é uma substância volátil, parte dela é expelida em pequenas quantidades no ar expirado dos pulmões, dando origem a um cheiro de acetona (hálito cetônico), aspecto frequentemente utilizado para diagnosticar a cetose.

Adaptação para uma dieta rica em proteínas e gorduras. Ao mudar lentamente de uma dieta de carboidratos para uma dieta quase inteiramente constituída por proteína/gordura, o corpo de uma pessoa se adapta para usar muito mais ácido acetoacético do que o usual, e, nesse caso, a cetose normalmente não ocorre. Por exemplo, na população

Inuíte (um grupo específico de esquimós), que vive, por vezes, principalmente à base de uma dieta gordurosa, a cetose não se desenvolve. Sem dúvida, vários fatores, nenhum dos quais ainda completamente esclarecidos, aumentam o metabolismo do ácido acetoacético pelas células. Depois de algumas semanas, até mesmo as células cerebrais, que normalmente obtêm quase toda a sua energia da glicose, podem derivar 50 a 75% de sua energia das gorduras.

Síntese de triglicerídios a partir de carboidratos

Sempre que uma grande quantidade de carboidratos entra no corpo, ela pode ser utilizada imediatamente para energia ou pode ser armazenada na forma de glicogênio. O excesso é rapidamente convertido em triglicerídios e armazenado dessa forma no tecido adiposo.

Em seres humanos, a maior parte da síntese de triglicerídios ocorre no fígado, mas pequenas quantidades também são sintetizadas pelo próprio tecido adiposo. Os triglicerídios formados no fígado são transportados principalmente pelos VLDL para o tecido adiposo, onde são armazenados.

Conversão de acetil-CoA em ácidos graxos. O primeiro passo na síntese de triglicerídios é a conversão dos carboidratos em acetil-CoA. Conforme explicado no Capítulo 68, essa conversão ocorre durante a degradação normal da glicose pelo sistema glicolítico. Como os ácidos graxos são, na verdade, grandes polímeros do ácido acético, é fácil de entender como a acetil-CoA pode ser convertida em ácidos graxos. Contudo, a síntese de ácidos graxos a partir de acetil-CoA não é conseguida simplesmente com a reversão da degradação oxidativa descrita anteriormente. Em vez disso, ela ocorre por um processo de duas etapas mostrado na **Figura 69.4**, usando a *malonil-CoA* e a nicotinamida adenina dinucleotídio fosfato (NADPH) reduzida como os intermediários principais no processo de polimerização.

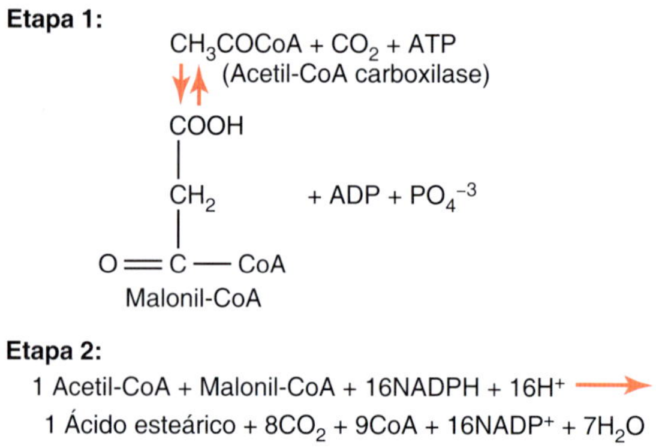

Combinação de ácidos graxos com α-glicerofosfato para formar triglicerídios

Uma vez que as cadeias de ácidos graxos sintetizados cresceram até conter de 14 a 18 átomos de carbono, elas se ligam ao glicerol para formar triglicerídios. As enzimas que provocam essa conversão são altamente específicas para os ácidos graxos, contendo cadeias de, pelo menos, 14 átomos de carbono, fator que controla a qualidade física dos triglicerídios armazenados no corpo.

Conforme mostrado na **Figura 69.5**, a porção de glicerol dos triglicerídios é fornecida por α-glicerofosfato, que é outro produto derivado do esquema glicolítico da degradação da glicose. Esse mecanismo é discutido no Capítulo 68.

Etapa 1:

$$CH_3COCoA + CO_2 + ATP \rightleftarrows \text{(Acetil-CoA carboxilase)}$$

$$\begin{array}{c} COOH \\ | \\ CH_2 \\ | \\ O=C-CoA \end{array} + ADP + PO_4^{-3}$$

Malonil-CoA

Etapa 2:

1 Acetil-CoA + Malonil-CoA + 16NADPH + 16H$^+$ →
1 Ácido esteárico + 8CO$_2$ + 9CoA + 16NADP$^+$ + 7H$_2$O

Figura 69.4 Síntese de ácidos graxos.

Eficiência da conversão de carboidratos em gordura.

Durante a síntese de triglicerídios, apenas cerca de 15% da energia original encontrada na glicose são perdidos na forma de calor; os 85% restantes são transferidos para os triglicerídios armazenados.

Importância da síntese e do armazenamento das gorduras.

A síntese da gordura de carboidratos é especialmente importante por duas razões:

1. A capacidade das diferentes células do corpo para armazenar carboidratos sob a forma de glicogênio é pequena; no máximo apenas poucas centenas de gramas de glicogênio podem ser armazenadas no fígado, nos músculos esqueléticos e em todos outros tecidos do corpo juntos. Ao contrário, é possível armazenar muitos quilogramas de gordura no tecido adiposo. Portanto, a síntese de gordura fornece um meio pelo qual o excesso de energia obtida pela ingestão de carboidratos (e de proteínas) pode ser armazenado para uso posterior. Na verdade, a pessoa média tem quase 150 vezes mais energia armazenada sob a forma de gordura do que sob a forma de carboidrato.
2. Um grama de gordura contém quase duas vezes e meia mais calorias de energia do que um grama de glicogênio. Portanto, para um determinado ganho de peso, a pessoa é capaz de armazenar várias vezes mais energia sob a forma de gordura do que sob a forma de carboidrato, fato extremamente importante quando um animal deve ter grande mobilidade para sobreviver.

Impossibilidade de sintetizar gorduras a partir de carboidratos na ausência de insulina.

Quando a insulina não está disponível em quantidades necessárias, como

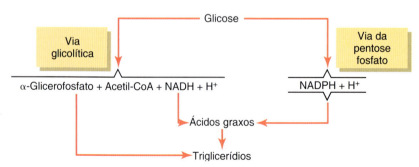

Figura 69.5 Esquema global da síntese de triglicerídios a partir da glicose.

CAPÍTULO 69 Metabolismo Lipídico

ocorre nas pessoas com casos graves de diabetes melito, as gorduras são mal sintetizadas, se é que o são, pelas seguintes razões: primeiro, quando a insulina não está disponível, a glicose não entra nos adipócitos nem nas células hepáticas de forma satisfatória; assim, apenas pequena quantidade de acetil-CoA e NADPH, necessárias para a síntese de gordura, podem ser derivadas da glicose. Segundo, a ausência de glicose nas células adiposas reduz muito a disponibilidade de α-glicerofosfato, o que também dificulta a formação de triglicerídios pelos tecidos.

Síntese de triglicerídios a partir de proteínas

Muitos aminoácidos podem ser convertidos em acetil-CoA, como será discutido no Capítulo 70. A acetil-CoA pode então ser sintetizada em triglicerídios. Portanto, quando as pessoas ingerem mais proteínas em suas dietas do que seus tecidos são capazes de utilizar, grande parte do excesso é armazenado como gordura.

Regulação da liberação de energia dos triglicerídios

Os carboidratos são preferíveis às gorduras como fonte de energia quando há excesso de carboidratos. Quando quantidades excessivas de carboidratos estão disponíveis no corpo, eles são usados preferencialmente aos triglicerídios como fonte de energia. Existem diversas razões para essa "economia de gordura" dos carboidratos.

Primeiro: as gorduras nas células do tecido adiposo estão presentes em duas formas: triglicerídios armazenados e pequenas quantidades de ácidos graxos livres. Eles se encontram em um equilíbrio constante. Quando o excesso de α-*glicerofosfato* está presente (o que ocorre quando carboidratos em excesso estão disponíveis), o excesso de α-glicerofosfato se liga aos ácidos graxos livres sob a forma de triglicerídios armazenados. Como resultado, o equilíbrio entre ácidos graxos livres e triglicerídios se desvia para os triglicerídios armazenados; em consequência, apenas quantidades mínimas de ácidos graxos ficam disponíveis para serem usados como energia. Como o α-glicerofosfato é um produto importante do metabolismo da glicose, a disponibilidade de grandes quantidades de glicose inibe, automaticamente, o uso de ácidos graxos como fonte de energia.

Segundo, quando os carboidratos estão disponíveis em excesso, os ácidos graxos são sintetizados mais rapidamente do que são degradados. Esse efeito é causado, em parte, pela grande quantidade de acetil-CoA formada a partir dos carboidratos e pela baixa concentração de ácidos graxos livres no tecido adiposo, criando, assim, condições adequadas para a conversão de acetil-CoA em ácidos graxos.

Um efeito ainda mais importante que promove a conversão dos carboidratos em gorduras é o seguinte: a primeira etapa, que é a etapa limitante na síntese dos ácidos graxos, é a carboxilação da acetil-CoA para formar a malonil-CoA. A intensidade dessa reação é controlada principalmente pela enzima *acetil-CoA carboxilase*, cuja atividade é acelerada na presença de intermediários do ciclo do ácido cítrico. Quando uma quantidade excessiva de carboidratos é usada, esses intermediários aumentam, levando, automaticamente, ao aumento da síntese de ácidos graxos.

Assim, um excesso de carboidratos na dieta não só atua como um poupador de gordura, mas também aumenta as reservas de gordura. Na verdade, todo o excesso de carboidratos não utilizados como energia ou armazenados sob a forma de pequenos depósitos de glicogênio do corpo é convertido em gordura para armazenamento.

Aceleração da utilização de gorduras como fonte de energia na ausência de carboidratos. Todo os efeitos poupadores de gordura dos carboidratos são perdidos e, na verdade, são revertidos na ausência de carboidratos. O equilíbrio se desloca na direção oposta, e a gordura é mobilizada das células adiposas e usada como fonte de energia no lugar dos carboidratos.

Também são importantes as diversas alterações hormonais que ocorrem para promover a rápida mobilização de ácidos graxos do tecido adiposo. Entre as mais importantes dessas alterações hormonais, encontra-se a diminuição acentuada da secreção pancreática de insulina, causada pela ausência de carboidratos. Essa diminuição na insulina não apenas reduz a taxa de utilização de glicose pelos tecidos, mas também diminui o armazenamento de gorduras, o que desvia ainda mais o equilíbrio em favor do metabolismo das gorduras, no lugar dos carboidratos.

Regulação hormonal da utilização de gordura. Pelo menos sete dos hormônios secretados pelas glândulas endócrinas têm efeitos sobre a utilização da gordura. Alguns efeitos hormonais importantes no metabolismo das gorduras, além da falta de insulina, são observados aqui.

Provavelmente, o aumento mais drástico que ocorre na utilização da gordura é observado durante a prática de exercícios intensos. Esse aumento resulta quase que inteiramente da liberação de *adrenalina* e de *noradrenalina* pela medula adrenal, durante os exercícios, como resultado da estimulação simpática. Esses dois hormônios ativam diretamente a *lipase hormônio-sensível*, que está presente em abundância nas células de gordura, e essa ativação causa uma rápida ruptura dos triglicerídios e mobilização dos ácidos graxos. Às vezes, a concentração de ácidos graxos livres no sangue de uma pessoa que se exercita sobe até oito vezes, e o uso desses ácidos graxos pelos músculos para obtenção de energia é proporcionalmente aumentado. Outros tipos de estresse que ativam o sistema nervoso simpático também podem aumentar a mobilização de ácido graxos e sua utilização de maneira semelhante.

O estresse também faz com que uma grande quantidade de *hormônio adrenocorticotrófico* (ACTH) seja liberada pela adeno-hipófise, e isso faz com que o córtex adrenal secrete quantidades adicionais de glicocorticoides. Tanto o ACTH como os glicocorticoides ativam a mesma lipase hormônio-sensível, da mesma forma ativada por adrenalina e noradrenalina ou por uma lipase semelhante. Quando o ACTH e os glicocorticoides são secretados em quantidades excessivas por longos períodos, como ocorre na condição endócrina chamada de *síndrome de Cushing*, as gorduras são mobilizadas a tal ponto, que ocorre a cetose. O ACTH e os glicocorticoides têm, então, um *efeito cetogênico*. O *hormônio de crescimento* (GH) apresenta um efeito semelhante, apesar de mais fraco do que o do ACTH e dos glicocorticoides na ativação da lipase hormônio-sensível. Portanto, o hormônio de crescimento também pode ter um efeito cetogênico leve.

O *hormônio tireoidiano* (tiroxina) causa indiretamente rápida mobilização das gorduras, aumentando a taxa geral

PARTE 13 Metabolismo e Regulação da Temperatura

do metabolismo energético em todas as células do corpo, sob a influência desse hormônio. A redução resultante na acetil-CoA e em outros intermediários, tanto do metabolismo da gordura como do carboidrato nas células, é um estímulo à mobilização de gordura.

Os efeitos dos diferentes hormônios sobre o metabolismo serão discutidos mais adiante nos capítulos que tratam de cada hormônio.

Obesidade: excesso de deposição de gordura

A obesidade relacionada ao balanço dietético é discutida no Capítulo 72, mas, resumidamente, ela é causada pela ingestão de uma maior quantidade de alimento do que o corpo é capaz de utilizar como fonte de energia. O excesso de alimento – sob a forma de gorduras, carboidratos ou proteínas – é armazenado quase inteiramente como gordura no tecido adiposo, para ser usado, posteriormente, para energia. A capacidade dos humanos de armazenar o excesso de energia no tecido adiposo é enorme: algumas pessoas podem alcançar pesos corporais superiores a 500 quilogramas, principalmente como resultado do acúmulo de gordura.

Foram identificadas várias cepas de roedores que exibem a *obesidade hereditária*. Em pelo menos uma dessas cepas, a obesidade é causada pela mobilização ineficaz de gordura do tecido adiposo pela lipase tecidual, enquanto a síntese e armazenamento da gordura continuam normalmente. Esse processo tão unilateral causa aumento progressivo das reservas de gordura, resultando em obesidade grave. Vários fatores genéticos que influenciam os centros de alimentação do cérebro, ou vias que controlam o gasto de energia ou que modificam o armazenamento energético, também provocam obesidade hereditária em seres humanos. No entanto, as causas monogênicas (de um gene só) de obesidade humana são raras, conforme discutido no Capítulo 72.

Fosfolipídios e colesterol

Fosfolipídios

Os principais tipos de fosfolipídios do corpo são as *lecitinas*, as *cefalinas*, e a *esfingomielina*; suas fórmulas químicas típicas são mostradas na **Figura 69.6**. Os fosfolipídios sempre contêm uma ou mais moléculas de ácidos graxos e um radical de ácido fosfórico e, geralmente, contêm uma base nitrogenada. Apesar das estruturas químicas dos fosfolipídios serem um tanto variáveis, suas propriedades físicas são similares, pois todos são lipossolúveis, transportados por lipoproteínas, e usados em todo o corpo para diversas finalidades estruturais, tais como nas membranas celulares e nas membranas intracelulares.

Formação de fosfolipídios. Os fosfolipídios são sintetizados essencialmente em todas as células do corpo, embora algumas células apresentem uma habilidade especial para formá-los em grandes quantidades. Provavelmente, 90% dos fosfolipídios são formados nas células hepáticas; quantidades substanciais também são formadas pelas células epiteliais intestinais, durante a absorção de lipídios no intestino.

A taxa de formação de fosfolipídios é guiada, até certo ponto, pelos fatores usuais que controlam a taxa geral de metabolismo da gordura, pois quando os triglicerídios são depositados no fígado, a formação de fosfolipídios aumenta. Além

disso, algumas substâncias químicas específicas são necessárias para a formação de alguns fosfolipídios. Por exemplo, a *colina*, obtida na dieta e sintetizada no corpo, é necessária para a formação da lecitina, pois a colina é a base nitrogenada da molécula de lecitina. Além disso, o *inositol* também é necessário para a formação de algumas cefalinas.

Usos específicos de fosfolipídios. Os fosfolipídios apresentam várias funções, incluindo as seguintes:

1. Os fosfolipídios são um importante constituinte das lipoproteínas no sangue e são essenciais para a formação e função da maioria dessas lipoproteínas; na ausência de fosfolipídios, anormalidades graves de transporte de colesterol e outros lipídios podem ocorrer.

2. A tromboplastina, necessária para iniciar o processo de coagulação, é formada principalmente por uma das cefalinas.

3. Grandes quantidades de esfingomielina estão presentes no sistema nervoso; essa substância atua como um isolante elétrico na bainha de mielina ao redor das fibras nervosas.

4. Os fosfolipídios são doadores de radicais fosfato quando esses radicais são necessários para diferentes reações químicas nos tecidos.

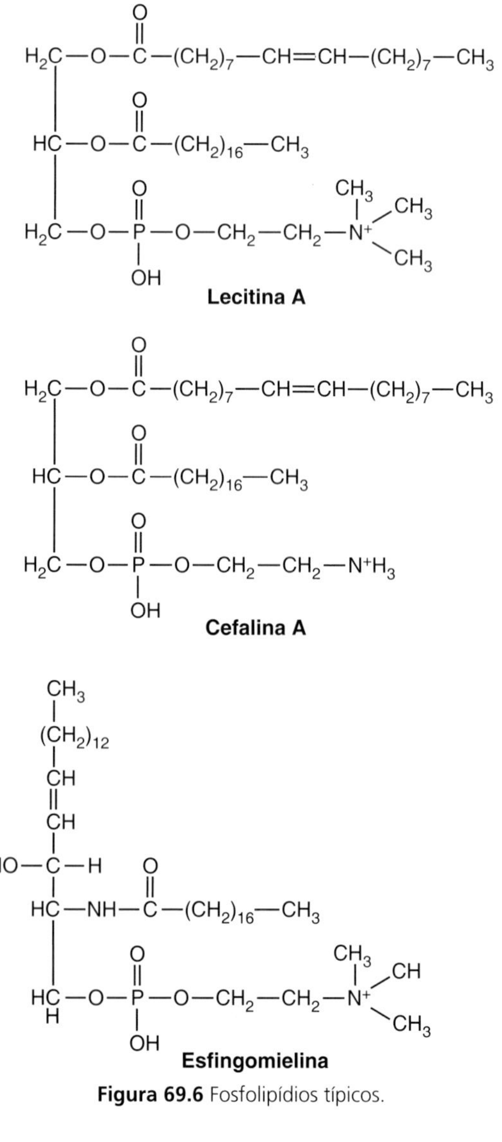

Figura 69.6 Fosfolipídios típicos.

CAPÍTULO 69 Metabolismo Lipídico

5. Uma das funções mais importantes dos fosfolipídios é a participação na formação de elementos estruturais – principalmente membranas – em células de todo o corpo, como será discutido na próxima seção deste capítulo, com uma função semelhante do colesterol.

Colesterol

O colesterol, cuja fórmula é mostrada na **Figura 69.7**, está presente na dieta normal e pode ser absorvido lentamente do trato gastrointestinal para a linfa intestinal.

É muito lipossolúvel, mas apenas ligeiramente solúvel em água. De forma específica, é capaz de formar ésteres com ácidos graxos. Cerca de 70% do colesterol nas lipoproteínas plasmáticas se encontram sob a forma de ésteres de colesterol.

Formação de colesterol. Além do colesterol absorvido todos os dias pelo trato gastrointestinal, que é chamado de *colesterol exógeno*, uma quantidade ainda maior é formada nas células do corpo, chamada de *colesterol endógeno*. Essencialmente, todo o colesterol endógeno que circula nas lipoproteínas do plasma é formado pelo fígado, mas todas as outras células do corpo formam pelo menos algum colesterol, o que é consistente com o fato de que muitas das estruturas das membranas de todas as células são parcialmente compostas por essa substância.

A estrutura básica do colesterol é um núcleo de esterol (anel ciclopentanoperidrofenantreno), que é sintetizado inteiramente a partir de diversas moléculas de acetil-CoA. Por sua vez, o núcleo de esterol pode ser modificado por várias cadeias laterais, para formar: (1) colesterol; (2) ácido cólico, que é a base dos ácidos biliares formados no fígado; e (3) muitos hormônios esteroides importantes secretados pela córtex adrenal, pelos ovários e testículos (esses hormônios são discutidos em capítulos posteriores).

Fatores que afetam a concentração de colesterol plasmático | Controle por *feedback* do colesterol corporal. Entre os fatores importantes que afetam a concentração de colesterol plasmático, encontram-se os seguintes:

1. Um aumento na *quantidade de colesterol ingerido por dia* pode aumentar ligeiramente a concentração plasmática. No entanto, quando o colesterol é ingerido, a sua concentração crescente inibe a enzima mais importante para a síntese endógena de colesterol, a 3-hidróxi-3-metilglutaril CoA redutase (HMG-CoA redutase), proporcionando, assim, um sistema de controle de *feedback* intrínseco para prevenir aumento excessivo na concentração de colesterol plasmático. Como resultado, a concentração do colesterol plasmático, *geralmente*, não se altera para mais ou menos, por mais do que ±15% com a variação da quantidade de colesterol na dieta, embora a resposta dos indivíduos seja muito variável.

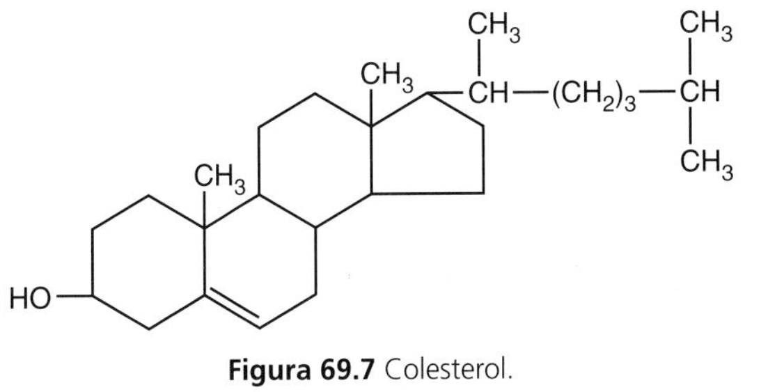

2. Uma dieta *rica em gordura saturada* aumenta a concentração de colesterol no sangue por cerca de 15 a 25%, especialmente quando essa dieta é associada ao ganho excessivo de peso e obesidade. Este aumento no colesterol sanguíneo resulta do aumento da deposição de gordura no fígado, que fornece aumento nas quantidades de acetil-CoA nas células hepáticas, para a produção de colesterol. Portanto, para diminuir a concentração de colesterol no sangue, é mais importante manter o peso corporal normal e uma dieta pobre em gordura saturada do que manter uma dieta pobre em colesterol.

3. A ingestão de gordura contendo alto teor de *ácidos graxos insaturados* geralmente diminui a concentração de colesterol sérico para um nível de leve a moderado. O mecanismo desse efeito é desconhecido, apesar dessa observação ser a base de muitas estratégias nutricionais atuais.

4. A *ausência de insulina* ou *hormônio tireoidiano* aumenta a concentração de colesterol sanguíneo, enquanto o excesso de hormônio tireoidiano diminui sua concentração. Esses efeitos são provavelmente causados, principalmente, por mudanças no grau de ativação de enzimas específicas responsáveis pelo metabolismo de lipídios e taxa metabólica geral.

5. *Distúrbios genéticos* do metabolismo do colesterol podem aumentar muito os níveis de colesterol plasmático. Por exemplo, mutações no *gene do receptor de LDL* impedem que o fígado remova adequadamente o LDL rico em colesterol do plasma. Como será discutido adiante, esse fenômeno faz com que o fígado produza quantidades excessivas de colesterol. As mutações no gene que codifica a apolipoproteína B, a parte do LDL que se liga ao receptor, também causa produção excessiva de colesterol pelo fígado.

Usos específicos do colesterol no corpo. Sem dúvida, o uso não membranoso de colesterol no corpo é para formar ácido cólico no fígado. Até 80% do colesterol são convertidos em ácido cólico. Conforme explicado no Capítulo 71, o ácido cólico é conjugado com outras substâncias para formar sais biliares, que promovem a digestão e a absorção de gorduras.

Uma pequena quantidade de colesterol é usada: (1) pela glândula adrenal para formar *hormônios adrenocorticais* (aldosterona, cortisol e androgênios), (2) pelos ovários para formar *progesterona* e *estrogênio*, e (3) pelos testículos para formar *testosterona*. Essas glândulas também podem sintetizar seus próprios esteroides e, em seguida, formar hormônios a partir deles, conforme discutido nos capítulos sobre endocrinologia.

Uma grande quantidade de colesterol é precipitada na camada de queratina da pele. Esse colesterol, junto com outros lipídios, torna a pele altamente resistente à absorção de substâncias hidrossolúveis e à ação de muitos agentes químicos, pois o colesterol e os outros lipídios da pele são altamente inertes aos ácidos e a muitos solventes que poderiam, de outra forma, penetrar facilmente no corpo. Além disso, essas substâncias lipídicas ajudam a prevenir a evaporação da água da pele; sem essa proteção, a quantidade de evaporação pode ser de 5 a 10 ℓ por dia (como ocorre em pacientes com queimaduras) em vez dos 300 a 400 mililitros habituais.

Figura 69.7 Colesterol.

Funções estruturais celulares de fosfolipídios e colesterol | Especialmente para membranas. A utilização mencionada anteriormente de fosfolipídios e colesterol têm menor importância em comparação com sua função na formação de estruturas especializadas, principalmente membranas, em todas as células do corpo. No Capítulo 2, foi apontado que grande quantidade de fosfolipídios e colesterol está presente tanto na membrana celular quanto nas membranas das organelas internas de todas as células. Também se sabe que a proporção entre colesterol e os fosfolipídios da membrana é especialmente importante na determinação da fluidez das membranas celulares.

Para que as membranas sejam formadas, as substâncias que não são solúveis em água devem estar disponíveis. Em geral, as únicas substâncias no corpo que não são solúveis em água (além das inorgânicas do osso) são os lipídios e algumas proteínas. Assim, a integridade física das células em todos os lugares do corpo é baseada, principalmente, nos fosfolipídios, no colesterol e em certas proteínas insolúveis. As cargas polares dos fosfolipídios também reduzem a tensão na interface entre as membranas celulares e os líquidos adjacentes.

Outro fato que indica a importância dos fosfolipídios e colesterol para a formação de elementos das células é a lenta renovação (*turnover*) dessas substâncias na maioria dos tecidos não hepáticos – *turnover* medido em meses ou anos. Por exemplo, suas funções nas células cerebrais relacionadas aos processos de memória se devem principalmente às suas propriedades físicas praticamente indestrutíveis.

Aterosclerose

A *aterosclerose* é uma doença das artérias de médio e grande calibre, nas quais lesões gordurosas chamadas de *placas ateromatosas* (ou *placas de ateroma*) desenvolvem-se nas superfícies internas das paredes arteriais. A *arteriosclerose*, em contraste, é um termo geral que se refere a vasos sanguíneos, de todos os tamanhos, espessados e enrijecidos, geralmente em decorrência do envelhecimento.

Uma anormalidade que pode ser medida precocemente nos vasos sanguíneos, que posteriormente se tornam ateroscleróticos, é a *lesão do endotélio vascular*. Essa lesão, por sua vez, aumenta a expressão de moléculas de adesão nas células endoteliais e reduz sua capacidade de liberar óxido nítrico e outras substâncias que ajudam a prevenir a adesão de macromoléculas, plaquetas e monócitos ao endotélio. Após o dano ao endotélio vascular, os monócitos e lipídios circulantes (principalmente LDL) começam a se acumular no local de lesão (ver **Figura 69.8 A**). Os monócitos atravessam o endotélio, entram na *camada íntima* da parede do vaso e diferenciam-se em *macrófagos*, que então ingerem e oxidam as lipoproteínas acumuladas, dando aos macrófagos uma aparência espumosa. Esses *macrófagos espumosos* (ou *células espumosas*) então agregam-se ao vaso sanguíneo e formam uma *estria de gordura* visível.

Com o tempo, as estrias de gordura crescem e coalescem, e os tecidos musculares lisos e fibrosos circundantes se proliferam para formar placas cada vez maiores (ver **Figura 69.8 B**). Além disso, os macrófagos liberam substâncias que causam *inflamação* e maior proliferação de músculos lisos e de tecido fibroso nas superfícies internas da parede arterial. Os depósitos de lipídios e a proliferação celular podem ficar tão grandes que as placas se destacam no lúmen da artéria e reduzem muito o fluxo sanguíneo, às vezes, obstruindo completamente o vaso. Até sem oclusão, os fibroblastos da placa eventualmente depositam grandes

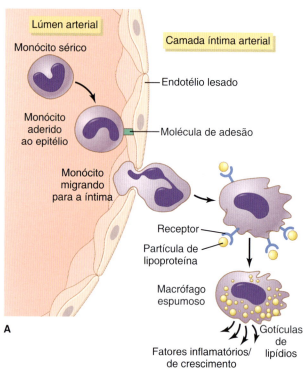

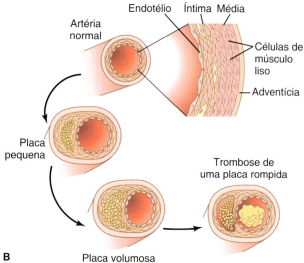

Figura 69.8 Desenvolvimento de placa aterosclerótica. **A.** Ligação de um monócito a uma molécula de adesão em uma célula endotelial danificada de uma artéria. O monócito migra através do endotélio para o interior da camada íntima da parede arterial e é transformado em um macrófago. O macrófago, então, fagocita e oxida as moléculas de lipoproteínas, tornando-se uma célula espumosa. Estas liberam substâncias que causam inflamação e proliferação da camada íntima. **B.** Acúmulo adicional de macrófagos e crescimento da camada íntima causam o crescimento da placa e acúmulo de lipídios. Eventualmente, a placa pode obstruir o vaso ou rompê-lo, fazendo com que o sangue na artéria coagule e forme um trombo. *(Modificada de Libby P: Inflammation in atherosclerosis. Nature 420:868, 2002.)*

CAPÍTULO 69 Metabolismo Lipídico

quantidades de tecido conjuntivo denso; a *esclerose* (*fibrose*) torna-se tão intensa que as artérias ficam rígidas. Mais tarde, os sais de cálcio se precipitam com o colesterol e outros lipídios das placas, levando a calcificações duras que podem transformar as artérias em tubos rígidos. Esses estágios da doença são chamados de "endurecimento das artérias".

As artérias ateroscleróticas perdem a maior parte de sua distensibilidade e, por causa das áreas degenerativas em suas paredes, rompem-se facilmente. Além disso, nos locais em que as placas se projetam para o lúmen com sangue circulante, suas superfícies ásperas podem levar ao desenvolvimento de coágulos sanguíneos, com a formação de trombos ou êmbolos (ver Capítulo 37), provocando bloqueio súbito de todo o fluxo sanguíneo na artéria.

Quase metade de todas as mortes nos EUA e na Europa são devidas a doenças cardiovasculares. Cerca de dois terços dessas mortes são causadas por trombose de uma ou mais artérias coronárias. O terço restante é causado por trombose ou hemorragia de vasos em outros órgãos do corpo, especialmente cérebro (causando derrames), mas também rins, fígado, trato gastrointestinal, membros, e assim por diante.

Os papéis do colesterol e das lipoproteínas na aterosclerose

Aumento de lipoproteínas de baixa densidade.
Um fator importante na etiologia da aterosclerose é a elevada concentração plasmática de colesterol sob a forma de LDL. A concentração plasmática de LDL é aumentada por vários fatores, especialmente pela ingestão de gorduras saturadas na dieta diária, obesidade e inatividade física. Em uma extensão muito menor, ingerir quantidades excessivas de colesterol também pode aumentar os níveis plasmáticos de LDL.

Hipercolesterolemia familiar.
Em 80 a 90% dos pacientes com *hipercolesterolemia familiar*, a pessoa herda genes defeituosos para a formação de receptores de LDL nas superfícies da membrana das células do corpo. Na falta desses receptores, o fígado não consegue absorver tanto IDL como LDL. Sem essa absorção, a maquinaria do colesterol das células do fígado se descontrola, produzindo novo colesterol; não responde mais à inibição por *feedback* quando há muito colesterol plasmático. Como resultado, o número de VLDL liberados pelo fígado no plasma aumenta imensamente.

Uma porcentagem muito menor (cerca de 2%) de pessoas com hipercolesterolemia familiar tem a presença de mutações no gene *PCSK9*, que codifica a *pró-proteína enzimática convertase subtilisina/kexina tipo 9*; essa enzima se liga ao receptor de LDL e induz mudança conformacional que leva à sua destruição, reduzindo a absorção de LDL pelo fígado e outras células, e aumentando o colesterol plasmático acentuadamente. Medicamentos que inibem a PCSK9 já estão disponíveis para tratar a hipercolesterolemia familiar, embora sejam ainda muito caros e não muito utilizados.

Pacientes que desenvolvem de forma plena a hipercolesterolemia familiar podem apresentar concentrações de colesterol no sangue de 600 a 1.000 mg/dℓ, níveis de quatro a seis vezes maiores do que o normal. Sem tratamento, muitas dessas pessoas morrem antes dos 30 anos por infarto do miocárdio ou por outras sequelas do bloqueio aterosclerótico dos vasos sanguíneos por todo o corpo.

A hipercolesterolemia familiar heterozigótica é relativamente comum e ocorre em cerca de 1 em 500 pessoas. A forma grave dessa doença, causada por mutações homozigóticas, é muito mais rara, ocorrendo em apenas um a cada milhão de nascimentos em média.

Papel das lipoproteínas de alta densidade na prevenção aterosclerose.
Bem menos conhecida é a função das HDL em comparação com a das LDL. Acredita-se que as HDL possam realmente absorver cristais de colesterol que estejam começando a ser depositados nas paredes arteriais. Experimentos com animais também sugerem que as HDL possam desempenhar outras funções além da proteção contra aterosclerose, como a inibição do estresse oxidativo e a prevenção da inflamação dos vasos sanguíneos. A despeito de esses mecanismos serem verdadeiros ou não, estudos epidemiológicos indicam que, quando uma pessoa apresenta uma *proporção* elevada entre lipoproteínas de alta e baixa densidade, a probabilidade de desenvolver aterosclerose é bastante reduzida. Ainda assim, estudos clínicos com fármacos que aumentam os níveis de HDL não conseguiram demonstrar uma redução do risco de doença cardiovascular. Esses resultados discrepantes indicam a necessidade de estudos adicionais sobre os mecanismos básicos pelos quais a HDL pode influenciar a aterosclerose.

Outros fatores de risco importantes para a aterosclerose

A aterosclerose se desenvolve mesmo em algumas pessoas que apresentam níveis perfeitamente normais de colesterol e lipoproteínas. Alguns dos fatores que são conhecidos por predispor à aterosclerose são: (1) *sedentarismo e obesidade*, (2) *diabetes melito*, (3) *hipertensão arterial*, (4) *hiperlipidemia* e (5) *tabagismo*.

A hipertensão, por exemplo, aumenta o risco de doença coronariana aterosclerótica em pelo menos duas vezes. Da mesma forma, pessoas com diabetes melito têm, em média, risco duas vezes maior de desenvolver doenças coronárias. Quando a hipertensão e o diabetes melito ocorrem juntos, o risco de doença arterial coronariana é aumentado em mais de oito vezes. Quando hipertensão, diabetes melito e hiperlipidemia estão todos presentes, o risco de doença coronariana aterosclerótica está aumentado em quase 20 vezes, sugerindo que esses fatores interagem de modo sinérgico para aumentar o risco de desenvolver aterosclerose. Em muitos pacientes com sobrepeso ou obesos, esses três fatores de risco ocorrem juntos, aumentando muito o risco de aterosclerose, que, por sua vez, pode levar a um ataque cardíaco, acidente vascular cerebral e doença renal.

No início e no meio da idade adulta, os homens são mais propensos a desenvolver aterosclerose do que as mulheres da mesma idade, sugerindo que os hormônios sexuais masculinos possam ser aterogênicos ou, inversamente, que os hormônios sexuais femininos possam ser protetores.

Alguns desses fatores causam aterosclerose, aumentando a concentração de LDL no plasma. Outros, tais como hipertensão, são capazes de levar à aterosclerose causando danos ao endotélio vascular, além de outras alterações no sistema vascular que predispõem à deposição de colesterol.

Aumentando a complexidade da aterosclerose, estudos experimentais sugerem que o excesso de níveis de ferro no sangue pode levar a aterosclerose, talvez pela formação de radicais livres no sangue que danificam as paredes dos vasos.

PARTE 13 Metabolismo e Regulação da Temperatura

Cerca de um quarto de todas as pessoas têm um tipo especial de LDL chamada lipoproteína A (Lp-A), contendo uma proteína adicional, a *apolipoproteína A* (apo-A), que quase dobra a incidência de aterosclerose. O mecanismo exato desses efeitos aterogênicos ainda precisa ser descoberto.

Prevenção da aterosclerose

As medidas mais importantes para evitar o desenvolvimento de aterosclerose e a sua progressão para doenças vasculares graves são: (1) manter um peso saudável, ser fisicamente ativo e ingerir dieta contendo principalmente gorduras insaturadas com baixo teor de colesterol; (2) prevenir a hipertensão arterial mantendo uma dieta saudável e sendo fisicamente ativo, ou efetivamente controlar a pressão arterial com medicamentos anti-hipertensivos se houver hipertensão; (3) controlar efetivamente a glicose sanguínea – se desenvolver diabetes – com medicamentos hipoglicemiantes orais ou insulina; e (4) abandonar o tabagismo.

Vários tipos de medicamentos que reduzem os lipídios plasmáticos e o colesterol provaram ser úteis para a prevenção da aterosclerose. A maior parte do colesterol formado no fígado é convertida em ácidos biliares e secretada, nessa forma, no duodeno; então, mais de 90% desses mesmos ácidos biliares são reabsorvidos no íleo terminal e usados, continuamente, na bile. Portanto, qualquer agente que se combine com os ácidos biliares no trato gastrointestinal e evite sua reciclagem na circulação (circulação êntero-hepática) pode reduzir o montante de ácidos biliares no sangue circulante. Como resultado, muito mais colesterol do fígado é convertido em novos ácidos biliares. Portanto, a simples ingestão de *farelo de aveia*, que se liga aos ácidos biliares e é um constituinte de muitos cereais matinais, aumenta a proporção do colesterol do fígado, que forma novos ácidos biliares em vez de formar novas LDL e placas aterogênicas. *Resinas de ligação* também podem ser usadas para se ligar aos ácidos biliares no intestino e aumentar sua excreção fecal, reduzindo, assim, a síntese de colesterol pelo fígado.

Outro grupo de medicamentos chamados *estatinas* inibem competitivamente a *hidroximetilglutaril-coenzima A redutase* (HMG-CoA redutase), enzima limitante da síntese do colesterol. Esta inibição diminui a síntese de colesterol e aumenta os receptores de LDL no fígado, geralmente causando uma redução de 25 a 50% dos níveis plasmáticos de LDL. As estatinas podem também ter outros efeitos benéficos que ajudam a prevenir a aterosclerose, como atenuar a inflamação endotelial e possível estabilização da placa aterosclerótica. Esses medicamentos agora são amplamente utilizados para tratar pacientes com níveis elevados de colesterol plasmático.

Em geral, os estudos mostram que, para cada redução de 1 mg/dℓ nas LDL no plasma, há uma redução de cerca de 2% na mortalidade por doença cardíaca aterosclerótica. Portanto, as medidas preventivas adequadas são úteis na redução dos ataques cardíacos.

Bibliografia

Abumrad NA, Davidson NO: Role of the gut in lipid homeostasis. Physiol Rev 92:1061, 2012.

Alves-Bezerra M, Cohen DE: Triglyceride metabolism in the liver. Compr Physiol 8:1, 2017.

Diehl AM, Day C: Cause, pathogenesis, and treatment of nonalcoholic steatohepatitis. N Engl J Med 377:2063, 2017.

Geovanini GR, Libby P: Atherosclerosis and inflammation: overview and updates. Clin Sci (Lond) 132:1243, 2018.

Ghaben AL, Scherer PE: Adipogenesis and metabolic health. Nat Rev Mol Cell Biol 20:242, 2019.

Goldberg IJ, Reue K, Abumrad NA, et al: Deciphering the role of lipid droplets in cardiovascular disease. Circulation 138:305, 2018.

Goldstein JL, Brown MS: A century of cholesterol and coronaries: from plaques to genes to statins. Cell 161:161, 2015.

Hammarstedt A, Gogg S, Hedjazifar S, Nerstedt A, Smith U: Impaired adipogenesis and dysfunctional adipose tissue in human hypertrophic obesity. Physiol Rev 98:1911, 2018.

Jackson CL: Lipid droplet biogenesis. Curr Opin Cell Biol. 59:88, 2019.

Libby P: Inflammation in atherosclerosis. Nature 420:868, 2002.

Mansbach CM 2nd, Siddiqi S: Control of chylomicron export from the intestine. Am J Physiol Gastrointest Liver Physiol 310:G659, 2016.

Olzmann JA, Carvalho P: Dynamics and functions of lipid droplets. Nat Rev Mol Cell Biol 20:137, 2019.

Petersen MC, Shulman GI: Mechanisms of insulin action and insulin resistance. Physiol Rev 98:2133, 2018.

Randolph GJ, Miller NE: Lymphatic transport of high-density lipoproteins and chylomicrons. J Clin Invest 124:929, 2014.

Rosenson RS, Hegele RA, Fazio S, Cannon CP. The evolving future of PCSK9 inhibitors. J Am Coll Cardiol 72:314, 2018.

Ray KK, Corral P, Morales E, Nicholls SJ: Pharmacological lipid-modification therapies for prevention of ischaemic heart disease: current and future options. Lancet 394:697, 2019.

Scheja L, Heeren J: The endocrine function of adipose tissues in health and cardiometabolic disease. Nat Rev Endocrinol 15:507, 2019.

Smith RL, Soeters MR, Wüst RCI, Houtkooper RH: Metabolic flexibility as an adaptation to energy resources and requirements in health and disease. Endocr Rev 39:489, 2018.

Tchernof A, Després JP: Pathophysiology of human visceral obesity: an update. Physiol Rev 93:359, 2013.

Zechner R, Madeo F, Kratky D: Cytosolic lipolysis and lipophagy: two sides of the same coin. Nat Rev Mol Cell Biol 18:671, 2017.

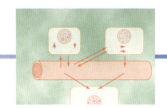

CAPÍTULO 70

Metabolismo das Proteínas

Cerca de três quartos dos sólidos do corpo são proteínas. Entre elas estão as proteínas estruturais, enzimas, nucleoproteínas, proteínas que transportam oxigênio, proteínas do músculo que originam a contração muscular e muitos outros tipos que realizam atividades intracelulares e extracelulares com funções específicas em todo o corpo.

As propriedades químicas básicas que explicam as diversas funções das proteínas são tão extensas que constituem uma parte importante de toda a disciplina de bioquímica. Por esse motivo, este capítulo se limitará a alguns aspectos específicos do metabolismo de proteínas que são importantes como pano de fundo para outras discussões neste livro.

Propriedades básicas das proteínas

Aminoácidos são os principais constituintes das proteínas

Os principais constituintes das proteínas são os aminoácidos. Vinte desses aminoácidos estão presentes nas proteínas do corpo em quantidades significativas. A **Figura 70.1**, que ilustra as fórmulas químicas desses 20 aminoácidos, demonstra que todos eles têm duas características em comum; cada aminoácido tem um grupo carboxila (–COOH), que caracteriza os ácidos carboxílicos, e um átomo de nitrogênio ligado à molécula, geralmente representado pelo grupo amina (–NH$_2$).

Ligações peptídicas e cadeias peptídicas. Os aminoácidos das proteínas são agregados em longas cadeias por meio de *ligações peptídicas*. A natureza química dessa ligação é demonstrada pela seguinte reação:

Observe nessa reação que o nitrogênio do radical amino de um aminoácido se liga ao carbono do radical carboxila do outro aminoácido. Um íon hidrogênio é liberado do radical amino e um íon hidroxila é liberado do radical carboxila; esses dois íons se combinam para formar uma molécula de água. Depois que a ligação peptídica foi formada, um radical amino e um radical carboxila ainda estão nas extremidades opostas da nova molécula mais longa. Cada um desses radicais é capaz de se combinar com aminoácidos adicionais para formar uma *cadeia peptídica*. Algumas moléculas de proteínas complexas têm milhares de aminoácidos combinados por ligações peptídicas, e mesmo a menor molécula de proteína geralmente tem mais de 20 aminoácidos combinados por ligações peptídicas. A média é de cerca de 400 aminoácidos.

Outras ligações em moléculas de proteína. Algumas moléculas de proteína são compostas de várias cadeias de peptídeos em vez de uma única cadeia, e essas cadeias são ligadas umas às outras por outras ligações, muitas vezes por pontes de hidrogênio entre os radicais CO e NH dos peptídeos, como segue:

Muitas cadeias de peptídeos são espiraladas ou dobradas, e as espirais ou dobras sucessivas são mantidas na forma de uma bobina compacta ou em outras formas por meio de ligações de hidrogênio ou outras forças químicas semelhantes.

Transporte e armazenamento de aminoácidos

Aminoácidos no sangue

A concentração normal de aminoácidos no sangue está entre 35 e 65 mg/dℓ, com média de cerca de 2 mg/dℓ para cada um dos 20 aminoácidos, embora alguns estejam presentes em quantidades muito maiores do que outros. Como os aminoácidos são ácidos relativamente fortes, eles existem no sangue principalmente no estado ionizado, como resultado da remoção de um átomo de hidrogênio do radical NH$_2$. Na verdade, eles são responsáveis por 2 a 3 miliequivalentes

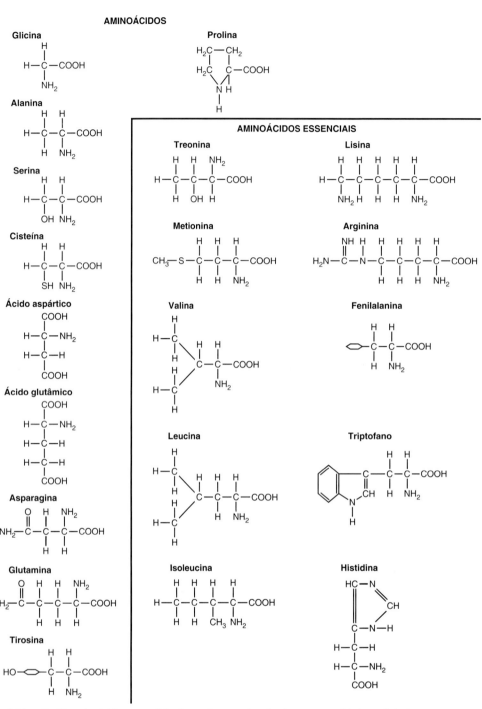

Figura 70.1 Aminoácidos. Os 10 aminoácidos *essenciais* não podem ser sintetizados em quantidades suficientes no corpo; esses aminoácidos devem ser obtidos, já formados, a partir dos alimentos.

dos íons negativos no sangue. A distribuição precisa dos diferentes aminoácidos no sangue depende, em certa medida, dos tipos de proteínas ingeridas, mas as concentrações de pelo menos alguns aminoácidos individuais são reguladas por síntese seletiva nas diferentes células.

Destino dos aminoácidos absorvidos do trato gastrointestinal. Os produtos da digestão e absorção de proteínas no trato gastrointestinal são quase inteiramente aminoácidos; apenas raramente os polipeptídios ou moléculas de proteínas inteiras são absorvidos do trato digestivo para o sangue. Logo após uma refeição, a concentração de aminoácidos no sangue de uma pessoa aumenta, mas o aumento é geralmente de apenas alguns miligramas por decilitro, por duas razões: primeiro, a digestão e a absorção de proteínas geralmente se estendem por 2 a 3 horas, o que permite que apenas pequenas quantidades de aminoácidos sejam absorvidas de cada vez. Em segundo lugar, depois de entrar no sangue, os aminoácidos adicionais são absorvidos em 5 a 10 minutos pelas células de todo o organismo, especialmente pelo fígado. Assim sendo, grandes concentrações de aminoácidos quase nunca se acumulam no sangue e nos fluidos dos tecidos. No entanto, a taxa de renovação dos aminoácidos é tão rápida que muitos gramas de proteínas podem ser transportados de uma parte do corpo para outra na forma de aminoácidos a cada hora.

Transporte ativo de aminoácidos para as células.
As moléculas de todos os aminoácidos são grandes demais para se difundirem facilmente através dos poros das membranas celulares. Portanto, quantidades significativas de aminoácidos podem mover-se para dentro ou para fora através das membranas apenas por difusão facilitada ou transporte ativo. O mecanismo preciso de alguns dos mecanismos de transporte não é completamente compreendido, mas alguns são discutidos no Capítulo 4.

Limiar renal para aminoácidos.
Nos rins, os diferentes aminoácidos que são filtrados pelos capilares glomerulares podem ser reabsorvidos pelo epitélio tubular proximal por *transporte ativo secundário*, que os retorna ao sangue. No entanto, como acontece com outros mecanismos de transporte ativo nos túbulos renais, há um limite superior para a taxa na qual cada tipo de aminoácido pode ser transportado. Por essa razão, quando a concentração de um determinado tipo de aminoácido torna-se muito alta no plasma e no filtrado glomerular, o excesso que não pode ser reabsorvido ativamente é perdido na urina.

Armazenamento de aminoácidos como proteínas nas células
Após a entrada nas células do tecido, os aminoácidos combinam-se entre si por ligações peptídicas, sob o comando do RNA mensageiro e do sistema ribossômico, ambos no citoplasma, para formar proteínas celulares. Portanto, a concentração de aminoácidos livres dentro da maioria das células geralmente permanece baixa, e o armazenamento de grandes quantidades de aminoácidos livres não ocorre nas células; em vez disso, eles são armazenados principalmente na forma de proteínas. No entanto, muitas dessas proteínas intracelulares podem ser rapidamente decompostas ("digeridas") em aminoácidos sob a influência de enzimas lisossômicas intracelulares. Esses aminoácidos podem, então, ser transportados de volta da célula para o sangue. Exceções especiais a esse processo de reversão são as proteínas dos cromossomos do núcleo e as proteínas estruturais, como colágeno e proteínas contráteis musculares. Essas proteínas não participam dessa digestão reversa e transporte de volta para fora das células.

Alguns tecidos do corpo participam do armazenamento de aminoácidos em maior extensão do que outros. Por exemplo, o fígado, que é um órgão grande e com sistemas especiais para processamento de aminoácidos, pode armazenar grandes quantidades de proteínas de troca rápida, o que também ocorre nos rins e na mucosa intestinal (em menor extensão).

Liberação de aminoácidos das células como meio de regular a concentração de aminoácidos no plasma.
Sempre que as concentrações de aminoácidos no plasma caem abaixo dos níveis normais, os aminoácidos necessários são transportados para fora das células para repor seu suprimento no plasma. Dessa forma, a concentração plasmática de cada tipo de aminoácido é mantida em um valor razoavelmente constante. Alguns dos hormônios secretados pelas glândulas endócrinas são capazes de alterar o equilíbrio entre as proteínas do tecido e os aminoácidos circulantes. Por exemplo, o hormônio do crescimento (GH) e a insulina aumentam a formação de proteínas do tecido, ao passo que os hormônios glicocorticoides adrenocorticais aumentam a concentração de aminoácidos plasmáticos.

Equilíbrio reversível entre as proteínas em diferentes partes do corpo.
Como as proteínas celulares no fígado (e, em muito menos extensão, em outros tecidos) podem ser sintetizadas rapidamente a partir de aminoácidos plasmáticos, e porque muitas dessas proteínas podem ser degradadas e retornar ao plasma quase tão rapidamente, intercâmbio e equilíbrio constantes ocorrem entre os aminoácidos plasmáticos e proteínas lábeis em praticamente todas as células do corpo. Por exemplo, se um tecido em particular requer proteínas, ele pode sintetizar novas proteínas a partir de aminoácidos do sangue; por sua vez, os aminoácidos do sangue são reabastecidos pela degradação de proteínas de outras células do corpo, especialmente das células do fígado. Esses efeitos são particularmente perceptíveis em relação à síntese de proteínas nas células cancerosas. As células cancerosas são consumidoras vorazes de aminoácidos; portanto, as proteínas das outras células podem ficar substancialmente depletadas.

Limite superior para o armazenamento de proteínas.
Cada tipo de célula tem um limite superior com relação à quantidade de proteínas que pode armazenar. Depois que todas as células atingem seus limites, os aminoácidos em excesso ainda na circulação são degradados em outros produtos e usados para energia, como discutido a seguir, ou são convertidos em gordura ou glicogênio e armazenados nessas formas.

Papéis funcionais das proteínas plasmáticas
Os principais tipos de proteínas presentes no plasma são *albumina, globulina* e *fibrinogênio*.

A principal função da *albumina* é produzir pressão coloidosmótica no plasma, o que impede a perda de plasma dos capilares, conforme discutido no Capítulo 16.

As *globulinas* desempenham várias *funções enzimáticas* no plasma, transportam diversas substâncias e são ainda responsáveis por ambos os tipos de *imunidade* do organismo (natural e adquirida), contra organismos invasores, conforme discutido no Capítulo 35.

O *fibrinogênio* se polimeriza em longos filamentos de fibrina durante a coagulação do sangue, *formando coágulos* que ajudam a reparar sangramentos no sistema circulatório, conforme discutido no Capítulo 37.

Formação das proteínas do plasma.
Essencialmente, toda a albumina e o fibrinogênio das proteínas plasmáticas, bem como 50 a 80% das globulinas, são formados no fígado. As globulinas restantes, que são formadas quase inteiramente em tecidos linfoides, são principalmente gamaglobulinas que constituem os anticorpos usados na imunidade humoral do sistema imunológico.

A taxa de formação de proteínas plasmáticas pelo fígado pode ser extremamente alta, chegando a até 30 g/dia. Certas patologias causam perda rápida de proteínas plasmáticas; por exemplo, queimaduras graves que desnudam grandes áreas superficiais da pele podem causar a perda de vários litros de plasma pelas áreas expostas todos os dias. A rápida produção de proteínas plasmáticas pelo fígado é valiosa na prevenção da morte nesses estados. Ocasionalmente, uma pessoa com doença renal grave perde até 20 gramas de proteína plasmática na urina todos os dias durante meses, e essa proteína plasmática é continuamente substituída principalmente pela produção hepática das proteínas necessárias.

Em pessoas com *cirrose hepática*, um grande número de células hepáticas é destruído e substituído por tecido fibroso, causando uma redução na capacidade do fígado de sintetizar proteínas plasmáticas. Conforme discutido no Capítulo 25, a cirrose hepática leva à diminuição da pressão osmótica plasmática, o que causa edema generalizado.

Proteínas do plasma como fonte de aminoácidos para os tecidos. Quando os tecidos ficam sem proteínas, as proteínas plasmáticas podem atuar como uma fonte de reposição rápida. De fato, proteínas plasmáticas inteiras podem ser totalmente englobadas pelos macrófagos do tecido por meio do processo de pinocitose; uma vez nessas células, elas são divididas em aminoácidos, que são transportados de volta para o sangue e usados por todo o corpo para construir proteínas celulares onde forem necessárias. Dessa forma, as proteínas plasmáticas funcionam como um meio de armazenamento de proteínas lábeis e representam uma fonte prontamente disponível de aminoácidos sempre que um determinado tecido os exigir.

Equilíbrio reversível entre as proteínas plasmáticas e as proteínas teciduais. Conforme mostrado na **Figura 70.2**, existe um estado de equilíbrio constante entre as proteínas plasmáticas, os aminoácidos plasmáticos e as proteínas teciduais. Com base em estudos de traçadores radioativos, estimou-se que normalmente cerca de 400 gramas de proteína corporal são sintetizados e degradados a cada dia como parte do estado contínuo do fluxo de aminoácidos, o que demonstra o princípio geral da troca reversível de aminoácidos entre as diferentes proteínas do corpo. Mesmo durante a inanição ou doenças debilitantes graves, a proporção entre as proteínas totais do tecido e as proteínas plasmáticas totais do corpo permanece relativamente constante em cerca de 33:1.

Em virtude desse equilíbrio reversível entre as proteínas plasmáticas e as outras proteínas do organismo, uma das terapias mais eficazes para a deficiência grave e aguda de proteínas do corpo inteiro é a transfusão intravenosa de proteínas plasmáticas. Em poucos dias, ou às vezes em horas, os aminoácidos da proteína administrada são distribuídos pelas células do corpo para formar novas proteínas, conforme necessário.

Aminoácidos essenciais e não essenciais. Dez dos aminoácidos normalmente presentes nas proteínas animais podem ser sintetizados nas células, enquanto os outros 10 não podem ser sintetizados ou são sintetizados em quantidades muito pequenas para suprir as necessidades do corpo. Esse segundo grupo de aminoácidos que não pode ser sintetizado (e, portanto, deve ser ingerido a partir dos alimentos) é chamado de *aminoácidos essenciais*. O uso da palavra "essencial" não significa que os outros 10 aminoácidos "não essenciais" não sejam necessários para a formação de proteínas, mas apenas que os outros *não são essenciais na dieta* porque podem ser sintetizados no corpo.

A síntese dos aminoácidos não essenciais depende principalmente da formação de α-cetoácidos apropriados, que são os precursores dos respectivos aminoácidos. Por exemplo, o *ácido pirúvico*, que é formado em grandes quantidades durante a quebra glicolítica da glicose, é o precursor do cetoácido do aminoácido *alanina*. Então, pelo processo de *transaminação*, um radical amino é transferido para o α-cetoácido, e o oxigênio ceto é transferido para o doador do radical amino. Essa reação é mostrada na **Figura 70.3**. Observe que a alanina é formada após o radical amino ser transferido do ácido glutâmico para o ácido pirúvico. Os radicais amino podem ser transferidos da *asparagina*, do *ácido aspártico* e da *glutamina*. A glutamina está presente nos tecidos em grandes quantidades, e uma de suas principais funções é servir como depósito de radicais amino.

Observe também que as reações são reversíveis, de forma que a transferência de grupos de aminoácidos também pode ocorrer durante a degradação de aminoácidos, como discutido posteriormente.

A transaminação é promovida por várias enzimas, entre as quais estão as *aminotransferases*, que são derivadas da piridoxina, uma das vitaminas B (B_6). Sem essa vitamina, os aminoácidos são mal sintetizados e a formação de proteínas não pode ocorrer normalmente.

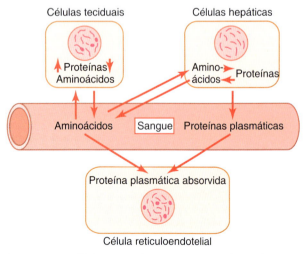

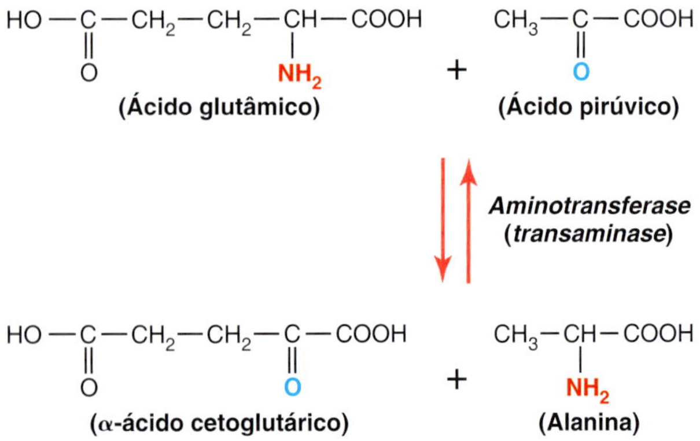

Figura 70.2 Equilíbrio reversível entre as proteínas do tecido, proteínas plasmáticas e aminoácidos plasmáticos.

Figura 70.3 Síntese de alanina a partir do ácido pirúvico por transaminação.

Uso de proteínas para energia

Uma vez que as células tenham armazenado proteínas até o seu limite, quaisquer aminoácidos adicionais nos fluidos corporais são degradados e usados como energia ou são armazenados principalmente como gordura ou, secundariamente, como glicogênio. Essa degradação ocorre quase inteiramente no fígado e começa com a *desaminação*, que é explicada na seção seguinte.

Desaminação: remoção do grupo amino dos aminoácidos.

A desaminação ocorre principalmente por *transaminação*, que significa transferência do grupo amino para alguma substância aceptora. Esse processo é o inverso do processo de síntese de aminoácidos, que foi explicado anteriormente.

A maior quantidade de desaminação ocorre de acordo com o seguinte esquema de transaminação:

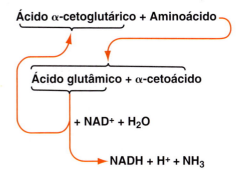

Observe nessa ilustração que o grupo amino do aminoácido é transferido para o ácido α-cetoglutárico, que então se torna ácido glutâmico. O ácido glutâmico pode então transferir o grupo amino para outras substâncias ou liberá-lo na forma de amônia (NH_3). No processo de perda do grupo amino, o ácido glutâmico torna-se novamente ácido α-cetoglutárico, de modo que o ciclo pode ser repetido várias vezes. Para iniciar esse processo, o excesso de aminoácidos nas células, especialmente no fígado, induz a ativação de grandes quantidades de *aminotransferases*, as enzimas responsáveis por iniciar a maior parte da desaminação.

Formação de ureia pelo fígado.

A amônia liberada durante a desaminação de aminoácidos é removida do sangue quase inteiramente por conversão em ureia. Duas moléculas de amônia (NH_3) e uma molécula de dióxido de carbono (CO_2) se combinam na seguinte reação:

$$2NH_3 + CO_2 \rightarrow H_2N-\underset{\underset{O}{\|}}{C}-NH_2 + H_2O$$

Essencialmente, toda a ureia formada no corpo humano é sintetizada no fígado. Na ausência do fígado ou em pessoas com doença hepática grave, a amônia é acumulada no sangue. Esse acúmulo de amônia é extremamente tóxico, especialmente para o cérebro, e pode levar a um estado denominado *coma hepático* (encefalopatia hepática).

As fases da formação da ureia são essencialmente as seguintes:

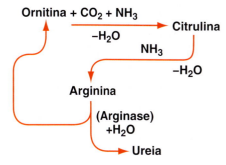

Após a sua formação, a ureia difunde-se das células do fígado para os fluidos corporais e é excretada pelos rins.

Oxidação de aminoácidos desaminados.

Uma vez que os aminoácidos tenham sido desaminados, os cetoácidos resultantes podem, na maioria dos casos, ser oxidados para liberar energia para fins metabólicos. Essa oxidação geralmente envolve dois processos sucessivos:

1. O cetoácido é transformado em uma substância química apropriada que pode entrar no ciclo do ácido cítrico.
2. Essa substância é degradada pelo ciclo e usada para gerar energia da mesma maneira que a acetil coenzima A (acetil-CoA) derivada do metabolismo de carboidratos e lipídios, conforme explicado nos Capítulos 68 e 69.

Em geral, a quantidade de trifosfato de adenosina formada para cada grama de proteína que é oxidada é ligeiramente menor do que a formada para cada grama de glicose que é oxidada.

Gliconeogênese e cetogênese.

Certos aminoácidos desaminados são semelhantes aos substratos normalmente usados pelas células, principalmente as células do fígado, para sintetizar glicose ou ácidos graxos. Por exemplo, a alanina desaminada é o ácido pirúvico, que pode ser convertido em glicose ou glicogênio.

Alternativamente, pode ser convertido em acetil-CoA, que pode então ser polimerizado em ácidos graxos. Além disso, duas moléculas de acetil-CoA podem condensar-se para formar ácido acetoacético, que é um dos corpos cetônicos, conforme explicado no Capítulo 69.

A conversão de aminoácidos em glicose ou glicogênio é chamada de *gliconeogênese*, e a conversão de aminoácidos em cetoácidos ou ácidos graxos é chamada de *cetogênese*. Dos 20 aminoácidos desaminados, 18 apresentam estruturas químicas que permitem sua conversão em glicose, e 19 deles podem ser convertidos em ácidos graxos.

Degradação necessária de proteínas

Quando uma pessoa não ingere proteínas, uma certa proporção das proteínas do corpo é degradada em aminoácidos e então desaminada e oxidada. Esse processo envolve 20 a 30 gramas de proteína por dia, o que é chamado de *quebra necessária* (obrigatória) de proteínas. Portanto, para evitar a degradação de proteínas do corpo, a pessoa média deve ingerir um mínimo de 20 a 30 gramas de proteína por dia, embora essa quantidade dependa de vários fatores, incluindo massa muscular, nível de atividade e idade; para estar em uma situação segura, um mínimo de 60 a 75 gramas é geralmente recomendado.

As proporções dos diferentes aminoácidos nas proteínas da dieta devem ser aproximadamente as mesmas que as proporções nos tecidos do corpo, para que toda a proteína da dieta seja totalmente utilizável para formar novas proteínas

PARTE 13 Metabolismo e Regulação da Temperatura

teciduais. Se um tipo específico de aminoácido essencial estiver em baixa concentração, os outros se tornam inúteis porque as células sintetizam proteínas inteiras ou nenhuma, conforme explicado no Capítulo 3 em relação à síntese de proteínas. Os aminoácidos não utilizados são desaminados e oxidados. Uma proteína que tenha uma proporção de aminoácidos diferente daquela da proteína corporal média é chamada de *proteína parcial* ou *incompleta*, e essa proteína é menos valiosa para nutrição do que uma *proteína completa.*

Efeito da inanição na degradação de proteínas.

Exceto por 20 a 30 gramas de degradação proteica obrigatória a cada dia, o corpo usa quase inteiramente carboidratos ou gorduras para energia, desde que estejam disponíveis. No entanto, após várias semanas de jejum, quando as quantidades de carboidratos e gorduras armazenadas começam a se esgotar, os aminoácidos do sangue são rapidamente desaminados e oxidados para gerar energia. Desse ponto em diante, as proteínas dos tecidos degradam-se rapidamente em até 125 gramas por dia – e, como resultado, as funções celulares se deterioram rapidamente. Como a utilização de carboidratos e gorduras para energia normalmente ocorre em preferência à utilização de proteínas, carboidratos e gorduras são chamados de *poupadores de proteínas.*

Regulação hormonal do metabolismo proteico

O hormônio de crescimento aumenta a síntese de proteínas celulares.

O hormônio do crescimento (GH) faz com que as proteínas do tecido aumentem. O mecanismo preciso pelo qual esse aumento ocorre não é totalmente compreendido, mas acredita-se que resulte, principalmente, do aumento do transporte de aminoácidos através das membranas celulares, da aceleração da transcrição do DNA e do RNA e dos processos de tradução para a síntese proteica, ou da diminuição da oxidação de proteínas teciduais.

A insulina é necessária para a síntese de proteínas.

A falta total de insulina reduz a síntese de proteínas a quase zero. A insulina acelera o transporte de alguns aminoácidos para as células, o que pode ser o estímulo para a síntese de proteínas. Além disso, a insulina reduz a degradação de proteínas e aumenta a disponibilidade de glicose para as células, de modo que a necessidade de aminoácidos para gerar energia é, consequentemente, reduzida.

Os glicocorticoides aumentam a degradação da maioria das proteínas teciduais.

Os glicocorticoides (representados principalmente pelo cortisol) secretados pelo córtex adrenal *diminuem* a quantidade de proteínas na *maioria* dos tecidos e aumentam a concentração de aminoácidos no plasma, bem como aumentam as *proteínas hepáticas e plasmáticas.* Os glicocorticoides aumentam a taxa de degradação das proteínas (proteólise) extra-hepáticas, tornando assim disponíveis maiores quantidades de aminoácidos nos fluidos corporais. Isso permite que o fígado sintetize quantidades maiores de proteínas celulares hepáticas e proteínas plasmáticas.

A testosterona aumenta a deposição de proteínas nos tecidos.

A testosterona, o hormônio sexual masculino, causa um aumento da deposição de proteína nos tecidos do organismo (efeito anabólico), especialmente nas proteínas contráteis dos músculos (um aumento de 30 a 50%). O mecanismo desse efeito é desconhecido, mas é definitivamente diferente do efeito do hormônio do crescimento, da seguinte maneira: o hormônio do crescimento faz com que os tecidos continuem crescendo quase indefinidamente, enquanto a testosterona faz com que os músculos, em uma extensão muito menor alguns outros tecidos proteicos, aumentem por apenas alguns meses. Assim que os músculos e outros tecidos proteicos atingem o seu máximo, apesar da administração contínua de testosterona, a deposição adicional da proteína cessa.

Estrogênio.

O estrogênio (estradiol), o principal hormônio sexual feminino, também causa algum depósito de proteína, mas o efeito do estrogênio é muito menor em comparação com o da testosterona.

A tiroxina aumenta o metabolismo das células.

A tiroxina (T4) afeta indiretamente o balanço das proteínas, aumentando o metabolismo celular. Se os carboidratos e as gorduras estiverem insuficientemente disponíveis para a produção de energia, a tiroxina causa a rápida degradação das proteínas e as usa como energia. Por outro lado, se quantidades adequadas de carboidratos e gorduras estiverem disponíveis e o excesso de aminoácidos também estiver disponível no líquido extracelular, a tiroxina pode realmente aumentar a taxa de síntese proteica. Em filhotes de animais ou em bebês e crianças na primeira infância, a deficiência de tiroxina faz com que o crescimento seja muito inibido em virtude da falta de síntese de proteínas. Enfim, acredita-se que a tiroxina exerça pouco efeito específico no metabolismo das proteínas, mas desempenhe um efeito geral importante, aumentando as taxas de reações proteicas normais anabólicas e catabólicas.

Bibliografia

Bröer S, Fairweather SJ: Amino acid transport across the mammalian intestine. Compr Physiol 9:343, 2018.

Bröer S, Bröer A: Amino acid homeostasis and signalling in mammalian cells and organisms. Biochem J 474:1935, 2017.

Finn PF, Dice JF: Proteolytic and lipolytic responses to starvation. Nutrition 22:830, 2006.

Hawley JA, Burke LM, Phillips SM, Spriet LL: Nutritional modulation of training-induced skeletal muscle adaptations. J Appl Physiol 110:834, 2011.

Kandasamy P, Gyimesi G, Kanai Y, Hediger MA: Amino acid transporters revisited: new views in health and disease. Trends Biochem Sci 43:752, 2018.

Kaur J, Debnath J: Autophagy at the crossroads of catabolism and anabolism. Nat Rev Mol Cell Biol 16:461, 2015.

Mann GE, Yudilevich DL, Sobrevia L: Regulation of amino acid and glucose transporters in endothelial and smooth muscle cells. Physiol Rev 83:183, 2003.

Pencharz PB, Elango R, Wolfe RR: Recent developments in understanding protein needs - how much and what kind should we eat? Appl Physiol Nutr Metab 41:577, 2016.

Rossetti ML, Steiner JL, Gordon BS: Androgen-mediated regulation of skeletal muscle protein balance. Mol Cell Endocrinol 447:35, 2017.

Tavernarakis N: Ageing and the regulation of protein synthesis: a balancing act? Trends Cell Biol 18:228, 2008.

Vandenberg RJ, Ryan RM: Mechanisms of glutamate transport. Physiol Rev 93:1621, 2013.

Wolfe RR: The 2017 Sir David P Cuthbertson lecture. Amino acids and muscle protein metabolism in critical care. Clin Nutr 37:1093, 2018.

Wolfe RR, Cifelli AM, Kostas G, Kim IY: Optimizing protein intake in adults: Interpretation and application of the recommended dietary allowance compared with the acceptable macronutrient distribution range. Adv Nutr 8:266, 2017.

CAPÍTULO 71

Fígado

Embora seja um órgão discreto e silencioso, já que, em condições normais, não o percebemos funcionando, o fígado realiza diversas funções inter-relacionadas, que se tornam especialmente evidentes quando ocorrem anormalidades hepáticas. Este capítulo resume algumas das principais funções do fígado, como: (1) filtração e armazenamento de sangue; (2) metabolismo de carboidratos, proteínas, gorduras, hormônios e substâncias químicas estranhas; (3) formação de bile; (4) armazenamento de vitaminas e ferro; e (5) formação de fatores de coagulação.

Anatomia e fisiologia do fígado

O fígado é o maior órgão do corpo, contribuindo com cerca de 2% do peso corporal total, ou cerca de 1,5 kg no ser humano adulto médio. A unidade funcional básica do fígado é o *lóbulo hepático*, uma estrutura cilíndrica com alguns milímetros de comprimento e 0,8 a 2 milímetros de diâmetro. O fígado humano contém de 50.000 a 100.000 lóbulos individuais.

O lóbulo hepático, mostrado em corte na **Figura 71.1**, é construído em torno de uma *veia central* que drena para as veias hepáticas e depois para a veia cava. O lóbulo é composto principalmente de muitas *placas celulares* (duas das quais são mostradas na **Figura 71.1**) que se irradiam a partir da veia central como raios de uma roda. Cada placa hepática tem, geralmente, a espessura de duas células e, entre as células adjacentes, encontram-se pequenos *canalículos biliares* que drenam para os *ductos biliares* nos septos fibrosos que separam os lóbulos hepáticos adjacentes.

Nos septos existem pequenas *vênulas portais* que recebem seu sangue principalmente do fluxo venoso do trato gastrointestinal através da veia porta. Dessas vênulas, o sangue flui para os *sinusoides hepáticos* achatados e ramificados que se encontram entre as placas hepáticas e, em seguida, para a veia central. Assim, as células hepáticas são expostas continuamente ao sangue venoso portal.

As *arteríolas hepáticas* também estão presentes nos septos interlobulares. Essas arteríolas fornecem sangue arterial para os tecidos septais entre os lóbulos adjacentes, e muitas das pequenas arteríolas também drenam diretamente nos sinusoides hepáticos, mais frequentemente drenando naqueles localizados a cerca de um terço da distância dos septos interlobulares, como mostrado na **Figura 71.1**.

Além dos hepatócitos, os sinusoides venosos são revestidos por dois outros tipos de células: (1) *células endoteliais* típicas e (2) grandes *células de Kupffer* (também chamadas de *células reticuloendoteliais*), que são macrófagos locais que revestem os sinusoides e são capazes de fagocitar bactérias e outras substâncias estranhas no sangue sinusal hepático.

O revestimento endotelial dos sinusoides tem poros extremamente grandes, alguns dos quais têm quase 1 micrômetro de diâmetro. Abaixo desse revestimento, situado entre as células endoteliais e as células hepáticas, existem estreitos espaços de tecido chamados *espaços de Disse*, também conhecidos como *espaços perissinusoidais*. Os milhões de espaços de Disse conectam-se com vasos linfáticos nos septos interlobulares. Portanto, o excesso de líquido nesses espaços é removido pelos vasos linfáticos. Por causa dos poros grandes no endotélio, as substâncias do plasma se movem livremente nos espaços de Disse. Mesmo grandes porções das proteínas plasmáticas se difundem livremente nesses espaços.

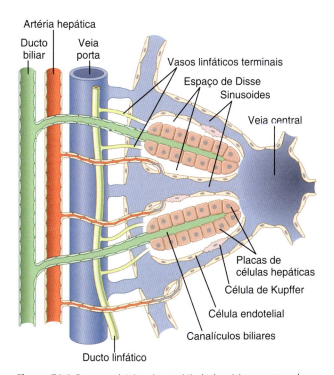

Figura 71.1 Estrutura básica de um lóbulo hepático, mostrando as placas celulares do fígado, os vasos sanguíneos, o sistema coletor de bile e o sistema de fluxo linfático composto pelos espaços de Disse e os linfáticos interlobulares. (*Modificada de Guyton AC, Taylor AE, Granger HJ: Circulatory Physiology. Vol 2: Dynamics and Control of the Body Fluids. Philadelphia: WB Saunders, 1975.*)

PARTE 13 Metabolismo e Regulação da Temperatura

Sistemas vascular e linfático do fígado

A função do sistema vascular hepático é discutida no Capítulo 15 em conexão com as veias porta e pode ser resumida como segue:

O sangue flui através do fígado a partir da veia porta e da artéria hepática

O fígado tem alto fluxo sanguíneo e baixa resistência vascular. Cerca de 1.050 mℓ/min de sangue fluem da veia porta para os sinusoides do fígado, e um fluxo adicional de 300 mℓ/min, para os sinusoides da artéria hepática, com a média total de cerca de 1.350 mℓ/min, o que representa 27% do débito cardíaco em repouso.

A pressão na veia porta, em sua entrada no fígado é, em média, cerca de 9 mmHg, e a pressão na veia hepática que vai do fígado para a veia cava inferior normalmente é, em média, cerca de 0 mmHg. Essa pequena diferença de pressão, de apenas 9 mmHg, mostra que a resistência ao fluxo sanguíneo através dos sinusoides hepáticos é normalmente muito baixa, especialmente quando se considera que cerca de 1.350 mℓ de sangue fluem por essa via a cada minuto.

A cirrose hepática aumenta muito a resistência ao fluxo sanguíneo. Quando as células do parênquima hepático são destruídas, elas são substituídas por tecido fibroso que, eventualmente, se contrai ao redor dos vasos sanguíneos, impedindo, assim, o fluxo do sangue portal através do fígado. Esse processo patológico é conhecido como *cirrose hepática*. É o resultado mais comum do alcoolismo crônico ou do acúmulo excessivo de gordura no fígado e subsequente inflamação do fígado, uma condição chamada *esteatose-hepatite não alcoólica*, ou NASH. Uma forma menos grave de acúmulo de gordura e inflamação do fígado, a *doença hepática gordurosa não alcoólica* (DHGNA), é a causa mais comum de doença hepática em muitos países industrializados, incluindo os EUA, e geralmente está associada à obesidade e ao diabetes tipo 2.

A cirrose também pode ocorrer após a ingestão de venenos como o tetracloreto de carbono, doenças virais como hepatite infecciosa, obstrução e processos infecciosos nos ductos biliares.

O sistema porta também é ocasionalmente bloqueado por um coágulo grande que se desenvolve na veia porta ou em seus ramos principais. Quando o sistema porta é repentinamente bloqueado, o retorno do sangue dos intestinos e do baço através do sistema de fluxo sanguíneo porta do fígado para a circulação sistêmica é impedido, o que resulta na *hipertensão portal*, com a pressão capilar na parede intestinal aumentando para 15 a 20 mmHg acima do normal. Se a obstrução não for aliviada, o paciente pode morrer em poucas horas em razão da perda excessiva de líquido dos capilares para o lúmen e paredes dos intestinos.

As funções do fígado como um reservatório de sangue. Como o fígado é um órgão expansível, grandes quantidades de sangue podem ser armazenadas em seus vasos sanguíneos. Seu volume de sangue normal, incluindo o das veias hepáticas e os sinusoides hepáticos, é de cerca de 450 mℓ, ou quase 10% do volume total de sangue do corpo. Quando a pressão alta no átrio direito causa pressão retrógrada sobre o fígado, este se expande, e 0,5 a 1 ℓ de sangue extra é ocasionalmente armazenado em veias e sinosoides hepáticos.

Esse armazenamento de sangue extra ocorre especialmente em casos de insuficiência cardíaca com congestão periférica, discutida no Capítulo 22. Assim, na verdade, o fígado funciona como um órgão venoso grande e expansível, capaz de atuar como um valioso reservatório de sangue em momentos de excesso volume de sangue e de fornecer sangue extra em momentos de diminuição do volume de sangue.

O fígado tem um fluxo linfático muito alto

Como os poros nos sinusoides hepáticos são muito permeáveis em comparação com os capilares de outros tecidos, eles permitem a passagem rápida de líquido e proteínas nos espaços de Disse. Portanto, a linfa que drena do fígado geralmente tem uma concentração de proteína de cerca de 6 g/dℓ, que é apenas ligeiramente menor do que a concentração de proteína do plasma. Além disso, a alta permeabilidade do epitélio sinusoide do fígado permite a formação de grandes quantidades de linfa. Portanto, cerca de metade de toda a linfa formada no corpo em condições de repouso surge no fígado.

As pressões vasculares hepáticas altas podem causar transudação de líquido para a cavidade abdominal a partir do fígado e dos capilares portais | Ascite. Quando a pressão nas veias hepáticas aumenta apenas 3 a 7 mmHg acima do normal, quantidades excessivas de líquido começam a transudar para a linfa e vazar através da superfície externa da cápsula hepática diretamente para a cavidade abdominal. Esse líquido é plasma quase puro, contendo 80 a 90% da quantidade de proteínas do plasma normal. Em pressões da veia cava de 10 a 15 mmHg, o fluxo linfático hepático aumenta em até 20 vezes o normal, e o transudato oriundo da superfície do fígado pode ser tão intenso que causa grandes quantidades de líquido livre na cavidade abdominal, chamado de *ascite*. O bloqueio do fluxo portal através do fígado também causa altas pressões capilares em todo o sistema vascular porta do trato gastrointestinal, resultando em edema da parede intestinal e transudação de líquido através da serosa do intestino para a cavidade abdominal. Isso também pode causar ascite.

Regulação da massa do fígado: regeneração

O fígado tem uma notável capacidade de regeneração após perda significativa de tecido hepático por hepatectomia parcial ou lesão hepática aguda, desde que a lesão não seja complicada por infecção viral ou inflamação. A hepatectomia parcial, na qual até 70% do fígado são removidos, faz com que os lobos restantes aumentem de tamanho e restaurem o fígado ao seu tamanho original. Essa regeneração é notavelmente rápida e, em ratos, requer apenas 5 a 7 dias. Durante a regeneração do fígado, estima-se que os hepatócitos se repliquem uma ou duas vezes e, depois de alcançados o tamanho e o volume originais do fígado, voltem ao seu estado quiescente normal.

O controle dessa rápida regeneração do fígado não é bem compreendido, mas *o fator de crescimento dos hepatócitos* (HGF) parece ser importante para desencadear a divisão e o crescimento das células hepáticas. O HGF é produzido pelas células mesenquimais no fígado e em outros tecidos, mas não pelos hepatócitos. Os níveis sanguíneos de HGF aumentam mais de 20 vezes após a hepatectomia parcial, mas as respostas mitogênicas são geralmente encontradas apenas no fígado após essas operações, sugerindo que o

CAPÍTULO 71 Fígado

HGF pode ser ativado apenas no órgão afetado. Outros fatores de crescimento (especialmente o *fator de crescimento epidérmico*) e citocinas, como o *fator de necrose tumoral* e a *interleucina 6*, também podem estar envolvidos na estimulação da regeneração das células hepáticas.

Depois que o fígado retorna ao seu tamanho original, o processo de divisão celular hepática é encerrado. Novamente, os fatores envolvidos não são bem compreendidos, embora o *fator transformador de crescimento-β*, uma citocina secretada pelas células hepáticas, seja um potente inibidor da proliferação das células hepáticas e tenha sido sugerido como o principal supressor da regeneração hepática.

Experimentos fisiológicos indicam que o crescimento do fígado é rigorosamente regulado por algum sinal desconhecido relacionado ao tamanho do corpo, de modo que uma proporção adequada entre o peso corporal e o fígado é mantida para uma função metabólica ótima. Em doenças hepáticas associadas a fibrose, inflamação ou infecções virais, entretanto, o processo regenerativo do fígado é gravemente prejudicado e a função hepática se deteriora.

O sistema de macrófagos hepáticos tem uma função de depuração do sangue

O sangue que flui através dos capilares intestinais recolhe muitas bactérias dos intestinos. De fato, uma amostra de sangue colhida das veias porta antes de entrar no fígado quase sempre apresentará bacilos do cólon quando cultivada, enquanto o crescimento de bacilos do cólon a partir do sangue na circulação sistêmica é extremamente raro.

Filmagens especiais de alta velocidade da ação das *células de Kupffer* – os grandes macrófagos fagocíticos que revestem os sinusoides venosos hepáticos – revelaram que essas células limpam o sangue de maneira eficiente à medida que ele passa pelos sinusoides; quando uma bactéria entra em contato momentâneo com uma célula de Kupffer, em menos de 1 segundo a bactéria passa para o seu interior através da membrana celular, permanecendo ali alojada até que seja digerida. Provavelmente, menos de 1% das bactérias que entram no sangue portal a partir dos intestinos consegue passar através do fígado para a circulação sistêmica.

Funções metabólicas do fígado

O fígado é um grande reservatório de células quimicamente reativas que apresentam alta taxa metabólica. Essas células compartilham substratos e energia de um sistema metabólico para outro, processam e sintetizam várias substâncias que são transportadas para outras áreas do corpo e desempenham uma enorme quantidade de outras funções metabólicas. Por essas razões, grande parte de toda a disciplina da bioquímica é dedicada às reações metabólicas do fígado. Neste capítulo, resumiremos as principais funções metabólicas que são especialmente importantes na compreensão da fisiologia integrada do organismo.

Metabolismo de carboidratos

No metabolismo de carboidratos, o fígado realiza as seguintes funções, conforme resumido no Capítulo 68:

1. Armazenamento de grandes quantidades de glicogênio
2. Conversão da galactose e da frutose em glicose
3. Gliconeogênese

4. Formação de muitos compostos químicos a partir de produtos intermediários do metabolismo de carboidratos

O fígado é especialmente importante para manter a concentração normal de glicose no sangue. O armazenamento de glicogênio permite ao fígado remover o excesso de glicose do sangue, armazená-la e devolvê-la ao sangue quando a concentração de glicose no sangue começa a cair muito, o que é chamado de *função tampão da glicose* realizada pelo fígado. Em uma pessoa com função hepática deficiente, a concentração de glicose no sangue após uma refeição rica em carboidratos pode aumentar duas a três vezes mais do que em uma pessoa com função hepática normal.

A *gliconeogênese* no fígado também é importante para manter a concentração normal de glicose no sangue, porque a gliconeogênese ocorre em uma extensão significativa apenas quando a concentração de glicose cai abaixo do normal. Grandes quantidades de aminoácidos e glicerol dos triglicerídios são então convertidos em glicose, ajudando, assim, a manter uma concentração de glicose no sangue relativamente normal.

Metabolismo da gordura

Embora a maioria das células do corpo metabolize a gordura, certos aspectos do metabolismo lipídico ocorrem principalmente no fígado. No metabolismo da gordura, o fígado realiza as seguintes funções específicas, conforme resumido no Capítulo 69:

1. Oxidação de ácidos graxos para fornecer energia para outras funções do corpo
2. Síntese de grandes quantidades de colesterol, fosfolipídios e a maioria das lipoproteínas
3. Síntese de gordura a partir de proteínas e carboidratos

Para obter energia dos lipídios neutros, a gordura é primeiramente dividida em glicerol e ácidos graxos. Os ácidos graxos são então divididos por *betaoxidação* em radicais acetil de dois carbonos que formam a *acetil coenzima A* (acetil-CoA). A acetil-CoA pode entrar no ciclo do ácido cítrico e ser oxidada para liberar grandes quantidades de energia. A betaoxidação pode ocorrer em todas as células do corpo, mas ocorre especialmente e de modo rápido nas células hepáticas. O fígado não pode utilizar toda a acetil-CoA que se forma; em vez disso, ela é convertida pela condensação de duas moléculas de acetil-CoA em ácido acetoacético, um ácido altamente solúvel que passa das células hepáticas para o líquido extracelular e é então transportado por todo o corpo para ser absorvido por outros tecidos. Esses tecidos reconvertem o ácido acetoacético em acetil-CoA e, em seguida, o oxidam da maneira usual. Assim, o fígado é responsável por grande parte do metabolismo lipídico.

Cerca de 80% do colesterol sintetizado no fígado são convertidos em sais biliares, que são secretados na bile; o restante é transportado nas lipoproteínas e carreado pelo sangue para as células dos tecidos por todo o corpo. Os fosfolipídios são igualmente sintetizados no fígado e transportados principalmente nas lipoproteínas. Tanto o colesterol quanto os fosfolipídios são usados pelas células para formar membranas, estruturas intracelulares e várias substâncias químicas que são importantes para a função celular.

Quase toda a síntese de gordura no corpo a partir de carboidratos e proteínas também ocorre no fígado. Depois

PARTE 13 Metabolismo e Regulação da Temperatura

que a gordura é sintetizada no fígado, ela é transportada nas lipoproteínas para o tecido adiposo para ser armazenada.

Metabolismo de proteínas

O corpo não pode dispensar a contribuição do fígado para o metabolismo das proteínas por mais do que alguns dias sem que ocorra a morte. As funções mais importantes do fígado no metabolismo das proteínas, como resumido no Capítulo 70, são as seguintes:

1. Desaminação de aminoácidos.
2. Formação de ureia para remoção de amônia dos líquidos corporais.
3. Formação de proteínas plasmáticas.
4. Interconversões dos vários aminoácidos e síntese de outros compostos a partir dos aminoácidos.

A desaminação de aminoácidos é necessária antes que eles possam ser usados como energia ou convertidos em carboidratos ou gorduras. Uma pequena quantidade de desaminação pode ocorrer em outros tecidos do corpo, especialmente nos rins, mas é muito menos importante do que a desaminação de aminoácidos pelo fígado.

A formação de ureia pelo fígado remove a amônia dos líquidos corporais. Grandes quantidades de amônia são formadas pelo processo de desaminação, e quantidades adicionais são continuamente formadas no intestino por bactérias e, em seguida, absorvidas pelo sangue. Portanto, se o fígado não forma ureia, a concentração plasmática de amônia aumenta rapidamente e resulta em *coma hepático* e morte. De fato, mesmo uma grande diminuição do fluxo sanguíneo através do fígado – como ocorre ocasionalmente quando um *shunt* (desvio) se desenvolve entre a veia porta e a veia cava – pode ocasionar um excesso de amônia no sangue, uma condição extremamente tóxica.

Essencialmente, todas as proteínas plasmáticas, com exceção de parte das gamaglobulinas, são formadas pelas células hepáticas, representando cerca de 90% de todas as proteínas plasmáticas. As gamaglobulinas restantes são anticorpos formados principalmente pelas células plasmáticas no tecido linfático do corpo. O fígado pode formar proteínas plasmáticas a uma taxa máxima de 15 a 50 g/dia. Portanto, mesmo que metade das proteínas plasmáticas seja perdida do corpo, elas podem ser repostas em 1 ou 2 semanas.

A depleção de proteínas plasmáticas causa mitose rápida das células hepáticas e crescimento do fígado para um tamanho maior; esses efeitos são associados a uma saída rápida de proteínas plasmáticas até que a concentração plasmática retorne ao normal. Com doença hepática crônica (p. ex., cirrose), as proteínas plasmáticas, tais como a albumina, podem cair para níveis muito baixos, causando edema generalizado e ascite, conforme explicado no Capítulo 30.

Dentre as funções mais importantes do fígado está sua capacidade de sintetizar certos aminoácidos e outros compostos químicos importantes a partir dos aminoácidos. Por exemplo, os chamados aminoácidos não essenciais podem ser todos sintetizados no fígado. Para realizar essa função, é sintetizado um cetoácido com a mesma composição química do aminoácido a ser formado (exceto pelo oxigênio ceto). Um radical amino é então transferido, por vários estágios de *transaminação*, de um aminoácido disponível para o cetoácido para tomar o lugar do oxigênio ceto.

Outras funções metabólicas do fígado

O fígado é um local de armazenamento de vitaminas. O fígado tem uma propensão particular para armazenar vitaminas, e há muito tempo é conhecido como uma excelente fonte de certas vitaminas no tratamento de pacientes. A vitamina armazenada em maior quantidade no fígado é a vitamina A, mas grandes quantidades de vitamina D e vitamina B_{12} também são armazenadas. Quantidades suficientes de vitamina A podem ser armazenadas para prevenir a deficiência de vitamina A por até 10 meses. Quantidades suficientes de vitamina D podem ser armazenadas para prevenir a deficiência por 3 a 4 meses, e vitamina B_{12} suficiente para durar pelo menos 1 ano, ou talvez vários anos.

O fígado armazena ferro como ferritina. Com certeza, a maior proporção de ferro no corpo é armazenada no fígado na forma de *ferritina*, exceto pelo ferro na hemoglobina do sangue. As células hepáticas contêm grandes quantidades de uma proteína chamada *apoferritina*, que é capaz de se combinar reversivelmente com o ferro. Portanto, quando o ferro está disponível nos líquidos corporais em quantidades extras, ele se combina com a apoferritina para formar ferritina e é armazenado nessa forma nas células hepáticas até ser necessário em outro lugar. Quando o ferro nos líquidos corporais circulantes atinge um nível baixo, a ferritina libera o ferro. Assim, o sistema apoferritina-ferritina do fígado atua como um *tampão de ferro no sangue*, bem como um meio de armazenamento de ferro. Outras funções do fígado em relação ao metabolismo do ferro e formação de hemácias são consideradas no Capítulo 33.

O fígado forma substâncias usadas na coagulação do sangue. As substâncias formadas no fígado que são usadas no processo de coagulação incluem *fibrinogênio, protrombina, globulina aceleradora, fator VII* e vários outros fatores importantes. A vitamina K é necessária pelos processos metabólicos do fígado para a formação de muitas dessas substâncias, especialmente a protrombina e os fatores VII, IX e X. Na ausência de vitamina K, as concentrações de todas essas substâncias diminuem acentuadamente e quase impedem a coagulação do sangue.

O fígado remove ou excreta fármacos, hormônios e outras substâncias. O fígado é bem conhecido por sua capacidade de destoxificar ou excretar muitos fármacos na bile, incluindo sulfonamidas, penicilina, ampicilina e eritromicina.

Vários dos hormônios secretados pelas glândulas endócrinas também são quimicamente alterados ou excretados pelo fígado, incluindo a tiroxina e essencialmente todos os hormônios esteroides, como estrogênio, cortisol e aldosterona. Danos ao fígado podem levar ao acúmulo excessivo de um ou mais desses hormônios nos líquidos corporais e, portanto, causar hiperatividade dos sistemas hormonais.

Finalmente, uma das principais vias de excreção de cálcio do corpo é a secreção do fígado para a bile, que então passa para o intestino e é perdida nas fezes.

Dosagem de bilirrubina biliar como ferramenta de diagnóstico clínico

A formação da bile pelo fígado e a função dos sais biliares nos processos digestivos e absortivos do trato intestinal são discutidos nos Capítulos 65 e 66. Além disso, muitas substâncias são excretadas na bile e depois eliminadas nas fezes. Uma dessas substâncias é o pigmento amarelo-esverdeado *bilirrubina*, o principal produto da degradação da hemoglobina, conforme apontado no Capítulo 33. Com efeito, a dosagem laboratorial de bilirrubina fornece *uma ferramenta valiosa para diagnosticar doenças hemolíticas do sangue e vários tipos de doenças hepáticas*. Ver explicação na **Figura 71.2**.

Resumidamente, quando as hemácias completam o seu tempo de vida (em média, 120 dias) e se tornam muito frágeis para exercer seu papel no sistema circulatório, suas membranas celulares se rompem e a hemoglobina liberada é fagocitada pelos macrófagos do tecido (também chamados de *sistema reticuloendotelial* ou *sistema mononuclear fagocitário*) por todo o corpo. A hemoglobina é primeiro dividida em *globina* e *heme*, e o anel heme é aberto para dar (1) ferro livre, que é transportado no sangue pela transferrina, e (2) uma cadeia linear de quatro anéis pirrólicos, que constituem o substrato a partir do qual a bilirrubina será eventualmente formada. A primeira substância formada é a *biliverdina*, mas essa substância é rapidamente reduzida a *bilirrubina livre*, também chamada de *bilirrubina não conjugada (ou indireta)*, que é gradualmente liberada dos macrófagos para o plasma. Essa forma de bilirrubina combina-se imediatamente com a albumina plasmática e é transportada nesta combinação pelo sangue e líquidos intersticiais.

Em poucas horas, a bilirrubina não conjugada é absorvida pela membrana da célula hepática. Ao passar para o interior das células hepáticas, ela é liberada da albumina plasmática. Então, cerca de 80% são conjugados ao ácido glicurônico – por ação da enzima glicuronil transferase – para formar *glicuronídeo de bilirrubina (bilirrubina conjugada ou direta)*, cerca de 10% se unem ao sulfato para formar *sulfato de bilirrubina* e cerca de 10% se associam a uma infinidade de outras substâncias. Sob essas formas, a bilirrubina direta é excretada dos hepatócitos por um processo de transporte ativo para os canalículos biliares e depois para os intestinos.

Formação e destino do urobilinogênio. Uma vez no intestino, cerca de metade da bilirrubina "conjugada" é convertida por ação bacteriana em *urobilinogênio*, que é altamente solúvel. Parte do urobilinogênio é reabsorvido pela mucosa intestinal de volta ao sangue, e a maior parte é reexcretada pelo fígado de volta ao intestino, mas cerca de 5% são excretados pelos rins na urina. Após a exposição ao ar, na urina, o urobilinogênio é oxidado em *urobilina*; alternativamente, nas fezes, é alterado e oxidado para formar *estercobilina*. Essas inter-relações da bilirrubina e dos outros produtos da bilirrubina são mostradas na **Figura 71.2**.

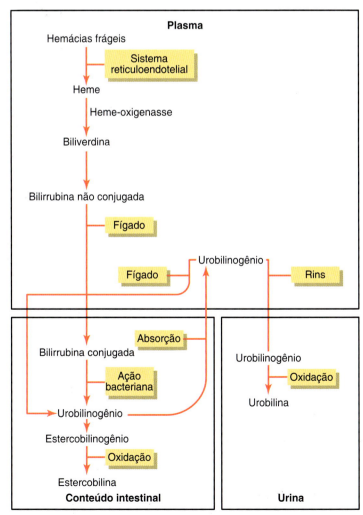

Figura 71.2 Formação e excreção de bilirrubina.

PARTE 13 Metabolismo e Regulação da Temperatura

Icterícia: excesso de bilirrubina total (indireta ou direta) no liquido extracelular

Icterícia refere-se a uma tonalidade amarelada dos tecidos do corpo, incluindo um tom amarelado da pele e dos tecidos profundos. A causa usual da icterícia são grandes quantidades de bilirrubina nos líquidos extracelulares – tanto em sua forma não conjugada quanto conjugada. A concentração plasmática normal de bilirrubina, que é quase inteiramente na forma não conjugada, é em média de 0,5 mg/dℓ de plasma. Em certas condições anormais, essa quantidade pode chegar a 40 mg/dℓ, e grande parte pode se tornar do tipo conjugado. A pele geralmente começa a ter icterícia quando a concentração aumenta para cerca de três vezes o normal – ou seja, acima de 1,5 mg/dℓ.

As causas comuns de icterícia são (1) aumento da destruição das hemácias, com rápida liberação de bilirrubina no sangue, e (2) obstrução dos ductos biliares ou dano às células hepáticas, de modo que mesmo as quantidades usuais de bilirrubina não podem ser excretadas no trato gastrointestinal. Esses dois tipos de icterícia são chamados, respectivamente, de *icterícia hemolítica* e *icterícia obstrutiva*.

A icterícia hemolítica é causada pela hemólise das células vermelhas do sangue. Na icterícia hemolítica, a função excretora do fígado não está prejudicada, mas as hemácias são hemolisadas tão rapidamente que as células hepáticas simplesmente não conseguem excretar a bilirrubina tão rapidamente quanto ela é formada. Portanto, a concentração plasmática de bilirrubina livre aumenta para níveis acima do normal. Da mesma forma, a taxa de formação de *urobilinogênio* no intestino é muito aumentada, e muito desse urobilinogênio é absorvido pelo sangue e posteriormente excretado na urina.

A icterícia obstrutiva é causada pela obstrução dos ductos biliares ou por doença hepática. Na icterícia obstrutiva causada por obstrução dos ductos biliares (que ocorre mais frequentemente quando um cálculo biliar ou câncer bloqueia o ducto biliar comum) ou por danos ao polo biliar das células hepáticas (que ocorre na *hepatite*), a taxa de formação de bilirrubina é normal, mas a bilirrubina formada não pode passar do sangue para os intestinos. A bilirrubina não conjugada ainda entra nas células hepáticas e se conjuga da maneira usual. Essa bilirrubina conjugada é então devolvida ao sangue, provavelmente pela ruptura dos canalículos biliares congestionados e drenando de forma direta a bile para a linfa que deixa o fígado. Assim, *a maior parte da bilirrubina no plasma torna-se do tipo conjugado (direta)* em vez do tipo não conjugado (indireta) na icterícia obstrutiva.

Diferenças diagnósticas entre icterícia hemolítica e obstrutiva. Os exames químicos de laboratório podem ser usados para diferenciar a bilirrubina não conjugada da conjugada no plasma. Na icterícia hemolítica, quase toda a bilirrubina está na forma "não conjugada"; na icterícia obstrutiva, está principalmente na forma "conjugada". Um teste chamado *reação de van den Bergh* pode ser usado para diferenciar as duas.

Quando ocorre a obstrução total do fluxo biliar, nenhuma bilirrubina pode atingir o intestino para ser convertida em urobilinogênio pelas bactérias. Portanto, nenhum urobilinogênio é reabsorvido no sangue e também não pode ser excretado pelos rins na urina. Consequentemente, na icterícia obstrutiva *total*, os testes de urobilinogênio na urina são completamente negativos. Além disso, as fezes adquirem cor esbranquiçada (acolia fecal) em virtude da falta de estercobilina e de outros pigmentos biliares.

Outra diferença importante entre a bilirrubina não conjugada e a conjugada é que os rins podem excretar pequenas quantidades da bilirrubina conjugada altamente solúvel, mas não podem excretar a bilirrubina não conjugada ligada à albumina. Portanto, na icterícia obstrutiva grave, quantidades significativas de bilirrubina conjugada aparecem na urina. Esse fenômeno pode ser demonstrado simplesmente agitando-se a urina e observando a espuma, que fica intensamente amarela. Assim, ao compreender a fisiologia da excreção de bilirrubina pelo fígado e pelo uso de alguns testes simples, muitas vezes é possível diferenciar vários tipos de doenças hemolíticas e doenças hepáticas, bem como determinar a gravidade da doença.

Bibliografia

Alves-Bezerra M, Cohen DE: Triglyceride metabolism in the liver. Compr Physiol 8:1, 2017.

Anstee QM, Reeves HL, Kotsiliti E, Govaere O, Heikenwalder M: From NASH to HCC: current concepts and future challenges. Nat Rev Gastroenterol Hepatol 16:411, 2019.

Bajaj JS: Alcohol, liver disease and the gut microbiota. Nat Rev Gastroenterol Hepatol 16:235, 2019.

Bernal W, Wendon J: Acute liver failure. N Engl J Med 369:2525, 2013.

Boyer JL: Bile formation and secretion. Compr Physiol 3:1035, 2013.

Boyle M, Masson S, Anstee QM: The bidirectional impacts of alcohol consumption and the metabolic syndrome: cofactors for progressive fatty liver disease. J Hepatol 68:251, 2018.

Cordero-Espinoza L, Huch M: The balancing act of the liver: tissue regeneration versus fibrosis. J Clin Invest 128:85, 2018.

Diehl AM, Day C: Cause, pathogenesis, and treatment of nonalcoholic steatohepatitis. N Engl J Med 377:2063, 2017.

Dixon LJ, Barnes M, Tang H, et al: Kupffer cells in the liver. Compr Physiol 3:785, 2013.

Fabris L, Fiorotto R, Spirli C et al: Pathobiology of inherited biliary diseases: a roadmap to understand acquired liver diseases. Nat Rev Gastroenterol Hepatol 16:497, 2019.

Gilgenkrantz H, Collin de l'Hortet A: Understanding liver regeneration: from mechanisms to regenerative medicine. Am J Pathol 188:1316, 2018.

Gracia-Sancho J, Marrone G, Fernández-Iglesias A: Hepatic microcirculation and mechanisms of portal hypertension. Nat Rev Gastroenterol Hepatol 16:221, 2019.

Friedman SL, Neuschwander-Tetri BA, Rinella M, Sanyal AJ: Mechanisms of NAFLD development and therapeutic strategies. Nat Med 24:908, 2018.

Jenne CN, Kubes P: Immune surveillance by the liver. Nat Immunol 14:996, 2013.

Koyama Y, Brenner DA: Liver inflammation and fibrosis. J Clin Invest 127:55, 2017.

Krenkel O, Tacke F: Liver macrophages in tissue homeostasis and disease. Nat Rev Immunol 17:306, 2017.

Lefebvre P, Cariou B, Lien F, et al: Role of bile acids and bile acid receptors in metabolic regulation. Physiol Rev 89:147, 2009.

Perry RJ, Samuel VT, Petersen KF, Shulman GI: The role of hepatic lipids in hepatic insulin resistance and type 2 diabetes. Nature 510:84, 2014.

Preidis GA, Kim KH, Moore DD: Nutrient-sensing nuclear receptors PPARα and FXR control liver energy balance. J Clin Invest 127:1193, 2019.

Sanyal AJ: Past, present and future perspectives in nonalcoholic fatty liver disease. Nat Rev Gastroenterol Hepatol 16:377, 2019.

Shetty S, Lalor PF, Adams DH: Liver sinusoidal endothelial cells - gatekeepers of hepatic immunity. Nat Rev Gastroenterol Hepatol 15:555, 2018.

Sørensen KK, Simon-Santamaria J, McCuskey RS, Smedsrød B: Liver sinusoidal endothelial cells. Compr Physiol 5:1751, 2015.

Tripodi A, Mannucci PM: The coagulopathy of chronic liver disease. N Engl J Med 365:147, 2011.

CAPÍTULO 72

Equilíbrio Dietético; Regulação da Alimentação; Obesidade e Inanição; Vitaminas e Minerais

EM CONDIÇÕES ESTÁVEIS, A INGESTÃO E O GASTO ENERGÉTICO ESTÃO EQUILIBRADOS

A ingestão de carboidratos, gorduras e proteínas fornece energia, que pode ser utilizada para realizar as diferentes funções do corpo ou armazenada para posterior utilização. A estabilidade do peso e da composição corporais por longos períodos exige que a ingestão e o gasto energético estejam equilibrados. Quando uma pessoa é superalimentada, e a ingestão energética excede o gasto – de maneira persistente –, a maior parte do excesso de energia é armazenada sob a forma de gordura, e o peso corporal aumenta; inversamente, a perda de massa corporal e a inanição ocorrem quando a ingestão energética é insuficiente para suprir as necessidades metabólicas do corpo.

Uma vez que os diferentes alimentos contêm diferentes proporções de proteínas, carboidratos, gorduras, minerais e vitaminas, equilíbrios adequados devem ser mantidos igualmente entre esses constituintes, de forma que todos os sistemas metabólicos corporais possam ser supridos com os materiais necessários. Este capítulo discute os mecanismos pelos quais a ingestão de alimentos é regulada de acordo com as necessidades metabólicas corporais e alguns dos problemas da manutenção do equilíbrio entre os diferentes tipos de alimentos.

Balanço dietético

Energia disponível nos alimentos

A energia liberada por cada grama de carboidrato, à medida que é oxidado a dióxido de carbono e água, é de 4,1 Calorias (1 Caloria é igual a 1 quilocaloria), e a liberada dos lipídios é de 9,3 Calorias.[1] A energia liberada pelo metabolismo da proteína dietética média, à medida que cada grama é oxidado a dióxido de carbono, água e ureia, é de 4,35 Calorias. Do mesmo modo, essas substâncias variam em seus percentuais médios de absorção pelo trato gastrointestinal: cerca de 98% para os carboidratos, 95% para as gorduras e 92% para as proteínas. Em consequência, *a média da energia fisiologicamente* disponível, em cada grama dessas três matérias-primas alimentares, é a seguinte:

	Calorias
Carboidratos	4
Gorduras	9
Proteínas	4

Embora exista uma variação notável entre as diversas pessoas, inclusive na mesma pessoa em dias diferentes, a dieta habitual que os norte-americanos ingerem lhes proporciona 15% de sua energia das proteínas, 40% das gorduras e 45% dos carboidratos. Na maior parte dos países não ocidentais, a quantidade de energia derivada dos carboidratos excede em muito à que se origina tanto das proteínas quanto das gorduras. De fato, em algumas partes do mundo, nas quais a carne é escassa, a energia recebida de gorduras e proteínas combinadas pode não ser maior do que 15 a 20%.

A **Tabela 72.1** lista as composições de alimentos selecionados, demonstrando em particular as elevadas proporções de gordura e proteína nos produtos de carne, além da alta proporção de carboidratos na maioria dos produtos vegetais e nos cereais. A gordura é enganosa na dieta, uma vez que ela normalmente existe como quase 100% de gordura, enquanto tanto as proteínas quanto os carboidratos se encontram misturados em meio aquoso, de modo que cada um desses representa, em geral, menos de 25% do seu peso. Como consequência, a gordura de uma colherada de manteiga que foi misturada a uma porção de batatas, às vezes, contém tanta energia quanto a própria batata.

A necessidade diária média de proteínas é de 30 a 50 gramas. Vinte a trinta gramas de proteínas corporais são diariamente degradados e usados para produzir outros compostos químicos do organismo. Portanto, todas as células devem continuar a formar novas proteínas para tomar o lugar das que estão sendo destruídas, e o suprimento dietético de proteínas é necessário para esse fim. Uma pessoa com porte médio pode manter estoques normais de proteína, desde que *a ingestão diária seja acima de 30 a 50 gramas.*

Algumas proteínas contêm quantidades inadequadas de certos aminoácidos essenciais e, por isso, não podem ser

---

[1] N.R.C.: É importante destacar que Calorias (com letra maiúscula) e kcal (quilocalorias) são consideradas a mesma medida de energia e equivalem a 1.000 cal (minúscula).

PARTE 13 Metabolismo e Regulação da Temperatura

Tabela 72.1 Conteúdo de proteínas, gorduras e carboidratos de diferentes alimentos.

Alimento	Percentual de proteína	Percentual de gordura	Percentual de carboidrato	Percentual energético por 100 gramas (Calorias)
Amendoins	26,9	44,2	23,6	600
Aspargo	2,2	0,2	3,9	26
Atum, enlatado	24,2	10,8	0,5	194
Bacon, gordura	6,2	76	0,70	712
Bacon, grelhado	25	55	1	599
Batatas	2	0,1	19,1	85
Beterraba fresca	1,6	0,1	9,6	46
Carne bovina (média)	17,5	22	1	268
Carne de porco, presunto	15,2	31	1	340
Castanhas-de-caju	19,6	47,2	26,4	609
Cenoura	1,2	0,3	9,3	45
Chocolate	5,5	52,9	18	570
Ervilhas frescas	6,7	0,4	17,7	101
Espinafre	2,3	0,3	3,2	25
Farinha de aveia seca não cozida	14,2	7,4	68,2	396
Frango, totalmente comestível	21,6	2,7	1	111
Laranjas	0,9	0,2	11,2	50
Leite fresco integral	3,5	3,9	4,9	69
Maçãs	0,3	0,4	14,9	64
Manteiga	0,6	81	0,4	733
Melaço	0	0	60,0	240
Milho	10	4,3	73,4	372
Morangos	0,8	0,6	8,1	41
Nozes	15	64,4	15,6	702
Pão branco	9	3,6	49,8	268
Peixe (haddock)	17,2	0,3	0,5	72
Pernil de cordeiro (médio)	18	17,5	1	230
Queijo cheddar, americano	23,9	32,3	1,7	393
Repolho	1,4	0,2	5,3	29
Tomates	1	0,3	4	23

usadas para repor as proteínas degradadas. Tais proteínas são denominadas *proteínas parciais* e, quando presentes em grande quantidade na dieta, tornam a demanda proteica diária muito maior do que a normal. Em geral, as proteínas derivadas das matérias-primas alimentares de origem animal são mais completas do que as proteínas oriundas de fontes vegetais ou cereais. Por exemplo, a proteína do milho quase não contém triptofano, um dos aminoácidos essenciais. Portanto, pessoas que consomem farinha de milho como principal fonte de proteínas às vezes desenvolvem síndrome de deficiência proteica denominada *kwashiorkor*, que consiste em retardo do crescimento, letargia, depressão da atividade mental e edema, provocados pela baixa concentração proteica no plasma. Por outro lado, alimentos como legumes, grão-de-bico e feijão fornecem uma fonte relativamente rica de triptofano e lisina, mas contêm quantidades inadequadas de metionina, outro aminoácido essencial. Portanto, as proteínas do milho e das leguminosas se complementam e, juntas, fornecem todos os aminoácidos essenciais da dieta.

Os carboidratos e as gorduras agem como "poupadores de proteínas". Quando a dieta contém uma abundância de carboidratos e de gorduras, quase toda a energia corporal é derivada dessas duas substâncias, e pouca energia se origina das proteínas. Portanto, tanto os carboidratos como as gorduras são considerados *poupadores de proteína*. Inversamente, no estado de inanição, após não haver mais carboidratos e gorduras, os estoques corporais de proteína são consumidos rapidamente para gerar energia; às vezes, em intensidades que se aproximam de várias centenas de gramas por dia, em vez do padrão diário de 30 a 50 gramas.

Métodos para a determinação do gasto metabólico de carboidratos, gorduras e proteínas

Quociente respiratório é a proporção entre a produção de dióxido de carbono e o consumo de oxigênio, e pode ser usado para estimar a utilização metabólica de gorduras e carboidratos. Quando os carboidratos são metabolizados com o oxigênio, exatamente uma molécula de dióxido de carbono é formada para cada molécula de oxigênio que é consumida. Essa proporção entre a produção de dióxido de carbono e o consumo de oxigênio é chamada de *quociente respiratório*, de modo que o quociente respiratório para os carboidratos é de 1.

Quando a gordura é oxidada nas células do corpo, 70 moléculas de dióxido de carbono, em média, são

CAPÍTULO 72 Equilíbrio Dietético; Regulação da Alimentação; Obesidade e Inanição; Vitaminas e Minerais

produzidas para cada 100 moléculas de oxigênio consumidas. Em consequência, o quociente respiratório para o metabolismo das gorduras é, em média, de 0,7. Quando as proteínas são oxidadas pelas células, o quociente respiratório é, em média, 0,8. A razão de o quociente respiratório para as gorduras e as proteínas ser mais baixo do que para os carboidratos é a de que parte do oxigênio metabolizada com esses alimentos é necessária para combinar-se ao excesso de átomos de hidrogênio presente em suas moléculas, de modo que menos dióxido de carbono é formado em relação ao oxigênio utilizado.

Agora, vamos ver como é possível utilizar o quociente respiratório para determinar a utilização relativa dos diferentes tipos de alimentos pelo corpo. Primeiro, deve-se lembrar do Capítulo 40; a produção de dióxido de carbono pelos pulmões dividida pela captação de oxigênio, durante o mesmo intervalo de tempo, é chamada de *razão de trocas respiratórias*. Durante um período de 1 hora ou mais, a razão das trocas respiratórias iguala com exatidão o quociente respiratório das reações metabólicas em todo o corpo. Se a pessoa tiver um quociente respiratório de 1, ela estará metabolizando quase só carboidratos, porque o quociente respiratório das gorduras e das proteínas é bem menor que 1. De maneira semelhante, quando o quociente respiratório for de cerca de 0,7, o corpo estará metabolizando gordura com exclusão dos carboidratos e das proteínas. E, por fim, se for desprezado o normalmente pequeno metabolismo das proteínas, os quocientes respiratórios entre 0,7 e 1 descrevem as proporções relativas entre os metabolismos dos carboidratos e das gorduras. Para ser mais exato, pode-se primeiro determinar a utilização de proteínas, medindo-se a excreção de nitrogênio, como discutido na seção seguinte. Em seguida, utilizando-se a equação matemática adequada, pode-se calcular quase precisamente o uso dos três tipos de macronutrientes.

Alguns dos achados mais importantes dos estudos com o quociente respiratório são os seguintes:

1. Imediatamente após uma refeição variada, contendo carboidratos, assim como proteínas e gorduras, quase todo o alimento metabolizado é carboidrato, de modo que o quociente respiratório nesse tempo é próximo a 1.

2. Cerca de 8 a 10 horas após a refeição, o corpo já usou a maior parte do carboidrato imediatamente disponível e o quociente respiratório se aproxima ao do metabolismo da gordura, em torno de 0,7.

3. No diabetes melito não tratado, pouco carboidrato pode ser usado pelas células do corpo, em qualquer condição, porque a insulina é necessária para essa utilização. Portanto, quando o diabetes é grave, o quociente respiratório fica na maior parte do tempo próximo ao do metabolismo da gordura, que é 0,7.

A excreção de nitrogênio pode ser utilizada para calcular a taxa de metabolismo proteico. A proteína média contém cerca de 16% de nitrogênio. Durante o metabolismo proteico, aproximadamente 90% desse nitrogênio são excretados na urina sob forma de ureia, ácido úrico, creatinina e outros produtos nitrogenados. Os 10% remanescentes são excretados nas fezes. Portanto, a intensidade da degradação proteica no organismo pode ser estimada pela medida da quantidade de nitrogênio na urina, adicionando-se então 10% para o nitrogênio excretado nas fezes e multiplicando-se por 6,25 (*i. e.*, 100/16) para estimar a quantidade total de metabolismo proteico, em gramas, por dia. Consequentemente, a excreção de 8 gramas diários de nitrogênio urinário significa que ocorreu degradação de cerca de 55 gramas de proteína. Se a ingestão proteica diária for menor do que a sua degradação, diz-se que o indivíduo apresenta *equilíbrio nitrogenado negativo*, o que significa que os seus estoques corporais de proteína estão se reduzindo a cada dia.

REGULAÇÃO DA INGESTÃO DE ALIMENTOS E DO ARMAZENAMENTO DE ENERGIA

A estabilidade da massa total e da composição corporal ao longo de períodos extensos requer que a ingestão energética iguale o gasto. Como discutido no Capítulo 73, somente cerca de 27% da energia ingerida chegam normalmente aos sistemas funcionais das células, e grande parte dessa energia será eventualmente convertida em calor, que é gerado como resultado do metabolismo proteico da atividade muscular e das atividades dos diversos órgãos e tecidos corporais. O excesso de ingestão energética é armazenado, em sua maior parte, como gordura, enquanto seu *deficit* provoca a perda de massa corporal total até que o gasto energético se iguale à ingestão ou que ocorra a morte.

Ainda que exista uma considerável variabilidade da quantidade de energia armazenada (p. ex., tecido gorduroso) nos diferentes indivíduos, a manutenção de suprimento energético adequado é necessária para a sobrevivência. Portanto, o corpo é dotado de poderosos sistemas fisiológicos de controle que auxiliam na manutenção da adequada ingestão energética. Os *deficits* dos estoques energéticos, por exemplo, ativam com rapidez múltiplos mecanismos que provocam fome e levam a pessoa a buscar comida. Em atletas e operários, o gasto energético para o alto nível de atividade muscular pode ser maior do que 10 mil Calorias por dia, comparado às somente 2 mil Calorias por dia no caso dos indivíduos sedentários. Desse modo, o grande gasto energético, associado ao trabalho físico, normalmente estimula, de igual modo, grandes aumentos da ingestão calórica.

Quais são os mecanismos fisiológicos que detectam as alterações do equilíbrio energético e influenciam a busca por comida? A manutenção do suprimento energético adequado no corpo é tão fundamental que existem múltiplos sistemas de controle a curto e a longo prazo que regulam não apenas a ingestão de alimentos, mas, igualmente, o gasto e os estoques energéticos. Nas seções seguintes, descrevemos alguns desses sistemas de controle e o seu funcionamento em condições fisiológicas, assim como nos estados de obesidade e de inanição.

CENTROS NEURAIS REGULAM A INGESTÃO DE ALIMENTOS

A sensação de *fome* está associada ao desejo por comida, assim como diversos outros efeitos fisiológicos, tais como contrações rítmicas do estômago e inquietude, que fazem com que o indivíduo procure alimento. O *apetite da pessoa é o desejo por alimento*, frequentemente de um tipo particular, sendo útil em ajudar a escolher o tipo a ser ingerida. Se a busca por alimento for bem-sucedida, sobrevém um sentimento de *saciedade*. Cada uma dessas sensações é influenciada por fatores ambientais e culturais, bem como por controles fisiológicos que influenciam centros específicos do cérebro, em particular o hipotálamo.

O hipotálamo contém os centros neurais da fome e da saciedade. Diversos centros neuronais do hipotálamo participam do controle da ingestão de alimentos. Os *núcleos laterais do hipotálamo funcionam como o centro da fome*, e a estimulação dessas áreas faz com que o animal coma de modo voraz (*hiperfagia*). Inversamente, a destruição do hipotálamo lateral provoca a ausência do desejo por comida e a progressiva *inanição*, condição caracterizada por uma acentuada perda de peso, fraqueza muscular e metabolismo reduzido. O centro hipotalâmico lateral da fome funciona pela excitação dos impulsos motores para a busca por comida.

Os *núcleos ventromediais do hipotálamo funcionam como um importante centro da saciedade*. Acredita-se que esse centro promova a sensação de satisfação nutricional que inibe o centro da fome. A estimulação elétrica dessa região pode provocar a saciedade completa e, mesmo na presença de uma comida muito apetitosa, o animal se recusa a comer (*afagia*). Inversamente, a destruição dos núcleos ventromediais faz com que o animal coma de modo voraz e contínuo, até que chegue à extrema obesidade, eventualmente, pesando até quatro vezes o normal.

Os núcleos *paraventricular*, *dorsomedial* e *arqueado* do hipotálamo também desempenham um papel importante na regulação da ingestão de alimentos. Por exemplo, lesões dos núcleos paraventriculares provocam excesso de ingestão, enquanto as lesões dos núcleos dorsomediais geralmente deprimem o comportamento alimentar. Como discutido antes, os núcleos arqueados são os locais do hipotálamo em que múltiplos hormônios, liberados pelo trato gastrointestinal e pelo tecido adiposo, convergem para regular a ingestão de alimentos, bem como o gasto energético.

Existe uma intensa e mútua comunicação química entre os neurônios do hipotálamo, e, juntos, esses centros coordenam os processos que controlam o comportamento alimentar e a percepção da saciedade. Esses núcleos hipotalâmicos também influenciam a secreção de diversos hormônios importantes para a regulação do equilíbrio energético e metabólico, incluindo os hormônios das glândulas tireoide e adrenal, bem como os das células das ilhotas pancreáticas.

O hipotálamo recebe (1) sinais neurais do trato gastrointestinal que fornecem a informação sensorial sobre o enchimento gástrico; (2) sinais químicos dos nutrientes no sangue (glicose, aminoácidos, ácidos graxos), que significam saciedade; (3) sinais dos hormônios gastrointestinais; (4) sinais dos hormônios liberados pelo tecido adiposo; e (5) sinais do córtex cerebral (visão, olfato e paladar), que influenciam o comportamento alimentar. Alguns desses estímulos para o hipotálamo são mostrados na **Figura 72.1**.

Os centros hipotalâmicos da fome e da saciedade contêm uma elevada densidade de receptores para neurotransmissores e para hormônios que influenciam o comportamento alimentar. Algumas das muitas substâncias que têm sido demonstradas, em estudos experimentais, por alterarem o apetite e o comportamento alimentar, encontram-se listadas na **Tabela 72.2**, sendo, em geral, categorizadas em (1) substâncias *orexígenas*, que estimulam a alimentação; ou (2) substâncias *anorexígenas*, que a inibem.

Neurônios e neurotransmissores do hipotálamo que estimulam ou inibem a alimentação. Existem dois tipos distintos de neurônios nos núcleos arqueados do hipotálamo especialmente importantes, tanto como

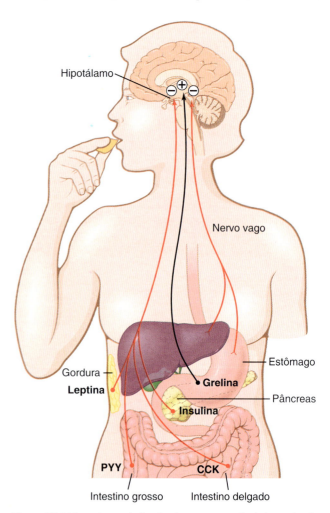

Figura 72.1 Mecanismos de *feedback* para o controle da ingestão alimentar. O estiramento dos receptores gástricos ativa as vias sensoriais aferentes do nervo vago, inibindo a ingestão alimentar. O peptídio YY (PYY), a colecistoquinina (CCK) e a insulina são hormônios gastrointestinais liberados pela ingestão de comida, suprimindo a alimentação adicional. A grelina é liberada pelo estômago, em particular durante o jejum, estimulando o apetite. A leptina é um hormônio produzido em quantidades crescentes pelos adipócitos à medida que eles aumentam de tamanho, inibindo a ingestão de alimentos.

CAPÍTULO 72 Equilíbrio Dietético; Regulação da Alimentação; Obesidade e Inanição; Vitaminas e Minerais

Tabela 72.2 Neurotransmissores e hormônios que influenciam os centros de alimentação e de saciedade no hipotálamo.

Diminuem a ingestão de alimentos (anorexígenos)	Aumentam a ingestão de alimentos (orexígenos)
Hormônio α-melanócito estimulante	Neuropeptídeo Y
Leptina	Proteína relacionada a agouti
Serotonina	Hormônio concentrador de melanina (MCH)
Noradrenalina	Orexinas A e B
Hormônio liberador da corticotrofina	Endorfinas
Insulina	Galanina
Colecistoquinina	Aminoácidos (glutamato e ácido γ-aminobutírico)
Peptídeo semelhante ao glucagon	Cortisol
Peptídeo transcrito relacionado à cocaína e à anfetamina	Grelina
Peptídeo YY	Endocanabinoides

controladores do apetite como do gasto energético (ver **Figura 72.2**): (1) *neurônios produtores de pró-opiomelanocortina* (POMC) que secretam o hormônio estimulante de melanócitos (α-MSH), com o peptídeo transcrito regulado por cocaína e anfetamina (CART); e (2) *neurônios que produzem as substâncias orexígenas neuropeptídeo Y (NPY) e a proteína relacionada a agouti (AGRP)*. A ativação dos neurônios POMC reduz a ingestão de alimentos e aumenta o gasto energético, enquanto a ativação dos neurônios NPY-AGRP tem efeitos opostos, ao elevar a ingestão e reduzir o gasto energético. Há uma troca de informações significativa entre esses neurônios, e, como discutido adiante, os neurônios POMC/CART e AGRP/NPY parecem ser os principais alvos para as ações de diversos hormônios que regulam o apetite, incluindo a *leptina*, a *insulina*, a *colecistoquinina* (CCK) e a *grelina*. Na verdade, os neurônios dos núcleos arqueados parecem ser o local de convergência de muitos dos sinais nervosos e periféricos que regulam os estoques energéticos.

Os neurônios POMC liberam α-MSH, que então atua sobre os *receptores da melanocortina*, encontrados especialmente nos neurônios dos *núcleos paraventriculares*. Ainda que existam pelo menos cinco subtipos

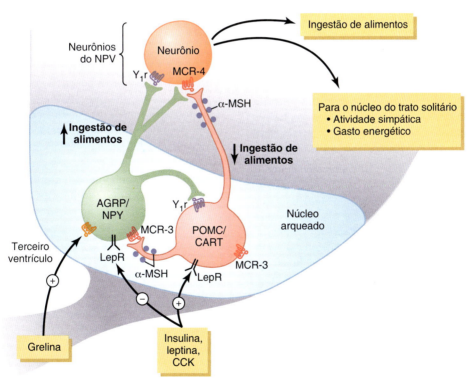

Figura 72.2 Controle do equilíbrio energético pelos dois tipos de neurônios do núcleo arqueado: (1) neurônios pró-opiomelanocortina (POMC), que liberam o hormônio estimulante de α-melanócito (α-MSH) e o peptídeo transcrito regulado por cocaína e anfetamina (CART), reduzindo a ingestão alimentar e aumentando o gasto energético e (2) neurônios que produzem a proteína relacionada a agouti (AGRP) e o neuropeptídeo Y (NPY), aumentando a ingestão alimentar e reduzindo o gasto energético. O α-MSH liberado pelos neurônios POMC estimula os receptores da melanocortina (MCR-3 e MCR-4) nos núcleos paraventriculares (NPV), que então ativam as vias neuronais que se projetam para o núcleo do trato solitário (NTS), aumentando a atividade simpática e o gasto energético. O AGRP atua como um antagonista do MCR-4. Insulina, leptina e colecistoquinina (CCK) são hormônios que inibem os neurônios AGRP-NPY e estimulam os neurônios POMC-CART adjacentes, reduzindo a ingestão alimentar. A grelina, um hormônio secretado pelo estômago, ativa os neurônios AGRP-NPY, estimulando a ingestão de alimentos. LepR, receptor leptínico; Y_1R, receptor do neuropeptídeo Y_1. (*Modificada de Barsh GS, Schwartz MW: Genetic approaches to studying energy balance: perception and integration. Nature Rev Genetics 3:589, 2002.*)

PARTE 13 Metabolismo e Regulação da Temperatura

de receptores de melanocortina (MCR), o *MCR-3* e o *MCR-4* são particularmente importantes na regulação da ingestão alimentar e do equilíbrio energético. A ativação desses receptores reduz o consumo de alimentos, enquanto aumenta o gasto energético. Inversamente, a inibição do MCR-3 e do MCR-4 eleva bastante o gasto energético. O efeito da ativação do MCR-4 de aumentar o gasto energético parece ser mediado, em parte, pela ativação de vias neuronais que se projetam dos núcleos paraventriculares para o *núcleo do trato solitário* (NTS), estimulando a atividade do sistema nervoso simpático. No entanto, os neurônios POMC e MCR-4 são encontrados também nos neurônios do tronco encefálico, incluindo o NTS, que também têm sido sugeridos como reguladores da ingestão de alimentos e do gasto energético.

O sistema da melanocortina hipotalâmica desempenha um potente papel na regulação dos estoques energéticos do corpo, e defeitos da sinalização dessa via estão associados à obesidade extrema. De fato, mutações do *POMC* e do *MCR-4* representam a causa conhecida mais comum de obesidade humana monogênica (gene único) e alguns estudos sugerem que as mutações no *POMC* e *MCR-4* possam responder por algo em torno de 5 a 6% da obesidade grave de início precoce em crianças. Em contraste, a ativação excessiva do sistema da melanocortina reduz o apetite. Alguns estudos sugerem que essa ativação possa desempenhar um papel na gênese da *anorexia* associada às infecções graves, ao câncer ou à uremia.

O AGRP liberado pelos neurônios orexígenos do hipotálamo é um antagonista natural do MCR-3 e do MCR-4 e, provavelmente, aumenta a ingestão de alimentos pela inibição dos efeitos do α-MSH na estimulação dos receptores da melanocortina (ver **Figura 72.2**). Embora o papel do AGRP no controle fisiológico normal da ingestão alimentar não esteja claro, a formação excessiva de AGRP em ratos e em seres humanos, devido a mutações genéticas, está associada à ingestão aumentada de alimentos e à obesidade.

O NPY também é liberado pelos neurônios orexígenos dos núcleos arqueados. Quando os estoques energéticos do corpo estão baixos, os neurônios orexígenos são ativados para liberar NPY, que estimula o apetite. Ao mesmo tempo, a atividade dos neurônios POMC é reduzida, diminuindo, assim, a atividade da via da melanocortina e estimulando adicionalmente o apetite.

Centros neurais que influenciam o processo mecânico de alimentação.
Outro aspecto da alimentação é o ato mecânico da alimentação. Se o cérebro é seccionado abaixo do hipotálamo, mas acima do mesencéfalo, o animal ainda pode executar os aspectos mecânicos básicos do processo alimentar. Ele pode salivar, lamber os lábios, mastigar os alimentos e deglutir. Portanto, *os reais mecanismos da alimentação são controlados por centros no tronco encefálico*. A função de outros centros na alimentação, então, é a de controlar a quantidade da ingestão de alimentos e colocar esses centros de mecanismos alimentares em atividade.

Os centros neurais superiores ao hipotálamo também desempenham papéis importantes no controle da alimentação, em particular, no controle do apetite. Esses centros incluem a *amígdala* e o *córtex pré-frontal*, que estão intimamente acoplados ao hipotálamo. Deve-se lembrar, da discussão sobre o sentido do olfato, no Capítulo 54, que porções da amígdala constituem uma parte importante do sistema nervoso olfatório. Lesões destrutivas na amígdala demonstraram que algumas de suas áreas aumentam a ingestão de alimentos, ao passo que outras a inibem. Além disso, a estimulação de algumas áreas da amígdala evoca o ato mecânico da alimentação. Importante efeito da destruição da amígdala em ambos os lados do cérebro é a "cegueira psíquica" na escolha dos alimentos. Em outras palavras, o animal (e, presumivelmente, os seres humanos também) perde, ao menos parcialmente, o controle do apetite que determina o tipo e a qualidade da comida que ele ingere.

FATORES QUE REGULAM A QUANTIDADE DE INGESTÃO DE ALIMENTOS

A regulação da quantidade ingerida de alimento pode ser dividida em *regulação a curto prazo*, que diz respeito, primeiramente à prevenção da superalimentação a cada refeição, e a *regulação a longo prazo*, que se refere à manutenção de quantidades normais dos estoques energéticos no corpo.

Regulação a curto prazo da ingestão de alimentos

Quando a pessoa é levada pela fome a comer voraz e rapidamente, o que é que desliga a ingestão de alimentos quando ela já comeu o bastante? Não houve tempo suficiente para que ocorressem alterações nos estoques corporais de energia, e são necessárias várias horas para que fatores nutricionais suficientes sejam absorvidos pelo sangue para que então provoquem a necessária inibição do apetite. Não obstante, é importante que a pessoa não coma em excesso e que ingira uma quantidade de alimento que se aproxime das necessidades nutricionais. Vários tipos de sinais rápidos de *feedback* são importantes para esses propósitos, tais como os descritos nas seções seguintes.

A plenitude gastrointestinal inibe a ingesta alimentar.
Quando o trato gastrointestinal se torna distendido, especialmente o estômago e o duodeno, sinais inibidores são transmitidos principalmente por meio via vagal para suprimir os centros de alimentação, reduzindo, assim, o desejo por comida e fornecendo um mecanismo de *feedback* negativo para ajudar a limitar o tamanho da refeição (ver **Figura 72.1**).

Fatores hormonais gastrointestinais suprimem a ingesta alimentar.
A CCK, que é liberada principalmente em resposta à entrada de gordura e proteínas no duodeno, entra no sangue e atua como um hormônio para influenciar várias funções gastrointestinais, como a contração da vesícula biliar, o esvaziamento gástrico, a motilidade intestinal e a secreção de ácido gástrico, conforme

CAPÍTULO 72 Equilíbrio Dietético; Regulação da Alimentação; Obesidade e Inanição; Vitaminas e Minerais

discutido nos Capítulos 63, 64 e 65. No entanto, a CCK também ativa receptores nos nervos sensoriais locais no duodeno, enviando mensagens para o cérebro por meio do nervo vago que contribui para a saciedade e para o cessar da refeição. O efeito da CCK é de curta duração, e a administração crônica apenas de CCK não tem um efeito significativo no peso corporal. Portanto, a CCK funciona principalmente para evitar o comer demais durante as refeições, mas não desempenha um papel importante na frequência das refeições ou na total energia consumida.

O *peptídio YY* (PYY) é secretado por todo o trato gastrointestinal, mas, especialmente, pelo íleo e pelo cólon. A ingestão de alimentos estimula a liberação de PYY, com suas concentrações sanguíneas subindo para níveis máximos 1 a 2 horas após a ingestão de uma refeição. Esses picos sanguíneos de PYY são influenciados pela quantidade e pela composição dos alimentos, com níveis mais elevados de PYY observados após refeições com alto teor de gordura. Embora as injeções de PYY em camundongos tenham mostrado a diminuição da ingestão de alimentos por 12 horas ou mais, a importância desse hormônio gastrointestinal na regulação do apetite em humanos ainda não está clara.

Por motivos que não são totalmente compreendidos, a presença de comida nos intestinos os estimula a secretar *peptídio semelhante ao glucagon* (GLP), que aumenta a produção e a secreção pelo pâncreas de *insulina* dependente da concentração da glicose. Tanto GLP como a insulina tendem a suprimir o apetite. Assim, a ingestão de alimentos estimula a liberação de vários hormônios gastrointestinais que podem induzir saciedade e limitar a ingestão adicional de alimentos (ver **Figura 72.1**).

A grelina, um hormônio gastrointestinal, aumenta a ingesta alimentar. A *grelina* é um hormônio liberado principalmente pelas *células oxínticas* do estômago, mas, também, em uma extensão muito menor, pelo intestino. Os níveis sanguíneos de grelina aumentam durante o jejum, apresentam seu pico antes da alimentação e, em seguida, caem rapidamente, sugerindo um possível papel no estímulo à alimentação. Além disso, a administração de grelina aumenta a ingestão de alimentos em animais experimentais, apoiando ainda mais a possibilidade de que possa ser um hormônio orexígeno.

Receptores orais regulam a ingestão de alimentos. Quando um animal que tem uma fístula esofágica é alimentado com grandes quantidades de comida, mesmo que este alimento seja imediatamente perdido para o exterior, o grau de fome diminui após uma quantidade razoável de comida que passou pela boca. Este efeito ocorre apesar de o trato gastrointestinal não se tornar nem um pouco cheio. Portanto, vários "fatores orais" relacionados à alimentação, como a mastigação, a salivação, a deglutição e o paladar, têm sido postulados para "medir" a comida que passa pela boca, e, depois que uma certa quantidade passou, o centro de alimentação hipotalâmico fica inibido. A inibição causada por esse mecanismo de medição, no entanto, é consideravelmente

menos intensa e de menor duração – geralmente, durante apenas 20 a 40 minutos – do que a inibição causada por enchimento gastrointestinal.

Regulação a médio e longo prazos da ingestão de alimentos

Um animal que foi privado de alimentação por muito tempo e então é apresentado a uma quantidade ilimitada de alimentos ingere uma quantidade muito maior de alimentos do que um animal que está em uma rotina regular de dieta. Por outro lado, um animal que foi alimentado à força por várias semanas ingere muito pouco alimento quando é permitido comer de acordo com seus próprios desejos. Assim, os mecanismos de controle biológico da alimentação do corpo são voltados para o seu *status* nutricional, ainda que fatores múltiplos – comportamental, social e ambiental – influenciem a ingestão de alimentos pelos seres humanos.

Efeito das concentrações sanguíneas de glicose, de aminoácidos e de lipídios na fome e na ingestão alimentar. Uma diminuição na concentração de glicose no sangue foi demonstrada em estudos para causar fome, o que levou à chamada *teoria glicostática da regulação da fome e da alimentação*. Estudos semelhantes demonstraram o mesmo efeito para concentração sanguínea de aminoácidos e de produtos de degradação de lipídios, como os cetoácidos e alguns ácidos graxos, levando às teorias regulatórias aminostática e lipostática. Ou seja, quando a disponibilidade de qualquer um dos três principais tipos de macronutrientes diminui, o desejo da alimentação é aumentado, eventualmente retornando as concentrações sanguíneas dos metabólitos de volta ao normal, se os alimentos apropriados estiverem disponíveis.

As seguintes observações – feitas a partir de estudos neurofisiológicos da função de áreas específicas do cérebro – também corroboram as teorias glicostática, aminostástica e lipostática: (1) o aumento no nível de *glicose sanguínea aumenta a taxa de disparo de neurônios glicorreceptores no centro de saciedade, nos núcleos ventromedial e paraventricular do hipotálamo*, e (2) o mesmo aumento no nível de glicose sanguínea simultaneamente *diminui* o disparo de *neurônios glicossensitivos no centro da fome do hipotálamo lateral*. Além disso, alguns aminoácidos e substâncias lipídicas afetam as taxas de disparo desses mesmos neurônios e de outros neurônios a eles intimamente associados.

Regulação da temperatura e da ingestão de alimentos. Quando um animal é exposto ao frio, tende a aumentar a ingestão calórica; quando exposto ao calor, tende a diminuí-la. Esse fenômeno é causado pela interação, no interior do hipotálamo, entre o sistema regulador de temperatura e o sistema de regulação da ingestão de alimentos (ver o Capítulo 74). Isso é importante porque o aumento da ingestão de alimentos em um animal com frio (1) aumenta a sua taxa metabólica e (2) fornece mais

PARTE 13 Metabolismo e Regulação da Temperatura

gordura para isolamento, sendo que ambos servem como proteção contra o frio.

Sinais de *feedback* do tecido adiposo regulam a ingestão de alimentos.

A maior parte da energia armazenada no corpo consiste em gordura, cuja quantidade pode variar consideravelmente em diferentes pessoas. O que regula essa reserva de energia e por que existe tanta variabilidade entre os indivíduos?

Estudos experimentais em seres humanos e em outros animais indicam que o hipotálamo detecta o armazenamento de energia por intermédio das ações da *leptina*, um hormônio peptídico liberado de adipócitos. Quando a quantidade de tecido adiposo aumenta (sinalizando o excesso de armazenamento de energia), os adipócitos produzem um aumento das quantidades de leptina que é liberada no sangue. A leptina, então, circula para o cérebro, atravessando a barreira hematencefálica por difusão facilitada, e ocupa os receptores de leptina em vários locais no hipotálamo, especialmente os neurônios POMC e AGRP/NPY dos núcleos arqueados e os neurônios dos núcleos paraventriculares, bem como neurônios em outras áreas do cérebro, incluindo o tronco encefálico.

A estimulação de receptores de leptina nesses núcleos do sistema nervoso central inicia múltiplas ações que diminuem o armazenamento de gordura, incluindo (1) diminuição da produção de estimuladores de apetite no hipotálamo, tais como *NPY* e *AGRP*; (2) *ativação de neurônios POMC*, causando liberação de α-MSH e ativação de receptores de melanocortina; (3) aumento da produção de substâncias no hipotálamo, tais como o *hormônio liberador de corticotropina*, que diminui a ingestão de alimentos; (4) *aumento da atividade nervosa simpática* (por meio de projeções neurais do hipotálamo para os centros vasomotores), o que aumenta a taxa metabólica e o gasto energético; e (5) *diminuição da secreção de insulina* pelas células beta pancreáticas, o que diminui o armazenamento de energia. Assim, a leptina é um meio importante pelo qual o tecido adiposo sinaliza ao cérebro que energia suficiente foi armazenada e que a ingestão de alimentos não é mais necessária.

Em ratos e em seres humanos com mutações que tornam as células adiposas incapazes de produzir leptina, ou com mutações que geram defeitos nos receptores de leptina no hipotálamo, podem ocorrer a hiperfagia e, em decorrência, a obesidade mórbida. Na maioria dos obesos humanos, no entanto, não parece haver uma deficiência da produção de leptina, pois os níveis plasmáticos de leptina aumentam em proporção com o aumento da adiposidade. Portanto, alguns fisiologistas acreditam que a obesidade possa estar associada a *resistência à leptina*; isto é, receptores de leptina ou as vias de sinalização pós-receptor – normalmente ativadas pela leptina – podem ser resistentes à ativação pela leptina em pessoas obesas, que continuam a ingestão de alimentos apesar de terem níveis muito altos de leptina.

Outra explicação para o fracasso da leptina em prevenir o aumento da adiposidade em indivíduos obesos é que há muitos sistemas redundantes que controlam o comportamento alimentar, como fatores sociais e culturais que podem causar a ingestão excessiva de alimentos, mesmo na presença de níveis elevados de leptina.

Resumo da regulação a longo prazo.

Mesmo que nossas informações sobre os diferentes fatores de *feedback* da regulamentação da alimentação a longo prazo sejam imprecisas, podemos fazer a seguinte afirmação: quando a energia armazenada do corpo cai abaixo do normal, os centros de alimentação do hipotálamo e outras áreas do cérebro tornam-se altamente ativos, e a pessoa apresenta aumento da fome, também como surge o comportamento de busca por alimentos. Por outro lado, quando as reservas de energia (principalmente as reservas de gordura) já são abundantes, a pessoa geralmente perde a sensação de fome e desenvolve um estado de saciedade. Ainda que os sistemas precisos de *feedback* que regulam a ingestão de alimentos e o gasto de energia não estejam totalmente compreendidos, avanços rápidos foram feitos neste campo de pesquisa nos últimos anos, com a descoberta de muitos novos fatores orexígenos e anorexígenos.

Importância dos sistemas reguladores tanto a longo como a curto prazo para a alimentação

O sistema regulador a longo prazo para a alimentação, que inclui todos os mecanismos de *feedback* de energia nutricional, ajuda a manter estoques constantes de nutrientes nos tecidos, evitando que eles se tornem muito baixos ou muito altos. O estímulo regulatório a curto prazo serve a dois outros propósitos. Primeiro, tende a fazer a pessoa ingerir quantidades menores a cada vez que for se alimentar, permitindo, assim, que o alimento passe para o trato gastrointestinal em um ritmo mais constante. Isso proporciona que o aparelho digestivo e os mecanismos de absorção possam funcionar em taxas ideais, em vez de ficar periodicamente sobrecarregados. Segundo, auxiliam a prevenir que a pessoa ingira, a cada refeição, quantidades que poderiam ser demasiadas para os sistemas metabólicos de armazenamento, uma vez que toda a comida tenha sido absorvida.

Obesidade

A obesidade pode ser definida como um excesso de gordura corporal. Um substituto marcador para o conteúdo de gordura corporal é o índice de massa corporal (IMC), que é calculado como:

$$IMC = \frac{\text{Peso em quilogramas}}{\text{Altura em metros}^2}$$

Em termos clínicos, uma pessoa com IMC entre 25 e 29,9 kg/m^2 é considerada acima do peso, e uma pessoa com um IMC maior igual ou igual a 30 kg/m^2 é considerada obesa. O IMC não é uma estimativa direta da adiposidade e não leva em consideração o fato de que alguns indivíduos têm um IMC elevado como resultado de uma grande

CAPÍTULO 72 Equilíbrio Dietético; Regulação da Alimentação; Obesidade e Inanição; Vitaminas e Minerais

quantidade de massa magra. A melhor maneira de definir a obesidade é medindo a porcentagem de gordura corporal total. A obesidade geralmente é definida como 25% ou mais de gordura corporal total em homens e 35% ou mais, em mulheres. Embora a porcentagem de gordura corporal possa ser estimada por vários métodos, tais como medição da espessura da prega cutânea, impedância bioelétrica ou pesagem subaquática, esses métodos não são usados rotineiramente na prática clínica, em que o IMC é comumente utilizado para avaliar a obesidade.

O impacto adverso da obesidade sobre o risco de vários distúrbios como cirrose, hipertensão, infarto, acidente vascular cerebral e doença renal parece estar mais intimamente associado com o aumento da adiposidade visceral (abdominal) do que com aumento do armazenamento de gordura subcutânea, ou armazenamento de gordura nas partes inferiores do corpo, como os quadris. Portanto, muitos médicos medem a circunferência da cintura ou diâmetro abdominal sagital como indicadores da obesidade abdominal. Nos EUA, uma circunferência da cintura maior que 102 cm nos homens e 88 cm nas mulheres ou uma relação cintura/quadril maior que 0,9 em homens e 0,85 em mulheres costumam ser consideradas indicativas de obesidade abdominal em adultos.

A prevalência da obesidade em crianças e adultos no EUA, e em muitos outros países industrializados, está crescendo rapidamente, tendo aumentado em mais de 30% durante a década passada. Aproximadamente 70% dos adultos com 20 anos ou mais nos EUA estão com sobrepeso ou obesidade, e mais de 35% desses adultos são obesos.

A obesidade resulta de um consumo maior do que o gasto energético

Quando entram no corpo maiores quantidades de energia (na forma de alimentos) mais do que são gastas, o peso corporal aumenta, e a maior parte do excesso de energia é armazenada como gordura. Portanto, a adiposidade excessiva (obesidade) é causada pela ingestão superior à demanda energética. Para cada 9,3 Calorias de excesso energético que entram no corpo, aproximadamente 1 grama de gordura é armazenado.

A gordura é armazenada principalmente em adipócitos, que ficam no tecido subcutâneo, e na cavidade intraperitoneal, embora o fígado e outros tecidos do corpo frequentemente acumulem quantidades significativas de lipídios em pessoas obesas. Os processos metabólicos envolvidos no armazenamento de gordura foram discutidos no Capítulo 69.

Anteriormente, acreditava-se que o número de adipócitos poderia aumentar substancialmente apenas durante a infância e que o excesso de ingestão de energia em crianças levava à *obesidade hiperplásica*, associada ao aumento do número de adipócitos e apenas pequeno aumento no tamanho dos adipócitos. Em contraste, pensava-se que a obesidade nos adultos só aumentaria o tamanho dos adipócitos, resultando em *obesidade hipertrófica*. Entretanto, pesquisas demonstraram que novos adipócitos podem se diferenciar de pré-adipócitos, células semelhantes aos fibroblastos, em qualquer período da vida, e que o desenvolvimento da obesidade em adultos é acompanhado por um aumento do número e do tamanho dos adipócitos. Uma pessoa extremamente obesa pode ter até quatro vezes o número de adipócitos, cada um contendo até o dobro da quantidade de lipídios de uma pessoa magra.

Uma vez que uma pessoa se torna obesa, e um peso estável é obtido, a ingestão energética torna-se mais uma vez igual à produção de energia. Para uma pessoa perder peso, a ingestão de energia deve ser *inferior* ao gasto.

Diminuição da atividade física e regulação anormal da alimentação como causas da obesidade

As causas da obesidade são complexas. Embora os genes desempenhem um papel importante na programação dos poderosos mecanismos fisiológicos que regulam a ingestão de alimentos e o metabolismo energético, estilo de vida e fatores ambientais podem desempenhar um importante papel em muitas pessoas obesas. O rápido aumento da prevalência da obesidade nos últimos 20 a 30 anos enfatiza o importante papel do estilo de vida e fatores ambientais, pois as mudanças genéticas não poderiam ter ocorrido tão rapidamente. Ainda, fatores genéticos podem predispor muitas pessoas às influências ambientais que levam ao aumento da prevalência de obesidade na maioria dos países industrializados e em desenvolvimento.

O estilo de vida sedentário é uma potencial causa da obesidade. Atividade física regular e treinamento físico são conhecidos por aumentarem a massa magra e diminuírem a massa de gordura corporal, enquanto atividade física inadequada está tipicamente associada a diminuição da massa muscular e aumento da adiposidade. Por exemplo, estudos têm mostrado uma estreita associação entre comportamentos sedentários, como ficar muito tempo em frente à tela (p. ex., assistir à televisão) e obesidade.

Cerca de 25 a 30% da energia utilizada a cada dia por uma pessoa de porte médio entram na atividade muscular, e em um operário, 60 a 70% são usados dessa maneira. Em pessoas obesas, o aumento da atividade física muitas vezes aumenta o gasto de energia mais do que a ingestão de alimentos, resultando em significativa perda de peso. Mesmo um único episódio de exercício extenuante pode aumentar o gasto de energia basal por várias horas após o fim da atividade física. Uma vez que a atividade muscular é, sem dúvida, o meio mais importante pelo qual a energia é consumida no organismo, o aumento da atividade física é frequentemente um meio eficaz de reduzir os depósitos de gordura.

O comportamento alimentar anormal é uma causa da obesidade. Embora mecanismos fisiológicos poderosos regulem a ingestão de alimentos, importantes fatores ambientais, sociais e psicológicos também podem causar comportamento alimentar anormal, ingestão excessiva de energia e obesidade.

Conforme discutido anteriormente, a importância dos fatores ambientais é evidente considerando-se o rápido aumento da prevalência de obesidade na maioria dos países industrializados, o que coincidiu com uma abundância de consumo de alimentos muito energéticos e estilo de vida sedentário.

Fatores psicológicos e sociais podem contribuir para a obesidade em algumas pessoas. Por exemplo, as pessoas costumam ganhar muito peso durante ou após situações estressantes, como a morte de um dos pais, uma doença grave ou mesmo depressão. Parece que comer é uma forma de aliviar o estresse.

A supernutrição infantil pode contribuir para a obesidade no adulto. Um fator que pode contribuir para a obesidade é a ideia prevalente de que hábitos alimentares saudáveis requerem três refeições em 1 dia e que cada refeição deve saciar totalmente. Muitas crianças pequenas são forçadas a este hábito por pais excessivamente solícitos, e as crianças continuam a praticá-lo ao longo da vida.

A taxa de formação de novos adipócitos é especialmente rápida nos primeiros anos de vida, e quanto maior a taxa de armazenamento de gordura, maior será o número de adipócitos. O número de adipócitos em crianças obesas costuma chegar a três vezes mais do que em crianças normais. Portanto, foi sugerido que a supernutrição das crianças, especialmente nos primeiros anos da infância e, em menor grau, durante os últimos anos, pode levar a uma vida inteira de obesidade. Na verdade, estudos têm mostrado que aproximadamente 80% das crianças obesas tornam-se adultos obesos.

Fatores genéticos como causa da obesidade. A obesidade definitivamente ocorre em famílias. No entanto, tem sido difícil determinar o papel preciso da genética em contribuir para a obesidade, pois os membros da família geralmente compartilham muitos dos mesmos hábitos alimentares e padrões de atividade física. Evidências atuais sugerem que 20 a 25% dos casos de obesidade podem ser causados por fatores genéticos.

Os genes podem contribuir para a obesidade por causar anormalidades (1) em uma ou mais vias que regulam os centros de alimentação e (2) no gasto energético e armazenamento de gordura. Três das causas monogênicas (gene único) da obesidade são (1) *mutações nos genes POMC e MCR-4*, as formas monogênicas mais comuns de obesidade descobertas até agora; (2) *deficiência congênita de leptina* causada por mutações no gene da leptina, que são muito raras; e (3) *mutações no receptor da leptina*, que também são raras. Todas essas formas monogênicas de obesidade representam apenas uma porcentagem muito pequena da obesidade. É provável que muitas variações gênicas interajam com fatores ambientais para influenciar a quantidade e a distribuição da gordura corporal.

Os pais podem contribuir para a obesidade em seus filhos por meio de mecanismos epigenéticos. Pais acima do peso ou obesos também são um fator de risco de obesidade e de distúrbios associados para seus filhos por meio de mecanismos "*epigenéticos*", que alteram a expressão genética na ausência de mudança na sequência de DNA (ver **Figura 72.3**). Efeitos epigenéticos da obesidade parental têm sido propostos por acontecerem por meio de alterações na *metilação do DNA, modificações de histonas,* e *expressão de microRNAs* que podem influenciar a expressão gênica nos filhos. Baseando-se principalmente em estudos experimentais em animais, foi sugerido que alterações epigenéticas nos gametas dos pais (esperma do pai e ovócitos da mãe), bem como um ambiente intrauterino adverso e mudanças epigenéticas no desenvolvimento de *células germinativas* do feto (células embrionárias que dão origem aos gametas) podem contribuir para a obesidade na descendência imediata, bem como nas gerações subsequentes. Contudo, pesquisas adicionais são necessárias para avaliar melhor o impacto da epigenética das células germinativas na predisposição dos seres humanos a tornarem-se obesos.

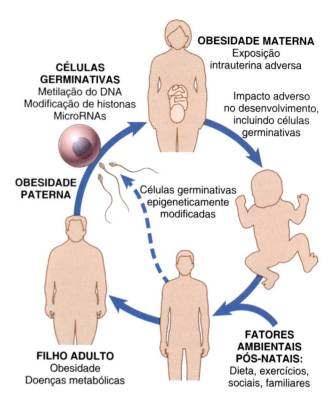

Figura 72.3 Possíveis interações do ambiente intrauterino adverso, epigenética e fatores de desenvolvimento no aumento do risco programado para a obesidade em várias gerações. O meio ambiente intrauterino da mãe obesa influencia o desenvolvimento do embrião, incluindo efeitos epigenéticos em células germinativas que se tornarão espermatozoides ou ovócitos. Os espermatozoides do pai e os ovócitos da mãe também podem ter sofrido alterações epigenéticas que ocorrem secundariamente à obesidade, portanto, também podem predispor as gerações subsequentes a um aumento do risco de desenvolvimento da obesidade.

Independentemente da contribuição precisa da genética, epigenética e fatores ambientais, é claro que o percentual de crianças afetadas pela obesidade aumentou de forma constante em muitos países, incluindo os EUA, onde a prevalência de obesidade em crianças mais do que triplicou desde os anos 1970.

Anormalidades neurogênicas como causa da obesidade. Foi apontado que as lesões nos núcleos ventromediais do hipotálamo fazem com que um animal coma excessivamente e se torne obeso. A obesidade progressiva frequentemente se desenvolve em pessoas com tumores hipofisários que invadem o hipotálamo, demonstrando que a obesidade em seres humanos também resulta de lesões no hipotálamo.

Embora o dano hipotalâmico quase nunca seja encontrado em pessoas obesas, é possível que a organização funcional do hipotálamo ou outros centros neurogênicos da fome em indivíduos obesos sejam diferentes de pessoas que não são obesas. Além disso, anormalidades nos neurotransmissores ou nos mecanismos receptores podem estar presentes nas vias neurais do hipotálamo que controlam a alimentação. Para endossar essa teoria, uma pessoa obesa que reduziu seu peso ao normal por medidas dietéticas restritivas geralmente desenvolve uma fome intensa, que

CAPÍTULO 72 Equilíbrio Dietético; Regulação da Alimentação; Obesidade e Inanição; Vitaminas e Minerais

é comprovadamente muito maior do que a de uma pessoa normal. Além disso, a perda de peso induzida por dieta em pessoas obesas está associada a uma substancial *"adaptação metabólica"*, que se refere à desaceleração da taxa metabólica e ao gasto energético em valores maiores do que os previstos para o mudança na composição corporal causada pela perda de gordura e massa muscular. Esse fenômeno indica que o "ponto de ajuste" do sistema de controle alimentar em um obeso se situa em um nível muito mais alto de armazenamento de nutrientes do que o de um indivíduo não obeso.

Estudos em animais experimentais também indicam que, quando a ingestão de alimentos é restringida nos animais obesos, ocorrem acentuadas alterações dos neurotransmissores no hipotálamo que aumentam muito a fome, opondo-se à perda de peso. Algumas dessas mudanças incluem aumento da formação de neurotransmissores orexígenos, como NPY e diminuição da formação de substâncias anoréticas, como a leptina e o α-MSH. Estudos em humanos confirmaram que a perda de peso induzida por dieta é acompanhada por níveis aumentados de hormônios estimulantes da fome (p. ex., grelina) e diminuição dos níveis de hormônios que reduzem a fome (p. ex., leptina). Essas mudanças hormonais persistem por pelo menos 1 ano após a perda de peso, talvez explicando, em parte, por que é tão difícil para a maioria das pessoas conseguir uma perda de peso sustentada apenas com dieta.

Tratamento da obesidade

O tratamento da obesidade depende da redução do aporte energético abaixo do gasto de energia, e a criação de um equilíbrio energético negativo sustentado até que a perda de peso desejada seja alcançada. As diretrizes atuais do National Institutes of Health (NIH) recomendam uma redução na ingestão calórica de 500 Calorias (quilocalorias) por dia para pessoas com excesso de peso e obesidade moderada (IMC > 25, mas < 35 kg/m²) para alcançar uma perda de peso de aproximadamente 0,5 kg por semana. Um déficit de energia mais agressivo de 500 a 1.000 Calorias por dia é recomendado para pessoas com IMC superior a 35 kg/m². Normalmente, esse déficit de energia, se puder ser alcançado e sustentado, causará uma perda de peso de cerca de 0,5 a 1 kg por semana, ou cerca de 10% de perda de peso após 6 meses. Contudo, é importante prevenir deficiências de vitaminas durante o período de dieta.

Para a maioria das pessoas, aumentar a atividade física também é um componente importante do sucesso a longo prazo na redução da adiposidade. Quase todas as diretrizes atuais para o tratamento da obesidade, portanto, recomendam modificações no estilo de vida que incluem o aumento da atividade física combinado com a redução na ingestão calórica.

Tratamento farmacológico da obesidade. Vários *fármacos para redução do grau da fome* têm sido usados no tratamento da obesidade. Os fármacos mais utilizados são os *anfetamínicos* (ou derivados de anfetaminas), que inibem diretamente o centro de fome no cérebro. Um fármaco para tratar a obesidade combina *fentermina*, um simpaticomimético que reduz a ingestão de alimentos e aumenta o gasto de energia, com *topiramato*, que tem sido usado como um medicamento anticonvulsivante. O perigo de usar substâncias

simpaticomiméticas é que elas simultaneamente superexcitam o sistema nervoso simpático e aumentam a pressão arterial. Um simpaticomimético comumente usado para o tratamento da obesidade, a *sibutramina*, foi removido do mercado norte-americano em 2010, pois estudos clínicos demonstraram que houve um aumento do risco de infarto do miocárdio e de acidente vascular cerebral. Outro fármaco desenvolvido para tratamento da obesidade é a *lorcasserina*, que ativa receptores de serotonina no cérebro e promove o aumento da expressão de POMC. No entanto, a FDA solicitou a retirada da lorcasserina do mercado em 2020 devido a questões de segurança. A *bupropiona*, um inibidor da recaptação de dopamina e noradrenalina, estimula os neurônios POMC e é usado em combinação com a *naltrexona*, um antagonista do receptor opioide, para tratar a obesidade. *Agonistas sintéticos do peptídio semelhante ao glucagon-1* (GLP-1), uma classe de medicamentos utilizada para tratar diabetes melito tipo 2, também estimula os neurônios POMC a causar saciedade e perda de peso modesta.

Outra classe de medicamentos, os *inibidores do cotransportador de sódio e glicose do tipo 2* (SGLT 2), promovem leve perda de peso ao prevenir a reabsorção de glicose, bem como de água nos túbulos renais, e também são usados no tratamento de diabetes melito tipo 2.

Ainda, outro grupo de fármacos atua alterando a absorção de lipídios pelo intestino. Por exemplo, o *orlistate, um inibidor de lipase que reduz a digestão intestinal de gordura,* faz com que uma porção da gordura ingerida seja perdida nas fezes e, portanto, reduz a absorção de energia. No entanto, a perda de gordura fecal pode causar efeitos colaterais gastrointestinais desagradáveis, bem como perda de vitaminas solúveis na gordura nas fezes.

Todos os medicamentos atualmente aprovados para tratamento a longo prazo da obesidade produzem uma perda de peso modesta, geralmente apenas 5 a 10%, ou menos em alguns casos, e são mais eficazes quando utilizados em combinação com modificações do estilo de vida, visando ao aumento da atividade física e à alimentação mais saudável.

Tratamento cirúrgico da obesidade. Para pacientes com obesidade mórbida, com IMC maior que 40 kg/m², ou para pacientes com IMC maiores que 35 kg/m² e condições como hipertensão ou diabetes tipo 2, que os predispõem a outras doenças graves, vários procedimentos cirúrgicos podem ser usados para diminuir a massa de gordura do corpo ou para diminuir a quantidade de alimentos que podem ser consumidos em cada refeição.

A *cirurgia de bypass gástrico* envolve a construção de uma pequena bolsa na parte proximal do estômago, que é então conectada ao jejuno com uma secção de intestino delgado de vários comprimentos; a bolsa é separada da parte restante do estômago com grampos. A *cirurgia da banda gástrica* coloca uma banda ajustável em torno do estômago perto de sua extremidade superior; esse procedimento também cria uma pequena bolsa no estômago que restringe a quantidade de comida que pode ser ingerida em cada refeição. Um terceiro procedimento que agora está se tornando mais amplamente utilizado é a *gastrectomia vertical (sleeve)*, que remove uma grande parte do estômago com a parte restante grampeada. Esses procedimentos cirúrgicos geralmente produzem perda de peso substancial em pacientes obesos. O *bypass* gástrico e a gastrectomia vertical muitas vezes levam à rápida *remissão do diabetes melito tipo 2* e *hipertensão*, importantes complicações da obesidade, mesmo antes que ocorra uma perda de peso substancial. Esses procedimentos são cirurgias de grande porte e seus efeitos a longo prazo na saúde geral e na mortalidade ainda são incertos.

Inanição, anorexia e caquexia

Inanição é o oposto da obesidade e é caracterizada por extrema perda de peso. Pode ser causada por disponibilidade inadequada de alimentos ou por condições fisiopatológicas que diminuem significativamente o desejo por comida, incluindo distúrbios psicogênicos, anormalidades hipotalâmicas e fatores liberados de tecidos periféricos. Em muitos casos, em particular em pessoas com doenças graves, tais como o câncer, o desejo reduzido por comida pode estar associado ao aumento do gasto energético, resultando em séria perda de peso.

A *anorexia* é definida como uma *redução na ingestão de alimentos causada principalmente pela diminuição do apetite*, em oposição a definição literal de *"não comer"*. Essa definição enfatiza o importante papel dos mecanismos neurais centrais na fisiopatologia da anorexia em doenças como o câncer, quando outros problemas comuns, como dor e náuseas, também podem fazer com que uma pessoa consuma menos alimentos. A *anorexia nervosa* é um transtorno mental, em que uma pessoa perde todo o desejo por comida e até fica nauseada por ela; como resultado, ocorre inanição grave.

A *caquexia* é um distúrbio metabólico de aumento de gasto energético que leva à perda de peso maior do que a causada apenas pela redução da ingestão de alimentos. Anorexia e caquexia frequentemente ocorrem juntas em muitos tipos de câncer ou na "síndrome consuntiva" observada em pacientes com a síndrome da imunodeficiência adquirida (AIDS) e patologias inflamatórias crônicas. Quase todos os tipos de câncer causam anorexia e caquexia e mais da metade das pessoas com câncer durante o curso de sua doença desenvolve a síndrome anorexia-caquexia.

Acredita-se que fatores centrais neurais e periféricos contribuam para a anorexia e caquexia induzidas pelo câncer. Várias citocinas inflamatórias, incluindo *fator de necrose tumoral-α, interleucina-6, interleucina-1β* e *fator indutor de proteólise*, foram associadas à etiologia da anorexia e caquexia. A maioria dessas citocinas inflamatórias parece mediar a anorexia pela ativação do *sistema de melanocortina* no hipotálamo. Os mecanismos precisos pelos quais as citocinas ou produtos tumorais interagem com a via de sinalização da melanocortina para diminuir a ingestão de alimentos ainda não está claro, mas o bloqueio de receptores de melanocortina hipotalâmicos atenua muito os efeitos anoréxicos e caquéticos em animais experimentais. Pesquisas adicionais, no entanto, são necessárias para entender melhor os mecanismos fisiopatológicos da anorexia e caquexia em pessoas com câncer e para desenvolver agentes terapêuticos que melhorem o estado nutricional e sobrevivência desses indivíduos.

Inanição

Esgotamento das reservas de alimentos nos tecidos do corpo durante a fome. Mesmo que os tecidos prefiram usar carboidratos em vez de gordura ou proteína para obtenção de energia, a quantidade de carboidratos normalmente armazenados em todo o corpo é apenas algumas centenas de gramas (principalmente glicogênio no fígado e nos músculos), e isso pode fornecer a energia necessária para as funções do corpo por talvez metade de um dia. Portanto, exceto nas primeiras horas, os principais efeitos da inanição são o esgotamento progressivo de gordura e proteína do tecido. Como a gordura é a principal fonte de energia (100 vezes mais energia de gordura do que energia de carboidrato é armazenada em um indivíduo de porte médio), a taxa de depleção da gordura continua inabalável, até a maior parte dos depósitos de gordura no corpo acabarem conforme mostrado na **Figura 72.4**.

A proteína passa por três fases de depleção: depleção rápida no início, seguida por um momento de perda muito lento, e, por fim, um esgotamento rápido novamente pouco antes da morte. A depleção rápida inicial é causada pelo uso de proteína facilmente mobilizável para o metabolismo direto ou para conversão em glicose e, então, para o metabolismo glicídico, principalmente pelo cérebro. Depois que os estoques de proteínas facilmente mobilizadas forem esgotados durante a fase inicial de fome, as proteínas restantes não são removidas tão facilmente. Nesse momento, a taxa de gliconeogênese diminui para 30 a 50% de sua taxa anterior, e a taxa de depleção de proteínas diminui muito. A disponibilidade diminuída de glicose inicia uma série de eventos que levam à utilização excessiva de gordura e à conversão de alguns dos produtos da decomposição lipídica em corpos cetônicos, produzindo *cetose*, que é discutida no Capítulo 69. Os corpos cetônicos, assim como a glicose, podem cruzar a barreira hematencefálica e podem ser utilizados pelas células cerebrais para obtenção de energia. Portanto, cerca de dois terços da energia do cérebro agora são derivados destes corpos cetônicos, principalmente do β-hidroxibutirato. Essa sequência de eventos leva à preservação pelo menos parcial das reservas de proteínas do corpo.

Por fim, chega um momento em que os depósitos de gordura estão quase esgotados, e a única fonte restante de energia é a proteína. Nesse momento, os estoques de proteínas mais uma vez entram em um estágio de esgotamento rápido. Como as proteínas também são essenciais para a manutenção da função celular, a morte normalmente acontece quando as proteínas do corpo são depletadas a cerca da metade do seu nível normal.

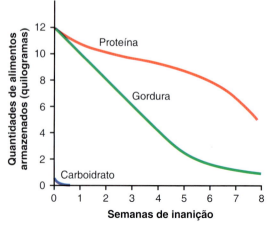

Figura 72.4 Efeito da inanição nas reservas de alimentos do corpo.

CAPÍTULO 72 Equilíbrio Dietético; Regulação da Alimentação; Obesidade e Inanição; Vitaminas e Minerais

Deficiências de vitaminas na inanição. Os estoques de algumas vitaminas, especialmente as hidrossolúveis – grupo de vitaminas B e de vitamina C –, não duram muito durante a inanição. Em consequência, depois de 1 semana ou mais de inanição, deficiências leves de vitaminas geralmente começam a aparecer, e, depois de várias semanas, podem ocorrer graves deficiências vitamínicas. Essas deficiências aumentam a debilidade que leva à morte.

Vitaminas

Necessidades diárias de vitaminas. Uma vitamina é um composto orgânico, necessário em pequenas quantidades para o metabolismo, que não pode ser fabricado nas células do corpo. A falta de vitaminas na dieta causa importantes *déficits* metabólicos. A **Tabela 72.3** lista as quantidades diárias necessárias de importantes vitaminas para homens e mulheres adultos de porte médio. Esses requisitos variam consideravelmente, dependendo de fatores como tamanho corporal, taxa de crescimento, quantidade de exercícios, gravidez e lactação.

Armazenamento de vitaminas no corpo. As vitaminas são armazenadas em pequenas quantidades em todas as células. Algumas vitaminas são estocadas em maior extensão no fígado. Por exemplo, a quantidade de vitamina A armazenada no fígado pode ser suficiente para manter uma pessoa por 5 a 10 meses sem qualquer ingestão de vitamina A. A quantidade de vitamina D armazenada no fígado geralmente é suficiente para manter uma pessoa por 2 a 4 meses sem qualquer ingestão adicional de vitamina D.

O estoque da maioria das vitaminas hidrossolúveis, especialmente a vitamina C e a maioria dos compostos de vitamina B, é relativamente pequeno. A ausência de vitamina C na dieta pode causar sintomas dentro de um algumas semanas e pode causar a morte por *escorbuto* em 20 a 30 semanas. Quando a dieta de uma pessoa é deficiente em compostos de vitamina B, os sintomas clínicos da deficiência às vezes podem ser reconhecidos dentro de alguns dias (exceto para a vitamina B_{12}, que pode permanecer no fígado em uma forma consolidada por 1 ano ou mais).

Vitamina A

A vitamina A está presente em tecidos animais como *retinol*. Essa vitamina não ocorre em alimentos de origem vegetal, mas as *provitaminas* para a formação de vitamina A existem em abundância em muitos alimentos vegetais. Essas provitaminas são os *pigmentos carotenoides* amarelos e vermelhos, que, devido sua estrutura química semelhante à da vitamina A, podem ser convertidas em vitamina A pelo fígado.

A deficiência de vitamina A causa "cegueira noturna" e crescimento anormal de células epiteliais.

Uma função básica da vitamina A é sua utilização na formação de pigmentos retinianos do olho, discutida no Capítulo 51. A vitamina A é necessária para a formação dos pigmentos visuais e, portanto, para evitar a cegueira noturna.

A vitamina A também é necessária para o crescimento normal da maioria das células do corpo e especialmente para o crescimento normal e proliferação dos diferentes tipos de células epiteliais. Quando falta vitamina A, os tecidos epiteliais do corpo tendem a se tornar estratificados e queratinizados. A deficiência de vitamina A se manifesta por (1) escamação da pele e às vezes acne; (2) deficiência de crescimento de animais jovens, incluindo a cessação de crescimento esquelético; (3) deficiência reprodutiva, especialmente associada à atrofia do epitélio germinativo dos testículos e, às vezes, com interrupção do ciclo sexual feminino; e (4) queratinização da córnea, com resultante opacificação e cegueira.

Na deficiência de vitamina A, as estruturas epiteliais danificadas frequentemente são infectadas (p. ex., conjuntiva dos olhos, revestimento epitelial do trato urinário e vias respiratórias). Vitamina A tem sido chamada de *vitamina "anti-infecção"*.

Tiamina (vitamina B_1)

A tiamina atua nos sistemas metabólicos do corpo principalmente como *pirofosfato de tiamina*; esse composto funciona como uma *cocarboxilase*, atuando principalmente em conjunto com uma proteína descarboxilase para a descarboxilação do ácido pirúvico e outros α-cetoácidos, conforme discutido no Capítulo 68.

A deficiência de tiamina (*beribéri*) causa a diminuição da utilização de ácido pirúvico e alguns aminoácidos pelos tecidos, mas aumenta a utilização de gorduras. Assim, a tiamina é especificamente necessária para o metabolismo final dos carboidratos e muitos aminoácidos. A diminuição da utilização desses nutrientes é responsável por muitas debilidades associadas à deficiência de tiamina.

A deficiência de tiamina causa lesões nos sistemas nervosos central e periférico.

O sistema nervoso central normalmente depende quase inteiramente do metabolismo dos carboidratos para sua energia. Na deficiência de tiamina, a utilização de glicose pelo tecido nervoso pode ser reduzida em 50 a 60% e é substituída pela utilização de corpos cetônicos derivados do metabolismo lipídico. Os neurônios do sistema nervoso central frequentemente mostram cromatólise e intumescimento durante a deficiência

Tabela 72.3 Ingestão diária recomendada de vitaminas para homens e mulheres adultos.

Vitaminas	Quantidade	
	Homens	Mulheres
A (Retinol)	900 μg (3.000 UI)	700 μg (2.333 UI)
B_1 (Tiamina)	1,2 mg	1 mg
B_2 (Riboflavina)	1,3 mg	1 mg
B_3 (Niacina)	16 mg	14 mg
B_5 (Ácido pantotênico)	5 mg	5 mg
B_6 (Piridoxina)	1,3 mg	1,3 mg
B_9 (Ácido fólico)	0,4 mg	0,4 mg
B_{12}	2,4 μg	2,4 μg
C (Ácido ascórbico)	90 mg	75 mg
D (Calciferol)	15 μg (600 UI)	15 μg (600 UI)
E (alfatocoferol)	15 mg (22,4 UI)	15 mg (22,4 UI)
K	120 μg	90 μg

UI: unidades internacionais. (Modificada do US Department of Health and Human Services, National Institutes of Health, Office of Dietary Supplements. https://ods.od.nih.gov/factsheets/list-VitaminsMinerals.)

PARTE 13 Metabolismo e Regulação da Temperatura

de tiamina, alterações que são características de neurônios com desnutrição. Essas mudanças podem interromper a comunicação em muitas partes do sistema nervoso central.

A deficiência de tiamina pode causar *degeneração da bainha de mielina* de fibras nervosas, tanto dos nervos periféricos como no sistema nervoso central. Lesões em nervos periféricos com frequência os tornam extremamente excitáveis, resultando na "polineurite", que é caracterizada por uma dor irradiada ao longo do trajeto de um ou mais nervos periféricos. Além disso, os tratos de fibra na medula espinhal podem degenerar a tal ponto que a *paralisia* ocasionalmente ocorre; mesmo na ausência de paralisia, os músculos atrofiam, resultando em fraqueza grave.

A deficiência de tiamina enfraquece o coração e causa vasodilatação periférica. A *insuficiência cardíaca* eventualmente se desenvolve em uma pessoa com deficiência grave de tiamina devido ao enfraquecimento do músculo cardíaco. Além disso, o retorno venoso de sangue para o coração pode ser aumentado para até duas vezes o normal, pois a deficiência de tiamina causa *vasodilatação periférica* em todo o sistema circulatório, presumivelmente como resultado da diminuição da liberação de metabólitos energéticos pelos tecidos, levando à vasodilatação local. Os efeitos cardíacos da deficiência de tiamina ocorrem, em parte, devido ao aumento do fluxo sanguíneo para o coração e, parcialmente, pela fraqueza primária do músculo cardíaco. *Edema periférico* e *ascite* também ocorrem em algumas pessoas com deficiência de tiamina, principalmente por causa da insuficiência cardíaca.

A deficiência de tiamina causa distúrbios do sistema digestório. Entre os sintomas gastrointestinais da deficiência de tiamina estão a indigestão, a constipação intestinal grave, a anorexia, a atonia gástrica e a hipocloridria. Todos esses efeitos presumivelmente resultam de falha do músculo liso e glândulas do trato gastrointestinal para obter energia suficiente do metabolismo de carboidratos.

O quadro geral da deficiência de tiamina, incluindo polineurite, sintomas cardiovasculares e distúrbios gastrointestinais, é frequentemente referido como *beribéri* – especialmente quando os sintomas cardiovasculares predominam.

Riboflavina (vitamina B₂)

A riboflavina normalmente se combina nos tecidos com o ácido fosfórico para formar duas coenzimas, a *flavina mononucleotídio* (FMN) e a *flavina-adenina dinucleotídio* (FAD). Elas funcionam como transportadores de hidrogênio em importantes sistemas oxidativos das mitocôndrias. A NAD, funcionando em associação às desidrogenases específicas, normalmente aceita o hidrogênio removido dos diversos substratos alimentares, repassando-o, então, à FMN ou à FAD; por fim, o hidrogênio é liberado como íon dentro da matriz mitocondrial para ser oxidado pelo oxigênio (processo descrito no Capítulo 68).

A deficiência de riboflavina em animais experimentais causa dermatite grave, vômito, diarreia e espasmos musculares, que por fim, se transformam em fraqueza muscular, coma, diminuição da temperatura corporal e morte. Assim, a deficiência grave de riboflavina pode causar muitos dos mesmos efeitos que a ausência de niacina na dieta provoca; presumivelmente, as debilidades resultantes em cada caso são resultantes da depressão generalizada dos processos oxidativos no interior das células.

Em seres humanos, não há casos conhecidos de deficiência de riboflavina grave o suficiente para causar debilidades marcantes, como as observadas em estudos com animais, mas a deficiência leve de riboflavina provavelmente é comum. Essa deficiência causa distúrbios digestivos, sensação de queimação na pele e olhos, fissuras nos cantos da boca, dores de cabeça, depressão mental, esquecimento, e assim por diante.

Embora as manifestações da deficiência de riboflavina sejam geralmente leves, essa deficiência costuma ocorrer em associação com deficiências de tiamina, niacina ou ambas. Muitas síndromes de deficiência, incluindo *pelagra, beribéri, espru tropical* e *kwashiorkor*, provavelmente ocorrem devido a uma deficiência combinada de uma série de vitaminas, bem como outros aspectos da desnutrição.

Niacina (vitamina B₃)

A niacina, também chamada de *ácido nicotínico*, age no organismo como coenzimas na forma de nicotinamida adenina dinucleotídio (NAD) e fosfato de NAD. Essas coenzimas são aceptoras de hidrogênio e se combinam com átomos de hidrogênio à medida que eles são removidos dos substratos alimentares por muitos tipos de desidrogenases. A operação típica de ambas as coenzimas é apresentada no Capítulo 68. Quando existe deficiência de niacina, a intensidade normal de desidrogenação não pode ser mantida; em consequência, a transferência oxidativa da energia dos alimentos para os elementos funcionantes de todas as células não pode ocorrer em níveis normais.

Nos estágios iniciais da deficiência de niacina, mudanças fisiológicas simples, tais como fraqueza muscular e deficiência na secreção glandular podem ocorrer, mas no caso de deficiência grave de niacina, segue-se a morte do tecido. Lesões patológicas aparecem em muitas partes do sistema nervoso central, podendo ocorrer demência permanente ou muitos tipos de psicoses. Além disso, a pele desenvolve descamação quebradiça e pigmentada em áreas expostas à irritação mecânica ou à irradiação solar; em pessoas com carência em niacina, a pele não consegue reparar o dano irritativo.

A deficiência de niacina causa intensa irritação e inflamação das membranas mucosas da boca e outras porções do trato gastrointestinal, resultando em muitas anormalidades digestivas que podem levar a hemorragia gastrointestinal disseminada em casos graves. É possível que essa condição resulte da depressão generalizada do metabolismo no epitélio gastrointestinal e de falha no reparo epitelial adequado.

A entidade clínica chamada de *pelagra* e a doença canina chamada *língua negra* são causadas principalmente pela deficiência de niacina. A pelagra é muito exacerbada em pessoas que fazem dieta à base de milho, pois o milho é deficiente no aminoácido triptofano, que pode ser convertido em niacina em quantidades limitadas no corpo.

Ácido pantotênico (vitamina B₅)

O ácido pantotênico é principalmente incorporado no organismo em *coenzima A* (CoA), que tem muitos papéis metabólicos nas células. Duas dessas funções discutidas longamente nos Capítulos 68 e 69 são (1) conversão de ácido

CAPÍTULO 72 Equilíbrio Dietético; Regulação da Alimentação; Obesidade e Inanição; Vitaminas e Minerais

pirúvico descarboxilado em acetil-CoA antes de sua entrada no ciclo do ácido cítrico e (2) degradação de moléculas de ácido graxo em múltiplas moléculas de acetil-CoA. *Assim, a falta de ácido pantotênico pode levar a uma depressão do metabolismo de carboidratos e gorduras.*

A deficiência do ácido pantotênico em animais experimentais pode causar um retardo no crescimento, falha na reprodução, pelos acinzentados, dermatite, esteatose hepática e necrose adrenocortical hemorrágica. Em seres humanos, nenhuma síndrome de deficiência desta vitamina foi comprovada, provavelmente por causa de sua ampla ocorrência em quase todos os alimentos e porque, provavelmente, pequenas quantidades podem ser sintetizadas pelo corpo. Essa situação não significa que o ácido pantotênico não seja importante nos sistemas metabólicos do corpo; na verdade, é talvez tão necessário quanto qualquer outra vitamina.

Piridoxina (vitamina B_6)

A piridoxina existe na forma de *fosfato de piridoxal* nas células e funciona como uma coenzima para muitas reações químicas relacionadas ao metabolismo de aminoácidos e proteínas. *Seu papel mais importante é o de coenzima no processo de transaminação para a síntese de aminoácidos.* Como um resultado, a piridoxina desempenha muitos papéis importantes no metabolismo, especialmente no metabolismo de proteínas. Além disso, acredita-se que ela atue no transporte de alguns aminoácidos através das membranas celulares.

A falta de piridoxina na dieta em animais experimentais pode causar dermatite, diminuição da taxa de crescimento, esteatose hepática, anemia e evidência de deterioração mental. Raramente, em crianças, a deficiência de piridoxina é conhecida por causar convulsões, dermatite e distúrbios gastrointestinais, tais como náuseas e vômitos.

Vitamina B_{12} (cobalamina)

Vários compostos de *cobalamina* possuem um grupo protético em comum, que exibe a chamada atividade da vitamina B_{12}. Esse grupo protético contém cobalto, que apresenta ligações semelhantes às do ferro na molécula de hemoglobina. É provável que o átomo de cobalto funcione da mesma maneira que o de ferro para se combinar reversivelmente a outras substâncias.

A deficiência de vitamina B_{12} causa anemia perniciosa. A vitamina B_{12} desempenha várias funções metabólicas em seu papel como uma coenzima aceptora de hidrogênio. Sua função mais importante é atuar como uma coenzima para reduzir os ribonucleotídios a desoxirribonucleotídios, etapa necessária na replicação gênica. Isso poderia explicar as principais funções da vitamina B_{12}: (1) promoção do crescimento e (2) promoção da formação e maturação de hemácias. Essa função eritrocitária é descrita, em detalhes, no Capítulo 33, em relação à anemia perniciosa, um tipo de anemia causada por falha da maturação das hemácias quando a vitamina B_{12} é deficiente.

A deficiência de vitamina B_{12} causa desmielinização de grandes fibras nervosas da medula espinhal. A desmielinização de fibras nervosas em pessoas com deficiência de vitamina B_{12} ocorre especialmente nas colunas posteriores,

e ocasionalmente, nas colunas laterais da medula espinhal. Como resultado, muitas pessoas com anemia perniciosa perdem a sensibilidade periférica e, em casos graves, até mesmo ficam paralisadas.

A causa usual da deficiência de vitamina B_{12} não é falta dessa vitamina na comida, mas a deficiência de formação do *fator intrínseco*, que normalmente é secretado pelas células parietais das glândulas gástricas e é essencial para a absorção de vitamina B_{12} pela mucosa ileal. Esse tópico é discutido nos Capítulos 33 e 67.

Ácido fólico (ácido pteroilglutâmico, vitamina B_9)

Vários ácidos pteroilglutâmicos exibem o "efeito do ácido fólico". O ácido fólico funciona como um transportador dos grupos hidroximetil e formil. *Talvez sua utilização mais importante no corpo seja na síntese de purinas e timina, que são necessárias para a formação de DNA.* Portanto, o ácido fólico, assim como a vitamina B_{12}, são necessários para a replicação genética e podem explicar uma das funções mais importantes do ácido fólico – promover o crescimento. Na verdade, quando ele está ausente da dieta, um animal cresce muito pouco.

O ácido fólico é um promotor de crescimento ainda mais potente do que vitamina B_{12} e, assim como a vitamina B_{12}, é importante para a maturação das hemácias, conforme discutido no Capítulo 33. Contudo, a vitamina B_{12} e o ácido fólico desempenham, cada um, funções químicas específicas e diferentes na promoção do crescimento e maturação das hemácias. Um dos efeitos significativos da deficiência de ácido fólico é o desenvolvimento de *anemia macrocítica*, quase idêntica à que ocorre anemia perniciosa. Isso geralmente pode ser tratado de forma eficaz apenas com ácido fólico.

Ácido ascórbico (vitamina C)

A deficiência de ácido ascórbico enfraquece as fibras colágenas por todo o corpo. O ácido ascórbico é essencial para ativar a enzima *prolil hidroxilase*, que promove a etapa de hidroxilação na formação de hidroxiprolina, um constituinte integral do colágeno. Sem ácido ascórbico, as fibras colágenas que são formadas em praticamente todos os tecidos do corpo são defeituosas e fracas. Portanto, essa vitamina é essencial para o crescimento e para a força das fibras no tecido subcutâneo, na cartilagem, nos ossos e nos dentes.

A deficiência de ácido ascórbico causa escorbuto. A deficiência de ácido ascórbico por 20 a 30 semanas causa *escorbuto*. Um dos efeitos mais importantes do escorbuto é a *incapacidade de cicatrização de feridas*. Essa condição é causada pela falha das células em depositar fibrilas colágenas e substâncias de cimento intercelular. Como resultado, a cura de uma ferida pode exigir vários meses em vez dos vários dias normalmente necessários.

A falta de ácido ascórbico também causa *alterações no crescimento ósseo*. As células das epífises em crescimento continuam a proliferar, mas nenhum novo colágeno é depositado entre as células, fazendo com que os ossos fraturem com facilidade no local de crescimento, devido à incapacidade de ossificação. Da mesma forma, quando um osso já ossificado é fraturado em pessoa com deficiência de ácido ascórbico, os osteoblastos não conseguem formar nova

PARTE 13 Metabolismo e Regulação da Temperatura

matriz óssea. Em consequência, o osso fraturado não forma o calo ósseo.

As *paredes dos vasos sanguíneos tornam-se extremamente frágeis* nas pessoas com escorbuto, devido a (1) falha das células endoteliais em serem cimentadas em conjunto e (2) incapacidade em formar fibrilas colágenas, normalmente presentes nas paredes vasculares. Os capilares são especialmente propensos a se romper e, como resultado, pequenas hemorragias petequiais diversas ocorrem em todo o corpo. As hemorragias subcutâneas causam manchas purpúricas, às vezes sobre todo o corpo. Em casos extremos de escorbuto, as fibras musculares às vezes se fragmentam; ocorrem lesões gengivais, com perda dos dentes; infecções orais se desenvolvem; e hematêmese, melena e hemorragia cerebral podem ocorrer. Por fim, a febre alta costuma se desenvolver antes da morte.

Vitamina D

A vitamina D (calciferol) aumenta a absorção de cálcio do trato gastrointestinal e ajuda a controlar a deposição de cálcio no osso. O mecanismo pelo qual a vitamina D aumenta a absorção do cálcio é principalmente pela promoção do transporte ativo de cálcio através do epitélio do íleo. Em particular, ela aumenta a formação de proteína ligadora de cálcio nas células epiteliais intestinais, o que auxilia a sua absorção. As funções específicas da vitamina D, em relação ao metabolismo global do cálcio corporal e à formação óssea, são apresentadas no Capítulo 80.

Vitamina E (alfatocoferol)

Vários compostos relacionados exibem a denominada atividade da vitamina E. Somente raros casos de deficiência comprovada de vitamina E ocorreram em seres humanos. Em estudos com animais, a deficiência de vitamina E pode levar à degeneração do epitélio germinativo dos testículos e, consequentemente, ocasionar esterilidade masculina. Nas fêmeas, a carência de vitamina E também pode provocar reabsorção do feto, após a concepção. Devido às consequências de sua deficiência, a vitamina E é eventualmente denominada "vitamina antiesterilidade". Sua carência impede o crescimento normal, provocando, às vezes, a degeneração das células tubulares renais e musculares.

Acredita-se que a vitamina E desempenhe papel protetor na prevenção da oxidação das gorduras não saturadas. Na ausência de vitamina E, a quantidade de gorduras não saturadas nas células fica diminuída, provocando anormalidades estruturais e funcionais de organelas celulares tais como as mitocôndrias, os lisossomos e, até mesmo, a membrana celular.

Vitamina K

A vitamina K é um cofator essencial a uma enzima do fígado que adiciona um grupo carboxila aos fatores II (protrombina), VII (proconvertina), IX e X, todos os quais são importantes na coagulação sanguínea. Sem essa carboxilação, esses fatores de coagulação são inativos. Portanto, quando a deficiência de vitamina K ocorre, a coagulação do sangue é retardada. A função desta vitamina e sua relação com alguns dos anticoagulantes, tais como dicumarol, são apresentadas em maiores detalhes no Capítulo 37.

Vários compostos naturais e sintéticos exibem atividade da vitamina K. Como a vitamina K é sintetizada por bactérias no cólon, é raro uma pessoa ter uma tendência hemorrágica devido à deficiência de vitamina K na dieta. No entanto, quando as bactérias do cólon são destruídas por administração de grandes quantidades de antibióticos, a deficiência de vitaminas K ocorre rapidamente devido à escassez desse composto na dieta normal.

Metabolismo mineral

As funções de muitos minerais, como sódio, potássio, e cloreto, são apresentadas em locais apropriados no texto. Somente funções específicas dos minerais, não abordadas em outra parte, estão aqui mencionadas. A ingestão diária adequada ou a média recomendada desses minerais para homens e mulheres adultos são apresentadas na **Tabela 72.4.**

Magnésio. A concentração celular de magnésio é cerca de um sexto da do potássio. O magnésio é necessário como catalisador para muitas reações enzimáticas intracelulares, particularmente as relacionadas ao metabolismo dos carboidratos.

A concentração de magnésio no líquido extracelular é pequena, apenas 1,8 a 2,5 mEq/ℓ. A concentração extracelular aumentada de magnésio deprime a atividade do sistema nervoso, bem como a contração do músculo esquelético. Este último efeito pode ser bloqueado pela administração de cálcio. Baixa concentração de magnésio causa maior irritabilidade do sistema nervoso, vasodilatação periférica e arritmias cardíacas, especialmente após infarto agudo do miocárdio.

Cálcio. O cálcio está presente no corpo principalmente na forma de fosfato de cálcio no osso. Esse assunto é discutido em detalhes no Capítulo 80, assim como o conteúdo de cálcio de líquido extracelular. Quantidades excessivas de

Tabela 72.4 Ingestão dietética diária adequada ou recomendada de minerais para homens e mulheres adultos.

Mineral	Quantidade	
	Homens	**Mulheres**
Sódio	1.500 mg	1.500 mg
Potássio	3.400 mg	2.600 mg
Cloro	2.300 mg	2.300 mg
Cálcio	**1.000 mg[a]**	**1.000 mg[b]**
Fósforo	**700 mg**	**700 mg**
Ferro	**8 mg**	**18 mg[c]**
Iodo	**150 μg**	**150 μg**
Fluoreto	4 mg	3 mg
Magnésio	**420 mg**	**320 mg**
Molibdênio	**45 mg**	**45 mg**
Selênio	**55 μg**	**55 μg**
Cobre	**900 μg**	**900 μg**
Manganês	2,3 mg	1,8 mg
Zinco	**11 mg**	**8 mg**

As doses diárias recomendadas estão em negrito e as doses adequadas estão com a fonte regular. [a]Aumentar para 1.200 mg/dia após os 70 anos. [b]Aumentar para 1.200 mg/dia após os 51 anos. [c]Diminuir para 8 mg/dia após os 51 anos. (Fonte: The National Academies of Sciences, Health and Medicine Division. http://nationalacademies.org/hmd/Activities/Nutrition/SummaryDRIs/DRI-Tables.aspx.)

CAPÍTULO 72 Equilíbrio Dietético; Regulação da Alimentação; Obesidade e Inanição; Vitaminas e Minerais

íons cálcio no líquido extracelular podem fazer com que o coração pare na sístole e pode atuar como um depressor mental. No outro extremo, baixos níveis de cálcio podem causar descarga espontânea de fibras nervosas, resultando em tetania, conforme discutido no Capítulo 80.

Fósforo. *O fosfato é o principal ânion do líquido intracelular.* Os fosfatos têm a capacidade de se combinarem reversivelmente com muitos sistemas de coenzimas e com vários outros compostos que são necessários para o funcionamento dos processos metabólicos. Muitas reações importantes de fosfatos foram citadas em outros pontos deste livro, especialmente em relação às funções do trifosfato de adenosina, difosfato de adenosina, fosfocreatina e assim por diante. Além disso, o osso contém uma grande quantidade de fosfato de cálcio, que é discutido no Capítulo 80.

Ferro. A função do ferro no organismo, principalmente em relação à formação de hemoglobina, é discutida no Capítulo 33. *Dois terços do ferro no corpo estão na forma de hemoglobina*, embora quantidades menores estejam presentes em outras formas, especialmente no fígado e na medula óssea. Carreadores de elétron contendo ferro (especialmente os citocromos) estão presentes nas mitocôndrias de todas as células do corpo e são essenciais para a maior parte da oxidação que ocorre nas células. Portanto, o ferro é absolutamente essencial tanto para o transporte de oxigênio para os tecidos como para o funcionamento dos sistemas oxidativos no interior das células teciduais, sem os quais a vida poderia cessar em poucos segundos.

Oligoelementos importantes no corpo

Alguns elementos estão presentes no organismo em quantidades tão pequenas que são denominados *oligoelementos*. As quantidades desses elementos nos alimentos são normalmente muito pequenas. Porém, sem qualquer um deles, a síndrome de deficiência específica provavelmente se desenvolverá. Três dos mais importantes desses oligoelementos são o iodo, o zinco e o flúor.

Iodo. O mais conhecido dos oligoelementos é o iodo, que é discutido no Capítulo 77 em conexão com a formação e a função do hormônio tireoidiano. Como mostrado na **Tabela 72.4**, todo o corpo contém média de apenas 14 miligramas de iodo. O iodo é essencial para a formação de tiroxina e tri-iodotironina, os dois hormônios da tireoide que são essenciais para a manutenção das taxas metabólicas normais em todas as células do corpo.

Zinco. O zinco é parte integrante de muitas enzimas; uma das mais importantes delas é a *anidrase carbônica*, que está presente em uma concentração especialmente alta nas hemácias. Essa enzima é responsável pela rápida combinação de dióxido de carbono com água nas hemácias do sangue capilar periférico e para liberação rápida de dióxido de carbono do sangue capilar pulmonar para os alvéolos. A anidrase carbônica também está presente em grande parte na mucosa gastrointestinal, nos túbulos renais e nas células epiteliais de muitas glândulas do corpo. Consequentemente, o zinco, em pequenas quantidades, é essencial para o desempenho de muitas reações relacionadas ao metabolismo do dióxido de carbono. O zinco também é um componente da *desidrogenase láctica* e é, portanto, importante para as interconversões entre o ácido pirúvico e o ácido láctico. Por fim, o zinco é um componente de algumas *peptidases* e é importante para a digestão de proteínas no trato gastrointestinal.

Flúor. O flúor não parece ser um elemento necessário para o metabolismo, mas a presença de uma pequena quantidade de flúor no corpo durante o período de vida em que os dentes estão sendo formados os protege, futuramente, contra a cárie. O flúor não torna os dentes mais fortes, mas suprime o processo cariogênico. Sugeriu-se que o flúor se deposite nos cristais de hidroxiapatita do esmalte dentário, com o qual se combina, bloqueando, por conseguinte, as funções de diversos oligoelementos necessários para a ativação das enzimas bacterianas que causam as cáries. Portanto, quando o flúor está presente, as enzimas permanecem inativas e não provocam as cáries.

A ingestão excessiva de flúor causa *fluorose*, que se manifesta em seu estado mais leve como manchas dentárias, e em seu estado mais grave por ossos aumentados. Foi postulado que, nessas condições, o flúor se combina com os oligoelementos em algumas enzimas metabólicas, incluindo as fosfatases, de modo que diversos sistemas metabólicos ficam parcialmente inativados. De acordo com essa teoria, os dentes manchados e os ossos aumentados se devem a sistemas enzimáticos anormais nos odontoblastos e nos osteoblastos. Embora os dentes manchados sejam muito resistentes ao desenvolvimento de cáries, sua força estrutural pode estar consideravelmente diminuída pelo processo de pigmentação.

Bibliografia

Al-Najim W, Docherty NG, le Roux CW: Food intake and eating behavior after bariatric surgery. Physiol Rev 98:1113, 2018.

Anderson EJ, Çakir I, Carrington SJ, Cone RD et al: 60 Years of POMC: Regulation of feeding and energy homeostasis by α-MSH. J Mol Endocrinol 56:T157, 2016.

Apovian CM, Aronne LJ, Bessesen DH, et al: Endocrine Society Pharmacological management of obesity: an Endocrine Society clinical practice guideline. J Clin Endocrinol Metab 100:342, 2015.

Bray GA, Heisel WE, Afshin A, et al: The science of obesity management: an endocrine society scientific statement. Endocr Rev 39:79, 2018.

Christakos S, Dhawan P, Verstuyf A, et al: Vitamin D: Metabolism, molecular mechanism of action, and pleiotropic effects. Physiol Rev 96:365, 2016.

Clemmensen C, Müller TD, Woods SC, et al: Gut-brain cross-talk in metabolic control. Cell 168:758, 2017.

Fernandez-Twinn DS, Hjort L, Novakovic B, et al: Intrauterine programming of obesity and type 2 diabetes. Diabetologia 62:1789, 2019.

Friedman J: The long road to leptin. J Clin Invest. 126:4727, 2016.

Hall JE, do Carmo JM, da Silva AA, Wang Z, Hall ME: Obesity, kidney dysfunction and hypertension: mechanistic links. Nat Rev Nephrol 15:367, 2019.

Hall JE, do Carmo JM, da Silva AA, Wang Z, Hall ME: Obesity-induced hypertension: interaction of neurohumoral and renal mechanisms. Circ Res 116:991, 2015.

Hall JE, Hall ME: Cardiometabolic Surgery for Treatment of Hypertension? Hypertension 73:543, 2019.

Heymsfield SB, Wadden TA: Mechanisms, pathophysiology, and management of obesity. N Engl J Med 376:254, 2017.

PARTE 13 Metabolismo e Regulação da Temperatura

Kim KS, Seeley RJ, Sandoval DA: Signalling from the periphery to the brain that regulates energy homeostasis. Nat Rev Neurosci 19:185, 2018.

National Academy of Sciences, Health and Medicine Division. http://nationalacademies.org/hmd/ Activities/Nutrition/SummaryDRIs/DRI-Tables.aspx

National Institutes of Health, Office of Dietary Supplements. https://ods.od.nih.gov/factsheets/list-VitaminsMinerals/

Neeland IJ, Poirier P, Després JP: Cardiovascular and metabolic heterogeneity of obesity: clinical challenges and implications for management. Circulation 137:1391, 2018.

Pan WW, Myers MG Jr: Leptin and the maintenance of elevated body weight. Nat Rev Neurosci 19:95, 2018.

Pareek M, Schauer PR, Kaplan LM, et al: Metabolic surgery: weight loss, diabetes, and beyond. J Am Coll Cardiol 71:670, 2018.

Rohde K, Keller M, la Cour Poulsen L, et al: Genetics and epigenetics in obesity. Metabolism 92:37, 2019.

Rohm M, Zeigerer A, Machado J, Herzig S: Energy metabolism in cachexia. EMBO Rep 2019 Apr;20(4). pii: e47258. doi: 10.15252/embr.201847258. Epub 2019 Mar 19

Sales VM, Ferguson-Smith AC, Patti ME: Epigenetic mechanisms of transmission of metabolic disease across generations. Cell Metab 25:559, 2017.

Schwartz MW, Seeley RJ, Zeltser LM, et al: Obesity pathogenesis: an endocrine society scientific statement. Endocr Rev 38:267, 2017.

Srivastava G, Apovian CM: Current pharmacotherapy for obesity. Nat Rev Endocrinol 14:12, 2018.

Tchernof A, Després JP: Pathophysiology of human visceral obesity: an update. Physiol Rev 93:359, 2013.

CAPÍTULO 73

Energética Celular e Taxa Metabólica

O trifosfato de adenosina (ATP) atua no metabolismo como "moeda metabólica"

Carboidratos, gorduras e proteínas podem ser usados pelas células para sintetizar grandes quantidades de trifosfato de adenosina (ATP), que é usado como fonte de energia para quase todas as outras funções celulares. Por esse motivo, o ATP é chamado de "moeda" energética no metabolismo celular. De fato, a transferência de energia dos alimentos para a maioria dos sistemas funcionais das células pode ser realizada apenas por meio desse intermediário de ATP (ou por nucleotídio semelhante, o trifosfato de guanosina [GTP]). Muitos dos atributos do ATP são apresentados no Capítulo 2.

Uma qualidade do ATP que o torna altamente valioso como moeda energética é a sua grande quantidade de energia livre (aproximadamente 7.300 calorias, ou 7,3 Calorias [quilocalorias], por mol em condições-padrão, e até 12.000 calorias em condições fisiológicas) em cada uma de suas duas ligações fosfato extremamente energéticas. A quantidade de energia em cada ligação, quando liberada pela decomposição do ATP, é suficiente para fazer com que quase todas as etapas de qualquer reação química no corpo ocorram se a transferência de energia apropriada for atingida. Algumas reações químicas que requerem energia do ATP usam apenas algumas centenas das 12.000 calorias disponíveis, e o restante dessa energia se perde na forma de calor.[1]

O ATP é gerado pela combustão de carboidratos, gorduras e proteínas.
Nos capítulos anteriores, discutimos a transferência de energia de vários alimentos para o ATP. Resumidamente, o ATP é produzido por meio dos seguintes processos:

1. *Combustão de carboidratos* – principalmente glicose, mas também de quantidades menores de outros açúcares, como a frutose; essa combustão ocorre no citoplasma celular pelo processo anaeróbico da *glicólise* e, nas mitocôndrias, pelo *ciclo aeróbico do ácido cítrico (ciclo de Krebs)*.
2. *Combustão dos ácidos graxos* nas mitocôndrias celulares, por betaoxidação.
3. *Combustão de proteínas*, o que requer hidrólise em seus aminoácidos constitutivos e a sua degradação em compostos intermediários do ciclo do ácido cítrico e, em seguida, em acetil coenzima A e dióxido de carbono.

---

[1]N.R.C.: É importante destacar que Calorias (com letra maiúscula) e kcal (quilocalorias) são consideradas a mesma medida de energia e equivalem a 1.000 cal (minúscula).

O ATP fornece energia para a síntese de componentes celulares.
Entre os processos intracelulares mais importantes que requerem energia do ATP está a formação de ligações peptídicas entre os aminoácidos durante a síntese proteica. As diferentes ligações peptídicas, dependendo de quais tipos de aminoácidos estejam ligados, requerem de 500 a 5.000 calorias de energia por mol. Recordando o Capítulo 3, sabe-se que quatro ligações fosfato de alta energia são gastas durante a cascata de reações necessárias para formar cada ligação peptídica. Esse gasto fornece um total de 48.000 calorias de energia, muito mais do que as 500 a 5.000 calorias eventualmente armazenadas em cada uma das ligações peptídicas.

A energia do ATP também é utilizada para sintetizar a glicose do ácido láctico e para a síntese de ácidos graxos da acetil coenzima A. Além disso, a energia do ATP é usada na síntese do colesterol, dos fosfolipídios, dos hormônios e de quase todas as outras substâncias do corpo. Até a ureia, excretada pelos rins, necessita de ATP para induzir sua formação a partir da amônia. Alguém poderia questionar por que a energia é gasta para formar a ureia, já que ela será simplesmente descartada pelo corpo. Todavia, recordando a extrema toxicidade da amônia nos líquidos corporais, poder-se-ia perceber a importância dessa reação que mantém a concentração de amônia nos líquidos corporais em níveis baixos.

O ATP fornece energia para a contração muscular.
A contração muscular não ocorre sem a energia do ATP. A miosina, uma das proteínas contráteis mais importantes das fibras musculares, atua como uma enzima que causa a quebra do ATP em difosfato de adenosina (ADP), liberando, assim, a energia necessária para causar a contração. Apenas uma pequena quantidade de ATP é normalmente degradada pelos músculos quando a contração muscular não está ocorrendo, mas essa taxa de uso de ATP pode aumentar em pelo menos 150 vezes durante curtos períodos de contração máxima, se comparada à taxa do nível de repouso. O mecanismo postulado, pelo qual a energia do ATP é utilizada para provocar a contração muscular, é discutido no Capítulo 6.

O ATP fornece energia para o transporte ativo através das membranas.
Nos Capítulos 4, 28 e 66, discutiu-se o transporte ativo dos eletrólitos e dos diversos nutrientes através das membranas celulares, como também pelos túbulos renais e trato gastrointestinal para o sangue. Observamos que o transporte ativo da maioria dos eletrólitos e

PARTE 13 Metabolismo e Regulação da Temperatura

substâncias como glicose, aminoácidos e acetoacetato pode ocorrer contra um gradiente eletroquímico, embora a difusão natural das substâncias possa se dar na direção oposta. A energia fornecida pelo ATP é necessária para que ocorra oposição ao gradiente eletroquímico.

O ATP fornece energia para viabilizar a secreção glandular.
Os mesmos princípios se aplicam tanto à secreção glandular quanto à absorção de substâncias contra gradientes de concentração, uma vez que a concentração dessas substâncias, à medida que são secretadas pelas células glandulares, demanda energia. Além disso, a energia é necessária para a síntese dos compostos orgânicos a serem secretados.

O ATP fornece energia para a condução nervosa.
A energia usada durante a propagação dos impulsos nervosos é derivada do potencial energético armazenado na forma de diferenças de concentração de íons através das membranas celulares neuronais. Ou seja, uma alta concentração de potássio dentro do neurônio e uma baixa concentração fora do neurônio constituem um tipo de armazenamento de energia. Da mesma forma, uma concentração elevada de sódio do lado externo da membrana e uma baixa concentração internamente representam outro depósito energético. A energia necessária para a passagem de cada potencial de ação ao longo da membrana da fibra é oriunda desse estoque energético, com a transferência de pequenas quantidades de potássio para fora e de sódio para dentro da célula, durante cada potencial de ação. Porém, os sistemas de transporte ativo, que recebem energia do ATP, transportam os íons de volta através da membrana para as suas posições anteriores.

A fosfocreatina funciona como um depósito acessório de armazenamento energético e como um "tampão do ATP"

Apesar da importância primordial do ATP como agente de acoplamento para transferência energética, essa substância não é o reservatório celular mais abundante de ligações fosfato de alta energia. A *fosfocreatina*, que também contém ligações fosfato de alta energia, é três a oito vezes mais abundante que o ATP. Além disso, a ligação de alta energia (simbolizado por ~) da fosfocreatina contém cerca de 8.500 calorias por mol em condições padrão e até 13.000 calorias por mol em condições corporais (37°C e baixas concentrações dos reagentes). Essa quantidade é ligeiramente maior do que as 12.000 calorias por mol em cada uma das duas ligações fosfato de alta energia do ATP. A fórmula para o fosfato de creatinina é a seguinte:

$$\underset{HOOC-CH_2-N-C-N\sim P-OH}{\overset{\displaystyle CH_3 \quad NH \quad H \quad O}{}}$$

Ao contrário do ATP, a fosfocreatina não pode agir como um agente acoplador direto para a transferência de energia entre os alimentos e os sistemas celulares funcionais, mas pode transferir energia de forma intercambiável com o ATP. Quando quantidades extras de ATP estão disponíveis na célula, grande parte de sua energia é usada para sintetizar a fosfocreatina, acumulando, assim, esse depósito de energia. Em seguida, quando o ATP começa a ser usado, a energia da fosfocreatina é transferida rapidamente de volta para o ATP, e então para os sistemas funcionais das células. Esta interrelação reversível entre ATP e fosfocreatina é demonstrada pela seguinte equação:

$$Fosfocreatina + ADP \rightleftharpoons ATP + Creatina$$

Observe que o nível energético mais elevado da ligação fosfato de alta energia da fosfocreatina (1.000 a 1.500 calorias por mol maior que a do ATP) faz com que a reação entre a fosfocreatina e o ADP ocorra mais rapidamente em direção à formação de novo ATP, toda vez que a mais leve quantidade de ATP gastar a sua energia em outra parte. Portanto, mesmo o mais discreto uso de ATP pelas células evoca a energia da fosfocreatina para a síntese de novo ATP. Esse efeito mantém a concentração do ATP quase constantemente em nível elevado, desde que ainda reste alguma fosfocreatina. Por essa razão, podemos chamar o sistema ATP-fosfocreatina de sistema "tampão" do ATP. Pode-se, com facilidade, compreender a importância da manutenção da concentração do ATP praticamente constante, uma vez que as taxas de quase todas as reações metabólicas do corpo dependem dessa constância.

Energia anaeróbica *versus* aeróbica

Energia anaeróbica significa a energia que pode ser derivada de alimentos sem a utilização simultânea de oxigênio; *energia aeróbica* define a energia que pode ser derivada de alimentos apenas por metabolismo oxidativo. Nos Capítulos 68 a 70, observamos que os carboidratos, as gorduras e as proteínas podem ser oxidados para provocar a síntese de ATP. No entanto, *os carboidratos são os únicos alimentos importantes que podem ser usados para fornecer energia sem utilização de oxigênio*; essa liberação de energia ocorre durante a quebra glicolítica da glicose ou glicogênio em ácido pirúvico. Para cada mol de glicose que é quebrado em ácido pirúvico, 2 moles de ATP são formados. No entanto, quando o glicogênio armazenado em uma célula é clivado a ácido pirúvico, cada mol de glicose no glicogênio dá origem a 3 moles de ATP. A razão para essa diferença é que a glicose livre que entra na célula deve ser fosforilada utilizando 1 mol de ATP antes de começar a ser quebrada; isso não se aplica à glicose derivada do glicogênio, pois ela vem do glicogênio já no seu estado fosforilado, sem o gasto adicional de ATP. *Assim, a melhor fonte de energia, em condições anaeróbicas, é o glicogênio armazenado nas células.*

Utilização de energia anaeróbica durante a hipóxia.
Um dos principais exemplos de utilização de energia anaeróbica ocorre na hipóxia aguda. Quando uma pessoa para de respirar, ainda existe uma pequena quantidade de oxigênio armazenada nos pulmões, e um volume adicional é armazenado na hemoglobina do sangue. Esse oxigênio é suficiente para manter os processos metabólicos funcionando por apenas 2 minutos. A continuação da vida, além desse tempo, requer uma fonte adicional de energia. Essa energia pode ser obtida por mais ou menos 1 minuto por meio da glicólise – isto é, o glicogênio celular sendo degradado em ácido pirúvico, o ácido pirúvico se transformando em ácido láctico, que se difunde para fora das células, conforme descrito no Capítulo 68.

A energia anaeróbica utilizada durante picos de atividade extenuante é derivada principalmente da glicólise. Os músculos esqueléticos podem realizar façanhas extremas de força por poucos segundos, mas são muito menos capazes do mesmo feito durante uma atividade prolongada. A maior parte da energia extra, exigida durante esses picos de atividade, não pode vir dos processos oxidativos porque eles são lentos demais em sua resposta. Em vez disso, a energia extra provém de fontes anaeróbicas: (1) o ATP já presente nas células musculares; (2) a fosfocreatina celular; e (3) a energia anaeróbica, liberada pela quebra glicolítica do glicogênio em ácido láctico (lactato).

A quantidade máxima de ATP no músculo é, somente, de cerca de 5 mEq/ℓ de líquido intracelular, e essa quantidade pode manter a contração muscular máxima por não mais do que aproximadamente 1 segundo. A quantidade de fosfocreatina nas células é de três a oito vezes essa, mas, mesmo empregando toda a fosfocreatina, a contração máxima só pode ser mantida por 5 a 10 segundos.

A liberação de energia pela glicólise pode ocorrer muito mais rapidamente do que sua liberação oxidativa. Consequentemente, a maior parte da energia extra exigida durante a atividade vigorosa, que perdure por mais de 5 a 10 segundos, porém, menos do que 1 a 2 minutos, é originada da glicólise anaeróbica. Como consequência, o conteúdo de glicogênio dos músculos durante os picos de atividade vigorosa é reduzido, enquanto a concentração de ácido láctico no sangue aumenta. Após o término do exercício, o metabolismo oxidativo é utilizado para reconverter cerca de quatro quintos do ácido láctico em glicose; o restante se transforma em ácido pirúvico, sendo degradado e oxidado no ciclo do ácido cítrico. A reconversão da glicose ocorre, em sua maior parte, nos hepatócitos, e a glicose é então transportada pelo sangue de volta aos músculos, onde é armazenada, mais uma vez, sob a forma de glicogênio.

O consumo extra de oxigênio compensa o déficit de oxigênio após término de exercício extenuante. Após um período de exercícios extenuantes, a pessoa continua respirando com dificuldade e consumindo grandes quantidades de oxigênio por pelo menos alguns minutos e, às vezes, por até 1 hora. Esse oxigênio adicional é usado para: (1) reconverter o ácido láctico que se acumulou durante o exercício novamente em glicose, (2) reconverter o monofosfato de adenosina e ADP em ATP, (3) reconverter a creatina e o fosfato em fosfocreatina, (4) restabelecer as concentrações normais de oxigênio ligado à hemoglobina e à mioglobina; e (5) elevar a concentração de oxigênio nos pulmões ao seu nível normal. Esse consumo adicional de oxigênio após exercícios é chamado de *consumo extra de oxigênio pós-exercício (EPOC)*.

O princípio do déficit de oxigênio será discutido com mais detalhes no Capítulo 85 em relação à fisiologia do esporte. A capacidade de uma pessoa de acumular um débito de oxigênio é especialmente importante em muitas modalidades do atletismo.

Resumo da utilização de energia pelas células

Com base nos últimos capítulos e na discussão anterior, podemos agora sintetizar o quadro complexo da utilização global de energia pelas células, como exposto na **Figura 73.1**. Essa figura mostra a utilização anaeróbica de glicogênio e de glicose para formar ATP e a utilização aeróbica dos compostos derivados de carboidratos, gorduras, proteínas e outras substâncias, para formar ATP adicional. Por sua vez, o ATP se encontra em equilíbrio reversível com a fosfocreatina nas células e, uma vez que estão presentes nas células com quantidades maiores de fosfocreatina do que de ATP, muita da energia armazenada na célula fica nesse armazém energético.

A energia do ATP pode ser usada por diferentes sistemas funcionais celulares para suprir a síntese e o crescimento, a contração muscular, a secreção glandular, a condução do impulso nervoso, a absorção ativa e outras atividades da célula. Se forem necessárias quantidades maiores de energia para as atividades celulares do que as fornecidas pelo metabolismo oxidativo, os depósitos de fosfocreatina serão utilizados em primeiro lugar, seguidos rapidamente pela quebra energética do glicogênio. Consequentemente, o metabolismo oxidativo não pode liberar picos extremos de energia

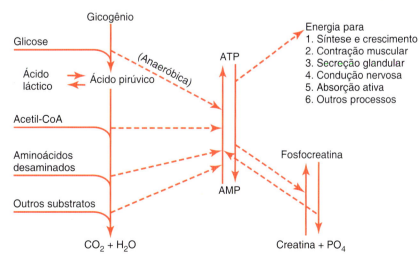

Figura 73.1 Esquema geral de transferência energética dos alimentos para o sistema de ácido adenílico (monofostato de adenosina ou AMP) e, em seguida, para os elementos funcionais das células. Acetil-CoA, acetil coenzima A; AMP, monofosfato de adenosina; ATP, trifosfato de adenosina. (*Modificada de Soskin S, Levine R: Carbohydrate Metabolism. Chicago: University of Chicago Press, 1952.*)

para as células quase tão rapidamente quanto podem os processos anaeróbicos. Mas em intensidades mais lentas de uso, o processo oxidativo pode continuar, enquanto os estoques energéticos (principalmente, a gordura) existirem.

Controle da liberação de energia na célula

Controle da velocidade das reações catalisadas por enzimas. Antes de discutirmos o controle da liberação de energia pela célula, é necessário que consideremos os princípios básicos do *controle da velocidade* das reações químicas catalisadas por enzimas, que são os tipos de reações que ocorrem quase universalmente, em todo o corpo.

O mecanismo pelo qual a enzima catalisa uma reação química consiste, a princípio, em uma fraca combinação da enzima com um dos substratos da reação. Essa combinação fraca altera suficientemente as forças de ligação do substrato, de modo que ele possa reagir com outras substâncias. Portanto, a velocidade global da reação química é determinada tanto pela concentração da enzima quanto pela concentração do substrato que se liga à enzima. A equação básica que expressa este conceito é a seguinte:

$$\text{Velocidade da reação} = \frac{K_1 \times [\text{Enzima}] \times [\text{Substrato}]}{K_2 + [\text{Substrato}]}$$

Essa equação é chamada de *equação de Michaelis-Menten*. A **Figura 73.2** mostra a aplicação dessa equação.

Papel da concentração enzimática na regulação das reações metabólicas. A **Figura 73.2** demonstra que, *quando a concentração do substrato é alta*, como mostrado na metade direita da figura, a velocidade da reação química é quase completamente determinada pela concentração da enzima. Consequentemente, à medida que a concentração enzimática aumenta de valor arbitrário de 1 para 2, 4 ou 8, a velocidade da reação aumenta de forma proporcional, como mostrado pelos níveis crescentes das curvas. Por exemplo, quando grande quantidade de glicose chega aos túbulos renais em uma pessoa com diabetes melito – isto é, o substrato glicose encontra-se em grande excesso nos túbulos – aumentos adicionais da glicose tubular têm pouco efeito sobre sua reabsorção, uma vez que as enzimas de transporte estão saturadas. Sob essas condições, a velocidade de reabsorção da glicose é limitada pela concentração das enzimas de transporte nas células tubulares proximais, e não pela concentração da própria glicose.

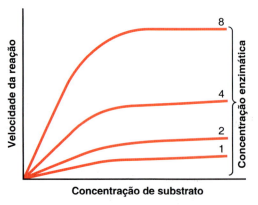

Figura 73.2 Efeito das concentrações de substrato e enzima sobre a taxa de uma reação catalisadora por enzima.

Papel da concentração do substrato na regulação das reações metabólicas. Observe também na **Figura 73.2** que, quando a concentração do substrato fica baixa o suficiente para que apenas pequena porção da enzima seja necessária para a reação, sua velocidade fica diretamente proporcional à concentração do substrato, assim como à concentração enzimática. Essa é a relação observada na absorção de substâncias a partir do trato intestinal e dos túbulos renais, quando as suas concentrações são baixas.

Limitação da velocidade das reações em série. Quase todas as reações químicas do corpo acontecem em série, com o produto de uma reação agindo como substrato para a próxima, e assim por diante. Por conseguinte, a velocidade global de séries complexas de reações químicas é determinada, principalmente, pela velocidade da reação na etapa mais lenta da série. Esse fator é conhecido como *etapa limitante da velocidade* de toda a sequência.

Concentração do ADP como fator controlador da velocidade de liberação de energia. Em condições de *repouso*, a concentração do ADP nas células é extremamente baixa, de modo que as reações químicas as quais dependem dele como substrato sejam muito lentas. Essas reações incluem todas as vias metabólicas oxidativas que liberam energia dos alimentos, bem como, essencialmente, todas as outras vias de liberação de energia pelo organismo. Portanto, *o ADP é importante fator limitante da velocidade* para quase todo o metabolismo energético do corpo.

Quando as células ficam ativas, a despeito do tipo de atividade, o ATP é convertido em ADP, aumentando sua concentração em proporção direta ao grau de atividade da célula. Esse ADP, então, eleva automaticamente a velocidade de todas as reações de liberação de energia metabólica dos alimentos. Portanto, por meio desse simples processo, a quantidade de energia liberada na célula é controlada pelo grau de atividade celular. Na ausência de atividade celular, a liberação de energia cessa, uma vez que o ADP logo se transforma em ATP.

Taxa metabólica

O *metabolismo* corporal significa, simplesmente, a totalidade das reações químicas em todas as células do organismo, e a *taxa metabólica* é normalmente expressa em termos da liberação de calor durante as reações químicas.

O calor é o produto final de quase toda a energia liberada no corpo. Nos capítulos precedentes, ao discutimos muitas das reações metabólicas, observamos que nem toda a energia dos alimentos é transferida para o ATP; em vez disso, grande parte dessa energia se transforma em calor. Em média, 35% da energia dos alimentos se transformam em calor durante a formação do ATP. A energia adicional se transforma em calor à medida que é transferida do ATP para os sistemas funcionais das células, e, mesmo sob condições ideais, não mais do que 27% de toda a energia dos alimentos são finalmente utilizados pelos sistemas funcionais.

Mesmo quando 27% da energia chegam aos sistemas funcionais das células, a maior parte dessa energia, eventualmente, se transforma em calor. Por exemplo, quando as proteínas são sintetizadas, grandes quantidades de ATP

CAPÍTULO 73 Energética Celular e Taxa Metabólica

são utilizadas para formar as ligações peptídicas, e isso armazena energia nessas ligações. Entretanto, também existe renovação proteica contínua – algumas proteínas sendo degradadas enquanto outras estão sendo formadas. Quando as proteínas são degradadas, a energia armazenada nas ligações peptídicas é liberada no corpo sob a forma de calor.

Outro exemplo é a energia usada na atividade muscular. Grande parte dessa energia simplesmente é usada para vencer a viscosidade dos músculos ou dos tecidos, para que os membros possam se mover. Esse movimento viscoso causa fricção nos tecidos, o que gera calor.

Considere também a energia despendida pelo coração no bombeamento de sangue. O sangue distende o sistema arterial, e a distensão representa reservatório de energia potencial. À medida que o sangue flui pelos vasos periféricos, o atrito das diferentes camadas do sangue, fluindo umas sobre as outras, e o atrito do sangue contra as paredes dos vasos dissipam toda essa energia em calor.

Essencialmente, toda a energia despendida pelo corpo é, por fim, convertida em calor. A única exceção significativa ocorre quando os músculos são usados para realizar alguma forma de trabalho exterior ao corpo. Por exemplo, quando os músculos elevam um objeto a certa altura ou impelem o corpo degraus acima, um tipo de energia potencial é gerado pela elevação da massa contra a gravidade. Entretanto, quando o gasto externo de energia não está ocorrendo, toda a energia liberada pelos processos metabólicos eventualmente se transforma em calor corporal.

Caloria. Para discutirmos o metabolismo do organismo e outros tópicos em termos quantitativos, precisamos usar alguma unidade para expressar a quantidade de energia liberada dos diferentes alimentos ou despendida pelos diversos processos funcionais do organismo. Mais frequentemente, a *Caloria* é a unidade usada para esse propósito. Lembramos que 1 *caloria* – grafada com "c" minúsculo e, muitas vezes, denominada *caloria-grama* – é a quantidade de calor necessária para elevar a temperatura de 1 grama de água por 1°C. A caloria é uma unidade muito pequena quando nos referimos à energia corporal. Consequentemente, a Caloria – grafada com "C" maiúsculo e muitas vezes denominada *quilocaloria*, e que equivale a 1.000 calorias – é a unidade rotineiramente usada no metabolismo energético.

Medida da taxa metabólica corporal total

A calorimetria direta mede o calor liberado pelo corpo.
Se uma pessoa não está realizando nenhum trabalho externo, a taxa metabólica corporal total pode ser determinada simplesmente medindo-se a quantidade total de calor liberado do corpo em dado momento.

Na determinação da taxa metabólica pela calorimetria direta, deve-se medir a quantidade de calor liberado do corpo em um grande *calorímetro*, especialmente construído para isso. O indivíduo é colocado em uma câmara de ar tão bem isolada que nenhum calor passa pelas suas paredes. O calor formado pelo corpo do indivíduo aquece o ar da câmara. No entanto, a temperatura do ar no interior da câmara é mantida em valor constante, forçando-se o ar a passar através de tubos imersos em banho de água fria. O calor ganho pelo banho de água, que pode ser medido com termômetro preciso, é igual ao calor liberado pelo corpo do indivíduo.

A calorimetria direta é fisicamente difícil de realizar, sendo somente utilizada para fins de pesquisa.

Calorimetria indireta: "energia equivalente" do oxigênio.
Uma vez que mais de 95% da energia despendida pelo corpo são derivados das reações do oxigênio com os diferentes alimentos, o metabolismo total do corpo também pode ser calculado com um alto grau de precisão a partir da utilização de oxigênio. Quando 1 ℓ de oxigênio é metabolizado com a glicose, 5,01 Calorias de energia são liberadas; quando metabolizado com amido, 5,06 Calorias são liberadas; com a gordura, 4,70 Calorias; com as proteínas, 4,60 Calorias.

Esses números demonstram claramente que as quantidades de energia liberadas por litro de oxigênio consumido são quase equivalentes quando se metabolizam diferentes tipos de alimentos. Com uma dieta comum, a *quantidade de energia liberada por litro de oxigênio usado pelo corpo é, em média, de 4,825 Calorias*. Isso é conhecido como equivalente de energia do oxigênio. Utilizando esse equivalente de energia, podemos calcular com alto grau de precisão o calor liberado pelo corpo a partir da quantidade de oxigênio utilizada em um dado período de tempo.

Se o indivíduo metabolizar apenas carboidratos durante o período de determinação do metabolismo, a quantidade calculada de energia liberada, com base no valor médio do equivalente de energia do oxigênio (4,825 Calorias/ℓ), poderá ser não mais do que aproximadamente 4%. Ao contrário, se a pessoa obtiver a maior parte de sua energia das gorduras, o valor calculado será maior do que esses 4%.

Metabolismo energético: fatores que influenciam o débito energético

Como discutido no Capítulo 72, a ingestão energética contrabalança o débito de energia nos adultos sadios, que conservam peso corporal estável. Na dieta norte-americana comum, cerca de 45% da ingestão energética diária são provenientes dos carboidratos, 40% das gorduras e 15% das proteínas. O débito energético também pode ser dividido em diversos componentes mensuráveis, incluindo a energia utilizada para: (1) realizar as funções metabólicas essenciais do corpo (o metabolismo "basal"); (2) praticar diversas atividades físicas, o que inclui exercício realizado voluntariamente e atividades físicas distintas do exercício, como agitação nervosa; (3) digerir, absorver e processar os alimentos; e (4) manter a temperatura corporal.

Necessidades energéticas globais para as atividades diárias

Um homem de porte médio, que pesa 70 quilogramas e que passa o dia inteiro deitado na cama, utiliza cerca de 1.650 Calorias de energia. O processo de ingerir e digerir o alimento eleva a quantidade de energia utilizada a cada dia por 200 Calorias adicionais ou mais, de modo que esse mesmo homem, deitado na cama e ingerindo dieta razoável, exigirá ingesta dietética de aproximadamente 1.850 Calorias por dia. Se permanecer o dia todo sentado em uma cadeira sem se exercitar, sua necessidade energética total atingirá de 2.000 a 2.250 Calorias. Portanto, a demanda energética diária para homem muito sedentário, desempenhando apenas as tarefas essenciais é de aproximadamente 2.000 Calorias.

PARTE 13 Metabolismo e Regulação da Temperatura

A quantidade de energia utilizada para realizar as atividades físicas diárias normalmente é de cerca de 25% do gasto energético total, podendo variar de forma acentuada nos diferentes indivíduos, dependendo do tipo e da quantidade de atividade física realizada. Por exemplo, subir escadas exige cerca de 17 vezes mais energia do que adormecer deitado na cama. Em geral, ao longo de período de 24 horas, a pessoa que realiza trabalho pesado pode atingir intensidade máxima de utilização de energia da ordem de 6.000 a 7.000 Calorias, ou tanto quanto 3,5 vezes a energia utilizada em condições de nenhuma atividade física.

Metabolismo basal (MB): o gasto energético mínimo para a manutenção das funções vitais do organismo

Mesmo quando a pessoa está em completo repouso, uma energia considerável é requerida para a realização de todas as reações químicas do corpo. Esse nível mínimo de energia necessária para a existência, é conhecido como *taxa de metabolismo basal* (TMB), sendo responsável por cerca de 50 a 70% de todo o gasto energético diário na maioria dos indivíduos sedentários (ver **Figura 73.3**).

Uma vez que o nível de atividade física é muito variável entre as diferentes pessoas, a determinação da TMB representa meio útil de comparação entre o metabolismo de uma pessoa e de outra. O método usual de aferição da TMB consiste em medir a utilização de oxigênio ao longo de período de tempo sob as seguintes condições:

1. O indivíduo não deve ter ingerido alimentos por, pelo menos, 12 horas.
2. A TMB é determinada após uma noite de sono tranquilo.
3. Nenhuma atividade enérgica é realizada por, pelo menos, 1 hora antes do teste.
4. Todos os fatores físicos e psíquicos, que provoquem excitação, devem ser eliminados.
5. A temperatura do ar deve ser confortável, situando-se entre 20 e 26,5°C.
6. Nenhuma atividade física é permitida durante o teste.

A TMB normalmente varia entre 65 e 70 Calorias, em média, por hora, em um homem com peso médio de 70 quilogramas. Embora a maior parte da TMB seja atribuível à atividade essencial do sistema nervoso central, coração, rins e outros órgãos, as *variações* da TMB entre as diferentes pessoas se relacionam principalmente às diferenças da quantidade de músculo esquelético e ao tamanho corporal.

O músculo esquelético, mesmo em condições de repouso, é responsável por 20 a 30% da TMB. Por esse motivo, a TMB normalmente é corrigida em função das diferenças do tamanho corporal e da massa muscular, expressas como Calorias por metro quadrado por hora de área de superfície corporal, calculada a partir do peso e da altura. Os valores médios para homens e mulheres, em diferentes idades, estão expostos na **Figura 73.4**.

Grande parte da redução da TMB, com o avanço da idade, é provavelmente relacionada à perda de massa muscular e à sua substituição por tecido adiposo, que apresenta uma intensidade metabólica mais baixa. Da mesma forma, a TMB um pouco mais baixa entre as mulheres, se comparadas às dos homens, deve-se, em parte, ao menor percentual de massa muscular e à maior porcentagem de tecido adiposo em mulheres. Porém, existem outros fatores que podem influenciar a TMB, como discutiremos em seguida.

O hormônio tireoidiano eleva a taxa metabólica.
Quando a glândula tireoide secreta quantidades máximas de tiroxina (T4), o metabolismo aumenta em 50 a 100% acima do normal. Inversamente, a perda completa da secreção tireoidiana reduz o metabolismo em 40 a 60% do normal. Como discutido no Capítulo 77, a tiroxina eleva a intensidade das reações químicas de muitas células no corpo, aumentando, por conseguinte, o metabolismo. A adaptação da glândula tireoide – com secreção aumentada nos climas frios e diminuída nos quentes – contribui para as diferenças da TMB entre as pessoas que vivem em zonas geográficas diferentes. Por exemplo, os indivíduos que vivem nas regiões árticas têm TMB que é 10 a 20% maior do que das pessoas que vivem nas regiões tropicais.

O hormônio sexual masculino eleva a taxa metabólica.
O hormônio sexual masculino, a testosterona, pode aumentar o metabolismo por cerca de 10 a 15%. Os hormônios sexuais femininos podem elevar um pouco a TMB, mas, em geral, não o bastante para que esse aumento seja significativo. Grande parte do efeito do hormônio sexual masculino se relaciona a seu efeito anabólico de aumento da massa muscular esquelética.

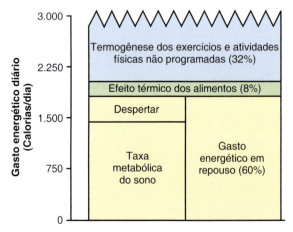

Figura 73.3 Gasto energético (termogênese) médio diário e componentes do uso energético em um indivíduo de 70 kg em balanço energético e ingerindo aproximadamente 3.000 Calorias por dia.

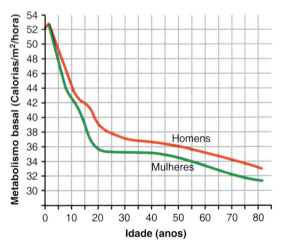

Figura 73.4 Taxas metabólicas basais normais em diferentes idades para cada sexo.

CAPÍTULO 73 Energética Celular e Taxa Metabólica

O hormônio do crescimento eleva a taxa metabólica.

O hormônio do crescimento pode aumentar o metabolismo por estimular o metabolismo celular, ao aumentar a massa muscular. Nos adultos com deficiência de hormônio do crescimento, a terapia de reposição com hormônio do crescimento recombinante aumenta o metabolismo em cerca de 20%.

A febre eleva a taxa metabólica.

A febre, independentemente da sua causa, aumenta as reações químicas corporais em cerca de 120%, em média, para cada 10°C de elevação da temperatura. Isso será discutido com mais detalhes no Capítulo 74.

O sono diminui a taxa metabólica.

O metabolismo cai 10 a 15% abaixo dos níveis normais durante o sono. Essa queda se deve a dois fatores principais: (1) redução do tônus da musculatura esquelética, durante o sono; e (2) diminuição da atividade do sistema nervoso central.

A desnutrição reduz a taxa metabólica.

A desnutrição prolongada pode reduzir o metabolismo por 20 a 30%, presumivelmente, devido à pequena quantidade de substâncias alimentares nas células. Nos estágios finais de diversas condições patológicas, a inanição que acompanha a doença provoca acentuada redução do metabolismo, até o ponto de a temperatura corporal diminuir vários graus imediatamente antes do óbito.

Energia usada nas atividades físicas

O fator que aumenta mais expressivamente o metabolismo é o exercício intenso. Pequenos picos de contração muscular máxima em um só músculo podem liberar, por poucos segundos, até 100 vezes sua quantidade normal de calor em repouso. Em todo o corpo, o exercício muscular máximo pode aumentar a produção global de calor corporal, por poucos segundos, cerca de 50 vezes o normal, ou algo em torno de 20 vezes o normal para exercício constante em um indivíduo bem treinado.

A **Tabela 73.1** mostra o gasto energético durante os diferentes tipos de atividade física para um homem de 70 quilogramas. Em virtude da grande variação da quantidade de atividade física entre os indivíduos, esse componente do gasto energético constitui o principal motivo para as diferenças da ingestão calórica necessárias à manutenção do balanço energético. Todavia, nos países industrializados, nos quais a oferta de alimentos é abundante e o nível de atividade física é, com frequência, baixo, a ingestão calórica com frequência excede periodicamente o gasto energético, e esse excesso de energia é armazenado principalmente como gordura. Isso realça a importância da manutenção de um patamar individual de atividade física, a fim de prevenir o excesso de armazenamento gorduroso e a obesidade.

Mesmo nos indivíduos sedentários que executam pouco ou nenhum exercício diário ou atividade física, quantidade significativa de energia é despendida na atividade física espontânea, necessária à manutenção do tônus muscular, da postura corporal e de outras atividades que não constituem exercícios. Em conjunto, essas atividades físicas não planejadas, que não constituem exercícios, são responsáveis por cerca de 7% do gasto energético diário da pessoa sedentária. No entanto, essa porcentagem pode variar acentuadamente entre diferentes pessoas, dependendo de sua ocupação, hábitos (p. ex., caminhar para o trabalho, usar as escadas em vez de elevadores, inquietação) e atividades de lazer.

Energia utilizada no processamento dos alimentos: efeito termogênico dos alimentos

Após a ingestão de uma refeição, o metabolismo aumenta como resultado das diferentes reações químicas associadas à digestão, à absorção e ao armazenamento dos alimentos no corpo. Esse aumento é conhecido como *efeito termogênico dos alimentos*, devido ao fato de que esses processos exigem energia e geram calor.

Após uma refeição que contenha grande quantidade de carboidratos ou gorduras, o metabolismo normalmente aumenta por cerca de 4%. Contudo, após refeição rica em proteínas, o metabolismo costuma iniciar a elevação dentro de 1 hora, alcançando máximo de 30% acima do normal e assim permanecendo por 3 a 12 horas. Esse efeito das proteínas sobre o metabolismo é conhecido como *poder termogênico das proteínas*. O efeito termogênico dos alimentos é responsável por 8% do gasto energético diário, na maioria das pessoas.

Energia utilizada na termogênese não provocada por calafrios: papel da estimulação simpática

Embora a atividade física e o efeito termogênico dos alimentos provoquem a liberação de calor, esses mecanismos não têm como objetivo, primariamente, a regulação da temperatura corporal. Os calafrios representam um meio regulado de produção de calor pelo aumento da atividade muscular, em resposta ao estresse do frio, como discutido no Capítulo 74. Outro mecanismo, a *termogênese não provocada por calafrios* também pode produzir calor em resposta ao estresse do frio. Esse tipo de termogênese é estimulado pela ativação do sistema nervoso simpático, que libera noradrenalina e adrenalina que, por sua vez, aumentam a atividade metabólica e a geração de calor.

Em certos tipos de tecido adiposo, conhecidos como *gordura marrom*, a estimulação nervosa simpática provoca a liberação de grande quantidade de calor. Esse tipo de gordura contém grande número de mitocôndrias e pequenos glóbulos de gordura, em vez de um único e grande glóbulo. Nessas células, o processo de fosforilação oxidativa mitocondrial é, em grande parte, "desacoplado". Isto é, quando as células são estimuladas pelos nervos simpáticos, as mitocôndrias produzem grande quantidade de calor, mas quase nenhum ATP, de modo que quase toda a energia oxidativa liberada se transforme imediatamente em calor.

O neonato tem número considerável de tecido adiposo marrom, e a estimulação simpática máxima pode aumentar o metabolismo da criança em mais de 100%. A magnitude desse tipo de termogênese no ser humano adulto que praticamente não tem qualquer gordura marrom é provavelmente menor do que 15%, embora isso possa aumentar significativamente após a adaptação ao frio.

A termogênese não provocada por calafrios também pode servir como tampão contra a obesidade. Estudos recentes indicam que a atividade do sistema nervoso simpático está aumentada nas pessoas obesas que apresentam excesso persistente de ingesta calórica. O mecanismo responsável pela ativação simpática entre os obesos é incerto, mas pode ser parcialmente mediado pelos efeitos do aumento da leptina, que ativa os neurônios da pró-opiomelanocortina (POMC) no hipotálamo. A estimulação simpática pelo aumento da termogênese ajuda a limitar o excesso de ganho ponderal.

PARTE 13 Metabolismo e Regulação da Temperatura

Tabela 73.1 Gasto energético durante diferentes tipos de atividade para uma pessoa de 70 quilos.

Tipo de atividade	Calorias por hora
Dormir	65
Acordar, mas permanecer deitado	77
Sentar-se em repouso	100
Ficar de pé, relaxado	105
Vestir-se e despir-se	118
Digitar rapidamente	140
Caminhar vagarosamente (3,2 km por hora)	200
Carpintaria, metalurgia, pintura industrial	240
Serrar madeira	480
Nadar	500
Correr (8 km/h)	570
Subir escadas rapidamente	1.100

Extraída de dados compilados pelo Professor M.S. Rose.

Bibliografia

Betz MJ, Enerbäck S: Targeting thermogenesis in brown fat and muscle to treat obesity and metabolic disease. Nat Rev Endocrinol 14:77, 2018.

Caron A, Lee S, Elmquist JK, Gautron L: Leptin and brain-adipose crosstalks. Nat Rev Neurosci 19:153, 2018.

Chapelot D, Charlot K: Physiology of energy homeostasis: Models, actors, challenges and the glucoadipostatic loop. Metabolism 92:11, 2019.

Chechi K, Carpentier AC, Richard D: Understanding the brown adipocyte as a contributor to energy homeostasis. Trends Endocrinol Metab 24:408, 2013.

Chouchani ET, Kazak L, Spiegelman BM: New advances in adaptive thermogenesis: UCP1 and beyond. Cell Metab 29:27, 2019.

Fernández-Verdejo R, Aguirre C, Galgani JE: Issues in measuring and interpreting energy balance and its contribution to obesity. Curr Obes Rep 8:88, 2019.

Fernández-Verdejo R, Marlatt KL, Ravussin E, Galgani JE: Contribution of brown adipose tissue to human energy metabolism. Mol Aspects Med 68:82, 2019.

Ikeda K, Maretich P, Kajimura S: The common and distinct features of brown and beige adipocytes. Trends Endocrinol Metab 29:191, 2018.

Kenny GP, Notley SR, Gagnon D: Direct calorimetry: a brief historical review of its use in the study of human metabolism and thermoregulation. Eur J Appl Physiol 117:1765, 2019.

Morrison SF, Madden CJ, Tupone D: Central neural regulation of brown adipose tissue thermogenesis and energy expenditure. Cell Metab 19:741, 2014.

Mullur R, Liu YY, Brent GA: Thyroid hormone regulation of metabolism. Physiol Rev 94:355, 2014.

Peirce V, Carobbio S, Vidal-Puig A: The different shades of fat. Nature 510:76, 2014.

Silva JE: Thermogenic mechanisms and their hormonal regulation. Physiol Rev 86:435, 2006.

van Marken Lichtenbelt WD, Schrauwen P: Implications of nonshivering thermogenesis for energy balance regulation in humans. Am J Physiol Regul Integr Comp Physiol 301:R285, 2011.

White U, Ravussin E: Dynamics of adipose tissue turnover in human metabolic health and disease. Diabetologia 62:17, 2019.

CAPÍTULO 74

Regulação da Temperatura Corporal e Febre

TEMPERATURA CORPORAL NORMAL

Temperatura no interior do corpo e temperatura da pele. A temperatura dos tecidos profundos do organismo permanece praticamente constante, não variando mais do que ± 0,6°C, exceto quando a pessoa tem uma doença febril. De fato, uma pessoa nua pode ser exposta a temperaturas tão baixas quanto 13°C ou tão altas quanto 60°C em ar *seco* e ainda manter uma temperatura corporal quase constante. Os mecanismos para regular a temperatura corporal representam um belo sistema planejado de controle. Neste capítulo, discutimos este sistema e como ele atua na saúde e na doença.

A *temperatura da pele*, em contraste com a *temperatura interna*, eleva-se e diminui de acordo com a temperatura ambiente. A temperatura da pele é importante quando nos referimos à capacidade da pele de perder calor para o ambiente.

Temperatura interna normal. Nenhuma temperatura interna pode ser considerada normal, pois as aferições feitas em várias pessoas saudáveis demonstraram *variação* das temperaturas normais aferidas pela boca, conforme mostrado na **Figura 74.1**, de menos de 36°C a mais de 37,5°C. A temperatura interna média normal é geralmente considerada entre 36,5 e 37°C quando aferida oralmente, e cerca de 0,6°C mais alta quando aferida por via retal.

A temperatura corporal aumenta durante o exercício e varia com os extremos de temperatura ambiente porque os mecanismos reguladores de temperatura não são perfeitos. Quando um calor excessivo é produzido no corpo pela prática de exercício físico extenuante, a temperatura pode subir temporariamente para até 38,3 a 40°C. Por outro lado, quando o corpo é exposto ao frio extremo, a temperatura pode cair abaixo de 36,6°C.

A TEMPERATURA CORPORAL É CONTROLADA PELO EQUILÍBRIO ENTRE A PRODUÇÃO E A PERDA DE CALOR

Quando a taxa de produção de calor no corpo é maior do que a taxa em que o calor está sendo perdido, o calor é acumulado no corpo, e a temperatura corporal aumenta. Por outro lado, quando a perda de calor é maior, tanto o calor corporal quanto a temperatura corporal diminuem. A maior parte do restante deste capítulo é dedicada ao equilíbrio entre a produção e a perda de calor, e aos mecanismos pelos quais o corpo controla as controla.

PRODUÇÃO DE CALOR

A produção de calor é um subproduto principal do metabolismo. No Capítulo 73, que resume a energética corporal, discutimos os diferentes fatores que determinam a taxa de produção de calor, chamada de *metabolismo do corpo*. Os fatores mais importantes são listados novamente aqui: (1) metabolismo basal de todas as células do corpo; (2) taxa extra de metabolismo causada pela atividade muscular, incluindo contrações musculares causadas por calafrios; (3) metabolismo extra causado pelo efeito da tiroxina (e, em menor grau, outros hormônios, como o hormônio do crescimento e a testosterona) nas células; (4) metabolismo extra causado pelo efeito da adrenalina, da noradrenalina e da estimulação simpática nas células; (5) metabolismo extra causado pelo aumento da atividade química das células, especialmente quando a temperatura da célula aumenta; e (6) metabolismo extra necessário para digestão, absorção e armazenamento de alimentos (efeito termogênico dos alimentos).

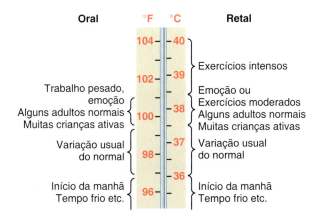

Figura 74.1 Variação normal estimada da temperatura interna. (Modificada de DuBois EF: Fever. Springfield, IL: Charles C Thomas, 1948.)

PERDA DE CALOR

A maior parte do calor produzido pelo corpo é gerada nos órgãos profundos, especialmente no fígado, no cérebro e no coração, e nos músculos esqueléticos durante a atividade física. Esse calor é, em seguida, transferido dos órgãos e tecidos mais profundos para a pele, onde é perdido para o ar e o meio ambiente. Portanto, a taxa em que o calor é perdido é determinada quase inteiramente por dois fatores: (1) quão rapidamente o calor pode ser conduzido a partir de onde é produzido no interior do organismo para a pele e (2) a velocidade de transferência do calor entre a pele e o meio ambiente. Vamos começar discutindo o sistema que isola a região interna do organismo da superfície da pele.

Sistema de isolamento do corpo

A pele, os tecidos subcutâneos e, principalmente, o tecido adiposo atuam juntos como isolantes térmicos do corpo. O tecido adiposo é importante porque conduz apenas *um terço* do calor produzido em outros tecidos. Quando o sangue não está fluindo dos órgãos internos aquecidos para a pele, as propriedades isolantes do corpo do homem normal são aproximadamente iguais a três quartos das propriedades isolantes de um terno. Nas mulheres, esse isolamento é melhor ainda.

O isolamento sob a pele é um meio eficaz de manter a temperatura interna normal, mesmo que a temperatura da pele se aproxime da temperatura ambiente.

O fluxo sanguíneo do interior do organismo para a pele é responsável pela transferência de calor

Os vasos sanguíneos são amplamente distribuídos sob a pele. Especialmente importante é o plexo venoso contínuo suprido pelo influxo de sangue dos capilares da pele, mostrado na **Figura 74.2**. Nas áreas mais expostas do corpo – as mãos, os pés e os ouvidos –, o sangue também é fornecido para o plexo diretamente das pequenas artérias por meio de *anastomoses arteriovenosas* altamente musculares.

A velocidade do fluxo sanguíneo no plexo venoso da pele pode variar imensamente, de valores pouco acima de zero até cerca de 30% do débito cardíaco total. A alta velocidade do fluxo na pele faz com que o calor seja conduzido do interior do corpo para a pele com grande eficiência, enquanto a redução na velocidade do fluxo para a pele pode diminuir a condução de calor do interior do corpo até valores muito baixos.

A **Figura 74.3** mostra quantitativamente o efeito da temperatura do ar do ambiente sobre a condutância do calor do interior para a superfície da pele e, em seguida, a condutância para o ar, demonstrando um aumento aproximado de oito vezes na condutância do calor entre o estado com total vasoconstrição e o estado de vasodilatação total.

Portanto, a pele é um sistema controlado eficaz "*radiador de calor*", e o fluxo de sangue para a pele é um mecanismo eficaz para a transferência de calor do interior do corpo para a pele.

Controle da condução do calor para a pele pelo sistema nervoso simpático. A condução de calor para a pele pelo sangue é controlada pelo grau de vasoconstrição das arteríolas e das anastomoses arteriovenosas que fornecem sangue ao plexo venoso da pele. Essa vasoconstrição é controlada quase completamente pelo sistema nervoso simpático em resposta às mudanças da temperatura interna do corpo e às alterações na temperatura ambiente. Esse fenômeno é discutido adiante neste capítulo, além do controle da temperatura corporal pelo hipotálamo.

Física básica da perda de calor pela superfície da pele

Os vários métodos pelos quais o calor é perdido pela pele para o meio ambiente são demonstrados na **Figura 74.4**. Eles incluem a *irradiação*, a *condução* e a *evaporação*, que são explicadas a seguir.

A irradiação causa perda de calor na forma de raios infravermelhos.
Conforme mostrado na **Figura 74.4**, em uma pessoa nua sentada em um local com a temperatura

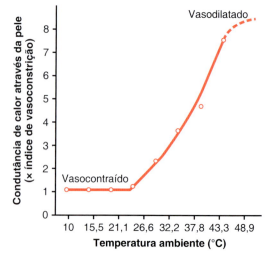

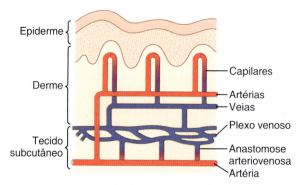

Figura 74.2 Circulação na pele.

Figura 74.3 Efeito das mudanças na temperatura ambiente na condutância de calor do interior do corpo para a superfície da pele (em °C). (*Modificada de Benzinger TH: Heat and Temperature Fundamentals of Medical Physiology. New York: Dowden, Hutchinson & Ross, 1980.*)

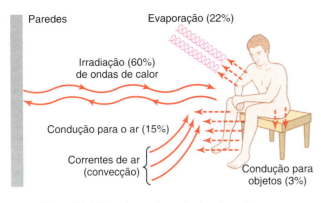

Figura 74.4 Mecanismos de perda de calor pelo corpo.

ambiente normal, cerca de 60% da perda total de calor ocorrem por irradiação.

A maioria dos raios infravermelhos (um tipo de raio eletromagnético) de calor que irradiam do corpo tem comprimento de onda de 5 a 20 micrômetros, de 10 a 30 vezes os comprimentos de onda dos raios de luz. Todos os objetos que não estão em temperatura zero absoluta irradiam tais raios. O corpo humano irradia raios de calor em todas as direções. Os raios de calor também são irradiados pelas paredes do ambiente e por outros objetos na direção do corpo. Se a temperatura do corpo for maior do que a temperatura ambiente, a quantidade de calor irradiada pelo corpo será maior do que a irradiada para ele.

A perda de calor por condução ocorre por contato direto com um objeto. Conforme mostrado na **Figura 74.4**, apenas quantidades mínimas de calor, cerca de 3%, são normalmente perdidas pelo corpo por condução direta, a partir da superfície do corpo, para *objetos sólidos*, como uma cadeira ou uma cama. A perda de calor pela *condução para o ar*, no entanto, representa uma proporção considerável da perda de calor do corpo (em torno de 15%), mesmo em condições normais.

O calor é, na verdade, a energia cinética do movimento molecular, e as moléculas da pele estão constantemente submetidas a movimento vibratório. Grande parte da energia desse movimento pode ser transferida para o ar se o ar estiver mais frio do que a pele, aumentando, assim, a velocidade do movimento das moléculas de ar. Uma vez que a temperatura do ar adjacente à pele é igual à temperatura da pele, nenhuma perda adicional de calor ocorre desta forma, porque, assim, uma quantidade igual de calor é conduzida do ar para o corpo. Portanto, a condução de calor do corpo para o ar é autolimitada, *a menos que o ar aquecido se mova para longe da pele*, de modo que o ar não aquecido e novo seja constantemente colocado em contato com a pele, um fenômeno chamado de *convecção do ar*.

A perda de calor por convecção ocorre pelo movimento do ar. O calor da pele é primeiro *conduzido* pelo ar e depois removido pela convecção das correntes de ar.

Quase sempre ocorre uma pequena quantidade de convecção ao redor do corpo por causa da tendência de o ar adjacente à pele subir à medida que se aquece. Portanto, em uma pessoa desnuda, sentada em uma sala confortável, sem movimento acentuado de ar, cerca de 15% de sua perda total de calor ocorre pela condução para o ar e depois por convecção do ar para longe do corpo.

Efeito resfriador do vento. Quando o corpo é exposto ao vento, a camada de ar, imediatamente adjacente à pele, é substituída por ar novo com velocidade muito maior do que a normal, e a perda de calor por convecção aumenta proporcionalmente. O efeito resfriador do vento em baixas velocidades é proporcional à *raiz quadrada da velocidade do vento*. Por exemplo, um vento de 6,44 quilômetros por hora é duas vezes mais eficiente para o resfriamento do que um vento de 1,61 quilômetro por hora.

Condução e convecção do calor em uma pessoa suspensa na água. A água tem um calor específico, mil vezes maior do que o do ar, de modo que cada unidade de água adjacente à pele pode absorver uma quantidade muito maior de calor do que o ar. Além disso, a condutividade do calor na água é muito boa em comparação com a do ar. Consequentemente, é impossível para o corpo aquecer uma fina camada de água próxima ao corpo para formar uma *"zona isolante"*, como ocorre no ar. Portanto, se a temperatura da água está abaixo da temperatura corporal, a taxa de perda de calor para a água é geralmente muitas vezes maior do que a taxa de perda de calor seria para o ar.

Evaporação

Quando a água evapora da superfície corporal, 0,58 caloria (quilocaloria) de calor é perdida para cada mℓ de água que evapora. Mesmo quando uma pessoa não está suando, a água ainda evapora *insensivelmente* da pele e dos pulmões a uma taxa de cerca de 600 a 700 mℓ/dia. Essa evaporação insensível causa uma perda contínua de calor a uma taxa de 16 a 19 Calorias por hora. A evaporação insensível através da pele e dos pulmões não pode ser controlada para fins de regulação de temperatura, pois resulta da difusão contínua de moléculas de água através da pele e das superfícies respiratórias. No entanto, a perda de calor por *evaporação do suor* pode ser controlada pela regulação da intensidade da sudorese, discutida adiante neste capítulo.

A evaporação é um mecanismo de resfriamento necessário em temperaturas do ar muito altas. Sempre que a temperatura da pele é maior do que a temperatura ambiente, o calor pode ser perdido por irradiação e condução. Contudo, quando a temperatura ambiente se torna maior do que a da pele, em vez de perder, o corpo ganha calor, tanto por irradiação, quanto por condução. Nessas condições, *o único meio pelo qual o corpo pode perder calor é por evaporação*.

Portanto, tudo o que impede a evaporação adequada quando a temperatura ambiente é superior à da pele elevará a temperatura interna do corpo. Esse fenômeno ocorre ocasionalmente em seres humanos que nascem com ausência congênita de glândulas sudoríparas. Essas pessoas podem tolerar temperaturas frias da mesma forma que pessoas normais, mas podem se ferir gravemente e até morrer de insolação nas zonas tropicais, porque, sem o sistema evaporativo de refrigeração, elas não podem evitar um aumento na temperatura corporal quando a temperatura do ar é maior do que a do corpo.

A roupa reduz a perda de calor por condução e por convecção. A roupa retém o ar próximo à pele nas fibras do tecido, aumentando, assim, a espessura da chamada *zona privada* de ar adjacente à pele e diminuindo o fluxo de correntes de convecção do ar. Consequentemente, a velocidade da perda de calor do corpo, por condução e por convecção, diminui bastante. Um conjunto de roupas normal diminui a velocidade de perda de calor para cerca de metade daquela com o corpo desnudo, mas o tipo de roupa especial para o frio, como o utilizado nas regiões árticas, pode diminuir essa perda de calor em até um sexto.

Cerca de metade do calor transmitido da pele para as roupas é irradiada para os tecidos, em vez de ser conduzida através do pequeno espaço interveniente. Portanto, forrar o interior da roupa com uma fina camada de metal, como prata ou ouro, que refletem o calor irradiante de volta para o corpo, torna as propriedades isolantes das roupas muito mais eficaz. Usando essa técnica, o peso das roupas para uso no ártico pode ser reduzido para aproximadamente a metade.

A eficácia da roupa na manutenção da temperatura corporal é quase completamente perdida quando a roupa fica úmida, porque a alta condutividade da água aumenta a velocidade de transmissão de calor através do tecido em 20 vezes ou mais. Portanto, um dos fatores mais importantes para proteger o corpo contra o frio nas regiões árticas é o extremo cuidado para não permitir que as roupas se molhem. Na verdade, é preciso ter cuidado para evitar o calor excessivo, mesmo que temporariamente, pois o suor em contato com as roupas as torna muito menos eficazes como isolantes.

Sudorese e sua regulação pelo sistema nervoso autônomo

A estimulação da área hipotalâmica anterior pré-óptica do cérebro provoca sudorese, seja eletricamente, seja por excesso de calor. Os impulsos neurais oriundos dessa área que causam a sudorese são transmitidos por vias autônomas para a medula espinhal e, em seguida, pelo simpático para a pele em todas as partes do corpo.

Deve ser lembrada a discussão sobre o sistema nervoso autônomo no Capítulo 61, considerando que as glândulas sudoríparas são inervadas por fibras nervosas *colinérgicas* (fibras que secretam acetilcolina, mas que cursam pelos nervos simpáticos com as fibras adrenérgicas). Essas glândulas também podem ser estimuladas em certa medida pela adrenalina ou pela noradrenalina que circulam no sangue, mesmo que as glândulas propriamente ditas não tenham inervação adrenérgica. Esse mecanismo é importante durante o exercício, quando esses hormônios são secretados pela medula adrenal e o corpo precisa perder as quantidades excessivas de calor produzidas pelos músculos em atividade.

Mecanismo de secreção de suor. Na **Figura 74.5**, a glândula sudorípara é mostrada como uma estrutura tubular que consiste em duas partes: (1) uma *porção enovelada* subdérmica profunda que secreta o suor e (2) um *ducto* que passa através da derme e da epiderme da pele. Assim como acontece com tantas outras glândulas, a porção secretora da glândula sudorípara secreta um líquido chamado de *secreção primária* ou *secreção precursora*; as concentrações dos constituintes do líquido são modificadas durante sua passagem pelo ducto.

A secreção precursora é um produto secretório ativo das células epiteliais que revestem a porção enovelada da glândula sudorípara. Fibras nervosas simpáticas colinérgicas que terminam sobre ou próximo às células glandulares desencadeiam a secreção.

A composição da secreção precursora é semelhante à do plasma, exceto por não conter proteínas plasmáticas. A concentração de sódio é de cerca de 142 mEq/ℓ, e a de cloreto, de cerca de 104 mEq/ℓ, com concentrações muito menores dos outros solutos do plasma. Conforme essa solução precursora flui através do ducto da glândula,

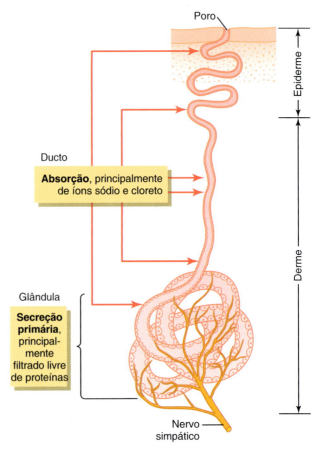

Figura 74.5 A glândula sudorípara é inervada por um nervo simpático que secreta acetilcolina. Uma secreção primária livre de proteínas é formada pela porção glandular, mas a maior parte dos eletrólitos é reabsorvida no ducto, sendo expelida uma secreção aquosa e diluída.

é modificada pela reabsorção de grande parte dos íons sódio e dos íons cloreto. A intensidade dessa reabsorção depende da sudorese.

Quando as glândulas sudoríparas são fracamente estimuladas, o líquido precursor passa lentamente pelo ducto. Nesses casos, essencialmente todos os íons sódio e íons cloreto são reabsorvidos, e a concentração de cada um cai para aproximadamente 5 mEq/ℓ. Esse processo reduz a pressão osmótica do suor para um nível tão baixo que a maior parte da água também é reabsorvida, o que concentra a maior parte dos outros constituintes. Portanto, com baixas taxas de suor, constituintes como a ureia, o ácido láctico e os íons potássio ficam, geralmente, muito concentrados.

Por outro lado, quando as glândulas sudoríparas são fortemente estimuladas pelo sistema nervoso simpático, uma grande quantidade de secreção precursora é formada, e o ducto pode reabsorver apenas pouco mais da metade do cloreto de sódio; as concentrações de íons sódio e cloreto então atingem (em uma *pessoa não aclimatada*) um máximo de cerca de 50 a 60 mEq/ℓ, ligeiramente menos da metade da concentração no plasma. Além disso, o suor flui através dos túbulos glandulares tão rapidamente que pouca água é reabsorvida. Portanto, os outros constituintes dissolvidos no suor têm sua concentração moderadamente aumentada – a da ureia é cerca de 2 vezes maior do que a do plasma, a do ácido láctico, cerca de 4 vezes, e a do potássio, cerca de 1,2 vez.

Uma perda significativa de cloreto de sódio ocorre no suor quando uma pessoa não está aclimatada ao calor. Ocorre uma perda muito menor de eletrólitos, apesar do aumento da capacidade da sudorese, uma vez que a pessoa se aclimata.

Aclimatação do mecanismo de sudorese ao calor | papel da aldosterona. Apesar de uma pessoa normal não aclimatada raramente produzir mais do que cerca de 1 ℓ de suor por hora, quando essa pessoa é exposta ao tempo quente durante 1 a 6 semanas, ela começa a suar mais profusamente, muitas vezes aumentando a produção máxima de suor para 2 a 3 ℓ/h. A evaporação dessa quantidade de suor pode remover o calor do corpo a uma velocidade *mais de 10 vezes* superior à taxa basal normal de produção de calor. Esse aumento da eficácia do mecanismo de suor é causado por uma alteração nas glândulas sudoríparas internas para aumentar sua capacidade de produção de suor.

Também associada à aclimatação está a diminuição na concentração de cloreto de sódio no suor, o que permite uma conservação progressivamente melhor do sal corporal. A maior parte desse efeito é ocasionada pelo *aumento da secreção da aldosterona* pelas glândulas adrenocorticais, o que resulta de uma ligeira diminuição da concentração de cloreto de sódio no líquido extracelular e no plasma. Uma *pessoa não aclimatada* que transpira profusamente, muitas vezes perde de 15 a 30 gramas de sal por dia durante os primeiros dias. Depois de 4 a 6 semanas de aclimatação, a perda costuma ser de 3 a 5 g/dia.

Perda de calor por respiração ofegante (arquejante)

Muitos animais têm pouca capacidade de perder calor a partir das superfícies corporais, por duas razões: (1) as superfícies são frequentemente cobertas de pelos, e (2) a pele da maioria dos animais não contém glândulas sudoríparas, o que impede a maioria deles de sofrer perda evaporativa de calor da pele. Um mecanismo substituto, o *arquejo*, é usado por muitos animais como meio de dissipação de calor.

O fenômeno do arquejo é "acionado" pelos centros termorreguladores do cérebro. Ou seja, quando o sangue se torna superaquecido, o hipotálamo emite sinais neurogênicos para diminuir a temperatura corporal. Um desses sinais inicia a respiração ofegante. O arquejo é controlado pelo *centro de arquejo*, que está associado ao centro respiratório pneumotáxico localizado na ponte.

Quando um animal fica ofegante, ele respira mais rapidamente, e, assim, grandes quantidades de ar novo do exterior entram em contato com as porções superiores das vias respiratórias. Esse mecanismo resfria o sangue nas mucosas respiratórias, como resultado da evaporação da água nas superfícies mucosas, especialmente a evaporação da saliva da língua. No entanto, o arquejo não aumenta a ventilação alveolar mais do que o necessário para o controle adequado dos gases sanguíneos, uma vez que cada ciclo respiratório é muito superficial; portanto, a maior parte do ar que entra nos alvéolos é ar do espaço morto oriundo, principalmente, da traqueia, e não da atmosfera.

REGULAÇÃO DA TEMPERATURA CORPORAL: O PAPEL DO HIPOTÁLAMO

A **Figura 74.6** mostra o que acontece com a temperatura interna do corpo de uma pessoa desnuda após algumas horas de exposição ao ar *seco* variando de –1 a 71°C. As dimensões precisas dessa curva dependem do movimento do ar causado pelo vento, da quantidade de umidade do ar e até mesmo da natureza do meio ambiente. Em geral,

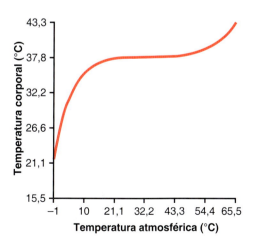

Figura 74.6 Efeito das temperaturas atmosféricas altas e baixas de várias horas de duração, sob condições secas, sobre a temperatura corporal interna (em °C). Observe que a temperatura corporal interna permanece estável, apesar das grandes mudanças na temperatura atmosférica.

PARTE 13 Metabolismo e Regulação da Temperatura

uma pessoa desnuda no ar seco com temperaturas entre 13 e 54,5°C é capaz de manter uma temperatura interna normal entre 36,1 e 37,8°C.

A temperatura do corpo é regulada quase inteiramente por mecanismos de *feedback* neurais, e quase todos esses mecanismos operam através de *centros regulatórios da temperatura* localizados no *hipotálamo*. Para que esses mecanismos de *feedback* possam operar, também deve haver detectores de temperatura para determinar quando a temperatura corporal está muito alta ou muito baixa.

PAPEL DA ÁREA HIPOTALÂMICA ANTERIOR PRÉ-ÓPTICA NA DETECÇÃO TERMOSTÁTICA DA TEMPERATURA

A área hipotalâmica anterior pré-óptica contém um grande número de neurônios sensíveis ao calor, bem como cerca de um terço de neurônios sensíveis ao frio. Acredita-se que esses neurônios funcionem como sensores de temperatura para controlar a temperatura corporal. Os neurônios sensíveis ao calor aumentam sua atividade por 2 a 10 vezes, em resposta ao aumento de 10°C da temperatura corporal. Os neurônios sensíveis ao frio, por sua vez, aumentam sua atividade quando a temperatura corporal cai.

Quando a área pré-óptica é aquecida, a pele de todo o corpo imediatamente produz uma sudorese profusa, enquanto os vasos sanguíneos da pele por todo o corpo tornam-se muito dilatados. Essa resposta é uma reação imediata que faz o corpo perder calor, ajudando, assim, a temperatura corporal a retornar aos níveis normais. Além disso, qualquer produção excessiva de calor corporal é inibida. Portanto, fica claro que a área hipotalâmica anterior pré-óptica tem a capacidade de servir como um centro de controle termostático da temperatura corporal.

DETECÇÃO DA TEMPERATURA POR RECEPTORES NA PELE E NOS TECIDOS CORPORAIS PROFUNDOS

Embora os sinais gerados pelos receptores de temperatura do hipotálamo sejam extremamente potentes no controle da temperatura corporal, os receptores em outras partes do corpo desempenham papéis adicionais na regulação da temperatura. Isso é especialmente verdadeiro quando se trata dos receptores de temperatura na pele e em alguns tecidos profundos específicos do corpo.

A discussão sobre os receptores sensoriais no Capítulo 49 deve ser lembrada, que diz que a pele é dotada de receptores para o *frio* e para o *calor*. A pele apresenta muito mais receptores para o frio do que para o calor – na verdade, 10 vezes mais, em várias partes da pele. Portanto, a detecção periférica da temperatura diz respeito, principalmente, à detecção de temperaturas mais frias em vez de mais quentes.

Embora os mecanismos moleculares para detectar mudanças na temperatura não sejam bem compreendidos, estudos experimentais sugerem que a *família de receptores de potencial transitório de canais catiônicos*,

encontrados nos neurônios somatossensoriais e nas células epidérmicas, possa mediar a sensação térmica em um amplo intervalo de temperaturas da pele.

Quando a pele é resfriada em todo o corpo, os efeitos reflexos imediatamente são evocados e começam a aumentar a temperatura corporal de várias formas: (1) fornecendo um forte estímulo para causar calafrios, com um aumento resultante da produção de calor corporal; (2) pela inibição da sudorese, se já estiver ocorrendo; e (3) promovendo a vasoconstrição da pele para diminuir a perda de calor corporal pela pele.

Os receptores corporais profundos de temperatura são encontrados principalmente na *medula espinhal*, nas vísceras *abdominais* e dentro ou ao redor das *grandes veias* na região superior do abdome e do tórax. Esses receptores profundos atuam de maneira diferente dos receptores da pele, pois estão expostos à temperatura interna do corpo, em vez de à temperatura da superfície corporal. Ainda, como os receptores de temperatura da pele, eles detectam principalmente o frio em vez de calor. É provável que tanto os receptores da pele como os receptores profundos do corpo se destinem à prevenção da *hipotermia* – isto é, a prevenir a baixa temperatura corporal.

O HIPOTÁLAMO POSTERIOR INTEGRA OS SINAIS SENSORIAIS DAS TEMPERATURAS INTERNA E PERIFÉRICA

Mesmo que muitos sinais sensoriais para a temperatura surjam nos receptores periféricos, esses sinais contribuem para o controle da temperatura corporal, principalmente através do hipotálamo. A área do hipotálamo que eles estimulam está localizada bilateralmente no hipotálamo posterior, aproximadamente no nível dos corpos mamilares. Os sinais sensoriais de temperatura da área hipotalâmica anterior pré-óptica também são transmitidos para essa área no hipotálamo posterior. Nesse local, os sinais da área pré-óptica e os sinais de outras partes do corpo são combinados e integrados para controlar as reações de produção e de conservação do calor do corpo.

MECANISMOS EFETORES NEURONAIS QUE DIMINUEM OU AUMENTAM A TEMPERATURA CORPORAL

Quando os centros hipotalâmicos de temperatura detectam que a temperatura corporal está muito alta ou muito baixa, eles instituem os procedimentos apropriados para a diminuição ou para a elevação da temperatura. O leitor provavelmente está familiarizado com a maioria desses procedimentos devido à sua experiência pessoal, mas recursos especiais são descritos nas seções a seguir.

Mecanismos de diminuição da temperatura quando o corpo está muito quente

O sistema de controle da temperatura utiliza três importantes mecanismos para reduzir o calor corporal, quando a temperatura se torna muito elevada:

1. *Vasodilatação dos vasos sanguíneos da pele.* Em quase todas as áreas do corpo, os vasos sanguíneos da pele tornam-se intensamente dilatados. Essa dilatação é causada pela inibição dos centros simpáticos no hipotálamo posterior que causam vasoconstrição. A vasodilatação completa pode aumentar a taxa de transferência de calor para a pele por até oito vezes.
2. *Sudorese.* O efeito do aumento da temperatura corporal sobre a sudorese é demonstrado pela curva azul na **Figura 74.7**, que mostra uma elevação acentuada da perda de calor por evaporação, resultante da transpiração, quando a temperatura interna do corpo sobe acima do nível crítico de 37,1°C. Um aumento adicional de 1°C na temperatura corporal causa suor suficiente para remover 10 vezes a intensidade basal da produção de calor corporal.
3. *Diminuição da produção de calor.* Os mecanismos que causam o excesso de produção de calor, como os calafrios e a termogênese química, são intensamente inibidos.

Mecanismos de elevação da temperatura quando o corpo está muito frio

Quando o corpo está muito frio, o sistema de controle de temperatura institui procedimentos opostos àqueles de quando o corpo está muito quente:

1. *Vasoconstrição da pele em todo o corpo.* Essa vasoconstrição é causada pela estimulação dos centros simpáticos hipotalâmicos posteriores.
2. *Piloereção.* Piloereção significa estar com os "pelos eriçados". A estimulação simpática faz com que músculos eretores dos pelos ligados aos folículos pilosos se contraiam, deixando-os na posição vertical, e produz "arrepios" na pele na base deles. Esse mecanismo não é importante em seres humanos, mas, em muitos animais, a projeção vertical dos pelos permite que eles retenham uma espessa camada de "ar isolante" próximo à pele; portanto, a transferência de calor para o meio ambiente diminui significativamente.
3. *Aumento da termogênese (produção de calor).* A produção de calor pelos sistemas metabólicos é aumentada pela promoção de calafrios, excitação simpática da produção de calor e secreção de tiroxina. Esses métodos de elevação da temperatura necessitam de outras informações, que serão explicadas nas seções seguintes.

A estimulação hipotalâmica produz calafrios. Localizada na parte dorsomedial do hipotálamo posterior, próximo à parede do terceiro ventrículo, encontra-se a área chamada de *centro motor primário para os calafrios*. Essa área é normalmente inibida por sinais do centro de calor na área hipotalâmica anterior pré-óptica, mas é excitada por sinais de frio vindos da pele e da medula espinhal. Portanto, conforme mostrado pelo aumento repentino da "produção de calor" (ver curva vermelha na **Figura 74.7**), esse centro é ativado quando a temperatura corporal cai mesmo uma fração de grau abaixo do nível crítico. Em seguida, ele transmite sinais que causam calafrios através dos tratos bilaterais do tronco encefálico, na direção das colunas laterais da medula espinhal e, finalmente, para os neurônios motores. Esses sinais não são rítmicos e não causam a real contração muscular. Em vez disso, eles aumentam o tônus dos músculos esqueléticos por todo o corpo, facilitando a atividade dos neurônios motores. Quando o tônus se eleva acima de um certo nível crítico, os calafrios começam. Essa reação provavelmente resulta da oscilação por *feedback* do mecanismo reflexo de estiramento dos fusos musculares, discutido no Capítulo 55. *Durante o calafrio máximo, a produção de calor corporal pode aumentar para quatro a cinco vezes o normal.*

Excitação simpática de natureza química na produção de calor. Conforme observado no Capítulo 73, um aumento na estimulação simpática ou na circulação de noradrenalina e adrenalina circulantes no sangue pode aumentar rapidamente o metabolismo celular. Esse efeito é denominado *termogênese química*, ou *termogênese sem calafrios*. Ele resulta, pelo menos parcialmente, da capacidade da noradrenalina e da adrenalina de *desacoplarem* a fosforilação oxidativa, que significa a oxidação do excesso de alimentos, liberando energia em forma de calor, mas não causa a formação de trifosfato de adenosina.

O grau de termogênese química que ocorre no animal é quase diretamente proporcional à quantidade de *gordura marrom* nos tecidos do animal. Esse tipo de gordura contém um grande número de mitocôndrias especiais, onde ocorre o desacoplamento dos processos oxidativos, conforme descrito no Capítulo 73. A gordura marrom é ricamente inervada por fibras simpáticas que liberam noradrenalina, a qual estimula a expressão tecidual de

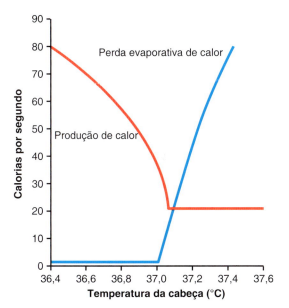

Figura 74.7 Efeito da temperatura hipotalâmica sobre a perda evaporativa de calor do corpo e sobre a produção de calor causada principalmente pela atividade muscular e calafrios (em °C). Esta figura demonstra o nível de temperatura extremamente crítico em que se inicia a perda elevada de calor e a produção de calor atinge um nível mínimo estável.

PARTE 13 Metabolismo e Regulação da Temperatura

proteína desacopladora mitocondrial 1 (*UCP1*, também chamada de *termogenina*) e aumenta a termogênese.

A aclimatação afeta muito a intensidade da termogênese química; alguns animais, como os ratos, expostos a um ambiente frio por várias semanas, exibem um aumento de 100 a 500% na produção de calor quando expostos agudamente ao frio, em contraste com o animal não aclimatado, que responde com uma elevação de um terço, no máximo. Esse aumento da termogênese também leva a um aumento correspondente na ingestão de alimentos.

Em seres humanos adultos, que quase não têm gordura marrom, é raro que a termogênese química aumente a produção de calor mais de 10 a 15%. No entanto, em lactentes, que têm uma pequena quantidade de gordura marrom em seu espaço interescapular, a termogênese química pode aumentar a produção de calor por 100%, o que provavelmente é um fator importante para a manutenção da temperatura corporal normal dos neonatos.

Aumento, a longo prazo, da secreção de tiroxina (T4) como causa da produção elevada de calor.

O resfriamento da área hipotalâmica anterior pré-óptica também aumenta a produção do hormônio neurossecretor *hormônio liberador de tireotrofina* pelo hipotálamo. Esse hormônio é transportado por meio das veias portas hipotalâmicas para a glândula pituitária anterior, onde estimula a secreção do *hormônio estimulador da tireoide*.

O hormônio estimulador da tireoide, por sua vez, estimula o aumento da secreção de *tiroxina* pela glândula tireoide, como explicado no Capítulo 77. A elevação dos níveis de tiroxina ativa a proteína desacopladora e aumenta o metabolismo celular em todo o corpo, que é outro mecanismo da *termogênese química*. Essa elevação do metabolismo não ocorre imediatamente, mas requer uma exposição de várias semanas ao frio para causar a hipertrofia da glândula tireoide e para que ela atinja seu novo nível de secreção de tiroxina.

A exposição de animais ao frio extremo por várias semanas pode fazer com que suas glândulas tireoides aumentem de tamanho em 20% para 40%. No entanto, os seres humanos raramente se permitem uma exposição ao mesmo grau de frio a que muitos animais são frequentemente submetidos. Portanto, ainda não sabemos, quantitativamente, o quão importante é nos seres humanos o mecanismo da tireoide de adaptação ao frio.

Medições isoladas mostraram que a intensidade metabólica aumenta nos militares que residem durante vários meses no ártico; alguns dos Inuítes, povos indígenas que habitam as regiões árticas do Alasca, do Canadá e da Groenlândia, também apresentam índices metabólicos basais anormalmente altos. Além disso, o efeito estimulante contínuo do frio sobre a glândula tireoide pode explicar a incidência muito maior de bócio tireotóxico em pessoas que vivem em climas frio do que naqueles que vivem em locais com o clima mais quente.

PONTO DE AJUSTE PARA O CONTROLE DA TEMPERATURA

No exemplo da **Figura 74.7**, fica claro que, na temperatura corporal interna crítica de aproximadamente 37,1°C, ocorrem mudanças drásticas nas taxas de perda e de produção de calor. Em temperaturas acima desse nível, o índice de perda de calor é maior do que a produção de calor, de modo que a temperatura cai e se aproxima do nível de 37,1°C. Em temperaturas abaixo desse nível, a taxa de produção de calor é maior do que a de perda de calor, então a temperatura corporal sobe e novamente se aproxima do nível de 37,1°C. Esse nível crítico de temperatura é chamado de ponto de ajuste do mecanismo de controle da temperatura; isto é, todos os mecanismos de controle da temperatura tentam constantemente levar a temperatura corporal para o nível desse ponto crítico de ajuste.

Ganho de *feedback* para o controle da temperatura corporal.
Como discutido no Capítulo 1, o ganho do *feedback* é a medida da eficácia do sistema de controle. No caso do controle da temperatura corporal, é importante para a temperatura interna que ela sofra o mínimo de alterações possível, mesmo que a temperatura ambiente mude muito a cada dia ou mesmo a cada hora. O ganho do *feedback* do sistema de controle da temperatura é igual à proporção da mudança na temperatura ambiente em relação à alteração da temperatura interna menos 1,0 (ver essa fórmula no Capítulo 1). Experimentos mostraram que a temperatura corporal em seres humanos varia por 1°C para cada alteração de 25 a 30°C na temperatura ambiente. Portanto, o ganho do *feedback* do mecanismo total para a o controle da temperatura corporal é, em média, 27 (28/1,0 − 1,0 = 27), que é um ganho extremamente alto para um sistema de controle biológico (o sistema barorreceptor para o controle da pressão arterial, em comparação, tem um ganho de *feedback* de < 2).

A temperatura cutânea pode alterar ligeiramente o ponto de ajuste para o controle de temperatura interna

O ponto de ajuste da temperatura crítica no hipotálamo, acima do qual começa a sudorese e abaixo do qual são desencadeados os calafrios, é determinado principalmente pelo grau de atividade dos receptores de calor na área hipotalâmica anterior pré-óptica. No entanto, os sinais de temperatura das áreas periféricas do corpo, especialmente da pele e de certos tecidos corporais profundos (p. ex., medula espinhal e vísceras abdominais), também contribuem ligeiramente para a regulação da temperatura corporal, alterando o ponto de ajuste do centro de controle da temperatura no hipotálamo. Esse efeito é demonstrado nas **Figuras 74.8** e **74.9**.

A **Figura 74.8** demonstra o efeito de diferentes temperaturas da pele no ponto de ajuste para a sudorese, demonstrando que esse ponto de ajuste aumenta conforme

CAPÍTULO 74 Regulação da Temperatura Corporal e Febre

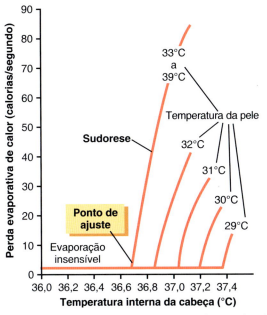

Figura 74.8 Efeito das alterações na temperatura interna da cabeça sobre o índice de perda evaporativa de calor pelo corpo (em °C). Observe que a temperatura da pele determina o nível do ponto de ajuste que desencadeia a sudorese. (Cortesia do Dr. T.H. Benzinger.)

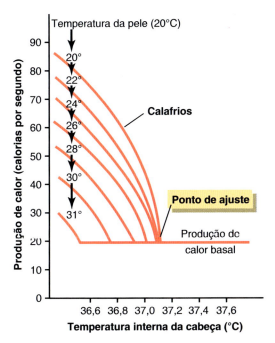

Figura 74.9 Efeito das mudanças na temperatura interna da cabeça sobre o índice de produção de calor pelo corpo (em °C). Observe que a temperatura da pele determina o nível do ponto de ajuste no qual os calafrios começam. (Cortesia do Dr. T.H. Benzinger.)

a temperatura da pele diminui. Assim, para a pessoa representada nessa figura, o ponto de ajuste hipotalâmico aumentou de 36,7°C, quando a temperatura da pele era superior a 33°C, para o ponto de ajuste de 37,4°C, quando a temperatura da pele caiu para 29°C. Portanto, quando a temperatura da pele estava alta, a sudorese começou em uma temperatura hipotalâmica mais baixa do que quando a temperatura da pele estava baixa. Pode-se compreender

prontamente o valor de tal sistema, pois é importante que a sudorese seja inibida quando a temperatura da pele estiver baixa; caso contrário, o efeito combinado da baixa temperatura da pele com o suor pode causar uma perda excessiva de calor corporal.

Um efeito semelhante ocorre com o calafrio, conforme mostrado na **Figura 74.9**. Ou seja, quando a pele fica fria, ela impulsiona os centros hipotalâmicos para o limiar dos calafrios, mesmo quando a temperatura hipotalâmica permanece no lado quente da normalidade. Aqui, novamente, pode-se entender o valor do sistema de controle, pois a temperatura fria da pele logo levaria a uma depressão profunda da temperatura, a menos que a produção de calor aumentasse. Assim, a temperatura fria da pele, na verdade, "antecipa" a queda na temperatura corporal interna e impede a queda real da temperatura.

CONTROLE COMPORTAMENTAL DA TEMPERATURA CORPORAL

Além dos mecanismos subconscientes para o controle da temperatura corporal, o corpo tem outro mecanismo de controle da temperatura que é ainda mais potente: *o controle comportamental da temperatura*.

Sempre que a temperatura interna do corpo se torna muito alta, sinais oriundos das áreas de controle da temperatura no cérebro dão à pessoa uma sensação psíquica de estar superaquecido. Por outro lado, sempre que o corpo fica muito frio, os sinais da pele, e provavelmente também de alguns receptores profundos do corpo, provocam a sensação de desconforto pelo frio. Portanto, a pessoa faz ajustes no ambiente adequados para restabelecer o conforto, como entrar em uma sala aquecida ou usar roupas bem isoladas em clima frio. O controle comportamental da temperatura é o único mecanismo realmente eficaz para manter o controle do calor corporal em ambientes extremamente frios.

Reflexos cutâneos locais causados pela temperatura

Quando uma pessoa coloca um pé sob uma lâmpada quente, deixando-o lá por um curto período de tempo, ocorrem a *vasodilatação local* e a *sudorese local* leve. Por outro lado, colocar o pé em água fria causa a vasoconstrição local e a cessação local da sudorese. Essas reações são causadas por efeitos locais da temperatura diretamente nos vasos sanguíneos e também por reflexos medulares conduzidos pelos receptores cutâneos para a medula espinhal e de volta para a mesma área da pele e suas glândulas sudoríparas. A intensidade desses efeitos locais é, além disso, ditada pelos centros controladores de temperatura do cérebro, de modo que o efeito total seja proporcional ao sinal hipotalâmico de controle de calor, *multiplicado* pelo sinal local. Tais reflexos ajudam na prevenção da troca excessiva de calor quando locais específicos do corpo são resfriados ou aquecidos.

A regulação da temperatura interna do corpo é prejudicada pela secção da medula espinhal. Se a medula espinhal for seccionada no pescoço, ou seja, acima da saída dos nervos simpáticos, a regulação da temperatura corporal torna-se extremamente deficiente, porque o hipotálamo não consegue mais controlar o fluxo sanguíneo para a pele, bem como o grau de sudorese, em qualquer parte do corpo. Isso é verdadeiro, embora permaneçam os reflexos locais da temperatura na pele, na medula espinhal e nos receptores intra-abdominal. Esses reflexos são extremamente fracos em comparação ao controle hipotâlamico da temperatura corporal.

Nas pessoas com essa condição, a temperatura corporal deve ser regulada principalmente pela resposta psíquica do paciente às sensações de frio e calor na região da cabeça, isto é, por controle comportamental na escolha de roupas adequadas e pela procura por um ambiente adequado, quente ou frio.

ANORMALIDADES NA REGULAÇÃO DA TEMPERATURA CORPORAL

FEBRE

A febre, que significa temperatura corporal acima do intervalo normal de variação, pode ser causada por anormalidades no cérebro ou por substâncias tóxicas que afetam os centros reguladores da temperatura. Algumas causas de febre (e de temperaturas corporais abaixo do normal) são apresentadas na **Figura 74.10**. Elas incluem infecções bacterianas ou virais, tumores cerebrais e condições ambientais que podem resultar em internação.

Reajuste do centro de regulação hipotâlamico da temperatura nas doenças febris: efeito dos pirogênios

Muitas proteínas, produtos de degradação de proteínas e algumas outras substâncias, especialmente toxinas lipopolissacarídicas liberadas das membranas celulares bacterianas, podem causar a elevação do ponto de ajuste do termostato hipotâlamico. As substâncias que causam esse efeito são chamadas de *pirogênios*.

Os pirogênios liberados por bactérias tóxicas, ou aqueles liberados por tecidos corporais em degeneração, causam febre durante condições patológicas. Quando o ponto de ajuste do centro de regulação hipotâlamico da temperatura torna-se mais alto do que o normal, todos os mecanismos para a elevação da temperatura corporal começam a atuar, incluindo a conservação do calor e o aumento da produção de calor. Dentro de algumas horas após o ponto de ajuste ter sido aumentado, a temperatura corporal também se aproxima desse nível, conforme mostrado na **Figura 74.11**.

Mecanismo de ação dos pirogênios na causa da febre | o papel das citocinas. Experimentos em animais mostraram que alguns pirogênios, quando injetados no hipotálamo, atuam direta e imediatamente sobre seu centro de regulação da temperatura e aumentam o ponto de ajuste. Outros pirogênios atuam indiretamente e podem necessitar de várias horas de latência antes de causar seus efeitos. Esse fato é válido para vários pirogênios bacterianos, especialmente as *endotoxinas* das bactérias gram-negativas.

Quando as bactérias ou os produtos de degradação delas estão presentes nos tecidos ou no sangue, eles são *fagocitados pelos leucócitos do sangue, pelos macrófagos teciduais e pelos grandes linfócitos exterminadores granulares*, conforme discutido no Capítulo 34. Todas essas células digerem os produtos bacterianos e, em seguida, liberam citocinas, um grupo diverso de moléculas envolvidas nas respostas imunológicas inata e adaptativa. Uma das mais importantes citocinas que causam febre é a *interleucina-1 (IL-1)*, também denominada de *pirogênio leucocitário*, ou *pirogênio endógeno*. A IL-1 é liberada pelos macrófagos para os líquidos corporais e, após atingir o hipotálamo, quase imediatamente ativa os processos para produzir febre, às vezes aumentando de forma perceptível a temperatura corporal em apenas 8 a 10 minutos. *Aproximadamente um décimo de milionésimo de um grama de endotoxina lipopolissacarídica* de bactérias, agindo em conjunto com os leucócitos do sangue, os macrófagos do

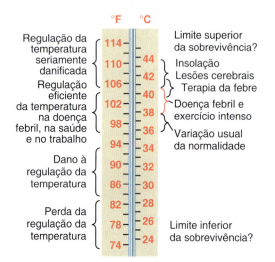

Figura 74.10 Temperaturas corporais sob diferentes condições. (Modificada de DuBois EF: Fever. Springfield, IL: Charles C. Thomas, 1948.)

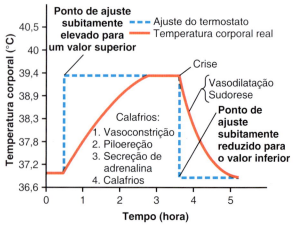

Figura 74.11 Efeitos da mudança do ponto de ajuste do hipotálamo controlador de temperatura.

CAPÍTULO 74 Regulação da Temperatura Corporal e Febre

tecido e os linfócitos exterminadores, pode causar febre. A quantidade de IL-1 que é formada em resposta ao lipopolissacarídio suficiente para causar febre é de apenas alguns nanogramas.

Vários experimentos sugeriram que a IL-1 inicialmente cause febre induzindo a formação de prostaglandinas, principalmente a prostaglandina E_2 (PGE_2), ou uma substância semelhante, que atua no hipotálamo para desencadear a reação febril. Quando a formação de prostaglandinas é bloqueada por fármacos, a febre é completamente anulada, ou pelo menos reduzida. De fato, essa pode ser a explicação para a maneira como o ácido acetilsalicílico reduz a febre, pois impede a formação de prostaglandinas a partir do ácido araquidônico. Fármacos como este, que reduzem a febre, são chamados de *antipiréticos*.

Febre causada por lesões cerebrais. Quando um neurocirurgião atua na região do hipotálamo, quase sempre ocorre febre grave; raramente, o efeito oposto, hipotermia, ocorre, demonstrando a potência dos mecanismos hipotalâmicos para o controle da temperatura corporal e a facilidade com que as anormalidades do hipotálamo podem alterar o ponto de ajuste do controle da temperatura. Outra condição que frequentemente causa temperatura alta prolongada é a compressão do hipotálamo por um tumor cerebral.

Características das condições febris

Calafrios. Quando o ponto de ajuste do centro de controle da temperatura do hipotálamo é repentinamente mudado do nível normal para um mais alto do que o normal (como resultado da destruição tecidual, do uso de substâncias pirogênicas ou da desidratação), a temperatura corporal geralmente leva várias horas para atingir o novo ponto de ajuste.

A **Figura 74.11** demonstra o efeito do aumento repentino do ponto de ajuste da temperatura para um nível de 39°C. Como a temperatura do sangue agora é menor do que o ponto de ajuste do controlador hipotalâmico de temperatura, ocorrem as respostas usuais que causam elevação da temperatura corporal. Durante esse período, a pessoa sente calafrios e frio extremo, embora sua temperatura corporal já possa estar acima do normal. Além disso, a pele fica fria por causa da vasoconstrição, e a pessoa treme. Os calafrios continuam até que a temperatura corporal atinja o ponto de ajuste hipotalâmico de 39°C. A partir desse ponto, a pessoa não apresenta mais calafrios, e não sente frio nem calor. Enquanto o fator que está causando elevação do ponto de ajuste do controlador de temperatura hipotalâmico estiver presente, a temperatura do corpo é regulada quase da mesma forma, mas em um nível mais alto do ponto de ajuste.

Rubor ou "flush". Se o fator que está causando a alta da temperatura for removido, o ponto de ajuste do controlador de temperatura do hipotálamo será reduzido para um valor inferior – talvez até volte ao nível normal, conforme mostrado na **Figura 74.11**. Nesse caso, a temperatura corporal ainda é 39°C, mas o hipotálamo está tentando regular a temperatura a 37°C. Essa situação é análoga ao aquecimento excessivo da área hipotalâmica anterior préóptica, o que causa sudorese intensa e o desenvolvimento súbito de aquecimento da pele por causa da vasodilatação generalizada. Essa mudança repentina de eventos no estado febril é conhecida como *flush*, ou *flushing* cutâneo, ou, mais apropriadamente, rubor. Antes do advento dos antibióticos, a crise era esperada com ansiedade, pois, uma vez que ocorresse, o médico considerava que a temperatura do paciente logo começaria a diminuir.

Insolação

O limite superior da temperatura do ar que se pode suportar depende, em grande parte, de o ar ser seco ou úmido. Se o ar estiver seco, e correntes de ar de convecção suficientes forem fluindo para promover a rápida evaporação do corpo, uma pessoa pode suportar várias horas de temperatura do ar a 54,4°C. Por outro lado, se o ar estiver com 100% de umidade ou se o corpo estiver imerso na água, a temperatura corporal começa a subir sempre que a temperatura ambiente sobe acima de cerca de 34,4°C. Se a pessoa estiver realizando um trabalho pesado, a *temperatura ambiente* crítica acima da qual provavelmente ocorrerá insolação é de 29,4 a 32,2°C.

Quando a temperatura corporal sobe além de uma temperatura crítica, na variação de 40,5 a 42,2°C, a *insolação* torna-se provável. Os sintomas incluem tontura, desconforto abdominal, às vezes acompanhados por vômitos, às vezes, delírio e, eventualmente, perda de consciência se a temperatura corporal não diminuir rapidamente. Esses sintomas são muitas vezes exacerbados por um grau de *choque circulatório* causado pela perda excessiva de líquidos e eletrólitos pelo suor.

A hiperpirexia também é extremamente prejudicial aos tecidos do corpo, especialmente para o cérebro, e é responsável por muitos desses efeitos. Na verdade, mesmo alguns minutos com temperatura corporal muito alta algumas vezes podem ser fatais. Por essa razão, algumas autoridades recomendam o tratamento imediato da insolação colocando a pessoa em um banho de água fria. Como o banho de água fria muitas vezes induz calafrios incontroláveis, com um aumento considerável na produção de calor, um relaxante muscular pode ser administrado em alguns casos. Outros sugerem que o uso de esponja ou resfriamento da pele com borrifos de água gelada provavelmente seriam mais eficientes para diminuir rapidamente a temperatura interna do corpo.

Efeitos nocivos das altas temperaturas. Os achados patológicos em uma pessoa que morre de hiperpirexia são hemorragias locais e degeneração parenquimatosa das células por todo o corpo, mas especialmente no cérebro. Uma vez que as células neuronais são destruídas, elas nunca podem ser substituídas. Além disso, lesões graves no fígado, nos rins e em outros órgãos podem levar à falência de um ou mais desses órgãos, eventualmente até ao óbito, que algumas vezes ocorre vários dias após a insolação.

Aclimatação ao calor. É extremamente importante a aclimatação das pessoas ao calor extremo. Exemplos de pessoas que necessitam de aclimatação são soldados em serviço nos trópicos e mineiros que trabalham em minas profundas de ouro na África do Sul, onde a temperatura se aproxima da

PARTE 13 Metabolismo e Regulação da Temperatura

temperatura corporal e a umidade se aproxima de 100%. Uma pessoa exposta ao calor por várias horas todos os dias durante a execução de uma carga de trabalho pesada desenvolverá maior tolerância a condições quentes e úmidas em 1 a 3 semanas.

Entre as mudanças fisiológicas mais importantes que ocorrem durante esse processo de aclimatação verifica-se a elevação de aproximadamente duas vezes nos índices máximos de sudorese, o aumento do volume plasmático e a diminuição da perda de sais no suor e na urina; esses dois últimos efeitos resultam do aumento da secreção de aldosterona pelas glândulas adrenais.

Exposição do corpo ao frio extremo

A menos que seja tratada imediatamente, uma pessoa exposta à água gelada por 20 a 30 minutos normalmente morre por parada ou fibrilação cardíaca. Nesse momento, a temperatura corporal interna cai para cerca de 25°C. Se aquecida rapidamente pela aplicação de calor externo, a vida da pessoa pode ser salva.

Perda da regulação térmica em baixas temperaturas. Conforme observado na **Figura 74.10**, uma vez que a temperatura corporal cai abaixo de cerca de 29,4°C, o hipotálamo perde sua capacidade de regulá-la; essa capacidade fica seriamente deteriorada quando a temperatura corporal cai abaixo de cerca de 34,4°C. Em parte, o motivo dessa diminuição da regulação da temperatura se dá pela redução dos índices de produção química de calor em cada célula; para cada diminuição de 5,5°C na temperatura corporal, a capacidade de produção de calor da célula cai duas vezes. Além disso, o estado de sonolência (mais tarde, seguido por coma), deprime a atividade dos mecanismos de controle de calor que ocorrem no sistema nervoso central, evitando os calafrios.

Enregelamento. Quando o corpo é exposto a temperaturas extremamente baixas, as áreas superficiais podem congelar, fenômeno chamado de congelamento, ou *enregelamento*. O congelamento ocorre especialmente nos lóbulos das orelhas e nos dedos das mãos e dos pés. Se o congelamento for suficiente para formar cristais de gelo nas células, os danos serão permanentes, como comprometimento circulatório permanente e destruição tecidual local. A gangrena geralmente ocorre após o descongelamento, e as áreas enregeladas devem ser removidas cirurgicamente.

A vasodilatação induzida pelo frio é uma forma de proteção final contra o enregelamento em temperaturas quase congelantes. Quando a temperatura dos tecidos cai quase ao ponto de congelamento, a musculatura lisa das paredes vasculares fica paralisada por causa do frio, ocorrendo vasodilatação repentina, frequentemente manifestada por rubor da pele. Esse mecanismo ajuda a prevenir o enregelamento, levando sangue quente à pele. Esse mecanismo é muito menos desenvolvido em seres humanos do que na maioria dos animais que vivem no frio.

Hipotermia artificial. É fácil diminuir a temperatura de uma pessoa, primeiro administrando um sedativo forte para diminuir a reatividade do controlador de temperatura hipotalâmica e, em seguida, resfriar a pessoa com gelo ou cobertores de resfriamento até a temperatura cair. A temperatura pode então ser mantida abaixo dos 32,2°C por vários dias ou semanas pela aspersão contínua de água fria ou álcool sobre o corpo. Esse resfriamento artificial tem sido usado durante cirurgias cardíacas para que o coração seja parado artificialmente durante vários minutos. O resfriamento a esse nível não causa dano tecidual, mas diminui a frequência cardíaca, e diminui bastante o metabolismo celular, para que as células do corpo possam sobreviver de 30 minutos a mais de 1 hora sem fluxo sanguíneo durante o procedimento cirúrgico.

Bibliografia

Angilletta MJ Jr, Youngblood JP, Neel LK, VandenBrooks JM: The neuroscience of adaptive thermoregulation. Neurosci Lett 692:127, 2019.

Betz MJ, Enerbäck S: Targeting thermogenesis in brown fat and muscle to treat obesity and metabolic disease. Nat Rev Endocrinol 14:77, 2018.

Blessing W, McAllen R, McKinley M: Control of the cutaneous circulation by the central nervous system. Compr Physiol 6:1161, 2016.

Blomqvist A, Engblom D: Neural mechanisms of inflammation-induced fever. Neuroscientist 24:381, 2018.

Chouchani ET, Kazak L, Spiegelman BM: New advances in adaptive thermogenesis: UCP1 and beyond. Cell Metab. 29:27, 2019.

Crandall CG, Wilson TE: Human cardiovascular responses to passive heat stress. Compr 5:17, 2015.

Epstein Y, Yanovich R: Heatstroke. N Engl J Med 380:2449, 2019.

Evans SS, Repasky EA, Fisher DT: Fever and the thermal regulation of immunity: the immune system feels the heat. Nat Rev Immunol 15:335, 2015.

Fernández-Verdejo R, Marlatt KL, Ravussin E, Galgani JE: Contribution of brown adipose tissue to human energy metabolism. Mol Aspects Med 68:82, 2019.

Filingeri D: Neurophysiology of skin thermal sensations. Compr Physiol 6:1429, 2016.

Hoffstaetter LJ, Bagriantsev SN, Gracheva EO: TRPs: a molecular toolkit for thermosensory adaptations. Pflugers Arch 470:745, 2018.

Leon LR, Bouchama A: Heat stroke. Compr Physiol 5:611, 2015.

Madden CJ, Morrison SF: Central nervous system circuits that control body temperature. Neurosci Lett 696:225, 2019.

Roth J, Blatteis CM: Mechanisms of fever production and lysis: lessons from experimental LPS fever. Compr Physiol 4:1563, 2014.

Señarís R, Ordás P, Reimúndez A, Viana F: Mammalian cold TRP channels: impact on thermoregulation and energy homeostasis. Pflugers Arch 470:761, 2018.

Siemens J, Kamm GB: Cellular populations and thermosensing mechanisms of the hypothalamic thermoregulatory center. Pflugers Arch 470:809, 2018.

Storey KB, Storey JM: Molecular physiology of freeze tolerance in vertebrates. Physiol Rev 97:623, 2017.

Tan CL, Knight ZA: Regulation of body temperature by the nervous system. Neuron 98:31, 2018.

PARTE 14

Endocrinologia e Reprodução

RESUMO DA PARTE

75 Introdução à Endocrinologia, *914*

76 Hormônios Hipofisários e seu Controle pelo Hipotálamo, *927*

77 Hormônios Metabólicos da Tireoide, *940*

78 Hormônios Adrenocorticais, *953*

79 Insulina, Glucagon e Diabetes Melito, *972*

80 Paratormônio, Calcitonina, Metabolismo do Cálcio e do Fósforo, Vitamina D, Ossos e Dentes, *990*

81 Funções Reprodutoras e Hormonais Masculinas; Função da Glândula Pineal, *1009*

82 Fisiologia Feminina Antes da Gravidez e Hormônios Femininos, *1024*

83 Gravidez e Lactação, *1042*

84 Fisiologia Fetal e Neonatal, *1058*

CAPÍTULO 75

Introdução à Endocrinologia

COORDENAÇÃO DAS FUNÇÕES CORPORAIS POR MENSAGEIROS QUÍMICOS

As múltiplas atividades das células, dos tecidos e dos órgãos do corpo são coordenadas pela interação de vários tipos de sistemas de mensageiros químicos:

1. *Neurotransmissores* são liberados por terminais de axônios de neurônios nas junções sinápticas e agem localmente para controlar as funções das células nervosas.
2. *Hormônios endócrinos* são liberados por glândulas ou células especializadas no sangue circulante e influenciam a função das células-alvo em outro local no corpo.
3. *Hormônios neuroendócrinos* são secretados por neurônios no sangue circulante e influenciam a função das células-alvo em outro local do corpo.
4. *Sinalizadores parácrinos* são secretados pelas células no líquido extracelular e afetam as células-alvo vizinhas de tipo diferente.
5. *Sinalizadores autócrinos* são secretados pelas células no líquido extracelular e afetam a função das mesmas células que os produziram.
6. *Citocinas* são peptídios secretados pelas células no líquido extracelular e podem funcionar como hormônios autócrinos, parácrinos ou endócrinos. Exemplos de citocinas incluem as *interleucinas* e outras *linfocinas* que são secretadas por células auxiliares e atuam sobre outras células do sistema imunológico (ver Capítulo 35). Hormônios de citocinas (p. ex., a *leptina*) produzidos por adipócitos são, às vezes, chamados de *adipocinas*.

Nos próximos capítulos, discutiremos principalmente os sistemas hormonais endócrino e neuroendócrino, lembrando que muitos dos sistemas de mensageiros químicos do corpo interagem uns com os outros para manter a homeostase. Por exemplo, a medula adrenal e a hipófise secretam seus hormônios principalmente em resposta a estímulos neurais. As células neuroendócrinas, localizadas no hipotálamo, têm axônios que terminam na neuro-hipófise e eminência mediana e secretam vários neuro-hormônios, incluindo o *hormônio antidiurético (ADH)*, a *ocitocina* e os *hormônios hipofiseotróficos*, que controlam a secreção dos hormônios da adeno-hipófise.

Os *hormônios endócrinos* são transportados pelo sistema circulatório para as células em todo o corpo, incluindo o sistema nervoso em alguns casos, onde eles se ligam a receptores e iniciam muitas reações celulares. Alguns hormônios endócrinos afetam muitos tipos diferentes de células do corpo; por exemplo, o *hormônio do crescimento (GH)* da adeno-hipófise, causa crescimento em muitas partes do corpo, e a tiroxina, da glândula tireoide, aumenta a velocidade de muitas reações químicas em quase todas as células do corpo.

Outros hormônios afetam principalmente os *tecidos-alvo específicos*, porque esses tecidos têm receptores abundantes para o hormônio. Por exemplo, o *hormônio adrenocorticotrófico* da adeno-hipófise estimula especificamente o córtex adrenal, causando a secreção de hormônios adrenocorticais, e os *hormônios ovarianos* têm seus principais efeitos nos órgãos sexuais femininos e sobre as características sexuais secundários do corpo feminino.

A **Figura 75.1** mostra os locais anatômicos das principais glândulas endócrinas e os tecidos endócrinos do corpo, exceto pela placenta, que é uma fonte adicional de hormônios sexuais. A **Tabela 75.1** fornece uma visão geral dos diferentes sistemas hormonais e de suas principais ações.

Os múltiplos sistemas hormonais desempenham um papel fundamental na regulação de quase todas as funções do corpo, incluindo o metabolismo, o crescimento e o desenvolvimento, o equilíbrio hidreletrolítico, a reprodução e o comportamento. Por exemplo, sem o hormônio de crescimento, uma pessoa teria uma estatura muito baixa. Sem a tiroxina e a tri-iodotironina da glândula tireoide, quase todas as reações químicas do corpo ficariam lentas, e a pessoa também ficaria lenta. Sem a insulina do pâncreas, as células do corpo poderiam usar pouco dos carboidratos dos alimentos para obter energia. E sem os hormônios sexuais, o desenvolvimento sexual e as funções sexuais estariam ausentes.

ESTRUTURA QUÍMICA E SÍNTESE DOS HORMÔNIOS

Existem três classes gerais de hormônios:

1. *Proteínas e polipeptídios*, incluindo hormônios secretados pela adeno-hipófise e pela neuro-hipófise, o pâncreas (insulina e glucagon), pelas glândulas paratireoides (paratormônio [PTH]) e muitos outros (ver **Tabela 75.1**).

CAPÍTULO 75 Introdução à Endocrinologia

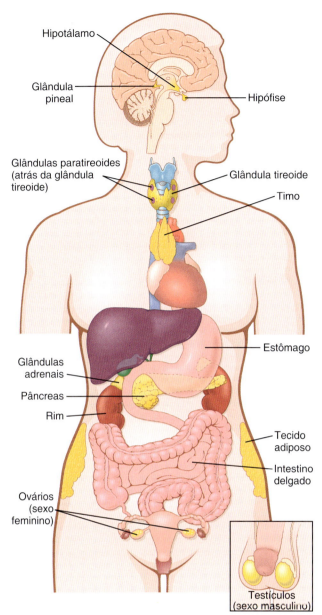

Figura 75.1 Locais anatômicos das principais glândulas e tecidos endócrinos do corpo.

2. *Esteroides* secretados pelo córtex adrenal (cortisol e aldosterona), pelos ovários (estrogênio e progesterona), pelos testículos (testosterona) e pela placenta (estrogênio e progesterona).
3. *Derivados do aminoácido tirosina*, secretados pela tireoide (tiroxina e tri-iodotironina) e pela medula adrenal (adrenalina e noradrenalina). Não existe hormônio conhecido na forma de polissacarídeos ou ácidos nucleicos.

Os hormônios polipeptídicos e proteicos são armazenados em vesículas secretoras até que sejam necessários. A maioria dos hormônios no corpo são polipeptídios e proteínas. Esses hormônios variam em tamanho, de pequenos peptídios com apenas três aminoácidos (p. ex., hormônio liberação de tirotrofina) até proteínas com quase 200 aminoácidos (p. ex., hormônio do crescimento e prolactina). Em geral, os polipeptídios com 100 ou mais aminoácidos são chamados de *proteínas*, e aqueles com menos de 100 aminoácidos são referidos como *peptídios*.

Os hormônios proteicos e peptídicos são sintetizados na extremidade rugosa do retículo endoplasmático das diferentes células endócrinas, da mesma forma que a maioria das outras proteínas (ver **Figura 75.2**). Geralmente, são sintetizados primeiro como proteínas maiores, que não são biologicamente ativas (*pré-pró-hormônios*) e são clivadas para formar *pró-hormônios* menores no retículo endoplasmático. Esses pró-hormônios são então transferidos para o complexo de Golgi para acondicionamento em vesículas secretoras. Nesse processo, as enzimas nas vesículas clivam os pró-hormônios para produzir hormônios menores biologicamente ativos e fragmentos inativos. As vesículas são armazenadas no citoplasma, e muitas ficam ligadas à membrana celular até que sua secreção seja necessária. A secreção dos hormônios (bem como dos fragmentos inativos) ocorre quando as vesículas secretoras se fundem com a membrana celular e o conteúdo granular é expelido para o líquido intersticial ou diretamente na corrente sanguínea por *exocitose*.

Em muitos casos, o estímulo para a exocitose é o aumento da concentração citosólica de cálcio causada pela despolarização da membrana plasmática. Em outros casos, a estimulação de um receptor endócrino na superfície celular causa o aumento do monofosfato de adenosina cíclico (AMPc) e, subsequentemente, a ativação de proteinoquinases que iniciam a secreção do hormônio. Os hormônios peptídicos são hidrossolúveis, o que permite que entrem facilmente no sistema circulatório, onde são transportados para seus tecidos-alvo.

Os hormônios esteroides são geralmente sintetizados a partir do colesterol, e não são armazenados. Os hormônios esteroides têm estrutura química semelhante à do colesterol e, na maioria dos casos, são sintetizados a partir do próprio colesterol. Eles são lipossolúveis e consistem em três anéis de ciclo-hexila e em um anel ciclopentila, combinados em uma única estrutura (ver **Figura 75.3**).

Embora geralmente haja pouco armazenamento de hormônio nas células endócrinas produtoras de esteroides, grandes depósitos de ésteres de colesterol em vacúolos do citoplasma podem ser rapidamente mobilizados para a síntese de esteroides após o estímulo. Grande parte do colesterol nas células produtoras de esteroides vem do plasma, mas também ocorre a síntese *de novo* do colesterol nas células produtoras de esteroides. Como os esteroides são altamente lipossolúveis, uma vez sintetizados, eles simplesmente podem se difundir através da membrana celular e entrar no líquido intersticial e, depois, no sangue.

Os hormônios aminados são derivados da tirosina.
Os dois grupos de hormônios derivados da tirosina, os hormônios da tireoide e os da medula adrenal, são formados

PARTE 14 Endocrinologia e Reprodução

Tabela 75.1 Glândulas endócrinas, hormônios e suas funções e estrutura.

Glândula/Tecido	Hormônios	Principais funções	Estrutura química
Hipotálamo (Capítulo 76)	Hormônio liberador de tireotrofina (TRH)	Estimula a secreção do hormônio tireoestimulante (TSH) e da prolactina	Peptídio
	Hormônio liberador de corticotrofina (CRH)	Causa liberação de hormônio adrenocorticotrófico (ACTH)	Peptídio
	Hormônio liberador do hormônio de crescimento (GHRH)	Provoca liberação do hormônio do crescimento (GH)	Peptídio
	Hormônio inibidor do hormônio de crescimento (somatostatina)	Inibe a liberação do hormônio do crescimento (GH)	Peptídio
	Hormônio liberador de gonadotrofinas (GnRH ou LHRH)	Provoca liberação de hormônio luteinizante (LH) e hormônio foliculoestimulante (FSH)	Peptídio
	Fator inibidor de prolactina (dopamina)	Inibe a liberação de prolactina	Amina
Adeno-hipófise (Capítulo 76)	Hormônio do crescimento (GH)	Estimula a síntese de proteínas e o crescimento geral da maioria das células e tecidos	Peptídio
	Hormônio tireoestimulante (TSH)	Estimula a síntese e a secreção dos hormônios da tireoide (tiroxina [T_4] e tri-iodotironina [T_3])	Peptídio
	Hormônio adrenocorticotrófico (ACTH)	Estimula a síntese e a secreção de hormônios adrenocorticais (aldosterona, cortisol e androgênios)	Peptídio
	Prolactina	Promove o desenvolvimento das mamas na mulher e a secreção de leite	Peptídio
	Hormônio foliculoestimulante (FSH)	Causa crescimento de folículos nos ovários e maturação de espermatozoides nos túbulos seminíferos dos testículos	Peptídio
	Hormônio luteinizante (LH)	Estimula a síntese de testosterona nas células de Leydig dos testículos; estimula a ovulação, a formação do corpo lúteo e a síntese de estrogênio e progesterona nos ovários	Peptídio
Neuro-hipófise (Capítulo 76)	Hormônio antidiurético (ADH) (também chamado de *vasopressina*)	Aumenta a reabsorção de água pelos rins e causa vasoconstrição e aumento da pressão arterial	Peptídio
	Ocitocina	Estimula a ejeção de leite das mamas e as contrações uterinas no parto	Peptídio
Tireoide (Capítulo 77)	Tiroxina (T_4) e tri-iodotironina (T_3)	Aumentam as taxas de reações químicas na maioria das células, elevando, assim, a taxa metabólica corporal	Amina
	Calcitonina	Promove a deposição de cálcio nos ossos e diminui a concentração do íon cálcio do líquido extracelular	Peptídio
Córtex adrenal (Capítulo 78)	Cortisol	Tem várias funções metabólicas para o controle do metabolismo de proteínas, carboidratos e gorduras; também tem efeitos anti-inflamatórios	Esteroide
	Aldosterona	Aumenta a reabsorção renal de sódio, potássio e secreção de íons hidrogênio	Esteroide
Medula adrenal (Capítulo 61)	Adrenalina (principalmente) e noradrenalina	Mesmos efeitos da estimulação simpática	Amina
Pâncreas endócrino (ilhotas pancreáticas) (Capítulo 79)	Insulina (células β)	Promove a entrada de glicose em muitas células e, dessa forma, controla o metabolismo dos carboidratos	Peptídio
	Glucagon (células α)	Aumenta a síntese e a liberação de glicose do fígado para os líquidos corporais	Peptídio
Paratireoide (Capítulo 80)	Paratormônio (PTH)	Controla a concentração do íon cálcio sérico por aumento da absorção de cálcio pelo intestino e pelos rins e pela liberação de cálcio dos ossos	Peptídio
Testículos (Capítulo 81)	Testosterona	Promove o desenvolvimento do sistema reprodutor masculino e as características sexuais secundárias masculinas	Esteroide

(continua)

Tabela 75.1 Glândulas endócrinas, hormônios e suas funções e estrutura. (*continuação*)

Glândula/Tecido	Hormônios	Principais funções	Estrutura química
Ovários (Capítulo 82)	Estrogênios (principalmente o estradiol)	Promovem o crescimento e o desenvolvimento do sistema reprodutor feminino, das mamas femininas e das características sexuais secundárias femininas	Esteroide
	Progesterona	Estimula a secreção de muco uterino pelas glândulas endometriais uterinas e promove o desenvolvimento do aparelho secretor das mamas	Esteroide
Placenta (Capítulo 83)	Gonadotrofina coriônica humana (HCG)	Promove o crescimento do corpo-lúteo e a secreção de estrogênios e progesterona pelo corpo-lúteo	Peptídio
	Somatomamotrofina humana	Provavelmente ajuda a promover o desenvolvimento de alguns tecidos fetais, bem como as mamas da mãe	Peptídio
	Estrogênios	Ver as ações dos estrogênios nos ovários	Esteroide
	Progesterona	Ver as ações da progesterona nos ovários	Esteroide
Rim (Capítulo 26)	Renina	Catalisa a conversão da angiotensinogênio em angiotensina I (atua como enzima)	Peptídio
	1,25-Di-hidroxicolecalciferol (calcitriol)	Aumenta a absorção intestinal de cálcio e mineralização óssea	Esteroide
	Eritropoetina	Aumenta a produção de hemácias	Peptídio
Coração (Capítulo 22)	Peptídio atrial natriurético	Aumenta a excreção de sódio pelos rins, reduz a pressão arterial	Peptídio
Estômago (Capítulo 65)	Gastrina	Estimula a secreção de ácido clorídrico pelas células parietais do estômago	Peptídio
Intestino delgado (Capítulo 65)	Secretina	Estimula as células acinares pancreáticas a liberarem bicarbonato e água	Peptídio
	Colecistoquinina	Estimula a contração da vesícula biliar e a liberação das enzimas pancreáticas	Peptídio
Adipócitos (Capítulo 72)	Leptina	Inibe o apetite, estimula a termogênese	Peptídio

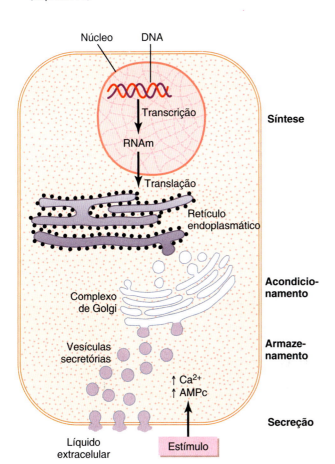

Figura 75.2 Síntese e secreção de hormônios peptídicos. O estímulo para a secreção hormonal frequentemente envolve alterações no cálcio intracelular ou no monofosfato de adenosina cíclico (*AMPc*) na célula.

pela ação de enzimas nos compartimentos citoplasmáticos das células glandulares. Os hormônios da tireoide são sintetizados e armazenados na glândula tireoide e incorporados a macromoléculas da proteína *tireoglobulina*, que é armazenada em grandes folículos dentro da glândula tireoide. A secreção hormonal ocorre quando as aminas são clivadas da tireoglobulina, e os hormônios livres são então liberados na corrente sanguínea. Depois de entrar no sangue, a maior parte dos hormônios da tireoide se combina com proteínas plasmáticas, especialmente a *globulina transportadora de tiroxina (TBG)*, que libera lentamente os hormônios para os tecidos-alvo.

A adrenalina e a noradrenalina são formadas na medula adrenal, que normalmente secreta cerca de quatro vezes mais adrenalina do que noradrenalina. As catecolaminas são absorvidas em vesículas pré-formadas e armazenadas até serem secretadas. De forma semelhante aos hormônios proteicos armazenados em grânulos secretores, as catecolaminas também são liberadas das células da medula adrenal por exocitose. Uma vez que as catecolaminas entrem na circulação, elas podem existir no plasma na forma livre ou em conjugação com outras substâncias.

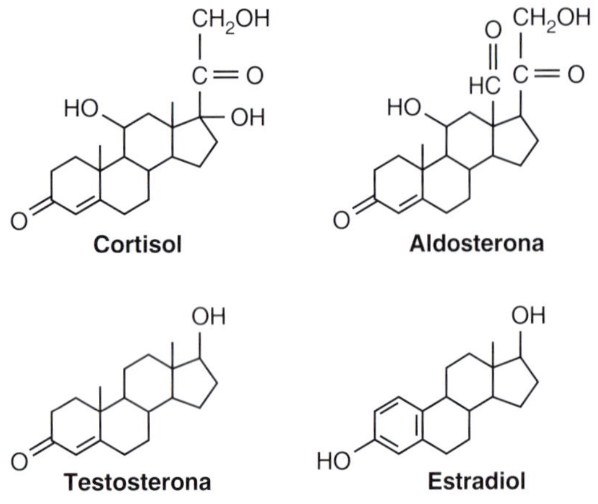

PARTE 14 Endocrinologia e Reprodução

Figura 75.3 Estruturas químicas de vários hormônios esteroides.

SECREÇÃO, TRANSPORTE E *CLEARANCE* (DEPURAÇÃO) DE HORMÔNIOS DO SANGUE

Secreção hormonal após um estímulo e duração da ação de diferentes hormônios. Alguns hormônios, como a noradrenalina e a adrenalina, são secretados em segundos após a glândula ser estimulada, e podem desenvolver uma ação completa dentro de alguns segundos a minutos; as ações de outros hormônios, como a tiroxina ou o hormônio do crescimento, podem exigir meses para seu efeito completo. Assim, cada um dos diferentes hormônios tem suas próprias características para início e duração de ação – cada um feito sob medida para executar sua função de controle específica.

Concentrações de hormônios no sangue circulante e taxas de secreção hormonal. As concentrações de hormônios necessárias para controlar a maioria das funções metabólicas e endócrinas são incrivelmente pequenas. Suas concentrações no sangue variam de apenas 1 picograma (o milionésimo de um milionésimo de um grama) em cada mililitro de sangue até, no máximo, alguns microgramas (alguns milionésimos de grama) por mililitro de sangue. Da mesma forma, as intensidades de secreção dos vários hormônios são extremamente pequenas, geralmente medidas em microgramas ou miligramas por dia. Veremos mais adiante neste capítulo que existem mecanismos altamente especializados nos tecidos-alvo, permitindo até que pequenas quantidades de hormônios exerçam um potente controle sobre os sistemas fisiológicos.

CONTROLE POR *FEEDBACK* DA SECREÇÃO HORMONAL

O *feedback* negativo impede a hiperatividade dos sistemas hormonais. Embora as concentrações plasmáticas de muitos hormônios flutuem em resposta a vários estímulos que ocorrem ao longo do dia, todos os hormônios estudados até agora parecem ser estritamente controlados. Na maioria dos casos, esse controle é exercido por meio de *mecanismos de* feedback *negativo* (descritos no

Capítulo 1) que garantem um nível adequado da atividade hormonal no tecido-alvo. Depois que um estímulo causa a liberação do hormônio, condições ou produtos resultantes da ação do hormônio tendem a suprimir sua liberação adicional. Em outras palavras, o hormônio (ou um de seus produtos) exerce um efeito de *feedback* negativo para evitar a secreção excessiva do hormônio ou a hiperatividade no tecido-alvo. A regulação por *feedback* dos hormônios pode ocorrer em todos os níveis, incluindo a transcrição genética e as etapas da tradução envolvidas na síntese dos hormônios, bem como em etapas envolvidas no processamento e na liberação dos hormônios armazenados.

A variável controlada não costuma ser a secreção do hormônio, mas o grau de atividade no tecido-alvo. Portanto, somente quando a atividade no tecido-alvo aumenta para um nível apropriado, os sinais de *feedback* para a glândula endócrina tornam-se potentes o suficiente para retardar a síntese e a secreção do hormônio.

Picos de secreção hormonal podem ocorrer por *feedback* positivo. Em alguns casos, ocorre um feedback *positivo* quando a ação biológica do hormônio causa sua secreção adicional. Um exemplo de feedback *positivo* é o aumento do *hormônio luteinizante* (LH), que ocorre como resultado do efeito estimulador do estrogênio sobre a adeno-hipófise antes da ovulação. O LH secretado, então, age nos ovários para estimular a secreção adicional de estrogênio, que, por sua vez, causa mais secreção de LH. Eventualmente, o LH atinge a concentração adequada e é, assim, exercido o controle típico por *feedback* negativo da secreção do hormônio.

Variações cíclicas ocorrem na liberação de hormônios. Existem variações periódicas da liberação do hormônio sobrepostas ao controle por *feedback* negativo e positivo da secreção hormonal, e elas são influenciadas por alterações sazonais, vários estágios do desenvolvimento e do envelhecimento, o ciclo cicardiano (diário) e o sono. Por exemplo, a secreção do hormônio do crescimento aumenta acentuadamente durante o período inicial de sono, mas é reduzido durante os últimos estágios do sono. Em muitos casos, essas variações cíclicas na secreção de hormônios ocorrem devido a mudanças na atividade das vias neurais envolvidas no controle da liberação de hormônios.

As oscilações da sinalização endócrina são conduzidas, em parte, por *temporizadores circadianos*. Conforme discutido no Capítulo 59 (ver a **Figura 59.8**), o núcleo supraquiasmático (SCN) do hipotálamo serve como um "*relógio mestre*", que controla os padrões rítmicos dos relógios biológicos em muitas partes do corpo, incluindo células neuroendócrinas e glândulas endócrinas. Também há evidências para um *controle de "relógios locais"* em tecidos endócrinos periféricos, como a glândula adrenal e o pâncreas, que têm mudanças cíclicas em sua sensibilidade a vários sinais.

As mudanças cíclicas na capacidade na resposta do tecido e as flutuações nas concentrações hormonais fornecem importantes mecanismos para o corpo se antecipar e se adaptar às mudanças drásticas nas tensões e demandas que normalmente ocorrem ao longo de 1 dia – variando de um sono reparador, alimentação e altos níveis de atividade mental e física. Alterações rítmicas nos hormônios sexuais femininos que ocorrem em um ciclo médio de 28 dias também são essenciais para a reprodução, conforme discutido no Capítulo 82.

TRANSPORTE DE HORMÔNIOS NO SANGUE

Os hormônios hidrossolúveis (peptídios e catecolaminas) são dissolvidos no plasma e transportados de seus locais de síntese para os tecidos-alvo, onde se difundem dos capilares, no líquido intersticial e, finalmente, para células-alvo.

Os *hormônios esteroides e tireoidianos*, em contraste, circulam no sangue, estando principalmente ligados às proteínas plasmáticas. Em geral, menos de 10% dos hormônios esteroides ou tireoidianos existem livres em solução no plasma. Por exemplo, mais de 99% da tiroxina no sangue estão ligados às proteínas plasmáticas. No entanto, os hormônios ligados a proteínas não conseguem se difundir facilmente pelos capilares e obter acesso às suas células-alvo, sendo, portanto, biologicamente inativos até se dissociarem das proteínas plasmáticas.

As quantidades relativamente grandes de hormônios ligados a proteínas servem como reservatórios, reabastecendo a concentração de hormônios livres quando eles estão ligados a receptores-alvo ou eliminados da circulação. A ligação de hormônios a proteínas plasmáticas torna sua remoção do plasma muito mais lenta.

Clearance dos hormônios do sangue. Dois fatores podem aumentar ou diminuir a concentração de um hormônio no sangue: (1) a velocidade de secreção do hormônio no sangue; (2) a velocidade de remoção do hormônio do sangue, que é chamada de *clearance* metabólico e é geralmente expressa em termos do número de mililitros de plasma depurado do hormônio por minuto. Para calcular essa taxa de *clearance*, medem-se (1) a velocidade de degradação (desaparecimento) do hormônio no plasma (p. ex., nanogramas por minuto) e (2) a concentração plasmática do hormônio (p. ex., nanogramas por mililitro de plasma). Depois, calcula-se o *clearance* metabólico pela seguinte fórmula:

Taxa de *clearance* metabólico =

Velocidade do desaparecimento do hormônio do plasma/
concentração de hormônio

O procedimento usual para fazer essa medição é o seguinte: a solução purificada do hormônio a ser medido é marcada com uma substância radioativa. Depois, o hormônio radioativo é infundido a uma intensidade constante na corrente sanguínea até que a concentração radioativa no plasma fique constante. Nesse momento, o desaparecimento do hormônio radioativo do plasma é igual à intensidade em que é infundido, o que fornece a intensidade do desaparecimento. Ao mesmo tempo, a concentração plasmática do hormônio radioativo é medida usando-se um procedimento padrão de contagem de radioatividade. Depois, usando a fórmula citada, calcula-se o *clearance* metabólico.

Os hormônios são "depurados" do plasma de várias formas, incluindo (1) a destruição metabólica pelos tecidos, (2) a ligação com os tecidos, (3) a excreção na bile pelo fígado e (4) a excreção na urina pelos rins. Para certos hormônios, uma diminuição do *clearance* metabólico pode causar uma concentração excessivamente alta do hormônio nos líquidos corporais circulantes. Por exemplo, hormônios esteroides acumulam-se quando o fígado está lesado, pois esses hormônios são conjugados principalmente no fígado e depois "depurados" na bile.

Os hormônios, às vezes, são degradados em suas células-alvo por processos enzimáticos que causam endocitose do complexo hormônio-receptor na membrana; o hormônio é, então, metabolizado na célula, e os receptores são geralmente reciclados de volta para a membrana celular.

A maioria dos hormônios peptídicos e das catecolaminas é hidrossolúvel e circula livremente no sangue. Eles são geralmente degradados por enzimas no sangue e nos tecidos, e rapidamente excretados pelos rins e pelo fígado, permanecendo no sangue por apenas um curto período. Por exemplo, a meia-vida da angiotensina II circulante no sangue é inferior a um minuto.

Os hormônios que se ligam às proteínas plasmáticas são eliminados do sangue com uma intensidade muito mais lenta e podem permanecer na circulação por várias horas ou mesmo dias. A meia-vida dos esteroides adrenais na circulação, por exemplo, varia entre 20 e 100 minutos, enquanto a meia-vida dos hormônios da tireoide, ligados a proteínas, pode ser de 1 a 6 dias.

MECANISMO DE AÇÃO DOS HORMÔNIOS

RECEPTORES HORMONAIS E SUA ATIVAÇÃO

A primeira etapa da ação do hormônio é ligar-se a *receptores* específicos na célula-alvo. As células que não têm receptores para o os hormônios não respondem. Os receptores para alguns hormônios estão localizados na membrana da célula-alvo, enquanto outros receptores de hormônios estão localizados no citoplasma ou no núcleo. Quando o hormônio se combina com seu receptor, essa ação geralmente inicia uma cascata de reações na célula, com cada estágio se tornando mais potencialmente ativado, de modo que mesmo pequenas concentrações do hormônio podem apresentar um grande efeito.

Os receptores hormonais são proteínas grandes, e cada célula estimulada geralmente tem cerca de 2 mil a 100 mil receptores. Além disso, cada receptor é geralmente altamente específico para um único hormônio; isso determina o tipo de hormônio que atuará em um determinado tecido. Os tecidos-alvo que são afetados por um hormônio são aqueles que contêm seus receptores específicos.

PARTE 14 Endocrinologia e Reprodução

Os diferentes tipos de receptores hormonais estão geralmente localizados:

1. *Na membrana celular ou em sua superfície.* Os receptores de membrana são específicos, principalmente para os hormônios proteicos, os peptídios e as catecolaminas.
2. *No citoplasma celular.* Os receptores primários para os diferentes hormônios esteroides são encontrados principalmente no citoplasma.
3. *No núcleo da célula.* Os receptores para os hormônios tireoidianos são encontrados no núcleo e acredita-se que sua localização esteja em associação direta com um ou mais dos cromossomos.

O número e a sensibilidade dos receptores hormonais são regulados. O número de receptores em uma célula-alvo geralmente não permanece constante no dia a dia ou mesmo de minuto a minuto. As proteínas do receptor costumam ser inativadas ou destruídas durante o curso de sua função, e, outras vezes, são reativadas ou fabricadas novas proteínas. Por exemplo, o aumento da concentração do hormônio e o aumento da ligação aos receptores de sua célula-alvo, às vezes, fazem com que o número de receptores ativos diminua. Essa *regulação para baixo (down-regulation)* dos receptores pode ocorrer como resultado de (1) inativação de algumas das moléculas de receptores; (2) inativação de algumas das moléculas de sinalização das proteínas intracelulares; (3) sequestro temporário do receptor para o interior da célula, longe do local da ação dos hormônios que interagem com os receptores de membrana; (4) destruição dos receptores por lisossomos após serem internalizados; ou (5) diminuição da produção dos receptores. Em cada caso, a regulação negativa do receptor diminui a capacidade de resposta do tecido-alvo ao hormônio.

Alguns hormônios causam *regulação para cima (up-regulation)* dos receptores e das proteínas de sinalização intracelular; isto é, estimulam o hormônio a induzir a formação de receptores ou moléculas de sinalização intracelular, maior do que a normal pela célula-alvo, ou possibilitam maior disponibilidade do receptor para interação com o hormônio. Quando o aumento da regulação ocorre, o tecido-alvo se torna cada vez mais sensível aos efeitos do estímulo do hormônio.

SINALIZAÇÃO INTRACELULAR APÓS ATIVAÇÃO DO RECEPTOR HORMONAL

Quase sem exceção, um hormônio afeta seus tecidos-alvo formando, primeiro, um complexo hormônio-receptor. A formação desse complexo altera a função do receptor, e o receptor ativado inicia os efeitos hormonais. Para explicar esse processo, vamos dar alguns exemplos dos diferentes tipos de interação.

Receptores ligados a canais iônicos. Praticamente todas as substâncias neurotransmissoras, como a acetilcolina e a noradrenalina, combinam-se com receptores na membrana pós-sináptica. Essa combinação quase sempre causa uma alteração na estrutura do receptor, geralmente abrindo ou fechando um canal para um ou mais íons. Alguns desses *receptores ligados a canais iônicos* abrem (ou fecham) canais para íons sódio; outros, para íons potássio; outros, para íons cálcio, e assim por diante. O movimento alterado desses íons através dos canais causa os efeitos subsequentes nas células pós-sinápticas. Embora alguns hormônios possam exercer algumas de suas ações por meio da ativação dos receptores de canais iônicos, a maioria dos hormônios que abrem ou fecham os canais iônico faz isso indiretamente, por acoplamento com receptores ligados às proteínas G ou ligados a enzimas, como discutido a seguir.

Receptores de hormônios ligados à proteína G. Muitos hormônios ativam receptores que regulam indiretamente a atividade de proteínas-alvo (p. ex., enzimas ou canais iônicos) por acoplamento com grupos de proteínas da membrana celular chamadas de *proteínas heterotriméricas de ligação a trifosfato de guanosina (GTP) (proteínas G)* (ver **Figura 75.4**). Todos os receptores acoplados a proteínas G conhecidos (aproximadamente 1.000) têm sete segmentos transmembrana que formam uma alça para o interior da célula e para o exterior da membrana celular. Algumas partes do receptor que fazem protrusão para o citoplasma celular (especialmente a cauda citoplasmática do receptor) são acopladas às proteínas G que incluem três partes (*i. e.*, são triméricas) – as subunidades α, β e γ. Quando o ligante (hormônio) se liga à parte extracelular do receptor, ocorre uma alteração conformacional no receptor, que ativa as proteínas G e induz sinais intracelulares que (1) abrem ou fecham os canais iônicos da membrana celular, (2) mudam a atividade de uma enzima no citoplasma da célula ou (3) ativam a transcrição gênica.

As proteínas G triméricas são assim denominadas por sua capacidade de se ligar aos *nucleotídios de guanosina.* Em seu estado inativo, as subunidades α, β e γ das proteínas G formam um complexo que se liga ao *difosfato de guanosina* (GDP) na subunidade α. Quando o receptor é ativado, ele passa por uma alteração conformacional que faz com que a proteína G trimérica, ligada ao GDP, associe-se à parte citoplasmática do receptor e troque GDP por GTP. O deslocamento do GDP por GTP faz com que a subunidade α se dissocie do complexo trimérico e se associe a outras proteínas de sinalização intracelular; essas proteínas, por sua vez, alteram a atividade dos canais iônicos ou de enzimas intracelulares, como a *adenilciclase* ou a *fosfolipase-C*, o que altera a função celular.

O evento de sinalização é encerrado quando o hormônio é removido e a subunidade α se inativa ao converter seu GTP ligado em GDP; depois, a subunidade α, mais uma vez, combina-se às subunidades β e γ para formar a proteína G trimérica ligada à membrana e inativa. Detalhes adicionais da sinalização da proteína G são discutidos no Capítulo 46 e apresentados na **Figura 46.7**.

CAPÍTULO 75 Introdução à Endocrinologia

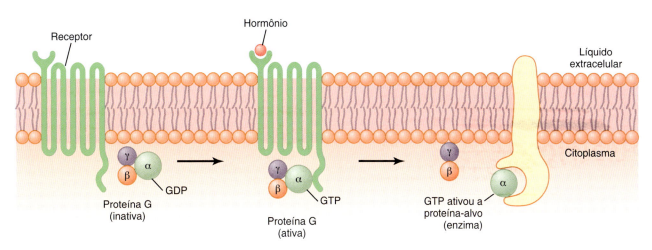

Figura 75.4 Mecanismo de ativação de um receptor acoplado à proteína G. Quando o hormônio ativa o receptor, o complexo de proteínas G inativas α, β e γ associa-se ao receptor e é ativado, com uma troca de trifosfato de guanosina (*GTP*) por difosfato de guanosina (*GDP*). Esse processo faz com que a subunidade α (à qual o GTP está ligado) se dissocie das subunidades β e γ da proteína G e interaja com as proteínas-alvo ligadas à membrana (enzimas) que iniciam os sinais intracelulares.

Alguns hormônios se acoplam a *proteínas G inibitórias* (denominadas proteínas G_i), enquanto outros se unem a *proteínas G estimuladoras* (denominadas proteínas G_s). Portanto, dependendo do acoplamento do receptor hormonal à proteína G inibitória ou estimuladora, o hormônio pode aumentar ou diminuir a atividade das enzimas intracelulares. Esse sistema complexo de proteínas G da membrana celular permite uma vasta gama de respostas celulares em potencial a diferentes hormônios, nos vários tecidos-alvo do corpo.

Receptores hormonais ligados a enzimas. Alguns receptores, quando ativados, funcionam diretamente como enzimas ou se associam estritamente às enzimas que ativam. Esses *receptores ligados a enzimas* são proteínas que atravessam a membrana apenas uma vez, em contraste com as sete alças transmembrana dos receptores acoplados à proteína G. Os receptores ligados a enzimas têm seu local de ligação ao hormônio no exterior da membrana celular e seu local catalítico ou de ligação a enzima, no interior. Quando o hormônio se liga à parte extracelular do receptor, é ativada (ou, ocasionalmente, inativada) uma enzima, imediatamente dentro da membrana celular. Embora muitos receptores ligados a enzimas tenham atividade enzimática intrínseca, outros dependem de enzimas que se associam estritamente ao receptor para produzir alterações na função celular.

A **Tabela 75.2** lista alguns dos muitos fatores de crescimento peptídicos, citocinas e hormônios que utilizam as *tirosinoquinases* de receptores hormonais para a sinalização celular. Um exemplo de receptor ligado à enzima é o *receptor de leptina* (ver **Figura 75.5**). A leptina é o hormônio secretado pelas células adiposas e tem muitos efeitos fisiológicos, mas é especialmente importante na regulação do apetite e do balanço energético, conforme discutido no Capítulo 72. O receptor de leptina é membro de uma grande família de *receptores de citocinas* que não contêm, eles próprios, atividade enzimática, mas sinalizam por intermédio de enzimas associadas. No caso do receptor de leptina, uma das vias de sinalização ocorre por meio de uma tirosinoquinase da família *Janus-quinase* (JAK), a *JAK2*. O receptor de leptina existe como dímero (i. e., em duas partes), e a ligação da leptina à parte extracelular do receptor altera sua conformação, possibilitando a fosforilação e a ativação das moléculas associadas ao intracelular. As moléculas JAK2 ativadas, então, fosforilam outros resíduos de tirosina do complexo receptor-JAK2 da leptina, para mediar a sinalização intracelular. Os sinais intracelulares incluem fosforilação de proteínas *transdutoras de sinal e ativadoras da transcrição* (STAT), o que ativa a transcrição pelos genes-alvo de leptina para iniciar a síntese de proteínas. A fosforilação de JAK2 também leva à ativação de outras vias enzimáticas intracelulares, como as *proteinoquinases ativadas por mitógenos* (MAPK) e a *fosfatidilinositol 3-quinase* (PI3K). Alguns dos efeitos da leptina ocorrem rapidamente como resultado da ativação dessas enzimas intracelulares, enquanto outras ações ocorrem mais lentamente e requerem a síntese de novas proteínas.

Outro exemplo, amplamente utilizado no controle hormonal da função celular, é o do hormônio que se liga a um receptor transmembrana especial, que então se torna a enzima ativada *adenilciclase* ao fim, que faz protrusão para o interior da célula. Essa ciclase catalisa a formação

Tabela 75.2 Hormônios que usam sinalização pelo receptor da tirosinoquinase.

Fator de crescimento de fibroblastos
Hormônio de crescimento (GH)
Fator de crescimento dos hepatócitos
Insulina
Fator de crescimento semelhante à insulina (IGF)
Leptina
Prolactina
Fator de crescimento vascular endotelial

PARTE 14 Endocrinologia e Reprodução

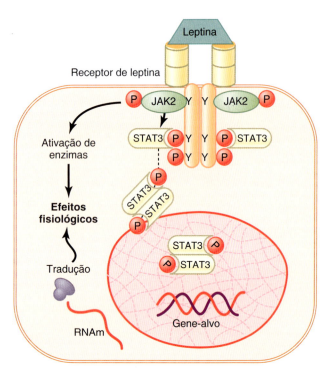

Figura 75.5 Um receptor ligado a enzimas – o receptor de leptina. O receptor existe como um homodímero (duas partes idênticas), e a leptina se liga à parte extracelular do receptor, causando fosforilação (*P*) e ativação da Janus-quinase 2 (*JAK2*) intracelular associada. Esse mecanismo causa a fosforilação das proteínas transdutoras de sinal e ativadoras da transcrição (*STAT*), que então ativam a transcrição de genes-alvo e a síntese de proteínas. A fosforilação JAK2 também ativa vários outros sistemas enzimáticos que medeiam alguns dos efeitos mais rápidos da leptina. Y: locais específicos de fosforilação de tirosina.

de AMPc, o qual tem múltiplos efeitos na célula para controlar a atividade celular, como discutido adiante. O AMPc é chamado de *segundo mensageiro* porque não é o próprio hormônio que determina diretamente as alterações intracelulares; em vez disso, o AMPc serve como um segundo mensageiro para causar esses efeitos.

Para alguns hormônios peptídicos, como o peptídio natriurético atrial, o *monofosfato de guanosina cíclico*, que é ligeiramente diferente do AMPc, serve de maneira semelhante como um segundo mensageiro.

Receptores hormonais intracelulares e ativação de genes. Vários hormônios, incluindo os hormônios esteroides adrenais e gonadais, os hormônios da tireoide, hormônios retinoides e a vitamina D, ligam-se a receptores de proteínas dentro da célula, e não na membrana celular. Como esses hormônios são lipossolúveis, eles atravessam facilmente a membrana celular e interagem com receptores no citoplasma ou núcleo. O complexo hormônio-receptor ativado então se liga a uma sequência reguladora (promotora) específica do DNA chamada de *elemento de resposta hormonal*, e, dessa maneira, ativa ou reprime a transcrição de genes específicos e a formação do RNA mensageiro (RNAm) (ver **Figura 75.6**). Portanto, minutos, horas ou mesmo dias depois de o hormônio entrar na célula, aparecem proteínas recém-formadas na célula, que passam a ser as controladoras das funções celulares novas ou alteradas.

Muitos tecidos diferentes têm receptores hormonais intracelulares idênticos, mas os genes que os receptores regulam são diferentes nos vários tecidos. Um receptor intracelular só pode ativar a resposta gênica se estiver presente a

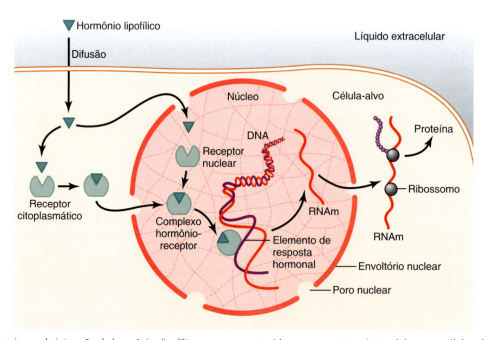

Figura 75.6 Mecanismos de interação de hormônios lipofílicos, como os esteroides, com receptores intracelulares em células-alvo. Depois que o hormônio se liga ao receptor no citoplasma ou no núcleo, o complexo hormônio-receptor se liga ao elemento de resposta hormonal (promotor) no DNA. Essa ação ativa ou inibe a transcrição genética, a formação do RNA mensageiro (*RNAm*) e a síntese proteica.

combinação apropriada das proteínas reguladoras dos genes, e muitas delas são tecido-específicas. *Desse modo, as respostas de diferentes tecidos ao hormônio são determinadas não apenas pela especificidade dos receptores, mas também pela expressão dos genes que o receptor regula.*

MECANISMOS DE SEGUNDO MENSAGEIRO PARA MEDIAR FUNÇÕES HORMONAIS INTRACELULARES

Observamos anteriormente que um dos meios pelos quais os hormônios exercem ações intracelulares é pelo estímulo da formação de segundo mensageiro, AMPc, no interior da membrana celular. O AMPc, em seguida, causa efeitos intracelulares subsequentes do hormônio. Assim, o único efeito direto que o hormônio tem sobre a célula é ativar um único tipo de receptor de membrana. O segundo mensageiro faz o restante.

O AMPc não é apenas o segundo mensageiro usado pelos diferentes hormônios. Dois outros especialmente importantes são (1) os íons cálcio e a *calmodulina* associada; e (2) produtos da degradação de fosfolipídios da membrana. Em alguns casos, um hormônio pode estimular mais de um segundo sistema de mensageiro no mesmo tecido-alvo.

Sistema de segundo de mensageiro da adenilciclase-AMPc

A **Tabela 75.3** mostra alguns dos muitos hormônios que usam o mecanismo adenilciclase-AMPc para estimular seus tecidos-alvo, e a **Figura 75.7** mostra o próprio sistema do segundo mensageiro adenilciclase-AMPc. A ligação dos hormônios ao receptor permite o acoplamento do receptor à *proteína G*. Se a proteína G estimular o sistema adenilciclase-AMPc, ela será chamada de *proteína G_s*, denotando uma proteína G estimuladora. A estimulação da adenilciclase, uma enzima ligada à membrana pela proteína G_s, catalisa, então, a conversão de uma pequena quantidade de *trifosfato de adenosina* citoplasmático em AMPc dentro da célula. Isso ativa a *proteinoquinase dependente de AMPc*, que fosforila proteínas celulares específicas, desencadeando reações bioquímicas que, finalmente, produzem a resposta da célula ao hormônio.

Uma vez que o AMPc é formado dentro da célula, ele geralmente ativa uma *cascata de enzimas*. Ou seja, a primeira enzima é ativada, o que ativa uma segunda enzima, que ativa uma terceira, e assim por diante. A importância desse mecanismo é que apenas algumas moléculas de adenilciclase ativadas na face interna da membrana celular podem fazer com que muito mais moléculas da enzima seguinte sejam ativadas, fazendo com que ainda mais moléculas da terceira enzima sejam ativadas, e assim por diante. Desta forma, até a quantidade mais discreta de hormônio atuando sobre a superfície celular pode iniciar uma poderosa cascata de ativação para toda a célula.

Se a ligação do hormônio a seus receptores for acoplada à proteína G inibitória (chamada de proteína G_i), a adenilciclase será inibida, reduzindo a formação de AMPc e, finalmente, levando a uma ação inibitória na célula. Assim, dependendo do acoplamento do receptor hormonal à proteína G inibitória ou estimuladora, o hormônio pode aumentar ou diminuir a concentração de AMPc e a fosforilação das proteínas-chave no interior da célula.

A ação específica que ocorre em resposta a aumentos ou diminuições de AMPc em cada tipo de célula-alvo depende da natureza da maquinaria intracelular; algumas

Tabela 75.3 Hormônios que usam o sistema de segundo mensageiro de adenilciclase-AMPc.

Angiotensina II (células epiteliais)
Calcitonina
Catecolaminas (receptores β)
Glucagon
Gonadotrofina coriônica humana (hCG)
Hormônio adrenocorticotrófico (ACTH)
Hormônio foliculoestimulante (FSH)
Hormônio liberador de corticotrofina (CRH)
Hormônio liberador do hormônio do crescimento (GHRH)
Hormônio luteinizante (LH)
Hormônio tireoestimulante (TSH)
Paratormônio (PTH)
Secretina
Somatostatina
Vasopressina (receptor V_2, células epiteliais)

AMPc: monofosfato de adenosina cíclico.

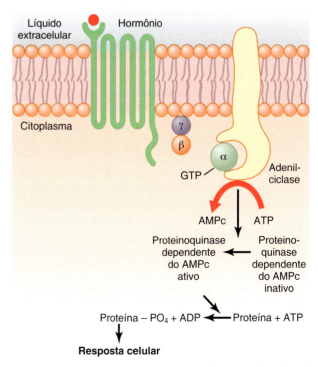

Figura 75.7 Mecanismo do monofosfato de adenosina cíclico (*AMPc*) pelo qual muitos hormônios exercem seu controle sobre a função celular. ADP, difosfato de adenosina; ATP, trifosfato de adenosina; GTP, trifosfato de guanosina.

células têm um conjunto de enzimas, e outras células têm outras enzimas. Portanto, diferentes funções são desencadeadas em diferentes células-alvo, tais como iniciar a síntese de substâncias químicas intracelulares, causando contração ou relaxamento muscular, iniciar a secreção pelas células e alterar a permeabilidade celular.

Desse modo, a célula da tireoide estimulada por AMPc forma os hormônios metabólicos tiroxina e tri-iodotironina, enquanto o mesmo AMPc em uma célula adrenocortical provoca secreção de hormônios esteroides adrenocorticais. Em algumas células epiteliais dos túbulos distais e coletores do rim, o AMPc aumenta a permeabilidade à água.

Sistema de segundo mensageiro dos fosfolipídios da membrana celular

Alguns hormônios ativam receptores transmembrana que ativam a enzima *fosfolipase-C* ligada às projeções internas dos receptores (**Tabela 75.4**). Essa enzima catalisa a quebra de alguns fosfolipídios na membrana celular, especialmente o *fosfatidilinositol bifosfato* (PIP_2), em dois produtos diferentes de segundos mensageiros: *trifosfoinositol* (IP_3) e *diacilglicerol* (DAG). O IP_3 mobiliza íons cálcio das mitocôndrias e do retículo endoplasmático, e os íons cálcio, então, têm seus próprios efeitos de segundo mensageiro, tais como a contração da musculatura lisa e as alterações da secreção celular.

O DAG, o outro segundo mensageiro lipídico, ativa a enzima *proteinoquinase C (PKC)*, que, então, fosforila várias proteínas, levando à resposta da célula (ver **Figura 75.8**). Além desses efeitos, a porção lipídica do DAG é o *ácido araquidônico*, que é o precursor para as *prostaglandinas* e para outros hormônios locais que causam múltiplos efeitos nos tecidos do corpo.

Sistema de segundo mensageiro do cálcio-calmodulina

Outro sistema de segundo mensageiro opera em resposta à entrada de cálcio nas células. A entrada de cálcio pode ser iniciada por: (1) alterações do potencial de membrana que abrem os canais de cálcio; ou (2) hormônio interagindo com receptores de membrana, que abrem os canais de cálcio.

Ao entrar na célula, os íons cálcio se ligam à proteína *calmodulina*. Essa proteína possui quatro sítios de ligação ao cálcio, e, quando três ou quatro desses locais se ligam

Tabela 75.4 Hormônios que utilizam o sistema de segundo mensageiro de fosfolipase-C.

Angiotensina II (músculo liso vascular)
Catecolaminas (receptores α)
Hormônio liberador das gonadotrofinas (GnRH)
Hormônio liberador do hormônio do crescimento (GHRH)
Hormônio liberador do hormônio tireoidiano (TRH)
Ocitocina
Paratormônio (PTH)
Vasopressina (receptor V_1, músculo liso vascular)

ao cálcio, a calmodulina altera sua forma e inicia múltiplos efeitos dentro da célula, incluindo ativação ou inibição de proteinoquinases. A ativação das proteinoquinases dependentes da calmodulina causa a fosforilação, a ativação ou a inibição de proteínas envolvidas na resposta da célula ao hormônio. Por exemplo, a função específica da calmodulina é a de ativar a *miosinoquinase de cadeia leve*, que atua diretamente sobre a miosina do músculo liso para causar a contração dele (ver **Figura 8.3**).

A concentração normal de íons cálcio na maioria das células do corpo é de 10^{-8} a 10^{-7} mEq/ℓ, o que não é suficiente para ativar o sistema da calmodulina. No entanto, quando a concentração de íons cálcio sobe para 10^{-6} a 10^{-5} mEq/ℓ, ocorre ligação suficiente para causar todas as ações intracelulares de calmodulina. Essa é quase exatamente a mesma quantidade de alteração do íon cálcio exigida no músculo esquelético para ativar a troponina C, o que causa a contração do músculo esquelético, conforme explicado no Capítulo 7. É interessante que a troponina C seja semelhante à calmodulina em função e estrutura proteica.

HORMÔNIOS QUE ATUAM PRINCIPALMENTE SOBRE A MAQUINARIA GENÉTICA DA CÉLULA

Os hormônios esteroides aumentam a síntese proteica

Outro meio pelo qual os hormônios atuam, especialmente os hormônios esteroides, é gerando a síntese de proteínas

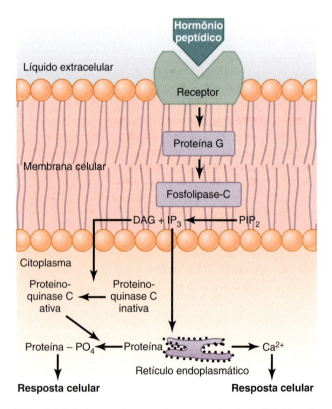

Figura 75.8 O sistema de segundo mensageiro de fosfolipídios da membrana celular pelo qual alguns hormônios exercem seu controle sobre a função celular. DAG, diacilglicerol; IP_3, trifosfoinositol; PIP_2, fosfatidilinositol bifosfato.

nas células-alvo. Essas proteínas então funcionam como enzimas, proteínas de transporte ou proteínas estruturais, que, por sua vez, exercem outras funções das células.

A sequência de eventos na função dos esteroides é, essencialmente, a seguinte (ver **Figura 75.6**):

1. O hormônio esteroide se difunde através da membrana celular e entra no citoplasma da célula, onde se liga à *proteína receptora* específica.
2. O hormônio-proteína receptora combinados, então, se difundem ou são transportados para o núcleo.
3. A combinação se liga a pontos específicos nos filamentos de DNA nos cromossomos, o que ativa o processo de transcrição de genes específicos para formar RNAm.
4. O RNAm se difunde no citoplasma, onde promove o processo de tradução nos ribossomos para formar novas proteínas.

Para dar um exemplo, a *aldosterona*, um dos hormônios secretado pelo córtex adrenal, entra no citoplasma de células tubulares renais, que contêm uma proteína receptora específica frequentemente chamada de *receptor mineralocorticoide*. Portanto, nessas células, cumpre-se a sequência de eventos citada. Após cerca de 45 minutos, a proteína começa a aparecer no células tubulares renais e a promover a reabsorção de sódio dos túbulos e a secreção de potássio para os túbulos. Desse modo, a ação completa do hormônio esteroide demora caracteristicamente pelo menos 45 minutos – até várias horas, ou mesmo dias. Essa ação contrasta com as ações rápidas de alguns dos hormônios derivados de peptídeos e aminoácidos, como vasopressina e noradrenalina.

Os hormônios tireoidianos aumentam a transcrição gênica no núcleo celular

Os hormônios tireoidianos, *tiroxina* e *tri-iodotironina*, causam aumento da transcrição por genes específicos no núcleo. Para realizar esse aumento da transcrição, esses hormônios primeiro se ligam diretamente às proteínas receptoras no núcleo, como discutido com mais detalhes no Capítulo 77 (ver **Figura 77.5**); esses receptores são *fatores de transcrição ativados,* localizados dentro do complexo cromossômico, que controlam a função dos promotores genéticos, conforme explicado no Capítulo 3.

Duas características importantes da função dos hormônios tireoidianos no núcleo são as seguintes:

1. Eles ativam os mecanismos genéticos para a síntese de muitos tipos de proteínas intracelulares – provavelmente 100 ou mais. Muitas dessas proteínas intracelulares são enzimas que promovem o aumento da atividade metabólica intracelular, em praticamente todas as células do corpo.
2. Uma vez ligados aos receptores intranucleares, os hormônios da tireoide podem continuar a expressar suas funções de controle por dias ou mesmo semanas.

Dosagem das concentrações hormonais no sangue

A maioria dos hormônios está presente no sangue em quantidades extremamente pequenas; algumas concentrações são tão baixas quanto um bilionésimo de miligrama (1 picograma) por mililitro. Portanto, é muito difícil medir essas concentrações pelo meios químicos habituais. No entanto, um método extremamente sensível, denominado *radioimunoensaio (RIE)*, foi desenvolvido por Rosalyn Yalow e Solomon Berson em 1959 e revolucionou a medição de hormônios, de seus precursores e de seus produtos finais metabólicos. Mais recentemente, métodos adicionais, como os *ensaios de imunoabsorção enzimática (ELISA),* foram desenvolvidos para fazer a medição dos hormônios com precisão e alto rendimento.

Radioimunoensaio (RIE)

O método de realização do radioimunoensaio é o seguinte. Primeiro, é produzido um anticorpo que é altamente específico para o hormônio para ser medido.

Em segundo lugar, uma pequena quantidade desse anticorpo é: (1) misturada à quantidade de líquido do animal contendo o hormônio a ser medido; e (2) misturada simultaneamente a uma quantidade apropriada de hormônio padrão purificado, marcado com um isótopo radioativo. No entanto, uma condição específica deve ser cumprida. Deve haver pouco anticorpo para se ligar completamente tanto ao hormônio marcado radioativamente como ao hormônio no líquido a ser analisado. Portanto, o hormônio natural no líquido de ensaio e o hormônio radioativo *competem pelos locais de ligação* do anticorpo. No processo de competição, a quantidade de cada um dos dois hormônios, o natural e o radioativo, que se liga, é proporcional à sua concentração no líquido do ensaio.

Em terceiro lugar, depois de a ligação ter alcançado o equilíbrio, o complexo anticorpo–hormônio é separado do restante da solução, e a quantidade de hormônio radioativo ligada a esse complexo é medida por técnicas de contagem radioativa. Se uma grande quantidade de hormônio radioativo estiver ligada ao anticorpo, fica claro que havia apenas uma pequena quantidade de hormônio para competir com o hormônio radioativo, e, portanto, a concentração do hormônio natural no líquido testado era pequena. Por outro lado, se apenas uma pequena quantidade de hormônio radioativo foi ligada, é claro que houve uma grande quantidade de hormônio natural para competir pelos locais de ligação.

Em quarto lugar, para tornar o ensaio altamente quantitativo, o procedimento de radioimunoensaio também é realizado para soluções "padrão" de hormônio não marcado em vários níveis de concentração. Em seguida, uma "curva padrão" é traçada, conforme mostrado na **Figura 75.9**. Comparando-se as contagens radioativas registradas dos procedimentos de prova "desconhecidos" com a curva padrão, pode-se determinar, dentro de uma margem de erro de 10 a 15%, a concentração do hormônio no líquido teste "desconhecido". Não mais que bilionésimos ou mesmo trilionésimos de 1 grama de hormônio podem ser testados desse modo.

Ensaio de imunoabsorção enzimática (ELISA)

Os ensaios de imunoabsorção enzimática podem ser usados para dosar quase qualquer proteína, incluindo hormônios.

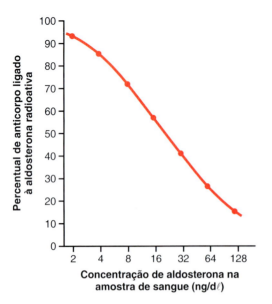

Figura 75.9 Curva padrão para radioimunoensaio de aldosterona. (*Cortesia do Dr. Manis Smith.*)

um produto que pode ser facilmente detectado por métodos ópticos colorimétricos ou fluorescentes.

Como cada molécula de enzima catalisa a formação de muitos milhares de moléculas de produtos, mesmo pequenas quantidades de moléculas de hormônio podem ser detectadas. Em contraste aos métodos competitivos de radioimunoensaio, a técnica ELISA usa anticorpos em excesso para que todas as moléculas de hormônio sejam capturadas nos complexos hormônio–anticorpo. Portanto, a quantidade de hormônio presente na amostra ou no padrão é proporcional à quantidade de produto formado.

O método ELISA tornou-se amplamente utilizado em laboratórios clínicos e de pesquisa, porque: (1) não utiliza isótopos radioativos, (2) grande parte da prova pode ser automatizada utilizando-se placas de 96 poços e (3) provou ser um método com bom custo-benefício e preciso para avaliar os níveis de hormônio.[1]

Bibliografia

Aguiar-Oliveira MH, Bartke A: Growth hormone deficiency: health and longevity. Endocr Rev 40:575, 2019.
Baker ME: Steroid receptors and vertebrate evolution. Mol Cell Endocrinol Oct 1;496:110526. doi: 10.1016/j.mce.2019.110526
Bianco AC, Dumitrescu A, Gereben B, et al: Paradigms of dynamic control of thyroid hormone signaling. Endocr Rev 40:1000, 2019.
Deussing JM, Chen A: The corticotropin-releasing factor family: physiology of the stress response. Physiol Rev 98:2225, 2018.
Forrester SJ, Booz GW, Sigmund CD, et al: Angiotensin II signal transduction: an update on mechanisms of physiology and pathophysiology. Physiol Rev 98:1627, 2018.
Gamble KL, Berry R, Frank SJ, Young ME: Circadian clock control of endocrine factors. Nat Rev Endocrinol 10:466, 2014.
Gomez-Sanchez E, Gomez-Sanchez CE: The multifaceted mineralocorticoid receptor. Compr Physiol 4:965, 2014.
Haeusler RA, McGraw TE, Accili D: Biochemical and cellular properties of insulin receptor signalling. Nat Rev Mol Cell Biol 19:31, 2018.
Harno E, Gali Ramamoorthy T, Coll AP, White A: POMC: the physiological power of hormone processing. Physiol Rev 98:2381, 2018.
Hewitt SC, Korach KS: Estrogen receptors: new directions in the new millennium. Endocr Rev 39:664, 2018.
Hunter I, Hay CW, Esswein B, Watt K, McEwan IJ: Tissue control of androgen action: the ups and downs of androgen receptor expression. Mol Cell Endocrinol 465:27, 2018.
Jurek B, Neumann ID: The oxytocin receptor: from intracellular signaling to behavior. Physiol Rev 98:1805, 2018.
Najjar SM, Perdomo G: Hepatic insulin clearance: mechanism and physiology. Physiology (Bethesda) 34:198, 2019.
Oster H, Challet E, Ott V, et al: The functional and clinical significance of the 24-hour rhythm of circulating glucocorticoids. Endocr Rev 38:3, 2017.
Pan WW, Myers MG Jr: Leptin and the maintenance of elevated body weight. Nat Rev Neurosci 19:95, 2018.
Petersen MC, Shulman GI: Mechanisms of insulin action and insulin resistance. Physiol Rev 98:2133, 2018.
Sarfstein R, Werner H: Minireview: nuclear insulin and insulin-like growth factor-1 receptors: a novel paradigm in signal transduction. Endocrinology 154:1672, 2013.
Stenvers DJ, Scheer FAJL, Schrauwen P, et al: Circadian clocks and insulin resistance. Nat Rev Endocrinol 15:75, 2019.
Yang Q, Vijayakumar A, Kahn BB: Metabolites as regulators of insulin sensitivity and metabolism. Nat Rev Mol Cell Biol 19:654, 2018.

Esse teste combina a especificidade dos anticorpos com a sensibilidade de ensaios enzimáticos simples. A **Figura 75.10** mostra os elementos básicos desse método, que, muitas vezes, é executado em placas de plástico, cada uma com 96 pequenos poços. Cada poço é revestido com um anticorpo (AB_1) que é específico para o hormônio sendo testado. Amostras ou padrões são adicionados a cada um dos poços, seguindo-se pela colocação de um segundo anticorpo (AB_2), que também é específico para o hormônio, mas se liga a um local diferente da molécula do hormônio. Um terceiro anticorpo (AB_3) que é adicionado reconhece AB_2, e é acoplado à enzima que converte o substrato adequado em

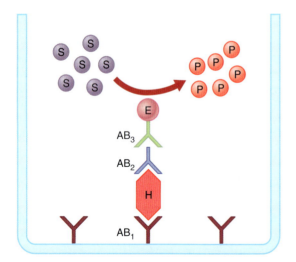

Figura 75.10 Princípios básicos do ensaio de imunoabsorção enzimática para dosar a concentração de um hormônio (*H*). AB_1 e AB_2 são anticorpos que reconhecem o hormônio em diferentes locais de ligação, e AB_3 é um anticorpo que reconhece AB_2. *E* é uma enzima ligada a AB_3 que catalisa a formação de um produto fluorescente colorido (*P*) a partir de um substrato (*S*). A quantidade de produto é medida usando-se métodos ópticos e é proporcional à quantidade de hormônio no reservatório se houver excesso de anticorpos no poço.

---

[1] N.R.C.: Atualmente, no entanto, usa-se mais o método de quimioluminescência, que é ainda mais preciso.

CAPÍTULO 76

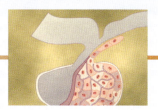

Hormônios Hipofisários e seu Controle pelo Hipotálamo

PARTE 14

GLÂNDULA HIPÓFISE E SUA RELAÇÃO COM O HIPOTÁLAMO

LOBOS ANTERIOR E POSTERIOR DA GLÂNDULA HIPÓFISE

A *glândula hipófise* (**Figura 76.1**), anteriormente chamada de *pituitária*, é uma pequena glândula – cerca de 1 centímetro de diâmetro e peso de 0,5 a 1 grama – situada na *sela túrcica*, uma cavidade óssea na base do cérebro – e que se conecta ao hipotálamo pela *haste hipofisária*. Fisiologicamente, a hipófise é divisível em duas porções distintas: a *adeno-hipófise*, também conhecida como *hipófise anterior*, e a *neuro-hipófise*, também conhecida como *hipófise posterior*. Entre essas duas partes, há uma pequena zona, relativamente avascular, chamada de *parte intermédia*, que é pouco desenvolvida nos seres humanos, mas é muito maior e mais funcional em alguns animais.

Embriologicamente, as duas porções da hipófise são originárias de diferentes fontes – a adeno-hipófise origina-se da *bolsa de Rathke*, uma invaginação embrionária do epitélio faríngeo; e a neuro-hipófise deriva do crescimento de tecido neural do hipotálamo. A origem da adeno-hipófise do epitélio faríngeo explica a natureza epitelioide de suas células, e a origem da neuro-hipófise do tecido neural explica a presença de um grande número de células do tipo glial nessa glândula.

Seis hormônios peptídicos importantes, além de vários outros hormônios de menor importância, são secretados pela *adeno-hipófise*, e dois hormônios peptídicos importantes são secretados pela *neuro-hipófise*.

Os hormônios da adeno-hipófise desempenham papéis importantes no controle das funções metabólicas em todo o corpo, conforme mostrado na **Figura 76.2**.

- O *hormônio de crescimento* promove o crescimento de todo corpo, afetando a formação de proteínas, e a multiplicação e a diferenciação celulares
- A *adrenocorticotrofina* (*corticotrofina*) controla a secreção de alguns dos hormônios adrenocorticais que afetam o metabolismo da glicose, das proteínas e das gorduras

Figura 76.1 Glândula hipófise.

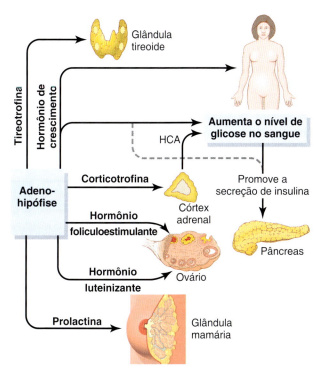

Figura 76.2 Funções metabólicas dos hormônios da adeno-hipófise. HCA: hormônios corticosteroides adrenais.

- O *hormônio estimulante da tireoide* (*tireotrofina*) controla a taxa de secreção de tiroxina (T_4) e da tri-iodotironina (T_3) pela glândula tireoide, e esses hormônios controlam a velocidade da maioria das reações químicas intracelulares no organismo
- A *prolactina* promove o desenvolvimento da glândula mamária e a produção do leite
- Dois hormônios gonadotróficos distintos, o *hormônio foliculoestimulante* e o *hormônio luteinizante*, controlam o crescimento dos ovários e dos testículos, bem como suas atividades hormonais e reprodutivas.

Os dois hormônios secretados pela neuro-hipófise desempenham outros papéis.

- O *hormônio antidiurético* (também chamado de *vasopressina*) controla a excreção da água na urina, ajudando, assim, a controlar a quantidade de água nos líquidos corporais
- A *ocitocina* auxilia na ejeção de leite pelas glândulas mamárias para o mamilo, durante a sucção, e ajuda no parto do bebê, no final da gestação.

A adeno-hipófise contém vários tipos diferentes de células que sintetizam e secretam hormônios. Normalmente, há um tipo de célula para cada hormônio principal formado na adeno-hipófise. Pelo menos cinco tipos celulares podem ser diferenciados utilizando-se corantes especiais ligados a anticorpos de alta afinidade (**Figura 76.3**). A **Tabela 76.1** apresenta um resumo desses tipos de células, dos hormônios que elas produzem e suas ações fisiológicas. Os cinco tipos de células são os seguintes:

1. *Somatotróficas* (*somatotrofos*) – hormônio de crescimento (GH)

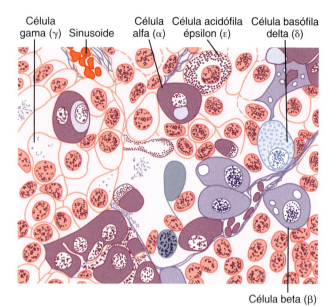

Figura 76.3 Estrutura celular da glândula adeno-hipófise anterior. (*Modificada de Guyton AC: Physiology of the Human Body, 6th ed. Philadelphia: Saunders College Publishing, 1984.*)

2. *Corticotróficas* (*corticotrofos*) – hormônio adrenocorticotrófico (ACTH)
3. *Tireotróficas* (*tireotrofos*) – hormônio estimulante da tireoide (TSH)
4. *Gonadotróficas* (*gonadotrofos*) – hormônios gonadotróficos, que incluem o hormônio luteinizante (LH) e o hormônio folículo estimulante (FSH)
5. *Lactotróficas* (*lactotrofos*) – prolactina (PRL).

Cerca de 30 a 40% das células da adeno-hipófise são somatotróficas, secretando o hormônio de crescimento (GH), e cerca de 20% são corticotróficas, secretando ACTH.

Tabela 76.1 Células e hormônios da adeno-hipófise e suas funções fisiológicas.

Células	Hormônios	Estrutura química	Ação fisiológica
Somatotróficas	Hormônio de crescimento (GH) (somatotrofina)	Cadeia única de 191 aminoácidos	Estimula o crescimento corporal; estimula a secreção do fator de crescimento de insulina-1; estimula a lipólise; inibe as ações da insulina sobre o metabolismo dos carboidratos e dos lipídios
Corticotróficas	Hormônio adenocorticotrófico (ACTH) (corticotrofina)	Cadeia única de 39 aminoácidos	Estimula a produção de glicocorticoides e andrógenos pelo córtex adrenal; mantém o tamanho da zona fasciculada e da zona reticular do córtex
Tireotróficas	Hormônio estimulante da tireoide (TSH) (tireotrofina)	Glicoproteína de duas subunidades, α (89 aminoácidos) e β (112 aminoácidos)	Estimula a produção de hormônios da tireoide pelas células foliculares da tireoide; mantém o tamanho das células foliculares
Gonadotróficas	Hormônio foliculoestimulante (FSH)	Glicoproteína de duas subunidades, α (89 aminoácidos) e β (112 aminoácidos)	Estimula o desenvolvimento dos folículos ovarianos; regula a espermatogênese nos testículos
	Hormônio luteinizante (LH)	Glicoproteína de duas subunidades, α (89 aminoácidos) e β (115 aminoácidos)	Provoca a ovulação e a formação do corpo-lúteo no ovário; estimula a produção de estrogênio e a de progesterona pelo ovário; estimula a produção de testosterona pelo testículo
Lactotrófico-mamotróficas	Prolactina (PRL)	Cadeia única de 198 aminoácidos	Estimula a secreção e a produção de leite

Cada um dos outros tipos de células representa apenas 3 a 5% do total; no entanto, eles secretam hormônios potentes para o controle da função tireoidiana, das funções sexuais e da secreção de leite pelas glândulas mamárias.

As células somatotróficas coram-se fortemente com corantes ácidos e são, portanto, chamadas de *acidófilas*. Assim, os tumores hipofisários que secretam grandes quantidades de GH são chamados de *tumores acidófilos*.

Hormônios da neuro-hipófise são sintetizados por corpos celulares de neurônios no hipotálamo.
Os corpos das células que secretam os hormônios da neuro-hipófise não estão localizados na hipófise propriamente dita, mas em grandes neurônios, chamados de *neurônios magnocelulares*, localizados nos *núcleos supraópticos* e *paraventriculares* do hipotálamo. Os hormônios são então transportados no axoplasma das fibras nervosas do neurônio, passando do hipotálamo à neuro-hipófise. Esse mecanismo é discutido posteriormente neste capítulo.

O HIPOTÁLAMO CONTROLA A SECREÇÃO HIPOFISÁRIA

Quase toda a secreção hipofisária é controlada por sinais hormonais ou nervosos saídos do hipotálamo. Na verdade, quando a glândula hipófise é removida de sua posição normal, abaixo do hipotálamo, e transplantada para alguma outra parte do corpo, suas taxas de secreção dos diferentes hormônios (exceto da prolactina) caem para níveis muito baixos.

A secreção da neuro-hipófise é controlada por sinais neurais que se originam no hipotálamo. Em contraste, a secreção da adeno-hipófise é controlada por hormônios chamados de *hormônios liberadores* e *hormônios inibidores*, secretados pelo próprio hipotálamo e então conduzidos, conforme mostrado na **Figura 76.4**, para a região anterior da hipófise por meio de minúsculos vasos sanguíneos chamados de *vasos portais hipotalâmico-hipofisários*. Na adeno-hipófise, esses hormônios liberadores e inibidores atuam sobre as células glandulares para controlar sua secreção. Esse sistema de controle é discutido na próxima seção deste capítulo.

O hipotálamo recebe sinais de muitas fontes do sistema nervoso. Assim, quando uma pessoa é exposta à dor, parte da sinalização dessa dor é transmitida para o hipotálamo. Da mesma forma, quando a pessoa experimenta alguns pensamentos depressivos ou excitantes, parte do sinal é transmitida para o hipotálamo. Os estímulos olfatórios que denotam cheiros agradáveis ou desagradáveis transmitem sinais fortes diretamente e através dos núcleos amigdaloides para o hipotálamo. Mesmo as concentrações de nutrientes, eletrólitos, água e vários hormônios no sangue excitam ou inibem várias porções do hipotálamo. Assim, o hipotálamo é um centro de integração de informações sobre o bem-estar interno do organismo, e muitas dessas informações são usadas para controlar as secreções dos muitos hormônios hipofisários globalmente importantes.

VASOS SANGUÍNEOS PORTAIS HIPOTALÂMICO-HIPOFISÁRIOS DA ADENO-HIPÓFISE

A adeno-hipófise é uma glândula muito vascularizada, com capilares sinusoides em grande número entre as células glandulares. Quase todo o sangue que entra nesses sinusoides passa primeiro por outro leito capilar na parte inferior do hipotálamo. O sangue então flui pelos pequenos *vasos sanguíneos portais hipotalâmico-hipofisários* para os sinusoides da região anterior da hipófise. A **Figura 76.4** mostra a porção mais inferior do hipotálamo, chamada de *eminência mediana*, que se conecta, inferiormente, à haste hipofisária. A eminência mediana é a ligação funcional entre o hipotálamo e a adeno-hipófise. Pequenas artérias penetram na eminência mediana, e, em seguida, pequenos vasos adicionais retornam para a sua superfície, unindo-se para formar os vasos sanguíneos portais hipotalâmico-hipofisários. Esses vasos seguem para baixo, ao longo da haste hipofisária, para fornecer sangue aos sinusoides da adeno-hipófise.

Os hormônios hipotalâmicos liberadores e inibidores são secretados na eminência mediana. Neurônios especiais no hipotálamo sintetizam e secretam os *hormônios liberadores* e os *hormônios inibidores que controlam* a secreção dos *hormônios da adeno-hipófise*. Esses neurônios originam-se em várias partes do hipotálamo e enviam suas fibras nervosas para a eminência mediana e para o *túber cinéreo*, uma extensão do tecido hipotalâmico na haste hipofisária.

As terminações dessas fibras são diferentes da maioria das terminações no sistema nervoso central, pois sua função não consiste apenas na transmissão de sinais de um neurônio para o outro, mas, principalmente, na secreção de hormônios liberadores ou inibidores hipotalâmicos nos líquidos teciduais. Esses hormônios são imediatamente captados pelo sistema porta hipotálamo-hipofisário e conduzidos, diretamente, para os sinusoides da adeno-hipófise.

Hormônios hipotalâmicos liberadores e inibidores controlam a secreção da adeno-hipófise. A função

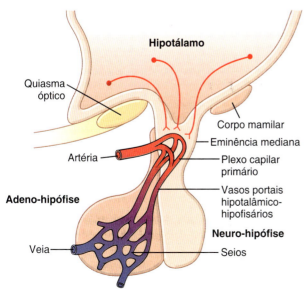

Figura 76.4 Sistema porta hipotalâmico-hipofisário.

PARTE 14 Endocrinologia e Reprodução

dos hormônios de liberação e inibição é controlar a secreção dos hormônios da adeno-hipófise. Para a maioria dos hormônios da adeno-hipófise, os hormônios liberadores são importantes, exceto no caso da prolactina, em que um hormônio inibidor hipotalâmico exerce, provavelmente, o maior controle. Os principais hormônios hipotalâmicos liberadores e inibidores, que estão resumidos na **Tabela 76.2**, são os seguintes:

1. *Hormônio liberador de tireotrofina* (TRH), que provoca a liberação de TSH.
2. *Hormônio liberador de corticotrofina* (CRH), que provoca a liberação de ACTH.
3. *Hormônio liberador do hormônio de crescimento* (GHRH), que provoca a liberação de GH e do hormônio inibidor do hormônio de crescimento (GHIH), também chamado de *somatostatina*, que inibe a liberação de GH.
4. *Hormônio liberador de gonadotrofina* (LHRH ou GnRH), que causa a liberação dos dois hormônios gonadotróficos: o LH e o FSH.
5. *Hormônio inibidor da prolactina* (PIH), que hoje sabemos ser a própria *dopamina*, que causa a inibição da secreção de prolactina.

Outros hormônios hipotalâmicos incluem um que estimula a secreção de prolactina e talvez outros que inibam a liberação dos hormônios da adeno-hipófise. Cada um desses principais hormônios hipotalâmicos será discutido em detalhes, à medida que os sistemas hormonais específicos que os controlam forem apresentados neste e nos capítulos subsequentes.

Áreas específicas no hipotálamo controlam a secreção de hormônios hipotalâmicos liberadores e inibidores.
Todos os hormônios hipotalâmicos, ou pelo menos a maioria, são secretados pelas terminações nervosas da eminência mediana antes de serem transportados para a adeno-hipófise. A estimulação elétrica dessa região excita essas terminações nervosas e, portanto, causa a liberação de essencialmente todos os hormônios hipotalâmicos. No entanto, os corpos celulares neuronais que dão origem a essas terminações nervosas da eminência mediana estão localizados em áreas discretas do hipotálamo ou em áreas intimamente relacionadas da base do encéfalo.

FUNÇÕES FISIOLÓGICAS DO HORMÔNIO DE CRESCIMENTO

Todos os principais hormônios da adeno-hipófise, exceto o GH, exercem seus principais efeitos principalmente estimulando glândulas-alvo, incluindo a glândula tireoide, o córtex adrenal, os ovários, os testículos e as glândulas mamárias. As funções de cada um desses hormônios hipofisários estão tão intimamente relacionadas às funções das respectivas glândulas-alvo e, exceto para o GH, suas funções são discutidas nos capítulos subsequentes junto com as glândulas-alvo. O GH, no entanto, exerce seus efeitos diretamente em todos, ou em quase todos, os tecidos do corpo.

O HORMÔNIO DE CRESCIMENTO PROMOVE O CRESCIMENTO DE MUITOS TECIDOS DO CORPO

O GH, também chamado de *hormônio somatotrófico* ou *somatotrofina*, é uma molécula pequena de proteína que contém 191 aminoácidos em cadeia única com peso molecular de 22.005. Esse hormônio causa o crescimento de quase todos os tecidos do corpo que são capazes de crescer. Promove o aumento do tamanho das células e a elevação do número de mitoses, causando a multiplicação e a diferenciação específicas de certos tipos de células, como células de crescimento ósseo e células musculares iniciais.

A **Figura 76.5** mostra gráficos típicos do peso de dois ratos da mesma ninhada em fase de crescimento; um recebeu injeções diárias de GH, e o outro não as recebeu. Essa figura mostra o aumento acentuado do crescimento do rato que recebeu GH nos primeiros dias de vida, e mesmo depois que os dois ratos alcançaram a idade adulta. Nos primeiros estágios de desenvolvimento, todos os órgãos do rato tratado aumentaram proporcionalmente em tamanho; depois de atingir a idade adulta, a maioria dos ossos interrompeu

Tabela 76.2 Hormônios liberadores e inibidores hipotalâmicos que controlam a secreção da adeno-hipófise.

Hormônio	Estrutura	Ação primária na adeno-hipófise
Hormônio liberador da tireotrofina (TRH)	Peptídeo com três aminoácidos	Estimula a secreção de TSH pelos tireotrofos
Hormônio liberador de gonadotrofina (LHRH)	Cadeia única com 10 aminoácidos	Estimula a secreção de FSH e de LH pelos gonadotrofos
Hormônio liberador de corticotrofina (CRH)	Cadeia única com 41 aminoácidos	Estimula a secreção de ACTH pelos corticotrofos
Hormônio liberador do hormônio de crescimento (GHRH)	Cadeia única com 44 aminoácidos	Estimula a secreção do hormônio de crescimento pelos somatotrofos
Hormônio inibidor do hormônio de crescimento (somatostatina)	Cadeia única com 14 aminoácidos	Inibe a secreção do hormônio de crescimento pelos somatotrofos
Hormônio inibidor da prolactina (PIH)	Dopamina (uma catecolamina)	Inibe a secreção e a síntese de prolactina pelos lactotrofos

ACTH: hormônio adrenocorticotrófico; FSH: hormônio foliculoestimulante; LH: hormônio luteinizante; TSH: hormônio tireoestimulante.

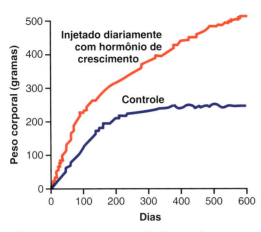

Figura 76.5 Comparação entre o ganho de peso de um rato injetado diariamente com hormônio de crescimento com outro da mesma ninhada sem a injeção de hormônio.

seu crescimento, enquanto muitos dos tecidos moles continuaram a crescer. Uma vez que as epífises dos ossos longos se unam com as diáfises, não pode ocorrer crescimento adicional dos ossos, mesmo que muitos outros tecidos do corpo possam continuar a crescer ao longo da vida.

O HORMÔNIO DE CRESCIMENTO APRESENTA DIVERSOS EFEITOS METABÓLICOS

Além de seu efeito geral em causar o crescimento, o GH tem múltiplos efeitos metabólicos específicos (**Figura 76.6**), incluindo: (1) aumento da taxa de síntese de proteínas na maioria das células do corpo; (2) aumento da mobilização dos ácidos graxos do tecido adiposo, aumento do nível dos ácidos graxos livres no sangue e aumento do uso de ácidos graxos como fonte energia; e (3) redução da taxa de utilização da glicose pelo organismo. Assim, de fato, o GH aumenta a quantidade de proteína corporal, utiliza as reservas de gordura e conserva os carboidratos.

O hormônio de crescimento promove a deposição de proteínas nos tecidos

Embora os mecanismos precisos pelos quais o hormônio de crescimento aumenta a deposição de proteína não sejam totalmente compreendidos, é conhecida uma série de efeitos diferentes, todos os quais podem levar ao aumento da deposição de proteínas.

Aumento do transporte de aminoácidos através das membranas celulares. O GH aumenta diretamente o transporte da maioria dos aminoácidos através das membranas celulares para o interior das células. Isso aumenta as concentrações de aminoácidos nas células, e presume-se que seja pelo menos parcialmente responsável pelo aumento da síntese de proteínas. Esse controle do transporte de aminoácido é semelhante ao efeito da insulina no controle do transporte da glicose através das membranas, conforme discutido nos Capítulos 68 e 79.

Aumento da tradução de RNA para provocar a síntese de proteínas pelos ribossomos. Mesmo quando

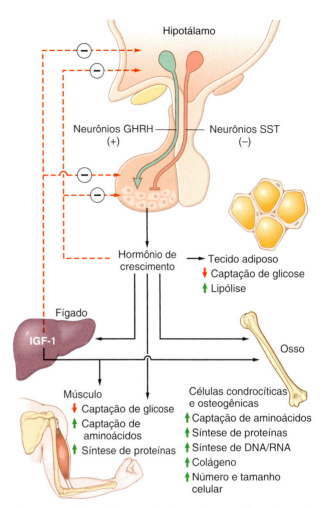

Figura 76.6 Efeitos do hormônio de crescimento e fator de crescimento semelhante à insulina-1 (IGF-1) no crescimento e no metabolismo. A secreção do hormônio de crescimento é estimulada pelo hormônio liberador do hormônio de crescimento (GHRH) e inibida pela somatostatina (SST), bem como pelos efeitos de *feedback* negativo do hormônio de crescimento e IGF-1 na adeno-hipófise e nos neurônios hipotalâmicos. Outros fatores que controlam a secreção do hormônio de crescimento são descritos na Tabela 76.3.

as concentrações de aminoácidos não estão aumentadas nas células, o GH continua a aumentar a tradução do RNA, fazendo com que a síntese proteica pelos ribossomos ocorra em maiores quantidades no citoplasma.

Aumento da transcrição nuclear de DNA para formar RNA. Por períodos mais prolongados (24 a 48 horas), o GH também estimula a transcrição de DNA no núcleo, levando à formação de maiores quantidades de RNA. Isso promove mais síntese de proteínas e crescimento, se energia suficiente, aminoácidos, vitaminas e outros requisitos para o crescimento estiverem disponíveis. A longo prazo, essa pode ser a função mais importante do GH.

Redução do catabolismo de proteínas e aminoácidos. Além do aumento da síntese de proteínas, o GH diminui a quebra das proteínas celulares. Um provável motivo para essa diminuição é que o GH também mobiliza grandes quantidades de ácidos graxos livres do tecido

PARTE 14 Endocrinologia e Reprodução

adiposo, e esses são utilizados para fornecer a maior parte da energia para as células do corpo, agindo, assim, como um potente "poupador de proteínas".

Resumo. O GH aumenta quase todos os aspectos da captação de aminoácidos e a síntese de proteínas pelas células e, ao mesmo tempo, reduz a quebra de proteínas.

O hormônio de crescimento aumenta a utilização de gordura como fonte de energia

O GH apresenta um efeito específico para causar a liberação de ácidos graxos do tecido adiposo, aumentando, assim, a sua concentração nos líquidos orgânicos. Além disso, nos tecidos do corpo, o GH aumenta a conversão de ácidos graxos em acetil coenzima A (acetil-CoA) e sua subsequente utilização como fonte de energia. Portanto, sob a influência do GH, a gordura é utilizada como fonte de energia preferencialmente ao uso de carboidratos e proteínas.

A capacidade do GH de promover a utilização de gordura, junto com seu efeito anabólico proteico, leva ao aumento da massa magra corporal. No entanto, a mobilização de gordura pelo GH necessita de várias horas para ocorrer, enquanto o aumento da síntese das proteínas pode começar em minutos sob a influência do GH.

Efeito "cetogênico" do hormônio de crescimento em excesso. Sob a influência de quantidades excessivas de GH, a mobilização de gordura do tecido adiposo às vezes se torna tão acentuada, que grandes quantidades de ácido acetoacético são formadas pelo fígado e liberadas nos líquidos orgânicos, dando origem, assim, à *cetose*. Essa mobilização excessiva de gordura do tecido adiposo também provoca, frequentemente, a esteatose hepática.

O hormônio de crescimento reduz a utilização de carboidratos

O GH provoca vários efeitos que influenciam o metabolismo dos carboidratos, incluindo: (1) a diminuição da captação de glicose pelos tecidos, como o musculoesquelético e o adiposo, (2) o aumento da produção de glicose pelo fígado e (3) o aumento da secreção de insulina.

Cada uma dessas alterações resulta da "resistência à insulina" induzida pelo GH, que atenua as ações da insulina para estimular a captação e a utilização de glicose pelos tecidos musculoesqueléticos e adiposo e para inibir a gliconeogênese (produção de glicose) pelo fígado; isso leva a um aumento da concentração da glicose no sangue e um aumento compensatório da secreção de insulina. Por essas razões, os efeitos do GH são chamados de *diabetogênicos*, e o excesso de secreção de GH pode produzir distúrbios metabólicos semelhantes aos encontrados em pacientes com diabetes tipo 2 (não dependentes de insulina), que também são resistentes aos efeitos metabólicos da insulina. No entanto, pacientes com *acromegalia* que apresentam excesso de secreção de GH são geralmente magros e têm pouca gordura visceral; enquanto pacientes com diabetes tipo 2 frequentemente estão acima do peso e

têm um excesso de gordura visceral, o que aumenta a sua resistência à insulina.

Não sabemos o mecanismo exato pelo qual o GH provoca resistência à insulina e diminuição da utilização de glicose pelas células. No entanto, o aumento de ácidos graxos na lipólise e nas concentrações sanguíneas induzido por GH provavelmente contribui para a deficiência das ações da insulina na utilização da glicose pelos tecidos. Estudos experimentais indicam que níveis crescentes de ácidos graxos, acima dos valores normais, diminuem, rapidamente, a sensibilidade do fígado e dos tecidos musculoesqueléticos aos efeitos da insulina no metabolismo dos carboidratos.

Necessidade de insulina e de carboidratos para a ação promotora do crescimento do hormônio de crescimento

O GH não causa crescimento em animais desprovidos de pâncreas; também não causa crescimento se os carboidratos forem excluídos da dieta. Assim, a atividade de insulina adequada e a disponibilidade adequada de carboidratos são necessárias para o GH ser efetivo. Parte dessa necessidade de carboidratos e de insulina é para fornecer a energia necessária para o metabolismo de crescimento, mas parece haver outros efeitos também. Especialmente importante é a capacidade da insulina de aumentar o transporte de alguns aminoácidos para as células, da mesma forma que estimula o transporte de glicose.

O HORMÔNIO DE CRESCIMENTO ESTIMULA O CRESCIMENTO CARTILAGINOSO E ÓSSEO

Embora o GH estimule o incremento da deposição de proteína e do crescimento em quase todos os tecidos do corpo, seu efeito mais óbvio é aumentar o crescimento esquelético. Isso resulta de efeitos múltiplos do hormônio de crescimento nos ossos, incluindo: (1) o aumento da deposição de proteínas pelas células condrocíticas e osteogênicas, que causam o crescimento ósseo; (2) o aumento da taxa de reprodução dessas células; e (3) um efeito específico de conversão de condrócitos em células osteogênicas, ocasionando, assim, a deposição de novos ossos.

Existem dois mecanismos principais do crescimento ósseo. Primeiro, em resposta ao estímulo do GH, os ossos longos crescem em comprimento nas cartilagens epifisárias, onde as epífises nas extremidades dos ossos estão separadas das hastes. Esse crescimento, primeiro, provoca a deposição de nova cartilagem, que é seguida por sua conversão em osso novo, aumentando a haste e afastando as epífises cada vez mais. Ao mesmo tempo, a cartilagem epifisária passa por um consumo progressivo, de modo que, até o final da adolescência, não resta nenhuma cartilagem epifisária para permitir o crescimento adicional do osso. Nesse momento, ocorre a fusão das epífises em cada uma de suas extremidades, de modo que não é mais possível aumentar o comprimento do osso.

Em segundo lugar, os *osteoblastos* no periósteo ósseo e em algumas cavidades ósseas depositam osso novo nas superfícies de osso. Simultaneamente, os *osteoclastos* (discutidos em detalhes no Capítulo 80) presentes no osso removem o osso velho. Quando a taxa de deposição é maior do que a de reabsorção, a espessura do osso aumenta. O *hormônio de crescimento estimula fortemente os osteoblastos*. Portanto, os ossos podem ficar mais espessos ao longo da vida sob a influência do GH; isso é especialmente verdadeiro para os ossos membranosos. Por exemplo, os ossos maxilares podem ser estimulados a crescer mesmo após a adolescência, causando a protrusão do queixo e dos dentes inferiores. Da mesma forma, os ossos do crânio podem crescer em espessura, dando origem a protrusões ósseas sobre os olhos.

O HORMÔNIO DE CRESCIMENTO EXERCE GRANDE PARTE DE SEU EFEITO POR MEIO DE FATORES DE CRESCIMENTO SEMELHANTES À INSULINA (SOMATOMEDINAS)

O GH faz com que o fígado (e, em uma extensão muito menor, outros tecidos) forme várias pequenas proteínas chamadas de *fatores de crescimento semelhantes à insulina* (IGFs, também chamados de *somatomedinas*), que medeiam alguns dos efeitos do crescimento e metabólicos do GH (**Figura 76.6**).

Pelo menos quatro IGFs foram isolados, mas, de longe, o mais importante deles é o IGF-1 (*somatomedina C*). O peso molecular do IGF-1 é de cerca de 7.500, e sua concentração no plasma segue de perto a taxa de secreção do GH.

Crianças com deficiência de IGF não crescem normalmente, mesmo que tenham uma secreção normal ou até elevada de GH. Os povos pigmeus da África, por exemplo, têm a estatura muito baixa devido a uma incapacidade congênita de sintetizar quantidades significativas de IGF-1. Embora a concentração plasmática de GH possa estar normal ou elevada, eles apresentam quantidades diminuídas de IGF-1 no plasma, o que aparentemente explica a sua pequena estatura. Alguns outros anões (p. ex., na síndrome de Laron) têm um problema semelhante, geralmente causado por mutação do receptor de GH e, portanto, por falha do GH em estimular a formação de IGF-1.

Foi postulado que a maioria dos efeitos de crescimento do GH resulte do IGF-1 e de outros IGFs, em vez de resultar de efeitos diretos do GH nos ossos e em outros tecidos periféricos. Mesmo assim, experimentos têm demonstrado que a injeção de GH diretamente nas cartilagens epifisárias de ossos de animais vivos causa o crescimento dessas áreas cartilaginosas, e a quantidade de GH necessária para esse crescimento é mínima. Uma possível explicação para esse achado é que o GH pode causar formação de IGF-1 suficiente no tecido local para induzir o crescimento localizado. No entanto, o GH também tem efeitos independentes do IGF que estimulam o crescimento em alguns tecidos, como os condrócitos das cartilagens.

Curta duração da ação do hormônio de crescimento, mas ação prolongada do IGF-1. O GH liga-se apenas fracamente às proteínas plasmáticas no sangue. Portanto, é liberado rapidamente do sangue para os tecidos, apresentando meia-vida no sangue inferior a 20 minutos. Em contraste, o IGF-1 liga-se fortemente a uma proteína transportadora no sangue, que, como IGF-1, é produzida em resposta ao GH. Como resultado, o IGF-1 é liberado lentamente do sangue para os tecidos, com meia-vida de cerca de 20 horas. Essa liberação muito lenta prolonga os efeitos promotores do crescimento dos surtos de secreção de GH, mostrados na **Figura 76.7**.

REGULAÇÃO DA SECREÇÃO DO HORMÔNIO DE CRESCIMENTO

Após a adolescência, a secreção do GH diminui lentamente com o passar dos anos, até cair para cerca de 25% em pessoas idosas em relação ao nível encontrado na adolescência.

O GH é secretado em um padrão pulsátil, aumentando e diminuindo. Os mecanismos precisos que controlam a secreção do GH não são totalmente compreendidos, mas vários fatores relacionados ao estado de nutrição ou ao estresse de uma pessoa são conhecidos por estimular a sua secreção: (1) *inanição*, especialmente com deficiência proteica grave; (2) *hipoglicemia* ou *baixa concentração de ácidos graxos* no sangue; (3) *exercício*; (4) *excitação*; (5) *traumatismo*; (6) *grelina*, um hormônio secretado pelo estômago antes das refeições; e (7) alguns *aminoácidos*, incluindo a arginina. O GH também aumenta caracteristicamente durante as primeiras 2 horas de *sono profundo*, conforme mostrado na **Figura 76.7**. A **Tabela 76.3** resume alguns dos fatores que são conhecidos por influenciar a secreção do hormônio de crescimento.

A concentração normal de GH no plasma de um adulto está entre 1,6 e 3 ng/mℓ; em uma criança ou adolescente, é de cerca de 6 ng/mℓ. Esses valores podem aumentar para 50 ng/mℓ após o esgotamento das reservas corporais de proteínas ou de carboidratos durante o jejum prolongado.

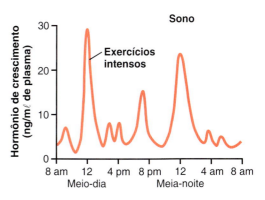

Figura 76.7 Variações típicas na secreção do hormônio de crescimento ao longo do dia, demonstrando o efeito especialmente potente de exercícios intensos e também a elevada taxa de secreção do hormônio de crescimento que ocorre durante as primeiras horas de sono profundo.

Tabela 76.3 Fatores que estimulam ou inibem a secreção do hormônio de crescimento.

Estímulo para a secreção do hormônio de crescimento	Inibição da secreção do hormônio de crescimento
Diminuição da glicose sanguínea	Aumento da glicose sanguínea
Diminuição de ácidos graxos livres no sangue	Aumento de ácidos graxos livres no sangue
Aumento do nível de aminoácidos no sangue (arginina)	Idade
	Obesidade
Fome ou jejum, deficiência de proteína	Inibidor do hormônio de crescimento (somatostatina)
Traumatismo, estresse, excitação	
Exercícios	Hormônio de crescimento (exógeno)
Testosterona, estrogênio	
Liberação do hormônio de crescimento	Fatores de crescimento semelhantes à insulina (somatomedinas)
Grelina	

Em condições agudas, a hipoglicemia é um estimulante muito mais potente da secreção do GH do que a redução aguda na ingestão de proteínas. Por outro lado, em condições crônicas, a secreção do GH parece correlacionar-se mais com o grau de depleção de proteína celular do que com o grau de insuficiência de glicose. Por exemplo, os níveis extremamente altos de GH que ocorrem durante o jejum estão intimamente relacionados à quantidade de depleção de proteínas.

A **Figura 76.8** demonstra o efeito da deficiência de proteína na concentração plasmática de GH e, em seguida, o efeito da adição de proteína à dieta. A primeira coluna mostra níveis muito elevados de GH em crianças com deficiência extrema de proteínas durante a condição de desnutrição proteica chamada de *kwashiorkor*; a segunda coluna mostra os níveis, nas mesmas crianças, após 3 dias de tratamento com quantidades mais do que adequadas de carboidratos em suas dietas, demonstrando que os carboidratos não diminuíram a concentração plasmática de GH. A terceira e a quarta colunas mostram os níveis após o tratamento com suplementos proteicos durante 3 e 25 dias, respectivamente, com redução concomitante do hormônio.

Esses resultados demonstram que, em condições graves de desnutrição proteica, a ingestão isolada de quantidades adequadas de calorias não é suficiente para corrigir o excesso de produção de GH. A deficiência de proteínas também deve ser corrigida para que a concentração de GH volte ao normal.

O hormônio liberador do hormônio de crescimento estimula a sua secreção, e a somatostatina a inibe

A partir da descrição anterior dos muitos fatores que podem afetar a secreção do GH, compreende-se prontamente a perplexidade dos fisiologistas enquanto tentavam desvendar os mistérios da regulação da secreção de GH. Sabe-se que a secreção de GH é controlada por dois fatores secretados no hipotálamo e, então, transportados para a adeno-hipófise pelos vasos portais hipotalâmico-hipofisários. São eles: o *hormônio liberador do hormônio de crescimento (GHRH)* e o *hormônio inibidor do hormônio de crescimento* (também chamado de *somatostatina*). Ambos são polipeptídeos; o GHRH é composto por 44 aminoácidos, e a somatostatina, por 14 aminoácidos.

Os neurônios dos núcleos arqueados e ventromediais do hipotálamo secretam GHRH; essa é a mesma área do hipotálamo que é sensível à concentração sanguínea de glicose, causando saciedade em estados hiperglicêmicos e fome em estados hipoglicêmicos. A secreção de somatostatina é controlada pelos neurônios periventriculares próximos do hipotálamo. Portanto, é razoável esperar que alguns dos mesmos sinais que modificam os instintos alimentares comportamentais também alterem a taxa de secreção de GH.

De maneira semelhante, os sinais hipotalâmicos que representam emoções, estresse e traumatismo podem afetar o controle hipotalâmico da secreção de GH. Na verdade, os experimentos mostraram que as catecolaminas, a dopamina e a serotonina, cada uma liberada por um sistema neuronal diferente no hipotálamo, são capazes de aumentar a secreção de GH.

A maior parte do controle da secreção de GH é provavelmente mediada pelo GHRH, em vez de pelo hormônio inibidor, a somatostatina. O GHRH estimula a secreção de GH ligando-se a receptores específicos da membrana celular nas superfícies externas das células do GH na hipófise. Os receptores ativam o sistema adenilciclase na membrana celular, aumentando o nível intracelular de monofosfato de adenosina (AMPc). Esse aumento tem efeitos a curto e a longo prazo. O efeito a curto prazo é

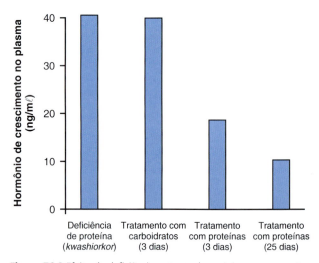

Figura 76.8 Efeito da deficiência extrema de proteínas na concentração plasmática do hormônio de crescimento na doença *kwashiorkor*. Observa-se também a falha do tratamento com carboidratos, mas a eficácia do tratamento com proteínas na redução da concentração do hormônio de crescimento. (Dados de Pimstone BL, Barbezat G, Hansen JD et al. Studies on growth hormone secretion in protein-calorie malnutrition. Am J Clin Nutr 21:482, 1968.)

CAPÍTULO 76 Hormônios Hipofisários e seu Controle pelo Hipotálamo

o aumento do transporte de íons cálcio para a célula; em minutos, esse aumento causa a fusão das vesículas secretoras de GH com a membrana celular e a liberação do hormônio para o sangue. O efeito a longo prazo é o aumento da transcrição no núcleo dos genes responsáveis pela estimulação da síntese do GH.

Quando o GH é administrado diretamente no sangue de um animal ao longo de várias horas, a secreção de GH endógeno diminui. Essa diminuição demonstra que a secreção de GH está sujeita ao controle de *feedback* negativo típico, como ocorre, essencialmente, com todos os hormônios. A natureza desse mecanismo de *feedback* ainda é incerta, não se sabe se é mediado principalmente por inibição de GHRH ou por aumento de somatostatina.

Em resumo, nosso conhecimento sobre a regulamentação da secreção do GH não é suficiente para descrever o quadro completo. No entanto, por causa da secreção extrema do GH durante o jejum, e do seu efeito importante a longo prazo para promover a síntese de proteínas e o crescimento tecidual, podemos propor o seguinte: o maior controlador da secreção do hormônio de crescimento é o estado de nutrição tecidual a longo prazo, em particular seu nível de nutrição proteica. Ou seja, a deficiência nutricional ou o excesso de necessidade de proteínas nos tecidos, por exemplo, após um período de exercícios intensos, quando o estado nutricional dos músculos foi exigido de forma excessiva, de alguma maneira aumenta a taxa de secreção de GH. O GH, por sua vez, promove a síntese de novas proteínas, ao mesmo tempo que conserva as proteínas já existentes nas células.

Anormalidades na secreção do hormônio de crescimento

Pan-hipopituitarismo | Diminuição da secreção de todos os hormônios adeno-hipofisários. A secreção diminuída de todos os hormônios adeno-hipofisários em pacientes com pan-hipopituitarismo pode ser congênita (presente desde o nascimento) ou ocorrer repentina ou lentamente a qualquer momento durante a vida, na maioria das vezes resultando de um tumor hipofisário que destrói a glândula hipófise.

Pan-hipopituitarismo no adulto. O pan-hipopituitarismo que ocorre pela primeira vez na idade adulta geralmente resulta de uma entre três anormalidades. Duas condições tumorais, os craniofaringeomas ou tumores cromófobos, podem comprimir a hipófise até que as células funcionantes na região da adeno-hipófise sejam quase ou totalmente destruídas. A terceira causa é a trombose dos vasos sanguíneos hipofisários. Essa anormalidade, ocasionalmente, ocorre no pós-parto, quando a mãe desenvolve o choque circulatório após o nascimento do bebê.

Os efeitos gerais do pan-hipopituitarismo no adulto são: (1) hipotireoidismo, (2) diminuição da produção de glicocorticoides pelas glândulas adrenais e (3) secreção suprimida dos hormônios gonadotróficos para que as funções sexuais sejam perdidas. Assim, o quadro clínico é o de uma pessoa letárgica

(pela ausência de hormônios tireoidianos) que está ganhando peso (devido à ausência de mobilização das gorduras pelos hormônios de crescimento, adrenocorticotrófico, hormônios adrenocorticais e tireoidianos) e que perdeu todas as funções sexuais. Exceto para as funções sexuais anormais, o paciente geralmente pode ser tratado de forma satisfatória pela administração de hormônios adrenocorticais e tireoidianos.

Pan-hipopituitarismo durante a infância e nanismo. A maioria dos casos de nanismo resulta da deficiência generalizada da secreção da adeno-hipófise (pan-hipopituitarismo) durante a infância. Em geral, todas as partes físicas do corpo se desenvolvem em proporção adequada entre si, mas a taxa de desenvolvimento é muito diminuída. Uma criança que alcançou a idade de 10 anos pode ter o desenvolvimento corporal de uma criança de 4 a 5 anos, e a mesma pessoa de 20 anos pode ter o desenvolvimento corporal de uma criança de 7 a 10 anos.

Uma pessoa com nanismo pan-hipopituitário não entra na puberdade e nunca secreta quantidades suficientes de hormônios gonadotróficos para desenvolver funções sexuais adultas. Em um terço desses casos, entretanto, apenas o GH está deficiente; essas pessoas amadurecem sexualmente e ocasionalmente se reproduzem. Em anões de Laron e pigmeus africanos, a taxa de secreção de GH é normal ou elevada, mas a capacidade de resposta ao GH é prejudicada devido a mutações no receptor de GH ou a uma incapacidade hereditária para formar IGF-1, um passo fundamental para a promoção do crescimento pelo GH.

Tratamento com o hormônio de crescimento humano. Os hormônios do crescimento de diferentes espécies de animais são suficientemente diferentes uns dos outros, de modo que só vão dar origem ao crescimento apenas em uma espécie ou, na maioria das vezes, em espécies muito próximas. Por essa razão, o GH preparado a partir de outros animais (exceto, em certa medida, de primatas) não é eficaz em seres humanos. Portanto, o GH do ser humano é, eventualmente, chamado do *hormônio de crescimento humano* para distingui-lo dos outros.

No passado, como o GH humano precisava ser preparado a partir de hipófises humanas, era difícil obter quantidades suficientes para tratar pacientes com deficiência de GH, exceto em base experimental. No entanto, o GH humano agora pode ser sintetizado pela bactéria *Escherichia coli*, como resultado da aplicação bem-sucedida da tecnologia do DNA recombinante. Portanto, esse hormônio agora está disponível em quantidades suficientes para fins terapêuticos. Os anões portadores apenas de deficiência de GH podem ter o nanismo completamente curados se forem tratados no início da vida.

Gigantismo: excesso de hormônio de crescimento antes da adolescência. Ocasionalmente, as células acidofílicas, produtoras do GH, e as células da adeno-hipófise tornam-se excessivamente ativas e às vezes até tumores acidofílicos ocorrem na glândula. Como consequência, grandes quantidades de GH são produzidas. Todos os tecidos do corpo crescem rapidamente, incluindo os ossos. Se a condição ocorrer antes da adolescência, antes que a fusão das epífises dos ossos longos aconteça, a altura da pessoa aumenta, de modo que pode se tornar extremamente alto, com até 2,5 metros de altura.

O portador de gigantismo normalmente tem *hiperglicemia*, e as células beta das ilhotas de Langerhans no pâncreas são propensas a se degenerar porque se tornam hiperativas devido à hiperglicemia. Consequentemente, em cerca de 10% dos portadores de gigantismo, o *diabetes melito* se desenvolve em algum momento.

Na maioria desses pacientes, o pan-hipopituitarismo eventualmente se desenvolve se eles permanecerem sem tratamento, pois o gigantismo é geralmente causado por um tumor da hipófise que cresce até que a glândula seja destruída. Essa eventual deficiência geral dos hormônios hipofisários geralmente causa a morte no início da idade adulta. No entanto, uma vez que o gigantismo seja diagnosticado, outros efeitos podem, frequentemente, ser bloqueados pela remoção microcirúrgica do tumor ou por irradiação da hipófise.

Acromegalia: excesso de hormônio de crescimento após a adolescência. Se um tumor acidofílico ocorrer após a adolescência – isto é, depois que as epífises dos ossos longos se fundiram com as hastes –, a pessoa não pode crescer mais, mas os ossos podem tornar-se mais espessos e os tecidos moles podem continuar a crescer. Essa condição, mostrada na **Figura 76.9**, é conhecida como *acromegalia*. O alargamento é especialmente acentuado nos ossos das mãos e dos pés, e nos *ossos membranosos*, incluindo o crânio, o nariz, as bossas frontais, as cristas supraorbitais, a mandíbula e partes das vértebras, pois seu crescimento não cessa na adolescência. Consequentemente, ocorre a protrusão da mandíbula, às vezes até 1,27 cm, a testa se inclina para a frente devido ao excesso de desenvolvimento das cristas supraorbitais, o nariz aumenta até duas vezes em relação ao tamanho normal, os pés aumentam e os sapatos chegam ao tamanho 45 ou mais, e os dedos ficam extremamente grossos, de modo que as mãos têm quase o dobro do tamanho normal. Além desses efeitos, as mudanças nas vértebras, normalmente, levam à curvatura das costas, que é clinicamente conhecida como *cifose*. Finalmente, muitos órgãos de tecido mole, como a língua, o fígado e, especialmente, os rins, ficam muito aumentados.

Possível papel da diminuição da secreção do hormônio de crescimento como causa de mudanças associadas ao envelhecimento

Em pessoas que perderam a capacidade de secretar GH, algumas características do processo de envelhecimento se aceleram. Por exemplo, uma pessoa de 50 anos que está há muitos anos sem GH pode ter a aparência de uma pessoa de 65 anos ou mais. A aparência envelhecida parece resultar principalmente da diminuição da deposição de proteínas na maioria dos tecidos do corpo e do aumento da deposição de gordura em seu lugar. Os efeitos físicos e fisiológicos consistem no aumento do enrugamento da pele, na diminuição do funcionamento de alguns órgãos e na redução de massa e força musculares.

Com a idade, a concentração plasmática média do hormônio de crescimento em uma pessoa normal muda, aproximadamente da seguinte forma:

Idade (anos)	ng/mℓ
5 a 20	6
20 a 40	3
40 a 70	1,6

Assim, é possível que alguns dos efeitos normais do envelhecimento resultem da diminuição da secreção do hormônio de crescimento. De fato, alguns estudos de terapia com hormônio de crescimento em pessoas mais velhas demonstraram três importantes efeitos benéficos: (1) o aumento da deposição de proteínas no corpo, em particular nos músculos; (2) a diminuição dos depósitos de gordura; e (3) uma sensação de aumento de energia. Outros estudos, no entanto, mostraram que o tratamento de pacientes idosos com GH recombinante pode produzir vários efeitos adversos indesejáveis, incluindo resistência à insulina e diabetes, edema, síndrome do túnel do carpo e artralgias (dor nas articulações). Portanto, a terapia de GH recombinante geralmente não é recomendada para uso em pacientes idosos saudáveis com função endócrina normal.

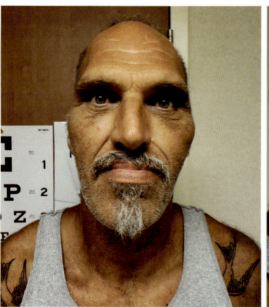
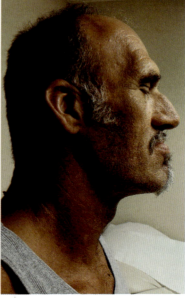

Figura 76.9 Paciente com acromegalia. (*Cortesia do Dr. Vishnu Garla.*)

NEURO-HIPÓFISE E SUA RELAÇÃO COM O HIPOTÁLAMO

A *neuro-hipófise*, também chamada de *hipófise posterior*, é composta principalmente por células gliais, chamadas de *pituícitos*. Os pituícitos não secretam hormônios; eles atuam simplesmente como uma estrutura de suporte para grandes números de *fibras nervosas terminais* e de *terminações nervosas* de tratos nervosos que se originam nos *núcleos supraóptico* e *paraventricular* do hipotálamo, como mostrado na **Figura 76.10**. Esses tratos chegam à neuro-hipófise por meio da *haste hipofisária (pedúnculo hipofisário)*. As terminações nervosas são botões bulbosos que contêm muitos grânulos secretores. Tais terminações localizam-se na superfície dos capilares, onde secretam dois hormônios da neuro-hipófise: (1) o *hormônio antidiurético* (ADH), também chamado de *vasopressina*, e (2) a *ocitocina*.

Se a haste hipofisária for seccionada acima da hipófise, mas todo o hipotálamo permanecer intacto, os hormônios da neuro-hipófise continuam a ser secretados normalmente, após uma diminuição transitória por alguns dias; eles então são secretados pelas extremidades seccionadas das fibras no hipotálamo, e não pelas terminações nervosas da neuro-hipófise. A razão para isso é que os hormônios são inicialmente sintetizados nos corpos celulares dos núcleos supraóptico e paraventricular e são, então, transportados em associação às proteínas "transportadoras", chamadas de *neurofisinas*, para as terminações nervosas na neuro-hipófise, sendo necessários vários dias para atingir a glândula.

O ADH é formado principalmente nos núcleos supraópticos, enquanto a ocitocina é formada principalmente nos núcleos paraventriculares. Cada um desses núcleos pode sintetizar cerca de um sexto tanto do segundo hormônio quanto de seu hormônio primário.

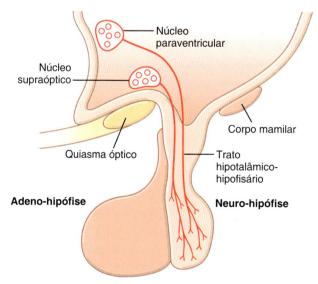

Figura 76.10 Controle hipotalâmico da neuro-hipófise.

Quando os impulsos nervosos são transmitidos para baixo, ao longo das fibras dos núcleos supraópticos ou paraventriculares, o hormônio é imediatamente liberado dos grânulos secretores nas terminações nervosas por meio do mecanismo de secreção usual da *exocitose* e é absorvido pelos capilares adjacentes. Tanto a neurofisina como o hormônio são secretados juntos, mas, como eles têm apenas uma ligação frouxa, o hormônio se separa quase imediatamente. A neurofisina não tem função conhecida após deixar os terminais nervosos.

Estrutura química do hormônio antidiurético (ADH) e da ocitocina

Tanto a ocitocina quanto o ADH (vasopressina) são polipeptídeos, cada um contendo nove aminoácidos. Suas sequências de aminoácidos são as seguintes:

Vasopressina: Cys-Tyr-Phe-Gln-Asn-Cys-Pro-Arg-GlyNH$_2$
Ocitocina: Cys-Tyr-Ile-Gln-Asn-Cys-Pro-Leu-GlyNH$_2$

Observe que esses dois hormônios são quase idênticos, exceto que, na vasopressina, a fenilalanina e a arginina substituem a isoleucina e a leucina da molécula de ocitocina. A semelhança das moléculas explica suas semelhanças funcionais parciais.

FUNÇÕES FISIOLÓGICAS DO HORMÔNIO ANTIDIURÉTICO

A injeção de quantidades extremamente pequenas de ADH – tais como 2 nanogramas – pode causar a diminuição da excreção de água pelos rins (antidiurese). Esse efeito antidiurético é discutido nos Capítulos 28 e 29. Resumidamente, na ausência de ADH, os túbulos e os ductos coletores tornam-se quase impermeáveis à água, o que impede a sua reabsorção e, portanto, permite a perda extrema de água na urina, também causando sua diluição extrema, uma condição chamada de *diabetes insípido central*. Por outro lado, na presença de altos níveis de ADH, a permeabilidade dos ductos e dos túbulos coletores aumenta muito e permite que a maior parte da água seja reabsorvida conforme o líquido tubular passa por esses ductos, consequentemente, conservando água no corpo e produzindo muita urina concentrada.

Sem ADH, as membranas luminais das células epiteliais tubulares dos ductos coletores são quase impermeáveis à água. No entanto, imediatamente no lado interno da membrana celular existe um grande número de vesículas especiais que apresentam poros altamente permeáveis à água, chamados de *aquaporinas* (ver **Figura 28.19**). Quando o ADH age na célula, em primeiro lugar ele se combina aos receptores de membrana que ativam a adenilciclase, levando à formação de AMPc no citoplasma das células tubulares. Essa formação leva à fosforilação dos elementos nas vesículas especiais, o que, em seguida, faz com que as vesículas se insiram nas membranas celulares apicais, fornecendo, assim, muitas áreas de alta

PARTE 14 Endocrinologia e Reprodução

permeabilidade à água. Tudo isso ocorre dentro de 5 a 10 minutos. Então, na ausência de ADH, todo o processo se reverte em 5 a 10 minutos. Assim, esse processo fornece, temporariamente, muitos novos poros que permitem a difusão livre da água do líquido tubular através das células epiteliais tubulares e no interstício renal. A água é, então, absorvida a partir dos túbulos e ductos coletores por osmose, conforme explicado no Capítulo 29, em relação à concentração da urina nos rins.

REGULAÇÃO DA PRODUÇÃO DO HORMÔNIO ANTIDIURÉTICO

O aumento da osmolaridade do líquido extracelular estimula a secreção de ADH. Quando uma solução eletrolítica concentrada é injetada na artéria que irriga o hipotálamo, os neurônios ADH nos núcleos supraóptico e paraventricular imediatamente transmitem impulsos para a neuro-hipófise, de modo a liberar uma grande quantidade de ADH no sangue circulante, aumentando, às vezes, a secreção de ADH até 20 vezes o normal. Por outro lado, a injeção de uma solução diluída nessa artéria leva à interrupção desses impulsos e, portanto, quase a cessação total da secreção de ADH. Assim, a concentração de ADH nos líquidos corporais pode mudar de pequena para grandes quantidades, ou vice-versa, em apenas alguns minutos.

No hipotálamo, ou próximo a ele, existem receptores neuronais modificados chamados de *osmorreceptores*. Quando o líquido extracelular fica muito concentrado, ele é retirado por osmose das células osmorreceptoras, reduzindo seu tamanho e iniciando a sinalização nervosa apropriada no hipotálamo, para levar à secreção adicional de ADH. Por outro lado, quando o líquido extracelular se torna muito diluído, a água se move por osmose na direção oposta, para a célula, o que reduz o sinal para a secreção de ADH. Apesar de alguns pesquisadores situarem esses osmorreceptores no próprio hipotálamo (nos núcleos supraópticos), outros acreditam que eles estejam localizados no *órgão vascular da lâmina terminal*, uma estrutura altamente vascular na parede anteroventral do terceiro ventrículo (região AV3V). Conforme discutido no Capítulo 29, lesões na região AV3V prejudicam muito a secreção de ADH, enquanto a estimulação elétrica ou a estimulação por angiotensina II aumenta a secreção de ADH.

Independentemente do mecanismo, os líquidos corporais concentrados estimulam os osmorreceptores e a secreção de ADH, enquanto os líquidos corporais diluídos os inibem, proporcionando um poderoso sistema de controle de *feedback* para controlar a pressão osmótica total dos líquidos corporais. Detalhes adicionais sobre o controle da secreção de ADH e o papel do ADH no controle da função renal e na osmolaridade dos líquidos corporais são apresentados no Capítulo 29.

O baixo volume sanguíneo e a baixa pressão sanguínea estimulam a secreção do ADH | Efeitos vasoconstritores do ADH. Considerando que as concentrações mínimas de ADH causam o aumento da conservação de água pelos rins, concentrações mais altas de ADH têm um efeito potente de vasoconstrição sobre as arteríolas em todo o corpo e, portanto, aumentam a pressão arterial. Por esse motivo, o ADH também é chamado de *vasopressina*.

Um dos estímulos para causar a secreção intensa do ADH é a baixa volemia. Isso ocorre fortemente quando o volume sanguíneo diminui de 15 a 25% ou mais; por vezes, a secreção pode aumentar muito, podendo chegar a 50 vezes o valor normal.

Os átrios contêm receptores de distensão, que são excitados pelo enchimento excessivo. Quando excitados, eles enviam sinais ao cérebro para inibir a secreção de ADH. Por outro lado, quando os receptores não ficam excitados, como resultado do enchimento insuficiente, ocorre o oposto, com o aumento acentuado da secreção do ADH. A diminuição da distensibilidade dos barorreceptores das regiões das carótidas, aórtica e pulmonar também estimula a secreção do ADH. Mais detalhes sobre esse mecanismo de *feedback* por volume e pressão sanguíneos são encontrados no Capítulo 29.

FUNÇÕES FISIOLÓGICAS DA OCITOCINA

A ocitocina causa a contração no útero grávido. O hormônio ocitocina, de acordo com seu nome, estimula poderosamente a contração do útero grávido, especialmente no final da gestação. Portanto, muitos obstetras acreditam que esse hormônio seja, pelo menos parcialmente, responsável por causar o nascimento do bebê. Essa crença é apoiada pelos seguintes fatos: (1) em um animal hipofisectomizado, a duração do trabalho de parto é prolongada, indicando um possível efeito da ocitocina durante o parto; (2) a quantidade de ocitocina no plasma aumenta durante o trabalho de parto, principalmente no último estágio; e (3) o estímulo do colo uterino em animal gestante desencadeia a liberação de sinais neurais, que passam para o hipotálamo e causam o aumento da secreção de ocitocina. Esses efeitos e esse possível mecanismo de auxílio no processo do nascimento são discutidos, com mais detalhes, no Capítulo 83.

A ocitocina ajuda na ejeção do leite pelas mamas. A ocitocina também desempenha um papel especialmente importante na lactação – um papel que é muito mais bem compreendido do que seu papel no parto. Na lactação, a ocitocina faz com que o leite seja expulso pelos alvéolos para os ductos da mama, para que o bebê o obtenha por meio da sucção.

Esse mecanismo funciona da seguinte maneira: o estímulo da sucção no mamilo faz com que os sinais sejam transmitidos pelos nervos sensoriais para os neurônios ocitocinérgicos nos núcleos paraventricular e supraóptico no hipotálamo, o que causa a liberação de ocitocina pela neuro-hipófise. A ocitocina é então transportada pelo sangue para as mamas, onde provoca a contração das *células mioepiteliais*, que se localizam externamente

CAPÍTULO 76 Hormônios Hipofisários e seu Controle pelo Hipotálamo

e formam uma rede circundando os alvéolos das glândulas mamárias. Em menos de um minuto após o início da sucção, o leite começa a fluir. Esse mecanismo é chamado de *descida do leite*, ou *ejeção do leite*. Ele é discutido mais detalhadamente no Capítulo 83, em relação à fisiologia da lactação.

Bibliografia

Aguiar-Oliveira MH, Bartke A: Growth hormone deficiency: health and longevity. Endocr Rev 40:575, 2019.

Allen DB, Cuttler L: Clinical practice. Short stature in childhood—challenges and choices. N Engl J Med 368:1220, 2013.

Bartke A, Sun LY, Longo V: Somatotropic signaling: trade-offs between growth, reproductive development, and longevity. Physiol Rev 93:571, 2013.

Beckers A, Petrossians P, Hanson J, Daly AF: The causes and consequences of pituitary gigantism. Nat Rev Endocrinol 14:705, 2018.

Brown CH: Magnocellular neurons and posterior pituitary function. Compr Physiol 6:1701, 2016.

Cohen LE: Idiopathic short stature: a clinical review. JAMA 311:1787, 2014.

Deussing JM, Chen A: The corticotropin-releasing factor family: physiology of the stress response. Physiol Rev 98:2225, 2018.

Freeman ME, Kanyicska B, Lerant A, Nagy G: Prolactin: structure, function, and regulation of secretion. Physiol Rev 80:1523, 2000.

Gimpl G, Fahrenholz F: The oxytocin receptor system: structure, function, and regulation. Physiol Rev 81:629, 2001.

Hannon AM, Thompson CJ, Sherlock M: Diabetes in patients with acromegaly. Curr Diab Rep 2017 Feb;17(2):8. doi: 10.1007/s11892-017-0838-7

Jurek B, Neumann ID: The oxytocin receptor: from intracellular signaling to behavior. Physiol Rev 98:1805, 2018.

Juul KV, Bichet DG, Nielsen S, Nørgaard JP: The physiological and pathophysiological functions of renal and extrarenal vasopressin V2 receptors. Am J Physiol Renal Physiol 306:F931, 2014.

Knepper MA, Kwon TH, Nielsen S: Molecular physiology of water balance. N Engl J Med 372:1349, 2015.

Koshimizu TA, Nakamura K, Egashira N, et al: Vasopressin V1a and V1b receptors: from molecules to physiological systems. Physiol Rev 92:1813, 2012.

Melmed S: Pathogenesis and diagnosis of growth hormone deficiency in adults. N Engl J Med 380:2551, 2019.

Perez-Castro C, Renner U, Haedo MR, et al: Cellular and molecular specificity of pituitary gland physiology. Physiol Rev 92:1, 2012.

Storr HL, Chatterjee S, Metherell LA, et al: Nonclassical GH insensitivity: characterization of mild abnormalities of GH action. Endocr Rev 40:476, 2019.

Tudor RM, Thompson CJ: Posterior pituitary dysfunction following traumatic brain injury: review. Pituitary 22:296, 2019.

CAPÍTULO 77

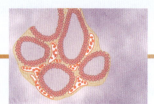

Hormônios Metabólicos da Tireoide

A glândula tireoide, localizada imediatamente abaixo da laringe, lateral e anteriormente à traqueia, é uma das maiores glândulas endócrinas, normalmente pesando de 15 a 20 gramas em adultos. A tireoide secreta dois hormônios metabólicos principais, a *tiroxina* e a *tri-iodotironina*, comumente chamados de T_4 e T_3, respectivamente. Ambos aumentam intensamente a taxa metabólica do organismo. A ausência completa de secreção tireoidiana geralmente faz com que a taxa metabólica basal caia para 40 a 50% abaixo do normal, e o excesso extremo de secreção da tireoide pode aumentar a taxa metabólica basal para 60 a 100% acima do normal. A secreção da tireoide é controlada principalmente pelo *hormônio estimulante da tireoide* (ou *tireoestimulante*) (*TSH*), que é secretado pela adeno-hipófise.

A glândula tireoide secreta também a *calcitonina*, um hormônio envolvido no metabolismo do cálcio, discutido no Capítulo 80.

O objetivo deste capítulo é discutir a formação e a secreção dos hormônios da tireoide, as suas funções metabólicas e a regulação de sua secreção.

SÍNTESE E SECREÇÃO DOS HORMÔNIOS METABÓLICOS DA TIREOIDE

Cerca de 93% dos hormônios metabolicamente ativos secretados pela glândula tireoide consistem em *tiroxina* e 7% são *tri-iodotironina*. No entanto, quase toda a tiroxina é eventualmente convertida em tri-iodotironina nos tecidos, então, ambos são funcionalmente importantes. As funções desses dois hormônios são qualitativamente iguais, mas diferem na rapidez e na intensidade de ação. A tri-iodotironina é cerca de quatro vezes mais potente do que a tiroxina, mas está presente no sangue em quantidades muito menores, persistindo por um período de tempo muito mais curto em comparação com a tiroxina.

ANATOMIA E FISIOLOGIA DA GLÂNDULA TIREOIDE

Conforme mostrado na **Figura 77.1**, a glândula tireoide é composta por um grande número de *folículos tireoidianos* (de 100 a 300 micrômetros de diâmetro), que são preenchidos por uma substância denominada *coloide* e revestidos por *células epiteliais cuboides*, que secretam seus produtos para o interior dos folículos. O constituinte principal do coloide é a grande glicoproteína *tireoglobulina*, que contém os hormônios da tireoide. Uma vez que a secreção chegue aos folículos, deve ser reabsorvida através do epitélio folicular para o sangue, a fim de realizar suas funções no organismo. A glândula tireoide tem fluxo sanguíneo cinco vezes maior do que seu peso a cada minuto, fluxo sanguíneo maior do que qualquer outra área do corpo, com a possível exceção do córtex adrenal.

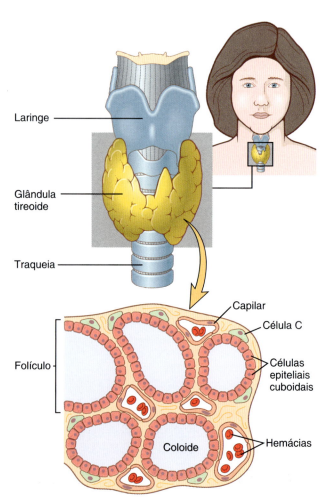

Figura 77.1 Anatomia e características microscópicas da glândula tireoide, evidenciando a secreção de tireoglobulina nos folículos.

A glândula tireoide também contém *células C*, que secretam *calcitonina*, um hormônio que contribui para a regulação da concentração do íon cálcio no plasma, conforme discutido no Capítulo 80.

O IODO É NECESSÁRIO PARA A FORMAÇÃO DA TIROXINA

Para formar quantidades normais de tiroxina, cerca de 50 miligramas de iodo ingeridos na forma de iodetos são necessários *a cada ano*, ou cerca de *1 mg/semana*. Para prevenir a deficiência de iodo, o sal comum de cozinha é suplementado com cerca de uma parte de iodeto de sódio para cada 100 mil partes de cloreto de sódio.

Destino dos iodetos ingeridos. Os iodetos ingeridos por via oral são absorvidos pelo trato gastrointestinal para o sangue praticamente da mesma forma que os cloretos. Normalmente, a maior parte dos iodetos é rapidamente excretada pelos rins, mas cerca de um quinto é seletivamente removido da circulação sanguínea pelas células da glândula tireoide, e usado para a síntese dos hormônios tireoidianos.

BOMBA DE IODO | COTRANSPORTADOR DE SÓDIO/IODO (CAPTAÇÃO DE IODETO)

O primeiro estágio na formação dos hormônios da tireoide, mostrado na **Figura 77.2**, é o transporte de iodeto do sangue para as células e folículos glandulares da tireoide. A membrana basal das células tireoidianas tem a capacidade específica de bombear, ativamente, o iodeto para o interior da célula. Esse bombeamento é realizado pela ação de um *cotransportador*, que cotransporta um íon iodeto junto com dois íons sódio através da membrana basolateral (plasma) para a célula. A energia para transportar iodeto contra um gradiente de concentração vem da bomba de sódio-potássio trifosfatase de adenosina (Na^+/K^+ ATPase), que bombeia o sódio para fora da célula, estabelecendo, assim, uma baixa concentração de sódio intracelular e um gradiente para difusão facilitada para dentro da célula.

Esse processo de concentração do iodeto na célula é chamado de *captação de iodeto*. Em uma glândula normal, a concentração de iodeto gerada pela bomba é de cerca de 30 vezes maior do que sua concentração no sangue. Quando a glândula tireoide se torna maximamente ativa, essa concentração pode aumentar para até 250 vezes. A captação de iodeto pela tireoide é influenciada por diversos fatores, dos quais o mais importante é o TSH; este hormônio estimula a atividade da bomba de iodeto nas células da tireoide, enquanto a hipofisectomia a reduz de forma considerável.

O iodeto é transportado para fora das células da tireoide através da membrana apical para o folículo, por meio de uma molécula contratransportadora de íons cloreto-iodeto, chamada *pendrina*. As células epiteliais da tireoide também secretam tireoglobulina para o folículo, que contém aminoácidos de tirosina, a qual o iodo se ligará, conforme discutido no próximo seção.

TIREOGLOBULINA E FORMAÇÃO DE TIROXINA E TRI-IODOTIRONINA

Formação e secreção de tireoglobulina pelas células da tireoide. As células da tireoide são típicas células glandulares secretoras de proteínas, conforme ilustrado na **Figura 77.2**. O retículo endoplasmático e o complexo de Golgi sintetizam e secretam para os folículos uma grande glicoproteína, chamada de *tireoglobulina*, com peso molecular de cerca de 335 mil.

Cada molécula de tireoglobulina contém cerca de 70 aminoácidos de tirosina, que são os principais substratos

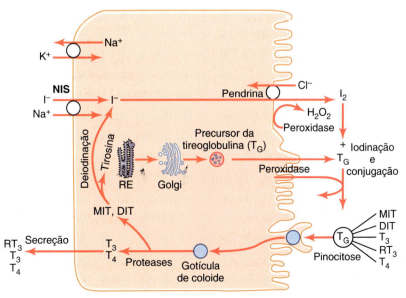

Figura 77.2 Mecanismos celulares da tireoide para o transporte de iodo, formação de tiroxina e tri-iodotironina e liberação desses hormônios no sangue. DIT, di-iodotirosina; RE, retículo endoplasmático; I⁻, íon iodeto; I₂, iodo; MIT, monoiodotirosina; NIS, cotransportador de sódio-iodeto; RT₃, tri-iodotironina reversa; T₃, tri-iodotironina; T₄, tiroxina; T_G, tireoglobulina.

PARTE 14 Endocrinologia e Reprodução

que se combinam com o iodo para formar os hormônios da tireoide. Assim, os hormônios tireoidianos se formam (são *montados*) ao longo da molécula de tireoglobulina. Assim, os hormônios tiroxina e tri-iodotironina são formados a partir dos aminoácidos tirosina, e compõem parte da molécula de tireoglobulina durante a síntese dos hormônios tireoidianos, até mesmo enquanto estão armazenados no coloide folicular.

Oxidação do íon iodeto. A primeira etapa essencial na formação dos hormônios tireoidianos é a conversão dos íons iodeto para a *forma oxidada de iodo*, ou iodo nascente (I^0), ou I_3^-, que é, então, capaz de se combinar diretamente com o aminoácido tirosina. Essa oxidação do iodo é promovida pela enzima *tireoperoxidase* acompanhada de *peróxido de hidrogênio*, que fornece um sistema potente, capaz de oxidar iodetos. A tireoperoxidase está localizada na membrana apical da célula ou ligada a ela, proporcionando, assim, o iodo oxidado, exatamente no ponto da célula no qual a molécula de tireoglobulina surge, egressa do complexo de Golgi e através da membrana celular, sendo armazenada no coloide da tireoide. Quando o sistema de tireoperoxidase é bloqueado ou quando está hereditariamente ausente das células, a formação de hormônios tireoidianos cai para zero.

Iodinação da tirosina e formação dos hormônios tireoidianos | "Organificação" da tireoglobulina. A ligação do iodo com a molécula de tireoglobulina é chamada de *organificação* da tireoglobulina. O iodo oxidado, até mesmo na forma molecular, liga-se diretamente, embora mais lentamente, ao aminoácido tirosina. Nas células da tireoide, no entanto, o iodo oxidado está associado à enzima peroxidase tireoidiana (ver a **Figura 77.2**), que faz com que o processo ocorra em segundos ou minutos. Portanto, quase tão rapidamente quanto a tireoglobulina é liberada do complexo de Golgi ou secretada através da membrana celular apical para o folículo, o iodo se liga a cerca de um sexto dos aminoácidos tirosina dentro da molécula de tireoglobulina.

A **Figura 77.3** mostra os estágios sucessivos de iodinação da tirosina e a formação final de tiroxina e de tri-iodotironina. A tirosina é, inicialmente, iodada para *monoiodotirosina* e, depois, para *di-iodotirosina*. Então, durante os próximos minutos, horas e até dias, cada vez mais resíduos de iodotirosina ficam *acoplados* uns aos outros.

O principal produto hormonal da reação de acoplamento é a molécula *tiroxina* (T_4), que se forma quando duas moléculas de di-iodotirosina são unidas; a tiroxina então permanece parte da molécula de tireoglobulina. Outra possibilidade é o acoplamento de uma molécula de monoiodotirosina com uma molécula de di-iodotirosina, formando a *tri-iodotironina* (T_3), que representa cerca de 1/15 do total de hormônios. Pequenas quantidades de T_3 *reversa* (rT_3) são formadas pelo acoplamento de di-iodotirosina com monoiodotirosina, mas rT_3 não parece ter uma significância funcional em seres humanos.

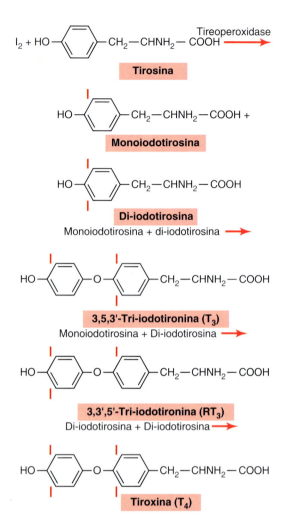

Figura 77.3 Estrutura química da formação de tiroxina e tri-iodotironina.

Armazenamento de tireoglobulina. A glândula tireoide tem a capacidade incomum entre as glândulas endócrinas de armazenar uma grande quantidade de hormônios. Após a síntese dos hormônios da tireoide, cada molécula de tireoglobulina apresenta cerca de 30 moléculas de tiroxina e algumas de tri-iodotironina. Nessa forma, os hormônios da tireoide são armazenados nos folículos em quantidade suficiente para suprir as necessidades normais do corpo por 2 a 3 meses. Portanto, quando a síntese de hormônios da tireoide cessa, os efeitos fisiológicos da deficiência não são observados por vários meses.

LIBERAÇÃO DE TIROXINA E TRI-IODOTIRONINA PELA GLÂNDULA TIREOIDE

A maior parte da tireoglobulina não é liberada para a circulação; em vez disso, a tiroxina e a tri-iodotironina são clivadas da molécula de tireoglobulina, e, em seguida, os hormônios livres são liberados. Esse processo ocorre da seguinte forma: a superfície apical das células da tireoide emite pseudópodos, que cercam pequenas porções do coloide, formando *vesículas pinocíticas* que penetram pelo ápice da célula. Em seguida, os *lisossomos* no citoplasma celular imediatamente se fundem com as vesículas para formar vesículas digestivas contendo enzimas digestivas dos lisossomos misturadas com o coloide. Múltiplas *proteases* entre as enzimas digerem as moléculas de tireoglobulina e liberam tiroxina e tri-iodotironina em sua forma livre, que então se difundem por meio da base da célula da tireoide para os capilares adjacentes. Assim, os hormônios tireoidianos são liberados no sangue.

Parte da tireoglobulina do coloide entra na célula tireoidiana por *endocitose*, depois de se ligar à *megalina*, uma proteína localizada na membrana luminal das células. Em seguida, o complexo megalina-tireoglobulina é transportado através da célula por *transcitose* até a membrana basolateral, onde uma porção da megalina permanece ligada à tireoglobulina e é liberada no sangue capilar.

Cerca de três quartos da tirosina iodada na tireoglobulina nunca se tornam hormônio, permanecendo como monoiodotirosina e di-iodotirosina. Durante a digestão da molécula de tireoglobulina para provocar a liberação de tiroxina e de tri-iodotironina, essas tirosinas iodadas também são liberadas das moléculas de tireoglobulina. No entanto, elas não são secretadas no sangue. Ao contrário, seu iodo é clivado pela *enzima deiodinase*, que torna praticamente todo esse iodo disponível novamente para reciclagem dentro da glândula para formar hormônios tireoidianos adicionais. A ausência congênita da enzima deiodinase pode causar deficiência de iodo devido ao fracasso desse processo de reciclagem.

Taxa diária de secreção de tiroxina e de tri-iodotironina. Cerca de 93% do hormônio da tireoide liberado da glândula tireoide são normalmente tiroxina, e apenas 7% são tri-iodotironina. No entanto, após poucos dias, cerca de metade da tiroxina é deiodada lentamente para formar tri-iodotironina adicional. Portanto, o hormônio finalmente transportado e utilizado pelos tecidos, consiste, principalmente, em tri-iodotironina, perfazendo cerca de 35 μg diários de tri-iodotironina.

TRANSPORTE DE TIROXINA E DE TRI-IODOTIRONINA PARA OS TECIDOS

A tiroxina e a tri-iodotironina estão ligadas a proteínas plasmáticas. Ao serem liberadas no sangue, mais de 99% da tiroxina e da tri-iodotironina se ligam imediatamente às diversas proteínas plasmáticas sintetizadas pelo fígado. Elas se combinam principalmente com a *globulina transportadora de tiroxina (TBG)* e muito menos com a *pré-albumina de ligação de tiroxina* e *albumina*.

A tiroxina e a tri-iodotironina são liberadas lentamente para os tecidos. Por causa da alta afinidade das proteínas plasmáticas de ligação aos hormônios da tireoide, essas substâncias – em particular, a tiroxina – são liberadas lentamente para as células teciduais. Metade da tiroxina sanguínea é liberada, aproximadamente, a cada 6 dias, enquanto metade da tri-iodotironina – por causa de sua baixa afinidade – é liberada para as células em cerca de 1 dia.

Ao entrar nas células do tecido, tanto a tiroxina quanto a tri-iodotironina, ligam-se, novamente, a proteínas intracelulares, sendo que a ligação da tiroxina é mais forte do que a da tri-iodotironina. Portanto, elas são armazenadas novamente, mas dessa vez nas células-alvo, e são usadas, lentamente, ao longo de dias ou semanas.

A ação dos hormônios da tireoide tem início lento e longa duração. Após a injeção de uma grande quantidade de tiroxina no ser humano, praticamente não se detectam efeitos no metabolismo por 2 a 3 dias, o que demonstra que há um *longo período de latência*, antes do início da atividade da tiroxina. Assim que a atividade começa, ela aumenta progressivamente e atinge um máximo em 10 a 12 dias, conforme mostrado na **Figura 77.4**. Depois disso, declina com meia-vida de cerca de 15 dias. Parte da atividade persiste por 6 semanas a 2 meses.

As ações da tri-iodotironina ocorrem cerca de quatro vezes mais rapidamente do que as da tiroxina, com um período de latência de apenas 6 a 12 horas e atividade celular máxima ocorrendo dentro de 2 a 3 dias.

A maior parte da latência e o período prolongado de ação desses hormônios são provavelmente causados por sua ligação às proteínas no plasma e nas células do tecido, seguidas por sua liberação lenta. No entanto, veremos em discussões subsequentes que parte do período de latência também resulta da maneira como esses hormônios realizam suas funções nas células.

FUNÇÕES FISIOLÓGICAS DOS HORMÔNIOS TIREOIDIANOS

OS HORMÔNIOS TIREOIDIANOS AUMENTAM A TRANSCRIÇÃO DE UM GRANDE NÚMERO DE GENES

O efeito geral dos hormônios tireoidianos consiste em ativar a transcrição nuclear de muitos genes (ver **Figura 77.5**). No entanto, em praticamente todas as células do corpo, muitas enzimas, proteínas estruturais, proteínas de transporte e outras substâncias são sintetizadas.

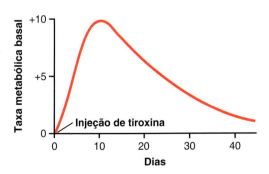

Figura 77.4 Efeito prolongado aproximado na taxa de metabolismo basal causado pela administração de uma dose única grande de tiroxina.

PARTE 14 Endocrinologia e Reprodução

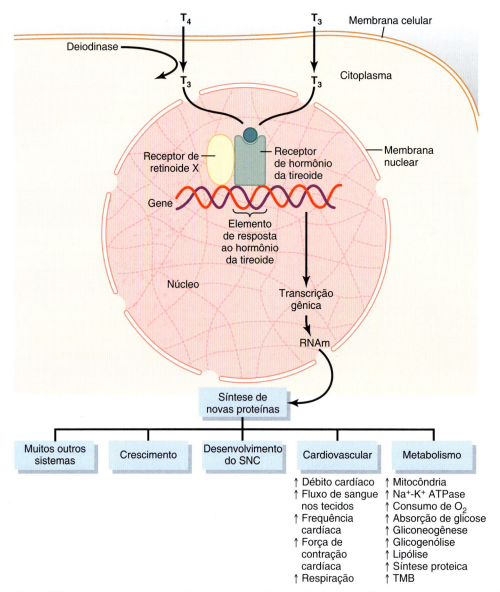

Figura 77.5 Ativação de células-alvo por hormônios tireoidianos. A tiroxina (T_4) e a tri-iodotironina (T_3) entram na membrana celular por meio de um processo de transporte mediado por carregador dependente de trifosfato de adenosina. Uma grande parte da T_4 é deiodada para formar T_3, que interage com o receptor de hormônio tireoidiano, ligado como um heterodímero ao receptor retinoide X, do elemento genético de resposta do hormônio tireoidiano. Essa ação aumenta ou diminui a transcrição de genes que levam à formação de proteínas, produzindo, assim, a resposta celular ao hormônio tireoidiano. As ações dos hormônios tireoidianos nas células de diferentes sistemas são mostradas. TMB, taxa metabólica basal; SNC, sistema nervoso central; RNAm, ácido ribonucleico mensageiro; Na^+/K^+ ATPase, bomba de sódio-potássio trifosfatase de adenosina.

O resultado é o aumento generalizado da atividade funcional em todo o organismo.

A maior parte da tiroxina secretada pela tireoide é convertida em tri-iodotironina. Antes de agir nos genes para aumentar a sua transcrição, um iodeto é removido de quase toda a tiroxina, formando a tri-iodotironina. Receptores intracelulares do hormônio tireoidiano têm uma alta afinidade pela tri-iodotironina. Consequentemente, mais de 90% dos hormônios da tireoide que se ligam aos receptores consistem em tri-iodotironina.

Os hormônios da tireoide ativam os receptores nucleares. Os receptores do hormônio tireoidiano estão ligados às fitas genéticas de DNA ou localizados nas proximidades delas. O receptor do hormônio tireoidiano geralmente forma um heterodímero com o *receptor de retinoide X* (RXR) em *elementos de resposta do hormônio tireoidiano* no DNA. Após se ligarem ao hormônio tireoidiano, os receptores tornam-se ativados e iniciam o processo de transcrição. Números elevados de diferentes tipos de RNA mensageiro são, então, formados e, após alguns minutos ou horas, são traduzidos nos ribossomos citoplasmáticos, formando centenas de novas proteínas intracelulares. Contudo, nem todas as proteínas apresentam uma concentração aumentada em porcentagens semelhantes – algumas aumentam apenas discretamente,

CAPÍTULO 77 Hormônios Metabólicos da Tireoide

e outras até pelo menos seis vezes. A maioria das ações dos hormônios da tireoide resulta das funções enzimáticas ou de outras funções dessas novas proteínas.

Os hormônios tireoidianos parecem também ter efeitos celulares *não genômicos*, que são independentes dos seus efeitos na transcrição gênica. Por exemplo, alguns efeitos dos hormônios da tireoide ocorrem em minutos, muito rapidamente para serem explicados por mudanças na síntese de proteínas, e não são afetados por inibidores da transcrição e por tradução gênica. Tais ações foram descritas em vários tecidos, incluindo o coração e a hipófise, bem como no tecido adiposo. Os locais de ação do hormônio tireoidiano não genômico parecem ser a membrana plasmática, o citoplasma e, talvez, algumas organelas, como as mitocôndrias. Ações não genômicas do hormônio tireoidiano incluem a regulação de canais iônicos e a fosforilação oxidativa, e parecem envolver a ativação de mensageiros secundários intracelulares, tais como o monofosfato de adenosina cíclico (AMPc) ou as cascatas de sinalização das proteinoquinases.

OS HORMÔNIOS TIREOIDIANOS AUMENTAM A ATIVIDADE METABÓLICA CELULAR

Os hormônios tireoidianos aumentam a atividade metabólica de quase todos os tecidos do corpo. O metabolismo basal pode aumentar de 60 a 100% acima do normal quando uma grande quantidade de hormônios da tireoide é secretada. A velocidade de utilização dos alimentos para produção de energia é bastante acelerada. Embora a velocidade da síntese proteica seja aumentada, simultaneamente a velocidade do catabolismo proteico aumenta. A velocidade de crescimento de pessoas jovens é muito acelerada. Os processos mentais são estimulados, e a atividade da maioria das outras glândulas endócrinas está aumentada.

Os hormônios da tireoide aumentam o número e a atividade das mitocôndrias. Quando um animal recebe tiroxina ou tri-iodotironina, as mitocôndrias na maioria das células do corpo do animal aumentam em tamanho e número. Além disso, a área total da superfície da membrana da mitocôndria aumenta quase diretamente em proporção ao aumento no metabolismo de todo o animal. Portanto, uma das principais funções da tiroxina pode ser simplesmente aumentar o número e a atividade das mitocôndrias, o que, por sua vez, aumenta a taxa de formação de trifosfato de adenosina para fornecer energia para as funções celulares. No entanto, o aumento do número e da atividade das mitocôndrias poderia ser o *resultado* do aumento da atividade celular, bem como a sua causa.

Os hormônios da tireoide aumentam o transporte ativo de íons através das membranas celulares. Uma das enzimas, cuja atividade aumenta em resposta ao hormônio tireoidiano, é a $Na^+/K^+ATPase$. Esse aumento da atividade, por sua vez, aumenta a taxa de transporte de íons sódio e potássio através das membranas celulares de alguns tecidos. Como esse processo utiliza energia e aumenta a quantidade de calor produzido pelo organismo, foi sugerido que esse possa ser um dos mecanismos pelos quais o hormônio da tireoide aumenta a taxa metabólica do corpo. Na verdade, o hormônio tireoidiano também faz com que as membranas celulares da maioria das células tornem-se mais permeáveis para íons sódio, o que ativa ainda mais a bomba de sódio e a produção de calor.

EFEITO DO HORMÔNIO TIREOIDIANO NO CRESCIMENTO

O hormônio tireoidiano tem efeitos gerais e específicos sobre o crescimento. Por exemplo, há muito tempo sabe-se que o hormônio tireoidiano é essencial para a transformação metamórfica de girinos em sapos.

Em seres humanos, o efeito do hormônio tireoidiano no crescimento manifesta-se principalmente no crescimento das crianças. Em crianças com hipotireoidismo, o crescimento é muito retardado. Em crianças com hipertireoidismo, ocorre o crescimento excessivo do esqueleto, fazendo com que a criança se torne consideravelmente mais alta em uma idade precoce. No entanto, os ossos também amadurecem mais rapidamente, e as epífises se fecham em uma idade precoce, então a duração do crescimento e a altura final do adulto, na verdade, podem ser reduzidas.

Um efeito importante do hormônio tireoidiano é a promoção do crescimento e o desenvolvimento do cérebro durante a vida fetal e durante os primeiros anos de vida pós-natal. Se o feto não secretar quantidades suficientes de hormônio tireoidiano, o crescimento e a maturação do cérebro, antes e após o nascimento, são muito retardados, e o cérebro permanece menor do que o normal. Sem tratamento específico dentro de dias ou semanas após o nascimento, a criança que não tem a glândula tireoide permanecerá mentalmente deficiente ao longo da vida. Essa condição será discutida mais adiante neste capítulo.

EFEITOS DO HORMÔNIO TIREOIDIANO EM FUNÇÕES ESPECÍFICAS DO ORGANISMO

Estimulação do metabolismo de carboidratos. O hormônio tireoidiano estimula quase todos os aspectos do metabolismo de carboidratos, incluindo a captação rápida de glicose pelas células, o aumento da glicólise e da gliconeogênese, o aumento da absorção pelo trato gastrointestinal e até mesmo, o aumento da secreção de insulina, com seus efeitos secundários no metabolismo dos carboidratos. Todos esses efeitos provavelmente resultam do aumento geral das enzimas metabólicas celulares, causado pelo hormônio tireoidiano.

Estimulação do metabolismo das gorduras. Essencialmente todos os aspectos do metabolismo das gorduras também são aumentados pelo hormônio tireoidiano. Em particular, os lipídios são rapidamente mobilizados a partir do tecido adiposo, que diminui o acúmulo de gordura do corpo de modo mais acentuado do que qualquer outro elemento tecidual. A mobilização dos lipídios do tecido adiposo também aumenta a concentração de ácidos graxos livres no plasma e acelera muito a oxidação de ácidos graxos livres pelas células.

Efeito nas gorduras plasmáticas e hepáticas. O *aumento* do hormônio tireoidiano *diminui* as concentrações de colesterol, de fosfolipídios e de triglicerídios no plasma, embora *aumente* a de ácidos graxos livres. Por outro lado, a *redução* da secreção da tireoide *aumenta* consideravelmente as concentrações plasmáticas de colesterol, fosfolipídios e triglicerídios, e, quase sempre, também provoca a deposição excessiva de gordura no fígado. O grande aumento do colesterol plasmático durante o hipotireoidismo prolongado é frequentemente associado à aterosclerose grave, conforme discutido no Capítulo 69.

Um dos mecanismos pelos quais o hormônio tireoidiano diminui a concentração de colesterol no plasma é o aumento significativo da secreção de colesterol na bile e sua consequente perda nas fezes. Um possível mecanismo para o aumento da secreção de colesterol consiste na indução, pelo hormônio tireoidiano, de maior número de receptores de lipoproteína de baixa densidade nas células hepáticas, o que leva à rápida remoção de lipoproteínas de baixa densidade do plasma e à subsequente secreção de colesterol nessas lipoproteínas pelas células hepáticas.

Maior necessidade de vitaminas. Como o hormônio tireoidiano aumenta a quantidade de muitas enzimas corporais, e como as vitaminas são partes essenciais de algumas das enzimas ou coenzimas, o hormônio tireoidiano aumenta a necessidade de vitaminas. Portanto, uma deficiência relativa de vitamina pode ocorrer quando um excesso de hormônio tireoidiano é secretado, a menos que, ao mesmo tempo, maiores quantidades de vitaminas sejam disponibilizadas.

Aumento da taxa metabólica basal. Como o hormônio tireoidiano aumenta o metabolismo em quase todas as células do corpo, quantidades excessivas do hormônio podem ocasionalmente aumentar a taxa metabólica basal em 60 a 100% acima do normal. Por outro lado, quando nenhum hormônio da tireoide é produzido, a taxa metabólica basal cai para quase a metade do normal. A **Figura 77.6** mostra a relação aproximada entre o suprimento diário de hormônios da tireoide e o metabolismo basal. Quantidades extremas de hormônios são necessárias para causar altas taxas metabólicas basais.

Redução do peso corporal. Uma quantidade muito elevada de hormônio tireoidiano quase sempre diminui o peso corporal; e uma quantidade muito reduzida, aumenta. No entanto, esses efeitos nem sempre ocorrem, porque o hormônio da tireoide também aumenta o apetite, o que pode compensar a variação do metabolismo.

Aumento do fluxo sanguíneo e débito cardíaco. O aumento do metabolismo nos tecidos provoca utilização mais rápida de oxigênio do que o normal e aumento da

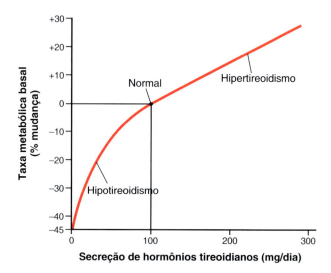

Figura 77.6 Relação aproximada entre a taxa diária de hormônios da tireoide (T$_3$ [tri-iodotironina] e T$_4$ [tiroxina]) e a alteração percentual da taxa metabólica basal, em comparação à normalidade.

liberação de produtos metabólicos. Esses efeitos causam vasodilatação na maioria dos tecidos do corpo, aumentando o fluxo sanguíneo. O fluxo sanguíneo na pele aumenta, principalmente, por causa da maior necessidade de eliminação de calor pelo organismo. Como consequência do aumento do fluxo sanguíneo, o débito cardíaco também aumenta, às vezes subindo para 60% ou mais acima do normal na presença do excesso de hormônio tireoidiano, e caindo para apenas 50% do normal no hipotireoidismo grave.

Aumento da frequência cardíaca. A frequência cardíaca aumenta consideravelmente mais sob a influência do hormônio tireoidiano do que seria esperado pelo aumento do débito cardíaco. Portanto, o hormônio da tireoide parece ter um efeito direto na excitabilidade do coração, o que, por sua vez, aumenta a frequência cardíaca. Esse efeito é especialmente importante porque a frequência cardíaca é um dos sinais físicos que o médico utiliza para determinar se um paciente apresenta aumento ou diminuição da produção de hormônio tireoidiano.

Aumento da força de contração cardíaca. Um ligeiro excesso de hormônio tireoidiano pode aumentar a força de contração cardíaca. Esse efeito é análogo ao aumento da contratilidade do coração que ocorre em febres leves e durante o exercício físico. Porém, quando o hormônio da tireoide está acentuadamente aumentado, a força do músculo cardíaco fica deprimida por longos períodos por causa do catabolismo proteico excessivo. Na verdade, alguns pacientes gravemente tireotóxicos morrem por descompensação cardíaca secundária à insuficiência do miocárdio e ao aumento da carga de trabalho cardíaca imposta pelo aumento do débito cardíaco.

Pressão arterial normal. A pressão arterial *média* geralmente permanece normal após a administração de hormônio tireoidiano. Por causa do aumento do fluxo sanguíneo pelos tecidos, entre os batimentos cardíacos, a pressão do pulso frequentemente aumenta, a pressão sistólica se eleva de 10 a 15 mmHg no hipertireoidismo, e a pressão diastólica é reduzida na mesma intensidade.

Aumento da respiração. O aumento do metabolismo aumenta a utilização de oxigênio e a formação de dióxido de carbono; esses efeitos ativam todos os mecanismos que aumentam a frequência e a profundidade da respiração.

Aumento da motilidade gastrointestinal. Além do aumento do apetite e da ingestão de alimentos, que foi discutido, o hormônio da tireoide aumenta tanto a produção de secreções digestivas como a motilidade do trato gastrointestinal. O hipertireoidismo, portanto, muitas vezes resulta em diarreia, enquanto a falta do hormônio tireoidiano pode causar constipação intestinal.

Efeitos excitatórios no sistema nervoso central. Em geral, o hormônio da tireoide aumenta a velocidade da atividade cerebral, embora os processos do pensamento possam estar dissociados; por outro lado, a falta de hormônio da tireoide reduz a velocidade da atividade cerebral. Uma pessoa com hipertireoidismo pode ser extremamente nervosa e ter muitas tendências psiconeuróticas, tais como complexos de ansiedade, preocupação excessiva e paranoia.

Efeito na função dos músculos. Um ligeiro aumento no hormônio tireoidiano geralmente faz com que os músculos reajam com vigor, mas, com quantidade excessiva de hormônio tireoidiano, os músculos ficam enfraquecidos, devido ao excesso de catabolismo proteico. Por outro lado, a falta de hormônio da tireoide faz com que os músculos se tornem lentos e relaxem lentamente após uma contração.

Tremor muscular. Um dos sinais mais característicos do hipertireoidismo é o tremor muscular leve. Esse sintoma é diferente do tremor forte que ocorre na doença de Parkinson ou quando uma pessoa treme na frequência de 10 a 15 vezes por segundo. O tremor pode ser observado facilmente colocando-se uma folha de papel sobre os dedos e observando-se o grau de vibração do papel. Acredita-se que esse tremor seja causado pelo aumento da reatividade das sinapses neuronais nas áreas da medula espinhal que controlam o tônus muscular. O tremor é um importante meio para avaliar o grau do efeito do hormônio tireoidiano no sistema nervoso central.

Efeito no sono. Por causa do efeito exaustivo do hormônio tireoidiano na musculatura e no sistema nervoso central, pessoas com hipertireoidismo costumam ter uma sensação de cansaço constante, mas, por causa da excitação nas sinapses, o sono é dificultado. Por outro lado, a sonolência extrema é característica do hipotireoidismo, e o sono chega a durar de 12 a 14 horas por dia.

Efeito em outras glândulas endócrinas. A elevação do hormônio tireoidiano aumenta as taxas de secreção de várias outras glândulas endócrinas, mas também aumenta a necessidade tecidual de hormônios. Por exemplo, o aumento da secreção de tiroxina eleva o metabolismo da glicose em quase todo o organismo e, portanto, provoca uma necessidade correspondente de aumento da secreção de insulina pelo pâncreas. Além disso, o hormônio tireoidiano aumenta muitas atividades relacionadas à formação óssea e, como consequência, aumenta a necessidade de paratormônio. O hormônio tireoidiano também aumenta a inativação de glicocorticoides adrenais pelo fígado. Esse aumento da velocidade de inativação leva a um aumento, por *feedback*, da produção de hormônio adrenocorticotrófico (ACTH) pela adeno-hipófise e, portanto, a um aumento da secreção de glicocorticoide pelas glândulas adrenais.

Efeito do hormônio tireoidiano na função sexual. Para que a função sexual seja normal, a secreção do hormônio tireoidiano deve ser normal. Nos homens, a falta de hormônio tireoidiano pode causar perda de libido; o excesso, no entanto, às vezes causa impotência.

Nas mulheres, a falta de hormônio tireoidiano costuma causar *menorragia* e *polimenorreia* – isto é, sangramento menstrual excessivo e frequente, respectivamente. No entanto, estranhamente, em outras mulheres, a falta de hormônio da tireoide pode causar períodos irregulares e ocasionalmente até *amenorreia* (ausência de sangramento menstrual).

O hipotireoidismo em mulheres, assim como em homens, pode resultar em uma diminuição drástica da libido. Para confundir ainda mais o quadro, em mulheres com hipertireoidismo, a *oligomenorreia* (sangramento muito reduzido) é comum, e ocasionalmente ocorre a amenorreia.

A ação do hormônio tireoidiano nas gônadas não pode ser determinada para uma função específica, mas provavelmente resulta de uma combinação de efeitos metabólicos diretos sobre as gônadas, bem como de efeitos excitatórios e inibitórios por *feedback* que operam por meio dos hormônios da adeno-hipófise que controlam as funções sexuais.

REGULAÇÃO DA SECREÇÃO DO HORMÔNIO TIREOIDIANO

Para manter os níveis normais de atividade metabólica no organismo, uma quantidade precisa de hormônio tireoidiano deve ser secretada em todos os momentos; para atingir esse nível ideal de secreção, mecanismos específicos de *feedback* operam por meio do hipotálamo e da adeno-hipófise, para controlar a secreção tireoidiana. Esses mecanismos são descritos nas seções a seguir.

O TSH (DA ADENO-HIPÓFISE) AUMENTA A SECREÇÃO DA TIREOIDE

O TSH, também conhecido como *tireotrofina*, é um hormônio da adeno-hipófise; é uma glicoproteína com peso molecular de cerca de 28.000. Esse hormônio, também discutido no Capítulo 75, aumenta a secreção de tiroxina e

PARTE 14 Endocrinologia e Reprodução

de tri-iodotironina pela glândula tireoide. Tem os seguintes efeitos específicos sobre a glândula tireoide:

1. *Aumento da proteólise da tireoglobulina* já armazenada nos folículos, liberando os hormônios tireoidianos na circulação sanguínea e diminuindo a substância folicular.
2. *Aumento da atividade da bomba de iodeto*, que aumenta a taxa de "captação de iodeto" pelas células glandulares, às vezes aumentando a proporção entre as concentrações intra e extracelulares de iodeto na substância glandular para até oito vezes o normal.
3. *Aumento da iodinação da tirosina* para formar os hormônios tireoidianos.
4. *Aumento do tamanho e da atividade secretora das células tireoidianas.*
5. *Aumento do número de células da tireoide*, além da transformação de células cuboidais em colunares e do grande pregueamento do epitélio tireoidiano nos folículos.

Em resumo, o TSH aumenta todas as conhecidas atividades secretoras das células glandulares tireoidianas.

O efeito inicial mais importante após a administração do TSH é iniciar a proteólise da tireoglobulina, que causa a liberação de tiroxina e tri-iodotironina no sangue, depois de 30 minutos. Os demais efeitos levam horas ou mesmo dias e semanas para se desenvolver totalmente.

Monofosfato de adenosina cíclico medeia o efeito estimulador do TSH.

A maior parte dos variados efeitos do TSH nas células tireoidianas resulta da ativação do sistema celular do "segundo mensageiro" AMPc da célula.

O primeiro evento nessa ativação é a ligação do TSH a seus receptores específicos na superfície da membrana basal das células tireoidianas. Essa ligação ativa a *adenilciclase* na membrana, que aumenta a formação de AMPc no interior da célula. Finalmente, o AMPc atua como um *segundo mensageiro* para ativar a proteinoquinase, que causa múltiplas fosforilações em toda a célula. O resultado é o aumento imediato da secreção de hormônios tireoidianos e o crescimento prolongado do próprio tecido glandular.

Esse método de controle da atividade das células tireoidianas é semelhante à função do AMPc como um "segundo mensageiro" em muitos outros tecidos-alvo do organismo, conforme discutido no Capítulo 75.

A SECREÇÃO DE TSH PELA ADENO-HIPÓFISE É REGULADA PELO HORMÔNIO LIBERADOR DE TIREOTROFINA DO HIPOTÁLAMO

A secreção de TSH pela adeno-hipófise é controlada por um hormônio hipotalâmico, o *hormônio liberador de tireotrofina* (TRH), que é sintetizado por neurônios do núcleo paraventricular (PVN) do hipotálamo e secretado por terminações nervosas na eminência mediana do hipotálamo. A partir da eminência mediana, o TRH é transportado para a adeno-hipófise por meio do sangue portal hipotalâmico-hipofisário, conforme explicado no Capítulo 75.

O TRH é um tripeptídio amida *(piroglutamil-histidil-prolina-amida)*. O TRH estimula as células da adeno-hipófise

a aumentarem a sua produção de TSH. Quando o sistema porta sanguíneo do hipotálamo para a adeno-hipófise fica bloqueado, a taxa de secreção de TSH pela adeno-hipófise diminui muito, mas não é reduzida a zero.

O mecanismo molecular pelo qual o TRH provoca a produção de TSH pelas células secretoras da adeno-hipófise para produzir TSH consiste na ligação a receptores de TRH na membrana das células hipofisárias. Essa ligação, por sua vez, *ativa o sistema de segundo mensageiro da fosfolipase* no interior das células hipofisárias, produzindo grandes quantidades de fosfolipase C, seguida por uma cascata de outros segundos mensageiros, incluindo íons cálcio e diacilglicerol, que eventualmente, provocam a liberação de TSH.

Efeitos do frio e outros estímulos neurogênicos na secreção de TRH e TSH.

Um dos estímulos mais bem conhecidos para o aumento da secreção de TRH pelo hipotálamo e, portanto, da secreção de TSH pela adeno-hipófise é a exposição do animal ao frio. Esse efeito resulta, quase certamente, da excitação dos centros hipotalâmicos de controle da temperatura corporal. A exposição de ratos ao frio intenso por várias semanas aumenta, por vezes, a produção de hormônios da tireoide para mais de 100% e pode aumentar o metabolismo basal em até 50%. De fato, sabe-se que pessoas que se mudam para as regiões árticas desenvolvem metabolismos basais de 15 a 20% acima do normal.

Os neurônios TRH no PVN recebem sinais de neurônios responsivos à leptina no núcleo arqueado do hipotálamo, que regula o balanço energético – *proteína relacionada a agouti* (AGRP)/*neuropeptídio Y (*NPY) e neurônios *pró-opiomelanocortina* (POMC), que foram discutidos no Capítulo 72. O jejum prolongado reduz os níveis plasmáticos de leptina, que, por sua vez, diminuem a atividade de POMC e aumentam a atividade neuronal NPY/AGRP. A diminuição dos níveis de leptina também pode inibir diretamente os neurônios TRH. Juntos, esses efeitos reduzem a expressão de TRH, de TSH e a secreção do hormônio tireoidiano, contribuindo para reduzir o metabolismo e a conservação de energia quando os suprimentos alimentares estão escassos.

Várias reações emocionais também podem afetar a liberação de TRH e de TSH e, portanto, afetam indiretamente a secreção de hormônios tireoidianos. Agitação e ansiedade – condições que estimulam muito o sistema nervoso simpático – causam uma redução aguda da secreção de TSH, talvez porque esses estados aumentem o metabolismo e a temperatura corporal, e, portanto, exerçam um efeito inverso sobre o centro de controle da temperatura.

EFEITO DE *FEEDBACK* DO HORMÔNIO TIREOIDIANO PARA REDUZIR A SECREÇÃO DE TSH PELA ADENO-HIPÓFISE

O aumento do hormônio tireoidiano nos líquidos corporais reduz a secreção de TSH pela adeno-hipófise. Quando a secreção do hormônio tireoidiano aumenta para cerca de 1,75 vez em relação ao normal, a secreção de TSH cai

CAPÍTULO 77 Hormônios Metabólicos da Tireoide

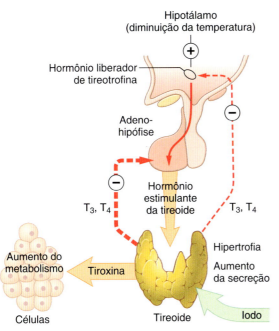

Figura 77.7 Regulação da secreção da tireoide. T_3, tri-iodotironina; T_4, tiroxina.

praticamente para zero. Quase todo esse efeito depressor por *feedback* ocorre até mesmo quando a adeno-hipófise é separada do hipotálamo. Portanto, conforme mostrado na **Figura 77.7**, é provável que o aumento do hormônio tireoidiano iniba a secreção de TSH, principalmente por um efeito direto na adeno-hipófise. No entanto, há também evidências de efeitos de *feedback* negativo do hormônio tireoidiano para inibir o hormônio liberador de tireotrofina pelo hipotálamo. Independentemente do mecanismo, esse *feedback* mantém uma concentração quase constante de hormônios tireoidianos livres nos líquidos corporais circulantes.

Substâncias antitireoidianas suprimem a secreção da tireoide

Os medicamentos antitireoidianos mais conhecidos são *tiocianato*, *propiltiouracila*, *metimazol* e altas concentrações de *iodetos inorgânicos*. Os mecanismos específicos pelos quais cada um desses medicamentos bloqueia a secreção tireoidiana são explicados a seguir.

Os íons tiocianato reduzem a captação de iodeto.

A mesma bomba ativa que transporta íons iodeto para dentro das células da tireoide também pode bombear íons tiocianato, íons perclorato e íons nitrato. Portanto, a administração de tiocianato (ou um dos outros íons) em uma concentração alta o suficiente pode causar a inibição competitiva do transporte de iodeto para a célula; isto é, a inibição do mecanismo de captação de iodo.

A diminuição da disponibilidade de iodeto nas células glandulares não impede a formação de tireoglobulina; simplesmente impede a tireoglobulina formada de se tornar iodada e, portanto, de formar os hormônios tireoidianos. Essa deficiência de hormônios tireoidianos, por sua vez, leva ao aumento da secreção de TSH pela adeno-hipófise, provocando o crescimento excessivo da glândula tireoide, que, apesar disso, continua incapaz de formar quantidades adequadas de hormônios. Portanto, o uso de tiocianatos e de alguns outros íons para bloquear a secreção da tireoide pode levar ao desenvolvimento de uma glândula tireoide aumentada, o que é chamado de *bócio*.

A propiltiouracila reduz a formação do hormônio tireoidiano.
A propiltiouracila (além de outros compostos semelhantes, tais como metimazol e carbimazol) previne a formação de hormônio tireoidiano a partir de iodetos e tirosina. O mecanismo dessa ação é, em parte, bloquear a enzima peroxidase, necessária para a iodinação da tirosina e, parcialmente, bloquear a conjugação de duas tirosinas iodadas para formar tiroxina ou tri-iodotironina.

A propiltiouracila, assim como o tiocianato, não impede a formação de tireoglobulina. A ausência de tiroxina e de tri-iodotironina na tireoglobulina pode levar a um grande aumento, por *feedback*, da secreção de TSH pela adeno-hipófise, promovendo, assim, o crescimento do tecido glandular e formando um bócio.

Iodetos em altas concentrações reduzem a atividade e diminuem o volume da glândula tireoide.
Quando os iodetos estão presentes no sangue em *alta concentração* (100 vezes o nível plasmático normal), a maior parte das atividades da glândula tireoide é reduzida, mas essa redução, frequentemente, dura apenas algumas semanas. O efeito consiste na diminuição da captação de iodeto, de modo que a iodinação da tirosina, para a formação de hormônios da tireoide, também se reduz. Ainda mais importante é a paralisação da endocitose normal de coloide dos folículos pelas células glandulares da tireoide, devido às altas concentrações de iodeto. Como esse é o primeiro passo para a liberação dos hormônios da tireoide do armazenamento coloide, há o desligamento quase imediato da secreção de hormônios tireoidianos no sangue.

Como os iodetos em altas concentrações diminuem todas as fases da atividade da tireoide, eles também diminuem ligeiramente o tamanho da glândula e, em particular, diminuem seu suprimento sanguíneo, em contraste com os efeitos opostos causados pela maioria dos outros agentes antitireoidianos. Por essa razão, os iodetos são frequentemente administrados a pacientes por 2 a 3 semanas antes da remoção cirúrgica da glândula tireoide para diminuir o porte da cirurgia e, especialmente, para diminuir o sangramento.

Doenças da tireoide

Hipertireoidismo
A maioria dos efeitos do hipertireoidismo é óbvia, considerando-se a discussão dos vários efeitos fisiológicos do hormônio tireoidiano. No entanto, alguns efeitos específicos devem ser mencionados, especialmente no que diz respeito ao desenvolvimento, ao diagnóstico e ao tratamento do hipertireoidismo.

Causas do hipertireoidismo (bócio tóxico, tireotoxicose, doença de Graves).
Na maioria dos pacientes com hipertireoidismo, a glândula tireoide aumenta de duas a três vezes acima do seu tamanho normal, com hiperplasia considerável e pregueamento do revestimento celular folicular para o interior dos folículos, de modo que o número

de células aumenta muito. Além disso, cada célula aumenta sua taxa de secreção várias vezes; estudos de captação de iodo radioativo indicam que algumas dessas glândulas hiperplásicas secretam hormônio tireoidiano em quantidades de 5 a 15 vezes maiores do que o normal.

A *doença de Graves*, a forma mais comum de hipertireoidismo, é uma doença autoimune na qual os anticorpos chamados de *imunoglobulinas estimulantes da tireoide* (TSIs) formam-se contra o receptor de TSH na glândula tireoide. Esses anticorpos ligam-se aos mesmos receptores de membrana que se ligam ao TSH e induzem a ativação contínua do sistema AMPc das células, resultando no desenvolvimento do hipertireoidismo. Os anticorpos TSI têm um efeito estimulante prolongado na glândula tireoide, durando até 12 horas, em contraste ao curto tempo para o TSH, de pouco mais de 1 hora. O alto nível de secreção do hormônio tireoidiano, causado pelo TSI, por sua vez, suprime a formação de TSH na adeno-hipófise. Portanto, as concentrações de TSH ficam abaixo do normal (muitas vezes, essencialmente em zero) em vez de aumentadas, em quase todos os pacientes com doença de Graves.

Os anticorpos que causam hipertireoidismo quase certamente ocorrem como resultado da autoimunidade que se desenvolveu contra o tecido da tireoide. Presumivelmente, em algum momento no histórico da pessoa, um excesso de antígenos foi liberado pelas células da tireoide, resultando na formação de anticorpos contra a glândula tireoide.

Adenoma da tireoide. Ocasionalmente, o hipertireoidismo resulta de um adenoma (um tumor) localizado, que se desenvolve no tecido tireoidiano e secreta grandes quantidades de hormônio da tireoide. Essa apresentação é diferente do tipo mais comum de hipertireoidismo, pois geralmente não está associada a evidências de qualquer doença autoimune. Enquanto o adenoma continua a secretar grandes quantidades de hormônio tireoidiano, a função secretora no restante da glândula tireoide é quase totalmente inibida, porque o hormônio tireoidiano do adenoma suprime a produção de TSH pela hipófise.

Sintomas de hipertireoidismo

Os sintomas de hipertireoidismo são bem claros, considerando-se a discussão anterior da fisiologia dos hormônios tireoidianos: (1) estado de alta excitabilidade, (2) intolerância ao calor, (3) aumento da sudorese, (4) perda de peso leve a extrema (às vezes até 50 kg), (5) graus variados de diarreia, (6) fraqueza muscular, (7) nervosismo ou outros distúrbios psíquicos, (8) fadiga extrema, acompanhada de insônia, e (9) tremor das mãos.

Exoftalmia. A maioria das pessoas com hipertireoidismo exibe algum grau de protrusão dos globos oculares, conforme mostrado na **Figura 77.8**. Essa condição é chamada de exoftalmia. Um importante grau de exoftalmia ocorre em cerca de um terço dos pacientes com hipertireoidismo, sendo que a condição às vezes se torna tão grave, que a protrusão do globo ocular provoca o estiramento do nervo óptico, o que é suficiente para danificar a visão. Muito mais frequentemente, os olhos são lesados, porque as pálpebras não se fecham completamente quando a pessoa pisca ou está dormindo. Como resultado, as superfícies epiteliais dos olhos ficam secas e irritadas, e frequentemente infectadas, resultando em ulceração da córnea.

Figura 77.8 Paciente com exoftalmia por hipertireoidismo. Note a protrusão dos olhos e a retração das pálpebras superiores. Sua taxa metabólica basal era de +40. (*Cortesia do Dr. Leonard Posey.*)

A causa da protrusão ocular é o edema dos tecidos retro-orbitais e as alterações degenerativas nos músculos extraoculares. Na maioria dos pacientes, as imunoglobulinas que reagem com os músculos oculares podem ser encontradas no sangue. Além disso, a concentração dessas imunoglobulinas é geralmente mais alta em pacientes que têm altas concentrações das TSIs. Portanto, a exoftalmia, como o hipertireoidismo, é provavelmente um processo autoimune. A exoftalmia, geralmente, regride de modo acentuado com o tratamento do hipertireoidismo.

Testes diagnósticos para o hipertireoidismo. Para casos usuais de hipertireoidismo, o teste diagnóstico mais preciso é a medição direta da concentração de tiroxina "livre" (e às vezes tri-iodotironina) no plasma, usando procedimentos apropriados de imunoensaio.

Os testes a seguir também são ocasionalmente usados:
1. O metabolismo basal está, geralmente, aumentado de +30 a +60 no hipertireoidismo grave.
2. A concentração de TSH no plasma é medida por imunoensaio. No tipo usual de tireotoxicose, a secreção de TSH pela adeno-hipófise está completamente suprimida pela grande quantidade de tiroxina e de tri-iodotironina circulantes, quase havendo TSH no plasma.
3. A concentração de TSI é medida por imunoensaio. Essa concentração é geralmente alta na tireotoxicose, mas baixa no adenoma da tireoide.

Tratamento do hipertireoidismo. O tratamento mais direto para o hipertireoidismo é a remoção cirúrgica da maior parte da glândula tireoide. Em geral, é desejável preparar o paciente para a remoção cirúrgica da glândula antes da operação mediante administração de propiltiouracila, geralmente por várias semanas, até que a taxa metabólica basal do paciente volte ao normal. Então, a administração

CAPÍTULO 77 Hormônios Metabólicos da Tireoide

de altas concentrações de iodetos por 1 a 2 semanas, imediatamente antes da operação, faz com que a glândula diminua de tamanho e reduza o suprimento sanguíneo. Com o uso desses procedimentos pré-operatórios, a mortalidade cirúrgica é inferior a 1 em 1.000, enquanto, antes do desenvolvimento de procedimentos modernos, a mortalidade operatória era de 1 em 25.

Tratamento da glândula tireoide hiperplásica com iodo radioativo.
Cerca de 80 a 90% de uma dose injetada de iodeto são absorvidos pela glândula tireoide hiperplásica tóxica, dentro de 1 dia após a injeção. Se esse iodo injetado for radioativo, pode destruir a maioria das células secretoras da glândula tireoide. Normalmente, 5 milicuries de iodo radioativo são administrados ao paciente, cuja condição é reavaliada várias semanas depois. Se o paciente ainda apresentar hipertireoidismo, doses adicionais são administradas até que o estado normal da tireoide seja atingido.

Hipotireoidismo

Os efeitos do hipotireoidismo, em geral, são opostos àqueles do hipertireoidismo, mas alguns mecanismos fisiológicos são peculiares ao hipotireoidismo. O hipotireoidismo, assim como o hipertireoidismo, muitas vezes é iniciado por autoimunidade contra a glândula tireoide (*doença de Hashimoto*), mas, nesse caso, a autoimunidade destrói a glândula, em vez de estimulá-la. A tireoide da maioria desses pacientes primeiro demonstra uma "tireoidite" autoimune, o que significa inflamação da tireoide. A tireoidite causa deterioração progressiva e, finalmente, fibrose da glândula, resultando em diminuição ou ausência da secreção do hormônio tireoidiano. Vários outros tipos de hipotireoidismo também ocorrem, muitas vezes associados ao aumento da glândula, chamado de *bócio*, conforme descrito nas seções a seguir.

Bócio endêmico causado por deficiência de iodo na dieta.
O termo "bócio" significa aumento da tireoide. Conforme ressaltado na discussão sobre o metabolismo do iodo, cerca de 50 miligramas de iodo são necessários *a cada ano* para a formação de quantidades adequadas de hormônio tireoidiano. Em certas áreas do mundo, principalmente nos Alpes Suíços, nos Andes e na região dos Grandes Lagos dos EUA, existe uma quantidade insuficiente de iodo no solo, de forma que os alimentos não possuem nem mesmo a quantidade mínima. Portanto, em tempos anteriores ao sal iodado, muitas pessoas que viviam nessas áreas desenvolviam glândulas tireoides extremamente aumentadas, o chamado *bócio endêmico.*

O mecanismo que resulta no desenvolvimento de grandes bócios endêmicos é o seguinte: a falta de iodo impede a produção de tiroxina e de tri-iodotironina. Como resultado, não há hormônios disponíveis para inibir a produção de TSH pela adeno-hipófise, que passa a secretar quantidades significativamente grandes desse hormônio. O TSH, então, estimula as células da tireoide a secretarem grandes quantidades de coloide de tireoglobulina nos folículos, e a glândula fica cada vez maior.

No entanto, devido à falta de iodo, a produção de tiroxina e de tri-iodotironina não ocorre na molécula de tireoglobulina e, portanto, não causa a supressão normal da produção de TSH pela adeno-hipófise. Os folículos aumentam muito, e a glândula tireoide pode aumentar para até 10 a 20 vezes o seu tamanho normal.

Bócio atóxico idiopático.
O aumento da tireoide, semelhante ao que acontece no bócio endêmico, também pode ocorrer em pessoas que não têm deficiência de iodo. Essas glândulas aumentadas podem secretar quantidades normais de hormônios tireoidianos, entretanto, com mais frequência, sua secreção é reduzida, como no bócio endêmico.

A causa exata do aumento da glândula tireoide em pacientes com bócio idiopático não é conhecida, mas a maioria desses pacientes apresenta sinais de tireoidite leve; portanto, foi sugerido que a tireoidite cause hipotireoidismo leve, o que leva ao aumento da secreção de TSH e ao crescimento progressivo das porções não inflamadas da glândula. Essa teoria poderia explicar por que essas glândulas são geralmente nodulares, com o crescimento de algumas porções da glândula, enquanto outras porções são destruídas pela tireoidite.

Em algumas pessoas com bócio, a glândula tireoide apresenta uma anormalidade no sistema enzimático, que é necessário para a formação dos hormônios da tireoide. As seguintes anormalidades são frequentemente encontradas:

1. *Deficiência do mecanismo de captação de iodeto*, no qual o iodo não é bombeado adequadamente para as células da tireoide.
2. *Deficiência do sistema peroxidase*, em que os iodetos não são oxidados para o estado de iodo.
3. *Deficiência da conjugação de tirosinas iodadas* na molécula de tireoglobulina, de modo que os hormônios tireoidianos finais não podem ser formados.
4. *Deficiência da enzima deiodinase*, que impede a recuperação de iodo das tirosinas iodadas que não são conjugadas para formar os hormônios da tireoide (*i. e.*, cerca de dois terços do iodo), levando à deficiência de iodo.

Finalmente, alguns alimentos contêm *substâncias bociogênicas* com atividade antitireoidiana, semelhante à propiltiouracila, levando ao aumento da tireoide, estimulado por TSH. Essas substâncias bociogênicas são encontradas especialmente em algumas variedades de nabo e repolho.

Características fisiológicas do hipotireoidismo.
Não importa se o hipotireoidismo é causado por tireoidite, bócio coloide endêmico, bócio coloide idiopático, destruição da tireoide por radiação ou remoção cirúrgica da glândula tireoide: os efeitos fisiológicos são os mesmos. Eles incluem fadiga e sonolência extrema, com pessoas dormindo de 12 a 14 horas por dia, extrema lentidão muscular, redução da frequência cardíaca, débito cardíaco diminuído, diminuição do volume sanguíneo, às vezes aumento do peso corporal, constipação intestinal, lentidão mental, insuficiência de muitas funções tróficas do organismo, como evidenciado por redução do crescimento do cabelo e descamação da pele, desenvolvimento de rouquidão e, em casos graves, o desenvolvimento de uma aparência edematosa em todo o corpo, chamada de *mixedema*.

Mixedema.
O mixedema se desenvolve em pessoas que têm ausência quase total da função do hormônio tireoidiano. A **Figura 77.9** apresenta uma paciente com mixedema, demonstrando flacidez sob os olhos e inchaço da face. Nessa condição, por motivos que não são totalmente explicados, quantidades muito aumentadas de ácido hialurônico e de sulfato de condroitina, ligados a proteínas, formam um excesso de gel tecidual nos espaços intersticiais, aumentando a quantidade total do líquido intersticial. Como o líquido em excesso trata-se de um gel, é essencialmente imóvel, e o edema é do tipo sem depressões.

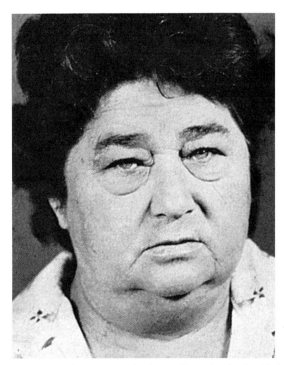

Figura 77.9 Paciente com mixedema. (*Cortesia do Dr. Herbert Langford.*)

Aterosclerose no hipotireoidismo. Como apontado, a falta de hormônio tireoidiano aumenta a quantidade de colesterol no sangue por causa da alteração no metabolismo da gordura e do colesterol, e pela diminuição da excreção hepática de colesterol na bile. O aumento do colesterol no sangue é frequentemente associado ao aumento da aterosclerose. Portanto, muitos pacientes com hipotireoidismo, particularmente aqueles com mixedema, desenvolvem aterosclerose, que por sua vez resulta em doença vascular, surdez e doença arterial coronariana com consequente redução da expectativa de vida.

Testes diagnósticos para o hipotireoidismo. Os testes já descritos para o diagnóstico de hipertireoidismo apresentam resultados opostos no hipotireoidismo. A concentração de tiroxina livre no sangue é baixa. A taxa metabólica basal no mixedema é reduzida em 30 a 50%. Além disso, a secreção de TSH pela adeno-hipófise, quando se administra uma dose de TRH, fica geralmente muito aumentada (exceto nos casos raros de hipotireoidismo causado pela resposta deprimida da hipófise ao TRH).

Tratamento do hipotireoidismo. A **Figura 77.4** mostra o efeito da tiroxina na taxa metabólica basal, demonstrando que o hormônio normalmente tem uma duração de ação de mais de 1 mês. Consequentemente, é fácil manter um nível estável de atividade do hormônio tireoidiano no organismo pela ingestão oral diária de um ou mais comprimidos contendo tiroxina. Além disso, o tratamento adequado do hipotireoidismo resulta em normalidade tão completa, que pacientes, anteriormente mixedematosos, chegaram a viver até os 90 anos após serem tratados por mais de 50 anos.

Cretinismo. O cretinismo é causado por hipotireoidismo extremo em fetos, bebês ou crianças. Essa condição se caracteriza, especialmente, pela deficiência do crescimento corporal e por retardo mental. O cretinismo resulta da ausência congênita da glândula tireoide (*cretinismo congênito*), de sua incapacidade de produzir hormônio tireoidiano por causa de um defeito genético ou por ausência de iodo na dieta (*cretinismo endêmico*).

Um recém-nascido sem a glândula tireoide pode ter aparência e função normais por ter recebido alguma quantidade (mas geralmente insuficiente) de hormônio tireoidiano materno, ainda no útero. Algumas semanas após o nascimento, no entanto, os movimentos do neonato tornam-se lentos e tanto o crescimento físico como o mental ficam muito retardados. O tratamento do recém-nascido com cretinismo, em qualquer momento, com iodo ou tiroxina, geralmente causa a normalização do crescimento físico, mas, a menos que o cretinismo seja tratado dentro de algumas semanas após o nascimento, o crescimento mental permanece retardado de forma permanente. Esse estado resulta de retardo do crescimento, ramificação e mielinização das células neuronais do sistema nervoso central nesse momento crítico de desenvolvimento das capacidades mentais.

O crescimento esquelético da criança com cretinismo é caracteristicamente mais inibido do que o do tecido mole. Como resultado dessa taxa desproporcional de crescimento, os tecidos moles são propensos a crescer excessivamente, dando à criança uma aparência obesa e de baixa estatura. Ocasionalmente, a língua se torna tão grande em relação ao crescimento do esqueleto que obstrui a deglutição e a respiração, induzindo a uma respiração gutural que, às vezes, sufoca a criança.

Bibliografia

Bianco AC, Dumitrescu A, Gereben B, et al: Paradigms of dynamic control of thyroid hormone signaling. Endocr Rev 40:1000, 2019.

Biondi B, Cappola AR, Cooper DS: Subclinical hypothyroidism: a review. JAMA 322:153, 2019.

Biondi B, Cooper DS: Subclinical hyperthyroidism N Engl J Med 378:2411, 2018.

Brent GA: Mechanisms of thyroid hormone action. J Clin Invest 122:3035, 2012.

Burch HB: Drug effects on the thyroid. N Engl J Med 381:749, 2019.

Citterio CE, Targovnik HM, Arvan P: The role of thyroglobulin in thyroid hormonogenesis. Nat Rev Endocrinol 15:323, 2019.

De La Vieja A, Dohan O, Levy O, Carrasco N: Molecular analysis of the sodium/iodide symporter: impact on thyroid and extrathyroid pathophysiology. Physiol Rev 80:1083, 2000.

Gerdes AM, Ojamaa K: Thyroid hormone and cardioprotection. Compr Physiol 6:1199, 2016.

Ikegami K, Refetoff S, Van Cauter E, Yoshimura T: Interconnection between circadian clocks and thyroid function. Nat Rev Endocrinol 15:590, 2019.

Lanni A, Moreno M, Goglia F: Mitochondrial actions of thyroid hormone. Compr Physiol 6:1591, 2016.

Lee S, Farwell AP: Euthyroid sick syndrome. Compr Physiol 6:1071, 2016.

Luongo C, Dentice M, Salvatore D: Deiodinases and their intricate role in thyroid hormone homeostasis. Nat Rev Endocrinol 15:479-, 2019.

Mullur R, Liu YY, Brent GA: Thyroid hormone regulation of metabolism. Physiol Rev 94:355, 2014.

Ortiga-Carvalho TM, Chiamolera MI, Pazos-Moura CC, Wondisford FE: Hypothalamus-pituitary-thyroid axis. Compr Physiol 6:1387, 2016.

Razvi S, Jabbar A, Pingitore A, et al: Thyroid hormones and cardiovascular function and diseases. J Am Coll Cardiol 71:1781, 2018.

Singh I, Hershman JM: Pathogenesis of hyperthyroidism. Compr Physiol 7:67, 2016.

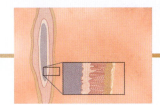

CAPÍTULO 78

Hormônios Adrenocorticais

As duas *glândulas adrenais*, cada uma pesando cerca de 4 gramas, situam-se medialmente aos polos superiores dos dois rins. Como mostrado na **Figura 78.1**, cada glândula é composta por duas partes distintas, a *medula adrenal* e o *córtex adrenal*. A medula adrenal, que consiste nos 20% centrais da glândula, é funcionalmente relacionada ao sistema nervoso simpático e secreta os hormônios *adrenalina* e *noradrenalina* em resposta à estimulação simpática. Por sua vez, esses hormônios causam praticamente os mesmos efeitos que a estimulação direta dos nervos simpáticos em todas as partes do corpo. Esses hormônios e seus efeitos são discutidos em detalhes no Capítulo 61, em relação ao sistema nervoso simpático.

O córtex adrenal secreta um grupo totalmente diferente de hormônios, chamados de *corticosteroides*. Esses hormônios são sintetizados a partir do colesterol esteroide, e todos eles têm fórmulas químicas semelhantes. No entanto, pequenas diferenças em suas estruturas moleculares fazem com que apresentem funções distintas, mas muito importantes.

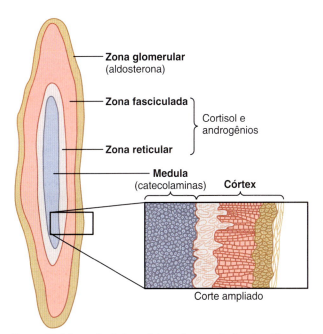

Figura 78.1 Secreção de hormônios adrenocorticais pelas diferentes zonas do córtex adrenal e secreção de catecolaminas pela medula adrenal.

CORTICOSTEROIDES: MINERALOCORTICOIDES, GLICOCORTICOIDES E ANDROGÊNIOS

Os dois tipos principais de hormônios adrenocorticais, os *mineralocorticoides* e os *glicocorticoides*, são secretados pelo córtex adrenal. Além desses hormônios, pequenas quantidades de hormônios sexuais são secretadas, em particular *hormônios androgênicos*, que exibem aproximadamente os mesmos efeitos do hormônio sexual masculino testosterona. Normalmente têm pouca importância (principalmente nos homens), embora em certas anormalidades do córtex adrenal, quantidades extremas possam ser secretadas (o que é discutido posteriormente neste capítulo) e resultar em efeitos masculinizantes.

Os *mineralocorticoides* receberam esse nome porque afetam, principalmente, os eletrólitos (os "minerais") dos líquidos extracelulares, especialmente sódio e potássio. Os *glicocorticoides* têm esse nome porque exibem efeitos importantes que aumentam a concentração sanguínea de glicose. Eles apresentam efeitos adicionais no metabolismo proteico e lipídico que são igualmente importantes para a função corporal quanto seus efeitos no metabolismo dos carboidratos.

Mais de 30 esteroides foram isolados do córtex adrenal, mas dois deles apresentam uma excepcional importância para a função endócrina normal do corpo humano: a *aldosterona*, que é o principal mineralocorticoide, e o *cortisol*, que é o principal glicocorticoide.

SÍNTESE E SECREÇÃO DOS HORMÔNIOS ADRENOCORTICAIS

O CÓRTEX ADRENAL TEM TRÊS CAMADAS DISTINTAS

A **Figura 78.1** mostra que o córtex adrenal é composto por três camadas relativamente distintas:

1. A *zona glomerular*, uma fina camada de células localizada logo abaixo da cápsula, constitui cerca de 15% do córtex adrenal. Essas células são as únicas na glândula adrenal capazes de secretar uma quantidade significativa de *aldosterona* porque contêm a enzima *aldosterona*

sintase, que é necessária para a síntese da aldosterona. A secreção dessas células é controlada, principalmente, pelas concentrações de *angiotensina II* e de *potássio* no líquido extracelular, e ambos estimulam a secreção de aldosterona.

2. A *zona fasciculada*, a camada do meio e mais ampla, constitui cerca de 75% do córtex adrenal e secreta os glicocorticoides *cortisol* e *corticosterona*, bem como pequenas quantidades de *androgênios* e de *estrogênios adrenais*. A secreção dessas células é controlada, em grande parte, pelo eixo hipotalâmico-hipofisário por meio do *hormônio adrenocorticotrófico* (ACTH).

3. A *zona reticular*, a camada mais profunda do córtex, secreta os androgênios adrenais *desidroepiandrosterona* e *androstenediona*, bem como pequenas quantidades de estrogênios e alguns glicocorticoides. O ACTH regula a secreção dessas células, embora outros fatores, como o *hormônio estimulante do androgênio adrenal*, liberado pela adeno-hipófise, também possam estar envolvidos. Os mecanismos de controle da produção de androgênios, entretanto, não são tão bem compreendidos quanto os dos glicocorticoides e os dos mineralocorticoides.

A secreção de aldosterona e cortisol é regulada por mecanismos independentes. Fatores, como a angiotensina II, que aumentam especificamente a liberação de aldosterona e causam a hipertrofia da zona glomerular não têm efeito nas outras duas zonas. Da mesma forma, fatores como o ACTH, que aumentam a secreção de cortisol e de androgênios adrenais e causam a hipertrofia das zonas fasciculada e reticular, têm pouco efeito na zona glomerular.

Hormônios adrenocorticais são esteroides derivados do colesterol.

Todos os hormônios esteroides humanos, incluindo aqueles produzidos pelo córtex adrenal, são sintetizados a partir do colesterol. Embora as células do córtex adrenal possam sintetizar, *de novo*, pequenas quantidades de colesterol a partir do acetato, aproximadamente 80% do colesterol utilizado para a síntese de esteroides é fornecido por lipoproteínas de baixa densidade (LDLs) do plasma circulante. As LDLs, que possuem altas concentrações de colesterol, difundem-se do plasma para o líquido intersticial e ligam-se a receptores específicos contidos em depressões denominadas de *coated pits*, existentes na membrana das células adrenocorticais. As depressões revestidas são então internalizadas por *endocitose*, formando vesículas que, por fim, fundem-se com os lisossomos celulares e liberam o colesterol, que pode ser usado para sintetizar hormônios esteroides adrenais.

O transporte de colesterol para as células adrenais é regulado por mecanismos de *feedback* que podem alterar significativamente a quantidade disponível para a síntese de esteroides. Por exemplo, o ACTH, que estimula a síntese de esteroides adrenais, aumenta o número de receptores de células adrenocorticais para LDL, bem como a atividade das enzimas que liberam o colesterol do LDL.

Uma vez que o colesterol entra na célula, é transportado para as mitocôndrias, onde é clivado pela enzima *colesterol*

desmolase, formando a *pregnenolona*; essa é a etapa limitante na formação de esteroides adrenais (ver **Figura 78.2**). Nas três zonas do córtex adrenal, essa etapa inicial da síntese de esteroide é estimulada pelos diferentes fatores que controlam a secreção dos principais produtos hormonais: aldosterona e cortisol. Por exemplo, tanto o ACTH, que estimula a secreção de cortisol, como a angiotensina II, que estimula a secreção de aldosterona, aumentam a conversão de colesterol em pregnenolona.

Vias de síntese para esteroides adrenais. A **Figura 78.2** ilustra os principais estágios da formação dos importantes produtos esteroides do córtex adrenal: aldosterona, cortisol e os androgênios. Praticamente, todas essas etapas ocorrem na *mitocôndria* e no *retículo endoplasmático*, sendo que algumas etapas ocorrem em uma dessas duas organelas, e outras etapas, em outras organelas. Cada estágio é catalisado por um sistema enzimático específico. Uma alteração em uma única enzima no esquema pode causar a formação de tipos e proporções relativas muito diferentes de hormônios. Por exemplo, quantidades muito grandes de hormônios sexuais masculinizantes ou outros compostos esteroides que, normalmente, não estão presentes no sangue, podem ser produzidas após a alteração de apenas uma das enzimas dessa via.

As fórmulas químicas da aldosterona e do cortisol, que são os principais hormônios mineralocorticoide e glicocorticoide, respectivamente, são mostradas na **Figura 78.2**. O cortisol tem um oxigênio cetônico no carbono 3 e é hidroxilado nos carbonos 11 e 21. O mineralocorticoide aldosterona tem um átomo de oxigênio ligado ao carbono 18.

Além de aldosterona e cortisol, os outros esteroides que apresentam atividades glicocorticoides ou mineralocorticoides são normalmente secretados em pequenas quantidades pelo córtex adrenal. Além disso, vários hormônios esteroides potentes em geral não formados nas adrenais foram sintetizados e são usados em várias formas terapêuticas. Alguns dos mais importantes hormônios corticosteroides, incluindo os sintéticos, estão resumidos na **Tabela 78.1**.

Mineralocorticoides

- Aldosterona (muito potente; é responsável por cerca de 90% de toda a atividade mineralocorticoide)
- Desoxicorticosterona (1/30 da potência da aldosterona, secretada em quantidades muito pequenas)
- Corticosterona (fraca atividade mineralocorticoide)
- 9α-fludrocortisol (sintético; ligeiramente mais potente do que a aldosterona)
- Cortisol (atividade mineralocorticoide fraca, mas secretado em grande quantidade)
- Cortisona (fraca atividade mineralocorticoide).

Glicocorticoides

- Cortisol (muito potente; responsável por aproximadamente 95% do total da atividade glicocorticoide)
- Corticosterona (responsável por cerca de 4% da atividade glicocorticoide total, mas é muito menos potente do que o cortisol)
- Cortisona (quase tão potente quanto o cortisol)
- Prednisona (sintética; quatro vezes mais potente do que o cortisol)

CAPÍTULO 78 Hormônios Adrenocorticais

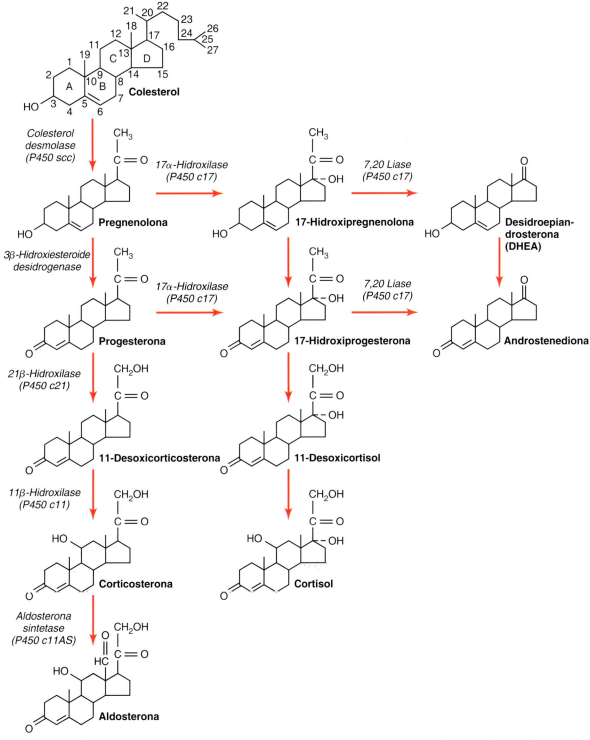

Figura 78.2 Vias para a síntese de hormônios esteroides pelo córtex adrenal. As enzimas são mostradas em itálico.

- Metilprednisona (sintético; cinco vezes mais potente do que o cortisol)
- Dexametasona (sintética; 30 vezes mais potente do que o cortisol).

Fica claro, a partir dessa lista, que alguns desses hormônios e esteroides sintéticos apresentam tanto atividade glicocorticoide quanto mineralocorticoide. É especialmente significativo que o cortisol, normalmente, apresente alguma atividade mineralocorticoide, pois algumas síndromes de secreção excessiva de cortisol podem causar efeitos mineralocorticoides significativos, junto com seus muitos efeitos glicocorticoides mais potentes.

A intensa atividade glicocorticoide do hormônio sintético dexametasona, que não tem, na prática, atividade mineralocorticoide, o torna um fármaco especialmente importante para estimular a atividade glicocorticoide específica.

PARTE 14 Endocrinologia e Reprodução

Tabela 78.1 Hormônios esteroides adrenais em adultos; esteroides sintéticos e suas atividades como glicocorticoides e mineralocorticoides.

Esteroides	Concentração plasmática média (livre e ligada, μg/100 mℓ)	Quantidade média secretada (mg/24 h)	Atividade glicocorticoide	Atividade mineralocorticoide
Esteroides da adrenal				
Cortisol	12	15	1,0	1,0
Corticosterona	0,4	3	0,3	15,0
Aldosterona	0,006	0,15	0,3	3.000
Desoxicorticosterona	0,006	0,2	0,2	100
Desidroepiandrosterona	175	20	–	–
Esteroides sintéticos				
Cortisona	–	–	0,7	0,5
Prednisolona	–	–	4	0,8
Metilprednisona	–	–	5	–
Dexametasona	–	–	30	–
9α-fludrocortisol	–	–	10	125

As atividades glicocorticoide e mineralocorticoide dos esteroides são relativas ao cortisol, cuja atividade é de 1.

Os hormônios adrenocorticais ligam-se a proteínas plasmáticas. Aproximadamente 90 a 95% do cortisol plasmático ligam-se a proteínas plasmáticas, especialmente a uma globulina chamada de *globulina transportadora de cortisol*, ou *transcortina*, e, em menor quantidade, à albumina. Esse alto grau de ligação às proteínas plasmáticas reduz a velocidade de eliminação do cortisol do plasma; portanto, o cortisol tem meia-vida relativamente longa de 60 a 90 minutos. Apenas cerca de 60% da aldosterona circulante combinam-se a proteínas plasmáticas, de modo que cerca de 40% estão em forma livre; como resultado, a aldosterona tem meia-vida relativamente curta, de cerca de 20 minutos. Esses hormônios são transportados pelos líquidos extracelulares nas formas livre e combinada.

A ligação dos esteroides adrenais às proteínas plasmáticas pode servir como um reservatório para diminuir as rápidas flutuações nas concentrações de hormônios livres, como ocorreria, por exemplo, com o cortisol durante breves períodos de estresse e secreção episódica de ACTH. A função de reservatório também pode ajudar a garantir uma distribuição relativamente uniforme dos hormônios adrenais para os tecidos.

Hormônios adrenocorticais são metabolizados no fígado. Os esteroides adrenais são degradados, principalmente, pelo fígado e conjugados especialmente ao *ácido glicurônico* e, em menor grau, a sulfatos. Essas substâncias são inativas e não apresentam atividade mineralocorticoide ou glicocorticoide. Cerca de 25% desses conjugados são excretados na bile e depois nas fezes. Os demais conjugados formados pelo fígado entram na circulação, mas não são ligados às proteínas plasmáticas, sendo altamente solúveis no plasma e, portanto, prontamente filtrados pelos rins e excretados na urina. Doenças hepáticas reduzem acentuadamente a inativação dos hormônios adrenocorticais e doenças renais reduzem a excreção dos conjugados inativos.

A concentração normal de aldosterona no sangue é de aproximadamente 6 nanogramas (6 bilionésimos de grama) por 100 mililitros, e a taxa média de secreção é de aproximadamente 150 μg/dia (0,15 mg/dia). A concentração sanguínea de aldosterona, no entanto, depende muito de vários fatores, incluindo a ingestão de sódio e potássio.

A concentração média de cortisol no sangue é de 12 μg/100 mℓ, e sua taxa de secreção é em média de 15 a 20 mg/dia. No entanto, a concentração sanguínea e a secreção de cortisol flutuam ao longo do dia, aumentando no início da manhã e diminuindo à noite, como será discutido adiante.

FUNÇÕES DOS MINERALOCORTICOIDES: ALDOSTERONA

A deficiência de mineralocorticoides provoca intensa depleção renal de cloreto de sódio (hiponatremia) e hiperpotassemia. A perda total da secreção adrenocortical pode causar a morte em 3 a 14 dias, a menos que a pessoa receba reposição considerável de sal ou injeção de mineralocorticoides.

Sem mineralocorticoides, a concentração de íons potássio no líquido extracelular sobe acentuadamente, o sódio e o cloreto são rapidamente eliminados do organismo, e os volumes totais do líquido extracelular e do sangue tornam-se muito reduzidos. O débito cardíaco rapidamente diminui, progredindo para um estado semelhante ao choque, seguido de morte. Toda essa sequência pode ser evitada pela administração de aldosterona ou de algum outro mineralocorticoide. Portanto, os mineralocorticoides são considerados a intervenção aguda, "salva-vidas", dos hormônios adrenocorticais. Contudo, os glicocorticoides são igualmente necessários, pois permitem que a pessoa resista aos efeitos destrutivos dos estresses físicos e mentais intermitentes ao longo da vida, conforme detalhado adiante neste capítulo.

A aldosterona é o principal mineralocorticoide secretado pelas adrenais. Em seres humanos, a aldosterona exerce cerca de 90% de toda a atividade

CAPÍTULO 78 Hormônios Adrenocorticais

mineralocorticoide das secreções adrenocorticais, mas o cortisol, o principal glicocorticoide secretado pelo córtex adrenal, também contribui significativamente para a atividade mineralocorticoide. A atividade mineralocorticoide da aldosterona é cerca de 3 mil vezes maior que a do cortisol, mas a concentração plasmática do cortisol é por volta de 2 mil vezes maior que a de aldosterona.

O cortisol também pode se ligar a receptores mineralocorticoides com alta afinidade. No entanto, as células epiteliais renais expressam a enzima 11β-hidroxiesteroide desidrogenase tipo 2 (11β-HSD2), que apresentam ações que evitam que o cortisol ative os receptores mineralocorticoides. Uma ação da 11β-HSD2 consiste em converter o cortisol em cortisona, que não se liga tão avidamente aos receptores mineralocorticoides. Também há evidências de que a 11β-HSD2 pode ter efeitos no estado redox (redução e oxidação) intracelular, que impedem a ativação dos receptores mineralocorticoide pelo cortisol. Em pacientes com deficiência genética da atividade de 11β-HSD2, o cortisol pode ter efeitos mineralocorticoides substanciais. Essa condição é chamada de *síndrome do excesso aparente de mineralocorticoide* (SEAM), porque o paciente tem, essencialmente, as mesmas alterações fisiopatológicas de um paciente com excesso de secreção de aldosterona, exceto pelos níveis plasmáticos muito baixos de aldosterona no paciente com SEAM. A ingestão de grandes quantidades de alcaçuz, que contém ácido glicirretínico, também pode causar SEAM devido à sua capacidade de bloquear a atividade enzimática da 11β-HSD2.

EFEITOS RENAIS E CIRCULATÓRIOS DA ALDOSTERONA

A aldosterona aumenta a reabsorção tubular renal de sódio e a secreção de potássio. Conforme discutido no Capítulo 28, a aldosterona aumenta a reabsorção de sódio e, simultaneamente, a secreção de potássio pelas células epiteliais tubulares renais, principalmente nas *células principais dos túbulos coletores* e, em menor grau, nos túbulos distais e nos ductos coletores. Portanto, a aldosterona faz com que o sódio seja conservado no líquido extracelular, enquanto aumenta a excreção de potássio na urina.

Uma alta concentração de aldosterona no plasma pode reduzir, transitoriamente, a perda de sódio na urina para níveis muito baixos, como a alguns poucos miliequivalentes por dia. Ao mesmo tempo, a perda de potássio na urina aumenta transitoriamente. Portanto, o efeito líquido do excesso de aldosterona no plasma é o aumento da quantidade total de sódio e a redução da quantidade de potássio no líquido extracelular.

Por outro lado, a ausência total de secreção de aldosterona pode provocar a perda transitória de 10 a 20 gramas de sódio na urina por dia, uma quantidade semelhante de um décimo a um quinto de todo o sódio do corpo. Ao mesmo tempo, o potássio é rigorosamente conservado no líquido extracelular.

O excesso de aldosterona aumenta o volume do líquido extracelular e a pressão arterial, mas apresenta apenas um discreto efeito na concentração plasmática de sódio; a deficiência de aldosterona causa hiponatremia. Embora a aldosterona provoque um efeito potente na diminuição da excreção renal de sódio pelos rins, a concentração de sódio no líquido extracelular eleva-se apenas por alguns miliequivalentes. Isso acontece porque, quando o sódio é reabsorvido pelos túbulos, ocorre a absorção osmótica simultânea de quantidades quase equivalentes de água. Além disso, pequenos aumentos da concentração de sódio no líquido extracelular estimulam a sede e o aumento da ingestão de água, se houver água disponível, além de aumentar a secreção de hormônio antidiurético, que estimula a reabsorção de água pelos túbulos distais e coletores dos rins. Portanto, o volume do líquido extracelular aumenta tanto quanto a quantidade de sódio retido, sem muita alteração na concentração de sódio.

Embora a aldosterona seja um dos mais potentes hormônios retentores de sódio do corpo, a secreção excessiva desse hormônio provoca apenas a retenção transitória de sódio. O aumento do volume do líquido extracelular mediado por aldosterona, que dure mais que 1 a 2 dias, também leva a um aumento na pressão arterial, conforme explicado no Capítulo 19. A elevação da pressão arterial, então, aumenta a excreção renal de sódio e água, o que é chamado de *natriurese por pressão* e *diurese por pressão*, respectivamente. Assim, após o aumento do volume do líquido extracelular de 5 a 15% acima do normal, a pressão arterial também se eleva em 15 a 25 mmHg, o que normaliza o débito renal de sódio e água, apesar do excesso de aldosterona (ver **Figura 78.3**).

Esse retorno à excreção normal de sódio e água pelos rins como resultado da natriurese e da diurese de pressão é chamada de *escape de aldosterona*. Depois disso, a incorporação de sódio e água pelo organismo é nula, e é mantido o equilíbrio entre a ingestão e a eliminação de sódio e água pelos rins, apesar do excesso contínuo de aldosterona. Ao mesmo tempo, entretanto, desenvolve-se a hipertensão, que se mantém enquanto a pessoa estiver exposta a altos níveis de aldosterona.

Ao contrário, a deficiência grave de aldosterona pode causar reduções substanciais na concentração plasmática de sódio (hiponatremia) devido à redução da reabsorção renal e ao aumento da excreção de sódio. A perda do sódio renal causa reduções no volume do líquido extracelular, diminuição da pressão arterial e do débito cardíaco, o que estimula a secreção de hormônio antidiurético (ADH). Níveis aumentados de ADH atenuam a excreção de água renal e contribui para a hiponatremia, junto com o aumento da sede e da ingestão de água, que também são estimuladas pela hipovolemia e pela hipotensão.

Quando a secreção de aldosterona chega a zero, uma grande quantidade de sódio é perdida na urina, não apenas diminuindo a quantidade de cloreto de sódio no líquido extracelular, como também o volume do líquido extracelular. O resultado é a desidratação extracelular grave e o

PARTE 14 Endocrinologia e Reprodução

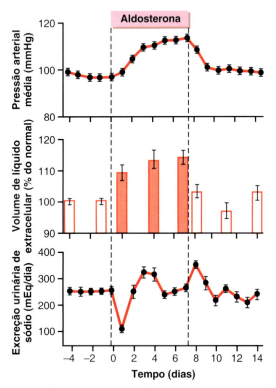

Figura 78.3 Efeito da infusão de aldosterona na pressão arterial, volume do líquido extracelular e excreção de sódio em cães. Embora a aldosterona tenha sido infundida em uma taxa que elevou as concentrações plasmáticas para cerca de 20 vezes o normal, observe o "escape" da retenção de sódio no segundo dia de infusão à medida que a pressão arterial aumentou e a excreção de sódio voltou ao normal. (Dados de Hall JE, Granger JP, Smith MJ Jr et al. Role of hemodynamics and arterial pressure in aldosterone "escape." Hypertension 6 [supl I]: I183-I192, 1984.)

baixo volume sanguíneo, levando ao *choque circulatório*. Sem tratamento, isso geralmente causa a morte dentro de alguns dias após as glândulas adrenais interromperem repentinamente a secreção de aldosterona.

O excesso de aldosterona causa hipopotassemia e fraqueza muscular; a deficiência de aldosterona provoca hiperpotassemia e toxicidade cardíaca. O excesso de aldosterona não só causa perda de íons potássio do líquido extracelular na urina, mas também estimula o transporte de potássio do líquido extracelular para a maioria das células do corpo. Portanto, a secreção excessiva de aldosterona, como ocorre em alguns tipos de tumores adrenais, pode causar uma redução grave da concentração plasmática de potássio (*hipopotassemia*), que às vezes se altera do valor normal de 4,5 mEq/ℓ para até 2 mEq/ℓ. Quando a concentração de íons potássio do plasma cai abaixo da metade normal, frequentemente ocorre fraqueza muscular grave. Essa fraqueza muscular é causada pela alteração da excitabilidade elétrica das membranas das fibras nervosas e musculares (ver Capítulo 5), impedindo a transmissão normal dos potenciais de ação.

Por outro lado, quando há deficiência de aldosterona, a concentração de íon potássio no líquido extracelular pode subir muito acima do normal. Quando essa elevação é de 60 a 100% acima do normal, evidencia-se uma grave toxicidade cardíaca, incluindo a diminuição na força de contração e o desenvolvimento de arritmias; e concentrações progressivamente mais altas de potássio levam, inevitavelmente, à insuficiência cardíaca.

O excesso de aldosterona aumenta a secreção tubular de íon hidrogênio e provoca alcalose. A aldosterona não apenas faz com que o potássio seja secretado nos túbulos em troca da reabsorção de sódio pelas células principais dos túbulos coletores renais, como também provoca a secreção de íons hidrogênio na troca por potássio nas *células intercalares* dos túbulos coletores corticais, como discutido nos Capítulos 28 e 31. Isso diminui a concentração de íon hidrogênio no líquido extracelular, causando alcalose metabólica.

A ALDOSTERONA ESTIMULA O TRANSPORTE DE SÓDIO E POTÁSSIO NAS GLÂNDULAS SUDORÍPARAS E SALIVARES E NAS CÉLULAS EPITELIAIS INTESTINAIS

A aldosterona apresenta praticamente os mesmos efeitos nas glândulas sudoríparas e salivares que nos túbulos renais. Ambas as glândulas formam uma secreção primária que contém grandes quantidade de cloreto de sódio; entretanto, boa parte do cloreto de sódio, ao passar pelos ductos excretores, é reabsorvida, enquanto os íons potássio e bicarbonato são secretados. A aldosterona aumenta muito a reabsorção de cloreto de sódio e a secreção de potássio pelos ductos. O efeito nas glândulas sudoríparas é importante para conservar o sal corporal em ambientes quentes (ver Capítulo 74), e o efeito nas glândulas salivares é necessário para conservar o sal quando quantidades excessivas de saliva são perdidas.

A aldosterona também estimula muito a absorção intestinal de sódio, principalmente no cólon, o que impede a perda de sódio nas fezes. Por outro lado, na ausência de aldosterona, a absorção de sódio pode ser insuficiente, levando à incapacidade de absorver cloreto e outros ânions, além da água. O cloreto de sódio e a água não absorvidos geram, então, diarreia, resultando em uma perda ainda maior de sal pelo organismo.

MECANISMO CELULAR DE AÇÃO DA ALDOSTERONA

Embora os efeitos gerais dos mineralocorticoides no organismo sejam conhecidos há muito tempo, os mecanismos moleculares das ações da aldosterona nas células tubulares para aumentar o transporte de sódio ainda não estão totalmente esclarecidos. No entanto, a sequência celular de eventos que leva ao aumento da reabsorção de sódio parece se desenvolver do seguinte modo:

Primeiro, por causa de sua lipossolubilidade nas membranas celulares, a aldosterona se difunde facilmente para o interior do células epiteliais tubulares.

Segundo, no citoplasma das células tubulares, a aldosterona se combina com os *receptores mineralocorticoides*

(RM) proteicos citoplasmáticos altamente específicos (ver **Figura 78.4**), os quais têm uma configuração molecular espacial que só se combina à aldosterona ou a outros compostos semelhantes. Embora os RM das células epiteliais tubulares renais também apresentem uma alta afinidade para o cortisol, a enzima 11β-HSD2 normalmente converte a maior parte do cortisol em cortisona, que não se liga prontamente aos RM, conforme discutido.

Terceiro, o complexo aldosterona-receptor ou um produto desse complexo se difunde para o núcleo, onde pode passar por mais alterações adicionais, induzindo, finalmente uma ou mais porções específicas do DNA para formar um ou mais tipos de RNA mensageiro (RNAm), relacionados ao processo de transporte de sódio e potássio.

Quarto, o RNAm difunde-se de volta ao citoplasma, onde, agindo com os ribossomos, causa a formação de proteínas. As proteínas formadas são uma mistura de (1) uma ou mais enzimas; e (2) proteínas de transporte de membrana, que, agindo em conjunto, são necessárias para o transporte de sódio, potássio e hidrogênio, através da membrana celular (ver **Figura 78.4**). Uma das enzimas especialmente produzidas é sódio-potássio trifosfatase de adenosina (Na+/K+ ATPase), que serve como principal parte da bomba da troca de sódio e potássio nas *membranas basolaterais* das células tubulares renais. Proteínas adicionais, talvez igualmente importantes, são as *proteínas dos canais epiteliais de sódio* e as *dos canais de potássio* inseridos na *membrana luminal* das mesmas células tubulares; esses canais permitem a difusão rápida de íons sódio do lúmen tubular para o interior da célula e difusão de potássio do interior da célula ao lúmen tubular (ver Capítulos 28 e 30 para uma discussão mais aprofundada sobre os efeitos da aldosterona no transporte de sódio, potássio e hidrogênio pelas células epiteliais tubulares renais).

Assim, a aldosterona não apresenta um efeito imediato importante no transporte de sódio; em vez disso, esse efeito somente ocorre após a sequência de eventos que leva à formação de substâncias intracelulares específicas necessárias para o seu transporte. Cerca de 30 minutos são necessários para a produção de um novo RNA nas células, e cerca de 45 minutos para que o transporte de sódio e potássio comece a aumentar; esses efeitos atingem um máximo somente após várias horas.

POSSÍVEIS AÇÕES NÃO GENÔMICAS DA ALDOSTERONA E DE OUTROS HORMÔNIOS ESTEROIDES

Alguns estudos sugerem que muitos esteroides, incluindo a aldosterona, não provocam apenas efeitos *genômicos* de desenvolvimento lento, com latência de 45 a 60 minutos, e que necessitam da transcrição e da síntese de novas proteínas; mas também mais efeitos *não genômicos* rápidos, que ocorrem em alguns segundos ou minutos.

Acredita-se que essas ações não genômicas sejam mediadas por ligação de esteroides a receptores de membrana celular que são acoplados a sistemas de segundo mensageiro, semelhantes àqueles usados para a transdução de sinal dos hormônios peptídicos. Para exemplo, demonstrou-se que a aldosterona aumenta a formação de monofosfato de adenosina cíclico (AMPc) nas células musculares lisas vasculares e nas células epiteliais dos túbulos coletores renais em menos de 2 minutos, período muito curto para a transcrição gênica e a síntese de novas proteínas. Em outros tipos de células, demonstrou-se que a aldosterona estimula rapidamente o sistema de segundo mensageiro do fosfatidilinositol. No entanto, a estrutura exata dos receptores responsáveis pelos efeitos rápidos da aldosterona não foi determinada, e o significado fisiológico dessas ações não genômicas dos esteroides também não é bem conhecido.

REGULAÇÃO DA SECREÇÃO DE ALDOSTERONA

A regulação da secreção de aldosterona está tão profundamente interligada à regulação das concentrações de eletrólitos no líquido extracelular, volume do líquido extracelular, volume sanguíneo, pressão arterial e muitos aspectos especiais da função renal, que é difícil discutir o controle da secreção de aldosterona independentemente de todos esses outros fatores. Esse assunto é apresentado em mais detalhes nos Capítulos 28 e 30, aos quais o leitor é encaminhado. No entanto, é importante listar aqui alguns dos pontos mais importantes do controle da secreção de aldosterona.

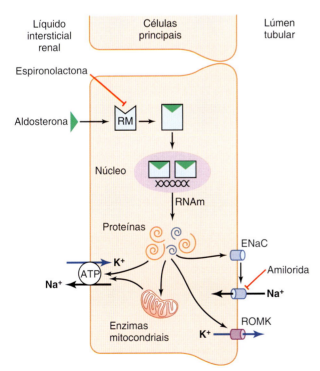

Figura 78.4 Vias de sinalização de células epiteliais sensíveis à aldosterona. A ativação do receptor mineralocorticoide (RM) pela aldosterona pode ser antagonizada com espironolactona. A amilorida é um fármaco que pode ser usado para bloquear as proteínas do canal epitelial do sódio epitelial (ENaC). ATP, trifosfato de adenosina; ROMK, canal renal medular externo do potássio.

A regulação da secreção de aldosterona pelas células da zona glomerular é quase inteiramente independente da regulação do cortisol e dos androgênios pelas zonas fasciculadas e reticular.

Os seguintes fatores são conhecidos por desempenhar papéis essenciais na regulação de aldosterona:

1. O aumento da concentração de íons potássio no líquido extracelular *aumenta* muito a secreção de aldosterona.
2. O aumento da concentração de angiotensina II no líquido extracelular também *aumenta* muito a secreção de aldosterona.
3. O aumento da concentração de íons sódio no líquido extracelular *reduz pouco* a secreção de aldosterona.
4. O aumento do peptídeo atrial natriurético (PAN), um hormônio secretado pelo coração quando as células específicas dos átrios cardíacos são alongadas (ver Capítulo 28), *diminui* a secreção de aldosterona.
5. O ACTH, formado pela adeno-hipófise, é necessário para a secreção de aldosterona, mas tem um pequeno efeito no controle da secreção na maioria das condições fisiológicas.

Desses fatores, a *concentração de íons potássio* e a *angiotensina II* são, sem dúvida, os mais potentes na regulação da secreção de aldosterona. Uma pequena elevação percentual na concentração de íons potássio pode provocar um aumento de várias vezes na referida secreção. Da mesma forma, o aumento da angiotensina II, geralmente em resposta à diminuição do fluxo sanguíneo para os rins ou à perda de sódio, pode aumentar a secreção de aldosterona várias vezes. Por sua vez, a aldosterona atua nos rins: (1) para ajudá-los a excretarem o excesso de íons potássio e (2) para aumentar o volume sanguíneo e a pressão arterial, retornando o sistema renina-angiotensina em direção a seu nível normal de atividade. Esses mecanismos de controle de *feedback* são essenciais para manter a vida, e o leitor é referenciado novamente aos Capítulos 28 e 30 para ter uma visão mais completa da descrição das suas funções.

A **Figura 78.5** mostra os efeitos na concentração plasmática de aldosterona, causados pelo bloqueio da formação de angiotensina II por um inibidor da enzima conversora de angiotensina após várias semanas de dieta com um baixo teor de sódio, o que aumenta a concentração plasmática de aldosterona. Observe que o bloqueio da formação de angiotensina II reduz, acentuadamente, a concentração plasmática de aldosterona, sem alterar significativamente a concentração de cortisol, o que indica o importante papel da angiotensina II na estimulação da secreção de aldosterona quando a ingestão de sódio e o volume do líquido extracelular são reduzidos.

Por outro lado, os efeitos de PAN, concentração de íon sódio *per se* e ACTH no controle da secreção de aldosterona são geralmente mínimos. No entanto, uma redução de 10 a 20% da concentração de íons sódio no líquido extracelular, que ocorre em raras ocasiões, pode aumentar a secreção de aldosterona em cerca de 50%. Um aumento na concentração de PAN, secundariamente à expansão do

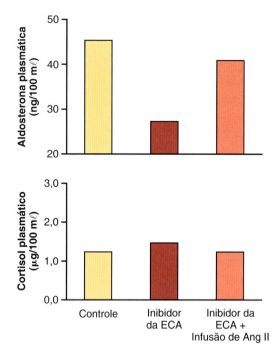

Figura 78.5 Efeitos do tratamento da depleção de sódio em cães com um inibidor da enzima conversora de angiotensina (ECA) durante 7 dias para bloquear a formação de angiotensina II (Ang II) e da infusão de Ang II exógena para restaurar seus níveis plasmáticos após a inibição da ECA. Observe que o bloqueio da formação de Ang II reduziu a concentração plasmática de aldosterona, mas teve um pequeno efeito sobre o cortisol, demonstrando o importante papel da Ang II na estimulação da secreção de aldosterona durante a depleção de sódio. (*Dados de Hall JE, Guyton AC, Smith MJ Jr et al.: Chronic blockade of angiotensin II formation during sodium deprivation. Am J Physiol 237: F424, 1979.*)

volume de plasma e à distensão dos átrios cardíacos, pode induzir natriurese, em parte pela inibição da aldosterona secreção. No caso do ACTH, até mesmo uma pequena quantidade secretada pela glândula adeno-hipófise geralmente é suficiente para permitir que as glândulas adrenais secretem qualquer quantidade de aldosterona necessária, mas a ausência total de ACTH pode reduzir significativamente a secreção de aldosterona. Portanto, ACTH parece desempenhar um papel "permissivo" na regulação da secreção de aldosterona.

FUNÇÕES DOS GLICOCORTICOIDES

Mesmo que os mineralocorticoides possam salvar a vida de um animal agudamente adrenalectomizado, o animal ainda estará muito longe do normal. Em vez disso, os sistemas metabólicos do animal para utilização de proteínas, carboidratos e lipídios permanecem muito alterados. Além disso, o animal não resiste a diferentes tipos de estresse físico ou mesmo mental, e doenças leves, como infecções do trato respiratório, podem levá-lo à morte. Portanto, os glicocorticoides têm funções tão importantes para a manutenção da vida prolongada do animal quanto os mineralocorticoides. Essas funções são explicadas nas seções a seguir.

CAPÍTULO 78 Hormônios Adrenocorticais

Pelo menos 95% da atividade glicocorticoide das secreções adrenocorticais resultam da secreção de *cortisol*, também conhecido como *hidrocortisona*. Além disso, uma pequena, mas significativa, quantidade de atividade glicocorticoide é produzida pela *corticosterona*.

EFEITOS DO CORTISOL NO METABOLISMO DOS CARBOIDRATOS

Estímulo da gliconeogênese.
O efeito metabólico mais bem conhecido do cortisol e de outros glicocorticoides é a sua capacidade de estimular a gliconeogênese (ou seja, a formação de carboidratos a partir de proteínas e de algumas outras substâncias) pelo fígado, cuja atividade frequentemente aumenta de até 6 a 10 vezes. Esse aumento da taxa de gliconeogênese resulta principalmente de efeitos do cortisol no fígado, bem como da antagonização dos efeitos da insulina.

1. *O cortisol aumenta as enzimas necessárias para converter aminoácidos em glicose pelas células do fígado.* Os glicocorticoides ativam a transcrição de DNA nos núcleos das células hepáticas – ação semelhante à da aldosterona nas células tubulares renais – com formação de RNAm, que, por sua vez, gera o conjunto de enzimas necessárias para a gliconeogênese.
2. *O cortisol provoca a mobilização de aminoácidos a partir de tecidos extra-hepáticos, principalmente dos músculos.* Como resultado, mais aminoácidos são disponibilizados no plasma para entrar no processo de gliconeogênese pelo fígado e, assim, promover a formação de glicose.
3. *O cortisol antagoniza os efeitos da insulina para inibir a gliconeogênese no fígado.* Conforme discutido no Capítulo 79, a insulina estimula a síntese de glicogênio no fígado e inibe enzimas envolvidas na produção de glicose pelo fígado. O efeito final do cortisol é causar o aumento da produção de glicose pelo fígado.

A elevação acentuada das reservas de glicogênio nas células hepáticas, que acompanha o aumento da gliconeogênese, potencializa os efeitos de outros hormônios glicolíticos, tais como a adrenalina e o glucagon, para mobilizar a glicose em momentos de necessidade, como entre as refeições.

Diminuição da utilização de glicose pelas células.
O cortisol também provoca uma redução moderada na utilização de glicose pela maioria das células do corpo. Embora a causa exata dessa diminuição não seja clara, um efeito importante do cortisol é diminuir a translocação dos transportadores de glicose *GLUT 4* para a membrana celular, especialmente nas células do músculo esquelético, levando à *resistência à insulina*. Os glicocorticoides também podem deprimir a expressão e a fosforilação de outras cascatas de sinalização que influenciam a utilização de glicose direta ou indiretamente, afetando o metabolismo das proteínas e dos lipídios. Por exemplo, os glicocorticoides reduzem a expressão do substrato do receptor de insulina 1 e fosfatidilinositol 3 quinase, ambos envolvidos na mediação das ações de insulina, bem como na oxidação de nicotinamida-adenina dinucleotídio (NADH) para formar NAD$^+$. Como o NADH deve ser oxidado para permitir a glicólise, esse efeito também contribui para a redução da utilização de glicose pelas células.

Concentração elevada de glicose sanguínea e "diabetes adrenal".
Tanto o aumento da gliconeogênese quanto a redução moderada na utilização de glicose pelas células provocam a elevação da concentração sanguínea de glicose. Essa elevação, por sua vez, estimula a secreção de insulina. Os níveis plasmáticos aumentados de insulina, no entanto, não são tão eficazes na manutenção da glicose plasmática como em condições normais. Por motivos que foram discutidos anteriormente, os altos níveis de glicocorticoides reduzem a sensibilidade de muitos tecidos, especialmente do músculo esquelético e do adiposo, aos efeitos estimulantes da insulina na captação e na utilização da glicose. Além dos possíveis efeitos diretos do cortisol na expressão de transportadores de glicose e nas enzimas envolvidas na regulação da glicose, os altos níveis de ácidos graxos, causados pelo efeito dos glicocorticoides na mobilização de lipídios a partir dos depósitos de gordura, podem prejudicar as ações da insulina nos tecidos. Dessa forma, o excesso de secreção de glicocorticoides pode produzir distúrbios no metabolismo de carboidratos semelhantes àqueles encontrados em pacientes com níveis excessivos de hormônio de crescimento.

Em alguns casos, o aumento da concentração de glicose no sangue é tão grande ($\geq$ 50% do normal) que a condição é chamada de *diabetes adrenal*. A administração de insulina reduz apenas moderadamente a concentração sanguínea de glicose no diabetes adrenal – muito menos do que no diabetes pancreático – porque os tecidos são resistentes aos efeitos da insulina.

EFEITOS DO CORTISOL NO METABOLISMO PROTEICO

Degradação das proteínas celulares (proteólise).
Um dos principais efeitos do cortisol nos sistemas metabólicos do organismo é a redução das reservas de proteína em, essencialmente, todas as células do corpo, exceto no fígado. Essa redução é causada tanto pela diminuição da síntese de proteínas como pelo aumento do catabolismo de proteínas já presentes. Ambos os efeitos podem resultar, em parte, da diminuição do transporte de aminoácidos para os tecidos extra-hepáticos, como discutido posteriormente; entretanto, essa não é, provavelmente, a principal causa, porque o cortisol também reduz a formação de RNA e a subsequente síntese proteica em muitos tecidos extra-hepáticos, especialmente nos músculos e tecidos linfoides.

Na presença de excessos de cortisol, os músculos podem ficar tão fracos, que o indivíduo não consegue se levantar da posição agachada. Além disso, as funções imunológicas dos tecidos linfoides podem ser reduzidas até apenas uma fração do normal.

PARTE 14 Endocrinologia e Reprodução

O cortisol aumenta as proteínas do fígado e do plasma. Ao mesmo tempo que os efeitos dos glicocorticoides reduzem as proteínas nas demais partes do corpo, as proteínas hepáticas são aumentadas. Consequentemente, as proteínas plasmáticas (produzidas pelo fígado e, depois, liberadas para a circulação) também se elevam. Esses aumentos são exceções à depleção de proteínas que ocorre nas demais partes do corpo. Acredita-se que essa diferença resulte de um possível efeito do cortisol para estimular o transporte de aminoácidos para as células hepáticas – mas não na maioria das outras células – e para aumentar a produção de enzimas hepáticas necessárias para a síntese de proteínas.

Aumento de aminoácidos sanguíneos, redução do transporte de aminoácidos para as células extra-hepáticas e aumento do transporte para as células hepáticas. Estudos em tecidos isolados demonstraram que o cortisol reduz o transporte de aminoácidos para as células musculares e, talvez, para outras células extra-hepáticas.

O transporte reduzido de aminoácidos para as células extra-hepáticas diminui suas concentrações de aminoácidos intracelulares e, consequentemente, diminui a síntese de proteínas. No entanto, o catabolismo proteico nas células continua a liberar aminoácidos que se difundem para fora das células, aumentando a concentração plasmática de aminoácidos. Portanto, o *cortisol mobiliza aminoácidos nos tecidos não hepáticos* e, dessa forma, reduz as reservas teciduais de proteína.

Maior concentração plasmática de aminoácidos e o aumento do seu transporte para as células hepáticas pelo cortisol também podem ser responsáveis pela maior utilização de aminoácidos pelo fígado para causar efeitos, tais como: (1) aumento da desaminação de aminoácidos pelo fígado, (2) aumento da síntese proteica no fígado, (3) aumento da formação de proteínas plasmáticas pelo fígado e (4) aumento da conversão de aminoácidos em glicose – isto é, da gliconeogênese. Assim, é possível que muitos dos efeitos do cortisol nos sistemas metabólicos do organismo resultem, principalmente, de sua capacidade de mobilizar aminoácidos dos tecidos periféricos, ao mesmo tempo em que aumenta as enzimas necessárias para os efeitos hepáticos.

EFEITOS DO CORTISOL NO METABOLISMO LIPÍDICO

Mobilização de ácidos graxos. Da mesma maneira que o cortisol promove a mobilização de aminoácidos dos músculos, também promove a mobilização de ácidos graxos do tecido adiposo (lipólise). Essa mobilização eleva a concentração de ácidos graxos livres no plasma, o que também aumenta sua utilização para a obtenção de energia. O cortisol também parece exercer um efeito direto no aumento da oxidação de ácidos graxos nas células.

O mecanismo pelo qual o cortisol promove a mobilização de ácidos graxos não é totalmente compreendido. No entanto, parte do efeito, provavelmente, resulta do transporte reduzido de glicose para as células adiposas. Lembre-se de que o α-glicerofosfato, derivado da glicose, é necessário para a deposição e para a manutenção de triglicerídeos nessas células. Em sua ausência, as células adiposas começam a liberar ácidos graxos.

O aumento da mobilização de gorduras pelo cortisol, combinado à maior oxidação de ácidos graxos nas células, contribui para que os sistemas metabólicos celulares deixem de utilizar glicose para a obtenção de energia e passem a utilizar ácidos graxos em momentos de jejum ou de outros estresses. Esse mecanismo do cortisol, no entanto, requer várias horas para ficar totalmente funcional – um efeito não tão rápido nem tão potente quanto o efeito semelhante provocado por diminuição da insulina, como discutido no Capítulo 79. No entanto, o aumento do uso de ácidos graxos para a geração metabólica de energia é um fator importante para a conservação, a longo prazo, da glicose e do glicogênio corporais.

O excesso de cortisol causa obesidade. Apesar do cortisol poder provocar um grau moderado de mobilização de ácidos graxos do tecido adiposo, um tipo peculiar de obesidade se desenvolve em muitas pessoas com excesso de secreção de cortisol, com deposição excessiva de gordura no tórax e na cabeça, gerando sinais clínicos chamados de "giba de búfalo" e "face em lua cheia". Embora sua causa seja desconhecida, foi sugerido que essa obesidade resulte do estímulo excessivo à ingestão de alimentos, de modo que a gordura seja gerada em alguns tecidos do corpo mais rapidamente do que é mobilizada e oxidada.

O CORTISOL É IMPORTANTE NA RESISTÊNCIA AO ESTRESSE E AO PROCESSO INFLAMATÓRIO

Praticamente, qualquer tipo de estresse, físico ou neurogênico, provoca um aumento imediato e acentuado da secreção de ACTH pela adeno-hipófise, seguido, minutos depois, por um aumento da secreção adrenocortical de cortisol. Esse efeito é bem demonstrado pelo experimento mostrado na **Figura 78.6**, no qual a formação e a secreção de corticosteroides aumentaram em 6 vezes em um rato, dentro de 4 a 20 minutos após a fratura dos ossos de ambas as pernas.

Na lista a seguir, detalham-se alguns dos diferentes tipos de estresse que aumentam a liberação de cortisol:

1. Traumatismo.
2. Infecção.
3. Calor ou frio intenso.
4. Injeção de noradrenalina e de outros fármacos simpaticomiméticos.
5. Cirurgia.
6. Injeção de substâncias necrosantes sob a pele.
7. Restrição dos movimentos do animal.
8. Doenças debilitantes.

Mesmo que a secreção de cortisol, frequentemente, aumente muito em situações de estresse, não se sabe por que

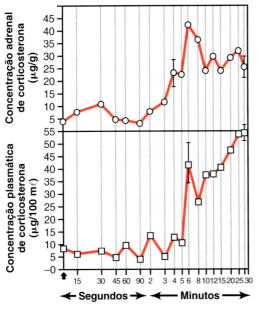

Figura 78.6 Reação rápida do córtex adrenal de um rato ao estresse causado pela fratura da tíbia e da fíbula no tempo zero (no rato, é secretada corticosterona, em vez de cortisol).

isso representa um benefício significativo para o animal. Uma possibilidade é que os glicocorticoides causem uma rápida mobilização de aminoácidos e gorduras a partir de suas reservas celulares, tornando-os disponíveis para a geração de energia e para a síntese de novos compostos, incluindo a glicose, necessários aos diferentes tecidos do organismo. De fato, demonstrou-se, em algumas situações, que tecidos lesados, momentaneamente depletados de proteínas, podem usar os novos aminoácidos disponíveis para formar novas proteínas, que são essenciais para a vida celular. Além disso, os aminoácidos são, talvez, utilizados para sintetizar outras substâncias intracelulares essenciais, tais como purinas, pirimidinas e fosfato de creatina, necessários à manutenção da vida celular e à produção de novas células.

Entretanto, isso é mera suposição. Essas hipóteses são corroboradas apenas pelo fato de que o cortisol, geralmente, não mobiliza as proteínas funcionais básicas das células, tais como as proteínas musculares contráteis e as proteínas dos neurônios, até que praticamente todas as demais proteínas tenham sido liberadas. Esse efeito preferencial do cortisol na mobilização de proteínas lábeis poderia disponibilizar aminoácidos para as células necessitadas de sintetizar substâncias fundamentais à vida.

Efeitos anti-inflamatórios do cortisol em altas concentrações

Quando os tecidos são lesados por traumatismo, infecção bacteriana ou outros fatores, quase sempre se tornam "inflamados". Em algumas condições, como na artrite reumatoide, o processo inflamatório é mais prejudicial do que o traumatismo ou a doença em si. A administração de grandes quantidades de cortisol, geralmente, bloqueia esse processo inflamatório ou mesmo reverte muitos de seus efeitos, uma vez que tenham começado. Antes de tentar explicar a forma como o cortisol bloqueia o processo inflamatório, vamos revisar as etapas básicas do processo inflamatório, discutidos em mais detalhes no Capítulo 34.

O processo inflamatório tem cinco estágios principais: (1) a liberação de substâncias químicas – pelas células do tecido danificado – que ativam o processo inflamatório, como a histamina, a bradicinina, as enzimas proteolíticas, as prostaglandinas e os leucotrienos; (2) um aumento no fluxo sanguíneo na área inflamada, causado por alguns dos produtos liberados pelos tecidos, que é chamado de *eritema*; (3) o extravasamento de grandes quantidades de plasma quase puro dos capilares para as áreas danificadas por causa do aumento da permeabilidade capilar, seguido por coagulação do líquido tecidual, causando, assim, um *edema*; (4) a infiltração da área por leucócitos; e (5) depois de dias ou semanas, o crescimento de tecido fibroso, que contribui para o processo regenerativo.

Quando uma grande quantidade de cortisol é secretada ou injetada em uma pessoa, o glicocorticoide exerce dois *processos anti-inflamatórios* básicos: (1) o bloqueio dos estágios iniciais do processo inflamatório, antes mesmo do início do processo inflamatório considerável; ou (2) se o processo inflamatório já começou, causa uma rápida resolução do processo inflamatório e um aumento da velocidade da cura. Esses efeitos serão explicados nas seções seguintes.

O cortisol impede o desenvolvimento do processo inflamatório por estabilizar os lisossomos e por outros efeitos. O cortisol apresenta os seguintes efeitos na prevenção do processo inflamatório:

1. *O cortisol estabiliza as membranas lisossomais*. Essa estabilização é um de seus mais importantes efeitos anti-inflamatórios porque torna muito mais difícil a ruptura das membranas dos lisossomos intracelulares. Portanto, a maior parte das enzimas proteolíticas liberadas por células lesadas que provocam o processo inflamatório, principalmente armazenadas nos lisossomos, é liberada em quantidades muito reduzidas.

2. *O cortisol diminui a permeabilidade dos capilares*, provavelmente como um efeito secundário da redução da liberação de enzimas proteolíticas. Essa diminuição da permeabilidade impede a perda de plasma para os tecidos.

3. *O cortisol reduz a migração de leucócitos para a área inflamada e a fagocitose das células lesadas*. Esses efeitos, provavelmente, resultam do fato de o cortisol diminuir a formação de prostaglandinas e leucotrienos, que, de outra forma, aumentariam a vasodilatação, a permeabilidade capilar e mobilidade dos leucócitos.

4. *O cortisol suprime o sistema imunológico, reduzindo acentuadamente a reprodução dos linfócitos*. Os linfócitos T são, especialmente, suprimidos. Por sua vez, quantidades reduzidas de células T e de anticorpos na área inflamada reduzem as reações teciduais que promoveriam o processo inflamatório.

5. *O cortisol atenua a febre principalmente porque reduz a liberação de interleucina-1 a partir dos leucócitos*, que é

PARTE 14 Endocrinologia e Reprodução

um dos principais estimuladores do sistema de controle hipotalâmico da temperatura. A diminuição da temperatura, por sua vez, reduz o grau de vasodilatação.

Assim, o cortisol tem um efeito praticamente global na redução de todos os aspectos do processo inflamatório. Não está claro quanto dessa redução resulta do simples efeito do cortisol na estabilização das membranas lisossomais e celulares e quanto resulta da redução da formação de prostaglandinas e dos leucotrienos, a partir do ácido araquidônico, nas membranas das células lesadas, e de outros efeitos.

O cortisol causa a resolução do processo inflamatório. Até mesmo depois do estabelecimento completo do processo inflamatório, a administração de cortisol, muitas vezes, pode reduzi-lo dentro de algumas horas ou dias. O efeito imediato é o bloqueio da maioria dos fatores que o promovem. Além disso, ocorre a aceleração do processo de cura. Isso provavelmente resulta dos mesmos fatores indefinidos, principalmente que permitem que o corpo resista a muitos outros tipos de estresse quando grandes quantidades de cortisol são secretadas. Talvez isso resulte de: (1) mobilização de aminoácidos e uso desses ácidos para reparar os tecidos danificados; (2) aumento da glicogênese, que disponibiliza maior quantidade de glicose nos sistemas metabólicos essenciais; (3) maior disponibilidade de ácidos graxos para produção de energia celular; ou (4) algum efeito do cortisol para inativar ou remover produtos dos processos inflamatórios.

Independentemente dos mecanismos precisos pelos quais o efeito anti-inflamatório ocorre, o cortisol desempenha um papel importante no combate a certos tipos de doenças, tais como: artrite reumatoide, febre reumática e glomerulonefrite aguda. Todas essas doenças são caracterizadas por processo inflamatório local intenso, e os efeitos prejudiciais no corpo são causados principalmente pelo processo inflamatório associado à doença.

Quando o cortisol ou outros glicocorticoides são administrados para pacientes com essas doenças, o processo inflamatório quase invariavelmente começa a diminuir em 24 horas. Embora o cortisol não corrija a condição patológica básica, a prevenção dos efeitos lesivos da resposta inflamatória, muitas vezes, salva a vida do paciente.

Outros efeitos do cortisol

O cortisol bloqueia a resposta inflamatória a reações alérgicas. A reação alérgica básica entre antígeno e anticorpo não é afetada pelo cortisol, e até mesmo alguns dos efeitos secundários da reação alérgica ainda ocorrem. Contudo, como a resposta inflamatória é responsável por muitos dos efeitos graves e, às vezes, letais das reações alérgicas, a administração de cortisol, dado seu efeito na redução do processo inflamatório e a liberação de produtos inflamatórios, pode salvar vidas. Por exemplo, o cortisol previne efetivamente o choque ou a morte como resultado da ana-

filaxia, uma condição que muitas vezes é fatal, conforme explicado no Capítulo 35.

Efeito nas células sanguíneas e na imunidade em doenças infecciosas. O cortisol reduz o número de eosinófilos e de linfócitos no sangue; esse efeito começa dentro de poucos minutos após a injeção de cortisol e torna-se acentuado após algumas horas. Na verdade, o achado de linfocitopenia ou eosinopenia é um critério diagnóstico importante da superprodução de cortisol pela glândula adrenal.

Da mesma forma, a administração de grandes doses de cortisol provoca atrofia significativa de todos os tecidos linfoides do organismo, o que, por sua vez, diminui a produção de células T e de anticorpos. Como resultado, o nível da imunidade contra quase todos os invasores externos do corpo é reduzido. Essa redução, ocasionalmente, pode levar a infecção fulminantes e à morte por doenças que, de outra forma, não seriam letais, como a tuberculose fulminante em uma pessoa cuja doença já havia sido controlada. No entanto, a capacidade do cortisol e de outros glicocorticoides de suprimir a imunidade os torna agentes úteis na prevenção da rejeição imunológica de corações, rins e outros tecidos transplantados.

O cortisol aumenta a produção de hemácias por mecanismos desconhecidos. Quando as adrenais secretam cortisol em excesso, frequentemente ocorre a policitemia, e, inversamente, quando não o secretam, anemia.

Mecanismo da ação celular do cortisol. O cortisol, como outros hormônios esteroides, exerce seus efeitos ao interagir, primeiramente, com os receptores intracelulares nas células-alvo. Como o cortisol é lipossolúvel, ele pode se difundir facilmente através da membrana celular. Uma vez no interior da célula, o cortisol liga-se a seu receptor proteico no citoplasma, e o complexo hormônio-receptor interage com sequências regulatórias de DNA, chamadas de *elementos de resposta a glicocorticoides*, para induzir ou reprimir a transcrição gênica. Outras proteínas celulares, chamadas de *fatores de transcrição*, também são necessárias para que o complexo hormônio-receptor interaja apropriadamente com os elementos de resposta aos glicocorticoides.

Os glicocorticoides aumentam ou diminuem a transcrição de muitos genes, alterando a síntese de RNAm, que geram proteínas que medeiam seus múltiplos efeitos fisiológicos. Portanto, a maioria dos efeitos metabólicos do cortisol não é imediata, leva de 45 a 60 minutos para que as proteínas sejam sintetizadas, e de até muitas horas ou dias para que se desenvolvam plenamente. Algumas evidências sugerem que os glicocorticoides, especialmente em altas concentrações, também exerçam alguns *efeitos* rápidos *não genômicos* no transporte de íons através da membrana celular, contribuindo para seus efeitos terapêuticos.

Modulação dos efeitos dos glicocorticoides pela 11β-hidroxiesteroide desidrogenase. Um mecanismo importante para a modulação dos efeitos fisiológicos do cortisol é a expressão tecidual local de isoformas da enzima 11β-hidroxiesteroide desidrogenase (11β-HSD). Como discutido, uma isoforma, a 11β-HSD2, metaboliza o cortisol em cortisona inativa no nível de pré-receptor nos túbulos renais e, portanto, protege o receptor mineralocorticoide da ativação pelo cortisol. Essa enzima também está presente em outros tecidos, como o cólon, as glândulas sudoríparas, as glândulas salivares e a placenta (ver **Figura 78.7**). Quando a 11β-HSD2 é deficiente, como ocorre na *síndrome aparente do excesso de mineralocorticoide,* devido a mutações genéticas ou à ingestão excessiva de alcaçuz, ou quando as concentrações de cortisol circulante são extremamente altas, como ocorre na síndrome de Cushing, esse mecanismo para o metabolismo de cortisol fica sobrecarregado. Como resultado, os altos níveis de cortisol ativam fortemente o receptor mineralocorticoide e causam a retenção de sódio, a hipertensão e a hipopotassemia.

Por outro lado, tecidos como o fígado, o cérebro, o tecido adiposo, o músculo esquelético, o pulmão e a pele expressam outra isoforma, a 11β-HSD1, que converte cortisona inativa em cortisol ativo (ver **Figura 78.7**). Assim, a expressão de 11β-HSD1 amplifica os efeitos fisiológicos dos glicocorticoides nos tecidos, enquanto a 11β-HSD2 apresenta o efeito oposto. Por essa razão, a isoforma 11β-HSD2 pode servir como "guardiã" intracelular da ação dos glicocorticoides nos tecidos.

Alguns estudos sugerem que o aumento da expressão de 11β-HSD1 no tecido adiposo e a atividade excessiva de glicocorticoide contribuam para alterações metabólicas, incluindo a resistência à insulina e o diabetes melito, associadas à obesidade. O excesso de 11β-HSD1 no cérebro também foi associado ao declínio cognitivo no envelhecimento. No entanto, os fatores fisiológicos que regulam essas isoformas de 11β-HSD e a sua atuação em doenças comuns, como obesidade e demência, ainda são mal compreendidos.

REGULAÇÃO DA SECREÇÃO DE CORTISOL PELO HORMÔNIO ADRENOCORTICOTRÓFICO DA GLÂNDULA HIPÓFISE

O ACTH estimula a secreção de cortisol. Ao contrário da secreção de aldosterona pela zona glomerular, que é controlada, principalmente, pela ação direta do potássio e da angiotensina II sobre as células adrenocorticais, a secreção de cortisol é controlada quase inteiramente por ACTH, que é secretado pela adeno-hipófise. Esse hormônio, também chamado de *corticotrofina* ou *adrenocorticotrofina*, também estimula a produção de androgênios adrenais.

Bioquímica do ACTH. O ACTH foi isolado em forma pura a partir da adeno-hipófise. É um grande polipeptídeo, com cadeia de 39 aminoácidos. Um polipeptídeo menor, produto da digestão do ACTH, com cadeia de 24 aminoácidos, tem todos os efeitos da molécula completa.

A secreção de ACTH é controlada pelo hormônio liberador de corticotrofina (CRH) do hipotálamo. Assim como outros hormônios hipofisários são controlados por fatores liberadores do hipotálamo, um importante fator liberador controla a secreção de ACTH. Esse fator é chamado de *hormônio liberador de corticotrofina (CRH)*. É secretado no plexo capilar primário do sistema porta hipofisário, na eminência mediana do hipotálamo e, então, transportado para a adeno-hipófise, onde induz a secreção de ACTH. O CRH é um peptídeo composto por 41 aminoácidos. Os corpos celulares dos neurônios que secretam CRH estão localizados, principalmente, no núcleo paraventricular do hipotálamo. Esse núcleo, por sua vez, recebe muitas conexões nervosas do sistema límbico e do tronco encefálico inferior.

A adeno-hipófise pode secretar apenas uma quantidade diminuta de ACTH, na ausência de CRH. Ao contrário, a maioria das condições que causam altas concentrações secretoras de ACTH inicia a secreção por sinais que começam nas regiões basais do cérebro, incluindo o hipotálamo, e são então transmitidos pelo CRH para a adeno-hipófise.

O ACTH ativa as células adrenocorticais para produzir esteroides pelo aumento do AMPc. O principal efeito do ACTH nas células adrenocorticais é a ativação da *adenililciclase* na membrana celular. Essa ativação induz a formação de AMPc no citoplasma celular, atingindo seu efeito máximo em cerca de 3 minutos. O AMPc, por sua vez, ativa as enzimas intracelulares que causam a formação dos hormônios adrenocorticais. Esse é outro exemplo do AMPc como um sistema sinalizador de *segundo mensageiro*.

A mais importante de todas as etapas estimuladas por ACTH no controle da secreção adrenocortical é a ativação da enzima *proteinoquinase A,* que *causa a conversão inicial de colesterol em pregnenolona.* Essa é a "etapa limitante" da produção de todos os hormônios adrenocorticais, o que explica por que o ACTH é, normalmente, necessário para que qualquer hormônio adrenocortical seja formado. O estímulo a longo prazo do córtex adrenal por ACTH não só aumenta a atividade secretora, mas também causa a hipertrofia e a proliferação das células adrenocorticais, especialmente na zona fasciculada e na zona reticular, onde o cortisol e os androgênios são secretados.

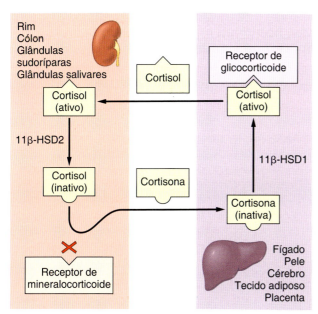

Figura 78.7 Interconversão de cortisol ativo e cortisona inativa em vários tecidos pelas duas isoformas de 11β-desidrogenase hidroxiesteroide (11β-HSD1 e 11β-HSD2).

O estresse fisiológico aumenta a secreção adrenocortical e de ACTH. Conforme apontado neste capítulo, quase qualquer tipo de estresse físico ou mental pode levar, em minutos, a uma secreção bastante aumentada de ACTH e, consequentemente, de cortisol, muitas vezes aumentando a secreção de cortisol em até 20 vezes. Esse efeito foi demonstrado pelas rápidas e intensas respostas secretoras adrenocorticais após o traumatismo mostrado na **Figura 78.6**.

Estímulos de dor causados por estresse físico ou lesões teciduais são, inicialmente, transmitidos para cima por meio do tronco encefálico aos neurônios do núcleo paraventricular e, eventualmente, para a eminência mediana do hipotálamo, como mostrado na **Figura 78.8**, onde o CRH é secretado para o sistema porta hipofisário. Em alguns minutos, toda a sequência de controle desencadeia grandes quantidades de cortisol no sangue.

O estresse mental pode causar um aumento igualmente rápido na secreção de ACTH. Acredita-se que esse aumento resulte do aumento da atividade no sistema límbico, especialmente na região da amígdala e do hipocampo, que transmitem, então, sinais para o hipotálamo posteromedial.

Efeito inibitório do cortisol no hipotálamo e na adeno-hipófise para reduzir a secreção de ACTH.
O cortisol tem efeitos de *feedback* negativo direto sobre: (1) o hipotálamo, para diminuir a formação de CRH; e (2) a adeno-hipófise, para diminuir a formação de ACTH. Ambos os *feedback*s ajudam na regulação da concentração plasmática de cortisol. Ou seja, sempre que a concentração de cortisol se torna muito elevada, os processos de *feedback* automaticamente reduzem o ACTH para um nível de controle normal.

Resumo do sistema de controle do cortisol

A **Figura 78.8** mostra todo o sistema de controle da secreção de cortisol. O aspecto fundamental desse controle é a estimulação do hipotálamo por diferentes tipos de estresse. Esses estímulos ativam todo o sistema, provocando a rápida liberação de cortisol, que, por sua vez, inicia uma série de efeitos metabólicos direcionados para aliviar a natureza prejudicial do estado de estresse.

Também ocorre o *feedback* direto do cortisol no hipotálamo e na adeno-hipófise, diminuindo a concentração de cortisol no plasma, em momentos em que o corpo não está passando por estresse. Contudo, os estímulos de estresse são os mais potentes; eles sempre podem se impor ao *feedback* inibitório direto de cortisol, provocando exacerbações periódicas de sua secreção em várias vezes durante o dia (ver **Figura 78.9**) ou sua secreção prolongada em situações de estresse crônico.

Ritmo circadiano da secreção de glicocorticoides. As intensidades de secreção de CRH, ACTH e cortisol são altas no início da manhã, mas baixas no final da noite, conforme mostrado na **Figura 78.9**; o nível plasmático de cortisol varia de um máximo de cerca de 20 $\mu g/d\ell$, uma hora antes de se levantar e um mínimo de cerca de 5 $\mu g/d\ell$, por volta da meia-noite. Esse efeito resulta de uma alteração cíclica de 24 horas nos sinais do hipotálamo que provocam a secreção de cortisol. Quando uma pessoa muda seus hábitos diários de sono, o ciclo muda de forma correspondente. Portanto, as medições dos níveis sanguíneos de cortisol são significativas apenas quando expressas em relação ao momento do ciclo em que as medições são feitas.

Síntese e secreção de ACTH em associação com hormônio melanócito-estimulante, lipotrofina e endorfina

Quando o ACTH é secretado pela adeno-hipófise, vários outros hormônios, que têm estruturas químicas

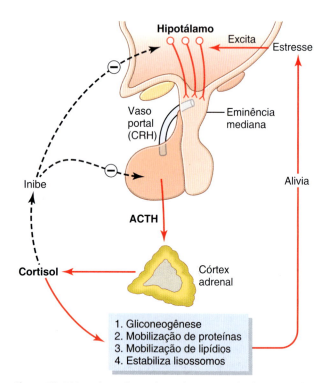

Figura 78.8 Mecanismo de regulação da secreção de glicocorticoides. ACTH, hormônio adrenocorticotrófico; CRH, hormônio liberador de corticotrofina.

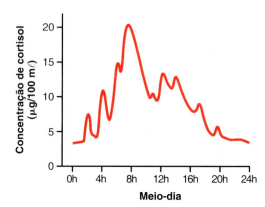

Figura 78.9 Padrão típico de concentração de cortisol durante o dia. Observe as oscilações na secreção, assim como um surto secretor diário aproximadamente uma hora após o despertar.

semelhantes, são secretados simultaneamente. O gene que é transcrito para formar a molécula de RNA que promove a síntese de ACTH causa, inicialmente, a formação de uma proteína consideravelmente maior, um pré-pró-hormônio chamado de *pró-opiomelanocortina* (POMC), que é o precursor do ACTH e de vários outros peptídeos, incluindo *hormônio melanócito-estimulante* (MSH), β-*lipotrofina*, β-*endorfina* e alguns outros (ver **Figura 78.10**). Em condições normais, a maioria desses hormônios não é secretada em quantidade suficientes pela hipófise para exercer um grande efeito no corpo humano, mas, quando a secreção de ACTH está elevada, como pode ocorrer em pessoas com a doença de Addison, a formação de alguns dos demais hormônios derivados de POMC também pode aumentar.

O gene POMC é transcrito ativamente em vários tecidos, incluindo as células corticotróficas da adeno-hipófise, os neurônios POMC no núcleo arqueado do hipotálamo, as células da derme e o tecido linfoide. Em todos esses tipos de células, o POMC é processado para formar uma série de peptídeos menores. Os tipos precisos de produtos derivados do POMC de um determinado tecido depende do tipo de enzimas de processamento presentes no tecido. Portanto, células corticotróficas hipofisárias expressam a *pró-hormônio convertase 1* (PC1), resultando na produção de peptídeo N-terminal, peptídeo de junção, ACTH e β-lipotrofina. No hipotálamo, a expressão de PC2 leva à produção de α-MSH, β-MSH, γ-MSH e β-endorfina, mas não de ACTH. Conforme discutido no Capítulo 72, α-MSH formado por neurônios do hipotálamo desempenha um papel importante na regulação do apetite.

Em *melanócitos* localizados em abundância entre a derme e epiderme, o MSH estimula a formação do pigmento negro *melanina* e o dispersa pela epiderme. A injeção de MSH em uma pessoa, durante 8 a 10 dias, aumenta o escurecimento da pele. O efeito é muito maior em pessoas com pele geneticamente escura do que em pessoas com peles claras.

Em alguns animais, um lobo intermediário da hipófise, chamado de *pars intermedia*, é altamente desenvolvido, localizando-se entre os lobos anterior e posterior. Esse lobo secreta uma quantidade especialmente grande de MSH. Além disso, essa secreção é controlada de forma independente pelo hipotálamo em resposta à quantidade de luz à qual o animal é exposto ou em resposta a outros fatores ambientais. Por exemplo, alguns animais árticos desenvolvem uma pelagem escura no verão, mas inteiramente branca no inverno.

O ACTH, por conter uma sequência de MSH, tem cerca de 1/30 do efeito estimulador de melanócitos do MSH. Além disso, como a quantidade de MSH puro secretada em seres humanos é extremamente pequena, enquanto a de ACTH é grande, é provável que o ACTH seja mais importante do que o MSH na determinação da quantidade de melanina na pele.

Androgênios adrenais

Diversos hormônios sexuais masculinos moderadamente ativos, chamados de *androgênios adrenais* (dos quais o mais importante é a *desidroepiandrosterona [DHEA]*), são continuamente secretados pelo córtex adrenal, especialmente durante a vida fetal, conforme discutido no Capítulo 84. Além disso, a progesterona e o estrogênio, os hormônios sexuais femininos, são secretados em quantidades mínimas.

Normalmente, os androgênios adrenais têm apenas efeitos fracos em seres humanos. É possível que parte do desenvolvimento inicial dos órgãos sexuais masculinos resulte da secreção infantil de androgênios adrenais. Os androgênios adrenais também exercem efeitos leves nas mulheres, não apenas antes da puberdade, mas também ao longo da vida. Uma boa parte do crescimento dos pelos pubianos e axilares em mulheres resulta da ação desses hormônios.

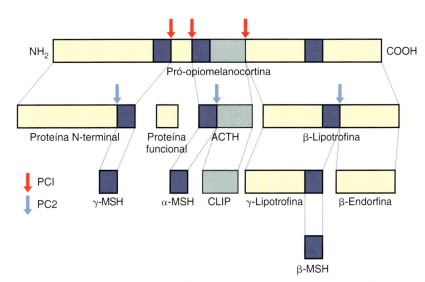

Figura 78.10 Processamento da pró-opiomelanocortina pela pró-hormônio convertase 1, PC 1 (*setas vermelhas*), e PC2 (*setas azuis*). A expressão tecidual específica dessas duas enzimas resulta em diferentes peptídeos produzidos em diversos tecidos. ACTH, hormônio adrenocorticotrófico; CLIP, peptídeo intermediário semelhante à corticotrofina; MSH, hormônio melanócito-estimulante.

PARTE 14 Endocrinologia e Reprodução

Em tecidos extra-adrenais, alguns dos androgênios adrenais são convertidos em testosterona, o principal hormônio sexual masculino, que, provavelmente, é responsável por grande parte de sua atividade androgênica. Os efeitos fisiológicos dos androgênios são discutidos no Capítulo 81, em relação à função sexual masculina.

Anormalidades da secreção adrenocortical

Hipoadrenalismo (insuficiência adrenal): doença de Addison

A doença de Addison resulta da incapacidade do córtex adrenal de produzir hormônios adrenocorticais suficientes, e isso, por sua vez, é mais frequentemente causado por *atrofia primária* ou *lesão* do córtex adrenal. Em cerca de 80% dos casos, a atrofia é causada por autoimunidade contra o córtex. A hipofunção adrenal também pode ser causada por destruição tuberculosa das adrenais ou invasão do córtex adrenal por câncer.

Em alguns casos, a insuficiência adrenal é secundária ao comprometimento da função da glândula hipófise, que apresenta falha na produção suficiente de ACTH. Quando a produção de ACTH é muito baixa, a produção de cortisol e de aldosterona diminui, e, eventualmente, as glândulas adrenais podem se atrofiar devido à falta de estímulo do ACTH. A insuficiência adrenal secundária é muito mais comum do que a doença de Addison, às vezes chamada de *insuficiência adrenal primária*. Distúrbios na insuficiência adrenal grave são descritos nas seções a seguir.

Deficiência de mineralocorticoides. A ausência de secreção de aldosterona diminui muito a reabsorção tubular renal de sódio e, consequentemente, permite que íons sódio, íons cloreto e água sejam eliminados em grande quantidade pela urina. O resultado final é uma grande redução do volume do líquido extracelular. Além disso, surgem a hiponatremia, a hiperpotassemia e a acidose leve, devido à incapacidade da secreção de íons potássio e hidrogênio, em troca da reabsorção de sódio.

Conforme o líquido extracelular se esgota, o volume plasmático cai, a concentração de hemácias aumenta acentuadamente, o débito cardíaco e a pressão arterial diminuem, o paciente pode entrar em choque; a morte geralmente ocorre no paciente não tratado entre 4 dias e 2 semanas após a completa interrupção da secreção de mineralocorticoide.

Deficiência de glicocorticoides. A perda da secreção de cortisol torna impossível – como é o caso dos pacientes portadores da doença de Addison, por exemplo – alcançar a normalização da concentração sanguínea de glicose entre as refeições, pois não há como sintetizar quantidades significativas de glicose pela gliconeogênese. Além disso, a falta de cortisol reduz a mobilização de proteínas e de gorduras dos tecidos, deprimindo muitas outras funções metabólicas do corpo. Essa lentidão de mobilização de energia quando o cortisol não está disponível é um dos principais efeitos prejudiciais da deficiência de glicocorticoides. Mesmo quando existe disponibilidade de quantidades excessivas de glicose e de outros nutrientes, os músculos ficam fracos, indicando que os glicocorticoides são necessários para manter outras funções metabólicas dos tecidos, além do metabolismo energético.

A ausência de secreção adequada de glicocorticoides também torna uma pessoa com doença de Addison altamente suscetível aos efeitos deletérios dos diferentes tipos de estresse, de modo que até mesmo uma infecção respiratória leve pode causar a morte.

Pigmentação pela melanina. Outra característica da maioria dos pacientes com doença de Addison é a hiperpigmentação por melanina das mucosas e da pele. Essa melanina nem sempre é depositada uniformemente, mas, ocasionalmente, é depositada em manchas, majoritariamente nas áreas de pele fina, como as mucosas dos lábios e dos mamilos.

Quando a secreção de cortisol está reduzida, o *feedback* negativo normal ao hipotálamo e à adeno-hipófise também é deprimido, permitindo, portanto, uma secreção aumentada de ACTH, bem como uma secreção simultânea de maiores quantidades de MSH. Provavelmente, as grandes quantidades de ACTH causam a maior parte do efeito de pigmentação porque podem estimular a formação de melanina pelos melanócitos, da mesma forma que o MSH.

Tratamento de pacientes com doença de Addison. Um paciente não tratado com destruição adrenal total morre em poucos dias ou semanas, devido à fraqueza e, geralmente, ao choque circulatório. No entanto, essa pessoa pode viver por anos se pequenas quantidades de mineralocorticoides e de glicocorticoides forem administradas diariamente.

Crise adrenal. Conforme observado neste capítulo, grandes quantidades de glicocorticoides são ocasionalmente secretadas em resposta a diferentes tipos de estresse físico ou mental. Em uma paciente com doença de Addison, a produção de glicocorticoides não aumenta durante o estresse. No entanto, durante diferentes tipos de traumatismo, doença ou outros estresses, como cirurgias, é provável que uma pessoa apresente uma necessidade aguda de quantidades elevadas de glicocorticoides, devendo receber quantidades 10 ou mais vezes superiores ao normal para prevenir a morte.

Essa necessidade crítica de glicocorticoides adicionais e a debilidade intensa associada aos momentos de estresse se chamam crise adrenal (ou *addisoniana*), ou insuficiência adrenal aguda.

Hiperadrenalismo: síndrome de Cushing

A hipersecreção pelo córtex adrenal causa uma cascata complexa de efeitos hormonais chamada de *síndrome de Cushing*. Muitas das anormalidades dessa síndrome se devem à quantidade anormal de cortisol, mas a secreção excessiva de androgênios também causa efeitos importantes. O hipercortisolismo ocorre por múltiplas causas, incluindo (1) adenomas da adeno-hipófise que secretam uma grande quantidade de ACTH, o que causa, em seguida, hiperplasia adrenal e secreção excessiva de cortisol; (2) função anormal do hipotálamo, que resulta em altos níveis de hormônio liberador de corticotrofina, que estimula a secreção de ACTH; (3) "secreção ectópica" de ACTH por tumor em alguma outra parte do corpo, como um carcinoma abdominal; e (4) adenomas do córtex adrenal. Quando a síndrome de Cushing é secundária à secreção excessiva de ACTH pela adeno-hipófise, essa condição é conhecida como *doença de Cushing*.

O excesso de secreção de ACTH é a causa mais comum da síndrome de Cushing, que é caracterizada por níveis plasmáticos elevados de ACTH e de cortisol. A superprodução primária de cortisol pelas adrenais é responsável por cerca de 20 a 25% de casos clínicos de síndrome de Cushing, estando, em geral, associada aos níveis reduzidos de ACTH, devido à inibição por *feedback* da secreção de ACTH pela adeno-hipófise, causada pelo cortisol.

A administração de grandes doses de dexametasona, um glicocorticoide sintético, é usada para distinguir a síndrome de Cushing *dependente de ACTH* da *independente de ACTH*. Geralmente, doses baixas de dexametasona não suprimem a secreção de ACTH nos pacientes com superprodução de hormônio devido a um adenoma hipofisário secretor de ACTH ou por disfunção hipotalâmico-hipofisária. Ao aumentar a dose de dexametasona para níveis muito altos, o ACTH eventualmente é suprimido na maioria dos pacientes com a doença de Cushing. Em contraste, os pacientes com superprodução adrenal primária de cortisol (síndrome de Cushing independente de ACTH) geralmente têm níveis de ACTH baixos ou indetectáveis.

O teste da dexametasona, embora amplamente utilizado, às vezes resulta em um diagnóstico incorreto, porque alguns tumores hipofisários secretores de ACTH respondem à dexametasona com a supressão da secreção de ACTH. Além disso, os tumores malignos não hipofisários que produzem ACTH ectopicamente, como alguns carcinomas de pulmão, não respondem ao *feedback* negativo de glicocorticoides. Portanto, o teste da dexametasona é, em geral, considerado o primeiro passo no diagnóstico diferencial da síndrome de Cushing.

A síndrome de Cushing também pode ocorrer quando grandes quantidades de glicocorticoides são administradas por períodos prolongados por motivos terapêuticos. Por exemplo, pacientes com inflamação crônica, associada a doenças como artrite reumatoide, são frequentemente tratados com glicocorticoides e podem apresentar alguns dos sintomas clínicos da síndrome de Cushing.

Uma característica especial da síndrome de Cushing é a mobilização de gordura da parte inferior do corpo, e sua deposição concomitante nas regiões torácica e abdominal superior, dando origem a uma aparência de giba de búfalo. O excesso de secreção de esteroides também leva a uma aparência edematosa da face, e a potência androgênica de alguns dos hormônios, às vezes, causa acne e hirsutismo (excesso de crescimento de pelos). A aparência da face é, frequentemente, descrita como uma "face em lua cheia", conforme demonstrado em uma paciente com síndrome de Cushing não tratada à esquerda na **Figura 78.11**. Cerca de 80% dos pacientes têm hipertensão, presumivelmente por causa dos efeitos mineralocorticoides do cortisol.

Efeitos da síndrome de Cushing no metabolismo de carboidratos e proteínas.

A abundância de cortisol secretado na síndrome de Cushing pode aumentar a concentração sanguínea de glicose, gerando, ocasionalmente, valores de até 200 mg/dℓ após as refeições – até o dobro do normal. Esse aumento resulta, principalmente, da elevação da gliconeogênese e da redução da utilização de glicose pelos tecidos.

Os efeitos dos glicocorticoides no catabolismo proteico são, frequentemente, intensos na síndrome de Cushing, acarretando uma grande redução das proteínas teciduais em todas as partes do corpo, com exceção do fígado; as proteínas plasmáticas também não são afetadas. A perda de proteínas musculares, em particular, causa fraqueza intensa. O bloqueio da síntese de proteínas nos tecidos linfoides leva à supressão do sistema imunológico, provocando a morte por infecções em muitos desses pacientes. Até mesmo as proteínas das fibras de colágeno no tecido subcutâneo são reduzidas, de modo que os tecidos

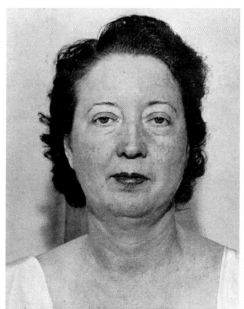
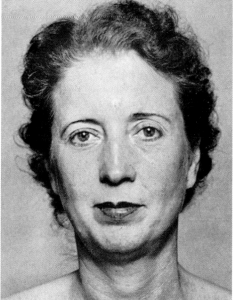

Figura 78.11 Uma pessoa com síndrome de Cushing antes (*à esquerda*) e depois (*à direita*) da adrenalectomia subtotal. (*Cortesia do Dr. Leonard Posey.*)

subcutâneos se tornam frágeis, resultando em grandes *estrias violáceas (arroxeadas)* nos locais lesados. Além disso, a grande redução da deposição de proteínas nos ossos frequentemente provoca *osteoporose*, com consequente fraqueza dos ossos.

Tratamento de pacientes com síndrome de Cushing.
O tratamento da síndrome de Cushing consiste na remoção do tumor adrenal, se essa for a causa, ou na redução da secreção de ACTH, se possível. Hipófises hipertrofiadas ou até mesmo pequenos tumores hipofisários que secretam ACTH em excesso podem, às vezes, ser removidos cirurgicamente ou destruídos por radiação. Fármacos que bloqueiam a esteroidogênese, tais como *metirapona, cetoconazol* e *aminoglutetimida*, ou que inibem a secreção de ACTH, como os *antagonistas da serotonina* e os *inibidores da GABA-transaminase*, também podem ser usados quando a cirurgia for impraticável. Se a secreção de ACTH não puder ser facilmente reduzida, o único tratamento satisfatório é, geralmente, a adrenalectomia bilateral parcial (ou até mesmo total), seguida pela administração de esteroides adrenais para compensar qualquer insuficiência que se desenvolva.

Aldosteronismo primário (síndrome de Conn)

Ocasionalmente, acontece um pequeno tumor das células da zona glomerular, que secreta grandes quantidades de aldosterona; a condição resultante é chamada de *aldosteronismo primário*, ou *síndrome de Conn*. Além disso, em alguns casos, o córtex adrenal hiperplásico secreta aldosterona, em vez de cortisol. Os efeitos do excesso de aldosterona foram discutidos em detalhes anteriormente, neste capítulo. Os efeitos mais importantes incluem a hipopotassemia, a alcalose metabólica leve, um ligeiro aumento no volume do líquido extracelular e de sangue, um aumento modesto na concentração plasmática de sódio (geralmente um aumento menor que 4 a 6 mEq/ℓ) e, quase sempre, a hipertensão. Efeitos especialmente interessantes em pessoas com aldosteronismo primário são os períodos ocasionais de paralisia muscular causada pela hipopotassemia. A paralisia é causada por um efeito depressor da baixa concentração de potássio extracelular na transmissão de potenciais de ação pelas fibras nervosas, conforme explicado no Capítulo 5.

Um dos critérios diagnósticos do aldosteronismo primário é a redução da concentração plasmática de renina. Isso resulta da supressão por *feedback* da secreção de renina causada pelo excesso de aldosterona ou líquido extracelular e da pressão arterial, resultantes do aldosteronismo. O tratamento do aldosteronismo primário pode incluir a remoção cirúrgica do tumor ou de quase todo o tecido adrenal, quando a causa for a hiperplasia. Outra opção de tratamento farmacológico é o antagonismo do receptor de mineralocorticoide, com espironolactona ou eplerenona.

Síndrome adrenogenital

Ocasionalmente, um tumor adrenocortical secreta quantidades excessivas de androgênios, que causam intensos efeitos masculinizantes em todo o corpo. Se esse fenômeno ocorrer em uma mulher, características virilizantes se desenvolvem, incluindo o crescimento de barba, a masculinização da voz, ocasionalmente a calvície – se ela tiver o traço genético para calvície –, a distribuição masculina de pelos no corpo e no púbis, o crescimento do clitóris, assemelhando-se a um pênis, e a deposição de proteínas na pele e especialmente nos músculos, gerando características masculinas típicas.

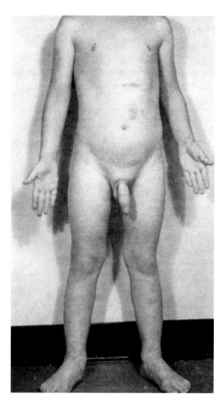

Figura 78.12 Síndrome adrenogenital em um menino de 4 anos. (*Cortesia do Dr. Leonard Posey.*)

No homem pré-púbere, um tumor adrenal virilizante provoca as mesmas características que no sexo feminino, além do rápido desenvolvimento dos órgãos sexuais masculinos, conforme mostrado na **Figura 78.12**, que retrata um menino de 4 anos com a síndrome adrenogenital. No homem adulto, as características virilizantes da síndrome adrenogenital são geralmente obscurecidas pela virilização normal causada pela testosterona secretada pelos testículos. Muitas vezes é difícil fazer o diagnóstico da síndrome adrenogenital no homem adulto. Nessa síndrome, a excreção urinária de 17-cetoesteroides (derivados dos androgênios) tende a ser de 10 a 15 vezes maior do que o normal. Esse achado pode ser usado no diagnóstico da doença.

Bibliografia

Berger I, Werdermann M, Bornstein SR, Steenblock C: The adrenal gland in stress - adaptation on a cellular level. J Steroid Biochem Mol Biol 190:198, 2019.

Bornstein SR: Predisposing factors for adrenal insufficiency. N Engl J Med 360:2328, 2009.

Chapman K, Holmes M, Seckl J: 11β-hydroxysteroid dehydrogenases: intracellular gate-keepers of tissue glucocorticoid action. Physiol Rev 93:1139, 2013.

Dineen R, Stewart PM, Sherlock M: Factors impacting on the action of glucocorticoids in patients receiving glucocorticoid therapy. Clin Endocrinol (Oxf) 90:3, 2019.

CAPÍTULO 78 Hormônios Adrenocorticais

Feelders RA, Hofland LJ: Medical treatment of Cushing disease. J Clin Endocrinol Metab 98:425, 2013.

Funder JW: Primary aldosteronism. Hypertension 74:458, 2019.

Hall JE, Granger JP, Smith MJ Jr, Premen AJ: Role of renal hemodynamics and arterial pressure in aldosterone "escape." Hypertension 6:I183, 1984.

Hardy RS, Zhou H, Seibel MJ, Cooper MS: Glucocorticoids and bone: Consequences of endogenous and exogenous excess and replacement therapy. Endocr Rev 39:519, 2018.

Loriaux DL: Diagnosis and differential diagnosis of Cushing's syndrome. N Engl J Med 376:1451, 2017.

Raff H, Carroll T: Cushing's syndrome: from physiological principles to diagnosis and clinical care. J Physiol 593:493, 2015.

Raff H, Sharma ST, Nieman LK: Physiological basis for the etiology, diagnosis, and treatment of adrenal disorders: Cushing's syndrome, adrenal insufficiency, and congenital adrenal hyperplasia. Compr Physiol 4:739, 2014.

Rushworth RL, Torpy DJ, Falhammar H: Adrenal crisis. N Engl J Med 381:852, 2019.

Seccia TM, Caroccia B, Gomez-Sanchez EP, et al: Endocr Rev 39:1029, 2018.

Scaroni C, Zilio M, Foti M, Boscaro M: Glucose metabolism abnormalities in Cushing syndrome: from molecular basis to clinical management. Endocr Rev 38:189, 2017.

Spat A, Hunyady L: Control of aldosterone secretion: a model for convergence in cellular signaling pathways. Physiol Rev 84:489, 2004.

Stowasser M, Gordon RD: Primary aldosteronism: changing definitions and new concepts of physiology and pathophysiology both inside and outside the kidney. Physiol Rev 96:1327, 2016.

Tritos NA, Biller BMK: Medical therapy for Cushing's syndrome in the twenty-first century. Endocrinol Metab Clin North Am 47:427, 2018.

Vaidya A, Mulatero P, Baudrand R, Adler GK: The expanding spectrum of primary aldosteronism: implications for diagnosis, pathogenesis, and treatment. Endocr Rev 39:1057, 2018.

Wehling M: Rapid actions of aldosterone revisited: receptors in the limelight. J Steroid Biochem Mol Biol 176:94, 2018.

Weikum ER, Knuesel MT, Ortlund EA, Yamamoto KR: Glucocorticoid receptor control of transcription: precision and plasticity via allostery. Nat Rev Mol Cell Biol 18:159, 2017.

CAPÍTULO 79

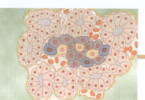

Insulina, Glucagon e Diabetes Melito

O pâncreas, além de suas funções digestivas, secreta dois hormônios importantes, a *insulina* e o *glucagon*, que são cruciais para a regulação do metabolismo da glicose, dos lipídios e das proteínas. Apesar de o pâncreas secretar outros hormônios, tais como a *amilina*, a *somatostatina* e o *polipeptídio pancreático*, suas funções não estão bem estabelecidas. O principal objetivo deste capítulo é discutir os papéis fisiológicos da insulina e do glucagon, e a fisiopatologia das doenças, especialmente do *diabetes melito*, que é causado por secreção ou atividade anormal desses hormônios.

Anatomia e fisiologia do pâncreas

O pâncreas é composto por dois tipos principais de tecidos, como mostrado na **Figura 79.1**: (1) os *ácinos*, que secretam o suco digestivo no duodeno, e (2) as *ilhotas pancreáticas (ilhotas de Langerhans)*, que secretam a insulina e o glucagon diretamente no sangue. As secreções digestivas do pâncreas são discutidas no Capítulo 65.

O pâncreas humano tem entre 1 e 2 milhões de ilhotas pancreáticas. Cada ilhota tem cerca de 0,3 milímetro de diâmetro e se organiza em torno de pequenos capilares, nos quais suas células secretam seus hormônios. As ilhotas contêm três tipos principais de células – células *alfa*, *beta* e *delta* –, que são distintas entre si por suas características morfológicas e de coloração.

As células beta, que constituem cerca de 60% de todas as células das ilhotas, situam-se principalmente no centro de cada ilhota e secretam *insulina* e *amilina*, um hormônio que muitas vezes é secretado com a insulina, embora sua função não seja bem compreendida. As células alfa, cerca de 25% do total, secretam *glucagon*, e as delta, cerca de 10% do total, *somatostatina*. Além disso, pelo menos um outro tipo de célula, a *célula PP*, está presente em pequena quantidade nas ilhotas e secreta um hormônio chamado de *polipeptídio pancreático*.

As estreitas inter-relações desses tipos de células nas ilhotas pancreáticas permitem a comunicação intercelular e o controle direto da secreção de alguns dos hormônios por outros hormônios. Por exemplo, a insulina inibe a secreção de glucagon, a amilina inibe a secreção de insulina e a somatostatina inibe a secreção de insulina e de glucagon.

INSULINA E SEUS EFEITOS METABÓLICOS

A insulina foi isolada pela primeira vez no pâncreas em 1922, por Banting e Best, e, quase da noite para o dia, a perspectiva para pacientes com casos graves de diabetes melito, que apresentavam declínio rápido na saúde e morte prematura, mudou. Historicamente, a insulina tem sido associada ao "açúcar no sangue", e é verdade, a insulina tem efeitos profundos no metabolismo dos carboidratos. Contudo, são as anormalidades do metabolismo da gordura que causam condições como acidose e arteriosclerose, que também são importantes causas de morbidade e morte em pacientes com diabetes melito. Pacientes com diabetes prolongado e não tratado têm a capacidade de sintetizar proteínas diminuída, fato que leva ao consumo dos tecidos e a muitos distúrbios funcionais celulares. Portanto, está claro que a insulina afeta o metabolismo de lipídios e proteínas quase tanto quanto afeta o de carboidratos.

A INSULINA É UM HORMÔNIO ASSOCIADO À ABUNDÂNCIA DE ENERGIA

Conforme discutirmos a insulina nas próximas páginas, ficará evidente que a secreção de insulina está associada à abundância de energia. Ou seja, quando a dieta de uma pessoa inclui uma abundância de alimentos que fornecem energia, principalmente quantidades excessivas de carboidratos, aumenta a secreção de insulina. Por sua vez, a insulina desempenha um papel importante no armazenamento do excesso de energia. No caso do excesso de

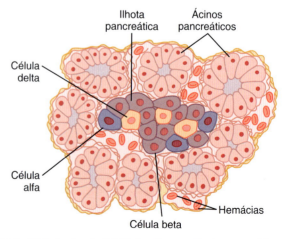

Figura 79.1 Anatomia fisiológica de uma ilhota pancreática do pâncreas.

carboidratos, a insulina faz com que eles sejam armazenados sob a forma de glicogênio, principalmente no fígado e nos músculos. Além disso, todo o excesso de carboidratos que não pode ser armazenado na forma de glicogênio é convertido sob o estímulo da insulina em gorduras e armazenado no tecido adiposo. No caso das proteínas, a insulina exerce efeito direto na promoção da captação de aminoácidos pelas células e na sua conversão em proteínas. Além disso, inibe o catabolismo das proteínas que já se encontram nas células.

QUÍMICA E SÍNTESE DE INSULINA

A insulina humana, que tem um peso molecular de 5.808, é composta por duas cadeias de aminoácidos, como ilustrado na **Figura 79.2**. Estão conectadas por ligações dissulfeto. Quando as duas cadeias de aminoácidos se separam, a atividade funcional da insulina é perdida.

A insulina é sintetizada nas células beta pelo maquinário normal para a síntese de proteínas, conforme explicado no Capítulo 3, começando com a tradução do RNA da insulina pelos ribossomos ligados ao retículo endoplasmático para formar uma *pré-proinsulina*. Essa pré-proinsulina inicial apresenta peso molecular de cerca de 11.500, sendo então clivada no retículo endoplasmático, para formar a *proinsulina*, cujo peso molecular é de cerca de 9 mil, e consiste em três cadeias de peptídios: A, B e C. A maior parte da proinsulina é novamente clivada no complexo de Golgi, para formar a insulina, que é composta pelas cadeias A e B, conectadas por ligações dissulfeto, e o peptídio da cadeia C, chamado de *peptídio conector* (peptídio C). A insulina e o peptídio C são revestidos nos grânulos secretores e secretados em quantidades equimolares. Aproximadamente de 5 a 10% do produto final secretado se encontra ainda na forma de proinsulina.

A proinsulina e o peptídio C praticamente não têm atividade insulínica. No entanto, o peptídio C se liga a uma estrutura da membrana, mais provavelmente a um receptor da membrana acoplado à proteína G, e induz a ativação de pelo menos dois sistemas enzimáticos, sódio-potássio trifosfatase de adenosina e óxido nítrico sintase endotelial. Apesar de ambas as enzimas terem múltiplas funções fisiológicas, a importância do peptídio C na regulação dessas enzimas é ainda incerta.

Os níveis de peptídio C podem ser medidos por radioimunoensaio nos pacientes diabéticos tratados com insulina, para determinar quanto de sua insulina natural ainda está sendo produzida. Pacientes com diabetes tipo 1, incapazes de produzir a insulina, têm normalmente níveis muito reduzidos de peptídio C.

Quando a insulina é secretada na corrente sanguínea, ela circula quase inteiramente em sua forma livre. Uma vez que a sua meia-vida plasmática é de, em média, apenas cerca de 6 minutos, ela é, em sua maior parte, removida da circulação dentro de 10 a 15 minutos. Exceto pela porção da insulina que se liga a receptores nas células-alvo, o restante é degradado pela enzima *insulinase*, principalmente no fígado, em menor quantidade nos rins e músculos, e, menos ainda, na maioria dos outros tecidos. Essa rápida remoção do plasma é importante, pois, às vezes, sua rápida desativação bem como sua ativação são fundamentais para o controle das funções da insulina.

ATIVAÇÃO DOS RECEPTORES DAS CÉLULAS-ALVO PELA INSULINA E OS EFEITOS CELULARES RESULTANTES

Para iniciar seus efeitos nas células-alvo, a insulina, primeiramente, liga-se e ativa um receptor proteico de membrana com peso molecular de cerca de 300 mil (ver **Figura 79.3**). É o receptor ativado que causa os efeitos subsequentes.

O receptor de insulina é uma combinação de quatro subunidades unidas por ligações dissulfeto: *duas subunidades alfa*, que se situam inteiramente ao lado externo da membrana celular, e *duas subunidades beta*, que penetram através da membrana, projetando-se no citoplasma celular. A insulina se liga às subunidades alfa do lado externo da célula; mas, por causa das ligações com as subunidades beta, as porções das subunidades beta que

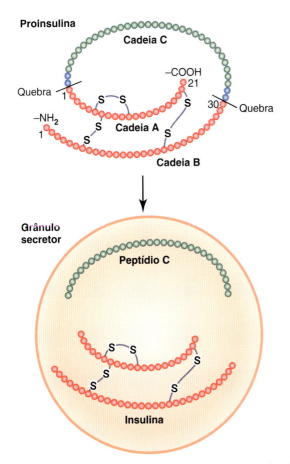

Figura 79.2 Esquema da molécula de proinsulina humana, que é clivada no complexo de Golgi das células beta pancreáticas para formar peptídio conector (*peptídio C*) e insulina, que é composta por cadeias A e B, conectadas por pontes dissulfeto. O peptídio C e a insulina são armazenados em grânulos e secretados em quantidades equimolares, junto com uma pequena quantidade de proinsulina.

PARTE 14 Endocrinologia e Reprodução

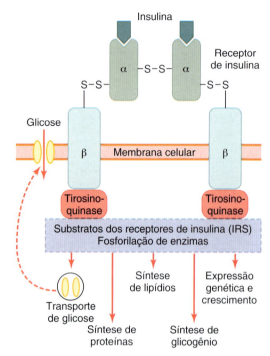

Figura 79.3 Desenho esquemático do receptor de insulina. A insulina se liga à subunidade α de seu receptor, que causa a autofosforilação da subunidade β do receptor, que, por sua vez, induz a atividade da tirosinoquinase. A atividade do receptor tirosinoquinase inicia uma cascata de fosforilação celular que aumenta ou diminui a atividade das enzimas, incluindo substratos do receptor de insulina, que medeiam os efeitos sobre o metabolismo da glicose, da gordura e da proteína. Por exemplo, transportadores de glicose são movidos para a membrana celular para auxiliar a entrada da glicose na célula.

se projetam para o interior da célula se tornam autofosforiladas. Por isso, o receptor de insulina é um exemplo de *receptor ligado à enzima*, o que é discutido no Capítulo 75. A autofosforilação das subunidades beta do receptor ativa uma *tirosinoquinase local*, que, por sua vez, causa a fosforilação de diversas outras enzimas intracelulares, inclusive do grupo chamado de *substratos do receptor de insulina (IRS)*. Diferentes tipos de IRS (p. ex., IRS-1, IRS-2, e IRS-3) são expressos em diferentes tecidos. O efeito global é a ativação de algumas dessas enzimas e, ao mesmo tempo, a inativação de outras. Dessa forma, a insulina direciona a maquinaria metabólica intracelular para produzir os efeitos desejados no metabolismo de carboidratos, lipídios e proteínas. Os principais efeitos finais da estimulação da insulina são os seguintes:

1. Alguns segundos após a insulina se ligar a seus receptores de membrana, as membranas de cerca de 80% das células do corpo aumentam significativamente sua captação de glicose. Essa ação é especialmente verdadeira para as células musculares e adiposas, *mas não para a maioria dos neurônios no cérebro*. A glicose transportada nas células é imediatamente fosforilada e torna-se um substrato para todas as funções metabólicas usuais dos carboidratos. Acredita-se que o aumento no transporte da glicose resulte da translocação de múltiplas vesículas intracelulares para as membranas celulares; essas vesículas contêm múltiplas moléculas de proteínas transportadoras de glicose, que se ligam à membrana celular e facilitam a captação de glicose nas células. Quando a insulina não está mais disponível, essas vesículas se separam da membrana celular dentro de 3 a 5 minutos, e retornam para o interior da célula para serem utilizadas repetidamente, conforme necessário.

2. A membrana celular fica mais permeável a muitos dos aminoácidos, íons potássio e fosfato, levando a um aumento do transporte dessas substâncias para a célula.

3. Efeitos mais lentos ocorrem durante os 10 a 15 minutos seguintes, para modificar os níveis de atividade de muitas das enzimas metabólicas intracelulares. Esses efeitos resultam, principalmente, da alteração do estado de fosforilação das enzimas.

4. Efeitos ainda mais lentos continuam a ocorrer por horas e até vários dias. Eles resultam da variação da velocidade de tradução dos RNAs mensageiros nos ribossomos, para formar novas proteínas e de efeitos ainda mais lentos devido à variação da transcrição do DNA no núcleo celular. Dessa forma, a insulina remodela muito da maquinaria enzimática celular até atingir seus efeitos metabólicos.

EFEITO DA INSULINA SOBRE O METABOLISMO DOS CARBOIDRATOS

Imediatamente após uma refeição rica em carboidratos, a glicose absorvida pelo sangue causa uma rápida secreção de insulina, o que é discutido em detalhes posteriormente neste capítulo. A insulina, por sua vez, causa captação, armazenamento e utilização rápidos da glicose por quase todos os tecidos do organismo, mas, principalmente, pelos músculos, pelo tecido adiposo e pelo fígado.

A insulina promove a captação e o metabolismo da glicose nos músculos

Durante grande parte do dia, o tecido muscular depende não somente da glicose como fonte de energia, mas também dos ácidos graxos. O principal motivo para essa dependência de ácidos graxos consiste no fato de que a *membrana muscular em repouso* é apenas ligeiramente permeável à glicose, exceto quando a fibra muscular é estimulada pela insulina; entre as refeições, a quantidade de insulina secretada é insuficiente para promover a entrada de quantidades significativas de glicose nas células musculares.

No entanto, sob duas condições os músculos utilizam grandes quantidades de glicose. Uma delas é durante a realização de exercícios físicos moderados ou intensos. Essa utilização de glicose não requer uma grande quantidade de insulina, porque a contração muscular aumenta a translocação da *proteína transportadora de glicose 4 (GLUT 4)* dos depósitos intracelulares para a membrana celular, que, por sua vez, facilita a difusão de glicose na célula.

A segunda condição para a utilização muscular de uma grande quantidade de glicose ocorre nas poucas horas após uma refeição. Nesse período, a concentração de glicose no sangue fica bastante elevada, e o pâncreas secreta grandes quantidades de insulina. Essa insulina adicional provoca o transporte rápido de glicose para as células musculares, o que faz com que a célula muscular utilize glicose preferencialmente aos ácidos graxos, como será discutido adiante.

Armazenamento de glicogênio no músculo. Se os músculos não forem exercitados após a refeição, e, ainda assim, a glicose for transportada abundantemente para as células musculares, então a maior parte da glicose é armazenada sob a forma de glicogênio muscular, em vez de ser utilizada como energia, até o limite de concentração de 2 a 3%. O glicogênio pode ser utilizado posteriormente como energia pelo músculo. O glicogênio é especialmente útil durante períodos curtos de uso de energia extrema pelos músculos e, até mesmo, para fornecer picos de energia anaeróbica por alguns minutos, por meio da conversão glicolítica do glicogênio em ácido láctico, o que pode ocorrer até mesmo na ausência de oxigênio.

Efeito quantitativo da insulina para facilitar o transporte de glicose através da membrana da célula muscular

O efeito quantitativo da insulina para facilitar o transporte da glicose através da membrana da célula muscular é demonstrado pelos resultados experimentais evidenciados na **Figura 79.4**. A curva inferior denominada "controle" exibe a concentração de glicose livre medida dentro da célula, demonstrando que a concentração de glicose permaneceu quase zero apesar do aumento da concentração de glicose extracelular até 750 mg/100 mℓ. Em contraste, a curva rotulada "insulina" demonstra que a concentração de glicose intracelular subiu até 400 mg/100 mℓ quando a insulina foi adicionada. Assim, fica claro que a insulina pode aumentar o transporte de glicose para a célula muscular em repouso por pelo menos 15 vezes.

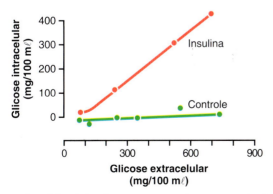

Figura 79.4 Efeito da insulina no aumento da concentração de glicose no interior das células musculares. Observe que, na ausência de insulina (controle), a concentração de glicose intracelular permanece próxima de zero, apesar das altas concentrações de glicose extracelular. (*Dados de Eisenstein AB: The Biochemical Aspects of Hormone Action. Boston: Little, Brown, 1964.*)

A insulina promove a captação, o armazenamento e a utilização da glicose pelo fígado

Um dos efeitos mais importantes da insulina é fazer com que a maior parte da glicose absorvida após uma refeição seja armazenada rapidamente no fígado sob a forma de glicogênio. Então, entre as refeições, quando o alimento não está disponível e a glicemia começa a cair, a secreção de insulina diminuirá rapidamente, e o glicogênio do fígado é novamente convertido em glicose, que é liberada de volta ao sangue para impedir que a concentração de glicose caia a níveis muito baixos.

O mecanismo pelo qual a insulina provoca a captação e o armazenamento da glicose no fígado inclui diversas etapas, quase simultâneas:

1. A insulina *inativa a fosforilase hepática*, a principal enzima que causa a quebra do glicogênio do fígado em glicose. Essa inativação impede a clivagem do glicogênio armazenado nas células hepáticas.
2. A insulina *aumenta a captação de glicose* do sangue pelas células hepáticas, *intensificando a atividade da enzima glicoquinase*, uma das enzimas que provocam a fosforilação inicial da glicose, depois que ela se difunde pelas células hepáticas. Uma vez fosforilada, a glicose fica *temporariamente retida* dentro das células do fígado, porque a glicose fosforilada não pode se difundir de volta através da membrana celular.
3. A insulina aumenta as atividades das enzimas que promovem a síntese de glicogênio, incluindo, especialmente, a *glicogênio sintase*. Essa enzima é responsável pela polimerização das unidades de monossacarídeos, para formar as moléculas de glicogênio.

O efeito global de todas essas ações é aumentar a quantidade de glicogênio no fígado. O glicogênio pode aumentar até o total de, aproximadamente, 5 a 6% da massa do fígado, o que é equivalente a quase 100 gramas de glicogênio armazenado em todo o fígado.

A glicose é liberada do fígado entre as refeições.

Quando o nível de glicose no sangue começa a baixar entre as refeições, vários eventos acontecem, fazendo com que o fígado libere glicose de volta ao sangue circulante:

1. A diminuição da glicose sanguínea faz com que o pâncreas reduza sua secreção de insulina.
2. A ausência de insulina, então, reverte todos os efeitos relacionados anteriormente para o armazenamento de glicogênio, interrompendo, essencialmente, a continuação da síntese de glicogênio no fígado e impedindo a captação adicional de glicose sanguínea pelo fígado.
3. A ausência de insulina (com o aumento de glucagon, que será discutido mais adiante) ativa a enzima *fosforilase*, que causa a clivagem do glicogênio em *glicose fosfato*.
4. A enzima *glicose fosfatase*, inibida pela insulina, é então ativada pela ausência de insulina e faz com que o radical fosfato seja retirado da glicose; isso possibilita a difusão de glicose livre de volta para o sangue.

PARTE 14 Endocrinologia e Reprodução

Assim, o fígado remove a glicose do sangue quando ela está presente em quantidade excessiva após uma refeição, e a devolve ao sangue quando a concentração da glicose sanguínea diminui, no intervalo entre as refeições. Normalmente, cerca de 60% da glicose das refeições são armazenados dessa forma no fígado e, então, retornam posteriormente para a corrente sanguínea.

A insulina promove a conversão do excesso de glicose em ácidos graxos e inibe a gliconeogênese no fígado. Quando a quantidade de glicose que entra no fígado é maior do que pode ser armazenado sob a forma de glicogênio ou do que pode ser utilizado para o metabolismo local dos hepatócitos, a *insulina promove a conversão de todo esse excesso de glicose em ácidos graxos.* Esses ácidos graxos são posteriormente empacotados sob a forma de triglicerídios em lipoproteínas de densidade muito baixa, que são transportadas pelo sangue para o tecido adiposo, onde são depositados como gordura.

A insulina também *inibe a gliconeogênese*, principalmente por diminuir as quantidades e as atividades de que as enzimas hepáticas precisam para a gliconeogênese. No entanto, parte desse efeito é causada por ação da insulina, que reduz a liberação de aminoácidos dos músculos e de outros tecidos extra-hepáticos e, por sua vez, a disponibilidade desses precursores necessários para a gliconeogênese. Esse fenômeno é discutido adiante, em relação ao efeito da insulina no metabolismo das proteínas.

A ausência de efeito da insulina na captação e na utilização da glicose pelo cérebro

O cérebro é bastante diferente da maioria dos outros tecidos do corpo, em que a insulina apresenta pouco efeito sobre a captação ou a utilização de glicose. Em vez disso, a *maioria das células cerebrais é permeável à glicose e pode utilizá-la sem a intermediação de insulina.*

As células cerebrais também são bastante diferentes da maioria das outras células do corpo, pois utilizam apenas glicose como fonte de energia e só podem utilizar, com dificuldade, outros substratos para obtenção de energia, tais como as gorduras. Portanto, é essencial que o nível de glicose no sangue sempre se mantenha acima do nível crítico, que é uma das funções mais importantes do sistema de controle de glicose sérica. Quando o nível da glicose no sangue cai muito, na faixa compreendida entre 20 e 50 mg/100 mℓ, desenvolvem-se os sintomas de *choque hipoglicêmico*, caracterizado por irritabilidade nervosa progressiva, que leva ao desmaio, convulsões e até ao coma.

Efeito da insulina no metabolismo dos carboidratos em outras células

A insulina aumenta o transporte e a utilização de glicose pela maioria das outras células do organismo (com exceção da maior parte das células cerebrais, conforme observado) da mesma maneira que afeta o transporte e a utilização de glicose nas células musculares. O transporte de glicose para as células adiposas fornece, principalmente, substrato para a porção glicerol da molécula de gordura. Portanto, desse modo indireto, a insulina promove a deposição de gordura nessas células.

EFEITO DA INSULINA NO METABOLISMO DA GORDURA

Embora os efeitos da insulina no metabolismo das gorduras não sejam tão visíveis como os efeitos agudos no metabolismo dos carboidratos, eles apresentam, a longo prazo, uma importância equivalente. Especialmente drástico é o efeito a longo prazo da deficiência de insulina, por causar aterosclerose extrema, muitas vezes levando a ataques cardíacos, acidentes vasculares cerebrais e a outros acidentes vasculares. Primeiramente, no entanto, vamos discutir os efeitos agudos da insulina no metabolismo das gorduras.

A insulina promove a síntese e o armazenamento de gordura. A insulina tem vários efeitos que levam ao armazenamento de gordura no tecido adiposo. Primeiro, a insulina aumenta a utilização de glicose pela maioria dos tecidos do corpo, o que diminui automaticamente a utilização de gordura, funcionando, assim, como um poupador de gordura. Contudo, a insulina também promove a síntese de ácidos graxos, especialmente quando mais carboidratos do que pode ser utilizado como fonte de energia são ingeridos, fornecendo o substrato para a síntese de gordura. Quase toda essa síntese ocorre nas células hepáticas, e os ácidos graxos são, então, transportados do fígado pelas lipoproteínas plasmáticas para serem armazenados nas células adiposas. Os seguintes fatores levam ao aumento da síntese de ácidos graxos no fígado:

1. A *insulina aumenta o transporte de glicose para as células do fígado.* Depois que a concentração de glicogênio no fígado atinge 5 a 6%, a síntese adicional de glicogênio é inibida. A partir daí, toda a glicose adicional que penetra nas células hepáticas torna-se disponível para formar gordura. A glicose é, primeiramente, transformada em piruvato, na via glicolítica, e o piruvato subsequentemente é convertido em acetil coenzima A (acetil-CoA), substrato a partir do qual os ácidos graxos são sintetizados.

2. *Um excesso de íons citrato e isocitrato é formado pelo ciclo do ácido cítrico quando quantidades excessivas de glicose são utilizadas para energia.* Esses íons, então, apresentam um efeito direto na ativação da *acetil-CoA carboxilase*, a enzima necessária para realizar a *carboxilação da acetil-CoA*, de modo a formar *malonil-CoA*, o primeiro estágio da síntese de ácidos graxos.

3. *A maioria dos ácidos graxos é, então, sintetizada no interior do fígado e usada para formar triglicerídios,* que são a forma usual de armazenamento de gordura. Eles são liberados das células hepáticas para o sangue nas lipoproteínas. A insulina ativa a *lipase lipoproteica* nas paredes dos capilares do tecido adiposo, que quebra os triglicerídios, formando outra vez ácidos graxos, requisito para que possam ser absorvidos pelas células adiposas, onde são novamente convertidos em triglicerídios e armazenados.

Papel da insulina no armazenamento de gordura nas células adiposas. A insulina tem dois outros efeitos essenciais que são necessários para o armazenamento de gordura nas células adiposas:

1. *A insulina inibe a ação da lipase hormônio-sensível.* A lipase é a enzima que provoca a hidrólise dos triglicerídios previamente armazenados nas células adiposas. Portanto, a liberação dos ácidos graxos do tecido adiposo para o sangue circulante é inibida.
2. A *insulina promove o transporte da glicose através da membrana celular para o interior das células adiposas,* da mesma forma que promove o transporte da glicose para as células musculares. Parte dessa glicose é, então, utilizada para sintetizar quantidades mínimas de ácidos graxos; porém, o mais importante é que ela também forma uma grande quantidade de α-glicerol fosfato. Essa substância produz o *glicerol* que se associa aos ácidos graxos para formar triglicerídios, que são a forma de armazenamento de gordura nas células adiposas. Portanto, quando a insulina não está disponível, até mesmo as reservas de grandes quantidades de ácidos graxos transportados do fígado nas lipoproteínas são praticamente bloqueadas.

A deficiência de insulina aumenta o uso de gordura para a obtenção de energia

Todos os aspectos da lipólise e de seu uso como fonte de energia ficam muito aumentados na ausência de insulina. Essa potencialização ocorre, mesmo normalmente entre as refeições, quando a secreção de insulina é mínima, mas torna-se extrema em pessoas com diabetes melito quando a secreção de insulina é quase zero.

A deficiência de insulina causa lipólise da gordura armazenada e liberação de ácidos graxos livres.

Na ausência de insulina, todos os efeitos da insulina observados, que causam o armazenamento de gordura, são revertidos. O efeito mais importante é que a enzima *lipase hormônio-sensível* se torna fortemente ativada nas células adiposas. Essa ativação causa a hidrólise dos triglicerídios armazenados, liberando grandes quantidades de ácidos graxos e glicerol no sangue circulante. Consequentemente, a concentração plasmática dos ácidos graxos livres começa a aumentar em minutos. Esses ácidos graxos livres, então, tornam-se o principal substrato de energia utilizado, essencialmente, por todos os tecidos do corpo, exceto pelo cérebro.

A **Figura 79.5** mostra o efeito da ausência de insulina nas concentrações plasmáticas dos ácidos graxos livres, da glicose e do ácido acetoacético. Observe que, quase imediatamente após a remoção do pâncreas, a concentração de ácidos graxos livres no plasma começa a subir, ainda mais rapidamente do que a concentração de glicose.

A deficiência de insulina aumenta as concentrações de colesterol e de fosfolipídios plasmáticos.

O excesso de ácidos graxos no plasma, associado à deficiência de insulina, também promove a conversão

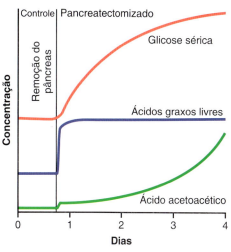

Figura 79.5 Efeito da remoção do pâncreas nas concentrações aproximadas de glicose no sangue, ácidos graxos livres no plasma e ácido acetoacético.

hepática de alguns dos ácidos graxos em fosfolipídios e colesterol, dois dos principais produtos do metabolismo da gordura. Essas duas substâncias, junto com o excesso de triglicerídios formados ao mesmo tempo no fígado, são, então, liberadas para o sangue nas lipoproteínas. Ocasionalmente, as lipoproteínas plasmáticas aumentam em até três vezes na ausência de insulina, fazendo com que a concentração total de lipídios plasmáticos fique maior que a porcentagem normal de 0,6%. Essa elevada concentração de lipídios – especialmente a elevada concentração de colesterol – promove o desenvolvimento de aterosclerose em pessoas com diabetes grave.

A utilização excessiva de gorduras durante a deficiência de insulina causa cetose e acidose.

A deficiência de insulina também forma quantidades excessivas de *ácido acetoacético* nas células hepáticas. Na ausência de insulina, mas na presença de uma grande quantidade de ácidos graxos nas células do fígado, o mecanismo de transporte da carnitina que leva os ácidos graxos para as mitocôndrias torna-se cada vez mais ativado. Na mitocôndria, a betaoxidação dos ácidos graxos ocorre rapidamente, liberando quantidades extremas de acetil-CoA. Uma grande parte desse excesso de acetil-CoA é, então, condensada para formar ácido acetoacético, que é liberado no sangue circulante. A maior parte do ácido acetoacético passa para as células periféricas, onde é novamente convertido em acetil-CoA e utilizado como energia da maneira usual.

Ao mesmo tempo, a ausência de insulina também deprime a utilização de ácido acetoacético em tecidos periféricos. Por isso, tanto ácido acetoacético é liberado pelo fígado que nem tudo pode ser metabolizado pelos tecidos. Como mostrado na **Figura 79.5**, a concentração de ácido acetoacético aumenta durante os dias seguintes à interrupção da secreção de insulina, atingindo, às vezes, concentrações de 10 mEq/ℓ ou mais, o que é um estado grave de acidose dos líquidos corporais.

Conforme explicado no Capítulo 69, parte do ácido acetoacético também é convertida em ácido β-hidroxibutírico e *acetona*. Essas duas substâncias, junto com o ácido acetoacético, são chamadas de *corpos cetônicos*, e sua presença em grande quantidade nos líquidos corporais é chamada de *cetose*. Veremos mais adiante que, no diabetes grave, o ácido acetoacético e o ácido β-hidroxibutírico podem causar *acidose* grave e *coma*, que pode levar à morte.

EFEITO DA INSULINA NO METABOLISMO DAS PROTEÍNAS E NO CRESCIMENTO

A insulina promove a síntese e o armazenamento de proteínas

Proteínas, carboidratos e gorduras são armazenados nos tecidos durante as poucas horas após uma refeição, quando quantidades excessivas de nutrientes estão disponíveis no sangue circulante; a insulina é necessária para que esse armazenamento ocorra. A maneira pela qual a insulina realiza o armazenamento de proteínas não é tão bem compreendida quanto os mecanismos de armazenamento de glicose e de gordura. Alguns fatos são descritos a seguir:

1. *A insulina estimula o transporte de muitos dos aminoácidos para as células.* Os aminoácidos mais intensamente transportados são: *valina, leucina, isoleucina, tirosina* e *fenilalanina*. Assim, a insulina divide com o hormônio de crescimento a capacidade de aumentar a captação de aminoácidos nas células. No entanto, os aminoácidos afetados não são necessariamente os mesmos.
2. *A insulina aumenta a tradução do RNA mensageiro*, formando, portanto, novas proteínas. A insulina "aciona" a maquinaria ribossômica e, na ausência de insulina, os ribossomos param de funcionar, quase como se a insulina acionasse um mecanismo de "liga-desliga".
3. Durante um período mais longo, *a insulina também aumenta a taxa de transcrição de sequências genéticas selecionadas de DNA* no núcleo celular, formando, assim, maior quantidade de RNA e acarretando uma síntese ainda maior de proteínas – promovendo, especialmente, uma vasta gama de enzimas envolvidas no armazenamento de carboidratos, gorduras e proteínas.
4. *A insulina inibe o catabolismo de proteínas*, diminuindo a liberação de aminoácidos das células, especialmente das células musculares. Presumivelmente, isso resulta da capacidade de a insulina reduzir a degradação normal das proteínas pelos lisossomos celulares.
5. *No fígado, a insulina deprime a gliconeogênese*, diminuindo a atividade das enzimas que a promovem. Como os substratos mais utilizados na síntese de glicose pela gliconeogênese são os aminoácidos plasmáticos, essa supressão da gliconeogênese conserva os aminoácidos nas reservas de proteínas do corpo.

Em resumo, a insulina promove a formação de proteínas e previne sua degradação.

A deficiência de insulina causa depleção de proteínas e aumento dos aminoácidos plasmáticos

Praticamente todo o armazenamento de proteínas é cessado quando a insulina não está disponível. Assim, o catabolismo de proteínas aumenta, a síntese proteica cessa e uma grande quantidade de aminoácidos é lançada no plasma. A concentração de aminoácidos plasmáticos aumenta consideravelmente, e a maior parte do excesso de aminoácidos é utilizada diretamente como energia e como substrato para a gliconeogênese. Essa degradação dos aminoácidos também leva ao aumento da excreção de ureia na urina. O desperdício de proteínas resultante é um dos efeitos mais graves do diabetes melito. Isso pode levar a situações de fraqueza extrema, bem como à alteração de diversas funções dos órgãos.

A insulina e o hormônio de crescimento interagem de modo sinérgico para promover o crescimento

Como a insulina é necessária para a síntese de proteínas, ela também é essencial para o crescimento do animal, como o hormônio de crescimento. Conforme mostrado na **Figura 79.6**, um rato pancreatectomizado e hipofisectomizado, sem tratamento, quase não cresce. Além disso, a administração do hormônio de crescimento ou da insulina, isoladamente, quase não provoca nenhum crescimento. No entanto, a combinação desses hormônios causa um crescimento drástico. Assim, parece que os dois hormônios funcionam sinergicamente para promover o crescimento, cada um desempenhando uma função específica peculiar. Talvez uma pequena parte dessa necessidade de ambos os hormônios resulte do fato de que cada hormônio promove a captação celular de uma diferente seleção de aminoácidos, todos necessários para o crescimento.

MECANISMOS DE SECREÇÃO DE INSULINA

A **Figura 79.7** mostra os mecanismos celulares básicos da secreção de insulina pelas células beta pancreáticas

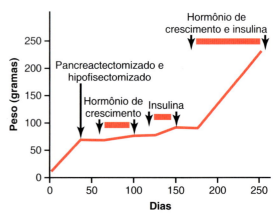

Figura 79.6 Efeito do hormônio de crescimento, da insulina e do hormônio de crescimento com a insulina, no crescimento de um rato pancreatectomizado e hipofisectomizado.

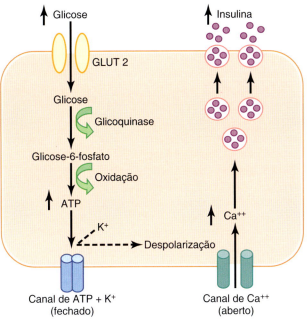

Figura 79.7 Os mecanismos básicos de estimulação da glicose pela secreção de insulina pelas células beta do pâncreas. GLUT, transportador de glicose.

em resposta ao aumento da concentração de glicose no sangue, que é o controlador primário da secreção de insulina. As células beta têm um grande número de *transportadores de glicose* que permitem o influxo de glicose que é proporcional à concentração plasmática na faixa fisiológica. Uma vez nas células, a glicose é fosforilada pela *glicoquinase* em glicose-6-fosfato. Essa fosforilação parece ser a etapa limitante para o metabolismo da glicose nas células beta e é considerada como o principal mecanismo de detecção de glicose e de ajuste da quantidade de insulina secretada, em relação aos níveis de glicose plasmática.

A glicose-6-fosfato é subsequentemente oxidada de modo a formar trifosfato de adenosina (ATP), que fecha *canais de potássio inibidos por ATP* da célula. O fechamento dos canais de potássio despolariza a membrana celular, abrindo, assim, os *canais de cálcio controlados por voltagem*, que são sensíveis às mudanças na voltagem da membrana. Esse efeito produz um influxo de cálcio, que estimula a fusão das vesículas contendo insulina com a membrana celular e a secreção da insulina no líquido extracelular por *exocitose*.

Outros nutrientes, tais como certos aminoácidos, também podem ser metabolizados pelas células beta para aumentar os níveis de ATP intracelular e estimular a secreção de insulina. Alguns hormônios, tais como glucagon, peptídio-1 semelhante ao glucagon (GLP-1), peptídio insulinotrópico dependente de glicose (peptídio inibidor gástrico) e a acetilcolina, aumentam os níveis de cálcio intracelular por meio de outras vias de sinalização e aumentam o efeito da glicose, embora não apresentem grandes efeitos na secreção de insulina na ausência de glicose.

Outros hormônios, incluindo a somatostatina e a noradrenalina (por meio da ativação de receptores alfa-adrenérgicos), inibem a exocitose da insulina.

Os fármacos da classe das sulfonilureias estimulam a secreção de insulina por meio da ligação com os canais de potássio sensíveis ao ATP, bloqueando sua atividade. Esse mecanismo resulta em um efeito despolarizante, que desencadeia a secreção de insulina, o que torna esses medicamentos úteis para estimular a secreção de insulina em pacientes com diabetes tipo 2, como discutiremos mais adiante. A **Tabela 79.1** resume alguns dos fatores que podem aumentar ou diminuir secreção de insulina.

CONTROLE DA SECREÇÃO DE INSULINA

Acreditava-se no passado que a secreção de insulina era controlada quase inteiramente pela concentração de glicose no sangue. No entanto, à medida que se aprendeu mais a respeito das funções metabólicas da insulina no metabolismo das proteínas e gorduras, ficou claro que os aminoácidos e outros fatores plasmáticos também desempenham papéis importantes no controle da secreção de insulina (ver **Tabela 79.1**).

O aumento da glicose no sangue estimula a secreção de insulina. Nos níveis normais de glicose sanguínea em *jejum* entre 80 e 90 mg/100 mℓ, a secreção de insulina é mínima – na ordem de 25 ng/min/kg de peso corporal, nível que apresenta uma ligeira atividade fisiológica. Se a concentração de glicose no sangue for repentinamente aumentada para um nível de dois a três vezes o normal, e for mantida nesse nível alto, a secreção de insulina aumentará acentuadamente em dois estágios, conforme ilustrado na **Figura 79.8**, considerando-se as alterações na concentração de insulina plasmática.

Tabela 79.1 Fatores e condições que aumentam ou diminuem a secreção de insulina.

Aumento de secreção de insulina	Diminuição da secreção de insulina
Aumento da glicose sanguínea	Diminuição da glicose sanguínea
Aumento de ácidos graxos livre no sangue	Jejum
Aumento de aminoácidos no sangue	Somatostatina
Hormônios gastrointestinais (gastrina, colecistoquinina, secretina, GIP, GLP-1)	Atividade alfa-adrenérgica
Glucagon, hormônio de crescimento, cortisol	Leptina
Estimulação parassimpática; acetilcolina	
Estimulação beta-adrenérgica	
Resistência à insulina; obesidade	
Medicamentos à base de sulfonilureia (gliburida, tolbutamida)	

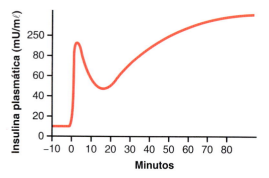

Figura 79.8 Elevação da concentração de insulina plasmática após um súbito aumento da glicose sanguínea em duas a três vezes a faixa normal. Observe uma rápida elevação inicial na concentração de insulina e, em seguida, um aumento tardio e continuado na concentração, começando de 15 a 20 minutos mais tarde.

1. A concentração de insulina no plasma aumenta quase 10 vezes, dentro de 3 a 5 minutos após a elevação aguda da glicose no sangue. Esse aumento resulta da liberação imediata da insulina pré-formada das células beta das ilhotas pancreáticas. No entanto, a elevada taxa inicial de secreção não é mantida; pelo contrário, a concentração de insulina diminui cerca da metade, no sentido de seu nível normal, após 5 a 10 minutos.
2. Começando por volta de 15 minutos, a secreção de insulina aumenta pela segunda vez e atinge um novo patamar em 2 a 3 horas, dessa vez geralmente com uma secreção ainda maior do que na fase inicial. Essa secreção resulta da liberação adicional da insulina pré-formada e da ativação do sistema enzimático, que sintetiza e libera nova insulina das células.

Relação de *feedback* entre a concentração de glicose sanguínea e a taxa de secreção de insulina. Com a concentração de glicose acima de 100 mg/100 mℓ de sangue, a secreção de insulina aumenta rapidamente, atingindo seu pico entre 10 e 25 vezes o nível basal, com concentrações de glicose no sangue entre 400 e 600 mg/100 mℓ, conforme mostrado na **Figura 79.9**. Assim, o aumento da secreção de insulina durante um estímulo de glicose é drástico, tanto na sua rapidez como no nível elevado de secreção que é alcançado. Além disso, a interrupção da secreção de insulina é igualmente rápida, ocorrendo dentro de 3 a 5 minutos após a diminuição na concentração de glicose sanguínea de volta ao nível de jejum.

Essa resposta da secreção de insulina a uma concentração elevada de glicose sanguínea fornece um mecanismo de *feedback* extremamente importante para a regulação da concentração de glicose sanguínea. Ou seja, qualquer aumento na glicemia aumenta a secreção de insulina, e a insulina, por sua vez, aumenta a taxa de transporte de glicose para o fígado, para os músculos e para outras células, reduzindo, assim, a concentração de glicose no sangue de volta até o valor normal.

Outros fatores que estimulam a secreção de insulina

Aminoácidos. Alguns dos aminoácidos têm um efeito semelhante ao excesso de glicose sanguínea na estimulação da secreção de insulina. Os mais potentes desses aminoácidos são a *arginina* e a *lisina*. Esse efeito difere do estímulo da secreção da insulina pela glicose da seguinte maneira: os aminoácidos administrados na ausência de um aumento da glicose sanguínea causam apenas um pequeno aumento da secreção de insulina. No entanto, quando administrados ao mesmo tempo que a concentração plasmática de glicose está elevada, a secreção induzida de insulina pode chegar a duplicar na presença de quantidades excessivas de aminoácidos. Assim, os *aminoácidos potencializam fortemente o estímulo da glicose na secreção de insulina.*

O estímulo da secreção de insulina por aminoácidos é importante porque a insulina, por sua vez, promove o transporte de aminoácidos para as células dos tecidos, bem como a formação intracelular de proteínas. Ou seja, a insulina é importante para a utilização adequada do excesso de aminoácidos, da mesma maneira que é importante para a utilização de carboidratos.

Hormônios gastrointestinais. Uma mistura de vários hormônios gastrointestinais importantes – *gastrina, secretina, colecistoquinina, peptídio-1 semelhante ao glucagon (GLP-1) e o peptídio insulinotrópico dependente de glicose (GIP)* – pode provocar aumentos moderados na secreção de insulina. Dois desses hormônios, GLP-1 e GIP, parecem ser os mais potentes e são frequentemente chamados de *incretinas*, porque aumentam a taxa de liberação de insulina das células beta pancreáticas em resposta a um aumento na glicose plasmática. Eles também inibem a secreção de glucagon das células alfa das ilhotas pancreáticas.

Esses hormônios são liberados no trato gastrointestinal depois que a pessoa consome uma refeição. Eles então causam um aumento "antecipatório" da insulina plasmática, em preparação para a glicose e para os aminoácidos que serão absorvidos na refeição. Esses hormônios gastrointestinais, geralmente, atuam da mesma maneira que os aminoácidos para aumentar a sensibilidade da resposta à insulina ao aumento da glicose sanguínea, quase dobrando a secreção de insulina, à medida que o nível de glicose no sangue aumenta. Como discutido posteriormente neste capítulo, vários fármacos foram desenvolvidos para

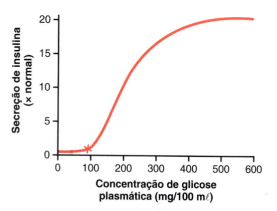

Figura 79.9 Secreção aproximada de insulina em diferentes níveis plasmáticos de glicose.

simular ou potencializar as ações das incretinas para o tratamento do diabetes melito.

Outros hormônios e o sistema nervoso autônomo. Outros hormônios que aumentam diretamente a secreção de insulina ou que potencializam o estímulo da glicose para a secreção de insulina incluem o *glucagon*, o *hormônio de crescimento (GH)*, o *cortisol* e, em menor intensidade, a *progesterona* e o *estrogênio*. A importância dos efeitos estimulantes desses hormônios deve-se ao fato de que a secreção prolongada de qualquer um deles, em grandes quantidades, pode levar à exaustão das células beta das ilhotas pancreáticas e, assim, aumentar o risco de desenvolvimento de diabetes melito. De fato, o diabetes geralmente ocorre em pessoas que recebem altas doses farmacológicas de alguns desses hormônios. O diabetes é, particularmente, comum em pessoas com gigantismo ou acromegalia que apresentam tumores secretores de hormônio de crescimento, bem como em pessoas cujas glândulas adrenais produzam uma quantidade excessiva de glicocorticoides.

As ilhotas do pâncreas são ricamente inervadas por nervos simpáticos e parassimpáticos. A estimulação dos nervos parassimpáticos, que se dirigem ao pâncreas, é capaz de aumentar a secreção de insulina durante condições hiperglicêmicas, enquanto a estimulação dos nervos simpáticos pode aumentar a secreção de glucagon e diminuir a secreção de insulina durante a hipoglicemia. Acredita-se que as concentrações de glicose sejam detectadas por neurônios especializados do hipotálamo e do tronco encefálico, bem como por células detectoras de glicose em localizações periféricas, como no fígado.

O PAPEL DA INSULINA (E DE OUTROS HORMÔNIOS) EM "ALTERNAR" ENTRE O METABOLISMO DE CARBOIDRATOS E O DE LIPÍDIOS

A partir das discussões anteriores, deve estar claro que a insulina promove a utilização dos carboidratos para a obtenção de energia, ao mesmo tempo que diminui a utilização de gorduras. Por outro lado, a ausência de insulina provoca a utilização das gorduras principalmente pela exclusão da utilização da glicose, exceto pelo tecido cerebral. Além disso, o sinal que controla esse mecanismo de alternância é, principalmente, a concentração de glicose no sangue. Quando a concentração de glicose está baixa, a secreção de insulina é suprimida, e os lipídios são usados quase que exclusivamente para energia em todos os lugares, exceto no cérebro. Quando a concentração de glicose está alta, a secreção de insulina é estimulada, e os carboidratos são usados no lugar dos lipídios. O excesso de glicose no sangue é armazenado na forma de glicogênio hepático, de gordura hepática e de glicogênio muscular. Portanto, um dos papéis funcionais mais importantes da insulina no organismo é controlar qual desses dois elementos será utilizado pelas células como fonte de energia.

Pelo menos quatro outros hormônios conhecidos também desempenham papéis importante nesse mecanismo de alternância: o *hormônio de crescimento (GH)*, produzido pela adeno-hipófise; o *cortisol*, pelo córtex adrenal; a *adrenalina*, pela medula adrenal; e o *glucagon*, pelas células alfa das ilhotas pancreáticas, no pâncreas. O glucagon é discutido na próxima seção deste capítulo. Tanto o GH como o cortisol são secretados em resposta à hipoglicemia, e ambos inibem a utilização celular de glicose enquanto promovem a utilização de gordura. Contudo, os efeitos de ambos os hormônios se desenvolvem lentamente, geralmente necessitando de muitas horas para a expressão máxima.

A adrenalina é especialmente importante no aumento da concentração de glicose plasmática durante períodos de estresse, quando o sistema nervoso simpático está excitado. Contudo, a adrenalina age de forma diferente dos outros hormônios, na medida em que aumenta a concentração plasmática de ácidos graxos simultaneamente. As razões para esses efeitos são as seguintes: (1) a adrenalina apresenta o efeito potente de provocar uma glicogenólise no fígado, liberando grandes quantidades de glicose no sangue em minutos, e (2) também tem um efeito lipolítico direto nas células adiposas, pois ativa a lipase sensível a hormônio do tecido adiposo, aumentando significativamente a concentração de ácidos graxos no sangue. Quantitativamente, o aumento dos ácidos graxos é bem superior ao aumento da glicose sanguínea. Em consequência, a adrenalina aumenta especialmente a utilização dos lipídios nos estados de estresse, como exercícios, choque circulatório e ansiedade.

GLUCAGON E SUAS FUNÇÕES

O glucagon, um hormônio secretado pelas *células alfa* das ilhotas pancreáticas quando a concentração de glicose sanguínea cai, apresenta diversas funções diametralmente opostas às da insulina. A mais importante delas é aumentar a concentração de glicose sanguínea, um efeito que é oposto ao da insulina.

Assim como a insulina, o glucagon é um grande polipeptídio. Tem peso molecular de 3.485 e é composto por uma cadeia de 29 aminoácidos. Após a injeção de glucagon purificado em um animal, ocorre um profundo efeito *hiperglicêmico*. Somente 1 μg/kg de glucagon já pode elevar a concentração de glicose no sangue em torno de 20 mg/100 mℓ de sangue (25% aumento) em cerca de 20 minutos. Por essa razão, o glucagon é também chamado de *hormônio hiperglicêmico*.

EFEITOS NO METABOLISMO DA GLICOSE

Os principais efeitos do glucagon no metabolismo da glicose são (1) quebra de glicogênio hepático (*glicogenólise*) e (2) aumento da *gliconeogênese* no fígado. Esses dois efeitos aumentam, significativamente, a disponibilidade de glicose para o outros órgãos do organismo.

O glucagon provoca a glicogenólise e o aumento da concentração da glicose sanguínea

O efeito mais drástico do glucagon é sua capacidade de causar glicogenólise no fígado, que por sua vez aumenta a concentração de glicose sanguínea em minutos. Essa função ocorre por intermédio da seguinte cascata complexa de eventos:

1. O glucagon ativa a *adenililciclase* na membrana celular hepática.
2. Essa ativação leva à formação de *monofosfato cíclico de adenosina*.
3. Que ativa a *proteína reguladora da proteinoquinase.*
4. Que ativa a *proteinoquinase.*
5. Que ativa a *fosforilase quinase b.*
6. Que converte a *fosforilase b* em *fosforilase a.*
7. O que promove a degradação do glicogênio em glicose-1-fosfato.
8. Que é, então, desfosforilada, e a glicose é liberada das células hepáticas.

Essa sequência de eventos é extremamente importante por vários motivos. Primeiro, é uma as funções mais estudadas do monofosfato cíclico de adenosina (AMPc) como *segundo mensageiro*. Em segundo lugar, demonstra um sistema de cascata em que *cada produto subsequente é produzido em maior quantidade do que o anterior.* Portanto, representa um mecanismo de *amplificação* potente. Esse tipo de mecanismo de amplificação é amplamente utilizado pelo organismo para controlar muitos, se não a maioria, dos sistemas metabólicos celulares, causando, muitas vezes, amplificação de até um milhão de vezes na resposta. Esse mecanismo explica como *apenas alguns microgramas de glucagon podem fazer com que o nível de glicose no sangue duplique ou aumente ainda mais em alguns minutos.*

A infusão de glucagon por cerca de 4 horas pode levar a uma glicogenólise hepática tão intensa, que todas as reservas do fígado se esgotam.

O glucagon aumenta a gliconeogênese

Mesmo depois de o consumo de todo o glicogênio do fígado ter sido exaurido sob a influência do glucagon, a contínua infusão desse hormônio ainda causa hiperglicemia contínua. Essa hiperglicemia resulta do efeito do glucagon de aumentar a captação de aminoácidos pelas células do fígado, e então, converter muitos dos aminoácidos em glicose por gliconeogênese. Esse efeito é produzido por meio da ativação de várias enzimas necessárias para o transporte de aminoácidos e para a gliconeogênese, especialmente para a ativação do sistema enzimático para a conversão de piruvato em fosfoenolpiruvato, etapa que limita a gliconeogênese.

Outros efeitos do glucagon

A maioria dos outros efeitos do glucagon ocorre apenas quando sua concentração sobe bem acima do máximo normalmente encontrado no sangue. Talvez o efeito mais importante seja que o glucagon *ativa a lipase das células adiposas*, disponibilizando quantidades aumentadas de ácidos graxos disponíveis para os sistemas de energia do corpo. O glucagon também inibe o armazenamento de triglicerídios no fígado, fato que impede o fígado de remover ácidos graxos do sangue; isso também ajuda na disponibilização de quantidades adicionais de ácidos graxos para outros tecidos do corpo.

O glucagon em altas concentrações também (1) aumenta o força do coração; (2) aumenta o fluxo sanguíneo em alguns tecidos, especialmente nos rins; (3) aumenta a secreção biliar; e (4) inibe a secreção de ácido gástrico. Possivelmente, esses efeitos do glucagon apresentam uma importância menor no funcionamento normal do organismo, quando comparados aos seus efeitos sobre a glicose.

REGULAÇÃO DA SECREÇÃO DE GLUCAGON

O aumento da glicose sanguínea inibe a secreção de glucagon. A concentração de glicose no sangue é, sem dúvida, o fator mais potente que controla a secreção de glucagon. Observe especificamente, no entanto, que *o efeito da concentração de glicose sanguínea sobre a secreção de glucagon está exatamente na direção oposta do efeito da glicose na secreção de insulina.*

Isso é demonstrado na **Figura 79.10**. Pode-se observar que a *redução* da concentração de glicose sanguínea do seu nível normal de jejum, de cerca de 90 mg/100 mℓ de sangue, até níveis hipoglicêmicos, pode aumentar em várias vezes a concentração plasmática do glucagon. Por outro lado, o aumento da glicose sanguínea para níveis hiperglicêmicos diminui a concentração do glucagon plasmático. Assim, na hipoglicemia, o glucagon é secretado em grandes quantidades e, então, aumenta muito a saída de glicose do fígado, realizando a importante função de corrigir a hipoglicemia.

O aumento de aminoácidos no sangue estimula a secreção de glucagon. Altas concentrações de aminoácidos, como ocorrem no sangue após uma refeição contendo proteína (especialmente os aminoácidos *alanina* e *arginina*), *estimulam* a secreção de glucagon. Esse é o mesmo efeito que os aminoácidos apresentam no estímulo da secreção de insulina. Assim, nesse caso, o glucagon e a insulina não apresentam respostas opostas. A importância do estímulo da secreção do glucagon pelos aminoácidos

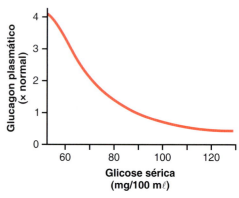

Figura 79.10 Concentração aproximada de glucagon no plasma em diferentes níveis de glicose sanguínea.

CAPÍTULO 79 Insulina, Glucagon e Diabetes Melito

decorre do fato de que o glucagon promove a conversão rápida dos aminoácidos em glicose, deixando ainda mais glicose disponível para os tecidos.

O exercício intenso estimula a secreção de glucagon. Em exercícios físicos exaustivos, a concentração plasmática de glucagon aumenta, muitas vezes, de quatro a cinco vezes. A causa desse aumento não é bem compreendida, pois a concentração de glicose sanguínea não necessariamente cai. Um efeito benéfico do glucagon é que ele previne a diminuição da glicose sanguínea.

Um dos fatores que podem aumentar a secreção do glucagon durante o exercício é o aumento dos aminoácidos circulantes. Outros fatores, tais como o estímulo beta-adrenérgico nas ilhotas pancreáticas, também podem ter uma participação.

A somatostatina inibe a secreção de glucagon e insulina

As *células delta* das ilhotas pancreáticas secretam o hormônio *somatostatina*, um polipeptídio de 14 aminoácidos que tem meia-vida extremamente curta, de apenas 3 minutos na circulação sanguínea. Quase todos os fatores relacionados à ingestão de alimentos estimulam a secreção de somatostatina. Esses fatores incluem (1) aumento da glicose no sangue, (2) aumento dos aminoácidos, (3) ácidos graxos aumentados e (4) concentrações aumentadas de vários hormônios gastrointestinais liberados do trato gastrointestinal superior, em resposta à ingestão de alimentos.

Por sua vez, a somatostatina apresenta efeitos inibitórios múltiplos, como veremos a seguir:

1. A somatostatina atua localmente nas ilhotas pancreáticas para deprimir a secreção de insulina e glucagon.
2. A somatostatina diminui a motilidade do estômago, do duodeno e da vesícula biliar.
3. A somatostatina diminui a secreção e a absorção no trato gastrointestinal.

Ao reunir essas informações, foi sugerido que o principal papel da somatostatina é prolongar o período durante o qual os nutrientes alimentares são assimilados no sangue. Ao mesmo tempo, o efeito da somatostatina na redução da secreção de insulina e glucagon reduz a utilização dos nutrientes absorvidos pelos tecidos, evitando o consumo imediato dos alimentos e, portanto, tornando-os disponíveis por um período mais longo.

A somatostatina é a mesma substância química que *o hormônio inibidor do hormônio de crescimento*, secretado no hipotálamo, que suprime a secreção do hormônio de crescimento pela adeno-hipófise.

RESUMO DA REGULAÇÃO DA GLICOSE SANGUÍNEA

A concentração de glicose no sangue, no indivíduo normal, está estritamente controlada, geralmente entre 80 e 90 mg/100 mℓ de sangue na pessoa em jejum, todas as manhãs, antes do café da manhã. Essa concentração aumenta para 120 a 140 mg/100 mℓ durante a primeira hora depois de uma refeição, mas os sistemas de *feedback*

para controlar a glicose no sangue reestabelecem rapidamente sua concentração de volta aos níveis de controle, geralmente dentro de 2 horas após a última absorção de carboidratos. Por outro lado, na ausência de alimentação, a função da gliconeogênese do fígado produz a glicose necessária para manter o nível sérico de glicose no sangue no período de jejum.

Os mecanismos para atingir esse alto grau de controle foram apresentados neste capítulo e se resumem do seguinte modo:

1. *O fígado funciona como um importante sistema tampão da glicose sanguínea.* Assim, quando a glicose no sangue sobe a uma concentração elevada após uma refeição, e a secreção de insulina também aumenta, até cerca de dois terços da glicose absorvida pelo intestino são rapidamente armazenados como glicogênio no fígado. Então, durante as horas seguintes, quando tanto a concentração de glicose sanguínea quanto a secreção de insulina caem, o fígado libera a glicose de volta no sangue. Dessa forma, o fígado diminui as flutuações da concentração de glicose sanguínea para cerca de um terço do que ocorreria de uma outra forma. Na verdade, em pacientes com doença hepática grave, torna-se quase impossível manter uma faixa estreita de concentração de glicose no sangue.

2. *Tanto a insulina quanto o glucagon funcionam como importantes sistemas de controle de* feedback *para manter a concentração normal de glicose no sangue.* Quando a concentração de glicose aumenta muito, a secreção aumentada de insulina faz com que a concentração de glicose no sangue diminua em direção a valores normais. Por outro lado, uma diminuição na glicose sanguínea estimula a secreção de glucagon; o glucagon então age na direção oposta para aumentar a glicose até o normal. Na maioria das condições normais, o mecanismo de *feedback* da insulina é mais importante do que o mecanismo do glucagon, mas, em alguns casos de falta de ingestão ou utilização excessiva de glicose durante o exercício e outras situações de estresse, o mecanismo do glucagon também se torna valioso.

3. Na hipoglicemia grave, o efeito direto dos baixos níveis de glicose sanguínea no hipotálamo estimula o sistema nervoso simpático. A adrenalina secretada pelas glândulas adrenais aumenta ainda mais a liberação de glicose pelo fígado, o que também ajuda a proteger contra uma hipoglicemia grave.

4. Finalmente, ao longo de um período de horas e dias, tanto o GH como o cortisol são secretados em resposta à hipoglicemia prolongada, e ambos diminuem a utilização de glicose pela maioria das células do corpo, convertendo-a, então, para maior utilização de gordura. Esse processo também ajuda a concentração de glicose sanguínea a retornar ao normal.

A importância da regulação da glicose sanguínea. Alguém pode perguntar: "Por que é tão importante manter a concentração constante de glicose sanguínea,

PARTE 14 Endocrinologia e Reprodução

se particularmente a maioria dos tecidos pode utilizar gorduras e proteínas como fonte de energia, na ausência de glicose?" A resposta é que a glicose é o único nutriente que normalmente pode ser usado pelo *cérebro*, pela *retina* e pelo *epitélio germinativo das gônadas* em quantidade suficiente para supri-los de forma otimizada com a energia requerida. Portanto, é importante manter a concentração da glicose sanguínea em níveis suficientes para fornecer essa nutrição necessária.

A maior parte da glicose formada pela gliconeogênese durante o período interdigestivo é utilizada no metabolismo neural. Na verdade, é importante que o pâncreas não secrete insulina durante esse tempo; caso contrário, os escassos suprimentos de glicose disponíveis iriam para os músculos e outros tecidos periféricos, deixando o cérebro sem uma fonte nutritiva.

Também é importante que a concentração de glicose no sangue não aumente muito por vários motivos:

1. A glicose contribui de forma importante para a pressão osmótica no líquido extracelular, e, se a sua concentração aumentar para valores excessivos, pode ocorrer uma considerável desidratação celular.
2. Um nível excessivamente elevado de concentração de glicose sanguínea provoca a perda de glicose na urina.
3. A perda de glicose na urina também causa diurese osmótica pelos rins, o que pode deixar o corpo sem os seus líquidos e eletrólitos.
4. Aumentos a longo prazo da glicose sanguínea causam lesões em diversos tecidos, especialmente nos vasos sanguíneos. A lesão vascular associada ao diabetes melito descontrolado leva a um risco aumentado de ataque cardíaco, AVC, doença renal em estágio final e cegueira.

Diabetes melito

O diabetes melito é uma síndrome do metabolismo defeituoso de carboidratos, lipídios e proteínas causada pela ausência de secreção de insulina ou pela diminuição da sensibilidade dos tecidos à insulina. Existem dois tipos gerais de diabetes melito:

1. Diabetes tipo 1, também chamado de *diabetes melito insulinodependente*, causado pela ausência de secreção de insulina.
2. Diabetes tipo 2, também chamado de *diabetes melito não insulinodependente*, causado pela diminuição da sensibilidade dos tecidos-alvo ao efeito metabólico da insulina. Essa sensibilidade reduzida à insulina é frequentemente chamada de resistência insulínica.

Em ambos os tipos de diabetes melito, o metabolismo de todos os principais nutrientes está alterado. O efeito básico da ausência de insulina ou da resistência a ela no metabolismo da glicose é impedir a captação eficiente e a utilização da glicose pela maioria das células do corpo, exceto as do cérebro. Como resultado, aumenta a concentração de glicose sanguínea, a utilização celular da glicose cai cada vez mais, e a utilização dos lipídios e das proteínas aumenta.

Diabetes tipo 1: deficiência de produção de insulina pelas células beta do pâncreas

Lesões das células beta do pâncreas ou doenças que prejudiquem a produção de insulina podem levar ao diabetes tipo 1. As *infecções virais* ou *doenças autoimunes* podem estar envolvidas na destruição das células beta em muitos pacientes portadores de diabetes tipo 1, embora a hereditariedade também desempenhe um papel importante na determinação da suscetibilidade das células beta à sua destruição, em consequência dessas agressões. Em alguns casos, as pessoas podem ter uma tendência hereditária para a degeneração das células beta, mesmo sem apresentar infecções virais ou doenças autoimunes.

O início usual do diabetes tipo 1 ocorre por volta dos 14 anos nos EUA, e por isso é frequentemente chamado de *diabetes melito infantojuvenil*. No entanto, o diabetes tipo 1 pode ocorrer em qualquer idade, incluindo a idade adulta, após a manifestação de distúrbios que levam à destruição das células beta pancreáticas. O diabetes tipo 1 pode se desenvolver abruptamente, ao longo de um período de alguns dias ou semanas, com três sequelas principais: (1) aumento dos níveis de glicose sanguínea, (2) aumento da utilização dos lipídios como fonte de energia e para a formação de colesterol pelo fígado, e (3) depleção das proteínas do organismo. Aproximadamente 5 a 10% das pessoas com diabetes melito apresentam o tipo 1 da doença.

A concentração de glicose sanguínea atinge níveis elevados no diabetes melito. A ausência de insulina reduz a eficiência da utilização periférica de glicose e aumenta a produção de glicose, elevando a glicose plasmática para cerca de 300 a 1.200 mg/100 mℓ. O aumento da glicose plasmática, então, apresenta vários efeitos adversos por todo o corpo.

O aumento da glicose sanguínea provoca perda de glicose na urina. Os altos níveis de glicose no sangue fazem com que mais glicose chegue aos túbulos renais em quantidades maiores do que aquela que pode ser reabsorvida, e o excesso de glicose é eliminado na urina, conforme explicado no Capítulo 28. Isso ocorre, normalmente, quando a concentração de glicose sanguínea fica acima de cerca de 200 mg/100 mℓ, o nível que é chamado de "limiar" sanguíneo para o aparecimento de glicose na urina. Quando o nível de glicose sanguínea atinge entre 300 e 500 mg/100 mℓ – valores comuns em pessoas com diabetes grave não tratado – 100 ou mais gramas de glicose podem ser perdidos na urina a cada dia.

O aumento da glicose sanguínea causa desidratação. Níveis de glicose sanguínea extremamente altos (chegando, às vezes, até 8 a 10 vezes do seu valor normal em diabetes grave não tratado) podem causar uma grave desidratação celular em todo o corpo. Essa desidratação ocorre, em parte, porque a glicose não se difunde facilmente através dos poros das membranas celulares, e o aumento da pressão osmótica nos líquidos extracelulares causa transferência osmótica de água para fora das células.

Além do efeito direto de desidratação celular devido ao excesso de glicose, a perda de glicose na urina causa *diurese osmótica*, isto é, o efeito osmótico da glicose nos túbulos renais reduz muito a reabsorção tubular de líquidos. O efeito geral é a perda maciça de líquido na urina, ocasionando desidratação do líquido extracelular, que, por sua vez, causa desidratação compensatória do líquido intracelular. Por isso, a *poliúria* (excreção excessiva de urina), as *desidratações intra e extracelular* e o *aumento da sede (polidipsia)* são sintomas clássicos do diabetes.

A alta concentração crônica de glicose causa lesão tecidual. Quando a glicose sanguínea é mal controlada durante longos períodos no diabetes melito, os vasos sanguíneos, em vários tecidos de todo o corpo, começam a funcionar de forma anormal e passam por mudanças estruturais que resultam em aporte inadequado de sangue para os tecidos. Essa situação, por sua vez, leva ao aumento do risco de ataque cardíaco, derrame, doença renal em estágio final, retinopatia e cegueira, isquemia e gangrena nos membros.

A alta concentração crônica de glicose também causa danos a muitos outros tecidos. Por exemplo, *neuropatia periférica*, que consiste no funcionamento anormal dos nervos periféricos, e *disfunções do sistema nervoso autônomo* são complicações frequentes do diabetes melito crônico descontrolado. Essas anormalidades podem resultar em alterações dos reflexos cardiovasculares, deterioração do controle da bexiga, diminuição da sensibilidade nas extremidades e outros sintomas de lesões nos nervos periféricos.

Os mecanismos precisos que causam lesão tecidual no diabetes não são bem compreendidos, mas provavelmente envolvem vários efeitos das altas concentrações de glicose e outras anormalidades metabólicas nas proteínas do endotélio vascular e das células musculares lisas, bem como de outros tecidos. Além disso, a *hipertensão*, secundária à lesão renal, e a *aterosclerose*, secundária ao metabolismo lipídico anormal, frequentemente se desenvolvem em pacientes portadores de diabetes e amplificam a lesão tecidual causada pela glicose elevada.

O diabetes melito causa o aumento da utilização dos lipídios e a acidose metabólica. A mudança do metabolismo de carboidratos para o metabolismo de lipídios no diabetes aumenta a liberação de cetoácidos – tais como o ácido acetoacético e o ácido β-hidroxibutírico – no plasma mais rapidamente do que as células teciduais são capazes de captá-los e oxidá-los. Como resultado, a *acidose metabólica* se desenvolve, devido ao excesso de cetoácidos, o que, por sua vez, em associação à desidratação, pode causar acidose grave. Esse cenário leva rapidamente ao *coma diabético* e à morte, a menos que o paciente seja tratado imediatamente com grandes quantidades de insulina.

Todas as compensações fisiológicas usuais que ocorrem na acidose metabólica ocorrem também na acidose diabética, conforme discutido no Capítulo 31. Entre elas incluem-se *respiração rápida e profunda*, que provoca aumento da expiração de dióxido de carbono; esse mecanismo age como um tampão para a acidose, mas também esgota os estoques de bicarbonato do líquido extracelular. Os rins compensam diminuindo a excreção de bicarbonato e gerando novo bicarbonato, que é devolvido ao líquido extracelular.

Embora a acidose extrema ocorra apenas nos casos mais graves de diabetes não controlado, quando o pH do sangue cai abaixo de 7, o *coma acidótico* e a morte podem ocorrer dentro de horas. As alterações globais nos eletrólitos do sangue como consequência de acidose diabética grave são mostradas na **Figura 79.11**.

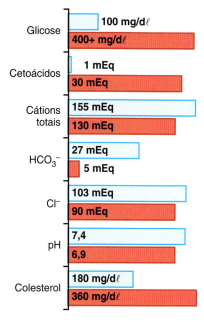

Figura 79.11 Alterações dos constituintes sanguíneos no coma diabético, mostrando valores normais (*barras azuis*) e valores de coma diabético (*barras vermelhas*).

O uso excessivo de lipídios no fígado, por um longo tempo, provoca a presença de uma grande quantidade de colesterol no sangue circulante e o aumento da deposição do colesterol nas paredes arteriais. Essa situação leva a *arteriosclerose*, à *aterosclerose* e a outras lesões vasculares, como discutido anteriormente.

O diabetes causa depleção das proteínas do organismo. A incapacidade de utilização da glicose como fonte de energia leva ao aumento da utilização e à diminuição do armazenamento de proteínas e lipídios. Portanto, uma pessoa portadora de diabetes melito grave não tratada apresenta perda de peso rápida e *astenia* (falta de energia), apesar de comer grandes quantidades de alimentos (*polifagia*). Sem tratamento, essas anormalidades metabólicas podem provocar o consumo grave dos tecidos corporais e o óbito, em poucas semanas.

Tratamento do diabetes tipo 1. O tratamento eficaz do diabetes melito tipo 1 requer a administração de uma quantidade suficiente de insulina para que o paciente tenha o metabolismo de carboidratos, gorduras e proteínas o mais normal possível. A insulina está disponível em várias formas. A insulina chamada de "regular" tem uma duração de ação de 3 a 8 horas, enquanto outras formas de insulina (precipitada com zinco ou com vários derivados de proteínas) são absorvidas lentamente a partir do local da injeção e, portanto, têm efeitos que duram de 10 a 48 horas. Normalmente, um paciente com diabetes tipo 1 grave recebe uma dose única de uma insulina de longa duração por dia para aumentar o metabolismo geral dos carboidratos ao longo do dia. Quantidades adicionais de insulina regular são então administradas durante o dia quando o nível de glicose sanguínea tende a subir muito, como na hora das refeições. Assim, cada paciente é tratado de forma individualizada.

No passado, a insulina utilizada para o tratamento era derivada do pâncreas de animais. No entanto, a insulina

PARTE 14 Endocrinologia e Reprodução

humana produzida pelo processo de DNA recombinante tornou-se mais amplamente utilizada, pois alguns pacientes desenvolveram imunidade e sensibilidade à insulina animal, limitando sua eficácia.

Diabetes tipo 2: resistência aos efeitos metabólicos da insulina. O diabetes tipo 2 é muito mais comum do que o diabetes tipo 1, sendo responsável por cerca de 90 a 95% de todos os casos de diabetes melito. Na maioria dos casos, ocorre o aparecimento de diabetes tipo 2 depois dos 30 anos, geralmente entre 50 e 60 anos, e a evolução da doença é gradual. Portanto, essa síndrome é frequentemente descrita como *diabetes do adulto.* Nos últimos anos, no entanto, tem havido um aumento constante no número de indivíduos mais jovens, alguns mais jovens do que 20 anos, com diabetes tipo 2. Essa tendência parece estar relacionada principalmente ao aumento da prevalência de *obesidade, o fator de risco mais importante para o diabetes tipo 2* em crianças, assim como em adultos.

A obesidade, a resistência à insulina e a "síndrome metabólica" geralmente precedem o desenvolvimento do diabetes tipo 2. O diabetes tipo 2, em contraste com o diabetes tipo 1, está associado ao *aumento* da concentração plasmática de insulina. A *hiperinsulinemia* ocorre como uma resposta compensatória das células beta do pâncreas à resistência à insulina, uma sensibilidade diminuída dos tecidos-alvo aos efeitos metabólicos da insulina. A diminuição da sensibilidade à insulina prejudica a utilização e o armazenamento de carboidratos, aumentando o nível da glicose sanguínea e estimulando o aumento compensatório da secreção de insulina.

O desenvolvimento da resistência à insulina e do metabolismo alterado da glicose é geralmente um processo gradual, começando com excesso de ganho de peso e obesidade. Alguns estudos sugerem que indivíduos obesos têm menos receptores de insulina, especialmente no músculo esquelético, no fígado e no tecido adiposo. No entanto, a maior parte da resistência à insulina parece ser causada por anormalidades nas vias de sinalização que ligam a ativação do receptor a diversos efeitos celulares. As alterações da sinalização da insulina podem estar intimamente relacionadas aos efeitos tóxicos do acúmulo de lipídios nos tecidos, como músculo esquelético e fígado, como resultado do ganho de peso excessivo.

A resistência insulínica faz parte de uma cascata de distúrbios que frequentemente é chamada de *"síndrome metabólica".* Algumas das características da síndrome metabólica incluem (1) obesidade, especialmente acúmulo de gordura abdominal; (2) resistência à insulina; (3) hiperglicemia em jejum; (4) anormalidades lipídicas, tais como aumento dos triglicerídios no sangue e diminuição da lipoproteína de alta densidade; e (5) hipertensão. Todas as características da síndrome metabólica estão intimamente relacionadas ao acúmulo em excesso de tecido adiposo na cavidade abdominal ao redor das vísceras.

O papel da resistência insulínica em contribuir para alguns dos componentes da síndrome metabólica é incerto, embora seja claro que a resistência à insulina seja a principal causa do aumento da concentração de glicose no sangue. A principal consequência adversa da síndrome metabólica é a doença cardiovascular, incluindo aterosclerose e lesões em diversos órgãos do corpo. Vários das anormalidades metabólicas associadas à síndrome aumentam o risco de doença cardiovascular, e a resistência à insulina predispõe ao desenvolvimento de diabetes melito tipo 2, que também é uma das principais causas de doenças cardiovasculares.

Outros fatores que podem causar resistência à insulina e diabetes tipo 2. Embora a maioria dos pacientes com diabetes tipo 2 esteja acima do peso ou apresente um acúmulo substancial de gordura visceral, a resistência à insulina grave e o diabetes tipo 2 também podem ocorrer como resultado de outras condições genéticas ou adquiridas que prejudicam a sinalização da insulina nos tecidos periféricos (ver **Tabela 79.2**)

A *síndrome do ovário policístico* (SOP), por exemplo, está associada ao aumento marcante na produção de androgênios ovarianos e à resistência à insulina. É um dos distúrbios endócrinos mais comuns em mulheres, afetando aproximadamente 6% de todas as mulheres durante sua vida reprodutiva. Embora a patogênese da SOP permaneça incerta, a resistência à insulina e a hiperinsulinemia são encontradas em aproximadamente 80% das mulheres afetadas. As consequências a longo prazo incluem aumento do risco de diabetes melito, aumento da concentração lipídica no sangue e doenças cardiovasculares.

A *formação excessiva de glicocorticoides (síndrome de Cushing)* ou de *hormônio de crescimento (acromegalia)* também diminui a sensibilidade de vários tecidos aos efeitos metabólicos da insulina e pode levar ao desenvolvimento de diabetes melito. As causas genéticas da obesidade e da resistência insulínica, se forem bastante graves, também podem levar ao diabetes tipo 2, assim como a muitas outras características da síndrome metabólica, incluindo a doença cardiovascular.

Desenvolvimento de diabetes tipo 2 na vigência de resistência insulínica prolongada. Nos casos de resistência insulínica prolongada e grave, até mesmo os níveis aumentados de insulina não são suficientes para manter a regulação normal da glicose. Como consequência, encontra-se uma hiperglicemia moderada após a ingestão de carboidratos, nos estágios iniciais da doença.

Nos estágios mais avançados do diabetes tipo 2, as células beta pancreáticas tornam-se "exauridas" ou lesadas, e

Tabela 79.2 Algumas causas da resistência à insulina.

- Obesidade/excesso de peso (especialmente excesso de adiposidade visceral)
- Excesso de glicocorticoides (síndrome de Cushing ou terapia com esteroide)
- Excesso de hormônio de crescimento (acromegalia)
- Gravidez, diabetes gestacional
- Doença do ovário policístico
- Lipodistrofia (adquirida ou genética; associada ao acúmulo de lipídios no fígado)
- Autoanticorpos ao receptor de insulina
- Mutações do receptor de insulina
- Mutações do receptor ativado por proliferadores de peroxissoma (PPARγ)
- Mutações que causam obesidade genética (p. ex., mutações no receptor de melanocortina)
- Hemocromatose (uma doença hereditária que causa acúmulo de ferro tecidual)

CAPÍTULO 79 Insulina, Glucagon e Diabetes Melito

são incapazes de produzir insulina suficiente para impedir a hiperglicemia mais grave, especialmente depois que a pessoa ingere uma refeição rica em carboidratos.

O diabetes melito clinicamente significativo pode não se desenvolver em algumas pessoas obesas, embora tenham marcada resistência à insulina e aumentos superiores ao normal da glicose sanguínea após uma refeição; aparentemente, nessas pessoas, o pâncreas produz insulina suficiente para prevenir anormalidades graves do metabolismo da glicose. Em outras pessoas obesas, no entanto, o pâncreas gradualmente fica exaurido de secretar grandes quantidades de insulina ou fica danificado por fatores associados ao acúmulo de lipídios no pâncreas, e ocorre o diabetes melito. Alguns estudos sugerem que fatores genéticos desempenham papel importante na determinação da capacidade do pâncreas de um indivíduo de manter a alta produção de insulina ao longo de muitos anos, necessária para evitar as anormalidades graves do metabolismo da glicose no diabetes tipo 2.

Tratamento do diabetes tipo 2 por meio de modificações no estilo de vida, aumento da sensibilidade à insulina e aumento da secreção de insulina. Em muitos casos, o diabetes tipo 2 pode ser tratado de forma eficaz, pelo menos nos estágios iniciais, com modificações no estilo de vida, como: aumento da atividade física, restrição calórica e redução de peso, sem que seja necessária a administração exógena de insulina. Fármacos que aumentam a sensibilidade à insulina, tais como as *tiazolidinedionas*, fármacos que suprimem a produção de glicose no fígado, como a *metformina*, ou fármacos que provocam a liberação adicional da insulina pelo pâncreas, tais como as *sulfonilureias*, também podem ser utilizados. No entanto, nos estágios mais avançados do diabetes tipo 2, a administração de insulina é, geralmente, necessária para controlar a glicemia.

Foram desenvolvidos fármacos que simulam as ações da *incretina* GLP-1 para o tratamento do diabetes tipo 2. Esses medicamentos aumentam a secreção de insulina e se destinam a ser utilizados em conjunto com outros medicamentos antidiabéticos. Outra abordagem terapêutica consiste em inibir a enzima *dipeptidil peptidase 4* (DPP-4), que inativa GLP-1 e GIP. Ao bloquear as ações de DPP-4, os efeitos das incretinas GLP-1 e GIP podem ser prolongados, conduzindo a uma elevação da secreção de insulina e a um melhor controle dos níveis de glicose sanguínea.

Tratamento do diabetes tipo 2 por meio da inibição do cotransportador de sódio-glicose 2 (SGLT 2). Conforme discutido no Capítulo 28, aproximadamente 90% da glicose filtrada pelos capilares glomerulares renais são reabsorvidos dos túbulos proximais pelo cotransportador de sódio-glicose 2 (SGLT2). Diversos medicamentos, chamados de *gliflozinas*, foram desenvolvidos para o tratamento do diabetes tipo 2, inibindo SGLT2. Esses inibidores de SGLT2 reduzem significativamente a reabsorção renal de glicose, causando grandes quantidades de glicose a serem excretadas na urina, reduzindo, assim, a concentração de glicose sanguínea. Os inibidores de SGLT2 são frequentemente usados em combinação com outros fármacos que aumentam a sensibilidade à insulina ou que estimulam a secreção de insulina. Ensaios clínicos têm mostrado que eles fornecem proteção contra doenças cardiovasculares e renais em pacientes com diabetes.

Além de aumentarem a excreção de glicose, os inibidores de SGLT2 também causam uma diurese acentuada devido ao efeito osmótico da glicose remanescente nos túbulos renais. A diurese pode ser benéfica por causar pequenas reduções na pressão sanguínea em pacientes com diabetes tipo 2, que costumam sofrer de hipertensão, mas também pode aumentar o risco de desidratação e de hipotensão em pacientes que já estão tomando outros diuréticos e medicações anti-hipertensivas.

Tratamento cirúrgico do diabetes tipo 2. Em muitas pessoas que sofrem de obesidade grave e diabetes tipo 2, regimes de tratamento focados em dieta, exercícios e farmacoterapia não produzem reduções adequadas na adiposidade e glicose no sangue. Nesses casos, vários procedimentos de *cirurgias bariátricas* podem ser utilizados para reduzir a massa de gordura e alcançar o controle da glicemia. Os dois procedimentos mais utilizados, o *bypass gástrico* e a *gastrectomia vertical* (discutidos no Capítulo 72), são frequentemente chamados de "*cirurgia metabólica*", pois muitos pacientes que se submetem a essas operações experimentam a remissão completa do diabetes e não precisam mais de medicamentos antidiabéticos. Melhoras nos níveis de glicose sanguínea, lipídios e pressão arterial costumam ocorrer dentro de alguns dias ou semanas após a cirurgia, sugerindo que os mecanismos para esses benefícios cardiovasculares e metabólicos podem se estender além da perda de peso e redução da adiposidade. No entanto, fatores fisiológicos que contribuem para os efeitos metabólicos favoráveis desses procedimentos cirúrgicos ainda não são claros.

Diagnóstico do diabetes melito: aspectos fisiológicos

A **Tabela 79.3** compara algumas das características clínicas do diabetes melito tipo 1 e tipo 2. Os métodos usuais de diagnóstico do diabetes são baseados em vários testes químicos de urina e sangue.

Tabela 79.3 Características clínicas de pacientes com diabetes melito tipo 1 e tipo 2.

Características	Tipo 1	Tipo 2
Idade de início	Geralmente abaixo dos 20 anos	Geralmente acima dos 30 anos
Massa corporal	Pequena (consumida) a normal	Obesidade visceral
Insulina plasmática	Baixa ou ausente	Inicialmente de normal a elevada
Glucagon plasmático	Elevado, pode ser suprimido	Elevado, resistente à supressão
Glicose plasmática	Aumentada	Aumentada
Sensibilidade à insulina	Normal	Reduzida
Tratamento	Insulina	Perda de peso, cirurgia bariátrica, tiazolidinedionas, metformina, sulfonilureias, inibidores de SGLT2, insulina

SGLT2, cotransportador de sódio-glicose 2.

Glicose urinária. Exames simples ou testes laboratoriais quantitativos mais complicados podem ser usados para determinar a quantidade de glicose eliminada na urina. Em geral, uma pessoa não diabética elimina quantidades indetectáveis de glicose, enquanto uma pessoa com diabetes elimina glicose em quantidades variáveis, de pequenas a grandes, segundo a gravidade da doença e a ingestão de carboidratos.

Concentrações de glicose sanguínea no jejum e níveis de insulina. A concentração de glicose no sangue em jejum no início da manhã é normalmente de 80 a 90 mg/100 mℓ, e 115 mg/100 mℓ é considerado o limite superior da normalidade. O nível de glicose sanguínea em jejum acima desse valor geralmente indica diabetes melito ou pelo menos uma acentuada resistência à insulina e *pré-diabetes*.

Em pessoas portadoras de diabetes tipo 1, os níveis de insulina no plasma são muito baixos ou indetectáveis durante o jejum e mesmo após uma refeição. Em pessoas com diabetes tipo 2, a concentração de insulina plasmática pode ser várias vezes mais alta do que o normal e, geralmente, aumenta em maior grau após a ingestão de uma carga padrão de glicose, durante o teste de tolerância à glicose (ver a próxima seção).

Hemoglobina glicada. Quando os níveis de glicose sanguínea ficam elevados por períodos prolongados, a glicose se liga à hemoglobina nas hemácias para formar a *hemoglobina glicada*, frequentemente chamada de *hemoglobina A1c* (HbA1c). Maior hiperglicemia ocorre, mais glicose se liga à hemoglobina, e, uma vez que a hemoglobina é glicada, ela permanece assim por toda a vida da célula. Portanto, o acúmulo de HbA1c em uma hemácia reflete a concentração média de glicose à qual célula foi exposta durante seu ciclo de vida. Como a vida útil média das hemácias é de cerca de 120 dias, e as células têm uma expectativa de vida variável, o teste HbA1c é usado principalmente para avaliar as concentrações médias de glicose sanguínea considerando os 3 meses anteriores e pode fornecer um teste diagnóstico para diabetes melito ou um teste de avaliação do controle glicêmico em pessoas com diabetes.

Teste de tolerância à glicose. Conforme demonstrado pela curva inferior na **Figura 79.12**, chamada de "curva de tolerância à glicose", quando uma pessoa normal, em jejum, ingere 1 grama de glicose por quilograma de peso corporal, o nível de glicose sanguínea aumenta de cerca de 90 mg/100 mℓ para 120 a 140 mg/100 mℓ, e volta para o nível abaixo do normal em cerca de 2 horas.

Em uma pessoa portadora de diabetes, a concentração de glicose sanguínea em jejum está quase sempre acima de 115 mg/100 mℓ e frequentemente está acima de 140 mg/100 mℓ. Além disso, os resultados do teste de tolerância à glicose estão, quase sempre, anormais. Após a ingestão de glicose, essas pessoas apresentam uma elevação muito acima da prevista para o seu nível de glicose sanguínea, conforme demonstrado na curva superior da **Figura 79.12**, e o nível de glicose volta ao seu valor de controle somente após 4 a 6 horas; além disso, não chega a cair *abaixo* do nível de controle. A queda lenta dessa curva e sua incapacidade de cair abaixo do nível de controle demonstra que (1) o aumento normal na secreção de insulina após a ingestão de glicose não ocorre, ou (2) a pessoa apresenta uma redução da sensibilidade à insulina. O diagnóstico de diabetes melito, geralmente, pode ser estabelecido com base em uma curva como essa, e os tipos 1 e 2 do diabetes podem ser distinguidos um do outro por dosagens de insulina plasmática. A insulina plasmática estará baixa ou indetectável no diabetes tipo 1 e aumentada no diabetes tipo 2.

Hálito cetônico. Conforme ressaltado no Capítulo 69, pequenas quantidades de ácido acetoacético no sangue, que aumenta muito no diabetes grave, são convertidas em acetona. A acetona é volátil e é vaporizada no ar expirado. Consequentemente, pode-se frequentemente estabelecer um diagnóstico de diabetes melito tipo 1 simplesmente sentindo o cheiro de acetona no hálito de um paciente. Além disso, os cetoácidos podem ser detectados por meios químicos na urina, e sua quantificação ajuda na determinação da gravidade do diabetes. Nos estágios iniciais do diabetes tipo 2, no entanto, os cetoácidos geralmente não são produzidos em uma quantidade excessiva. Porém, quando a resistência à insulina se torna grave e há um grande aumento da utilização de gorduras como fonte de energia, os cetoácidos são produzidos em pessoas com diabetes tipo 2.

Relação do tratamento com a aterosclerose e com a doença renal crônica. Principalmente por causa da hipertensão e dos altos níveis de colesterol circulante e de outros lipídios em pacientes diabéticos, a aterosclerose, a arteriosclerose, a doença coronariana grave, a doença renal crônica e múltiplas lesões microcirculatórias se desenvolvem muito mais facilmente do que em pessoas não diabéticas. Na verdade, as pessoas que apresentam diabetes não controlado durante a infância têm probabilidade de morrer de doenças cardiovasculares no início da idade adulta.

Nos primeiros dias do tratamento do diabetes, a tendência era reduzir intensamente os carboidratos na dieta para minimizar a necessidade de insulina. Essa abordagem impedia que a glicose sanguínea aumentasse demais e atenuava a perda da glicose pela urina, mas não evitava a ocorrência de muitas anormalidades no metabolismo dos lipídios. Consequentemente, a tendência atual é permitir que o paciente consuma uma dieta com uma quantidade de carboidratos praticamente normal e administre insulina suficiente para metabolizá-los. Essa abordagem diminui o metabolismo lipídico e deprime os altos níveis de colesterol sérico.

Considerando que as complicações do diabetes, como a aterosclerose, o aumento da suscetibilidade à infecção, a

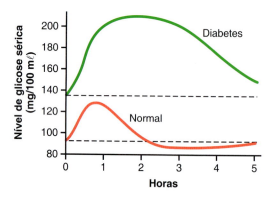

Figura 79.12 Curva glicêmica em uma pessoa normal e em um paciente com diabetes.

retinopatia diabética, a catarata, a hipertensão e a doença renal crônica, são intimamente associadas aos níveis de lipídios e glicose no sangue, a maioria dos médicos também prescreve fármacos hipolipemiantes para ajudar a prevenir esses distúrbios.

Insulinoma | Hiperinsulinismo

Embora a produção excessiva de insulina ocorra muito mais raramente do que o diabetes, ocasionalmente pode ser uma consequência de um adenoma de uma ilhota pancreática. Cerca de 10 a 15% desses adenomas são malignos, e, ocasionalmente, metástases derivadas das ilhotas pancreáticas espalham-se por toda parte do corpo, causando uma enorme produção de insulina, tanto pelo câncer primário, como pelos metastáticos. Na verdade, alguns desses pacientes necessitavam de mais de 1.000 g de glicose a cada 24 horas para prevenir a hipoglicemia.

Choque insulínico e hipoglicemia. Como já enfatizado, o sistema nervoso central, normalmente, obtém essencialmente toda sua energia do metabolismo da glicose, e a insulina não é necessária para sua utilização. No entanto, se os altos níveis de insulina fizerem com que a glicose sanguínea caia para valores muito baixos, o metabolismo do sistema nervoso central ficará deprimido. Consequentemente, nos pacientes portadores de tumores secretores de insulina ou nos pacientes portadores de diabetes que administram muita insulina a si mesmos, ocorre uma síndrome chamada de *choque insulínico*, descrita a seguir.

Quando o nível de glicose sanguínea atinge a faixa de 50 a 70 mg/100 mℓ, o sistema nervoso central geralmente se torna excitável, porque esse grau de hipoglicemia sensibiliza a atividade neuronal. Às vezes, ocorrem várias formas de alucinações, mas, frequentemente, o paciente simplesmente experimenta nervosismo extremo, tremor por todo o corpo e sudorese profusa. Conforme o nível de glicose sanguínea cai para 20 a 50 mg/100 mℓ, é provável que ocorram convulsões clônicas e perda de consciência. Conforme o nível de glicose cai ainda mais, as convulsões cessam, e apenas um estado de coma permanece. É difícil distinguir apenas pela observação clínica entre o coma diabético, como resultado de acidose causada por falta de insulina, e o coma devido à hipoglicemia, causado pelo excesso de insulina. O hálito cetônico e a respiração rápida e profunda do coma diabético não estão presentes nas pessoas em coma hipoglicêmico.

O tratamento adequado para um paciente com choque hipoglicêmico ou em coma é a administração intravenosa imediata de grandes quantidades de glicose. Esse tratamento, geralmente, traz o paciente de volta do choque dentro de um minuto ou pouco mais. Além disso, a administração de glucagon (ou, menos eficazmente, de adrenalina) pode causar glicogenólise no fígado e, assim, aumentar o nível de glicose no sangue de modo extremamente rápido. Se o tratamento não for administrado imediatamente, é frequente ocorrer lesão permanente nas células neuronais do sistema nervoso central.

Bibliografia

Alicic RZ, Neumiller JJ, Johnson EJ, et al: Sodium-glucose cotransporter 2 inhibition and diabetic kidney disease. Diabetes 68:248, 2019.

Andersen A, Lund A, Knop FK, Vilsbøll T: Glucagon-like peptide 1 in health and disease. Nat Rev Endocrinol 14:390, 2018.

Bentsen MA, Mirzadeh Z, Schwartz MW: Revisiting how the brain senses glucose -and why. Cell Metab 29:11, 2018.

Capozzi ME, DiMarchi RD, Tschöp MH, et al: Targeting the incretin/glucagon system with triagonists to treat diabetes. Endocr Rev 39:719, 2018.

Clemmensen C, Finan B, Müller TD, et al: Emerging hormonal-based combination pharmacotherapies for the treatment of metabolic diseases. Nat Rev Endocrinol 15:90, 2019.

DiMeglio LA, Evans-Molina C, Oram RA: Type 1 diabetes. Lancet 391:2449, 2018.

Gancheva S, Jelenik T, Álvarez-Hernández E, Roden M: Interorgan metabolic crosstalk in human insulin resistance. Physiol Rev 98:1371, 2018.

Haeusler RA, McGraw TE, Accili D: Biochemical and cellular properties of insulin receptor signalling. Nat Rev Mol Cell Biol 19:31, 2018.

Kahn CR, Wang G, Lee KY: Altered adipose tissue and adipocyte function in the pathogenesis of metabolic syndrome. J Clin Invest 129:3990, 2019.

Klip A, McGraw TE, James DE: Thirty sweet years of GLUT4. J Biol Chem 294:11369, 2019.

Lee YS, Wollam J, Olefsky JM: An integrated view of immunometabolism. Cell 172(1-2):22, 2018.

Mann JP, Savage DB: What lipodystrophies teach us about the metabolic syndrome. J Clin Invest 130:4009, 2019.

Müller TD, Finan B, Clemmensen C, et al: The new biology and pharmacology of glucagon. Physiol Rev 97:721, 2017.

Oram RA, Sims EK, Evans-Molina C: Beta cells in type 1 diabetes: mass and function; sleeping or dead? Diabetologia 62:567, 2019.

Pareek M, Schauer PR, Kaplan LM, et al: Metabolic surgery: weight loss, diabetes, and beyond. J Am Coll Cardiol 71:670, 2018.

Petersen MC, Shulman GI: Mechanisms of insulin action and insulin resistance. Physiol Rev 98:2133, 2018.

Rorsman P, Ashcroft FM: Pancreatic β-cell electrical activity and insulin secretion: of mice and men. Physiol Rev 98:117, 2018.

Ruegsegger GN, Creo AL, Cortes TM, Dasari S, Nair KS: Altered mitochondrial function in insulin-deficient and insulin-resistant states. J Clin Invest 128:3671, 2018.

Taylor R, Al-Mrabeh A, Sattar N: Understanding the mechanisms of reversal of type 2 diabetes. Lancet Diabetes Endocrinol 7:726, 2019.

Viner R, White B, Christie D: Type 2 diabetes in adolescents: a severe phenotype posing major clinical challenges and public health burden. Lancet 389:2252, 2017.

Wright EM, Loo DD, Hirayama BA: Biology of human sodium glucose transporters. Physiol Rev 91:733, 2011.

Yang Q, Vijayakumar A, Kahn BB: Metabolites as regulators of insulin sensitivity and metabolism. Nat Rev Mol Cell Biol 19:654, 2018.

CAPÍTULO 80

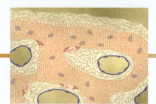

Paratormônio, Calcitonina, Metabolismo do Cálcio e do Fósforo, Vitamina D, Ossos e Dentes

A fisiologia do metabolismo do cálcio e do fósforo, a formação dos ossos e dos dentes e a regulação da *vitamina D*, do *paratormônio* (PTH) e da calcitonina estão todas intimamente interligadas. A concentração extracelular de íons cálcio, por exemplo, é determinada pela interação da absorção intestinal de cálcio, a excreção renal e a captação/liberação óssea desse elemento pelos ossos, sendo cada uma delas regulada pelos hormônios aqui mencionados. Como a homeostase do fósforo e a do cálcio estão intimamente associadas, serão discutidas juntas neste capítulo.

VISÃO GERAL DA REGULAÇÃO DE CÁLCIO E FÓSFORO NO LÍQUIDO EXTRACELULAR E NO PLASMA

A concentração de cálcio no líquido extracelular é, normalmente, regulada de modo preciso; raramente sobe ou desce mais do que alguns pontos percentuais do valor normal em torno de 9,6 mg/dℓ, o que é equivalente a 2,4 mmol de cálcio por litro. Esse controle preciso é essencial, já que o cálcio desempenha um papel fundamental em muitos processos fisiológicos, incluindo a contração dos músculos esqueléticos, cardíaco e lisos, a coagulação sanguínea e a transmissão de impulsos nervosos, para citar apenas alguns. As células excitáveis, como os neurônios, são sensíveis a alterações das concentrações do cálcio iônico; assim, aumentos acima do normal (*hipercalcemia*) provocam a depressão progressiva do sistema nervoso; inversamente, a diminuição dessa concentração (*hipocalcemia*) causa mais excitação desse sistema.

Uma característica importante da regulação extracelular do cálcio é que apenas cerca de 0,1% do cálcio total do corpo encontra-se no líquido extracelular, cerca de 1% está nas células e suas organelas, e o restante é armazenado nos ossos. Portanto, os ossos podem servir como grandes reservatórios, armazenando o excesso de cálcio e liberando cálcio quando a concentração no líquido extracelular diminui.

Aproximadamente 85% do fósforo do corpo encontram-se armazenados nos ossos, de 14 a 15% estão nas células e menos de 1%, no líquido extracelular. Embora a concentração de fósforo no líquido extracelular não seja tão bem regulada como a de cálcio, o fósforo desempenha diversas funções importantes, sendo controlado por muitos dos fatores que regulam o cálcio.

CÁLCIO NO PLASMA E NO LÍQUIDO INTERSTICIAL

O cálcio está presente em três formas no plasma, conforme mostrado na **Figura 80.1**: (1) Cerca de 41% (4,0 mg/dℓ) do cálcio encontram-se combinados às proteínas plasmáticas e, nessa forma, não podem difundir-se através da membrana dos capilares; (2) cerca de 9% do cálcio (0,8 mg/dℓ) são difusíveis através da membrana dos capilares, mas estão combinados às substâncias aniônicas do plasma e aos líquidos intersticiais (p. ex., citrato e fosfato), de forma que não são ionizados; e (3) os 50% restantes do cálcio no plasma apresentam-se como difusíveis através da membrana dos capilares e ionizados.

Assim, o plasma e os líquidos intersticiais mostram uma concentração normal do cálcio *iônico* de cerca de 2,4 mEq/ℓ, que corresponde à metade da concentração plasmática total de cálcio. Esse cálcio iônico é a forma ativa para a maioria das funções do cálcio no corpo, incluindo seu efeito sobre o coração, o sistema nervoso e a formação óssea.

FÓSFORO INORGÂNICO NOS LÍQUIDOS EXTRACELULARES

O fósforo inorgânico no plasma se encontra, principalmente, sob duas formas: $HPO_4^=$ e $H_2PO_4^-$. A concentração de $HPO_4^=$ é de cerca 3,2 mg/dℓ, e a concentração de

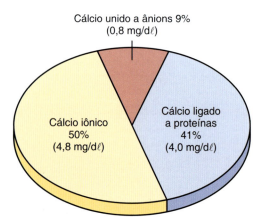

Figura 80.1 Distribuição de cálcio ionizado (Ca^{2+}) difusível, mas não ionizado, unido a ânions; e cálcio não difusível, ligado a proteínas no plasma sanguíneo.

$H_2PO_4^-$ é de cerca de 0,8 mg/dℓ. Quando a quantidade total de fósforo no líquido extracelular aumenta, também se eleva a quantidade de cada um desses dois tipos de íons fosfato. Além disso, quando o pH do líquido extracelular torna-se mais ácido, há um aumento relativo de $H_2PO_4^-$ e uma diminuição de $HPO_4^=$, enquanto o oposto ocorre quando o líquido extracelular se torna alcalino. Essas relações foram apresentadas na discussão do equilíbrio de acidobásico, no Capítulo 31.

Como é difícil determinar quimicamente as quantidades exatas de $HPO_4^=$ e $H_2PO_4^-$ no sangue, normalmente a quantidade total de fosfato é expressa em miligramas de *fósforo* por decilitro (100 mℓ) de sangue. A quantidade média total de fósforo inorgânico, representado por ambos os íons fosfato, é de cerca de 4 mg/dℓ, variando entre os limites normais de 3 a 4 mg/dℓ nos adultos e de 4 a 5 mg/dℓ nas crianças.

EFEITOS FISIOLÓGICOS, NÃO ÓSSEOS, DAS ALTERAÇÕES DAS CONCENTRAÇÕES DE CÁLCIO E FÓSFORO NOS LÍQUIDOS CORPORAIS

A variação dos níveis de fósforo, no líquido extracelular, para valores bem abaixo do normal até duas a três vezes a mais, não causa grandes efeitos imediatos no corpo. Em contraste, mesmo pequenos aumentos ou diminuições do íon cálcio no líquido extracelular causam efeitos fisiológicos extremos e imediatos. Além disso, a hipocalcemia e a hipofosfatemia crônica reduzem muito a mineralização óssea, como será explicado posteriormente neste capítulo.

A hipocalcemia causa a excitação do sistema nervoso e a tetania. Quando a concentração de íons cálcio no líquido extracelular cai abaixo do normal, o sistema nervoso torna-se progressivamente mais excitável, devido ao aumento da permeabilidade da membrana neuronal dos íons sódio, permitindo o desencadeamento natural de potenciais de ação. Em concentrações plasmáticas de íons cálcio cerca de 50% abaixo do normal, as fibras nervosas periféricas tornam-se tão excitáveis que começam a induzir descargas espontâneas, desencadeando uma série de impulsos nervosos, que são transmitidos para os músculos esqueléticos periféricos, provocando a contração muscular tetânica. Consequentemente, a hipocalcemia causa tetania. Ocasionalmente, também causa crises epilépticas devido a sua ação de aumentar a excitabilidade no cérebro.

A **Figura 80.2** mostra tetania na mão, que geralmente ocorre antes do desenvolvimento desse quadro em muitas outras partes do corpo. Esse evento é chamado de *espasmo carpopedal*, já que ocorre, majoritariamente, nas mãos ou nos pés.

A tetania normalmente ocorre quando a concentração sanguínea de cálcio diminui de seu nível normal de 9,4 mg/dℓ para cerca de 6 mg/dℓ, o que corresponde a apenas 35% abaixo do normal; a concentração letal costuma ser de aproximadamente 4 mg/dℓ.

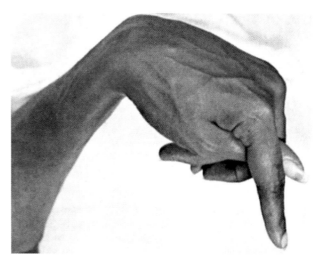

Figura 80.2 Tetania hipocalcêmica na mão, denominada *espasmo carpopedal*.

Em animais de laboratório, a hipocalcemia extrema ocasiona outros efeitos que raramente são evidentes em pacientes, como dilatação acentuada do coração, alterações nas atividades enzimáticas celulares, aumento da permeabilidade da membrana em algumas células (além dos neurônios) e distúrbio na coagulação sanguínea.

A hipercalcemia deprime o sistema nervoso e a atividade muscular. Quando a concentração de cálcio nos líquidos corporais aumenta acima do normal, o sistema nervoso fica deprimido, e as atividades reflexas do sistema nervoso central ficam alentecidas. Além disso, o aumento da concentração de cálcio iônico reduz o intervalo QT do coração e provoca falta de apetite e constipação intestinal, provavelmente por causa da contratilidade deprimida das paredes musculares do trato gastrointestinal.

Esses efeitos depressores começam a aparecer quando o nível sanguíneo do cálcio se eleva acima de 12 mg/dℓ, podendo ser intensificados conforme o nível de cálcio passa de 15 mg/dℓ. Quando a concentração de cálcio ultrapassa cerca de 17 mg/dℓ no sangue, cristais de fosfato de cálcio tendem a precipitar por todo o corpo; essa condição é discutida, adiante, em associação à intoxicação paratireóidea.

ABSORÇÃO E EXCREÇÃO DE CÁLCIO E FÓSFORO

Absorção intestinal e excreção fecal de cálcio e fósforo. As taxas usuais de ingestão são aproximadamente 1.000 mg/dia de cálcio e fósforo, o que corresponde às quantidades presentes em 1 ℓ de leite. Normalmente, os cátions divalentes, como os íons cálcio, são mal absorvidos pelos intestinos. Entretanto, como discutido adiante, a *vitamina D* promove a absorção de cálcio pelos intestinos, e cerca de 35% (350 mg/dia) do cálcio ingerido costumam ser absorvidos; o cálcio remanescente no intestino é excretado nas fezes. A quantidade adicional de 250 mg/dia de cálcio chega ao intestino por meio dos sucos gastrointestinais secretados e pelas células descamadas da mucosa. Assim, cerca de 90% (900 mg/dia) da ingestão diária de cálcio são excretados nas fezes (ver **Figura 80.3**).

A absorção intestinal de fósforo ocorre facilmente. Exceto pela porção de fósforo que é excretada nas fezes, em combinação ao cálcio não absorvido, quase todo o fósforo da dieta é absorvido para o sangue do intestino e posteriormente excretado na urina.

Excreção renal de cálcio e fósforo. Aproximadamente 10% (100 mg/dia) do cálcio ingerido são excretados na urina. Cerca de 41% do cálcio plasmático estão ligados às proteínas plasmáticas e, portanto, não são filtrados pelos capilares glomerulares. O restante é combinado aos ânions como fosfato (9%) ou ionizado (50%), sendo filtrado pelos glomérulos para os túbulos renais.

Normalmente, os túbulos renais reabsorvem 99% do cálcio filtrado, e cerca de 100 mg/dia são excretados na urina (ver Capítulo 30 para uma discussão mais aprofundada sobre a excreção renal do cálcio). Aproximadamente 90% do cálcio no filtrado glomerular são reabsorvidos nos túbulos proximais, alças de Henle e nos túbulos distais iniciais.

Nos túbulos distais finais e nos ductos coletores iniciais, a reabsorção dos 10% remanescentes é mais variável, dependendo da concentração de íons cálcio no sangue.

Quando a concentração de cálcio é baixa, essa reabsorção se mostra acentuada; assim, quase nenhum cálcio é perdido na urina. Por outro lado, mesmo um aumento insignificante da concentração sanguínea de cálcio iônico acima do normal eleva acentuadamente a excreção desse elemento. Veremos adiante, neste capítulo, que o fator mais importante que controla essa reabsorção de cálcio nas porções distais do néfron, e, portanto, controla a taxa de excreção do cálcio, é o PTH.

A excreção renal de fósforo é controlada por um *mecanismo de transbordamento*, conforme explicado no Capítulo 30. Ou seja, quando a concentração de fósforo no plasma está abaixo do valor crítico de cerca de 1 mEq/ℓ, todo o fósforo no filtrado glomerular é reabsorvido, não ocorrendo nenhuma perda pela urina. No entanto, acima dessa concentração crítica, a perda de fósforo é diretamente proporcional ao aumento adicional. Assim, os rins regulam a concentração de fósforo no líquido extracelular, alterando a sua taxa da excreção de acordo com a sua concentração plasmática e a taxa de filtração de fósforo pelos rins.

No entanto, conforme será discutido posteriormente neste capítulo, o PTH pode aumentar intensamente a excreção do fósforo pelos rins, desempenhando, assim, um papel importante no controle da concentração plasmática não só desse elemento, mas também no do cálcio.

OSSOS E SUA RELAÇÃO COM O CÁLCIO E O FÓSFORO EXTRACELULARES

Existem dois tipos de tecido ósseo: osso *cortical* (*compacto*) e osso *trabecular* (*esponjoso*) (ver **Figura 80.4**). O osso cortical forma a camada externa dura (córtex), é muito mais denso do que o osso trabecular e é responsável por cerca de 80% da massa óssea total do esqueleto humano. O osso cortical é especialmente espesso na haste dos ossos longos, como nas pernas, que suportam o peso do corpo inteiro.

O osso trabecular é responsável por cerca de 20% da massa óssea e é encontrado no interior dos ossos do esqueleto. Ele é muito mais poroso do que o osso cortical e geralmente está localizado nas extremidades dos ossos longos, perto das articulações e no interior de vértebras. O osso trabecular contém unidades em forma de rede com espículas ósseas (*trabéculas*) que se ramificam e se unem umas às outras, formando uma rede irregular.

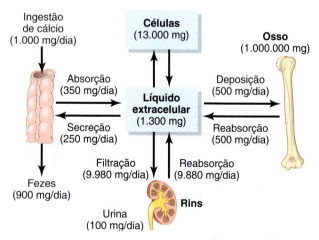

Figura 80.3 Visão geral da troca de cálcio entre os diferentes compartimentos teciduais em uma pessoa que ingere 1.000 mg de cálcio por dia. Observe que a maior parte do cálcio ingerido é, normalmente, eliminado nas fezes, embora os rins tenham a capacidade de excretar grandes quantidades, reduzindo a reabsorção tubular de cálcio.

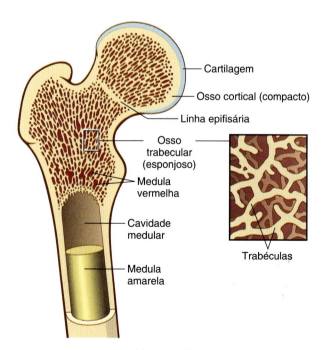

Figura 80.4 Osso cortical (compacto) e trabecular (esponjoso).

CAPÍTULO 80 Paratormônio, Calcitonina, Metabolismo do Cálcio e do Fósforo, Vitamina D, Ossos e Dentes

Os espaços entre as trabéculas são preenchidos com medula óssea vermelha, onde ocorre a hematopoese – a produção de células sanguíneas. As taxas de síntese e de reabsorção e, portanto, a taxa de renovação óssea são muito maiores para o osso trabecular do que para o osso cortical.

O osso é composto por *matriz orgânica* resistente que é muito fortalecida pelos depósitos de *sais de cálcio*. O osso cortical médio contém, por peso, cerca de 30% de matriz e 70% de sais. Já o *osso recém-formado* pode ter uma porcentagem consideravelmente maior de matriz em relação aos sais.

Matriz orgânica do osso. A matriz orgânica do osso apresenta de 90 a 95% de *fibras colágenas*, e o restante corresponde a um meio gelatinoso homogêneo denominado *substância fundamental amorfa*. As fibras colágenas se estendem, principalmente, ao longo das linhas de força de tensão e conferem ao osso sua poderosa resistência à tração.

A substância fundamental é composta de líquido extracelular acrescido de *proteoglicanos*, especialmente *sulfato de condroitina* e *ácido hialurônico*. Os proteoglicanos ajudam a controlar a deposição de sais de cálcio e são importantes no reparo ósseo após uma lesão, embora algumas de suas funções ainda não sejam claras.

Sais ósseos. Os sais cristalinos depositados na matriz orgânica do osso são compostos principalmente por *cálcio* e *fósforo*. A fórmula do sal cristalino principal, conhecido como *hidroxiapatita*, é a seguinte:

$$Ca_{10}(PO_4)_6(OH)_2$$

Cada cristal – com cerca de 400 angströms (Å) de comprimento, 10 a 30 Å de espessura e 100 Å de largura – tem o formato de uma placa longa e achatada. A relação relativa cálcio/fósforo pode variar acentuadamente, sob diferentes condições nutricionais, e varia entre 1,3 e 2,0.

Os íons *magnésio, sódio, potássio* e *carbonato* também estão presentes entre os sais ósseos, embora os estudos de difração por raios X não mostrem cristais definidos formados por eles. Portanto, acredita-se que sejam conjugados aos cristais de hidroxiapatita, em vez de organizados em cristais distintos próprios. Essa habilidade de muitos tipos de íons se conjugarem aos cristais ósseos estendese a muitos íons normalmente estranhos ao osso, como *estrôncio, urânio, plutônio, os outros elementos transurânicos, chumbo, ouro e outros metais pesados*. A deposição de substâncias radioativas no osso pode causar uma irradiação prolongada dos tecidos ósseos, e, se uma quantidade suficiente for depositada, um sarcoma osteogênico (câncer ósseo) pode eventualmente se desenvolver.

Resistência a tração e compressão do osso. Cada fibra colágena de osso *cortical* (*compacto*) é composta de repetidos segmentos periódicos a cada 640 Å ao longo do seu comprimento; os cristais de hidroxiapatita ficam adjacentes a cada segmento da fibra, e estão fortemente ligados a ela. Essa estreita união evita o *cisalhamento* do osso quando este é submetido a tensão, isto é, evita o deslocamento dos cristais e das fibras colágenas, o que seria prejudicial para a força do osso. Além disso, os segmentos de fibras de colágeno adjacentes se sobrepõem, também fazendo com que os cristais de hidroxiapatita se sobreponham como tijolos empilhados em uma parede de tijolos.

As fibras de colágeno do osso, como as dos tendões, têm uma grande resistência à tração, enquanto os sais de cálcio apresentam uma grande resistência à compressão. Essas propriedades combinadas mais o grau de ligação entre as fibras de colágeno e os cristais fornecem uma estrutura óssea dotada de extrema resistência à tração, à compressão e ao cisalhamento.

PRECIPITAÇÃO E ABSORÇÃO DE CÁLCIO E FÓSFORO NO OSSO | EQUILÍBRIO COM OS LÍQUIDOS EXTRACELULARES

A hidroxiapatita não precipita no líquido extracelular apesar da supersaturação dos íons cálcio e fósforo. As concentrações de íons cálcio e fósforo no líquido extracelular são, consideravelmente, maiores do que as necessárias para causar a precipitação da hidroxiapatita. No entanto, os inibidores estão presentes em quase todos os tecidos do corpo, bem como no plasma, para evitar a precipitação; um desses inibidores é o *pirofosfato*. Por isso, os cristais de hidroxiapatita não conseguem se precipitar em tecidos normais, exceto no osso, apesar do estado de supersaturação iônica.

Mecanismo da calcificação óssea. A fase inicial da produção óssea é a secreção de *moléculas de colágeno* (chamadas de monômeros de colágeno) e de *substância fundamental amorfa* (constituída principalmente por proteoglicanos) por *osteoblastos*. Os monômeros de colágeno polimerizam rapidamente para formar fibras de colágeno; o tecido resultante torna-se a chamada *matriz osteoide*, que é um material semelhante à cartilagem, mas diferente desta devido a estar sujeita à fácil precipitação dos sais de cálcio. No momento em que o osteoide é formado, alguns dos osteoblastos se tornam aprisionados no osteoide e quiescentes. Nesse estágio, essas células são chamadas de *osteócitos*.

Poucos dias após a formação do osteoide, os sais de cálcio começam a se precipitar nas superfícies das fibras colágenas. Os precipitados aparecem primeiro em intervalos ao longo de cada fibra colágena, formando ninhos diminutos, que se multiplicam e se desenvolvem rapidamente ao longo de um período de dias a semanas, até formar o produto final, os *cristais de hidroxiapatita*.

Os sais iniciais de cálcio a serem depositados não são cristais de hidroxiapatita, mas compostos amorfos (não cristalinos), uma mistura de sais como $CaHPO_4 \times 2H_2O$, $Ca_3(PO_4)_2 \times 3H_2O$ e outros. Então, por meio de um processo de substituição e adição de átomos, ou reabsorção e nova precipitação, esses sais são convertidos em cristais de hidroxiapatita, em semanas ou meses. Certa porcentagem pode permanecer permanentemente amorfa, o que é importante, porque esses sais amorfos podem ser absorvidos rapidamente, quando há necessidade de cálcio extra no líquido extracelular.

Embora o mecanismo indutor da deposição dos sais de cálcio no osteoide não seja totalmente compreendido, a regulação desse processo parece depender, em grande medida, do *pirofosfato*, que inibe a cristalização da hidroxiapatita e a calcificação do osso. Os níveis de pirofosfato, por sua vez, são regulados por pelo menos três outras moléculas. Uma das mais importantes é uma substância chamada de *fosfatase alcalina tecido não específica (TNAP)*, que quebra o pirofosfato e mantém o controle dos seus níveis, para que a calcificação óssea possa ocorrer, conforme o necessário. A TNAP é secretada pelos osteoblastos no osteoide para neutralizar o pirofosfato e, uma vez neutralizado, a afinidade natural das fibras colágenas com os sais de cálcio determina a cristalização da hidroxiapatita. A importância da TNAP na mineralização óssea é ilustrada pela descoberta de que ratos com deficiência genética de TNAP – que provoca um aumento excessivo dos níveis de pirofosfato – nascem com ossos moles que não estão adequadamente calcificados.

O osteoblasto também secreta pelo menos duas outras substâncias que regulam a calcificação óssea: (1) *nucleotídio pirofosfatase/fosfodiesterase 1 (NPP1)*, que produz pirofosfato fora das células, e (2) *proteína de anquilose (ANK)*, que contribui para a reserva extracelular de pirofosfato, transportando-o do interior para a superfície da célula. Deficiências de NPP1 ou de ANK originam diminuição do pirofosfato extracelular e excessiva calcificação do osso, como esporões ósseos, ou mesmo calcificação de outros tecidos, como tendões e ligamentos da coluna, que ocorre em pessoas com uma forma de artropatia denominada *espondilite anquilosante*.

Precipitação do cálcio em tecidos não ósseos sob condições anormais. Embora os sais de cálcio geralmente não precipitem em tecidos normais além do osso, sob condições anormais, eles podem precipitar. Por exemplo, tal precipitação ocorre nas paredes arteriais na *arteriosclerose*, fazendo com que as artérias se tornem tubos semelhantes a ossos. Da mesma forma, os sais de cálcio frequentemente se depositam em tecidos em processo de degeneração ou nos coágulos sanguíneos antigos. Presumivelmente nesses casos, os fatores inibidores, que normalmente evitam a deposição de sais de cálcio, desaparecem dos tecidos, permitindo a precipitação.

TROCA DE CÁLCIO ENTRE O OSSO E O LÍQUIDO EXTRACELULAR

Se os sais de cálcio solúveis forem injetados por via intravenosa, a concentração do cálcio iônico poderá aumentar imediatamente para níveis elevados. No entanto, dentro de 30 a 60 minutos, a concentração de íons cálcio volta ao normal. Da mesma forma, se grandes quantidades de íons cálcio forem removidas dos líquidos corporais circulantes, essa concentração de íons cálcio novamente retornará ao normal dentro de 30 minutos a cerca de 1 hora. Esses efeitos se devem, em grande parte, à presença de cálcio do tipo *intercambiável* na composição óssea, que sempre está em equilíbrio com íons cálcio nos líquidos extracelulares.

Uma pequena porção desse cálcio intercambiável também corresponde ao cálcio encontrado em todas as células do tecido, especialmente em tipos de células permeáveis, como as do fígado e as do trato gastrointestinal. No entanto, a maior parte do cálcio intercambiável está no osso, representando, normalmente, um valor em torno de 0,4 a 1% do cálcio ósseo total. Esse cálcio é depositado nos ossos em forma de sal prontamente mobilizável, como o $CaHPO_4$ e outros sais cálcicos amorfos.

Esse cálcio intercambiável fornece um mecanismo rápido de *tamponamento* para manter a concentração de cálcio iônico nos líquidos extracelulares, evitando sua ascensão a níveis excessivos ou sua queda a níveis baixos, em condições transitórias de excesso ou diminuição da disponibilidade de cálcio.

DEPOSIÇÃO E REABSORÇÃO DE OSSO | REMODELAGEM (*TURNOVER*) ÓSSEA

Deposição de osso pelos osteoblastos. O osso é continuamente depositado pelos *osteoblastos*, e continuamente reabsorvido onde os *osteoclastos* estão ativos (ver **Figura 80.5**). Os osteoblastos são encontrados nas superfícies externas dos ossos e nas cavidades trabeculares ósseas. Uma pequena quantidade da atividade osteoblástica ocorre continuamente em todos os ossos vivos (em aproximadamente 4% de todas as superfícies em determinado momento no adulto), assim, pelo menos, há neoformação óssea constante.

Reabsorção óssea | função dos osteoclastos. O osso também está sendo continuamente reabsorvido na presença de osteoclastos – células grandes, fagocíticas, multinucleadas (contendo até 50 núcleos) –, que são derivadas de monócitos ou de células semelhantes a monócitos formadas na medula óssea. Os osteoclastos são normalmente

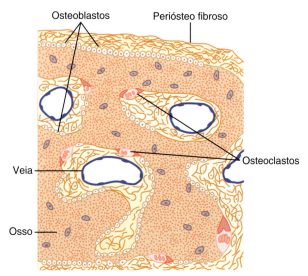

Figura 80.5 Atividade osteoblástica e osteoclástica no mesmo osso.

ativos em menos de 1% das superfícies ósseas do adulto e, como discutido adiante, o PTH controla a atividade de reabsorção óssea dos osteoclastos.

Histologicamente, a absorção óssea ocorre imediatamente adjacente aos osteoclastos. O mecanismo dessa reabsorção é o seguinte: os osteoclastos emitem suas projeções semelhantes a vilosidades em direção ao osso, formando uma borda pregueada adjacente ao osso (ver **Figura 80.6**). Essas vilosidades secretam dois tipos de substâncias: (1) enzimas proteolíticas, liberadas de lisossomos dos osteoclastos, e (2) diversos ácidos, incluindo o ácido cítrico e o ácido láctico, liberados das mitocôndrias e vesículas secretoras. As enzimas digerem ou dissolvem a matriz orgânica do osso, enquanto os ácidos provocam a dissolução dos sais ósseos. As células osteoclásticas também absorvem minúsculas partículas de matriz óssea e cristais por fagocitose, dissolvendo-os e liberando os produtos no sangue.

Como discutido mais adiante, o PTH estimula a atividade dos osteoclastos e a reabsorção óssea, mas isso ocorre por meio de um mecanismo indireto. As células osteoclásticas de reabsorção óssea não apresentam receptores de PTH. Em vez disso, os osteoblastos sinalizam aos precursores de osteoclastos para que formem osteoclastos maduros. Duas proteínas dos osteoblastos responsáveis por essa sinalização são o *ligante do receptor ativador do fator nuclear κB (RANKL)* e o *fator estimulador de colônias de macrófagos*, ambos necessários para a formação de osteoclastos maduros.

O PTH se liga a receptores nos osteoblastos adjacentes, estimulando a síntese de RANKL, que também é chamado de *ligante de osteoprotegerina* (OPGL). O RANKL se liga a seus receptores (RANK) nos pré-osteoclastos, diferenciando-os em osteoclastos multinucleados maduros. Os osteoclastos maduros, então, desenvolvem uma borda pregueada e liberam enzimas e ácidos que promovem a reabsorção óssea.

Os osteoblastos também produzem *osteoprotegerina* (OPG), às vezes chamada de *fator inibidor da osteoclastogênese*, uma citocina que inibe a reabsorção óssea. A OPG atua como uma "isca", ligando-se ao RANKL e impedindo-o de interagir com seu receptor, inibindo, assim, a diferenciação de pré-osteoclastos em osteoclastos maduros que reabsorvem o osso. A OPG se opõe à atividade de reabsorção óssea do PTH, e camundongos com deficiência genética de OPG apresentam diminuição grave na massa óssea, em comparação aos camundongos que apresentam OPG normal.

Embora os fatores que regulem a OPG não sejam bem compreendidos, a vitamina D e o PTH parecem estimular a produção de osteoclastos maduros por meio da dupla ação de inibir a produção de OPG e de estimular a formação de RANKL. Os glicocorticoides também promovem a atividade dos osteoclastos e a reabsorção óssea, aumentando a produção de RANKL e reduzindo a formação de OPG. Por outro lado, o hormônio *estrogênio* estimula a produção de OPG. O equilíbrio de OPG e RANKL produzidos por osteoblastos, portanto, desempenha um papel importante na determinação da atividade osteoclástica e na reabsorção óssea.

A importância terapêutica da via OPG-RANKL está sendo explorada atualmente. Novos fármacos que imitam a ação de OPG, bloqueando a interação de RANKL com seu receptor, parecem ser úteis para o tratamento da perda óssea em mulheres na pós-menopausa e em alguns pacientes com câncer ósseo.

A deposição e a reabsorção óssea estão normalmente em equilíbrio.

Exceto em ossos em crescimento, as taxas de deposição e as de reabsorção óssea são normalmente iguais; assim, a massa óssea total permanece constante. Os osteoclastos geralmente formam massas pequenas, mas concentradas, e, uma vez que comecem a se desenvolver, geralmente reabsorvem o osso por cerca de 3 semanas, criando um túnel que varia em diâmetro de 0,2 a 1 mm e vários milímetros de comprimento. Ao final desse período, os osteoclastos desaparecem, o túnel é invadido por osteoblastos, e o osso novo começa a se desenvolver. A deposição óssea continua por vários meses, com o novo osso sendo depositado em sucessivas camadas de círculos concêntricos (*lamelas*) nas superfícies internas da cavidade, até que o túnel seja preenchido. Essa deposição de novo tecido ósseo cessa quando o osso começa a invadir os vasos sanguíneos que abastecem a área. O canal

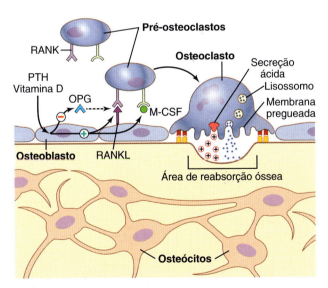

Figura 80.6 Reabsorção óssea por osteoclastos. O paratormônio (PTH) se liga a receptores nos osteoblastos, para formar o ligante do receptor ativador do fator nuclear κB (RANKL) e liberar o fator estimulador de colônias de macrófagos (M-CSF). O RANKL se liga ao RANK, e o M-CSF se liga aos seus receptores nas células pré-osteoclásticas, causando a sua diferenciação em osteoclastos maduros. O PTH diminui também a produção de osteoprotegerina (OPG), que inibe a diferenciação dos pré-osteoclastos em osteoclastos maduros por ligação ao RANKL, impedindo-o de interagir com seu receptor nos pré-osteoclastos. Os osteoclastos maduros desenvolvem uma borda pregueada e liberam enzimas dos lisossomos, bem como ácidos que promovem a reabsorção óssea. Osteócitos são osteoblastos que ficaram presos na matriz óssea, durante a produção do tecido ósseo; os osteócitos formam um sistema de células interligadas que se espalham por todo o osso.

de passagem desses vasos, chamado de *canal de Havers*, é tudo o que resta da cavidade original. Cada nova área de osso depositado dessa forma é chamada de *ósteon*, como mostrado na **Figura 80.7**.

Importância da remodelagem óssea contínua.
A deposição e a reabsorção de osso apresentam funções importantes. Primeiro, o osso normalmente ajusta sua resistência proporcionalmente à intensidade do estresse ósseo. Consequentemente, os ossos apresentam espessamento quando submetidos a cargas pesadas. Segundo, até mesmo a forma do osso pode ser reorganizada para suportar forças mecânicas por meio da deposição e da reabsorção óssea, de acordo com padrões de estresse. Terceiro, como o osso antigo torna-se relativamente quebradiço e fraco, a deposição de nova matriz orgânica é necessária, à medida que a matriz orgânica velha se degenera. Dessa forma, a resistência normal do osso é mantida. De fato, os ossos de crianças, cujas taxas de deposição e reabsorção são rápidas, mostram pouca fragilidade, em comparação com os ossos dos idosos, nos quais as taxas de deposição e reabsorção são lentas.

Controle da taxa de deposição do osso por "estresse" ósseo.
O osso é depositado em proporção à carga de compressão que deve suportar. Por exemplo, os ossos dos atletas tornam-se consideravelmente mais pesados do que os de não atletas. Além disso, se uma pessoa tem uma perna engessada, mas continua a andar na perna oposta, o osso da perna imobilizada torna-se fino e até 30% descalcificado dentro de algumas semanas, enquanto o osso oposto permanece espesso e normalmente calcificado. Portanto, o estresse físico contínuo estimula a deposição osteoblástica e a calcificação óssea.

Sob certas circunstâncias, o estresse ósseo também determina o formato dos ossos. Por exemplo, em caso de fratura de um osso longo na região central e posterior e consolidação angular, o estresse da compressão na face interna do ângulo causa aumento da deposição óssea. Em contrapartida, há um aumento da reabsorção óssea na face externa do ângulo em que o osso não está sendo comprimido. Após muitos anos de aumento da deposição na face interna do osso angulado e da reabsorção no lado externo, o osso pode ficar quase reto, especialmente em crianças, devido à rápida remodelagem óssea em indivíduos mais jovens.

O reparo de uma fratura ativa os osteoblastos.
A fratura de um osso, de alguma forma, ativa ao máximo todos os osteoblastos periosteais e intraósseos envolvidos na fratura. Além disso, inúmeros novos osteoblastos são formados, quase que imediatamente, a partir de *células osteoprogenitoras*, que são células-tronco ósseas no tecido superficial que reveste o osso, chamadas de "*membrana óssea*". Portanto, em pouco tempo, uma grande protuberância de tecido osteoblástico e uma nova matriz óssea orgânica desenvolvem-se entre as duas pontas quebradas do osso, seguidas pela deposição de sais de cálcio. Essa área é chamada de *calo ósseo*.

Muitos cirurgiões ortopédicos empregam o fenômeno de estresse ósseo para acelerar a consolidação da fratura. Essa aceleração é alcançada por meio do uso de aparelhos especiais de fixação mecânica para manter unidas as extremidades do osso fraturado, para que o paciente possa usar o osso imediatamente. Isso provoca um estresse nas extremidades opostas dos ossos, o que acelera a atividade osteoblástica na fratura e, muitas vezes, abrevia a convalescença.

VITAMINA D

A vitamina D tem efeito potente para aumentar a absorção de cálcio no trato intestinal; além disso, apresenta efeitos importantes na deposição e reabsorção óssea, como discutido adiante. No entanto, a vitamina D, em si, não é a substância ativa que realmente induz esses efeitos. Em vez disso, a vitamina D deve primeiro ser convertida por meio de uma sucessão de reações no fígado e nos rins, para o produto ativo final, *1,25-di-hidroxicolecalciferol*, também chamado de 1,25(OH)$_2$D$_3$. A **Figura 80.8** mostra as etapas sucessivas que levam à formação dessa substância a partir da vitamina D.

O colecalciferol (vitamina D3) é formado na pele.
Vários compostos derivados de esteróis pertencem à família da vitamina D, e todos desempenham funções semelhantes. A vitamina D$_3$ (também chamada de *colecalciferol*) é a mais importante desses compostos, sendo formada na pele como resultado da irradiação do *7-deidrocolesterol* pelos raios ultravioleta do Sol. O 7-deidrocolesterol é uma substância presente normalmente na pele. Consequentemente, a exposição adequada ao sol evita a deficiência de vitamina D. Os compostos adicionais de vitamina D que ingerimos nos alimentos são idênticos ao colecalciferol

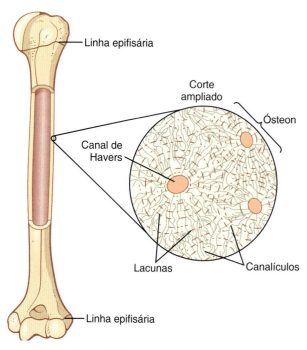

Figura 80.7 Estrutura do osso cortical.

CAPÍTULO 80 Paratormônio, Calcitonina, Metabolismo do Cálcio e do Fósforo, Vitamina D, Ossos e Dentes

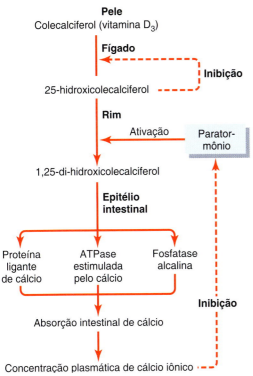

Figura 80.8 Ativação da vitamina D_3 para formar 1,25-di-hidroxicolecalciferol e o papel da vitamina D no controle da concentração plasmática de cálcio.

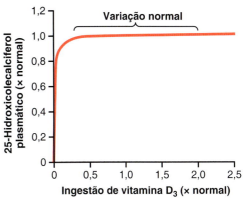

Figura 80.9 Efeito do aumento da ingestão de vitamina D_3 na concentração plasmática de 25-hidroxicolecalciferol. Esta figura mostra que aumentos na ingestão de vitamina D, até 2,5 vezes a quantidade normal, têm pouco efeito sobre a quantidade final de vitamina D ativada. A deficiência de vitamina D ativada ocorre apenas em níveis muito baixos de ingestão de vitamina D.

formado na pele, exceto pela substituição de um ou mais átomos que não afetam sua função.

O colecalciferol é convertido em 25-hidroxicolecalciferol no fígado. A primeira etapa na ativação do colecalciferol é convertê-lo em 25-hidroxicolecalciferol, o que ocorre no fígado. O processo é limitado, porque o 25-hidroxicolecalciferol tem um efeito inibitório por *feedback* nas reações de conversão. Esse efeito de *feedback* é extremamente importante por duas razões.

Primeiro, o mecanismo de *feedback* regula com precisão a concentração de 25-hidroxicolecalciferol no plasma, um efeito que é mostrado na **Figura 80.9.** Observe que a ingestão de vitamina D_3 pode aumentar muitas vezes, e, ainda assim, a concentração de 25-hidroxicolecalciferol permanece quase normal. Esse alto grau de controle de *feedback* impede a ação excessiva da vitamina D, quando a ingestão de vitamina D_3 está alterada dentro de uma ampla faixa.

Segundo, essa conversão controlada de vitamina D_3 em 25-hidroxicolecalciferol conserva a vitamina D armazenada no fígado para uso futuro. Uma vez que a vitamina D_3 seja convertida, o 25-hidroxicolecalciferol persiste no corpo por apenas algumas semanas, enquanto na forma de vitamina D pode ser armazenado no fígado por muitos meses.

Formação de 1,25-di-hidroxicolecalciferol nos rins e seu controle pelo paratormônio. A **Figura 80.8** também mostra a conversão do 25-hidroxicolecalciferol em 1,25-di-hidroxicolecalciferol (*calcitriol*) nos túbulos proximais dos rins. Essa última substância é, sem dúvida, a forma mais ativa da vitamina D, pois os produtos anteriores, mostrados no esquema da **Figura 80.8,** apresentam menos de 1/1.000 do efeito da vitamina D. Portanto, a vitamina D perde quase toda a sua eficácia na ausência dos rins.

Observe também na **Figura 80.8** que a conversão do 25-hidroxicolecalciferol em 1,25-di-hidroxicolecalciferol requer PTH. Na ausência de PTH, quase não se forma o 1,25-di-hidroxicolecalciferol. Portanto, o PTH exerce uma influência potente na determinação dos efeitos funcionais da vitamina D no organismo.

A concentração de íons cálcio controla a formação de 1,25-di-hidroxicolecalciferol. A **Figura 80.10** demonstra que a concentração plasmática de 1,25-di-hidroxicolecalciferol é inversamente influenciada pela concentração de cálcio no plasma. Existem duas razões para esse efeito. Primeiro, o cálcio iônico tem um leve efeito de impedir a conversão de 25-hidroxicolecalciferol em 1,25-di-hidroxicolecalciferol. Segundo, e ainda mais importante, como discutido adiante neste capítulo, a secreção do PTH é muito suprimida quando a concentração plasmática do cálcio iônico sobe acima de 9 a 10 mg/100 mℓ. Portanto, em concentrações de cálcio abaixo desse nível, o PTH promove a conversão de 25-hidroxicolecalciferol em 1,25-di-hidroxicolecalciferol nos rins. Em concentrações mais elevadas do cálcio ao suprimir o PTH, o 25-hidroxicolecalciferol é convertido em um composto diferente – o 24,25-di-hidroxicolecalciferol – que tem efeito quase nulo de vitamina D.

Quando a concentração plasmática do cálcio já for muito alta, a formação de 1,25-di-hidroxicolecalciferol é muito deprimida. A ausência de 1,25-di-hidroxicolecalciferol, por sua vez, diminui a absorção de cálcio pelos intestinos, ossos e túbulos renais, levando, assim, a queda do nível de cálcio iônico para seu nível normal.

AÇÕES DA VITAMINA D

A forma ativa da vitamina D, o 1,25-di-hidroxicolecalciferol (*calcitriol*), apresenta diversos efeitos nos intestinos,

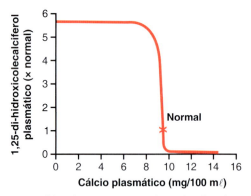

Figura 80.10 Efeito da concentração plasmática de cálcio sobre a concentração plasmática de 1,25-di-hidroxicolecalciferol. Esta figura demonstra que uma ligeira queda na concentração de plasma abaixo do nível normal provoca aumento na formação de vitamina D, o que, por sua vez, leva a grande elevação na absorção de cálcio no intestino.

rins e ossos, como o aumento da absorção de cálcio e fósforo para o líquido extracelular e a contribuição com a regulação dessas substâncias por *feedback*.

Os receptores de vitamina D estão presentes na maioria das células do corpo e estão localizados, principalmente, no núcleo das células-alvo. Semelhante aos receptores de esteroides e de hormônios da tireoide, o receptor da vitamina D apresenta domínios de ligação ao DNA e a hormônios. O receptor da vitamina D forma um complexo com outro receptor intracelular, o *receptor de retinoide-X*, e esse complexo se liga ao DNA e ativa a transcrição na maioria dos casos. Em alguns casos, no entanto, a vitamina D suprime a transcrição. Embora o receptor de vitamina D se ligue a várias formas de colecalciferol, sua afinidade com o 1,25-di-hidroxicolecalciferol é cerca de 1.000 vezes maior do que com o 25-hidroxicolecalciferol, o que explica sua relativa potência biológica.

Efeito "hormonal" da vitamina D para promover a absorção intestinal de cálcio.
O 1,25-di-hidroxicolecalciferol atua como um hormônio para promover a absorção intestinal de cálcio, aumentando principalmente, ao longo de um período de cerca de 2 dias, a formação de *calbindina*, uma *proteína ligante do cálcio*, nas células epiteliais intestinais. Essa proteína atua na borda em escova dessas células para transportar o cálcio para o citoplasma celular. O cálcio, então, move-se através da membrana basolateral da célula por meio de difusão facilitada. A absorção de cálcio é diretamente proporcional à quantidade dessa proteína ligante. Além disso, essa proteína permanece nas células por várias semanas, após a remoção do 1,25-di-hidroxicolecalciferol do corpo, causando um efeito prolongado de absorção do cálcio.

Outros efeitos do 1,25-di-hidroxicolecalciferol que podem desempenhar um papel na promoção da absorção de cálcio incluem a formação de (1) trifosfatase de adenosina estimulada pelo cálcio na borda em escova das células epiteliais; e (2) fosfatase alcalina nas células epiteliais. Os detalhes precisos de todos esses efeitos não estão esclarecidos.

A vitamina D promove a absorção de fósforo pelos intestinos.
Embora o fósforo geralmente seja absorvido com facilidade, o fluxo de fósforo através do epitélio gastrointestinal é intensificado pela vitamina D. Acredita-se que esse aumento resulte de um efeito direto do 1,25-di-hidroxicolecalciferol, mas é possível que ocorra secundariamente à ação desse hormônio na absorção de cálcio, pois esse elemento atua como um mediador de transporte para o fósforo.

A vitamina D diminui a excreção renal de cálcio e fósforo.
A vitamina D também aumenta a reabsorção de cálcio e fósforo pelas células epiteliais dos túbulos renais, tendendo, assim, a diminuir a excreção de tais substâncias na urina. No entanto, esse efeito é fraco e, provavelmente, sem grande importância para a regulação da concentração dessas substâncias no líquido extracelular.

Efeito da vitamina D no osso e sua relação com a atividade do paratormônio.
A vitamina D desempenha importantes papéis na reabsorção e deposição ósseas. A administração de *quantidades extremas de vitamina D* causa a reabsorção óssea. Na ausência dessa vitamina, o efeito do PTH na indução da reabsorção óssea (discutido na próxima seção) é bastante reduzido ou mesmo impedido. O mecanismo dessa ação da vitamina D não é totalmente compreendido, mas acredita-se que ele seja o resultado do efeito do 1,25-di-hidroxicolecalciferol de aumentar o transporte de cálcio através das membranas celulares.

A vitamina D em quantidades menores promove a calcificação óssea. Uma das maneiras de promover essa calcificação é aumentar a absorção de cálcio e fósforo pelos intestinos. No entanto, mesmo na ausência de tal aumento, a vitamina D é capaz de intensificar a mineralização óssea. Mais uma vez, o mecanismo desse efeito não é conhecido, mas provavelmente resulta da capacidade do 1,25-di-hidroxicolecalciferol de provocar o transporte de íons cálcio através das membranas celulares – nesse caso, entretanto, talvez ocorra na direção oposta, através das membranas celulares de osteoblastos e osteócitos.

PARATORMÔNIO

O paratormônio (PTH) promove um mecanismo poderoso para controlar as concentrações extracelulares de cálcio e fósforo, regulando a reabsorção intestinal, a excreção renal e a troca desses íons entre o líquido extracelular e o osso. O excesso de atividade da glândula paratireoide causa a liberação rápida de sais de cálcio dos ossos, com a consequente *hipercalcemia* no líquido extracelular; por outro lado, a hipofunção das glândulas paratireoides causa *hipocalcemia*, frequentemente resultando em tetania.

CAPÍTULO 80 Paratormônio, Calcitonina, Metabolismo do Cálcio e do Fósforo, Vitamina D, Ossos e Dentes

Anatomia e fisiologia das glândulas paratireoides.

Normalmente, os seres humanos têm quatro glândulas paratireoides, situadas imediatamente atrás da glândula tireoide – cada uma atrás de cada polo superior e inferior da tireoide. Cada glândula paratireoide tem, aproximadamente, cerca de 6 milímetros de comprimento, 3 milímetros de largura e 2 milímetros de espessura, apresentando um aspecto macroscópico semelhante à gordura, de coloração marrom-escura. As glândulas paratireoides são de difícil localização durante as cirurgias na tireoide, pois parecem apenas mais um lóbulo da glândula tireoide. Por essa razão, antes do reconhecimento da importância dessas glândulas, geralmente a tireoidectomia total ou subtotal resultava na remoção também das glândulas paratireoides.

A remoção de metade das glândulas paratireoides geralmente não causa importantes anormalidades fisiológicas. Entretanto, a remoção de três das quatro glândulas normais causa hipoparatireoidismo transitório. Mas até mesmo uma pequena quantidade de tecido paratireóideo remanescente é, em geral, capaz de hipertrofiar de forma satisfatória, a ponto de cumprir a função de todas as glândulas.

A glândula paratireoide do ser humano adulto, mostrada na **Figura 80.11**, contém principalmente *células principais* e um número pequeno a moderado de *células oxifílicas*, mas estas últimas estão ausentes em muitos animais e em seres humanos jovens. Acredita-se que as células principais secretem grande parte do PTH, se não todo. A função das células oxifílicas não está esclarecida, mas acredita-se que sejam células principais modificadas ou depletadas que não secretem mais o hormônio.

Química do paratormônio. O PTH é primeiramente sintetizado nos ribossomos na forma de um pré-pró-hormônio, uma cadeia polipeptídica de 110 aminoácidos. O retículo endoplasmático e o complexo de Golgi, primeiro, clivam esse pré-pró-hormônio para um pró-hormônio com 90 aminoácidos e, em seguida, para o hormônio com 84 aminoácidos, e finalmente é armazenado em grânulos secretores no citoplasma das células. A forma final do hormônio tem um peso molecular de cerca de 9.500. Compostos menores com apenas 34 aminoácidos adjacentes à porção N-terminal da molécula também foram isolados a partir das glândulas paratireoides que exibem plena atividade de PTH. Na verdade, como os rins promovem rapidamente a remoção de todo o hormônio com 84 aminoácido em minutos, mas não conseguem remover muitos dos fragmentos durante horas, grande parte da atividade hormonal é causada pelos fragmentos.

EFEITOS DO PARATORMÔNIO NAS CONCENTRAÇÕES DE CÁLCIO E DE FÓSFORO NO LÍQUIDO EXTRACELULAR

A **Figura 80.12** mostra os efeitos aproximados da infusão súbita e contínua do PTH nas concentrações sanguíneas de cálcio e fósforo em um animal por várias horas. Observe que, no início da infusão, a concentração do cálcio iônico começa a aumentar e atinge um platô em cerca de 4 horas. No entanto, a concentração do fósforo cai mais rapidamente do que a elevação do cálcio e atinge um nível reduzido dentro de 1 ou 2 horas. O aumento da concentração do cálcio é ocasionado, principalmente, por dois efeitos do PTH: (1) aumenta a absorção de cálcio e de fósforo do osso, e (2) diminui com rapidez a excreção de cálcio pelos rins. A redução da concentração de fósforo é provocada por um forte efeito do PTH em elevar a excreção renal de fósforo, um efeito que geralmente é grande o suficiente para superar o aumento da absorção óssea de fósforo.

O paratormônio mobiliza cálcio e fósforo do osso

O PTH apresenta dois efeitos para mobilizar o cálcio e o fósforo no osso. Um deles corresponde à fase rápida que começa em minutos e aumenta progressivamente

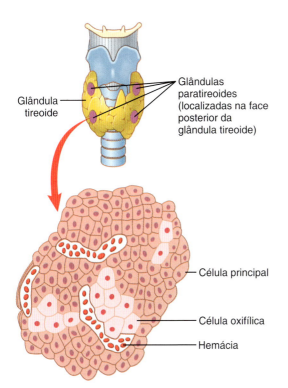

Figura 80.11 As quatro glândulas paratireoides estão imediatamente atrás da glândula tireoide. Quase todo o paratormônio (PTH) é sintetizado e secretado pelas células principais. A função das células oxifílicas é incerta, mas podem ser células principais modificadas ou depletadas que não secretam mais o PTH.

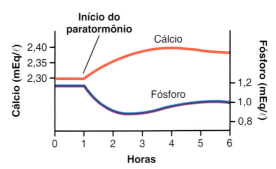

Figura 80.12 Alterações aproximadas nas concentrações de cálcio e fósforo durante as primeiras 5 horas de infusão do paratormônio com intensidade moderada.

PARTE 14 Endocrinologia e Reprodução

por várias horas. Essa fase resulta da ativação das células ósseas já existentes (principalmente os osteócitos), para promover a liberação de cálcio e fósforo. A segunda fase é muito mais lenta, exigindo alguns dias ou mesmo semanas para seu desenvolvimento pleno; tal fase resulta da proliferação dos osteoclastos, seguida pela reabsorção osteoclástica muito acentuada do próprio osso, não apenas da liberação de sais de fosfato de cálcio do osso.

Fase rápida da mobilização de cálcio e fósforo do osso | Osteólise.
Quando grandes quantidades de PTH são injetadas, a concentração do cálcio iônico no sangue começa a subir em minutos, muito antes que seja possível o desenvolvimento de quaisquer novas células ósseas. Os estudos histológicos e fisiológicos demonstraram que o PTH causa a remoção dos sais ósseos de duas áreas: (1) da matriz óssea nas proximidades dos osteócitos situados no osso e (2) nas proximidades de osteoblastos presentes ao longo da superfície óssea.

Em geral, não se considera que os osteoblastos ou os osteócitos atuem na mobilização dos sais ósseos, porque ambos os tipos de células são de natureza osteoblástica e, normalmente, estão associados à deposição óssea e à sua calcificação. No entanto, os osteoblastos e os osteócitos formam um sistema de células interconectadas que se distribuem por todo o osso e por todas as superfícies ósseas, exceto nas pequenas áreas superficiais adjacentes aos osteoclastos (ver **Figura 80.6**). Na verdade, processos longos e delgados se estendem de osteócito a osteócito por toda a estrutura óssea, e se unem aos osteócitos e aos osteoblastos da superfície. Esse extenso sistema é chamado de *sistema da membrana osteocítica*, e acredita-se que ele produza uma membrana que separa o osso do líquido extracelular.

Entre a membrana osteocítica e o osso, existe uma pequena quantidade de *líquido ósseo*. Experimentos sugerem que essa membrana osteocítica promova o bombeamento dos íons cálcio do líquido ósseo para o líquido extracelular, gerando a concentração de apenas um terço do cálcio iônico nesse líquido ósseo, em comparação com o líquido extracelular. Quando a bomba osteocítica torna-se excessivamente ativada, a concentração de cálcio no líquido ósseo declina ainda mais, e então os sais de fosfato de cálcio são liberados do osso. Esse efeito é chamado de *osteólise*, e ocorre sem a reabsorção da matriz fibrosa gelatinosa do osso. Quando a bomba é inativada, a concentração de cálcio no líquido ósseo sobe ainda mais, e sais de fosfato de cálcio são redepositados na matriz.

Contudo, onde o PTH se encaixa nesse quadro? Primeiro, as membranas celulares, tanto dos osteoblastos como dos osteócitos, têm receptores de PTH. O PTH ativa a bomba de cálcio intensamente, causando a rápida remoção dos sais de fosfato de cálcio dos cristais ósseos amorfos, situados perto das células. Acredita-se que o PTH estimule essa bomba por meio do aumento da permeabilidade do cálcio da fração do líquido ósseo da membrana osteocítica, permitindo, assim, a difusão dos íons cálcio até as membranas celulares do líquido ósseo. Em seguida, a bomba de cálcio, presente do outro lado da membrana celular, transfere os íons cálcio para o líquido extracelular no restante do percurso.

Fase lenta da reabsorção óssea e liberação do fosfato de cálcio | Ativação dos osteoclastos.
Efeito muito mais conhecido e evidente do PTH consiste na ativação dos osteoclastos. No entanto, os osteoclastos não têm receptores proteicos em suas membranas para PTH. Em vez disso, os osteoblastos e os osteócitos ativados enviam "sinais" secundários para os osteoclastos. Como já discutido, um sinal secundário importante é o *RANKL*, que ativa os receptores nos pré-osteoclastos e os transforma em osteoclastos maduros, que começam sua tarefa habitual de englobamento do osso durante um período de semanas ou meses.

A ativação do sistema osteoclástico ocorre em dois estágios: (1) ativação imediata dos osteoclastos já formados e (2) formação de novos osteoclastos. Vários dias de PTH em excesso geralmente costumam levar ao desenvolvimento satisfatório do sistema osteoclástico, mas esse crescimento pode continuar durante meses sob a influência de intensa estimulação por tal hormônio.

Após alguns meses de excesso de PTH, a reabsorção osteoclástica pode levar ao enfraquecimento ósseo e à estimulação secundária dos osteoblastos, na tentativa de corrigir o estado enfraquecido do osso. Portanto, o efeito tardio consiste, na verdade, na intensificação das atividades osteoblástica e osteoclástica. Ainda, mesmo nos estágios tardios, há mais reabsorção do que deposição óssea na presença de um excesso contínuo de PTH.

O osso contém grandes quantidades de cálcio em comparação à quantidade total em todos os líquidos extracelulares (cerca de 1.000 vezes mais). Mesmo quando o PTH provoca um grande aumento da concentração do cálcio nos líquidos, fica impossível discernir qualquer efeito imediato nos ossos. A administração ou a secreção excessiva do PTH – durante um período de muitos meses ou anos – resulta, finalmente, em uma reabsorção muito evidente em todos os ossos e, até mesmo, no desenvolvimento de amplas cavidades preenchidas com grandes osteoclastos multinucleados.

O paratormônio diminui a excreção de cálcio e aumenta a excreção de fósforo pelos rins

A administração de PTH causa a rápida perda de fósforo na urina, devido ao efeito do hormônio de reduzir a reabsorção tubular proximal dos íons fosfato.

O PTH também aumenta a reabsorção tubular renal do cálcio, ao mesmo tempo que diminui a reabsorção de fósforo (ver Capítulo 30). Além disso, aumenta a reabsorção de íons magnésio e hidrogênio, enquanto reduz a reabsorção de íons sódio, potássio e aminoácidos, da mesma maneira que influencia o fósforo. O aumento da reabsorção de cálcio ocorre principalmente na *alça ascendente de Henle* e nos *túbulos distais*.

Não fosse o efeito do PTH sobre os rins, para aumentar a reabsorção de cálcio, a perda contínua de cálcio na urina acabaria em sua consequente depleção no líquido extracelular e nos ossos.

O paratormônio aumenta a absorção intestinal de cálcio e de fósforo

Nesse ponto, devemos recordar que o PTH eleva muito a absorção de cálcio e de fósforo dos intestinos, aumentando a formação nos rins de 1,25-di-hidroxicolecalciferol a partir da vitamina D, conforme discutido no início do capítulo.

O monofosfato de adenosina cíclico medeia os efeitos do paratormônio. Uma grande parte do efeito do PTH em seus órgãos-alvo é mediada pelo mecanismo de *segundo mensageiro* do monofosfato de adenosina cíclico (AMPc). Dentro de alguns minutos, após a administração de PTH, a concentração de AMPc aumenta nos osteócitos, nos osteoclastos e em outras células-alvo. Esse AMPc, por sua vez, é provavelmente responsável por funções, tais como a secreção osteoclástica de enzimas e ácidos que causa a reabsorção óssea e a formação do 1,25-di-hidroxicolecalciferol nos rins. Outros efeitos diretos do PTH possivelmente atuam de forma independente do mecanismo de segundo mensageiro.

CONTROLE DA SECREÇÃO DA PARATIREOIDE PELA CONCENTRAÇÃO DE ÍONS CÁLCIO

Até mesmo a mais insignificante redução da concentração de íons cálcio no líquido extracelular faz com que as glândulas paratireoides aumentem sua secreção dentro de minutos; em caso de persistência do declínio da concentração de cálcio, as glândulas passarão por hipertrofia, atingindo um tamanho até cinco vezes superior ou mais. Por exemplo, as glândulas paratireoides aumentam muito em pessoas com *raquitismo*, em que o nível do cálcio costuma estar um pouco deprimido. Essas glândulas também ficam bastante aumentadas durante a *gestação*, embora a diminuição da concentração de íons cálcio no líquido extracelular da mãe dificilmente seja mensurável. Estão também muito aumentadas durante a *lactação*, já que o cálcio é utilizado para a formação do leite.

Por outro lado, as condições que aumentam a concentração de cálcio iônico acima do normal provocam a diminuição da atividade e do volume das glândulas paratireoides. Tais condições incluem (1) quantidades excessivas de cálcio na dieta, (2) teor elevado de vitamina D na dieta e (3) reabsorção óssea causada por fatores diferentes do PTH (p. ex., desuso dos ossos).

As alterações na concentração de íons cálcio no líquido extracelular são detectadas por um *receptor sensível ao cálcio* (CaSR) em membranas celulares da paratireoide. O receptor sensível ao cálcio é um receptor acoplado à proteína G, que, quando estimulado por íons cálcio, ativa a fosfolipase C e aumenta o inositol 1,4,5-trifosfato intracelular e a formação de diacilglicerol. Essa atividade estimula a liberação de cálcio de estoques intracelulares, o que, por sua vez, *diminui* a secreção de PTH. Por outro lado, a diminuição do cálcio do líquido extracelular inibe essas vias e estimula a secreção de PTH. Esse processo contrasta com o de muitos tecidos endócrinos, nos quais a secreção hormonal é estimulada quando essas vias são ativadas.

A **Figura 80.13** mostra a relação aproximada entre a concentração plasmática do cálcio e a do PTH. A curva vermelha contínua mostra o efeito agudo quando a concentração de cálcio sofre modificações ao longo de um período de algumas horas. Isso revela que até reduções pequenas na concentração de cálcio de seu valor normal podem dobrar ou triplicar o PTH plasmático. O efeito crônico aproximado quando a concentração de íons cálcio muda ao longo de um período de muitas semanas, permitindo uma intensa hipertrofia glandular, é mostrado pela linha vermelha tracejada, o que demonstra que uma diminuição de apenas uma fração de um miligrama por decilitro na concentração de cálcio plasmático pode dobrar a secreção de PTH. Essa é a base do extremamente potente sistema de *feedback* corporal para o controle a longo prazo da concentração plasmática do cálcio iônico.

RESUMO DOS EFEITOS DO PARATORMÔNIO

A **Figura 80.14** resume os principais efeitos do aumento da secreção de PTH, em resposta à diminuição da concentração de íons cálcio no líquido extracelular: (1) o PTH estimula a reabsorção óssea, causando liberação de cálcio no líquido extracelular; (2) o PTH aumenta a reabsorção de cálcio e diminui a reabsorção de fósforo pelos túbulos renais, levando à diminuição da excreção de cálcio e ao aumento da excreção de fósforo; e (3) o PTH é necessário para a conversão de 25-hidroxicolecalciferol em 1,25-di-hidroxicolecalciferol, que, por sua vez, aumenta a absorção de cálcio pelos intestinos. Essas ações em

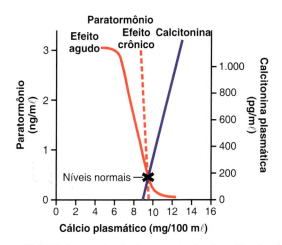

Figura 80.13 Efeito aproximado da concentração plasmática de cálcio nas concentrações plasmáticas de paratormônio e calcitonina. Observe, especialmente, que as mudanças a longo prazo na concentração do cálcio, em apenas alguns pontos percentuais, podem causar até 100% de mudança na concentração do paratormônio.

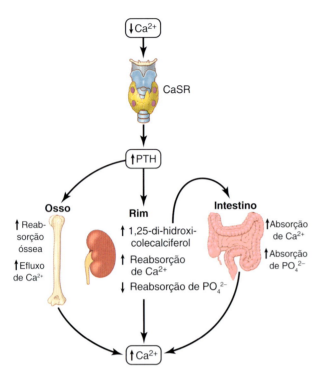

Figura 80.14 Resumo dos efeitos do paratormônio (PTH) no osso, nos rins e no intestino, em resposta à diminuição da concentração de íons cálcio no líquido extracelular. CaSR: receptor sensível ao cálcio.

conjunto fornecem meios potentes de regulação da concentração do cálcio extracelular.

CALCITONINA

A calcitonina, um hormônio peptídico secretado pela glândula tireoide, tende a *diminuir* a concentração plasmática de cálcio e, em geral, tem efeitos opostos aos do PTH. No entanto, o papel quantitativo da calcitonina em seres humanos é bem menor do que o PTH na regulação da concentração dos íons cálcio.

A síntese e a secreção da calcitonina ocorrem nas *células parafoliculares*, ou *células C*, situadas no líquido intersticial entre os folículos da glândula tireoide. Essas células constituem apenas cerca de 0,1% da glândula tireoide humana e representam os restos das *glândulas ultimobranquiais* de peixes, anfíbios, répteis e aves. A calcitonina é um peptídio com 32 aminoácidos e peso molecular de aproximadamente de 3.400.

O aumento da concentração plasmática do cálcio estimula a secreção de calcitonina. O principal estímulo para a secreção de calcitonina é a elevação da concentração de cálcio iônico no líquido extracelular. Em contraste, a secreção do PTH é estimulada pela diminuição da concentração de cálcio.

Em animais jovens, mas muito menos em animais mais velhos e em seres humanos, o aumento da concentração plasmática do cálcio em cerca de 10% causa um aumento imediato de duas vezes ou mais na secreção de calcitonina, o que é mostrado pela linha azul na **Figura 80.13**.

Esse aumento fornece um segundo mecanismo de *feedback* hormonal para controlar a concentração plasmática do cálcio iônico, mas esse mecanismo é relativamente fraco e atua de forma oposta ao sistema PTH.

A calcitonina diminui a concentração plasmática de cálcio. Em alguns animais jovens, a calcitonina diminui a concentração sanguínea do cálcio iônico com rapidez, começando dentro de minutos após a injeção da calcitonina, de pelo menos duas formas.

1. O efeito imediato consiste na redução das atividades absortivas dos osteoclastos e possivelmente do efeito osteolítico da membrana osteocítica em todo o osso, desviando o equilíbrio em favor da deposição de cálcio nos sais de cálcio. Esse efeito é particularmente significativo em animais jovens, por causa do rápido intercâmbio de cálcio absorvido e depositado.
2. O segundo e mais prolongado efeito da calcitonina baseia-se na diminuição da formação de novos osteoclastos. Além disso, como a reabsorção osteoclástica do osso conduz secundariamente à atividade osteoblástica, a diminuição da quantidade de osteoclastos é seguida por diminuição do número de osteoblastos. Portanto, o resultado efetivo, durante um longo período, é a redução da atividade osteoclástica e osteoblástica, e, consequentemente, o efeito pouco prolongado na concentração plasmática do cálcio iônico. Ou seja, o efeito no cálcio plasmático é principalmente transitório, durando de algumas horas a alguns dias, no máximo.

A calcitonina tem efeitos secundários menores no uso do cálcio nos túbulos renais e nos intestinos. Mais uma vez, os efeitos são opostos aos do PTH, mas parecem ser de pouca importância, sendo raramente considerados.

A calcitonina tem um efeito fraco na concentração plasmática do cálcio em seres humanos adultos. Dois motivos explicam o fraco efeito da calcitonina no cálcio plasmático. Primeiro, qualquer redução inicial da concentração de íons cálcio causada pela calcitonina leva a um poderoso estímulo da secreção de PTH em poucas horas, o que acaba quase que anulando o efeito da calcitonina. Quando a glândula tireoide é removida, e a calcitonina não é mais secretada, a concentração sanguínea do cálcio iônico não tem uma alteração mensurável a longo prazo, o que novamente demonstra o efeito predominante do sistema de controle do PTH.

Segundo, as taxas diárias de absorção e deposição do cálcio no ser humano adulto são pequenas, e, mesmo após o retardo da velocidade de absorção pela calcitonina, isso se reflete como um efeito muito leve na concentração plasmática de íons cálcio. O efeito da calcitonina em crianças é muito maior, porque a remodelagem óssea ocorre mais rapidamente em crianças, com absorção e deposição do cálcio de até 5 gramas ou mais por dia – o equivalente a 5 a 10 vezes a quantidade total desse elemento em todo o líquido extracelular. Além disso, em certas doenças ósseas,

CAPÍTULO 80 Paratormônio, Calcitonina, Metabolismo do Cálcio e do Fósforo, Vitamina D, Ossos e Dentes

como a *doença de Paget*, em que a atividade osteoclástica é muito acelerada, a calcitonina apresenta um efeito muito mais potente de redução na absorção de cálcio.

RESUMO DO CONTROLE DA CONCENTRAÇÃO DE CÁLCIO IÔNICO

Às vezes, a quantidade de cálcio absorvida ou perdida nos líquidos corporais equivale a 0,3 grama por hora. Por exemplo, em casos de diarreia, alguns gramas de cálcio podem ser secretados nos líquidos intestinais, deslocados pelo trato intestinal e perdidos nas fezes todos os dias.

Por outro lado, após a ingestão de grandes quantidades de cálcio, particularmente quando também há atividade excessiva de vitamina D, a pessoa pode absorver até 0,3 grama em 1 h. Esse número se compara com a *quantidade total de cálcio em todo o líquido extracelular de aproximadamente 1 grama*. Sendo assim, o acréscimo ou a subtração de 0,3 grama nessa pequena quantidade de cálcio no líquido extracelular causaria hipercalcemia grave ou hipocalcemia. Contudo, existe uma primeira linha de defesa para evitar que isso ocorra antes mesmo que os sistemas de *feedback* hormonal do paratormônio e da calcitonina tenham a oportunidade de agir.

Função de tamponamento do cálcio intercambiável nos ossos | Primeira linha de defesa.
Os sais de cálcio intercambiáveis nos ossos, discutidos no início deste capítulo, são compostos por fosfato de cálcio amorfos, provavelmente, e em maior parte, de $CaHPO_4$ ou de algum composto semelhante frouxamente ligado ao osso e em equilíbrio reversível com os íons cálcio e fósforo no líquido extracelular.

A quantidade disponível desses sais para a troca é de cerca de 0,5 a 1% do total de sais de cálcio do osso, no total de 5 a 10 gramas de cálcio. Por causa da facilidade de deposição desses sais intercambiáveis e da sua facilidade de resolubilidade, o aumento nas concentrações dos íons cálcio e fósforo do líquido extracelular acima dos valores normais provoca a deposição imediata do sal intercambiável. Essa reação é rápida, visto que os cristais amorfos do osso são extremamente pequenos e sua área de superfície total exposta aos líquidos ósseos é grande – talvez 1 acre ($4.046,9$ m²) ou mais.

Além disso, cerca de 5% de todo o sangue fluem através dos ossos a cada minuto, ou seja, cerca de 1% de todo o líquido extracelular a cada minuto. Portanto, cerca da metade de qualquer excesso de cálcio que apareça no líquido extracelular é removida por essa função tampão dos ossos, em cerca de 70 minutos.

Além da função de tamponamento dos ossos, as *mitocôndrias* de muitos dos tecidos corporais, em particular do fígado e do intestino, contêm uma significativa quantidade de cálcio intercambiável (cerca de 10 gramas em todo corpo), o que fornece um sistema adicional de tamponamento para ajudar a manter a constância da concentração do cálcio iônico no líquido extracelular.

Controle hormonal da concentração de cálcio iônico | Segunda linha de defesa.
Simultaneamente ao "tamponamento" do cálcio no líquido extracelular pelo mecanismo constituído pela troca desse mineral nos ossos, os dois sistemas hormonais representados pelo paratormônio e pela calcitonina dão início à sua atuação. Dentro de 3 a 5 minutos após um aumento agudo da concentração de íons cálcio, a taxa de secreção de PTH diminui. Como já explicado, isso envolve a ação de vários mecanismos para reduzir a concentração de íons cálcio de volta ao seu nível normal.

Ao mesmo tempo que o PTH diminui, a calcitonina aumenta. Em animais jovens e possivelmente em crianças pequenas (mas provavelmente em menor extensão em adultos), a calcitonina causa uma rápida deposição de cálcio nos ossos, e talvez em algumas células de outros tecidos. Portanto, em muito animais jovens, o excesso de calcitonina pode fazer com que uma alta concentração do cálcio iônico retorne ao normal, de modo consideravelmente mais rápido do que pode ser alcançado pelo mecanismo de tamponamento do cálcio intercambiável.

Em caso de deficiência ou de excesso prolongado de cálcio, apenas o mecanismo do PTH parece ser realmente importante na manutenção da concentração plasmática normal dos íons cálcio. Quando a pessoa apresenta uma deficiência contínua de cálcio na dieta, o PTH pode, frequentemente, estimular a absorção óssea desse elemento, o suficiente para manter a concentração plasmática normal do cálcio iônico por 1 ano ou mais; porém eventualmente, até mesmo os ossos ficarão sem cálcio. Por isso, na verdade, os ossos são um grande reservatório-tampão de cálcio que pode ser controlado pelo PTH. No entanto, quando o reservatório ósseo ou fica sem cálcio ou, alternativamente, torna-se saturado dele, o controle da concentração do cálcio iônico extracelular a longo prazo conta quase que inteiramente com as participações do PTH e da vitamina D para controlar a absorção intestinal e a excreção do cálcio na urina.

Fisiopatologia do paratormônio, vitamina D e doença óssea

Hipoparatireoidismo

Quando as glândulas paratireoides não secretam PTH suficiente, a reabsorção osteocítica do cálcio intercambiável diminui, e os osteoclastos tornam-se quase totalmente inativos. Como resultado, a liberação de cálcio dos ossos é tão deprimida que o nível de cálcio nos líquidos corporais diminui. Ainda, como o cálcio e os fosfatos não estão sendo liberados do osso, o osso geralmente permanece resistente.

Quando as glândulas paratireoides são removidas repentinamente, o nível de cálcio no sangue cai de 9,4 mg/dℓ para 6 a 7 mg/dℓ dentro de 2 a 3 dias, enquanto a concentração sanguínea de fósforo pode dobrar. Quando esse baixo nível de cálcio é atingido, desenvolvem-se os sinais habituais de tetania. Entre os músculos do corpo especialmente sensíveis ao espasmo tetânico estão os músculos da laringe. O espasmo desses músculos obstrui a respiração, o que representa

PARTE 14 Endocrinologia e Reprodução

a causa habitual de óbito nas pessoas com tetania, a menos que o tratamento apropriado seja realizado.

Tratamento do hipoparatireoidismo com PTH e vitamina D. Ocasionalmente, o PTH é utilizado para tratar o hipoparatireoidismo. Contudo, o hipoparatireoidismo não é geralmente tratado com PTH devido ao custo, por causa de seus efeitos que duram apenas algumas horas no máximo, além da tendência de o corpo desenvolver anticorpos contra o PTH, o que o torna progressivamente menos eficaz. Na maioria dos pacientes com hipoparatireoidismo, a administração de quantidades extremamente grandes de vitamina D, junto com a ingestão de 1 a 2 gramas de cálcio, mantém a concentração de íons cálcio no seu limite normal. Às vezes, pode ser necessário administrar 1,25-di-hidroxicolecalciferol em vez da forma não ativada da vitamina D, porque sua ação é muito mais potente e muito mais rápida. No entanto, a administração de 1,25-di-hidroxicolecalciferol também pode causar efeitos indesejáveis, porque às vezes é difícil evitar a hiperatividade por essa forma ativada de vitamina D.

Hiperparatireoidismo primário

No hiperparatireoidismo primário, uma anormalidade das glândulas paratireoides provoca a secreção excessiva e inadequada de PTH. A causa do hiperparatireoidismo primário normalmente é o tumor de uma das glândulas paratireoides; tais tumores afetam mais mulheres do que homens ou crianças, principalmente porque as glândulas paratireoides são estimuladas pela gravidez e lactação, que, portanto, predispõem ao desenvolvimento de tal tumor.

O hiperparatireoidismo causa atividade osteoclástica extrema nos ossos, o que eleva a concentração de íons cálcio no líquido extracelular, embora geralmente deprima a concentração dos íons fósforo pelo aumento de sua excreção renal.

Doença óssea no hiperparatireoidismo. Em pessoas com hiperparatireoidismo leve, novo osso pode ser depositado rapidamente, o suficiente para compensar o aumento da reabsorção osteoclástica de osso. No entanto, no hiperparatireoidismo grave, a reabsorção osteoclástica supera em muito a deposição osteoblástica, e o osso pode ser destruído quase que inteiramente. De fato, um osso fraturado é muitas vezes o motivo pelo qual uma pessoa com hiperparatireoidismo procura atendimento médico. As radiografias do osso, tipicamente, mostram extensas áreas de descalcificação e, ocasionalmente, grandes áreas císticas que são preenchidas com osteoclastos, na forma dos chamados "tumores" de células gigantes. Múltiplas fraturas dos ossos enfraquecidos podem ser resultado de apenas um traumatismo leve, especialmente onde se desenvolvem cistos. A osteopatia cística do hiperparatireoidismo recebe o nome de *osteíte fibrosa cística*.

A atividade osteoblástica nos ossos também aumenta muito em uma tentativa vã de produzir quantidade suficiente de tecido ósseo novo para compensar o osso antigo absorvido pela atividade osteoclástica. Quando os osteoblastos se tornam ativos, secretam grandes quantidades de *fosfatase alcalina*. Portanto, um dos importantes achados diagnósticos no hiperparatireoidismo é a presença de alto nível da fosfatase alcalina plasmática.

Efeitos da hipercalcemia no hiperparatireoidismo. Ocasionalmente, o hiperparatireoidismo pode fazer com que o nível plasmático do cálcio se eleve para 12 a 15 mg/dℓ e, raramente, ainda mais. Os efeitos desses níveis elevados de cálcio, conforme detalhado anteriormente neste capítulo, incluem depressão dos sistemas nervosos central e periférico, fraqueza muscular, constipação intestinal, dor abdominal, úlcera péptica, falta de apetite e depressão do relaxamento do coração durante a diástole.

Intoxicação paratireóidea e calcificação metastática. Quando, em raras ocasiões, quantidades extremas de PTH são secretadas, o nível de cálcio nos líquidos corporais aumenta rapidamente. Até mesmo a concentração de fósforo no líquido extracelular, muitas vezes, sobe acentuadamente em vez de cair, como geralmente é o caso, provavelmente porque os rins não podem excretar, com rapidez suficiente, todo o fósforo absorvido do osso. Portanto, o cálcio e o fósforo nos líquidos corporais tornam-se supersaturados, e, assim os cristais de fosfato de cálcio ($CaHPO_4$) começam a se depositar nos alvéolos pulmonares, nos túbulos renais, na glândula tireoide, na área da mucosa gástrica produtora de ácido e nas paredes das artérias em todo o corpo. Essa extensa deposição *metastática* de fosfato de cálcio pode se desenvolver dentro de alguns dias.

Normalmente, o nível de cálcio no sangue deve aumentar acima de 17 mg/dℓ antes que ocorra o perigo de intoxicação paratireóidea; entretanto, o desenvolvimento desse aumento, junto com a elevação do fósforo, pode levar ao óbito em apenas alguns dias.

Formação de cálculos renais no hiperparatireoidismo. A maioria dos pacientes com hiperparatireoidismo leve mostra poucos sinais de osteopatia e poucas anormalidades gerais como níveis elevados de cálcio, mas apresentam uma tendência extrema para formar cálculos renais. A razão para essa tendência se deve ao fato de que o excesso de cálcio e fósforo, absorvidos pelos intestinos ou mobilizados a partir dos ossos no hiperparatireoidismo, eventualmente, será excretado pelo rins, causando um aumento proporcional nas concentrações dessas substâncias na urina. Como resultado, os cristais de fosfato de cálcio tendem a precipitar no rim, formando cálculos de fosfato de cálcio. Além disso, pode ocorrer a formação de cálculos de oxalato de cálcio, pois até mesmo níveis normais de oxalato causam precipitação com níveis elevados de cálcio.

Como a solubilidade da maioria dos cálculos renais é leve em meios alcalinos, a tendência de formação de cálculos renais é consideravelmente maior na urina alcalina do que na urina ácida. Por essa razão, as dietas acidóticas e os fármacos ácidos são, frequentemente, utilizados para tratar os cálculos renais.

Hiperparatireoidismo secundário

No hiperparatireoidismo secundário, ocorrem altos níveis de PTH como uma forma de compensação para a *hipocalcemia*, e não como anormalidade primária das glândulas paratireoides. Em contraste, o hiperparatireoidismo primário está associado à hipercalcemia.

O hiperparatireoidismo secundário pode ser causado por deficiência da vitamina de D ou por doença renal crônica, em que os rins são incapazes de produzir quantidades

CAPÍTULO 80 Paratormônio, Calcitonina, Metabolismo do Cálcio e do Fósforo, Vitamina D, Ossos e Dentes

suficientes da forma ativa de vitamina D, o 1,25-di-hidroxicolecalciferol. Como discutido em mais detalhes na próxima seção, a deficiência de vitamina D leva à *osteomalacia* (mineralização inadequada dos ossos), e altos níveis de PTH provocam a absorção dos ossos.

Raquitismo causado pela deficiência de vitamina D

O raquitismo ocorre principalmente em crianças. É o resultado da deficiência do cálcio ou fósforo no líquido extracelular, causada, geralmente, pela falta de vitamina D. Se a criança for adequadamente exposta à luz solar, o 7-deidrocolesterol na pele torna-se ativado pelos raios ultravioleta e forma a vitamina D3, que previne o raquitismo ao promover a absorção intestinal de cálcio e de fósforo, conforme discutido anteriormente neste capítulo.

Em geral, crianças que permanecem dentro de casa durante o inverno não recebem quantidades adequadas de vitamina D sem alguma suplementação na dieta. O raquitismo tende a ocorrer especialmente nos meses de primavera, porque a vitamina D formada durante o verão anterior é armazenada no fígado e está disponível para uso durante os primeiros meses de inverno. Além disso, a mobilização óssea de cálcio e fósforo pode evitar sinais clínicos do raquitismo nos primeiros meses de deficiência de vitamina D.

Diminuição das concentrações plasmáticas de cálcio e fósforo no raquitismo.
A concentração plasmática do cálcio no raquitismo apresenta apenas uma depressão ligeira, mas o nível de fósforo está muito deprimido. Esse fenômeno ocorre porque as glândulas paratireoides evitam que o nível de cálcio caia, promovendo a reabsorção óssea sempre que o nível de cálcio começa a cair. No entanto, não existe um bom sistema regulatório para impedir a queda do nível de fósforo, e, na verdade, a atividade elevada das paratireoides aumenta sua excreção na urina.

O raquitismo enfraquece os ossos.
Durante os casos prolongados de raquitismo, o aumento compensatório acentuado da secreção do PTH causa a reabsorção óssea osteoclástica extrema. Isso, por sua vez, faz com que o osso se torne progressivamente mais fraco e impõe um forte estresse físico sobre o osso, resultando também em uma rápida atividade osteoblástica. Os osteoblastos depositam uma grande quantidade de osteoide, que não se calcifica devido à insuficiência de íons cálcio e fósforo. Consequentemente, o osteoide recém-formado, não calcificado e fraco, gradualmente ocupa o lugar do osso mais antigo que está sendo reabsorvido.

Tetania no raquitismo.
Nos estágios iniciais do raquitismo, quase nunca ocorre tetania, pois as glândulas paratireoides continuamente estimulam a reabsorção osteoclástica do osso e, portanto, mantêm um nível quase normal de cálcio no líquido extracelular. No entanto, quando os ossos finalmente chegam à exaustão de cálcio, o nível desse elemento pode cair rapidamente. À medida que o nível de cálcio no sangue cai abaixo de 7 mg/dℓ, os sinais usuais de tetania se desenvolvem, e a criança pode morrer por espasmo respiratório tetânico, a menos que o cálcio seja administrado por via intravenosa, o que alivia imediatamente a tetania.

Tratamento do raquitismo.
O tratamento do raquitismo envolve a suplementação adequada de cálcio e fósforo na dieta e, igualmente importante, a administração de grandes quantidades de vitamina D. Se a vitamina D não for administrada, apenas uma pequena quantidade de cálcio e fósforo será absorvida pelo intestino.

Osteomalacia: "raquitismo do adulto".
Adultos raramente têm uma deficiência *dietética* grave de vitamina D ou cálcio, porque grandes quantidades de cálcio não são necessárias para o crescimento ósseo, como é o caso das crianças. No entanto, deficiências graves de vitamina D e de cálcio ocorrem, ocasionalmente, como resultado de *esteatorreia* (falha na absorção de gordura), porque a vitamina D é lipossolúvel, e o cálcio tende a formar sabões insolúveis com gordura; consequentemente, na esteatorreia, a vitamina D e o cálcio tendem a ser eliminados pelas fezes. Nessas condições, o adulto pode apresentar uma absorção deficiente de cálcio e fósforo, com possível ocorrência de raquitismo. A osteomalacia em adultos quase nunca avança para o estágio de tetania, mas muitas vezes pode ser uma causa de grave de deficiência óssea.

Osteomalacia e raquitismo causados por doença renal.
O "raquitismo renal", ou a *osteodistrofia urêmica*, é o tipo de osteomalacia que se origina de danos prolongados nos rins. A causa dessa condição consiste, principalmente, na falha dos rins danificados em formar 1,25-di-hidroxicolecalciferol, a forma ativa da vitamina D. Em pacientes cujos rins foram removidos ou destruídos e tratados com hemodiálise, o problema do raquitismo renal pode ser grave.

Outro tipo de doença renal que leva ao raquitismo e à osteomalacia é representado pela *hipofosfatemia congênita*, resultando da reabsorção reduzida de fosfatos pelos túbulos renais. Esse tipo de raquitismo deve ser tratado com compostos à base de fósforo, e não com cálcio e vitamina D; por essa razão, esse quadro recebe o nome de *raquitismo resistente à vitamina D*.

Osteoporose: matriz óssea diminuída

A osteoporose é a mais comum de todas as osteopatias em adultos, principalmente na velhice. É diferente da osteomalacia e do raquitismo porque resulta da diminuição da matriz óssea orgânica, e não da deficiência da calcificação óssea. Nas pessoas com osteoporose, a atividade osteoblástica no osso costuma estar abaixo do normal, e, geralmente, menor do que o normal e, consequentemente, a deposição de osteoide é reduzida. Ocasionalmente, no entanto, como ocorre no hiperparatireoidismo, a causa da diminuição óssea é o excesso de atividade osteoclástica.

As causas mais comuns da osteoporose são: (1) *falta de estresse físico sobre os ossos* em função de inatividade; (2) *desnutrição* em grau suficiente, a ponto de impedir a formação da matriz proteica; (3) *deficiência de vitamina C*, necessária para a secreção de substâncias intercelulares por todas as células, inclusive para a formação de osteoide pelos osteoblastos; (4) *falta de secreção de estrogênio na pós-menopausa*, já que esse hormônio reduz o número e a atividade dos osteoclastos; (5) *idade avançada*, com redução notável do hormônio de crescimento e de outros fatores de crescimento, além do fato de que muitas das funções anabólicas da proteína também se deterioram com a idade, então a matriz óssea não pode ser depositada adequadamente; e (6) *síndrome de Cushing*, pois as quantidades maciças de glicocorticoides, secretadas nessa doença, provocam a redução da deposição proteica por todo o organismo e o aumento do catabolismo proteico, além de terem o efeito específico de deprimir a atividade osteoblástica. Por isso, muitos distúrbios de deficiência do metabolismo de proteínas podem causar osteoporose.

FISIOLOGIA DOS DENTES

Os dentes cortam, trituram e misturam o alimento a ser ingerido. Para executar essas funções, os maxilares têm músculos potentes, capazes de fornecer uma força oclusiva entre os dentes anteriores de 22 a 45 kgf e para os dentes posteriores, de 68 a 91 kgf. Além disso, os dentes superiores e os inferiores apresentam faces que se conectam, de forma que os dentes superiores se encaixam nos inferiores. Esse encaixe é chamado de *oclusão* e permite a apreensão e a trituração até mesmo de pequenas partículas de alimento entre as superfícies dentárias.

FUNÇÃO DAS DIFERENTES PARTES DOS DENTES

A **Figura 80.15** ilustra uma seção sagital de um dente, demonstrando suas principais partes funcionais: *esmalte, dentina, cemento* e *polpa*. O dente também pode ser dividido em *coroa*, que é a parte que se projeta da gengiva para a boca; e *raiz*, que é a porção que se encontra no osso alveolar dos maxilares. A depressão existente entre a coroa e a raiz, onde o dente é circundado pela gengiva, é chamada de *colo*.

Esmalte. A superfície externa do dente é revestida por uma camada de esmalte que se forma antes da erupção dentária por células epiteliais especiais, denominadas *ameloblastos*. Uma vez que o dente tenha irrompido, não ocorre mais a formação de esmalte. O esmalte é composto por grandes e densos cristais de hidroxiapatita com carbonato, magnésio, sódio, potássio e outros íons adsorvidos e embebidos em uma delicada rede de fibras proteicas resistentes e quase insolúveis, que são semelhantes em características físicas (mas não quimicamente idênticas) à queratina do cabelo.

A estrutura cristalina dos sais torna o esmalte extremamente duro, muito mais do que a dentina. Além disso, a rede fibrosa proteica especial, embora constituída por apenas cerca de 1% da massa do esmalte, torna o esmalte resistente a ácidos, a enzimas e a outros agentes corrosivos, pois essa proteína é uma das proteínas conhecidas mais insolúveis e resistentes.

Dentina. A principal parte do dente é composta pela dentina, que apresenta uma robusta estrutura óssea. A dentina é constituída principalmente por cristais de hidroxiapatita semelhantes aos do osso, mas muito mais densos. Esses cristais estão entremeados em uma forte rede de fibras colágenas. Assim, os principais constituintes da dentina são muito semelhantes aos do osso. A principal diferença está em sua organização histológica, pois a dentina não contém osteoblastos, osteócitos, osteoclastos, ou espaços para vasos sanguíneos ou nervos. Em vez disso, a dentina é depositada e nutrida por uma camada de células chamadas de *odontoblastos*, que revestem sua superfície interna ao longo da parede da cavidade pulpar.

Os sais de cálcio na dentina a tornam extremamente resistente às forças de compressão, enquanto as fibras de colágeno a tornam forte e resistente às forças tensionais, que podem ter origem quando os dentes são impactados por objetos sólidos.

Cemento. O cemento é uma substância óssea secretada por células da *membrana periodontal*, que reveste o alvéolo dentário. Muitas fibras colágenas passam diretamente do osso dos maxilares, através da membrana periodontal, e então para o cemento. Essas fibras de colágeno e o cemento são responsáveis pela manutenção do dente no lugar. Quando os dentes são expostos à tensão excessiva, a camada de cemento torna-se mais espessa e mais forte. Além disso, o cemento aumenta em espessura e resistência com a idade, fazendo com que os dentes se tornem mais firmemente fixos nos maxilares a partir da idade adulta.

Polpa. A cavidade pulpar de cada dente é preenchida pela *polpa*, que é composta por tecido conjuntivo com um abundante suprimento de fibras nervosas, vasos sanguíneos e linfáticos. As células que revestem a superfície da cavidade pulpar são os odontoblastos, que, durante os anos de formação do dente, formam a dentina, mas, ao mesmo tempo, invadem cada vez mais e mais a cavidade pulpar, tornando-a menor. Posteriormente, a dentina para de crescer, e o tamanho da cavidade pulpar permanece basicamente constante. No entanto, os odontoblastos ainda continuam viáveis e emitem projeções a pequenos *túbulos dentinários,* que penetram em toda a dentina; esses túbulos são importantes para a troca de cálcio, fósforo e outros minerais com a dentina.

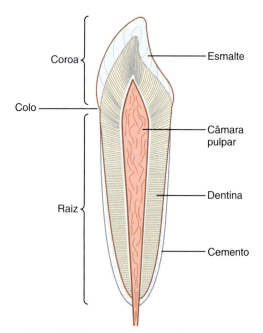

Figura 80.15 As partes funcionais de um dente.

Dentição. Os seres humanos e a maioria dos outros mamíferos desenvolvem dois conjuntos de dentes durante sua vida. Os primeiros dentes são chamados de *dentes decíduos*, ou *dentes de leite*, e são 20 em seres humanos. Eles irrompem entre o sétimo mês e o segundo ano de vida, e permanecem na cavidade oral dos 6 aos 13 anos. Após a perda de cada dente decíduo, um dente permanente o substitui, e mais 8 a 12 molares aparecem posteriormente nos maxilares, chegando ao número total de 28 a 32 dentes permanentes, dependendo da existência dos quatro terceiros molares (*dentes do siso*), o que não ocorre em todas as pessoas.

Formação dos dentes. A **Figura 80.16** mostra a formação e a erupção dos dentes. A **Figura 80.16 A** mostra a invaginação do epitélio oral na *lâmina dentária*, seguida pelo desenvolvimento do órgão dentário. As células epiteliais superiores formam os ameloblastos, que constituem o esmalte da face externa do dente. As células epiteliais inferiores invaginam em direção ascendente à porção média do dente, compondo a cavidade pulpar e os odontoblastos secretores de dentina. Assim, o esmalte é formado na face externa do dente, enquanto a dentina é formada internamente, dando origem ao germe dentário, conforme mostrado na **Figura 80.16 B**.

Erupção de dentes. Durante a primeira infância, os dentes começam a se projetar para fora do osso através do epitélio oral. A causa da "erupção" é desconhecida, embora a explicação mais provável seja que o crescimento da raiz do dente e do osso abaixo do dente progressivamente o empurre, levando à erupção.

Desenvolvimento dos dentes permanentes. Durante a vida embrionária, o órgão dentário também se desenvolve na parte mais profunda da lâmina dentária para cada dente permanente que se formará depois que os dentes decíduos forem exfoliados. Os órgãos dentários lentamente formam os dentes permanentes durante os primeiros 6 a 20 anos de vida. Quando cada dente permanente está totalmente formado, ele irrompe através do osso, de modo semelhante aos dentes decíduos. Ao fazer isso, ele corrói a raiz do dente decíduo e, finalmente, faz com que este se solte e caia. Logo após, o dente permanente irrompe para substituir o decíduo.

Fatores metabólicos influenciam o desenvolvimento dos dentes. A taxa de desenvolvimento e a velocidade de erupção dos dentes podem ser *aceleradas* pelos hormônios da tireoide e de crescimento. Além disso, a deposição de sais na formação inicial dos dentes é afetada, consideravelmente, por vários fatores do metabolismo, como a disponibilidade de cálcio e fósforo na dieta, a quantidade de vitamina D presente e a secreção de PTH. Quando todos esses fatores permanecem normais, a dentina e o esmalte serão correspondentemente sadios, mas, quando deficientes, a calcificação dos dentes também pode ser defeituosa, e os dentes permanecerão anormais durante toda a vida.

Troca de minerais nos dentes. Os sais dos dentes, como aqueles do osso, são compostos por hidroxiapatita com carbonatos adsorvidos e diversos cátions unidos por uma substância cristalina dura. Além disso, novos sais estão constantemente sendo depositados enquanto os sais antigos são absorvidos dos dentes, como ocorre no osso. A deposição e a absorção ocorrem principalmente na dentina e no cemento, e, de forma limitada, no esmalte. No esmalte, esses processos ocorrem principalmente por meio da difusão de minerais com a saliva, e não com os líquidos da cavidade pulpar.

A taxa de absorção e deposição de minerais no cemento é quase equivalente à do osso maxilar adjacente, enquanto na dentina corresponde a apenas um terço da do osso. O cemento tem características quase idênticas àquelas do osso normal, incluindo a presença de osteoblastos e osteoclastos, enquanto a dentina não tem essas características, conforme explicado anteriormente. Essa diferença sem dúvida explica as diferentes taxas de troca de minerais.

Em resumo, a troca mineral contínua ocorre na dentina e no cemento dos dentes, embora o mecanismo dessa troca na dentina não esteja esclarecido. No entanto, o esmalte exibe trocas minerais extremamente lentas, por isso mantém a maior parte de seu complemento mineral original ao longo da vida.

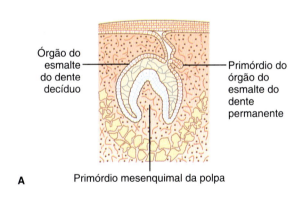

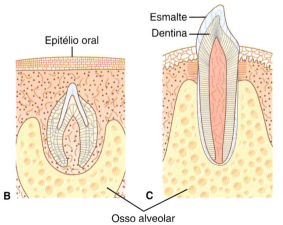

Figura 80.16 A. Órgão dentário primordial. **B.** Desenvolvimento dentário. **C.** Dente em erupção.

Anormalidades dentárias

As duas patologias dentárias mais comuns são as *cáries* e a *má oclusão*. As cáries se referem à erosão dos dentes, enquanto a má oclusão corresponde à falha do encaixe dos dentes superiores nos inferiores.

Cáries e papel das bactérias e dos carboidratos ingeridos.

A cárie resulta da ação das bactérias nos dentes, sendo o agente bacteriano mais comum o *Streptococcus mutans*. O primeiro evento no desenvolvimento de cárie é o depósito de uma *placa*, uma película de produtos precipitados de saliva e alimento sobre os dentes. Grande quantidade de bactérias habita essa placa, estando prontamente disponíveis para causar cáries. Essas bactérias dependem, em grande escala, dos carboidratos para sua alimentação. Quando carboidratos estão disponíveis, os sistemas metabólicos das bactérias são fortemente ativados, proporcionando a sua multiplicação. Além disso, elas produzem ácidos (particularmente o ácido láctico) e enzimas proteolíticas. Os ácidos são os principais culpados pela indução das cáries, pois os sais de cálcio dos dentes são dissolvidos lentamente em um meio altamente ácido. Uma vez que os sais tenham sido absorvidos, a matriz orgânica restante é rapidamente digerida pelas enzimas proteolíticas.

O esmalte dentário é a principal barreira primária ao desenvolvimento das cáries. O esmalte é muito mais resistente à desmineralização por ácidos do que a dentina, principalmente porque os cristais de esmalte são densos, mas também porque cada cristal de esmalte é cerca de 200 vezes maior em volume que cada cristal da dentina. Uma vez que o processo carioso tenha passado do esmalte para a dentina, ele evolui com muito mais rapidez, devido ao alto grau de solubilidade dos sais de dentina.

Em virtude de as bactérias responsáveis pela cárie dependerem dos carboidratos para sua nutrição, frequentemente tem sido ensinado que o consumo de dieta rica em carboidratos levará ao desenvolvimento excessivo de cáries. Contudo, não é a quantidade de carboidrato ingerido, mas a frequência de seu consumo que é importante. Se os carboidratos forem ingeridos em pequena quantidade ao longo do dia, como na forma de doces, as bactérias permanecem abastecidas com seu substrato metabólico preferencial, por muitas horas do dia, aumentando intensamente o desenvolvimento das cáries.

Papel do flúor na prevenção da cárie.

Os dentes formados em crianças que bebem água que contenha pequenas quantidades de flúor desenvolvem esmaltes mais resistentes à cárie do que o esmalte em crianças que bebem água não fluoretada. O flúor não torna o esmalte mais duro do que o normal, mas os íons flúor substituem muitos dos íons hidroxila nos cristais de hidroxiapatita, que, por sua vez, tornam o esmalte muitas vezes menos solúvel. O flúor também pode ser tóxico para as bactérias. Finalmente, quando pequenas cavidades se desenvolvem no esmalte, acredita-se que o flúor promova a deposição de fosfato de cálcio para "curar" a superfície do esmalte. Independentemente dos meios exatos pelo qual o flúor protege os dentes, sabe-se que pequenas quantidades de flúor depositadas no esmalte os tornam cerca de três vezes mais resistentes à cárie do que os dentes não expostos ao flúor.

Má oclusão.

A má oclusão geralmente é causada por anormalidade hereditária, que faz com que os dentes de um dos maxilares cresçam em uma posição anormal. Na má oclusão, os dentes não se encaixam corretamente, e, portanto, não podem executar sua ação normal de trituração e de corte do alimento de forma adequada. Ocasionalmente, a má oclusão também resulta do deslocamento anormal da mandíbula em relação à maxila, causando efeitos indesejáveis, como dor na articulação temporomandibular e desgaste dos dentes.

Em geral, o ortodontista pode corrigir a má oclusão pela aplicação de força suave e prolongada contra os dentes, com a utilização de aparelhos ortodônticos apropriados. Essa força suave provoca a reabsorção do osso alveolar sobre a face dentária de compressão, e deposição de novo osso no lado tensional do dente. Dessa forma, o dente move-se gradualmente para uma nova posição, conforme direcionado pela pressão aplicada.

Bibliografia

Bilezikian JP, Bandeira L, Khan A, Cusano NE: Hyperparathyroidism. Lancet 391:168, 2018.

Chande S, Bergwitz C: Role of phosphate sensing in bone and mineral metabolism. Nat Rev Endocrinol 14:637, 2018.

Christakos S, Dhawan P, Verstuyf A, et al: Vitamin D: metabolism, molecular mechanism of action, and pleiotropic effects. Physiol Rev 96:365, 2016.

Compston JE, McClung MR, Leslie WD: Osteoporosis. Lancet 393:364, 2019.

Elefteriou F: Impact of the autonomic nervous system on the skeleton. Physiol Rev 98:1083, 2018.

Gafni RI, Collins MT: Hypoparathyroidism. N Engl J Med 380:1738, 2019.

Hannan FM, Kallay E, Chang W, et al: The calcium-sensing receptor in physiology and in calcitropic and noncalcitropic diseases. Nat Rev Endocrinol 15:33, 2018.

Hernando N, Wagner CA: Mechanisms and regulation of intestinal phosphate absorption. Compr Physiol 8:1065, 2018.

Imai Y, Youn MY, Inoue K, et al: Nuclear receptors in bone physiology and diseases. Physiol Rev 93:481, 2013.

Insogna KL: Primary hyperparathyroidism. N Engl J Med 379:1050, 2018

Khairallah P, Nickolas TL: Management of osteoporosis in CKD. Clin J Am Soc Nephrol 13:962, 2018.

Khosla S, Farr JN, Kirkland JL: Inhibiting cellular senescence: a new therapeutic paradigm for age-related osteoporosis. J Clin Endocrinol Metab 103:1282, 2018.

Khundmiri SJ, Murray RD, Lederer E: PTH and vitamin D. Compr Physiol 6:561, 2016.

Lacruz RS, Habelitz S, Wright JT, Paine ML: Dental enamel formation and implications for oral health and disease. Physiol Rev 97:939, 2017.

Levi M, Gratton E, Forster IC, et al: Mechanisms of phosphate transport. Nat Rev Nephrol 15:482, 2019.

Moe SM: Calcium homeostasis in health and in kidney disease. Compr Physiol 6:1781, 2016.

Naot D, Musson DS, Cornish J: The activity of peptides of the calcitonin family in bone. Physiol Rev 99:781, 2019.

Pagnotti GM, Styner M, Uzer G, et al: Combating osteoporosis and obesity with exercise: leveraging cell mechanosensitivity. Nat Rev Endocrinol 15:339, 2019.

Walker MD, Silverberg SJ: Primary hyperparathyroidism. Nat Rev Endocrinol 14:115, 2018.

Zaidi M, Yuen T, Sun L, Rosen CJ: Regulation of skeletal homeostasis. Endocr Rev 39:701, 2018.

CAPÍTULO 81

Funções Reprodutoras e Hormonais Masculinas; Função da Glândula Pineal

As funções reprodutoras masculinas têm três subdivisões principais: (1) formação de espermatozoides (espermatogênese), (2) realização do ato sexual masculino e (3) regulação das funções reprodutoras masculinas por vários hormônios. Associados a essas funções reprodutoras, estão os efeitos dos hormônios sexuais masculinos nos órgãos sexuais acessórios, no metabolismo celular, no crescimento e em outras funções do organismo.

Anatomia fisiológica dos órgãos sexuais masculinos

A **Figura 81.1 A** mostra as várias partes do sistema reprodutor masculino, e a **Figura 81.1 B** apresenta a estrutura detalhada do testículo e a do epidídimo. O testículo é composto por até 900 *túbulos seminíferos* enrolados, cada um com média de mais de meio metro de comprimento, nos quais os espermatozoides são formados. Os espermatozoides, então, são lançados no *epidídimo*, que é outro tubo em espiral, de cerca de 6 metros de comprimento. O epidídimo conduz ao *ducto deferente*, que se alarga na *ampola do ducto deferente*, imediatamente antes de o ducto entrar no corpo da glândula prostática.

Duas *vesículas seminais*, localizadas uma em cada lado da próstata, desembocam na terminação prostática da ampola, e os conteúdos da ampola e o das vesículas seminais passam para o *ducto ejaculatório* e são conduzidos através do corpo da próstata e, em seguida, deságuam na *uretra prostática*. Os *ductos prostáticos* recebem o conteúdo da próstata e o conduzem para o ducto ejaculatório e daí para a uretra prostática.

Finalmente, a *uretra* é o último elo de conexão dos testículos com o exterior. A uretra contém muco derivado de um grande número de minúsculas *glândulas uretrais*, localizadas ao longo de toda a sua extensão, e, em maior quantidade, das *glândulas bulbouretrais* (glândulas de Cowper) localizadas próximas à origem da uretra.

ESPERMATOGÊNESE

Durante a formação do embrião, as *células germinativas primordiais* migram para os testículos e tornam-se *células germinativas imaturas*, chamadas de espermatogônias, que se encontram em duas ou três camadas das superfícies internas dos *túbulos seminíferos* (na **Figura 81.2 A**, é mostrada uma seção transversa dos túbulos). Na puberdade, as espermatogônias começam a sofrer divisões mitóticas, proliferando e diferenciando-se constantemente por meio de estágios definidos de desenvolvimento para formar o espermatozoide, conforme ilustrado na **Figura 81.2 B**.

ETAPAS DA ESPERMATOGÊNESE

A espermatogênese ocorre nos túbulos seminíferos, durante a vida sexual ativa, como resultado da estimulação pelos hormônios gonadotróficos da adeno-hipófise. A espermatogênese começa, em média, aos 13 anos, e continua durante a maior parte do restante da vida, diminuindo acentuadamente na velhice.

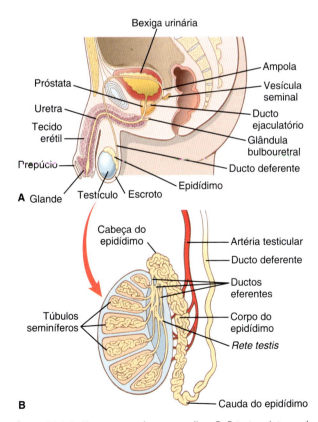

Figura 81.1 A. Sistema reprodutor masculino. **B.** Estrutura interna do testículo e relação entre o testículo e o epidídimo. (**A**, *Modificada de Bloom V, Fawcett DW: Textbook of Histology, 10th ed. Philadelphia: WB Saunders, 1975.* **B**, *Modificada de Guyton AC: Anatomy and Physiology. Philadelphia: Saunders College Publishing, 1985.*)

PARTE 14 Endocrinologia e Reprodução

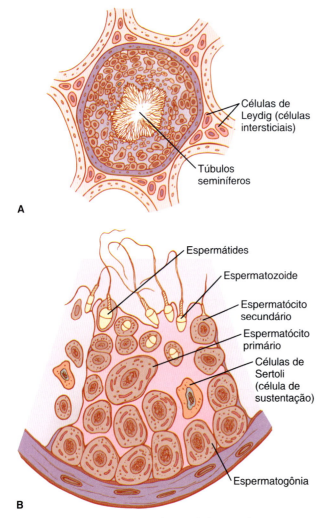

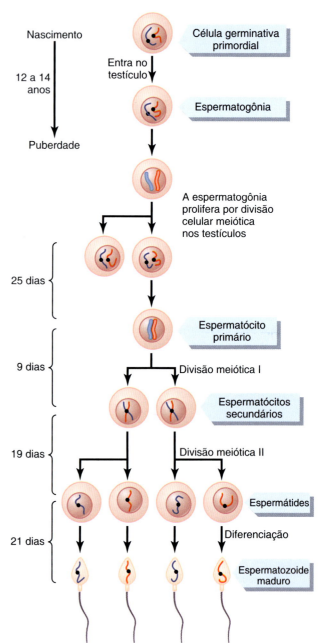

Figura 81.2 A. Seção transversa de um túbulo seminífero. **B.** Estágios do desenvolvimento do espermatozoide a partir da espermatogônia.

No primeiro estágio da espermatogênese, as espermatogônias migram entre as *células de Sertoli* (células de sustentação) em direção ao lúmen central dos túbulos seminíferos. As células de Sertoli são grandes, com envoltório citoplasmático exuberante, e circundam a espermatogônia em desenvolvimento, até o lúmen central do túbulo.

Meiose. As espermatogônias que cruzam a barreira até a camada das células de Sertoli tornam-se progressivamente modificadas e aumentadas, para formar grandes *espermatócitos primários* (ver **Figura 81.3**). Cada um desses espermatócitos primários, por sua vez, sofre divisão meiótica para formar dois espermatócitos secundários. Depois de mais alguns dias, esses espermatócitos secundários também se dividem para formar *espermátides* que são eventualmente modificadas para se tornarem *espermatozoides*.

Durante as transformações do estágio de espermatócitos para o estágio de espermátides, os 46 cromossomos (23 pares de cromossomos) dos espermatócitos se dividem, e, portanto, 23 cromossomos vão para uma

Figura 81.3 Divisões celulares durante a espermatogênese. Durante o desenvolvimento embrionário, as células germinativas primordiais migram para os testículos, onde se tornam espermatogônias. Na puberdade (geralmente entre 12 e 14 anos), as espermatogônias proliferam rapidamente por mitose. Algumas começam a meiose, tornam-se espermatócitos primários e continuam, por meio da divisão meiótica I, até se tornarem espermatócitos secundários. Após a conclusão da divisão meiótica II, os espermatócitos secundários produzem espermátides, que se diferenciam para formar espermatozoides.

espermátide e os outros 23, para a segunda espermátide. Os genes cromossômicos também se dividem, de modo que apenas metade das características genéticas do possível feto é fornecida pelo pai, enquanto a outra metade provém do ovócito fornecido pela mãe.

Todo o período da espermatogênese, desde a espermatogônia à formação dos espermatozoides, leva, aproximadamente, 74 dias.

Cromossomos sexuais. Em cada espermatogônia, um dos 23 pares de cromossomos carrega a informação genética que determina o sexo do possível concepto. Esse par é composto por um cromossomo X, chamado de *cromossomo feminino*, e por um cromossomo Y, o *cromossomo masculino*. Durante a divisão meiótica, o cromossomo Y masculino vai para uma espermátide, que então se torna um *espermatozoide masculino*, e o cromossomo X feminino vai para outra espermátide, que se torna um *espermatozoide feminino*. O sexo do concepto é determinado por qual desses dois tipos de espermatozoides fertiliza o óvulo. Esse processo é discutido mais detalhadamente no Capítulo 83.

Formação de espermatozoides. Quando as espermátides são formadas, elas ainda têm as características usuais de células epitelioide, mas logo começam a se diferenciar e a se alongar, formando os espermatozoides. Conforme mostrado na **Figura 81.4**, cada espermatozoide é composto por uma *cabeça* e uma *cauda*. A cabeça compreende o núcleo condensado da célula, com apenas uma fina camada citoplasmática e a membrana celular em torno de sua superfície. Na parte externa dos dois terços anteriores da cabeça, está um capuz espesso chamado de *acrossomo*, formado principalmente pelo complexo de Golgi. O acrossomo contém várias enzimas semelhantes às encontradas nos lisossomos de célula típicos, incluindo *hialuronidase* (que pode digerir filamentos de proteoglicano dos tecidos) e potentes *enzimas proteolíticas* (que podem digerir proteínas). Essas enzimas têm um papel importante, possibilitando que o espermatozoide entre no óvulo e o fertilize.

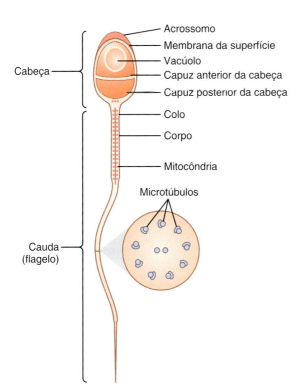

Figura 81.4 Estrutura do espermatozoide humano.

A cauda do espermatozoide, chamada de *flagelo*, tem três componentes principais: (1) o esqueleto central, constituído por 11 microtúbulos, chamados coletivamente de *axonema*, cuja estrutura é semelhante à dos cílios encontrados nas superfícies de outros tipos de células descritas no Capítulo 2; (2) uma membrana celular fina que recobre o axonema; e (3) o conjunto de mitocôndrias que envolvem o axonema na porção proximal da cauda, chamado de *corpo da cauda*.

O movimento de vaivém da cauda (movimento flagelar) fornece motilidade para o espermatozoide. Esse movimento é consequência do deslocamento rítmico longitudinal entre os túbulos anterior e posterior que compõem o axonema. A energia para esse processo é fornecida em forma de trifosfato de adenosina, sintetizado pelas mitocôndrias no corpo da cauda.

Os espermatozoides normais se movem em um meio líquido com uma velocidade de 1 a 4 mm/min, o que permite que eles se movam pelo trato genital feminino em busca do óvulo.

FATORES HORMONAIS QUE ESTIMULAM A ESPERMATOGÊNESE

O papel dos hormônios na reprodução será discutido em detalhes posteriormente; por enquanto, observe que vários hormônios desempenham funções essenciais na espermatogênese. Alguns desses hormônios e suas funções são os seguintes:

1. A *testosterona*, secretada pelas *células de Leydig* (células intersticiais), localizadas no interstício do testículo (ver **Figura 81.2**), é essencial para o crescimento e para a divisão das células germinativas testiculares, primeiro estágio da formação do espermatozoide.
2. O *hormônio luteinizante*, secretado pela adeno-hipófise, estimula as células de Leydig a secretarem testosterona.
3. O *hormônio foliculoestimulante* (FSH), também secretado pela adeno-hipófise, estimula as *células de Sertoli*; sem esse estímulo, a conversão das espermátides em espermatozoides (o processo de espermatogênese) não ocorre.
4. Os *estrogênios*, formados a partir da testosterona pelas células de Sertoli, quando são estimuladas pelo FSH, são também provavelmente essenciais para a espermatogênese.
5. O *hormônio de crescimento* (GH) (assim como a maior parte dos outros hormônios do corpo) é necessário para controlar as funções metabólicas basais dos testículos. O hormônio de crescimento, especificamente, promove a divisão precoce das espermatogônias; em sua ausência, como no caso dos anões hipofisários, a espermatogênese é gravemente deficiente ou ausente, causando, portanto, infertilidade.

A maturação e a capacitação espermáticas ocorrem no epidídimo

Após a formação nos túbulos seminíferos, o espermatozoide requer vários dias para passar pelo túbulo do

PARTE 14 Endocrinologia e Reprodução

epidídimo, de cerca de 6 metros de comprimento. O espermatozoide, removido dos túbulos seminíferos e das porções iniciais do epidídimo, é imóvel e não pode fertilizar o óvulo. No entanto, após o espermatozoide permanecer no epidídimo por 18 a 24 horas, ele desenvolve a *capacidade de motilidade*, embora muitas proteínas inibitórias no líquido epididimário ainda impeçam a motilidade final até depois da ejaculação.

Armazenamento dos espermatozoides nos testículos. Os dois testículos do adulto humano formam até 120 milhões de espermatozoides por dia. A maior parte desses espermatozoides é armazenada no epidídimo, embora uma pequena quantidade seja armazenada nos ductos deferentes. Eles podem permanecer armazenados, mantendo sua fertilidade, por pelo menos por 1 mês. Durante esse tempo, eles são mantidos em estado inativo, profundamente reprimidos por múltiplas substâncias inibitórias, presentes nas secreções dos ductos. Por outro lado, com um alto nível de atividade sexual e ejaculações, o estoque pode durar não mais do que alguns dias.

Após a ejaculação, os espermatozoides tornam-se móveis e capazes de fertilizar o óvulo, processo denominado *capacitação espermática*. As células de Sertoli e o epitélio do epidídimo secretam um líquido nutriente especial, que é ejaculado junto com o espermatozoide. Esse líquido contém hormônios (incluindo a testosterona e o estrogênio), enzimas e nutrientes essenciais para o processo de *maturação* dos espermatozoides.

Fisiologia do espermatozoide maduro. Os espermatozoides normais, móveis e férteis são capazes de apresentar movimentos flagelares em meio líquido, com velocidade de 1 a 4 mm/min. A atividade do espermatozoide é bastante aumentada em um meio neutro ou ligeiramente alcalino, como o existente no sêmen ejaculado, mas é muito deprimida em um meio ligeiramente ácido. Um meio fortemente ácido pode causar a morte rápida do espermatozoide.

A atividade do espermatozoide aumenta muito com a elevação da temperatura, mas isso também aumenta sua atividade metabólica, fazendo com que a sua vida seja consideravelmente encurtada. Embora o espermatozoide possa viver por muitas semanas no estado reprimido nos ductos genitais dos testículos, a expectativa de vida do espermatozoide ejaculado, no trato genital feminino, é somente de 1 a 2 dias.

FUNÇÃO DAS VESÍCULAS SEMINAIS

Cada vesícula seminal é um tubo tortuoso, revestido por um epitélio secretor que secreta material mucoide contendo *frutose*, *ácido cítrico* e outras substâncias nutritivas em abundância, bem como grande quantidade de *prostaglandinas* e *fibrinogênio*. Durante o processo de emissão e ejaculação, cada vesícula seminal esvazia seu conteúdo no ducto ejaculatório, logo após o ducto deferente ter despejado os espermatozoides. Essa ação aumenta muito o volume do sêmen ejaculado, e a frutose e as outras substâncias no líquido seminal têm um valor nutritivo considerável para os espermatozoides ejaculados, até o momento em que um espermatozoide fertilize o óvulo.

Acredita-se que as prostaglandinas auxiliem na fertilização de duas maneiras: (1) reagindo com o muco cervical feminino, tornando-o mais receptivo ao movimento do espermatozoide e (2) possivelmente causando contrações peristálticas reversas para trás, no útero e nas tubas uterinas (também chamadas de trompas de Falópio), movendo os espermatozoides ejaculados em direção aos ovários (alguns espermatozoides alcançam as extremidades superiores das tubas uterinas em 5 minutos).

FUNÇÃO DA PRÓSTATA

A próstata secreta um líquido fino e leitoso que contém cálcio, íon citrato, íon fosfato, uma enzima de coagulação e uma pró-fibrinolisina. Durante a emissão, a cápsula da próstata se contrai simultaneamente com as contrações do ducto deferente para que o líquido fino e leitoso da próstata seja adicionado ao sêmen. Uma característica ligeiramente alcalina do líquido prostático pode ser muito importante para o sucesso da fertilização do óvulo, uma vez que o líquido do ducto deferente é relativamente ácido, devido à presença de ácido cítrico e produtos finais metabólicos do espermatozoide, o que, consequentemente, auxilia a inibição da fertilidade do espermatozoide. Além disso, as secreções vaginais são ácidas (com um pH de 3,5 a 4). Os espermatozoides não adquirem a motilidade necessária até que o pH dos líquidos que o envolvem atinja valores de, aproximadamente, 6 a 6,5. Consequentemente, é provável que o líquido prostático ligeiramente alcalino ajude a neutralizar a acidez dos outros líquidos seminais durante a ejaculação e, portanto, aumente a motilidade e a fertilidade do espermatozoide.

SÊMEN

O sêmen, que é ejaculado pelo homem durante o ato sexual, é composto por líquido do ducto deferente e pelos espermatozoides, também saídos dele (cerca de 10% do total), líquido das vesículas seminais (quase 60%), líquido da próstata (cerca de 30%) e pequenas quantidades de líquido das glândulas mucosas, especialmente das glândulas bulbouretrais. Assim, a maior parte do sêmen é composta pelo líquido da vesícula seminal, que é o último a ser ejaculado e serve para arrastar os espermatozoides pelo ducto ejaculatório e pela uretra.

O pH médio do sêmen combinado é de cerca de 7,5, tendo o líquido prostático alcalino mais do que neutralizado a leve acidez das suas outras porções. O líquido prostático dá ao sêmen uma aparência leitosa, e os líquidos das vesículas seminais e das glândulas mucosas, uma consistência mucoide. Além disso, uma enzima de coagulação do líquido prostático também faz com que o fibrinogênio do líquido da vesícula seminal forme um coágulo de fibrina fraco, que o mantém nas regiões mais profundas da vagina, onde se situa o colo uterino. O coágulo, então, é

CAPÍTULO 81 Funções Reprodutoras e Hormonais Masculinas; Função da Glândula Pineal

dissolvido durante os próximos 15 a 30 minutos devido à sua lise pela fibrinolisina formada a partir da pró-fibrinolisina prostática. Nos primeiros minutos após a ejaculação, o espermatozoide permanece relativamente imóvel, possivelmente devido à viscosidade do coágulo. À medida que o coágulo se dissolve, o espermatozoide, ao mesmo tempo, fica muito móvel.

Embora os espermatozoides possam viver por muitas semanas nos ductos genitais masculinos, uma vez ejaculados no sêmen, sua expectativa máxima de vida é de apenas 24 a 48 horas em temperatura corporal. Em temperaturas mais baixas, no entanto, o sêmen pode ser armazenado por várias semanas, e, quando congelado em temperaturas abaixo de –100°C, os espermatozoides têm sido preservados por anos.

A capacitação espermática é necessária para a fertilização do óvulo

Embora os espermatozoides já tenham completado o processo de maturação espermática quando deixam o epidídimo, sua atividade é mantida sob controle por múltiplos fatores inibitórios secretados pelo epitélio do ducto genital. Portanto, quando são lançados inicialmente no sêmen, eles são incapazes de fertilizar o óvulo. No entanto, ao entrar em contato com os líquidos do trato genital feminino, ocorrem múltiplas mudanças que ativam o espermatozoide para os processos finais de fertilização. Essas mudanças conjuntas são chamadas de *capacitação dos espermatozoides* e normalmente requerem de 1 a 10 horas. Acredita-se que algumas mudanças que ocorram sejam as seguintes:

1. Os líquidos das tubas uterinas eliminam os vários fatores inibitórios que suprimem a atividade dos espermatozoides nos ductos genitais masculinos.
2. Enquanto os espermatozoides permanecem no líquido dos ductos genitais masculinos, eles estão continuamente expostos a muitas vesículas flutuantes dos túbulos seminíferos contendo grandes quantidades de colesterol. Esse colesterol é continuamente adicionado à membrana celular que cobre o acrossomo do espermatozoide, fortalecendo-a e impedindo a liberação de suas enzimas. Após a ejaculação, os espermatozoides depositados na vagina se movem para cima, na cavidade uterina, afastando-se das vesículas de colesterol, e, assim, gradualmente perdem, nas próximas horas, a maior parte do excesso de colesterol. Por isso, a membrana da cabeça dos espermatozoides (o acrossomo) torna-se muito mais fraca.
3. A membrana dos espermatozoides fica também muito mais permeável aos íons cálcio, então o cálcio agora entra no espermatozoide em abundância, mudando a atividade do flagelo, dando-lhe um potente movimento de chicote, ao contrário de seu movimento prévio, ondulante e fraco. Além disso, os íons cálcio causam mudanças na membrana celular que cobre a ponta do acrossomo, tornando possível a liberação rápida e fácil

das enzimas pelo acrossomo, quando os espermatozoides penetram a massa de células granulosas que envolvem o óvulo e, mais ainda, quando tentam penetrar a zona pelúcida do óvulo.

Assim, alterações múltiplas ocorrem durante o processo de capacitação. Sem elas, o espermatozoide não pode seguir seu percurso para o interior do óvulo, para iniciar a fertilização.

Enzimas do acrossomo, reação acrossômica e penetração no óvulo

No acrossomo do espermatozoide estão armazenadas grandes quantidades de *hialuronidase* e de *enzimas proteolíticas*. A hialuronidase despolimeriza os polímeros do ácido hialurônico no cimento intercelular que mantém juntas as células granulosas ovarianas. As enzimas proteolíticas digerem as proteínas nos elementos estruturais das células teciduais, que ainda aderem ao óvulo.

Quando o óvulo é expelido do folículo ovariano para a tuba uterina, ele ainda carrega múltiplas camadas de células granulosas. Antes que um espermatozoide possa fertilizar o óvulo, ele deve dissolver essas camadas de células da granulosas, e, então, deve penetrar o revestimento espesso do óvulo, a *zona pelúcida*. Para essa penetração ocorrer, as enzimas armazenadas no acrossomo começam a ser liberadas, a partir de reações químicas que, em conjunto, denominamos reação acrossômica. Acredita-se que a hialuronidase seja especialmente importante para abrir caminhos entre as células granulosas, para que os espermatozoides possam alcançar o óvulo.

Quando o espermatozoide atinge a zona pelúcida do óvulo, a membrana anterior do espermatozoide se liga especificamente às proteínas receptoras presentes nela. Em seguida, todo o acrossomo se dissolve rapidamente, e todas as enzimas acrossômicas são liberadas. Em alguns minutos, essas enzimas abrem um caminho de penetração para a passagem da cabeça do espermatozoide, através da zona pelúcida, para dentro do óvulo. Em 30 minutos, as membranas celulares da cabeça do espermatozoide e do ovócito se fundem, formando uma única célula. Ao mesmo tempo, os materiais genéticos do espermatozoide e do ovócito se combinam para formar um genoma celular completamente novo, contendo números iguais de cromossomos e genes de mãe e pai. Esse é o processo de *fertilização*; o embrião, então, começa a se desenvolver, conforme discutido no Capítulo 83.

Por que apenas um espermatozoide penetra no óvulo? Com a enorme quantidade de espermatozoides, por que somente um penetra no óvulo? O motivo não é totalmente conhecido, mas, dentro de alguns minutos após o primeiro espermatozoide penetrar na zona pelúcida do óvulo, os íons cálcio se difundem através da membrana do ovócito e provocam a liberação, por exocitose, de vários grânulos corticais do ovócito para o espaço perivitelínico. Esses grânulos contêm substâncias que permeiam todas as regiões da zona pelúcida e impedem

a ligação de espermatozoide adicional, fazendo com que qualquer espermatozoide que tenha começado a se ligar se solte. Assim, raramente ocorre a entrada de mais de um espermatozoide no ovócito durante a fertilização.

Espermatogênese anormal e infertilidade masculina

O epitélio tubular seminífero pode ser destruído por várias doenças. Por exemplo, a *orquite* bilateral (inflamação) dos testículos resultante da *caxumba* causa esterilidade em alguns homens afetados por ela. Além disso, alguns bebês do sexo masculino nascem com o epitélio tubular degenerado, como resultado de estenoses dos ductos genitais ou de outras anormalidades. Finalmente, outra causa de esterilidade, geralmente temporária, é a *temperatura excessivamente elevada dos testículos*.

Efeito da temperatura na espermatogênese. O aumento da temperatura dos testículos pode impedir a espermatogênese por causar a degeneração da maioria das células dos túbulos seminíferos, além das espermatogônias. Tem sido frequentemente afirmado que a razão pela qual os testículos estão localizados no saco escrotal é para que haja a manutenção da temperatura dessas glândulas abaixo da temperatura interna do corpo, embora geralmente seja apenas cerca de 2°C abaixo da temperatura interna. Em dias frios, os reflexos escrotais fazem com que a musculatura do escroto se contraia, puxando os testículos para perto do corpo para manter esse diferencial de 2°C. Assim, o saco escrotal atua como um mecanismo de resfriamento para os testículos (mas um resfriamento *controlado*), sem o qual a espermatogênese poderia ser deficiente durante o clima quente.

Criptorquia. Criptorquia (ou criptorquidia) significa uma falha na descida do testículo, do abdome para o saco escrotal, à época do nascimento ou próximo ao nascimento de um feto. Durante o desenvolvimento do feto masculino, os testículos são derivados das pregas genitais no abdome. No entanto, em cerca de 3 semanas a 1 mês antes do nascimento do bebê, os testículos normalmente descem pelos canais inguinais para o saco escrotal. Ocasionalmente, essa descida não ocorre, ou ocorre de forma incompleta; assim, um ou ambos os testículos permanecem no abdome, no canal inguinal ou em outro lugar ao longo do trajeto de descida.

O testículo que permanece na cavidade abdominal ao longo da vida é incapaz de formar espermatozoides. O epitélio tubular se degenera, permanecendo apenas as estruturas intersticiais dos testículos. Tem-se afirmado que mesmo os poucos graus mais altos de temperatura no abdome do que no escroto são suficientes para causar essa degeneração do epitélio tubular e, consequentemente, ocasionar a esterilidade, embora esse efeito não esteja totalmente provado. No entanto, por esse motivo, em meninos com criptorquia podem ser realizadas operações de realocação dos testículos da cavidade abdominal no escroto antes do início da vida sexual.

A secreção de testosterona pelos testículos fetais é o estímulo normal que faz com que os testículos desçam do abdome para o saco escrotal. Portanto, muitos, senão a maioria, dos casos de criptorquia são causados por testículos anormais, incapazes de secretar testosterona suficiente. Nesses casos, a cirurgia da criptorquia, provavelmente, não terá sucesso.

Efeito da contagem de espermatozoides na fertilidade. A quantidade usual de sêmen ejaculado durante cada coito é em média de cerca de 3,5 mililitros, e cada mililitro de sêmen contém média de cerca de 120 milhões de espermatozoides, embora mesmo nos homens "normais" esse número possa variar de 35 a 200 milhões. Isso significa que, em média, um total de 400 milhões de espermatozoides está geralmente presente em cada ejaculação. Quando o número de espermatozoides em cada mililitro cai abaixo de 20 milhões, é provável que o indivíduo seja infértil. Assim, embora apenas um único espermatozoide seja necessário para fertilizar o óvulo, por motivos ainda não compreendidos, a ejaculação geralmente deve conter uma quantidade enorme de espermatozoides para somente um deles fertilizar o óvulo.

Efeito da morfologia e da motilidade dos espermatozoides na fertilidade. Ocasionalmente, o homem tem uma quantidade normal de espermatozoides, mas, mesmo assim, é infértil. Quando essa situação ocorre, algumas vezes se encontram anormalidades físicas em metade dos espermatozoides, como ter duas cabeças, cabeças com formas anormais ou caudas anormais, como mostrado na **Figura 81.5**. Em outras ocasiões, os espermatozoides parecem ser estruturalmente normais, mas, por motivos não compreendidos, eles também não são móveis ou são apenas relativamente móveis. Sempre que a maioria dos espermatozoides é morfologicamente anormal ou não apresenta motilidade, é provável que a pessoa seja infértil, mesmo que o restante dos espermatozoides pareça ser normal.

ATO SEXUAL MASCULINO

ESTÍMULO NEURAL PARA O DESEMPENHO DO ATO SEXUAL MASCULINO

A fonte mais importante de sinais sensoriais neurais para iniciar o ato sexual masculino é a *glande do pênis*. A glande contém um sistema de órgãos terminais sensoriais especialmente sensíveis, que transmitem uma modalidade especial de sensação, chamada de *sensação sexual*, para o sistema nervoso central. A massagem na glande estimula os órgãos terminais sensoriais, e os sinais sexuais, por sua

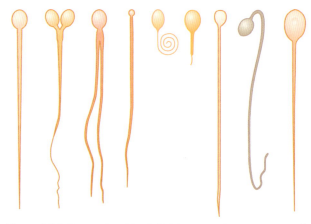

Figura 81.5 Espermatozoides inférteis anormais, em comparação com um normal à *direita*.

vez, cursam pelo nervo pudendo e, em seguida, do plexo sacral para a região sacral da medula espinhal, finalmente ascendendo pela medula até o cérebro.

Os impulsos podem também entrar na medula espinhal a partir de áreas adjacentes ao pênis, ajudando a estimular o ato sexual. Por exemplo, a estimulação do epitélio anal, do escroto e das estruturas perineais, em geral, envia sinais para a medula espinhal, o que aumenta a sensação sexual. As sensações sexuais podem até mesmo se originar em estruturas internas, tais como as áreas da uretra, bexiga, próstata, vesículas seminais, testículos e ducto deferente. Na verdade, uma das causas do "impulso sexual" é o enchimento dos órgãos sexuais com secreções. Inflamações e infecções leves desses órgãos sexuais, às vezes, estimulam o desejo sexual, e algumas substâncias "afrodisíacas", como como a cantaridina, irritam a bexiga e a mucosa uretral, induzindo inflamação e congestão vascular.

Componente psíquico do estímulo sexual masculino.
Estímulos psíquicos apropriados podem aumentar muito a capacidade de uma pessoa realizar o ato sexual. O simples pensamento em sexo, ou mesmo sonhar que está participando de uma relação sexual pode iniciar o ato sexual masculino, culminando com a ejaculação. De fato, as poluções noturnas, chamadas também de "sonhos úmidos", ocorrem em muitos homens durante alguns estágios da vida sexual, especialmente durante a adolescência.

Papel da medula espinhal no ato sexual masculino.
Embora os fatores psíquicos geralmente desempenhem um papel importante no ato sexual masculino e possam iniciá-lo ou inibi-lo, a função cerebral provavelmente não é necessária para sua realização, uma vez que a estimulação genital adequada pode provocar a ejaculação em alguns animais e, ocasionalmente, em seres humanos, mesmo após suas medulas espinhais terem sido seccionadas acima da região lombar. O ato sexual masculino resulta de mecanismos reflexos inerentes, integrados na medula espinhal sacral e lombar, e esses mecanismos podem ser iniciados por estimulação psíquica proveniente do cérebro ou por estimulação sexual real dos órgãos sexuais, mas, geralmente, é uma combinação de ambos.

ESTÁGIOS DO ATO SEXUAL MASCULINO

Ereção peniana | Papel dos nervos parassimpáticos.
A ereção peniana é o primeiro efeito do estímulo sexual masculino, e o grau de ereção é proporcional ao grau de estimulação, seja psíquico ou físico. A ereção é causada por impulsos parassimpáticos que passam da região sacral da medula espinhal pelos nervos pélvicos para o pênis. Essas fibras nervosas parassimpáticas, em contraste com a maioria das outras fibras parassimpáticas, parecem liberar *óxido nítrico* e/ou *peptídeo intestinal vasoativo*, além de acetilcolina. O óxido nítrico ativa a enzima *guanilil ciclase*, causando o aumento da formação de *monofosfato cíclico de guanosina* (GMPc). O GMPc relaxa as artérias do pênis e a malha trabecular das fibras musculares lisas no *tecido erétil* dos *corpos cavernosos* e do *corpo esponjoso* na haste do pênis, como mostrado na **Figura 81.6**. Quando os músculos lisos vasculares relaxam, o fluxo sanguíneo para o pênis aumenta, causando a liberação de óxido nítrico das células endoteliais vasculares e posterior vasodilatação.

O tecido erétil do pênis consiste em grandes sinusoides cavernosos, que, normalmente, não contêm sangue, mas tornam-se muito dilatados quando o fluxo arterial flui rapidamente para eles sob pressão, enquanto o fluxo venoso é parcialmente ocluído. Além disso, os corpos eréteis também são envolvidos por uma camada fibrosa espessa, especialmente os dois corpos cavernosos; portanto, a pressão elevada dentro dos sinusoides provoca o enchimento do tecido erétil a tal ponto que o pênis fica rígido e alongado, fenômeno chamado de *ereção*.

A lubrificação uretral é uma função parassimpática.
Os impulsos parassimpáticos durante a estimulação sexual, além de promoverem a ereção, induzem a secreção mucosa pelas glândulas uretrais e bulbouretrais. Esse muco flui pela uretra para ajudar na lubrificação durante a relação sexual. No entanto, a maior parte da lubrificação do coito é fornecida pelos órgãos sexuais femininos, muito mais do que pelos masculinos. Sem lubrificação satisfatória, o ato sexual masculino dificilmente é satisfatório, porque a relação sexual não lubrificada produz sensações dolorosas e irritativas, que mais inibem as sensações sexuais do que as excitam.

Emissão e ejaculação são funções dos nervos simpáticos.
A emissão e a ejaculação são o clímax do ato sexual masculino. Quando o estímulo sexual se torna extremamente intenso, os centros reflexos da medula espinhal começam a emitir *impulsos simpáticos*, que deixam a medula pelos níveis T12 a L2, e passam para os órgãos genitais através dos plexos nervosos simpáticos hipogástrico e pélvico, iniciando a *emissão* precursora da ejaculação.

A emissão começa com a contração do ducto deferente e da ampola, promovendo a expulsão dos espermatozoides para a uretra prostática. Em seguida, as contrações da camada muscular da próstata, seguidas pela contração das vesículas seminais, expelem os líquidos prostático e seminal também para a uretra, forçando os espermatozoides para a frente. Todos esses líquidos se misturam, na uretra

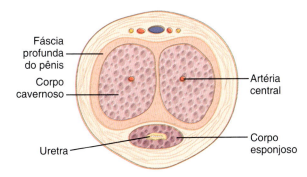

Figura 81.6 Tecido erétil do pênis.

prostática, com o muco já secretado pelas glândulas bulbouretrais, formando o sêmen. O processo até esse ponto é chamado de *emissão*.

O enchimento da uretra prostática com sêmen provoca sinais sensoriais que são transmitidos pelos nervos pudendos para as regiões sacrais da medula espinhal, dando a sensação de plenitude súbita aos órgãos genitais internos. Além disso, esses sinais sensoriais estimulam ainda mais a contração rítmica dos órgãos genitais internos e as contrações dos músculos isquiocavernoso e bulbocavernoso, que comprimem as bases do tecido erétil do pênis. Esses efeitos associados causam aumentos rítmicos e ondulatórios da pressão do tecido erétil do pênis, dos ductos genitais e da uretra, que expelem o sêmen da uretra para o exterior. Esse processo final é chamado de *ejaculação*. Ao mesmo tempo, contrações rítmicas dos músculos pélvicos, e mesmo de alguns músculos do tronco, causam movimentos de impulso da pelve e do pênis, que também ajudam a impulsionar o sêmen para o fundo da vagina e, talvez, até mesmo, levemente, para o colo do útero.

Todo esse período de emissão e ejaculação é chamado de *orgasmo masculino*. No final, a excitação sexual masculina desaparece, quase inteiramente, dentro de 1 a 2 minutos, e a ereção cessa, processo denominado *resolução*.

TESTOSTERONA E OUTROS HORMÔNIOS SEXUAIS MASCULINOS

SECREÇÃO, METABOLISMO E ESTRUTURA QUÍMICA DOS HORMÔNIOS SEXUAIS MASCULINOS

Secreção de testosterona pelas células de Leydig.
Os testículos secretam vários hormônios sexuais masculinos, que são chamados coletivamente de *androgênios*, incluindo a *testosterona*, a *di-hidrotestosterona* e a *androstenediona*. A testosterona é muito mais abundante do que os outros, às vezes considerada o hormônio testicular mais importante, embora grande parte dela, eventualmente, seja convertida nos tecidos-alvo no hormônio mais ativo, a di-hidrotestosterona, (DHT) pela enzima 5α-redutase.

A testosterona é formada pelas *células intersticiais de Leydig*, situadas no interstício entre os túbulos seminíferos, e constituem cerca de 20% da massa dos testículos adultos, como mostrado na **Figura 81.7**. As células de Leydig são praticamente inexistentes nos testículos durante a infância, época em que os testículos quase não secretam testosterona, mas elas são numerosas no recém-nascido do sexo masculino nos primeiros meses de vida e no homem adulto após a puberdade; em ambas as épocas, os testículos secretam uma grande quantidade de testosterona. Além disso, quando os tumores se desenvolvem a partir das células de Leydig, uma grande quantidade de testosterona é secretada. Quando o epitélio germinativo dos testículos é destruído por radioterapia ou por calor excessivo, as células de Leydig, que não são facilmente destruídas, muitas vezes continuam a produzir testosterona.

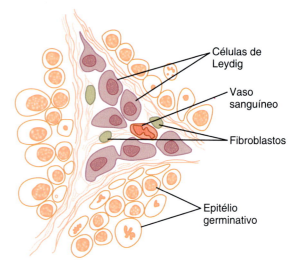

Figura 81.7 Células de Leydig, as células que secretam testosterona, localizadas nos interstícios entre os túbulos seminíferos.

Secreção de androgênios em outras partes do corpo.
O termo androgênio significa qualquer hormônio esteroide que tenha efeitos masculinizantes, incluindo a testosterona; também inclui hormônios sexuais masculinos produzidos em outros locais do corpo, além dos testículos. Por exemplo, as glândulas adrenais secretam, pelo menos, cinco androgênios, embora a masculinização total desses androgênios seja normalmente tão baixa (< 5% do total no homem adulto) que mesmo na mulher eles não geram características masculinas significativas, exceto a indução do crescimento de pelos pubianos e das axilas. Porém, quando ocorre um tumor das células da adrenal que produzem androgênios, a quantidade de hormônios androgênicos pode, então, tornar-se elevada o suficiente para induzir todas as características sexuais secundárias masculinas usuais, mesmo em mulheres. Esses efeitos estão descritos com a síndrome adrenogenital, no Capítulo 78.

Raramente, as células embrionárias em repouso no ovário podem desenvolver um tumor que produz quantidades excessivas de androgênio na mulher; tal tumor é o *arrenoblastoma*. O ovário normal também produz quantidades mínimas de androgênio, mas não são significativas.

Os androgênios são esteroides.
Todos os androgênios são compostos esteroides, como mostrado pelas fórmulas na **Figura 81.8** para *testosterona* e *di-hidrotestosterona (DHT)*. Tanto nos testículos quanto nas adrenais, os androgênios podem ser sintetizados do colesterol ou diretamente da acetil coenzima A.

Metabolismo da testosterona.
Após a secreção pelos testículos, cerca de 97% da testosterona ligam-se fracamente à albumina plasmática ou mais fortemente a uma betaglobulina chamada de *globulina de ligação a hormônios sexuais* e, assim, circula no sangue por 30 minutos a várias horas. Nesse momento, a testosterona é transferida aos tecidos ou é degradada em produtos inativos que são posteriormente excretados.

A maior parte da testosterona que se fixa aos tecidos é convertida dentro das células do tecido em *di-hidrotestosterona*, especialmente em certos órgãos-alvo, tais como a

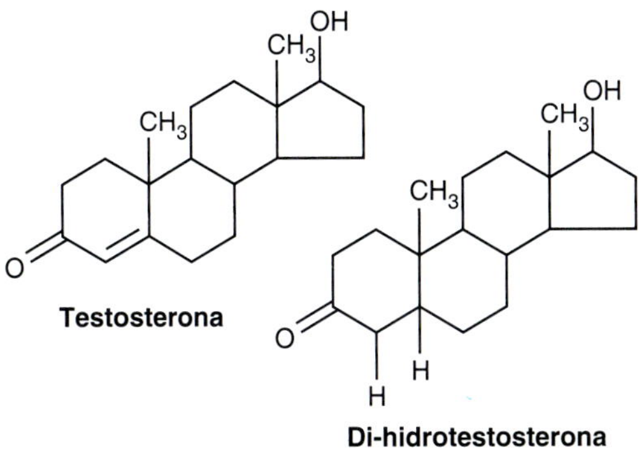

CAPÍTULO 81 Funções Reprodutoras e Hormonais Masculinas; Função da Glândula Pineal

Figura 81.8 Testosterona e di-hidrotestosterona.

próstata no adulto e a genitália externa do feto masculino. Algumas, mas não todas as ações da testosterona, dependem dessa conversão. As funções intracelulares são discutidas mais adiante, neste capítulo.

Degradação e excreção da testosterona. A testosterona que não se fixa nos tecidos é rapidamente convertida, principalmente pelo fígado, em *androsterona* e *deidroepiandrosterona (DHEA)* e, simultaneamente, conjugada como glicuronídeos ou sulfatos (particularmente glicuronídeos). Essas substâncias são excretadas no intestino, por meio da bile, ou na urina, pelos rins.

Produção de estrogênios no homem. Além da testosterona, pequenas quantidades de estrogênios são formadas no homem (cerca de um quinto da quantidade encontrada na mulher não grávida), e uma quantidade razoável de estrogênios pode ser recuperada da urina do homem. A fonte exata de estrogênios no homem ainda não está clara, mas as seguintes informações são conhecidas:

1. A concentração de estrogênios no líquido dos túbulos seminíferos é bastante alta e, provavelmente, desempenha um importante papel na espermatogênese. Acredita-se que esse estrogênio seja formado pelas células de Sertoli por meio da conversão de testosterona em estradiol.
2. Quantidades muito maiores de estrogênio são formadas a partir de testosterona e da androstenediona em outros tecidos do corpo, especialmente no fígado, provavelmente respondendo por mais de 80% da produção total de estrogênio no homem.

FUNÇÕES DA TESTOSTERONA

Em geral, a testosterona é responsável pelas características que diferenciam o corpo masculino. Mesmo durante a vida fetal, os testículos são estimulados pela gonadotrofina coriônica, proveniente da placenta, a produzir quantidades moderadas de testosterona por todo o período de desenvolvimento fetal e por 10 semanas ou mais após o nascimento; depois disso, praticamente nenhuma testosterona é produzida durante a infância, até cerca de 10 a 13 anos. No início da puberdade, a produção de testosterona aumenta rapidamente sob o estímulo dos hormônios gonadotróficos da adeno-hipófise, permanecendo assim pela maior parte do resto da vida, como mostrado na **Figura 81.9**, diminuindo rapidamente após os 50 a 60 anos. Alguns estudos, no entanto, sugerem que os níveis de testosterona plasmática possam permanecer na faixa normal na maioria dos homens à medida que envelhecem; apenas cerca de 10 a 20% dos homens com mais de 60 anos e 50% dos homens com mais de 80 anos têm níveis "baixos" de testosterona, abaixo de 3 ng/mℓ (geralmente expressos clinicamente como < 300 ng/dℓ ou < 10,4 nmol/ℓ). Nos últimos anos, torna-se claro que há uma associação óbvia entre os atrasos na redução dos níveis da testosterona e os distúrbios metabólicos como obesidade e diabetes melito tipo 2.

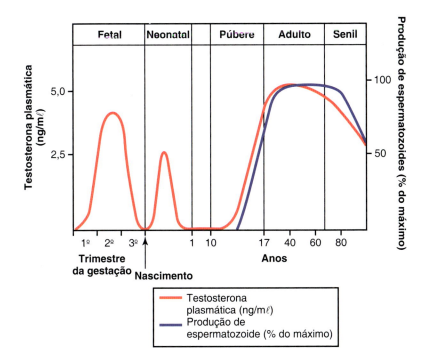

Figura 81.9 As diferentes fases da função sexual masculina, refletidas pelas concentrações médias de testosterona plasmática (*linha vermelha*) e pela produção de espermatozoides (*linha azul*) em diferentes idades. (*Modificada de Griffin JF, Wilson JD: The testis. In: Bondy PK, Rosenberg LE [eds]: Metabolic Control and Disease, 8th ed. Philadelphia: WB Saunders, 1980.*)

Funções da testosterona durante o desenvolvimento fetal

A testosterona começa a ser elaborada pelos testículos fetais masculinos por volta da sétima semana de vida embrionária. De fato, uma das principais diferenças funcionais entre os cromossomos sexuais masculinos e femininos é que o cromossomo masculino tem o *gene da região determinante do sexo no Y (gene SRY)* que codifica uma proteína chamada de *fator determinante testicular* (também chamada de proteína *TDF*). A TDF inicia uma cascata de ativações genéticas que faz com que as células do tubérculo (crista) genital se diferenciem em células que secretam testosterona e, eventualmente, formam os testículos, enquanto o cromossomo feminino faz com que essa crista se diferencie em células que secretam estrogênios.

A injeção de uma grande quantidade de hormônio sexual masculino em animais prenhes promove o desenvolvimento de órgãos sexuais masculinos no feto, embora o feto seja do sexo feminino. Além disso, a remoção dos testículos no feto masculino induz o desenvolvimento dos órgãos sexuais femininos.

Assim, a testosterona secretada pelos testículos fetais é responsável pelo desenvolvimento das características corporais masculinas, incluindo a formação do pênis e do saco escrotal, em vez da formação do clitóris e da vagina. Também causa a formação da próstata, vesículas seminais e ductos genitais masculinos, enquanto, ao mesmo tempo, suprime a formação dos órgãos genitais femininos.

Efeito da testosterona para causar a descida dos testículos. Os testículos geralmente descem para o saco escrotal durante os últimos 2 a 3 meses de gestação, quando os testículos começam a secretar quantidades razoáveis de testosterona. Se um menino nasce com testículos normais, mas que não desceram para o saco escrotal, a administração de testosterona geralmente faz com que eles desçam do modo usual, caso os canais inguinais sejam grandes o suficiente para permitir a passagem dos testículos.

A administração de hormônios gonadotróficos, que estimulam as células de Leydig dos testículos do menino recém-nascido a produzirem testosterona, também pode induzir a descida dos testículos. Assim, o estímulo para a descida dos testículos é a testosterona, indicando, novamente, que a testosterona é um hormônio importante para o desenvolvimento sexual masculino durante a vida fetal.

Efeito da testosterona no desenvolvimento dos caracteres sexuais primários e secundários

Após a puberdade, quantidades crescentes de secreção de testosterona fazem com que o pênis, o saco escrotal e os testículos aumentem cerca de oito vezes antes dos 20 anos. Além disso, a testosterona causa o desenvolvimento das características sexuais secundárias, começando na puberdade e terminando na maturidade. Essas características sexuais secundárias, além dos próprios órgãos sexuais, distinguem o sexo masculino do sexo feminino, da seguinte forma.

Efeito da testosterona na distribuição dos pelos corporais. A testosterona induz o crescimento de pelos (1) no púbis, (2) para cima, ao longo da linha alba do abdome, às vezes até o umbigo ou acima, (3) na face, (4) geralmente no peito e (5) com menos frequência em outras regiões do corpo, como as costas. Também faz com que os pelos de outras partes do corpo sejam mais abundantes.

Calvície masculina. A testosterona reduz o crescimento de cabelo no topo da cabeça; um homem que não tem testículos funcionais não fica calvo. Contudo, muitos homens viris nunca ficam calvos porque a calvície é resultado de dois fatores: primeiro, a *herança genética* para o desenvolvimento da calvície e, segundo, sobrepostas a essa herança genética, *grandes quantidades de hormônios androgênicos*. Quando uma mulher que tem a herança genética apropriada desenvolve um tumor androgênico de longa duração, ela pode ficar calva da mesma maneira que o homem.

Efeito da testosterona na voz. A testosterona secretada pelos testículos ou injetada no corpo produz hipertrofia da mucosa laríngea e o alargamento da laringe. Inicialmente, esses efeitos causam uma voz relativamente dissonante, "rachada", que gradualmente transforma-se na voz masculina grave, típica do adulto.

A testosterona aumenta a espessura da pele e pode contribuir para o desenvolvimento da acne. A testosterona aumenta a espessura da pele de todo o corpo e a rigidez dos tecidos subcutâneos. Aumenta também a secreção de algumas, ou talvez de todas as glândulas sebáceas do corpo. Especialmente importante é a secreção excessiva pelas glândulas sebáceas da face, o que pode resultar em *acne*. Portanto, a acne é uma das características mais comuns da adolescência masculina, quando o corpo está sendo exposto pela primeira vez a quantidades elevadas de testosterona. Após vários anos de exposição à testosterona, a pele normalmente se adapta à presença desse hormônio, o que lhe permite superar a acne.

A testosterona aumenta a síntese proteica e o desenvolvimento muscular. Uma das características masculinas mais importantes é o desenvolvimento do aumento da musculatura após a puberdade, com um aumento médio de cerca de 50% da massa muscular em relação às meninas. Esse aumento da massa muscular está associado ao aumento de proteínas (anabolismo) também em regiões não musculares do corpo. Muitas das alterações da pele se devem à deposição de proteínas, e as alterações na voz também resultam, parcialmente, dessa função anabólica da testosterona.

Por causa do grande efeito da testosterona e de outros androgênios na musculatura do corpo, androgênios sintéticos têm sido amplamente utilizados por atletas para melhorar seu desempenho muscular. Essa prática tem sido severamente desaprovada, por causa dos efeitos prejudiciais prolongados do excesso de androgênios, conforme discutido no Capítulo 85, em relação à fisiologia do esporte. A testosterona ou os androgênios sintéticos também são,

CAPÍTULO 81 Funções Reprodutoras e Hormonais Masculinas; Função da Glândula Pineal

ocasionalmente, usados na velhice como um "hormônio da juventude" para aumentar a força e o vigor muscular, mas com resultados questionáveis. Alguns estudos sugerem que a terapia de reposição da testosterona em homens idosos possa aumentar o risco de eventos cardiovasculares adversos.

A testosterona aumenta a matriz óssea e causa a retenção de cálcio. Após o grande aumento da testosterona circulante que ocorre na puberdade (ou após a injeção prolongada de testosterona), os ossos ficam consideravelmente mais espessos e depositam grandes quantidades adicionais de sais de cálcio. Por isso, a testosterona aumenta a quantidade total de matriz óssea e promove a retenção do cálcio. Acredita-se que o aumento na matriz óssea seja resultado da função geral da testosterona no anabolismo proteico, e da deposição aumentada de sais de cálcio, em resposta ao aumento das proteínas.

A testosterona tem um efeito específico na pelve para (1) estreitar a passagem pélvica, (2) alongá-la, (3) dar-lhe uma forma afunilada, em vez da forma larga e ovoide da pelve feminina, e (4) aumentar muito a força de toda a pelve para suportar pesos. Na ausência da testosterona, a pelve masculina se desenvolve de forma semelhante à feminina.

Por causa da capacidade da testosterona de aumentar o tamanho e a força dos ossos, às vezes ela é utilizada em homens idosos para tratar a osteoporose.

Quando grandes quantidades de testosterona (ou de qualquer outro androgênio) são secretadas de forma anormal na criança em desenvolvimento, o crescimento ósseo aumenta acentuadamente, provocando um aumento abrupto na altura total do corpo. No entanto, a testosterona também faz com que as epífises dos ossos longos se unam às hastes dos ossos em uma idade precoce. Portanto, apesar da rapidez do crescimento, essa união inicial das epífises impede a pessoa de crescer até a altura que teria caso a testosterona não tivesse sido secretada. Mesmo em homens normais, a altura final do adulto é ligeiramente menor do que a que ocorre em homens castrados antes da puberdade.

A testosterona aumenta a taxa metabólica basal. A injeção de grandes quantidades de testosterona pode aumentar o metabolismo basal em até 15%. Mesmo a quantidade normal de testosterona, secretada pelos testículos durante a adolescência e o início da vida adulta, aumenta o metabolismo em cerca de 5 a 10% acima do valor esperado, caso os testículos não fossem ativos. O metabolismo elevado é, possivelmente, resultado indireto do efeito da testosterona no anabolismo proteico, aumentando a quantidade de proteínas – especialmente as enzimas –, incrementando, assim, as atividades de todas as células.

A testosterona aumenta a produção de hemácias. Quando quantidades normais de testosterona são injetadas em um adulto castrado, o número de hemácias por milímetro cúbico de sangue aumenta de 15 a 20%. Além disso, o homem médio tem cerca de 700 mil hemácias por milímetro cúbico a mais do que a mulher média. Apesar da forte associação da testosterona ao hematócrito

aumentado, a testosterona não parece aumentar diretamente os níveis de eritropoetina ou ter um efeito direto na produção das hemácias. O efeito da testosterona no aumento da produção de hemácias pode ser, pelo menos em parte, indireto em relação ao metabolismo aumentado que ocorre após a administração de testosterona.

Efeito da testosterona no equilíbrio eletrolítico e hídrico. Como apontado no Capítulo 78, muitos hormônios esteroides aumentam a reabsorção de sódio nos túbulos distais renais. A testosterona também tem esse efeito, mas apenas em menor grau, quando comparada aos mineralocorticoides adrenais. No entanto, após a puberdade, os volumes de sangue e de líquido extracelular do homem aumentam de 5 a 10% em relação ao peso corporal.

MECANISMO INTRACELULAR DE AÇÃO DA TESTOSTERONA

A maioria dos efeitos da testosterona resulta basicamente do aumento da formação de proteínas nas células-alvo. Na próstata, por exemplo, a testosterona entra nas células prostáticas poucos minutos após a secreção. Então, é mais frequentemente convertida sob a influência da enzima intracelular 5α-redutase, para *di-hidrotestosterona (DHT)*, que se liga a uma "proteína receptora" citoplasmática. Esse complexo migra para o núcleo da célula, onde se liga a uma proteína nuclear e induz a transcrição DNA–RNA. Em 30 minutos, a RNA polimerase torna-se ativada, e a concentração de RNA começa a aumentar nas células prostáticas, e em seguida ocorre um aumento progressivo das proteínas celulares. Após vários dias, a quantidade de DNA na próstata também aumenta, e ocorre a elevação simultânea do número de células prostáticas.

A testosterona estimula a produção de proteínas praticamente em todo o corpo, embora, mais especificamente, afete as proteínas nos órgãos ou tecidos-alvo, responsáveis pelo desenvolvimento das características sexuais masculinas primárias e secundárias.

Estudos sugerem que a testosterona, assim como outros hormônios esteroides, também exerça alguns *efeitos* rápidos e *não genômicos*, que não requerem a síntese de novas proteínas. O papel fisiológico dessas ações não genômicas da testosterona, no entanto, ainda não foi determinado.

CONTROLE DAS FUNÇÕES SEXUAIS MASCULINAS PELOS HORMÔNIOS HIPOTALÂMICOS E ADENO-HIPOFISÁRIOS

A maior parte do controle das funções sexuais, tanto dos homens quanto das mulheres, começa com a secreção do *hormônio liberador de gonadotrofina* (LHRH ou GnRH) pelo hipotálamo (ver **Figura 81.10**). Esse hormônio estimula a adeno-hipófise a secretar dois outros hormônios, chamados de *hormônios gonadotróficos*: (1) *hormônio luteinizante* (LH) e (2) *hormônio foliculoestimulante* (FSH). Por sua vez, o LH é o estímulo primário para a secreção de testosterona pelos testículos, e o FSH estimula, principalmente, a espermatogênese.

PARTE 14 Endocrinologia e Reprodução

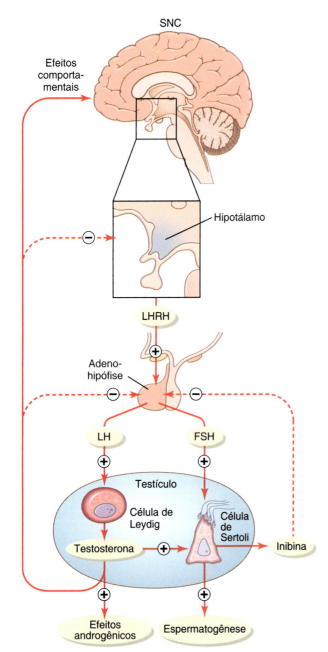

Figura 81.10 Regulação por *feedback* do eixo hipotálamo-hipófise-testículo nos homens. Os efeitos estimulatórios são representados pelo sinal de adição, e os efeitos inibitórios por *feedback* negativo, pelo sinal de subtração. SNC, sistema nervoso central; FSH, hormônio foliculoestimulante; LHRH, hormônio liberador de gonadotrofina; LH, hormônio luteinizante.

O hormônio liberador de gonadotrofina aumenta a secreção do hormônio luteinizante e do hormônio foliculoestimulante

O LHRH é um peptídio de 10 aminoácidos, secretado pelos neurônios, cujos corpos celulares estão localizados no *núcleo arqueado do hipotálamo*. As terminações desses neurônios encontram-se, principalmente, na eminência mediana do hipotálamo, onde liberam LHRH no sistema vascular porta hipotalâmico-hipofisário. Então, o LHRH é transportado para a adeno-hipófise, na circulação portal hipofisária, e estimula a liberação de duas gonadotrofinas, o LH e o FSH.

O LHRH é secretado de forma intermitente por alguns minutos, a cada 1 a 3 horas. A intensidade desse estímulo hormonal é determinada de duas maneiras: (1) pela frequência desses ciclos de secreção; e (2) pela quantidade de LHRH liberado em cada ciclo.

A secreção de LH pela adeno-hipófise também é cíclica, seguindo quase fielmente o padrão de liberação pulsátil do LHRH. Ao contrário, a secreção de FSH aumenta e diminui apenas ligeiramente a cada flutuação da secreção do LHRH; em vez disso, ela muda mais lentamente ao longo de um período de muitas horas em resposta às alterações a longo prazo no LHRH. Por causa dessa relação muito mais próxima entre a secreção de LHRH e a secreção de LH, o LHRH é também conhecido como *hormônio liberador de LH*.

Hormônios gonadotróficos: hormônio luteinizante e hormônio foliculoestimulante

Os dois hormônios gonadotróficos, LH e FSH, são secretados pelas mesmas células da adeno-hipófise, chamadas de *gonadotrofos*. Na ausência de secreção de LHRH pelo hipotálamo, os gonadotrofos da hipófise quase não secretam LH ou FSH.

O LH e o FSH são *glicoproteínas*. Eles exercem seus efeitos nos tecidos-alvo dos testículos principalmente pela ativação do *sistema de segundo mensageiro do monofosfato de adenosina cíclico (AMPc)*, que, por sua vez, ativa sistemas enzimáticos específicos nas respectivas células-alvo.

Regulação da produção de testosterona pelo hormônio luteinizante.
A *testosterona* é secretada pelas *células de Leydig* nos testículos, mas apenas quando estas são estimuladas pelo LH proveniente da adeno-hipófise. Além disso, a quantidade de testosterona secretada aumenta, aproximadamente, em proporção direta à quantidade de LH que está disponível.

As células de Leydig maduras são normalmente encontradas nos testículos das crianças durante poucas semanas após o nascimento, mas depois desaparecem até os 10 anos. No entanto, a injeção de LH purificado em uma criança de qualquer idade ou a secreção de LH na puberdade faz com que as células intersticiais testiculares, que parecem fibroblastos, evoluam para células de Leydig funcionais.

Inibição da secreção do LH e do FSH hipofisários pela testosterona | Controle por *feedback* negativo.
A testosterona secretada pelos testículos em resposta ao LH tem o efeito recíproco de inibir a secreção de LH pela adeno-hipófise (ver **Figura 81.10**). A maior parte dessa inibição, provavelmente, resulta de um efeito direto da testosterona no hipotálamo para diminuir a secreção de LHRH. Esse efeito, por sua vez, causa uma redução correspondente na secreção de LH e de FSH pela adeno-hipófise, e a redução no LH diminui a secreção de testosterona pelos testículos. Assim, sempre que a secreção de

CAPÍTULO 81 Funções Reprodutoras e Hormonais Masculinas; Função da Glândula Pineal

testosterona fica muito elevada, esse efeito automático de *feedback* negativo, operando por meio do hipotálamo e da adeno-hipófise, reduz a secreção de testosterona para os níveis de funcionamento desejados. Por outro lado, pequenas quantidades de testosterona induzem o hipotálamo a secretar uma grande quantidade de LHRH, com o correspondente aumento da secreção de LH e FSH pela adeno-hipófise e o consequente aumento da secreção testicular de testosterona.

Regulação da espermatogênese pelo hormônio foliculoestimulante e pela testosterona

O FSH se liga a receptores específicos associados às células de Sertoli nos túbulos seminíferos, o que faz com que as células de Sertoli cresçam e secretem várias substâncias espermatogênicas. Simultaneamente, a testosterona (e a di-hidrotestosterona) que se difunde das células de Leydig nos espaços intersticiais para os túbulos seminíferos também tem um efeito trófico intenso na espermatogênese. Assim, para iniciar a espermatogênese, são necessários tanto o FSH quanto a testosterona.

Papel da inibina no controle da atividade dos túbulos seminíferos, por *feedback* negativo.
Quando os túbulos seminíferos deixam de produzir espermatozoides, a secreção de FSH pela adeno-hipófise aumenta acentuadamente. Por outro lado, quando a espermatogênese ocorre muito rapidamente, a secreção hipofisária de FSH diminui. Acredita-se que a causa desse efeito de *feedback* negativo sobre a adeno-hipófise seja a secreção de outro hormônio pelas células de Sertoli, chamado de inibina (ver **Figura 81.10**). Esse hormônio tem um forte efeito direto na adeno-hipófise para inibir a secreção de FSH.

A inibina é uma glicoproteína, como o LH e o FSH, com peso molecular entre 10 mil e 30 mil. Foi isolada a partir das células de Sertoli cultivadas. Seu potente efeito inibitório sobre a adeno-hipófise fornece um importante mecanismo de *feedback* negativo para o controle da espermatogênese, operando simultaneamente, e, em paralelo, ao mecanismo de *feedback* negativo, para controle da secreção de testosterona.

A gonadotrofina coriônica humana (HCG) secretada pela placenta, durante a gravidez, estimula a secreção de testosterona pelos testículos fetais

Durante a gravidez, o hormônio *gonadotrofina coriônica humana* (HCG) é secretado pela placenta e circula na mãe e no feto. Esse hormônio tem quase os mesmos efeitos que o LH nos órgãos sexuais.

Durante a gravidez, se o feto for do sexo masculino, a HCG da placenta faz com que os testículos do feto secretem testosterona. Essa testosterona é crítica para promover a formação dos órgãos sexuais masculinos, como apontado anteriormente. Discutiremos a HCG e suas funções durante a gravidez em maiores detalhes no Capítulo 83.

Puberdade e regulação de seu início

O início da puberdade sempre foi um mistério, mas agora sabe-se que, *durante a infância, o hipotálamo não secreta quantidades significativas de LHRH*. Uma das razões para isso é que, durante a infância, a menor secreção de qualquer hormônio esteroide sexual exerce um forte efeito inibitório na secreção hipotalâmica de LHRH. No entanto, por motivos ainda não totalmente compreendidos na época da puberdade, a secreção de LHRH hipotalâmico supera a inibição infantil, iniciando a vida sexual adulta.

Vida sexual masculina adulta e andropausa.
Após a puberdade, os hormônios gonadotróficos são produzidos pela hipófise do homem para o resto da vida, e pelo menos algum nível de espermatogênese geralmente continua até a morte. Muitos homens, no entanto, começam a exibir, lentamente, redução das funções sexuais no final dos 50 ou 60 anos, especialmente se fumam ou são obesos, e apresentam distúrbios cardiovasculares e metabólicos, como hipertensão, aterosclerose e diabetes melito tipo 2. Há uma variação considerável no declínio da função sexual, com homens saudáveis mantendo a virilidade após os 80 ou 90 anos.

O declínio lento e gradual da função sexual também está relacionado, em parte, a uma redução na secreção de testosterona, como mostrado na **Figura 81.9**. A redução da função sexual masculina é chamada de *andropausa*, ou "*climatério masculino*".

Distúrbios da função sexual masculina

A próstata e suas disfunções

A próstata permanece relativamente pequena durante toda a infância e começa a crescer na puberdade, sob o estímulo da testosterona. Essa glândula atinge um tamanho quase estacionário por volta dos 20 anos e permanece assim até cerca de 50 anos. Nessa época, em alguns homens começa regredir, paralelamente à redução da produção de testosterona pelos testículos.

O fibroadenoma prostático benigno frequentemente se desenvolve na próstata de muitos homens idosos e pode causar a obstrução urinária. Essa hipertrofia não é causada pela testosterona, mas, em vez disso, pelo crescimento anormal do tecido da próstata.

O câncer da próstata é um problema diferente, e responde por cerca de 2 a 3% de todas as mortes masculinas. Uma vez que o câncer de próstata ocorra, as células cancerosas são geralmente estimuladas a um crescimento mais rápido pela testosterona, e são inibidas pela remoção de ambos os testículos, para que a testosterona não seja formada. O câncer de próstata geralmente pode ser inibido pela administração de estrogênios. Mesmo alguns pacientes com câncer de próstata que já metastatizou para quase todos os ossos do corpo podem ser tratados com sucesso por alguns meses a anos pela remoção dos testículos, tratamento com estrogênio, ou ambos; após o início desse tratamento, as metástases geralmente diminuem e os ossos cicatrizam parcialmente. Esse tratamento não detém o câncer, mas o torna mais lento e, às vezes, diminui muito a dor óssea grave.

Hipogonadismo masculino

Quando os testículos de um feto masculino não funcionam durante vida fetal, nenhuma das características sexuais masculinas se desenvolve no feto. Em vez disso, os órgãos femininos são formados. Isso ocorre porque a característica genética básica do feto, seja homem ou mulher, é a formação de órgãos sexuais femininos, no caso de não haver hormônios sexuais. No entanto, na presença da testosterona, a formação dos órgãos sexuais femininos é suprimida, e os órgãos masculinos são induzidos em seu lugar.

Quando um menino perde seus testículos antes da puberdade, o resultado é o estado de eunucoidismo, em que ele continua a ter órgãos sexuais infantis e outras características sexuais infantis por toda a vida. A altura de um eunuco adulto é ligeiramente maior do que a de um homem normal, porque as epífises ósseas demoram a se unir, embora os ossos sejam mais finos e os músculos sejam consideravelmente mais fracos do que os de um homem normal. A voz é infantil, não há perda de cabelo na cabeça, e não ocorre a distribuição normal de pelos no rosto e por todo o corpo.

Quando um homem é castrado após a puberdade, algumas de suas características sexuais secundárias masculinas revertem para as de uma criança, e outras permanecem como características masculinas adultas. Os órgãos sexuais regridem ligeiramente em tamanho, mas não para o estado infantil, e a voz regride ligeiramente de sua qualidade grave. No entanto, há perda de produção de cabelo masculino, perda dos ossos espessos e perda da musculatura de homem viril.

Também, a castração do homem adulto faz com que os desejos sexuais diminuam, mas não completamente, desde que atividades sexuais tenham sido praticadas anteriormente. A ereção ainda pode ocorrer como antes, embora com menos facilidade, mas a ejaculação raramente ocorre, principalmente porque os órgãos que formam o sêmen se degeneram e ocorre a perda do desejo psíquico induzido pela testosterona.

Alguns casos de hipogonadismo são causados por incapacidade genética do hipotálamo de secretar quantidades normais de LHRH. Essa condição é frequentemente associada a uma anormalidade simultânea do centro da fome do hipotálamo, fazendo com que a pessoa coma excessivamente. Consequentemente, a obesidade ocorre junto com o eunucoidismo. Um paciente com essa condição é mostrado na **Figura 81.11**; a condição é chamada de *síndrome adiposogenital*, *síndrome de Fröhlich* ou *eunucoidismo hipotalâmico*.

Tumores testiculares e hipergonadismo masculino

Os tumores intersticiais de células de Leydig raramente se desenvolvem nos testículos. Esses tumores produzem até 100 vezes a quantidade normal de testosterona. Quando tais tumores se desenvolvem em crianças pequenas, causam crescimento rápido dos músculos e dos ossos, mas também causam a união precoce das epífises, de modo que o tamanho do adulto é realmente muito menor do que poderia ter sido atingido em condições normais. Esses tumores de células intersticiais também causam desenvolvimento dos órgãos sexuais masculinos, dos músculos esqueléticos e de outras características sexuais masculinas. No homem adulto, os tumores pequenos das células intersticiais são difíceis de diagnosticar, pois as características masculinas já estão presentes.

Muito mais comum do que tumores de células intersticiais de Leydig são os *tumores do epitélio germinativo*. Uma vez que as células germinativas são capazes de se diferenciar em quase todos os tipos de célula, muitos desses tumores

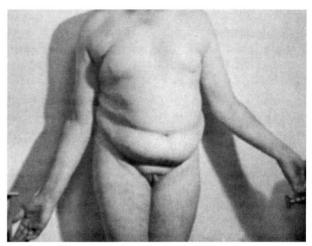
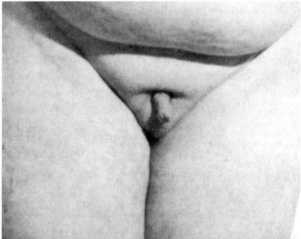

Figura 81.11 Síndrome adiposogenital em um adolescente do sexo masculino. Destaque para a obesidade e os órgãos sexuais infantis. (*Cortesia do Dr. Leonard Posey.*)

contêm vários tecidos, como tecido placentário, cabelo, dentes, ossos, pele e outros, todos encontrados juntos na mesma massa tumoral, chamada de *teratoma*. Esses tumores costumam secretar poucos hormônios, mas, se uma quantidade significativa de tecido placentário se desenvolver no tumor, pode secretar grandes quantidades de HCG com funções semelhantes às do LH. Além disso, os hormônios estrogênicos são também secretados por esses tumores e causam a condição chamada de *ginecomastia* (crescimento excessivo das mamas).

Disfunção erétil no homem

A disfunção erétil, também chamada de impotência sexual, é caracterizada por incapacidade do homem de desenvolver ou manter uma *ereção* de rigidez suficiente para ter uma relação sexual satisfatória. Problemas neurológicos, como traumatismo nos nervos parassimpáticos devido à cirurgia de próstata, níveis deficientes de testosterona e algumas substâncias (p. ex., *nicotina*, *álcool* e *antidepressivos*) também podem contribuir para a disfunção erétil.

Em homens acima de 40 anos, a disfunção erétil é mais frequentemente causada por doença vascular subjacente. Como discutido anteriormente, o fluxo sanguíneo adequado e a formação de óxido nítrico são essenciais para a

CAPÍTULO 81 Funções Reprodutoras e Hormonais Masculinas; Função da Glândula Pineal

ereção peniana. Distúrbios vasculares, que podem ocorrer como resultado de *hipertensão, diabetes* e *aterosclerose* não controladas, reduzem a capacidade de dilatação dos vasos sanguíneos do corpo, incluindo os do pênis. Parte dessa vasodilatação comprometida é devida ao decréscimo da liberação de óxido nítrico.

A disfunção erétil causada por doenças vasculares pode muitas vezes ser tratada com sucesso com *inibidores da fosfodiesterase-5 (PDE-5)*, tais como sildenafila (Viagra®), vardenafila (Levitra®) ou tadalafila (Cialis®). Esses fármacos aumentam os níveis de GMP cíclico no tecido erétil, inibindo a enzima *fosfodiesterase-5*, que degrada rapidamente o GMP cíclico. Assim, ao inibir a degradação do GMP cíclico, os inibidores de PDE-5 melhoram e prolongam o efeito do GMP cíclico de causar a ereção.

Função da glândula pineal no controle da fertilidade sazonal em alguns animais

Desde que se sabe da existência da glândula pineal, várias funções foram atribuídas a ela; sabe-se que ela: (1) aumenta a sexualidade, (2) previne infecções, (3) promove o sono, (4) aumenta a disposição e (5) aumenta a longevidade (de 10 a 25%), embora a ciência ainda não tenha provado nenhum desses supostos efeitos. É sabido, a partir da anatomia comparada, que a glândula pineal é um órgão vestigial remanescente do que foi um terceiro olho localizado no alto da nuca em alguns animais inferiores. Muitos fisiologistas estão satisfeitos com a ideia de que essa glândula remanescente não é funcional, mas outros têm afirmado, por muitos anos, que ela desempenha papéis importantes no controle das atividades sexuais e da reprodução.

Agora, após anos de pesquisa, parece que a glândula pineal, de fato, desempenha um papel regulador nas funções sexuais e reprodutoras. Em animais que se reproduzem em certas estações do ano e nos quais a glândula pineal foi removida ou os circuitos neurais que a inervam foram seccionados, os períodos normais de fertilidade sazonal são perdidos. Para esses animais, essa fertilidade sazonal é importante porque permite o nascimento da prole em determinada época do ano, geralmente na primavera ou início do verão, quando a sobrevivência é mais provável. O mecanismo desse efeito não é totalmente claro, mas parece ser o detalhado a seguir.

Primeiro, a glândula pineal é controlada pela quantidade de luz ou "padrão temporal" da luz percebida pelos olhos a cada dia. Por exemplo, no hamster, mais de 13 horas de *escuridão* a cada dia ativam a glândula pineal, enquanto uma duração menor do que 13 horas de escuridão deixa de ativá-la, com um equilíbrio crítico entre ativação e não ativação. A via neural envolve a passagem dos sinais luminosos dos olhos para o núcleo supraquiasmático do hipotálamo e deste para a glândula pineal, ativando a secreção pineal.

Em segundo lugar, a glândula pineal secreta o hormônio *melatonina* e muitas outras substâncias. Tanto a melatonina quanto essas outras substâncias passam por meio da circulação sanguínea ou do liquor do terceiro ventrículo para a adeno-hipófise, *reduzindo* a secreção do hormônio gonadotrófico.

Assim, na presença de secreção da glândula pineal, a secreção dos hormônios gonadotróficos é suprimida em algumas espécies de animais, e as gônadas tornam-se inibidas e até parcialmente involuídas. Isso é o que, supostamente, ocorre durante os meses iniciais de inverno, quando a duração do escuro está aumentando. Contudo, após cerca de 4 meses de disfunção, a secreção dos hormônios gonadotróficos supera o efeito inibitório da glândula pineal, e as gônadas tornam-se funcionais novamente, prontas para a plena atividade da época da primavera.

A glândula pineal tem uma função semelhante no controle da reprodução em seres humanos? A resposta a essa pergunta é desconhecida. No entanto, frequentemente ocorrem tumores na região da glândula pineal. Alguns desses tumores secretam excessivas quantidades de melatonina, enquanto outros são tumores dos tecidos adjacentes e pressionam a glândula pineal, destruindo-a. Ambos os tipos de tumores são frequentemente associados ao hipogonadismo ou ao hipergonadismo. Assim, talvez a glândula pineal exerça pelo menos algum papel no controle da função sexual e da reprodução de seres humanos.

Bibliografia

Allen MS: Physical activity as an adjunct treatment for erectile dysfunction. Nat Rev Urol 16:553, 2019.

Cipolla-Neto J, Amaral FGD: Melatonin as a hormone: new physiological and clinical insights. Endocr Rev 39:990, 2018.

Darszon A, Nishigaki T, Beltran C, Treviño CL: Calcium channels in the development, maturation, and function of spermatozoa. Physiol Rev 91:1305, 2011.

Goldman A, Basaria S: Adverse health effects of androgen use. Mol Cell Endocrinol 464:46, 2018.

Grinspon RP, Urrutia M, Rey RA: Male central hypogonadism in paediatrics - the relevance of follicle-stimulating hormone and sertoli cell markers. Eur Endocrinol 14:67, 2018.

Griswold MD: Spermatogenesis: the commitment to meiosis. Physiol Rev 96:1, 2016.

Hammes SR, Levin ER: Impact of estrogens in males and androgens in females. J Clin Invest 129:1818, 2019.

Matsushita S, Suzuki K, Murashima A, et al: Regulation of masculinization: androgen signalling for external genitalia development. Nat Rev Urol 15:358, 2018.

Oatley JM, Brinster RL: The germline stem cell niche unit in mammalian testes. Physiol Rev 92:577, 2012.

Skakkebaek NE, Rajpert-De Meyts E, Buck Louis GM, et al: Male reproductive disorders and fertility trends: influences of environment and genetic susceptibility. Physiol Rev 96:55, 2016

Stamatiades GA, Kaiser UB: Gonadotropin regulation by pulsatile GnRH: signaling and gene expression. Mol Cell Endocrinol 463:131, 2018.

Tchernof A, Brochu D, Maltais-Payette I, et al: Androgens and the regulation of adiposity and body fat distribution in humans. Compr Physiol 8:1253, 2018.

Tournaye H, Krausz C, Oates RD: Concepts in diagnosis and therapy for male reproductive impairment. Lancet Diabetes Endocrinol 5:554, 2017.

Tournaye H, Krausz C, Oates RD: Novel concepts in the aetiology of male reproductive impairment. Lancet Diabetes Endocrinol 5:544, 2017.

Yeap BB, Page ST, Grossmann M. Testosterone treatment in older men: clinical implications and unresolved questions from the testosterone trials. Lancet Diabetes Endocrinol 6:659, 2018.

Wilhelm D, Palmer S, Koopman P: Sex determination and gonadal development in mammals. Physiol Rev 87:1, 2007.

CAPÍTULO 82

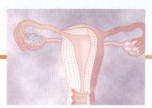

Fisiologia Feminina Antes da Gravidez e Hormônios Femininos

As funções reprodutivas femininas podem ser divididas em duas fases principais: (1) preparação do corpo da mulher para a concepção e a gravidez; e (2) o período de gravidez em si. Este capítulo aborda a preparação do corpo feminino para a gravidez, e o Capítulo 83 apresentará a fisiologia da gravidez e do parto.

ANATOMIA E FISIOLOGIA DOS ÓRGÃOS SEXUAIS FEMININOS

As **Figuras 82.1** e **82.2** mostram os principais órgãos internos do aparelho reprodutor feminino humano, incluindo os *ovários*, as *tubas uterinas* (também chamadas de *trompas de Falópio*), o *útero* e a *vagina*. A reprodução começa com o desenvolvimento dos óvulos nos ovários. No meio de cada ciclo sexual mensal, um único óvulo é expelido do folículo ovariano para a cavidade abdominal, perto das aberturas fimbriadas das duas tubas uterinas. Esse óvulo, então, cursa por uma das tubas uterinas até o útero; se for fertilizado por um espermatozoide, ele se implanta no útero, onde se desenvolvem o feto, a placenta, as membranas fetais e, por fim, um bebê.

OVULOGÊNESE E DESENVOLVIMENTO FOLICULAR NOS OVÁRIOS

Um óvulo em desenvolvimento (*ovócito*) diferencia-se em um óvulo maduro por meio de uma sequência de eventos denominada *ovulogênese* (ver **Figura 82.3**). Durante o desenvolvimento embrionário inicial, as *células germinativas primordiais* da endoderme dorsal do saco vitelino migram, ao longo do mesentério do intestino posterior, para a superfície externa do ovário, que é revestida por um epitélio germinativo, derivado embriologicamente do epitélio das cristas germinais. Durante essa migração, as células germinativas dividem-se repetidamente. Uma vez que essas células germinativas primordiais alcancem o epitélio germinativo, elas migram para o interior da substância do córtex ovariano e se tornam *ovogônias*, ou *ovócitos primordiais*.

Cada óvulo primordial, então, reúne em torno de si uma camada de células fusiformes do *estroma* ovariano (o tecido de suporte do ovário), fazendo com que adquiram características epitelioides; são, então, as chamadas *células da granulosa*. O óvulo circundado pela camada única de células da granulosa é denominado *folículo primordial*. Nessa fase, o óvulo ainda está imaturo, e é preciso que mais duas divisões celulares ocorram antes que ele possa ser fertilizado por um espermatozoide. Nesse ponto, o óvulo é chamado de *ovócito primário*.

A ovogônia no ovário embrionário completa a replicação mitótica, e a primeira fase da meiose começa no quinto mês do desenvolvimento fetal. Em seguida, a mitose das células germinativas cessa, e nenhum ovócito adicional é formado. No nascimento, o ovário contém cerca de 1 a 2 milhões de ovócitos primários.

A primeira etapa da meiose começa durante o desenvolvimento fetal, mas continua até o estágio final da prófase I na puberdade, que geralmente ocorre entre 10 e 14 anos em mulheres. A primeira divisão meiótica do ovócito ocorre após a puberdade. Cada ovócito se divide em duas células, um óvulo grande (*ovócito secundário*) e um *primeiro corpúsculo polar* (primeiro polócito). Cada uma dessas células contém 23 cromossomos duplicados. O primeiro corpúsculo polar pode ou não sofrer uma segunda divisão meiótica e, então, desintegra-se. O óvulo sofre uma segunda divisão meiótica, e, após a separação das cromátides-irmãs, há uma pausa na meiose. Se o óvulo for

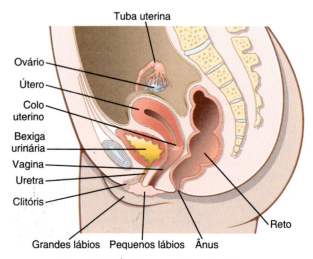

Figura 82.1 Órgãos reprodutores femininos.

CAPÍTULO 82 Fisiologia Feminina Antes da Gravidez e Hormônios Femininos

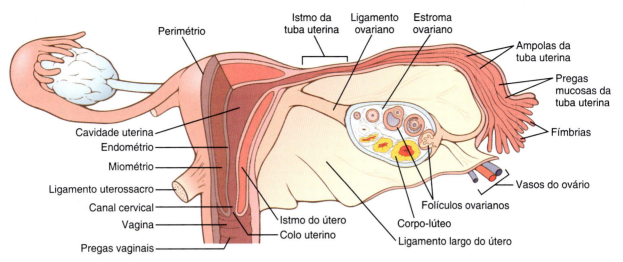

Figura 82.2 Estruturas internas do útero, do ovário e da tuba uterina.

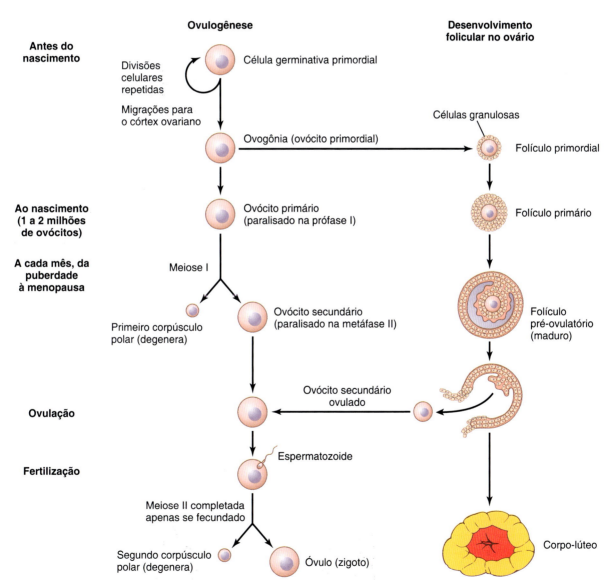

Figura 82.3 Ovulogênese e desenvolvimento folicular.

fertilizado, a etapa final da meiose ocorre, e as cromátides-irmãs do óvulo convertem-se em células separadas.

Quando o ovário libera um óvulo (*ovulação*), se ele for fertilizado, ocorre a meiose final. A metade das cromátides-irmãs permanece no óvulo fertilizado, e a outra metade é liberada em um *segundo corpúsculo polar* (segundo polócito), que, então, desintegra-se.

Na puberdade, apenas cerca de 300 mil ovócitos permanecem nos ovários, e só uma pequena porcentagem deles atinge a maturidade. Os milhares de ovócitos que não amadurecem se degeneram. Durante todos os anos reprodutivos da vida adulta, por volta dos 13 aos 46 anos, em média, apenas 400 a 500 folículos primordiais se desenvolvem o suficiente para expelir seus óvulos, um a cada mês; o restante se degenera (ou seja, tornam-se *atrésicos*). Ao fim da capacidade reprodutora (na *menopausa*), apenas alguns folículos primordiais permanecem nos ovários, e mesmo esses folículos se degeneram em pouco tempo.

SISTEMA HORMONAL FEMININO

O sistema hormonal feminino, assim como o masculino, consiste em três hierarquias de hormônios, do seguinte modo:

1. Um hormônio de liberação hipotalâmica, chamado de *hormônio liberador de gonadotrofina* (LHRH ou GnRH).
2. Os hormônios sexuais da adeno-hipófise, o *hormônio foliculoestimulante* (FSH) e o *hormônio luteinizante* (LH), ambos secretados em resposta à liberação de LHRH do hipotálamo.
3. Os hormônios ovarianos – *estrogênio e progesterona* – que são secretados pelos ovários em resposta aos dois hormônios sexuais femininos da adeno-hipófise.

Esses hormônios são secretados em intensidades drasticamente distintas durante as diferentes partes do ciclo sexual feminino mensal. A **Figura 82.4** mostra as concentrações aproximadas nas variações dos hormônios gonadotróficos da adeno-hipófise – FSH e LH (as duas curvas inferiores) – e dos hormônios ovarianos estradiol (estrogênio) e progesterona (as duas curvas superiores).

A quantidade de LHRH liberada pelo hipotálamo aumenta e diminui de modo bem menos drástico durante o ciclo sexual mensal. Esse hormônio é secretado em pulsos curtos, em média uma vez a cada 90 minutos, como ocorre nos homens.

CICLO OVARIANO MENSAL E FUNÇÃO DOS HORMÔNIOS GONADOTRÓFICOS

Os anos reprodutivos normais da mulher são caracterizados por mudanças rítmicas mensais da secreção dos hormônios femininos e correspondem a alterações nos ovários e em outros órgãos sexuais. Esse padrão rítmico é denominado *ciclo sexual mensal feminino* (ou, menos precisamente, *ciclo menstrual*). O ciclo dura, em média, 28 dias. Pode ser curto, durante 20 dias, ou longo, com 45 dias em algumas mulheres, embora o ciclo de duração anormal esteja, com frequência, associado à menor fertilidade.

O ciclo sexual feminino tem dois resultados significativos. Primeiro, apenas um *único* óvulo é normalmente liberado dos ovários a cada mês, de maneira que apenas um único feto crescerá de cada vez. Segundo, o endométrio uterino é preparado, com antecedência, para a implantação do óvulo fertilizado, em momento determinado do mês.

HORMÔNIOS GONADOTRÓFICOS E SEUS EFEITOS NOS OVÁRIOS

As mudanças ovarianas que ocorrem durante o ciclo sexual dependem completamente dos hormônios gonadotróficos *FSH e LH*, que são secretados pela adeno-hipófise. O FSH e o LH são pequenas glicoproteínas, com pesos moleculares em torno de 30 mil. Na ausência desses hormônios, os ovários permanecem inativos, como ocorre durante toda a infância, quando quase nenhum hormônio gonadotrófico é secretado. Entre os 9 e os 12 anos, a hipófise começa a secretar progressivamente mais FSH e LH, levando ao início de ciclos sexuais mensais normais, que começam entre 11 e 15 anos. Esse período de mudança é chamado de *puberdade*, e o primeiro ciclo menstrual é chamado de *menarca*. Durante cada mês do ciclo sexual feminino, ocorre aumento e diminuição cíclicos de FSH e LH, conforme mostrado na parte inferior da **Figura 82.4**. Essas variações cíclicas causam alterações ovarianas cíclicas, que serão explicadas nas seções a seguir.

O FSH e o LH estimulam suas células-alvo ovarianas ao se combinarem aos receptores altamente específicos de FSH e LH nas membranas das células-alvo ovarianas. Por sua vez, os receptores ativados aumentam a secreção das células e, geralmente, também seu crescimento e proliferação. Quase todos esses efeitos estimuladores resultam da *ativação do sistema de segundo mensageiro do monofosfato de adenosina cíclico (AMPc)*, no citoplasma celular,

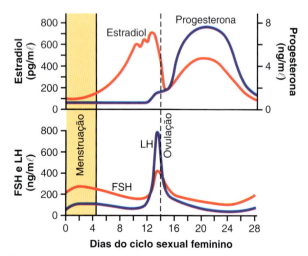

Figura 82.4 Concentrações plasmáticas aproximadas de gonadotrofinas e hormônios ovarianos durante o ciclo sexual feminino normal. FSH, hormônio foliculoestimulante; LH, hormônio luteinizante.

o que leva à formação de *proteinoquinases* e de múltiplas *fosforilações de enzimas-chave* que estimulam a síntese dos hormônios sexuais, conforme explicado no Capítulo 75.

CRESCIMENTO DO FOLÍCULO OVARIANO | FASE FOLICULAR DO CICLO OVARIANO

A **Figura 82.5** mostra os estágios progressivos do crescimento folicular nos ovários. Quando uma criança do sexo feminino nasce, cada óvulo é circundado por uma única camada de células da granulosa; o óvulo, com esse revestimento de células da granulosa, é chamado de *folículo primordial*, conforme mostrado na figura. Durante toda a infância, acredita-se que as células da granulosa forneçam nutrição ao óvulo e secretem um *fator inibidor da maturação do ovócito* que mantém o óvulo parado em seu estado primordial, no estágio de prófase da divisão meiótica. Então, após a puberdade, quando o FSH e o LH da adeno-hipófise começam a ser secretados em quantidades significativas, os ovários (com alguns dos folículos e seu interior) começam a crescer.

O primeiro estágio do crescimento folicular é o aumento moderado do próprio óvulo, cujo diâmetro aumenta de duas a três vezes. Em seguida, ocorre o desenvolvimento de camadas adicionais das células da granulosa em alguns dos folículos. Esses folículos são chamados de *folículos primários*.

Desenvolvimento dos folículos antrais e maduros.

Durante os primeiros dias de cada ciclo sexual mensal feminino, as concentrações de FSH e de LH secretadas pela adeno-hipófise aumentam de leve a moderadamente, e o aumento do FSH é ligeiramente maior do que o do LH, precedendo-o por alguns dias. Esses hormônios, especialmente o FSH, causam crescimento acelerado de 6 a 12 folículos primários a cada mês. O efeito inicial é a rápida proliferação das células da granulosa, dando origem a muitas outras camadas dessas células. Além disso, as células fusiformes derivadas do interstício ovariano agrupam-se em diversas camadas por fora das células da granulosa, dando origem a uma segunda massa de células – chamadas de *teca* –, que se dividem em duas camadas. Na *teca interna*, as células adquirem características epitelioides semelhantes às das células da granulosa e desenvolvem a capacidade de secretar mais hormônios sexuais esteroides (estrogênio e progesterona). A camada externa, a *teca externa*, desenvolve-se, formando a cápsula de tecido conjuntivo altamente vascular, que se torna a cápsula do folículo em desenvolvimento.

Após a fase proliferativa inicial de crescimento, que dura alguns dias, a massa de células da granulosa secreta o *líquido folicular*, que contém concentração elevada de estrogênio, um dos hormônios sexuais femininos mais importantes (discutido mais adiante). O acúmulo desse líquido ocasiona o aparecimento de um *antro* dentro da massa de células da granulosa, como mostrado na **Figura 82.5**.

O crescimento inicial do folículo primário até o estágio antral só é estimulado, principalmente, por FSH. Ocorre então o crescimento muito acelerado, levando a folículos ainda maiores, denominados *folículos maduros*. Esse crescimento acelerado é causado pelos seguintes fatores:

1. O estrogênio é secretado no folículo e faz com que as células da granulosa formem quantidades cada vez maiores de receptores de FSH, o que causa um efeito de *feedback* positivo, porque torna as células da granulosa ainda mais sensíveis ao FSH.

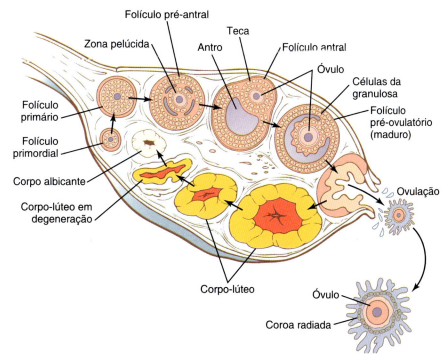

Figura 82.5 Estágios do crescimento folicular no ovário, mostrando também a formação do corpo-lúteo.

2. O FSH hipofisário e os estrogênios se combinam para promoverem receptores de LH nas células originais da granulosa, permitindo, assim, que a estimulação de LH ocorra em adição à estimulação do FSH, e provocando aumento ainda mais rápido da secreção folicular.
3. A elevada quantidade de estrogênio na secreção folicular e a grande quantidade de LH da adeno-hipófise agem conjuntamente para causar a proliferação das células tecais foliculares e aumentam sua secreção.

Uma vez que os folículos antrais começam a crescer, seu crescimento ocorre quase explosivamente. O óvulo também aumenta em diâmetro em mais de 3 a 4 vezes, representando a elevação total do diâmetro do óvulo de até 10 vezes, ou um aumento de sua massa da ordem de 1.000 vezes. À medida que o folículo aumenta, o óvulo permanece incorporado na massa de células da granulosa localizada em um polo do folículo.

Apenas um folículo amadurece totalmente a cada mês, e o restante sofre atresia. Após 1 semana ou mais de crescimento, mas antes de ocorrer a ovulação, um dos folículos começa a crescer mais do que os outros, e os outros 5 a 11 folículos em desenvolvimento involuem (processo denominado *atresia*).

A causa da atresia não é clara, mas foi sugerido o seguinte: as grandes quantidades de estrogênio do folículo em crescimento mais rápido agem no hipotálamo, deprimindo a secreção mais intensa de FSH pela adeno-hipófise, bloqueando, dessa forma, o maior crescimento dos folículos menos desenvolvidos. Portanto, o folículo maior continua a crescer por causa de seus efeitos de *feedback* positivo intrínsecos, enquanto todos os outros folículos param de crescer, e, efetivamente, involuem.

Esse processo de atresia é importante, pois normalmente permite que apenas um dos folículos cresça o suficiente a cada mês para ovular, o que geralmente impede que mais de uma criança se desenvolva em cada gravidez. O folículo único atinge um diâmetro de 1 a 1,5 centímetro na época que precede a ovulação, quando é denominado *folículo pré-ovulatório*.

Ovulação

A ovulação na mulher que tem ciclo sexual de 28 dias ocorre 14 dias após o início da menstruação. Um pouco antes da ovulação, a parede externa protuberante do folículo incha rapidamente, e uma pequena área no centro da cápsula folicular, chamada de *estigma*, projeta-se como um bico. Em 30 minutos ou mais, o líquido começa a vazar do folículo através do estigma, e, cerca de 2 minutos mais tarde, o estigma se rompe inteiramente, permitindo que um líquido mais viscoso, que ocupava a porção central do folículo, seja lançado para fora. Esse líquido viscoso carrega consigo o óvulo cercado por massa de milhares de pequenas células da granulosa, denominada *coroa radiada*.

Um pico de hormônio luteinizante é necessário para a ovulação. O LH é necessário para o crescimento folicular final e para a ovulação. Sem esse hormônio, mesmo quando grandes quantidades de FSH estão disponíveis, o folículo não progride ao estágio de ovulação.

Cerca de 2 dias antes da ovulação, a secreção de LH pela adeno-hipófise aumenta acentuadamente, de 6 a 10 vezes, com pico em torno de 16 horas antes da ovulação. O FSH também aumenta em cerca de duas a três vezes ao mesmo tempo, e o FSH e o LH agem sinergicamente para causar uma rápida dilatação do folículo, durante os últimos dias antes da ovulação. O LH também tem um efeito específico sobre as células da granulosa e tecais, convertendo-as principalmente em células secretoras de progesterona. Portanto, secreção de estrogênio começa a cair cerca de 1 dia antes da ovulação, enquanto quantidades crescentes de progesterona começam a ser secretadas.

É nesse ambiente de (1) crescimento rápido do folículo, (2) diminuição da secreção do estrogênio após uma fase prolongada de secreção excessiva e (3) início da secreção de progesterona que ocorre a ovulação. Sem o pico pré-ovulatório inicial de LH, a ovulação não ocorreria.

Início da ovulação. A **Figura 82.6** mostra um esquema do início da ovulação, apresentando o papel da grande quantidade de LH secretado pela adeno-hipófise. Esse LH ocasiona rápida secreção dos hormônios esteroides foliculares que contêm progesterona. Dentro de algumas horas, dois eventos ocorrem, sendo que ambos são necessários para a ovulação:

1. A *teca externa* (ou seja, a cápsula do folículo) começa a liberar enzimas proteolíticas dos lisossomos. Essas enzimas causam a dissolução da parede capsular do folículo e o consequente enfraquecimento da parede, resultando em mais dilatação do folículo e degeneração do estigma.

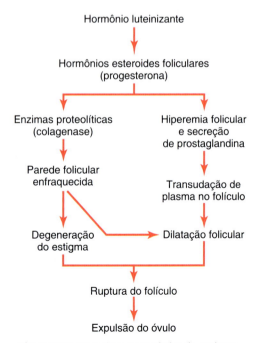

Figura 82.6 Mecanismos postulados de ovulação.

CAPÍTULO 82 Fisiologia Feminina Antes da Gravidez e Hormônios Femininos

2. Simultaneamente, há um rápido crescimento de novos vasos sanguíneos na parede do folículo, e, ao mesmo tempo, são secretadas as prostaglandinas (hormônios locais que causam vasodilatação) nos tecidos foliculares.

Esses dois efeitos causam a transudação do plasma para o folículo, o que contribui para sua dilatação. Finalmente, a combinação da dilatação folicular e da degeneração simultânea do estigma faz com que o folículo se rompa, liberando o óvulo.

CORPO-LÚTEO | FASE LÚTEA DO CICLO OVARIANO

Durante as primeiras horas após a expulsão do óvulo do folículo, as células da granulosa e tecais internas remanescentes se transformam, rapidamente, em *células luteínicas*. Elas aumentam em diâmetro, de duas ou mais vezes, e se tornam preenchidas com inclusões lipídicas que lhes conferem um aspecto amarelado.

Esse processo é chamado de *luteinização*, e a massa total de células é denominada *corpo-lúteo*, que é mostrado na **Figura 82.5**. Um suprimento vascular bem desenvolvido também cresce no corpo-lúteo.

As *células da granulosa* no corpo-lúteo desenvolvem vastos retículos endoplasmáticos lisos intracelulares, que formam grandes quantidades dos hormônios sexuais femininos *progesterona* e *estrogênio* (com mais progesterona do que estrogênio durante a fase lútea). As *células tecais* formam, principalmente, os androgênios *androstenediona* e *testosterona*, em vez dos hormônios sexuais femininos. No entanto, a maioria desses hormônios também é convertida pela enzima *aromatase*, nas células da granulosa, em estrogênios.

O corpo-lúteo cresce normalmente até cerca de 1,5 cm de diâmetro, atingindo esse estágio de desenvolvimento 7 a 8 dias após a ovulação. Então, o corpo-lúteo começa a involuir e, efetivamente, perde sua função secretora e sua característica lipídica amarelada cerca de 12 dias após a ovulação, tornando-se o *corpo albicante*. Durante as semanas subsequentes, o corpo albicante é substituído por tecido conjuntivo e, ao longo dos meses, é absorvido.

Função luteinizante do LH. A mudança das células da granulosa e tecas internas em células luteínicas depende principalmente do LH secretado pela adeno-hipófise. Na verdade, é a função que dá nome ao LH – luteinizante (que significa amarelado). A luteinização também depende da extrusão do óvulo do folículo. Um hormônio local, ainda não caracterizado no líquido folicular, denominado fator inibidor da luteinização, parece controlar o processo de luteinização até depois da ovulação.

Secreção pelo corpo-lúteo: uma função adicional do hormônio luteinizante. O corpo-lúteo é um órgão altamente secretor, produzindo grandes quantidades de progesterona e de estrogênio. Uma vez que o LH (principalmente aquele secretado durante o pico ovulatório) tenha agido nas células granulosas e tecais para causar a luteinização, as células luteínicas recém-formadas parecem estar programadas para seguir a sequência de (1) proliferação, (2) aumento e (3) secreção, seguida por (4) degeneração. Tudo isso ocorre em cerca de 12 dias. Como discutido no Capítulo 83, outro hormônio com quase exatamente as mesmas propriedades do LH, a *gonadotrofina coriônica* (HCG), que é secretada pela placenta, pode agir no corpo-lúteo para prolongar sua vida, geralmente mantendo-o, pelo menos, nos primeiros 2 a 4 meses de gravidez.

Involução do corpo-lúteo e início do próximo ciclo ovariano. O estrogênio, em especial, e a progesterona, em menor grau, secretados pelo corpo-lúteo durante a fase lútea do ciclo ovariano têm efeitos potentes de *feedback* na adeno-hipófise para manter baixas taxas de secreção de FSH e de LH.

Além disso, as células luteínicas secretam pequenas quantidades do hormônio *inibina*, a mesma inibina secretada pelas células de Sertoli nos testículos masculinos. Esse hormônio inibe a secreção de FSH pela adeno-hipófise. O resultado são concentrações sanguíneas reduzidas de FSH e de LH, e a queda desses hormônios, finalmente, provoca a degeneração do corpo-lúteo completamente, processo denominado *involução* do corpo-lúteo.

A involução final normalmente ocorre no final de quase exatamente 12 dias de vida do corpo-lúteo, em torno do 26º dia do ciclo sexual feminino normal, 2 dias antes do início da menstruação. Nesse momento, a parada súbita de secreção de estrogênio, progesterona e inibina pelo corpo-lúteo remove a inibição por *feedback* da adeno-hipófise, permitindo que ela comece a secretar novamente quantidades crescentes de FSH e LH. O FSH e o LH dão início ao crescimento de novos folículos, começando um novo ciclo ovariano. A escassez de progesterona e estrogênio, nesse momento, também leva à menstruação uterina, o que será explicado adiante.

RESUMO

Aproximadamente a cada 28 dias, os hormônios gonadotróficos da adeno-hipófise fazem com que cerca de 8 a 12 novos folículos comecem a crescer nos ovários. Um desses folículos finalmente torna-se completamente maduro e ovula no 14º dia do ciclo. Durante o crescimento dos folículos, é secretado, principalmente, o estrogênio.

Após a ovulação, as células secretoras dos folículos residuais se desenvolvem em um corpo-lúteo que secreta grande quantidade dos principais hormônios femininos: estrogênio e progesterona. Depois de outras 2 semanas, o corpo-lúteo degenera-se, quando, então, os hormônios ovarianos, estrogênio e progesterona, diminuem bastante, iniciando a menstruação. Um novo ciclo ovariano se segue.

FUNÇÕES DOS HORMÔNIOS OVARIANOS | ESTRADIOL E PROGESTERONA

Os dois tipos de hormônios sexuais ovarianos são os *estrogênios* e os *progestágenos*. Sem dúvida, o mais importante dos estrogênios é o *estradiol (E₂)*, e o progestágeno mais importante é a *progesterona*. Os estrogênios promovem, principalmente, a proliferação e o crescimento de células específicas no corpo, responsáveis pelo desenvolvimento da maioria das atividades sexuais secundárias das mulheres. Os progestágenos atuam, basicamente, preparando o útero para a gravidez e as mamas para a lactação.

QUÍMICA DOS HORMÔNIOS SEXUAIS

Estrogênios. Na mulher *não grávida* normal, os estrogênios são secretados em quantidades significativas apenas pelos ovários, embora pequenas quantidades também sejam secretadas pelos córtices adrenais. Durante a *gravidez*, grandes quantidades de estrogênios também são secretadas pela placenta, conforme será discutido no Capítulo 83.

Apenas três estrogênios estão presentes, em quantidades significativas, no plasma feminino: β-estradiol (E₂), estrona (E₁) e estriol (E₃), cujas fórmulas são mostradas na **Figura 82.7**. O principal estrogênio secretado pelos ovários é o β-estradiol. Pequenas quantidades de estrona também são secretadas, mas grande parte é formada nos tecidos periféricos de androgênios secretados pelos córtices adrenais e pelas células tecais ovarianas. O estriol é um estrogênio fraco; é um produto oxidativo, derivado do estradiol e da estrona, e sua conversão se dá, principalmente, no fígado.

A potência estrogênica do β-estradiol é 12 vezes maior que a da estrona e 80 vezes maior que a do estriol. Considerando essas potências relativas, pode-se ver que o efeito estrogênico total do β-estradiol é, geralmente, muitas vezes maior do que o dos outros dois juntos. Por esse motivo, o β-estradiol é considerado o estrogênio principal, embora os efeitos estrogênicos da estrona não sejam desprezíveis.

Progestágenos. Sem dúvida, o progestágeno mais importante é a progesterona. No entanto, pequenas quantidades de outro progestágeno, a 17α-hidroxiprogesterona, são secretadas junto com a progesterona e têm, essencialmente, os mesmos efeitos. Contudo, para fins práticos, a progesterona é geralmente considerada como o progestágeno mais importante.

Em mulheres não grávidas, a progesterona é geralmente secretada em quantidades significativas apenas durante a última metade de cada ciclo ovariano, pelo corpo-lúteo.

Como veremos no Capítulo 83, uma grande quantidade de progesterona também é secretada pela placenta durante a gravidez, especialmente após o quarto mês de gestação.

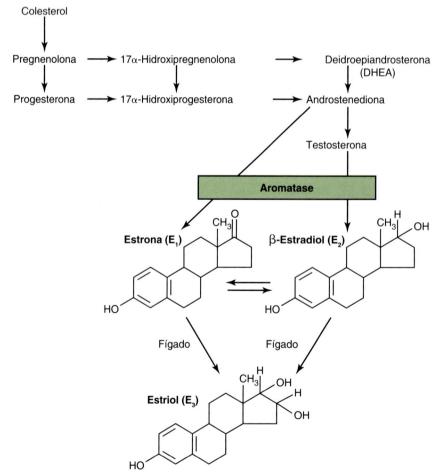

Figura 82.7 Síntese dos principais hormônios femininos. A estrutura química dos hormônios precursores, incluindo a da progesterona, é mostrada na Figura 78.2.

Síntese de estrogênios e de progestágenos. Observe, nas fórmulas químicas de estrogênios e de progestágenos, na **Figura 82.7**, que todos são esteroides. São sintetizados nos ovários, principalmente do colesterol derivado do sangue, mas também, de certa forma, da acetil coenzima A, onde várias moléculas podem se combinar, formando o núcleo esteroide apropriado.

Durante a síntese, principalmente progesterona e androgênios (testosterona e androstenediona) são sintetizados primeiro; então, durante a fase folicular do ciclo ovariano, antes que esses dois hormônios iniciais possam deixar os ovários, quase todos os androgênios e grande parte da progesterona são convertidos em estrogênios pela enzima *aromatase* nas células da granulosa. Como as células da teca não têm aromatase, elas não podem converter androgênios em estrogênios. No entanto, os androgênios se difundem das células da teca para as células da granulosa adjacentes, onde são convertidos em estrogênios pela aromatase, cuja atividade é estimulada por FSH (ver **Figura 82.8**).

Durante a fase lútea do ciclo, muito mais progesterona é formada do que pode ser totalmente convertida, o que responde pela grande secreção de progesterona no sangue circulante nesse momento. Além disso, cerca de 1/15 a mais de testosterona é secretado no plasma da mulher pelos ovários, do que é secretado no plasma do homem pelos testículos.

Estrogênios e progesterona são transportados no sangue ligados a proteínas plasmáticas. Estrogênios e progesterona são transportados no sangue, ligados principalmente à albumina plasmática e a uma globulina específica de ligação de estrogênio e progesterona (SHBG; do inglês, *sex hormone binding globulin*). A ligação entre esses dois hormônios e as proteínas plasmáticas é fraca o bastante para que sejam rapidamente liberados nos tecidos, durante um período de aproximadamente 30 minutos ou mais.

Funções do fígado na degradação do estrogênio. O fígado conjuga estrogênios para formar glicuronídeos e sulfatos, e cerca de um quinto desses produtos conjugados é excretado na bile; a maior parte do restante é excretada na urina. Além disso, o fígado converte os potentes estrogênios estradiol e estrona no estrogênio quase totalmente impotente, o estriol. Portanto, a função hepática reduzida, efetivamente, *aumenta* a atividade dos estrogênios no corpo, às vezes causando *hiperestrogenismo*.

Destino da progesterona. Poucos minutos após ter sido secretada, quase toda a progesterona é degradada em outros esteroides que não têm efeito progestacional. Assim, como no caso dos estrogênios, o fígado é especialmente importante para essa degradação metabólica.

O principal produto final da degradação da progesterona é o *pregnanediol*. Cerca de 10% da progesterona original são excretados na urina dessa forma. Assim, pode-se estimar a formação de progesterona no corpo a partir dessa excreção.

FUNÇÕES DOS ESTROGÊNIOS I SEUS EFEITOS NAS CARACTERÍSTICAS SEXUAIS FEMININAS PRIMÁRIAS E SECUNDÁRIAS

Uma função primária dos estrogênios é causar proliferação celular e crescimento dos tecidos dos órgãos sexuais e de outros tecidos relacionados à reprodução.

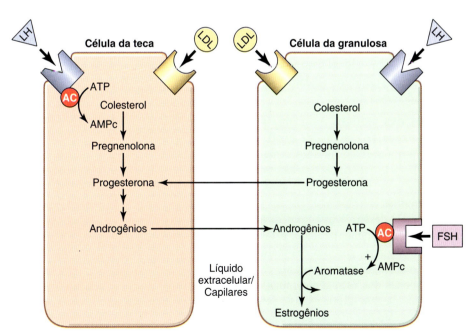

Figura 82.8 Interação de células da teca folicular e da granulosa para a produção de estrogênio. As células da teca, sob o controle de hormônio luteinizante (LH), produzem androgênio que se difunde para as células da granulosa. Em folículos maduros, o hormônio foliculoestimulante (FSH) atua nas células da granulosa para estimular a atividade da aromatase, que converte androgênio em estrogênio. AC, adenilciclase; ATP, trifosfato de adenosina; AMPc, monofosfato de adenosina cíclico; LDL, lipoproteínas de baixa densidade.

PARTE 14 Endocrinologia e Reprodução

Efeito dos estrogênios no útero e nos órgãos sexuais femininos externos.
Durante a infância, os estrogênios são secretados apenas em quantidades mínimas, mas, na puberdade, a quantidade secretada na mulher sob a influência dos hormônios gonadotróficos hipofisários aumenta em 20 vezes ou mais. Nesse momento, os órgãos sexuais femininos mudam dos de uma criança para os de adulto. Os ovários, as tubas uterinas, o útero e a vagina aumentam várias vezes de tamanho. Além disso, a genitália externa aumenta, com deposição de gordura no monte pubiano e nos grandes lábios, além do aumento dos pequenos lábios.

Além disso, os estrogênios alteram o epitélio vaginal do tipo cuboide para o tipo estratificado, considerado mais resistente a traumatismos e infecções do que o epitélio das células cuboidais pré-púberes. Infecções vaginais em crianças quase sempre podem ser curadas pela administração de estrogênios, simplesmente por causa da maior resistência do epitélio vaginal resultante.

Durante os primeiros anos da puberdade, o tamanho do útero aumenta de duas a três vezes, porém, mais importantes do que o aumento no tamanho do útero são as alterações que ocorrem no endométrio uterino, sob a influência de estrogênios. Eles causam proliferação acentuada do estroma endometrial e grande desenvolvimento das glândulas endometriais, que mais tarde ajudarão no fornecimento de nutrição ao óvulo implantado. Esses efeitos serão discutidos posteriormente, no capítulo relacionado ao ciclo endometrial.

Efeito dos estrogênios nas tubas uterinas.
Os efeitos dos estrogênios no revestimento da mucosa das tubas uterinas são semelhantes aos seus efeitos no endométrio uterino. Os estrogênios fazem com que os tecidos glandulares desse revestimento proliferem e, especialmente importante, aumentam o número de células epiteliais ciliadas que revestem as tubas uterinas. Além disso, a atividade dos cílios é consideravelmente aumentada. Esses cílios sempre batem na direção do útero, ajudando a impulsionar o óvulo fertilizado nessa direção.

Efeito dos estrogênios nas mamas.
As mamas primordiais de mulheres e homens são exatamente iguais. De fato, sob a influência de hormônios apropriados, a mama masculina, durante as primeiras 2 décadas de vida, pode se desenvolver suficientemente para produzir leite da mesma maneira que a feminina.

Os estrogênios causam (1) desenvolvimento dos tecidos do estroma mamário, (2) crescimento de um extenso sistema de ductos e (3) depósito de gordura nas mamas. Os lóbulos e alvéolos das mamas se desenvolvem até certo ponto sob a influência apenas dos estrogênios, mas é a progesterona e a prolactina que, em última análise, determinam o crescimento e a função final dessas estruturas.

Em resumo, os estrogênios iniciam o crescimento das mamas e do aparato produtor de leite. Eles são também responsáveis pelo crescimento e pela aparência externa característica da mama feminina adulta. No entanto, não completam a tarefa de converter a mama em órgãos produtores de leite.

Efeito dos estrogênios no esqueleto.
Os estrogênios inibem a atividade osteoclástica nos ossos e, portanto, estimulam o crescimento ósseo. Conforme discutido no Capítulo 80, pelo menos parte desse efeito é devido à estimulação da *osteoprotegerina*, também chamada de *fator inibidor da osteoclastogênese*, uma citocina que inibe a reabsorção óssea.

Na puberdade, quando a mulher entra em seus anos reprodutivos, seu crescimento em altura torna-se rápido por vários anos. No entanto, os estrogênios também causam a união das epífises com as hastes dos ossos longos. Esse efeito do estrogênio na mulher é muito mais forte do que o efeito semelhante da testosterona no homem. Como resultado, o crescimento da mulher geralmente cessa vários anos antes do crescimento do homem. Uma mulher eunucoide, que é desprovida da produção de estrogênio, geralmente cresce vários centímetros a mais do que a mulher normal madura, porque suas epífises não se uniram no tempo normal.

Osteoporose causada pela deficiência de estrogênio na velhice.
Após a menopausa, quase nenhum estrogênio é secretado pelos ovários. Essa deficiência de estrogênio leva a (1) aumento da atividade osteoclástica nos ossos, (2) diminuição da matriz óssea e (3) diminuição da deposição de cálcio e fosfato ósseos. Em algumas mulheres, esse efeito é extremamente grave, e a condição resultante é chamada de *osteoporose*, descrita no Capítulo 80. Uma vez que a osteoporose pode enfraquecer muito os ossos e levar a fraturas ósseas, especialmente a fratura das vértebras, muitas mulheres na pós-menopausa são tratadas profilaticamente com reposição de estrogênio para prevenir os efeitos osteoporóticos.

Os estrogênios aumentam ligeiramente a síntese de proteínas.
Os estrogênios causam um ligeiro aumento na proteína corporal total, o que é evidenciado por um ligeiro equilíbrio nitrogenado positivo, quando os estrogênios são administrados. Esse efeito resulta, principalmente, do efeito promotor do crescimento de estrogênio nos órgãos sexuais, nos ossos e em alguns poucos tecidos do corpo. O maior depósito de proteínas causado pela testosterona é muito mais geral e, muitas vezes, mais potente do que o causado pelos estrogênios.

Os estrogênios aumentam o metabolismo corporal e a deposição de gordura.
Os estrogênios aumentam ligeiramente o metabolismo de todo o corpo, mas apenas cerca de um terço a mais do que o aumento causado pela testosterona. Estrogênios também causam depósito de quantidades maiores de gordura nos tecidos subcutâneos. Como resultado, a porcentagem de gordura corporal em mulheres é consideravelmente maior do que nos homens, cujos corpos contêm mais proteína. Além da deposição de gordura nas mamas e nos tecidos subcutâneos, os estrogênios causam deposição de gordura nas nádegas e coxas, o que é característico da aparência feminina.

CAPÍTULO 82 Fisiologia Feminina Antes da Gravidez e Hormônios Femininos

Os estrogênios têm pouco efeito na distribuição dos pelos. Os estrogênios não afetam muito a distribuição dos pelos. Porém, os pelos se desenvolvem na região púbica e nas axilas após a puberdade. Os androgênios, formados em quantidades crescentes pelas glândulas adrenais femininas após a puberdade, são os principais responsáveis por esse desenvolvimento de pelos.

Efeito dos estrogênios na pele. Os estrogênios fazem com que a pele desenvolva uma textura macia e geralmente lisa, mas, mesmo assim, a pele de uma mulher é mais espessa do que a de uma criança ou de uma mulher castrada. Os estrogênios também fazem com que a pele se torne mais vascularizada, o que, muitas vezes, está associado a uma pele mais quente, promovendo também maior sangramento nos cortes superficiais do que se observa nos homens.

Efeito dos estrogênios no equilíbrio eletrolítico. A semelhança química entre os hormônios estrogênicos e os hormônios adrenocorticais foi discutida anteriormente. Os estrogênios, assim como a aldosterona e alguns outros hormônios adrenocorticais, causam retenção de sódio e água nos túbulos renais. Esse efeito dos estrogênios é, normalmente, leve e só raramente significativo, mas, durante a gravidez, a enorme formação de estrogênios pela placenta pode contribuir para a retenção de líquidos no corpo, conforme discutido no Capítulo 83.

FUNÇÕES DA PROGESTERONA

A progesterona promove alterações secretórias no útero. Uma das principais funções da progesterona é *promover mudanças secretoras no endométrio uterino* durante a última metade do ciclo sexual feminino mensal, preparando o útero para a implantação do óvulo fertilizado. Essa função será discutida mais tarde, em conexão com o ciclo endometrial do útero.

Além desse efeito no endométrio, a progesterona diminui a frequência e a intensidade das contrações uterinas, ajudando, assim, a impedir a expulsão do óvulo implantado.

A progesterona promove a secreção pelas tubas uterinas. A progesterona também promove o aumento da secreção pelo revestimento da mucosa das tubas uterinas. Essas secreções são necessárias para a nutrição do óvulo fertilizado, em divisão, à medida que atravessa a tuba uterina antes da implantação.

A progesterona promove o desenvolvimento das mamas. A progesterona promove o desenvolvimento dos lóbulos e alvéolos das mamas, fazendo com que as células alveolares proliferem, aumentem e adquiram natureza secretora. Entretanto, a progesterona não faz com que os alvéolos secretem leite; como será discutido no Capítulo 83, o leite só é secretado depois que a mama preparada é adicionalmente estimulada pela prolactina da adeno-hipófise.

A progesterona também faz com que as mamas inchem. Parte desse inchaço deve-se ao desenvolvimento secretor nos lóbulos e alvéolos, mas, em parte, resulta também do aumento de líquido no tecido.

CICLO ENDOMETRIAL MENSAL E MENSTRUAÇÃO

Associado à produção cíclica mensal de estrogênios e progesterona pelos ovários, temos um ciclo endometrial no revestimento do útero, que opera ao longo dos seguintes estágios: (1) proliferação do endométrio uterino, (2) desenvolvimento de alterações secretoras no endométrio e (3) descamação do endométrio, que é conhecido como *menstruação*. As diversas fases desse ciclo endometrial são mostradas na **Figura 82.9** (ver Vídeo 82.1).

Fase proliferativa (fase estrogênica) do ciclo endometrial, que ocorre antes da ovulação. No início de cada ciclo mensal, grande parte do endométrio foi descamada pela menstruação. Após a menstruação, permanece apenas uma pequena camada de estroma endometrial, e as únicas células epiteliais restantes são aquelas localizadas nas porções mais profundas das glândulas e criptas do endométrio. *Sob a influência dos estrogênios*, secretados em grande quantidade pelo ovário durante a primeira parte do ciclo ovariano mensal, as células do estroma e as células epiteliais proliferam rapidamente. A superfície endometrial é reepitelizada dentro de 4 a 7 dias após o início da menstruação.

Então, durante a próxima semana e meia, antes de a ovulação ocorrer, o endométrio aumenta muito em espessura, devido ao aumento do número de células do estroma, ao progressivo crescimento das glândulas endometriais e aos novos vasos sanguíneos no endométrio. Na hora da ovulação, o endométrio tem de 3 a 5 milímetros de espessura.

As glândulas endometriais, especialmente as da região cervical, secretam um muco fino e pegajoso. Os filamentos de muco efetivamente se alinham ao longo da extensão do canal cervical, formando canais que ajudam a guiar os espermatozoides na direção adequada da vagina para o útero.

Fase secretora (fase progestacional) do ciclo endometrial, que ocorre após a ovulação. Durante a maior parte da última metade do ciclo mensal, após a ovulação ter ocorrido, a progesterona e o estrogênio são secretados em grande quantidade pelo corpo-lúteo. Os estrogênios causam uma leve proliferação celular adicional do endométrio durante essa fase do ciclo, enquanto a progesterona causa um inchaço acentuado e torna o endométrio secretor. As glândulas aumentam em tortuosidade, e um excesso de substâncias secretoras se acumula nas células epiteliais glandulares. Além disso, o citoplasma das células do estroma aumenta; depósitos de lipídios e glicogênio aumentam muito nas células do estroma; o suprimento de sangue ao endométrio aumenta ainda mais, em proporção ao desenvolvimento da atividade secretora, e os vasos sanguíneos tornam-se altamente tortuosos. No pico da fase secretora, cerca de 1 semana após a ovulação, o endométrio tem uma espessura de 5 a 6 milímetros.

O objetivo de todas essas alterações endometriais é produzir um endométrio altamente secretor que contenha grande quantidade de nutrientes armazenados, para

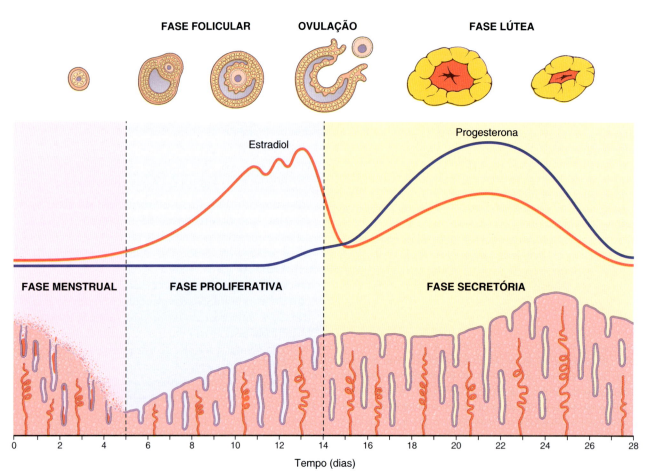

Figura 82.9 Fases de crescimento endometrial e menstruação durante cada ciclo sexual feminino mensal.

fornecer as condições adequadas para a implantação do óvulo *fertilizado*, durante a última metade do ciclo mensal. A partir do momento em que o óvulo fertilizado chega à cavidade uterina, saído da tuba uterina (o que ocorre 3 a 4 dias após a ovulação), até o momento em que o óvulo se implanta (7 a 9 dias após a ovulação), as secreções uterinas, chamadas de "*leite uterino*", fornecem nutrição ao óvulo em suas divisões iniciais. Em seguida, uma vez que o óvulo se implanta no endométrio, as células trofoblásticas na superfície do ovo (zigoto) implantado (no estágio de blastocisto), começam a digerir o endométrio e a absorver as substâncias endometriais armazenadas, disponibilizando, assim, grandes quantidades de nutrientes para o embrião recém-implantado.

Menstruação. Se o óvulo não for fertilizado, cerca de 2 dias antes do final do ciclo mensal, o corpo-lúteo no ovário involui, e a secreção dos hormônios ovarianos (estrogênios e progesterona) diminui, como mostrado na **Figura 82.9**. Segue-se a menstruação.

A menstruação é causada pela redução de estrogênio e progesterona, especialmente a progesterona, no final do ciclo ovariano mensal. O primeiro efeito é a redução da estimulação das células endometriais por esses dois hormônios, seguida rapidamente pela involução do endométrio para cerca de 65% da sua espessura anterior.

Em seguida, durante as 24 horas que precedem o início da menstruação, os vasos sanguíneos tortuosos, que conduzem às camadas mucosas do endométrio, tornam-se vasospásticos, presumivelmente devido a algum efeito da involução, como a liberação de material vasoconstritor –, possivelmente um dos tipos vasoconstritores das prostaglandinas, presentes em abundância nessa época.

O vasospasmo, a diminuição de fornecimento de nutrientes ao endométrio e a perda de estimulação hormonal desencadeiam necrose no endométrio, em particular dos vasos sanguíneos. Como resultado, o sangue primeiro penetra a camada vascular do endométrio, e as áreas hemorrágicas crescem rapidamente durante um período de 24 a 36 horas. Gradativamente, as camadas externas necróticas do endométrio se separam do útero, nos locais de hemorragia, até que, em cerca de 48 horas após o início da menstruação, todas as camadas superficiais do endométrio tenham descamado. A massa de tecido descamado e o sangue na cavidade uterina, mais os efeitos contráteis das prostaglandinas ou outras substâncias na descamação em degeneração, agem em conjunto, dando início a contrações que expelem os conteúdos uterinos.

Durante a menstruação normal, cerca de 40 mililitros de sangue e mais 35 mililitros de líquido seroso são eliminados. Normalmente, o líquido menstrual não coagula, porque uma *fibrinolisina* é liberada em conjunto com o material endometrial necrótico. Se ocorrer um sangramento intenso da superfície uterina, a quantidade de fibrinolisina pode não ser suficiente para evitar a coagulação, resultando na passagem de coágulos sanguíneos. Coágulos sanguíneos menstruais não são incomuns e geralmente ocorrem durante os primeiros dias da menstruação, quando o sangramento é maior; no entanto, sangramento excessivo e coágulos grandes durante a menstruação podem representar evidências clínicas de doença uterina.

Dentro de 4 a 7 dias após o início da menstruação, a perda de sangue cessa, porque, a essa altura, o endométrio já se reepitelizou.

Leucorreia durante a menstruação. Durante a menstruação, um grande número de leucócitos é liberado, junto com o material necrótico e o sangue. Uma substância liberada pela necrose endometrial provavelmente causa esse fluxo de leucócitos. Como resultado da presença desses leucócitos e, possivelmente, de outros fatores, o útero fica altamente resistente a infecções durante a menstruação, embora as superfícies endometriais estejam desprotegidas. Essa resistência a infecções apresenta um importante efeito protetor.

REGULAÇÃO DO CICLO MENSTRUAL FEMININO | INTERAÇÃO DOS HORMÔNIOS OVARIANOS COM OS HORMÔNIOS HIPOTÁLAMO-HIPOFISÁRIOS

Agora que apresentamos as principais mudanças cíclicas que ocorrem durante o ciclo sexual feminino mensal, podemos explicar o mecanismo rítmico básico que causa as variações cíclicas.

O HIPOTÁLAMO SECRETA LHRH, FAZENDO COM QUE A ADENO-HIPÓFISE SECRETE LH E FSH

Conforme discutido no Capítulo 75, a secreção da maioria dos hormônios adeno-hipofisários é controlada pelos *hormônios de liberação*, formados no hipotálamo e, então, transportados para a adeno-hipófise por meio do sistema porta hipotálamo-hipofisário. No caso das gonadotrofinas, um hormônio de liberação, o *LHRH*, é fundamental. Esse hormônio foi purificado e foi considerado um decapeptídio com a seguinte fórmula:

Glu – His – Trp – Ser – Tyr – Gly – Leu – Arg – Pro – Gly – NH$_2$

A secreção pulsátil e intermitente de LHRH pelo hipotálamo estimula a liberação pulsátil de LH pela adeno-hipófise. O hipotálamo não secreta LHRH continuamente, mas, em vez disso, secreta-o em pulsos com duração de 5 a 25 minutos que ocorrem a cada 1 a 2 horas. A curva inferior na **Figura 82.10** mostra os sinais pulsáteis elétricos, no hipotálamo, que causam a produção pulsátil hipotalâmica de LHRH.

É intrigante que, quando o LHRH é infundido continuamente, de modo que esteja disponível o tempo todo, e não em pulsos, sua capacidade de causar liberação de LH e FSH pela adeno-hipófise se perde. Portanto, a natureza pulsátil de liberação de LHRH é essencial para sua função.

A liberação pulsátil de LHRH também provoca a produção intermitente de LH a cada 90 minutos, o que é demonstrado na curva superior da **Figura 82.10**.

Centros hipotalâmicos de liberação do hormônio liberador de gonadotrofina. A atividade neuronal que causa a liberação pulsátil de LHRH ocorre primariamente no hipotálamo médio-basal, principalmente nos núcleos arqueados dessa área. Neurônios localizados na área pré-óptica do hipotálamo anterior também secretam LHRH em quantidades moderadas. Múltiplos centros neuronais no sistema límbico (o sistema de controle psíquico) transmitem sinais para o hipotálamo para modificar a intensidade da liberação de LHRH e a frequência dos pulsos, o que é uma explicação parcial do motivo pelo qual fatores psíquicos frequentemente modificam a função sexual feminina.

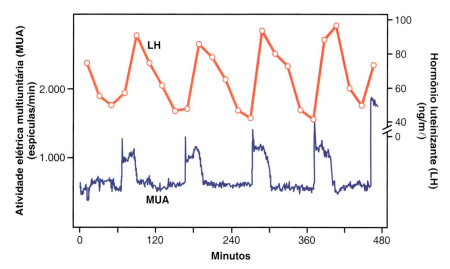

Figura 82.10 Observa-se uma variação pulsátil do hormônio luteinizante (LH) na circulação periférica do macaco *rhesus* ovariectomizado, anestesiado com pentobarbital (*linha vermelha*), com o registro minuto a minuto da atividade elétrica multiunitária (MUA) no hipotálamo médio-basal (*linha azul*). (*Dados de Wilson RC, Kesner JS, Kaufman JM, et al.: Central electrophysiologic correlates of pulsatile luteinizing hormone secretion. Neuroendocrinology 39: 256, 1984.*)

EFEITOS DE *FEEDBACK* NEGATIVO DO ESTROGÊNIO E DA PROGESTERONA NA DIMINUIÇÃO DA SECREÇÃO DE LH E FSH

Em pequenas quantidades, o estrogênio tem forte efeito de inibir a produção de LH e FSH. Além disso, quando existe progesterona disponível, o efeito inibidor do estrogênio é multiplicado, mesmo que a progesterona, por si só, tenha pouco efeito (ver **Figura 82.11**).

Esses efeitos de *feedback* parecem operar principalmente na adeno-hipófise de modo direto, mas também operam em menor extensão no hipotálamo, diminuindo a secreção de LHRH, especialmente alterando a frequência dos pulsos de LHRH.

A inibina do corpo-lúteo inibe a secreção de FSH e LH. Além dos efeitos de *feedback* do estrogênio e da progesterona, outros hormônios estão envolvidos, especialmente a inibina, que é secretada em conjunto com os hormônios esteroides sexuais pelas células da granulosa do corpo-lúteo ovariano, da mesma forma que as células de Sertoli secretam inibina nos testículos (ver **Figura 82.11**). Esse hormônio tem o mesmo efeito na mulher e no homem – isto é, inibe a secreção de FSH e, em menor grau, de LH pela adeno-hipófise. Portanto, acredita-se que a inibina seja especialmente importante em causar a diminuição da secreção de FSH e LH no final do ciclo sexual mensal feminino.

EFEITO DE *FEEDBACK* POSITIVO DO ESTROGÊNIO ANTES DA OVULAÇÃO | PICO PRÉ-OVULATÓRIO DE HORMÔNIO LUTEINIZANTE

A adeno-hipófise secreta grandes quantidades de LH por 1 a 2 dias, começando 24 a 48 horas antes da ovulação. Esse efeito é demonstrado na **Figura 82.4**. A figura também mostra um pico pré-ovulatório muito menor de FSH.

Experimentos mostraram que a infusão de estrogênio na mulher acima do valor crítico por 2 a 3 dias, durante a última parte da primeira metade do ciclo ovariano, causará rapidamente o crescimento acelerado dos folículos ovarianos, bem como a secreção acelerada de estrogênios ovarianos. Durante esse período, as secreções de FSH e LH pela adeno-hipófise são, inicialmente, ligeiramente suprimidas. A secreção de LH, então, aumenta abruptamente de 6 a 8 vezes, e a secreção de FSH aumenta cerca de 2 vezes. A secreção muito aumentada de LH faz com que ocorra a ovulação.

A causa desse aumento abrupto na secreção de LH não é conhecida. No entanto, as seguintes explicações são possíveis:

1. Foi sugerido que, nesse ponto do ciclo, o estrogênio tem um *efeito de feedback positivo* peculiar de estimular a secreção hipofisária de LH e, em menor extensão, de FSH (ver **Figura 82.11**), o que contrasta com o efeito de *feedback* negativo normal do estrogênio, que ocorre durante o restante do ciclo feminino mensal.
2. As células da granulosa dos folículos começam a secretar quantidades pequenas, mas crescentes, de progesterona mais ou menos 1 dia antes do pico pré-ovulatório de LH, e foi sugerido que essa secreção possa ser o fator que estimula o excesso de secreção de LH.

Sem esse aumento pré-ovulatório normal de LH, a ovulação não ocorrerá.

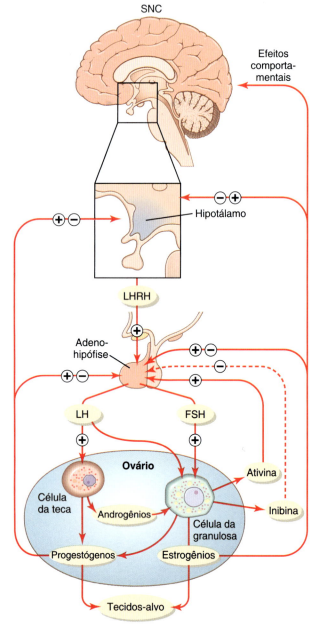

Figura 82.11 Regulação por *feedback* do eixo hipotálamo-hipofisário-ovariano em mulheres. Os efeitos estimulatórios são indicados por sinais de adição (+); os efeitos inibitórios de *feedback* negativo são mostrados por sinais de subtração (–). Os estrogênios e os progestágenos exercem tanto os efeitos de *feedback* positivo quanto os de negativo, na adeno-hipófise e no hipotálamo, dependendo do estágio do ciclo ovariano. A inibina tem um efeito de *feedback* negativo na adeno-hipófise, enquanto a ativina tem o efeito oposto, estimulando a secreção do hormônio foliculoestimulante (FSH) pela adeno-hipófise. SNC, sistema nervoso central; LHRH, hormônio liberador de gonadotrofina; LH, hormônio luteinizante.

OSCILAÇÃO DE *FEEDBACK* DO SISTEMA HIPOTÁLAMO-HIPOFISÁRIO-OVARIANO

Agora que discutimos as inter-relações dos diferentes componentes do sistema hormonal feminino, podemos explicar a oscilação do *feedback* que controla o ritmo do ciclo sexual feminino, que parece operar, de certa forma, na seguinte sequência de três eventos:

1. *Secreção pós-ovulatória dos hormônios ovarianos e depressão das gonadotrofinas hipofisárias.* Entre a ovulação e o início da menstruação, o corpo-lúteo secreta grandes quantidades de progesterona e de estrogênio, bem como de inibina. Todos esses hormônios juntos têm um efeito de *feedback* negativo combinado na adeno-hipófise e no hipotálamo, causando a supressão da secreção de FSH e de LH e diminuindo-os para seus níveis mais baixos, cerca de 3 a 4 dias antes do início da menstruação. Esses efeitos são mostrados na **Figura 82.4**.
2. *Fase de crescimento folicular.* De 2 a 3 dias antes da menstruação, o corpo-lúteo regride para quase a involução total, e a secreção de estrogênio, progesterona e inibina do corpo-lúteo diminui para um nível baixo, o que libera o hipotálamo e a adeno-hipófise do efeito de *feedback* negativo desses hormônios. Portanto, mais ou menos 1 dia depois, em torno do momento em que se inicia a menstruação, a secreção hipofisária de FSH começa a aumentar novamente, até 2 vezes mais; então, vários dias após o início da menstruação, a secreção de LH aumenta ligeiramente. Esses hormônios iniciam o crescimento de novos folículos ovarianos e um aumento progressivo da secreção de estrogênio, atingindo um pico de secreção de estrogênio em torno de 12,5 a 13 dias após o início do novo ciclo sexual feminino mensal. Durante os primeiros 11 a 12 dias desse crescimento folicular, a secreção hipofisária das gonadotrofinas FSH e LH diminui ligeiramente devido ao efeito do *feedback* negativo, principalmente do estrogênio, na adeno-hipófise. Em seguida, há um aumento súbito e acentuado da secreção de LH e, em menor grau, de FSH. Esse aumento da secreção é o pico pré-ovulatório de LH e FSH, que é seguido pela ovulação.
3. *O pico pré-ovulatório de LH e FSH causa a ovulação.* Cerca de 11,5 a 12 dias após o início do ciclo mensal, o declínio da secreção de FSH e LH chega a seu fim súbito. Acredita-se que o alto nível de estrogênio nesse momento (ou o começo da secreção de progesterona pelos folículos) cause um efeito estimulador de *feedback* positivo na adeno-hipófise, conforme explicado anteriormente, o que leva a um grande pico na secreção de LH e, em menor grau, de FSH. Seja qual for a causa desse pico pré-ovulatório de LH e FSH, o grande excesso de LH leva à ovulação e ao desenvolvimento subsequente tanto do corpo-lúteo quanto da sua secreção. Assim, o sistema hormonal começa seu novo ciclo de secreções, até a próxima ovulação.

Ciclos anovulatórios | Ciclos sexuais na puberdade

Se o pico pré-ovulatório de LH não for de magnitude suficiente, a ovulação não ocorrerá, e o ciclo será anovulatório. As fases do ciclo sexual continuam, mas são alteradas das seguintes maneiras:

1. A falta de ovulação causa a falha do desenvolvimento do corpo-lúteo, então quase não há secreção de progesterona durante a última parte do ciclo.
2. O ciclo é encurtado por vários dias, mas o ritmo continua.

Portanto, é provável que a progesterona não seja necessária para a manutenção do ciclo, embora possa alterar seu ritmo.

Os primeiros ciclos após o início da puberdade são geralmente anovulatórios, assim como os ciclos que ocorrem vários meses a anos antes da menopausa, provavelmente porque o pico de LH não é potente o suficiente nesses momentos para causar a ovulação.

PUBERDADE E MENARCA

Puberdade significa o início da vida sexual adulta, e *menarca* significa o primeiro ciclo de menstruação. O período da puberdade é causado por um aumento gradual de secreção dos hormônios gonadotróficos pela hipófise, começando por volta do oitavo ano de vida, conforme mostrado na **Figura 82.12**, e geralmente culminando no início da puberdade e menstruação, entre 10 e 14 anos de idade (média, 12 anos).

Na mulher, assim como nos homens, a hipófise infantil e os ovários são capazes de funcionar plenamente se forem apropriadamente estimulados. No entanto, como também é verdade no homem, e por motivos que não são compreendidos, o hipotálamo não secreta quantidades significativas de LHRH durante a infância. Experimentos mostraram que o hipotálamo é capaz de secretar esse hormônio, mas o sinal apropriado de alguma outra área

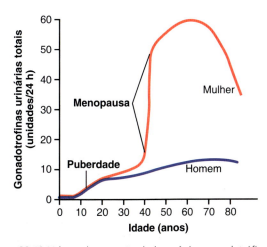

Figura 82.12 Valores de secreção de hormônios gonadotróficos ao longo da vida sexual da mulher e do homem, mostrando um aumento especialmente súbito dos hormônios gonadotróficos na menopausa na mulher.

do cérebro para desencadear a secreção está ausente. Portanto, acredita-se agora que o início da puberdade seja desencadeado algum processo de maturação que ocorre em alguma outra parte do cérebro, talvez em algum lugar do sistema límbico.

A **Figura 82.13** mostra (1) os níveis crescentes de secreção de estrogênio na puberdade; (2) a variação cíclica durante o ciclo sexual mensal, (3) o aumento adicional da secreção de estrogênio durante os primeiros anos da vida reprodutiva, (4) a diminuição progressiva na secreção de estrogênio ao se aproximar do fim da vida reprodutiva e, finalmente, (5) quase nenhuma secreção de estrogênio ou progesterona após a menopausa.

MENOPAUSA

Entre 40 e 50 anos de idade, o ciclo sexual geralmente torna-se irregular, e a ovulação frequentemente não ocorre. Depois de alguns meses a alguns anos, o ciclo cessa completamente, como mostrado na **Figura 82.13**. O período durante o qual o ciclo cessa e os hormônios sexuais femininos caem para quase zero é denominado *menopausa*.

A causa da menopausa é o "esgotamento" dos ovários. Ao longo da vida reprodutiva da mulher, cerca de 400 dos folículos primordiais crescem em folículos maduros e ovulam, e centenas de milhares de óvulos se degeneram. Por volta dos 45 anos, apenas alguns folículos primordiais permanecem estimulados por FSH e LH, e, como mostrado na **Figura 82.13**, a produção de estrogênios pelos ovários diminui à medida que o número de folículos primordiais se aproxima de zero. Quando a produção de estrogênio cai abaixo de um valor crítico, os estrogênios não conseguem mais inibir a produção de FSH e LH. Em vez disso, conforme mostrado na **Figura 82.12**, as gonadotrofinas FSH e LH (principalmente FSH) são produzidas após a menopausa em quantidades elevadas e contínuas, mas, como os folículos primordiais remanescentes tornam-se atrésicos, a produção de estrogênios pelos ovários cai quase a zero.

Na época da menopausa (período denominado *climatério*), a mulher precisa reajustar sua vida de uma pessoa que era fisiologicamente estimulada pela produção de estrogênio e progesterona para uma pessoa sem esses hormônios. A perda de estrogênios costuma causar mudanças fisiológicas marcantes no corpo, incluindo (1) "fogachos", caracterizados por rubor extremo da pele, (2) sensações psíquicas de dispneia, (3) irritabilidade, (4) fadiga, (5) ansiedade e (6) diminuição da resistência e da calcificação dos ossos por todo o corpo. Esses sintomas são de magnitude considerável em apenas 15% das mulheres para justificar o tratamento. A administração diária de estrogênio, em pequenas quantidades, geralmente reverte os sintomas, e, diminuindo-se gradualmente a dose, é provável que as mulheres na pós-menopausa evitem sintomas graves.

Grandes ensaios clínicos têm fornecido evidências de que a administração de estrogênio após a menopausa, embora melhore muitos dos sintomas da menopausa, aumenta o risco de doença cardiovascular. Como resultado, a terapia de reposição hormonal com estrogênio já não é prescrita de forma rotineira para mulheres na pós-menopausa. Alguns estudos, no entanto, sugerem que a terapia com estrogênio possa realmente reduzir o risco de doença cardiovascular se ela for iniciada precocemente, nos primeiros anos após a menopausa. Portanto, atualmente é recomendado que as mulheres na pós-menopausa que desejam receber terapia de reposição hormonal discutam com seus médicos se os benefícios superam os riscos.

Anormalidades da secreção hormonal ovariana

Hipogonadismo | Secreção hormonal ovariana reduzida. A secreção estrogênica abaixo do normal pode resultar de ovários malformados, ausência de ovários ou ovários geneticamente anormais, que secretam hormônios alterados, devido à falta de enzimas nas células secretoras. Quando os ovários estão ausentes desde o nascimento ou quando se tornam não funcionais antes da puberdade, ocorre o *"eunucoidismo" feminino*. Nessa condição, as características sexuais secundárias usuais não aparecem, e os órgãos sexuais permanecem infantis. Especialmente característico dessa condição é o crescimento prolongado dos ossos longos, porque as epífises não se unem às hastes tão cedo quanto ocorre nas mulheres normais. Consequentemente, a mulher eunucoide é basicamente tão alta quanto ou talvez até um pouco mais alta do que sua contraparte masculina de base genética semelhante.

Quando os ovários de uma mulher totalmente desenvolvida são removidos, os órgãos sexuais regridem até certo ponto, de modo que o útero fica quase infantil em tamanho, a vagina fica menor, e o epitélio vaginal fica fino e mais passível de sofrer lesões. As mamas se atrofiam e adquirem aspecto pendular, e os pelos pubianos tornam-se mais finos. As mesmas mudanças ocorrem em mulheres após a menopausa.

Irregularidade menstrual e amenorreia causadas por hipogonadismo. Como apontado na discussão anterior sobre menopausa, a quantidade de estrogênios produzida pelos ovários deve aumentar acima de um valor crítico para causar ciclos sexuais rítmicos. Consequentemente, no

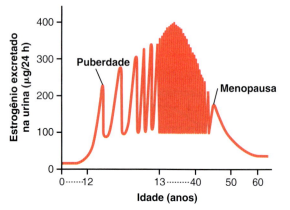

Figura 82.13 Secreção de estrogênio ao longo da vida sexual da mulher.

CAPÍTULO 82 Fisiologia Feminina Antes da Gravidez e Hormônios Femininos

hipogonadismo ou quando as gônadas secretam pequenas quantidades de estrogênios devido a outros fatores, como *hipotiroidismo*, o ciclo ovariano frequentemente não ocorre de maneira normal. Em vez disso, vários meses podem transcorrer entre os períodos menstruais, ou a menstruação pode cessar completamente (amenorreia). Ciclos ovarianos prolongados estão frequentemente associados à ausência da ovulação, presumivelmente por causa da secreção insuficiente de LH no momento do pico pré-ovulatório de LH, necessário para a ovulação.

Hipersecreção hormonal pelos ovários. A hipersecreção de hormônios ovarianos é uma entidade clínica rara, porque a secreção excessiva de estrogênios diminui automaticamente a produção de gonadotrofinas pela adeno-hipófise, o que limita a produção de hormônios ovarianos. Consequentemente, a hipersecreção dos hormônios feminilizantes, em geral, é reconhecida clinicamente apenas no desenvolvimento eventual de um tumor feminilizante.

Um raro *tumor de células da granulosa* pode se desenvolver no ovário; o desenvolvimento desse tumor ocorre com mais frequência após a menopausa. Esses tumores secretam grandes quantidades de estrogênios, que exercem os efeitos estrogênicos usuais, incluindo hipertrofia do endométrio uterino e o sangramento irregular desse endométrio. Na verdade, o sangramento é, frequentemente, a primeira e única indicação de que tal tumor existe.

ATO SEXUAL FEMININO

Estimulação do ato sexual feminino. Assim como ocorre no ato sexual masculino, o desempenho bem-sucedido do ato sexual feminino depende tanto de estimulação psíquica quanto de estimulação sexual local.

Ter pensamentos sexuais pode levar ao desejo sexual feminino, o que ajuda muito no desempenho do ato sexual. Esse desejo é baseado nos impulsos psicológicos e fisiológicos, embora o desejo sexual de fato aumente em proporção ao nível de hormônios sexuais secretados. O desejo também muda durante o ciclo sexual mensal, atingindo seu pico próximo ao momento da ovulação, provavelmente por causa dos níveis elevados de secreção de estrogênio durante o período pré-ovulatório.

A estimulação sexual local em mulheres ocorre mais ou menos da mesma maneira que nos homens, pois massagens e outros tipos de estimulação da vulva, da vagina e de outras regiões perineais podem criar sensações sexuais. A glande do *clitóris* é especialmente sensível ao início das sensações sexuais.

Como no homem, os sinais sensoriais sexuais são transmitidos aos segmentos sacrais da medula espinhal através do nervo pudendo e do plexo sacral. Uma vez que esses sinais tenham entrado na medula espinhal, eles são transmitidos ao cérebro. Além disso, os reflexos locais integrados na medula espinhal sacral e lombar são, pelo menos, parcialmente responsáveis por algumas das reações nos órgãos sexuais femininos.

Ereção e lubrificação feminina. Localizado em torno do introito e se estendendo para o clitóris, existe um tecido erétil quase idêntico ao tecido erétil do pênis. Esse tecido erétil, como o do pênis, é controlado pelos nervos parassimpáticos que passam pelos nervos eretores (ou nervos erigentes), desde o plexo sacral até a genitália externa. Nas fases iniciais da estimulação sexual, sinais parassimpáticos dilatam as artérias do tecido erétil, o que provavelmente decorre da liberação de acetilcolina, óxido nítrico e polipeptídio intestinal vasoativo (VIP) nas terminações nervosas. Isso permite o rápido acúmulo de sangue no tecido erétil, de modo que o introito se contrai ao redor do pênis, o que ajuda muito o homem a obter estimulação sexual suficiente para que ocorra a ejaculação.

Os sinais parassimpáticos também passam para as glândulas bilaterais de Bartholin, localizadas sob os pequenos lábios, fazendo com que, imediatamente, secretem muco no introito. Esse muco é responsável por uma grande parte da lubrificação durante a relação sexual, embora a lubrificação também seja provida pelo muco secretado pelo epitélio vaginal e uma pequena quantidade, pelas glândulas uretrais masculinas. Essa lubrificação é necessária durante a relação sexual para estabelecer uma sensação de massagem satisfatória em vez de uma sensação irritativa, que pode ser provocada por uma vagina ressecada. A sensação massageadora constitui o estímulo ideal para evocar os reflexos apropriados que culminam no clímax masculino e feminino.

Orgasmo feminino. Quando a estimulação sexual local atinge a intensidade máxima, e principalmente quando as sensações locais são favorecidas por sinais de condicionamento psíquico apropriado do cérebro, são iniciados os reflexos que levam ao orgasmo feminino, também chamado de clímax feminino. O orgasmo feminino é análogo à emissão e à ejaculação no homem, e pode ajudar a promover a fertilização do óvulo. Na verdade, sabe-se que a mulher é, de certa forma, mais fértil quando inseminada pelo ato sexual normal do que por métodos artificiais, o que indica uma função importante do orgasmo feminino. As razões para esse fenômeno são discutidas a seguir.

Primeiro, durante o orgasmo, os músculos perineais da mulher se contraem ritmicamente, em decorrência de reflexos da medula espinhal, semelhantes aos que causam a ejaculação no homem. É possível que esses reflexos aumentem a motilidade uterina e tubária durante o orgasmo, ajudando, assim, a transportar o esperma para o útero em direção ao óvulo; entretanto, informações sobre esse assunto são escassas. Além disso, o orgasmo parece causar a dilatação do canal cervical por até 30 minutos, facilitando o transporte do espermatozoide.

Segundo, em muitos animais, a cópula faz com que a neuro-hipófise secrete ocitocina; esse efeito é provavelmente mediado pelos núcleos amigdaloides do cérebro e, então, do hipotálamo para a hipófise. A ocitocina causa o aumento das contrações rítmicas do útero, o que pode aumentar o transporte do espermatozoide. Já foi demonstrado que poucos espermatozoides atravessam toda a extensão da tuba uterina na vaca, em cerca de 5 minutos, velocidade pelo menos 10 vezes maior do que

PARTE 14 Endocrinologia e Reprodução

os movimentos natatórios que os espermatozoides possivelmente poderiam alcançar. Não se sabe se esse efeito ocorre na mulher.

Além dos possíveis efeitos do orgasmo na fertilização, as sensações sexuais intensas, que se desenvolvem durante o orgasmo, também chegam ao cérebro e causam uma tensão muscular intensa em todo o corpo. Após o clímax do ato sexual, essa tensão cede lugar, durante alguns minutos, a uma sensação de satisfação, caracterizada por um relaxamento, efeito denominado *resolução*.

Fertilidade feminina

Período fértil de cada ciclo sexual. O óvulo permanece viável e capaz de ser fertilizado provavelmente não mais de 24 horas após sua expulsão do ovário. Portanto, o espermatozoide deve estar disponível logo após a ovulação para haver fertilização. Alguns espermatozoides podem permanecer férteis no aparelho reprodutor feminino por até 5 dias. Portanto, para a fertilização acontecer, a relação sexual deve ocorrer em algum momento entre 4 e 5 dias antes da ovulação, até algumas horas após a ovulação. Assim, o período de fertilidade feminina durante cada mês é curto, de cerca de 4 a 5 dias.

Método rítmico de contracepção. Um método comumente praticado de contracepção é evitar relações sexuais perto da época da ovulação. A dificuldade com esse método de contracepção é prever o momento exato da ovulação. No entanto, o intervalo da ovulação até o próximo o início da menstruação quase sempre ocorre entre 13 e 15 dias. Portanto, se o ciclo menstrual for regular, com periodicidade exata de 28 dias, a ovulação geralmente ocorre no 14º dia do ciclo. Se, em contraste, a periodicidade do ciclo for de 40 dias, a ovulação geralmente ocorrerá no 26º dia do ciclo. Finalmente, se a periodicidade do ciclo for de 21 dias, a ovulação geralmente ocorrerá no sétimo dia do ciclo. Portanto, geralmente recomenda-se evitar relações sexuais por 4 dias antes do dia calculado da ovulação e 3 dias depois para evitar a concepção. No entanto, esse método de contracepção pode ser usado apenas quando a periodicidade do ciclo menstrual é regular. A incidência de falha desse método de contracepção, resultando em uma gravidez não intencional, é de 20 a 25% ao ano.

Supressão hormonal da fertilidade | A "pílula" anticoncepcional

A administração de estrogênio ou progesterona, desde que em quantidades adequadas durante a primeira metade do ciclo mensal, pode inibir a ovulação. A razão para isso é que a administração adequada de qualquer um desses hormônios pode prevenir o pico pré-ovulatório de secreção de LH pela hipófise, que é essencial para causar a ovulação.

Não é totalmente compreendido por que a administração de estrogênio ou progesterona previne o pico pré-ovulatório de secreção de LH. No entanto, estudos experimentais têm sugerido que, imediatamente antes de ocorrer o pico, uma depressão repentina da secreção de estrogênio pelos folículos ovarianos provavelmente ocorre, o que poderia ser o sinal necessário que causa o subsequente efeito de *feedback* na adeno-hipófise, que leva ao pico de LH.

A administração de hormônios sexuais (estrogênios ou progesterona) previne a depressão hormonal ovariana inicial, que é um sinal desencadeador da ovulação.

O desafio de estabelecer métodos de supressão hormonal da ovulação tem sido desenvolver combinações adequadas de estrogênios e progestágenos que suprimam a ovulação, mas não causem outros efeitos indesejáveis. Por exemplo, o excesso de um ou outro hormônio pode causar padrões de sangramento menstrual anormais. No entanto, o uso de determinados progestágenos sintéticos, no lugar da progesterona, especialmente os esteroides 19-nor, em conjunto com pequenas quantidades de estrogênios, geralmente impedem a ovulação, permitindo, contudo, um padrão menstrual quase normal. Portanto, quase todas as "pílulas" usadas no controle da fertilidade consistem em alguma combinação de estrogênios sintéticos e progestágenos sintéticos. A principal razão de usar estrogênios e progestágenos sintéticos é que os hormônios *naturais* são quase totalmente destruídos pelo fígado dentro de um curto período de tempo após serem absorvidos pelo trato gastrointestinal na circulação portal. Porém, muitos dos hormônios *sintéticos* podem resistir a essa propensão destrutiva do fígado, permitindo, assim, a administração oral.

Dois dos estrogênios sintéticos mais comumente usados são o *etinilestradiol* e o *mestranol*. Dentre os progestágenos mais usados temos *noretindrona*, *noretinodrel*, *etinodiol* e *norgestrel*. O fármaco é tomado nos estágios iniciais do ciclo mensal e mantido além da época em que normalmente se daria a ovulação. Então, a "pílula" é interrompida, permitindo que a menstruação ocorra, e um novo ciclo comece.

A incidência de falha resultando em uma gravidez não intencional, na supressão hormonal da fertilidade usando várias formas de "pílula" é de cerca de 8 a 9% ao ano.

Condições anormais que causam esterilidade feminina

Cerca de 5 a 10% das mulheres são inférteis. Ocasionalmente, pode não se descobrir nenhuma anormalidade nos órgãos genitais femininos, caso em que devemos assumir que a infertilidade se deve a qualquer função fisiológica anormal do sistema genital ou ao desenvolvimento genético anormal dos óvulos.

A causa mais comum de esterilidade feminina é a falta de ovulação. Essa falha pode resultar de hipossecreção de hormônios gonadotróficos, caso em que a intensidade dos estímulos hormonais, simplesmente, é insuficiente para causar a ovulação, ou pode resultar de ovários anômalos que não permitem a ovulação. Por exemplo, cápsulas ovarianas espessas ocasionalmente revestem os ovários, dificultando a ovulação.

Por causa da alta incidência de anovulação em mulheres estéreis, métodos especiais são frequentemente usados para determinar se a ovulação ocorre. Esses métodos são baseados principalmente nos efeitos da progesterona no corpo, pois o aumento normal da secreção de progesterona, geralmente, não ocorre durante a última metade dos ciclos anovulatórios. Na ausência de efeitos progestacionais, pode-se assumir que o ciclo seja anovulatório.

Um desses testes é, simplesmente, analisar a presença de um pico de pregnanediol, o produto final do metabolismo da progesterona na urina, durante a última metade do ciclo sexual; a ausência dessa substância indica anovulação. Outro método de avaliação comum é a mulher medir sua temperatura corporal ao longo do ciclo. A secreção de progesterona durante a última metade do ciclo aumenta a temperatura corporal em cerca de 2,7°C, e o aumento da temperatura se dá abruptamente, no momento da ovulação. Esse gráfico de temperatura, mostrando o ponto de ovulação, é ilustrado na **Figura 82.14**.

A ausência de ovulação causada por hipossecreção dos hormônios gonadotróficos hipofisários, às vezes, pode ser tratada pela administração em tempo adequado de *gonadotrofina coriônica humana (HCG)*, um hormônio (a ser discutido no Capítulo 83) que é extraído da placenta humana. Esse hormônio, embora secretado pela placenta, tem quase os mesmos efeitos que o LH e, portanto, é um poderoso estimulador da ovulação. No entanto, o uso excessivo desse hormônio pode causar ovulação de muitos folículos simultaneamente, o que resulta em fetos múltiplos. Esse efeito já causou o nascimento de até oito bebês (natimortos, em muitos casos) de mães inférteis tratadas com o hormônio.

Uma das causas mais comuns de esterilidade feminina é a *endometriose*, uma condição comum em que o tecido endometrial, quase idêntico ao do endométrio uterino normal, cresce e até menstrua na cavidade pélvica ao redor do útero, das tubas uterinas e dos ovários. A endometriose ocasiona fibrose por toda a pelve, e essa fibrose, às vezes, envolve tanto os ovários que impossibilita a liberação do óvulo na cavidade abdominal. Frequentemente, a endometriose obstrui as tubas uterinas, nas terminações fimbriadas ou em outro lugar ao longo de sua extensão.

Outra causa comum de infertilidade feminina é a *salpingite*, ou seja, a *inflamação das tubas uterinas*; essa inflamação causa fibrose e obstrução tubária. No passado, essa inflamação ocorria principalmente como resultado de infecção gonocócica. No entanto, com as terapias modernas, a salpingite está se tornando uma causa menos prevalente de infertilidade feminina.

Ainda, outra causa de infertilidade é a secreção anormal de muco pelo colo uterino. Normalmente, na época da ovulação, o ambiente hormonal do estrogênio causa secreção de muco com características especiais, que permitem a rápida mobilidade dos espermatozoides para o útero, efetivamente guiando-os pelos filamentos mucosos. Anormalidades do próprio colo uterino, como infecções ou inflamações de baixo grau, ou estimulação hormonal anormal do colo uterino, podem criar um tampão mucoso viscoso que impede a fertilização.

Bibliografia

Abbara A, Clarke SA, Dhillo WS: Novel concepts for inducing final oocyte maturation in in vitro fertilization treatment. Endocr Rev 39:593, 2018.

Almeida M, Laurent MR, Dubois V, et al: Estrogens and androgens in skeletal physiology and pathophysiology. Physiol Rev 97:135, 2017.

Anderson RC, Newton CL, Anderson RA, Millar RP: Gonadotropins and their analogs: current and potential clinical applications. Endocr Rev 39:911, 2018.

Arnal JF, Lenfant F, Metivier R, et al: Membrane and nuclear estrogen receptor alpha actions: from tissue specificity to medical implications. Physiol Rev 97:1045, 2017.

Berkane N, Liere P, Oudinet JP, et al: From pregnancy to preeclampsia: a key role for estrogens. Endocr Rev 38:123, 2017.

Chapron C, Marcellin L, Borghese B, Santulli P: Rethinking mechanisms, diagnosis and management of endometriosis. Nat Rev Endocrinol 15:666, 2019.

Duffy DM, Ko C, Jo M, Brannstrom M, Curry TE: Ovulation: parallels with inflammatory processes. Endocr Rev 40:369, 2019.

Escobar-Morreale HF: Polycystic ovary syndrome: definition, aetiology, diagnosis and treatment. Nat Rev Endocrinol 14:270, 2018.

Gartlehner G, Patel SV, Feltner C, et al: Hormone therapy for the primary prevention of chronic conditions in postmenopausal women: evidence report and systematic review for the US Preventive Services Task Force. JAMA 318:2234, 2017.

Gordon CM, Ackerman KE, Berga SL, et al: Functional hypothalamic amenorrhea: an Endocrine Society clinical practice guideline. J Clin Endocrinol Metab 102:1413, 2017.

Hart RJ: Physiological aspects of female fertility: role of the environment, modern lifestyle, and genetics. Physiol Rev 96:873, 2016.

Herbison AE: The gonadotropin-releasing hormone pulse generator. Endocrinology 159:3723, 2018.

Hewitt SC, Korach KS: Estrogen receptors: new directions in the new millennium. Endocr Rev 39:664, 2018.

Monteleone P, Mascagni G, Giannini A, et al: Symptoms of menopause - global prevalence, physiology and implications. Nat Rev Endocrinol 14:199, 2018.

Richards JS, Ascoli M: Endocrine, paracrine, and autocrine signaling pathways that regulate ovulation. Trends Endocrinol Metab 29:313, 2018.

Richards JS, Ren YA, Candelaria N, et al: Ovarian follicular theca cell recruitment, differentiation, and impact on fertility. Endocr Rev 39:1, 2018.

Robker RL, Hennebold JD, Russell DL: Coordination of ovulation and oocyte maturation: a good egg at the right time. Endocrinology 159:3209, 2018.

Stilley JAW, Segaloff DL: FSH actions and pregnancy: looking beyond ovarian FSH receptors. Endocrinology 159:4033, 2018.

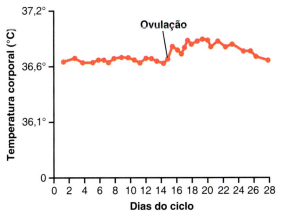

Figura 82.14 Elevação da temperatura corporal logo após a ovulação.

CAPÍTULO 83

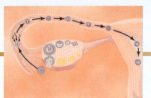

Gravidez e Lactação

Nos Capítulos 81 e 82, as funções sexuais masculinas e femininas são descritas até o ponto da fertilização do óvulo. Se o óvulo for fertilizado, uma nova sequência de eventos, denominada *gestação*, ou *gravidez*, ocorre, e o óvulo fertilizado acabará se desenvolvendo em um feto a termo. O objetivo deste capítulo é discutir os primeiros estágios de desenvolvimento do óvulo após a fertilização e, em seguida, a fisiologia da gravidez. No Capítulo 84, são discutidos alguns aspectos especiais da fisiologia fetal e do bebê.

MATURAÇÃO E FERTILIZAÇÃO DO ÓVULO

Ainda no ovário, o óvulo se encontra no estágio de *ovócito primário*. Pouco antes de ser liberado do folículo ovariano, seu núcleo se divide por meiose, e o *primeiro corpúsculo polar* é expelido do núcleo do ovócito (ver **Figura 82.3**). O primeiro ovócito, em seguida, torna-se o *segundo ovócito*. Nesse processo, cada um dos 23 pares de cromossomos perde um de seus componentes, que se incorpora no *corpúsculo polar* que é expelido, deixando 23 cromossomos *não pareados* no ovócito secundário. É nesse momento que o óvulo, ainda no estágio de ovócito secundário, é expelido para a cavidade abdominal. Então, quase imediatamente, penetra na terminação fimbriada de uma das tubas uterinas (também chamadas de trompas de Falópio).

A entrada do óvulo na tuba uterina. Quando ocorre a ovulação, o óvulo, junto com uma centena ou mais de células anexas da granulosa que constituem a *coroa radiada*, é expelido diretamente para a cavidade peritoneal e deve, então, entrar em uma das *tubas uterinas* para atingir a cavidade uterina. As terminações fimbriadas de cada tuba uterina repousam naturalmente ao redor dos ovários. As superfícies internas dos tentáculos fimbriados são revestidas de epitélio ciliado, e os cílios são ativados pelo estrogênio ovariano, que faz com que eles batam em direção à abertura, ou *óstio*, da tuba uterina envolvida. Pode-se realmente ver uma corrente de líquido fluindo lentamente na direção do óstio. Assim, o óvulo entra em uma das tubas uterinas.

Embora suspeite-se de que muitos óvulos não consigam entrar nas tubas uterinas, estudos de concepção sugerem que até 98% dos óvulos são bem-sucedidos nessa tarefa. Na verdade, em alguns casos registrados, mulheres que tiveram um ovário e a tuba uterina oposta removidos deram à luz a vários filhos com relativa facilidade de concepção, o que demonstra que os óvulos podem entrar até mesmo na tuba uterina oposta.

Fertilização do óvulo. Depois que o homem ejacula o sêmen na vagina da mulher, durante a relação sexual, alguns espermatozoides são transportados dentro de 5 a 10 minutos na direção ascendente da vagina e através do útero e das tubas uterinas para as *ampolas* das tubas uterinas, que ficam próximas às terminações ovarianas das trompas. Esse transporte dos espermatozoides é auxiliado por contrações do útero e das tubas uterinas, estimuladas por prostaglandinas no líquido seminal masculino e também pela ocitocina liberada pela neuro-hipófise da mulher durante o seu orgasmo. De quase metade dos bilhões de espermatozoides depositados na vagina, alguns milhares conseguem chegar a cada ampola.

A fertilização do óvulo (ver **Figura 83.1**) normalmente ocorre na ampola de uma das tubas uterinas, pouco depois de o espermatozoide e o óvulo entrarem na ampola. Entretanto, antes que um espermatozoide consiga entrar no

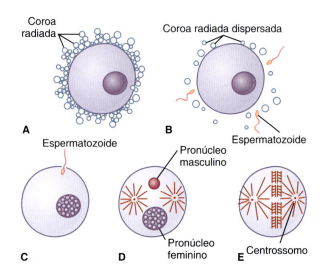

Figura 83.1 Fecundação do óvulo. **A.** O óvulo maduro cercado pela coroa radiada. **B.** Dispersão da coroa radiada. **C.** Entrada do espermatozoide. **D.** Formação dos pronúcleos masculino e feminino. **E.** Reorganização de um complemento total de cromossomos e início da divisão do óvulo. (*Modificada de Arey LB: Developmental Anatomy: A Textbook and Laboratory Manual of Embryology, 7th ed. Philadelphia: WB Saunders, 1974.*)

óvulo, ele deve primeiro penetrar nas múltiplas camadas de células da granulosa anexadas ao exterior do óvulo (a *coroa radiada*) e, então, fixar-se e penetrar na *zona pelúcida*, que circunda o óvulo. Os mecanismos usados pelo espermatozoide para esses fins são apresentados no Capítulo 81.

Uma vez que um espermatozoide tenha entrado no óvulo (que ainda se encontra no estágio de desenvolvimento do ovócito secundário), o ovócito se divide novamente para formar o *óvulo maduro*, mais um *segundo corpúsculo polar*, que é expelido (ver **Figura 82.3**). O óvulo maduro ainda carrega em seu núcleo (agora chamado de *pronúcleo feminino*) 23 cromossomos. Um desses cromossomos é o cromossomo feminino, conhecido como *cromossomo X*.

Nesse ínterim, o espermatozoide fertilizador também passa por alterações. Ao entrar no óvulo, sua cabeça incha para formar o *pronúcleo masculino*, mostrado na **Figura 83.1 D**. Mais tarde, os 23 cromossomos não pareados do pronúcleo masculino e os 23 cromossomos sem pares do pronúcleo feminino alinham-se para formar o complemento final de 46 cromossomos (23 pares) no *óvulo fertilizado (ovo* ou *zigoto)* (ver **Figura 83.1 E**).

O QUE DETERMINA O SEXO DO EMBRIÃO?

Metade do espermatozoide maduro carrega em seu genoma o cromossomo X (o cromossomo feminino) e a outra metade, o cromossomo Y (o cromossomo masculino). Portanto, se um cromossomo X de um espermatozoide se combinar com um cromossomo X de um óvulo, gerando uma combinação XX, nascerá uma criança do sexo feminino, conforme explicado no Capítulo 81. Se o cromossomo Y do espermatozoide for pareado com um cromossomo X do óvulo, gerando uma combinação XY, nascerá uma criança do sexo masculino.

TRANSPORTE DO ÓVULO FERTILIZADO NA TUBA UTERINA

Após a fertilização ter ocorrido, normalmente são necessários outros 3 a 5 dias para o transporte do óvulo fertilizado através do restante da tuba uterina até a cavidade uterina (ver **Figura 83.2**). Esse transporte é feito, principalmente, por uma fraca corrente de líquido na trompa, resultante de secreção epitelial mais a ação do epitélio ciliado que reveste a trompa; os cílios sempre batem na direção do útero. Contrações fracas da tuba uterina também podem ajudar na passagem do óvulo.

As tubas uterinas são revestidas por uma superfície criptoide rugosa que impede a passagem do óvulo, apesar da corrente de líquido. Além disso, o *istmo* da tuba uterina (os últimos 2 centímetros antes da entrada da trompa no útero) permanece espasticamente contraídos durante os primeiros 3 dias após a ovulação. Após esse tempo, o aumento rápido da secreção de progesterona pelo corpo-lúteo ovariano promove primeiro o aumento de receptores de progesterona nas células musculares lisas da tuba uterina; em seguida, a progesterona ativa os receptores, relaxando os túbulos e permitindo a entrada do óvulo no útero.

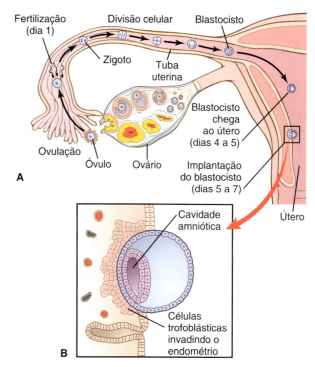

Figura 83.2 A. Ovulação, fertilização do óvulo na tuba uterina e implantação do blastocisto no útero. **B.** Ação das células trofoblásticas na implantação do blastocisto no endométrio uterino.

Esse transporte lento do óvulo fertilizado através da tuba uterina permite a ocorrência de diversos estágios de divisão celular antes que ele – agora denominado *blastocisto*, com cerca de 100 células – entre no útero. Durante esse tempo, as células secretoras da tuba uterina produzem grandes quantidades de secreções utilizadas para a nutrição do blastocisto em desenvolvimento.

IMPLANTAÇÃO DO BLASTOCISTO NO ÚTERO

Depois de atingir o útero, o blastocisto em desenvolvimento, geralmente, permanece na cavidade uterina por mais 1 a 3 dias antes de se implantar no endométrio; assim, a implantação normalmente ocorre por volta do quinto ao sétimo dia após a ovulação. Antes da implantação, o blastocisto obtém sua nutrição das secreções endometriais uterinas, denominadas "leite uterino".

A implantação resulta da ação de *células trofoblásticas* que se desenvolvem na superfície do blastocisto. Essas células secretam enzimas proteolíticas que digerem e liquefazem as células adjacentes do endométrio uterino. Parte do líquido e dos nutrientes liberados é transportada ativamente pelas mesmas células trofoblásticas no blastocisto, adicionando mais sustento para o crescimento. A **Figura 83.3** mostra um blastocisto humano recém-implantado com um pequeno embrião. Uma vez tendo ocorrido a implantação, as células trofoblásticas e as outras células adjacentes (do blastocisto e do endométrio uterino) proliferam rapidamente, formando a placenta e as diversas membranas da gravidez.

PARTE 14 Endocrinologia e Reprodução

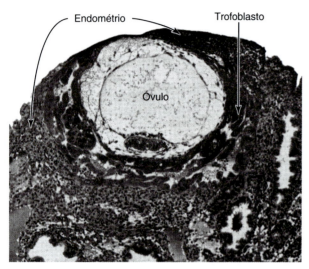

Figura 83.3 Implantação do embrião humano inicial, mostrando a digestão trofoblástica e a invasão do endométrio. (*Cortesia do Dr. Arthur Hertig.*)

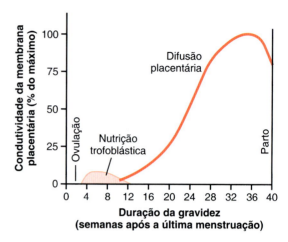

Figura 83.4 Nutrição do feto. A maior parte da nutrição inicial é devida à digestão trofoblástica e à absorção de nutrientes da decídua endometrial e, essencialmente, toda a nutrição posterior resulta da difusão através da membrana placentária.

NUTRIÇÃO INICIAL DO EMBRIÃO

No Capítulo 82, apontamos que a progesterona secretada pelo corpo-lúteo ovariano durante a última metade de cada ciclo sexual mensal tem efeito no endométrio uterino, convertendo as células do estroma endometrial em grandes células inchadas contendo quantidades extras de glicogênio, proteínas, lipídios e até mesmo alguns minerais necessários ao desenvolvimento do *concepto* (o embrião e suas partes adjacentes ou membranas associadas). Então, quando o concepto se implanta no endométrio, a secreção contínua de progesterona faz com que as células endometriais inchem ainda mais e armazenem ainda mais nutrientes. Essas células agora são chamadas de *células deciduais*, e a massa total de células é denominada *decídua*.

À medida que as células trofoblásticas invadem a decídua, digerindo-a e embebendo-a, os nutrientes armazenados na decídua são usados pelo embrião para crescimento e desenvolvimento. Durante a primeira semana após a implantação, esse é o único meio de o embrião obter nutrientes; o embrião continua a obter pelo menos parte de sua nutrição por esse caminho por até 8 semanas, embora a placenta também comece a fornecer nutrição depois do 16º dia após a fertilização (pouco mais de 1 semana após a implantação). A **Figura 83.4** mostra esse período trofoblástico da nutrição, que gradualmente vai dando lugar à nutrição placentária.

ANATOMIA E FUNÇÃO DA PLACENTA

Enquanto os cordões trofoblásticos do blastocisto estão se ligando ao útero, capilares sanguíneos crescem nos cordões do sistema vascular do novo embrião recém-formado. Cerca de 21 dias após a fertilização, o sangue também começa a ser bombeado pelo coração do embrião humano. Simultaneamente, *sinusoides sanguíneos*, supridos por sangue materno, desenvolvem-se nas partes externas dos cordões trofoblásticos. As células trofoblásticas enviam cada vez mais projeções, que se tornam *vilosidades placentárias* nas quais os capilares fetais crescem. Assim, as vilosidades, transportando o sangue fetal, são rodeadas por sinusoides que contêm o sangue materno.

A estrutura final da placenta é mostrada na **Figura 83.5**. Observe que o sangue fetal flui através de duas *artérias umbilicais*, depois para os capilares das vilosidades e, finalmente, volta pela única *veia umbilical* para o feto. Ao mesmo tempo, o sangue materno flui de suas *artérias uterinas* para os grandes *sinusoides maternos* que cercam as vilosidades e, em seguida, voltam para as *veias uterinas* da mãe. A parte inferior da **Figura 83.5** mostra a relação entre o sangue fetal de cada vilosidade placentária fetal e o sangue materno que circunda as partes exteriores da vilosidade na placenta totalmente desenvolvida.

A área superficial total de todas as vilosidades da placenta madura tem apenas alguns metros quadrados, muitas vezes menor do que a área da membrana pulmonar nos pulmões. Contudo, nutrientes e outras substâncias atravessam essa membrana placentária principalmente por difusão, mais ou menos da mesma forma que a difusão ocorre através das membranas alveolares dos pulmões e das membranas capilares de outras partes do corpo.

PERMEABILIDADE PLACENTÁRIA E CONDUTÂNCIA POR DIFUSÃO NA MEMBRANA

A principal função da placenta é fornecer difusão de nutrientes e oxigênio do sangue materno para o sangue do feto e difusão de produtos excretores do feto de volta para a mãe.

Nos primeiros meses de gravidez, a membrana placentária ainda é espessa, porque não está totalmente desenvolvida. Portanto, sua permeabilidade é baixa. Além disso,

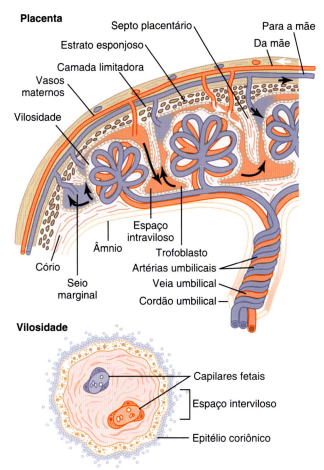

Figura 83.5 *Acima*, organização da placenta madura. *Abaixo*, relação do sangue fetal nos capilares das vilosidades com o sangue materno nos espaços intervilosos.

a área superficial é pequena, porque a placenta ainda não cresceu significativamente. Portanto, a condutância total por difusão inicialmente é mínima. No final da gravidez, a permeabilidade aumenta por causa do adelgaçamento das camadas de difusão da membrana, e porque a área superficial se expande em muitas vezes, representando uma grande elevação na difusão placentária, conforme ilustra a **Figura 83.4**.

Raramente, ocorrem "rupturas" na membrana placentária, o que permite que as células fetais passem para a mãe ou, ainda menos comumente, as células da mãe passem para o feto. Felizmente, é raro o feto sangrar gravemente na circulação materna por causa de um rompimento da membrana placentária.

Difusão de oxigênio através da membrana placentária. Quase os mesmos princípios de difusão de oxigênio através da membrana pulmonar (discutida em detalhes no Capítulo 40) são aplicados à difusão de oxigênio através da membrana placentária. O oxigênio dissolvido no sangue dos grandes sinusoides maternos passa para o sangue fetal por *difusão simples*, conduzido pelo gradiente de pressão do oxigênio do sangue materno para o sangue fetal. Perto do final da gravidez, a pressão parcial média de oxigênio (PO_2) do sangue materno nos sinusoides placentários é de cerca de 50 mmHg, e a PO_2 média do sangue fetal, depois de se tornar oxigenado na placenta, é de cerca de 30 mmHg. Portanto, o gradiente médio de pressão de difusão de oxigênio através da membrana placentária é de aproximadamente 20 mmHg.

Alguém pode se perguntar como é possível que o feto obtenha oxigênio suficiente quando o sangue fetal que deixa a placenta tem PO_2 de apenas 30 mmHg. Existem três razões para que, mesmo baixa, essa PO_2 ainda seja capaz de permitir que o sangue fetal transporte quase tanto oxigênio para os tecidos fetais quanto é transportado pelo sangue materno para seus tecidos.

Primeiro, a hemoglobina do feto é basicamente *hemoglobina fetal*, um tipo de hemoglobina sintetizada no feto antes do nascimento. A **Figura 83.6** mostra as curvas comparativas de dissociação de oxigênio da hemoglobina materna e da hemoglobina fetal, demonstrando que a curva da hemoglobina fetal se desvia para a esquerda em relação à curva da hemoglobina materna. Isso significa que, nos níveis de PO_2 mais baixos no sangue fetal, a hemoglobina fetal consegue carregar de 20 a 50% mais oxigênio do que a hemoglobina materna consegue.

Segundo, a *concentração de hemoglobina do sangue fetal é cerca de 50% maior do que a da mãe*; assim, trata-se de um fator ainda mais importante para aumentar a quantidade de oxigênio transportado aos tecidos fetais.

Terceiro, o *efeito Bohr*, explicado em relação à troca de dióxido de carbono e oxigênio no pulmão, no Capítulo 41, fornece outro mecanismo para melhorar o transporte de oxigênio pelo sangue fetal. Ou seja, a hemoglobina pode transportar mais oxigênio com um nível de PCO_2 baixo do que consegue com um nível de PCO_2 alto. O sangue fetal que entra na placenta carrega grandes quantidades de dióxido de carbono, mas grande parte desse dióxido de

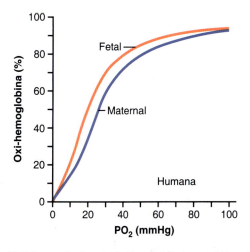

Figura 83.6 Curvas de dissociação da oxigênio-hemoglobina do sangue materno (*curva azul*) e fetal (*curva vermelha*), mostrando que o sangue fetal pode transportar uma quantidade maior de oxigênio do que o sangue materno em determinada PO_2 sanguínea. (*Dados de Metcalfe J, Moll W, Bartels H: Gas Exchange across the placenta. Fed Proc 23: 775, 1964.*)

PARTE 14 Endocrinologia e Reprodução

carbono se difunde do sangue fetal para o sangue materno. A perda de dióxido de carbono torna o sangue fetal mais alcalino, enquanto o aumento do dióxido de carbono no sangue materno o torna mais ácido.

Essas mudanças aumentam a capacidade do sangue fetal de se combinar com o oxigênio e diminuem a ligação de oxigênio ao sangue materno, o que força ainda mais a saída do oxigênio do sangue materno, ao mesmo tempo que intensifica a captação de oxigênio pelo sangue fetal. Assim, o desvio Bohr opera em uma direção no sangue materno e em outra no sangue fetal. Esses dois efeitos fazem com que o desvio Bohr seja duas vezes mais importante aqui do que a troca de oxigênio nos pulmões; portanto, é chamado de *duplo efeito Bohr*.

Por meio desses três mecanismos, o feto é capaz de receber mais do que a quantidade de oxigênio adequada por meio da membrana placentária, apesar do fato de o sangue fetal que deixa a placenta ter PO_2 de apenas 30 mmHg.

A *capacidade de difusão* total de oxigênio de toda a placenta a termo é de cerca de 1,2 mℓ de oxigênio por minuto por mmHg de diferença de pressão de oxigênio através da membrana, um valor maior do que a difusão pulmonar dos pulmões do recém-nascido.

Difusão de dióxido de carbono através da membrana placentária.

O dióxido de carbono é formado continuamente nos tecidos fetais, da mesma forma que é formado nos tecidos maternos, e o único meio de excretar esse dióxido de carbono fetal é através da placenta para o sangue materno. A pressão parcial de dióxido de carbono (PCO_2) do sangue fetal é 2 a 3 mmHg maior do que a do sangue materno. Esse pequeno gradiente de pressão do dióxido de carbono através da membrana é mais do que suficiente para permitir a difusão adequada do dióxido de carbono, porque a solubilidade extrema do dióxido de carbono na membrana placentária permite que ele se difunda cerca de 20 vezes mais rapidamente do que o oxigênio.

Difusão de nutrientes pela membrana placentária.

Outros substratos metabólicos necessários ao feto se difundem no sangue fetal, da mesma maneira que o oxigênio. Por exemplo, nos estágios finais da gravidez, o feto muitas vezes usa mais glicose que todo o corpo da mãe. Para fornecer essa quantidade de glicose, as células trofoblásticas que revestem as vilosidades placentárias proporcionam *difusão facilitada* de glicose através da membrana placentária – ou seja, a glicose é transportada por moléculas carreadoras nas células trofoblásticas da membrana. Mesmo assim, o nível de glicose no sangue fetal é 20 a 30% menor do que no sangue materno.

Por causa da alta solubilidade dos ácidos graxos nas membranas celulares, eles também se difundem do sangue materno para o sangue fetal, porém mais lentamente do que a glicose, de modo que a glicose é usada mais facilmente pelo feto para sua nutrição. Além disso, substâncias como corpos cetônicos e íons potássio, sódio e cloreto se difundem com relativa facilidade do sangue materno para o sangue fetal.

Excreção de resíduos através da membrana placentária.

Da mesma maneira que o dióxido de carbono se difunde do sangue fetal para o sangue materno, outros produtos excretores formados no feto também se difundem através da membrana placentária para o sangue materno e, então, são excretados em conjunto com os produtos excretores da mãe. Esses produtos incluem especialmente os *produtos nitrogenados não proteicos*, como a *ureia*, o *ácido úrico* e a *creatinina*. O nível de ureia no sangue fetal é apenas ligeiramente maior que o do sangue materno porque a ureia se difunde através da membrana placentária com grande facilidade. Porém, a creatinina, que não se difunde tão facilmente, tem uma concentração no sangue fetal consideravelmente maior do que no sangue da mãe. Portanto, a excreção do feto depende, principalmente, se não inteiramente, dos gradientes de difusão através da membrana placentária e de sua permeabilidade. Como há concentrações mais elevadas de produtos excretores no sangue fetal do que no sangue materno, ocorre a difusão contínua dessas substâncias do sangue fetal para o materno.

FATORES HORMONAIS NA GRAVIDEZ

Na gravidez, a placenta forma quantidades especialmente grandes de *gonadotrofina coriônica humana*, *estrogênios*, *progesterona* e *somatomamotrofina coriônica humana*, as três primeiras, e provavelmente também a quarta, são essenciais para uma gravidez normal.

A GONADOTROFINA CORIÔNICA HUMANA CAUSA PERSISTÊNCIA DO CORPO-LÚTEO E IMPEDE A MENSTRUAÇÃO

A menstruação normalmente ocorre em mulheres não grávidas cerca de 14 dias após a ovulação, momento em que a maior parte do endométrio do útero descama-se da parede uterina è é expelida para o exterior. Se isso acontecesse após a implantação de um óvulo, a gravidez terminaria. Porém, essa descamação é evitada pela secreção de *gonadotrofina coriônica humana* pelos tecidos embrionários em desenvolvimento.

Simultaneamente ao desenvolvimento das células trofoblásticas do óvulo recém-fertilizado, o hormônio gonadotrofina coriônica humana é secretado pelas células trofoblásticas sinciciais para os líquidos maternos, como mostrado na **Figura 83.7**. A secreção desse hormônio pode primeiro ser medida no sangue 8 a 9 dias após a ovulação, logo após o blastocisto se implantar no endométrio. Em seguida, a secreção aumenta rapidamente, atingindo um nível máximo em torno de 10 a 12 semanas de gravidez e diminuindo novamente para um valor inferior por volta de 16 a 20 semanas, continuando nesse nível pelo restante da gravidez.

Função da gonadotrofina coriônica humana.

A gonadotrofina coriônica humana (HCG) é uma glicoproteína com peso de cerca de 39 mil e que tem praticamente

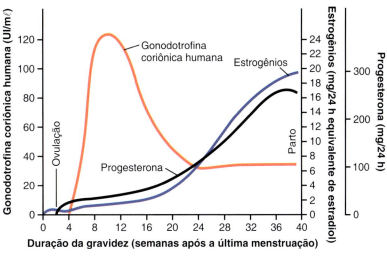

Figura 83.7 Taxas de secreção de estrogênios (*curva azul*) e progesterona (*curva preta*) e concentração de gonadotrofina coriônica humana (*curva vermelha*) em diferentes fases da gravidez.

a mesma estrutura e função molecular do hormônio luteinizante secretado pela hipófise. A sua função mais importante é evitar a involução do corpo-lúteo ao final do ciclo sexual feminino mensal. Em vez disso, faz com que o corpo-lúteo secrete quantidades ainda maiores de seus hormônios sexuais – progesterona e estrogênios – pelos próximos meses. Esses hormônios sexuais impedem a menstruação e fazem com que o endométrio continue a crescer e a armazenar grandes quantidades de nutrientes, em vez de se descamar em produto menstrual. Como resultado, as *células semelhantes às células deciduais*, que se desenvolvem no endométrio durante o ciclo sexual feminino normal, transformam-se, na verdade, em *células deciduais* verdadeiras – muito inchadas e nutritivas – mais ou menos na mesma época em que o blastocisto se implanta.

Sob a influência da gonadotrofina coriônica humana, o corpo-lúteo no ovário da mãe cresce cerca de duas vezes de seu tamanho inicial, por volta de 1 mês após o início da gravidez. Sua secreção contínua de estrogênios e progesterona mantém a natureza decidual do endométrio uterino, o que é necessário para o desenvolvimento inicial do feto.

Se o corpo-lúteo for removido antes de aproximadamente 7 semanas de gestação, quase sempre ocorrerá aborto espontâneo, às vezes até a 12ª semana. Após esse tempo, a placenta secreta quantidades suficientes de progesterona e estrogênios para manter a gravidez pelo restante do período de gestacional. O corpo-lúteo involui lentamente depois da 13ª a 17ª semana de gestação.

A gonadotrofina coriônica humana estimula a produção de testosterona pelos testículos fetais.

A gonadotrofina coriônica humana também exerce efeito estimulador das *células intersticiais (de Leydig)* nos testículos do feto masculino, resultando na produção de testosterona em fetos masculinos até o nascimento. Essa pequena secreção de testosterona durante a gestação é o que faz com que o feto desenvolva órgãos sexuais masculinos em vez de órgãos sexuais femininos. Perto do final da gestação, a testosterona secretada pelos testículos fetais também faz com que os testículos desçam para o saco escrotal.

SECREÇÃO DE ESTROGÊNIOS PELA PLACENTA

A placenta, assim como o corpo-lúteo, secreta tanto estrogênios quanto progesterona. Estudos histoquímicos e fisiológicos mostram que esses dois hormônios, como a maioria dos outros hormônios placentários, são secretados pelas células *sinciciais trofoblásticas* da placenta.

A **Figura 83.7** mostra que, perto do final da gestação, a produção diária de estrogênios placentários aumenta para cerca de 30 vezes o nível de produção materna normal. No entanto, a secreção de estrogênios pela placenta é bem diferente da secreção pelos ovários. E, o mais importante, os estrogênios secretados pela placenta não são sintetizados de novo a partir de substratos básicos na placenta. Em vez disso, eles são formados quase inteiramente dos compostos esteroides androgênicos, *deidroepiandrosterona* e *16-hidroxideidroepiandrosterona*, que são formados tanto nas glândulas adrenais da mãe quanto nas glândulas adrenais do feto. Esses androgênios fracos são transportados pelo sangue para a placenta e convertidos pelas células trofoblásticas em estradiol, estrona e estriol. Os córtices das glândulas adrenais do feto são extremamente grandes, e cerca de 80% consistem na chamada *zona fetal*, cuja função primária parece ser secretar deidroepiandrosterona durante a gravidez.

Função do estrogênio na gravidez. No Capítulo 82, apontamos que os estrogênios exercem basicamente uma função proliferativa na maioria dos órgãos reprodutores e anexos da mulher. Durante a gravidez, as quantidades extremas de estrogênios causam (1) aumento do útero materno, (2) aumento das mamas da mãe e crescimento da estrutura ductal da mama e (3) aumento da genitália externa feminina da mãe.

PARTE 14 Endocrinologia e Reprodução

Os estrogênios também relaxam os ligamentos pélvicos da mãe; assim, as articulações sacroilíacas tornam-se relativamente flexíveis, e a sínfise púbica torna-se elástica. Essas mudanças facilitam a passagem do feto pelo canal de parto. Há razões para acreditar que os estrogênios também afetem muitos aspectos gerais do desenvolvimento fetal durante a gravidez, como, por exemplo, a intensidade de reprodução celular no embrião inicial.

SECREÇÃO DE PROGESTERONA PELA PLACENTA

A progesterona é tão essencial quanto o estrogênio para o sucesso da gravidez. Além de ser secretada em quantidade moderada pelo corpo-lúteo no início da gravidez, é secretada posteriormente em quantidades enormes pela placenta, como mostrado na **Figura 83.7**.

Os efeitos especiais da progesterona, essenciais à progressão normal da gravidez, são os seguintes:

1. A progesterona faz com que as células deciduais se desenvolvam no endométrio uterino. Essas células desempenham um importante papel na nutrição do embrião inicial.
2. A progesterona diminui a contratilidade do útero grávido, evitando, assim, que as contrações uterinas causem aborto espontâneo.
3. A progesterona contribui para o desenvolvimento do concepto mesmo antes da implantação, pois especificamente aumenta as secreções das tubas uterinas e do útero, proporcionando um material nutritivo para o desenvolvimento da *mórula* (massa esférica de 16 a 32 blastômeros, formada antes da blástula) e do *blastocisto*. A progesterona também pode afetar a clivagem celular no embrião em desenvolvimento inicial.
4. A progesterona secretada durante a gravidez ajuda o estrogênio a preparar as mamas da mãe para a lactação, o que será discutido posteriormente neste capítulo.

SOMATOMAMOTROFINA CORIÔNICA HUMANA

A *somatomamotrofina coriônica humana* (HCS) é um hormônio proteico com peso molecular de cerca de 22 mil, que começa a ser secretada pela placenta por volta da quinta semana de gestação. A secreção desse hormônio aumenta progressivamente durante todo o restante da gravidez, em proporção direta ao peso da placenta. Apesar das funções da somatomamotrofina coriônica serem incertas, ela é secretada em quantidades muitas vezes maiores do que todos os outros hormônios da gravidez combinados. São vários possíveis efeitos importantes.

Primeiro, quando administrada a diversos tipos de animais, a somatomamotrofina coriônica humana causa pelo menos desenvolvimento parcial das mamas animais e, em alguns casos, causa lactação. Uma vez que essa foi sua primeira função a ser descoberta, o hormônio foi chamado primeiro de *lactogênio placentário humano (HPL)*,

e acreditava-se que tivesse funções semelhantes às da prolactina. No entanto, tentativas de seu uso para promover a lactação em humanos não foram bem-sucedidas.

Segundo, esse hormônio tem fracas ações, semelhantes àquelas do hormônio de crescimento, causando a formação de tecidos proteicos, da mesma forma como o faz o hormônio de crescimento. Também tem uma estrutura química semelhante à do hormônio de crescimento, mas é preciso 100 vezes mais somatomamotrofina coriônica humana do que hormônio de crescimento para promover o crescimento.

Terceiro, a somatomamotrofina coriônica humana causa diminuição da sensibilidade à insulina e da utilização de glicose pela mãe, disponibilizando, assim, quantidades maiores de glicose ao feto. Como a glicose é o principal substrato usado pelo feto para fornecer energia ao seu crescimento, a possível importância desse efeito hormonal é óbvia. Além disso, o hormônio promove a liberação de ácidos graxos livres das reservas de gordura da mãe, proporcionando essa fonte alternativa de energia para o metabolismo materno durante a gravidez. Portanto, parece que a somatomamotrofina coriônica humana é um hormônio metabólico geral, que tem implicações nutricionais específicas tanto para a mãe quanto para o feto.

Outros fatores hormonais na gravidez

Quase todas as glândulas endócrinas não sexuais da mãe também reagem de modo acentuado à gravidez. Essa reação resulta basicamente do aumento da carga metabólica da mãe, mas também, em certa medida, dos efeitos dos hormônios placentários na hipófise e outras glândulas. Os seguintes efeitos são alguns dos mais notáveis.

Secreção hipofisária. A adeno-hipófise da mãe aumenta pelo menos 50% durante a gravidez e aumenta sua produção de *hormônio adrenocorticotrófico* (ACTH), *tireotrofina* (TSH) e *prolactina*. Por outro lado, a secreção hipofisária do hormônio foliculoestimulante (FSH) e do hormônio luteinizante (LH) é quase totalmente suprimida, como consequência dos efeitos inibitórios dos estrogênios e progesterona da placenta.

Secreção aumentada de corticosteroides. A secreção adrenocortical de *glicocorticoides* fica moderadamente aumentada durante a gravidez. É possível que esses glicocorticoides ajudem a mobilizar aminoácidos dos tecidos maternos, para que possam ser usados na síntese de tecidos fetais.

As mulheres grávidas geralmente apresentam um aumento de cerca de 2 vezes na secreção de *aldosterona*, atingindo o pico no final da gestação. Esse aumento, junto com as ações dos estrogênios, causa uma tendência, mesmo na gestante normal, de reabsorver o excesso de sódio de seus túbulos renais e, portanto, de reter líquido.

Secreção aumentada da glândula tireoide. A glândula tireoide materna aumenta, normalmente, até 50% durante a gravidez e eleva sua produção de tiroxina em quantidade correspondente. O aumento da produção de tiroxina é causado, pelo menos parcialmente, por um efeito tireotrófico da *gonadotrofina coriônica humana* (HCG), secretada pela placenta e por pequenas quantidades do hormônio específico estimulante da tireoide, a *tireotrofina coriônica humana*, também secretada pela placenta.

Secreção aumentada da glândula paratireoide. As glândulas paratireoides maternas geralmente aumentam durante a gravidez, especialmente se sua dieta for deficiente em cálcio. O aumento dessas glândulas causa absorção de cálcio dos ossos da mãe, mantendo a concentração normal de íons cálcio no líquido extracelular materno, mesmo quando o feto remove cálcio para ossificar seus próprios ossos. Essa secreção do hormônio paratireóideo (PTH) é ainda maior durante a lactação após o nascimento do bebê, porque o bebê em crescimento requer mais cálcio do que o feto.

Secreção de relaxina pelos ovários e pela placenta. Um hormônio chamado de *relaxina* também é secretado pelo corpo-lúteo do ovário e pelos tecidos placentários. Sua secreção aumenta por efeito estimulador da gonadotrofina coriônica humana, ao mesmo tempo em que o corpo-lúteo e a placenta secretam grandes quantidades de estrogênios e progesterona.

A relaxina é um polipeptídio de 48 aminoácidos, com peso molecular de cerca de 9 mil. Esse hormônio, quando injetado, causa relaxamento dos ligamentos da sínfise pubiana de ratos em estro e porquinhos-da-índia. Esse efeito é fraco ou possivelmente ausente em mulheres grávidas. Em vez disso, esse papel provavelmente é desempenhado principalmente pelos estrogênios, que também causam relaxamento dos ligamentos pélvicos. Também já se afirmou que a relaxina amolece o colo do útero da gestante no momento do parto. Acredita-se, ainda, que a relaxina atue como um vasodilatador, contribuindo para o aumento do fluxo sanguíneo em vários tecidos, incluindo os rins, e aumentando o retorno venoso e o débito cardíaco durante a gravidez.

Respostas do corpo materno à gravidez

A mais aparente dentre as muitas reações da mãe ao feto e aos altos níveis de hormônios da gravidez é o aumento do tamanho dos vários órgãos sexuais. Por exemplo, o útero aumenta de cerca de 50 para 1.100 g, e as mamas aproximadamente dobram de tamanho. Ao mesmo tempo, a vagina aumenta, e o introito se expande mais. Além disso, os diversos hormônios podem causar mudanças marcantes na aparência da gestante, às vezes resultando no desenvolvimento de edema, acne e traços masculinos ou acromegálicos.

Ganho de peso na gestante

O ganho médio de peso durante a gravidez é de cerca de 11 a 15 kg, com a maior parte desse ganho ocorrendo durante os dois últimos trimestres. Desse peso adicional, cerca de 3,5 kg são do feto e 2 kg, do líquido amniótico, da placenta e das membranas fetais. O útero aumenta perto de 1,3 kg, e as mamas outro 1 kg, ainda restando um aumento médio de peso de 3,4 a 7,8 kg. Cerca de 2 kg desse peso são líquido extra no sangue e no líquido extracelular, e geralmente o restante 1,3 a 5,6 kg é acúmulo de gordura. O líquido extra é eliminado na urina, durante os primeiros dias após o parto – isto é, após a perda dos hormônios retentores de líquidos da placenta.

Durante a gravidez, a mulher muitas vezes sente mais vontade de comer, em parte como resultado da remoção de substratos alimentares do sangue materno pelo feto, e em parte por causa de fatores hormonais. Sem o controle prénatal adequado da dieta, o ganho de peso da mãe pode ser tão grande quanto 34 kg, em vez dos usuais 11 a 15 kg.

Metabolismo durante a gravidez

Como consequência do aumento da secreção de muitos hormônios durante a gravidez, incluindo a tiroxina, hormônios adrenocorticais e hormônios sexuais, o metabólico basal da gestante aumenta cerca de 15% na última metade da gravidez. Como resultado, ela frequentemente tem sensações de calor excessivo. Além disso, devido à carga extra que ela está carregando, precisa despender maiores quantidades de energia do que o normal na atividade muscular.

Nutrição durante a gravidez

Sem dúvida, o maior crescimento do feto ocorre durante o último trimestre de gestação; seu peso quase dobra durante os últimos 2 meses de gravidez. Normalmente, a mãe não absorve proteínas, cálcio, fosfato e ferro suficientes de sua dieta durante os últimos meses de gravidez para suprir essas necessidades extras do feto. No entanto, antecipando tais necessidades extras, o corpo da mãe armazena essas substâncias, algumas na placenta, mas a maioria nos depósitos normais da mulher.

Se os elementos nutricionais apropriados não estiverem presentes na dieta da gestante, várias deficiências maternas podem ocorrer, especialmente de cálcio, fósforo, ferro e vitaminas. Por exemplo, o feto precisa de cerca de 375 mg de ferro para formar seu sangue, e a mãe precisa de outros 600 mg para formar seu próprio sangue extra. A reserva normal de ferro não ligado à hemoglobina na mulher, no início da gravidez, costuma ser de apenas 100 mg e quase nunca acima de 700 mg. Por isso, sem ferro suficiente na dieta, a gestante pode desenvolver *anemia hipocrômica*. Além disso, é especialmente importante que ela receba vitamina D, porque, embora a quantidade total de cálcio usada pelo feto seja pequena, o cálcio normalmente é mal absorvido pelo trato gastrointestinal materno sem vitamina D. Finalmente, pouco antes do nascimento do bebê, frequentemente acrescenta-se vitamina K à dieta materna, para que o bebê tenha protrombina suficiente para prevenir hemorragia, particularmente hemorragia cerebral causada pelo processo do parto.

Mudanças no sistema circulatório materno durante a gravidez

O fluxo sanguíneo na placenta e o débito cardíaco materno aumentam durante a gravidez. Cerca de 625 mℓ de sangue fluem através da circulação materna da placenta a cada minuto, durante o último mês de gravidez. Esse fluxo, mais o aumento geral do metabolismo materno, aumenta o débito cardíaco materno para 30 a 40% acima do normal até a 27ª semana de gestação; então, por motivos inexplicáveis, o débito cardíaco cai para apenas um pouco acima do normal durante as últimas 8 semanas de gravidez, apesar do elevado fluxo sanguíneo uterino, indicando que o fluxo sanguíneo em outros tecidos pode ser reduzido.

O volume de sangue materno aumenta durante a gravidez. O volume de sangue materno (volemia) pouco antes do termo é cerca de 30% acima do normal.

Esse aumento ocorre, principalmente, durante a última metade da gravidez, conforme mostrado na **Figura 83.8**. A causa desse aumento de volume é, provavelmente, devida, pelo menos em parte, à aldosterona e aos estrogênios, que são bastante aumentados durante a gravidez, e à maior retenção de líquidos pelos rins. Além disso, a medula óssea torna-se cada vez mais ativa e produz hemácias extras circulantes no excesso de volume de líquido. Portanto, no momento do nascimento do bebê, a mãe tem cerca de 1 a 2 ℓ de sangue extra em seu sistema circulatório. Apenas cerca de um quarto desse montante é normalmente perdido por sangramento durante o trabalho de parto do bebê, permitindo, assim, um fator de segurança considerável para a mãe.

A respiração materna aumenta durante a gravidez.

Devido ao aumento do metabolismo basal da gestante e por causa do aumento de tamanho da mãe, a quantidade total de oxigênio usado por ela, pouco antes do nascimento do bebê, é aproximadamente 20% acima do normal, e uma quantidade proporcional de dióxido de carbono é formada. Esses efeitos fazem com que a ventilação minuto da mãe aumente. Acredita-se também que os altos níveis de progesterona durante a gravidez elevem a ventilação minuto ainda mais, porque a progesterona aumenta a sensibilidade do centro respiratório ao dióxido de carbono. O resultado efetivo é o aumento da ventilação minuto de cerca de 50% e queda na PCO_2 arterial de vários mmHg abaixo do padrão da mulher não grávida. Simultaneamente, o útero em crescimento pressiona para cima o conteúdo abdominal, fazendo pressão ascendente contra o diafragma, de modo que a excursão total do diafragma está diminuída. Consequentemente, a frequência respiratória aumenta para manter a ventilação extra.

Função renal materna durante a gravidez

A formação de urina na gestante geralmente é maior, devido ao aumento da ingestão de líquidos e da carga de produtos excretores. Além disso, ocorrem várias alterações na função renal.

Primeiro, a capacidade reabsortiva dos túbulos renais para sódio, cloreto e água aumenta em até 50%, como uma consequência do aumento da produção de sal e água, o que retém hormônios, especialmente hormônios esteroides pela placenta e pelo córtex adrenal.

Segundo, a filtração glomerular e o fluxo sanguíneo renal aumentam até 50% durante a gravidez normal como resultado da vasodilatação renal. Embora os mecanismos que causam vasodilatação renal na gravidez ainda não sejam claros, alguns estudos sugerem que os níveis aumentados de óxido nítrico ou do hormônio ovariano *relaxina* contribuam para essas alterações. A filtração glomerular aumentada provavelmente ocorre, pelo menos em parte, como compensação pela maior reabsorção tubular de sal e água. Assim, a gestante *normal* comumente acumula apenas cerca de 2,2 kg de água e sal extras.

Líquido amniótico e sua formação

Normalmente, o volume do *líquido amniótico* (o líquido dentro do útero no qual o feto flutua) fica entre 500 mℓ e 1 ℓ, mas pode ser apenas alguns mililitros ou até vários litros. Em média, a água no líquido amniótico é substituída uma vez a cada 3 horas, e os eletrólitos de sódio e potássio são repostos em média uma vez a cada 15 horas. Uma grande parte do líquido é derivada da excreção renal do feto. Da mesma maneira, uma certa quantidade de absorção ocorre por meio do trato gastrointestinal e dos pulmões do feto. No entanto, mesmo após morte intrauterina do feto, a renovação do líquido amniótico ainda ocorre, indicando que parte do líquido é formada e absorvida diretamente através das membranas amnióticas.

Pré-eclâmpsia e eclâmpsia

Cerca de 5% de todas as gestantes apresentam *hipertensão induzida pela gravidez*, que é um rápido aumento da pressão arterial em níveis hipertensivos durante os últimos meses de gravidez. Isso também pode estar associado à perda de uma grande quantidade de proteína na urina. Essa condição é chamada de *pré-eclâmpsia*, ou *toxemia gravídica*, e se caracteriza por retenção excessiva de sal e água pelos rins maternos e pelo ganho de peso e desenvolvimento de edema e hipertensão na mãe. Além disso, há comprometimento da função do endotélio vascular, ocorrendo espasmo arterial em muitas partes do organismo materno, mais particularmente nos rins, cérebro e fígado. Tanto o fluxo sanguíneo renal quanto a filtração glomerular são menores, exatamente em oposição às mudanças que ocorrem nas gestantes normais. Esses efeitos renais incluem, ainda, espessamento dos tufos glomerulares, contendo depósito proteico nas membranas basais.

Várias tentativas já foram feitas para provar que a pré-eclâmpsia é causada pela secreção excessiva de hormônios placentários ou adrenais, mas ainda não há provas de uma base hormonal. Outra teoria é que a pré-eclâmpsia resulta de algum tipo de autoimunidade ou alergia na mulher causada pela presença do feto. Em apoio a essa hipótese, os sintomas agudos normalmente desaparecem dentro de alguns dias após o nascimento do bebê.

Há, ainda, evidências de que a pré-eclâmpsia seja desencadeada por *suprimento insuficiente de sangue à placenta*, resultando na liberação pela placenta de substâncias que causam disfunção difusa do endotélio vascular materno. Durante o desenvolvimento normal da placenta, os trofoblastos invadem as arteríolas espirais do endométrio uterino e remodelam completamente as arteríolas maternas em grandes vasos sanguíneos com baixa resistência ao fluxo sanguíneo (ver **Figura 83.9**). Em mulheres com pré-eclâmpsia, as arteríolas maternas não apresentam essas alterações adaptativas, por motivos que ainda não estão claros, e o suprimento de sangue para a placenta é insuficiente. Esse suprimento insuficiente de sangue, por sua vez, faz com que a placenta libere diversas substâncias que entram

Figura 83.8 Efeito da gravidez no aumento do volume de sangue materno.

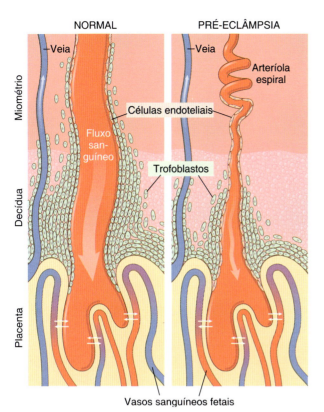

Figura 83.9 Remodelação das arteríolas espirais do endométrio uterino durante a gravidez normal e falha das arteríolas espirais para sua remodelação adequada na pré-eclâmpsia. Na gravidez normal, os trofoblastos migram para as arteríolas espirais uterinas maternas e as transformam em vasos muito maiores, de baixa resistência e alto fluxo. Na pré-eclâmpsia, os trofoblastos não conseguem invadir o endotélio das arteríolas espirais de forma adequada, resultando em vasos estreitos da placenta e isquemia placentária relativa.

na circulação materna e comprometem a função endotelial vascular, causando diminuição do fluxo sanguíneo para os rins, excesso de retenção de sal e de água, e aumento da pressão arterial.

Embora os fatores que ligam a redução do suprimento sanguíneo placentário à disfunção endotelial materna ainda sejam incertos, alguns estudos experimentais sugerem um papel para os níveis elevados de *citocinas inflamatórias*, como o *fator de necrose tumoral-α (TNF-α)* e a *interleucina-6 (IL-6)*. Os fatores placentários que impedem a angiogênese (crescimento dos vasos sanguíneos) também têm mostrado uma contribuição no aumento de citocinas inflamatórias e pré-eclâmpsia. Por exemplo, as proteínas antiangiogênicas *tirosinoquinase*-1 solúvel semelhante à FMS (sFlt-1) e *endoglina solúvel* estão aumentadas no sangue de mulheres com pré-eclâmpsia. Essas substâncias são liberadas pela placenta para a circulação materna em resposta à isquemia e à hipóxia da placenta. A endoglina solúvel e as sFlt-1 têm efeitos múltiplos que podem comprometer a função do endotélio vascular materno e resultam em hipertensão, em proteinúria e nas outras manifestações sistêmicas da pré-eclâmpsia. Porém, o papel preciso dos vários fatores liberados pela placenta isquêmica que causam as múltiplas anormalidades cardiovasculares e renais em mulheres com pré-eclâmpsia ainda é incerto.

A *eclâmpsia* é um grau extremo de pré-eclâmpsia, caracterizada por espasmo vascular por todo o corpo; convulsões clônicas na mãe, às vezes seguidas de coma; grande redução do débito renal; disfunção hepática; muitas vezes hipertensão grave; e toxemia generalizada. Geralmente, ocorre pouco antes do nascimento do bebê. Sem tratamento, uma grande porcentagem de gestantes eclâmpticas falece. Entretanto, com o uso imediato e adequado de agentes vasodilatadores de ação rápida para reduzir a pressão arterial aos níveis normais, seguido pela interrupção imediata da gravidez – por cesariana, se necessário –, a mortalidade, mesmo em gestantes com eclâmpsia, tem sido reduzida a 1% ou menos.

PARTO

AUMENTO DA EXCITABILIDADE UTERINA PRÓXIMO AO TERMO

Parto significa nascimento do bebê. Perto do fim de gravidez, o útero torna-se progressivamente mais excitável, até que, finalmente, desenvolve contrações rítmicas tão fortes que o bebê é expelido. A causa exata do aumento da atividade do útero não é conhecida, mas pelo menos duas categorias principais de eventos levam às contrações intensas, responsáveis pelo parto: (1) mudanças hormonais progressivas que aumentam a excitabilidade da musculatura uterina; e (2) mudanças mecânicas progressivas.

FATORES HORMONAIS QUE AUMENTAM A CONTRATILIDADE UTERINA

Maior proporção de estrogênios em relação à progesterona. A progesterona inibe a contratilidade uterina durante a gravidez, ajudando, assim, a evitar a expulsão do feto. Por outro lado, os estrogênios tendem a aumentar o grau de contratilidade uterina, em parte porque os estrogênios aumentam o número de junções comunicantes entre as células do músculo liso uterino adjacentes, mas também devido a outros efeitos ainda pouco entendidos. Tanto a progesterona quanto o estrogênio são secretados em quantidades progressivamente maiores durante a grande parte da gravidez, mas, a partir do sétimo mês, a secreção de estrogênio continua a aumentar, enquanto a secreção de progesterona permanece constante ou até mesmo diminui um pouco. Por isso, foi postulado que a produção *estrogênio-progesterona* aumenta o suficiente até o fim da gravidez para ser pelo menos parcialmente responsável pelo aumento da contratilidade uterina.

A ocitocina causa contração do útero. A ocitocina é um hormônio secretado pela neuro-hipófise, que causa, especificamente, a contração uterina (ver Capítulo 76). Existem quatro razões para se acreditar que a ocitocina pode ser importante para aumentar a contratilidade do útero próximo ao termo:

1. A musculatura uterina aumenta seus receptores de ocitocina e, portanto, aumenta sua sensibilidade a uma determinada dose de ocitocina nos últimos meses da gravidez.

2. A secreção de ocitocina pela neuro-hipófise é, consideravelmente, maior no momento do parto.
3. Embora os animais hipofisectomizados ainda consigam ter seus filhotes a termo, o trabalho de parto é prolongado.
4. Experimentos em animais indicam que a irritação ou a dilatação do colo uterino, como ocorre durante o trabalho de parto, pode causar um reflexo neurogênico, através dos núcleos paraventricular e supraóptico do hipotálamo, o que faz com que a neuro-hipófise aumente sua secreção de ocitocina.

Efeito dos hormônios fetais no útero. A hipófise do feto secreta uma grande quantidade de ocitocina, o que teria algum papel na excitação uterina. Além disso, as glândulas adrenais do feto secretam grandes quantidades de cortisol, outro possível estimulante uterino. Além disso, as membranas fetais liberam prostaglandinas em concentrações elevadas na hora do parto. Essas prostaglandinas também podem aumentar a intensidade das contrações uterinas.

Fatores mecânicos que aumentam a contratilidade uterina

Distensão da musculatura uterina. A simples distensão de órgãos de musculatura lisa geralmente aumenta sua contratilidade. Além disso, a distensão intermitente, como ocorre repetidamente no útero, por causa dos movimentos fetais, também pode provocar a contração dos músculos lisos. Observe, especialmente, que os gêmeos nascem, em média, *19 dias antes* de um só bebê, o que enfatiza a importância da distensão mecânica em provocar contrações uterinas.

Distensão ou irritação do colo uterino. Há razões para se acreditar que a distensão e a irritação do colo uterino sejam particularmente importantes para desencadear contrações uterinas. Por exemplo, os obstetras frequentemente induzem o parto rompendo as membranas, para que a cabeça do bebê distenda o colo uterino com mais força do que o normal, ou irritando-o de outras maneiras.

O mecanismo pelo qual a irritação cervical excita o corpo uterino não é conhecido. Já foi sugerido que a distensão ou a irritação de terminais sensoriais no colo uterino provoque contrações uterinas reflexas, mas o efeito poderia também ser resultante simplesmente da pura e simples transmissão miogênica de sinais do colo ao corpo uterino.

O INÍCIO DO TRABALHO DE PARTO | UM MECANISMO DE *FEEDBACK* POSITIVO

Durante a gravidez, o útero sofre episódios periódicos de contrações rítmicas fracas e lentas, denominadas *contrações de Braxton Hicks*. Essas contrações geralmente não são sentidas até o segundo ou terceiro trimestre e tornam-se progressivamente mais fortes no final da gravidez; depois elas mudam repentinamente e, em poucas horas, ficam excepcionalmente mais fortes, começando a distender o colo uterino e, posteriormente, forçando o bebê pelo canal do parto, levando, assim, ao parto. Esse processo é denominado *trabalho de parto*, e as contrações fortes, que resultam na parturição final, são denominadas *contrações do trabalho de parto*.

Não sabemos o que muda repentinamente a ritmicidade lenta e fraca do útero para as contrações fortes do trabalho de parto. No entanto, a teoria do *feedback positivo* sugere que a distensão do colo uterino pela cabeça do feto torna-se, finalmente, tão grande que provoca um forte reflexo no aumento da contratilidade do corpo uterino. Isso empurra o bebê para a frente, o que distende mais o colo e desencadeia mais *feedback* positivo ao corpo uterino. Assim, o processo se repete até o bebê ser expelido. Essa teoria está ilustrada na **Figura 83.10**, e as observações que a corroboram são as seguintes.

Primeiro, as contrações do trabalho de parto obedecem a todos os princípios de *feedback* positivo. Ou seja, uma vez que a força da contração uterina ultrapassa certo valor crítico, cada contração leva a contrações subsequentes, que se tornam cada vez mais fortes até que o efeito máximo seja alcançado. Voltando à discussão do Capítulo 1 a respeito do *feedback* positivo nos sistemas de controle, é possível ver que se trata da natureza precisa de todos os mecanismos de *feedback* positivo quando o ganho de *feedback* ultrapassa o valor crítico.

Segundo, dois tipos conhecidos de *feedback* positivo aumentam as contrações uterinas durante o trabalho de parto: (1) a distensão do colo do útero faz com que todo o corpo do útero se contraia, e essa contração distende ainda mais o colo do útero devido à força da cabeça do bebê para baixo, e (2) a distensão cervical também faz com que a hipófise secrete ocitocina, que é outro meio para aumentar a contratilidade uterina.

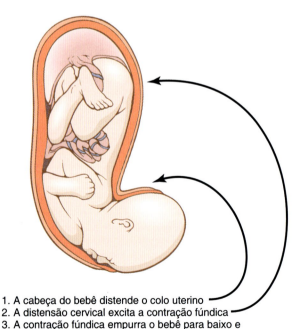

1. A cabeça do bebê distende o colo uterino
2. A distensão cervical excita a contração fúndica
3. A contração fúndica empurra o bebê para baixo e distende ainda mais o colo uterino
4. O ciclo se repete várias vezes

Figura 83.10 Teoria para o início de contrações intensamente fortes durante o trabalho de parto.

Para resumir, vários fatores aumentam a contratilidade do útero no final da gravidez. Eventualmente, uma contração uterina se torna forte o suficiente para irritar o útero, especialmente o colo do útero, o que aumenta a contratilidade uterina ainda mais devido ao *feedback* positivo, resultando em uma segunda contração uterina mais forte do que a primeira, uma terceira mais forte do que a segunda, e assim por diante. Quando essas contrações se tornam fortes o suficiente para causar esse tipo de *feedback*, com cada contração sucessiva mais forte do que a anterior, o processo prossegue até a conclusão. Pode-se perguntar sobre os muitos casos de falsos trabalhos de parto, nos quais as contrações se tornam cada vez mais fortes e depois diminuem e desaparecem. Lembre-se de que, para o *feedback* positivo persistir, *cada* novo ciclo deve ser mais forte do que o anterior, devido ao próprio processo de *feedback* positivo. Se, em qualquer momento após o início do trabalho de parto, algumas contrações falharem em reexcitar o útero suficientemente, o *feedback* positivo poderá entrar em declínio retrógrado, e as contrações do parto desaparecerão.

CONTRAÇÕES MUSCULARES ABDOMINAIS DURANTE O TRABALHO DE PARTO

Uma vez que as contrações uterinas se tornem fortes durante o trabalho de parto, sinais de dor originam-se tanto do útero quanto do canal de parto. Esses sinais, além de causarem sofrimento, provocam reflexos neurogênicos na medula espinhal para os músculos abdominais, causando contrações intensas desses músculos. As contrações abdominais acrescentam muito à força que provoca a expulsão do bebê.

Mecanismos do parto

As contrações uterinas durante o trabalho de parto começam principalmente no topo do fundo uterino e se espalham para baixo, por todo o corpo do útero. Além disso, a intensidade da contração é grande no topo e no corpo uterino, mas fraca no segmento inferior do útero adjacente ao colo do útero. Portanto, cada contração uterina tende a forçar o bebê para baixo, na direção do colo do útero.

Na parte inicial do trabalho de parto, as contrações podem ocorrer apenas uma vez a cada 30 minutos. Conforme o trabalho de parto progride, as contrações finalmente aparecem uma vez a cada 1 a 3 minutos, e a intensidade da contração aumenta muito, com apenas um curto período de relaxamento entre as contrações. As contrações da musculatura uterina e abdominal durante o trabalho de parto causam uma força descendente sobre o feto, equivalente a 12 kg, durante cada contração forte.

Felizmente, essas contrações do trabalho de parto ocorrem de forma intermitente, pois contrações fortes impedem, ou às vezes até mesmo interrompem, o fluxo de sangue através da placenta e poderiam causar o óbito do feto se fossem contínuas. Na verdade, o uso excessivo de diversos estimulantes uterinos, como a ocitocina, pode causar espasmo uterino em vez de contrações rítmicas e levar o feto ao óbito.

Em mais de 95% dos nascimentos, a cabeça é a primeira parte do bebê a ser expelida, e, na maioria dos outros casos, as nádegas são apresentadas primeiro. Quando o bebê entra no canal de parto primeiro com as nádegas ou os pés, isso é chamado de apresentação *pélvica*.

A cabeça age como uma cunha que abre as estruturas do canal de parto enquanto o feto é forçado para baixo. A primeira grande obstrução à expulsão do feto é o próprio colo uterino. Ao final da gravidez, o colo do útero fica mole, permitindo-lhe que se distenda quando as contrações do trabalho de parto começam no útero. O chamado *primeiro estágio do trabalho de parto* é o período de dilatação cervical progressiva, que dura até a abertura cervical estar tão grande quanto a cabeça do feto. Esse estágio, geralmente, dura de 8 a 24 horas na primeira gestação, mas muitas vezes apenas alguns minutos após muitas gestações.

Quando o colo do útero se dilata totalmente, as membranas fetais geralmente se rompem, e o líquido amniótico é perdido repentinamente pela vagina. Então, a cabeça do feto se move rapidamente para o canal de parto, e, com a força descendente adicional, ele continua abrindo caminho através do canal até a expulsão final. Isso é chamado de *segundo estágio do trabalho de parto*, e pode durar até 1 minuto em mulheres que já tiveram várias gestações, e 30 minutos ou mais na primeira gestação.

Descolamento fisiológico da placenta. Durante 10 a 45 minutos após o nascimento do bebê, o útero continua a se contrair, diminuindo cada vez mais de tamanho, causando o efeito de *cisalhamento* entre as paredes uterinas e placentárias, separando, assim, a placenta de sua implantação local. O deslocamento da placenta abre os sinusoides placentários e causa sangramento. A quantidade de sangue limita-se, em média, a 350 mℓ pelo seguinte mecanismo:

- As fibras musculares lisas da musculatura uterina estão dispostas em grupos de oito ao redor dos vasos sanguíneos, onde eles atravessam a parede uterina
- Portanto, a contração do útero, após o parto do bebê, contrai os vasos que antes proviam sangue à placenta
- Além disso, acredita-se que as prostaglandinas vasoconstritoras, formadas no local do descolamento placentário, causem mais espasmo nos vasos sanguíneos.

Dores do trabalho de parto

A cada contração uterina, a mãe sente uma dor considerável. A cólica no início do trabalho de parto é provavelmente causada principalmente por hipóxia do músculo uterino, resultante da compressão dos vasos sanguíneos no útero. Essa dor não é sentida quando os *nervos hipogástricos* sensoriais viscerais, que carregam as fibras sensoriais viscerais que saem do útero, tiverem sido seccionados.

Entretanto, durante o segundo estágio do trabalho de parto, quando o feto está sendo expulso pelo canal de parto, uma dor muito mais forte é causada pela distensão cervical, pela distensão perineal e pela distensão ou ruptura de estruturas no canal vaginal. Essa dor é conduzida para a medula espinhal da mãe e ao cérebro da mãe por nervos somáticos, em vez de o ser por nervos sensoriais viscerais.

Involução do útero após o parto

Durante as primeiras 4 a 5 semanas após o parto, o útero involui. Seu peso fica menor que a metade do peso imediatamente após o parto no prazo de 1 semana; e, em 4 semanas, se a mãe amamentar, o útero pode se tornar tão pequeno quanto era antes da gravidez. Esse efeito da lactação resulta da supressão da secreção de gonadotrofina hipofisária e dos hormônios ovarianos durante os primeiros meses de lactação, conforme discutido adiante. Durante a involução inicial do útero, o local placentário na superfície endometrial sofre autólise, causando um corrimento vaginal conhecido como *lóquio*, que primeiro é de natureza sanguinolenta e, em seguida, de natureza serosa, mantendo-se por cerca de 10 dias. Após esse tempo, a superfície endometrial torna-se reepitelizada e pronta novamente para uma vida sexual normal não gravídica.

LACTAÇÃO

DESENVOLVIMENTO DAS MAMAS

As mamas, mostradas na **Figura 83.11**, começam a se desenvolver na puberdade. Esse desenvolvimento é estimulado pelos estrogênios do ciclo sexual feminino mensal; os estrogênios estimulam o crescimento da parte *glandular das mamas*, além do depósito de gordura que dá massa às mamas. Além disso, ocorre um crescimento bem mais intenso durante o estado de altos níveis de estrogênio da gravidez, e só então o tecido glandular torna-se inteiramente desenvolvido para a produção de leite.

Estrogênios estimulam o crescimento do sistema ductal das mamas. Durante toda a gravidez, a grande quantidade de estrogênios secretada pela placenta faz com que o sistema de ductos das mamas cresça e se ramifique. Simultaneamente, o estroma das mamas aumenta em quantidade, e uma grande quantidade de gordura é depositada no estroma.

Também importantes para o crescimento do sistema ductal são pelo menos quatro outros hormônios: *hormônio de crescimento, prolactina, glicocorticoides adrenais* e *insulina*. Cada um desses hormônios é conhecido por desempenhar pelo menos algum papel no metabolismo das proteínas, o que, presumivelmente, explica a função deles no desenvolvimento das mamas.

A progesterona é necessária para o desenvolvimento completo do sistema lobuloalveolar das mamas. O desenvolvimento final das mamas em órgãos secretores de leite também requer *progesterona*. Quando o sistema ductal tiver se desenvolvido, a progesterona – agindo sinergicamente com o estrogênio, bem como com os outros hormônios mencionados – causará o crescimento adicional dos lóbulos mamários, com multiplicação dos alvéolos e desenvolvimento de características secretoras nas células dos alvéolos. Essas mudanças são análogas aos efeitos secretores da progesterona no endométrio uterino durante a última metade do ciclo menstrual feminino.

A PROLACTINA PROMOVE A LACTAÇÃO

Embora o estrogênio e a progesterona sejam essenciais para o desenvolvimento físico das mamas durante a

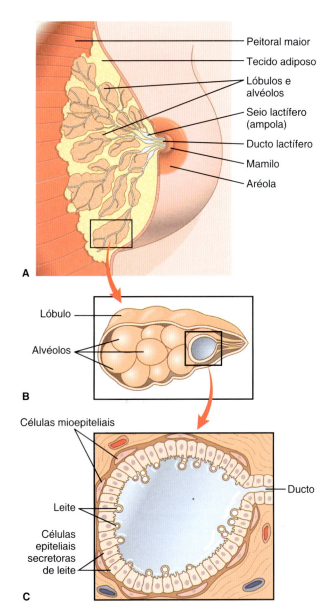

Figura 83.11 A. A mama e seus lóbulos, alvéolos e ductos lactíferos secretores (ductos de leite) que constituem sua glândula mamária. **B.** A seção mostra um lóbulo e células secretoras de leite. **C.** Um alvéolo.

gravidez, um efeito específico de ambos os hormônios é inibir a *verdadeira secreção de leite*. Por outro lado, o hormônio *prolactina* tem o efeito exatamente oposto e promove a secreção do leite. A prolactina é secretada pela adeno-hipófise da mãe, e sua concentração no sangue materno aumenta de forma constante a partir da quinta semana de gravidez até o nascimento do bebê, momento em que já aumentou de 10 a 20 vezes o nível normal de não grávidas. Esse nível elevado de prolactina no final da gravidez é mostrado na **Figura 83.12**.

Além disso, a placenta secreta uma grande quantidade de *somatomamotrofina coriônica humana*, que provavelmente tem propriedades lactogênicas, apoiando, assim, a prolactina da hipófise da mãe durante a gravidez. Mesmo assim, por causa dos efeitos supressivos do estrogênio e da

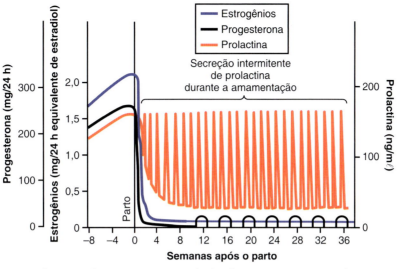

Figura 83.12 Variação da secreção de estrogênios, progesterona e prolactina durante 8 semanas antes do parto e 36 semanas depois. Observe especialmente a diminuição na secreção de prolactina de volta aos níveis basais em algumas semanas após o parto, mas também os períodos intermitentes de secreção acentuada de prolactina (cerca de 1 hora por vez) durante e após os períodos de amamentação.

progesterona, não mais do que alguns mililitros de líquido são secretados todos os dias até o nascimento do bebê. O líquido secretado durante os últimos dias antes e nos primeiros dias após o parto é denominado *colostro*; o colostro contém essencialmente as mesmas concentrações de proteínas e lactose do leite, mas quase sem nenhuma gordura, e sua taxa máxima de produção é de cerca de 1/100 da taxa subsequente de produção de leite.

Imediatamente após o nascimento do bebê, a perda repentina da secreção de estrogênio e progesterona da placenta permite que o efeito lactogênico da prolactina da hipófise da mãe assuma seu papel natural de promotor da lactação, e, no período de 1 a 7 dias, as mamas começam a secretar grandes quantidades de leite, em vez de colostro. Essa secreção de leite requer uma secreção de suporte adequada da maioria dos outros hormônios da mãe também, porém, os mais importantes são o *hormônio de crescimento (GH)*, o *cortisol*, o *paratormônio (PTH)* e a *insulina*. Esses hormônios são necessários para fornecer aminoácidos, ácidos graxos, glicose e cálcio, fundamentais para a formação do leite.

Após o nascimento do bebê, o *nível basal* da secreção de prolactina retorna aos níveis não grávidos durante algumas semanas, conforme mostrado na **Figura 83.12**. No entanto, cada vez que a mãe amamenta seu bebê, sinais neurais dos mamilos para o hipotálamo causam um pico de 10 a 20 vezes na secreção de prolactina, que dura aproximadamente 1 hora, o que também é mostrado na **Figura 83.12**. Essa prolactina age nas mamas maternas para manter as glândulas mamárias secretando leite nos alvéolos para os períodos de amamentação subsequentes. Se o pico de prolactina estiver ausente, ou for bloqueado como resultado de danos hipotalâmicos ou hipofisários, ou se a amamentação não continuar, em cerca de 1 semana as mamas perdem a capacidade de produzir leite. No entanto, a produção de leite pode continuar por vários anos se a criança continua a sugar, embora a formação de leite, normalmente, diminua consideravelmente após de 7 a 9 meses.

O hipotálamo secreta o hormônio inibidor da prolactina.
O hipotálamo desempenha um papel essencial no controle da secreção de prolactina, como na maioria de todos os outros hormônios da adeno-hipófise. Porém, esse controle é diferente em um aspecto: o hipotálamo *estimula* principalmente a produção de todos os outros hormônios, mas *inibe* principalmente a produção de prolactina. Consequentemente, danos ao hipotálamo ou o bloqueio do sistema porta hipotálamo-hipofisário muitas vezes aumenta a secreção de prolactina, enquanto deprime a secreção dos outros hormônios da adeno-hipófise.

Portanto, acredita-se que a secreção pela adeno-hipófise de prolactina seja totalmente controlada, ou quase inteiramente, por um fator inibitório formado no hipotálamo e transportado pelo sistema porta hipotálamo-hipofisário para a adeno-hipófise. Esse fator é, às vezes, chamado de *hormônio inibidor da prolactina*, se bem que ele é quase certamente o mesmo que a catecolamina *dopamina*, conhecida por ser secretada pelos núcleos arqueados do hipotálamo e que pode diminuir a secreção de prolactina em até 10 vezes.

A supressão dos ciclos ovarianos femininos na nutriz após o parto.
Na maioria das mães que amamentam, o ciclo ovariano (e a ovulação) não retorna até algumas semanas após ela parar de amamentar. A razão parece ser que os mesmos sinais neurais das mamas para o hipotálamo que provocam a secreção de prolactina durante a sucção – por causa dos sinais nervosos ou por causa de um efeito subsequente de aumento de prolactina – inibem a secreção do hormônio liberador da gonadotrofina pelo hipotálamo. Essa inibição, por sua vez, suprime a formação dos hormônios gonadotróficos hipofisários:

PARTE 14 Endocrinologia e Reprodução

hormônio luteinizante e hormônio foliculoestimulante. No entanto, após vários meses de lactação, em algumas mulheres (principalmente naquelas que amamentam seus bebês apenas algumas vezes), a hipófise começa a secretar hormônios gonadotróficos suficientes para restabelecer o ciclo sexual mensal, embora a amamentação continue.

PROCESSO DE EJEÇÃO (OU "DESCIDA") NA SECREÇÃO DE LEITE | FUNÇÃO DA OCITOCINA

O leite é secretado continuamente nos alvéolos das mamas, mas não flui facilmente dos alvéolos para o sistema ductal e, portanto, não vaza continuamente pelos mamilos. Em vez disso, o leite deve ser *ejetado* dos alvéolos para os ductos, antes que o bebê possa obtê-lo. Essa ejeção é causada por um reflexo combinado neurogênico e hormonal, que envolve o hormônio neuro-hipofisário *ocitocina*.

Quando o bebê mama, ele praticamente não recebe leite por mais ou menos 30 segundos. Impulsos sensoriais devem primeiro ser transmitidos através dos nervos somáticos dos mamilos para a medula espinhal da mãe e, depois, para o seu hipotálamo, onde desencadeiam sinais neurais que promovem a secreção de *ocitocina*, ao mesmo tempo que causam a secreção de prolactina. A ocitocina é transportada no sangue para as mamas, onde faz com que as *células mioepiteliais* (que circundam as paredes externas nos alvéolos) se contraiam, transportando o leite dos alvéolos para os ductos, sob uma pressão de +10 a 20 mmHg. Então, a sucção do bebê torna-se eficaz na remoção do leite. Assim, dentro de 30 segundos a 1 minuto após o bebê começar a sugar, o leite começa a fluir. Esse processo é chamado de *ejeção*, ou *descida do leite*.

O ato de sugar uma mama faz com que o leite flua não só naquela mama, mas também na oposta. É especialmente interessante que, quando a mãe acaricia o bebê ou o escuta chorar, muitas vezes isso proporciona um sinal emocional suficiente para o hipotálamo provocar a ejeção de leite.

Inibição da ejeção de leite. Um problema particular na amamentação vem do fato de que muitos fatores psicogênicos ou até mesmo a estimulação generalizada do sistema nervoso simpático em todo corpo materno podem inibir a secreção de ocitocina e, consequentemente, deprimir a ejeção do leite. Por essa razão, muitas mães devem ter um período de ajuste sem perturbações após parto, se quiserem ter sucesso na amamentação de seus bebês.

A COMPOSIÇÃO DO LEITE E A DEPLEÇÃO METABÓLICA NA MÃE CAUSADA PELA LACTAÇÃO

A **Tabela 83.1** lista os componentes do leite humano e do leite de vaca. A concentração de lactose no leite humano é cerca de 50% maior do que no leite de vaca, mas a concentração de proteína no leite de vaca é normalmente duas ou mais vezes maior do que no leite humano. Finalmente,

Tabela 83.1 Composição do leite.

Constituição	Leite humano (%)	Leite de vaca (%)
Água	88,5	87,0
Gordura	3,3	3,5
Lactose	6,8	4,8
Caseína	0,9	2,7
Lactalbumina e outras proteínas	0,4	0,7
Cinzas	0,2	0,7

apenas um terço de cinzas, que contém cálcio e outros minerais, é encontrado no leite humano em comparação com o leite de vaca.

No auge da lactação na mulher, 1,5 ℓ de leite pode ser formado a cada dia (ainda mais se a mãe tiver gêmeos). Com esse grau de lactação, grandes quantidades de energia são drenadas da mãe; aproximadamente 650 a 750 quilocalorias por litro (ou 19 a 22 quilocalorias por grama) estão contidas no leite materno, embora a composição e o conteúdo calórico do leite dependam da dieta da mãe e de outros fatores, como a dimensão das mamas.

Grandes quantidades de substratos metabólicos também são perdidas da mãe. Por exemplo, cerca de 50 g de gordura que entram no leite a cada dia, bem como cerca de 100 g de lactose, que deve ser derivada da conversão da glicose materna. Além disso, 2 a 3 g de fosfato de cálcio podem ser perdidos a cada dia; a menos que a mãe esteja bebendo grandes quantidades de leite e tenha uma ingestão adequada de vitamina D, a produção de cálcio e de fosfato pela nutriz frequentemente será muito maior do que a ingestão dessas substâncias. Para suprir as necessidades de cálcio e fosfato, as glândulas paratireoides aumentam grandemente, e os ossos tornam-se progressivamente descalcificados. A descalcificação óssea da mãe geralmente não é um grande problema durante a gravidez, mas pode se tornar mais importante durante a lactação.

Anticorpos e outros agentes anti-infecciosos do leite. O leite materno não só fornece ao bebê recém-nascido os nutrientes necessários, mas também fornece uma importante proteção contra infecções. Por exemplo, vários tipos de *anticorpos* e outros agentes anti-infecciosos são secretados no leite, junto com os nutrientes. Além disso, vários tipos de leucócitos são secretados, incluindo *neutrófilos* e *macrófagos*, alguns dos quais são especialmente letais para bactérias que poderiam causar infecções mortais em bebês recém-nascidos. Particularmente importantes são anticorpos e macrófagos que destroem a bactéria *Escherichia coli*, que pode causar diarreia letal em recém-nascidos.

Quando o leite de vaca é usado para fornecer nutrição ao bebê no lugar do leite materno, os agentes protetores geralmente são de pouco valor, porque normalmente são destruídos em minutos no ambiente interno do ser humano.

Bibliografia

Berkane N, Liere P, Oudinet JP, et al: From pregnancy to preeclampsia: a key role for estrogens. Endocr Rev 38:123, 2017.

Bernard V, Young J, Binart N: Prolactin - a pleiotropic factor in health and disease. Nat Rev Endocrinol 15:356, 2019.

Burton GJ, Redman CW, Roberts JM, Moffett A: Pre-eclampsia: pathophysiology and clinical implications. BMJ 366:l2381, 2019.

Fleming TP, Watkins AJ, Velazquez MA, et al: Origins of lifetime health around the time of conception: causes and consequences. Lancet 391:1842, 2018.

Goldstein RF, Abell SK, Ranasinha S, et al: Association of gestational weight gain with maternal and infant outcomes: a systematic review and meta-analysis. JAMA 317:2207, 2017.

Hill JW, Elias CF: Neuroanatomical framework of the metabolic control of reproduction. Physiol Rev 98:2349, 2018.

Jelinic M, Marshall SA, Stewart D, Unemori E, et al: Peptide hormone relaxin: from bench to bedside. Am J Physiol Regul Integr Comp Physiol 314:R753, 2018.

Jurek B, Neumann ID: The oxytocin receptor: from intracellular signaling to behavior. Physiol Rev 98:1805, 2018.

Kelleher AM, DeMayo FJ, Spencer TE: Uterine glands: developmental biology and functional roles in pregnancy. Endocr Rev 40:1424, 2019.

Kovacs CS: Maternal mineral and bone metabolism during pregnancy, lactation, and post-weaning recovery. Physiol Rev 96:449, 2016.

Rana S, Lemoine E, Granger J, Karumanchi SA: Preeclampsia. Circ Res 124:1094, 2019.

Robertson SA, Care AS, Moldenhauer LM: Regulatory T cells in embryo implantation and the immune response to pregnancy. J Clin Invest 128:4224, 2018.

Shahbazi MN, Siggia ED, Zernicka-Goetz M: Self-organization of stem cells into embryos: a window on early mammalian development. Science 364:948, 2019.

Shennan DB, Peaker M: Transport of milk constituents by the mammary gland. Physiol Rev 80:925, 2000.

Silver RM, Branch DW: Placenta accreta spectrum. N Engl J Med 378:1529, 2018.

Wiles KS, Nelson-Piercy C, Bramham K: Reproductive health and pregnancy in women with chronic kidney disease. Nat Rev Nephrol 14:165, 2018.

CAPÍTULO 84

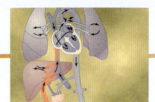

Fisiologia Fetal e Neonatal

Uma discussão completa sobre o desenvolvimento fetal, a fisiologia do bebê imediatamente após o nascimento, e seu crescimento e desenvolvimento ao longo dos primeiros anos de vida é apresentada em cursos formais de obstetrícia e pediatria. No entanto, muitos princípios fisiológicos são peculiares ao recém-nascido, e este capítulo discute os mais importantes deles.

Crescimento e desenvolvimento fetal

A placenta e as membranas fetais se desenvolvem, inicialmente, muito mais rapidamente do que o feto. Na verdade, durante as primeiras 2 a 3 semanas após a implantação do blastocisto, o feto permanece quase microscópico. Mas, depois disso, o comprimento do feto aumenta proporcionalmente à idade, como mostrado na **Figura 84.1**. Com 12 semanas, o comprimento é de cerca de 10 cm; com 20 semanas, 25 cm; e a termo (40 semanas), 53 cm. Como o peso do feto é aproximadamente proporcional ao cubo do comprimento, o peso aumenta quase em proporção ao cubo da idade do feto.

Observe, na **Figura 84.1**, que o peso permanece bem baixo durante as primeiras 12 semanas e atinge 0,5 kg apenas após 23 semanas (5 ½ meses) de gestação. Então, durante o último trimestre da gravidez, o feto ganha peso rapidamente, de forma que, 2 meses antes do nascimento, o peso médio é de 1,3 kg; 1 mês antes do nascimento, a média é de 2 kg; e, no nascimento, a média é de 3 kg – o peso final pode variar entre 2 e 5 kg em bebês normais com períodos gestacionais normais.

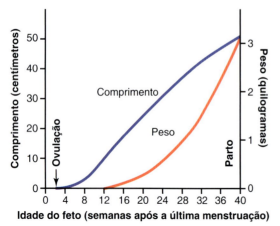

Figura 84.1 Crescimento fetal.

Desenvolvimento dos sistemas orgânicos

Dentro de 1 mês após a fertilização do óvulo, os diferentes órgãos do feto já começam a desenvolver suas características mais gerais, e durante os 2 a 3 meses seguintes, a maioria dos detalhes dos diferentes órgãos é estabelecida. Após o quarto mês, os órgãos do feto são, em geral, os mesmos do neonato. No entanto, o desenvolvimento celular em cada órgão está longe de ser concluído e requer os 5 meses restantes de gravidez para um desenvolvimento completo. Mesmo ao nascer, determinadas estruturas carecem de pleno desenvolvimento, particularmente o sistema nervoso, os rins e o fígado, conforme discutido mais adiante neste capítulo.

Sistema circulatório. O coração humano começa a bater durante a quarta semana após a fertilização, contraindo-se com frequência de 65 batimentos/min. Esse valor aumenta gradativamente para cerca de 140 batimentos/min imediatamente antes do nascimento.

Formação de células sanguíneas. As hemácias nucleadas começam a ser formadas no saco vitelino e nas camadas mesoteliais da placenta por volta da terceira semana de desenvolvimento fetal. Uma semana depois (em 4 a 5 semanas), ocorre a formação de hemácias não nucleadas pelo mesênquima fetal e também pelo endotélio dos vasos sanguíneos fetais. Em 6 semanas, o fígado começa a formar células sanguíneas, e, no terceiro mês, o baço e outros tecidos linfoides do corpo também começam a formar células sanguíneas. Finalmente, a partir do terceiro mês, a medula óssea gradativamente passa a ser a principal fonte de hemácias, bem como a maioria dos leucócitos, exceto pela produção contínua de linfócitos e plasmócitos pelo tecido linfoide.

Sistema respiratório. A respiração não pode ocorrer durante a vida fetal, pois não existe ar para respirar na cavidade amniótica. No entanto, as tentativas de movimentos respiratórios começam a ocorrer ao final do primeiro trimestre da gravidez. Essas tentativas de movimentos respiratórios são causadas, especialmente, por estímulos táteis e asfixia fetal.

Durante os últimos 3 a 4 meses de gravidez, os movimentos respiratórios do feto estão, em sua maior parte, inibidos por motivos desconhecidos, e os pulmões permanecem quase completamente vazios. A inibição da respiração durante os últimos meses da vida fetal impede que os pulmões se encham de líquido e resíduos do *mecônio* excretados pelo trato gastrointestinal do feto no líquido amniótico. Além disso, pequenas quantidades de líquido são secretadas nos pulmões pelo epitélio alveolar até o momento do nascimento, mantendo apenas líquido limpo nos pulmões.

Sistema nervoso. A maioria dos reflexos do feto que envolvem a medula espinhal, e até mesmo o tronco encefálico, está presente entre o terceiro e o quarto mês de gestação. Porém, as funções do sistema nervoso que envolvem o córtex cerebral ainda estão nas fases iniciais do desenvolvimento, até mesmo no nascimento. Na verdade, a mielinização de alguns dos principais tratos do cérebro torna-se completa somente após cerca de 1 ano de vida pós-natal.

Sistema digestório. Na metade da gravidez, o feto começa a ingerir e a absorver grandes quantidades de líquido amniótico, e, durante os últimos 2 a 3 meses, a função gastrointestinal se aproxima à do recém-nascido normal. Nessa época, pequenas quantidades de *mecônio* são continuamente formadas no trato gastrointestinal e excretadas pelo ânus no líquido amniótico. O mecônio é composto, parcialmente, por resíduos de líquido amniótico deglutido e, parcialmente, por *muco*, células epiteliais e outros resíduos de produtos excretores da mucosa e das glândulas gastrointestinais.

Rins. Os rins fetais começam a excretar urina durante o segundo trimestre da gestação, e a urina fetal é responsável por cerca de 70 a 80% do líquido amniótico. O desenvolvimento anormal dos rins ou o comprometimento grave da função renal no feto reduz bastante a formação de líquido amniótico (*oligoidrâmnio*) e pode levar a óbito fetal.

Embora os rins fetais formem urina, os sistemas de controle renal que regulam o volume do líquido extracelular fetal e os equilíbrios eletrolíticos, especialmente o equilíbrio acidobásico, são quase inexistentes no feto até o final da gravidez e só se desenvolvem plenamente alguns meses após o nascimento.

Metabolismo fetal

O feto usa principalmente glicose para obtenção de energia, e apresenta uma grande capacidade de armazenar gordura e proteínas, sendo que grande parte da gordura é sintetizada a partir da glicose, em vez de ser absorvida diretamente do sangue da mãe. Além desses aspectos gerais, existem problemas especiais do metabolismo fetal relacionados ao cálcio, ao fósforo, ao ferro e a algumas vitaminas.

Metabolismo do cálcio e do fósforo

A **Figura 84.2** mostra o acúmulo de cálcio e de fosfato no feto, demonstrando que, em média, cerca de 22,5 gramas de cálcio e 13,5 gramas de fósforo se acumulam no feto durante a gestação. Cerca de metade disso se acumula durante as últimas 4 semanas de gestação, que é coincidente com o período de rápida ossificação dos ossos fetais e com o período de rápido ganho de peso do feto.

Durante a fase inicial da vida fetal, os ossos são relativamente descalcificados e têm principalmente matriz cartilaginosa. A ossificação geralmente não ocorre até depois do quarto mês de gravidez.

Observe especialmente que as quantidades totais de cálcio e de fosfato necessárias para o feto durante a gestação representam apenas cerca de 2% das quantidades dessas substâncias nos ossos da mãe, e, portanto, a perda dessas substâncias para a mãe é mínima. Uma perda muito maior ocorre após o nascimento, durante a lactação.

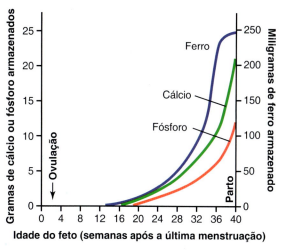

Figura 84.2 Armazenamento de ferro, cálcio e fósforo no feto em diferentes estágios da gestação.

Acúmulo de ferro

A **Figura 84.2** também mostra que o ferro se acumula no feto ainda mais rapidamente do que o cálcio e o fosfato. Grande parte do ferro apresenta-se na forma de hemoglobina, que começa a ser formada logo na terceira semana após a fertilização do óvulo.

Pequenas quantidades de ferro se concentram no endométrio progestacional uterino materno, mesmo antes da implantação do óvulo; esse ferro é transferido ao embrião pelas células trofoblásticas e é usado para formar as primeiras hemácias. Cerca de um terço do ferro no feto totalmente desenvolvido normalmente fica armazenado no fígado. Esse ferro poderá, então, ser usado pelo neonato para formar hemoglobina adicional durante vários meses após o nascimento.

Utilização e armazenamento de vitaminas

O feto precisa de vitaminas tanto quanto o adulto, e, em alguns casos, em uma extensão muito maior. Em geral, as vitaminas funcionam da mesma forma no feto e nos adultos, como discutido no Capítulo 72. Entretanto, as funções especiais de várias vitaminas devem ser mencionadas.

As vitaminas B, especialmente a vitamina B_{12}, e o ácido fólico, são necessárias para a formação de hemácias e tecidos nervosos, bem como para o crescimento geral do feto.

A vitamina C é necessária para a formação adequada de substâncias intercelulares, especialmente a matriz óssea e as fibras de tecido conjuntivo.

A vitamina D é necessária para o crescimento ósseo normal no feto, mas, ainda mais importante, a mãe precisa dela para absorver adequadamente cálcio de seu trato gastrointestinal. Se a mãe tiver quantidade suficiente de vitamina D em seus líquidos corporais, uma grande quantidade da vitamina será armazenada pelo fígado do feto para ser usada pelo recém-nascido por vários meses após o nascimento.

As funções da vitamina E não são totalmente esclarecidas, mas sabe-se que ela é necessária para o desenvolvimento normal do embrião inicial. Na ausência dessa vitamina em animais de laboratório, o aborto espontâneo geralmente ocorre em um estágio inicial da gravidez.

A vitamina K é usada pelo fígado fetal para a formação do Fator VII, protrombina e vários outros tipos de fatores de coagulação. Quando a vitamina K é insuficiente na mãe, o fator VII e a protrombina tornam-se deficientes no feto e também na mãe. Como grande parte da vitamina K é formada por ação bacteriana no cólon materno, o neonato não dispõe de fontes adequadas de vitamina K durante a primeira semana ou mais de vida após o nascimento, até que a flora bacteriana colônica se estabeleça nele. Portanto, o armazenamento pré-natal no fígado fetal de, pelo menos, pequenas quantidades de vitamina K derivada da mãe é útil na prevenção de hemorragia fetal, particularmente hemorragia cerebral quando a cabeça é traumatizada por esforço mecânico pelo canal do parto.

Adaptações do bebê à vida extrauterina

O início da respiração. O efeito mais óbvio do nascimento para o bebê é a perda da conexão placentária com a mãe e, portanto, a perda de seu suporte metabólico. Um dos ajustes imediatos mais importantes necessários ao bebê é começar a respirar.

A causa da respiração no nascimento. Após o parto normal da mãe cujo sistema não foi deprimido por anestésicos, a criança normalmente começa a respirar dentro de segundos e atinge um ritmo respiratório normal em menos de 1 minuto após o nascimento. A rapidez com que o feto começa a respirar indica que a respiração foi iniciada por exposição repentina ao mundo exterior, provavelmente resultando de um estado ligeiramente asfixiado, que é incidente ao processo de nascimento e de impulsos sensoriais que se originam na pele subitamente resfriada. Em um bebê que não respira imediatamente, o corpo torna-se progressivamente mais hipoxêmico e hipercapneico, o que fornece um estímulo adicional para o centro respiratório e geralmente causa a respiração dentro um minuto adicional após o nascimento.

Respiração atrasada ou anormal ao nascimento/Risco de hipóxia. Se a mãe tiver seu sistema deprimido por anestésico geral durante o parto, o que pelo menos parcialmente anestesia o feto também, o início da respiração é provavelmente retardado por vários minutos, o que demonstra a importância de se usar o mínimo de anestesia possível. Além disso, muitos bebês que tiveram traumatismo cefálico durante o parto ou que passaram por partos prolongados têm respiração lenta ou às vezes nem respiram. Isso pode resultar de dois possíveis efeitos: (1) em alguns bebês, hemorragia intracraniana ou contusão cerebral causa síndrome de concussão, com grande depressão do centro respiratório; (2) provavelmente muito mais importante, a hipóxia fetal prolongada durante o parto pode causar depressão grave do centro respiratório.

A hipóxia pode ocorrer durante o parto devido a (1) compressão do cordão umbilical; (2) separação prematura da placenta; (3) contração excessiva do útero, que pode interromper o fluxo sanguíneo da mãe para a placenta; ou (4) anestesia excessiva da mãe, o que deprime a oxigenação até mesmo de seu próprio sangue.

Nível de hipóxia que o bebê pode tolerar. Em adultos, a falta de respiração por apenas 4 minutos muitas vezes causa a morte, mas neonatos podem sobreviver até 10 minutos sem respirar após o nascimento. O dano cerebral permanente e grave, em geral, ocorre se a respiração demorar mais de 8 a 10 minutos para ocorrer. De fato, lesões reais se desenvolvem principalmente no tálamo, nos colículos inferiores e em outras áreas do tronco encefálico, afetando, permanentemente, muitas das funções motoras do corpo.

Expansão dos pulmões ao nascimento. Ao nascimento, as paredes dos alvéolos estão inicialmente colapsadas por causa da tensão superficial do líquido viscoso em seu interior. Normalmente, mais de 25 mmHg de pressão inspiratória negativa nos pulmões são necessários para se opor aos efeitos dessa tensão superficial para abrir os alvéolos pela primeira vez. Uma vez que os alvéolos se abram, no entanto, a respiração pode ser realizada com movimentos respiratórios relativamente fracos. Felizmente, as primeiras inspirações dos neonatos normais são extremamente potentes; geralmente são capazes de criar até 60 mmHg de pressão negativa no espaço intrapleural.

A **Figura 84.3** mostra as pressões intrapleurais muito negativas, necessárias para abrir os pulmões no início da

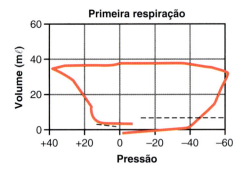

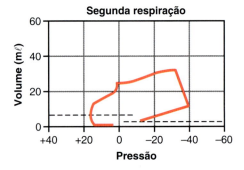

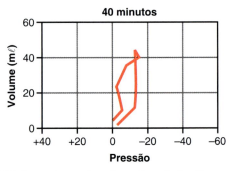

Figura 84.3 Curvas de pressão-volume dos pulmões ("curvas de complacência") de um recém-nascido imediatamente após o nascimento, mostrando as forças extremas necessárias para respirar, durante as duas primeiras respirações da vida, e o desenvolvimento de uma curva de complacência quase normal em 40 minutos após o nascimento. (*Modificada de Smith CA: The first breath. Sci Am 209: 32, 1963. Copyright 1963 by Scientific American, Inc.*)

respiração. No topo da figura, observa-se a curva de pressão-volume (curva de "complacência") da primeira respiração após o nascimento. Observe, primeiramente, a parte inferior da curva *começando no ponto de pressão zero* e movendo-se para a direita. A curva mostra que o volume de ar nos pulmões permanece quase exatamente zero, até que a pressão negativa tenha atingido −40 cm de água (−30 mmHg). Então, à medida que a pressão negativa aumenta para −60 cm de água, cerca de 40 mℓ de ar entram nos pulmões. Para desinflar os pulmões, é preciso que ocorra uma pressão positiva considerável, cerca de +40 cm de água, devido à resistência viscosa oferecida pelo líquido nos bronquíolos.

Observe que a segunda respiração é bem mais fácil, com demanda menor de pressões negativas e positivas. A respiração não se normaliza completamente até cerca de 40 minutos após o nascimento, como mostrado pela terceira curva de complacência, cujo formato é comparável à curva de um adulto normal, como mostrado no Capítulo 38.

Síndrome da angústia respiratória ocorre quando a secreção de surfactantes é deficiente. Um pequeno número de bebês, especialmente bebês prematuros e bebês nascidos de mães diabéticas, desenvolve angústia respiratória grave nas primeiras horas até os primeiros dias após o nascimento, e alguns bebês morrem no dia seguinte ou logo depois. Os alvéolos desses bebês no óbito contêm grande quantidade de líquido proteináceo, quase como se o líquido do plasma tivesse vazado dos capilares para os alvéolos. O líquido contém ainda células epiteliais alveolares descamadas. Essa condição é chamada de *doença da membrana hialina*, pois o exame histológico pulmonar mostra que o material que preenche os alvéolos se parece com uma membrana hialina.

Um achado característico na síndrome da angústia respiratória é a falha do epitélio respiratório de secretar quantidades adequadas de *surfactante*, substância normalmente secretada nos alvéolos que diminui a tensão superficial do líquido alveolar, permitindo, portanto, que os alvéolos se expandam facilmente durante a inspiração. As células secretoras de surfactante (células epiteliais alveolares tipo II) não começam a secretar surfactante até os últimos 1 a 3 meses de gestação. Portanto, muitos bebês prematuros e alguns bebês nascidos a termo nascem sem a capacidade de secretar surfactante suficiente, o que faz com que tanto a tendência de colapso dos alvéolos como o desenvolvimento de edema pulmonar ocorram. O papel do surfactante na prevenção desses efeitos é discutido no Capítulo 38.

Reajustes circulatórios no nascimento

Tão essenciais quanto o início da respiração no nascimento são os ajustes circulatórios imediatos que permitem o fluxo sanguíneo adequado aos pulmões. Além disso, ajustes circulatórios durante as primeiras horas de vida fazem com que mais sangue flua pelo fígado do bebê, que até esse ponto tinha pouco fluxo sanguíneo. Para descrever esses ajustes, devemos, primeiro, considerar a estrutura anatômica da circulação fetal.

Estrutura anatômica específica da circulação fetal

Uma vez que os pulmões não funcionam, principalmente durante a vida fetal, e que o fígado é apenas parcialmente funcional, não é necessário que o coração fetal bombeie muito sangue pelos pulmões ou fígado. No entanto, o coração fetal precisa bombear grandes quantidades de sangue pela placenta. Portanto, arranjos anatômicos especiais fazem com que o sistema circulatório fetal opere de modo bem diferente do sistema do bebê recém-nascido.

Primeiro, como mostrado na **Figura 84.4**, o sangue que retorna da placenta pela veia umbilical atravessa o *ducto venoso*, basicamente deixando o fígado fora do circuito. Em seguida, a grande parte do sangue que entra no átrio direito, saída da veia cava inferior, é direcionada de forma direta para a parte posterior do átrio direito e através do *forame oval* diretamente para o átrio esquerdo. Dessa forma, o sangue bem oxigenado da placenta entra principalmente pelo lado esquerdo do coração, em vez do lado direito, e é bombeado pelo ventrículo esquerdo, principalmente, para as artérias da cabeça e membros anteriores.

O sangue que entra no átrio direito saído da veia cava superior é direcionado para baixo através da válvula tricúspide para o ventrículo direito. Esse sangue é principalmente sangue desoxigenado da região da cabeça do feto. É bombeado pelo ventrículo direito na artéria pulmonar e, em seguida, principalmente através do *ducto arterioso* para a aorta descendente e, na sequência, através das duas artérias umbilicais para a placenta, onde o sangue desoxigenado se torna oxigenado.

A **Figura 84.5** mostra as porcentagens relativas do sangue total bombeado pelo coração que passa pelos diferentes circuitos vasculares do feto. Aproximadamente 55% de todo

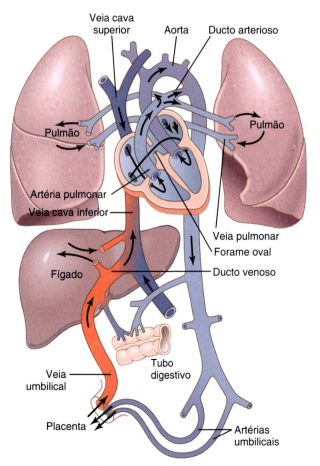

Figura 84.4 Organização da circulação fetal.

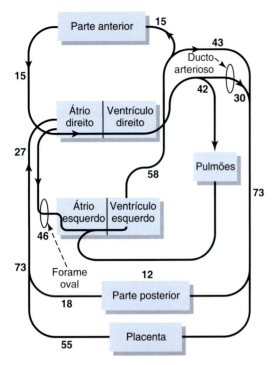

Figura 84.5 Diagrama do sistema circulatório fetal, mostrando a distribuição relativa do fluxo sanguíneo para as diferentes áreas vasculares. Os números representam a porcentagem do débito total de ambos os lados do coração fluindo através de cada área particular.

o sangue passa pela placenta, deixando apenas 45% para passar por todos os tecidos do feto. Além disso, durante vida fetal, apenas 12% do sangue flui pelos pulmões. Imediatamente após o nascimento, praticamente todo o sangue passa pelos pulmões.

Alterações na circulação fetal ao nascimento

As mudanças básicas na circulação fetal no nascimento são discutidas no Capítulo 23 em relação às anomalias congênitas do ducto arterioso e do forame oval, que persistem, por toda a vida, em algumas pessoas. Essas mudanças são brevemente descritas nas seções a seguir.

Resistência vascular sistêmica aumentada e resistência vascular pulmonar diminuída ao nascimento.

As principais mudanças na circulação ao nascimento são, em primeiro lugar, a perda de um enorme fluxo sanguíneo através da placenta, que, aproximadamente, duplica a resistência vascular sistêmica ao nascimento. Essa duplicação da resistência vascular sistêmica aumenta a pressão aórtica, bem como as pressões no ventrículo esquerdo e no átrio esquerdo.

Em segundo lugar, a *resistência vascular pulmonar diminui muito*, como resultado da expansão dos pulmões. Nos pulmões fetais não expandidos, os vasos sanguíneos estão colapsados devido ao pequeno volume dos pulmões. Imediatamente após a expansão, esses vasos não estão mais comprimidos, e a resistência ao fluxo sanguíneo diminui bastante. Além disso, na vida fetal, a hipóxia dos pulmões causa vasoconstrição tônica considerável dos vasos sanguíneos pulmonares, mas ocorre vasodilatação quando a aeração dos pulmões elimina a hipóxia. Todas essas mudanças juntas reduzem a resistência ao fluxo sanguíneo através dos pulmões em até 5 vezes, o que *reduz a pressão arterial pulmonar, a pressão ventricular direita* e *a pressão atrial direita*.

Fechamento do forame oval.
A *baixa pressão atrial direita* e a *alta pressão atrial esquerda*, que ocorrem secundariamente às mudanças das resistências pulmonar e sistêmica ao nascimento, fazem com que o sangue tente fluir de volta pelo forame oval; ou seja, do átrio esquerdo para o átrio direito, em vez de na direção contrária, como ocorria durante a vida fetal. Consequentemente, a pequena válvula que se encontra sobre o forame oval no lado esquerdo do septo atrial se fecha sobre essa abertura, evitando o fluxo de sangue através do forame oval.

Em dois terços de todas as pessoas, a válvula adere-se ao forame oval, dentro de alguns meses a anos, e fecha-se permanentemente. No entanto, mesmo que o fechamento permanente não ocorra – em uma condição chamada de *forame oval patente* –, normalmente a pressão atrial esquerda permanecerá ao longo da vida 2 a 4 mmHg maior do que a pressão atrial direita, e a pressão retrógrada manterá a válvula fechada.

Fechamento do ducto arterioso.
O ducto arterioso também se fecha, mas por motivos diferentes. Primeiro, a resistência sistêmica elevada aumenta a pressão aórtica, enquanto a menor resistência pulmonar reduz a pressão arterial pulmonar. Como consequência, após o nascimento, o sangue começa a fluir de volta da aorta para a artéria pulmonar, pelo ducto arterioso, em vez de na outra direção, como ocorria na vida fetal. Entretanto, depois de apenas algumas horas, a parede muscular do ducto arterioso se contrai acentuadamente, e, dentro de 1 a 8 dias, a constrição geralmente é suficiente para interromper todo o fluxo sanguíneo. Isso é chamado de *fechamento funcional* do ducto arterioso. Então, durante o próximo período de 1 a 4 meses, o ducto arterioso, em geral, torna-se anatomicamente ocluído pelo crescimento de tecido fibroso em seu lúmen.

A causa do fechamento do ducto arterioso está relacionada ao aumento da oxigenação do sangue que flui através do ducto, bem como a perda dos efeitos de relaxamento vascular da *prostaglandina E2 (PGE2)*. Na vida fetal, a pressão parcial de oxigênio (PO_2) do sangue no ducto é de apenas 15 a 20 mmHg, mas aumenta para cerca de 100 mmHg dentro de algumas horas após o nascimento. Além disso, muitos experimentos mostraram que o grau de contração do músculo liso, na parede do ducto, está altamente relacionado com a sua disponibilidade de oxigênio.

Em um entre milhares de bebês, o ducto não consegue se fechar, resultando em *ducto arterioso persistente*, cujas consequências são discutidas no Capítulo 23. O fracasso do fechamento foi postulado como resultado de dilatação excessiva do ducto, causada por prostaglandinas vasodilatadoras, especialmente a PGE2, na parede do ducto. Na verdade, a administração do fármaco *indometacina*, que bloqueia a síntese de prostaglandinas, frequentemente leva ao fechamento.

Fechamento do ducto venoso.
Na vida fetal, o sangue portal do abdome do feto se junta ao sangue da veia umbilical, e, juntos, eles passam pelo *ducto venoso* diretamente

para a veia cava, imediatamente abaixo do coração, mas acima do fígado, desviando-se dele.

Imediatamente após o nascimento, o fluxo de sangue pela veia umbilical cessa, mas a maior parte do sangue portal ainda flui pelo ducto venoso, com apenas uma pequena quantidade passando pelos canais do fígado. No entanto, dentro de 1 a 3 horas, a parede muscular do ducto venoso se contrai fortemente e fecha essa via de fluxo. Consequentemente, a pressão venosa portal aumenta de cerca de 0 a 6 para 10 mmHg, o que é suficiente para forçar o fluxo de sangue venoso portal pelos sinusoides hepáticos. Embora o ducto venoso raramente não se feche, os mecanismos que causam seu fechamento são incertos.

Nutrição do recém-nascido

Antes do nascimento, o feto obtém quase toda a sua energia da glicose obtida do sangue materno. Após o nascimento, a quantidade de glicose armazenada no corpo do bebê, sob a forma de glicogênio hepático e muscular, é suficiente para suprir as necessidades dele por apenas algumas horas. O fígado do neonato ainda está longe de ser funcionalmente adequado ao nascimento, o que impede a gliconeogênese em intensidade significativa. Portanto, a concentração de glicose no sangue do bebê frequentemente cai no primeiro dia, para até 30 a 40 mg/dℓ de plasma, menos da metade do valor normal. Felizmente, existem mecanismos disponíveis apropriados que permitem que o bebê use suas reservas de gorduras e proteínas para o seu metabolismo até que o leite materno possa ser fornecido, 2 a 3 dias depois.

Problemas especiais também são frequentemente associados à obtenção de um aporte adequado de líquido ao neonato, porque a intensidade de renovação do líquido corporal do bebê é, em média, sete vezes a do adulto, e o suprimento de leite materno requer vários dias para se desenvolver. Normalmente, o peso do bebê se reduz de 5 a 10%, e, às vezes, até 20% dentro dos primeiros 2 a 3 dias de vida. A maior parte dessa perda de peso representa a perda de líquido em vez de sólidos corporais.

Problemas funcionais especiais no recém-nascido

Uma característica importante do neonato é a instabilidade de seus vários sistemas de controle hormonal e neurogênico. Essa instabilidade resulta, em parte, do desenvolvimento imaturo dos diferentes órgãos do corpo e, em parte, do fato de que os sistemas de controle simplesmente ainda não se ajustaram ao novo modo de vida.

Sistema respiratório

A frequência respiratória normal do recém-nascido é de cerca de 40 respirações por minuto, e o volume de ar corrente em cada respiração é, em média, de 16 mℓ, o que resulta em um volume respiratório minuto total de 640 mℓ/min – cerca de duas vezes maior em relação ao peso corporal de um adulto. *A capacidade funcional residual dos pulmões do bebê é apenas metade da de um adulto em relação ao peso corporal.* Essa diferença causa aumentos e reduções cíclicos excessivos na gasometria do recém-nascido – se a frequência respiratória ficar lenta –, porque é o ar residual nos pulmões que atenua essas variações dos gases sanguíneos.

Circulação

Volume sanguíneo. O volume de sangue (volemia) de um recém-nascido, imediatamente após o nascimento, é de aproximadamente 300 mℓ em média, mas, se o bebê ficar conectado à placenta por alguns minutos após o nascimento, ou se o cordão umbilical for pressionado para forçar o sangue para fora de seus vasos para o bebê, um adicional de 75 mℓ de sangue entra no bebê, perfazendo um total de 375 mℓ. Então, durante as horas seguintes, o líquido penetra nos espaços teciduais do neonato a partir desse sangue, aumentando o hematócrito, mas restaurando o volume de sangue mais uma vez para o valor normal de cerca de 300 mℓ. Alguns pediatras acreditam que esse volume de sangue extra, causado pela ordenha do cordão umbilical, possa levar a um edema pulmonar leve com algum grau de angústia respiratória, mas as hemácias extras também podem ser valiosas para o bebê.

Débito cardíaco. O débito cardíaco do neonato é de, em média, 500 mℓ/min, o que, assim como a respiração e o metabolismo corporal, é cerca de duas vezes maior em relação ao peso corporal do adulto. Ocasionalmente, a criança nasce com o débito cardíaco particularmente baixo, causado pela hemorragia de grande parte de seu volume sanguíneo na placenta, ao nascimento.

Pressão arterial. A pressão arterial durante o primeiro dia de vida é, em média, de cerca de 70 mmHg sistólica e 50 mmHg diastólica, e aumenta lentamente durante os meses subsequentes para cerca de 90/60 mmHg. Uma subida muito mais lenta ocorre durante os anos subsequentes, até chegar à pressão adulta de 115/70 mmHg na adolescência.

Características do sangue. A contagem de hemácias nos neonatos fica em torno de 4 milhões por milímetro cúbico, em média. Se o sangue for ordenhado do cordão umbilical para o bebê, a contagem de hemácias sobe mais 0,5 a 0,75 milhão durante as primeiras horas de vida, perfazendo uma contagem de hemácias de cerca de 4,75 milhões por milímetro cúbico, conforme mostrado na **Figura 84.6**. Posteriormente, no entanto, poucas novas hemácias são formadas no bebê durante as primeiras semanas de vida, presumivelmente porque o estímulo hipóxico da vida fetal não está mais presente para estimular a produção de hemácias. Assim, como mostrado na **Figura 84.6**, a contagem média de hemácias cai para menos de

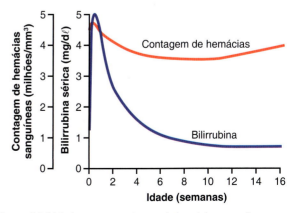

Figura 84.6 Mudanças na contagem de hemácias sanguíneas e concentração sérica de bilirrubina durante as primeiras 16 semanas de vida, mostrando anemia fisiológica em 6 a 12 semanas de vida e hiperbilirrubinemia fisiológica durante as primeiras 2 semanas de vida.

PARTE 14 Endocrinologia e Reprodução

4 milhões por milímetro cúbico em cerca de 6 a 8 semanas de idade. A partir desse momento, a maior atividade do bebê fornece o estímulo apropriado para a contagem de hemácias voltar ao normal, dentro de mais de 2 a 3 meses. Imediatamente após o nascimento, a contagem de leucócitos do neonato é de aproximadamente 45 mil por milímetro cúbico, que é cerca de cinco vezes maior que a de um adulto normal.

Icterícia neonatal e eritroblastose fetal. A bilirrubina formada no feto pode atravessar a placenta para a mãe e ser excretada pelo fígado materno. Imediatamente após o nascimento, o único meio de livrar o neonato da bilirrubina é através do seu próprio fígado, que durante a primeira semana ainda funciona mal e é incapaz de conjugar quantidades significativas de bilirrubina com ácido glicurônico para excreção na bile. Consequentemente, a concentração plasmática de bilirrubina aumenta de um valor normal inferior a 1 mg/dℓ à média de 5 mg/dℓ durante os primeiros 3 dias da vida e, em seguida, gradualmente volta ao normal, conforme o fígado torna-se funcional. Esse efeito, denominado *hiperbilirrubinemia fisiológica*, é mostrado na **Figura 84.6**, e está associado à *icterícia* leve (amarelidão) da pele do bebê e especialmente da esclera de seus olhos, durante 1 ou 2 semanas.

No entanto, sem dúvida, a causa anormal mais importante da icterícia neonatal grave é a *eritroblastose fetal* (também chamada de *doença hemolítica do recém-nascido* [DHRN]), discutida em detalhes nos Capítulos 33 e 36, em relação à incompatibilidade do fator Rh entre o feto e a mãe. Resumidamente, o *bebê eritroblastótico* herda hemácias Rh-positivas do pai, enquanto a mãe é Rh-negativa. A mãe, então, torna-se imunizada contra o Rh-positivo (uma proteína) nas células sanguíneas fetais, e seus anticorpos destroem as hemácias fetais, liberando quantidades extremas de bilirrubina no plasma do feto e muitas vezes causando a morte fetal devido à falta de hemácias adequadas. Antes do advento da terapêutica obstétrica moderna, essa condição ocorria, de forma branda ou grave, em 1 a cada 50 a 100 recém-nascidos.

Equilíbrio hídrico, equilíbrio acidobásico e função renal

A intensidade de ingestão e excreção de líquido no recém-nascido é sete vezes maior em relação ao peso, como no adulto, o que significa que mesmo um pequeno aumento percentual da ingestão ou do débito de líquidos pode ocasionar anormalidades que se desenvolvem rapidamente.

O metabolismo do bebê é também duas vezes maior em relação à massa corporal em comparação ao adulto, o que significa que duas vezes mais ácido é formado normalmente, gerando uma tendência para a acidose no bebê. O desenvolvimento funcional dos rins não está completo até o final do primeiro mês de vida. Por exemplo, os rins do neonato podem concentrar urina por apenas 1,5 vez a osmolaridade do plasma, enquanto o adulto pode concentrar a urina de três a quatro vezes a osmolaridade do plasma. Portanto, considerando a imaturidade dos rins, com a acentuada renovação hídrica no bebê e a rápida formação de ácido, compreende-se prontamente que entre os problemas mais importantes do lactente estejam a acidose, a desidratação e, mais raramente, a hiper-hidratação.

Função hepática

Durante os primeiros dias de vida, a função hepática do recém-nascido pode ser bastante deficiente, conforme evidenciado pelos seguintes efeitos:

1. O fígado do recém-nascido conjuga mal a bilirrubina com o ácido glicurônico e, portanto, excreta pouca quantidade de bilirrubina durante os primeiros dias de vida.
2. Uma vez que o fígado do neonato é deficiente na formação de proteínas plasmáticas, a concentração dessas proteínas plasmáticas cai durante as primeiras semanas de vida para 15 a 20% menos que a de crianças mais velhas. Ocasionalmente, a concentração de proteínas diminui tanto, que o bebê desenvolve edema hipoproteinêmico.
3. A função da gliconeogênese no fígado do recém-nascido é particularmente deficiente. Como resultado, o nível de glicose no sangue do recém-nascido não alimentado cai para cerca de 30 a 40 mg/dℓ (cerca de 40% do normal), e o bebê depende, principalmente, de suas reservas de gordura para obter energia, até que possa ocorrer alimentação suficiente.
4. O fígado do recém-nascido geralmente forma muito pouco dos fatores sanguíneos necessários para a coagulação sanguínea normal.

Digestão, absorção e metabolismo de alimentos energéticos e nutrição

Em geral, a capacidade do recém-nascido de digerir, absorver e metabolizar alimentos não é diferente de uma criança mais velha, com as três seguintes exceções:

1. A *secreção de amilase pancreática no recém-nascido é deficiente*, então o neonato usa os amidos de forma menos adequada do que as crianças mais velhas.
2. A *absorção de gorduras pelo trato gastrointestinal é, de certa forma, menor do que em crianças mais velhas.* Consequentemente, o leite com alto teor de gordura, como o leite de vaca, com frequência não é absorvido de forma adequada.
3. Como o fígado funciona de maneira imperfeita durante pelo menos a primeira semana de vida, a *concentração de glicose no sangue é instável e baixa.*

O recém-nascido é especialmente capaz de sintetizar e armazenar proteínas. Na verdade, com uma dieta adequada, até 90% dos aminoácidos ingeridos são usados na formação de proteínas corporais, uma porcentagem muito maior do que nos adultos.

Metabolismo aumentado e regulação deficitária da temperatura corporal. O metabolismo normal do recém-nascido em relação a seu peso corporal é cerca de duas vezes maior do que o dos adultos, o que também explica o fato de que o débito cardíaco e o volume respiratório/minuto também são duas vezes maiores em relação ao peso corporal do bebê.

Como a superfície corporal é grande em relação à massa corporal, o calor é facilmente perdido pelo corpo do bebê. Como resultado, a temperatura corporal do recém-nascido, principalmente de bebês prematuros, cai facilmente. A **Figura 84.7** mostra que a temperatura corporal, mesmo de um bebê normal, muitas vezes cai vários graus durante as primeiras horas após o nascimento, mas retorna ao normal em 7 a 10 horas. Ainda assim, os mecanismos de regulação da temperatura corporal permanecem frágeis e instáveis durante os primeiros dias de vida, possibilitando desvios acentuados de temperatura, o que também é mostrado na **Figura 84.7**.

Necessidades nutricionais durante as primeiras semanas de vida

Ao nascer, o recém-nascido está geralmente em equilíbrio nutricional completo, desde que a mãe tenha adotado uma dieta adequada. Além disso, a função do sistema gastrointestinal normalmente é mais do que adequada para digerir e assimilar todas as necessidades nutricionais do bebê, se os nutrientes apropriados forem fornecidos pela dieta. No entanto, três problemas específicos ocorrem na nutrição inicial do bebê.

Necessidade de cálcio e vitamina D. Uma vez que o recém-nascido está em um estágio de ossificação rápida de seus ossos ao nascer, um pronto suprimento de cálcio durante a infância é necessário. O cálcio em geral é fornecido de forma adequada pela dieta usual de leite. No entanto, a absorção de cálcio pelo trato gastrointestinal é deficiente na ausência de vitamina D. Portanto, apenas dentro de algumas semanas, um quadro de raquitismo grave pode se desenvolver em bebês que tenham deficiência de vitamina D. Isso é particularmente verdadeiro em casos de bebês prematuros, pois seus tratos gastrointestinais absorvem cálcio de forma ainda menos eficaz do que os bebês normais.

Necessidade de ferro na dieta. Se a mãe tiver ingerido quantidades adequadas de ferro em sua dieta, o fígado do bebê geralmente terá armazenado ferro suficiente para continuar a formar células sanguíneas por 4 a 6 meses após o nascimento. No entanto, se a mãe tiver adotado uma dieta pobre em ferro, é provável que ocorra anemia grave no bebê após cerca de 3 meses de vida. Para evitar essa possibilidade, a introdução precoce de gema de ovo, que contém quantidades razoavelmente grandes de ferro, na alimentação do bebê, ou a administração de ferro em alguma outra forma, é desejável no segundo ou terceiro mês de vida.

Deficiência de vitamina C em lactentes. O ácido ascórbico (vitamina C) não é armazenado em quantidades significativas nos tecidos fetais, mas ainda é necessário para a formação adequada de cartilagem, osso e outras estruturas intercelulares do bebê. No entanto, normalmente o leite materno proporciona quantidades adequadas de vitamina C, a menos que a mãe tenha deficiência grave de vitamina C. O leite de vaca tem apenas um quarto da vitamina C contida no leite humano. Em alguns casos, suco de laranja ou outras fontes de ácido ascórbico são prescritos para lactentes com deficiência de vitamina C.

Imunidade

O recém-nascido herda grande parte da sua imunidade da mãe, porque muitos anticorpos se difundem pelo sangue materno através da placenta para o feto. Contudo, o recém-nascido não forma anticorpos próprios até determinado ponto. Ao final do primeiro mês de vida, as gamaglobulinas (imunoglobulinas) do bebê, que contém os anticorpos, terão diminuído para menos da metade do nível original, com queda correspondente na imunidade. Depois disso, o próprio sistema imunológico do bebê começa a formar anticorpos, e a concentração de gamaglobulina retorna essencialmente ao normal por volta dos 12 a 20 meses de idade.

Apesar da diminuição das gamaglobulinas logo após nascimento, os anticorpos herdados da mãe protegem o bebê por cerca de 6 meses contra a maioria das principais doenças infecciosas da infância, incluindo difteria, sarampo e poliomielite. Portanto, a imunização contra essas doenças antes dos 6 meses geralmente não é necessária. No entanto, os anticorpos herdados contra a coqueluche normalmente são insuficientes para proteger o neonato; portanto, para total segurança, recomenda-se imunizar o bebê contra essa doença no segundo mês de vida. Profissionais de saúde recomendam que as crianças recebam cinco doses da vacina tríplice viral, que protege contra tétano, coqueluche e difteria aos 2, 4, 6 e 15 a 18 meses, e a última dose administrada dos 4 aos 6 anos.[1]

Alergia. Os recém-nascidos raramente estão sujeitos a alergias. Vários meses depois, no entanto, quando os anticorpos do próprio bebê começam a se formar, estados alérgicos extremos podem se desenvolver, às vezes resultando em eczema grave, anormalidades gastrointestinais e até anafilaxia. Conforme a criança cresce, e níveis ainda mais elevados de imunidade se desenvolvem, essas manifestações alérgicas geralmente desaparecem. Essa relação da imunidade com a alergia é discutida no Capítulo 35.

Disfunções endócrinas

Normalmente, o sistema endócrino do bebê é altamente desenvolvido ao nascimento, e os bebês raramente apresentam quaisquer anormalidades endócrinas. No entanto, a endocrinologia do bebê é importante nas seguintes circunstâncias especiais:

1. Se a gestante de um bebê do sexo feminino for tratada com hormônio androgênico ou se um tumor androgênico se desenvolver durante a gravidez, a criança vai nascer com um alto grau de masculinização de seus órgãos sexuais, resultando em um tipo de *hermafroditismo*.
2. Os hormônios sexuais secretados pela placenta e pelas glândulas da mãe durante a gravidez ocasionalmente fazem com que as mamas do recém-nascido produzam

Figura 84.7 Queda na temperatura corporal do recém-nascido imediatamente após o nascimento e instabilidade da temperatura corporal durante os primeiros dias de vida.

---

[1] N.R.C.: No Brasil, o esquema vacinal preconizado é um pouco diferente. Para mais informações, consulte o *site* do Ministério da Saúde sobre o calendário de vacinações.

leite durante os primeiros dias da vida. Às vezes, as mamas ficam inflamadas ou desenvolvem *mastite infecciosa*.

3. Um bebê nascido de uma mãe diabética não tratada terá hipertrofia e hiperfunção consideráveis das ilhotas de Langerhans no pâncreas. Como consequência, a concentração do nível de glicose sanguínea do bebê pode cair abaixo de 20 mg/dℓ logo após o nascimento. Felizmente, no neonato – ao contrário do adulto –, o choque insulínico ou coma devido a tal nível de concentração de glicose no sangue raramente se desenvolve. O diabetes tipo 2 materno é a causa mais comum de bebês grandes, e está associado à resistência aos efeitos metabólicos da insulina e a aumentos compensatórios das concentrações plasmáticas de insulina. Acredita-se que os altos níveis de insulina estimulem o crescimento fetal e contribuam para um maior peso ao nascer. Um aumento no fornecimento de glicose e de outros nutrientes para o feto também pode contribuir para maior crescimento fetal. No entanto, grande parte do peso do feto é devido ao aumento da gordura corporal; geralmente ocorre pouco aumento do comprimento corporal, embora o tamanho de alguns órgãos possa ser maior (*organomegalia*). Quando a mãe está com o diabetes tipo 1 descontrolado (causado pela falta de secreção de insulina), o crescimento fetal pode ser retardado por causa dos déficits metabólicos maternos, e o crescimento e a maturação dos tecidos do recém-nascido geralmente ficam comprometidos. Além disso, há uma alta taxa de mortalidade intrauterina. Entre os fetos que chegam a termo, ainda ocorre mortalidade elevada. Dois terços das crianças que falecem não resistem à *síndrome da angústia respiratória*, descrita anteriormente neste capítulo.

4. Ocasionalmente, a criança nasce com o córtex adrenal hipofuncionante, muitas vezes em decorrência da *agenesia* das glândulas adrenais ou *atrofia de exaustão*, que pode ocorrer quando as glândulas adrenais tiverem sido superestimuladas.

5. Se a gestante apresentar hipertireoidismo ou for tratada com excesso de hormônio da tireoide, é provável que o bebê nasça com uma glândula tireoide temporariamente hipossecretora. Por outro lado, se antes da gravidez a mulher tiver removido a glândula tireoide, sua hipófise pode secretar grandes quantidades de tireotrofina (TSH) durante a gestação, e a criança pode nascer com hipertireoidismo temporário.

6. Se o feto não secretar hormônio da tireoide, os ossos crescerão insatisfatoriamente e ocorrerá retardo mental, resultando na condição chamada de *cretinismo*, que é discutido no Capítulo 77.

Problemas especiais relacionados à prematuridade

Todos os problemas da vida neonatal que acabamos de observar são gravemente exacerbados na prematuridade e podem ser categorizados como: (1) imaturidade de determinados órgãos sistêmicos e (2) instabilidade dos diferentes sistemas de controle homeostáticos. Os avanços na assistência médica melhoraram muito os resultados para os bebês prematuros nos últimos anos. A taxa de sobrevida para bebês "extremamente prematuros" (nascidos com menos de 28 semanas de gestação) é de cerca de 80 a 90% com cuidados médicos modernos. No entanto, para cada semana de gestação abaixo de 28 semanas, a taxa de sobrevida diminui;

com 22 semanas de idade gestacional ou menos, o bebê prematuro raramente sobrevive.

Desenvolvimento imaturo do bebê pré-termo

Quase todos os órgãos do corpo são imaturos no bebê prematuro e requerem uma atenção especial para que a vida dele seja salva.

Respiração. O sistema respiratório é especialmente passível de ser pouco desenvolvido no bebê extremamente prematuro. A capacidade vital e a capacidade funcional residual dos pulmões são especialmente pequenas em relação ao tamanho do bebê. Além disso, a secreção de surfactante é deprimida ou ausente. Como consequência, a *síndrome da angústia respiratória do neonato* é uma causa comum de óbito. Além disso, a capacidade funcional residual menor em bebês prematuros é, frequentemente, associada à respiração periódica do tipo Cheyne-Stokes.

Função gastrointestinal. Outro grande problema do bebê prematuro é ingerir e absorver alimentos adequados. Em bebês prematuros por mais de 2 meses, os sistemas digestivo e absortivo são quase sempre inadequados. A absorção de gorduras também é comprometida, de maneira que o bebê prematuro deve ter uma dieta pobre em gorduras. Além disso, o bebê prematuro tem uma dificuldade incomum de absorver cálcio e, portanto, pode desenvolver um grave raquitismo, antes que se reconheça tal dificuldade. Por esse motivo, é necessária uma atenção especial para adequar a ingestão de cálcio e vitamina D.

Função de outros órgãos. A imaturidade de outros órgãos que, frequentemente, causam sérias dificuldades no bebê prematuro inclui (1) a imaturidade do fígado, que resulta no comprometimento do metabolismo intermediário e, muitas vezes, em tendência a sangramentos, como resultado de malformação de fatores de coagulação; (2) a imaturidade dos rins, particularmente deficientes na sua capacidade de livrar o organismo de ácidos, predispondo o bebê à acidose e a anormalidades sérias do equilíbrio hídrico; (3) a imaturidade do mecanismo de formação do sangue da medula óssea, que possibilita um rápido desenvolvimento de anemia; e (4) a formação diminuída de gamaglobulina pelo sistema linfoide, o que, muitas vezes, leva a infecções graves.

Instabilidade dos sistemas de controle homeostático em bebês prematuros

A imaturidade dos diferentes órgãos no bebê prematuro cria muita instabilidade nos mecanismos homeostáticos do corpo. Por exemplo, o equilíbrio acidobásico pode variar muito, especialmente quando a ingestão de alimentos varia. Da mesma forma, a concentração de proteínas no sangue geralmente é baixa, devido à imaturidade do fígado, muitas vezes levando a um *edema hipoproteinêmico*. A incapacidade do bebê de regular sua concentração de íons cálcio pode provocar tetania hipocalcêmica. Além disso, a concentração sanguínea de glicose pode variar entre os limites extremos de 20 a mais de 100 mg/dℓ, dependendo principalmente da regularidade da alimentação.

Instabilidade da temperatura corporal. Um problema importante do bebê prematuro é a incapacidade de manter a temperatura corporal normal. A temperatura do bebê prematuro tende a se aproximar do ambiente. Na temperatura ambiente normal, a temperatura do bebê pode se estabilizar em 32°C ou até em 26°C. Estudos mostram que a temperatura corporal mantida abaixo dos 35,5°C está associada a uma incidência particularmente elevada de óbito, o que explica o uso quase obrigatório da incubadora no tratamento da prematuridade.

Risco de cegueira causada por oxigenoterapia em excesso no bebê prematuro

Uma vez que os bebês prematuros frequentemente desenvolvem angústia respiratória, a oxigenoterapia tem sido usada para tratar a prematuridade. No entanto, o uso excessivo de oxigênio no tratamento de bebês prematuros, especialmente no início da prematuridade, pode levar à cegueira, pois o excesso de oxigênio impede o crescimento de novos vasos sanguíneos na retina. Então, quando a oxigenoterapia é interrompida, os vasos sanguíneos tentam compensar o tempo perdido e promovem o crescimento de uma grande massa de vasos que crescem por todo o humor vítreo, bloqueando a entrada de luz da pupila para a retina. Posteriormente, os vasos são substituídos por massa de tecido fibroso, onde deveria estar o humor vítreo.

Essa condição, conhecida como *fibroplasia retrolental*, ou *retinopatia da prematuridade*, causa cegueira permanente. Por esse motivo, é particularmente importante evitar o tratamento de bebês prematuros com altas concentrações de oxigênio respiratório. Estudos fisiológicos indicam que bebês prematuros geralmente estão seguros com até 40% de oxigênio no ar respirado, mas alguns fisiologistas pediátricos acreditam que a segurança completa pode ser alcançada apenas com a concentração normal de oxigênio no ar respirado.

Crescimento e desenvolvimento da criança

Os principais problemas fisiológicos da criança, além do período neonatal, estão relacionados a necessidades metabólicas especiais para o crescimento, que já foram discutidas em detalhes nas partes deste livro que tratam de metabolismo e endocrinologia.

A **Figura 84.8** mostra as mudanças nas alturas dos meninos e meninas desde o nascimento até os 20 anos. Observe especialmente que essas mudanças se equiparam exatamente até o final da primeira década de vida. Entre os 11 e 13 anos, os estrogênios femininos começam a ser formados e causam um rápido crescimento em altura, mas também o fechamento precoce das epífises dos ossos longos por volta do 14º ao 16º ano de vida; assim, o crescimento cessa em altura. Em contraste, o efeito da testosterona no homem causa um crescimento extra pouco depois, principalmente entre 13 e 17 anos. O homem, porém, passa por um crescimento mais prolongado devido ao fechamento tardio das epífises; então sua altura final é consideravelmente maior do que a da mulher.

Desenvolvimento comportamental

O desenvolvimento comportamental está principalmente relacionado à maturidade do sistema nervoso. É difícil dissociar a maturidade das estruturas anatômicas do sistema nervoso da maturidade causada pelo treinamento. Estudos anatômicos mostram que certos tratos importantes do sistema nervoso central não estão completamente mielinizados até o final do primeiro ano de vida. Por essa razão, afirma-se frequentemente

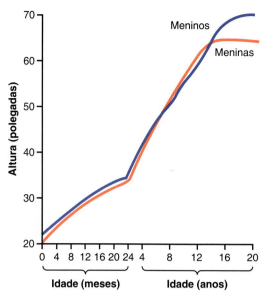

Figura 84.8 Altura média de meninos (*curva azul*) e meninas (*curva vermelha*) desde a infância até os 20 anos.

que o sistema nervoso não é totalmente funcional ao nascimento. O córtex cerebral e suas funções associadas, como a visão, parecem levar vários meses após o nascimento para que ocorra o desenvolvimento funcional completo.

Ao nascer, a massa cerebral do bebê é de apenas 26% da massa cerebral do adulto e de 55% em 1 ano, atingindo quase as mesmas proporções do adulto ao final do segundo ano de vida. Esse processo também está associado ao fechamento das fontanelas e das suturas do crânio, o que permite apenas 20% de crescimento adicional do cérebro além dos primeiros 2 anos de vida. A **Figura 84.9** mostra um gráfico de progresso normal para o bebê durante o primeiro ano de vida. A comparação desse gráfico ao desenvolvimento real do bebê é usada na avaliação clínica do crescimento mental e comportamental.

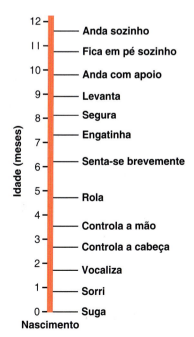

Figura 84.9 Desenvolvimento comportamental do bebê durante o primeiro ano de vida.

PARTE 14 Endocrinologia e Reprodução

Bibliografia

Alexander BT, Dasinger JH, Intapad S: Fetal programming and cardiovascular pathology. Compr Physiol 5:997, 2015.

Alvarez SGV, McBrien A: Ductus arteriosus and fetal echocardiography: implications for practice. Semin Fetal Neonatal Med 23:285, 2018.

Burton GJ, Jauniaux E: Pathophysiology of placental-derived fetal growth restriction. Am J Obstet Gynecol 218(2S):S745, 2018.

Di Fiore JM, Vento M: Intermittent hypoxemia and oxidative stress in preterm infants. Respir Physiol Neurobiol 266:121, 2019.

Ducsay CA, Goyal R, Pearce WJ, Wilson S, Hu XQ, Zhang L: Gestational hypoxia and developmental plasticity. Physiol Rev 98:1241, 2018.

Finken MJJ, van der Steen M, Smeets CCJ, et al: Children born small for gestational age: differential diagnosis, molecular genetic evaluation, and implications. Endocr Rev 39:851, 2018.

Gao Y, Raj JU: Regulation of the pulmonary circulation in the fetus and newborn. Physiol Rev 90:1291, 2010.

Gentle SJ, Abman SH, Ambalavanan N: Oxygen therapy and pulmonary hypertension in preterm infants. Clin Perinatol 46:611, 2019.

Gilmore JH, Knickmeyer RC, Gao W: Imaging structural and functional brain development in early childhood. Nat Rev Neurosci 19:123, 2018.

McDonald FB, Dempsey EM, O'Halloran KD: The impact of preterm adversity on cardiorespiratory function. Exp Physiol 105;17, 2020.

Muglia LJ, Katz M: The enigma of spontaneous preterm birth. N Engl J Med 362:529, 2010.

Perico N, Askenazi D, Cortinovis M, Remuzzi G: Maternal and environmental risk factors for neonatal AKI and its long-term consequences. Nat Rev Nephrol 14:688, 2018.

Ream MA, Lehwald L: Neurologic consequences of preterm birth. Curr Neurol Neurosci Rep 2018 Jun 16;18(8):48. doi: 10.1007/s11910-018-0862-2.

Reynolds LA, Finlay BB: Early life factors that affect allergy development. Nat Rev Immunol 17:518, 2017.

Ringholm L, Damm P, Mathiesen ER: Improving pregnancy outcomes in women with diabetes mellitus: modern management. Nat Rev Endocrinol 15:406, 2019.

Sferruzzi-Perri AN, Sandovici I, Constancia M, Fowden AL: Placental phenotype and the insulin-like growth factors: resource allocation to fetal growth. J Physiol 595:5057, 2017.

Short KM, Smyth IM: The contribution of branching morphogenesis to kidney development and disease. Nat Rev Nephrol 12:754, 2016.

Zhang X, Zhivaki D, Lo-Man R: Unique aspects of the perinatal immune system. Nat Rev Immunol 17:495, 2017.

15 PARTE

Fisiologia do Exercício

RESUMO DA PARTE

85 Fisiologia do Exercício, *1070*

CAPÍTULO 85

Fisiologia do Exercício

Existem poucos agentes estressores aos quais o corpo está exposto que se aproximam do estresse extremo provocado por exercícios vigorosos. Na verdade, se alguns exercícios extremos fossem mantidos, mesmo que por períodos moderadamente prolongados, poderiam ser letais. Portanto, a fisiologia do exercício é principalmente uma discussão sobre os limites finais aos quais vários mecanismos corporais podem ser expostos. Para dar um exemplo simples: em uma pessoa com febre extremamente alta, que se aproxima do nível da letalidade, o metabolismo do corpo aumenta cerca de 100% acima do normal. Em comparação, o metabolismo do corpo durante uma maratona pode aumentar para 2.000% acima do normal.

Atletas femininos e masculinos

A maioria dos dados quantitativos fornecidos neste capítulo refere-se a jovens atletas do sexo masculino, não porque seja desejável saber apenas esses valores, mas porque é apenas em jovens atletas do sexo masculino que as medições relativamente completas foram feitas. As medições em atletas mais velhos e em mulheres são muito menos completas. No entanto, para medidas que foram feitas em atletas do sexo feminino, aplicam-se princípios fisiológicos básicos semelhantes, exceto para diferenças quantitativas causadas por diferenças no tamanho corporal, na composição corporal e na presença ou ausência do hormônio sexual masculino (testosterona).

Em geral, a maioria dos valores quantitativos para mulheres – como força muscular, ventilação pulmonar e débito cardíaco, todos relacionados principalmente à massa muscular – varia entre dois terços e três quartos dos valores registrados para homens, embora existam muitas exceções a essa generalização. Quando medido em termos de força por centímetro quadrado de área transversal, o músculo feminino pode atingir quase exatamente a mesma força máxima de contração que a do músculo masculino – entre 3 e 4 kg/cm². Portanto, a maior parte da diferença no desempenho muscular total está na porcentagem extra do corpo masculino, que é o músculo, que em parte é causada por diferenças endócrinas que discutiremos mais adiante.

As capacidades de desempenho da atleta mulher em relação ao atleta homem são ilustradas pelas velocidades relativas de corrida para a maratona. Em uma comparação, a melhor *performance* feminina teve uma velocidade de corrida 11% menor que a da melhor *performance* masculina.

Para outros eventos, no entanto, as mulheres alcançaram recordes de velocidade maiores do que os homens – por exemplo, nas competições de natação através do Canal da Mancha, para as quais a disponibilidade de gordura extra parece ser uma vantagem para isolamento térmico, flutuabilidade e energia extra de longo prazo.

A *testosterona* secretada pelos testículos masculinos tem um poderoso *efeito anabólico*, causando um grande aumento na deposição de proteína em todo o corpo, mas especialmente nos músculos. Na verdade, mesmo um homem que participa de pouca atividade esportiva, mas que ainda assim tem um nível normal de testosterona, terá músculos que crescem cerca de 40% mais do que os de uma mulher semelhante, sem testosterona.

O hormônio sexual feminino *estrogênio* provavelmente também é responsável por algumas das diferenças entre o desempenho feminino e o masculino, embora não tanto quanto a testosterona. O estrogênio aumenta a deposição de gordura na mulher, especialmente em seios, quadris e tecido subcutâneo. Pelo menos em parte por essa razão, na média, jovens (16 a 19 anos) do sexo feminino não atléticas têm cerca de 34% da composição corporal em gordura, enquanto o jovem não atlético do sexo masculino (16 a 19 anos) tem cerca de 23% (ver **Figura 85.1**). As porcentagens médias de gordura corporal são mais altas em homens e mulheres mais velhos e aumentaram substancialmente

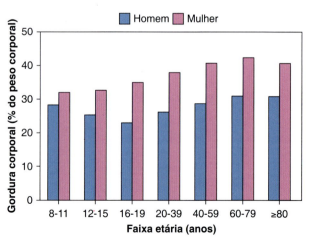

Figura 85.1 Percentual médio de gordura corporal em homens e mulheres em diferentes idades. (*Dados do National Health and Nutrition Examination Survey, United States, 1999–2004.*)

nos últimos 20 a 30 anos, à medida que a prevalência de obesidade aumentou nas populações da maioria dos países desenvolvidos. Nos EUA, por exemplo, a prevalência da obesidade agora é de aproximadamente 37% da população adulta. O aumento da composição da gordura corporal é um prejuízo para os níveis mais altos de desempenho atlético em eventos nos quais a *performance* depende da velocidade ou da relação entre a força muscular total do corpo e o peso corporal.

Músculos em exercício

Força, potência e resistência muscular

O determinante comum do sucesso em eventos atléticos resulta do que os músculos podem fazer por você – isto é, que força eles podem dar quando necessário, que força podem alcançar no desempenho do trabalho e por quanto tempo conseguem manter a atividade.

A força de um músculo é determinada principalmente pelo seu tamanho, com uma *força contrátil máxima entre 3 e 4 kg/cm^2* de área de seção transversal do músculo. Assim, uma pessoa que aumente seus músculos por meio de um programa de treinamento de exercícios terá a força muscular aumentada na mesma proporção.

Para dar um exemplo de força muscular, um levantador de peso de elite (competidor mundial) do sexo masculino pode ter um músculo quadríceps com uma área transversal de até 150 centímetros quadrados. Essa medida se traduziria em uma força contrátil máxima de 525 quilos, com toda essa força aplicada ao tendão patelar. Portanto, pode-se compreender prontamente a possibilidade de que esse tendão às vezes seja rompido ou, eventualmente, avulsionado (arrancado) de sua inserção na tíbia, abaixo do joelho. Além disso, quando esse tipo de força é exercida sobre os tendões de uma articulação, forças semelhantes são aplicadas às superfícies da articulação ou, às vezes, aos ligamentos que a recobrem, sendo responsáveis por traumatismos como cartilagens deslocadas, fraturas por compressão ao redor da articulação e ruptura de ligamentos.

A *força de sustentação* dos músculos é cerca de 40% maior do que a força contrátil. Assim, se um músculo já estiver contraído e uma força tentar alongá-lo, como ocorre ao se estabilizar após um salto, essa ação irá requerer cerca de 40% a mais de força do que poderia ser alcançado por uma contração de encurtamento. Portanto, a força de 525 quilogramas calculada anteriormente para o tendão patelar durante a contração muscular passa a ser de 735 quilogramas durante as contrações de retenção, o que agrava ainda mais os problemas dos tendões, articulações e ligamentos, podendo também ocorrer laceração interna do músculo. Na verdade, o alongamento vigoroso de um músculo contraído ao máximo é uma das maneiras mais garantidas de se produzir o mais alto grau de dor muscular.

O trabalho mecânico executado por um músculo é a quantidade de força aplicada pelo músculo multiplicada pela distância sobre a qual a força é aplicada. A *potência* da contração muscular é diferente da força muscular porque potência é uma medida da quantidade total de trabalho que o músculo executa por unidade de tempo. A potência é, portanto, determinada não apenas pela força da contração muscular, mas também pela *distância da contração* e pelo *número de vezes que ela acontece a cada minuto*. A potência muscular geralmente é medida em *quilogrâmetros (kgm) por minuto*. Ou seja, considera-se que o músculo que pode levantar 1 kg de peso a uma altura de 1 metro ou que pode mover algum objeto lateralmente contra uma força de 1 kg por uma distância de 1 metro em 1 minuto tem uma potência de 1 kgm/min. A potência máxima alcançável por todos os músculos do corpo de um atleta altamente treinado com todos os músculos trabalhando juntos é aproximadamente a seguinte:

	kgm/min
Primeiros 8 a 10 s	7.000
Próximo 1 min	4.000
Próximos 30 min	1.700

Assim, é claro que uma pessoa tem a capacidade de oscilações extremas de potência por curtos períodos, como durante uma corrida de 100 metros que é inteiramente concluída em 10 segundos, enquanto, para eventos de resistência de longa duração, a potência dos músculos é de apenas um quarto da oscilação inicial de potência.

Isso não significa que o desempenho atlético de uma pessoa seja quatro vezes maior durante o aumento de potência inicial do que nos 30 minutos seguintes, porque a *eficiência* para a tradução da produção de potência muscular em desempenho atlético é frequentemente muito menor durante atividades rápidas do que durante atividades menos rápidas com atividade sustentada. Assim, a velocidade na corrida de 100 metros é apenas 1,75 vez maior que a velocidade em uma corrida de 30 minutos, apesar da diferença de quatro vezes na capacidade de potência muscular de curta duração em relação à de longa duração.

Outra medida de desempenho muscular é a *resistência*. A resistência, em grande medida, depende do suporte nutritivo para o músculo – mais do que qualquer outra coisa, depende da quantidade de glicogênio que foi armazenada no músculo antes do período de exercício. Uma pessoa que consome uma dieta rica em carboidratos armazena muito mais glicogênio nos músculos do que uma pessoa que consome uma dieta mista ou uma dieta rica em gordura. Portanto, a resistência é aumentada por uma dieta rica em carboidratos. Quando os atletas correm em velocidades típicas da maratona, sua resistência (medida pelo tempo que conseguem sustentar a corrida até a exaustão completa) é aproximadamente a seguinte:

	Minutos
Dieta rica em carboidratos	240
Dieta mista	120
Dieta rica em gordura	85

As quantidades correspondentes de glicogênio armazenadas no músculo antes do início da corrida explicam essas diferenças. Os valores armazenados são aproximadamente os seguintes:

	g/kg de músculo
Dieta rica em carboidratos	40
Dieta mista	20
Dieta rica em gordura	6

Sistemas metabólicos musculares no exercício

Os mesmos sistemas metabólicos básicos estão presentes nos músculos e em outras partes do organismo; esses sistemas são discutidos em detalhes nos Capítulos 68 a 74. No entanto, medidas quantitativas especiais das atividades dos três sistemas metabólicos são extremamente importantes para a compreensão dos limites da atividade física. Esses sistemas são (1) o *sistema fosfocreatina-creatina*, (2) o sistema *glicogênio-ácido láctico* e (3) o *sistema aeróbico*.

Trifosfato de adenosina. A fonte de energia efetivamente utilizada para causar a contração muscular é o trifosfato de adenosina (ATP), que tem a seguinte fórmula básica:

$$\text{Adenosina} - PO_3 \sim PO_3 \sim PO_3^-$$

As ligações que unem os dois últimos radicais de fosfato à molécula, designadas pelo símbolo ~, são *ligações fosfato de alta energia*. Cada uma dessas ligações armazena 7.300 calorias de energia por mol de ATP sob condições padrão (e até um pouco mais do que isso sob as condições físicas do corpo, que são discutidas em detalhes no Capítulo 68). Portanto, quando um radical de fosfato é removido, são liberadas mais de 7.300 calorias de energia para energizar o processo de contração muscular. Então, quando o segundo radical de fosfato é removido, outras 7.300 calorias ficam disponíveis. A remoção do primeiro fosfato converte o ATP em *difosfato de adenosina* (ADP) e a do segundo converte esse ADP em *monofosfato de adenosina* (AMP).

A quantidade de ATP presente nos músculos, mesmo em um atleta bem treinado, é suficiente para sustentar a força muscular máxima por cerca de apenas 3 segundos, o que pode ser suficiente para metade de uma corrida de 50 metros. Portanto, exceto por alguns segundos de cada vez, é essencial que novas moléculas de ATP sejam formadas continuamente, mesmo durante a realização de eventos atléticos curtos. A **Figura 85.2** mostra o sistema metabólico em geral, demonstrando a quebra de ATP primeiro em ADP e depois em AMP, com liberação de energia para a contração muscular. O lado esquerdo da figura mostra os três sistemas metabólicos que fornecem um suprimento contínuo de ATP para as fibras musculares.

Sistema fosfocreatina-creatina

A fosfocreatina (também chamada de fosfato de creatina) é outro composto químico que tem uma ligação fosfato de alta energia, com a seguinte fórmula:

$$\text{Creatina} \sim PO_3^-$$

A fosfocreatina pode se decompor em creatina e íon fosfato, conforme mostrado na **Figura 85.2** e, ao fazer isso, libera grandes quantidades de energia. Na verdade, a ligação fosfato de alta energia da fosfocreatina tem mais energia do que a ligação de ATP: 10.300 calorias por mol em comparação com 7.300 para a ligação de ATP. Portanto, a fosfocreatina pode facilmente fornecer energia suficiente para reconstituir a ligação de alta energia do ATP. Além disso, a maioria das células musculares tem duas a quatro vezes mais fosfocreatina do que ATP.

Uma característica especial da transferência de energia da fosfocreatina para o ATP é que ela ocorre em uma fração de segundo. Portanto, toda a energia armazenada na fosfocreatina muscular está quase instantaneamente disponível para a contração muscular, assim como a energia armazenada no ATP.

As quantidades combinadas de ATP celular e fosfocreatina celular são chamadas de *sistema dos fosfagênios*. Essas substâncias combinadas (fosfocreatina e ATP) podem fornecer força muscular máxima por 8 a 10 segundos, quase o suficiente para uma corrida de 100 metros. *Assim, a energia do sistema dos fosfagênios é usada para pequenas explosões de força muscular máxima.*

Sistema glicogênio-ácido láctico. O glicogênio armazenado no músculo pode ser degradado em glicose, e a glicose pode ser usada como energia. O estágio inicial desse processo, denominado glicólise, ocorre sem o uso de oxigênio e, portanto, é denominado *metabolismo anaeróbico* (ver Capítulo 68). Durante a glicólise, cada molécula de glicose é dividida em duas *moléculas de ácido pirúvico* e a energia é liberada para formar quatro moléculas de ATP para cada molécula de glicose original, conforme explicado no Capítulo 68. Normalmente, o ácido pirúvico entra na mitocôndria das células musculares e reage com oxigênio para formar muito mais moléculas de ATP. No entanto, quando não há oxigênio suficiente para que ocorra esse segundo estágio (o estágio oxidativo) do metabolismo da glicose, a maior parte do ácido pirúvico é convertida em *ácido láctico*, que se difunde das células musculares para o líquido intersticial e para o sangue. Portanto, grande parte do glicogênio muscular é transformada em ácido láctico, mas, ao fazê-lo, quantidades consideráveis de ATP são formadas inteiramente sem consumo de oxigênio (anaerobicamente).

Outra característica do sistema glicogênio-ácido láctico é que ele pode formar moléculas de ATP cerca de 2,5 vezes mais rapidamente do que o mecanismo oxidativo da

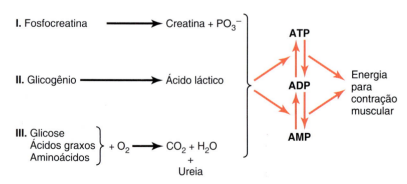

Figura 85.2 Sistemas metabólicos importantes que fornecem energia para a contração muscular.

mitocôndria. Portanto, quando são necessárias grandes quantidades de ATP por períodos curtos a moderados de contração muscular, esse mecanismo de glicólise anaeróbica pode ser usado como uma fonte rápida de energia. No entanto, tem aproximadamente a metade da velocidade do sistema dos fosfagênios. Em condições ideais, o sistema glicogênio-ácido láctico pode fornecer 1,3 a 1,6 minuto de atividade muscular máxima, além dos 8 a 10 segundos fornecidos pelo sistema dos fosfagênios, embora com potência muscular um tanto reduzida.

Sistema aeróbico. O sistema aeróbico é a oxidação de nutrientes nas mitocôndrias para fornecimento de energia. Conforme mostrado na **Figura 85.2**, glicose, ácidos graxos e aminoácidos provenientes da alimentação – após algum processamento intermediário – combinam-se com o oxigênio para liberar enormes quantidades de energia que são usadas para converter AMP e ADP em ATP, conforme discutido no Capítulo 68.

Ao comparar esse mecanismo aeróbico de fornecimento de energia com o sistema glicogênio-ácido láctico e o sistema dos fosfagênios, as taxas máximas relativas de geração de energia em termos de moles de geração de ATP por minuto são as seguintes:

	Moles de ATP/min
Sistema dos fosfagênios	4
Sistema glicogênio-ácido láctico	2,5
Sistema aeróbico	1

Ao comparar os mesmos sistemas de resistência, os valores relativos são os seguintes:

	Tempo
Sistema dos fosfagênios	8 a 10 s
Sistema glicogênio-ácido láctico	1,3 a 1,6 min
Sistema aeróbico	Tempo ilimitado (enquanto durarem os substratos)

Assim, pode-se perceber facilmente que o sistema dos fosfagênios é utilizado pelo músculo para picos de força de alguns segundos, e o sistema aeróbico é necessário para atividades atléticas prolongadas. No meio-termo fica o sistema glicogênio-ácido láctico, que é especialmente importante para fornecer energia extra durante as corridas intermediárias, como corridas de 200 a 800 metros.

Que atividades esportivas utilizam cada tipo de sistema de energia?
Considerando o vigor de uma atividade esportiva e sua duração, pode-se estimar qual dos sistemas de energia é usado para cada atividade. Valores aproximados são apresentados na **Tabela 85.1**.

Recuperação dos sistemas metabólicos musculares após o exercício.
Da mesma forma que a energia da fosfocreatina pode ser usada para reconstituir o ATP, a energia do sistema glicogênio-ácido láctico pode ser usada para reconstituir a fosfocreatina e o ATP. A energia do metabolismo oxidativo do sistema aeróbico pode então ser usada para reconstituir todos os outros sistemas – os sistemas ATP, fosfocreatina e glicogênio-ácido láctico.

Tabela 85.1 Sistemas de energia utilizados em diferentes esportes.

Sistema dos fosfagênios, quase totalmente
Corrida de 100 metros
Salto
Levantamento de peso
Mergulho
Colisão e arrancada de futebol americano
Rebatida com arrancada no beisebol

Sistemas de fosfagênios e glicogênio-ácido láctico
Corrida de 200 metros
Basquetebol
Arrancadas de hóquei no gelo

Sistema glicogênio-ácido láctico, principalmente
Corrida de 400 metros
Natação de 100 metros
Tênis
Futebol

Sistema glicogênio-ácido láctico e sistema aeróbico
Corrida de 800 metros
Natação de 200 metros
Patinação de 1.500 metros
Boxe
Remo de 2.000 metros
Corrida de 1.500 metros
Corrida de 1,6 km
Natação de 400 metros

Sistema aeróbico
Patinação de 10.000 metros
Esqui de fundo ou *cross-country* (longa distância)
Maratona (42,2 quilômetros)
Cooper (corrida de 12 min)

A reconstituição do sistema de ácido láctico significa principalmente a remoção do excesso de ácido láctico que se acumulou nos líquidos corporais. A remoção do excesso é especialmente importante porque o acúmulo de ácido láctico contribui para a fadiga e a sensação de "queimação" nos músculos ativos durante o exercício intenso. Quando quantidades adequadas de energia são disponibilizadas a partir do metabolismo oxidativo, a remoção do ácido láctico é alcançada de duas maneiras: (1) uma pequena porção é convertida de volta em ácido pirúvico e então metabolizada oxidativamente pelos tecidos orgânicos, e (2) o restante do ácido láctico é reconvertido em glicose, principalmente no fígado, e a glicose, por sua vez, é usada para repor os estoques de glicogênio dos músculos.

Recuperação do sistema aeróbico após o exercício.
Mesmo durante os estágios iniciais de exercícios pesados, uma parte da capacidade de energia aeróbica de uma pessoa se esgota. Essa depleção resulta de dois efeitos: (1) o chamado *débito de oxigênio* e (2) a *depleção dos estoques de glicogênio* dos músculos.

Débito de oxigênio. O corpo normalmente contém cerca de 2 ℓ de oxigênio armazenado que pode ser usado para o metabolismo aeróbico, mesmo sem respirar nenhum novo oxigênio. Esse oxigênio armazenado consiste no seguinte: (1) 0,5 ℓ no ar dos pulmões, (2) 0,25 ℓ dissolvido nos líquidos corporais, (3) 1 ℓ combinado com a hemoglobina do sangue e (4) 0,3 ℓ armazenado nas fibras musculares, combinado principalmente com a mioglobina, uma substância química que se liga ao oxigênio de modo semelhante à hemoglobina.

Em exercícios pesados, quase todo o oxigênio armazenado é usado em um minuto ou mais para o metabolismo aeróbico. Então, após o término do exercício, esse oxigênio armazenado deve ser reabastecido respirando quantidades extras de oxigênio, além das necessidades normais. Além disso, devem ser consumidos cerca de 9 ℓ a mais de oxigênio para reconstituir o sistema dos fosfagênios e o sistema glicogênio-ácido láctico. Todo esse oxigênio extra que deve ser reposto (cerca de 11,5 ℓ) é chamado de *débito de oxigênio*.

A **Figura 85.3** mostra o princípio de débito de oxigênio. Durante os primeiros 4 minutos, conforme mostrado na figura, a pessoa se exercita pesadamente e a taxa de consumo de oxigênio aumenta mais de 15 vezes. Depois disso, mesmo após o término do exercício, a captação de oxigênio ainda permanece acima do normal. No princípio, é muito alta, pois o organismo está reconstituindo o sistema dos fosfagênios e repondo a porção de oxigênio utilizada do débito de oxigênio; em seguida, permanece ainda acima do normal – embora em um nível mais baixo – por mais 40 minutos, enquanto o ácido láctico é removido. A porção inicial do débito de oxigênio é chamada de *débito alático de oxigênio* e atinge cerca de 3,5 ℓ. A última porção é chamada de *débito láctico de oxigênio* e atinge cerca de 8 ℓ.

Recuperação do glicogênio muscular. A recuperação de uma depleção exaustiva de glicogênio muscular não é uma questão simples. Nesse processo, geralmente são necessários dias, em vez de segundos, minutos ou horas para a recuperação dos sistemas metabólicos dos fosfagênios e do ácido láctico. A **Figura 85.4** mostra esse processo de recuperação sob três condições: (1) em pessoas que consomem uma dieta com alto teor de carboidratos; (2) em pessoas que consomem uma dieta com alto teor de gordura e proteína; e (3) em pessoas que não consomem alimentos. Observe que, para pessoas que consomem uma dieta rica em carboidratos, a recuperação completa ocorre em cerca de 2 dias. Por outro lado, as pessoas que consomem uma dieta rica em gordura e proteínas ou nenhum alimento apresentam muito pouca recuperação, mesmo depois de 5 dias. A comparação mostra que (1) é importante para os atletas consumirem uma dieta rica em carboidratos antes de um evento atlético cansativo e (2) os atletas não devem participar de exercícios exaustivos nas 48 horas anteriores ao evento.

Nutrientes usados durante a atividade muscular

Além do uso de uma grande quantidade de carboidratos pelos músculos durante o exercício, especialmente durante os estágios iniciais, os músculos utilizam grandes quantidades de gordura para obter energia na forma de *ácidos graxos* e *ácido acetoacético* (ver Capítulo 69), bem como proteínas na forma de *aminoácidos* (em proporção muito menor). Na verdade, mesmo nas melhores condições, em eventos atléticos de resistência que duram mais de 4 a 5 horas, os estoques de glicogênio do músculo se esgotam quase totalmente e são de pouca utilidade para energizar a contração muscular. Em vez disso, o músculo agora depende da energia de outras fontes, principalmente, das gorduras.

A **Figura 85.5** mostra o uso relativo aproximado de carboidratos e gordura para produção de energia durante exercícios exaustivos prolongados sob três condições dietéticas: uma dieta rica em carboidratos, uma dieta mista e uma dieta rica em gordura. Observe que a maior parte da energia é derivada de carboidratos durante os primeiros segundos ou minutos do exercício, mas, no momento da exaustão, de 60 a 85% da energia é derivado de gorduras, em vez de carboidratos.

Nem toda a energia oriunda dos carboidratos é proveniente do glicogênio armazenado nos *músculos*. Na verdade, quase a mesma quantidade de glicogênio é armazenada no *fígado*, e esse glicogênio pode ser liberado no sangue sob a forma de glicose e então absorvido pelos músculos como fonte de energia. Além disso, as soluções de glicose que o atleta ingere durante um evento esportivo podem fornecer de 30 a 40% da energia necessária em eventos prolongados, como corridas de maratona.

Portanto, se o glicogênio muscular e a glicose sanguínea estiverem disponíveis, são esses os nutrientes energéticos de escolha para a atividade muscular intensa. Mesmo assim, para um evento de resistência de longa duração é esperado que a gordura forneça mais de 50% da energia necessária após cerca de 3 a 4 horas.

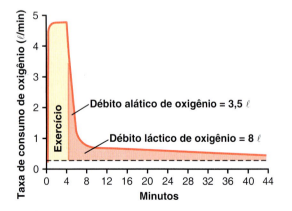

Figura 85.3 Taxa de consumo de oxigênio pelos pulmões durante o exercício máximo por 4 minutos e, em seguida, por cerca de 40 minutos após o término do exercício. Esta figura demonstra o princípio do *débito de oxigênio*.

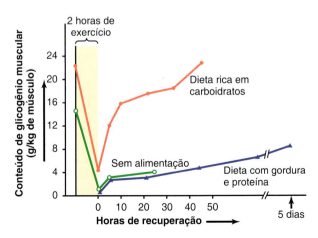

Figura 85.4 O efeito da dieta na taxa de reposição de glicogênio muscular após exercícios prolongados. (*Modificada de Fox EL: Sports Physiology. Philadelphia: Saunders College Publishing, 1979.*)

CAPÍTULO 85 Fisiologia do Exercício

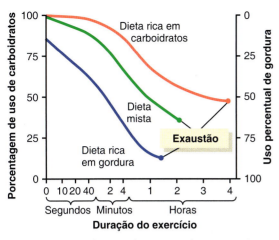

Figura 85.5 Efeito da duração do exercício, bem como do tipo de dieta, nas porcentagens relativas de carboidratos ou gorduras usadas como fonte de energia pelos músculos. (Dados da Fox EL: Sports Physiology. Philadelphia: Saunders College Publishing, 1979.)

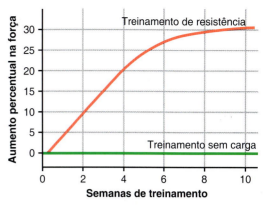

Figura 85.6 Efeito aproximado do treinamento de resistência ideal no aumento da força muscular durante um período de exercícios de 10 semanas.

Efeito do treinamento atlético sobre os músculos e o desempenho muscular

O treinamento de resistência máxima aumenta a força muscular. Um dos princípios fundamentais do desenvolvimento muscular durante o treinamento atlético é o seguinte: os músculos que funcionam sem carga, mesmo que sejam exercitados por horas a fio, aumentam pouco em força. No outro extremo, os músculos que se contraem com mais de 50% da força máxima de contração desenvolverão força rapidamente, mesmo que as contrações sejam realizadas apenas algumas vezes por dia. Usando esse princípio, experimentos sobre construção muscular mostraram que *seis contrações musculares quase máximas realizadas em três séries, 3 dias por semana, proporcionam um aumento aproximadamente ideal na força muscular sem produzir fadiga muscular crônica.*

A curva superior na **Figura 85.6** mostra o aumento percentual aproximado na força que pode ser alcançada por um jovem não treinado previamente por esse programa de treinamento de resistência, demonstrando que a força muscular aumenta cerca de 30% durante as primeiras 6 a 8 semanas, mas praticamente alcança um platô depois desse tempo. Junto com esse aumento na força, há um aumento percentual aproximadamente igual na massa muscular, que é chamado de *hipertrofia muscular.*

Na velhice, muitas pessoas tornam-se tão sedentárias que seus músculos atrofiam significativamente. Nesses casos, no entanto, o treinamento muscular pode aumentar a força muscular mais do que 100%.

Hipertrofia muscular. O tamanho médio dos músculos de uma pessoa é determinado em grande medida pela hereditariedade e pelo nível de secreção de testosterona, que, nos homens, resulta em músculos consideravelmente maiores do que nas mulheres. Com o treinamento, entretanto, os músculos podem ficar hipertrofiados, talvez em mais de 30 a 60%. A maior parte dessa hipertrofia resulta do aumento do diâmetro das fibras musculares, e não do aumento do número de fibras. No entanto, acredita-se que algumas poucas fibras musculares muito aumentadas se dividam ao meio ao longo do comprimento para formar fibras inteiramente novas, aumentando ligeiramente o número de fibras.

As alterações que ocorrem dentro das fibras musculares hipertrofiadas incluem (1) o aumento do número de miofibrilas, proporcional ao grau de hipertrofia; (2) o aumento de até 120% nas enzimas mitocondriais; (3) o aumento de até 60 a 80% nos componentes do sistema metabólico dos fosfagênios, ou seja, ATP e fosfocreatina; (4) até 50% de aumento no glicogênio armazenado; e (5) aumento de até 75 a 100% nos triglicerídios (gordura) armazenados. Por causa de todas essas mudanças, a capacidade metabólica tanto do sistema anaeróbico quanto do sistema aeróbico é elevada, aumentando especialmente a taxa de oxidação máxima e a eficiência do sistema metabólico oxidativo em até 45%.

Fibras musculares de contração rápida e de contração lenta. No ser humano, todos os músculos têm porcentagens variáveis de *fibras musculares de contração rápida e lenta*. Por exemplo, o músculo gastrocnêmio tem maior preponderância de fibras de contração rápida, o que lhe confere a capacidade de contração rápida e vigorosa do tipo usado no salto. Por outro lado, o músculo sóleo tem uma maior preponderância de fibras musculares de contração lenta e, portanto, é usado em maior extensão para atividades prolongadas dos músculos da perna.

As diferenças básicas entre as fibras de contração rápida e as de contração lenta são as seguintes:

1. As fibras de contração rápida têm aproximadamente o dobro do diâmetro em comparação com as fibras de contração lenta.
2. As enzimas que promovem a liberação rápida de energia dos sistemas de energia dos fosfagênios e do glicogênio-ácido láctico são duas a três vezes mais ativas nas fibras de contração rápida do que nas fibras de contração lenta, tornando a potência máxima que pode ser alcançada por períodos muito curtos por fibras de contração rápida cerca de duas vezes maior do que a das fibras de contração lenta.
3. As fibras de contração lenta são organizadas principalmente para resistência, especialmente para geração de energia aeróbica. Elas têm muito mais mitocôndrias do que as fibras de contração rápida. Além disso, contêm uma quantidade consideravelmente maior

de mioglobina, uma proteína semelhante à hemoglobina que se combina com o oxigênio dentro da fibra muscular; a mioglobina extra aumenta a taxa de difusão do oxigênio pela fibra, transportando o oxigênio de uma molécula de mioglobina para outra. Além disso, as enzimas do sistema metabólico aeróbico são consideravelmente mais ativas nas fibras de contração lenta do que nas fibras de contração rápida.

4. O número de capilares é maior na vizinhança das fibras de contração lenta do que na vizinhança das fibras de contração rápida.

Em resumo, as fibras de contração rápida podem fornecer quantidades extremas de energia por alguns segundos a um minuto ou mais. Por outro lado, as fibras de contração lenta fornecem resistência, proporcionando força prolongada de contração por muitos minutos a horas.

Diferenças hereditárias entre atletas para fibras musculares de contração rápida e de contração lenta.
Algumas pessoas têm um número consideravelmente maior de fibras de contração rápida do que de fibras de contração lenta, e outras têm mais fibras de contração lenta; esse fator pode determinar, até certo ponto, as capacidades atléticas de diferentes indivíduos. O treinamento atlético pode alterar as proporções relativas das fibras de contração rápida e lenta em até 10%. No entanto, as proporções relativas das fibras de contração rápida e lenta parecem ser determinadas em grande parte pela herança genética, que por sua vez ajuda a determinar que modalidade esportiva é mais adequada para cada pessoa: algumas pessoas parecem ter nascido para ser maratonistas, enquanto outras, para ser velocistas e saltadores. Por exemplo, os valores a seguir são porcentagens registradas de fibras de contração rápida e fibras de contração lenta nos músculos quadríceps de diferentes tipos de atletas:

	Fibra de contração rápida	Fibra de contração lenta
Maratonistas	18	82
Nadadores	26	74
Adulto médio (homem)	55	45
Levantadores de peso	55	45
Velocistas	63	37
Saltadores	63	37

Respiração no exercício

Embora a capacidade respiratória não seja uma grande preocupação na *performance* dos velocistas, é fundamental para o desempenho máximo no atletismo de resistência.

Consumo de oxigênio e ventilação pulmonar no exercício. O consumo normal de oxigênio para um jovem em repouso é de cerca de 250 mℓ/min. No entanto, em condições máximas, esse consumo pode ser aumentado para aproximadamente os seguintes níveis médios:

	mℓ/min
Adulto médio (homem) sem treinamento	3.600
Adulto médio (homem) com treinamento	4.000
Corredor de maratona	5.100

A **Figura 85.7** mostra a relação entre o *consumo de oxigênio* e a *ventilação pulmonar total* com exercícios de diferentes níveis. Como seria esperado, existe uma relação linear. Tanto o consumo de oxigênio quanto a ventilação pulmonar total aumentam cerca de 20 vezes entre o estado de repouso e a intensidade máxima de exercício no *atleta bem treinado*.

Limites da ventilação pulmonar. Até que ponto estressamos nosso sistema respiratório durante o exercício? Essa pergunta pode ser respondida pela seguinte comparação com um adulto jovem normal:

	ℓ/min
Ventilação pulmonar com exercício máximo	100 a 110
Capacidade respiratória máxima	150 a 170

Assim, a capacidade respiratória máxima é cerca de 50% maior do que a ventilação pulmonar real durante o exercício máximo. Essa diferença fornece um elemento de segurança para os atletas, dando-lhes ventilação extra que pode ser acionada em condições como (1) exercícios em grandes altitudes, (2) exercícios em condições muito quentes e (3) anormalidades no sistema respiratório.

O ponto importante é que *o sistema respiratório normalmente não é o fator mais limitante no fornecimento de oxigênio aos músculos durante o metabolismo muscular aeróbico máximo*. Veremos adiante que a capacidade do coração de bombear sangue para os músculos costuma ser um fator limitante mais importante.

Efeito do treinamento sobre o $\dot{V}O_2$ máx. A abreviatura usada para a taxa de oxigênio utilizado (em ℓ/min) sob metabolismo aeróbico máximo é $\dot{V}O_2$ máx. Logo, o $\dot{V}O_2$ máx representa o consumo máximo de oxigênio que pode ser captado pelos tecidos, durante o esforço máximo. A **Figura 85.8** mostra o efeito progressivo do treinamento atlético sobre o $\dot{V}O_2$ máx registrado em um grupo de indivíduos começando no nível de nenhum treinamento e, em seguida, durante o programa de treinamento de 7 a 13 semanas. Nesse estudo, é surpreendente que o $\dot{V}O_2$ máx tenha aumentado apenas cerca de 10%. Além disso, a frequência de treinamento, seja duas, seja 5 vezes/semana, teve pouco

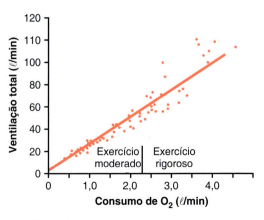

Figura 85.7 Efeito do exercício sobre o consumo de oxigênio e a frequência ventilatória. (*Modificada de Gray JS: Pulmonary Ventilation and Its Physiological Regulation.* Springfield, IL: Charles C Thomas, 1950.)

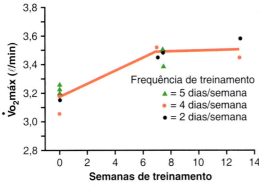

Figura 85.8 Aumento do $\dot{V}O_2$ máx ao longo de um período de 7 a 13 semanas de treinamento atlético. (*Modificada de Fox EL: Sports Physiology. Philadelphia: Saunders College Publishing, 1979.*)

efeito sobre o aumento do $\dot{V}O_2$ máx. No entanto, como apontado anteriormente, o $\dot{V}O_2$ máx de um maratonista é cerca de 45% maior do que o de uma pessoa não treinada. Parte desse maior $\dot{V}O_2$ máx do maratonista pode ser determinado geneticamente; ou seja, as pessoas que têm o tórax maior em relação ao tamanho do corpo e músculos respiratórios mais fortes podem optar por se tornar maratonistas. No entanto, também é provável que muitos anos de treinamento aumentem o $\dot{V}O_2$ máx do maratonista em valores consideravelmente maiores do que os 10% que foram registrados em experimentos de curta duração, como o da **Figura 85.8**.

Capacidade de difusão de oxigênio dos atletas. A *capacidade de difusão de oxigênio* é a medida da taxa na qual o oxigênio pode se difundir dos alvéolos pulmonares para o sangue. Essa capacidade é expressa em termos de *mililitros de oxigênio que se difundem, por minuto, para cada mmHg de diferença entre a pressão parcial alveolar de oxigênio e a pressão arterial pulmonar de oxigênio*. Ou seja, se a pressão parcial de oxigênio nos alvéolos for 91 mmHg, e a pressão do oxigênio no sangue for 90 mmHg, a quantidade de oxigênio que se difunde através da membrana respiratória a cada minuto é igual à capacidade de difusão. Os seguintes valores são valores medidos para diferentes capacidades de difusão:

	mℓ/min
Não atleta em repouso	23
Não atleta durante exercício máximo	48
Patinador de velocidade durante exercício máximo	64
Nadador durante exercício máximo	71
Remador durante exercício máximo	80

O fato mais surpreendente sobre esses resultados é o aumento de várias vezes na capacidade de difusão entre o estado de repouso e o estado de exercício máximo. Esse achado resulta principalmente do fato de que o fluxo sanguíneo através de muitos dos capilares pulmonares é lento ou mesmo inativo no estado de repouso, enquanto, no exercício máximo, o aumento do fluxo sanguíneo pelos pulmões faz com que todos os capilares pulmonares sejam perfundidos em suas taxas máximas, proporcionando uma área de superfície muito maior através da qual o oxigênio pode se difundir no sangue capilar pulmonar.

Também fica claro, a partir desses valores, que os atletas que requerem maiores quantidades de oxigênio por minuto têm maiores capacidades de difusão. Será porque as pessoas com capacidades de difusão naturalmente maiores escolhem esse tipo de esporte ou porque algo nos procedimentos de treinamento aumenta a capacidade de difusão? A resposta é incerta, mas é possível que o treinamento, particularmente o treinamento de resistência, possa desempenhar um papel importante.

Gasometria do sangue durante exercícios. Por causa do grande uso de oxigênio pelos músculos durante a prática de exercícios, pode-se esperar que a pressão de oxigênio do sangue arterial diminua acentuadamente durante as atividades esportivas extenuantes e que a pressão do dióxido de carbono do sangue venoso aumente muito acima do normal. No entanto, normalmente não é isso que acontece. Os dois parâmetros permanecem quase normais, demonstrando a extrema habilidade do sistema respiratório em fornecer oxigenação adequada do sangue, mesmo durante exercícios pesados.

Isso demonstra outro ponto importante: *os valores de gasometria sanguínea nem sempre precisam se tornar anormais para que a respiração seja estimulada durante o exercício*. Em vez disso, a respiração é estimulada principalmente por mecanismos neurogênicos durante o esforço, conforme discutido no Capítulo 42. Parte do processo resulta da estimulação direta do centro respiratório pelos mesmos sinais nervosos que são transmitidos do cérebro aos músculos para provocar o movimento no exercício. Acredita-se que uma parte adicional resulte de sinais sensoriais transmitidos ao centro respiratório a partir da contração dos músculos e das articulações em movimento. Toda essa estimulação nervosa extra da respiração normalmente é suficiente para fornecer o aumento necessário na ventilação pulmonar para manter os níveis de oxigênio e dióxido de carbono muito próximos do normal.

Efeito do tabagismo sobre a ventilação pulmonar durante o exercício. É amplamente conhecido que fumar pode diminuir o "fôlego" de um atleta. Isso é verdade por muitos motivos:

1. Um dos efeitos da nicotina é a constrição dos bronquíolos terminais dos pulmões, o que aumenta a resistência do fluxo de ar para dentro e para fora dos pulmões.
2. Os efeitos irritantes da fumaça causam um aumento da secreção de líquidos na árvore brônquica, bem como algum edema no revestimento epitelial.
3. A nicotina paralisa os cílios nas superfícies das células epiteliais respiratórias que normalmente batem continuamente para remover das vias respiratórias o excesso de líquidos e partículas estranhas. Como resultado, muitos detritos se acumulam nas passagens e aumentam ainda mais a dificuldade para respirar.

Depois de colocar todos esses fatores juntos, mesmo um fumante leve frequentemente sente dificuldade respiratória durante o exercício máximo, e o nível de desempenho pode ser reduzido.

Muito mais graves são os efeitos do tabagismo crônico. Existem poucos fumantes crônicos nos quais não se desenvolve algum grau de enfisema. Nessa doença, ocorrem os seguintes mecanismos: (1) bronquite crônica, (2) obstrução de muitos dos bronquíolos terminais e (3) destruição de muitas paredes alveolares. Em pessoas com enfisema grave, até quatro quintos da membrana respiratória podem ser destruídos; então, mesmo a mais discreta atividade física pode causar dificuldade respiratória. Na verdade, muitos desses pacientes não conseguem nem mesmo realizar a simples tarefa de caminhar por um único cômodo sem precisar respirar fundo.

Sistema cardiovascular no exercício

Fluxo sanguíneo muscular. Um requisito fundamental da função cardiovascular no exercício é fornecer oxigênio e outros nutrientes necessários aos músculos. Para isso, o fluxo sanguíneo muscular aumenta drasticamente durante o exercício. A **Figura 85.9** mostra um registro do fluxo sanguíneo muscular na panturrilha de uma pessoa por um período de 6 minutos durante contrações intermitentes moderadamente fortes. Observe não apenas o grande aumento no fluxo – cerca de 13 vezes –, mas também a diminuição do fluxo durante cada contração muscular. Podem ser feitas duas observações a partir desse estudo:

1. O próprio processo contrátil diminui temporariamente o fluxo sanguíneo muscular porque o músculo esquelético em contração comprime os vasos sanguíneos intramusculares; portanto, fortes contrações musculares *tônicas* podem causar fadiga muscular rápida devido à falta de fornecimento de oxigênio e outros nutrientes suficientes durante o ciclo contínuo de contrações.
2. O fluxo sanguíneo para os músculos durante o exercício aumenta acentuadamente.

A comparação a seguir mostra o aumento máximo no fluxo sanguíneo que pode ocorrer em um atleta bem treinado:

	mℓ/100 g músculo/min
Fluxo sanguíneo em repouso	3,6
Fluxo sanguíneo durante exercício máximo	90

Assim, o fluxo sanguíneo muscular pode aumentar um máximo de aproximadamente 25 vezes durante a prática de exercícios mais extenuantes. Quase metade desse aumento no fluxo resulta da vasodilatação intramuscular causada pelos efeitos diretos do aumento do metabolismo muscular, como explicado no Capítulo 21. O aumento restante resulta de múltiplos fatores, o mais importante dos quais é provavelmente o aumento moderado da pressão arterial que ocorre com a prática de exercícios, o qual, em média, é de cerca de 30% de aumento. Esse aumento da pressão não apenas força mais sangue pelos vasos sanguíneos, mas também dilata as paredes das arteríolas e reduz ainda mais a resistência vascular. Portanto, um aumento de 30% na pressão arterial pode mais do que dobrar o fluxo sanguíneo, o que multiplica, pelo menos duas vezes, o grande aumento de fluxo já causado pela vasodilatação causada pelo aumento do metabolismo muscular.

Rendimento, consumo de oxigênio e débito cardíaco durante o exercício. A **Figura 85.10** mostra as inter-relações entre rendimento, consumo de oxigênio e débito cardíaco durante o exercício. Não é de se estranhar que todos esses fatores estejam diretamente relacionados entre si, como mostrado pelas funções lineares (retas representadas na figura). De fato, o aumento do consumo de oxigênio dilata os vasos sanguíneos dos músculos, elevando o retorno venoso e o débito cardíaco. Os débitos cardíacos típicos em vários níveis de exercício são os seguintes:

	ℓ/min
Débito cardíaco em um jovem adulto em repouso	5,5
Débito cardíaco máximo durante exercício em um jovem adulto não treinado	23
Débito cardíaco máximo durante o exercício em um maratonista médio	30

Assim, a pessoa normal não treinada pode aumentar o débito cardíaco um pouco mais de 4 vezes, e o atleta bem treinado pode aumentar o débito em cerca de 6 vezes. Débitos cardíacos tão grandes quanto 35 a 40 ℓ/min, ou sete a

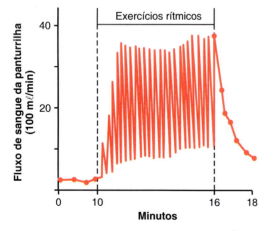

Figura 85.9 Efeitos do exercício muscular no fluxo sanguíneo na panturrilha de uma perna durante fortes contrações rítmicas. O fluxo sanguíneo era muito menor durante a contração do que entre as contrações. (Modificada de Barcroft J, Dornhorst AC: The blood flow through the human calf during rhythmic exercise, J Physiol 109:402, 1949.)

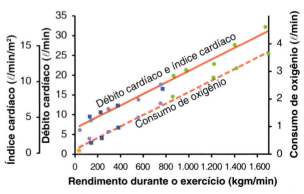

Figura 85.10 Relação entre débito cardíaco e rendimento (*linha contínua*) e entre consumo de oxigênio e rendimento (*linha tracejada*) durante diferentes níveis de exercício. Os diferentes pontos e quadrados coloridos mostram dados derivados de diferentes estudos em humanos. (Modificada de Guyton AC, Jones CE, Coleman TB: Circulatory Physiology: Cardiac Output and Its Regulation. Philadelphia: WB Saunders, 1973.)

oito vezes o débito normal em repouso, foram medidos em maratonistas individuais.

Efeito do treinamento na hipertrofia cardíaca e no débito cardíaco. A partir dos dados anteriores, ficou claro que maratonistas podem atingir um débito cardíaco máximo, que é cerca de 40% maior do que aqueles alcançados por pessoas não treinadas. Isso resulta principalmente do fato de que as câmaras cardíacas dos maratonistas aumentam cerca de 40% (dilatação cardíaca); junto com esse alargamento das câmaras, a massa cardíaca também aumenta 40% (hipertrofia cardíaca) ou mais. Portanto, não apenas os músculos esqueléticos sofrem hipertrofia durante o treinamento atlético, mas também o coração. No entanto, o aumento do coração (dilatação) e o aumento da capacidade de bombeamento (hipertrofia) ocorrem principalmente no treinamento atlético de resistência, não com exercícios de explosão.

Embora o coração do maratonista seja consideravelmente maior do que o de uma pessoa normal, o débito cardíaco em repouso é quase exatamente o mesmo. No entanto, esse débito cardíaco normal é obtido por um grande volume sistólico, associado a uma frequência cardíaca reduzida. A **Tabela 85.2** compara o volume sistólico e a frequência cardíaca na pessoa não treinada e no maratonista.

Assim, a eficácia de bombeamento de cada batimento cardíaco é 40 a 50% maior no atleta altamente treinado do que na pessoa não treinada, mas há uma diminuição correspondente na frequência cardíaca em repouso.

Papel do volume sistólico e da frequência cardíaca no aumento do débito cardíaco. A **Figura 85.11** mostra as mudanças aproximadas no *volume sistólico* e na *frequência cardíaca* conforme o débito cardíaco aumenta de seu nível de repouso (cerca de 5,5 ℓ/min) para 30 ℓ/min no corredor de maratona. O *volume sistólico* aumenta de 105 para 162 mℓ, um aumento de cerca de 50%, enquanto a frequência cardíaca aumenta de 50 para 185 batimentos/min, um aumento de 270%. Portanto, o aumento da frequência cardíaca é, de longe, o maior responsável pelo aumento no débito cardíaco, portanto, bem mais do que o aumento no volume sistólico, durante exercícios vigorosos sustentados. O volume sistólico normalmente atinge seu máximo no momento em que o débito cardíaco aumenta a metade de seu máximo. Qualquer aumento adicional no débito cardíaco deve ocorrer pelo aumento da frequência cardíaca.

Tabela 85.2 Comparação da função cardíaca entre maratonista e não atleta.

Tipo de esforço	Volume sistólico (mℓ)	Frequência cardíaca (batimentos/min)
Repouso		
Não atleta	75	75
Maratonista	105	50
Máximo		
Não atleta	110	195
Maratonista	162	185

Relação do desempenho cardiovascular com o $\dot{V}O_2$ máx. Durante o exercício máximo, a frequência cardíaca e o volume sistólico aumentam para cerca de 95% de seus níveis máximos. Como o débito cardíaco é igual ao volume sistólico *multiplicado* pela frequência cardíaca, o débito cardíaco pode chegar a 90% do máximo que a pessoa pode atingir, o que está em contraste com cerca de 65% do máximo para ventilação pulmonar. Portanto, é possível perceber prontamente que o sistema cardiovascular é muito mais determinante no $\dot{V}O_2$ máx do que o sistema respiratório, porque a utilização do oxigênio pelo organismo nunca pode ser maior do que a taxa na qual o sistema cardiovascular pode transportá-lo para os tecidos.

Por esse motivo, é frequentemente afirmado que o nível de desempenho atlético que pode ser alcançado pelo maratonista depende principalmente da capacidade de desempenho do seu coração, pois esse é o elo mais limitante no fornecimento de oxigênio para os músculos durante o exercício. Portanto, o débito cardíaco 40% maior que um maratonista pode alcançar em relação à média do sexo masculino não treinado é, provavelmente, o benefício fisiológico mais importante alcançado pelo seu programa de treinamento.

Efeito da doença cardíaca e do envelhecimento no desempenho atlético. Por causa da limitação crítica que o sistema cardiovascular impõe ao desempenho máximo nos esportes de resistência (*endurance*), pode-se compreender prontamente que qualquer tipo de doença cardiovascular que reduza o débito cardíaco máximo causará uma diminuição correspondente na potência muscular corporal total que pode ser alcançada. Portanto, uma pessoa com insuficiência cardíaca congestiva descompensada frequentemente tem dificuldade em atingir até mesmo a força muscular necessária para sair da cama, e menos ainda para caminhar.

O débito cardíaco máximo dos idosos também diminui consideravelmente; há uma redução de até 50% entre as idades de 18 e 80 anos. Além disso, há uma diminuição ainda maior na capacidade respiratória máxima. Por essas razões, aliada à redução na massa muscular esquelética que ocorre com o envelhecimento, a potência muscular máxima alcançável é grandemente reduzida na senilidade.

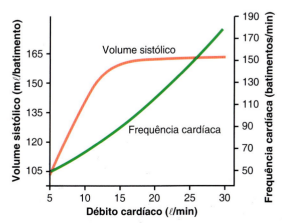

Figura 85.11 Volume sistólico aproximado e frequência cardíaca em diferentes níveis de débito cardíaco em um atleta de maratona.

PARTE 15 Fisiologia do Exercício

Temperatura corporal no exercício

Quase toda a energia liberada pelo metabolismo de nutrientes do corpo é dissipada na forma de calor corporal. Isso também se aplica à energia que causa a contração muscular pelos seguintes motivos: primeiro, a eficiência máxima para a conversão da energia dos nutrientes em trabalho muscular, mesmo nas melhores condições, é de apenas 20 a 25%; o restante da energia dos nutrientes é convertido em calor durante o transcorrer das reações químicas intracelulares. Em segundo lugar, quase toda a energia que vai para a produção do trabalho muscular ainda se transforma em calor corporal, porque quase toda essa energia é usada para: (1) superar a resistência viscosa ao movimento dos músculos e articulações, (2) superar o atrito do sangue fluindo através dos vasos sanguíneos e (3) entropia causada pelas reações químicas e pelo trabalho celular; todos esses fatores são capazes de converter a energia contrátil do músculo em calor, reduzindo, portanto, o rendimento do trabalho muscular.

Agora, reconhecendo que o consumo de oxigênio pelo corpo pode aumentar até 20 vezes no atleta bem treinado e que a quantidade de calor liberada é quase exatamente proporcional ao consumo de oxigênio (conforme discutido no Capítulo 73), percebe-se rapidamente que vultosas quantidades de calor são produzidas nos tecidos internos durante a realização de eventos atléticos de resistência. Portanto, com uma grande taxa de fluxo de calor para o corpo, em 1 dia muito quente e úmido – que evita que o mecanismo de suor elimine o calor –, pode se desenvolver no atleta uma condição intolerável e até letal chamada de *intermação*.

Intermação. No atletismo de resistência, mesmo sob condições ambientais normais, a temperatura corporal frequentemente sobe de seu nível normal 37°C para até 40°C. Em condições de muito calor e umidade, ou com excesso de roupas, a temperatura corporal pode atingir de 41°C a 42°C. Nesse nível, a temperatura elevada se torna destrutiva para as enzimas e células dos tecidos, especialmente as do cérebro. Quando esse fenômeno ocorre, vários sintomas começam a aparecer, incluindo fraqueza extrema, exaustão, cefaleia, tontura, náuseas, suor abundante, confusão mental, alterações na marcha, colapso e alterações no nível de consciência.

Todo esse complexo é chamado de *intermação*, que, se não tratada imediatamente, pode levar à morte. Na verdade, mesmo que a pessoa tenha parado de se exercitar, a temperatura não diminui facilmente, em parte porque nessas altas temperaturas, o mecanismo de regulação térmica frequentemente falha (ver Capítulo 74). Uma segunda razão é que, nos casos de intermação, a temperatura corporal muito alta praticamente dobra as taxas de todas as reações químicas intracelulares, liberando ainda mais calor.

O tratamento consiste em reduzir a temperatura corporal o mais rápido possível. A maneira mais prática de reduzir a temperatura corporal é remover todas as roupas, manter um jato de água fria sobre todas as superfícies do corpo ou passar uma esponja úmida no corpo e soprar ar com um ventilador. Experimentos mostraram que esse tratamento pode reduzir a temperatura tão rapidamente ou quase tão rapidamente quanto qualquer outro procedimento, embora alguns médicos prefiram a imersão total do corpo em água contendo massa de gelo picado, se disponível.

Líquidos corporais e sal no exercício

Foi registrada uma perda de peso de até 2,3 kg a 4,5 kg em atletas em um período de 1 hora durante eventos atléticos de resistência sob condições normais de calor e umidade. Essencialmente, toda essa perda de peso resulta da perda de suor. Uma perda de suor suficiente para diminuir o peso corporal em apenas 3% pode reduzir significativamente o desempenho de uma pessoa, e uma diminuição rápida de 5 a 10% no peso pode muitas vezes ser grave, levando a cãibras musculares, náuseas e outros efeitos adversos. Portanto, é essencial repor o líquido à medida que ele se perde.

Reposição de cloreto de sódio e potássio. Como o suor contém uma grande quantidade de cloreto de sódio, há muito afirma-se que todos os atletas devem tomar compostos contendo sal (cloreto de sódio) ao realizar exercícios em dias quentes e úmidos. No entanto, o consumo excessivo de sal costuma fazer tanto mal quanto bem. Além disso, se um atleta se torna aclimatado ao calor por aumento progressivo de exposição ao longo de um período de 1 a 2 semanas, em vez de realizar exageros atléticos máximos no primeiro dia, as glândulas sudoríparas também se adaptam, de modo que a quantidade de sal perdida pelo suor se torna apenas uma pequena fração do que é perdido antes da aclimatação. Essa adaptação das glândulas sudoríparas resulta principalmente do aumento da secreção de aldosterona pelo córtex adrenal. A aldosterona, por sua vez, tem um efeito direto sobre as glândulas sudoríparas, aumentando a reabsorção de cloreto de sódio antes que o suor saia dos seus túbulos em direção à superfície da pele. Uma vez que o atleta esteja aclimatado, raramente os suplementos de sal precisam ser consumidos durante os eventos esportivos.

Pode ocorrer *hiponatremia (baixa concentração de sódio no plasma)* associada ao exercício após um esforço físico prolongado. Na verdade, a hiponatremia grave pode ser uma causa importante de letalidade em atletas de resistência. Conforme observado no Capítulo 25, a hiponatremia grave pode causar edema nos tecidos, especialmente no cérebro, que pode ser letal. Em pessoas que apresentam hiponatremia, com risco de morte, após exercícios pesados, a causa principal não é simplesmente a perda de sódio devido ao suor; em vez disso, a hiponatremia é frequentemente resultante da ingestão de líquido hipotônico (água ou bebidas esportivas que geralmente têm uma concentração de sódio inferior a 18 mEq/ℓ, diluindo o sódio plasmático) e, no excesso de suor, urina e perdas insensíveis (principalmente respiratórias) de líquido. O consumo excessivo de líquidos pode ser causado pela sede, mas também pode ser devido ao comportamento condicionado que se baseia nas recomendações de sempre ingerir, incondicionalmente, líquidos durante o exercício para evitar a desidratação. A reposição abundante de água geralmente também está disponível em maratonas, triatlos e outros eventos atléticos de resistência.

A experiência de unidades militares expostas a exercícios pesados no deserto demonstrou ainda outro problema

CAPÍTULO 85 Fisiologia do Exercício

eletrolítico – a perda de potássio. A perda de potássio resulta, em parte, do aumento da secreção de aldosterona durante a aclimatação ao calor, o que aumenta a perda de potássio pela urina, bem como pelo suor. Como consequência dessas descobertas, alguns dos suplementos líquidos para atividades esportivas contêm quantidades adequadamente proporcionadas de potássio junto com o sódio, geralmente na forma de sucos de frutas.

Consumo de substâncias e desempenho atlético

Sem nos aprofundarmos no assunto, vamos listar os efeitos do uso de determinadas substâncias ergogênicas (que aumentam o desempenho) na prática atlética.

Primeiro, algumas pessoas acreditam que a *cafeína* aumente o desempenho atlético. Em um experimento realizado por um corredor de maratona, o tempo de corrida foi melhorado em 7% por meio do uso criterioso de cafeína em quantidades semelhantes às encontradas em uma a três xícaras de café. No entanto, experimentos de outros pesquisadores não conseguiram confirmar nenhuma vantagem, deixando essa questão em aberto.

Em segundo lugar, o uso de *hormônios sexuais masculinos (andrógenos)* ou outros esteroides anabolizantes para aumentar a força muscular, sem dúvida, pode melhorar o desempenho atlético em algumas condições, especialmente em mulheres e até mesmo em homens. No entanto, os esteroides anabolizantes também aumentam muito o risco de doenças cardiovasculares porque costumam causar hipertensão, diminuição das lipoproteínas de alta densidade no sangue e aumento das lipoproteínas de baixa densidade, o que promove ataques cardíacos e acidentes vasculares.

Nos homens, qualquer tipo de preparação à base de hormônio sexual masculino também leva à redução da função testicular, incluindo a diminuição da formação de espermatozoides e a diminuição da secreção da testosterona natural do indivíduo, com efeitos residuais que podem durar muitos meses e talvez indefinidamente, além de poderem afetar a próstata e causarem oscilações extremas de humor. Na mulher podem ocorrer efeitos ainda mais significativos, como surgimento de pelos faciais, engrossamento da voz, acne, hipertrofia de clitóris e interrupção da menstruação, porque mulheres normalmente não estão adaptadas ao hormônio sexual masculino (testosterona).

Outras substâncias, como *anfetaminas* e *cocaína*, têm fama de aumentar o desempenho atlético em virtude de seu efeito estimulante e euforizante. É igualmente verdade que o uso excessivo dessas substâncias pode levar à deterioração do desempenho. Além disso, os experimentos não conseguiram provar o valor do seu uso, exceto como estimulantes psíquicos. Alguns atletas morreram durante eventos atléticos devido à interação dessas substâncias com a noradrenalina e a adrenalina liberadas pelo sistema nervoso simpático durante o exercício. Uma das possíveis causas de morte nessas condições é a hiperexcitabilidade do coração, levando à fibrilação ventricular, que pode matar em segundos por parada cardíaca.

Um bom condicionamento físico prolonga a vida

Vários estudos demonstraram que pessoas que mantêm a forma corporal adequada, usando protocolos criteriosos de exercícios e controle de peso, têm o benefício adicional de uma vida prolongada. Especialmente entre as idades de 50 e 70 anos, os estudos mostraram que a mortalidade é três vezes menor em pessoas mais saudáveis do que nas menos saudáveis.

Por que o condicionamento físico prolonga a vida? Os motivos a seguir são alguns dos mais importantes.

O condicionamento físico e o controle de peso reduzem muito as doenças cardiovasculares. Isso resulta da (1) manutenção da pressão arterial moderadamente mais baixa e (2) redução do colesterol no sangue e da lipoproteína de baixa densidade, com aumento da lipoproteína de alta densidade. Como apontado anteriormente, todas essas mudanças, em conjunto, podem reduzir o número de ataques cardíacos, acidentes vasculares cerebrais e doenças renais.

A pessoa em boa forma física tem mais reservas corporais à disposição quando ficar doente. Por exemplo, uma pessoa de 80 anos sem condicionamento físico pode ter um sistema respiratório que limite o fornecimento de oxigênio aos tecidos a não mais que 1 ℓ/min; isso significa uma *reserva respiratória de não mais do que 3 a 4 vezes*. No entanto, um idoso em boa forma pode ter o dobro dessa reserva. Essa reserva extra é especialmente importante para preservar a vida quando o idoso passa por condições como uma pneumonia, que pode exigir rapidamente toda a reserva respiratória disponível. Além disso, a capacidade de aumentar o débito cardíaco em momentos de necessidade (a "reserva cardíaca") costuma ser 50% maior em idosos com boa forma do que em idosos sem condicionamento físico.

O exercício e o condicionamento físico geral também reduzem o risco de vários distúrbios metabólicos crônicos associados à obesidade, como resistência à insulina e diabetes do tipo 2. Foi demonstrado que o exercício moderado, mesmo na ausência de perda significativa de peso, melhora a sensibilidade à insulina e reduz, ou em alguns casos elimina, a necessidade de tratamento com insulina em pacientes com diabetes do tipo 2.

A melhora do condicionamento físico também reduz o risco de vários tipos de câncer, incluindo câncer de mama, próstata e cólon. Muitos dos efeitos benéficos do exercício podem estar relacionados à redução da obesidade. No entanto, estudos em animais e em seres humanos mostraram que o exercício regular reduz o risco de muitas doenças crônicas por meio de mecanismos ainda pouco conhecidos, que são, pelo menos em certa medida, independentes da perda de peso ou da diminuição da adiposidade corporal.

Bibliografia

Blaauw B, Schiaffino S, Reggiani C: Mechanisms modulating skeletal muscle phenotype. Compr Physiol 3:1645, 2013.

Booth FW, Roberts CK, Thyfault JP, et al: Role of inactivity in chronic diseases: evolutionary insight and pathophysiological mechanisms. Physiol Rev 97:1351, 2017.

Del Buono MG, Arena R, Borlaug BA, et al: Exercise intolerance in patients with heart failure: JACC state-of-the-art review. J Am Coll Cardiol 73:2209, 2019.

Diaz-Canestro C, Montero D: Sex dimorphism of VO$_{2max}$ trainability: a systematic review and meta-analysis. Sports Med 49:1949, 2019.

Grgic J, McIlvenna LC, Fyfe JJ, et al: Does aerobic training promote the same skeletal muscle hypertrophy as resistance training? A systematic review and meta-analysis. Sports Med 49:233, 2019.

PARTE 15 Fisiologia do Exercício

Handelsman DJ, Hirschberg AL, Bermon S: Circulating testosterone as the hormonal basis of sex differences in athletic performance. Endocr Rev 39:803, 2018.

Jones AM, Burnley M, Black MI, et al: The maximal metabolic steady state: redefining the 'gold standard'. Physiol Rep 2019 May;7(10):e14098. doi: 10.14814/phy2.14098

Joyner MJ, Casey DP: Regulation of increased blood flow (hyperemia) to muscles during exercise: a hierarchy of competing physiological needs. Physiol Rev 95:549, 2015.

Joyner MJ, Lundby C: Concepts about $\dot{V}O_{2max}$ and trainability are context dependent. Exerc Sport Sci Rev 46:138, 2018.

Joyner MJ: Physiological limits to endurance exercise performance: influence of sex. J Physiol 595:2949, 2017.

Kent-Braun JA, Fitts RH, Christie A: Skeletal muscle fatigue. Compr Physiol 2:997, 2012.

Montero D, Lundby C: Regulation of red blood cell volume with exercise training. Compr Physiol 9:149, 2018.

Powers SK, Jackson MJ: Exercise-induced oxidative stress: cellular mechanisms and impact on muscle force production. Physiol Rev 88:1243, 2008.

Rosner MH: Exercise-associated hyponatremia. Semin Nephrol 29:271, 2009.

Schiaffino S: Muscle fiber type diversity revealed by anti-myosin heavy chain antibodies. FEBS J 285:3688, 2018.

Seals DR, Edward F: Adolph Distinguished Lecture: the remarkable anti-aging effects of aerobic exercise on systemic arteries. J Appl Physiol 117:425, 2014.

Trangmar SJ, González-Alonso J: Heat, hydration and the human brain, heart and skeletal muscles. Sports Med 49(Suppl 1):69, 2019.

Índice Alfabético

A

Abalos
- isométricos em diferentes músculos, 85
- musculares, 84

Aberração cromática, 657

Abertura
- da caixa torácica, 250
- dos canais
- - de cálcio, 113
- - lentos de potássio, 113

Ablação
- bilateral da amígdala, 747
- do córtex
- - orbitofrontal posterior, 747
- - temporal anterior, 747
- dos giros cingulados anteriores e dos giros subcalosos, 747

Absorção
- ativa de cálcio, ferro, potássio, magnésio e fosfato, 828
- de ferro no trato intestinal, 440
- de gorduras, 829
- de íons, 826
- - bicarbonato, 827
- - cloro, 827, 828
- de nutrientes, 828
- de outros monossacarídios, 829
- de proteínas, 829
- direta de ácidos graxos no sangue portal, 830
- e secreção de eletrólitos e água, 830
- gastrointestinal, 825
- intestinal de sódio, 827
- isosmótica de água, 826
- no intestino
- - delgado, 826
- - grosso, 830
- - - capacidade máxima de, 830

Acalasia, 797, 832

Ação
- antitrombina da fibrina e da antitrombina III, 480
- bacteriana no cólon, 830

Aceleração
- angular, 704
- linear, 556, 704

Acetazolamida, 419

Acetil coenzima A, 24, 844, 871
- carboxilase, 857

Acetilcolina, 78, 91, 92, 94, 104, 218, 496, 575, 643, 719, 738, 740, 761, 762, 786, 788, 810, 811, 814

Acetilcolinesterase, 91, 93, 762

Acetona, 978

Acidemia, 401

Acidente(s) vascular(es)
- encefálico, 699, 700, 776
- silenciosos, 776

Ácido(s), 400
- acetilsalicílico, 832
- acetoacético, 855, 977, 1074
- araquidônico, 924
- ascórbico, 889
- aspártico, 866
- biliares, 816
- - glicoconjugados e tauroconjugados, 818
- carbônico, 525
- chenodesoxicólico, 818
- clorídrico, 809, 811
- cólico, 818
- desoxiadenílico, 30
- desoxicitidílico, 30
- desoxiguanílico, 30
- desoxirribonucleico, 28
- desoxitimidílico, 30
- esteárico, 850
- etacrínico, 350, 419
- etilenodiaminotetracético (EDTA) crômico, 361
- fólico, 438, 889
- forte, 400
- fosfórico, 28
- fracos, 400
- gama-aminobutírico, 575, 719
- glicurônico, 956
- glutâmico, 30, 439
- graxos, 4, 23, 853, 856, 962, 1074
- - livres, 824, 851, 977
- - não esterificados, 851
- - nas mitocôndrias, 854
- hialurônico, 22, 192, 993
- láctico, 610, 821, 843, 847, 848, 1072
- nicotínico, 888
- nucleico, 18
- oleico, 850
- palmítico, 850
- pantotênico, 888
- pirúvico, 23, 821, 843, 844

- pteroilglutâmico, 889
- ribonucleico, 28
- titulável, 411
- úrico, 320, 1046

Acidose, 400, 401
- aguda, 387
- crônica, 410
- metabólica, 403, 412-414, 985
- - hiperclorêmica, 417
- na doença renal crônica, 428
- no choque, 297
- respiratória, 403, 406, 412-414
- sobre a transmissão sináptica, 582
- tratamento da, 415
- tubular renal, 414, 430

Acinesia, 720

Ácinos, 807
- pancreáticos, 813

Aclimatação, 552
- ao calor, 911
- celular, 552
- do mecanismo de sudorese ao calor, 905
- efeito positivo da, 553
- natural de povos nativos que vivem em grandes altitudes, 553
- para PO_2 baixa, 551

Acloridria, 811, 833

Acne, 1018

Ações dos neurotransmissores nos neurônios pós-sinápticos, 571

Acomodação, 626

Acoplamento excitação-contração, 91, 95, 113

Acromegalia, 932, 936, 986

Acrossomo, 1011

Actina, 25, 41, 76, 80, 473

Açúcar pentose ribose, 23

Acuidade visual, 630

Acúmulo
- de ferro, 1059
- de líquido no interstício, 318
- de sangue no sistema venoso, 265

Acupuntura, 614

Acurácia visual, 635

Adaptação
- à luz, 639
- ao escuro, 640
- de receptores, 587
- do bebê à vida extrauterina, 1060

Índice Alfabético

- metabólica, 885
- neural, 640
- para uma dieta rica em proteínas e gorduras, 855
- rápida
- - das sensações olfatórias, 676
- - do paladar, 674
Adenilciclase, 676, 734, 763, 920, 921
Adenina, 23, 28, 30, 31
- dinucleotídio, 845
Adeno-hipófise, 927, 928, 948, 1011
Adenoma da tireoide, 950
Adenosina, 203, 204, 262, 793
Adipocinas, 914
Adipócitos, 12, 853, 914
Adiponectina, 853
Adipsia, 378
Adrenalina, 106, 212, 218, 300, 337, 496, 760, 770, 786, 843, 857, 953, 981, 857
Adrenocorticotrofina, 965
Afasia
- de Wernicke, 730
- global, 730
- motora, 730
- receptiva
- - auditiva, 730
- - visual, 730
Afinação (modulação), 664
Agenesia das glândulas adrenais, 1066
Agentes
- anti-infecciosos do leite, 1056
- bactericidas, 447
- simpaticomiméticos, 300
Aglutinação, 460, 461, 468
Aglutininas, 468
- anti-A, 468
- anti-B, 468
- anti-Rh, 469
- no plasma, 468
- titulação em diferentes idades, 468
Aglutinógenos, 467
Água, 11, 191
- extracelular, 13
- intracelular, 13
Ajuste do comprimento do músculo, 88
Alanina, 866
Alarme, 769
Albinismo, 636
Albumina, 851, 865, 943
Albuminúria, 332
Albuterol, 771
Alça de henle, 322, 342, 367
Alcalemia, 401
Álcali, 400
Alcalose, 382, 400, 401, 958
- metabólica, 403, 413, 414, 837
- respiratória, 403, 413, 414
- sobre a transmissão sináptica, 582
- tratamento da, 415
Alças
- do poro, 50
- retroalimentação negativa, 720
Álcool, 821, 832
Alcoolismo, 657

Aldosterona, 236, 240, 243, 275, 314, 346, 357, 379, 382, 385, 827, 905, 953, 954, 956, 958, 1048
- efeitos renais e circulatórios da, 957
- escape de, 957
- excesso de, 958
- mecanismo celular de ação da, 958
- no controle da excreção renal, 396
- regulação da secreção de, 959
Aldosteronismo primário, 970
Alergênio, 465
Alergia(s), 454, 464, 465, 1065
- atópicas, 465
Alexia, 727, 730
Alfatocoferol, 890
Aloenxertos, 471
Alongamento, 39
Alterações
- crônicas no fluxo sanguíneo ou na pressão arterial, 210
- da acidez do sangue durante o transporte de CO, 527
- da temperatura, 619
- do sistema circulatório periférico durante a aclimatação, 552
- na circulação fetal ao nascimento, 1062
- na distribuição de potássio, 382
- no diâmetro pupilar, 640
- no volume pulmonar, 492
- rápidas da direção do movimento, 706
Alternâncias elétricas, 158
Alvéolos, 520
Ambenônio, 771
Ameloblastos, 1006
Amenorreia, 947, 1038
Amidos, 807
Amígdala, 217, 731, 747, 880
Amilase
- pancreática, 813, 822
- salivar, 821
α-amilase, 807, 821
Amilina, 972
Amiloidose, 425
Amilorida, 351, 419, 420
Amilose, 821
Aminoácidos, 4, 23, 35, 36, 53, 829, 866, 980
- absorvidos do trato gastrointestinal, 864
- desaminados, 843
- essenciais, 866
- não essenciais, 866
- no sangue, 863
- transporte e armazenamento de, 863
Aminoacidúria, 430
- generalizada, 430
Aminopolipeptidase, 823
Aminotransferases, 866, 867
Amiodarona, 161
Amitriptilina, 757
Amnésia
- anterógrada, 735, 746
- retrógrada, 735
Amorfossíntese, 603
Amplitude máxima do potencial receptor, 585
Ampola(s), 1042

- do ducto deferente, 1009
Anáfase, 41
Anafilaxia, 299, 465, 496
Analgesia, 612
Análise
- da reabsorção na extremidade venosa do capilar, 196
- das coordenadas espaciais do corpo, 725
- das imagens visuais, 651
- de contrastes das imagens visuais, 651
- dos detalhes visuais e cores, 651
- vetorial
- - de potenciais
- - - nas três derivações bipolares padrão dos membros, 142
- - - registrados em diferentes derivações, 141
- - do eletrocardiograma, 140
- - - normal, 142
Anastomoses arteriovenosas, 902
Anatomia
- do músculo cardíaco, 110
- do sistema coluna dorsal-lemnisco medial, 598
- do suprimento sanguíneo digestivo, 791
- fisiológica
- - da bexiga, 324
- - da junção neuromuscular, 91
- - do músculo esquelético, 76
- - do sistema circulatório pulmonar, 500
- - dos rins, 321
- funcional do sistema límbico, 740
Anatomofisiologia da sinapse, 570
Androgênios, 953, 1016, 1029
- adrenais, 967
Andrógenos, 1081
Andropausa, 1021
Androstenediona, 1016, 1029
Anel constritivo, 803
Anemia(s), 248, 434, 441
- aplásica
- - causada por disfunção da medula óssea, 441
- - idiopática, 441
- efeitos na função do sistema circulatório, 442
- falciforme, 439, 442
- hemolítica, 441
- hipocrômica, 440
- megaloblástica, 441
- microcítica hipocrômica, 441
- na doença renal crônica, 428
- perniciosa, 438, 441, 833, 889
- por falha de maturação, 438
- por perda sanguínea, 441
Anencefalia, 706
Anestesia
- geral profunda, 299
- profunda, 832
Anestésicos locais, 75
Anfetamina, 771
Angina de peito, 153, 207, 268
Angiogênese, 208, 209
Angiogenina, 209
Angioplastia coronariana, 268
Angiostatina, 209

Índice Alfabético

Angiotensina, 294
- II, 106, 177, 212, 235, 236, 240, 275, 337, 358, 379, 954
- - no controle da excreção renal, 395
Angiotensinases, 235
Angiotensinogênio, 235
Anidrase carbônica, 402, 419, 434, 810, 891
Ânion(s), 213
- *gap*, 417
Anomalia congênita, 288
- causas de, 290
Anorexia, 880, 886
Anormalidades
- acidobásicas, 382
- clínicas
- - da dor, 616
- - do cerebelo, 715
- da curva fluxo expiratório máximo-volume, 539
- da micção, 327
- da relação ventilação-perfusão, 517
- da respiração, 406
- da secreção
- - adrenocortical, 968
- - hormonal ovariana, 1038
- dentárias, 1008
- do trato urinário inferior, 422
- hemodinâmicas renais primárias, 421
- na onda T, 153
- na regulação da temperatura corporal, 910
- nos campos visuais, 652
- respiratórias, 538
Antagonismo excitatório-inibitório, 700
Antagonistas
- beta-adrenérgicos, 156
- de aldosterona, 419
- de receptores de mineralocorticoides, 420
Antiarrítmicos, 161
Anticoagulante(s), 475
- intravasculares, 479
- intravenoso, 483
- para uso clínico, 483
Anticódons, 32, 33
Anticolinesterásicas, 771
Anticorpos, 5, 284, 446, 458, 459, 463, 1056
- bivalente, 459
- IgE, 465
- maternos, efeito sobre o feto, 470
- produzidos por linfócitos B, 456
- sensibilizantes, 465
Antidepressivos tricíclicos, 757
Antigenicidade, 467
Antígenos, 455
- A e B, 467
- Rh, 469
Antimuscarínicas, 771
Antioncogenes, 44
Antiperistaltismo, 836, 837
Antipiréticos, 911
Antipirina, 308
Anúria, 421
Apagão, 555
Aparelho
- justaglomerular do néfron, 206

- mitótico, 41
- vestibular, 701
Apetite, 795
- da pessoa, 878
Apneia do sono, 536
- "central", 537
- obstrutiva, 222, 536
Apoferritina, 440, 872
Apolipoproteína, 850
- A, 862
- B, 850
- E, 758, 851
Apoproteínas surfactantes, 491
Apoptose, 43
Aporte sanguíneo renal, 321
Apotransferrina, 440
Apraxia motora, 696
Aprendizado, 723, 734
- de habilidades, 736
- reflexo, 736
Aquaporina, 49, 50, 347, 937
- 1, 347
- 2, 359
Ar
- alveolar, 510, 512
- atmosférico, 510
- do espaço morto, 512
- expirado, 512
- umidificado nas vias respiratórias, 510
Área(s)
- 18 de Brodmann, 650
- anatômicas e funcionais do cerebelo, 708
- de associação, 725
- - auditiva ou visual, 730
- - límbica, 726
- - parietoccipitotemporal, 725
- - pré-frontal, 726
- de Broca, 695, 726
- de Brodmann, 600
- de rotação da cabeça, 696
- de seção transversal, 169
- de Wernicke, 668, 726, 727
  do cérebro relacionadas ao controle do sistema motor gama, 687
- do giro angular, 726
- facilitadora bulborreticular, 737
- hipotalâmica
- - anterior pré-óptica, 906
- - lateral, 743
- motora(s)
- - especializadas, 695
- - suplementar, 694, 695
- olfatória
- - lateral, 678
- - medial, 678
- opacas no cristalino, 629
- orbitais do córtex pré-frontal, 217
- para nomeação de objetos, 726
- piramidal, 700
- posterolaterais, 217
- postrema, 836
- pré-frontais, 729
- pré-motora, 694, 695
- pré-óptica, 742
- quimiossensível do centro respiratório, 530

- relacionada
- - a habilidades manuais, 696
- - ao reconhecimento de rostos, 726
- reticular
- - do mesencéfalo, 649
- - excitatória, 737
- - inibitória, 738
- sensorial localizada bilateralmente, 217
- silenciosa do cérebro, 707
- somatossensorial(is)
- - de associação, 602, 603
- - I, 601, 602
- - II, 600
- vasoconstritora, 217
- vasodilatadora, 217
- visuais secundárias do córtex, 649
- - occipital, 654
Arginina, 980
Armazenamento
- da informação, 568
- de aminoácidos como proteínas nas células, 865
- de proteínas, 865
- de vitaminas no corpo, 887
Aromatase, 1029
Arrasto por solvente, 347
Arrenoblastoma, 1016
Arritmia(s)
- cardíacas, 155
- sinusal, 156
Artéria(s), 168, 179
- arqueadas, 322
- brônquicas, 500
- central da retina, 636
- cerebral
- - média, 776
- - posterior, 776
- coronária(s), 262
- - esquerda, 261
- interlobares, 322
- interlobulares, 322
- periféricas, 181
- pulmonar, 118, 500
- radiais, 322
- subendocárdicas, 262
- umbilicais, 1044
Arteríola(s), 168, 181, 189, 215
- aferentes, 322
- da circulação sistêmica, 218
- eferente(s), 322
- - glomerulares, 236
- hepáticas, 869
Arteriosclerose, 181, 985
Articulação, 87, 498
- das palavras, 730
Ascite, 185, 317, 870, 888
Asma, 465, 540, 543
Asparagina, 866
Aspectos
- motores da comunicação, 730
- sensoriais da comunicação, 730
Associação da ira com centros de punição, 745
Astenia, 985

Índice Alfabético

Áster, 41
Astereognosia, 603
Astigmatismo, 628
Astrócitos, 774
- protoplasmáticos, 774
Ataque(s)
- cardíaco agudo, 278
- epilépticos, 594
- tônico-clônico generalizado, 756
Ataxia, 715
Atelectasia, 542
Atenolol, 771
Atenuação do som por contração, 660
Aterosclerose, 264, 424, 758, 853, 860, 861, 985
- no hipotireoidismo, 952
- prevenção da, 862
Atetose, 718
Ativação
- da área reticular excitatória, 738
- de genes, 922
- de mastócitos e basófilos, 461
- de nucleotídios do RNA, 31
- do canal de sódio, 66
- do fator
- - X, 478
- - XI, 478
- do filamento de actina pelos íons cálcio, 81
- dos macrófagos, 463
- enzimática, 38
Ativador
- da protrombina, 475, 477, 478
- do plasminogênio tecidual, 480, 482
Atividade
- bioquímica nas células, 36
- cerebral, 737
- de ATPase da cabeça da miosina, 80
- de marca-passo, 326
- elétrica do músculo liso gastrointestinal, 785
- nervosa simpática, 240
- osmolar dos líquidos corporais corrigida, 310
Atletas femininos e masculinos, 1070
Ato sexual
- feminino, 1039
- masculino, 1014, 1015
- - estágios do, 1015
Átomos de hidrogênio, 24
Atonia vesical, 327
Atopia, 464, 465
ATP (trifosfato de adenosina), 23, 81, 893
- durante a quebra da glicose, 846
- fornece energia para
- - a condução nervosa, 894
- - a contração muscular, 893
- - o transporte ativo através das membranas, 893
- - viabilizar a secreção glandular, 894
- para função celular, 24
- sintetase, 24
Atresia, 779, 1028
Átrio(s), 110, 116, 127
- esquerdo, 287
Atrofia
- da mucosa gástrica, 441

- de exaustão, 1066
- muscular, 88
Atropina, 496, 771
Audiometria na surdez
- de condução do ouvido médio, 669
- neurossensorial, 669
Audiômetro, 669
Aumento
- da ventilação pulmonar, 552
- de contratilidade, 246
- de ureia, 428
- do volume
- - de líquido, 231
- - sanguíneo, 286
Aura, 754
Ausculta de bulhas cardíacas normais, 283
Ausência de peso no espaço, 556
Autoantígenos, 455, 464
Autoenxertos, 471
Autoexcitação, 125, 126
Autofagia, 21
Autofagossomos, 21
Autólise, 21
Automaticidade do corpo, 9
Automatismos, 754
Autorregulação, 206, 336
- da taxa de filtração glomerular, 338
- do fluxo sanguíneo, 177, 205, 231
- - renal, 338
- miogênica do fluxo sanguíneo renal, 340
Aviação, 549, 550
Avião não pressurizado, 551
Axonema, 26, 1011
Axônios das células de Betz, 697
Axoplasma, 73
Azatioprina, 472
Azotemia, 428

B

Baço, 188
Bactéria, 18
Bainha de mielina, 73
Baixa pressão de oxigênio, 550
Balanço
- dietético, 875
- glomerulotubular, 338, 354, 392
Balísticos, movimentos, 714
Bandas
- A, 76
- I, 76
Barorreceptores, 6, 219, 221, 768
- e regulação de longo prazo da pressão arterial, 222
- sensíveis à pressão, 234
Barras densas lineares, 91
Barreira(s)
- gástrica, 810
- hematencefálica, 779
- hematoliquórica, 779
- lipídica da membrana celular, 13
- mucosa gastroduodenal, 834
- sangue-liquor e sangue-cérebro, 779
Base(s), 400
- forte, 400

- fraca, 400
- nitrogenadas, 28
Basófilos, 212, 299, 444, 452, 480
Bastonetes, 634, 635, 637, 642
Batidas rítmicas, 183
Batimento
- ectópico, 158
- prematuro, 158
Batorrodopsina, 637
Bebê eritroblastótico, 1064
"Bends", 561
Beribéri, 205, 248, 280, 887, 888
Beta-aminoisobutiricoacidúria, 430
Betabloqueadores, 268
Betaoxidação, 854, 871
Bexiga
- automática, 327
- neurogênica não inibida, 327
- tabética, 327
- urinária, 324
Bicamada lipídica, 13, 48
Bicarbonato de sódio, 11, 351, 415
Bifurcação de replicação, 39
Bigeminismo, 159
Bile, 816
Bilirrubina, 441
- biliar, 872
- conjugada ou direta, 873
- livre, 873
- não conjugada, 873
Biliverdina, 873
Bioimpedância elétrica do tórax, 257
Bioquímica do ACTH, 965
Blobs (grumos) de cores, 650
Bloqueadores de canal de sódio, 351, 419, 420
Bloqueio(s)
- atrioventricular, 156
- - incompleto, 156
- AV completo, 157
- cardíaco, 156
- - de segundo grau, 157
- - incompleto de primeiro grau, 157
- da formação de angiotensina II, 340
- de primeiro grau, 156
- de segundo grau, 157
- de terceiro grau, 157
- de vasos muito pequenos por sangue estagnado, 296
- do ramo, 147
- - direito, 147
- - esquerdo, 147
- do sistema
- - de feedback da aldosterona, 385
- - de Purkinje, 149
- intraventricular incompleto, 158
- no aqueduto cerebral (de Sylvius), 779
- sinoatrial, 156
Bócio
- atóxico idiopático, 951
- endêmico, 951
- tóxico, 949
Bolsa de Rathke, 927
Bomba(s)
- capilar linfática, 200
- de cálcio, 96

Índice Alfabético

- - relaxamento do músculo liso, 103
- de hidrogênio-potássio, 810
- de iodo, 941
- de sódio-potássio, 56, 57, 64, 65
- eletrogênica, 64
- linfática, 199
- muscular, 186
- pilórica, 799
- preparatórias, 115
- venosa, 186
Bombeamento
- cardíaco, 246
- - manual, 164
- ventricular, 118
Borda em escova, 825
Botões
- gustativos, 673
- sinápticos, 571
Bradicardia, 155, 156
- em atletas, 155
Bradicinina, 212, 337, 449, 452, 610, 793, 809
Bronquíolos, 495
Brônquios, 495
Bulbo olfatório, 677
Bulhas cardíacas, 282, 289
- normais, 282
Bumetanida, 350, 419
Bursa de Fabricius, 455
Busca por sensações primárias do olfato, 677

C

Cabo do martelo, 659
Cadeia(s)
- alfa, 439
- beta, 439
- de hemoglobina, 439
- de transporte de elétrons, 846
- delta, 439
- gama, 439
- peptídicas, 863
    polipeptídicas leves e pesadas, 458
- reguladora, 102
Cafeína, 582, 1081
Cãibras musculares, 692
Calafrios, 907
Calcificação
- metastática, 1004
- óssea, 993
Cálcio, 11, 69, 102, 123, 213, 491, 571, 890, 990, 992, 1065
- e fósforo
- - absorção e excreção de, 991
- - excreção renal de, 992
- ionizado, 428
- nas vias intrínseca e extrínseca, 479
Calcitonina, 940, 941, 990, 1002
Calcitriol, 428
Cálculo(s)
- biliares de colesterol, 818
- da reabsorção ou secreção tubular, 363
- do volume
- - de líquido intersticial, 309
- - intracelular, 308

- renais no hiperparatireoidismo, 1004
Calibração e registro eletrocardiográfico, 134
Cálices
- maiores, 321
- menores, 321
Calicreína, 212, 809
Calidina, 212, 793
Calmodulina, 102, 786, 923, 924
Calo ósseo, 996
Calor, 896
Caloria, 897
Calorimetria
- direta, 897
- indireta, 897
Calorímetro, 897
Calota craniana, 617
Calsequestrina, 96
Calvície masculina, 1018
Camada(s)
- dipolo elétrico, 63
- do córtex somatossensorial, 601
- lipídica, 48
- membranosas mitocondriais, 24
- parvocelulares, 649
- pigmentar da retina, 636
Campimetria, 652
Campo(s)
- estimulatório, 590
- receptor, 589
- segmentares de sensação, 608
- visual, 651, 652
- - nasal, 652
- - temporal, 652
Canal(is)
- aniônicos, 572
- arterial, 288
- catiônicos, 572
- com comporta, 50
- de "vazamento" de potássio, 64
- de água, 359
- - aquaporina, 371
- de cálcio, 94, 105, 126
- - controlados por voltagem, 979
- - dependentes de voltagem, 91
- - do tipo L, 71, 112, 126
- - e sódio, 107, 112, 786
- - - dependentes de voltagem, 71
- - - voltagem-dependentes, 532, 571
- de Havers, 996
- de liberação de cálcio, 96, 113
- de potássio, 50, 64, 126
- - dependente de voltagem, 67
- - inibidos por ATP, 979
- - sensíveis, 532
- de Schlemm, 632
- de sódio, 51, 69
- - e de potássio dependentes de voltagem, 66
- - permeabilidade aumentada dos, 69
- dependentes de
- - ligantes, 50
- - voltagem, 50
- iônico(s), 572
- - dependentes de acetilcolina, 92
- - dependente de sódio, 676
- lentos, 69

- - de cálcio, 112
- linfáticos, 197
- proteicos, 50
- rápidos, 69, 71
- - de sódio, 112, 126
- - - ativados por voltagem, 112
- receptores de rianodina, 96, 113
- semicirculares, 702-704
- vesiculares, 190
Canaleta sináptica, 91
Canalículos, 809
- biliares, 816, 869
Câncer, 44
- da próstata, 1021
Capacidade(s)
- de concentração da urina, 371
- de difusão, 515
- - após a aclimatação, 552
- - da membrana respiratória, 514
- - de oxigênio, 514
- - - dos atletas, 1077
- - - durante o exercício, 514
- - para o dióxido de carbono, 514
- de trabalho reduzida em grandes altitudes, 553
- discriminatória de dois pontos, 604
- inadequada dos tecidos de utilizar oxigênio, 544
- inspiratória, 493
- pulmonar(es), 492, 493
- - total, 493, 494
- residual funcional, 493, 494, 510, 543
- vascular, 398
- vital, 493
- - expiratória forçada, 540
Capacitação espermática, 1012, 1013
Capacitância
- elétrica, 173
- vascular, 179, 298
Capilares, 168, 181, 319
- glomerulares, 190, 194, 322
- linfáticos, 197
- - terminais, 197
- peritubulares, 194, 354
- - regulação das forças físicas nos, 355
- pulmonares, 504, 520
- sanguíneos, 197
Cápsula de Bowman, 322
Captação
- de iodeto, 941
- de oxigênio pelo sangue pulmonar durante o exercício, 518
Caquexia, 886
Característica(s)
- invasiva da célula cancerosa, 45
- sexuais femininas primárias e secundárias, 1031
Carbacol, 94
Carbamino-hemoglobina, 526
Carboidratos, 4, 12, 828, 856, 857, 876, 932, 976
- da membrana, 14
- fontes na dieta, 821
Carbono beta, 854
Carboxipeptidase, 212, 813

Índice Alfabético

Carboxipolipeptidase, 823
Carcinógenos, 44
Cardiografia por bioimpedância, 257
Cardiopatia(s)
- congênitas, 288
- isquêmica, 258, 264
- reumática aguda, 157
- valvares e congênitas, 290
Cardiotacômetro, 156
Cardiotônicos, 273
Cardioversão, 165
Carga tubular, 345, 354
Cáries, 1008
Carioteca, 11, 18
Carnitina, 854
Cartilagem(ns)
- aritenoides, 498
- cricoide, 498
- tireoide, 498
Cascata
- de enzimas, 923
- de excitação, 639
- do sistema complemento, 446
Caspases, 43
Catalase, 16, 439, 560
Cataplexia, 751
Catarata, 629
Catecol-orto-metiltransferase, 763
Catecolaminas, 349, 1055
Cateter(es)
- de Swan-Ganz, 501
- venosos centrais, 187
Cavéolas, 103, 190
Caveolinas, 190
Caverna tuberculosa, 543
Cefaleia, 609, 617
- alcoólica, 618
- causada por
- - distúrbios oftálmicos, 618
- - irritação de estruturas nasais e acessórias do nariz, 618
- - pressão reduzida do líquido cefalorraquidiano, 617
- da enxaqueca, 618
- da meningite, 617
- de origem intracraniana, 617
- extracraniana, 618
- intracraniana, 617
- resultante de espasmo muscular, 618
Cefalinas, 858
Cegueira, 633
- causada por oxigenoterapia em excesso no bebê prematuro, 1067
- de palavras, 727, 730
- do paladar, 672
- noturna, 887
- - devida à deficiência de vitamina A, 637
Célula(s), 2, 928
- acessórias, 461
- adiposas, 12, 977
- alfa das ilhotas pancreáticas, 981
- amácrinas, 642, 644
- animal, 18
- apresentadoras de antígenos, 461
- astrogliais, 774

- bipolares, 642
- - despolarizantes e hiperpolarizantes, 644
- C, 1002
- caliciformes, 805, 819
- ciliadas, 662, 702
- - externas, 662
- - internas, 662, 664
- complexas, 651, 652
- da coluna intermediolateral, 656
- da gastrina, 811
- da granulosa, 1024, 1029
- da membrana periodontal, 1006
- da tireoide, 941
- de Betz, 697
- de Kupffer, 448, 869, 871
- de Leydig, 1011, 1016
- de memória, 458, 461
- de Purkinje, 710, 711, 712
- - no cerebelo, 711
- de Renshaw, 683
- de Schwann, 73, 104
- de Sertoli, 1010, 1011
- de sustentação, 672, 675
- deciduais, 1044
- dendríticas, 461
- do fígado, 842
- do tecido adiposo, 853
- dopaminérgicas fetais transplantadas, 720
- em cesto, 711
- endoteliais, 869
- - capilares, 190
- epiteliais
- - alveolares tipo II, 491
- - cuboides, 940
- - intestinais, 958
- estreladas, 711
- funções, 11
- fusiformes, 723
- G, 811
- ganglionares, 642, 645, 646
- - da retina, 645
- - - do tipo M, 649
- - - do tipo P, 649
- germinativas
- - imaturas, 1009
- - primordiais, 1009
- glomosas, 532
- granulares, 677, 678
- gustativas, 672
- hepáticas, 791
- horizontais, 642, 644
- humanas, 2
- I, 789
- inibitórias, 683
- intercaladas, 57
- intercalares, 351, 384, 409
- - dos túbulos coletores corticais, 958
- - tipo A, 384, 409
- - tipo B, 384
- interplexiforme, 642
- intersticiais
- - de Cajal, 785
- - de Leydig, 1016, 1047
- justaglomerulares, 234
- luteínicas, 1029

- mioepiteliais, 938, 1056
- mucosas, 805
- - caliciformes, 497
- - de superfície, 811
- natural killer, 454
- NK, 454
- nucleares profundas, 710, 711
- olfatórias, 675, 677
- osteoprogenitoras, 996
- oxínticas, 401, 809, 881, 999
- P e M, 645
- parafoliculares, 1002
- parietais, 57
- - das glândulas oxínticas, 811
- piramidais, 723
- principais, 351, 383, 999
- progenitoras linfoides, 455
- reticuloendoteliais, 791, 869
- - do baço, 188
- S, 815
- sanguíneas, 433, 434, 964
- semelhantes
- - às células deciduais, 1047
- - às enterocromafins, 809, 811
- simples, 651
- sinciciais trofoblásticas, 1047
- tecais, 1029
- Th, 457
- trofoblásticas, 1043
- W, X e Y, 645
Células-tronco
- comprometidas, 435
- hematopoéticas, 321, 437
- - multipotentes, 455
- linfoides, 455
Cemento, 1006
Centríolos, 18, 41
Centro(s)
- auditivos inferiores, 669
- da deglutição, 796
- da fome, 808
- da sede, 742
- - no sistema nervoso central, 377
- de arquejo, 905
- de punição, 745
- de recompensa, 745
- - límbicos, 735
- de saciedade, 743
- nervosos superiores, 217
- neurais da fome e da saciedade, 877, 878, 880
- neuronais, 750
- parassimpático vagal, 219
- pneumotáxico, 528, 529
- respiratório, 528
- vasoconstritor do bulbo, 219
- vasomotor, 6, 216, 217
Centrômero, 41
Centrossomo, 41
Cerebelo, 687, 707
- funções associadas do, 721
Cérebro, 190, 206
Cerebrocerebelo, 713, 715
Cetogênese, 867

Índice Alfabético

Cetose, 855, 886
Choque(s)
- anafilático, 299, 300
- cardíaco, 265, 274
- cardiogênico, 249, 265, 274, 292
- - deterioração cardíaca no, 274
- - fisiologia do tratamento do, 274
- causado por hipovolemia, 293
- causas fisiológicas do, 292
- circulatório, 249, 292, 958
- - causado pela diminuição do débito cardíaco, 292
- - pressão arterial no, 292
- - sem diminuição do débito cardíaco, 292
- compensado, 294
- coronariano, 265
- espinhal, 693
- estágio irreversível de, 297
- hemorrágico, 293
- - progressivo, 294
- hipovolêmico
- - causado pela perda de plasma, 298
- - causado por traumatismo, 298
- histamínico, 299
- insulínico, 989
- irreversível, 297, 298
- não progressivo, 294
- neurogênico, 298-300
- progressivo, 295
- séptico, 299, 483
Cianocobalamina, 438
Cianose, 545
Ciclagem lenta das pontes cruzadas de miosina, 101
Ciclo(s)
- aeróbico do ácido cítrico, 893
- anovulatórios, 1037
- cardíaco, 115
- de *feedback* positivo, 69
- de Krebs, 24, 844, 893
- de vida da célula, 38
- do ácido cítrico, 24, 844, 845, 854
- endometrial mensal, 1033
- entre sono e vigília, 751
- menstrual, 1026
- ovariano mensal, 1026
- sexual(is)
- - mensal feminino, 1026
- - na puberdade, 1037
- viciosos, 8
- visual rodopsina-retinal, 636
Ciclosporina, 472
Cifose, 539, 936
Cílios, 26
- gustativos, 672
- minúsculos, 663
- olfatórios, 675, 676
- primários não móveis, 27
Cinesiologia, 87
Cininas, 212
Cinocílio, 702
Circuito(s)
- de inibição recíproca, 690
- do caudado, 716, 718
- do putame, 716

- inibitório(s), 594
- - recíproco, 591
- locais reverberantes, 754
- neurais
- - do cerebelo, 708
- - dos núcleos da base, 716
- neuronais, 584
- - do reflexo de estiramento, 686
- neuronal, 591
- reverberantes, 593
- reverberatório, 592
- vasculares em série e em paralelo, 175
Circulação(ões), 167, 168
- arteriais e venosas, 179
- características físicas da, 168
- colateral, 210
- - coronariana, 264
- coronariana, 258, 261
- de alto fluxo e baixa pressão, 500
- de baixo fluxo e alta pressão, 500
- elementos funcionais da, 168
- êntero-hepática dos sais biliares, 818
- esplâncnica, 791
- extracorpórea, 290
- - durante a cirurgia cardíaca, 290
- fetal, 1061
- linfática, 500
- periférica, 168
- pulmonar, 168, 169, 500, 501, 504
- sanguínea, 784
- sistêmica, 168, 169, 501
- volume sanguíneo, 1063
Círculo vicioso do choque progressivo, 297
Cirrose, 481
- hepática, 317, 399, 866
Cirurgia
- da banda gástrica, 885
- de *bypass* gástrico, 885
- de ponte aortocoronária, 268
- de revascularização do miocárdio, 268
Cisplatina, 422
Cistatina C, 361
Cisterna magna, 777
Cistinúria essencial, 430
Cistite, 425
Cistometrograma, 326
Citocinas, 871, 910, 914
- inflamatórias, 1051
Citocromo(s), 439
- oxidase, 439
Citoesqueleto celular, 17
Citoplasma, 11, 14
- celular, 920
Citosina, 28, 30, 31
Citosol, 14
Citrato
- de amônio, 484
- de potássio, 484
- de sódio, 484
Clatrina, 20, 94
Clearance(s)
- da inulina, 360, 363
- de água, 373
- de diferentes solutos, 363

- do ácido paramino-hipúrico, fluxo plasmático renal, 362
- dos hormônios do sangue, 919
- osmolar e de água livre, 373
- renais, 363
"Clima artificial" na espaçonave vedada, 556
Climatério masculino, 1021
Clones de linfócitos, 456
Clônus, 688
Cloreto, 11, 48, 191
- de amônio, 415
- de sódio, 339
Clortalidona, 419
Coagulação
- início da, 477
- intravascular disseminada, 300, 483
- sanguínea, 433, 473
- - no sistema vascular, 479
- - prevenção fora do corpo, 483
- - processo de, 479
Coágulo(s) sanguíneo(s), 477
- intravasculares, 482
Coarctação da aorta, 239, 288
Coativação dos músculos agonista e antagonista, 87
Cobalamina, 889
Cobreiro, 616
Cocarboxilase, 887
Cócegas, 598
Cóclea, 659, 702
- anatomia funcional da cóclea, 660
Código(s)
- complementares, 31
- genético, 30
Codominância, 467
Códons, 31, 32
- de iniciação de cadeia, 34
- de RNA para os diferentes aminoácidos, 32
Coeficiente(s)
- de difusão, 514
- - do gás, 510
- de filtração capilar, 194, 196, 197
- - glomerular, 333
- de solubilidade, 509
- de utilização, 522
- osmótico, 309
Coenzima A, 888
Cofator antitrombina-heparina, 480
Colágeno, 192, 490, 823
Colapso
- alveolar, 491
- das grandes veias, 251
- dos alvéolos, 542
- pulmonar, 542
- - massivo, 542
Colchicina, 43
Colecalciferol, 996, 997
Colecistoquinina, 789, 792, 800, 813-815, 817, 879, 980
Colesterol, 12, 13, 190, 816, 852, 858, 859, 915, 954
- esterase, 813
- exógeno, 859
- hidrolase, 825
Cólica, 615
Colículos superiores, 654, 655

Índice Alfabético

Colina, 858
Colo vesical, 324
Cólon
- atônico, 835
- distal ao anel constritivo, 803
Colostro, 1055
Colunas neuronais verticais no córtex visual, 650
Coma
- acidótico, 985
- diabético, 985
- hepático, 867, 872
Combustão
- de carboidratos, 893
- de proteínas, 893
- dos ácidos graxos, 893
Comissura anterior, 731
Compartimentos de líquidos corporais, 305
- líquido extracelular, 306
- líquido intracelular, 306
Compatibilidade sanguínea, 469
Compensação, 278
- do choque por reflexo simpático, 293
- homeostáticas nas doenças, 3
- na valvopatia mitral inicial, 287
Complacência, 180
- do tórax e pulmões, 491
- inspiratória, 490
- pulmonar, 490
- vascular, 179
Complemento, 460
Complexo(s)
- citolítico, 460, 469
- de ataque à membrana, 460, 469
- de Golgi, 12, 14, 15, 21, 473
- de histocompatibilidade principal, 461, 462
- de monofosfato de adenosina, 35
- de silenciamento induzido por RNA, 34
- do antígeno leucocitário humano, 471
- do fator de transcrição IID, 37
- epóxido redutase da vitamina K, 481
- lipoproteico, 478
- nucleares do tálamo, 606
- QRS, 116, 132, 142, 149, 159
- - bizarros, 149
- - ventricular, 145
- troponina-tropomiosina, 81
- ventrobasal, 599, 606, 611
Comporta(s)
- de ativação, 66
- de inativação, 66
- dos canais proteicos, 51
Comportamento alimentar anormal, 883
Composição
- da bile, 816
- das fezes, 830
- do filtrado glomerular, 330
- do leite, 1056
Compostos
- à base de nitrato, 268
- de fosfato de adenosina, 203
Compressão do feixe de His, 156
Comprometimento
- da defecação em pessoas com lesões na medula espinhal, 836

- da função renal, 232
- do mecanismo de contracorrente, 373
Concentração(ões)
- celulares de ATP e ADP, 847
- de difosfato de adenosina, 523
- de hemácias no sangue, 434
- de hemoglobina nas células, 434
- de hormônios no sangue circulante, 918
- de íons univalentes, 54
- e diluição da urina, 364
- - pelos rins, 373
- e pressão parcial
- - de CO_2 nos alvéolos, 511
- - de oxigênio nos alvéolos, 511
- molar, 55
Conchas nasais, 497
Concussão cerebral, 780
Condicionamento físico, 1081
Condições
- febris, calafrios, 911
- hiperbáricas, 558
- tromboembólicas, 482
- ventriculares anormais, 146
Condução, 902
- atrasada no ventrículo esquerdo, 153
- decremental, 581
- do impulso pelos nervos cardíacos, 130
- e convecção do calor em uma pessoa suspensa na água, 903
- eletrotônica, 643
- - nos dendritos, 580
- lenta, 127
- saltatória, 73
- - de nódulo a nódulo, 73
- sonora da membrana timpânica para a cóclea, 659
Condutância, 174, 175
- de sódio na membrana, 639
- do sangue no vaso, 174
Cones, 634, 635, 639, 642
Conexões
- multissegmentares de um nível da medula espinhal, 683
- neurais do aparelho vestibular, 705
Congestão vascular pulmonar, 274
Consciência, 731
Consolidação da memória, 735
Constante de afinidade, 459
Constipação intestinal, 835
Constrição
- bronquiolar, 496
- parassimpática dos bronquíolos, 496
- parcial, 217
Consumo
- de oxigênio, 524, 1076
- - durante o exercício, 1078
- de substâncias e desempenho atlético, 1081
- extra de oxigênio, 895
- metabólico de oxigênio, 524
Contagem dos diferentes leucócitos no sangue, 444
Contração(ões)
- atrial(is), 133
- - prematuras, 158
- cardíaca, 120

- de Braxton-Hicks, 1052
- de fome, 798
- de micção, 326
- de mistura e contrações de propulsão, 800
- do músculo
- - cardíaco, 261
- - como um todo, 84
- - esquelético, 76, 100, 225
- - liso, 99-101
- - - baixa energia, 101
- - - base física para a, 100
- - - concentração extracelular de íons cálcio, 103
- - - controles nervoso e hormonal da, 103
- - - em resposta a fatores químicos teciduais locais, 106
- isométricas, 84, 85
- isotônicas, 84
- isovolumétrica, 119
- lenta, 1076
- locais de segmentação intermitentes, 791
- miogênica, 473
- muscular(es), 79, 80, 82, 83, 699
- - abdominais durante o trabalho de parto, 1053
- - fontes de energia, 83
- - forças diferentes, 86
- peristálticas antrais, 799
- prematuras, 158
- - no nó AV ou no feixe de His, 159
- rápida, 1076
- segmentares, 791
- síncrona do músculo ventricular, 129
- tônica, 786
- ventricular(es), 133
- - prematura(s), 159
- - - ectópica, 159
Contratilidade
- cardíaca, 215
- miocárdica, 246
- uterina, 1051, 1052
Contratransporte, 58, 345, 348
- de sódio-cálcio, 59
- de sódio-hidrogênio, 59
Contratura, 89
Controle(s)
- adaptativo, 9
- antecipatório, 9
- autonômico do trato digestivo, 788
- autônomo da acomodação e da abertura pupilar, 656
- centrífugo da atividade do bulbo olfatório, 678
- comportamental da temperatura corporal, 909
- cortical da sensibilidade sensorial, 607
- da acomodação, 656
- da atividade
- - cardíaca, 217
- - geral do centro respiratório, 530
- da concentração
- - de cálcio iônico, 1003
- - de H^+ pelo sistema respiratório por meio de *feedback*, 406
- da condução do calor para a pele, 902

Índice Alfabético

- da excitação e da condução no coração, 128
- da excreção de cálcio pelos rins, 388
- da função
- - gênica, 36
- - motora, 694
- da glicólise, 847
- da intensidade das respostas estática e dinâmica, 685
- da osmolaridade e concentração de sódio do líquido extracelular, 374
- da secreção de potássio pelas células principais, 384
- de "relógios locais", 918
- de retroalimentação reflexa do esfíncter ileocecal, 802
- do "meio interno", 2
- do centro
- - respiratório, 531
- - vasomotor, 217
- do coração pelos nervos simpático e parassimpático, 122
- do crescimento celular e da reprodução celular, 41
- do débito cardíaco pelo retorno venoso, 244
- do diâmetro pupilar, 657
- do esvaziamento do estômago, 800
- do fluxo sanguíneo
- - coronariano, 262
- - dos tecidos, 207
- - local, 205
- do peristaltismo por sinais nervosos e hormonais, 801
- dos centros autônomos do tronco encefálico por áreas superiores, 770
- dos movimentos oculares voluntários, 696
- fisiológico da filtração glomerular e fluxo sanguíneo renal, 336
- genético da síntese de proteínas, 28
- hipotalâmico
- - da secreção de hormônios pela adeno-hipófise, 743
- - do ritmo circadiano, 743
- hormonal
- - da concentração de cálcio iônico, 1003
- - da motilidade gastrointestinal, 789
- - da reabsorção tubular, 357
- - e parácrino da circulação renal, 336
- humoral da circulação, 211
- local do fluxo sanguíneo
- - em resposta às necessidades teciduais, 202
- - nos tecidos, 202
- medular, 770
- metabólico agudo do fluxo sanguíneo local, 205
- motor, 707
- muscular dos movimentos oculares, 652
- nervoso, 784
- - da pressão arterial, 218, 224
- - do fluxo sanguíneo
- - - coronariano, 263
- - - muscular, 259
- - - no sistema digestório, 793
- neural
- - da função gastrointestinal, 786

- - e local da musculatura bronquiolar, 496
- neuro-hormonal da atividade cerebral, 738
- neurogênico da ventilação, 535
- por *feedback*
- - da secreção hormonal, 918
- - do colesterol corporal, 859
- químico da respiração, 530
- rápido da pressão arterial, 215
- renal do equilíbrio acidobásico, 406
- respiratório na concentração de H$^+$, 406
- vascular, 213
- voluntário da respiração, 537
Contusões, 777
Convergência, 623, 683
- de sinais, 591
Conversão
- da protrombina em trombina, 475
- de acetil-CoA em ácidos graxos, 856
- de carboidratos em gordura, 856
- de fibrinogênio em fibrina, 476
- de glicose em glicogênio ou gordura, 848
Convulsões
- cerebrais seguidas de coma, 559
- focais, 754
- generalizadas, 754, 755
- parciais, 754
- tônicas generalizadas, 755
Coração(ões), 109, 168, 218, 766
- direito, 110
- hipofuncionantes, 246
- esquerdo, 110
Cordas tendíneas, 117
Cordões da polpa vermelha, 449
Cordomesoderma primordial, 43
Cordotomia, 612
Coreia, 718
- de Huntington, 720
Coroa radiada, 1028, 1042, 1043
Coroide, 636
Corpo(s)
- albicante, 1029
- aórticos, 222, 530, 531
- basal do cílio, 26
- caloso, 602, 728, 731
- carotídeo, 222, 530, 531
- celular, 570
- cetônicos, 978
- da cauda, 1011
- densos, 100
- geniculado
- - lateral, 648
- - medial, 666
- residual, 20
- sináptico, 635
Corpo-lúteo, 1029, 1036
Corpúsculo(s)
- de Meissner, 596
- de Pacini, 586, 597, 606
- polar, 1024, 1042, 1043
Correção
- da miopia e da hipermetropia pelo uso de lentes, 628
- de anormalidades ópticas com lentes de contato, 629

- do astigmatismo com uma lente cilíndrica, 629
- renal da
- - acidose, 412
- - alcalose, 413
Corrente(s)
- de lesão, 149, 150, 266
- elétricas locais nas terminações nervosas, 584
- eletrotônicas, 580
- erráticas, 172
Córtex, 738
- adrenal, 953
- auditivo
- - primário, 667
- - secundário, 667
- cerebelar intermediário, 713
- cerebral, 217, 568, 612, 687, 694, 695, 723, 724, 738
- - anatomia fisiológica do, 723
- de associação auditiva, 667
- límbico, 747
- motor, 217, 694, 700
- - primário, 694
- parietoccipitotemporal no hemisfério não dominante, 728
- pré-frontal, 880
- sensorial, 602
- somatossensorial, 600, 694
- visual, 648, 651
- - primário, 648-650
Corticosteroides, 953
Corticosterona, 954, 961
Corticotrofina, 965
Corticotrofos, 928
Cortisol, 953, 954, 962, 964, 981, 1055
- mecanismo da ação celular do, 964
Cortisona, 954
Cotransportador
- de sódio-cloreto, 350
- de sódio-glicose, 58
- de sódio-iodo, 941
Cotransporte, 58, 348
- ativo de sódio-glicose, 842
- de glicose e aminoácidos junto com os íons sódio, 58
- de sódio-aminoácidos, 58
Creatinina, 320, 361, 1046
Crescimento(s)
- anormal de células epiteliais, 887
- cartilaginoso e ósseo, 932
- do folículo ovariano, 1027
- e desenvolvimento
- - da criança, 1067
- - fetal, 1058
Cretinismo, 952
- congênito, 952
Criptas de Lieberkühn, 805, 819
Criptorquia, 1014
Crise(s)
- adrenal, 968
- asmáticas, 465
- convulsivas recorrentes, 754
- da doença falciforme, 442
- de ausência, 756

Índice Alfabético

- epilépticas
- - focais, 754
- - generalizadas, 755
- hipermetabólica, 98
- parciais
- - complexas, 754
- - simples, 754
- psicomotoras, do lobo temporal
    e límbicas, 754
- tônico-clônicas generalizadas, 755, 756
Crista ampular, 703
Cristais de hidroxiapatita, 993
Cromátides, 41
Cromatina, 18
Cromossomo(s), 18, 37
- feminino, 1011
- masculino, 1011
- replicação, 40
- senescentes, 42
- sexuais, 1011
- X, 1043
- Y, 1011
Cromossomos-filhos, 41
Cumarínico, 483
Cúpula, 703
Curare, 94
Curariformes, 95
Curva(s)
- da função
- - cardíaca, 246
- - renal, 227
- - ventricular, 121
- de complacência expiratória, 490
- de débito
- - cardíaco, 253
- - renal crônico, 229
- - urinário renal, 227
- de dissociação
- - do dióxido de carbono, 526
- - oxigênio-hemoglobina, 521, 523
- - - durante o exercício, 523
- de pressão aórtica, 118
- de retorno venoso, 249, 250, 252, 253, 278
- de saída de volume ventricular, 121
- de trabalho sistólico, 121
- de volume do ventrículo esquerdo, 116
- de volume-pressão, 179
- do débito cardíaco, 249
- extrapolada tempo-concentração, 257
- normal de retorno venoso, 251

D

Daltonismo, 641
- para vermelho-verde, 641, 642
Dantroleno, 98
Débito
- cardíaco, 122, 123, 171, 224, 230, 231, 240,
    244, 245, 248, 278, 293, 946, 1063, 1079
- - alterações durante exercício intenso, 260
- - após uma recuperação parcial, 272
- - aumento durante o exercício, 260
- - curvas de, 246
- - diminuição, 265
- - - causada por fatores cardíacos, 249

- - - causada por fatores periféricos não
    cardíacos, 249
- - durante o exercício, 1078
- - efeito
- - - da estimulação simpática sobre o, 254
- - - da inibição simpática sobre o, 255
- - - do aumento do volume sanguíneo, 254
- - em repouso e em movimento, 244
- - limites para o, 246
- - métodos para medição do, 255
- - patologicamente alto, 248
- - variação do, 245
- de oxigênio, 1073, 1074
- do volume sistólico cardíaco, 180
- efetivo do volume sistólico, 286
- láctico de oxigênio, 1074
- pulsátil do coração, 256
- sistólico, 117
Decídua, 1044
Defecação, 803
Defeito do septo interventricular, 147
Deficiência(s)
- congênita de leptina, 884
- da conjugação de tirosinas iodadas na
    molécula de tireoglobulina, 951
- da enzima deiodinase, 951
- de ácido
- - ascórbico, 889
- - fólico, 438
- de aldosterona, 958
- de glicocorticoides, 968
- de insulina, 977, 978
- de mineralocorticoides, 968
- de oxigênio, 774
- de progressão, disdiadococinesia, 716
- de tiamina, 887, 888
- de vitamina(s)
- - A, 887
- - B_1, 205, 544
- - B_{12}, 889
- - C em lactentes, 1065
- - K, 481
- - do complexo B, 205
- - na inanição, 887
- do mecanismo de captação de iodeto, 951
- do sistema peroxidase, 951
- pulmonar, 560
Déficit
- da função cardíaca (hipofunção), 247
- de oxigênio, 895
- de pulso, 158
Degeneração
- da bainha de mielina, 888
- do sistema de condução AV, 156
Deglutição, 795
Degradação
- da acetilcolina, 93
- das proteínas celulares, 961
- de ácidos graxos em acetilcoenzima A, 854
- dos cromossomos, 42
- necessária de proteínas, 867
Deidroepiandrosterona, 1047
Demanda de oxigênio, 262
Demência, 749
Denervação muscular, 88

Densidade urinária, 366
Dentes
- de leite, 1007
- decíduos, 1007
- do siso, 1007
- fisiologia dos, 1006
- permanentes, 1007
Dentição, 1007
Dentina, 1006
Depleção
- de sal, 675
- de volume intravascular, 421
Deposição
- de osso pelos osteoblastos, 994
- e reabsorção de osso, 994
Depósitos de gordura, 853
Depressão, 756
- miocárdica, 295
- - causada por endotoxina, 296
- pós-convulsão, 755
Depuração do sangue, 871
Derivação(ões)
- aumentadas dos membros, 138
- bipolar padrão, 141
- - dos membros, 135, 148
- eletrocardiográficas padrão de três
    derivações bipolares, 135
- I, 136
- II, 136
- III, 136
- precordiais, 137
- unipolar, 141
Derivados do aminoácido tirosina, 915
Dermátomos, 608
Derrame pleural, 507
Desafios fisiológicos da ausência de peso, 557
Desaminação, 867
Descarboxilases, 845
Descarga
- contínua dos fusos neuromusculares, 685
- em massa, 769
- repetitiva, 71, 683
Descida
- do leite, 939
- dos testículos, 1018
Descolamento
- de retina, 636
- fisiológico da placenta, 1053
Descompensação
- cardíaca, 276
- tratamento da, 273
Descompressão
- do mergulhador, 560
- no tanque, 561
"Descondicionamento" cardiovascular,
    muscular e ósseo, 557
Desempenho cardiovascular, 1079
Desenvolvimento
- comportamental, 1067
- das mamas, 1054
- dos caracteres sexuais primários e
    secundários, 1018
- dos dentes, 1007
- dos sistemas orgânicos, 1058
- folicular nos ovários, 1024

Índice Alfabético

- imaturo do bebê pré-termo, 1066
Desfibrilação, 164
- ventricular, 164
Desidratação, 298
- hipernatrêmica, 314
- hiponatrêmica, 313
Desidroepiandrosterona, 967
Desidrogenase, 845
- láctica, 891
Desmaio emocional, 218
Desmielinização, 314
- de grandes fibras nervosas da medula
    espinhal, 889
Desnutrição, taxa metabólica, 899
Desoxi-hemoglobina, 775
Desoxicorticosterona, 954
Desoxirribose, 28
Despolarização, 66, 112, 115
- atrial, 144
- da membrana do receptor, 703
- do músculo liso multiunitário, 106
- vascular induzida por estiramento, 206
Destruição da hemoglobina pelos
    macrófagos, 441
Desvio
- da esquerda para a direita, 288
- de cloreto, 526
- do eixo, 146, 147
Detecção
- da rotação da cabeça pelos canais
    semicirculares, 704
- da temperatura por receptores na pele e nos
    tecidos corporais profundos, 906
- de alterações na intensidade, 665
- de cores, 652
- do "grau" de força do estímulo, 605
- termostática da temperatura, 906
Detergente, 818
Deterioração
- cardiovascular, 295
- celular generalizada, 296
Determinação
- da direção de origem do som, 668
- da distância entre um objeto e o olho, 630
- da intensidade, 665
- da PO$_2$ sanguínea, 538
- de distância
- - pela paralaxe de movimento, 630
- - pelo tamanho de imagens retinianas de
    objetos conhecidos, 630
- - por estereopsia, 631
- do CO$_2$ sanguíneo, 538
- do eixo elétrico, 146
- do pH sanguíneo, 538
- genética dos aglutinógenos, 467
Determinantes antigênicos, 455
Deuteranopia, 641
Dextrana, 300
Dextrinas, 821
Di-hidrotestosterona, 1016, 1019
Di-iodotirosina, 942
Diabetes, 855
- adrenal, 961
- insípido, 359
- - central, 314, 373, 937

- - nefrogênico, 314, 374, 430
- melito, 346, 414, 423, 425, 851, 936, 972,
    984, 985
- - infantojuvenil, 984
- - insulinodependente, 984
- - não insulinodependente, 984
- tipo 1, 984, 985
- tipo 2, 986, 987
Diacilglicerol, 924
Diafragma urogenital, 324
Diagrama
- de complacência pulmonar, 490
- de volume-pressão durante o
    ciclo cardíaco, 119
Diálise, princípios básicos da, 431
Diâmetro pupilar, 627
Diapedese, 436, 445, 446, 450
Diarreia, 313, 414, 835
- causada por excesso de secreção de água e
    eletrólitos em resposta à irritação, 820
- psicogênica, 836
- - emocional, 836
Diástole, 115, 116, 261, 283
Diencéfalo, 217
Dieta com alto teor de potássio e baixo teor
    de sódio, 387
Diferença
- de concentração de água, 54
- de pressão através da membrana, 54
Diferenciação celular, 43
Difosfato
- de adenosina, 23, 473, 1072
- de guanosina, 920
- de uridina glicose, 842
Difusão, 49
- através
- - da membrana
- - - capilar, 192
- - - celular, 49
- - de poros e canais proteicos, 50
- de gases
- - entre os alvéolos e o sangue pulmonar, 509
- - pela membrana respiratória, 512
- de íons, 54
- de oxigênio, 508
- - dos alvéolos para o sangue dos capilares
    pulmonares, 518
- - dos capilares periféricos para
- - - as células teciduais, 520
- - - o líquido intersticial dos tecidos, 519
- de sódio através da membrana nervosa, 65
- de substâncias, 49
- do CO$_2$ das células teciduais periféricas para
    os capilares, 520
- dos gases, 508
- efetiva de água, 54
- facilitada, 49, 52, 59, 344, 842
- mediada por transportador, 52
- passiva, 347
- resultante de um gás, 509
- - em uma direção, 508
- simples, 49, 59
Digestão
- anormal de alimentos no intestino
    delgado, 834

- de carboidratos, 821
- de gorduras, 823, 824
- de proteínas, 822
- de vários alimentos por hidrólise, 821
- e absorção no trato digestivo, 821
Digitálicos, 154, 156, 273
Dilatação
- simpática dos bronquíolos, 496
- venosa aguda, 249
Diminuição
- da agressividade, 729
- da formação de angiotensina II, 357
- da massa muscular esquelética, 249
- da massa tecidual, 249
- da taxa metabólica dos tecidos, 249
- das reservas cardíaca e respiratória, 289
- do oxigênio alveolar, 502
Dinâmica
- anormal da circulação nas valvopatias, 286
- capilar pulmonar, 504
- circulatória
- - anormal, 289
- - na estenose aórtica e na insuficiência
    aórtica, 286
Dineína, 27
Dinorfina, 613
Dioptria, 624
Dióxido de carbono, 5, 24, 191, 203, 213, 508,
    518, 550, 838, 845
Dipalmitoil fosfatidilcolina, 491
Dipeptidases, 823
Dipeptidil peptidase 4, 987
Dipeptídios, 829
Direção
- da propagação, 70
- de um vetor, 140
Disartria, 716
Disbarismo, 561
Discos
- de Merkel, 596
- intercalares, 111
Discriminação
    de dois pontos, 604
- de padrões sonoros pelo córtex auditivo, 667
Disfunção(ões)
- endócrinas, 1065
- erétil, 208, 1022
- sensoriais e motoras, 776
Dislexia, 727
Dismetria, 715
Disparo(s)
- em surto, 665
- inspiratórios rítmicos do grupo respiratório
    dorsal, 528
Dispneia, 273, 277, 285, 545
- emocional, 545
- neurogênica, 545
Dissociação do ácido carbônico nos íons
    bicarbonato e hidrogênio, 525
Dissolução dos coágulos sanguíneos, 474
Distância focal de uma lente, 623
Distensão
- do intestino, 790
- excessiva de uma víscera oca, 615
- ou irritação do colo uterino, 1052

Índice Alfabético

- sistólica local, 265
Distensibilidade
- total, 180
- vascular, 179
Distribuição das fibras de Purkinje nos
   ventrículos, 128
Distrofia muscular, 89, 832
- de Becker, 89
- de Duchenne, 89
Distrofina, 89
Distúrbio(s)
- acidobásicos, 415, 417
- - complexos, 416
- da capacidade de concentração da urina, 373
- da deglutição e do esôfago, 832
- da função sexual masculina, 1021
- da repolarização cardíaca, 160
- da sede e ingestão de água, 378
- do estômago, 832
- do intestino delgado, 834
- do sistema digestório, 888
- na insuficiência adrenal grave, 968
- tubulares específicos, 429
Diurese
- de pressão, 338
- osmótica, 984
- por pressão, 227, 357, 392, 957
Diuréticos, 241, 414
- de alça, 350, 419
- e doenças renais, 418
- osmóticos, 418, 419
- poupadores de potássio, 351, 420
- tiazídicos, 350, 419
Divergência, 683
- de sinais que passam pelos grupos
   neuronais, 591
- em múltiplos tratos, 591
Divisão(ões)
- dos impulsos, 163
- funcionais dos lobos anterior e
   posterior, 708
DNA, 31
- helicase, 39
- ligase, 39
- primase, 39
Dobradiças, 80
Dobras
- da membrana muscular, 91
- de Kerckring, 825
Docilidade, 745
Doença(s), 3
- associadas à obstrução das vias
   respiratórias, 539
- autoimunes, 464
- cardíaca(s), 398, 501
- - congênitas, 147
- - e do envelhecimento no desempenho
   atlético, 1079
- - valvares e congênitas, 282
- coronariana, tratamento cirúrgico da, 268
- da membrana hialina, 543, 1061
- da tireoide, hipertireoidismo, 949
- da valva mitral, 505
- de Addison, 313, 358, 382, 968
- de Alzheimer, 757, 758

- de Caisson, 561
- de Cushing, 968
- de Graves, 949, 950
- de Hirschsprung, 835
- de Huntington, 720
- de Paget, 1003
- de Parkinson, 720
- de von Willebrand, 482
- descompressiva, 560, 561
- - sintomas de, 561
- - tratamento da, 562
- do ar comprimido, 561
- do intestino grosso, 835
- do sistema nervoso central, 657
- febris, 910
- gerais do trato digestivo, 836
- hemolítica do recém-nascido, 470, 1064
- hepática gordurosa não alcoólica, 870
- óssea, 1003
- - no hiperparatireoidismo, 1004
- pulmonar(es), 437
- - obstrutiva crônica, 517
- renal(is), 420, 429
- - crônica, 321, 420, 423, 424, 429, 988
- - - acidose na, 428
- - - anemia na, 428
- - - lesão do interstício renal como
      causa de, 425
- - - lesão glomerular como causa de, 425
- - - osteomalacia na, 428
- - - retenção de água e desenvolvimento de
      edema na doença renal crônica, 428
- - policística, 27
- - terminal, 423
- vasculares, 758
Dopamina, 575, 643, 719, 739, 1055
Dor, 609
- aguda, 609
- crônica, 609
- do trabalho de parto, 1053
- em agulhadas, 609
- latejante, 609
- lenta, 609
- nauseante, 609
- parietal causada por doença visceral, 615
- pontual, 609
- precordial, 268
- rápida, 609
- referida, 614
- - de origem visceral, 615
- surda, 609
- visceral, 614
- - verdadeira, 614
Dosagem das concentrações hormonais no
   sangue, 925
2,3-DPG, 523
Ducto(s)
- arterioso, 1061
- - persistente, 1062
- biliares, 869
- - terminais, 816
- cístico, 816
- coclear, 702
- coletor, 342, 369
- - medular, 323, 353

- - - profundo, 372
- deferente, 1009
- linfático
- - direito, 197
- - torácico direito, 500
- pancreático principal, 813
- patente persistente, 289
- prostáticos, 1009
- salivares, 807
- torácico, 197, 198
Duodeno, 789, 827
Duração da contração, 114

E

Eclâmpsia, 1050, 1051
Ecocardiografia, 257
Edema, 304, 315, 318
- agudo de pulmão, 276, 288
- causado
- - pela diminuição
- - - da excreção de sal e água nos rins, 316
- - - das proteínas plasmáticas, 316
- - por insuficiência cardíaca, 316
- cerebral, 780
- - agudo, 554
- - deprime o centro respiratório, 535
- da cavidade pleural, 507
- em pacientes com insuficiência
   cardíaca, 275
- extracelular, 315, 316
- generalizado, 427
- hipoproteinêmico, 1066
- intracelular, 315
- não depressível, 318
- periférico, 275, 888
- pulmonar, 274, 287, 500, 505
- - agudo, 506, 554
- - de grande altitude, 554
- - fator de segurança do, 506
- pulmonar na valvopatia mitral, 287
Efedrina, 771
Efeito(s)
- Bohr, 523, 1045
- cetogênico, 857
- - do hormônio de crescimento
   em excesso, 932
- da adição de solução salina ao líquido
   extracelular, 311
- da ativação simpática, 259
- da estimulação simpática ou
   parassimpática, 122
- da PO_2 alveolar elevada sobre a PO_2
   tecidual, 559
- da pressão intramiocárdica, 262
- da profundidade do mar sobre o volume
   de gases, 558
- da remoção do córtex visual primário, 652
- de isolamento do processo inflamatório, 449
- do desequilíbrio de forças na membrana
   capilar, 197
- do envelhecimento sobre o débito
   cardíaco, 244
- do treinamento na hipertrofia cardíaca e no
   débito cardíaco, 1079

Índice Alfabético

- Donnan, 195, 307
- Doppler, 172
- dos níveis variáveis de atividade cerebral na frequência do EEG, 753
- escada (*treppe*), 87
- excitatórios
- - do aumento e da diminuição da temperatura, 619
- - - sistema nervoso central, 947
- Fenn, 81
- genômicos, 959
- Haldane, 526
- inflamatórios, 461
- inotrópico positivo, 246
- nocivos das altas temperaturas, 911
- propulsivo dos movimentos de segmentação, 801
- resfriador do vento, 903
- simpáticos e parassimpáticos, 767
- termogênico dos alimentos, 899
- *treppe*, 87
Efetores, 567
Eficiência
- cardíaca, 120
- da contração muscular, 84
Efluxo vesicoureteral, 326
Efusão, 319
- pericárdica, 149
- pleural, 149
Eixo
- elétrico médio
- - do QRS ventricular, 145
- - dos ventrículos, 146
- mesodérmico, 43
- nervoso motor "esquelético", 567
Ejaculação, 769, 1015
Ejeção, 120
- do leite, 939
Elaboração de pensamento, 729
Elastase, 823
Elastina, 490
Elefantíase, 315
Elemento(s)
- de construção
- - do DNA, 28
- - do RNA, 31
- de resposta
- - à hipóxia, 437
- - hormonal, 922
Eletrocardiografia, 132
- ambulatorial, 138
Eletrocardiograma, 115, 132, 133, 134
- de derivação padrão, 146
- durante a repolarização ventricular, 144
- na fibrilação ventricular, 163
- normais registrados a partir de três derivações bipolares padrão dos membros, 136
- padrão, 133
Eletrodo indiferente, 63, 137
Eletroencefalograma, 752
Eliminação do nitrogênio do organismo, 561
Embolia pulmonar maciça, 482, 483
Êmbolo(s), 482
- coronariano, 264

Emetropia, 627
Emissão, 1015
Emulsificação por ácidos biliares e por lecitina, 824
Encefalina, 613, 719
Encefalite, 657, 832
Encéfalo, 612
Encefalopatia hepática, 867
Enchimento da bexiga, 326
Endocitose, 19, 190, 345, 943
Endocrinologia, 913, 914
Endolinfa, 664, 703
Endometriose, 1041
Endorfinas, 613, 966
β-endorfina, 613
Endostatina, 209
Endotelina, 106, 177, 208, 337
Endotélio, 208
- capilar, 331
- dos capilares, 331
Endotoxina, 296, 483
Energética do transporte ativo primário, 58
Energia, 83
- anaeróbica, 895
- - *versus* aeróbica, 894
- cinética do componente do fluxo sanguíneo, 118
- disponível nos alimentos, 875
- equivalente" do oxigênio, 897
- livre, 840
- necessária para a respiração, 492
- pelas células, 895
- química, 120
- usada nas atividades físicas, 899
Enfisema, 517
- pulmonar, 149, 540
- - crônico, 540
Enregelamento, 912
- em temperaturas quase congelantes, 912
Ensaio de imunoabsorção enzimática (ELISA), 925
Enterite, 820, 835
Enterócitos, 819
Enteroquinase, 813
Entrada do óvulo na tuba uterina, 1042
Envelhecimento da valva aórtica, 284
Envelope nuclear, 18
Envenenamento
- crônico por oxigênio, 560
- por cianeto, 203
Enzima(s), 11, 14, 28
- citocromo oxidase, 544
- conversora de angiotensina, 235
- deiodinase, 943
- digestivas, 805
- - na secreção do intestino delgado, 820
- - pancreáticas, 813
- do acrossomo, 1013
- guanilato ciclases solúveis, 207
- hidrolases, 15
- hidrolíticas, 16
- intracelulares, 447
- lisossômicas, 452
- oxidativas das células teciduais, 544
- óxido nítrico sintase endotelial, 207

- pancreáticas proteolíticas, 823
- peptidil transferase, 35
- proteolíticas, 447, 478, 808, 1013
Eosinófilos, 444, 452
Epidídimo, 1009, 1011
Epilepsia, 749, 752, 754, 756
- de ausência, 756
Epitélio germinativo das gônadas, 984
Epítopos, 455
Eplerenona, 351, 419, 420
Equação
- de Goldman, 62
- de Goldman-Hodgkin-Katz, 62
- de Henderson-Hasselbalch, 403
- de Michaelis-Menten, 896
- de Nernst, 54, 61, 62
Equalização de impedância, 660
Equilíbrio
- acidobásico, 400
- de Starling para trocas capilares, 196
- dietético, 875
- eletrolítico e hídrico, 1019
- estático, 703
- nitrogenado negativo, 877
- osmótico, 310-312
- reversível entre as proteínas, 865
Equimoses, 482
Equipamento autônomo de respiração subaquática (SCUBA), 562
Ereção, 769
- feminina, 1039
- peniana, 1015
Eritremia, 442
Eritroblastos
- basófilos, 436
- policromatófilos, 436
Eritroblastose fetal, 442, 470, 1064
Eritrócitos, 176, 188, 434
Eritropoietina, 321, 428, 437
Erros de refração, 627
Eructações, 838
Erupção de dentes, 1007
Escape ventricular, 130, 157, 158
Escatol, 830
Escherichia coli, 425
Esclerose, 861
- múltipla, 464
Escoamento de íons sódio ("*funny currents*"), 127
Escoliose, 539
Escopolamina, 771
Escorbuto, 887, 889
Escotomas, 652
Escotopsina, 637
Esferocitose hereditária, 442
Esfíncter
- anal
- - externo, 803
- - interno, 803
- de Oddi, 817
- esofágico
- - inferior, 797
- - superior, 796
- externo da bexiga, 324
- faringoesofágico, 796

Índice Alfabético

- gastroesofágico, 797
- ileocecal, 802
- interno, 324
- pilórico, 787, 799
- pré-capilar, 189, 204
Esfingolipídios, 13, 190
Esfingomielina, 73, 858
Esfingosina, 14
Esmalte, 1006
Espaço(s)
- da inulina, 308
- de Disse, 869
- de Virchow-Robin, 773
- do sódio, 308
- intercelulares, 4
- intersticial, 394
- morto, 494
- - anatômico, 495
- - fisiológico, 495, 516
- perissinusoidais, 869
- perivascular, 778
- pleural, 507
- potenciais, 319, 507
- subaracnoide, 777
Espasmo
- carpopedal, 991
- de víscera oca, 615
- muscular, 94, 610, 692, 700
- - abdominal, 692
- - resultante de um osso fraturado, 692
Espasticidade, 700
- muscular, 700
Especificidade dos anticorpos, 459
Espermátides, 1010
Espermatócitos primários, 1010
Espermatogênese, 1009, 1011, 1021
- anormal, 1014
Espermatogônias, 1009
Espermatozoide(s), 1010, 1011
- formação de, 1011
- maduro, 1012
Espessura da membrana respiratória, 514
Espinocerebelo, 713
Espirometria, 492
Espironolactona, 351, 419, 420
Esplenectomia, 482
Espondilite anquilosante, 994
Espru, 834
- intestinal, 441
- não tropical, 835
- tropical, 835, 888
Esquistossomose, 452
Esquizofrenia, 757
Estabilizadores, 75
Estado(s)
- aberto *versus* estado fechado dos canais com comportas, 51
- da atividade cerebral, 749
- de excitação do neurônio, 581
- excitatório, 581
- inibitório, 581
Estafilococos, 449
Estágios
- da diferenciação das hemácias, 436
- de vigília e sono, 753

- do choque, 293
Estase venosa, 299
Esteatorreia, 835
Esteatose-hepatite não alcoólica, 870
Estenose
- aórtica, 286
- congênita da valva aórtica, 288
- da valva aórtica, 284
- - calcificada, 285
- mitral, 287
- valvar
- - aórtica, 147, 181
- - - calcificada senil, 284
- - pulmonar congênita, 147
Estercobilina, 830, 873
Estereocílios, 663
Estereopsia, 655
Ésteres de colesterol, 825
Esterilidade feminina, 1040
Esteroides, 915
- adrenais, 954
Estertores (estalidos) bolhosos, 273
Estigma, 1028
Estilo de vida sedentário, 883
Estimativa média do funcionamento do sistema capilar, 191
Estimulação
- autonômica de secreção, 806
- beta-adrenérgica, 382
- da amígdala, 747
- da secreção
- - ácida pela gastrina, 811
- - de ácido clorídrico no estômago, 811
- das células olfatórias, 675
- de sistemas natriuréticos, 398
- de termorreceptores, 619
- do ato sexual feminino, 1039
- dos neurônios motores espinhais, 699
- dos núcleos paraventriculares, 743
- hipotalâmica, 907
- ou da inibição simpática nas relações volume-pressão, 180
- parassimpática, 122, 130, 215, 764, 766
- seletiva de órgãos-alvo por sistemas simpáticos e parassimpáticos, 769
- simpática, 130, 215, 764, 766, 788, 808
- - de secreção, 806
- vagal, 156
Estímulo(s)
- da sede, 377
- excitatório, 590
- gustativo primário, 673
- liminares e subliminares, 590
- locais, 820
- mecânicos, térmicos e químicos, 609
- nervosos sobre a vasculatura coronariana, 263
- para a secreção de ADH, 376
- químico da lesão tecidual, 610
- químicos, 615
- sexual masculino, 1015
- supraliminar, 590
Estiramento
- do nó sinusal, 245
- muscular, 106

Estômago, 806
Estrabismo, 655
- de torção, 655
- horizontal, 655
- vertical, 655
Estradiol, 1029, 1030
Estresse, 962
- do sistema nervoso simpático, 769
- fisiológico, 966
- mental, 770
Estresse-relaxamento, 101, 180, 254
- do músculo liso, 101
- reverso, 101
Estrias violáceas, 970
Estribo, 659
Estrogênio, 868, 981, 995, 1011, 1026, 1030-1032, 1070
- na gravidez, 1047
- na pele, 1033
- nas mamas, 1032
- nas tubas uterinas, 1032
- no equilíbrio eletrolítico, 1033
Estroma ovariano, 1024
Estrutura(s)
- celular, 12
- da parede capilar, 190
- filamentosas e tubulares, 17
- membranosas da célula, 12
- tetramérica, 50
Estudo dos gases e do pH sanguíneo, 538
Esvaziamento
- da vesícula biliar, 817
- gástrico, 798-800
Etapas químicas na síntese de proteínas, 35
Etilenoglicol, 422
Etinilestradiol, 1040
Etinodiol, 1040
Eunucoidismo
- feminino, 1038
- hipotalâmico, 1022
Evaporação, 902, 903
Eventos elétricos durante a
- excitação neuronal, 576
- inibição neuronal, 579
Excesso
- de ácido láctico no sangue, 297
- de aldosterona, 415, 957, 958
Excitabilidade neuronal intrínseca, 593
Excitação, 74, 573, 590
- da fibra muscular esquelética, 93
- das células ganglionares, 646
- de interferência, 655
- de neurônios quimiossensíveis, 530
- de uma fibra nervosa, 74
- do músculo
- - esquelético, 91
- - liso, 99
- dos bastonetes, 636
- e inibição nos núcleos cerebelares profundos, 711
- nervosa, 246
- rítmica do coração, 125
- simpática de natureza química na produção de calor, 907
- sináptica, 578

Índice Alfabético

Excreção
- de bicarbonato, 411
- de nitrogênio, 877
- de produtos do metabolismo, 320
- de sódio, 391
- de urina concentrada, 366, 367, 369
- renal, 395
- - de potássio, 382
Exercício
- aumenta o fluxo sanguíneo por todas as regiões dos pulmões, 504
- extenuante, 895
- intenso
- - aumento do débito cardíaco durante o, 504
- - transporte de oxigênio aumenta significativamente, 521
Exocitose, 20, 22, 91, 807, 915, 979
- da acetilcolina, 94
Exoftalmia, 950
Éxons, 32
Exonuclease, 40
Expansão dos pulmões ao nascimento, 1060
Expansibilidade pulmonar, 491
Expiração, 529
- pulmonar de CO_2, 405
Exposição
- a antígenos, 454
- do corpo ao frio extremo, 912
- prolongada à ausência de peso, 557
Expressão gênica, 37
Extrassístole, 158
Extravasamento, 445, 450

F

Facilitação, 568, 590
- de neurônios, 580
- ou inibição
- - da micção pelo encéfalo, 327
- - pré-sináptica, 733
- sináptica, 732
Fadiga, 594, 690
  da junção, 94
- da transmissão sináptica, 582
- muscular, 87
- sináptica, 594
Fagocitose, 5, 19, 20, 444, 446, 460
- pelos macrófagos, 447
- pelos neutrófilos, 447
Fagossomo, 447
Faixa de frequência da audição, 665
Falência eventual do ventrículo esquerdo, 287
Falha
- de articulação da fala, 716
- de maturação, 438
Farelo de aveia, 862
Farmacologia do sistema nervoso autônomo, 770
Fármacos
- natriuréticos, 241
- parassimpaticomiméticos, 771
- sedativos, 745
Fascículo
- arqueado, 731
- longitudinal medial, 653, 655, 706

- prosencefálico medial, 613
Fase(s)
- da secreção gástrica, 812
- - fase cefálica, 812
- - fase gástrica, 812
- - fase intestinal, 812
- de despolarização, 66
- de repolarização, 66
- de repouso, 66
- do potencial de ação do músculo cardíaco, 112
- esofágica da deglutição, 797
- faríngea da deglutição, 796
- folicular do ciclo ovariano, 1027
- voluntária da deglutição, 795
Fator(es)
- angiogênicos, 45
- anti-hemofílico, 478
- ativadores de plaquetas, 465, 474
- controlador da velocidade de liberação de energia, 896
- de coagulação sanguínea, 8, 477
- de crescimento, 42, 473, 475
- - de fibroblastos, 209
- - derivado de plaquetas, 209
- - dos hepatócitos, 870
- - dos linfócitos B, 463
- - endotelial, 209
- - epidérmico, 871
- - semelhantes à insulina, 933
- - vascular, 209
- de necrose tumoral, 451, 871, 886, 1051
- de proteção contra edema, 318
- de relaxamento ou de constrição derivados do endotélio, 207
- de segurança, 70, 75
- de transcrição, 38
- - ativados, 925
- de von Willebrand, 474
- determinante testicular, 1018
- estabilizador da fibrina, 473, 477
- estimulador de colônias de
- - granulócitos, 451
- - granulócitos-monócitos, 451
- - monócitos, 451
- estimuladores dos linfócitos B, 463
- gravitacional sobre as pressões arteriais e outras pressões, 186
- hormonais
- - gastrointestinais, 880
- - na gravidez, 1046
- II, 481
- indutor(es)
- - de crescimento, 436
- - de diferenciação, 436
- - de hipóxia, 209, 553
- - de proteólise, 886
- induzido por hipóxia, 437, 553
- inibidor da
- - maturação do ovócito, 1027
- - osteoclastogênese, 995, 1032
- intrínseco, 809
- - da B_{12}, 833
- IX, 478, 481
- plaquetário, 478

- quimiotáxico de eosinófilos, 452
- secretórios locais, 496
- tecidual(is), 478
- - locais, 106
- transformador de crescimento-β, 871
- VII, 481, 872
- VIII, 478
- X, 478, 481
- - ativado, 478
- XI, 478
- XII, 478
- - ativado, 478
Febre, 910
- causada por lesões cerebrais, 911
- do feno, 465
- reumática, 284, 464
- taxa metabólica, 899
Fechamento
- das valvas semilunares, 282
- do(s) canal(is)
- - arterial após o nascimento, 288
- - de cálcio, 113
- - de sódio, 112
- - rápidos de potássio, 113
- do ducto
- - arterioso, 1062
- - venoso, 1062
- do forame oval, 1062
Feedback
- hormonal do duodeno, 800
- negativo, 7
- para o controle da temperatura corporal, 908
- positivo, 8
- - da formação do coágulo, 477
- tubuloglomerular, 206, 338
- - na mácula densa, 392
Feixe
- AV, 128, 156
- de Bachman, 127
- de His, 156
- do prosencéfalo medial, 741
- interatrial anterior, 127
- nervoso periférico, 597
Fenda(s)
- brônquicas e traqueais, 497
- intercelular, 190
- sináptica, 571
- subneurais, 91
Fenestrações, 190
Fenilefrina, 771
Feniltiocarbamida, 672
Fenóis, 428
Fenômeno(s)
- da "aclimatação", 533
- da inibição recíproca, 691
- de reentrada, 162
- do arquejo, 905
- on-off, 646
Fenoxibenzamina, 771
Fentermina, 885
Fentolamina, 771
Ferritina, 440, 872
Ferro, 872, 891, 1065
- de armazenamento, 440

Índice Alfabético

Fertilidade feminina, 1040
Fertilização do óvulo, 1013, 1042
Fibra(s)
- aferente(s), 590
- - vagais, 797
- anterolaterais da medula espinhal, 606
- basilares, 661
- circulares, 626
- colinérgicas e adrenérgicas, 761
- corticofugais de retorno, 649
- de bolsa nuclear, 685
- de cadeia nuclear, 685
- de Purkinje, 113
- do feixe de His, 156
- do nervo óptico, 645
- dos núcleos intralaminares do tálamo, 697
- eferentes
- - alfa, 684
- - gama, 684
- - glossofaríngeas e vagais, 797
- horizontais, 723
- intrafusais, 685
- lentas, 85
- - da dor, 610
- M de condução rápida, 655
- meridionais, 626
- mielínicas, 73
- motoras, 325
- - esqueléticas, 325
- musculares
- - atriais e ventriculares, 113
- - de contração rápida e de contração
   lenta, 1075
- - esqueléticas, 76, 91
- - excitatórias e condutoras, 110
- - lentas, 85
- - rápidas, 85
- nervosas, 588
- - amielínicas, 72
- - autônomas, 104
- - colinérgicas, 904
- - gustativas, 672
- - mielínicas, 72
- - motoras gama, 684
- - parassimpáticas, 215, 326
- - periféricas, 597
- - secretoras de acetilcolina, 817
- - sensoriais aferentes do intestino, 788
- - simpáticas, 760
- - - nos nervos esqueléticos, 759
- - - vasoconstritoras, 216
- nodais sinusais para sódio e cálcio, 126
- olivocerebelares, 697
- parassimpáticas, 325
- periféricas da dor, 610
- piramidais, 696
- pontocerebelares, 697
- pré-ganglionares, 761
- proprioespinhais, 683
- rápidas, 85, 597
- - da dor, 610
- sensitivas, 325
- somatossensoriais, 697
- subcorticais, 697
- trepadeiras, 712

Fibrilação
- atrial, 164, 287
- - bombeamento prejudicado dos átrios
   durante a, 165
- - eletrocardiograma na, 165
- - irregularidade do ritmo ventricular
   durante a, 165
- - tratamento por cardioversão, 165
- causada por corrente alternada
   de 60 ciclos, 162
- ventricular, 161, 162, 301
- - após infarto do miocárdio, 266
Fibrilas de ancoragem, 197
Fibrina, 474, 476
Fibrinogênio, 476, 865, 872, 1012
Fibrinolisina, 480, 1034
Fibroadenoma prostático benigno, 1021
Fibroblastos, 474
Fibroplasia retrolental, 209, 1067
Fibrose, 474
Fígado, 4, 5, 188, 190, 435, 456, 805, 842,
   869, 870
- anatomia e fisiologia do, 869
- funções metabólicas do, 872
- na degradação do estrogênio, 1031
Filamento(s), 17
- de actina, 76, 80, 100, 110, 826
- de miosina, 76, 79-81, 100, 110
- deslizantes, 79
- intermediário, 17
- proteoglicanos, 318
Filtrabilidade dos solutos, 331
Filtração
- capilar, 315
- de líquidos pelos capilares, 193
- efetiva, 196
- glomerular, 328, 330
- na extremidade arterial do capilar, 196
Filtrado tubular renal, 413
Filtro de seletividade, 51
Física básica da perda de calor pela superfície
   da pele, 902
Física básica dos potenciais de membrana, 61
Fisiologia
- da membrana, do nervo e do músculo, 47
- digestiva, 783
- do exercício, 1069, 1070
- do tratamento do choque, 300
- dos distúrbios do trato digestivo, 832
- feminina antes da gravidez, 1024
- fetal e neonatal, 1058
- humana, 2
Fisiopatologia, 2, 3
- de anormalidades pulmonares
   específicas, 540
Fisostigmina, 94
Fístula arteriovenosa, 248, 255, 280
Fita
- de DNA como molde, 31
- principal, 39
Fixação em objetos em movimento, 654
Flagelo, 1011
- de um espermatozoide, 26
Flatulência, 838
Flavina mononucleotídio, 888
Flavina-adenina dinucleotídio, 888

9α-fludrocortisol, 954
Flúor, 891
- na prevenção da cárie, 1008
Fluorofosfato de di-isopropil, 94
"Flush", 911
Flutter atrial, 165
Fluxo(s), 168, 170
- axonal, 575
- coronariano, 262
- de corrente(s), 172
- - ao redor do coração, 134
- - elétricas no tórax ao redor do coração, 135
- de linfa, 189
- de saída ocular do humor aquoso, 632
- de sangue
- - dos ventrículos durante a sístole, 116
- - em contracorrente nas vilosidades, 793
- - nos capilares, 190
- em massa, 343
- expiratório máximo, 539
- laminar, 172
- - do sangue nos vasos, 172
- linfático, 199, 200, 318
- predominante, 432
- renal cortical, 336
- sanguíneo, 171, 176, 524, 946
- - cerebral, 773, 774
- - coronariano, 261, 262
- - coronário colateral, 153
- - da zona 1, 503
- - de zona 2, 503
- - do interior, 902
- - durante
- - - a atividade gastrointestinal, 792
- - - as contrações musculares, 258
- - e consumo de oxigênio renal, 335
- - e sua distribuição através dos pulmões, 501
- - gastrointestinal, 791
- - local alveolar, 502
- - métodos para medição do, 171
- - muscular, 1078
- - - e débito cardíaco durante o exercício, 258
- - na medula renal, 371
- - nos vasos retos da medula renal, 336
- - padrão parabólico da velocidade do, 172
- - pulmonar, 502, 503
- - - regional, 502
- - renal, 330, 334, 341
- - - determinantes do, 335
- - tecidual, 176
- tubular distal, 386
- turbilhonado, 172
- turbulento, 172
- - do sangue sob certas condições, 172
Fluxômetro
- eletromagnético, 171, 256
- ultrassônico Doppler, 172
Focalização dos olhos, 656
Folículo(s)
- antrais, 1027
- maduros, 1027
- pré-ovulatório, 1028
- primários, 1027
- primordial, 1024, 1027
- tireoidianos, 940
Fólio, 708

Índice Alfabético

Fome, 795
Fonação, 498
Fonocardiograma, 115, 283
- de sopros valvares, 285
Força(s)
- aceleradoras
- - centrífugas, 554, 555
- - em viagens espaciais, 556
- - lineares, 556
- de bombeamento cardíaco, 271
- de contração
- - cardíaca, 122, 123, 946
- - do músculo total, 82
- de deslocamento, 81
- de sustentação, 1071
- de Starling, 193
- desaceleradoras associadas a saltos de paraquedas, 556
- do potencial de ação, 75
- elástica(s)
- - da tensão superficial, 491
- - do tecido pulmonar, 490
- eletroquímica, 62
- hidrostáticas e coloidosmóticas, 193
- máxima de contração, 87
- muscular, 1071, 1075
Formação(ões)
- da bifurcação de replicação, 39
- da hemoglobina, 438
- da imagem na retina, 626
- da linfa, 197
- da urina, 328
- das células sanguíneas, 435
- das proteínas do plasma, 865
- de água, 846
- de anticorpos e de linfócitos sensibilizados, 444
- de ATP, 845, 846
- - durante a glicólise, 843
- de células sanguíneas, 1058
- de fezes, 830
- de nucleotídios de RNA, 31
- de pus, 451
- de ribossomos no nucléolo, 33
- de uma imagem por uma lente convexa, 624
- de ureia pelo fígado, 867
- de vesículas, 22
- do coágulo, 476
- do humor aquoso pelo corpo ciliar, 631
- do tampão plaquetário, 473
- dos dentes, 1007
- dos leucócitos, 444
- hipocampal, 746
- reticular, 612
- - da ponte, 217
- - reticular do tronco encefálico, 709
Formas
- blásticas nucleadas, 470
- de onda do eletrocardiograma normal, 132
- pré-celulares de vida, 18
Fosfatase alcalina, 1004
- tecido não específica, 994
Fosfatidilinositol
- 3-quinase, 921
- bifosfato, 924

Fosfato, 11, 23, 48, 428, 828
Fosfocreatina, 83, 894
Fosfodiesterase-5 específica do GMPc, 208
Fosfofrutoquinase, 847
Fosfolipase-A, 825
Fosfolipase-C, 920
Fosfolipídios, 12, 13, 473, 825, 852, 858
- plaquetários, 478
- plasmáticos, 977
Fosforilação
- da cabeça da miosina, 102
- da glicose, 842
Fósforo, 891, 990, 992
- inorgânico, 990
Fotoquímica da visão, 636
- em cores, 639
Fotorreceptores, 635, 642
Fóvea, 635
- central, 635
Fração de filtração, 355, 362
Fragmentos de Okazaki, 39
Fraqueza
- muscular, 95, 958
- para o azul, 642
Frêmito, 285
Frequência(s)
- cardíaca, 115, 122, 134, 215, 946, 1079
- da contração, 86
- da ventilação alveolar, 495
- de descargas nos diferentes níveis das vias auditivas, 666
- de disparo, 581
- de potenciais de ação repetitivos, 586
- de ritmo dos átrios, 157
- do potencial de ação, 586
- relativa dos diferentes tipos sanguíneos, 468
- respiratória, 529
- sonora, 664
Frutose, 828
Função(ões)
- anormal no circuito de putame, 718
- cardíaca, 122, 123
- celular, 28
- circulatória, 169
- da circulação pulmonar, 504
- de "recompensa" e "punição" do sistema límbico, 745
- de áreas corticais específicas, 724
- de armazenamento do estômago, 798
- de controle vegetativo e endócrino do hipotálamo, 741
- de filtração do nariz, 497
- de motivação no cérebro, 737
- de reservatório sanguíneo das veias, 187
- digestiva, 784
- do cérebro na comunicação, 730
- do complexo de Golgi, 22
- do córtex cerebral na audição, 667
- do néfron na doença renal crônica, 426
- do núcleo geniculado dorsolateral do tálamo, 648
- do órgão de Corti, 662
- do plexo mioentérico no peristaltismo, 790
- do retículo endoplasmático, 22
- do utrículo e do sáculo, 703

- do vestibulocerebelo, 713
- emulsificante, 818
- especiais dos dendritos na excitação dos neurônios, 580
- específicas de outras partes do sistema límbico funções do hipocampo, 746
- executiva, 729
- hormonais intracelulares, 923
- integrativa do sistema nervoso, 567, 568
- intelectuais, 728
- - do cérebro, 723
- - superiores do córtex pré-frontal, 729
- intracelular por regulação enzimática, 38
- linfática dos espaços perivasculares, 778
- luteinizante do LH, 1029
- metabólicas, 4
- - do fígado, 871
- motoras, 707
- - da medula espinhal e reflexos medulares, 682
- - do estômago, 797
- - do sistema nervoso, 567
- múltiplas dos rins, 320
- neural da retina, 642
- preditivas extramotoras do cerebrocerebelo, 715
- pulmonar, 493
- receptora, 586
- - do fuso neuromuscular, 684
- renal materna durante a gravidez, 1050
- reprodutoras, 1009
- respiratórias normais do nariz, 497
- secretoras do trato digestivo, 805
- simpática e parassimpática, 761
- sinápticas dos neurônios, 569
- sintéticas do complexo de Golgi, 22
- somatossensorial, 607
- tampão
- - da glicose, 871
- - de oxigênio da hemoglobina, 6
Furosemida, 350, 419
Fusão das imagens visuais captadas pelos dois olhos, 655
Fuso(s)
- mitóticos, 18
- musculares, 87
- neuromuscular, 683-685, 689
- - na atividade motora voluntária, 687

G

Galactose, 828
Gamaglobulinas, 458
Gânglio(s)
- cervical superior, 656
- do tronco simpático, 759
- espiral de Corti, 663, 666
- simpático periférico, 759
Gangrena gasosa, 563
Ganho
- de *feedback*, 7
- de peso na gestante, 1049
- diário de água, 304
Gap junctions, 111
Gases no trato digestivo, 838

Índice Alfabético

Gasometria, 538
- do sangue durante exercícios, 1077
Gastrectomia vertical (*sleeve*), 885
Gastrina, 789, 792, 801, 809-811, 813, 980
Gastrite, 832
- crônica, 833
Gel
- intersticial, 318
- no interstício, 193
- tecidual, 193
Genes
- da região determinante do sexo no Y, 1018
- do núcleo celular, 28
- *POMC*, 967
- supressores de tumor, 44
Genótipos, 468
Geração
- de potenciais de ação no segmento inicial do axônio, 578
- dos impulsos nervosos pelos botões gustativos, 674
Gigantismo, 935
Ginecomastia, 1022
Giro
- angular, 727, 731
- cingulado, 217
- para-hipocampal, 741
- pós-central, 601
Glande do pênis, 1014
Glândula(s)
- de Bowman, 675
- de Brunner, 819
- do trato digestivo, 805
- endócrinas, 5, 947
- exócrinas, 766
- gástricas, 798, 809
- gastrointestinais, 766
- hipófise, 927
- lacrimal, 766
- mucosas
- - compostas, 809
- - simples, 809
- - unicelulares, 805
- nasal, 766
- oxíntica, 805, 809
- paratireoides, 828, 999
- pilóricas, 809, 811
- pineal, 1009, 1023
- salivar, 766, 805, 958
- sudoríparas, 766, 958
- tireoide, 940, 949
- - anatomia e fisiologia da, 940
- - hiperplásica, 951
- - liberação de tiroxina e tri-iodotironina pela, 942
- tubulares, 805
- ultimobranquiais, 1002
- uretrais, 1009
Glaucoma, 633
α-glicerofosfato, 856, 857
Glicerol, 843, 853
Glicina, 575, 643
Glicinúria simples, 430
Glicocálix da célula, 14

Glicocorticoides, 301, 868, 953, 954, 960, 964
- adrenais, 1054
- na gliconeogênese, 849
Glicogênese, 842
Glicogênio, 12, 83, 821, 842
- armazenamento no músculo, 975
Glicogenólise, 843, 981
Glicolipídio, 14
Glicólise, 23, 83, 843, 893
- anaeróbica, 847
Gliconato de sódio, 415
Gliconeogênese, 321, 849, 867, 871, 961, 976, 982
Glicoproteínas, 14, 473
- da superfície plaquetária, 474
Glicoquinase, 842, 979
Glicose, 5, 23, 191, 313, 828, 975
- efeitos no metabolismo da, 981
- fosfatase, 841, 975
- fosfato, 975, 842
- no cérebro, 976
- no metabolismo dos carboidratos, 841
- sanguínea, 849
- urinária, 988
Glicosúria renal, 430
Glicuronídeo de bilirrubina, 873
Gliflozinas, 987
Globina, 439
Globulina, 865
- aceleradora, 872
- de ligação a hormônios sexuais, 1016
- transportadora
- - de cortisol, 956
- - de tiroxina, 917, 943
Glóbulos brancos, 444
Glomérulo, 322
Glomerulonefrite, 422, 423, 425, 464
- crônica, 425
Glomerulosclerose, 424
Glucagon, 801, 843, 972, 981
- efeitos do, 982
- regulação da secreção de, 982
- secreção de, 982
Glutamato, 575, 611, 643, 719, 723
Glutamina, 721, 866
Gonadotróficas, células, 928
Gonadotrofina coriônica humana, 1021, 1029, 1041, 1046, 1047
Gonadotrofos, 928
Gordura(s), 800, 818, 876
- da dieta, 823
- marrom, 899, 907
- neutras, 12, 850
- plasmáticas e hepáticas, 946
Goteira sináptica, 91
Gradações de intensidade do olfato, 677
Gradiente(s)
- de concentração, 508
- de contraste, 651
- de pressão, 170
- - hidrostática nos pulmões, 502
- - para o retorno venoso, 252
- iônicos de sódio e potássio, 70
Grande(s)
- altitudes, 550

- circulação, 168
- mal, 755
- veias abdominais, 188
Granulações aracnoides, 778
Granulócitos, 444, 451
Grânulos secretores, 16
Gravador de *loop* implantável, 139
Gravidez, 1042
Grelina, 879, 881
Gripe espanhola, 458
Grupo respiratório
- dorsal, 528
- ventral, 528
- - de neurônios, 529
Guanetidina, 771
Guanidinas, 428
Guanina, 28, 30, 31
Gustação, 671

H

Hábito, 745
Habituação, 732
Hálito cetônico, 988
Haptoglobina, 471
Haste hipofisária, 927, 937
Haustrações, 802
Helicotrema, 661
Hemácia(s), 434, 441
- forma e tamanho das, 434
- madura, 436
- produção de, 434
Hematócrito, 176, 306
Hemibalismo, 718
Hemisfério dominante, 728
Hemisférios cerebrais, 731
Hemofilia, 481
- A, 481
- B, 481
- clássica, 478, 481
Hemofiltração, 432
Hemoglobina, 6, 434, 439, 521, 522
- A, 439
- fetal, 1045
- glicada, 988
- no transporte de oxigênio, 521
- S, 442
Hemólise aguda, 468
Hemolisinas, 469
Hemossiderina, 440
Hemostasia, 473
Heparina, 452, 465, 480, 483
Hepatite, 481, 874
Hepatócitos, 816
Hermafroditismo, 1065
Herniação cerebral, 314
Herpes-vírus associado ao sarcoma de Kaposi, 44
Herpes-zóster, 616
Hexametônio, 771
Hexoquinase, 842
Hialuronidase, 1013
Hiato aniônico, 417
Hidrocefalia, 779
- comunicante, 779

Índice Alfabético

- não comunicante, 779
Hidroclorotiazida, 419
Hidrogênio, 203, 213, 351, 400, 838, 846, 848
Hidrogênio-ATPase, 409
Hidrogênio-potássio ATPase, 409
Hidrolases, 297
- ácidas, 20
Hidrólise
- de carboidratos, 821
- de gorduras, 821
- de proteínas, 821
- de trifosfato de adenosina, 343
- de triglicerídios, 853
Hidronefrose, 333
1,25-di-hidroxicolecalciferol, 997
16-hidroxideidroepiandrosterona, 1047
11β-hidroxiesteroide desidrogenase, 964
Hidroximetilglutaril coenzima A redutase, 862
Hiperadrenalismo, 968
Hiperaldosteronismo primário, 234, 380
Hiperalgesia, 609, 616
- primária, 616
- secundária, 616
Hiperatividade dos sistemas hormonais, 918
Hiperbarismo, 558
Hiperbilirrubinemia fisiológica, 1064
Hipercalcemia, 388, 990, 991, 998, 1004
Hipercapnia, 542, 545
Hipercolesterolemia familiar, 861
Hiperemia
- ativa, 205
- reativa, 205
Hiperestrogenismo, 1031
Hiperfuncionantes, corações, 246
Hiperglicemia, 340, 936
Hipergonadismo masculino, 1022
Hiperidratação
- hipernatrêmica, 314
- hiponatrêmica, 313
Hiperinsulinemia, 986
Hiperinsulinismo, 989
Hipermetropia, 627, 628
Hipernatremia, 313, 314, 315
Hiperopia, 627
Hiperosmolaridade da medula renal, 370
Hiperparatireoidismo, 1004
- primário, 1004
- secundário, 1004
Hiperplasia
- das fibras musculares, 88
- fibromuscular, 424
Hiperpolarização, 72, 107, 126, 579, 639
- do receptor, 703
Hiperpotassemia, 381, 956, 958
- exercício extremo e, 382
Hipersecreção hormonal pelos ovários, 1039
Hipersensibilidade, 464
- à dor, 616
- à noradrenalina e à acetilcolina, 768
- de denervação, 768
- mediada por linfócitos T ativados, 464
Hipertensão, 146, 227, 425, 429
- arterial, 758
- - crônica, 775
- - sistêmica, 423

- causada por
- - coarctação da aorta, 239
- - combinações de sobrecarga de volume e vasoconstrição, 239
- - doenças renais que secretam renina cronicamente, 238
- - excesso de aldosterona, 234
- - lesão renal irregular, 429
- - tumor secretor de renina ou por isquemia renal, 237
- causas genéticas da, 240
- crônica, 232
- de dois rins de Goldblatt, 238
- de rim único de Goldblatt, 238
- doença renal e, 428
- essencial, 241
- - tratamento da, 241
- experimental por sobrecarga de volume, 233
- induzida pela gravidez, 1050
- insensível ao sal, 241
- monogênica, 240
- na parte superior do corpo causada por coarctação da aorta, 239
- na pré-eclâmpsia, 239
- neurogênica, 239
- por sobrecarga de volume, 232-234
- portal, 870
- primária (essencial), 240
- pulmonar, 208
- renovascular, 238
- secundária à lesão renal, 985
- sensível ao sal, 241
Hipertermia maligna, 98
Hipertireoidismo, 248, 950
Hipertrofia
- cardíaca, 247
- - efeitos deletérios dos estágios finais da, 290
- - fisiológica, 290
- concêntrica, 279, 284, 286
- da fibra, 88
- de um dos ventrículos, 146
- do músculo, 148
- do ventrículo
- - direito, 147
- - esquerdo, 146, 286
- - excêntrica, 286
- miocárdica, 290
- muscular, 88, 1075
Hipoadrenalismo, 968
Hipocalcemia, 991, 998, 1004
Hipocampo, 735, 736
- no aprendizado, 746
Hipocloridria, 833
Hipocretina, 751
Hipodipsia, 378
Hipofosfatemia
- congênita, 1005
- renal, 430
Hipoglicemia, 989
Hipogonadismo, 1038
- masculino, 1021
Hiponatremia, 276, 313, 956, 1080
- causa edema celular, 313
- dilucional, 378

Hipoparatireoidismo, 1003
Hipoperfusão renal, 340
Hipopotassemia, 381, 958
Hipotálamo, 217, 737, 740, 741, 759, 878, 905, 927, 1055
- anterior, 218
- controla a secreção hipofisária, 929
- estimulação do, 744
- funções comportamentais do, 744
- posterior, 906
Hipotermia artificial, 912
Hipotireoidismo, 249, 951, 952
Hipotonia, 700, 716
Hipovolemia, 293
Hipoxemia, 542
Hipóxia, 321, 437, 543, 894, 1060
- atmosférica, 544
- causada
- - pelo comprometimento da difusão pela membrana alveolar, 544
- - por anemia, 545
- - por utilização inadequada de O_2 pelos tecidos, 545
- efeitos
- - agudos da, 551
- - no organismo, 544
- por hipoventilação, 544
- sobre a transmissão sináptica, 582
Histamina, 106, 203, 212, 299, 449, 452, 465, 496, 810
Histiócitos, 448
Histonas, 37, 40
Homatropina, 771
Homeostase, 3, 6
Hormônio(s), 5, 106, 981
- adeno-hipofisários, 935
- adrenocorticais, 5, 859, 953, 954, 956
- adrenocorticotrófico, 849, 857, 914, 954, 1048
- aminados, 915
- androgênicos, 953
- antidiurético, 212, 232, 276, 313, 358, 364, 743, 914, 928, 937
- - efeitos vasoconstritores, 938
- - funções fisiológicas do, 937
- - no controle da excreção renal de água, 396
- - regulação da produção do, 938
- atrial natriurético, 359, 397
- da neuro-hipófise, 929
- da paratireoide, 828
- da tireoide, 943, 944, 945
- de crescimento, 857, 868, 914, 927, 931, 932, 981, 1011, 1054, 1055
- - crescimento de muitos tecidos do corpo, 930
- - elevação da taxa metabólica, 899
- - funções fisiológicas do, 930
- - mudanças associadas ao envelhecimento, 936
- - regulação da secreção do, 933
- - tratamento com o, 935
- de liberação, 1035
- do sangue, 918
- endócrinos, 914
- esteroides, 915, 919, 924

Índice Alfabético

- estimulador da tireoide, 908, 928, 940
- estrutura química e síntese dos, 914
- femininos, 1024
- fetais, efeito no útero, 1052
- foliculoestimulante, 1011, 1019-1021, 1026
- gastrina, 799
- gastrointestinais, 806, 980
- glicocorticoides, 472, 849
- gonadotróficos, 1019, 1020, 1026
- hipofisários, 927
- hipofiseotróficos, 914
- hipotalâmicos
- - inibidores, 929, 930
- - liberadores, 929, 930
- hipotálamo-hipofisários, 1035
- inibidor(es), 929
- - da prolactina, 1055
- - do hormônio de crescimento, 934, 983
- inibitórios, 743
- liberador(es), 743, 929
- - de corticotrofina do hipotálamo, 965
- - de corticotropina, 882
- - de gonadotrofina, 1019, 1020, 1026, 1035
- - de tireotrofina, 908, 948
- - do hormônio de crescimento, 934
- luteinizante, 918, 1011, 1019, 1020, 1026, 1028, 1029
- melanócito-estimulante, 966
- metabólicos da tireoide, 940
- na contração do músculo liso, 106
- neuroendócrinos, 914
- ovarianos, 1029, 1035
- polipeptídicos e proteicos, 915
- sexuais, 1030
- - masculinos, 1016, 1081
- - - elevação da taxa metabólica, 898
- somatotrófico, 930
- tireoidiano, 5, 857, 919, 925, 942, 949
- - atividade metabólica celular, 945
- - efeito no crescimento, 945
- - elevação da taxa metabólica, 898
- - na função sexual, 947
- - regulação da secreção do, 947
- - transcrição de genes, 943
Humor aquoso, 631

I

Icterícia, 471, 874
- hemolítica, 874
- neonatal, 1064
Íleo, 828
Ilhotas
- de Langerhans, 813, 972
- pancreáticas, 813, 972, 981
Imagem de ressonância magnética funcional, 775
Imipramina, 757
Impedância, 257, 660
Implantação do blastocisto no útero, 1043
Impulso(s)
- cardíacos através dos átrios, 127
- excitatórios ao neurônio, 581
- nervoso ou muscular, 70

Imunidade, 433, 454, 1065
- adaptativa, 454
- adquirida, 454
- celular, 454, 455, 461
- dos linfócitos
- - B, 454
- - T, 454
- em doenças infecciosas, 964
- humoral, 454, 455, 458
- inata, 454
- passiva, 464
- vitalícia pelos plasmócitos, 458
Imunização, 454
- pela injeção de antígenos, 464
Imunoglobulina(s), 458, 467
- IgA, 459
- IgD, 459
- IgE, 459, 465
- IgG, 459
- IgM, 459
- Rh, 470
Inadequação do fluxo sanguíneo coronariano, 286
Inanição, 851, 855, 875, 886
- na degradação de proteínas, 868
Inativação
- da acetilcolinesterase, 94
- de vias da dor, 614
- do canal de sódio, 66
Incompetência das válvulas venosas, 186
Incontinência
- causadas pela destruição de fibras nervosas sensitivas, 327
- por superenchimento, 327
Incretina GLP-1, 987
Índice
- cardíaco, 244
- de sensibilidade internacional, 485
- de tensão-tempo, 120
Indol, 830
Indolamina, 643
Indometacina, 1062
Induções, 43
Indutores
- de crescimento, 435
- de diferenciação, 435
Inervação
- da bexiga, 324
- recíproca, 691
- sensorial do fuso neuromuscular, 684
- simpática
- - da cadeia simpática, 325
- - dos vasos sanguíneos, 215
Infarto
- agudo
- - da parede anterior, 151
- - do miocárdio
- - - estágios da recuperação de um, 267
- - - função cardíaca após a recuperação de um, 267
- cerebral, 232
- da parede posterior, 152
- do miocárdio, 153, 265
- - fibrilação ventricular após, 266
- - recuperação do coração após, 272

- - repouso no tratamento do, 267
- em outras partes do coração, 152
- subendocárdico, 265
Infecção bacteriana por *Helicobacter pylori*, 834
Infertilidade masculina, 1014
Inflamação, 860
- da mucosa gástrica, 832
- das tubas uterinas, 1041
- do nó AV ou do feixe de His, 156
- dos pulmões e líquido nos alvéolos, 541
- intestinal, 835
Informação(ões)
- proprioceptivas e exteroceptivas, 705
- sensorial, 682
- visual, 705, 727
Infrarregulação automática de receptores sinápticos, 595
Ingesta alimentar, 880
Ingestão
- de ácidos, 414
- de alimentos, 795, 877, 881
- de fármacos alcalinos, 415
- de sódio, 391
Inibição, 573
- circunjacente, 604
- da ejeção de leite, 1056
- da excitabilidade, 75
- da secreção gástrica, 812
- da transmissão da dor, 614
- de um grupo neuronal, 590
- do filamento de actina, 81
- enzimática, 38
- lateral, 604, 683
- - para aumentar o contraste visual, 644
- pós-sináptica, 613
- pré-sináptica, 579, 613
- recíproca, 691
- sináptica, 732
Inibidor(es)
- da anidrase carbônica, 414, 419
- da fosfodiesterase-5, 1023
- de calicreína, 212
- de tripsina, 814
- da monoaminoxidase, 720, 757
- do cotransportador de sódio e glicose do tipo 2, 885
Início do trabalho de parto, 1052
Inositol, 858
Inserções periféricas, 626
Insolação, 911
Inspiração, 528, 529
Instabilidade
- da temperatura corporal, 1066
- dos sistemas de controle homeostático em bebês prematuros, 1066
- e estabilidade dos circuitos neuronais, 594
Insuficiência
- adrenal, 968
- - primária, 968
- cardíaca, 270, 276, 277, 421, 888
- aguda, 272, 275, 277, 442
- - compensação por reflexos nervosos simpáticos, 270

Índice Alfabético

- - com disfunção diastólica e fração de ejeção normal, 279
- - com fração de ejeção
- - - preservada, 279
- - - reduzida, 279
- - compensada, 272
- - congestiva, 274
- - de alto débito, 280
- - de baixo débito, 265, 274
- - descompensada, 272, 273, 278
- - - com digitálicos, 279
- - dinâmica circulatória na, 270
- - esquerda, 504, 505
- - estágio crônico de, 271
- - grave, 271, 272, 536
- - moderada, efeitos agudos de, 270
- - persistente, 275
- - prolongada, 437
- - retenção moderada de líquidos na, 271
- - sistólica, 279
- - unilateral esquerda, 274
- de alto débito, 280
- hepática fulminante, 481
- mitral, 287
- pancreática, 834
- renal
- - aguda, 321, 420
- - - após reações transfusionais, 471
- - crônica, 414
- - sobre os líquidos corporais: uremia, 427
- respiratória, 538
- vasomotora, 296
Insulina, 5, 382, 801, 813, 842, 868, 879, 932, 972, 975-978, 1054, 1055
- controle da secreção de, 979
- química e síntese de, 973
- secreção de, 980
- sobre o metabolismo dos carboidratos, 974
Insulinase, 973
Insulinoma, 989
Integrinas, 450
Intensidade
- da transmissão, 589
- de luz, 639
- de recepção sensorial, 605
- do estímulo
- - e o potencial receptor, 586
- - sensorial, 604
Interação do filamento de actina ativado com as pontes cruzadas de miosina, 81
Interfase, 18, 39
Interleucina, 436, 914
- 1, 451, 457
- 1β, 886
- 4 e 5, 463
- 6, 463, 871, 886, 1051
Intermação, 1080
Interneurônios, 682, 683
Interpretação
- de cores no sistema nervoso, 641
- eletrocardiográfica de anormalidades no músculo cardíaco e no fluxo sanguíneo coronariano, 140
Interrupção cirúrgica de vias nociceptivas, 612

Interstício, 192
- medular renal hiperosmótico, 367-369
Intervalo
- P-Q ou P-R, 134
- PR prolongado, 156
- Q-T, 134
Intestino, 806
- delgado, 824, 827
- grosso, 828, 830
Intoxicação
- aguda por oxigênio, 559
- paratireóidea, 1004
- por cianureto, 544
- por digitálicos, 161
- por O_2, 524
Íntrons, 32
Inulina, 354
Invaginações recobertas, 20
Involução
- do corpo-lúteo, 1029
- do útero após o parto, 1053
Iodeto, 949
Iodinação da tirosina, 942
Iodo, 891, 941
Ioimbina, 771
Ionização do hidrogênio, 846
Íons, 11
- durante o potencial de ação, 68
Iotalamato, 361
Irradiação, 902
Irregularidade menstrual, 1038
Irritantes físicos, 44
Isoenxertos, 471
Isofluorofato, 94
Isoladores cromossômicos, 37
Isomaltase, 820
Isoproterenol, 771
Isostenúria, 427
Isquemia, 614
- cerebral, 224
- coronária, 151
- de áreas localizadas do músculo cardíaco, 149
- do nó AV, 156
- leve, 154
- renal grave, 422
- tecidual, 610
Istmo da tuba uterina, 1043

J

Janela
- oval, 659, 661
- redonda, 661
Jejuno, 789, 827
Julgamento da intensidade do estímulo, 605
Junção(ões)
- celulares, 343
- comunicantes, 99, 111, 343, 347
- de contato, 104
- difusas, 104
- *gap*, 99
- neuromuscular, 91, 94
- - do músculo liso, 104
- oclusivas, 190, 779

K

Kernicterus, 470
Kwashiorkor, 876, 888

L

L-DOPA, 720, 757
Labirinto membranoso da cóclea, 659
Lactação, 1042, 1054, 1056
Lactase, 820
Lactato de sódio, 415
Lácteo central, 825
Lactogênio placentário humano, 1048
Lactotrófico-mamotróficas, células, 928
Lactotrofos, 928
Lâmina
- cribriforme, 677
- dentária, 1007
Lecitina, 824, 858
Lei
- da força, 605
- da potência, 665
- da quarta potência, 175
- de ação das massas, 847
- de Boyle, 558
- de Einthoven, 136
- de Frank-Starling da circulação sanguínea, 245
- de Laplace, 177, 210
- de Ohm, 171, 246
- de Poiseuille, 174, 175
- do intestino, 791
Lemnisco
- lateral, 666
- medial, 598, 599
Lente(s)
- cilíndricas, 623
- côncavas, 623
- esférica, 623
Leptina, 853, 879, 914
Lesão(ões)
- cerebral, 299
- da febre reumática aguda, 284
- das membranas dos capilares sanguíneos pulmonares, 506
- de vasos
- - pequenos e/ou glomerular, 421
- - renais, 424
- do endotélio vascular, 860
- dos centros
- - respiratórios do encéfalo, 536
- - promotores do sono, 751
- epitelial tubular, 421
- hipotalâmicas, 744
- intersticial renal, 421
- nas áreas motoras do córtex cerebral, 688
- nos sistemas nervosos central e periférico, 887
- por contragolpe, 777
- por golpe, 777
- renal aguda, 420, 422
- - causada por glomerulonefrite, 422
- - e hipertensão, 429
- - efeitos fisiológicos da, 422

Índice Alfabético

- - intrarrenal, 420, 421
- - - causada por anormalidades do rim, 421
- - pós-renal, 420
- - - causada por anormalidades do trato urinário inferior, 422
- - pré-renal, 420
- - - causada pela diminuição do aporte sanguíneo para os rins, 421
- valvares, 284
- - aórticas, 286
- - exercício em pacientes com, 287
- - reumáticas, 284
Leu-encefalina, 613
Leucemia, 453
- basofílica, 453
- efeitos no corpo, 453
- eosinofílica, 453
- linfoide, 453
- mieloide, 453
- monocítica, 453
- neutrofílica, 453
Leucócitos, 25, 444, 446
Leucopenia, 452
Leucorreia durante a menstruação, 1035
Liberação
- anaeróbica de energia, 847
- de energia dos alimentos e "energia livre", 840
- de hormônios, 918
- de íons cálcio pelo retículo sarcoplasmático, 95
- de neurotransmissores pelos terminais pré-sinápticos, 571
- de toxinas pelo tecido isquêmico, 296
- do fator tecidual, 478
Lidocaína, 161
Ligações
- da hemoglobina ao monóxido de carbono, 524
- de hidrogênio, 30
- do *primer*, 39
- fosfato de alta energia, 23
- peptídicas, 35, 36, 822, 863
Ligamento(s)
- suspensores, 626
- vocal, 498
Ligante, 14
- de osteoprotegerina, 995
- do receptor ativador do fator nuclear κB, 995
Limiar
- de disparo, 580
- de excitabilidade, 75
- de excitação, 578
- de ingestão de líquidos, 378
- do estímulo osmolar de ingestão de líquidos, 378
- para audição em diferentes frequências sonoras, 665
- para excitação e potenciais locais agudos, 74
- para o olfato, 677
- para o sabor, 672
- renal para aminoácidos, 865
Linfedema, 315
- grave, 315
Linfoblasto, 445

Linfocina(s), 449, 462, 914
- interleucina-2, 463
Linfócitos, 444
- B, 455, 456, 458, 461, 463
- e imunidade adquirida, 455
- T, 454-456
- - ativados, 461
- - auxiliares, 457, 462, 463
- - citotóxicos, 462, 463
- - de memória, 461
- - na ativação dos linfócitos B, 457
- - reguladores, 462, 463
- - supressores, 462
Língua negra, 888
Linguagem, 730
- na função da área de Wernicke, 728
Linha(s)
- concêntricas, 172
- focal, 623
- Z, 76
Linhagem mielocítica, 445
Lipase(s), 447
- entérica, 824
- hormônio-sensível, 857, 977
- lipoproteica, 851
- pancreática, 813, 824
- teciduais, 853
Lipídios, 12, 23, 850
- no fígado, 853
Lipodistrofia, 853
Lipoproteínas, 852
- de alta densidade, 852, 861
- de baixa densidade, 852, 861
- de densidade
- - intermediária, 852
- - muito baixa, 852
Lipossolubilidade, 49
Lipotrofina, 966
Líquido(s)
- amniótico, 1050
- cefalorraquidiano, 776
- corporais e sal no exercício, 1080
- dialisador, 431, 432
- em espaços potenciais, 319
- extracelular, 3, 7, 48, 304-306, 310, 312, 394, 990
- folicular, 1027
- hiperosmóticos, 310
- hipertônicos, 310
- hiposmóticos, 310
- hipotônicos, 310
- intersticial, 189, 191, 192, 305, 306, 519, 990
- - pulmonar, 505
- - renal, 354
- intracelular, 3, 48, 304-306, 310, 312, 578
- - constituintes do, 307
- intraocular, 631
- isosmóticos, 310
- isotônicos, 310
- livre no interstício, 193
- na cavidade pleural, 506
- no pericárdio, 149
- pleural, 489, 500
- transcelular, 305

- tubular, 365
- - renal, 412
Liquor, 773, 776
- alta pressão em condições patológicas do cérebro, 779
- formação, fluxo e absorção do, 777
- função de amortecimento do, 776
Lise, 460
- celular, 382
- dos coágulos, 480
- - sanguíneos, 480
Lisina, 980
Lisoferrina, 21
Lisossomos, 12, 14, 15, 20, 22, 963
Lisozima, 21, 454, 808
Lobo(s)
- floculonodulares, 705, 706
- occipital, 600
- parietal, 600
- temporal, 600
- - anterior, 217
- - posterossuperior, 727
Lobotomia pré-frontal, 729
Lóbulo hepático, 869
Localização da dor visceral, 615
Locus ceruleus, 739
Lóquio, 1054
Lorcasserina, 885
Lubrificação
- feminina, 1039
- uretral, 1015
Lumirrodopsina, 637
Lúpus eritematoso sistêmico, 425, 464
Luteinização, 1029
Lyonização, 481

M

Má absorção
- no espru, 835
- pela mucosa do intestino delgado, 834
Má oclusão, 1008
Macrócitos, 438
Macrófagos, 446, 447, 449, 451, 461, 860
- alveolares, 498
- - nos pulmões, 448
- do baço e da medula óssea, 448
- espumosos, 860
- no processo de ativação, 457
- nos sinusoides hepáticos, 448
- presentes nos linfonodos, 448
- teciduais, 25, 445, 448, 451
- - fornecem a primeira linha de defesa contra as infecções, 450
- - na pele e nos tecidos subcutâneos, 448
Macrounidades motoras, 89
Mácula, 702
- densa, 322, 339
- do sáculo, 702
- do utrículo, 702
Magnésio, 11, 213, 828, 890
Mal
- crônico das montanhas, 554
- das montanhas, 554
Malonil CoA, 856

Índice Alfabético

Maltase, 820
Maltose, 821, 822
Manitol, 419
Manutenção do equilíbrio, 701, 704
Mapas tonotópicos, 667
Máquinas coração-pulmão artificiais, 290
Marca-passo(s)
- anormais, 129
- artificial, 158
- ectópico, 129
- elétricos, 785
Marcha
- diagonal de todos os quatro membros, 692
- jacksoniana, 754
- recíproca de membros opostos, 692
Mastigação, 795
Mastite infecciosa, 1066
Mastócitos, 212, 299, 452, 480
Material pericentriolar, 41
Matriz, 16
- endoplasmática, 14, 21
- orgânica do osso, 993
- óssea, 1019
- osteoide, 993
Maturação, 32
- das hemácias, 438
- e fertilização do óvulo, 1042
- espermática, 1011
Mecânica
- da contração do músculo esquelético, 85
- da ventilação pulmonar, 488
Mecanismo(s)
- a longo prazo para regulação da pressão arterial, 243
- auditivos centrais, 666
- comportamentais e motivacionais do cérebro, 737
- da catraca da contração muscular, 81
- da coagulação sanguínea, 475
- de "acomodação", 626
- de ação
- - dos anticorpos, 459
- - dos hormônios receptores hormonais, 919
- de adaptação
- - à luz e ao escuro, 640
- - dos receptores, 587
- de ativação dos clones de linfócitos, 457
- de concentração da urina e alterações na osmolaridade, 371
- de controle, 6
- - da transcrição pelo promotor, 37
- - do fluxo sanguíneo, 203
- de deslocamento de líquido capilar, 242
- de diminuição da temperatura, 906
- de elevação da temperatura, 907
- de estimulação
- - das glândulas do trato digestivo, 805
- - dos botões gustativos, potencial receptor, 673
- - dos termorreceptores, 619
- de excitação
- - das células olfatórias, 675
- - do coração pelos nervos simpáticos, 122
- de facilitação, 734
- de fadiga, 594

- de *feedback* negativo, 918
- de filamentos deslizantes, 79
- de fixação
- - involuntária, 654
- - voluntária, 654
- de formação do tampão plaquetário, 474
- de Frank-Starling, 121, 244
- de habituação, 733
- de hipersensibilidade à denervação, 768
- de movimento ameboide, 25
- de pontos de fixação sucessivos, 654
- de reação em cadeia na fibrilação, 162
- de resfriamento em temperaturas do ar muito altas, 903
- de ritmicidade do nó sinusal, 126
- de secreção
- - de insulina, 978
- - de suor, 904
- - do líquido aquoso, 819
- - e remoção do neurotransmissor nas terminações pós-ganglionares, 762
- - gástrica de ácido clorídrico, 809
- de segundo mensageiro, 923
- de tranca, 101, 103
- de transbordamento, 992
- de trava, 101
- do efeito simpático, 130
- do movimento ciliar, 26
- do parto, 1053
- dos efeitos vagais, 130
- dos potenciais receptores, 585
- efetores neuronais, 906
- geral da contração muscular, 78
- intracelular de ação da testosterona, 1019
- metabólicos, 205
- miogênicos, 205, 340
- molecular
- - da contração muscular, 79
- - da memória de médio prazo, 733
- multiplicador de contracorrente, 367, 369
- neural(is)
- - de estereopsia, 655
- - do reflexo
- - - extensor cruzado, 690
- - - flexor, 689
- - para detectar a direção do som, 668
- para limpeza dos espaços trabeculares e do líquido intraocular, 633
- quimiosmótico, 24, 846
- renais
- - de excreção de urina diluída, 364
- - para o controle do líquido extracelular, 391
- rim-volume, 228, 231
- sal-apetite, 380
- tricromático de detecção de cores, 641
- vestibulares para estabilizar os olhos, 705
Mecanorreceptores, 584, 585, 587
Mecônio, 1059
Mediadores de contracorrente, 371
Mediastino, 489
Medicamentos cardiotônicos, 273
Medição
- da força aceleradora, 555
- das pressões sistólica e diastólica, 182
- do débito cardíaco, 256

Medida
- da potência refrativa de uma lente, 624
- da taxa metabólica corporal total, 897
Medula
- adrenal, 218, 759, 760, 767, 768, 953
- espinhal, 324, 568, 612, 697, 700, 713, 759, 1015
- óssea, 435, 451, 456
- renal, 367
- - hiperosmótica, 370
- - hipertônica, 367
Megacariócitos, 473
Megacólon, 835
Megaesôfago, 832
Megalina, 943
Megaloblastos, 441
Meio
- de transmissão de informação, 593
- interno do corpo, 3, 10
Meiose, 1010
Melanina, 636
Melanócitos, 967
Melanopsina, 744
Melatonina, 1023
Membrana(s)
- alveolar, 4
- apical, 344
- basal, 331
- basilar, 660, 661
- capilares gastrointestinais, 190
- celular, 12-14, 23, 48, 920
- - do endotélio capilar, 191
- das mitocôndrias, dos lisossomos e do complexo de Golgi, 12
- de Reissner, 660
- do corpo celular do neurônio, 577
- do retículo endoplasmático, 12
- dos túbulos sarcoplasmáticos longitudinais, 113
- externa, 16
- glomerular, 330
- interna, 16
- intestinal, 826
- muscular em repouso, 974
- neural pré-sináptica, 91
- nuclear, 11, 12, 18
- olfatória, 675
- óssea, 996
- placentária, 1045, 1046
- - difusão de dióxido de carbono através da, 1046
- - difusão de nutrientes pela, 1046
- plasmática, 13
- pós-sinápticas, 92, 578
- pré-sináptica, 571
- respiratória, 508, 513
- seletivamente permeável, 54
- timpânica, 659
- tubular, 344
- vestibular, 660
Memória, 568, 723, 731, 732
- baseada em alterações químicas nos terminais pré-sinápticos, 733
- comprometida, 757
- de curto prazo, 733, 735

Índice Alfabético

- de longo prazo, 734, 735
- de médio prazo, 733
- de trabalho, 729, 732
- nas membranas neuronais pós-sinápticas, 733
- declarativa, 732
- "positiva" e "negativa", 732
- procedural, 732, 733
- verbais e simbólicas, 735
Menarca, 1037
Menopausa, 1026, 1038
Menorragia, 947
Mensageiros químicos, 914
Menstruação, 1033, 1034, 1046
Mensuração
- do fluxo expiratório máximo, 539
- do hematócrito, 309
- do potencial de membrana, 63
- do volume
- - de líquido extracelular, 308
- - de plasma, 308
- - de sangue, 309
- - do espaço morto, 494
- - dos compartimentos de líquidos corporais, 307
Mercaptanos, 830
Mergulho
- de saturação, 562
- em grandes profundidades, 549, 558
Mesencefálico, 770
Mesencéfalo, 217, 700
Mestranol, 1040
Met-encefalina, 613
Metabolismo(s)
- anaeróbico, 1072
- basal, 898
- cerebral, 773, 780
- da gordura, 871, 945, 976
- das proteínas, 863, 978
- de carboidratos, 871, 945
- de proteínas, 872
- do cálcio e do fósforo, 990, 1059
- do corpo, 901
- do ferro, 439
- do músculo cardíaco, 263
- dos carboidratos, 840
- durante a gravidez, 1049
- e regulação da temperatura, 839
- energético, 70, 897
- fetal, 1059
- lipídico, 850
- mineral, 890
- muscular local, 262
- oxidativo, 84
Metabólitos
- de hormônios, 320
- - diversos, 320
Metacolina, 94, 771
Metáfase, 41
Metais pesados, 422
Metano, 838
Metarrodopsina
- I, 637
- II, 637
Metástase, 25

Meteorismo, 838
Metilação do DNA, 37
Metilmercaptano, 677
Metilprednisona, 955
Metimazol, 949
Método(s)
- auscultatório, 182
- clínico para determinação da acuidade visual, 630
- da bioimpedância elétrica do tórax, 257
- da micropipeta para medir a pressão capilar, 194
- de *clearance* para quantificar a função renal, 359
- de diluição
- - com hélio, 494
- - do indicador, 256
- de fixação de voltagem, 67
- de *patch-clamp*, 51
- do monóxido de carbono, 515
- indicador-diluição, 307
- oscilatório, 182
- oscilométrico automatizado, 183
- para estudar as anormalidades respiratórias, 538
- rítmico de contracepção, 1040
Metoprolol, 771
Metoxamina, 770
Miastenia *gravis*, 95, 464
Micção, 323
- voluntária, 327
Micelas, 824
- biliares, 829
Microbiota, 2
Microcirculação, 189
- cerebral, 776
Microfilamentos, 17, 41
Microgravidade, 556, 557
Microrganismos que vivem no corpo, 2
MicroRNA, 32, 34
Microtúbulos, 11
Microvilosidades, 672, 823, 825
Mieloblasto, 445
Milieu intérieur, 3
Minerais, 875
Mineralocorticoide, 351, 953, 954, 956
Miofibrilas, 76, 78
Mioglobina, 439
Miopia, 628
Miosina, 25, 41, 76, 79, 473
Miosinofosfatase, 103
Miosinoquinase, 102
- da cadeia leve, 102, 924
Miotaxia positiva, 26
Mistura
- de alimentos e propulsão no estômago, 798
- de hélio-oxigênio em mergulhos profundos, 562
Mitocôndrias, 12, 14, 16, 23, 78, 571, 846
Mitose, 38, 41
- celular, 41
Mixedema, 951
Mobitz tipo II, 157
Modalidade
- de sensação, 584

- sensorial específica, 602
Modíolo, 661
Moeda de energia, 23
Molécula(s)
- de adesão, 450
- de miosina, 80
- pequenas, 574
Monoaminoxidase, 763
Monócitos, 444, 451
Monofosfato cíclico de
- adenosina, 572, 676, 734, 763, 841, 922, 1001, 1072
- guanosina, 572
Monoiodotirosina, 942
Monômero de fibrina, 476
Monossacarídios, 828
Montagem de cadeia de RNA, 31
Morfina, 377
Morte, 8
- celular programada, 43
Motilidade, 784
- gastrointestinal, 947
Motilina, 789, 790, 801
Motoneurônios
- alfa, 683
- gama, 683, 685
Motor(es)
- global, 713
- moleculares, 41
Movimento(s)
- ameboide, 24, 25
- balísticos, 714
- causados pela camada muscular da mucosa, 801
- ciliar, 24, 26
- circulares, 162
- das cabeças de miosina, 81
- das células, 25
- de fixação dos olhos, 653
- de marcha, 691
- de massa, 803, 836
- de mistura, 790, 791, 802
- de perseguição visual, 654
- de vaivém, 692
- do cólon, 802
- do intestino delgado, 800
- estereotipados e subconscientes, 706
- funcionais no trato digestivo, 790
- oculares, 652
- por fibras musculares das vilosidades, 801
- posturais, 713
- propulsivos, 790, 801, 803
- rítmicos de marcha de um único membro, 691
- sacádico dos olhos, 654, 714
- - durante a leitura, 654
- sequenciais
- - função de sincronização dos, 715
- - planejamento de, 715
Mucina, 807
Muco, 809, 811
- viscoso, 811
Mucosa, 784
- gástrica atrófica, 438
Mudança(s)

Índice Alfabético

- na força muscular no início da contração, 87
- na posição do coração no tórax, 146
- na voltagem do potencial da membrana em repouso, 786
- no EEG, 753
Multiplicidade de antígenos nas hemácias, 467
Músculo(s)
- abdominais, 488
- agonistas e antagonistas, 87
- antigravitacionais, 701
- atrial, 110
- branco, 85
- cardíaco, 110, 111
- - estriado, 110
- - fisiologia do, 110
- - sincicial, 134
- ciliares, 626, 764
- detrusor, 326
- em exercício, 1071
- escaleno, 489
- estapédio, 660
- esternocleidomastóideos, 489
- estriado, 797
- intercostais
- - externos, 489
- - internos, 489
- liso
- - gastrointestinal, 785
- - mecanismo contrátil no, 100
- - multiunitário, 99
- - sincicial, 99
- - tipos de, 99
- - unitário, 99
- - - visceral, 106
- - visceral, 99
- papilares, 117
- serrátil anterior, 489
- tensor do tímpano, 659, 660
- ventricular, 110, 128
- vermelho, 85
Mutação, 40, 44
- no receptor da leptina, 884

N

Naltrexona, 885
Nanismo, 935
Narcolepsia, 751
Narcose de nitrogênio em altas pressões de nitrogênio, 558
Natriurese, 357
- por pressão, 227, 338, 357, 392, 957
Natureza
- afetiva do olfato, 677
- eletrogênica da bomba de Na^+/K^+, 57
Náuseas, 837
Nebivolol, 771
Necessidade(s)
- diárias de vitaminas, 887
- energéticas globais para as atividades diárias, 897
- especial do cérebro por oxigênio, 780
- nutricionais durante as primeiras semanas de vida, 1065

Necrose
- tecidual, 297
- tubular, 421
- - aguda causada por
- - - isquemia renal grave, 422
- - - toxinas ou medicamentos, 422
- - - como causa de lesão renal aguda, 422
Nefrite intersticial, 425
Néfron(s), 322, 348
- corticais, 323
- justamedulares, 323
Nefropatia por lesão mínima, 332
Nefrosclerose, 424
- benigna, 424
- maligna, 425
Nematódeos filarioides, 315
Neocórtex, 741
Neoformação de rodopsina, 637
Neostigmina, 94, 95, 771
Nervo(s)
- autônomos dos olhos, 656
- coclear, 663
- de Hering, 219
- espinhais, 215
- esplâncnicos pélvicos, 326, 761, 788, 803, 820
- facial, 674, 761
- glossofaríngeo, 217, 531, 674, 761
- hipogástricos, 325
- lingual, 674
- oculomotor, 761
- olfatório, 676
- parassimpáticos, 122, 130, 626, 657, 1015
- pélvicos, 324
- pudendo, 803
- simpático, 122, 130, 215, 1015
- tampão, 221
- vago, 156, 215, 217, 532, 674
- vestibular, 702
Neuralgia
- de glossofaríngeo, 616
- de trigêmeo, 616
Neuro-hipófise, 375, 927, 937
Neurofisinas, 937
Neurofisiologia
- central da visão, 648
- motora e integrativa, 681
Neurônios, 566
- da retina por condução eletrônica, 643
- dinâmicos, 698
- e neurotransmissores do hipotálamo, 878
- estáticos, 698
- gigantocelulares da área reticular excitatória, 740
- internunciais, 682
- magnocelulares, 929
- motor(es)
- - adjacentes, 683
- - alfa, 683
- - anteriores, 570, 682
- - gama, 683
- parassimpáticos
- - pós-ganglionares, 761
- - pré-ganglionares, 761
- piramidais, 698

- pós-ganglionares, 759, 761, 788
- pós-sináptico, 570
- pré-ganglionares, 759, 761
- pré-sináptico, 570
- produtores
- - de pró-opiomelanocortina, 879
- - de serotonina, 757
- quimiossensíveis, 530
- secretores
- - de noradrenalina, 757
- - de orexina na excitação e vigília, 751
- serotoninérgicos, 738
- talâmicos, 606
Neurônios-espelho, 695
Neuropatia periférica, 985
Neuropeptídeos, 575, 576
Neurotransmissores, 566, 569, 643, 740, 914
- das fibras de dor
- - lenta/crônica do tipo C, 612
- - rápida tipo AD, 611
- de molécula pequena, 575
- hormonais excitatórios ou inibitórios, 738
- secretados por neurônios entéricos, 787
- vasoconstritor simpático, 218
Neutralização, 460, 461
Neutrofilia, 450
Neutrófilos, 444, 446, 447, 449, 450
Niacina, 205, 888
Nicotina, 94, 377, 771
Nicotinamida, 845
- adenina dinucleotídio fosfato, 848
Nistagmo cerebelar, 716
Nitrogênio(s), 558
- não proteicos, 428
Nitroglicerina, 268
Nível
- cerebral
- - inferior ou subcortical, 568
- - superior ou cortical, 569
- do córtex motor, 721
- espinhal, 721
- rombencefálico, 721
Nó(s)
- atrioventricular, 127
- sinusal, 125, 128
- terminais, 571
Nociceptores, 584, 585
Nódulo de Ranvier, 73
Nomograma ácido-base, 416
Noradrenalina, 104, 106, 130, 177, 212, 218, 300, 337, 496, 575, 719, 739, 756, 757, 760-762, 786, 788, 953
Noretindrona, 1040
Noretinodrel, 1040
Norgestrel, 1040
Novas memórias, 735
Novo fluxo sanguíneo, 152
Núcleo(s), 11, 18, 19, 635
- acumbente, 720
- arqueado do hipotálamo, 878, 1020
- caudado, 697, 716
- cerebelares profundos, 708, 710
- cocleares dorsal e ventral, 666
- cuneiforme, 599
- da base, 687, 707, 716

1107

Índice Alfabético

- - funções associadas dos, 722
- - no controle cognitivo da motricidade, 718
- da célula, 920
- da coluna dorsal, 599
- da rafe, 739
- - mediana, 757
- de Edinger-Westphal, 656, 657
- denteado, 715
- do lemnisco lateral, 666
- do trato solitário, 217, 219, 528, 750, 880
- do tronco encefálico, 706
- dorsomedial, 878
- fastigial, 715
- geniculado
- - dorsolateral, 648
- - ventrolateral do tálamo, 648
- grácil, 599
- interpósito, 713, 715
- intralaminares, 606
- magno da rafe, 613
- motores dorsais, 217
- olivar(es)
- - superior, 666
- - - lateral, 668
- - - medial, 668
- - inferiores, 697
- paraventricular, 375, 878, 929, 937
- - do hipotálamo, 613
- pré-tectais no mesencéfalo, 648
- reticulares, 700
- - do tronco encefálico, 606
- - medulares, 700
- - pontinos, 700
- rubro, 697
- - do mesencéfalo, 697
- salivares superior e inferior, 674
- sensoriais do nervo trigêmeo, 599
- septais, 678
- supraópticos, 375, 742, 929, 937
- supraquiasmático, 648, 743
- ventral posteromedial do tálamo, 674
- ventromediais, 743, 878
- vestibulares, 697, 700, 701
- visceral do terceiro par de nervo craniano, 656
Nucléolos, 18, 33
Nucleotídios, 28, 30
- ativados, 31
- de guanosina, 920
- pirofosfatase/fosfodiesterase 1, 994
Número
- de neurônios, 734
- de Reynolds, 173
Nutrição
- do recém-nascido, 1063
- durante a gravidez, 1049
- inicial do embrião, 1044
Nutrientes, 23
- usados durante a atividade muscular, 1074

O

Obesidade, 858, 875, 882, 883, 986
- anormalidades neurogênicas, 884
- cortisol e, 962

- fatores genéticos, 884
- hereditária, 858
- hiperplásica, 883
- hipertrófica, 883
- mecanismos epigenéticos, 884
- no adulto, 884
- tratamento, 885
- - cirúrgico, 885
- - farmacológico, 885
Obstrução
- da papila de Vater, 834
- das grandes veias, 249
- intestinal, 298, 837
Ocitocina, 106, 743, 914, 937, 1051, 1056
- contração no útero grávido, 938
- ejeção do leite pelas mamas, 938
Oclusão(ões)
- coronariana aguda, 264, 265
- coronárias locais, 149
- vascular, 424
Odontoblastos, 1006
Olfação, 671
Olfato, 675
Olho, 622, 634, 648
- "reduzido", 625
Oligoelementos, 891
Oligoidrâmnio, 1059
Oligomenorreia, 947
Oligúria, 421
Oncogenes, 44
Oncovírus, 44
Onda(s)
- a, 116
- alfa, 752, 753
- beta, 752
- c, 116
- carreadora, 593
- cerebrais, 749, 752, 753
- constritoras peristálticas fracas, 798
- de despolarização, 132
- de Mayer, 225
- de micção, 326
- de mistura, 798
- de pressão atrial, 116
- de pulso da pressão arterial, 180
- de repolarização cardíaca, 132
- delta, 753
- elétricas lentas, 801
- lentas, 785
- marca-passo, 106
- P, 115, 132, 144
- peristálticas, 791, 801
- - secundárias, 797
- Q, 153
- QRS, 116, 133
- respiratórias na pressão arterial, 225
- T, 132, 133, 144, 153
- - atrial, 133, 145
- - digitálicos, 154
- - ventricular, 116
- teta, 753
- v, 116
- vasomotoras de pressão arterial, 225
Opsonização, 20, 447, 460
Óptica

- da visão, 622
- do olho, 625
Orexina, 751
Organelas, 14
- intracelulares, 12
"Organificação" da tireoglobulina, 942
Organização
- da célula, 11
- das funções motoras da medula espinhal, 682
- e função do córtex visual, 649
- funcional do corpo humano, 2
Organomegalia, 1066
Órgão(s)
- de Corti, 660
- digestivos das células, 20
- do folículo piloso, 597
- especiais dos sentidos, 621
- quimiorreceptores, 222
- sensorial do utrículo e do sáculo, 702
- sexuais
- - femininos, 1024
- - - externos, 1032
- - masculinos, 1009
- subfornicial, 375
- tendinosos de Golgi, 684, 688, 689
- vascular da lâmina terminal, 375, 377, 938
Orgasmo feminino, 1039
Origem
- do potencial de repouso normal da membrana, 64
- dos nutrientes no líquido extracelular, 4
Orlistate, 885
Osmol, 55
Osmolalidade, 55, 309
Osmolaridade, 55, 309, 376
- do líquido extracelular, 382
- dos líquidos corporais, 310
- e concentração de sódio do líquido extracelular, 364
- urinária, 364
Osmorreceptores, 376, 938
Osmose, 54, 55, 309, 343
Osso(s), 992
- cortical, 992
- membranosos, 936
- trabecular, 992
Osteíte fibrosa cística, 1004
Osteoblastos, 933, 993
Osteoclastos, 933, 994, 1000
Osteodistrofia urêmica, 1005
Osteólise, 1000
Osteomalacia, 1005
- na doença renal crônica, 428
Osteoporose, 1005, 1032
Osteoprotegerina, 1032
Óstio, 1042
Ovários, 1024
Ovócito(s)
- primário, 1024
- primordiais, 1024
- secundário, 1024
Ovogônias, 1024
Ovulação, 1026, 1028
Óvulo

Índice Alfabético

- fertilizado, 1043
- maduro, 1043
Ovulogênese, 1024
Oxalacetato, 855
Oxalato, 349
Oxidação
- de acetil-CoA, 854
- de aminoácidos desaminados, 867
- de glicose, 847
- do íon iodeto, 942
- intracelular excessiva, 559
Oxidases, 16
Óxido nítrico, 207, 337, 480, 575
Oxigenação tecidual, 437
Oxigênio(s), 4, 191, 518
- alveolar, 550
- carbonílicos, 50
- e coração, 120
- hiperbárico, 563
- na regulação do fluxo a longo prazo, 209
- pós-exercício, 895
Oxigenoterapia, 301, 538, 543
- em diferentes tipos de hipóxia, 544
- hiperbárica, 563

P

Padrão(ões)
- da curva de retorno venoso, 253
- de amplitude da vibração da membrana basilar, 662
- de curvas de débito cardíaco, 250
- de movimento produzidos pelos centros da medula espinhal, 699
- de pico e onda, 756
- de retirada durante o reflexo flexor, 690
- de som, 667
- de vibração da membrana basilar, 661
- motores de habilidades, 730
- neuronais de estimulação, 651
- parabólico da velocidade do sangue, 172
- prolongados e bizarros do complexo QRS, 149
- sonoros tonais e sequenciais, 668
Palavra do código, 30
Paleocórtex, 741
Pan-hipopituitarismo
- durante a infância, 935
- no adulto, 935
Pâncreas, 805
- anatomia e fisiologia do, 972
Pancreatite, 834
- aguda, 814
Papilas
- circunvaladas, 673
- fungiformes, 673
- gustativas, 671, 672
- renais, 323
Papilomavírus humano, 44
Parada
- cardíaca, 166, 301
- circulatória, 301
Paralaxe de movimento, 630
Paralisia
- agitante, 720

- do mecanismo de deglutição, 832
- do mergulhador, 561
Paratormônio, 359, 990, 997-999, 1001, 1003, 1055
Parede
- gastrointestinal, 784
- muscular dos brônquios e bronquíolos, 495
Pars intermedia, 967
Parte
- motora do sistema nervoso, 567
- sensorial do sistema nervoso, 566
Parto, 1051
Passagem de eletricidade, 74
Pausa compensatória, 158
Pectinas, 821
Pedúnculo hipofisário, 937
Pelagra, 888
Pelos olfatórios, 675
Pelve renal, 321
Pendrina, 352, 941
Penetração no óvulo, 1013
Pensamentos, 731
- sequenciais, 729
Pentolínio, 771
Pepsina, 810, 822
Pepsinogênio, 809, 811, 812
Peptidases, 823
Peptídeo(s), 823, 915
- atrial natriurético, 223, 359
- - no controle da excreção renal, 397
- beta-amiloide, 758
- indutor do sono delta, 751
- inibidor gástrico, 789, 790
- inibitório gástrico, 800
- insulinotrófico dependente de glicose, 789, 790, 800, 813, 980
- intestinal vasoativo, 792
- muramil, 751
- natriuréticos, 276
- semelhante ao glucagon, 881, 885, 980
Peptonas, 823
Pequenas artérias, 181, 215
Pequeno
- mal, 756
- RNA nuclear, 32
Percepção
- da dor, 612
- da luz branca, 641
- das frequências sonoras no córtex auditivo primário, 667
- de profundidade, 630, 655
Perda(s)
- auditiva, 669
- da acomodação pelo cristalino, 627
- da área de Broca, 730
- da regulação térmica em baixas temperaturas, 912
- de calor, 901, 902
- - por condução, 904
- - - por contato direto com um objeto, 903
- - por convecção, 904
- - - pelo movimento do ar, 903
- - por respiração ofegante (arquejante), 905
- de líquidos

- - na transpiração, 305
- - nas fezes, 305
- - nos rins, 305
- de surfactante, 542
- diária de
- - água do organismo, 304
- - ferro, 440
- do tônus simpático ou parassimpático após a denervação, 768
- insensíveis de água, 304
- súbita do tônus vasomotor, 299
Perforinas, 463
Pericárdio, 110
Perilinfa, 664
Perimetria, 652
Periodicidade de Wenckebach, 157
Período
- de contração isovolumétrica, 116
- de ejeção, 116
- - lenta, 117
- - rápida, 117
- de enchimento rápido dos ventrículos, 116
- de relaxamento
- - isométrico, 117
- - isovolumétrico, 117, 120
- fértil, 1040
- latente, 102
- pós-ictal, 754
- refratário, 74, 113, 163
- - absoluto, 74
Peristaltismo, 790
- no intestino delgado, 801
- primário, 797
- rápido e potente, 801
- secundário, 797
Peritonite, 692
Permeabilidade
- capilar, 212, 296
- glomerular, 332
- placentária, 1044
- seletiva, 50
- - de canais proteicos, 50
Peroxidase, 439, 560
Peróxido de hidrogênio, 447
Peroxissomos, 14, 16, 447
Perseguição visual, 654
Persistência
- do canal arterial, 181, 288
- do corpo-lúteo, 1046
Perturbação
- mecânica da membrana, 74
- visual, 655
Peso corporal, 946
Petéquias, 474, 482
Pia-máter, 778
Pico pré-ovulatório de hormônio luteinizante, 1036
Pielonefrite, 425
Pigmentação pela melanina, 968
Pigmento(s)
- carotenoides, 887
- de cores, 635, 636
- dos cones, 636
- preto, 636
Pilocarpina, 771

1109

Índice Alfabético

Piloereção, 907
Piloro no controle do esvaziamento gástrico, 799
Pílula anticoncepcional, 1040
Pinocitose, 19, 345, 825
Pirâmides
- da medula, 696
- renais, 321
Piridostigmina, 771
Piridoxina, 889
Pirimidinas, 28
Pirofosfato, 993, 994
- de tiamina, 887
Pirogênios, 910
Placa(s)
- amiloides, 757, 758
- ateromatosas, 860
- celulares, 869
- de ateroma, 860
- de Peyer, 445
- do estribo, 659
- equatorial do fuso mitótico, 41
- motora, 91
Placenta, 1044
Placidez, 745
Plaquetas, 444, 445, 473
Plasma, 306
Plasmina, 480
Plasminogênio, 209, 480
Plasmoblastos, 458
Plasmócitos, 444, 458, 463
- de vida curta, 458
- de vida longa, 458
Platô, 71, 113
- no músculo cardíaco, 111
Plenitude gastrointestinal, 880
Pleurite fibrótica, 539
Plexo(s)
- corioides, 777
- de Auerbach, 786
- de Meissner, 786
- intramural, 766
- mioentérico, 786, 787, 803
- sacral, 324
- submucoso, 786, 787
- venoso abaixo da pele, 188
Pneumócitos tipo II, 491
Pneumococos, 541
Pneumonia, 541
- bacteriana, 541
PO_2 alveolar, 550
- em diferentes altitudes, 550
Poder
- de tamponamento, 403, 406
- termogênico das proteínas, 899
Podócitos, 331
Polarografia, 538
Policitemia, 306, 434
- efeitos na função do sistema circulatório, 443
- fisiológica, 442
- secundária, 442
- vera, 442, 545
Polidipsia, 378, 985
Polifagia, 985

Polígono de Willis, 773
Polimenorreia, 947
Polimerase, 32
Poliomavírus de células de Merkel, 44
Poliomielite, 832
Polipeptídeo(s), 823, 914
- básicos, 454
- pancreático, 972
Polirribossomos, 35
Poliúria, 419, 985
Polpa, 1006
- branca, 188
- esplênica, 449
- vermelha, 188
Pontada de fome, 798
Ponte(s), 700
- aortocoronária, 268
- cruzadas, 76, 80
Pontino, núcleo, 770
Ponto
- cego, 652
- de ajuste para o controle da temperatura, 908
- de equilíbrio, 228, 254
- de referência zero, 145
- focal, 623
- J, 150, 151
Porção de entrada sensorial, 5
Poros, 13, 191
- capilares, 168
- em fenda, 331
- estreitos, 190
- gustativo, 672
- na membrana capilar, 190
- - intercelulares da, 191
- nucleares, 18
Pós-carga, 120
Pós-descarga, 592
- sináptica, 592
Posição de Trendelenburg, 300
Posição-forma-movimento, 651
Potássio, 11, 48, 123, 203, 213, 351, 383, 428, 828, 954
Potência
- da contração muscular, 1071
- muscular, 1071
Potencial(is)
- da placa motora, 93
- de ação, 61, 69, 71, 106, 585
- - com platôs, 105
- - do músculo liso, 105
- - eventos que causam o, 68
- - geração espontânea de, 105
- - início do, 69
- - longo, 111
- - monofásico do músculo ventricular, 133
- - muscular, 95
- - nas células olfatórias, 676
- - neuronais inspiratórios, 528
- - no músculo
- - - cardíaco, 111
- - - liso, 104, 105
- - no neurônio, 65
- - peristáltico, 798
- - processo de geração do, 74

- de difusão, 61
- - do potássio, 65
- de lesão, 151
- de membrana, 61, 104
- - em repouso, 113
- - nas células olfatórias, 676
- - no músculo liso, 104
- de Nernst, 54, 62, 577
- de ondas lentas no músculo liso unitário, 105
- de pico, 105, 785
- de repouso da membrana, 785
- - do corpo celular neuronal, 577
- - dos neurônios, 64
- - em diferentes tipos de células, 62
- de reversão, 63
- elétrico
- - de membrana, 54
- - dentro do corpo celular do neurônio, 578
- endococlear, 664
- limiar, 69
- locais agudos, 74
- pós-sináptico, 579
- - excitatório, 578
- - inibitório, 579
- receptor, 584, 585
- - das células ciliadas e excitação das fibras nervosas auditivas, 664
- - do corpúsculo de Pacini, 586
- - do paladar, 673
- subliminares agudos, 74
- transmembrana, 585
Poupadores de proteínas, 868
Prazosina, 771
Pré-albumina, 943
Pré-carga, 120
Pré-diabetes, 988
Pré-eclâmpsia, 239, 775, 1050
Pré-linfáticos, 197
Pré-pró-hormônios, 915
Pré-processamento
- dos linfócitos T e B, 455
- no timo e na medula óssea, 463
Pré-proinsulina, 973
Precipitação, 460
- e absorção de cálcio e fósforo no osso, 993
- gravitacional, 497
- turbulenta, 497
Prednisona, 954
Preenchimento, 119
Preferência de sabor, 675
Pregnanediol, 1031
Pregnenolona, 954
Prelúdio do vômito, 836
Presbiopia, 627
Pressão(ões), 168, 170, 596
- arterial, 184, 205, 220, 224, 230, 245, 293, 398, 1063
- - a longo prazo, 228
- - alterações causadas pela angiotensina II, 236
- - controle, 227
- - - a longo prazo da, 236
- - durante exercícios, 260

Índice Alfabético

- - - musculares e outros fatores de estresse, 219
- - efeito do sistema nervoso durante o exercício, 247
- - efeito sobre o débito urinário, 357
- - estimulação
- - - parassimpática na, 766
- - - simpática durante o exercício, 259
- - - simpática na, 766
- - mecanismos reflexos para a manutenção da normalidade, 219
- - no choque circulatório, 292
- - normal, 946
- - - e sistema renina-angiotensina, 236
- - pulmonar, 504
- - - diastólica, 501
- - - média, 501
- - - sistólica, 501
- - regulação da, 321
- - renal, 238
- - resposta dos barorreceptores às alterações na, 219
- atrial, 223
- - direita, 187
- - - elevada, 185
- - - normal, 184
- barométricas em diferentes altitudes, 550
- capilar
- - média, 191
- - pulmonar, 501, 504
- circulatórias, 187
- coloidosmótica, 193, 355
- - capilar, 193
- - do interstício renal, 356
- - do líquido intersticial, 195
- - do plasma, 195
- - dos capilares peritubulares, 355
- - efeito das diferentes proteínas plasmáticas sobre, 195
- - intersticial, 193
- - plasmática sistêmica, 355
- crítica de fechamento, 177
- da artéria pulmonar, 500
- de alvéolos ocluídos, 491
- de líquido intersticial, 194
- de oclusão, 501
- de pulso, 180, 181
- de retração, 490
- diastólica, 169, 180
- - final do ventrículo, 118
- do átrio esquerdo, 501
- do líquido intersticial, 194, 199, 200, 505
- - cerebral, 194
- - no tecido subcutâneo frouxo, 195
- - renal, 194
- do liquor, 778
- do ventrículo direito, 500
- dos gases
- - dissolvidos na água e nos tecido, 509
- - em uma mistura de gases, 508
- efetiva
- - de filtração, 193
- - de reabsorção, 196
- gravitacional, 185
- hidrostática, 185, 502

- - capilar, 193, 194
- - da cápsula de Bowman, 333
- - do capilar glomerular, 334
- - do interstício renal, 356
- - do líquido intersticial, 194
- - - renal, 357
- - intersticial pulmonar negativa, 505
- - intra-abdominal, 185
- - intra-alveolar, 489
- - intraocular, 632, 633
- - intrapleural, 489
- - durante a respiração, 250
- - média de enchimento
- - circulatório, 251, 252
- - pulmonar, 274
- - sistêmico, 250-252, 271, 299
- nas diversas partes da circulação, 169
- negativa
- - do espaço pleural, 507
- - do líquido intersticial, 195, 200
- no átrio direito, 250
- no sistema pulmonar, 500
- oncótica, 195
- osmótica, 55, 309
- - do líquido tubular, 417
- parciais
- - alveolares de oxigênio e dióxido de carbono, 515
- - de gases individuais, 508
- - - altas, 558
- pulmonares, 505
- resultante de filtração, 332
- sanguínea, 173
- - elevada, 232
- - métodos de alta fidelidade para medir, 173
- sistólica, 169, 180
- transpulmonar, 490
- vasculares hepáticas, 870
- venosa, 185, 186, 187
- - central, 184
- - da perna, 185
- - estimativa clínica da, 187
- - periférica, 185
Pressorreceptores, 219
Prevenção
- da rejeição do enxerto pela supressão do sistema imunológico, 472
- de alterações extremas da excreção renal, 338
Primeira bulha cardíaca, 118, 282
Primeiro estágio do trabalho de parto, 1053
Primer de RNA, 42
Princípio
- da "via rotulada", 584
- da frequência, 665
- da troca gasosa, 508
- de condução unidirecional, 570
- de Fick, 256
- de Weber-Flechner, 605
- do "tudo ou nada", 70
- do lugar, 664
- do tamanho, 86
- físicos da óptica, 622
- indicador-diluição, 307
- iso-hídrico, 405

- refrativos, 622
Pró-caspases, 43
Pró-coagulantes, 475
Pró-dinorfina, 613
Pró-encefalina, 613
Pró-hormônios, 915
- convertase 1, 967
Pró-opiomelanocortina, 613, 967
Problemas
- de saúde no ambiente interno do submarino, 563
- fisiológicos especiais em submarinos, 563
- funcionais especiais no recém-nascido, 1063
Procaína, 75
Procarboxipeptidase, 813
Processamento
- da informação, 567, 584
- de secreções endoplasmáticas pelo complexo de Golgi, 22
Processo(s)
- anti-inflamatórios, 963
- de aglutinação nas reações de transfusão, 468
- de ejeção na secreção de leite, 1056
- de fosforilação oxidativa, 845
- de transaminação, 866
- infecciosos, 149
- inflamatório, 444, 449, 962, 964
- mecânico de alimentação, 880
- químicos na formação do ATP, 23
Produção
- de calor, 901, 907
- de hemácias, 437, 1019
- de trabalho, 120
Produtos
- finais da
- - digestão das gorduras, 824
- - quebra da hemoglobina, 320
- nitrogenados não proteicos, 1046
- químicos, 50
Proenzimas, 16
Proeritroblasto, 436, 437
Prófase, 41
Profundidade de foco, 627
Progestógenos, 1030
Progesterona, 981, 1026, 1029-1031, 1033, 1054
Proinsulina, 973
Prolactina, 1048, 1054
Prolina, 30
Prolongamento de sinal de um circuito reverberante, 592
Prometáfase, 41
Promotor, 31, 37
- a montante, 37
Pronúcleo
- feminino, 1043
- masculino, 1043
Propagação
- da onda, 661
- do impulso cardíaco, 128
- do potencial de ação, 69
Propiltiouracila, 949
Propranolol, 268
Proprioceptores do pescoço, 705

1111

Índice Alfabético

Propulsão e mistura dos alimentos no trato digestivo, 795
Prosopagnosia, 726
Prostaciclina, 480
Prostaglandinas, 337, 449, 473, 924, 1012
- E_2, 1062
Próstata, 1012
Protanopia, 641
Protease, 465
Proteção
- do corpo, 5
- do fluxo sanguíneo coronariano e cerebral, 293
Proteína(s), 11, 48, 404, 852, 914
- aminoácidos, 863
- básica principal, 452
- C, 480, 481
- carreadoras, 14
- - bicarbonato-cloreto, 526
- - de glicose, 842
- da dieta humana padrão, 822
- de anquilose, 994
- de canal, 48
- de transporte, 48
- desacopladora mitocondrial, 908
- do líquido intersticial, 318
- do plasma, 866
- estruturais, 11, 28
- funcionais, 11
- G, 572, 676, 920
- - inibitórias, 921
- hepáticas, 868
- heterotriméricas de ligação a trifosfato de guanosina, 920
- integrais, 14
- - e periféricas da membrana celular, 14
- ligante de cálcio, 96
- MHC
- - classe I, 462
- - classe II, 462
- para energia, 867
- plasmáticas, 332, 865, 866, 868
- receptoras, 25, 104, 457, 571, 676
- relacionada a agouti, 879
- teciduais, 866
- transdutoras de sinal e ativadoras da transcrição, 921
- transportadoras, 48, 56
- - de glicose 4, 974
- - de aminoácidos, 58
- - de membrana, 52
- trocadora de sódio-hidrogênio, 407
Proteinoquinase(s), 734, 1027
- ativadas por mitógenos, 921
- C, 924
- dependente
- - de AMPc, 923
- - de Ca^{2+}-calmodulina, 91
- - de GMPc, 207
Proteinúria, 332
Proteoglicano, 192, 993
Proteólise, 88, 961
Proteoses, 823
Proto-oncogenes, 44
Protoplasma, 11

Protrombina, 476, 481, 872
Provitaminas, 887
Prurido, 598
Pseudópodos, 25, 447, 474
Psicose, 749
- maníaco-depressiva, 756, 757
Ptialina, 807, 821
Puberdade, 1021, 1037
Pulmão(ões), 401, 488, 501
- de aço, 546
Pulsações de pressão, 180
Pulsos
- de pressão, 181
- - amortecimento dos, 182
- excitatório de íons cálcio, 96
Pupila de Argyll-Robertson, 657
Púrpura(s), 482
- trombocitopênica idiopática, 482
Pus, 451
Putame, 697, 716

Q

Quadros para teste de cores, 642
Quantidade de ingestão de alimentos, 880
Quarta bulha cardíaca, 283
Queimação, 609
Quiasma óptico, 648
Quilomícrons, 830, 850
Quimiorreceptores, 222, 531, 532, 584, 585
- aórticos, 222
- arteriais, 552
- carotídeos, 222
- periféricos, 530
Quimiotaxia, 25, 446, 450, 461
- negativa, 26
Quimiotripsina, 813, 823
Quimiotripsinogênio, 813
Quimo, 798, 801
Quociente respiratório, 527, 876

R

Rabdomiólise, 98
Radiação
- ionizante, 44
- óptica, 648
Radical(is)
- hidroxila, 447
- livres oxidantes, 559
Radioimunoensaio (RIE), 925
Raios infravermelhos, 902
Ramo(s)
- descendente da alça de Henle, 371
- dos feixes esquerdo e direito, 128
Rampa
- média, 660
- timpânica, 660
- vestibular, 660
Ranitidina, 834
Ranolazina, 268
Raquianestesia, 299
- total, 255
Raquitismo, 1001
- causado pela deficiência de vitamina D, 1005

- do adulto, 1005
- renal, 1005
- resistente à vitamina D, 1005
Reabsorção
- ativa, 346, 348
- - secundária, 344
- de água
- - e sal pelos túbulos renais, 275
- - pelos túbulos renais, 354
- de cálcio, 359
- - na alça de Henle e no túbulo distal, 389
- de cloro, ureia e outros solutos, 347
- de sódio, 346, 351, 359
- óssea, 994, 995
- passiva, 348
- - de água por osmose, 346
- renal de sódio, 357
- tubular, 328, 342, 343
- - de sódio, 391
- - proximal, 348, 389
- - renal, 342
Reação(ões)
- acopladas, 840
- acrossômica, 1013
- alérgica generalizada, 465
- anafilactoides localizadas, 465
- de alarme, 219
- - simpático, 770
- de alongamento, 689
- de Cushing, 224
- de hipersensibilidade tardia, 464
- de luta ou fuga, 770
- de suporte positiva, 691
- imunológicas
- - no sangue, 467
- - no tecido transplantado, 471
- inflamatória do pâncreas, 834
- magnética, 691
- pupilares, 657
- - à acomodação, 657
- transfusionais, 468
- - ao fator Rh, 469
- - resultantes da incompatibilidade de tipos sanguíneos, 470
Reaginas, 465
Reajuste(s)
- do centro de regulação hipotalâmico da temperatura, 910
- circulatórios no nascimento, 1061
Reanimação cardiopulmonar, 164
Rebaixamento do nível da cabeça, 300
Receptor(es), 14
- alfa, 263, 764
- alfa-adrenérgicos, 218
- beta, 263, 764
- beta-adrenérgicos, 130, 218
- da dor, 584
- da melanocortina, 879
- da serotonina, 734
- de acetilcolina, 51, 92, 763
- de adaptação lenta, 587
- de baixa pressão, 222
- de citocinas, 921
- de dor, 609
- de estiramento de baixa pressão, 395

Índice Alfabético

- de hormônios ligados à proteína G, 920
- de leptina, 921
- de linfócitos T, 457
- de movimento, 587, 588
- de proteínas, 20
- de retinoide-X, 944, 998
- de variação, 587
- eletromagnéticos, 584, 585
- excitatórios, 104, 571
- - da membrana pós-sináptica, 573
- - hormônio-dependentes, 106
- fásicos, 587
- hormonais, 920
- - intracelulares, 922
- - ligados a enzimas, 921
- inibitórios, 104, 106, 571
- - da membrana pós-sináptica, 573
- irritativos das vias respiratórias, 535
- J dos pulmões, 535
- ligados a canais iônicos, 920
- metabotrópicos, 572
- mineralocorticoides, 958
- muscarínicos e nicotínicos, 763
- nos órgãos efetores, 763
- orais, 881
- químicos nervosos especiais, 531
- sensitivos de estiramento, 326
- sensíveis a cálcio, 388, 1001
- sensoriais, 566, 584, 585
- - de posição, 606
- - musculares, 684
- táteis, 596
- - de terminação expandida, 596
- tônicos, 587
Reciclagem
- de organelas celulares, 21
- de ureia, 372
- de vesículas, 574
Recipientes siliconizados, 483
Recirculação
- através dos pulmões, 289
- da ureia do ducto coletor para a alça de Henle, 370
Recompensa ou punição
- no aprendizado e na memória, 745
- no comportamento, 745
Reconversão de ácido láctico em ácido pirúvico, 847
Recuperação
- da contração muscular na poliomielite, 89
- do glicogênio muscular, 1074
- do(s) sistema(s)
- - aeróbico após o exercício, 1073
- - metabólicos musculares após o exercício, 1073
Rede
- de capilares peritubulares, 322
- de fibrina, 474, 476
Redução
- da taxa de filtração glomerular, 275
- do catabolismo de proteínas e aminoácidos, 931
- do diâmetro pupilar, 627
- do volume sanguíneo, 249
Reflexo(s)

- atriais, 222
- autonômicos, 768, 769
- - na medula espinhal, 692
- - que afetam a atividade intestinal, 804
- autônomos
- - cardiovasculares, 768
- - gastrointestinais, 769
- barorreceptor, 217, 219, 225, 270, 294, 768
- - arterial, 376, 395
- cardiopulmonares, 376
- cardiovasculares no estímulo da secreção de ADH, 376
- circulatório desencadeado por barorreceptores, 219
- cutâneos locais causados pela temperatura, 909
- da medula espinhal, 692
- da tosse, 497
- de atenuação, 660
- de Bainbridge, 121, 223, 245
- de coçar, 692
- de compressão abdominal, 224
- de controle da pressão, 225
- de defecação, 789, 803
- - parassimpático, 803
- de endireitamento da medula, 691
- de estiramento, 687
- - dinâmico, 686, 687
- - estático, 686
- - muscular, 685
- de insuflação de Hering-Breuer, 529
- de marcha, 692
- de mastigação, 795
- de micção, 323, 326
- de retirada, 689
- de volume, 223
- do espirro, 497
- do intestino para a medula espinhal, 789
- do paladar, 674
- do vômito, 837
- duodenocólicos, 803
- em massa, 692
- cntcrogástrico reverso, 812
- extensor cruzado, 690
- flexor, 689
- fotomotor, 657
- gastrocólico, 788, 803
- gastroentérico, 801
- gastroileal, 801
- gastrointestinais, 788
- mioentérico, 791
- multissegmentares, 684
- nervosos
- - enterogástricos do duodeno, 799
- - simpáticos, 293
- patelar, 687
- peristáltico, 791
- peritoniointestinal, 804
- posturais e de locomoção, 691
- pupilares, 657
- quimiorreceptor, 225, 270
- renointestinal, 804
- simpáticos, 278, 294
- tendíneos, 687
- tendinoso de Golgi, 688

- ureterorrenal, 326
- vesicointestinal, 804
- viscerais, 759
Refluxo
- do cólon para o intestino delgado, 802
- gastroesofágico, 797
- vesicoureteral, 425
Reforço, 745
Refração, 622
- da luz índice de refração de uma substância transparente, 622
- dos raios de luz, 622
Refratômetro, 366
Região
- anteroventral do terceiro ventrículo, 375
- da fóvea central da retina, 635
Registro eletrocardiográfico, 138
Regressão de tecidos e autólise de células danificadas, 20
Regulação
- a longo prazo, 882
- automática da sensibilidade da retina, 639
- cardiovascular, 742
- da água corporal, 742
- da alimentação, 875
- da concentração e excreção de potássio no líquido extracelular, 381
- da contração pelos íons cálcio, 101
- da contratilidade uterina e da ejeção de leite pelas mamas, 743
- da distribuição corporal de potássio, 381
- da excreção renal
- - de fosfato, 390
- - e da concentração extracelular de magnésio, 390
- da expressão gênica, 36
- da gliconeogênese, 849
- da glicose sanguínea, 983
- da ingestão de alimentos, 880
- - e do armazenamento de energia, 877
- da liberação de energia dos triglicerídios, 857
- da massa do fígado, 870
- da pressão
- - arterial, 6, 231
- - do liquor pelas vilosidades aracnoides, 778
- - intraocular, 633
- da produção
- - de 1,25-di-hidroxivitamina D_3, 321
- - de eritrócitos, 321
- da reabsorção tubular, 354, 389
- da respiração, 528
- - durante o exercício, 534
- da secreção
- - de pepsinogênio, 811
- - do intestino delgado, 820
- - glandular por hormônios, 806
- - pancreática, 814
- - tubular renal de H^+, 411
- da temperatura corporal, 742, 905
- - e febre, 901
- - e da ingestão de alimentos, 881
- da vasomotricidade, 191
- das concentrações de oxigênio e dióxido de carbono no líquido extracelular, 6

Índice Alfabético

- das funções do corpo, 5
- de potássio, 385
- do bombeamento cardíaco, 120
- do ciclo menstrual feminino, 1035
- do equilíbrio
- - acidobásico, 321
- - hídrico e eletrolítico, 320
- do esvaziamento gástrico, 799
- do ferro corporal total, 440
- do fluxo sanguíneo, 210
- - a longo prazo, 208
- - cerebral, 773
- - durante o exercício, 259
- - no músculo esquelético em repouso e durante o exercício, 258
- - por alterações na vascularização dos tecidos, 208
- do tamanho da célula, 43
- do volume
- - de líquidos, 313
- - sanguíneo e do líquido extracelular, 393
- dos compartimentos de líquidos corporais, 304
- enzimática, 36
- gastrointestinal e alimentar, 743
- genética, 36
- hormonal
- - da utilização de gordura, 857
- - do metabolismo proteico, 868
- intrínseca do bombeamento cardíaco, 121
- nervosa
- - da circulação, 215
- - do débito cardíaco, 247
- neural da secreção salivar, 808
- para baixo (*down-regulation*), 920
- para cima (*up-regulation*), 920
- renal
- - da excreção e concentração extracelular de cálcio, 388
- - de potássio, cálcio, fosfato e magnésio, 381
- respiratória do equilíbrio acidobásico, 405
Regurgitação
- aórtica, 181
- de sangue, 284
- valvar aórtica, 147
Relação
- da pressão com a profundidade do mar, 558
- da velocidade de contração com a carga, 83
- normatizada internacional, 485
- pressão-fluxo, 177
- ventilação-perfusão, 514
- - sobre a concentração de gás alveolar, 515
Relaxamento
- por estresse, 242
- receptivo do estômago, 797
- reverso por estresse do sistema circulatório, 294
Relaxina, 1049
Remoção
- de dióxido de carbono pelos pulmões, 5
- de produtos finais do metabolismo, 5
- do córtex motor primário, 700
- dos quilomícrons do sangue, 850
Remodelação do músculo, 88
Remodelagem

- eutrófica concêntrica, 210
- excêntrica, 211
- hipertrófica, 210
- - excêntrica, 211
- óssea, 994
- - contínua, 996
- vascular, 210
Rendimento durante o exercício, 1078
Renina, 234, 275, 321, 339
Reparo do DNA, 40
Replicação do DNA, 39
- semiconservativa, 40
Repolarização, 66
- dos átrios, 145
- inicial, 112
- rápida, 113
Reposição de cloreto de sódio e potássio, 1080
Reprodução, 6, 913
- celular, 28, 38, 39
Reserpina, 771
Reserva cardíaca, 272, 277
- baixa, 277
Reservatório(s) de sangue
- para a circulação, 187
- específicos, 188
Resinas de ligação, 862
Resistência, 168, 170, 174
- à insulina, 961, 986
- à leptina, 882
- a tração e compressão do osso, 993
- ao fluxo
- - de ar na árvore brônquica, 495
- - sanguíneo, 173, 175, 250
- ao retorno venoso, 252-254
- arteriolar, 175
- do corpo a infecções, 444, 454
- insulínica prolongada, 986
- muscular, 1071
- periférica total, 174
- vascular, 170, 176
- - intrarrenal, 230
- - periférica total, 174, 212, 230, 231, 233, 245, 248, 280
- - - a longo prazo, 230
- - pulmonar, 1062
- - - total, 174
- - renal, 337
- - sistêmica, 1062
- - venosa, 185
Respiração, 487, 533, 947, 1066
- artificial, 546
- atrasada ou anormal ao nascimento, 1060
- com pressão positiva, 250
- contra uma pressão negativa, 250
- de Cheyne-Stokes, 536
- de oxigênio puro na PO_2 alveolar em diferentes altitudes, 551
- no exercício, 1076
- no nascimento, 1060
- periódica, 536
- rápida e profunda, 985
Respirador artificial, 546
Resposta(s)
- à luz, 637
- ao estresse, 769

- de alarme, 769
- dinâmica, 685
- do corpo materno à gravidez, 1049
- estática, 685
- imunológica ao fator Rh, 469
- inflamatória a reações alérgicas, 964
- integradas a alterações da ingestão de sódio, 397
- isquêmica do sistema nervoso central, 224, 225, 294
- liga-desliga, 646
- reflexas subconscientes, 759
- sociais inadequadas, 729
Ressonância, 498
- de alta frequência, 661
- de baixa frequência, 661
- magnética, RM-ASL, 775
- na cóclea, 661
Restrição pulmonar, 539
Retardo sináptico, 582
Retenção
- de cálcio, 1019
- de fosfato pelos rins, 428
- de líquido pelos rins, 271
- renal de sal e água, 236
Retículo
- endoplasmático, 14, 21, 35, 473, 806
- - liso, 15
- - rugoso, 15
- sarcoplasmático, 78, 95
- - do músculo liso, 102
Reticulócito, 436
Retina, 634
Retinite pigmentar, 652
Retinol, 887
Retinopatia da prematuridade, 1067
Retocolite ulcerativa, 836
Retorno venoso, 121, 244, 245, 251
- reduzido, 249
Retração
- do coágulo e expulsão do soro, 477
- elástica dos pulmões, 488
Retroalimentação
- negativa, 689
- positiva, 738
- somatossensorial, 699
Revestimento por muco e ação dos cílios na limpeza das vias respiratórias, 497
Revisão do DNA, 40
Rh-negativo, 469
Rh-positivo, 469
Riboflavina, 205, 888
Ribossomos, 15, 33-35
Rigidez
- cadavérica, 89
- por descerebração, 701
Rigor mortis, 89
Rim(ns), 5, 227, 321, 364, 366, 401, 1059
- artificial, 234
Ritmicidade
- de alguns tecidos excitáveis, 71
- do coração, 130
- elétrica automática das fibras sinusais, 125
- espontânea, 71
Ritmo(s)

Índice Alfabético

- cardíaco, 110
- circadiano da secreção de glicocorticoides, 966
- da respiração, 528
- de onda lenta, 105
- elétrico básico, 798
- - da parede gástrica, 798
- sinusais anormais, 155
RNA, 31
- interferente
- - curto, 34
- - pequeno, 34
- mensageiro, 32
- - precursor, 32
- não codificante, 34
- polimerase, 31
- ribossômico, 32, 33
- silenciador, 34
- transportador, 32
RNI (relação normatizada internacional), 484
Rodopsina, 635-637
Rubor, 911
Ruptura da área infartada, 266

S

Sabor
- amargo, 671, 674
- azedo, 671
- doce, 671
- salgado, 671
- umami, 672
Sacarase, 820
Sacarose, 821
Saciedade, 878
Saco vitelino, 435
Sáculo, 702
Saída motora, 5
Sal(is), 231
- aumento na ingestão de, 233
- biliares, 349, 818, 824
- ósseos, 993
  variações na ingestão de, 236
Saliva, 807
- para a higiene oral, 808
Salpingite, 1041
Sangramento excessivo, 481
Sangue
- arterial sistêmico, 256
- características do, 1063
- do doador, 470
- estagnado, 296
- venoso misto, 256
Sarcolema, 76
Sarcômero, 76
Sarcoplasma, 78
Saturação de hemoglobina com oxigênio em diferentes altitudes, 550
SCUBA (self-contained underwater breathing apparatus), 562
Secreção
- adrenocortical de glicocorticoides, 1048
- ativa secundária nos túbulos, 345
- aumentada
- - da glândula

- - - paratireoide, 1049
- - - tireoide, 1048
- - de corticosteroides, 1048
- biliar, 816
- da saliva, 807
- das glândulas gástricas (oxínticas), 809
- de acetilcolina e noradrenalina, 762
- de ácido gástrico, 834
- de ácidos e bases orgânicas pelos túbulos proximais, 349
- de ACTH, 965
- de água e eletrólitos, 807
- de androgênios, 1016
- de bicarbonato, 828
- de estrogênios pela placenta, 1047
- de hormônios, 853
- de íons
- - bicarbonato, 814
- - na saliva, 807
- de muco pelo intestino grosso, 820
- de paratormônio, 428
- de potássio, 351, 384-387
- de relaxina pelos ovários e pela placenta, 1049
- do fator intrínseco pelas células parietais, 811
- do inibidor de tripsina, 813
- do intestino delgado, 819
- do trato digestivo, 805
- e ativação do pepsinogênio, 810
- esofágica, 809
- gástrica, 809, 810
- - durante o período interdigestivo, 813
- hepática de colesterol, 818
- hipofisária, 1048
- hormonal ovariana reduzida, 1038
- inapropriada de ADH, 373
- pancreática, 813, 815
- pelo plexo corioide, 777
- precursora, 904
- primária, 904
- renal de potássio, 357
- serosa, 807
- tubular, 328
- - renal, 342
Secretina, 789, 790, 792, 800, 801, 812-816, 819, 980
- no controle da secreção biliar, 818
Sede, 377
Segmento(s)
- ascendente da alça de Henle, 365
- espesso, 349
- - da alça de Henle, 350, 368, 372
- delgado da alça de Henle, 322, 372
- descendente
- - da alça de Henle, 368
- - delgado, 349
- diluidor, 350
- espesso da alça de Henle, 349
- externo, 635
- interno, 635
- tubulares, 353
Segunda bulha cardíaca, 118, 282
Segundo(s)
- corpúsculo polar, 1026

- estágio do trabalho de parto, 1053
- mensageiros, 14
Seio(s)
- carotídeo, 219
- coronário, 261
- venosos, 449
Seleção clonal, 464
Selectinas, 450
Sêmen, 1012
Sensação(ões)
- de dor nos ureteres, 326
- de frio, fresco, indiferente, morno e quente, 619
- de vibração, 604
- especiais, 596
- exteroceptivas, 596
- primárias da gustação, 671
- profundas, 596
- proprioceptivas, 596
- sexual, 1014
- somáticas, 596, 607, 609, 616
- táteis, 596
- térmicas, 609
- - termorreceptores, 618
- vestibulares, 701
- viscerais (interoceptivas), 596
Sensibilidade(s)
- direcional das células ciliadas, 702
- específica de receptores, 584
- espectrais dos três tipos de cones, 641
- sináptica, 595
Sensibilização da memória, 732
Sentido(s)
- da audição, 659
- da gustação, 671
- da olfação, 675
- de posição, 605
- - estática, 605
- do tato e de posição, 596
- químicos, 671
Septicemia, 483
Sequência de terminação da cadeia, 32
SERCA2 (sarcoplasmic endoplasmic reticulum calcium ATPase), 114
Serina, 30
Serosa, 784
Serotonina, 106, 449, 452, 575, 613, 719, 734, 750, 756, 757, 801
Sexo do embrião, 1043
Shunt
- AV, 248
- da direita para a esquerda, 288
- da esquerda para a direita, 288
- fisiológico, 516
Sibutramina, 885
Sífilis do sistema nervoso central, 657
Sinal(is)
- auditivos, 600, 664
- centrífugos do sistema nervoso central, 669
- contínuos emitidos, 593
- corticofugais, 607
- de dor
- - e excitabilidade geral do cérebro, 612
- - lenta/crônica, 612
- de feedback do tecido adiposo, 882
- de insuflação pulmonar, 529

Índice Alfabético

- dependentes do nível de oxigênio no sangue, 775
- do reflexo do fuso neuromuscular, 686
- eferente(s)
- - do tipo liga/desliga e desliga/liga do cerebelo, 711
- - rítmico, 593
- excitatórios, 700
- inibitórios, 701
- inspiratório em "rampa", 528
- sensoriais
- - das temperaturas interna e periférica, 906
- - periféricos, 738
- visuais dos dois olhos separadamente, 650
Sinalização intracelular após ativação do receptor hormonal, 920
Sinalizadores
- autócrinos, 914
- parácrinos, 914
Sinapses, 566
- do sistema nervoso central, 569
- elétricas, 569, 570
- inibitórias sobre a membrana pós-sináptica, 579
- no processamento da informação, 568
- químicas, 569, 570
Sincício, 111, 785
- atrial, 111
- ventricular, 111
Síncope vasovagal, 218
Síndrome(s)
- adiposogenital, 1022
- adrenogenital, 970
- aparente do excesso de mineralocorticoide, 965
- clínicas resultantes de lesão dos núcleos da base, 720
- da angústia respiratória, 1061, 1066
- - do neonato, 491, 543, 1066
- da descompressão, 560
- da negligência, 603, 719
- da secreção inapropriada de ADH, 397
- de ausência, 756
- de Bartter, 430
- de Brown-Séquard, 617
- de Conn, 358, 382, 970
- de Cushing, 857, 968, 986, 1005
- - no metabolismo de carboidratos e proteínas, 969
- - tratamento de pacientes com, 970
- de Fanconi, 430
- de Fröhlich, 1022
- de Gitelman, 430
- de Horner, 657
- de Klüver-Bucy, 747
- de Liddle, 431
- de Stokes-Adams, 129, 157, 158
- de Turner, 481
- do choque pulmonar, 297
- do excesso aparente de mineralocorticoide, 957
- do ovário policístico, 986
- do QT longo, 160
- do roubo coronariano, 267
- do seio carotídeo, 156

- metabólica, 279, 986
- nefrótica, 317, 399, 425
- - por lesões mínimas, 426
Síntese
- de glicose, 321
- de gorduras, 856
- de lipídios pelo retículo endoplasmático agranular, 21
- de outras substâncias na célula, 36
- de proteínas, 28, 868
- - celulares, 868
- - pelo retículo endoplasmático granular, 21
- de triglicerídios, 857
Sinusoides
- hepáticos, 869
- sanguíneos, 1044
Sistema(s)
- ABO, 467
- aeróbico, 1073
- anterolateral, 598
- antinatriuréticos, 229, 397
- arterial, 179
- barorreceptor, 6, 219
- capilar, 189
- cardiovascular no exercício, 1078
- circulatório, 555, 1058
- - do sangue, 3
- - materno durante a gravidez, 1049
- coluna dorsal-lemnisco medial, 598, 599, 603, 606
- complemento, 449, 454, 460
- corticorrubroespinhal, 698
- da acetilcolina, 739, 740
- da dopamina, 738
- da noradrenalina, 738, 739
- da serotonina, 738, 739
- de "segundo mensageiro" do neurônio pós-sináptico, 572
- de alavancas do corpo, 87
- de analgesia, 612
- de ativação, 737
- de coagulação sanguínea, 449
- de controle
- - do corpo, 6, 7
- - do cortisol, 966
- - dos barorreceptores, 221
- - ganho de um, 7
- - global do movimento, 721
- de demanda de circuito, 562
- de *feedback* osmorreceptor-ADH, 375
- de fuso neuromuscular, 687
- de isolamento do corpo, 902
- de líquidos do olho, 631
- de macrófagos hepáticos, 871
- de neurotransmissores específicos em transtornos cerebrais, 756
- de referência hexagonal, 141
- de segundo mensageiro
- - da adenilciclase-AMPc, 923
- - do cálcio-calmodulina, 924
- - dos fosfolipídios da membrana celular, 924
- - intracelular, 763
- de supressão da dor, 612
- de tamponamento pressórico, 221

- de transporte e de troca do líquido extracelular, 3
- digestório, 1059
- - intracelular, 15
- do lemnisco medial, 600
- dopaminérgico, 739, 757
- dos macrófagos teciduais, 445
- ductal das mamas, 1054
- endócrino, 5
- excitatório e condutor especializado do coração, 125
- fosfocreatina-creatina, 1072
- funcionais da célula, 19
- genético do DNA, 38
- glicogênio-ácido láctico, 1072
- hipotálamo-hipofisário-ovariano, 1037
- hormonal feminino, 1026
- imunológico, 5
- límbico, 726, 737, 740, 741
- linfático, 189, 193, 197, 200
- metabólicos musculares no exercício, 1072
- mononuclear fagocitário, 444, 447, 448, 873
- motor lateral da medula espinhal, 698
- musculoesquelético, 5
- natriuréticos, 397
- nervoso, 5, 565, 566, 611, 681, 1059
- - autônomo, 5, 215, 567, 759, 770, 904, 981
- - - organização geral do, 759
- - central, 5, 216, 218, 566, 568, 610
- - e controle rápido da pressão arterial, 218
- - entérico, 766, 786, 788, 806
- - - intestinal, 766
- - parassimpático, 215, 759, 760
- - simpático, 215, 276, 336, 359, 395, 759, 902
- - - anatomia fisiológica do, 759
- - - aumento da atividade do, 234
- - - no controle do fluxo sanguíneo cerebral, 775
- neuro-hormonais, 739
- olfatório
- - menos antigo, 678
- - primitivo, 678
- - recente, 678
- opioide do encéfalo, 613
- ossicular, 659
- parassimpático, 769
- Purkinje, 129
- - ventricular, 127
- quimiorreceptor periférico, 531
- quimiosmótico oxidativo das mitocôndrias, 854
- reguladores para a alimentação, 882
- renina-angiotensina, 234, 235, 275
- respiratório, 4, 401, 1058, 1063
- reticular
- - ativador do tronco encefálico, 666
- - medular, 701
- - pontino, 700
- reticuloendotelial, 447, 873
- rim-volume, 227
- talamocortical, 724
- tampão, 401
- - amônia, 410
- - bicarbonato, 402-404
- - fosfato, 404

Índice Alfabético

- tegumentar, 5
- tubular, 95, 322
- túbulo transversal-retículo
    sarcoplasmático, 95
- urinário, 320
- vascular, 394
- - e linfático do fígado, 870
- vasoconstritor, 216
- - simpático, 216
- vasodilatador simpático, 218
- venoso, 179
Sístole, 115, 261
- atrial, 283
Sítios de liberação, 571
Sódio, 11, 48, 191, 826
Solução
- de dextrana, 300
- hipertônica, 312
- hipotônica, 312
- salina hipertônica, 312
Somação, 578
- da excitação e inibição nos dendritos, 581
- de forças, 86
- espacial, 580, 589
- - de sensações térmicas, 619
- - dos impulsos, 665
- por frequência, 86
- por múltiplas fibras, 86
- temporal, 589
Somatomamotrofina coriônica
    humana, 1048, 1054
Somatomedinas, 933
Somatostatina, 934, 972, 983
Somatotrofina, 930
Somatotrofos, 928
Sono, 749, 751, 947
- de ondas lentas, 749
- dessincronizado, 749, 754
- paradoxal, 749
- REM, 749, 751
- taxa metabólica, 899
Sons
- de Korotkoff, 182, 183
- do coração e batimento cardíaco, 118
Sopro(s)
- cardíacos, 285
- - causados por lesões valvares, 285
- diastólico
- - da estenose mitral, 285
- - de insuficiência aórtica, 285
- em maquinário, 289
- sistólico
- - da insuficiência mitral, 285
- - de estenose aórtica, 285
Soro, 477
Submarinos, 563
Submucosa, 784
Substância(s)
- antitireoidianas, 949
- bloqueadoras ganglionares, 771
- bociogênicas, 951
- de reação lenta da anafilaxia, 452, 465
- fundamental amorfa, 22, 993
- gelatinosa, 612
- lipossolúveis, 191

- negra, 739
- neuro-hormonais secretadas no cérebro, 740
- neurotransmissoras específicas nos
    núcleos da base, 719
- P, 612
- parassimpaticomiméticas que atuam nos
    órgãos efetores colinérgicos, 771
- que bloqueiam a atividade adrenérgica, 771
- que causam liberação de noradrenalina pelas
    terminações nervosas, 771
- que estimulam os neurônios
    pós-ganglionares
- - autônomos, 771
- - simpáticos e parassimpáticos, 771
- que têm efeito potencializador
    parassimpático, 771
- químicas, 44
- - exógenas, 320
- quimiotática, 26
- - de eosinófilos, 465
- - de neutrófilos, 465
- reticular, 697
- simpaticomiméticas, 770
- transmissora(s), 570
- - do tipo segundo mensageiro, 674
- - possivelmente relacionadas ao sono, 751
Substrato de renina, 235
Sudorese, 904, 907
- local, 909
Sulfato, 11, 428
- de bilirrubina, 873
- de condroitina, 22, 993
Sulfeto de hidrogênio, 830
Superdosagem de anestésicos
    e narcóticos, 535
Superfície
- endotelial, 479
- ventral do bulbo, 530
Supernutrição infantil, 884
Superóxido, 447
- dismutases, 560
Suprarregulação automática de receptores
    sinápticos, 595
Supressão
- da imagem visual de um olho
    disfuncional, 656
- de podócitos, 332
- dos ciclos ovarianos femininos, 1055
- hormonal da fertilidade, 1040
Suprimento sanguíneo
- coronariano, 261
- da retina, 636
Surdez, 669
- de palavras, 730
Surfactante, 491, 1061
Surto peristáltico, 801
Sustentação do corpo contra a gravidade, 700

T

Tabagismo, 1077
Tabelas de descompressão, 561
Tacrolimo, 472
Tálamo, 599, 600, 607, 611, 612, 724, 738
Tampão, 401

- acidobásico, 434
- de ferro no sangue, 872
- do ATP, 894
- fosfato, 409
- - e amônia, 409
- plaquetário, 473, 474
Tamponamento
- cardíaco, 250, 267
- do cálcio intercambiável nos ossos, 1003
- do íon hidrogênio nos líquidos
    corporais, 401
Tanque respiratório, 546
Taquicardia(s), 155, 158
- atrial paroxística, 161
- nodal paroxística, 161
- paroxística, 160, 161
- supraventriculares, 161
- ventricular, 161
TATA box, 37
Taxa(s)
- de absorção de oxigênio, 256
- de deposição do osso por "estresse"
    ósseo, 996
- de difusão de gases pela membrana
    respiratória, 514
- de esvaziamento gástrico, 799
- de filtração glomerular, 330, 332-334, 336,
    337, 340, 341, 360, 361, 391
- de fluxo
- - da linfa, 198
- - sanguíneo, 168, 258
- de metabolismo basal, 898
- de reabsorção, 354
- de secreção
- - glandular no trato digestivo, 806
- - hormonal, 918
- - média de fluxo sanguíneo, 191
- - metabólica, 896
- - basal, 946, 1019
- - dos neurônios, 780
- - dos tecidos, 213
- - total do cérebro, 780
Teca
- externa, 1027, 1028
- interna, 1027
Tecido
- adiposo, 853
- linfoide, 444
Telófase, 41
Telomerase, 42
Telômeros, 42
Temperatura
- corporal, 901, 906, 1064
- - no exercício, 1080
- - normal, 901
- cutânea, 908
- da pele, 901
- e funcionamento do coração, 123
- interna, 908
- - normal, 901
- na espermatogênese, 1014
- no interior do corpo, 901
Tempo
- de coagulação, 484
- de protrombina, 484

Índice Alfabético

- de sangramento, 484
- de vida dos leucócitos, 445
Temporizadores circadianos, 918
Tendência hereditária ao câncer, 44
Tênias do cólon, 802
Tensão
- de cisalhamento, 207
- - vascular, 178
- na parede vascular, 177
- superficial, 491
Teobromina, 582
Teofilina, 582
Teoria
- básicas do sono, 750
- da catraca, 81
- da demanda
- - de nutrientes, 204
- - de oxigênio, 203-205
- da vasodilatação, 203, 205
- glicostática da regulação da fome e da alimentação, 881
- metabólica, 206
- miogênica, 206
Terapia
- de reposição, 300
- imunossupressora de anticorpos, 472
Terazosina, 771
Terceira bulha cardíaca, 283
Terminação(ões), 40
- aferente primária, 685
- aferente secundária, 685
- anuloespiral, 685
- de Ruffini, 597
- do trato neoespinotalâmico, 611
- nervosas
- - livres, 596, 609
- - - mecanoceptivas, 598
- - pós-ganglionares, 762
- - simpáticas, 760
- primária, 685
- secundária, 685
Terminal(is)
- central de Wilson, 137
- nervosos ramificados, 91
- pré-sinápticos, 570, 571
Termogênese, 907
- não provocada por calafrios, 899
- química, 907, 908
- sem calafrios, 907
Termogenina, 908
Termorreceptores, 584, 585, 619
Teste(s)
- da dexametasona, 969
- de coagulação sanguínea, 484
- de esforço, 277
- de tolerância à glicose, 988
- diagnósticos para o
- - hipertireoidismo, 950
- - hipotireoidismo, 952
Testículos fetais, 1047
Testosterona, 868, 1011, 1016-1018, 1021, 1029, 1070
- degradação e excreção da, 1017
- desenvolvimento fetal, 1018
- na voz, 1018

- pelo hormônio luteinizante, 1020
Tetania
- hipocalcêmica, 388
- muscular, 69
- no raquitismo, 1005
Tetanização, 86
Tetracaína, 75
Tetracloreto de carbono, 422
Tetraetilamônio, 771
Tetralogia de Fallot, 147, 289
Tiamina, 205, 887
Tiazolidinedionas, 987
Timina, 28, 30
Timo, 455
Tiocianato, 808, 949
Tipagem
- sanguínea, 469
- tecidual, 471
Tipos sanguíneos, 467
- do sistema ABO, 467
- do sistema Rh, 469
Tique doloroso, 616
Tiramina, 771
Tireoestimulante, 940
Tireoglobulina, 917, 940, 941
- armazenamento de, 942
Tireoperoxidase, 942
Tireotoxicose, 949
Tireotrofina, 928, 947, 1048
Tireotrofos, 928
Tirosinoquinase, 921, 974
Tiroxina, 868, 925, 940-943
Titina, 76, 78
Tolerância imunológica, 463, 464
Tonometria, 632
Tônus
- da parede vesical, 326
- do músculo esquelético, 87
- simpático e parassimpático, 767
- vasoconstritor simpático, 217
- vasomotor, 217
Topiramato, 885
Topoisomerase, 40
Toque, 596
Tórax
- em barril, 543
- em tonel, 543
Torção do ventrículo esquerdo, 111
Torsade de pointes, 160
Toxemia gravídica, 239, 1050
Toxicidade
- cardíaca, 958
- do dióxido de carbono em grandes profundidades oceânicas, 560
- do oxigênio
- - ao sistema nervoso, 559
- - em altas pressões, 559
Toxina
- botulínica, 94
- da cólera, 828
Trabalho, 83
- da ventilação, 517
- de complacência, 492
- de parto, 1052
- de pressão de volume, 118

- de resistência
- - das vias respiratórias, 492
- - de resistência tecidual, 492
- elástico, 492
- externo, 118, 120
- respiratório, 492
- sistólico
- - do coração, 118, 119
- - externo, 120
Traços de memória, 732
Tradução, 28, 34
Trajeto
- paracelular, 343, 347
- transcelular, 343
Transaminação, 867
Transcitose, 190
Transcortina, 956
Transcrição, 31
- do código genético, 28
- gênica, 572
- nuclear de DNA, 931
Transcriptase reversa, 45
Transdução do estímulo sensorial em impulsos nervosos, 584
Transdutores, 173
Transeção da medula espinhal, 693
Transferência de calor, 902
Transferrina, 440
- plasmática, 440
Transfusões, 467
- de plasma, 300
- de sangue, 300
- - total fresco, 482
Transmissão
- de alterações na intensidade luminosa, 646
- de impulsos das terminações nervosas, 91
- de ondas sonoras na cóclea, 661
- de sensações de variação rápida e repetitivas, 604
- de sinais
- - de cor pelas células ganglionares, 647
- - de sabor para o sistema nervoso central, 674
- - do córtex motor
- - - à medula espinhal, 698
- - - para os músculos, 696
- - em troncos nervosos, 72
- - olfatórios para o
- - - bulbo olfatório, 677
- - - sistema nervoso central, 677
- - por grupos neuronais, 590
- - sensoriais pela via anterolateral, 606
- - táteis, 597
- - térmicos no sistema nervoso, 619
- do impulso cardíaco, 128
- do som pelo osso, 660
- e processamento de sinais em grupos de neurônios, 589
- neuromuscular, 91
- pela via anterolateral, 607
- pelo sistema coluna dorsal-lemnisco medial, 598
- rápida do impulso cardíaco, 127
- sináptica, 582

Índice Alfabético

- - características especiais da, 582
- - hipóxia sobre a, 582
- - substâncias sobre a, 582
Transmissor(es)
- de molécula pequena, 574, 576
- excitatório, 572
- inibitórios, 572
- parassimpático, 762
- simpático, 762
- sinápticos, 574
Transplante
- de órgãos, 467, 471
- de tecidos, 471
- ou diálise com rim artificial, 431
Transportador(es)
- de glicose, 344, 979
- de sódio, 344
- de ureia, 347, 353, 369
- - UT-A2, 370
- hidrogênio-potássio ATPase, 384
Transporte
- ativo, 14, 19, 49, 56, 59, 343
- - através das camadas celulares, 59
- - de aminoácidos para as células, 865
- - de íons sódio e potássio, 64
- - de substâncias através das membranas, 56
- - primário, 56, 343, 409
- - - de íons cálcio, 57
- - - de íons hidrogênio, 57
- - secundário, 56, 58, 343, 345, 865
- da água por osmose, 827
- da glicose através da membrana celular, 841
- da urina pelos ureteres, 326
- de aminoácidos através das membranas celulares, 931
- de CO_2
- - ligado à hemoglobina e proteínas plasmáticas, 526
- - na forma de íon bicarbonato a anidrase carbônica, 525
- - no estado dissolvido, 525
- - pelo sangue, 525
- de hormônios no sangue, 919
- de oxigênio, 523
- - dos pulmões até os tecidos do organismo, 518
- - e dióxido de carbono, 518
- - em estado dissolvido, 524
- - no sangue arterial, 519
- de solutos e água na alça de Henle, 349
- de substâncias através das membranas celulares, 48
- do óvulo fertilizado na tuba uterina, 1043
- e armazenamento de ferro, 440
- gradiente-tempo, 346
- máximo
- - de substâncias, 345
- - para substâncias com secreção ativa, 346
Transtorno bipolar, 757
Traqueia, 495
Tratamento
- da dor por meio de estimulação elétrica, 614
- da insuficiência renal, 431
Trato(s)
- corticoespinhal(is), 694, 696

- - laterais, 696
- - ventrais, 697
- corticorrubro, 697
- de Lissauer, 619
- dos núcleos ventrolateral e ventroanterior do tálamo, 697
- espinocerebelar
- - dorsal, 709
- - ventral, 709
- neoespinotalâmico, 611
- ópticos, 648
- paleoespinotalâmico, 611
- - de transmissão da dor lenta/crônica, 611
- piramidal, 696
- reticuloespinhal pontino, 701
- retino-hipotalâmico, 744
- rubroespinhal, 697
- solitário, 674
- urinário, 321
- vestibuloespinhais lateral e medial, 701
Trauma mecânico, 149
Traumatismo sanguíneo, 478
Treinamento de resistência máxima, 1075
Tremor
- contínuo, 654
- dos globos oculares, 716
- muscular, 947
Tri-iodotironina, 925, 940-944
Triângulo de Einthoven, 136
Triantereno, 351, 419, 420
Trifosfato de adenosina, 17, 473, 533, 676, 840, 853, 893, 1072
Trifosfoinositol, 924
Triglicerídeos, 12, 823, 824, 850, 852, 853, 856
- dos quilomícrons, 851
Trígono, 324
Tripeptídios, 829
Tripsina, 813, 823
Tripsinogênio, 813
Triquinose, 452
Troca(s)
- capilares, 189
- de líquido
- - através da membrana capilar, 195
- - e equilíbrio osmótico, 309
- - nos capilares pulmonares, 505
- de minerais nos dentes, 1007
- por contracorrente nos vasos retos, 370
Trocador de sódio-hidrogênio, 345
Trombina, 476
Trombo(s), 264, 482
Trombocitopenia, 453, 478, 482
Trombócitos, 445, 473
Trombomodulina, 480
Tromboplastina tecidual, 478
Trombose
- coronária aguda, 152
- secundária do vaso, 264
- venosa profunda, 482, 483
Tromboxano A_2, 473, 474
Trompas de Falópio, 1024
Tronco(s)
- encefálico, 611, 612, 674, 694, 700, 713, 737, 738, 759
- simpáticos, 215

Tropomiosina, 80
Troponina, 80
Tubas uterinas, 1024
Tuberculose pulmonar, 543
Tubo gastrointestinal, 4, 5
Tubulina, 17
Túbulo(s)
- coletor(es), 342, 365, 409
- - corticais, 351, 352, 372, 383
- conectores, 359
- contorcido
- - distal, 342
- - proximal, 342
- dentinários, 1006
- distal, 322, 350, 359, 365, 369, 383, 409
- - porção final, 351, 372
- - porção inicial, 59, 348, 365, 372
- proximal, 322, 371
- seminíferos, 1009
- T, 114
- transversais, 95, 113
Tumor(es)
- acidófilos, 929
- de células da granulosa, 1039
- do epitélio germinativo, 1022
- testiculares, 1022
Turbilhonamento do sangue, 285

U

Úlcera
- gástrica, 833
- marginal, 833
- péptica, 833, 834
Ulceração, 834
Ultrafiltração, 343
Umami, 672
Úncus, 741
Unidade(s)
- central de processamento, 569
- de distensibilidade vascular, 179
- de resistência, 173
- em decibéis, 665
- formadora de colônias de eritrócitos, 436
- funcional
- - básica, 566
- - do córtex cerebelar, 710, 711
- motora, 85
- padrão de pressão, 173
- respiratória, 512
Uracila, 31
Urato, 349
Ureia, 320, 347, 369, 1046
Uremia, 428
Uretra, 1009
- posterior, 324
- prostática, 1009
Urina concentrada, 369
Urobilina, 830
Urobilinogênio, 873, 874
Urticária, 465
Usinas de energia da célula, 25
Uso abusivo de diuréticos, 313
Útero, 1024, 1032
Utrículo, 702

Índice Alfabético

V

Vagina, 1024
Valva(s), 282
- aórtica, 117
- atrioventriculares, 117
- cardíacas, 110, 117
- estenosada, 284
- mitrais, 117
- - cúspide, 117
- pulmonar, 117
- semilunares, 117
- tricúspide, 117
Válvula(s)
- coniventes, 825
- ileocecal, 802
- venosas, 186
Vapor de água, 550
Varfarina, 483
Variabilidade fisiológica, 9
Variação(ões)
- de voltagem, 51
- no fluxo sanguíneo em diferentes tecidos e órgãos, 202
- química (ligante), 51
Varicosidades, 762
Varizes, 187
Vascularização, 210, 213, 235
Vasoconstritores, 212, 213
Vasodilatação, 213, 220
- dos vasos sanguíneos da pele, 907
- induzida pelo, 912
- local, 909
- periférica, 421, 888
Vasodilatadores, 213, 218, 241
- simpáticos, 218
Vasomoção, 204
Vasomotricidade, 190, 191
Vasopressina, 106, 177, 212, 294, 353, 364, 743, 928, 937, 938
Vasos
- brônquicos, 500
- linfáticos, 319
- portais hipotalâmico-hipofisários, 929
- pulmonares, 500
- retos, 371
- sanguíneos, 168
- - portais hipotalâmico-hipofisários da adeno-hipófise, 929
- - sistêmicos, 766
- sistêmicos, 169
Vazamento de potássio pela membrana da célula nervosa, 64
Veia(s), 169, 179, 218
- aquosas, 632
- arqueada, 322
- cardíacas
- - anteriores, 261
- - mínimas, 261
- central, 869
- interlobar, 322
- interlobular, 322
- intestinais e mesentéricas, 794
- pulmonares, 501

- renal, 322
- varicosas, 186, 187
Velocidade
- de condução
- - do sinal no músculo cardíaco, 113
- - nas fibras nervosas, 73
- do fluxo sanguíneo, 169
- efetiva da difusão, 53
Ventilação
- alveolar, 405, 494, 531, 533
- mecânica, 546
- pulmonar, 488
- - limites da, 1076
- - no exercício, 1076
- - total, 1076
Ventrículo, 110, 116, 127
- direito, 118
- hipertrofiado, 146
- normal, 146
Vênulas, 168
Vermis, 708, 713
- cerebelar, 666
Vértebras, 555
Vesícula(s), 375
- biliar, 816
- de transporte, 15, 22
- digestiva, 20, 447
- do retículo endoplasmático, 15, 22
- fagocitária, 20
- fagocítica flutuante, 447
- intracelulares, 23
- formadas pelo complexo de Golgi, 22
- pinocitária, 20
- pinocíticas, 825, 942
- plasmalêmicas, 190
- secretoras, 16, 22, 806
- seminais, 1009, 1012
- sinápticas, 91
- transmissoras, 571
Vestibulocerebelo, 713
Vetor
- despolarização dos ventrículos e, 142
- médio instantâneo, 140
- projetado, 141
- QRS médio, 141, 146
- resultante no coração, 140
Vetorcardiograma, 145
Via(s)
- aferentes
- - cerebelares, 708
- - da periferia, 709
- - de outras partes do cérebro, 708
- anterolateral, 606
- clássica, 460
- da pentose fosfato, 848
- de condução unilateral, 128
- de dor
- - aguda, 610
- - crônica, 610
- de transmissão das dores
- - parietais abdominal e torácica, 616
- - visceral e parietal, 615
- dos bastonetes, 643
- duplas de

- - dor na medula e no tronco encefálico, 611
- - transmissão de sinais de dor, 610
- eferentes, 710
- - cerebelares, 710
- espino-olivar, 709
- espinorreticular, 709
- extrínseca da coagulação sanguínea, 477
- glicolítica, 843
- interatriais, 127
- internodais, 127
- - anterior, média e posterior, 127
- intrínseca da coagulação sanguínea, 478
- nervosas auditivas, 666
- neurais
- - dos circuitos do putame, 717
- - para controle dos movimentos oculares, 653
- - provenientes do córtex motor, 697
- olfatórias primitivas, 678
- paleoespinotalâmica, 612
- parietal, 615
- respiratórias, 495
- sensitivas de transmissão de sinais somáticos para o sistema nervoso central, 598
- sensoriais aferentes do córtex motor, 697
- ubiquitina-proteassoma dependente de ATP, 88
- visceral verdadeira, 615
- visual dos cones, 643
Vibração, 596, 597
Vida sexual masculina adulta, 1021
Vigília intensa, 751
Vilosidades, 825
- aracnoides, 777, 778
- do intestino delgado, 823
- placentárias, 1044
Vírus
- da gripe H1N1, 458
- da hepatite B e da hepatite C, 44
- da imunodeficiência humana, 44, 462
- da leucemia de células T humanas, 44
- Epstein-Barr, 44
Visão
- binocular, 631
- em cores, 641
- normal, 627
Vísceras insensíveis, 615
Viscosidade do sangue, 176
Vista curta, 628
Vitamina, 875, 887, 946
- A, 636, 887
- B_1, 887
- B_2, 888
- B_3, 888
- B_5, 888
- B_6, 889
- B_9, 438, 889
- B_{12}, 438, 889
- C, 889
- D, 428, 828, 890, 990, 996, 998, 1003, 1065

Índice Alfabético

- - ações da, 997
- - ativa, 428
- D_3, 996
- E, 890
- K, 476, 481, 890, 1060
Vocalização, 498
Volemia, 306, 398
- normal ou diminuída, 398
Voltage clamp, 67
Voltagem
- diminuída
- - causada por condições que circundam o coração, 149
- - causada por miopatias cardíacas, 148
- - no eletrocardiograma, 148
- normais no eletrocardiograma, 134
Volume(s)
- ao nível do mar, 558
- celular, 57
- corrente, 492, 494
- de líquido extracelular, 398
- de reserva
- - expiratório, 493

- - inspiratório, 493
- de urina obrigatório, 366, 373
- diastólico final, 117, 119
- do espaço morto normal, 495
- expiratório forçado, 540
- globular, 306
- minuto, 494
- pulmonares, 492
- residual, 493, 494, 543
- sanguíneo, 271, 306, 501
- - na circulação, 169
- sistólico, 1079
- - final, 117, 119
Vômito, 313, 836
- de conteúdo gástrico, 415
- de conteúdo intestinal, 414
- induzido por fármacos ou por enjoo, 837
Voo espacial, 549, 550

W

Wuchereria bancrofti, 315

X

Xametônio, 255
Xenoenxerto, 471

Z

Zinco, 891
Zona(s)
- de descarga da fibra aferente, 590
- de West, 503
- excitada, 590
- facilitadas, 590
- fasciculada, 954
- fetal, 1047
- inibitória, 591
- intermediárias, 708
- liminar, 590
- pelúcida, 1013, 1043
- periventricular do hipotálamo e no hipotálamo lateral, 745
- quimiorreceptora de gatilho, 837
- reticular, 954
- sublimiares, 590